2024年 2月 2日 改訂新版

건축법 해설

최한석 · 김수영 共著

inup 한솔아카데미

2024년 개정신판 「건축관계법규」에 관하여...

Ⅰ. 총 3권으로 구성

■ 2024년판 건축관계법규는

1권 「건축법」 상세해설

「건축법」을 알기 쉽고, 보기 쉽게 그림과 도표로 해설. 건축관계법에서 규정하고 있는 건축물의 시설기준을 수록. 질의회신, 법제처 법령해석, 대법원 판례 등 수록

2권 관계법 요약해설

「국토의 계획 및 이용에 관한 법률」·「주차장법」·「주택법」·「도시 및 주거환경정비법」·「건축사법」·「장애인·노인·임산부등의 편의증진보장에 관한 법률」·「소방시설 설치 및 관리에 관한 법률」에 대한 장별·조항별 요약해설 수록

3권 3단 법령집

「건축법」·「건축물관리법」·「녹색건축물 조성 지원법」·「국토의 계획 및 이용에 관한 법률」·「주차장법」·「주택법」·「도시 및 주거환경정비법」·「건설기술진흥법」·「건축사법」을 법·령·규칙 3단으로 정리하고, 관련되는 질의회신·법령해석·관계법 조항·그림예시 등을 수록

Ⅱ. 법령과 서식의 CD수록

■ 2024년판 건축관계법규는

건축 관련 법규·지침·고시 및 지방자치단체 조례 등과 각종 서식을 별첨 CD에 수록

Ⅲ. 사용자 편의를 고려한 구성

■ 2024년판 건축관계법규는

1. 해설편을 건축법 상세 해설편과 건축관계법 요약 해설편으로 분권하여 사용과 휴대가 편리하도록 제작
2. 건축법 상세 해설편에서는
   - 건축법의 개정내용을 확인하기 쉽게 시행 중인 것은 밑줄 표시, 시행 예정인 것은 음영 처리
   - 질의회신, 법령해석, 판례를 보기 쉽게 정리
3. 법령의 내용을 알기 쉽고, 보기 쉽게 그림과 도표로 정리

이 책의 구성에 관하여...

알기쉬운 상세해설

■ 1권「건축법」의 체계적인 상세해설
① 관련법조항의 연계수록 (법, 령, 칙)
② 그림과 도표를 활용, 내용을 쉽게 이해하도록 정리
③ 각 조항별 관련법조항을 발췌 수록
④ 최근 및 이전의 질의·회신, 법제처 법령해석 및 판례를 수록하여 법조항의 올바른 이해와 해석에 도움

■ 2권 관계법(7개법)의 요약해설

■ 1권 부록 건축법 하위 법령 및 관련 고시, 서울특별시 건축조례 등을 수록

■ 2권 부록 특별시·광역시 도시계획조례 등을 수록

3단 법령집의 활용

1.「건축법」및 관계법의 3단 수록
① 법·령·규칙 등
② 별표
③ 관계법 관련조항
④ 질의회신, 법령해석 등
⑤ 개정내용 밑줄 및 음영 처리
⑥ 관련기준 명시

2. 수록된 법령
① 건축법
② 건축물관리법
③ 녹색건축물 조성 지원법
④ 국토의 계획 및 이용에 관한 법률
⑤ 주차장법
⑥ 주택법
⑦ 도시 및 주거환경정비법
⑧ 건설기술진흥법
⑨ 건축사법

관련법CD의 활용

1.「건축법」과 관련된 관련법 규정, 지침, 고시, 조례 등을 체계적으로 CD에 수록

2. 관련법 순서에 따른 배열과 이에 관한 목차를 수록, 신속한 검색이 용이하게 구성

3.「건축법」및 관련법의 별표·서식 등을 수록, 사용의 편리성 고려

■ 종합법령 CD보기 및 활용 참조 (책 뒷면)

이용시 주의사항

1. 이 책의 해설편은 2024. 2.2까지 개정된 내용을 반영함

2. 1권 2편과 3권은 2024. 2.2까지 개정된 내용을 반영함

3. 빈번한 법 및 고시 등의 개정으로 최신 규정의 확인 필요

4. 질의·회신, 법제처 법령 해석 및 판례는 법령의 이해를 돕기 위해 최신 자료를 우선하여 수록하였으며, 현행 규정의 확인 필요

감사의 마음을 전하며...

인곡정사(仁谷精舍)__겸재 정선(謙齋 鄭敾)

갑진년 (甲辰年) 푸른 용의 해 2월. 23차 개정판을 출간합니다.
올해에도 건축관계법규 개정판을 출간할 수 있도록 응원해 주신 독자여러분께 깊이 감사드립니다. 국내외 어려운 경제사정과 부동산 경기의 침체로 건설시장이 마치 오랜 겨울 속에 있는 듯합니다. 그러나, 겨울 뒤에 봄이 오듯이 건설분야의 추운 겨울이 가고 푸른 용이 비상하는 새해 봄을 시작으로, 모든 건설인의 희망이 열리기를 바랍니다.

이번 개정판에서는

1. 「건축법」의 경우 가설건축물 축조에 대한 지방건축위원회의 심의 생략, 일조 등의 확보를 위한 건축물의 높이 제한 규정 완화, 단독주택, 공동주택 등의 지하층에 거실 설치 금지, 아파트의 대피공간의 바닥면적 산정 기준 강화 및 공사현장의 부실감리 방지를 위해 건축사보 배치현황에 대한 허가권자의 확인의무 강화 등 개정이 있었습니다.
2. 「국토의 계획 및 이용에 관한 법률」의 경우 자연녹지지역에서 농수산물 가공 · 처리시설 등을 설치시 건폐율을 40%까지 완화하며, 계획관리지역에 지구단위계획이 수립된 경우 제조업소, 공장 등을 설치할 수 있도록 하고, 도시계획시설의 명칭을 변경하는 경우 도시계획위원회의 심의를 거치지 않도록 절차를 간소화 하였습니다.
3. 「주차장법」에서는 전용주차구획을 정할 수 있는 자동차에 승용차공동이용 자동차를 추가하고 기계식 주차장의 수시검사 제도 도입, 보수원에 대한 안전교육 이수 의무, 관리자의 보험 가입 의무를 신설하였고, 주차대수 50대 이상인 지하식, 건축물식 주차장의 경사로에 완화구간을 설치하고, 오르막 경사로의 종단경사도를 완화하는 등의 규정이 신설되었습니다.
4. 「도시 및 주거환경정비법」에서는 재건축사업의 범위에 관한 특례에서 기준이 되는 토지 등 소유자의 수에서 기준일의 다음 날 이후에 소유권 취득자를 제외하고, 시공자 선정을 위한 입찰에 참가하는 건설업자 등이 토지등소유자에게 합동설명회를 2회 이상 개최하도록 하는 등 규정이 신설되었습니다.
5. 국토교통부의 질의회신, 법제처 법령해석 및 대법원 판례 등 최근 자료를 발췌하여 수록하였습니다.

제23회 개정판의 완성을 위해 한솔아카데미 한병천 사장님, 이종권 전무님, 안주현 부장님, 강수정 실장님, 문수진 과장님, 한민정 주임님 등 임직원분들의 많은 지원과 노력이 있었고, 조남두 교수님의 도움이 컸습니다. 모든 분들께 감사드립니다.

2024년 2월
저자 일동

목 차

建築法 解說

第1編 建築法 解說

제7장 건축물의 설비 등 *1-1093*

제8장 특별건축구역 등 *1-1172*

제9장 보 칙(건축물관리법 관련 내용 발췌 해설) 1-1228

제10장 벌 칙 1-1315

第2編 建築法 關聯 基準

찾 아 보 기

建築法(第1編 解說)

가

나

다

라

마

바

사

아

자

차

카

타

파

하

건축법 해설

제 I 편

건축법 해설

최종개정 : 건 축 법 2023. 12. 26.
<시행 2024. 3.27.>

시 행 령 2023. 9. 12.
<시행 2024. 9.13.>

시 행 규 칙 2023. 11. 1.
<시행 2024. 3.13.>

건축물의 설비기준 등에 관한 규칙 2021. 8. 27.

건축물의 구조기준 등에 관한 규칙 2021. 12. 9.

건축물의 피난·방화구조 등의 기준에 관한 규칙 2022. 4. 29.
<시행 2023. 8.31.>

건축물관리법 2023. 4. 18.
<시행 2023. 7.19.>

목 차

총 칙

1 「건축법」의 목적

법 제1조【목적】
이 법은 건축물의 대지·구조·설비 기준 및 용도 등을 정하여 건축물의 안전·기능·환경 및 미관을 향상시킴으로써 공공복리의 증진에 이바지하는 것을 목적으로 한다.

영 제1조【목적】
이 영은 「건축법」에서 위임된 사항과 그 시행에 필요한 사항을 규정함을 목적으로 한다.
[전문개정 2008.10.29]

규칙 제1조【목적】
이 규칙은 「건축법」 및 「건축법 시행령」에서 위임된 사항과 그 시행에 필요한 사항을 규정함을 목적으로 한다. <개정 2012.12.12>

해설 「건축법」은 건축물에 관한 법이므로 건축물로 정의되는 것에 적용되는 법이다.
따라서, 건축물이 건축되는 대지, 건축물의 구조, 건축물에 사용되는 설비와 건축물의 용도 등이 규정되어 있다. 또한 「건축법」은 계획·설계·구조·설비 등에 관한 최저기준을 규정하여 건축물의 안전·기능·환경 및 미관을 향상시키고, 나아가서 공공복리증진의 구현을 목적으로 한다.

■ 「건축법」의 목적 및 내용

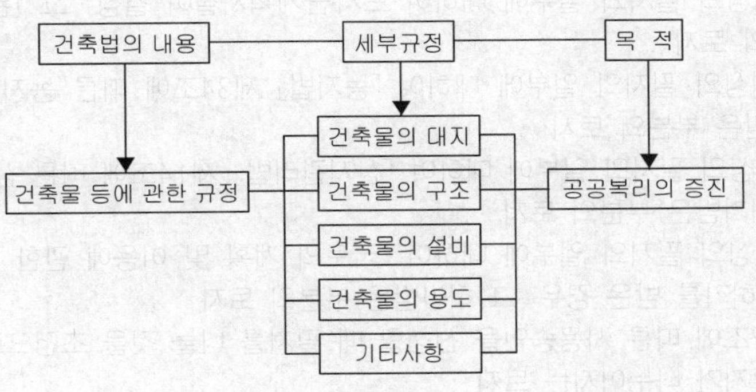

2 용어의 정의

1 대지(법 제2조제1항제1호)

법 제2조【정의】①

1. "대지(垈地)"란 「공간정보의 구축 및 관리 등에 관한 법률」에 따라 각 필지(筆地)로 나눈 토지를 말한다. 다만, 대통령령으로 정하는 토지는 둘 이상의 필지를 하나의 대지로 하거나 하나 이상의 필지의 일부를 하나의 대지로 할 수 있다.

영 제3조【대지의 범위】

① 법 제2조제1항제1호 단서에 따라 둘 이상의 필지를 하나의 대지로 할 수 있는 토지는 다음 각 호와 같다. <개정 2016.5.17., 2016.8.11., 2021.1.8.>

1. 하나의 건축물을 두 필지 이상에 걸쳐 건축하는 경우: 그 건축물이 건축되는 각 필지의 토지를 합한 토지
2. 「공간정보의 구축 및 관리 등에 관한 법률」 제80조제3항에 따라 합병이 불가능한 경우 중 다음 각 목의 어느 하나에 해당하는 경우: 그 합병이 불가능한 필지의 토지를 합한 토지. 다만, 토지의 소유자가 서로 다르거나 소유권 외의 권리관계가 서로 다른 경우는 제외한다.
   가. 각 필지의 지번부여지역(地番附與地域)이 서로 다른 경우
   나. 각 필지의 도면의 축척이 다른 경우
   다. 서로 인접하고 있는 필지로서 각 필지의 지반(地盤)이 연속되지 아니한 경우
3. 「국토의 계획 및 이용에 관한 법률」 제2조제7호에 따른 도시·군계획시설(이하 "도시·군계획시설"이라 한다)에 해당하는 건축물을 건축하는 경우: 그 도시·군계획시설이 설치되는 일단(一團)의 토지
4. 「주택법」 제15조에 따른 사업계획승인을 받아 주택과 그 부대시설 및 복리시설을 건축하는 경우: 같은 법 제2조제12호에 따른 주택단지
5. 도로의 지표 아래에 건축하는 건축물의 경우: 특별시장 · 광역시장 · 특별자치시장 · 특별자치도지사 · 시장 · 군수 또는 구청장(자치구의 구청장을 말한다. 이하 같다)이 그 건축물이 건축되는 토지로 정하는 토지
6. 법 제22조에 따른 사용승인을 신청할 때 둘 이상의 필지를 하나의 필지로 합칠 것을 조건으로 건축허가를 하는 경우: 그 필지가 합쳐지는 토지. 다만, 토지의 소유자가 서로 다른 경우는 제외한다.

② 법 제2조제1항제1호 단서에 따라 하나 이상의 필지의 일부를 하나의 대지로 할 수 있는 토지는 다음 각 호와 같다. <개정 2012.4.10>

1. 하나 이상의 필지의 일부에 대하여 도시·군계획시설이 결정 · 고시된 경우: 그 결정 · 고시된 부분의 토지
2. 하나 이상의 필지의 일부에 대하여 「농지법」 제34조에 따른 농지전용허가를 받은 경우: 그 허가받은 부분의 토지
3. 하나 이상의 필지의 일부에 대하여 「산지관리법」 제14조에 따른 산지전용허가를 받은 경우: 그 허가받은 부분의 토지
4. 하나 이상의 필지의 일부에 대하여 「국토의 계획 및 이용에 관한 법률」 제56조에 따른 개발행위허가를 받은 경우: 그 허가받은 부분의 토지
5. 법 제22조에 따른 사용승인을 신청할 때 필지를 나눌 것을 조건으로 건축허가를 하는 경우: 그 필지가 나누어지는 토지

해설 대지는 「건축법」에서 정의되는 용어로서 「공간정보의 구축 및 관리 등에 관한 법률」에 따라 나누어진 각 필지를 하나의 대지로서 규정한다. 이는 「공간정보의 구축 및 관리 등에 관한 법률」 상의 대(垈)와는 유사한 개념이나, 「건축법」 상의 대지는 「공간정보의 구축 및 관리 등에 관한 법률」 상의 대(垈)뿐만 아니라, 다른 지목(잡종지 등)이라 할지라도 토지형질변경 등의 절차를 거쳐 대지로서 인정받을 수 있다. 또한 「건축법」 의 규정내용이 건축물에 대한 것이므로 「건축법」 에서 정의하는 대지는 건축물이 들어설 토지를 말한다. 따라서 「건축법」 상의 대지로 정의된 토지에 한하여 건축물을 건축할 수 있다.

【1】 원칙

「공간정보의 구축 및 관리 등에 관한 법률」 에 따라 각 필지로 구획된 토지를 말한다.

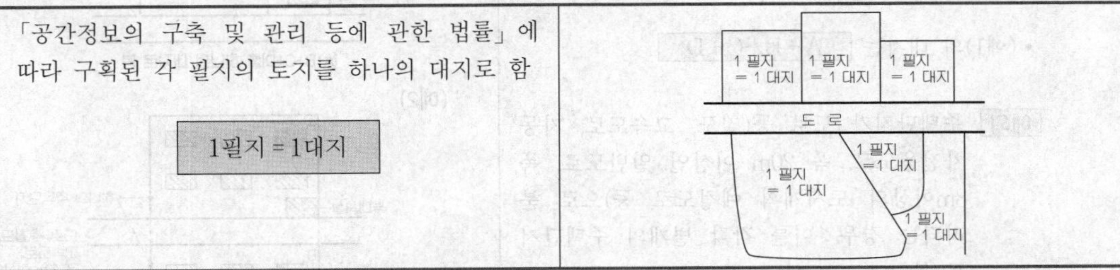

【2】 예외

「건축법」상의 대지는 「공간정보의 구축 및 관리 등에 관한 법률」 에 따라 각 필지로 구획된 하나의 토지를 하나의 대지로 함을 원칙으로 하나 다음의 경우에는 예외가 인정된다.

(1) 둘 이상의 필지를 하나의 대지로 할 수 있는 토지

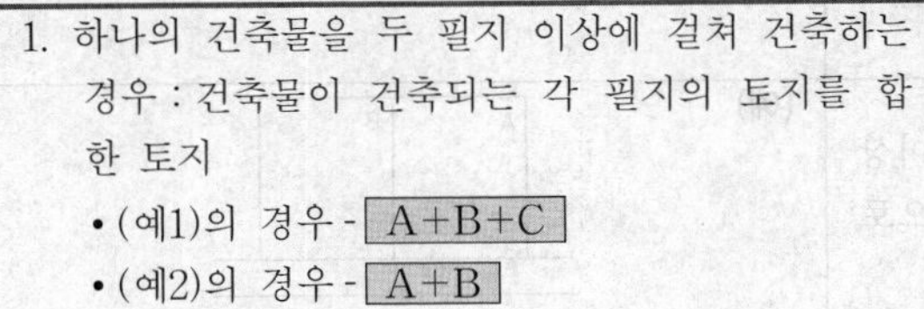

1. 하나의 건축물을 두 필지 이상에 걸쳐 건축하는 경우 : 건축물이 건축되는 각 필지의 토지를 합한 토지
   - (예1)의 경우 - A+B+C
   - (예2)의 경우 - A+B

2. 「공간정보의 구축 및 관리 등에 관한 법률」 에 따라 합병이 불가능한 경우 중 다음에 해당하는 경우 : 합병이 불가능한 필지의 토지를 합한 토지
   ① 각 필지의 지번부여지역(地番附與地域)이 서로 다른 경우 (예1) A+B
   ② 각 필지의 도면의 축척이 다른 경우 (예2) A+B
   ③ 서로 인접하고 있는 필지로서 각 필지의 지반(地盤)이 연속되지 아니한 경우 (예3) A+B

   예외 토지의 소유자가 서로 다르거나 소유권외의 권리관계가 서로 다른 경우 : 하나의 대지로 보지 않음
   (예4) A, B 별개의 대지임

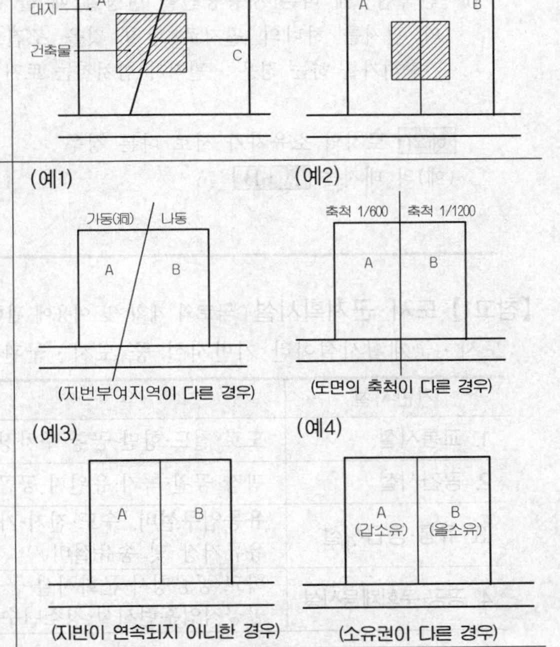

건축법
1. 총 칙
2. 건 축
3. 유지관리
4. 대지도로
5. 구조재료
6. 지역지구
7. 건축설비
8. 특별건축구역
9. 보 칙
10. 벌 칙
건 축 법 관련기준

건 축 법
1. 총 칙
2. 건 축
3. 유지관리
4. 대지도로
5. 구조재료
6. 지역지구
7. 건축설비
8. 특별건축구역
9. 보 칙
10. 벌 칙
건 축 법 관련기준

3. 「국토의 계획 및 이용에 관한 법률」에 따른 도시·군계획시설에 해당하는 건축물을 건축하는 경우 : 도시·군계획시설이 설치되는 일단(一團)의 토지
【참고1】

건축물의 대지는 A+B+C+D

A
B
C
D
도시·군계획시설
[A+B+C+D]를 하나의 대지로 봄

4. 「주택법」에 따른 사업계획승인을 받아 주택과 그 부대시설 및 복리시설을 건축하는 경우 : 「주택법」 규정에 따른 주택단지
【참고2】 【참고3】

• (예1)의 대지는 A+B+C+D

예외 주택단지가 도로 등(철도, 고속도로, 자동차전용도로, 폭 20m 이상인 일반도로, 폭 8m이상의 도시계획 예정도로 등)으로 분리되는 경우 : 이를 각각 별개의 주택단지로 봄

• (예2)의 경우 A, B 별개의 대지

(예1)
APT
A
B
"주택단지"
C
D
부대시설
[A+B+C+D]를 하나의 대지로 봄

(예2)
APT
A
부대시설
하나의 주택단지
B
도로 등(철도, 고속도로, 폭 20m 이상의 일반도로 등)
하나의 주택단지이더라도 도로위 대지(A)와 도로 밑 대지(B)는 별개의 대지임

5. 도로의 지표아래에 건축하는 건축물의 경우 : 특별시장·광역시장·특별자치시장·특별자치도지사·시장·군수 또는 구청장(자치구의 구청장)이 그 건축물이 건축되는 토지로 정하는 토지

6. 「건축법」에 따른 사용승인을 신청할 때 둘 이상의 필지를 하나의 필지로 합칠 것을 조건으로 건축허가를 하는 경우 : 필지가 합쳐지는 토지

예외 토지의 소유자가 서로 다른 경우
(예)의 대지는 A+B

(예)
A
B
1. (허가 전 토지) : 2필지
C
2. (사용승인 신청시 토지) : 1필지

【참고1】 도시·군계획시설 (「국토의 계획 및 이용에 관한 법률」 제2조제7호, 영 제2조) ☞ 제2권 국토 계획법 참조

도시·군계획시설이란 기반시설 중 도시·군관리계획으로 결정된 시설을 말한다.

기반시설	세 분
1. 교통시설	도로·철도·항만·공항·주차장·자동차정류장·궤도·차량 검사 및 면허시설
2. 공간시설	광장·공원·녹지·유원지·공공공지
3. 유통·공급시설	유통업무설비, 수도·전기·가스·열공급설비, 방송·통신시설, 공동구·시장, 유류저장 및 송유설비
4. 공공·문화체육시설	학교·공공청사·문화시설·공공필요성이 인정되는 체육시설·연구시설·사회복지시설·공공직업훈련시설·청소년수련시설

5. 방재시설	하천·유수지·저수지·방화설비·방풍설비·방수설비·사방설비·방조설비
6. 보건위생시설	장사시설·도축장·종합의료시설
7. 환경기초시설	하수도·폐기물처리 및 재활용시설·빗물저장 및 이용시설·수질오염방지시설·폐차장

【참고2】「주택법」에 따른 사업계획 승인대상(「주택법」 제15조, 영 제27조) ☞ 2권 주택법 참조

주택건설 사업 구분	규 모		예외
1. 단독주택	▪30호 이상	▪50호 이상	① 대지조성사업, 택지개발사업 등 공공택지를 개별 필지로 구분하지 않고 일단의 토지로 공급받아 건설하는 단독주택
			② 한옥
2. 공동주택	▪30세대 이상 *리모델링의 경우 증가 세대수	▪50세대 이상 *리모델링의 경우 제외	① 다음 요건을 갖춘 단지형 연립주택 또는 단지형 다세대주 - 세대별 주거 전용 면적 : 30㎡ 이상일 것 - 주택단지 진입도로 폭 : 6m 이상일 것
			② 정비구역에서 주거환경 개선사업을 시행하기 위하여 건설하는 공동주택

【참고3】「주택법」상의 용어(「주택법」 제2조) ☞ 2권 주택법 참조

용 어	내 용
1. 주택	세대의 구성원이 장기간 독립된 주거생활을 할 수 있는 구조로 된 건축물의 전부 또는 일부 및 그 부속토지를 말하며, 단독주택과 공동주택으로 구분한다.
2. 단독주택	1세대가 하나의 건축물 안에서 독립된 주거생활을 할 수 있는 구조로 된 주택을 말하며, 건축법 용도구분에 따른 단독주택, 다중주택, 다가구주택을 말한다.
3. 공동주택	건축물의 벽 · 복도 · 계단이나 그 밖의 설비 등의 전부 또는 일부를 공동으로 사용하는 각 세대가 하나의 건축물 안에서 각각 독립된 주거생활을 할 수 있는 구조로 된 주택으로 건축법의 용도구분에 따른 아파트, 연립주택, 다세대주택을 말한다.
4. 준주택	주택 외의 건축물과 그 부속토지로서 주거시설로 이용 가능한 시설 등으로 기숙사 · 다중생활시설 · 노인복지주택 · 오피스텔을 말한다.
5. 도시형 생활주택	300세대 미만의 국민주택규모에 해당하는 주택으로서 사업계획승인을 받아 도시지역에 건설하는 소형 주택 · 단지형 연립주택 · 단지형 다세대주택을 말한다.
6. 주택단지	주택건설사업계획 또는 대지조성사업계획의 승인을 받아 주택과 그 부대시설 및 복리시설을 건설하거나 대지를 조성하는 데 사용되는 일단의 토지를 말한다. 다만, 다음의 시설로 분리된 토지는 이를 각각 별개의 주택단지로 본다. ① 철도 · 고속도로 · 자동차전용도로 ② 폭 20m 이상인 일반도로 ③ 폭 8m 이상인 도시계획예정도로 ④ ①~③의 시설에 준하는 것으로서 대통령령으로 정하는 시설
7. 부대시설	주택에 딸린 다음의 시설 또는 설비를 말한다. ① 주차장 · 관리사무소 · 담장 및 주택단지안의 도로 ②「건축법」 규정에 따른 건축설비 ③ ①~④의 시설 · 설비에 준하는 것으로서 대통령령으로 정하는 시설 또는 설비
8. 복리시설	주택단지의 입주자 등의 생활복리를 위한 다음의 공동시설을 말한다. ① 어린이놀이터, 근린생활시설, 유치원, 주민운동시설 및 경로당 ② 그 밖에 입주자 등의 생활복리를 위하여 대통령령으로 정하는 공동시설

(2) 하나 이상의 필지의 일부가 다음에 해당하는 경우 하나의 대지로 할 수 있는 토지

1. 도시 · 군계획시설이 결정 · 고시된 경우 : 결정 · 고시된 부분의 토지

   • (예)의 대지는 A+B_1

(예)

도시·군계획시설

A B_1 B_2

[A+B_1]을 하나의 대지로 봄

2.「농지법」에 따른 농지전용허가를 받은 경우 : 허가받은 부분의 토지 【참고1】

   • (예)의 대지는 구획된 C의 부분

3.「산지관리법」에 따른 산지전용허가를 받은 경우 : 허가받은 부분의 토지 【참고2】

   • (예)의 대지는 구획된 C의 부분

(예)

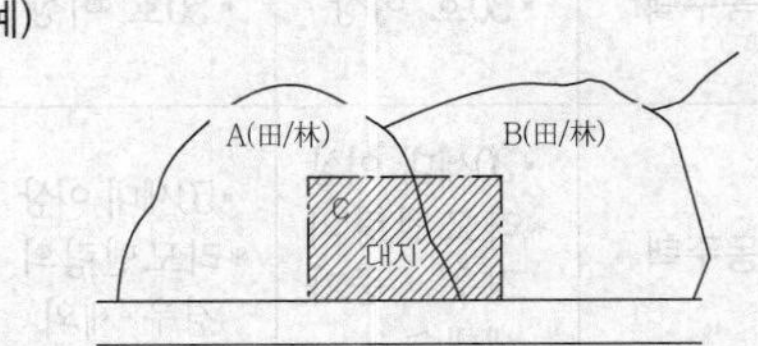

'농지(산지)전용허가를 받은 C부분'을 하나의 대지로 봄

4.「국토의 계획 및 이용에 관한 법률」에 따른 개발행위허가를 받은 경우 : 허가 받은 부분의 토지 【참고3】

   • (예)의 대지는 A+B_1

(예)

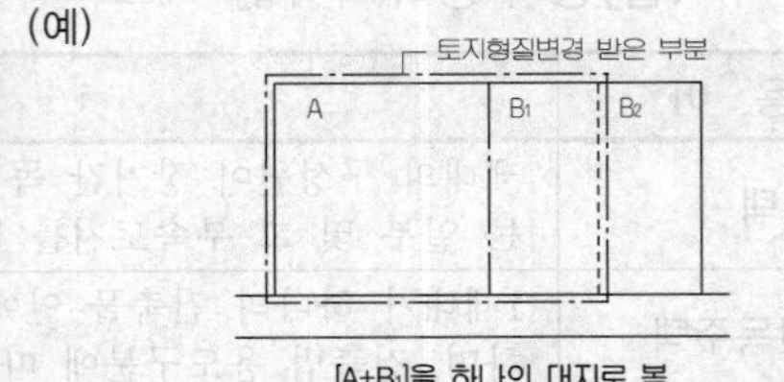

[A+B_1]을 하나의 대지로 봄

5. 사용승인 신청 때 필지를 나눌 것을 조건으로 건축허가를 하는 경우 : 필지가 나누어지는 토지

   • (예)의 대지는 A_1

(예)

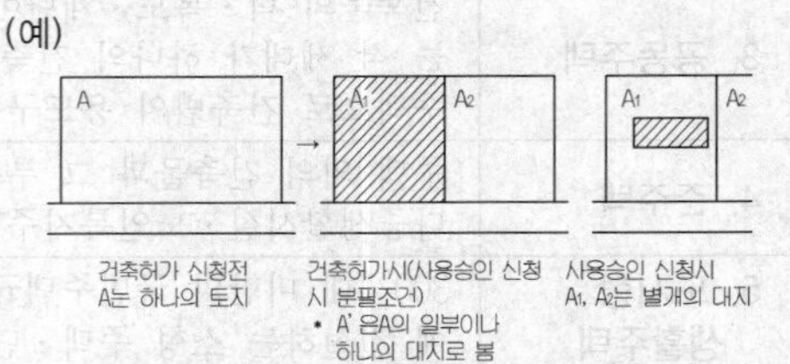

【참고1】 농지전용허가(「농지법」 제2조, 제34조)

1. 농지의 전용

   농지를 농작물의 경작이나 다년생식물의 재배 등 농업생산 또는 농지개량 외의 용도로 사용하는 것

2. 농지전용허가

   농지를 전용하려는 자는 대통령령이 정하는 바에 따라 농림축산식품부장관의 허가를 받아야 함

【참고2】 산지전용허가(「산지관리법」 제2조, 제14조)

1. 산지전용

   산지를 조림, 숲 가꾸기, 입목의 벌채 등에 해당하는 용도 외로 사용하거나 이를 위하여 산지의 형질을 변경하는 것

2. 산지전용허가

   산지전용을 하고자 하는 자는 그 용도를 정하여 산지의 종류 및 면적 등의 구분에 따라 산림청장 등의 허가를 받아야 함

건 축 법
1. 총 칙
2. 건 축
3. 유지관리
4. 대지도로
5. 구조재료
6. 지역지구
7. 건축설비
8. 특별건축구역
9. 보 칙
10. 벌 칙
건 축 법 관련기준

【참고3】 개발행위의 허가(「국토의 계획 및 이용에 관한 법률」 제56조)

도시·군계획사업에 따른 행위 외에 다음의 개발행위를 하려는 자는 특별시장·광역시장·특별자치시장·특별자치도지사·시장 또는 군수의 개발행위허가를 받아야 한다.

1. 건축물의 건축 또는 공작물의 설치
2. 토지의 형질 변경(경작을 위한 경우로서 대통령령으로 정하는 토지의 형질 변경은 제외한다.)
3. 토석의 채취
4. 토지 분할(건축물이 있는 대지의 분할은 제외한다.)
5. 녹지지역·관리지역 또는 자연환경보전지역에 물건을 1개월 이상 쌓아놓는 행위

관계법 토지의 분할 및 합병신청(「공간정보의 구축 및 관리 등에 관한 법률」 제79조, 제80조)

법 제79조【분할 신청】① 토지소유자는 토지를 분할하려면 대통령령으로 정하는 바에 따라 지적소관청에 분할을 신청하여야 한다.

② 토지소유자는 지적공부에 등록된 1필지의 일부가 형질변경 등으로 용도가 변경된 경우에는 대통령령으로 정하는 바에 따라 용도가 변경된 날부터 60일 이내에 지적소관청에 토지의 분할을 신청하여야 한다.

법 제80조【합병 신청】① 토지소유자는 토지를 합병하려면 대통령령으로 정하는 바에 따라 지적소관청에 합병을 신청하여야 한다.

② 토지소유자는 「주택법」에 따른 공동주택의 부지, 도로, 제방, 하천, 구거, 유지, 그 밖에 대통령령으로 정하는 토지로서 합병하여야 할 토지가 있으면 그 사유가 발생한 날부터 60일 이내에 지적소관청에 합병을 신청하여야 한다.

③ 다음 각 호의 어느 하나에 해당하는 경우에는 합병 신청을 할 수 없다. <개정 2020.2.4.>

1. 합병하려는 토지의 지번부여지역, 지목 또는 소유자가 서로 다른 경우
2. 합병하려는 토지에 다음 각 목의 등기 외의 등기가 있는 경우
   가. 소유권·지상권·전세권 또는 임차권의 등기
   나. 승역지(承役地)에 대한 지역권의 등기
   다. 합병하려는 토지 전부에 대한 등기원인(登記原因) 및 그 연월일과 접수번호가 같은 저당권의 등기
   라. 합병하려는 토지 전부에 대한 「부동산등기법」 제81조제1항 각 호의 등기사항이 동일한 신탁등기
3. 그 밖에 합병하려는 토지의 지적도 및 임야도의 축척이 서로 다른 경우 등 대통령령으로 정하는 경우

【보충설명】

【1】 지적관련 용어(「공간정보의 구축 및 관리 등에 관한 법률」 제2조)

용 어	내 용
1. 지번부여지역	지번을 부여하는 단위지역으로서, 동·리 또는 이에 준하는 지역
2. 지목(地目)	토지의 주된 용도에 따라 토지의 종류를 구분하여 지적공부에 등록한 것
3. 필지(筆地)	대통령령이 정하는 바에 따라 구획되는 토지의 등록단위
4. 지번(地番)	필지에 부여하여 지적공부에 등록한 번호
5. 분할	지정공부에 등록된 1필지를 2필지 이상으로 나누어 등록하는 것
6. 합병	지적공부에 등록된 2필지 이상을 1필지로 합하여 등록하는 것
7. 지목변경	지적공부에 등록된 지목을 다른 지목으로 바꾸어 등록하는 것
8. 지적공부	토지대장·임야대장·공유지연명부·대지권등록부·지적도·임야도 및 경계점좌표등록부 등 지적측량 등을 통하여 조사된 토지의 표시와 해당 토지의 소유자 등을 기록한 대장 및 도면(정보처리시스템을 통하여 기록·저장된 것을 포함)

건 축 법
1. 총 칙
2. 건 축
3. 유지관리
4. 대지도로
5. 구조재료
6. 지역지구
7. 건축설비
8. 특별건축구역
9. 보 칙
10. 벌 칙
건 축 법 관련기준

【2】 지목일람표(「공간정보의 구축 및 관리 등에 관한 법률 시행규칙」 제64조)

지 목	지목부호	지 목	지목부호
1. 전	전	15. 철도용지	철
2. 답	답	16. 제방	제
3. 과수원	과	17. 하천	천
4. 목장용지	목	18. 구거	구
5. 임야	임	19. 유지	유
6. 광천지	광	20. 양어장	양
7. 염전	염	21. 수도용지	수
8. 대	대	22. 공원	공
9. 공장용지	장	23. 체육용지	체
10. 학교용지	학	24. 유원지	원
11. 주차장	차	25. 종교용지	종
12. 주유소용지	주	26. 사적지	사
13. 창고용지	창	27. 묘지	묘
14. 도로	도	28. 잡종지	잡

【3】 토지면적과 대지면적

1. 토지면적	토지대장에 등재된 면적으로서 건축유무에 관계없이 지적상 1필지로 구획된 현황면적이다.	25m / 타대지 / 2M도로 / Ⓐ / 20m
2. 대지면적	「건축법」 상의 대지조건에 충족되어 대지면적 산정기준에 의거한 건축가능면적으로서 건폐율, 용적률 등의 적용기준면적이 된다.	• 토지면적 : 25m×20m • 대지면적 : 24m×20m [대지면적 산정기준에 따라 기준도로 폭(4m)을 확보]

【4】 「건축법」의 대지(垈地)와 「공간정보의 구축 및 관리 등에 관한 법률」의 대(垈)

1. 「건축법」의 대지(垈地)	「건축법」에서 요구하는 대지에 대한 규정(대지의 안전, 대지와 도로와의 관계 등)을 충족하고 건축물을 건축할 수 있는 「공간정보의 구축 및 관리 등에 관한 법률」상의 필지로 구획된 토지로서 해당 토지의 지목에는 영향을 받지 않으나, 허가권자가 판단에 의하여 토지형질변경 또는 지목변경 등의 절차를 필요로 할 수도 있다.
2. 「공간정보의 구축 및 관리 등에 관한 법률」의 대(垈)	영구적 건축물 중 주거·사무실·점포와 박물관·극장·미술관 등 문화시설과 이에 접속된 정원 및 부속시설물의 부지와 관계법령에 따른 택지조성공사가 준공된 토지

건축법
1. 총 칙
2. 건 축
3. 유지관리
4. 대지도로
5. 구조재료
6. 지역지구
7. 건축설비
8. 특별건축구역
9. 보 칙
10. 벌 칙
건 축 법 관련기준

2 건축물(법 제2조 제1항 제2호)(영 제2조 제12호)

법 제2조【정의】①

2. "건축물"이란 토지에 정착(定着)하는 공작물 중 지붕과 기둥 또는 벽이 있는 것과 이에 딸린 시설물, 지하나 고가(高架)의 공작물에 설치하는 사무소·공연장·점포·차고·창고, 그 밖에 대통령령으로 정하는 것을 말한다.

영 제2조【정의】

12. "부속건축물"이란 같은 대지에서 주된 건축물과 분리된 부속용도의 건축물로서 주된 건축물을 이용 또는 관리하는 데에 필요한 건축물을 말한다.

해설 건축물은 토지에 기반을 둔 것으로서, 지붕과 기둥 또는 벽으로 구성되어 인간생활에 필요한 공간(space)이 확보된 공작물이다. 또한 건축물로 정의되지 않으면 「건축법」의 적용대상이 되지 않으므로 건축물로 정의되는지 여부의 판단은 매우 중요하다. 이에 따른 건축물의 원칙 및 특수한 경우의 예는 다음과 같다.

【1】 건축물의 범위

1. 토지에 정착하는 건축물 중 ① 지붕과 기둥 ······ (예2, 예3) ② 지붕과 벽이 있는 것 ······ (예1) ③ 위의 건축물에 딸린 대문, 담장 등의 시설물 ······ (예4)	(예1) <지붕과 벽> (예2) <지붕과 기둥> (예3) <지붕과 기둥> (예4) <대문, 담장 등>
2. 지하에 설치하는 사무소·공연장·점포·차고·창고 ······ (예1) 참조 • (예2)는 건축물이 아님	(예1) <지하공간/사무소 등> (예2) 동굴
3. 고가의 공작물에 설치하는 사무소·공연장·점포·차고·창고 ······ (예1) 참조 • (예2)는 건축물이 아님	(예1) <고가의 공작물> (예2) <육교제외>

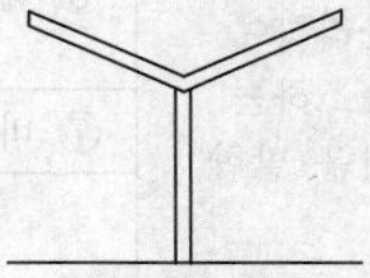

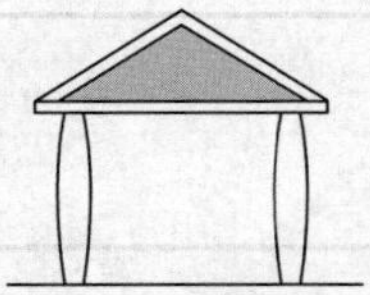

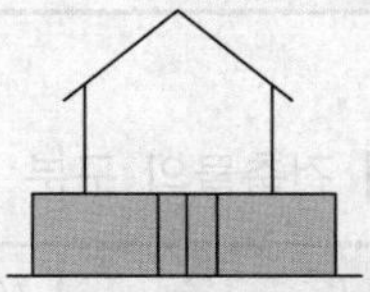

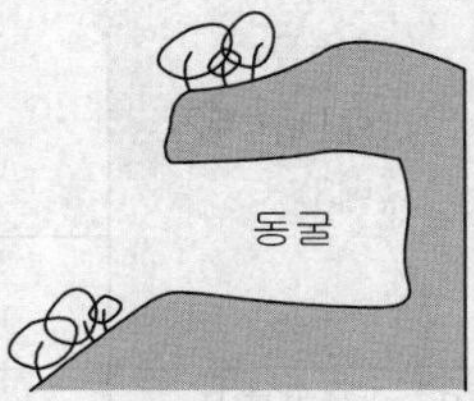

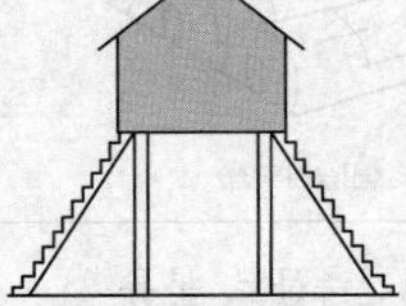

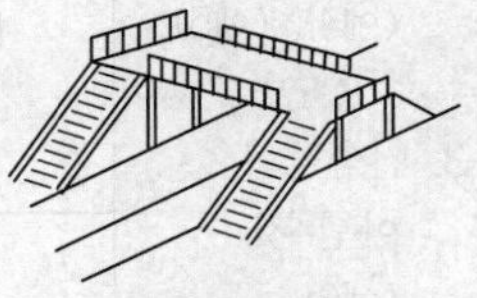

【참고】 건축물과 공작물의 구분

구 분	내 용		적용기준
1. 건축물	토지에 정착하는 공작물 중 다음에 해당하면 건축물로 본다. ① 지붕과 기둥 또는 지붕과 벽이 있는 것 ② "①"에 딸린 시설물(건축물에 딸린 대문, 담장 등) ③ 지하 또는 고가(高架)의 공작물에 설치하는 사무소·공연장·점포·차고·창고		「건축법」 적용 (단, 문화재, 선로부지내 시설물 등은 「건축법」을 적용하지 않는다. 법 제3조)
2. 공작물	인위적으로 축조된 공간구조물로서 도로, 항만, 댐 등과 같은 시설물과 간판, 광고탑, 고가수조 등의 공작물이 해당된다.		
3. 일정규모를 넘는 공작물* (법 제83조) ☞9장 참조 * 건축물과 분리하여 축조하는 것을 말함	① 높이 2m를 넘는	• 옹벽·담장	「건축법」 및 「국토의 계획 및 이용에 관한 법률」의 일부규정 적용
	② 높이 4m를 넘는	• 장식탑·기념탑·첨탑·광고탑·광고판	
	③ 높이 5m를 넘는	• 태양에너지 이용 발전설비 등	
	④ 높이 6m를 넘는	• 굴뚝 • 골프연습장 등의 운동시설을 위한 철탑 • 주거지역·상업지역에 설치하는 통신용 철탑	
	⑤ 높이 8m를 넘는	• 고가수조	
	⑥ 높이 8m 이하	• 기계식주차장 및 철골조립식주차장으로서 외벽이 없는 것(단, 위험방지를 위한 난간높이 제외)	
	⑦ 바닥면적 30㎡를 넘는	• 지하대피호	
	⑧ 건축조례로 정하는	• 제조시설·저장시설(시멘트사일로 포함)·유희시설 • 건축물 구조에 심대한 영향을 줄 수 있는 중량물	

【2】 건축물의 구분 예

1. 그 밖의 건축물 (예1), (예2), (예3)	(예1) 〈해상호텔〉	(예2) 〈옥외관람석〉	(예3) 〈통신타워〉
	적용완화 대상임	–	거실이 없는 경우 (적용완화대상)
2. 가설건축물 (일시사용) (예4), (예5) 3. 건축물이 아닌 것 (예6)	(예4) 〈비닐하우스〉	(예5) 〈포장마차〉	(예6) 〈mobile house〉
	가설건축물로 분류	가설점포인 경우 인정	토지에 정착되어 있지 않으므로 건축물이 아님

3 고층, 초고층, 준초고층 건축물 및 한옥(법 제2조제1항제19호)(영 제2조제15~16호)

법 제2조【정의】①
19. "고층건축물"이란 층수가 30층 이상이거나 높이가 120미터 이상인 건축물을 말한다.

영 제2조【정의】①
15. "초고층 건축물"이란 층수가 50층 이상이거나 높이가 200미터 이상인 건축물을 말한다.
15의2. "준초고층 건축물"이란 고층건축물 중 초고층건축물이 아닌 것을 말한다.
16. "한옥"이란 「한옥 등 건축자산의 진흥에 관한 법률」 제2조제2호에 따른 한옥을 말한다.

해설 최근 건축물의 고층화가 가속되면서 효율적인 규제의 필요성이 대두되었다. 이에 초고층건축물의 정의, 건축법 적용의 완화 및 피난안전구역의 설치 등 '초고층건축물'에 대한 규정이 「건축법 시행령」에 신설(2009.7.16)되었으며, '준초고층 건축물'의 정의도 추가(2011.12.30)되었다.

'고층건축물'에서 화재가 발생하면 인명·재산상의 피해가 막대하므로 이를 예방하기 위하여 '고층건축물'의 정의를 신설하고, '초고층 건축물', '준초고층 건축물'의 경우 일반 건축물보다 강화된 건축 기준을 적용할 수 있도록 규정하였다.

또한, 전통주거문화인 한옥을 보존·육성하기 위하여 한옥의 정의를 명시하여 해석상의 논란을 없애고 한옥 건축과 관련된 한옥의 개축 및 대수선의 경우 지붕틀 범위에서 서까래를 제외하여 규제를 합리적으로 개선·보완하고자 하였다. <2010.2.18 한옥 관련 규정 신설>

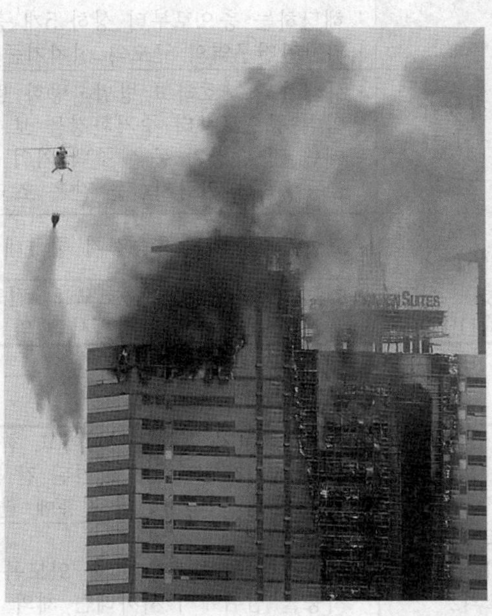

고층건축물의 화재사례(연합뉴스 2010.10.5.)

건 축 법
1. 총 칙
2. 건 축
3. 유지관리
4. 대지도로
5. 구조재료
6. 지역지구
7. 건축설비
8. 특별건축구역
9. 보 칙
10. 벌 칙
건 축 법 관련기준

【1】 고층건축물

구분	내용
1. 고층건축물(법 제2조)	▪층수 30층 이상인 건축물
	▪건축물 높이 120m 이상인 건축물
2. 고층건축물의 피난 및 안전관리(법 제50조의2)	▪고층건축물에는 피난안전구역을 설치하거나 대피공간을 확보한 계단을 설치할 것 ▪피난안전구역의 설치 기준, 계단의 설치 기준과 구조 등은 국토교통부령으로 정함 ▪고층건축물의 화재경감 및 피해경감을 위하여 일부 규정을 강화하여 적용할 수 있음

【2】 초고층 건축물 및 준초고층 건축물

구분		내용
1. 초고층 건축물(영 제2조)		▪층수 50층 이상인 건축물
		▪건축물 높이 200m 이상인 건축물
2. 준초고층 건축물(영 제2조)		▪고층건축물 중 초고층 건축물이 아닌 것
3. 건축법 관련규정	① 건축물 안전영향평가(법 제13조의2)	▪허가권자는 초고층 건축물 등 주요 건축물에 대하여 건축허가를 하기 전에 구조, 지반 및 풍환경(風環境) 등이 건축물의 구조안전과 인접 대지의 안전에 미치는 영향 등을 평가하는 건축물 안전영향평가를 안전영향평가기관에 의뢰하여 실시하여야 함.
	② 적용의 완화(영 제6조)	▪초고층 건축물의 건폐율 규정 완화 적용 가능
	③ 피난안전구역의 설치(영 제34조)	▪초고층 건축물에는 피난층 또는 지상으로 통하는 직통계단과 직접 연결되는 피난안전구역(건축물의 피난·안전을 위하여 중간층에 설치하는 대피공간)을 지상층으로부터 최대 30개 층마다 1개소 이상 설치할 것 ▪준초고층 건축물에는 피난안전구역을 건축물 전체 층수의 1/2에 해당하는 층으로부터 상하 5개 층 이내에 1개소 이상 설치할 것 ▪피난안전구역의 규모와 설치기준은 국토교통부령으로 정함
	④ 방화에 장애가 되는 용도의 제한(영 제47조)	▪사생활을 보호하고 방범·방화 등 주거 안전을 보장하며 소음·악취 등으로부터 주거환경을 보호할 수 있도록 주택의 출입구·계단 및 승강기 등을 주택 외의 시설과 분리된 구조로 하면, 공동주택과 위락시설을 같은 초고층건축물에 설치할 수 있음
	⑤ 피난용 승강기 설치(법 제64조)	▪고층건축물에 승용승강기 중 1대 이상을 피난용 승강기로 설치
	⑥ 면적 등의 산정 방법(영 제119조)	▪초고층 건축물과 준초고층 건축물의 피난안전구역의 면적을 용적률 산정시 연면적에서 제외

【3】 한옥

구분		내용
1. 한옥(영 제2조)		▪기둥 및 보가 목구조방식이고, 한식지붕틀로 된 목구조로서 우리나라 전통양식이 반영된 건축물 및 그 부속건축물 (「한옥 등 건축자산의 진흥에 관한 법률」에서 규정)
2. 건축법 관련규정	① 영 제3조제3호(한옥의 개축)	▪한옥을 손쉽게 보수할 수 있도록 한옥의 개축 및 대수선의 경우 지붕틀 범위에서 서까래는 제외
	② 영 제3조의2(한옥의 대수선)	

4 다중이용 건축물 및 준다중이용 건축물(영 제2조 제17호, 제17호의2)

영 제2조【정의】

17. "다중이용 건축물"이란 다음 각 목의 어느 하나에 해당하는 건축물을 말한다. <개정 2018.9.4>
  가. 다음의 어느 하나에 해당하는 용도로 쓰는 바닥면적의 합계가 5천제곱미터 이상인 건축물
    1) 문화 및 집회시설(동물원 및 식물원은 제외한다)
    2) 종교시설
    3) 판매시설
    4) 운수시설 중 여객용 시설
    5) 의료시설 중 종합병원
    6) 숙박시설 중 관광숙박시설
  나. 16층 이상인 건축물

17의2. "준다중이용 건축물"이란 다중이용 건축물 외의 건축물로서 다음 각 목의 어느 하나에 해당하는 용도로 쓰는 바닥면적의 합계가 1천제곱미터 이상인 건축물을 말한다.
  가. 문화 및 집회시설(동물원 및 식물원은 제외한다)
  나. 종교시설
  다. 판매시설
  라. 운수시설 중 여객용 시설
  마. 의료시설 중 종합병원
  바. 교육연구시설
  사. 노유자시설
  아. 운동시설
  자. 숙박시설 중 관광숙박시설
  차. 위락시설
  카. 관광 휴게시설
  타. 장례시설 <개정 2017.2.3>

해설 다중이용 건축물은 재해 발생시 인적, 경제적 피해가 크게 된다. 이에 건축법령에서는 다중이용 건축물에 대한 규정을 강화하고 있다. 다중이용 건축물은 건축허가나 대수선허가전 지방건축위원회의 사전 심의대상, 「건설기술 진흥법」에 따른 건설엔지니어링사업자 등의 공사감리 대상, 건축사가 설계나 공사감리할 경우 구조기술사등과 협력 대상이며, 실내건축 규정, 벌칙규정 등 관련규정이 적용된다.

다중이용 건축물 외의 건축물로서 노유자시설 등의 용도로 쓰는 바닥면적의 합계가 1,000㎡ 이상인 건축물을 준다중이용 건축물로 정하여 강화된 안전기준 등을 적용하도록 「건축법 시행령」이 개정되었다. (2015.9.22. 개정)

준다중이용 건축물의 건축공사를 감리하는 경우 건축 분야의 건축사보 한 명 이상을 전체 공사기간 동안 감리업무를 수행하게 하고, 준다중이용 건축물도 특수구조 건축물의 경우에는 사용승인일을 기준으로 10년이 지난 날부터 2년마다 한 번 정기점검을 실시해야 하며, 준다중이용 건축물이 건축되는 대지에 소방자동차의 접근이 가능한 통로를 설치해야 한다.

또한, 준다중이용 건축물에 대한 구조의 안전을 확인하는 경우에는 건축구조기술사의 협력을 받도록 하고 있다.

5 특수구조 건축물(영 제2조제18호)

영 제2조 【정의】

18. "특수구조 건축물" 이란 다음 각 목의 어느 하나에 해당하는 건축물을 말한다. <개정 2018.9.4>

가. 한쪽 끝은 고정되고 다른 끝은 지지(支持)되지 아니한 구조로 된 보·차양 등이 외벽(외벽이 없는 경우에는 외곽 기둥을 말한다)의 중심선으로부터 3미터 이상 돌출된 건축물

나. 기둥과 기둥 사이의 거리(기둥의 중심선 사이의 거리를 말하며, 기둥이 없는 경우에는 내력벽과 내력벽의 중심선 사이의 거리를 말한다. 이하 같다)가 20미터 이상인 건축물

다. 특수한 설계·시공·공법 등이 필요한 건축물로서 국토교통부장관이 정하여 고시하는 구조로 된 건축물

해설 고층 및 초고층 건축물의 증가와 더불어 구조적 안정성을 확보하기 위해 건축법 시행령에 "특수구조 건축물"을 정의하고, 특수구조 건축물의 경우 지방건축위원회의 심의대상으로 하고(시행령 제5조), 유지관리계획을 마련하도록 하며(시행령 제23조), 건축사가 설계 및 감리업무시 건축구조기술사와 협력하는 대상(시행령 제91조의3)으로 규정하고 있다.(개정 2014.11.28.)

【참고】 특수구조 건축물 대상기준(국토교통부고시 제2018-777호, 2018.12.7.)

제1조(목적) 이 기준은 「건축법 시행령」 제2조제18호 다목에 따라 특수구조 건축물의 종류를 정하는 것을 목적으로 한다.

제2조(특수구조 건축물) 특수구조 건축물은 다음 각 호의 어느 하나에 해당하는 건축물을 말한다.

1. 건축물의 주요구조부가 공업화박판강구조(PEB : Pre-Engineered Metal Building System), 강관 입체트러스(스페이스프레임), 막 구조, 케이블 구조, 부유식구조 등 설계·시공·공법이 특수한 구조 형식인 건축물
2. 6개층 이상을 지지하는 기둥이나 벽체의 하중이 슬래브나 보에 전이되는 건축물(전이가 있는 층의 바닥면적 중 50퍼센트 이상에 해당하는 면적이 필로티 등으로 상하부 구조가 다르게 계획되어 있는 경우로 한정한다.)
3. 건축물의 주요구조부에 면진 제진장치를 사용한 건축물
4. 건축구조기준에 따른 허용응력설계법, 허용강도설계법, 강도설계법 또는 한계상태설계법에 의하여 설계되지 않은 건축물
5. 건축구조기준의 지진력 저항시스템 중 다음 각 목의 어느 하나에 해당하는 시스템을 적용한 건축물

가. 철근콘크리트 특수전단벽
나. 철골 특수중심가새골조
다. 합성 특수중심가새골조
라. 합성 특수전단벽
마. 철골 특수강판전단벽
바. 철골 특수모멘트골조
사. 합성 특수모멘트골조
아. 철근콘크리트 특수모멘트골조
자. 특수모멘트골조를 가진 이중골조 시스템

건 축 법
1. 총 칙
2. 건 축
3. 유지관리
4. 대지도로
5. 구조재료
6. 지역지구
7. 건축설비
8. 특별건축구역
9. 보 칙
10. 벌 칙
건 축 법 관련기준

6 실내건축(법 제2조제1항제20호)(영 제3조의4)

법 제2조【정의】①

20. "실내건축"이란 건축물의 실내를 안전하고 쾌적하며 효율적으로 사용하기 위하여 내부 공간을 칸막이로 구획하거나 벽지, 천장재, 바닥재, 유리 등 대통령령으로 정하는 재료 또는 장식물을 설치하는 것을 말한다. <신설 2014.5.28>

영 제3조의4【실내건축의 재료 등】

법 제2조제1항제20호에서 "벽지, 천장재, 바닥재, 유리 등 대통령령으로 정하는 재료 또는 장식물" 이란 다음 각 호의 재료를 말한다.

1. 벽, 천장, 바닥 및 반자틀의 재료
2. 실내에 설치하는 난간, 창호 및 출입문의 재료
3. 실내에 설치하는 전기 · 가스 · 급수(給水), 배수(排水) · 환기시설의 재료
4. 실내에 설치하는 충돌 · 끼임 등 사용자의 안전사고 방지를 위한 시설의 재료

[본조신설 2014.11.28.]

해설 "실내건축"은 건축물의 실내를 안전하고 쾌적하며, 효율적으로 사용하기 위한 벽, 천장 등의 바탕 및 마감재료, 난간 등 안전사고 방지 등을 위한 재료와, 전기, 가스, 급수, 배수, 환기시설을 위한 설비적 재료로 설치하는 것을 뜻하며,

건축물의 실내건축은 방화에 지장이 없고 사용자의 안전에 문제가 없는 구조 및 재료로 시공하도록 하는 등의 내용으로 건축법, 건축법 시행령 및 시행규칙에 관련내용이 신설되었다. (2014.5.28. 건축법 개정, 2014.11.28. 시행령 및 시행규칙 개정)

- 관련규정
  - 건축법 제52조의2(실내건축)
  - 건축법 시행령 제61조의2(실내건축)
  - 건축법 시행규칙 제26조의5(실내건축의 구조 · 시공방법 등의 기준)

【참고】 실내건축의 구조 · 시공방법 등에 관한 기준(국토교통부고시 제2020-742호, 2020.10.20.)

➡ 1권 2편 건축법관련기준 참조

건축법
1. 총 칙
2. 건 축
3. 유지관리
4. 대지도로
5. 구조재료
6. 지역지구
7. 건축설비
8. 특별건축구역
9. 보 칙
10. 벌 칙
건 축 법 관련기준

7 건축설비(법 제2조 제1항 제4호)

법 제2조【정의】①

4. "건축설비"란 건축물에 설치하는 전기·전화 설비, 초고속 정보통신 설비, 지능형 홈네트워크 설비, 가스·급수·배수(配水)·배수(排水)·환기·난방·냉방·소화(消火)·배연(排煙) 및 오물처리의 설비, 굴뚝, 승강기, 피뢰침, 국기 게양대, 공동시청 안테나, 유선방송 수신시설, 우편함, 저수조(貯水槽), 방범시설, 그 밖에 국토교통부령으로 정하는 설비를 말한다. <개정 2016.1.19.>

해설 건축설비란 건축물의 구조체, 공간 등의 효용성을 높이기 위한 최소한의 규제로서 건축물의 내·외부의 시설을 말하며, 위의 건축법령에서 규제되는 설비이외에도 소방관련법 등에 설비관련 규정이 다수 있다. 비상급수설비, 절수설비, 위생설비, 구내통신선로설비, 전력용배관 및 맨홀의 설치, 우편물수취함, 국기게양대 등의 설치규정이 삭제되어, 설계시 자유의사대로 설치할 수 있게 하였다.
이러한 설비들은 대형건축물의 허가시에 제출하는 기본설계도서(건축설비도, 소방설비도 등)에 설치계획을 표시하고 건축물의 착공 신고시에 첨부하는 건축설비도와 기계, 전기, 통신등 분야의 설계도에 그 설치계획을 작성하도록 하였다.

■ 「건축법」의 건축설비규제 일람표

구 분	규 제 조 항
1. 승용승강기	설치대상(법 제64조 ①항, 영 제89조)
	설치기준[건축물의 설비기준 등에 관한 규칙(이하 "설비규칙") 제5조]
2. 비상용승강기	설치대상(법 제64조 ②항)
	설치기준(영 제90조 ①, ②항)
	승강장 및 승강로의 구조(설비규칙 제10조)
3. 피난용 승강기	설치대상(법 제64조 ③항)
	설치기준[영 제90조, 건축물의 피난·방화구조 등의 기준에 관한 규칙(이하 "피난·방화규칙") 제30조]
4. 온돌	온돌의 설치기준(설비규칙 제12조)
5. 개별난방설비	개별난방설비기준(설비규칙 제13조)
6. 냉방설비	중앙집중냉방설비 대상 및 냉방시설의 배기장치 등(설비규칙 제23조)
7. 배연설비	배연설비대상 및 설비기준(설비규칙 제14조)
8. 환기설비	공동주택 및 다중이용시설의 환기설비기준 등(설비규칙 제11조) 환기구의 안전기준(설비규칙 제11조의2)
9. 배관설비	급수, 배수, 먹는물용 배관 설비기준(설비규칙 제17조, 제18조)
10. 물막이설비	물막이설비 기준(설비규칙 제17조의2)
11. 피뢰설비	피뢰설비 대상 및 설비기준(설비규칙 제20조)
12. 전기설비	전기설비 설치공간 기준(설비규칙 제20조의2)
13. 굴뚝	굴뚝의 설치기준(피난·방화규칙 제20조)

건 축 법
1. 총 칙
2. 건 축
3. 유지관리
4. 대지도로
5. 구조재료
6. 지역지구
7. 건축설비
8. 특별건축구역
9. 보 칙
10. 벌 칙
건 축 법 관련기준

8 지하층(법 제2조제1항제5호)

법 제2조【정의】①

5. "지하층"이란 건축물의 바닥이 지표면 아래에 있는 층으로서 바닥에서 지표면까지 평균 높이가 해당 층 높이의 2분의 1 이상인 것을 말한다.

■ 지하층의 구조 및 설비(법 제53조, 피난·방화규칙 제25조)

법 제53조【지하층】

건축물에 설치하는 지하층의 구조 및 설비는 국토교통부령으로 정하는 기준에 맞게 하여야 한다.

해설 대피호로서의 지하층 설치 의무규정은 삭제되고, 건축주가 자율적으로 설치할 수 있도록 하였다. 따라서 의무지하층으로서의 제반규정도 아울러 삭제되었고, 또한 비상급수시설 등의 규정도 「건축법」에서 제외되었다. 이는 주차장 설치의무 규정 등의 강화로 의무지하층의 규정을 삭제하여도 지하 주차장의 설치가 필연적이며, 또한 기존 건축물의 대피공간이 어느 정도 충족되어 있고, 주택 등 소규모 건축물의 경우 환기, 채광, 배수 등의 어려움으로 많은 위법 건축물과 민원이 발생하고 있어 의무규정의 폐지는 이의 해결방안이 될 수 있었다.

【1】 지하층의 정의

바닥으로부터 지표면까지의 평균높이(h)가 해당 층 높이(H)의 1/2 이상인 것	–
$(h \geq \frac{1}{2}H)$ H(층고) h	■ 층고(층 높이) : 방의 바닥구조체 윗면으로부터 위층 바닥구조체 윗면까지의 높이(영 제119조제1항제8호)

건축법
1. 총 칙
2. 건 축
3. 유지관리
4. 대지도로
5. 구조재료
6. 지역지구
7. 건축설비
8. 특별건축구역
9. 보 칙
10. 벌 칙
건축법 관련기준

【2】 지하층의 지표면산정

법 제2조 제1항 제5호에 따른 지하층의 지표면 산정방법은 각 층의 주위가 접하는 각 지표면 부분의 높이를 그 지표면 부분의 수평거리에 따라 가중평균한 높이의 수평면을 지표면으로 본다.

(예1)

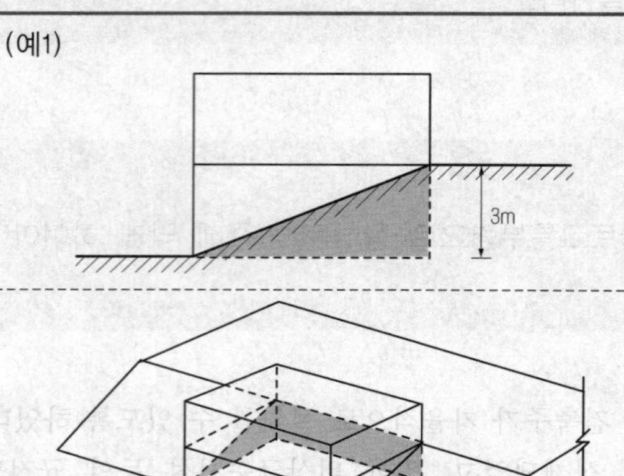

■ 풀이

가중평균높이

$$= \frac{\text{각 층 주위가 접하는 각 지표면 면적}}{\text{당해지표면 부분의 수평거리}}$$

$$= \frac{\frac{10\times3}{2}\times2+20\times3}{10\times2+20\times2} = 1.5\text{m}\ (\text{지표면 높이로 봄})$$

(예2)

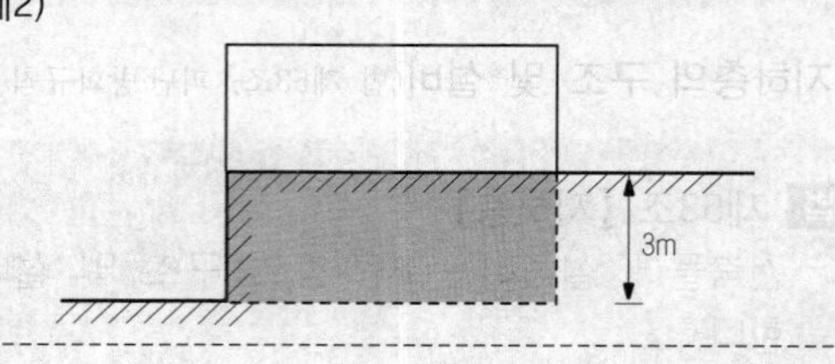

■ 풀이 [(예1)과 같은 방법으로 구하면]

$$\frac{10\times3\times2+20\times3}{10\times2+20\times2} = 2\text{m}\ (\text{지표면의 높이})$$

【3】 지하층의 법적용 내용

1. 건축물의 층수 산정시 지하층은 층수에서 제외한다.
2. 용적률 산정을 위한 바닥면적 산정시 지하층 바닥면적은 제외한다.

【참고】 상세해설 참조

- 층고(시행령 119조1항8호) ----------------------------------제1장 **4** 참조
- 지하층의 지표면 산정(시행령 119조1항10호) ------------------제1장 **4** 참조
- 지하층의 구조 및 설비(법 제53조, 피난·방화규칙 제25조)--------제5장 **10** 참조

9 거실(법 제2조제1항제6호)

법 제2조【정의】①

6. "거실"이란 건축물 안에서 거주, 집무, 작업, 집회, 오락, 그 밖에 이와 유사한 목적을 위하여 사용되는 방을 말한다.

해설 '거실'이란 현관 · 복도 · 계단실 · 변소 · 욕실 · 창고 · 기계실과 같이 일시적으로 사용하는 공간이 아니라, 「건축법」에서는 거주 · 집무 · 작업 · 집회 · 오락 등의 일정한 이용목적을 가지고 지속적으로 사용하는 공간의 의미가 있다.

좁은 의미로는 주거공간(침실, 거실, 부엌)에서부터 의료시설의 병실, 숙박시설의 객실, 학교의 교실, 판매공간 등 광범위하며, 인간이 장시간 거주가 가능하도록 반자높이, 채광, 환기, 방화, 피난에 이르기까지 거실공간에 대한 규제가 관련되어 있다.

【참고】 거실관련규정

관련규정		관련조항	내 용
1. 직통계단의 설치		영 제34조제2항제2호~제5호	직통계단을 2개소이상 설치규정 적용시, 거실바닥면적의 합계로서 적용
2. 옥외피난계단의 설치		영 제36조제1호, 제2호	별도의 옥외피난계단 증설에 관한 규정 적용시, 거실바닥면적의 합계로서 규정
3. 거실반자의 설치		영 제50조, 피난 · 방화규칙 제16조	거실부분의 반자에 대한 최소 높이의 규정
4. 거실의 채광 등	채광 · 환기	영 제51조제1항, 피난 · 방화규칙 제17조	채광을 위한 거실부분의 창문등의 면적 산정시 거실바닥면적에 대한 비율로 산정
	배연설비	영 제51조제2항, 설비규칙 제14조	거실공간에서의 배연설비에 대한 규정
5. 거실의 방습 등		영 제52조, 피난 · 방화규칙 제18조	건축물의 최하층에 위치한 거실(바닥이 목조인 경우)의 방습에 대한 규정
6. 건축물의 내부마감재료		법 제52조, 영 제61조, 피난 · 방화규칙 제24조	건축물의 내부마감재료 규정 적용시 거실바닥면적의 합계로서 적용
7. 승용승강기의 설치		법 제64조, 설비규칙 제5조, 별표 1의2	승용승강기 설치기준 적용시 6층 이상 부분의 거실면적의 합계로서 적용
8. 계단 및 복도의 설치 기준		피난 · 방화규칙 제15조 제2항제4호	일반용도의 복도 및 계단 · 계단참의 너비 규정 적용시 거실바닥면적의 합계로서 규정
9. 지하층 규정		법 제53조, 피난 · 방화규칙 제25조	지하층의 환기설비규정 적용시 거실바닥면적의 합계로서 규정

10 주요구조부(법 제2조제1항제7호)

법 제2조【정의】①

7. "주요구조부"란 내력벽(耐力壁), 기둥, 바닥, 보, 지붕틀 및 주계단(主階段)을 말한다. 다만, 사이 기둥, 최하층 바닥, 작은 보, 차양, 옥외 계단, 그 밖에 이와 유사한 것으로 건축물의 구조상 중요하지 아니한 부분은 제외한다.

해설 「건축법」에서 주요구조부란 건축물의 공간형성과 방화상(불이 번지는 경로상)에 있어서의 주요한 부분을 말하며, 구조내력상 주요한 부분이라 함은 건축물의 내력상의 주요한 부분을 말한다. 「건축물의 구조기준 등에 관한 규칙」(이하 "구조규칙")에서도 주요구조부는 동일하게 적용된다. 다만, 구조내력상 주요한 부분이라 하여 따로 정의하고 있다.

■ 주요구조부의 도해

주요구조부	그 림	제외되는 부분
1. 지붕틀		1. 차양
2. 기둥	지붕틀	2. 사이 기둥
3. 내력벽		3. 비내력벽
4. 바닥	기둥, 벽 바닥, 보	4. 최하층 바닥
5. 보	주계단	5. 작은 보
6. 주계단		6. 옥외 계단 등

【참고】구조내력상 주요한 부분(구조규칙 제2조제1호)

주요 구조부	주요 구조부	–	기둥	내력벽	바닥	보	지붕틀	–	–
	제외	–	사이기둥	칸막이벽	최하층 바닥	작은보	차양	–	–
구조부재 (구조내력상 주요한 부분)		기초	기둥	벽	바닥판	보, 도리 (가로재)	지붕틀	토대	사재*

* 사재 : 가새, 버팀대, 귀잡이 그 밖에 이와 유사한 것

11 건축(법 제2조 제1항 제8호)(영 제2조)

법 제2조【건축】①

8. "건축"이란 건축물을 신축 · 증축 · 개축 · 재축(再築)하거나 건축물을 이전하는 것을 말한다.

영 제2조【정의】

1. "신축"이란 건축물이 없는 대지(기존 건축물이 해체되거나 멸실된 대지를 포함한다)에 새로 건축물을 축조(築造)하는 것[부속건축물만 있는 대지에 새로 주된 건축물을 축조하는 것을 포함하되, 개축(改築) 또는 재축(再築)하는 것은 제외한다]을 말한다.
2. "증축"이란 기존 건축물이 있는 대지에서 건축물의 건축면적, 연면적, 층수 또는 높이를 늘리는 것을 말한다.
3. "개축"이란 기존 건축물의 전부 또는 일부[내력벽 · 기둥 · 보 · 지붕틀(제16호에 따른 한옥의 경우에는 지붕틀의 범위에서 서까래는 제외한다) 중 셋 이상이 포함되는 경우를 말한다]를 해체하고 그 대지에 종전과 같은 규모의 범위에서 건축물을 다시 축조하는 것을 말한다.
4. "재축"이란 건축물이 천재지변이나 그 밖의 재해(災害)로 멸실된 경우 그 대지에 다음 각 목의 요건을 모두 갖추어 다시 축조하는 것을 말한다.
   가. 연면적 합계는 종전 규모 이하로 할 것
   나. 동(棟)수, 층수 및 높이는 다음의 어느 하나에 해당할 것
      1) 동수, 층수 및 높이가 모두 종전 규모 이하일 것
      2) 동수, 층수 또는 높이의 어느 하나가 종전 규모를 초과하는 경우에는 해당 동수, 층수 및 높이가 「건축법」(이하 "법"이라 한다), 이 영 또는 건축조례(이하 "법령등"이라 한다)에 모두 적합할 것
5. "이전"이란 건축물의 주요구조부를 해체하지 아니하고 같은 대지의 다른 위치로 옮기는 것을 말한다.

해설 "건축" 행위의 도해

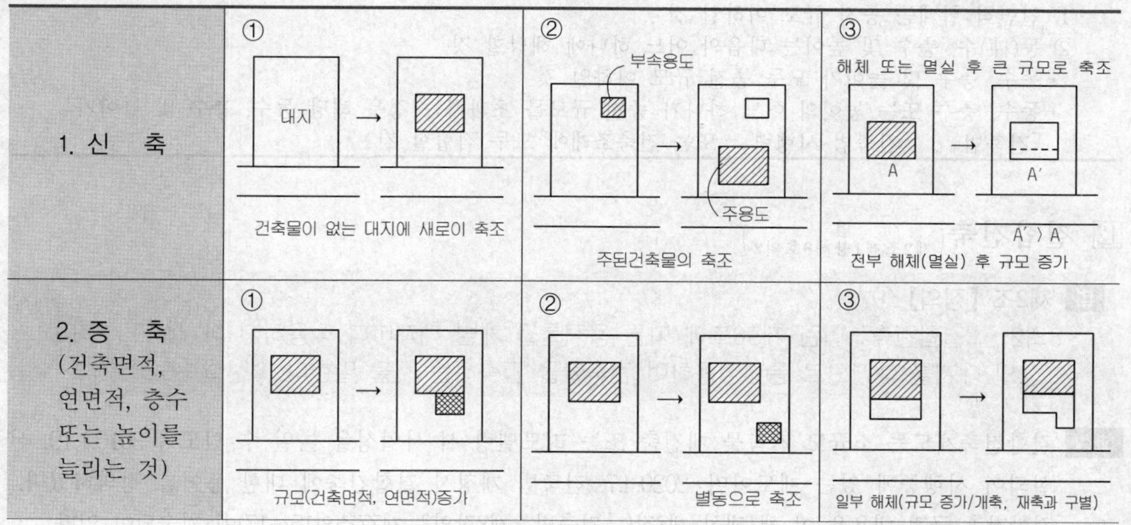

건축법
1. 총 칙
2. 건 축
3. 유지관리
4. 대지도로
5. 구조재료
6. 지역지구
7. 건축설비
8. 특별건축구역
9. 보 칙
10. 벌 칙
건축법 관련기준

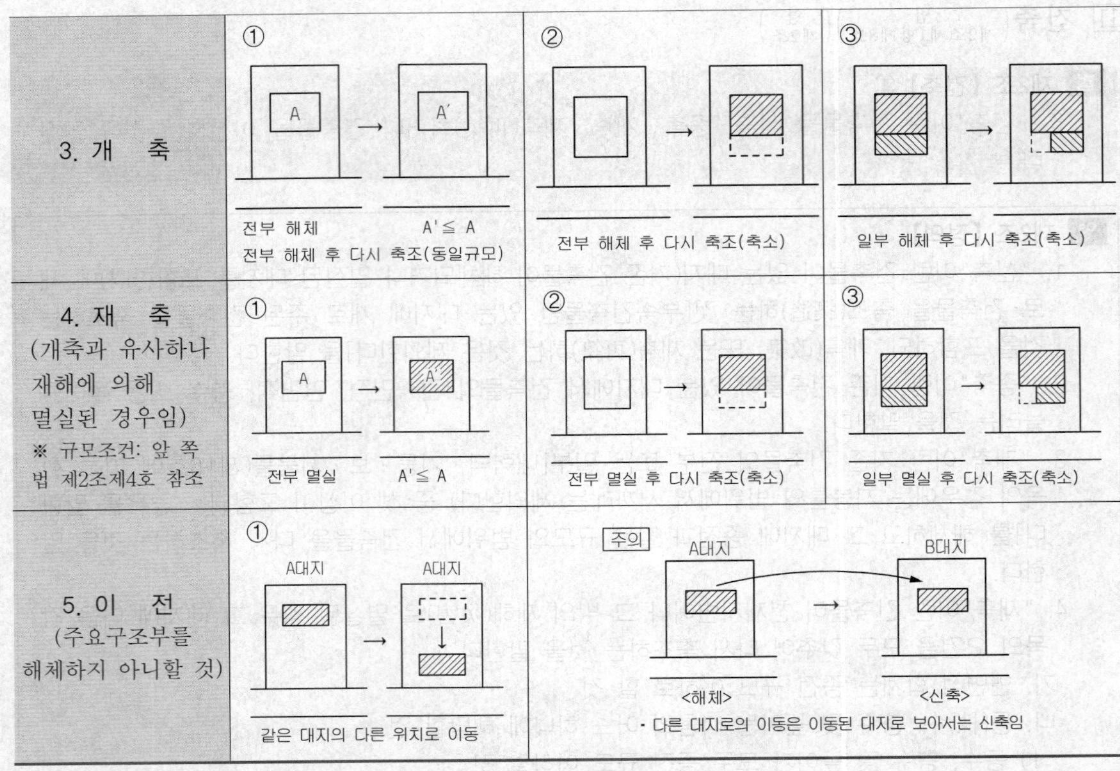

3. 개 축
①
A
A′
전부 해체
A′≦ A
전부 해체 후 다시 축조(동일규모)
②
전부 해체 후 다시 축조(축소)
③
일부 해체 후 다시 축조(축소)
4. 재 축
(개축과 유사하나 재해에 의해 멸실된 경우임)
※ 규모조건: 앞 쪽 법 제2조제4호 참조
①
A
A
전부 멸실
A′≦ A
②
전부 멸실 후 다시 축조(축소)
③
일부 멸실 후 다시 축조(축소)
5. 이 전
(주요구조부를 해체하지 아니할 것)
①
A대지
A대지
같은 대지의 다른 위치로 이동
주의
A대지
B대지
<해체>
<신축>
· 다른 대지로의 이동은 이동된 대지로 보아서는 신축임

【참고】 "건축" 행위와 건축허가 등

1. "건축" 행위(신축 · 증축 · 개축 · 재축 · 이전)로 정의된 것은 「건축법」에 따른 허가를 받아야 하는 행위임
2. 기둥 · 보 · 지붕틀 · 벽 중 세부분 이상 해체 후 수선은 개축으로 보아 "건축"행위에 해당됨 (대수선은 기둥 · 보 · 지붕틀 각각 3개 이상, 내력벽 30㎡ 이상을 수선 · 변경하는 것이며, 증설, 해체의 경우 개수, 면적 제한없이 대수선에 해당함 ➡ 대수선 해설 참조)
3. "재축"의 경우 규모제한을 다음과 같이 함
   ① 연면적 합계는 종전 규모 이하일 것
   ② 동(棟)수, 층수 및 높이는 다음의 어느 하나에 해당할 것
   · 동수, 층수 및 높이가 모두 종전 규모 이하일 것
   · 동수, 층수 또는 높이의 어느 하나가 종전 규모를 초과하는 경우 해당 동수, 층수 및 높이가 「건축법」, 「건축법 시행령」 또는 건축조례에 모두 적합할 것

12 결합건축(법 제2조제1항제8호의2)

법 제2조【정의】①

8의2. "결합건축"이란 제56조에 따른 용적률을 개별 대지마다 적용하지 아니하고, 2개 이상의 대지를 대상으로 통합적용하여 건축물을 건축하는 것을 말한다. <신설 2020.4.7.>

해설 결합건축제도는 소규모 건축물 재건축 또는 리모델링 시 사업성을 높일 수 있도록 2016.1.19. 신설되어 시행중에 있는 제도이며, 2020.4.7. 건축법 개정시 결합건축에 대한 용어를 정의하였다. 결합건축 규정 내용은 이 책 해설 제8장(「건축법」 제8장의3, 제77조의15~17)에 기술되어 있다.

13 대수선(법 제2조제1항제9호)(영 제3조의2)

법 제2조【정의】①

9. "대수선"이란 건축물의 기둥, 보, 내력벽, 주계단 등의 구조나 외부 형태를 수선·변경하거나 증설하는 것으로서 대통령령으로 정하는 것을 말한다.

영 제3조의2【대수선의 범위】

법 제2조제1항제9호에서 "대통령령으로 정하는 것"이란 다음 각 호의 어느 하나에 해당하는 것으로서 증축 · 개축 또는 재축에 해당하지 아니하는 것을 말한다. <개정 2019.10.22.>

1. 내력벽을 증설 또는 해체하거나 그 벽면적을 30제곱미터 이상 수선 또는 변경하는 것
2. 기둥을 증설 또는 해체하거나 세 개 이상 수선 또는 변경하는 것
3. 보를 증설 또는 해체하거나 세 개 이상 수선 또는 변경하는 것
4. 지붕틀(한옥의 경우에는 지붕틀의 범위에서 서까래는 제외한다)을 증설 또는 해체하거나 세 개 이상 수선 또는 변경하는 것
5. 방화벽 또는 방화구획을 위한 바닥 또는 벽을 증설 또는 해체하거나 수선 또는 변경하는 것
6. 주계단 · 피난계단 또는 특별피난계단을 증설 또는 해체하거나 수선 또는 변경하는 것
7. 삭제 <2019.10.22.>
8. 다가구주택의 가구 간 경계벽 또는 다세대주택의 세대 간 경계벽을 증설 또는 해체하거나 수선 또는 변경하는 것
9. 건축물의 외벽에 사용하는 마감재료(법 제52조제2항에 따른 마감재료를 말한다)를 증설 또는 해체하거나 벽면적 30제곱미터 이상 수선 또는 변경하는 것

해설 대수선은 건축물의 주요구조부 또는 외부형태를 증설·해체하거나 수선·변경하는 것으로서 건축주 임의대로 공사를 할 경우에는 여러 가지의 문제점이 있을 수 있으므로, '건축' 행위와 마찬가지로 '대수선'도 「건축법」의 규제 대상이 되며, 일정규모 이상 '대수선'은 허가대상으로, 소규모 건축물(연면적 200m^2미만이고 3층미만)의 '대수선' 행위는 신고로서 허가를 받은 것으로 보아 법규정을 적용하고 있다.

【1】 대수선의 범위

부 위	내 용	비 고
1. 내력벽	증설·해체하거나 벽면적 30m^2 이상 수선·변경	■ 증설·해체의 경우 면적, 개수 제한 없음 ■ 4부분 중 3부분 이상 해체시 개축행위로 봄
2. 기둥	증설·해체하거나 3개 이상 수선·변경	
3. 보	증설·해체하거나 3개 이상 수선·변경	
4. 지붕틀 (한옥의 경우 서까래 제외)	증설·해체하거나 3개 이상 수선·변경	
5. 방화벽, 방화구획의 바닥·벽	일부라도 증설·해체하거나 수선·변경	면적 제한 없음
6. 계단[1]	일부라도 증설·해체하거나 수선·변경	면적 제한 없음
7. 다가구주택 및 다세대주택	가구 및 세대간의 경계벽을 증설·해체하거나 수선·변경	–

8. 건축물 외벽에 사용하는 마감재료[2]	증설 · 해체하거나 벽면적 30㎡ 이상 수선 또는 변경	–

* 1) 주계단 · 피난계단 · 특별피난계단을 말함
2) 법 제52조제2항에 따른 마감재료로 방화에 지장이 없는 재료를 말함

【2】 상세 예

수선·변경 내용	행 위
1. 기둥 3개	대수선
2. 보1개+기둥2개	일반수선(대수선 아님)
3. 지붕틀 2개+보2개	일반수선(대수선 아님)
4. 지붕틀 3개	대수선
5. 보1개+지붕틀1개+기둥1개	개축(해체후 수선)
6. 내력벽+기둥1개+보1개	개축(해체후 수선)
*위 1, 2, 3, 4의 경우 증설 · 해체시 개수에 관계없이 대수선으로 봄	

14 리모델링(법 제2조제1항제10호)

법 제2조【정의】①
10. "리모델링"이란 건축물의 노후화를 억제하거나 기능 향상 등을 위하여 대수선하거나 건축물의 일부를 증축 또는 개축하는 행위를 말한다. <개정 2017.12.26.>

해설 리모델링은 건축물의 노후화 억제 또는 기능향상 등을 위한 대수선, 건축물의 일부 증축 또는 개축하는 행위로서 정의하고 있다. 리모델링의 경우 재건축 등에 비해 자원의 낭비를 줄일 수 있다는 측면에서 장점이 있다고 할 수 있다.

이에 관련 법령에서는 리모델링의 경우 여러 가지 인센티브 규정을 두고 있다. 「건축법」의 경우 건폐율, 용적률, 건축물 높이 등 완화규정의 적용(법 제5조), 공동주택을 리모델링이 쉬운 구조 등으로 하는 경우 특례적용 규정(법 제8조) 등이 있다.

15 도로(법 제2조제1항제11호)(영 제3조의3)

법 제2조【정의】①
11. "도로"란 보행과 자동차 통행이 가능한 너비 4미터 이상의 도로(지형적으로 자동차 통행이 불가능한 경우와 막다른 도로의 경우에는 대통령령으로 정하는 구조와 너비의 도로)로서 다음 각 목의 어느 하나에 해당하는 도로나 그 예정도로를 말한다.
가. 「국토의 계획 및 이용에 관한 법률」, 「도로법」, 「사도법」,그 밖의 관계 법령에 따라 신설 또는 변경에 관한 고시가 된 도로
나. 건축허가 또는 신고 시에 특별시장 · 광역시장 · 특별자치시장 · 도지사 · 특별자치도지사(이하 "시 · 도지사"라 한다) 또는 시장 · 군수 · 구청장(자치구의 구청장을 말한다. 이하 같다)이 위치를 지정하여 공고한 도로

건 축 법
1. 총 칙
2. 건 축
3. 유지관리
4. 대지도로
5. 구조재료
6. 지역지구
7. 건축설비
8. 특별건축구역
9. 보 칙
10. 벌 칙
건 축 법 관련기준

영 제3조의3【지형적 조건 등에 따른 도로의 구조와 너비】

법 제2조제1항제11호 각 목 외의 부분에서 "대통령령으로 정하는 구조와 너비의 도로"란 다음 각 호의 어느 하나에 해당하는 도로를 말한다. <개정 2014.10.14>

1. 특별자치시장 · 특별자치도지사 또는 시장 · 군수 · 구청장이 지형적 조건으로 인하여 차량 통행을 위한 도로의 설치가 곤란하다고 인정하여 그 위치를 지정 · 공고하는 구간의 너비 3미터 이상(길이가 10미터 미만인 막다른 도로인 경우에는 너비 2미터 이상)인 도로
2. 제1호에 해당하지 아니하는 막다른 도로로서 그 도로의 너비가 그 길이에 따라 각각 다음 표에 정하는 기준 이상인 도로

막다른 도로의 길이	도로의 너비
10미터 미만	2미터
10미터이상 35미터 미만	3미터
35미터 이상	6미터(도시지역이 아닌 읍 · 면 지역에서는 4미터)

해설 "도로"의 인정조건 및 종류 등

【1】「건축법」상 도로의 인정조건

「건축법」에서의 도로는 원칙적으로 너비 4m 이상으로서 보행 및 자동차 통행이 가능한 것이어야 한다. 이는 건축물의 이용주체가 사람이고 또한 건축물에는 필연적으로 주차공간을 확보하여야 한다. 따라서, 건축물이 원활하게 활용되기 위해서는 전면도로의 경우 사람은 물론 자동차의 통행이 자유로워야 한다. 그러므로 보행자 전용도로 · 자동차전용도로 · 고속도로 · 고가도로 · 지하도로 등은 「건축법」상의 도로에 포함되지 않는다.

【2】「국토의 계획 및 이용에 관한 법률」, 「도로법」 및 「사도법」상의 도로의 종류

구분	내용
1.「국토의 계획 및 이용에 관한 법률」의 도로 (국토의 계획 및 이용에 관한법률 시행령 제2조)	• 「국토의 계획 및 이용에 관한 법률」에 따른 '도로'는 기반시설 중 하나로 정의되며 다음과 같이 세분할 수 있음 ① 일반도로 ② 자동차전용도로 ③ 보행자전용도로 ④ 보행자우선도로 ⑤ 자전거전용도로 ⑥ 고가도로 ⑦지하도로
2.「도로법」의 도로 (도로법 제2조, 제10조~제18조)	• 「도로법」에 따른 '도로'는 차도, 보도(步道), 자전거도로, 측도(側道), 터널, 교량, 육교 등으로 구성된 것으로서 다음의 도로를 말함 • 「도로법」에 따른 도로의 종류와 등급 ① 고속국도(지선 포함) ② 일반국도(지선 포함) ③ 특별시도, 광역시도 ④ 지방도 ⑤ 시도 ⑥ 군도 ⑦ 구도
3.「사도법」의 도로 (사도법 제2조)	• '사도'는 다음 도로가 아닌 것으로 그 도로에 연결되는 길을 말함 ①「도로법」에 따른 도로 ②「도로법」의 준용을 받는 도로 ③「농어촌도로 정비법」에 따른 농어촌도로[1)] ④「농어촌정비법」에 따라 설치된 도로[2)] * 1), 2)는 시도, 군도 이상의 도로 구조를 갖춘 경우로 한정

【3】개설되지 않는 예정도로에 대한 인정

예정도로인 경우에도 계획이 확정된 경우 「건축법」상의 도로로서 인정한다.

① 「국토의 계획 및 이용에 관한 법률」 · 「도로법」 · 「사도법」 등에 의하여 신설 또는 변경에 관한 고시가 된 도로

② 건축허가 또는 신고시 특별시장·광역시장·특별자치시장·도지사·특별자치도지사 또는 시장·군수·구청장(자치구의 구청장을 말함)이 그 위치를 지정 · 공고한 도로

따라서, 확정(고시, 지정 · 공고 등)이 되지 않은 계획상의 예정도로는 도로로 볼 수 없다.

【4】 너비 3m 이상인 도로에 대한 인정

지형적 조건으로 차량통행이 곤란한 경우 특별자치시장·특별자치도지사 또는 시장·군수·구청장이 그 위치를 지정 · 공고 하는 구간내의 너비 3m(길이가 10m 미만인 막다른 도로의 경우 2m) 이상인 도로도 「건축법」상의 도로로 인정한다.

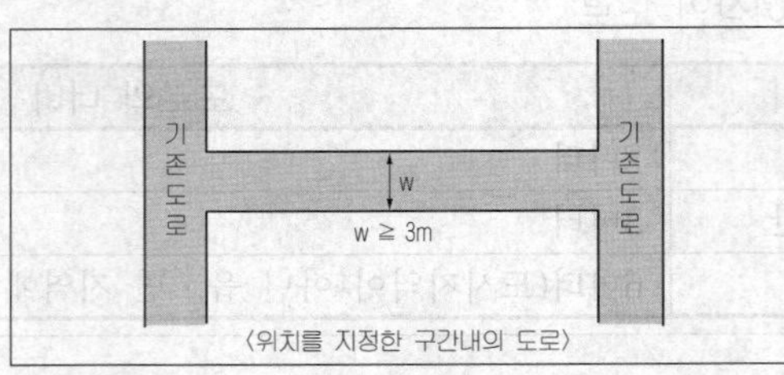

〈위치를 지정한 구간내의 도로〉

【5】 막다른 도로의 길이에 대한 기준

(단위 : m)

구 분	도로의 길이	도로의 기준너비
통과도로, W, L_1	$L_1 < 10$	$W \geq 2$
	$10 \leq L_1 < 35$	$W \geq 3$
	$L_1 \geq 35$	$*W \geq 6$
통과도로, L_1, L_2, W	$L_1 + L_2 < 10$	$W \geq 2$
	$10 \leq L_1 + L_2 < 35$	$W \geq 3$
	$L_1 + L_2 \geq 35$	$*W \geq 6$

* 도시지역이 아닌 읍 · 면의 지역에서는 4m 이상

16 건축주, 제조업자, 유통업자, 설계자(법 제2조제1항제12~13조)

법 제2조【정의】①

12. "건축주"란 건축물의 건축 · 대수선 · 용도변경, 건축설비의 설치 또는 공작물의 축조(이하 "건축물의 건축등"이라 한다)에 관한 공사를 발주하거나 현장 관리인을 두어 스스로 그 공사를 하는 자를 말한다.

12의2. "제조업자"란 건축물의 건축 · 대수선 · 용도변경, 건축설비의 설치 또는 공작물의 축조 등에 필요한 건축자재를 제조하는 사람을 말한다.

12의3. "유통업자"란 건축물의 건축 · 대수선 · 용도변경, 건축설비의 설치 또는 공작물의 축조에 필요한 건축자재를 판매하거나 공사현장에 납품하는 사람을 말한다.

13. "설계자"란 자기의 책임(보조자의 도움을 받는 경우를 포함한다)으로 설계도서를 작성하고 그 설계도서에서 의도하는 바를 해설하며, 지도하고 자문에 응하는 자를 말한다.

17 설계도서(법 제2조제1항제14호)(규칙 제1조의2)

법 제2조 【정의】 ①

14. "설계도서"란 건축물의 건축 등에 관한 공사용 도면, 구조 계산서, 시방서(示方書), 그 밖에 국토교통부령으로 정하는 공사에 필요한 서류를 말한다.

■ 설계도서의 범위

규칙 제1조의2 【설계도서의 범위】

「건축법」(이하 "법"이라 한다) 제2조제14호에서 "그 밖에 국토교통부령으로 정하는 공사에 필요한 서류"란 다음 각 호의 서류를 말한다.

1. 건축설비계산 관계서류 2. 토질 및 지질 관계서류 3. 기타 공사에 필요한 서류

해설 설계도서란 건축물의 건축등(건축물의 건축·대수선·용도변경, 건축설비의 설치 또는 공작물의 축조)의 공사에 필요한 다음 서류로서 도면·구조계산서·시방서 등을 말한다.

【1】 설계도서

관계법령	내 용	허가신청시 필요도서 (건축, 대수선, 가설건축물 허가)	신고신청시 필요도서 (건축·대수선·용도변경·가설건축물 신고)	착공신고시 필요도서	사용승인 신청시
건 축 법	• 공사용 도면 • 구조계산서 • 시방서	• 건축계획서 • 배치도 • 평면도 • 입면도 • 단면도 • 구조도 (구조안전 확인 또는 내진설계 대상) • 구조계산서 (구조안전 확인 또는 내진설계 대상) • 소방설비도 사전결정대상 (제외 도면) • 건축계획서 • 배치도 표준설계도서 (다음 도면만 제출) • 건축계획서 • 배치도	건축 • 배치도 • 층별 평면도 • 입면도 • 단면도 • 실내마감도 ■ **연면적합계 100㎡초과 단독주택** • 건축계획서·배치도·평면도·입면도·단면도·구조도 ■ **표준설계도서에 의한 건축** • 건축계획서·배치도 ■ **사전결정 받은 경우** • 평면도 용도변경 • 용도를 변경하고자 하는 층의 변경전·후의 평면도 • 변경되는 내화·방화·피난 또는 건축설비에 관한 사항을 표시한 도서 가설건축물 축조 • 배치도 • 평면도	• 건축관계자 상호간의 계약서 사본 건축분야 • 도면 목록표 • 안내도 • 개요서 • 구적도 • 실내재료마감표 • 배치도 • 주차계획도 • 각 층 및 지붕평면도 • 2면 이상 입면도 • 종·횡 단면도 • 수직동선 상세도 • 각 층 및 지붕평면도 • 부분상세도 • 창호도 • 건축설비도 일반분야 • 시방서 기타 구조·기계·전기·통신·토목·조경 분야등의 서류가 있음	• 공사감리 완료보고서 • 최종공사완료 도서 • 현황도면 • 액화석유가스 완성검사증명서
건 축 법 시행규칙	• 건축설비관계서류 • 토질 및 지질 관계서류 • 기타 공사에 필요한 서류				

18 공사감리자 · 공사시공자 · 관계전문기술자

【1】 공사감리자(법 제2조제1항제15호)

법 제2조【정의】 ① 이 법에서 사용하는 용어의 뜻은 다음과 같다.

15. "공사감리자"란 자기의 책임(보조자의 도움을 받는 경우를 포함한다)으로 이 법으로 정하는 바에 따라 건축물, 건축설비 또는 공작물이 설계도서의 내용대로 시공되는지를 확인하고, 품질관리 · 공사관리 · 안전관리 등에 대하여 지도 · 감독하는 자를 말한다.

해설 공사감리자는 건축주와의 계약에 의하여 건축시공자가 설계도서대로 적법하게 시공하는지 여부 등을 확인하고, 시공되는 건축물의 품질관리 · 공사관리 · 안전관리 등을 지도 · 감독하여야 하며, 감리중간보고서 · 감리완료보고서를 작성하여 건축주에게 제출할 의무가 있다.

【2】 공사시공자(법 제2조제1항제16호)

법 제2조【정의】 ① 이 법에서 사용하는 용어의 뜻은 다음과 같다.

16. "공사시공자"란 「건설산업기본법」 제2조제4호에 따른 건설공사를 하는 자를 말한다.

해설 이전의 현장관리인 제도 등이 「건축법」 규정에서 삭제됨에 따라 부실시공여부의 근거가 없어지게 되어, 건축물 시공자의 책임과 의무를 부여하고자 건설공사를 시행하는 자는 모두 시공자로 규정하고 있다.

관계법 건설공사(「건설산업기본법」 제2조제4호)

4. "건설공사"란 토목공사, 건축공사, 산업설비공사, 조경공사, 환경시설공사, 그 밖에 명칭과 관계없이 시설물을 설치 · 유지 · 보수하는 공사(시설물을 설치하기 위한 부지조성공사를 포함한다) 및 기계설비나 그 밖의 구조물의 설치 및 해체공사 등을 말한다. 다만, 다음 각 목의 어느 하나에 해당하는 공사는 포함하지 아니한다.
   가. 「전기공사업법」에 따른 전기공사
   나. 「정보통신공사업법」에 따른 정보통신공사
   다. 「소방시설공사업법」에 따른 소방시설공사
   라. 「문화재 수리 등에 관한 법률」에 따른 문화재 수리공사

【3】 관계전문기술자(법 제2조제1항제17호)

법 제2조【정의】 ① 이 법에서 사용하는 용어의 뜻은 다음과 같다.

17. "관계전문기술자"란 건축물의 구조 · 설비 등 건축물과 관련된 전문기술자격을 보유하고 설계와 공사감리에 참여하여 설계자 및 공사감리자와 협력하는 자를 말한다.

해설 관계전문기술자 : 구조분야 : 건축구조기술사
설비분야 : (기계설비) 건축기계설비기술사, 공조냉동기계기술사
(전기설비) 건축전기설비기술사, 발송배전기술사
(가스설비) 가스기술사
토목분야 : 토목분야 기술사, 국토개발분야의 지질 및 지반 기술사

19 건축물의 유지·관리(법 제2조제1항제16호의2)

법 제2조【정의】①

16의2. "건축물의 유지 · 관리"란 건축물의 소유자나 관리자가 사용 승인된 건축물의 대지 · 구조 · 설비 및 용도 등을 지속적으로 유지하기 위하여 건축물이 멸실될 때까지 관리하는 행위를 말한다.

20 특별건축구역(법 제2조제1항제18호)

법 제2조【정의】①

18. "특별건축구역"이란 조화롭고 창의적인 건축물의 건축을 통하여 도시경관의 창출, 건설기술 수준향상 및 건축 관련 제도개선을 도모하기 위하여 이 법 또는 관계 법령에 따라 일부 규정을 적용하지 아니하거나 완화 또는 통합하여 적용할 수 있도록 특별히 지정하는 구역을 말한다.

해설 조화롭고 창의적인 건축물의 건축을 통하여 도시경관의 창출, 건설기술 수준향상 및 건축 관련 제도개선을 도모하기 위하여 특별히 지정하는 구역으로, "특별건축구역"에서는 이 법 또는 관계 법령에 따른 일부 규정의 적용배제, 완화적용 또는 통합적용할 수 있도록 하고 있다.

21 발코니(영 제2조제14호)

영 제2조【정의】

14. "발코니"란 건축물의 내부와 외부를 연결하는 완충공간으로서 전망이나 휴식 등의 목적으로 건축물 외벽에 접하여 부가적(附加的)으로 설치되는 공간을 말한다. 이 경우 주택에 설치되는 발코니로서 국토교통부장관이 정하는 기준에 적합한 발코니는 필요에 따라 거실·침실·창고 등의 용도로 사용할 수 있다.

해설 주택의 발코니는 내부와 외부와의 완충공간으로, 바닥면적(용적률)산정에서 제외되나, 발코니를 거실, 침실 등으로 확장하여 사용함으로서 실질적 내부면적의 증가와 구조, 방화 및 피난 등의 안전에 대한 문제가 상존함. 이에 거실, 침실, 창고 등의 용도로 사용하기 위해서는 국토교통부장관이 정하는 기준에 따른 구조, 피난 등의 안전조치를 하도록 함. ➡ 제5장 해설 참조

22 부속구조물(법 제2조제1항제21호)(영 제2조 제19호)

법 제2조【정의】①

21. "부속구조물"이란 건축물의 안전 · 기능 · 환경 등을 향상시키기 위하여 건축물에 추가적으로 설치하는 환기시설물 등 대통령령으로 정하는 구조물을 말한다.

영 제2조【정의】

19. 법 제2조제1항제21호에서 "환기시설물 등 대통령령으로 정하는 구조물"이란 급기(給氣) 및 배기(排氣)를 위한 건축 구조물의 개구부(開口部)인 환기구를 말한다.

※ 환기구 설치기준은 제7장을 참고

건 축 법
1. 총 칙
2. 건 축
3. 유지관리
4. 대지도로
5. 구조재료
6. 지역지구
7. 건축설비
8. 특별건축구역
9. 보 칙
10. 벌 칙
건 축 법 관련기준

23 내수재료·내화구조·방화구조·난연재료·불연재료·준불연재료(영 제2조 제6－11호)

영 제2조【정의】

6. "내수재료(耐水材料)"란 인조석 · 콘크리트 등 내수성을 가진 재료로서 국토교통부령으로 정하는 재료를 말한다.
7. "내화구조(耐火構造)"란 화재에 견딜 수 있는 성능을 가진 구조로서 국토교통부령으로 정하는 기준에 적합한 구조를 말한다.
8. "방화구조(防火構造)"란 화염의 확산을 막을 수 있는 성능을 가진 구조로서 국토교통부령으로 정하는 기준에 적합한 구조를 말한다.
9. "난연재료(難燃材料)"란 불에 잘 타지 아니하는 성능을 가진 재료로서 국토교통부령으로 정하는 기준에 적합한 재료를 말한다.
10. "불연재료(不燃材料)"란 불에 타지 아니하는 성질을 가진 재료로서 국토교통부령으로 정하는 기준에 적합한 재료를 말한다.
11. "준불연재료"란 불연재료에 준하는 성질을 가진 재료로서 국토교통부령으로 정하는 기준에 적합한 재료를 말한다.

※ 상세해설은 제5장을 참고

3 건축물의 용도(법 제2조제1항제3호, 제2항)(영 제3조의5)

법 제2조【정의】①

3. "건축물의 용도"란 건축물의 종류를 유사한 구조, 이용 목적 및 형태별로 묶어 분류한 것을 말한다.

■ **건축물의 용도분류**(법 제2조제2항)

법 제2조【정의】

② 건축물의 용도는 다음과 같이 구분하되, 각 용도에 속하는 건축물의 세부 용도는 대통령령으로 정한다. <개정 2022.11.15.>

1. 단독주택
2. 공동주택
3. 제1종 근린생활시설
4. 제2종 근린생활시설
5. 문화 및 집회시설
6. 종교시설
7. 판매시설
8. 운수시설
9. 의료시설
10. 교육연구시설

11. 노유자(老幼者: 노인 및 어린이)시설
12. 수련시설
13. 운동시설
14. 업무시설
15. 숙박시설
16. 위락(慰樂)시설
17. 공장
18. 창고시설
19. 위험물 저장 및 처리 시설
20. 자동차 관련 시설
21. 동물 및 식물 관련 시설
22. 자원순환 관련 시설
23. 교정(矯正)시설
24. 국방·군사시설
25.) 방송통신시설
26.) 발전시설
27.) 묘지 관련 시설
28.) 관광 휴게시설
29.) 그 밖에 대통령령으로 정하는 시설

영 제3조의5【용도별 건축물의 종류】
법 제2조제2항 각 호의 용도에 속하는 건축물의 종류는 별표 1과 같다.

■ **부속용도**(영 제2조제1항제13호)

영 제2조【정의】
13. "부속용도"란 건축물의 주된 용도의 기능에 필수적인 용도로서 다음 각 목의 어느 하나에 해당하는 용도를 말한다.
가. 건축물의 설비, 대피, 위생, 그 밖에 이와 비슷한 시설의 용도
나. 사무, 작업, 집회, 물품저장, 주차, 그 밖에 이와 비슷한 시설의 용도
다. 구내식당·직장어린이집·구내운동시설 등 종업원 후생복리시설, 구내소각시설, 그 밖에 이와 비슷한 시설의 용도. 이 경우 다음의 요건을 모두 갖춘 휴게음식점(별표 1 제3호의 제1종 근린생활시설 중 같은 호 나목에 따른 휴게음식점을 말한다)은 구내식당에 포함되는 것으로 본다.
1) 구내식당 내부에 설치할 것
2) 설치면적이 구내식당 전체 면적의 3분의 1 이하로서 50제곱미터 이하일 것
3) 다류(茶類)를 조리·판매하는 휴게음식점일 것
라. 관계 법령에서 주된 용도의 부수시설로 설치할 수 있게 규정하고 있는 시설, 그 밖에 국토교통부장관이 이와 유사하다고 인정하여 고시하는 시설의 용도

■ **용도별 건축물의 종류**(영 별표 1)<개정 2022.2.11., 2022.12.6., 2023.2.14., 2023.4.27., 2023.5.15., 2023.9.12.>

※ 용도구분시 참고사항(별표 1의 비고 내용)

1. 제3호 및 제4호에서 "해당 용도로 쓰는 바닥면적"이란 부설 주차장 면적을 제외한 실(實) 사용면적에 공용부분 면적(복도, 계단, 화장실 등의 면적을 말한다)을 비례 배분한 면적을 합한 면적을 말한다.
2. 위 1.에 따라 "해당 용도로 쓰는 바닥면적"을 산정할 때 건축물의 내부를 여러 개의 부분으로 구분하여 독립한 건축물로 사용하는 경우에는 그 구분된 면적 단위로 바닥면적을 산정한다. 다만, 다음 각 목에 해당하는 경우에는 각 목에서 정한 기준에 따른다.
   가. 제4호더목에 해당하는 건축물의 경우에는 내부가 여러 개의 부분으로 구분되어 있더라도 해당 용도로 쓰는 바닥면적을 모두 합산하여 산정한다.
   나. 동일인이 둘 이상의 구분된 건축물을 같은 세부 용도로 사용하는 경우에는 연접되어 있지 않더라도 이를 모두 합산하여 산정한다.
   다. 구분 소유자(임차인을 포함한다)가 다른 경우에도 구분된 건축물을 같은 세부 용도로 연계하여 함께 사용하는 경우(통로, 창고 등을 공동으로 활용하는 경우 또는 명칭의 일부를 동일하게 사용하여 홍보하거나 관리하는 경우 등을 말한다)에는 연접되어 있지 않더라도 연계하여 함께 사용하는 바닥면적을 모두 합산하여 산정한다.
3. 「청소년 보호법」 제2조제5호가목8) 및 9)에 따라 여성가족부장관이 고시하는 청소년 출입·고용금지업의 영업을 위한 시설은 제1종 근린생활시설 및 제2종 근린생활시설에서 제외하되, 이 표에 따른 다른 용도의 시설로 분류되지 않는 경우에는 제16호에 따른 위락시설로 분류한다.
4. 국토교통부장관은 별표 1 각 호의 용도별 건축물의 종류에 관한 구체적인 범위를 정하여 고시할 수 있다.

1. **단독주택**[단독주택의 형태를 갖춘 가정어린이집·공동생활가정·지역아동센터·공동육아나눔터(「아이돌봄 지원법」 제19조에 따른 공동육아나눔터를 말한다. 이하 같다)·작은도서관(「도서관법」 제2조제2항제1호가목에 따른 작은도서관을 말하며, 해당 주택의 1층에 설치한 경우만 해당한다. 이하 같다) 및 노인복지시설(노인복지주택은 제외한다)을 포함한다] <개정 2020.10.8., 2020.12.15., 2021.11.2>
   가. 단독주택
   나. 다중주택: 다음의 요건을 모두 갖춘 주택을 말한다.
      1) 학생 또는 직장인 등 여러 사람이 장기간 거주할 수 있는 구조로 되어 있는 것
      2) 독립된 주거의 형태를 갖추지 않은 것(각 실별로 욕실은 설치할 수 있으나, 취사시설은 설치하지 않은 것을 말한다.)
      3) 1개 동의 주택으로 쓰이는 바닥면적(부설 주차장 면적은 제외한다. 이하 같다)의 합계가 660제곱미터 이하이고 주택으로 쓰는 층수(지하층은 제외한다)가 3개 층 이하일 것. 다만, 1층의 전부 또는 일부를 필로티 구조로 하여 주차장으로 사용하고 나머지 부분을 주택(주거 목적으로 한정한다) 외의 용도로 쓰는 경우에는 해당 층을 주택의 층수에서 제외한다.
      4) 적정한 주거환경을 조성하기 위하여 건축조례로 정하는 실별 최소 면적, 창문의 설치 및 크기 등의 기준에 적합할 것
   다. 다가구주택: 다음의 요건을 모두 갖춘 주택으로서 공동주택에 해당하지 아니하는 것을 말한다.
      1) 주택으로 쓰는 층수(지하층은 제외한다)가 3개 층 이하일 것. 다만, 1층의 전부 또는 일부를 필로티 구조로 하여 주차장으로 사용하고 나머지 부분을 주택(주거 목적으로 한정한다) 외의 용도로 쓰는 경우에는 해당 층을 주택의 층수에서 제외한다.
      2) 1개 동의 주택으로 쓰이는 바닥면적의 합계가 660제곱미터 이하일 것
      3) 19세대(대지 내 동별 세대수를 합한 세대를 말한다) 이하가 거주할 수 있을 것
   라. 공관(公館)
2. **공동주택**[공동주택의 형태를 갖춘 가정어린이집·공동생활가정·지역아동센터·공동육아나눔터·작은도서관·노인복지시설(노인복지주택은 제외한다) 및 「주택법 시행령」 제10조제1항제1호에 따른 소형 주택을 포함한다].

다만, 가목이나 나목에서 층수를 산정할 때 1층 전부를 필로티 구조로 하여 주차장으로 사용하는 경우에는 필로티 부분을 층수에서 제외하고, 다목에서 층수를 산정할 때 1층의 전부 또는 일부를 필로티 구조로 하여 주차장으로 사용하고 나머지 부분을 주택(주거 목적으로 한정한다) 외의 용도로 쓰는 경우에는 해당 층을 주택의 층수에서 제외하며, 가목부터 라목까지의 규정에서 층수를 산정할 때 지하층을 주택의 층수에서 제외한다. <개정 2020.10.8., 2021.5.4., 2021.11.2., 2022.2.11., 2023.2.14>

가. 아파트: 주택으로 쓰는 층수가 5개 층 이상인 주택

나. 연립주택: 주택으로 쓰는 1개 동의 바닥면적(2개 이상의 동을 지하주차장으로 연결하는 경우에는 각각의 동으로 본다) 합계가 660제곱미터를 초과하고, 층수가 4개 층 이하인 주택

다. 다세대주택: 주택으로 쓰는 1개 동의 바닥면적 합계가 660제곱미터 이하이고, 층수가 4개 층 이하인 주택(2개 이상의 동을 지하주차장으로 연결하는 경우에는 각각의 동으로 본다)

라. 기숙사: 다음의 어느 하나에 해당하는 건축물로서 공간의 구성과 규모 등에 관하여 국토교통부장관이 정하여 고시하는 기준에 적합한 것. 다만, 구분소유된 개별 실(室)은 제외한다. <개정 2021.5.4., 2023.2.14.>

1) 일반기숙사: 학교 또는 공장 등의 학생 또는 종업원 등을 위하여 사용하는 것으로서 해당 기숙사의 공동취사시설 이용 세대 수가 전체 세대 수(건축물의 일부를 기숙사로 사용하는 경우에는 기숙사로 사용하는 세대 수로 한다. 이하 같다)의 50퍼센트 이상인 것(「교육기본법」 제27조제2항에 따른 학생복지주택을 포함한다)

1) 임대형기숙사: 「공공주택 특별법」 제4조에 따른 공공주택사업자 또는 「민간임대주택에 관한 특별법」 제2조제7호에 따른 임대사업자가 임대사업에 사용하는 것으로서 임대 목적으로 제공하는 실이 20실 이상이고 해당 기숙사의 공동취사시설 이용 세대 수가 전체 세대 수의 50퍼센트 이상인 것

3. 제1종 근린생활시설 <개정 2019.10.22., 2021.5.4., 2023.9.12.>

가. 식품·잡화·의류·완구·서적·건축자재·의약품·의료기기 등 일용품을 판매하는 소매점으로서 같은 건축물(하나의 대지에 두 동 이상의 건축물이 있는 경우에는 이를 같은 건축물로 본다. 이하 같다)에 해당 용도로 쓰는 바닥면적의 합계가 1천 제곱미터 미만인 것

나. 휴게음식점, 제과점 등 음료·차(茶)·음식·빵·떡·과자 등을 조리하거나 제조하여 판매하는 시설(제4호너목 또는 제17호에 해당하는 것은 제외한다)로서 같은 건축물에 해당 용도로 쓰는 바닥면적의 합계가 300제곱미터 미만인 것

다. 이용원, 미용원, 목욕장, 세탁소 등 사람의 위생관리나 의류 등을 세탁·수선하는 시설(세탁소의 경우 공장에 부설되는 것과 「대기환경보전법」, 「물환경보전법」 또는 「소음·진동관리법」에 따른 배출시설의 설치 허가 또는 신고의 대상인 것은 제외한다)

라. 의원, 치과의원, 한의원, 침술원, 접골원(接骨院), 조산원, 안마원, 산후조리원 등 주민의 진료·치료 등을 위한 시설

마. 탁구장, 체육도장으로서 같은 건축물에 해당 용도로 쓰는 바닥면적의 합계가 500제곱미터 미만인 것

바. 지역자치센터, 파출소, 지구대, 소방서, 우체국, 방송국, 보건소, 공공도서관, 건강보험공단 사무소 등 주민의 편의를 위하여 공공업무를 수행하는 시설로서 같은 건축물에 해당 용도로 쓰는 바닥면적의 합계가 1천 제곱미터 미만인 것

사. 마을회관, 마을공동작업소, 마을공동구판장, 공중화장실, 대피소, 지역아동센터(단독주택과 공동주택에 해당하는 것은 제외한다) 등 주민이 공동으로 이용하는 시설

아. 변전소, 도시가스배관시설, 통신용 시설(해당 용도로 쓰는 바닥면적의 합계가 1천제곱미터 미만인 것에 한정한다), 정수장, 양수장 등 주민의 생활에 필요한 에너지공급·통신서비스제공이나 급수·배수와 관련된 시설

자. 금융업소, 사무소, 부동산중개사무소, 결혼상담소 등 소개업소, 출판사 등 일반업무시설로서 같은 건축물에 해당 용도로 쓰는 바닥면적의 합계가 30제곱미터 미만인 것

차. 전기자동차 충전소(해당 용도로 쓰는 바닥면적의 합계가 1천제곱미터 미만인 것으로 한정한다)

카. 동물병원, 동물미용실 및 「동물보호법」 제73조제1항제2호에 따른 동물위탁관리업을 위한 시설로서 같은 건축물에 해당 용도로 쓰는 바닥면적의 합계가 300제곱미터 미만인 것 <신설 2023.9.12.>

4. 제2종 근린생활시설 <개정 2020.10.8., 2020.12.15., 2021.5.4, 2023.4.27., 2023.9.12.>

가. 공연장(극장, 영화관, 연예장, 음악당, 서커스장, 비디오물감상실, 비디오물소극장, 그 밖에 이와 비슷한 것을 말한다. 이하 같다)으로서 같은 건축물에 해당 용도로 쓰는 바닥면적의 합계가 500제곱미터 미만인 것

건 축 법
1. 총 칙
2. 건 축
3. 유지관리
4. 대지도로
5. 구조재료
6. 지역지구
7. 건축설비
8. 특별건축구역
9. 보 칙
10. 벌 칙
건 축 법 관련기준

나. 종교집회장[교회, 성당, 사찰, 기도원, 수도원, 수녀원, 제실(祭室), 사당, 그 밖에 이와 비슷한 것을 말한다. 이하 같다]으로서 같은 건축물에 해당 용도로 쓰는 바닥면적의 합계가 500제곱미터 미만인 것

다. 자동차영업소로서 같은 건축물에 해당 용도로 쓰는 바닥면적의 합계가 1천제곱미터 미만인 것

라. 서점(제1종 근린생활시설에 해당하지 않는 것)

마. 총포판매소

바. 사진관, 표구점

사. 청소년게임제공업소, 복합유통게임제공업소, 인터넷컴퓨터게임시설제공업소, 가상현실체험 제공업소, 그 밖에 이와 비슷한 게임 및 체험 관련 시설로서 같은 건축물에 해당 용도로 쓰는 바닥면적의 합계가 500제곱미터 미만인 것 <개정 2021.5.4>

아. 휴게음식점, 제과점 등 음료·차(茶)·음식·빵·떡·과자 등을 조리하거나 제조하여 판매하는 시설(너목 또는 제17호에 해당하는 것은 제외한다)로서 같은 건축물에 해당 용도로 쓰는 바닥면적의 합계가 300제곱미터 이상인 것

자. 일반음식점

차. 장의사, 동물병원, 동물미용실, 「동물보호법」 제7조제1항제2호에 따른 동물위탁관리업을 위한 시설, 그 밖에 이와 유사한 것(제1종 근린생활시설에 해당하는 것은 제외한다) <개정 2023.4.27., 2023.9.12>

카. 학원(자동차학원·무도학원 및 정보통신기술을 활용하여 원격으로 교습하는 것은 제외한다), 교습소(자동차교습·무도교습 및 정보통신기술을 활용하여 원격으로 교습하는 것은 제외한다), 직업훈련소(운전·정비 관련 직업훈련소는 제외한다)로서 같은 건축물에 해당 용도로 쓰는 바닥면적의 합계가 500제곱미터 미만인 것

타. 독서실, 기원

파. 테니스장, 체력단련장, 에어로빅장, 볼링장, 당구장, 실내낚시터, 골프연습장, 놀이형시설(「관광진흥법」에 따른 기타유원시설업의 시설을 말한다. 이하 같다) 등 주민의 체육 활동을 위한 시설(제3호마목의 시설은 제외한다)로서 같은 건축물에 해당 용도로 쓰는 바닥면적의 합계가 500제곱미터 미만인 것

하. 금융업소, 사무소, 부동산중개사무소, 결혼상담소 등 소개업소, 출판사 등 일반업무시설로서 같은 건축물에 해당 용도로 쓰는 바닥면적의 합계가 500제곱미터 미만인 것(제1종 근린생활시설에 해당하는 것은 제외한다)

거. 다중생활시설(「다중이용업소의 안전관리에 관한 특별법」에 따른 다중이용업 중 고시원업의 시설로서 국토교통부장관이 고시하는 기준과 그 기준에 위배되지 않는 범위에서 적정한 주거환경을 조성하기 위하여 건축조례로 정하는 실별 최소 면적, 창문의 설치 및 크기 등의 기준에 적합한 것을 말한다. 이하 같다)로서 같은 건축물에 해당 용도로 쓰는 바닥면적의 합계가 500제곱미터 미만인 것

너. 제조업소, 수리점 등 물품의 제조·가공·수리 등을 위한 시설로서 같은 건축물에 해당 용도로 쓰는 바닥면적의 합계가 500제곱미터 미만이고, 다음 요건 중 어느 하나에 해당하는 것

1) 「대기환경보전법」, 「물환경보전법」 또는 「소음·진동관리법」에 따른 배출시설의 설치 허가 또는 신고의 대상이 아닌 것

2) 「물환경보전법」 제33조제1항 본문에 따라 폐수배출시설의 설치 허가를 받거나 신고해야 하는 시설로서 발생되는 폐수를 전량 위탁처리하는 것 <개정 2021.5.4>

더. 단란주점으로서 같은 건축물에 해당 용도로 쓰는 바닥면적의 합계가 150제곱미터 미만인 것

러. 안마시술소, 노래연습장

5. 문화 및 집회시설

가. 공연장으로서 제2종 근린생활시설에 해당하지 아니하는 것

나. 집회장[예식장, 공회당, 회의장, 마권(馬券) 장외 발매소, 마권 전화투표소, 그 밖에 이와 비슷한 것을 말한다]으로서 제2종 근린생활시설에 해당하지 아니하는 것

다. 관람장(경마장, 경륜장, 경정장, 자동차 경기장, 그 밖에 이와 비슷한 것과 체육관 및 운동장으로서 관람석의 바닥면적의 합계가 1천 제곱미터 이상인 것을 말한다)

라. 전시장(박물관, 미술관, 과학관, 문화관, 체험관, 기념관, 산업전시장, 박람회장, 그 밖에 이와 비슷한 것을 말한다)

마. 동·식물원(동물원, 식물원, 수족관, 그 밖에 이와 비슷한 것을 말한다)

6. 종교시설

가. 종교집회장으로서 제2종 근린생활시설에 해당하지 아니하는 것

나. 종교집회장(제2종 근린생활시설에 해당하지 아니하는 것을 말한다)에 설치하는 봉안당(奉安堂)

7. 판매시설

가. 도매시장(「농수산물유통 및 가격안정에 관한 법률」에 따른 농수산물도매시장, 농수산물공판장, 그 밖에 이와 비슷한 것을 말하며, 그 안에 있는 근린생활시설을 포함한다)

나. 소매시장(「유통산업발전법」 제2조제3호에 따른 대규모 점포 그 밖에 이와 비슷한 것을 말하며, 그 안에 있는 근린생활시설을 포함한다)

다. 상점(그 안에 있는 근린생활시설을 포함한다)으로서 다음의 요건 중 어느 하나에 해당하는 것

1) 제3호가목에 해당하는 용도(서점은 제외한다)로서 제1종 근린생활시설에 해당하지 아니하는 것

2) 「게임산업진흥에 관한 법률」 제2조제6호의2가목에 따른 청소년게임제공업의 시설, 같은 호 나목에 따른 일반게임제공업의 시설, 같은 조 제7호에 따른 인터넷컴퓨터게임시설제공업의 시설 및 같은 조 제8호에 따른 복합유통게임제공업의 시설로서 제2종 근린생활시설에 해당하지 아니하는 것

8. 운수시설 <개정 2018.9.4.>

가. 여객자동차터미널

나. 철도시설

다. 공항시설

라. 항만시설

마. 그 밖에 가목부터 라목까지의 규정에 따른 시설과 비슷한 시설

9. 의료시설

가. 병원(종합병원, 병원, 치과병원, 한방병원, 정신병원 및 요양병원을 말한다)

나. 격리병원(전염병원, 마약진료소, 그 밖에 이와 비슷한 것을 말한다)

10. 교육연구시설(제2종 근린생활시설에 해당하는 것은 제외한다)

가. 학교(유치원, 초등학교, 중학교, 고등학교, 전문대학, 대학, 대학교, 그 밖에 이에 준하는 각종 학교를 말한다)

나. 교육원(연수원, 그 밖에 이와 비슷한 것을 포함한다)

다. 직업훈련소(운전 및 정비 관련 직업훈련소는 제외한다)

라. 학원(자동차학원 및 무도학원 및 정보통신기술을 활용하여 원격으로 교습하는 것은 제외한다)

마. 연구소(연구소에 준하는 시험소와 계측계량소를 포함한다)

바. 도서관

11. 노유자시설

가. 아동 관련 시설(어린이집, 아동복지시설, 그 밖에 이와 비슷한 것으로서 단독주택, 공동주택 및 제1종 근린생활시설에 해당하지 아니하는 것을 말한다)

나. 노인복지시설(단독주택과 공동주택에 해당하지 아니하는 것을 말한다)

다. 그 밖에 다른 용도로 분류되지 아니한 사회복지시설 및 근로복지시설

12. 수련시설 <개정 2016.2.11.>

가. 생활권 수련시설(「청소년활동진흥법」에 따른 청소년수련관, 청소년문화의집, 청소년특화시설, 그 밖에 이와 비슷한 것을 말한다)

나. 자연권 수련시설(「청소년활동진흥법」에 따른 청소년수련원, 청소년야영장, 그 밖에 이와 비슷한 것을 말한다)

다. 「청소년활동진흥법」에 따른 유스호스텔

라. 「관광진흥법」에 따른 야영장 시설로서 제29호에 해당하지 아니하는 시설

13. 운동시설

가. 탁구장, 체육도장, 테니스장, 체력단련장, 에어로빅장, 볼링장, 당구장, 실내낚시터, 골프연습장, 놀이형시설, 그

밖에 이와 비슷한 것으로서 제1종 근린생활시설 및 제2종 근린생활시설에 해당하지 아니하는 것
나. 체육관으로서 관람석이 없거나 관람석의 바닥면적이 1천제곱미터 미만인 것
다. 운동장(육상장, 구기장, 볼링장, 수영장, 스케이트장, 롤러스케이트장, 승마장, 사격장, 궁도장, 골프장 등과 이에 딸린 건축물을 말한다)으로서 관람석이 없거나 관람석의 바닥면적이 1천 제곱미터 미만인 것

14. 업무시설 <개정 2016.7.19.>
가. 공공업무시설: 국가 또는 지방자치단체의 청사와 외국공관의 건축물로서 제1종 근린생활시설에 해당하지 아니하는 것
나. 일반업무시설: 다음 요건을 갖춘 업무시설을 말한다.
1) 금융업소, 사무소, 결혼상담소 등 소개업소, 출판사, 신문사, 그 밖에 이와 비슷한 것으로서 제1종 근린생활시설 및 제2종 근린생활시설에 해당하지 않는 것
2) 오피스텔(업무를 주로 하며, 분양하거나 임대하는 구획 중 일부 구획에서 숙식을 할 수 있도록 한 건축물로서 국토교통부장관이 고시하는 기준에 적합한 것을 말한다)

15. 숙박시설 <개정 2021.5.4., 2021.11.2>
가. 일반숙박시설 및 생활숙박시설(「공중위생관리법」 제3조제1항 전단에 따라 숙박업 신고를 해야 하는 시설로서 국토교통부장관이 정하여 고시하는 요건을 갖춘 시설을 말한다)
나. 관광숙박시설(관광호텔, 수상관광호텔, 한국전통호텔, 가족호텔, 호스텔, 소형호텔, 의료관광호텔 및 휴양 콘도미니엄)
다. 다중생활시설(제2종 근린생활시설에 해당하지 아니하는 것을 말한다)
라. 그 밖에 가목부터 다목까지의 시설과 비슷한 것

16. 위락시설
가. 단란주점으로서 제2종 근린생활시설에 해당하지 아니하는 것
나. 유흥주점이나 그 밖에 이와 비슷한 것
다. 「관광진흥법」에 따른 유원시설업의 시설, 그 밖에 이와 비슷한 시설(제2종 근린생활시설과 운동시설에 해당하는 것은 제외한다)
라. 삭제 <2010.2.18>
마. 무도장, 무도학원
바. 카지노영업소

17. 공장
물품의 제조·가공[염색·도장(塗裝)·표백·재봉·건조·인쇄 등을 포함한다] 또는 수리에 계속적으로 이용되는 건축물로서 제1종 근린생활시설, 제2종 근린생활시설, 위험물저장 및 처리시설, 자동차 관련 시설, 자원순환 관련 시설 등으로 따로 분류되지 아니한 것

18. 창고시설(위험물 저장 및 처리 시설 또는 그 부속용도에 해당하는 것은 제외한다)
가. 창고(물품저장시설로서 「물류정책기본법」에 따른 일반창고와 냉장 및 냉동 창고를 포함한다)
나. 하역장
다. 「물류시설의 개발 및 운영에 관한 법률」에 따른 물류터미널
라. 집배송 시설

19. 위험물 저장 및 처리 시설 <개정 2018.9.4.>
「위험물안전관리법」, 「석유 및 석유대체연료 사업법」, 「도시가스사업법」, 「고압가스 안전관리법」, 「액화석유가스의 안전관리 및 사업법」, 「총포·도검·화약류 등 단속법」, 「화학물질 관리법」 등에 따라 설치 또는 영업의 허가를 받아야 하는 건축물로서 다음 각 목의 어느 하나에 해당하는 것. 다만, 자가난방·자가발전, 그 밖에 이와 비슷한 목적으로 쓰는 저장시설은 제외한다.
가. 주유소(기계식 세차설비를 포함한다) 및 석유 판매소

나. 액화석유가스 충전소·판매소·저장소(기계식 세차설비를 포함한다)
다. 위험물 제조소·저장소·취급소
라. 액화가스 취급소·판매소
마. 유독물 보관·저장·판매시설
바. 고압가스 충전소·판매소·저장소
사. 도료류 판매소
아. 도시가스 제조시설
자. 화약류 저장소
차. 그 밖에 가목부터 자목까지의 시설과 비슷한 것

20. 자동차 관련 시설(건설기계 관련 시설을 포함한다) <개정 2021.5.4.>
가. 주차장
나. 세차장
다. 폐차장
라. 검사장
마. 매매장
바. 정비공장
사. 운전학원 및 정비학원(운전 및 정비 관련 직업훈련시설을 포함한다)
아. 「여객자동차 운수사업법」, 「화물자동차 운수사업법」 및 「건설기계관리법」에 따른 차고 및 주기장(駐機場)
자. 전기자동차 충전소로서 제1종 근린생활시설에 해당하지 않는 것

21. 동물 및 식물 관련 시설 <개정 2018.9.4.>
가. 축사(양잠·양봉·양어·양돈·양계·곤충사육 시설 및 부화장 등을 포함한다)
나. 가축시설[가축용 운동시설, 인공수정센터, 관리사(管理舍), 가축용 창고, 가축시장, 동물검역소, 실험동물 사육시설, 그 밖에 이와 비슷한 것을 말한다]
다. 도축장
라. 도계장
마. 작물 재배사
바. 종묘배양시설
사. 화초 및 분재 등의 온실
아. 동물 또는 식물과 관련된 가목부터 사목까지의 시설과 비슷한 것(동·식물원은 제외한다)

22. 자원순환 관련 시설
가. 하수 등 처리시설
나. 고물상
다. 폐기물재활용시설
라. 폐기물 처분시설
마. 폐기물감량화시설

23. 교정시설(제1종 근린생활시설에 해당하는 것은 제외한다) <개정 2023.5.15.>
가. 교정시설(보호감호소, 구치소 및 교도소를 말한다)
나. 갱생보호시설, 그 밖에 범죄자의 갱생·보육·교육·보건 등의 용도로 쓰는 시설
다. 소년원 및 소년분류심사원
라. 삭제 <2023.5.15.>

23의2. 국방·군사시설(제1종 근린생활시설에 해당하는 것은 제외한다) <신설 2023.5.15.>
「국방·군사시설 사업에 관한 법률」에 따른 국방·군사시설

24. 방송통신시설(제1종 근린생활시설에 해당하는 것은 제외한다) <개정 2018.9.4.>
가. 방송국(방송프로그램 제작시설 및 송신·수신·중계시설을 포함한다)
나. 전신전화국
다. 촬영소
라. 통신용 시설
마. 데이터센터
바. 그 밖에 가목부터 마목까지의 시설과 비슷한 것

25. 발전시설
발전소(집단에너지 공급시설을 포함한다)로 사용되는 건축물로서 제1종 근린생활시설에 해당하지 아니하는 것

26. 묘지 관련 시설 <개정 2017.2.3>
가. 화장시설
나. 봉안당(종교시설에 해당하는 것은 제외한다)
다. 묘지와 자연장지에 부수되는 건축물
라. 동물화장시설, 동물건조장(乾燥葬)시설 및 동물 전용의 납골시설

27. 관광 휴게시설
가. 야외음악당
나. 야외극장
다. 어린이회관
라. 관망탑
마. 휴게소
바. 공원·유원지 또는 관광지에 부수되는 시설

28. 장례시설 <개정 2017.2.3>
가. 장례식장[의료시설의 부수시설(「의료법」 제36조제1호에 따른 의료기관의 종류에 따른 시설을 말한다)에 해당하는 것은 제외한다]
나. 동물 전용의 장례식장

29. 야영장 시설 <신설 2016.2.11.>
「관광진흥법」에 따른 야영장 시설로서 관리동, 화장실, 샤워실, 대피소, 취사시설 등의 용도로 쓰는 바닥면적의 합계가 300제곱미터 미만인 것

해설 "건축물의 용도"라 함은 「건축법」에서 건축물의 종류를 유사한 구조·이용목적 및 형태별로 분류한 것으로서 30개군으로 나누어져 있다.
용도분류의 올바른 이해는 지역·지구에서의 건축물의 건축에 대한 규정, 용도변경 등에 관한 사항 등의 규정을 정확히 적용하는데 필요하다.

■ 제1종 및 제2종 근린생활시설에서 "해당 용도로 쓰는 바닥면적"의 산정 방법
① 부설 주차장 면적을 제외한 실(實) 사용면적에 공용부분 면적(복도, 계단, 화장실 등의 면적을 말한다)을 비례 배분한 면적을 합한 면적
② 건축물의 내부를 여러 개의 부분으로 구분하여 독립한 건축물로 사용하는 경우: 그 구분된 면적 단위로 바닥면적을 산정
③ 제2종 근린생활시설 중 단란주점(제4호더목)에 해당하는 건축물의 경우: 내부가 여러 개의 부분으로 구분되어 있더라도 해당 용도로 쓰는 바닥면적을 모두 합산하여 산정

④ 동일인이 둘 이상의 구분된 건축물을 같은 세부 용도로 사용하는 경우: 연접되어 있지 않더라도 이를 모두 합산하여 산정

⑤ 구분 소유자(임차인 포함)가 다른 경우에도 구분된 건축물을 같은 세부 용도로 연계하여 함께 사용하는 경우(통로, 창고 등을 공동으로 활용하는 경우 또는 명칭의 일부를 동일하게 사용하여 홍보하거나 관리하는 경우 등): 연접되어 있지 않더라도 연계하여 함께 사용하는 바닥면적을 모두 합산하여 산정

⑥「청소년 보호법」에 따라 여성가족부장관이 고시하는 청소년 출입·고용금지업의 영업을 위한 시설 관계법 은 제1종 근린생활시설 및 제2종 근린생활시설에서 제외하되, 위 표에 따른 다른 용도의 시설로 분류되지 않는 경우 제16호 위락시설로 분류

관계법 청소년 출입·고용 금지업[「청소년보호법」 제2조제5호가목 8), 9)]

5. "청소년유해업소"란 청소년의 출입과 고용이 청소년에게 유해한 것으로 인정되는 다음 가목의 업소(이하 "청소년 출입·고용금지업소"라 한다)와 청소년의 출입은 가능하나 고용이 청소년에게 유해한 것으로 인정되는 다음 나목의 업소(이하 "청소년고용금지업소"라 한다)를 말한다. 이 경우 업소의 구분은 그 업소가 영업을 할 때 다른 법령에 따라 요구되는 허가·인가·등록·신고 등의 여부와 관계없이 실제로 이루어지고 있는 영업행위를 기준으로 한다.

가. 청소년 출입·고용금지업소

8) 불특정한 사람 사이의 신체적인 접촉 또는 은밀한 부분의 노출 등 성적 행위가 이루어지거나 이와 유사한 행위가 이루어질 우려가 있는 서비스를 제공하는 영업으로서 청소년보호위원회가 결정하고 여성가족부장관이 고시한 것

9) 청소년유해매체물 및 청소년유해약물등을 제작·생산·유통하는 영업 등 청소년의 출입과 고용이 청소년에게 유해하다고 인정되는 영업으로서 대통령령으로 정하는 기준에 따라 청소년보호위원회가 결정하고 여성가족부장관이 고시한 것

1 단독주택[가정어린이집·공동생활가정·지역아동센터·공동육아나눔터·작은도서관(해당 주택 1층에 설치한 경우만 해당) 및 노인복지시설(노인복지주택을 제외)을 포함 【참고1~3】] 〈개정 2022.12.6〉

구 분	내 용	기 타
가. 단독주택	–	–
나. 다중주택	① 학생 또는 직장인 등 여러 사람이 장기간 거주할 수 있는 구조로 되어 있을 것 ② 독립된 주거의 형태를 갖추지 않은 것(각 실별로 욕실은 설치가능, 취사시설은 설치 불가) ③ 1개 동의 주택으로 쓰이는 바닥면적(부설주차장 면적 제외. 이하 같다)의 합계가 660㎡이하이고 주택으로 쓰는 층수(지하층 제외)가 3개 층 이하일 것 ④ 적정한 주거환경을 조성하기 위하여 건축조례로 정하는 실별 최소 면적, 창문의 설치 및 크기 등의 기준에 적합할 것	1층 전부 또는 일부를 필로티 구조로 하여 주차장으로 사용하고 나머지 부분을 주택(주거 목적으로 한정) 외의 용도로 쓰는 경우 해당 층을 주택의 층수에서 제외 【참고4】

다. 다가구주택	① 주택으로 쓰는 층수(지하층 제외)가 3개 층 이하일 것 ② 1개 동의 주택으로 쓰는 바닥면적(부설 주차장 면적 제외)의 합계가 660㎡ 이하일 것 ③ 19세대(대지 내 동별 세대수를 합한 세대) 이하가 거주할 수 있을 것	1층 전부 또는 일부를 필로티 구조로 하여 주차장으로 사용하고 나머지 부분을 주택(주거 목적으로 한정) 외의 용도로 쓰는 경우 해당 층을 주택의 층수에서 제외 【참고4】
4. 공관	–	–

해설 단독주택과 공동주택은 소유권의 개념으로 분류되며 단독주택은 1인 소유의 주거이다. 참고로 다가구주택은 660㎡(약 200평)까지 할 수 있으므로 고급주택으로 분류되어 세제상 불이익이 있을 수 있으나, 대법원 판례에서는 다가구용 단독주택은 실질적으로 각 세대가 독립된 생활을 하고 있는 공동주택으로 보아 누진세율을 적용하지 않고 단순 합산 과세하도록 하고 있다.
또한, 다중주택의 경우 그 규모기준이 완화되어 다가구 주택과 유사하게 적용되고 있다.

【참고1】 가정어린이집, 공동생활가정, 지역아동센터 및 노인복지시설 …… 11 노유자시설 해설 참조

【참고2】 공동육아나눔터(「아이돌봄 지원법」 제19조)

법 제19조 【공동육아나눔터】 ① 국가 및 지방자치단체는 아이양육 관련 정보교류, 부모교육 등을 위하여 「주택법」 제2조제3호에 따른 공동주택 등에 공동육아나눔터를 설치·운영할 수 있다. <개정 2020.10.20.>
② 국가 및 지방자치단체는 제1항에 따라 설치한 공동육아나눔터를 법인이나 단체 등 전문기관에 위탁하여 운영할 수 있다.
③ 공동육아나눔터 시설 기준, 위탁 등에 필요한 사항은 여성가족부령으로 정한다. <개정 2020.5.19.>

규칙 제13조의3 【공동육아나눔터의 시설 기준 등】 ① 법 제19조제1항에 따른 공동육아나눔터(이하 "공동육아나눔터" 라 한다)의 시설 기준은 다음 각 호와 같다.
1. 환경·교통 및 안전 등의 입지조건을 충분히 고려해 설치할 것
2. 시설면적은 전용면적 66제곱미터 이상일 것
3. 비상재해대비시설을 갖출 것
4. 벽 및 천장의 마감재료는 불연·준불연 또는 난연 재료를 사용하고, 커텐류 및 카펫류 등은 방염성이 있는 것으로 설치할 것
5. 아이돌봄 공간을 설치하는 경우에는 냉·난방 시설, 통풍시설, 출입시설, 창문시설, 수납시설, 소화시설 등에 관하여 여성가족부장관이 정하여 고시하는 기준을 갖출 것
② 여성가족부장관, 시·도지사 또는 시장·군수·구청장은 법 제19조제2항에 따라 공동육아나눔터의 운영을 전문기관에 위탁한 때에는 그 위탁 내용 및 수탁자 등에 관한 사항을 여성가족부 또는 해당 지방자치단체의 인터넷 홈페이지에 게재해야 한다.
③ 제1항 및 제2항에서 규정한 사항 외에 공동육아나눔터의 시설 기준 및 위탁 등에 관한 세부 사항은 여성가족부장관이 정하여 고시한다.

【참고3】 작은도서관·············· 10 교육연구시설 도서관 해설 참조

【참고4】 필로티 구조의 주차장의 적용(다중주택, 다가구 주택, 다세대 주택의 경우만 적용)
1층 전부 또는 일부를 필로티 구조로 하여 주차장으로 사용하고, 일부를 다른 용도로 사용하더라도 주택의 층수에서 제외됨

다가구 3층
다가구 2층
다가구 1층
근린생활 필로티 주차장

2 공동주택[공동주택의 형태를 갖춘 가정어린이집·공동생활가정·지역아동센터·공동육아나눔터·작은도서관·노인복지시설(노인복지주택을 제외) 및 「주택법」에 따른 소형 주택 【참고1】을 포함] 〈개정 2023.2.14〉

■ 층수 산정시 지하층은 주택의 층수에서 제외

구 분	내 용	기 타
가. 아파트	주택으로 쓰는 층수가 5개 층 이상인 주택	1층 전부를 필로티구조로 하여 주차장으로 사용하는 경우 필로티부분을 층수에서 제외
나. 연립주택	주택으로 쓰는 1개 동의 바닥면적(2개 이상의 동을 지하주차장으로 연결하는 경우 각각의 동으로 봄)의 합계가 660㎡를 초과하고, 층수가 4개 층 이하인 주택	
다. 다세대 주택	주택으로 쓰는 1개 동의 바닥면적 합계가 660㎡ 이하이고, 층수가 4개 층 이하인 주택(2개 이상의 동을 지하주차장으로 연결하는 경우 각각의 동으로 봄)	1층의 전부 또는 일부를 필로티구조로 하여 주차장으로 사용하고 나머지 부분을 주택(주거 목적으로 한정) 외의 용도로 사용하는 경우 해당 층을 주택의 층수에서 제외 ※위 【참고4】 참조
라. 기숙사	다음에 해당하는 건축물로서 공간의 구성과 규모 등에 관하여 국토교통부장관이 정하여 고시하는 기준 【참고2】에 적합한 것	구분소유된 개별 실(室)은 제외
	1) 일반기숙사 : 학교 또는 공장 등의 학생 또는 종업원 등을 위하여 사용하는 것으로서 해당 기숙사의 공동취사시설 이용 세대 수가 전체 세대 수*의 50% 이상인 것(학생복지주택*1을 포함)	*건축물의 일부를 기숙사로 사용하는 경우에는 기숙사로 사용하는 세대 수로 한다. *1 「교육기본법」 제27조제2항 *2 「공공주택 특별법」 제4조 *3 「민간임대주택에 관한 특별법」 제2조제7호 관계법
	2) 임대형기숙사: 공공주택사업자*2 또는 임대사업자*3가 임대사업에 사용하는 것으로서 임대 목적으로 제공하는 실이 20실 이상이고 해당 기숙사의 공동취사시설 이용 세대수가 전체 세대 수*의 50% 이상인 것	

건 축 법
1. 총 칙
2. 건 축
3. 유지관리
4. 대지도로
5. 구조재료
6. 지역지구
7. 건축설비
8. 특별건축구역
9. 보 칙
10. 벌 칙
건 축 법 관련기준

관계법 학생복지주택, 공공주택사업자, 임대사업자

1. 교육기본법

법 제27조【보건 및 복지의 증진】① "생략"

② 국가 및 지방자치단체는 학생의 안전한 주거환경을 위하여 학생복지주택의 건설에 필요한 시책을 수립·실시하여야 한다. <신설 2008.3.21.>

2. 공공주택 특별법

법 제4조【공공주택사업자】① 국토교통부장관은 다음 각 호의 자 중에서 공공주택사업자를 지정한다. <개정 2021.7.20.>

1. 국가 또는 지방자치단체
2. 「한국토지주택공사법」에 따른 한국토지주택공사
3. 「지방공기업법」 제49조에 따라 주택사업을 목적으로 설립된 지방공사
4. 「공공기관의 운영에 관한 법률」 제5조에 따른 공공기관 중 대통령령으로 정하는 기관
5. 제1호부터 제4호까지의 규정 중 어느 하나에 해당하는 자가 총지분의 100분의 50을 초과하여 출자·설립한 법인
6. 주택도시기금 또는 제1호부터 제4호까지의 규정 중 어느 하나에 해당하는 자가 총지분의 전부(도심 공공주택 복합사업의 경우에는 100분의 50을 초과한 경우를 포함한다)를 출자(공동으로 출자한 경우를 포함한다)하여 「부동산투자회사법」에 따라 설립한 부동산투자회사

② 국토교통부장관은 제1항제1호부터 제4호까지의 규정 중 어느 하나에 해당하는 자와 「주택법」 제4조에 따른 주택건설사업자를 공동 공공주택사업자로 지정할 수 있다.

③ 제1항제5호 및 제2항에 따른 공공주택사업자의 선정방법·절차 및 공동시행을 위한 협약 등에 필요한 사항은 국토교통부장관이 정하여 고시한다. <개정 2015.8.28.>

3. 민간임대주택에 관한 특별법

법 제2조【정의】①

7. "임대사업자"란 「공공주택 특별법」 제4조제1항에 따른 공공주택사업자(이하 "공공주택사업자"라 한다)가 아닌 자로서 1호 이상의 민간임대주택을 취득하여 임대하는 사업을 할 목적으로 제5조에 따라 등록한 자를 말한다.

【참고1】 공동주택의 건축은「건축법」에 따른 건축허가대상과「주택법」에 따른 사업계획승인대상 건축물로 분류된다. ☞ 제2권 주택법 해설 참조

■ 공동주택의 허가·승인 기준 등(주택법 제15조, 동 시행령 제27조)

구 분	공동주택의 규모	주택과 기타용도의 복합건축물	
		상업지역(유통상업지역 제외), 준주거지역	기타 지역
「건축법」에 따른 건축허가	30세대 미만	• 세대수 : 300세대 미만 • 해당 건축물의 연면적에서 주택의 연면적이 차지하는 비율이 90% 미만	30세대 미만
「주택법」에 따른 사업계획 승인	30세대 이상	• 300세대 이상인 경우(주택비율무관) • 300세대 미만으로서 해당 건축물의 연면적에서 주택의 연면적이 차지하는 비율이 90% 이상	30세대 이상

※「주택법」적용 대상 공동주택의 경우 건설기준, 부대시설·복리시설의 범위·설치기준, 대지조성의 기준,

공동주택성능등급의 표시, 공동주택 바닥충격음 차단구조의 성능등급 인정, 공업화주택의 인정절차, 에너지절약형 친환경주택과 건강친화형 주택의 건설기준 및 장수명 주택 등에 관한 사항은 「주택건설 기준에 관한 규정」, 「주택건설 기준에 관한 규칙」을 참조

【참고2】 기숙사 건축기준[국토교통부고시 제2023-151호, 2023.3.15., 제정]

제1조 【목적】 이 기준은 「건축법 시행령」 제3조의5 및 별표1 제2호라목에 따른 기숙사에 대한 건축기준을 정함을 목적으로 한다.

제2조 【건축기준】 기숙사는 개별 실을 구분소유할 수 없는 건축물로서 다음 각 호의 구분에 따른다.

1. 일반기숙사인 경우: 다음 각 목의 기준에 적합하여야 한다.
   가. 기숙사 개인공간(침실 등 개인이 거주하는 공간. 이하 같다)을 지하층에 두지 말 것
   나. 화장실과 세면·목욕시설, 채광·환기 설비, 냉·난방 설비 또는 기구 등을 적절하게 갖출 것
   다. 2층 이상의 층으로서 바닥으로부터 높이 1.2미터 이하 부분에 여닫을 수 있는 창문(0.5제곱미터 이상)이 있는 경우 그 부분에 높이 1.2미터 이상의 난간이나 이와 유사한 추락방지를 위한 안전시설을 설치할 것
   라. 복도 최소폭은 편복도 1.2미터 이상, 중복도 1.8미터 이상으로 할 것
   마. 실간 소음방지를 위하여 「건축물의 피난·방화구조 등의 기준에 관한 규칙」 제19조에 따른 경계벽 구조 등의 기준과 「소음방지를 위한 층간 바닥충격음 차단 구조기준」에 적합할 것
2. 임대형기숙사인 경우: 다음 각 목의 기준에 적합하여야 한다.
   가. 제2조제1호가목부터 마목까지의 기준
   나. 개인공간은 1인 1실을 기본으로 하며, 최대 3인 1실을 넘지 않을 것
   다. 개인공간을 제외한 공유공간(임대형기숙사 내부에서 개인공간을 제외한 다수의 거주자가 공동으로 사용하는 거실·주방·공동욕실 등으로서 이동을 위한 복도, 계단, 승강기 및 주차장 등을 제외한다. 이하 같다)의 면적은 수용인원을 고려하여 아래의 면적 이상을 확보하며, 개인공간과 공유공간 면적의 합은 1인당 14제곱미터 이상을 확보할 것(확보해야 하는 개인공간의 면적과 공유공간의 면적은 건축물의 외벽의 내부선을 기준으로 산정한다. 이하 같다)
   라. 각 실에는 창문 1개 이상과 문 1개 이상을 설치하고, 모든 창문과 출입구 등에는 적절한 잠금장치를 설치할 것
   마. 각 실의 창문 크기는 바닥 면적의 1/10 이상이 되도록 하고, 자연채광과 환기가 가능할 것
   바. 개인공간의 면적은 해당 실의 수용인원 1인당 최소 7제곱미터 이상을 확보할 것. 다만, 이와 별개로 개인공간에 설치하는 욕실의 면적은 2.5제곱미터 이상을 확보할 것(확보해야 하는 욕실의 면적은 외벽의 내부선을 기준으로 산정한다.)
   사. 개인공간의 한 변의 길이는 2.2미터 이상을 확보할 것(건축물의 외벽의 내부선을 기준으로 산정한다.)
   아. 공유공간으로서 거실, 주방 외에도 거주자간의 공동생활지원을 위한 다목적실, 취미실 등의 공간을 갖출 것
   자. 공동욕실(개인공간에 설치하는 욕실은 제외한다)의 세면대와 화장실은 주택 거주인원을 고려하여 분리 설치할 것
   차. 해당 건축물 내 임대형기숙사 전체에 대하여 단일한 관리주체에 의한 관리운영 체계를 갖출 것
   카. 해당 건축물의 주차장규모·교통여건 등을 고려하여 주변지역의 주차난 방지를 위해 임대기간 동안의 자동차 소유 또는 주차에 관한 제한 사항 등을 임차인 자격요건으로 하여 운영할 것

제3조 이후 "생략"

3 제1종 근린생활시설 〈개정 2023.9.12.〉

구분	조건
가. 식품·잡화·의류·완구·서적·건축자재·의약품·의료기기 등 일용품을 판매하는 소매점	바닥면적의 합계 1,000m² 미만인 것
나. 휴게음식점, 제과점 등 음료·차(茶)·음식·빵·떡·과자 등을 조리하거나 제조하여 판매하는 시설 【참고1】	- 바닥면적의 합계 300m² 미만인 것 - 제2종 근린생활시설 중 제조업소 등으로 500m² 미만인 것과 공장 제외
다. 이용원, 미용원, 목욕장, 세탁소* 등 사람의 위생관리나 의류 등을 세탁·수선하는 시설 【참고2】 * 세탁소의 경우 공장에 부설되는 것과 「대기환경보전법」, 「물환경보전법」 또는 「소음·진동관리법」에 따른 배출시설의 설치 허가 또는 신고의 대상인 것은 제외	* 세탁소: 공장에 부설된 것과 「대기환경보전법」 등에 따른 배출시설의 설치 허가, 신고 대상인 것 제외
라. 의원, 치과의원, 한의원, 침술원, 접골원(接骨院), 조산원, 안마원, 산후조리원 등 주민의 진료·치료 등을 위한 시설 【참고3】	–
마. 탁구장, 체육도장	바닥면적의 합계 500m² 미만인 것
바. 지역자치센터, 파출소, 지구대, 소방서, 우체국, 방송국, 보건소, 공공도서관, 건강보험공단 사무소 등 주민의 편의를 위하여 공공업무를 수행하는 시설	바닥면적의 합계 1,000m² 미만인 것
사. 마을회관, 마을공동작업소, 마을공동구판장, 공중화장실 【참고4】, 대피소, 지역아동센터(단독주택과 공동주택에 해당하는 것은 제외) 등 주민이 공동으로 이용하는 시설	–
아. 변전소, 도시가스배관시설 【참고5】, 통신용 시설*	*통신용 시설의 경우 바닥면적의 합계 1,000m² 미만인 것
아. 정수장, 양수장 등 주민의 생활에 필요한 에너지공급·통신서비스제공이나 급수·배수와 관련된 시설	–
자. 금융업소, 사무소, 부동산중개사무소, 결혼상담소 등 소개업소, 출판사 등 일반업무시설	바닥면적의 합계 30m² 미만인 것
차. 전기자동차 충전소	바닥면적의 합계 1,000m² 미만인 것
11. 동물병원, 동물미용실 및 동물위탁관리업*을 위한 시설 <신설 2023.9.12>	바닥면적의 합계 300m² 미만인 것 *「동물보호법」 제73조제1항 제2호

※ 용도시설중의 바닥면적은 같은 건축물(하나의 대지에 2동 이상의 건축물이 있는 경우 이를 같은 건축물로 봄)에서 해당 용도로 쓰는 바닥면적의 합계로 한다.

【참고1】 식품접객업의 종류(「식품위생법 시행령」 제21조)

종류	내용
1. 휴게음식점영업	주로 다류(茶類), 아이스크림류 등을 조리·판매하거나 패스트푸드점, 분식점 형태의 영업 등 음식류를 조리·판매하는 영업으로서 음주행위가 허용되지 아니하는 영업 * 편의점, 슈퍼마켓, 휴게소, 그 밖에 음식류를 판매하는 장소(만화가게 및 「게임산업진흥에 관한 법률」 에 따른 인터넷컴퓨터게임시설제공업을 하는 영업소 등 음식류를 부수적으로 판매하는 장소를 포함)에서 컵라면, 일회용 다류 또는 그 밖의 음식류에 물을 부어 주는 경우 제외
2. 일반음식점영업	음식류를 조리 · 판매하는 영업으로서 식사와 함께 부수적으로 음주행위가 허용되는 영업
3. 단란주점영업	주로 주류를 조리 · 판매하는 영업으로서 손님이 노래를 부르는 행위가 허용되는 영업

4. 유흥주점영업	주로 주류를 조리·판매하는 영업으로서 유흥종사자를 두거나 유흥시설을 설치할 수 있고 손님이 노래를 부르거나 춤을 추는 행위가 허용되는 영업
5. 위탁급식영업	집단 급식소를 설치·운영하는 자와의 계약에 따라 그 집단 급식소에서 음식류를 조리하여 제공하는 영업
6. 제과점영업	주로 빵, 떡, 과자 등을 제조·판매하는 영업으로서 음주행위가 허용되지 아니하는 영업

■ 식품접객업의 업종별 시설기준(「식품위생법 시행규칙」 별표 14 제8호, 제9호) <개정 2022.12.9>

8. 식품접객업의 시설기준

가. 공통시설기준

1) 영업장

가) 독립된 건물이거나 식품접객업의 영업허가를 받거나 영업신고를 한 업종 외의 용도로 사용되는 시설과 분리, 구획 또는 구분되어야 한다(일반음식점에서 「축산물위생관리법 시행령」 제21조제7호가목의 식육판매업을 하려는 경우, 휴게음식점에서 「음악산업진흥에 관한 법률」 제2조제10호에 따른 음반·음악영상물판매업을 하는 경우 및 관할 세무서장의 의제 주류판매 면허를 받고 제과점에서 영업을 하는 경우는 제외한다). 다만, 다음의 어느 하나에 해당하는 경우에는 분리되어야 한다.

(1) 식품접객업의 영업허가를 받거나 영업신고를 한 업종과 다른 식품접객업의 영업을 하려는 경우. 다만, 휴게음식점에서 제과점영업을 하려는 경우 또는 제과점에서 휴게음식점영업을 하려는 경우는 제외한다.

(2) 「음악산업진흥에 관한 법률」 제2조제13호의 노래연습장업을 하려는 경우

(3) 「다중이용업소의 안전관리에 관한 특별법 시행규칙」 제2조제3호의 콜라텍업을 하려는 경우

(4) 「체육시설의 설치·이용에 관한 법률」 제10조제1항제2호에 따른 무도학원업 또는 무도장업을 하려는 경우

(5) 「동물보호법」 제2조제1호에 따른 동물의 출입, 전시 또는 사육이 수반되는 영업을 하려는 경우

나) 영업장은 연기·유해가스등의 환기가 잘 되도록 하여야 한다.

다) 음향 및 반주시설을 설치하는 영업자는 「소음·진동관리법」 제21조에 따른 생활소음·진동이 규제기준에 적합한 방음장치 등을 갖추어야 한다.

라) 공연을 하려는 휴게음식점·일반음식점 및 단란주점의 영업자는 무대시설을 영업장 안에 객석과 구분되게 설치하되, 객실 안에 설치하여서는 아니 된다.

마) 「동물보호법」 제2조제1호에 따른 동물의 출입, 전시 또는 사육이 수반되는 시설과 직접 접한 영업장의 출입구에는 손을 소독할 수 있는 장치, 용품 등을 갖추어야 한다.

2) 조리장

가) 조리장은 손님이 그 내부를 볼 수 있는 구조로 되어 있어야 한다. 다만, 영 제21조제8호바목에 따른 제과점영업소로서 같은 건물 안에 조리장을 설치하는 경우와 「관광진흥법 시행령」 제2조제1항제2호가목 및 같은 항 제3호마목에 따른 관광호텔업 및 관광공연장업의 조리장의 경우에는 그러하지 아니하다.

나) 조리장 바닥에 배수구가 있는 경우에는 덮개를 설치하여야 한다.

다) 조리장 안에는 취급하는 음식을 위생적으로 조리하기 위하여 필요한 조리시설·세척시설·폐기물용기 및 손 씻는 시설을 각각 설치하여야 하고, 폐기물용기는 오물·악취 등이 누출되지 아니하도록 뚜껑이 있고 내수성 재질로 된 것이어야 한다.

라) 1명의 영업자가 하나의 조리장을 둘 이상의 영업에 공동으로 사용할 수 있는 경우는 다음과 같다.

(1) 같은 건물 내에서 휴게음식점, 제과점, 일반음식점 및 즉석판매제조·가공업의 영업 중 둘 이상의 영업을 하려는 경우

(2) 「관광진흥법 시행령」에 따른 전문휴양업, 종합휴양업 및 유원시설업 시설 안의 같은 장소에서 휴게음식점·제과점영업 또는 일반음식점영업 중 둘 이상의 영업을 하려는 경우

(3) 삭제 <2017.12.29>
(4) 제과점 영업자가 식품제조·가공업 또는 즉석판매제조·가공업의 제과·제빵류 품목 등을 제조·가공하려는 경우
(5) 제과점영업자가 기존 제과점의 영업신고관청과 같은 관할 구역에서 둘 이상의 제과점을 운영하려는 경우

마) 조리장에는 주방용 식기류를 소독하기 위한 자외선 또는 전기살균소독기를 설치하거나 열탕세척소독시설(식중독을 일으키는 병원성 미생물 등이 살균될 수 있는 시설이어야 한다. 이하 같다)을 갖추어야 한다. 다만, 주방용 식기류를 기구등의 살균·소독제로만 소독하는 경우에는 그러하지 아니하다.
바) 충분한 환기를 시킬 수 있는 시설을 갖추어야 한다. 다만, 자연적으로 통풍이 가능한 구조의 경우에는 그러하지 아니하다.
사) 식품등의 기준 및 규격 중 식품별 보존 및 유통기준에 적합한 온도가 유지될 수 있는 냉장시설 또는 냉동시설을 갖추어야 한다.
아) 조리장 내부에는 쥐, 바퀴 등 설치류 또는 위생해충 등이 들어오지 못하게 해야 한다.

3) 급수시설

가) 수돗물이나 「먹는물관리법」 제5조에 따른 먹는 물의 수질기준에 적합한 지하수 등을 공급할 수 있는 시설을 갖추어야 한다.
나) 지하수를 사용하는 경우 취수원은 화장실·폐기물처리시설·동물사육장, 그 밖에 지하수가 오염될 우려가 있는 장소로부터 영향을 받지 아니하는 곳에 위치하여야 한다.

4) 화장실

가) 화장실은 콘크리트 등으로 내수처리를 하여야 한다. 다만, 공중화장실이 설치되어 있는 역·터미널·유원지 등에 위치하는 업소, 공동화장실이 설치된 건물 안에 있는 업소 및 인근에 사용하기 편리한 화장실이 있는 경우에는 따로 화장실을 설치하지 아니할 수 있다.
나) 화장실은 조리장에 영향을 미치지 아니하는 장소에 설치하여야 한다.
다) 정화조를 갖춘 수세식 화장실을 설치하여야 한다. 다만, 상·하수도가 설치되지 아니한 지역에서는 수세식이 아닌 화장실을 설치할 수 있다.
라) 다)단서에 따라 수세식이 아닌 화장실을 설치하는 경우에는 변기의 뚜껑과 환기시설을 갖추어야 한다.
마) 화장실에는 손을 씻는 시설을 갖추어야 한다.

5) 공통시설기준의 적용특례

가) 공통시설기준에도 불구하고 다음의 경우에는 특별자치시장·특별자치도지사·시장·군수·구청장(시·도에서 음식물의 조리·판매행위를 하는 경우에는 시·도지사)이 시설기준을 따로 정할 수 있다.
(1) 「전통시장 및 상점가 육성을 위한 특별법」 제2조제1호에 따른 전통시장에서 음식점영업을 하는 경우
(2) 해수욕장 등에서 계절적으로 음식점영업을 하는 경우
(3) 고속도로·자동차전용도로·공원·유원시설 등의 휴게장소에서 영업을 하는 경우
(4) 건설공사현장에서 영업을 하는 경우
(5) 지방자치단체 및 농림수산식품부장관이 인정한 생산자단체등에서 국내산 농·수·축산물의 판매촉진 및 소비홍보 등을 위하여 특정장소에서 음식물의 조리·판매행위를 하려는 경우
(6) 「전시산업발전법」 제2조제4호에 따른 전시시설에서 휴게음식점영업, 일반음식점영업 또는 제과점영업을 하는 경우
(7) 지방자치단체의 장이 주최, 주관 또는 후원하는 지역행사 등에서 휴게음식점영업, 일반음식점영업 또는 제과점영업을 하는 경우
(8) 「국제회의산업 육성에 관한 법률」 제2조제3호에 따른 국제회의시설에서 휴게음식점, 일반음식점, 제과점 영업을 하려는 경우
(9) 그 밖에 특별자치시장·특별자치도지사·시장·군수·구청장이 별도로 지정하는 장소에서 휴게음식점, 일반음식점, 제과점 영업을 하려는 경우

나) 「도시와 농어촌 간의 교류촉진에 관한 법률」 제10조에 따라 농어촌체험·휴양마을사업자가 농어촌체

험·휴양프로그램에 부수하여 음식을 제공하는 경우로서 그 영업시설기준을 따로 정한 경우에는 그 시설기준에 따른다.

다) 백화점, 슈퍼마켓 등에서 휴게음식점영업 또는 제과점영업을 하려는 경우와 음식물을 전문으로 조리하여 판매하는 백화점 등의 일정장소(식당가를 말한다)에서 휴게음식점영업·일반음식점영업 또는 제과점영업을 하려는 경우로서 위생상 위해발생의 우려가 없다고 인정되는 경우에는 각 영업소와 영업소 사이를 분리 또는 구획하는 별도의 차단벽이나 칸막이 등을 설치하지 아니할 수 있다.

라) 공유주방 운영업의 시설을 사용하여 영 제21조제8호가목의 휴게음식점영업, 같은 호 나목의 일반음식점영업 및 같은 호 바목의 제과점영업을 하는 경우에는 제10호의 공유주방 운영업의 시설기준에 따른다.

마) 삭제 <2020.12.31.>

나. 업종별시설기준

1) 휴게음식점영업·일반음식점영업 및 제과점영업

가) 일반음식점에 객실(투명한 칸막이 또는 투명한 차단벽을 설치하여 내부가 전체적으로 보이는 경우는 제외한다)을 설치하는 경우 객실에는 잠금장치를 설치할 수 없다.

나) 휴게음식점 또는 제과점에는 객실(투명한 칸막이 또는 투명한 차단벽을 설치하여 내부가 전체적으로 보이는 경우는 제외한다)을 둘 수 없으며, 객석을 설치하는 경우 객석에는 높이 1.5미터 미만의 칸막이(이동식 또는 고정식)를 설치할 수 있다. 이 경우 2면 이상을 완전히 차단하지 아니하여야 하고, 다른 객석에서 내부가 서로 보이도록 하여야 한다.

다) 기차·자동차·선박 또는 수상구조물로 된 유선장(遊船場)·도선장(渡船場) 또는 수상레저사업장을 이용하는 경우 다음 시설을 갖추어야 한다.

(1) 1일의 영업시간에 사용할 수 있는 충분한 양의 물을 저장할 수 있는 내구성이 있는 식수탱크

(2) 1일의 영업시간에 발생할 수 있는 음식물 찌꺼기 등을 처리하기에 충분한 크기의 오물통 및 폐수탱크

(3) 음식물의 재료(원료)를 위생적으로 보관할 수 있는 시설

라) 영업장으로 사용하는 바닥면적(「건축법 시행령」 제119조제1항제3호에 따라 산정한 면적을 말한다)의 합계가 100제곱미터(영업장이 지하층에 설치된 경우에는 그 영업장의 바닥면적 합계가 66제곱미터) 이상인 경우에는 「다중이용업소의 안전관리에 관한 특별법」 제9조제1항에 따른 소방시설등 및 영업장 내부 피난통로 그 밖의 안전시설을 갖추어야 한다. 다만, 영업장(내부계단으로 연결된 복층구조의 영업장을 제외한다)이 지상 1층 또는 지상과 직접 접하는 층에 설치되고 그 영업장의 주된 출입구가 건축물 외부의 지면과 직접 연결되는 곳에서 하는 영업을 제외한다.

마) 휴게음식점·일반음식점 또는 제과점의 영업장에는 손님이 이용할 수 있는 자막용 영상장치 또는 자동반주장치를 설치하여서는 아니 된다. 다만, 연회석을 보유한 일반음식점에서 회갑연, 칠순연 등 가정의 의례로서 행하는 경우에는 그러하지 아니하다.

바) 일반음식점의 객실 안에는 무대장치, 음향 및 반주시설, 우주볼 등의 특수조명시설을 설치하여서는 아니 된다.

사) 건물의 외부에 있는 영업장에는 손님의 안전을 확보하기 위해 「건축법」 등 관계 법령에서 정하는 바에 따라 필요한 시설·설비 또는 기구 등을 설치해야 한다.

2) 단란주점영업

가) 영업장 안에 객실이나 칸막이를 설치하려는 경우에는 다음 기준에 적합하여야 한다.

(1) 객실을 설치하는 경우 주된 객장의 중앙에서 객실 내부가 전체적으로 보일 수 있도록 설비하여야 하며, 통로형태 또는 복도형태로 설비하여서는 아니 된다.

(2) 객실로 설치할 수 있는 면적은 객석면적의 2분의 1을 초과할 수 없다.

(3) 주된 객장 안에서는 높이 1.5미터 미만의 칸막이(이동식 또는 고정식)를 설치할 수 있다. 이 경우 2면 이상을 완전히 차단하지 아니하여야 하고, 다른 객석에서 내부가 서로 보이도록 하여야 한다.

나) 객실에는 잠금장치를 설치할 수 없다.

다) 「다중이용업소의 안전관리에 관한 특별법」 제9조제1항에 따른 소방시설등 및 영업장 내부 피난통로 그 밖의 안전시설을 갖추어야 한다.

3) 유흥주점영업

가) 객실에는 잠금장치를 설치할 수 없다.

나) 「다중이용업소의 안전관리에 관한 특별법」 제9조제1항에 따른 소방시설등 및 영업장 내부 피난통로 그 밖의 안전시설을 갖추어야 한다.

9. 위탁급식영업의 시설기준

가) 사무소

영업활동을 위한 독립된 사무소가 있어야 한다. 다만, 영업활동에 지장이 없는 경우에는 다른 사무소를 함께 사용할 수 있다.

나) 창고 등 보관시설

(1) 식품등을 위생적으로 보관할 수 있는 창고를 갖추어야 한다. 이 경우 창고는 영업신고를 한 소재지와 다른 곳에 설치하거나 임차하여 사용할 수 있다.

(2) 창고에는 식품등을 법 제7조제1항에 따른 식품등의 기준 및 규격에서 정하고 있는 보존 및 유통기준에 적합한 온도에서 보관할 수 있도록 냉장·냉동시설을 갖추어야 한다.

다) 운반시설

(1) 식품을 위생적으로 운반하기 위하여 냉동시설이나 냉장시설을 갖춘 적재고가 설치된 운반차량을 1대 이상 갖추어야 한다. 다만, 법 제37조에 따라 허가 또는 신고한 영업자와 계약을 체결하여 냉동 또는 냉장시설을 갖춘 운반차량을 이용하는 경우에는 운반차량을 갖추지 아니하여도 된다.

(2) (1)의 규정에도 불구하고 냉동 또는 냉장시설이 필요 없는 식품만을 취급하는 경우에는 운반차량에 냉동시설이나 냉장시설을 갖춘 적재고를 설치하지 아니하여도 된다.

라) 식재료 처리시설

식품첨가물이나 다른 원료를 사용하지 아니하고 농·임·수산물을 단순히 자르거나 껍질을 벗기거나 말리거나 소금에 절이거나 숙성하거나 가열(살균의 목적 또는 성분의 현격한 변화를 유발하기 위한 목적의 경우를 제외한다)하는 등의 가공과정 중 위생상 위해발생의 우려가 없고 식품의 상태를 관능검사(인간의 오감(五感)에 의하여 평가하는 제품검사)로 확인할 수 있도록 가공하는 경우 그 재료처리시설의 기준은 제1호나목부터 마목까지의 규정을 준용한다. <개정 2021.6.30>

마) 나)부터 라)까지의 시설기준에도 불구하고 집단급식소의 창고 등 보관시설 및 식재료 처리시설을 이용하는 경우에는 창고 등 보관시설과 식재료 처리시설을 설치하지 아니할 수 있으며, 위탁급식업자가 식품을 직접 운반하지 않는 경우에는 운반시설을 갖추지 아니할 수 있다.

【참고2】 공중위생영업의 종류(공중위생관리법 제2조)

1. 공중위생영업	다수인을 대상으로 위생관리서비스를 제공하는 영업으로서 숙박업·목욕장업·이용업·미용업·세탁업·위생관리용역업을 말함
2. 숙박업	손님이 잠을 자고 머물 수 있도록 시설 및 설비 등의 서비스를 제공하는 영업 (농어촌에 소재하는 민박 등 대통령령이 정하는 경우 제외)
3. 목욕장업	다음에 해당하는 서비스를 손님에게 제공하는 영업 (숙박업 영업소에 부설된 욕실 등 대통령령이 정하는 경우 제외) 가. 물로 목욕을 할 수 있는 시설 및 설비 등의 서비스 나. 맥반석·황토·옥 등을 직접 또는 간접 가열하여 발생되는 열기 또는 원적외선 등을 이용하여 땀을 낼 수 있는 시설 및 설비 등의 서비스
4. 이용업	손님의 머리카락 또는 수염을 깎거나 다듬는 등의 방법으로 손님의 용모를 단정하게 하는 영업
5. 미용업	손님의 얼굴·머리·피부 등을 손질하여 손님의 외모를 아름답게 꾸미는 영업

6. 세탁업	의류 기타 섬유제품이나 피혁제품 등을 세탁하는 영업
7. 건물위생관리업	공중이 이용하는 건축물·시설물 등의 청결유지와 실내공기정화를 위한 청소 등을 대행하는 영업

■ 공중위생영업의 종류별 시설 및 설비기준(「공중위생관리법 시행규칙」 별표 1) <개정 2022.6.22.>

Ⅰ. 일반기준

1. 공중위생영업장은 독립된 장소이거나 공중위생영업 외의 용도로 사용되는 시설 및 설비와 분리(벽이나 층 등으로 구분하는 경우를 말한다. 이하 같다) 또는 구획(칸막이·커튼 등으로 구분하는 경우를 말한다. 이하 같다)되어야 한다.
2. 제1호에도 불구하고 다음 각 목에 해당하는 경우에는 공중위생영업장을 별도로 분리 또는 구획하지 않아도 된다.
   가. 영 제4조제2호 각 목에 해당하는 미용업을 2개 이상 함께 하는 경우(해당 미용업자의 명의로 각각 영업신고를 하거나 공동신고를 하는 경우를 포함한다)로서 각각의 영업에 필요한 시설 및 설비기준을 모두 갖추고 있으며, 각각의 시설이 선·줄 등으로 서로 구분될 수 있는 경우
   나. 건물위생관리업을 하는 경우로서 영업에 필요한 설비 및 장비 등을 영업장과 독립된 공간에 보관하는 경우
   다. 건물의 일부를 대상으로 숙박업을 하는 경우로서 접객대, 로비시설, 계단, 엘리베이터 및 출입구 등을 공동으로 사용하는 경우
   라. 그 밖에 별도로 분리 또는 구획하지 않아도 되는 경우로서 보건복지부장관이 인정하는 경우

Ⅱ. 개별기준

1. 숙박업

가. 숙박업(생활)은 취사시설과 환기를 위한 시설이나 창문을 설치하여야 한다. 이 경우 실내에 취사시설을 설치할 때에는 고정형 취사시설을 객실별로 설치하거나 공동 취사공간에 설치해야 한다.

나. 숙박업(생활)은 객실별로 욕실 또는 샤워실을 설치하여야 한다. 다만, 「관광진흥법 시행령」 제2조제1항제2호마목에 따른 호스텔업은 욕실 또는 샤워실을 공용으로 설치할 수 있다.

다. 건물의 일부를 대상으로 하는 숙박업은 객실이 독립된 층으로 이루어지거나 객실 수가 30개 이상 또는 영업장의 면적이 해당 건물 연면적의 3분의 1 이상이어야 한다. 다만, 지역적 여건 등을 고려하여 특별시·광역시·특별자치시·도·특별자치도의 조례로 객실 수 및 면적 기준을 완화하여 정할 수 있다.

2. 목욕장업

가. 욕실·욕조 및 샤워기를 갖춘 목욕실과 탈의실, 발한실을 각각 설치하여야 한다. 다만, 법 제2조제1항제3호가목에 따른 서비스만을 제공하는 영업을 하는 경우에는 발한실을 설치하지 아니할 수 있고, 법 제2조제1항제3호나목에 따른 서비스만을 제공하는 영업을 하는 경우에는 목욕실을 설치하지 아니할 수 있으며, 「체육시설의 설치·이용에 관한 법률」 제10조제1항제2호에 따른 체력단련장업을 신고한 자가 이용자를 대상으로 목욕장업을 운영하는 경우에는 탈의실을 설치하지 않을 수 있다.

나. 발한실 내에 발열기(맥반석 등을 직접 가열하여 발한을 돕는 시설 등을 말한다)를 설치하는 경우에는 그 주변에 방열 및 불연소재의 안전망을 설치하여야 한다.

다. 발한실, 편의시설(이·미용업소, 매점, 헬스클럽장, 음식점 등 목욕장을 이용하는 사람의 편의를 증진하기 위한 시설을 말하며, 화장실은 제외한다. 이하 같다) 및 휴식실(수면실 등 목욕장을 이용하는 사람의 휴식을 도모하기 위한 시설을 말한다. 이하 같다)은 실내가 잘 보이도록 하여야 하고, 밀실 형태로 해서는 아니 된다. 이 경우 편의시설 및 휴식실에 관한 사항은 해당 시설을 설치하는 경우만 해당한다.

라. 탈의실과 목욕실은 남녀 구분하여 운용하여야 한다.

마. 목욕실·발한실·탈의실·편의시설 및 휴식실(해당시설을 설치하는 경우만 해당한다)은 각각 별도로 분리 또는 구획해야 한다.

건 축 법
1. 총 칙
2. 건 축
3. 유지관리
4. 대지도로
5. 구조재료
6. 지역지구
7. 건축설비
8. 특별건축구역
9. 보 칙
10. 벌 칙
건 축 법 관련기준

바. 욕조수를 순환하여 여과시키는 경우에는 자동유입기에 의한 염소소독장치 또는 오존장치를 설치하여야 한다.
사. 목욕실 · 발한실 및 탈의실 외의 시설에 무인감시카메라(CCTV)를 설치할 수 있으며, 무인감시카메라를 설치하는 경우에는 반드시 그 설치여부를 이용객이 잘 알아볼 수 있게 안내문을 게시하여야 한다.

3. 이용업

가. 이용기구는 소독을 한 기구와 소독을 하지 아니한 기구를 구분하여 보관할 수 있는 용기를 비치하여야 한다.
나. 소독기 · 자외선살균기 등 이용기구를 소독하는 장비를 갖추어야 한다.
다. 영업소 안에는 별실 그 밖에 이와 유사한 시설을 설치하여서는 아니된다.

4. 미용업

가. 미용업(일반) 및 미용업(손톱 · 발톱) 및 미용업(화장 · 분장)

(1) 미용기구는 소독을 한 기구와 소독을 하지 아니한 기구를 구분하여 보관할 수 있는 용기를 비치하여야 한다.
(2) 소독기 · 자외선살균기 등 미용기구를 소독하는 장비를 갖추어야 한다.
(3) 삭제 <2020.8.28.>

나. 미용업(피부) 및 미용업(종합)

(1) 삭제 <2018.10.5>
(2) 미용기구는 소독을 한 기구와 소독을 하지 아니한 기구를 구분하여 보관할 수 있는 용기를 비치하여야 한다.
(3) 소독기 · 자외선살균기 등 미용기구를 소독하는 장비를 갖추어야 한다.
(4), (5) 삭제 <2020.8.28.>

5. 세탁업

세탁용약품을 보관할 수 있는 견고한 보관함을 설치하여야 한다. 다만, 세탁용품을 따로 보관할 수 있는 창고 등이 있는 경우에는 그러하지 아니하다.

6. 건물위생관리업

가. 건축물 바닥을 닦고 광택을 내는 지름 25cm 이상의 마루광택기를 2대 이상 비치하여야 한다.
나. 진공청소기(집수 및 집진용)를 2대 이상 비치하여야 한다.
다. 업무수행에 필요한 안전벨트 · 안전모 및 로프를 갖추어야 한다.
라. 먼지, 일산화탄소, 이산화탄소를 측정하는 측정장비를 갖추어야 한다. 다만, 「건축법」 제2조제2항에 따른 업무시설 용도의 건축물로서 연면적 3천제곱미터 미만의 건축물 또는 같은 조 같은 항에 따른 2 이상의 용도에 사용되는 건축물로서 연면적 2천제곱미터 미만의 건축물을 청소하는 경우에는 그러하지 아니하다.

【참고3】 의원·치과의원·한의원 등 의료기관의 종류 등 …… 9 의료시설 【참고1】 참조
안마원의 시설기준 …… 4 제2종 근린생활시설 【참고6】 참조

【참고4】 공중화장실(「공중화장실 등에 관한 법률」 제2조, 제7조, 제7조의2, 시행령 제6조, 제6조의2)

법 제2조 【정의】

1. "공중화장실"이라 함은 공중(公衆)이 이용하도록 제공하기 위하여 국가, 지방자치단체, 법인 또는 개인이 설치하는 화장실을 말한다.
2. "개방화장실"이란 공공기관의 시설물에 설치된 화장실 중 공중이 이용하도록 개방된 화장실 또는 제9조제2항에 따라 특별자치시장 · 특별자치도지사 · 시장 · 군수 · 구청장(구청장은 자치구의 구청장을 말하며, 이하 "시장 · 군수 · 구청장"이라 한다)이 지정한 화장실을 말한다. <개정 2020.12.22.>

3.~6. "생략"

건축법
1. 총칙
2. 건축
3. 유지관리
4. 대지도로
5. 구조재료
6. 지역지구
7. 건축설비
8. 특별건축구역
9. 보칙
10. 벌칙
건축법 관련기준

법 제7조【공중화장실등의 설치기준】 ① 공중화장실등은 남녀화장실을 구분하여야 하며, 여성화장실의 대변기 수는 남성화장실의 대·소변기 수의 합 이상이 되도록 설치하여야 한다. 다만, 행정안전부령으로 정하는 경우에는 그러하지 아니하다. <개정 2017.7.26.>

② 제1항에도 불구하고 대통령령으로 정하는 장소 또는 시설에 설치하는 공중화장실등의 경우에는 여성화장실의 대변기 수가 남성화장실 대·소변기 수의 1.5배 이상이 되도록 설치하여야 한다.

③ 시장·군수·구청장은 대통령령으로 정하는 설치기준에 따라 공중화장실등에 장애인·노인·임산부 등이 사용할 수 있는 변기를 설치하여야 하며, 필요하다고 인정하면 주위환경과 조화되는 화단, 휴식시설, 판매시설 등의 시설을 설치하게 할 수 있다. 이 경우 장애인·노인·임산부 등이 사용할 수 있는 변기의 설치에 관하여는 「장애인·노인·임산부 등의 편의증진 보장에 관한 법률」 제8조를 준용한다.

④ 시장·군수·구청장은 범죄 및 안전사고를 예방하기 위하여 공중화장실등에 비상벨(비상 상황 발생 시 그 시설의 관리자 또는 주소지를 관할하는 경찰관서에 즉시 연결되어 신속한 대응이나 도움을 요청할 수 있도록 설치된 기계장치를 말한다) 등 안전관리 시설을 설치하여야 하며, 안전관리 시설의 설치가 필요한 공중화장실등은 조례로 정한다. <신설 2021.7.20.>

⑤ 공중화장실등을 설치·관리하는 자는 대통령령으로 정하는 설치기준에 따라 공중화장실등에 대변기 칸막이를 설치하여야 한다. <신설 2021.7.20.>

⑥ 공중화장실등에서 발생하는 오수 및 분뇨는 「하수도법」에 따라 처리한다. <개정 2021. 7. 20.>

⑦ 제1항부터 제6항까지에서 규정한 사항 외에 공중화장실등의 설치기준에 관하여 필요한 사항은 대통령령으로 정한다. <개정 2021.7.20.>

법 제7조의2【어린이용 대·소변기의 설치 등】 ① 공중화장실등은 대통령령으로 정하는 설치기준에 따라 어린이용 대·소변기 및 세면대를 설치하여야 한다.

② 공중화장실등은 대통령령으로 정하는 바에 따라 남성 및 여성 화장실에 행정안전부령으로 정하는 규격의 영유아용 기저귀교환대를 설치하여야 한다. <개정 2020.12.22.>

영 제6조【공중화장실등의 설치기준】 ① 법 제7조제2항에서 "대통령령으로 정하는 장소 또는 시설"이라 함은 다음 각 호의 장소 또는 시설을 말한다. <개정 2014.7.14.>

1. 「건축법 시행령」 별표 1 제5호 중 공연장 · 관람장 또는 전시장으로서 수용인원이 1천명 이상인 시설
2. 「건축법 시행령」 별표 1 제27호 중 야외음악당 또는 야외극장으로서 수용인원이 1천명 이상인 시설
3. 「건축법 시행령」 별표 1 제27호 중 공원 · 유원지 또는 관광지에 부수되는 시설로서 수용인원이 1천명 이상인 시설
4. 「도로법」 제10조제1호에 따른 고속국도에 설치된 휴게시설(같은 법 제2조제2호가목에 따른 휴게시설을 말한다. 이하 이 호에서 같다)로서 연평균 1일 편도 교통량이 5만대 이상인 고속국도 구간에 설치된 휴게시설

② 제1항의 시설 또는 장소 중 이용자의 남녀 성별비율 등의 특성상 법 제7조제2항에 따른 공중화장실등의 설치기준을 적용하는 것이 부적절하다고 시장 · 군수 · 구청장이 인정하는 경우에는 제1항에 불구하고 동 설치기준을 적용하지 아니할 수 있다.

③ 법 제7조제3항 및 제5항에 따른 공중화장실등의 설치기준은 별표와 같다.

영 제6조의2【어린이용 대 · 소변기의 설치 등】 법 제7조의2제1항 및 제2항에 따른 어린이용 대 · 소변기, 어린이용 세면대 및 영유아용 기저귀교환대 설치 등에 관한 기준은 별표와 같다.

■ 공중화장실의 시설기준(공중화장실 등에 관한 법률 시행령 별표) <개정 2018.9.4.>

1., 1의2., 2. 삭제 <2018.9.4>

3. 소변기 위쪽에는 이용편의를 위한 선반을 설치할 수 있다.

3의2. 남성화장실에는 소변기의 가림막을 설치해야 한다. 이 경우 가림막은 벽면에서 돌출되도록 가로 40센티미터 이상으로 설치하고 바닥에서부터 60센티미터 이상의 공간을 비워두되, 바닥지지대를 설치해서는 안 된

다.

4. 대·소변기는 수세식으로 설치하여야 한다. 다만,「수도법」제3조제30호에 따른 절수설비의 설치, 상·하수도 시설의 미비 또는 수질오염 등의 이유로 인하여 수세식화장실을 설치하기 어려운 경우에는 그러하지 아니하다.

5. 대변기 칸막이안에는 세정장치, 휴지걸이, 옷걸이 등을 설치해야 하고, 눈에 잘 띄는 곳에 소지품을 올려놓을 수 있는 선반 등을 설치할 수 있다.

5의2. 대변기 칸 출입문은 안여닫이로 하고, 출입문의 아랫부분은 환기 등을 위하여 바닥에서 10센티미터 이상 20센티미터 이하의 빈 공간을 두어야 한다. 다만, 화장실 구조 등을 고려하여 불가피한 경우에는 출입문을 안여닫이로 하지 않을 수 있다.

5의3. 대변기 칸막이(대변기 칸 출입문은 제외한다)의 아랫부분과 바닥 간의 거리는 5밀리미터 이하로 해야 한다. 다만, 장애인·노인·임산부 등 이용자의 특성상 불가피하다고 인정되는 경우에는 행정안전부장관이 정하여 고시하는 바에 따라 그 기준을 달리 정할 수 있다. <신설 2023.7.11.>

5의4. 대변기 칸막이의 윗부분과 천장 간의 거리는 30센티미터 이상으로 해야 한다. 다만, 대변기 칸막이 안에 개별 환기시설이 있는 경우에는 30센티미터 미만으로 할 수 있다. <신설 2023.7.11.>

6. 대변기 칸 출입문에는 화장실 사용여부와 변기의 종류를 알 수 있도록 인식장치를 설치하여야 한다.

7. 출입구는 남자용과 여자용이 구분되도록 따로 설치해야 하며, 복도나 도로 등을 통행하는 사람 등에게 화장실 내부가 직접 보이지 않도록 설치해야 한다.

8. 동파방지를 위한 난방시설, 환풍시설 및 세면기 등의 화장실 편의시설을 설치하여야 한다. 다만, 전기시설이 미비되어 있는 경우에는 그러하지 아니하다.

8의2. 세면대에는 선반 및 옷걸이 등 편의장치를 설치하거나 물비누, 일회용 휴지 및 휴지통 등 편의용품을 갖춰 둘 수 있다.

9. 공중이 이용하기 편리한 장소에 설치하고, 공중화장실등임을 쉽게 알아볼 수 있도록 안내표지판을 설치하여야 한다.

10. 급수시설을 설치할 경우 상수도를 사용하는 경우를 제외하고는 그 수질이 「먹는물관리법」 제5조에 따른 수질기준에 적합하여야 한다.

11. 동양식 변기와 서양식 변기는 이용자의 편의를 고려하여 설치장소의 여건에 따라 적절하게 조정하여 설치할 수 있다.

12. 대변기 칸막이안에는 영유아를 동반한 사람의 이용편의를 위하여 영·유아용 변기, 거치대, 보조의자 등을 갖춘 영유아 보조화장실을 설치할 수 있다.

13. 삭제 <2018.9.4>

14. 남자화장실과 여자화장실에 어린이용 대·소변기(남자화장실의 일반인용 소변기가 바닥부착형의 일반인·어린이 겸용인 경우는 제외한다)와 세면대를 각각 1개 이상 설치하여야 한다. 다만, 행정안전부령으로 정하는 공중화장실등의 경우에는 그러하지 아니하다.

15. 어린이용 대변기를 서양식 변기로 설치하는 경우에는 어린이전용 변기를 설치하되, 일반인용 변기를 이용하여 어린이겸용으로 사용하고자 할 때에는 변기 좌석 덮개 안쪽에 어린이가 사용하기에 편리하도록 별도의 어린이전용 변기 좌석을 설치하여야 한다.

16. 어린이용 소변기를 벽걸이형으로 설치하는 경우에는 소변기의 벽체 배수구를 어린이가 사용하기에 불편하지 않도록 낮은 높이로 설치하여야 한다.

17. 어린이용 세면대는 어린이가 사용하기에 불편하지 않도록 낮은 높이로 설치하거나 높낮이가 조절되는 것으로 설치하여야 한다.

18. 다음 각 목에 해당되는 장소 또는 시설에 설치하는 공중화장실에는 화장실 이용객의 통행 및 왕래에 불편이 없는 규모로 남성화장실과 여성화장실별로 각각 1개 이상의 영유아용 기저귀교환대를 설치하여야 한다. 다만, 같은 건물 안에 남성이 이용할 수 있도록 영유아용 기저귀교환대가 화장실 이외의 장소에 설치되어 있는 경우에는 남성화장실에 영유아용 기저귀교환대 설치 의무를 면제하고, 여성이 이용할 수 있도록 영유아용 기저귀교환대가 화장실 이외의 장소에 설치되어 있는 경우에는 여성화장실에 영유아용 기저귀교환대 설치 의무를 면제한다.

가.「도로법」 제2조제2호가목에 따른 휴게시설

나.「철도산업발전 기본법」 제3조제1호에 따른 철도의 역

다.「도시철도법」 제3조제1호에 따른 도시철도의 역
라.「항공법」 제2조제8호에 따른 공항시설

비고 1. 위 표에서 정하고 있는 사항 외에 필요한 공중화장실등의 설치기준은 시·군·구의 조례로 정할 수 있다.
2. 위 표에서 "동양식 변기"라 함은 쪼그려 앉아서 용변을 보는 변기를 말하고, "서양식 변기"라 함은 걸터 앉아서 용변을 보는 변기를 말한다.
3. 법 제2조제2호에 따른 개방화장실에 대해서는 제3호의2 및 제8호를, 법 제2조제3호에 따른 이동화장실에 대해서는 제3호의2·제5호 및 제8호를, 법 제2조제4호에 따른 간이화장실에 대해서는 제3호의2 및 제5호를 각각 적용하지 않는다.

【참고5】 가스배관시설(「도시가스사업법」 제2조제5호, 시행규칙 제2조제5항)

■ 가스공급시설 : 도시가스를 제조하거나 공급하기 위한 시설로서 가스제조시설, 가스배관시설, 가스충전시설, 나프타부생가스·바이오가스제조시설 및 합성천연가스제조시설

1. 가스제조시설	도시가스의 하역·저장·기화·송출 시설 및 그 부속설비
2. 가스배관시설	도시가스제조사업소로부터 가스사용자가 소유하거나 점유하고 있는 토지의 경계(공동주택등으로서 가스사용자가 구분하여 소유하거나 점유하는 건축물의 외벽에 계량기가 설치된 경우에는 그 계량기의 전단밸브, 계량기가 건축물의 내부에 설치된 경우에는 건축물의 외벽)까지 이르는 배관·공급설비 및 그 부속설비
3. 가스충전시설	도시가스충전사업소 안에서 도시가스를 충전하기 위하여 설치하는 저장설비, 처리설비, 압축가스설비, 충전설비 및 그 부속설비
4. 나프타부생가스 제조시설	나프타부생가스제조사업소 안에서 나프타부생가스를 제조하기 위하여 설치하는 가스품질향상설비, 저장설비, 기화설비, 송출설비 및 그 부속설비
5. 바이오가스제조시설	바이오가스제조사업소 안에서 바이오가스를 제조하기 위하여 설치하는 전처리설비, 가스품질향상설비, 저장설비, 기화설비, 송출설비 및 그 부속설비
6. 합성천연가스제조시설	합성천연가스제조사업소 안에서 합성천연가스를 제조하기 위하여 설치하는 제조설비, 가스품질향상설비, 저장설비, 기화설비, 송출설비 및 그 부속설비

4 제2종 근린생활시설 〈개정 2023.4.27., 2023.9.12.〉

가. 공연장(극장, 영화관 【참고1】, 연예장, 음악당, 서커스장, 비디오물감상실, 비디오물소극장 【참고2】 등)	바닥면적의 합계 500㎡ 미만인 것
나. 종교집회장[교회, 성당, 사찰, 기도원, 수도원, 수녀원, 제실(祭室), 사당 등]	바닥면적의 합계 500㎡ 미만인 것
다. 자동차영업소	바닥면적의 합계 1000㎡ 미만인 것
라. 서점으로서 제1종 근린생활시설에 해당하지 아니한 것	바닥면적의 합계 1000㎡ 이상인 것
마. 총포판매소	-
바. 사진관, 표구점	-
사. 청소년게임제공업소, 복합유통게임제공소, 인터넷컴퓨터게임제공업소, 가상현실체험 제공업소 등 이와 유사한 게임 및 체험관련 시설 【참고3】	바닥면적의 합계 500㎡ 미만인 것
아. 휴게음식점, 제과점 등 음료·차(茶)·음식·빵·떡·과자 등을 조리하거나 제조하여 판매하는 시설(너목 또는 공장에 해당하는 것은 제외) 【참고4】	바닥면적의 합계 300㎡ 이상인 것
자. 일반음식점 【참고4】	-
차. 장의사, 동물병원, 동물미용실, 동물위탁관리업* 을 위한 시설, 그 밖에 이와 유사한 것	-제1종 근린생활시설에 해당하는 것 제외 *「동물보호법」 제73조제1항제2호

카. 학원(자동차학원·무도학원 및 정보통신기술을 활용하여 원격으로 교습하는 것은 제외), 교습소(자동차교습·무도교습 및 정보통신기술을 활용하여 원격으로 교습하는 것은 제외), 직업훈련소(운전·정비 관련 직업훈련소는 제외)	바닥면적의 합계 500㎡ 미만인 것
타. 독서실, 기원	
파. 테니스장, 체력단련장, 에어로빅장, 볼링장, 당구장, 실내낚시터, 골프연습장 【참고5】, 물놀이형 시설(「관광진흥법」의 기타 유원시설업의 시설) 등 주민의 체육 활동을 위한 시설	바닥면적의 합계 500㎡ 미만인 것
하. 금융업소, 사무소, 부동산중개사무소, 결혼상담소 등 소개업소, 출판사 등 일반업무시설	바닥면적의 합계 500㎡ 미만인 것(제1종 근린생활시설에 해당하는 것은 제외)
거. 다중생활시설[「다중이용업소의 안전관리에 관한 특별법」에 따른 다중이용업 중 고시원업의 시설로서 다중이용업 중 고시원업의 시설로서 국토교통부장관이 고시하는 기준과 그 기준에 위배되지 않는 범위에서 적정한 주거환경을 조성하기 위하여 건축조례로 정하는 실별 최소 면적, 창문의 설치 및 크기 등의 기준에 적합한 것. 이하 같다] 【참고6】	바닥면적의 합계 500㎡ 미만인 것
너. 제조업소, 수리점 등 물품의 제조·가공·수리 등을 위한 시설 * 우측란에서 「대기환경보전법」 등은 「대기환경보전법」, 「물환경보전법」, 「소음 · 진동관리법」 임	바닥면적의 합계가 500㎡ 미만이고, 다음 중 어느 하나에 해당되는 시설 ①「대기환경보전법」 등*에 따른 배출시설의 설치허가 또는 신고의 대상이 아닌 것 ②「물환경보전법」에 따라 폐수배출시설의 설치 허가를 받거나 신고해야 하는 시설로서 발생되는 폐수를 전량 위탁처리하는 것
더. 단란주점 【참고4】	바닥면적의 합계가 150㎡ 미만인 것
러. 안마시술소 【참고7】, 노래 연습장 【참고8】	–

【참고1】 영화상영관(「영화 및 비디오물의 진흥에 관한 법률」 제2조제10호, 제36조, 시행령 제2조, 규칙 제8조)

법 제2조 【정의】 <개정 2023.8.8.>

1. "영화"라 함은 연속적인 영상이 필름 또는 디스크 등의 디지털 매체에 담긴 저작물로서 영화상영관 등의 장소 또는 시설에서 공중(公衆)에게 관람하게 할 목적으로 제작한 것을 말한다.

10. "영화상영관"이라 함은 영리를 목적으로 영화를 상영하는 장소 또는 시설을 말한다. 다만, 연간 영화상영일수가 대통령령으로 정하는 일수의 범위 이내인 장소 또는 시설(이하 "비상설상영장"이라 한다)은 제외한다.

법 제36조 【영화상영관의 등록】 ① 영화상영관을 설치·경영하려는 자는 문화체육관광부령으로 정하는 시설을 갖추어 그 시설의 소재지를 관할하는 시장·군수·구청장에게 등록하여야 한다. 등록사항을 변경할 때에도 또한 같다.

② 문화체육관광부장관은 대통령령으로 정하는 바에 따라 제한상영관을 설치할 수 없는 지역 또는 시설을 지정·고시할 수 있다. <개정 2023.8.8.>

영 제2조 【비상설상영장】 「영화 및 비디오물의 진흥에 관한 법률」(이하 "법"이라 한다) 제2조제10호 단서에 따른 비상설상영장은 영화상영일수가 연간 120일 이내이고 계속상영기간이 30일 이내인 영화상영 장소나 시설로 한다.

규칙 제8조【영화상영관의 시설기준】 법 제36조제1항에 따라 영화상영관이 갖추어야 하는 시설기준은 별표 1과 같다.

■ 영화상영관의 시설기준(「영화 및 비디오물의 진흥에 관한 법률 시행규칙」 별표1)

1. 공통기준

조명시설, 음향시설, 방음시설, 소방시설 및 편의시설을 갖추어야 한다.

2. 영화상영관의 구분에 의한 시설기준

가. 실내 영화상영관

(1) 영사막 : 맨 앞 줄 의자와 영사막과의 평균거리는 스크린너비의 2분의 1이상일 것. 다만, 스크린의 너비가 넓고 70밀리미터 이상의 필름을 사용하는 특수 영화상영관으로서 보통 사람들이 근접관람할 때 지장을 느끼지 않는 경우에는 스크린너비의 3분의 1이상으로 할 수 있다.

(2) 최소면적 : 객석이 30석 이상이거나 객석의 바닥면적이 60제곱미터 이상일 것

(3) 통로

(가) 세로방향으로 20석마다 폭 1미터 이상의 가로통로를 설치할 것

(나) 가로방향으로 15석마다 폭 1미터 이상의 세로통로를 설치할 것

(다) 관람석과 내부벽(좌・우・앞・뒤) 사이에 폭 1미터 이상의 통로를 설치할 것. 다만, 가로줄 관람석이 6석 이하인 경우에는 관람석과 좌 또는 우 내부벽 사이에 폭 1미터 이상의 통로를 설치하지 아니할 수 있고, 뒤 내부벽에 출입구가 없고 뒤 내부벽으로부터 스크린 방향으로 3분의 1까지의 좌・우 내부벽에 출입구가 없는 경우에는 관람석과 뒤 내부벽 사이에 폭 1미터 이상의 통로를 설치하지 아니할 수 있다.

나. 야외영화상영관(자동차극장)

(1) 주차공간 : 「주차장법」에 따른 노외주차장의 시설기준을 갖출 것

(2) 영사막(고정시설일 경우)

(가) 영사막의 구조내력(構造耐力) : 「건축법」 제83조 및 같은 법 시행령 제118조제1항 및 제3항에 따른 옹벽 등 공작물의 구조내력기준 에 맞을 것

(나) 영사막의 위치 : 영사막과 맨 앞 줄 자동차 간의 거리는 영사막의 높이만큼의 거리 이상을 띄울 것

【참고2】 비디오물시청제공업의 종류(「영화 및 비디오물의 진흥에 관한 법률」 제2조제16호)

구분	내용
1. 비디오물감상실업	다수의 구획된 시청실과 비디오물 시청기자재를 갖추고 비디오물을 공중의 시청에 제공(이용자가 직접 시청시설을 작동하여 이용하는 경우 포함)하는 영업
2. 비디오물소극장업	영사막 및 다수의 객석과 비디오물 시청기자재를 갖추고 비디오물만을 전용으로 공중의 시청에 제공하는 영업
3. 제한관람가비디오물소극장업	영사막 및 다수의 객석과 비디오물 시청기자재를 갖추고 제한관람가 등급의 비디오물만을 전용으로 공중의 시청에 제공하는 영업
4. 복합영상물제공업	비디오물감상실업을 하면서 부수적으로 게임물을 이용할 수 있는 시설 또는 노래를 할 수 있는 시설을 갖추어 공중에 제공하는 영업
5. 그 밖의 비디오물시청제공업	공중이 숙박·휴게 등의 목적으로 이용하는 장소 또는 시설에서 비디오물 시청기자재를 갖추고 비디오물을 공중의 시청에 제공하는 영업

건 축 법
1. 총 칙
2. 건 축
3. 유지관리
4. 대지도로
5. 구조재료
6. 지역지구
7. 건축설비
8. 특별건축구역
9. 보 칙
10. 벌 칙
건 축 법 관련기준

■ 비디오물시청제공업 시설기준(「영화 및 비디오물의 진흥에 관한 법률 시행규칙」 별표 2) <개정 2022.2.25>

1. 비디오물 감상실업

구 분	시 설 기 준
통 로	(1) 다른 용도의 영업장과 완전히 구획되어야 한다. (2) 시청실간 통로의 너비는 1.2미터 이상이어야 한다(시청실을 벽면 등으로 구획하는 경우에 한한다).
시청실	(1) 시청실을 구획하는 벽면의 높이가 1.3미터를 초과하는 경우에는 통로에 접한 1면에는 바닥으로부터 1.3미터 이상 2미터 이하의 부분 중 해당면적의 좌우대비 2분의 1이상을 투명유리창으로 설치하여야 한다. (2) 시청거리는 1.6미터 이상을 확보하여야 한다. 다만, 이용자가 직접 컴퓨터 등 전자기기를 작동하여 시청하는 경우 또는 머리에 쓰는 영상표시기기(HMD, Head Mounted Display)나 이와 유사한 기기를 이용하여 시청하는 경우에는 시청거리를 확보하지 않아도 된다. (3) 시청실 바닥으로부터 1미터 높이의 조도가 20럭스 이상이 되어야 한다. 다만, 빔 프로젝트를 이용하는 경우에는 조도를 20럭스 이상으로 하지 아니하여도 된다. (4) 출입문은 출입문 바닥에서 1.3미터 높이의 부분부터 출입문 상단까지의 면적 중 2분의 1이상을 투명한 유리창으로 설치하고, 출입문의 유리창을 가려서는 아니 된다. (5) 시청실 내에 화장실, 욕조, 주차장 시설 등 비디오물 시청에 필요하지 아니한 시설을 설치하여서는 아니 된다.
시청시설 등	(1) 비디오물 재생기기는 한 장소에서 각각 시청제공할 수 있도록 중앙집중식으로 설치하여야 한다. 다만, 이용자가 직접 컴퓨터 등 전자기기를 작동하여 시청하는 경우에는 중앙집중식으로 설치하지 아니하여도 된다. (2) 침대 또는 침대형태로 변형된 의자나 3인용 이상의 소파를 비치하여서는 아니 된다. (3) 출입구에는 "청소년 출입금지" 표시판을 부착하여야 한다.

2. 비디오물 소극장업 및 제한관람가비디오물소극장업

구 분	시 설 기 준
기본시설	조명시설·음향시설 및 방음시설을 갖추어야 한다.
세부시설	(1) 영사막 : 맨 앞 줄 의자와 영사막과의 평균거리는 스크린 너비의 2분의 1이상이어야 한다. 다만, 머리에 쓰는 영상표시기기나 이와 유사한 기기를 이용하여 시청하는 경우에는 영사막을 설치하지 않아도 된다. (2) 최소면적 : 객석이 30석 이상이거나 객석의 바닥면적이 60제곱미터 이상이어야 한다. (3) 통로 (가) 세로방향으로 20석마다 너비 1미터 이상의 가로통로를 설치하여야 한다. (나) 관람석과 내부벽 사이에 너비 1미터 이상의 통로를 설치한다. 다만, 벽쪽 가로줄 관람석을 6석 이하로 할 경우에는 너비 1미터 이상의 통로를 설치하지 아니하여도 된다.

3. 복합영상물제공업

구 분	시 설 기 준
공통사항	(1) 전체 영업면적(해당 영업장 내의 화장실, 통로 등 공용 면적을 포함한 전체 면적을 의미한다)에서 비디오물감상실업에 해당하는 면적 비율이 2분의 1 이상이어야 한다. 복합영상기기(1대의 기기에서 비디오물 감상이 가능하고 이에 부가하여 게임이용이나 노래연습의 콘텐츠를 제공하는 기기를 말한다)로 영업하는 경우에는 이를 비디오물감상실업에 해당하는 면적으로 본다. (2) 출입구에는 청소년 출입금지 표시판을 부착하여야 한다. (3) 업소 명칭과 간판에는 시장·군수·구청장에게 등록한 상호를 표시하여야 한다.

시청실을 설치하는 경우	(1) 시청실(노래연습실 및 게임이용실을 겸용하는 경우를 포함한다. 이하 같다)간 통로의 너비는 1.2미터 이상이어야 한다(시청실을 벽면 등으로 구획하는 경우로 한정한다). (2) 시청실을 구획하는 벽면의 높이가 1.3m를 초과하는 경우에는 통로에 접한 1면에는 바닥으로부터 1.3미터 이상 2미터 이하의 부분 중 해당 면적의 좌우 대비 2분의 1 이상을 투명 유리창으로 설치해야 한다. (3) 시청실 바닥으로부터 85센티미터 높이의 조도가 20럭스 이상이 되도록 해야 한다. (4) 출입문은 출입문 바닥에서 1.3미터 높이의 부분부터 출입문 상단까지의 면적 중 2분의 1이상을 투명한 유리창으로 설치하고, 출입문의 유리창을 가리지 않아야 하며, 출입문에는 잠금장치를 하지 않아야 한다. (5) 노래연습을 위한 조명기구와 이용자가 사용하는 마이크는 「음악산업진흥에 관한 법률 시행규칙」 별표 1의 노래연습장 시설기준에 따라야 한다. (6) 시청실에 화장실, 욕조, 주차장 시설 등 콘텐츠 제공에 불필요한 시설을 설치하지 않아야 한다. (7) 시청실에 침대 또는 침대형태로 변형된 의자나 3인용 이상의 소파를 비치하지 않아야 한다.
시청실을 설치하지 않는 경우	소음, 조명 또는 진동으로 인하여 영업소 주변의 평온을 해치지 않아야 한다.

4. 그 밖의 시청제공업

구 분	시 설 기 준
주차장 시설	(1) 주차공간 : 주차장법에 의한 노외주차장의 시설기준을 갖추어야 한다. (2) 영사막(고정시설의 경우) (가) 영사막의 구조내력 : 「건축법」 제83조 및 같은법 시행령 제118조제1항 및 제3항에 따른 옹벽 등 공작물의 구조내력기준에 맞아야 한다. (나) 영사막의 위치 : 영사막과 맨 앞 줄 자동차 간의 거리는 영사막의 높이 이상이어야 한다. (3) 기타 (가) 자동차 사이에 칸막이·차단막 등 차단시설을 설치하여서는 아니 된다. (나) 화장실 등 편의시설을 갖추어야 한다.

【참고3】 게임제공업소 등의 종류(「게임산업진흥에 관한 법률」 제2조)

1. 일반게임제공업	등급분류된 게임물 중 청소년이용불가 게임물과 전체이용가 게임물을 설치하여 공중의 이용에 제공하는 영업
2. 청소년게임제공업	등급분류된 게임물 중 전체이용가 게임물을 설치하여 공중의 이용에 제공하는 영업
3. 복합유통게임제공업	청소년게임제공업 또는 인터넷컴퓨터게임시설제공업과 이 법에 의한 다른 영업 또는 다른 법률에 의한 영업을 동일한 장소에서 함께 영위하는 영업
4. 인터넷컴퓨터게임시설제공업	컴퓨터 등 필요한 기자재를 갖추고 공중이 게임물을 이용하게 하거나 부수적으로 그 밖의 정보제공물을 이용할 수 있도록 하는 영업

■ 일반게임제공업의 시설기준(「게임산업진흥에 관한 법률 시행령」 별표 1의2) <개정 2019.7.2.>

1. 영업장 내에는 게임물 이용을 위한 밀실이나 밀폐된 공간을 설치하여서는 아니되며, 투명한 유리창을 설치하여 외부에서 실내를 볼 수 있도록 하여야 한다.
2. 영업장 전체의 실내 조명은 40럭스 이상이 되도록 유지하여야 한다.
3. 청소년이용불가 게임물을 제공하는 영업장이라는 것을 일반인이 인식할 수 있는 간판 또는 영업표지물을 영업장의 입구에 표시하여야 한다.
4. 선량한 풍속을 해칠 우려가 있는 사진, 광고물, 장식 그 밖의 설비를 설치하여서는 아니된다.

건 축 법
1. 총 칙
2. 건 축
3. 유지관리
4. 대지도로
5. 구조재료
6. 지역지구
7. 건축설비
8. 특별건축구역
9. 보 칙
10. 벌 칙
건 축 법 관련기준

■ 청소년게임제공업 · 복합유통게임제공업 또는 인터넷컴퓨터게임시설제공업 등록의 시설기준

(「게임산업진흥에 관한 법률 시행규칙」 별표 4) <개정 2020.12.1.>

1. 공통사항

가. 영업장 내에는 게임물 이용을 위한 밀실이나 밀폐된 공간을 설치하여서는 아니된다.

나. 영업장 전체의 실내 조명은 40럭스 이상이 되도록 유지하여야 한다.

다. 투명한 유리창을 설치하여 외부에서 실내를 볼 수 있도록 하여야 한다.

라. 선량한 풍속을 해치고 청소년에게 유해할 우려가 있는 사진, 광고물, 장식 그 밖의 설비를 하여서는 아니된다.

마. 소음, 조명 또는 진동으로 인하여 게임제공업소 주변의 평온을 해치지 아니하여야 한다.

바. 업소 명칭과 간판에는 시장 · 군수 · 구청장에게 등록하거나 신고한 상호를 표시하여야 한다.

2. 복합유통게임제공업 (추가사항)

가. 2개 이상의 업종을 동일한 장소에서 하는 경우

1) 전체 영업면적에서 청소년게임제공업 또는 인터넷컴퓨터게임시설제공업의 면적비율이 20퍼센트 이상이어야 한다.

2) 각 영업장(출입문 시설은 제외한다)의 시설기준은 관계 법령에 따른 업종별 시설기준을 준수하여야 한다.

3) 각 영업장은 영업장별로 구획되어야 하며, 각 영업장을 구획하기 어려운 경우에는 투명한 유리창을 설치하여 외부에서 실내를 볼 수 있도록 하여야 한다.

나. 1개의 기기에서 게임, 노래연습, 영화감상 등 다양한 콘텐츠를 함께 제공하는 경우(「영화 및 비디오물의 진흥에 관한 법률 시행규칙」 별표 2 제3호 공통사항의 시설기준란 가목에 해당하는 경우는 제외한다)

1) 통로를 접한 면 중 하나의 면에는 바닥으로부터 1.3m부터 2m까지의 부분 중 좌우 대비 2분의 1 이상의 면적을 투명유리창으로 설치하여 외부에서 실내를 볼 수 있도록 해야 한다.

2) 출입문은 출입문 바닥에서 1.3m 높이의 부분부터 출입문 상단까지의 부분 중 2분의 1 이상의 면적을 투명유리창으로 설치해야 하고, 출입문의 투명유리창을 가리거나 출입문에 잠금장치를 해서는 안 된다.

3) 청소년이 이용할 수 있는 시설을 별도로 설치할 수 없으며, 출입구에는 "청소년 출입금지" 표시판을 부착해야 한다.

다. 콘텐츠를 이용하는 공간에 화장실, 욕조 및 주차장 시설을 설치해서는 안 된다.

라. 콘텐츠를 이용하는 공간에 침대 또는 침대형태로 변형된 의자나 3인용 이상의 소파를 두어서는 안 된다.

3. 인터넷컴퓨터게임시설제공업 (추가사항)

독립된 장소에서 컴퓨터시설을 이용할 수 있도록 하여야 하되, 공공시설내에서 제공하는 경우에는 그러하지 아니하다.

4. 「전기통신사업법」에 따라 허가를 받거나 신고 또는 등록을 하여야 하는 영업자는 「전기통신사업법」에서 정하는 기준을 갖추어야 한다.

【참고4】 일반음식점, 휴게음식점, 단란주점 …… 3 제1종 근린생활시설 해설 참조

【참고5】 골프연습장[건설부 건축(01234-4102), 서울시 건지(36420-2472)]

1. 실내골프연습장	제2종 근린생활시설	해당용도에 쓰이는 바닥면적의 합계가 500m² 미만
	운동시설	해당용도에 쓰이는 바닥면적의 합계가 500m² 이상
2. 실외골프연습장	운동시설	관람석 바닥면적합계가 1,000m² 미만
	문화 및 집회시설	관람석 바닥면적합계가 1,000m² 이상

【참고6】 다중생활시설, 고시원업

1. 다중생활시설 건축기준(국토교통부고시 제2021-951호, 2021.7.14.)

제1조【목적】 이 기준은 「건축법 시행령」 제3조의5 및 별표1 제4호거목에 따른 다중생활시설에 대한 건축기준을 정함을 목적으로 한다.

제2조【건축기준】 다중생활시설은 「다중이용업소의 안전관리에 관한 특별법」에 따른 다중이용업 중 고시원업의 시설로서 다음 각 호의 기준에 적합한 구조이어야 한다.

1. 각 실별 취사시설 및 욕조 설치는 설치하지 말 것(단, 샤워부스는 가능)
2. 다중생활시설(공용시설 제외)을 지하층에 두지 말 것
3. 각 실별로 학습자가 공부할 수 있는 시설(책상 등)을 갖출 것
4. 시설내 공용시설(세탁실, 휴게실, 취사시설 등)을 설치할 것
5. 2층 이상의 층으로서 바닥으로부터 높이 1.2미터 이하 부분에 여닫을 수 있는 창문(0.5제곱미터 이상)이 있는 경우 그 부분에 높이 1.2미터이상의 난간이나 이와 유사한 추락방지를 위한 안전시설을 설치할 것
6. 복도 최소폭은 편복도 1.2미터이상, 중복도 1.5미터이상으로 할 것
7. 실간 소음방지를 위하여 「건축물의 피난·방화구조 등의 기준에 관한 규칙」 제19조에 따른 경계벽 구조 등의 기준과 「소음방지를 위한 층간 바닥충격음 차단 구조기준」에 적합할 것
8. 범죄를 예방하고 안전한 생활환경 조성을 위하여 「범죄예방 건축기준」에 적합할 것

제3조【지역별 기준 설정】 지방자치단체의 장은 제2조의 기준에 위배되지 않는 범위 내에서 다중생활시설의 최소실 면적, 창 설치 등의 기준을 건축조례로 정할 수 있다. <개정 2021.7.14>

제4조 "생략"

2. 고시원업(「다중이용업소의 안전관리에 관한 특별법」 제2조제1호, 영 제2조)

법 제2조【정의】 ① 이 법에서 사용하는 용어의 정의는 다음과 같다.

1. "다중이용업"이라 함은 불특정 다수인이 이용하는 영업 중 화재 등 재난발생시 생명·신체·재산상의 피해가 발생할 우려가 높은 것으로서 대통령령이 정하는 영업을 말한다.

영 제2조【다중이용업】 「다중이용업소의 안전관리에 관한 특별법」(이하 "법"이라 한다) 제2조제1항제1호에서 "대통령령으로 정하는 영업"이란 다음 각 호의 어느 하나에 해당하는 영업을 말한다.

7의2. 고시원업[구획된 실(室) 안에 학습자가 공부할 수 있는 시설을 갖추고 숙박 또는 숙식을 제공하는 형태의 영업]

■ 다중이용업소에 설치·유지하여야 하는 안전시설등(다중이용업소의 안전관리에 관한 특별법 시행령 별표 1의2) <개정 2020.12.1.>

1. **소방시설**

가. 소화설비<개정 2020.12.1>

1) 소화기 또는 자동확산소화기
2) 간이스프링클러설비(캐비닛형 간이스프링클러설비를 포함한다). 다만, 다음의 영업장에만 설치한다.
   가) 지하층에 설치된 영업장
   나) 법 제9조제1항제1호에 따른 숙박을 제공하는 형태의 다중이용업소의 영업장 중 다음에 해당하는 영업장. 다만, 지상 1층에 있거나 지상과 직접 맞닿아 있는 층(영업장의 주된 출입구가 건축물 외부의 지면과 직접 연결된 경우를 포함한다)에 설치된 영업장은 제외한다.
      (1) 제2조제7호에 따른 산후조리업의 영업장
      (2) 제2조제7호의2에 따른 고시원업(이하 이 표에서 "고시원업"이라 한다)의 영업장

건 축 법
1. 총 칙
2. 건 축
3. 유지관리
4. 대지도로
5. 구조재료
6. 지역지구
7. 건축설비
8. 특별건축구역
9. 보 칙
10. 벌 칙
건 축 법 관련기준

다) 법 제9조제1항제2호에 따른 밀폐구조의 영업장
라) 제2조제7호의3에 따른 권총사격장의 영업장

나. 경보설비
1) 비상벨설비 또는 자동화재탐지설비. 다만, 노래반주기 등 영상음향장치를 사용하는 영업장에는 자동화재탐지설비를 설치하여야 한다.
2) 가스누설경보기. 다만, 가스시설을 사용하는 주방이나 난방시설이 있는 영업장에만 설치한다.

다. 피난설비
1) 피난기구
가) 미끄럼대
나) 피난사다리
다) 구조대
라) 완강기
마) 다수인 피난장비
바) 승강식 피난기
2) 피난유도선. 다만, 영업장 내부 피난통로 또는 복도가 있는 영업장에만 설치한다.
가) 제2조제1호나목에 따른 단란주점영업(이하 이 표에서 "단란주점영업"이라 한다)과 유흥주점영업(이하 이 표에서 "유흥주점영업"이라 한다)의 영업장
나) 제2조제2호에 따른 영화상영관, 비디오물감상실업(이하 이 표에서 "비디오물감상실업"이라 한다) 및 복합영상물제공업(이하 이 표에서 "복합영상물제공업"이라 한다)의 영업장
다) 제2조제6호에 따른 노래연습장업(이하 이 표에서 "노래연습장업"이라 한다)의 영업장
라) 산후조리업의 영업장
마) 고시원업의 영업장
3) 유도등, 유도표지 또는 비상조명등
4) 휴대용 비상조명등

2. 비상구. 다만, 다음 각 목의 어느 하나에 해당하는 영업장에는 비상구를 설치하지 않을 수 있다.
가. 주된 출입구 외에 해당 영업장 내부에서 피난층 또는 지상으로 통하는 직통계단이 주된 출입구 중심선으로부터 수평거리로 영업장의 긴 변 길이의 2분의 1 이상 떨어진 위치에 별도로 설치된 경우
나. 피난층에 설치된 영업장[영업장으로 사용하는 바닥면적이 33제곱미터 이하인 경우로서 영업장 내부에 구획된 실(室)이 없고, 영업장 전체가 개방된 구조의 영업장을 말한다]으로서 그 영업장의 각 부분으로부터 출입구까지의 수평거리가 10미터 이하인 경우

3. 영업장 내부 피난통로. 다만, 구획된 실(室)이 있는 영업장에만 설치한다.
가. 단란주점영업과 유흥주점영업의 영업장
나. 비디오물감상실업의 영업장과 복합영상물제공업의 영업장
다. 노래연습장업의 영업장
라. 산후조리업의 영업장
마. 고시원업의 영업장

4. 삭제 <2014.12.23.>

5. 그 밖의 안전시설
가. 영상음향차단장치. 다만, 노래반주기 등 영상음향장치를 사용하는 영업장에만 설치한다.
나. 누전차단기
다. 창문. 다만, 고시원업의 영업장에만 설치한다.

비고
1. "피난유도선(避難誘導線)"이란 햇빛이나 전등불로 축광(蓄光)하여 빛을 내거나 전류에 의하여 빛을 내는 유도체로서 화재 발생 시 등 어두운 상태에서 피난을 유도할 수 있는 시설을 말한다.

2. "비상구"란 주된 출입구와 주된 출입구 외에 화재 발생 시 등 비상시 영업장의 내부로부터 지상·옥상 또는 그 밖의 안전한 곳으로 피난할 수 있도록 「건축법 시행령」에 따른 직통계단·피난계단·옥외피난계단 또는 발코니에 연결된 출입구를 말한다.
3. "구획된 실(室)"이란 영업장 내부에 이용객 등이 사용할 수 있는 공간을 벽이나 칸막이 등으로 구획한 공간을 말한다. 다만, 영업장 내부를 벽이나 칸막이 등으로 구획한 공간이 없는 경우에는 영업장 내부 전체 공간을 하나의 구획된 실(室)로 본다.
4. "영상음향차단장치"란 영상 모니터에 화상(畵像) 및 음반 재생장치가 설치되어 있어 영화, 음악 등을 감상할 수 있는 시설이나 화상 재생장치 또는 음반 재생장치 중 한 가지 기능만 있는 시설을 차단하는 장치를 말한다.

■ 다중이용업소에 설치하는 안전시설등의 설치·유지 기준(같은 법 시행규칙 별표 2) <개정 2023.8.1.>

안전시설등 종류	설치·유지 기준
1. 소방시설	
가. 소화설비	
1) 소화기 또는 자동확산소화기	영업장 안의 구획된 실마다 설치할 것
2) 간이스프링클러설비	「소방시설 설치 및 관리에 관한 법률」 제2조제6호에 따른 화재안전기준(이하 이 표에서 "화재안전기준"이라 한다)에 따라 설치할 것. 다만, 영업장의 구획된 실마다 간이스프링클러헤드 또는 스프링클러헤드가 설치된 경우에는 그 설비의 유효범위 부분에는 간이스프링클러설비를 설치하지 않을 수 있다.
나. 비상벨설비 또는 자동화재탐지설비	가) 영업장의 구획된 실마다 비상벨설비 또는 자동화재탐지설비 중 하나 이상을 화재안전기준에 따라 설치할 것 나) 자동화재탐지설비를 설치하는 경우에는 감지기와 지구음향장치는 영업장의 구획된 실마다 설치할 것. 다만, 영업장의 구획된 실에 비상방송설비의 음향장치가 설치된 경우 해당 실에는 지구음향장치를 설치하지 않을 수 있다. 다) 영상음향차단장치가 설치된 영업장에 자동화재탐지설비의 수신기를 별도로 설치할 것
다. 피난설비	
1) 영 별표 1의2 제1호다목1)에 따른 피난기구	4층 이하 영업장의 비상구(발코니 또는 부속실)에는 피난기구를 화재안전기준에 따라 설치할 것
2) 피난유도선	가) 영업장 내부 피난통로 또는 복도에 「소방시설 설치 및 관리에 관한 법률」 제12조제1항에 따라 소방청장이 정하여 고시하는 유도등 및 유도표지의 화재안전기준에 따라 설치할 것 나) 전류에 의하여 빛을 내는 방식으로 할 것
3) 유도등, 유도표지 또는 비상조명등	영업장의 구획된 실마다 유도등, 유도표지 또는 비상조명등 중 하나 이상을 화재안전기준에 따라 설치할 것
4) 휴대용 비상조명등	영업장안의 구획된 실마다 휴대용 비상조명등을 화재안전기준에 따라 설치할 것
2. 주된 출입구 및 비상구(이하 이 표에서 "비상구등"이라 한다)	가. 공통기준 1) 설치 위치: 비상구는 영업장(2개 이상의 층이 있는 경우에는 각각의 층별 영업장을 말한다. 이하 이 표에서 같다) 주된 출입구의 반대방향에 설치하되, 주된 출입구 중심선으로부터의 수평거리가 영업장의 가장 긴 대각선 길이, 가로 또는 세로 길이 중 가장 긴 길이의 2분의 1 이상 떨어진 위치에 설치할 것. 다만, 건물구조로 인하여 주된 출입구의 반대방향에 설치할 수 없는 경우에는 주된 출입구 중심선으로부터의 수평거리가 영업장의 가장 긴 대각선 길이, 가로 또는 세로 길이 중 가장 긴 길이의 2분의 1 이상 떨어진 위치에 설치할 수 있다. 2) 비상구등 규격: 가로 75센티미터 이상, 세로 150센티미터 이상(문틀을 제외한 가로

길이 및 세로길이를 말한다)으로 할 것

3) 구조

가) 비상구등은 구획된 실 또는 천장으로 통하는 구조가 아닌 것으로 할 것. 다만, 영업장 바닥에서 천장까지 불연재료(不燃材料)로 구획된 부속실(전실), 「모자보건법」 제2조제10호에 따른 산후조리원에 설치하는 방풍실 또는 「녹색건축물 조성 지원법」에 따라 설계된 방풍구조는 그렇지 않다.

나) 비상구등은 다른 영업장 또는 다른 용도의 시설(주차장은 제외한다)을 경유하는 구조가 아닌 것이어야 할 것.

4) 문

가) 문이 열리는 방향: 피난방향으로 열리는 구조로 할 것

나) 문의 재질: 주요 구조부(영업장의 벽, 천장 및 바닥을 말한다. 이하 이 표에서 같다)가 내화구조(耐火構造)인 경우 비상구등의 문은 방화문(防火門)으로 설치할 것. 다만, 다음의 어느 하나에 해당하는 경우에는 불연재료로 설치할 수 있다.

(1) 주요 구조부가 내화구조가 아닌 경우

(2) 건물의 구조상 비상구등의 문이 지표면과 접하는 경우로서 화재의 연소 확대 우려가 없는 경우

(3) 비상구등의 문이 「건축법 시행령」 제35조에 따른 피난계단 또는 특별피난계단의 설치 기준에 따라 설치해야 하는 문이 아니거나 같은 영 제46조에 따라 설치되는 방화구획이 아닌 곳에 위치한 경우

다) 주된 출입구의 문이 나)(3)에 해당하고, 다음의 기준을 모두 충족하는 경우에는 주된 출입구의 문을 자동문[미서기(슬라이딩)문을 말한다]으로 설치할 수 있다.

(1) 화재감지기와 연동하여 개방되는 구조

(2) 정전 시 자동으로 개방되는 구조

(3) 정전 시 수동으로 개방되는 구조

나. 복층구조(複層構造) 영업장(2개 이상의 층에 내부계단 또는 통로가 각각 설치되어 하나의 층의 내부에서 다른 층의 내부로 출입할 수 있도록 되어 있는 구조의 영업장을 말한다)의 기준

1) 각 층마다 영업장 외부의 계단 등으로 피난할 수 있는 비상구를 설치할 것

2) 비상구등의 문이 열리는 방향은 실내에서 외부로 열리는 구조로 할 것

3) 비상구등의 문의 재질은 가목4)나)의 기준을 따를 것

4) 영업장의 위치 및 구조가 다음의 어느 하나에 해당하는 경우에는 1)에도 불구하고 그 영업장으로 사용하는 어느 하나의 층에 비상구를 설치할 것

가) 건축물 주요 구조부를 훼손하는 경우

나) 옹벽 또는 외벽이 유리로 설치된 경우 등

다. 영업장의 위치가 4층 이하(지하층인 경우는 제외한다)인 경우의 기준

1) 피난 시에 유효한 발코니[활하중 5킬로뉴턴/제곱미터(5kN/㎡) 이상, 가로 75센티미터 이상, 세로 150센티미터 이상, 면적 1.12제곱미터 이상, 난간의 높이 100센티미터 이상인 것을 말한다. 이하 이 목에서 같다] 또는 부속실(불연재료로 바닥에서 천장까지 구획된 실로서 가로 75센티미터 이상, 세로 150센티미터 이상, 면적 1.12제곱미터 이상인 것을 말한다. 이하 이 목에서 같다)을 설치하고, 그 장소에 적합한 피난기구를 설치할 것

2) 부속실을 설치하는 경우 부속실 입구의 문과 건물 외부로 나가는 문의 규격은 가목2)에 따른 비상구등의 규격으로 할 것. 다만, 120센티미터 이상의 난간이 있는 경우에는 발판 등을 설치하고 건축물 외부로 나가는 문의 규격과 재질을 가로 75센티미터 이상, 세로 100센티미터 이상의 창호로 설치할 수 있다.

3) 추락 등의 방지를 위하여 다음 사항을 갖추도록 할 것

가) 발코니 및 부속실 입구의 문을 개방하면 경보음이 울리도록 경보음 발생 장치를 설치하고, 추락위험을 알리는 표지를 문(부속실의 경우 외부로 나가는 문도 포함한다)에 부착할 것

나) 부속실에서 건물 외부로 나가는 문 안쪽에는 기둥·바닥·벽 등의 견고한 부분에 탈착이 가능한 쇠사슬 또는 안전로프 등을 바닥에서부터 120센티미터 이상의 높이에 가로로 설치할 것. 다만, 120센티미터 이상의 난간이 설치된 경우에는 쇠사슬 또는 안전로프 등을 설치하지 않을 수 있다.

2의2. 영업장 구획 등 <신설 2023.8.1>	층별 영업장은 다른 영업장 또는 다른 용도의 시설과 불연재료·준불연재료로 된 차단벽이나 칸막이로 분리되도록 할 것. 다만, 가목부터 다목까지의 경우에는 분리 또는 구획하는 별도의 차단벽이나 칸막이 등을 설치하지 않을 수 있다. 가. 둘 이상의 영업소가 주방 외에 객실부분을 공동으로 사용하는 등의 구조인 경우 나. 「식품위생법 시행규칙」 별표 14 제8호가목5)다)에 해당되는 경우 다. 영 제9조에 따른 안전시설등을 갖춘 경우로서 실내에 설치한 유원시설업의 허가 면적 내에 「관광진흥법 시행규칙」 별표 1의2 제1호가목에 따라 청소년게임제공업 또는 인터넷컴퓨터게임시설제공업이 설치된 경우
3. 영업장 내부 피난통로	가. 내부 피난통로의 폭은 120센티미터 이상으로 할 것. 다만, 양 옆에 구획된 실이 있는 영업장으로서 구획된 실의 출입문 열리는 방향이 피난통로 방향인 경우에는 150센티미터 이상으로 설치하여야 한다. 나. 구획된 실부터 주된 출입구 또는 비상구까지의 내부 피난통로의 구조는 세 번 이상 구부러지는 형태로 설치하지 말 것
4. 창문	가. 영업장 층별로 가로 50센티미터 이상, 세로 50센티미터 이상 열리는 창문을 1개 이상 설치할 것 나. 영업장 내부 피난통로 또는 복도에 바깥 공기와 접하는 부분에 설치할 것(구획된 실에 설치하는 것을 제외한다)
5. 영상음향차단장치	가. 화재 시 자동화재탐지설비의 감지기에 의하여 자동으로 음향 및 영상이 정지될 수 있는 구조로 설치하되, 수동(하나의 스위치로 전체의 음향 및 영상장치를 제어할 수 있는 구조를 말한다)으로도 조작할 수 있도록 설치할 것 나. 영상음향차단장치의 수동차단스위치를 설치하는 경우에는 관계인이 일정하게 거주하거나 일정하게 근무하는 장소에 설치할 것. 이 경우 수동차단스위치와 가장 가까운 곳에 "영상음향차단스위치"라는 표지를 부착하여야 한다. 다. 전기로 인한 화재발생 위험을 예방하기 위하여 부하용량에 알맞은 누전차단기(과전류차단기를 포함한다)를 설치할 것 라. 영상음향차단장치의 작동으로 실내 등의 전원이 차단되지 않는 구조로 설치할 것
6. 보일러실과 영업장 사이의 방화구획	보일러실과 영업장 사이의 출입문은 방화문으로 설치하고, 개구부(開口部)에는 자동방화댐퍼(damper)를 설치할 것

비고

1. "방화문(防火門)"이란 「건축법 시행령」 제64조에 따른 갑종방화문 또는 을종방화문으로서 언제나 닫힌 상태를 유지하거나 화재로 인한 연기의 발생 또는 온도의 상승에 따라 자동적으로 닫히는 구조를 말한다. 다만, 자동으로 닫히는 구조 중 열에 의하여 녹는 퓨즈[도화선(導火線)을 말한다]타입 구조의 방화문은 제외한다.
2. 법 제15조제4항에 따라 소방청장·소방본부장 또는 소방서장은 해당 영업장에 대해 화재위험평가를 실시한 결과 화재위험유발지수가 영 제13조에 따른 기준 미만인 업종에 대해서는 소방시설·비상구 또는 그 밖의 안전시설등의 설치를 면제한다.
3. 소방본부장 또는 소방서장은 비상구의 크기, 비상구의 설치 거리, 간이스프링클러설비의 배관 구경(口徑) 등 소방청장이 정하여 고시하는 안전시설등에 대해서는 소방방재청장이 고시하는 바에 따라 안전시설등의 설치·유지 기준의 일부를 적용하지 않을 수 있다.

【참고7】 안마시술소·안마원의 시설기준(「안마사에 관한 규칙」 제6조)

규칙 제6조 【안마시술소·안마원의 시설기준】 ① 안마시술소·안마원의 시설 기준은 별표 1과 같다.

② 「공중위생관리법」 제2조에 따른 숙박업의 업소 또는 「관광진흥법」 제3조에 따른 호텔업의 업소가 있는 건축물에는 안마시술소나 안마원을 개설할 수 없다. 다만, 다음 각 호의 요건을 모두 갖춘 경우에는 숙박업의 업소가 있는 건축물에 안마시술소나 안마원을 개설할 수 있다.

1. 안마시술소 또는 안마원의 개설자와 숙박업을 하는 자가 동일인이 아닐 것
2. 안마시술소나 안마원을 숙박업의 업소와 같은 층이나 바로 아래층 또는 바로 위층에 개설하지 아니할 것
3. 안마시술소나 안마원을 개설하려는 건축물에 숙박업을 포함하여 5개 이상의 다른 업종의 업소가 있을 것

건축법
1. 총 칙
2. 건 축
3. 유지관리
4. 대지도로
5. 구조재료
6. 지역지구
7. 건축설비
8. 특별건축구역
9. 보 칙
10. 벌 칙
건축법 관련기준

안마시술소의 시설기준(별표 1)	안마원의 시설기준(별표 1)
1. 연면적은 830㎡ 이하이어야 하고, 안마실의 외부에 욕실과 발한실(發汗室)을 부대시설로 설치하는 경우 그 규모는 90㎡(욕실과 발한실의 바닥면적의 합계를 말한다) 이하이어야 한다.(예외)욕실과 발한실을 부대시설로 설치하지 아니한 경우 안마실의 내부에 욕조가 없는 샤워시설 설치가능 2. 안마실이 5개 이상 설치된 안마시술소를 개설하려는 자는 안마사를 2명 이상 두어야 한다. 3. 시설을 관리하는 데에 필요한 종업원의 수는 10명 이하로 하고, 안마사를 안내하는 종업원은 안마사 수의 1/2로 한다.	1. 연면적은 300㎡ 이하이어야 하고, 욕실과 발한실을 부대시설로 설치할 수 없다.(예외)「초·중등교육법」 에 따른 특수학교 또는 「장애인복지법」 에 따른 장애인복지시설의 부속 기관으로 안마원을 설치·운영하는 경우 욕실과 발한실을 부대시설로 설치 가능 2. 안마원의 내부에는 시술 장소를 구분하기 위하여 별도의 칸막이를 설치할 수 있다. 다만, 해당 시술 장소로 출입하는 부분에 대해서는 칸막이(출입문을 포함한다)를 설치할 수 없다. 3. 시설을 관리하는 데에 필요한 종업원의 수는 4명 이하로 한다. 4. 안마원의 외부에는 안마원의 명칭 외에 "안마, 마사지, 지압 또는 안마 보조 자극요법"을 표기할 수 있다.

【참고8】 노래연습장(「음악산업진흥에 관한 법률」 제2조제13호)

법 제2조 【정의】 ① 이 법에서 사용하는 용어의 정의는 다음과 같다.
13. "노래연습장업"이라 함은 연주자를 두지 아니하고 반주에 맞추어 노래를 부를 수 있도록 하는 영상 또는 무영상 반주장치 등의 시설을 갖추고 공중의 이용에 제공하는 영업을 말한다.

■ 노래연습장 시설기준(「음악산업진흥에 관한 법률 시행규칙」 별표 1) <개정 2019.10.7.>

항 목	시 설 기 준
1. 상호·간판	가. 상호는 "○○ 노래연습장"으로 등록되어야 한다. 나. 간판에는 시·군·구청에 등록된 상호를 표기해야 한다.
2. 영업소의 구획	「식품위생법」 상의 식품접객업소와 완전히 구획되어야 하며, 다른 영업소와 따로 출입문을 설치하여야 한다.
3. 통로 및 칸막이	가. 통로에 접한 1면의 칸막이에는 바닥으로부터 0.8미터에서 1미터 되는 지점으로부터 위로 1제곱미터 이상의 투명유리창을 설치하여야 한다. 나. 이용료로 현금을 직접 투입하면 연주되는 반주에 맞추어 이용자가 노래를 부를 수 있도록 한 영상 또는 무영상 반주장치 등의 시설을 갖춘 각 객실이 영업소 내부에 구획된 경우에는 출입문 또는 통로에 접한 1면의 칸막이에 1제곱미터 이상의 투명유리창(투명유리창의 개수가 2개 이상인 경우에는 각 유리창의 넓이를 합산한다)을 설치하여야 한다. 다. 영업소 내부에 구획된 각 객실에는 잠금장치를 설치할 수 없다.
4. 안전시설 등	가. 아래의 관계법령이 정하는 기준에 맞게 영업소 내의 관련 시설·설비·기기를 설치 또는 유지·관리하여야 한다. 1)「다중이용업소의 안전관리에 관한 특별법」 제9조에 따른 안전시설 등의 설치·유지 기준 2)「전기사업법 시행규칙」 제38조에 따른 전기안전점검기준 3)「소음·진동관리법」 제21조에 따른 생활소음·진동 규제기준 나. 창문 등 추락의 위험이 있는 곳에는 필요한 안전장치를 하여야 한다.
5. 청소년실(청소년실을 설치할 경우에 한한다)	가. 청소년실은 영업주가 잘 볼 수 있는 곳에 배치하되, 직원이 상주하는 별도의 공간을 마련하여 직원을 배치하는 경우에는 직원이 잘 볼 수 있는 곳에도 설치할 수 있다 나. 노래연습장 출입구에는 "청소년 출입가능 업소" 표시판을, 청소년실 출입문에는 "청소년실" 표시판을 각각 부착하여야 한다.
6. 조명기구	가. 우주볼(Mirror ball)외에 촉광조절장치·유색조명등 등의 특수조명기구을 설치하여서는 아니 된다. 나. 바닥으로부터 85센티미터 높이의 조도가 30럭스(청소년실은 40럭스) 이상이 되도록 하여야 한다.

7. 마이크	이용자가 사용하는 마이크는 아래의 정하는 기준에 맞게 소독하거나 상단에 덮개를 씌운 상태로 청결하고 안전하게 관리하여야 한다. 1) 소독할 경우는 「공중위생관리법 시행규칙」 별표 3에 따른 자외선소독 또는 에탄올수용액을 머금은 면이나 거즈로 마이크를 닦음 2) 덮개로 씌울 경우는 각 객실의 이용자가 바뀔 때마다 사용한 마이크의 덮개를 교체

5 문화 및 집회시설

가. 공연장(극장, 영화관, 연예장, 음악당, 서커스장, 비디오물감상실, 비디오물소극장, 그 밖에 이와 비슷한 것) 【참고1】	바닥면적의 합계가 500m² 이상인 것
나. 집회장[예식장, 공회당, 회의장, 마권(馬券) 장외 발매소, 마권 전화투표소, 그 밖에 이와 비슷한 것]	바닥면적의 합계가 500m² 이상인 것
다. 관람장(경마장, 경륜장, 경정장, 자동차 경기장, 그 밖에 이와 비슷한 것과 체육관 및 운동장) 【참고2】	체육관 및 운동장의 경우 관람석의 바닥면적의 합계가 1,000m² 이상인 것
라. 전시장(박물관, 미술관, 과학관, 문화관, 체험관, 기념관, 산업전시장, 박람회장, 그 밖에 이와 비슷한 것) 【참고3】	–
마. 동·식물원(동물원, 식물원, 수족관 그 밖에 이와 비슷한 것)	–

【참고1】 영화관, 비디오물감상실, 비디오물소극장 등 … 4 제2종 근린생활시설 【참고2】, 【참고3】 참조

【참고2】 경륜장, 경정장(「경륜경정법 시행령」 제4조)

영 제4조 【경주장설치허가의 신청】 ① 경주사업자는 법 제5조제1항에 따라 경륜장이나 경정장(이하 "경주장"이라 한다)의 설치허가를 받으려면 경주장설치허가 신청서(전자문서로 된 신청서를 포함한다)에 다음의 서류(전자문서를 포함한다)를 첨부하여 문화체육관광부장관에게 제출하여야 한다. <개정 2008. 2. 29.>

1. 설치장소 및 총 용지면적[축척 2만 5천 분의 1 이상의 지적도(地籍圖)를 첨부하여야 한다]
2. 토지(수면)이용계획서
3. 공사계획서와 소요자금 조달계획서
4. 시설별·층별 면적 및 시설내용 설명서
5. 시설배치도(지적도면에 표시하여야 한다)
6. 하수처리계획서 및 녹지·환경조성계획서
7. 부동산이 타인 소유인 경우에는 그 부동산의 사용권을 증명할 수 있는 서류

② 제1항에 따라 신청서를 제출받은 문화체육관광부장관은 「전자정부법」 제36조제1항에 따른 행정정보의 공동이용을 통하여 부동산등기부등본을 확인하여야 한다. <개정 2010.11.2.>

영 제5조 【경주장의 시설·설비기준】 경주장의 시설·설비기준은 별표 1과 같다.

[별표 1] 경주장의 시설·설비기준(제5조 관련)

1. 경륜장

시설구분	시설·설비기준
가. 경주로	○한 바퀴의 길이 300미터 이상, 폭 7미터 이상의 원형 또는 타원형으로 하되, 안쪽으로 경사지게 설치하여야 한다.

		○경사각도는 곡선부분을 25도 이상 45도 이하로, 직선부분을 2도 이상 15도 이하로 하여야 한다. ○바닥재료는 목재로 하거나 아스팔트 또는 콘크리트 등으로 포장하여야 한다. ○경주로 안쪽에 폭 4미터 이상의 대피구역을 설치하여야 한다. ○관람객이 들어가지 못하도록 차단시설을 설치하여야 한다.
나. 관람석		○계단식 또는 관람이 편리하도록 적절한 형식으로 설치하여야 한다.
다. 운영시설	(1) 선수 관련 시설	○외부인의 출입을 차단할 수 있도록 설치하여야 한다.
	(2) 심판소	○결승심판소는 경주로 바깥쪽의 결승선 연장선상에 1개를, 주로심판소(走路審判所)는 대피구역 안쪽의 적당한 장소에 4개 이상을 설치하여야 한다.
	(3) 경주실황방송시설, 그 밖의 전산시설	○영상방송설비, 정보표시장비, 도착순서 판정장비, 심판 상호 간의 동시통화장비 및 무정전(無停電) 전원설비 등을 설치하여야 한다.
	(4) 승자투표권 발매소·환급금지급소 등	○승자투표권 발매소, 환급금지급소, 그 밖의 입장권 발매소 등은 수용인원에 적절한 규모로 설치하여야 한다.
라. 관객편의시설		○수용인원에 적절한 휴게실, 식당, 주차장, 그 밖의 편의시설을 설치하여야 한다. ○경주장 부지의 관람객 통행로 등은 아스팔트나 콘크리트로 포장하여야 한다.

2. 경정장

시설구분		시설·설비기준
가. 경주로		○길이 450미터 이상, 폭 70미터 이상의 장방형으로 설치하여야 한다. ○수심은 1.5미터 이상이어야 한다.
나. 운영시설	(1) 선수 관련 시설	○외부인의 출입을 차단할 수 있도록 설치하여야 한다.
	(2) 심판소	○결승심판소는 결승선의 연장선상에 1개를, 주로심판소는 반환점부분에 각각 1개 이상을 설치하여야 한다.
	(3) 경주실황방송시설, 그 밖의 전산시설	○영상방송설비, 정보표시장비, 도착순서 판정장비, 심판 상호 간의 동시통화장비 및 무정전 전원설비 등을 설치하여야 한다.
	(4) 승자투표권 발매소·환급금지급소 등	○승자투표권 발매소, 환급금지급소, 그 밖의 입장권 발매소 등은 수용인원에 적절한 규모로 설치하여야 한다.
다. 모터보트 대기장		○1만평방미터 이상의 장방형으로 설치하여야 한다. ○수심은 1.5미터 이상이어야 한다.
라. 모터보트관리시설	(1) 격납고 및 계류장	○70척 이상의 모터보트를 수용할 수 있는 격납고 및 30척 이상의 모터보트를 동시에 계류시킬 수 있는 계류장(모터보트 대기장을 겸용할 수 있다)을 설치하여야 한다.
	(2) 정비소	○3척 이상의 모터보트를 동시에 수리할 수 있는 정비소를 설치하여야 한다.
	(3) 검사소	○30척 이상의 모터보트를 검사할 수 있는 검사소를 설치하여야 한다.
마. 관객편의시설		○수용인원에 적절한 휴게실, 식당, 주차장, 그 밖의 편의시설을 설치하여야 한다. ○경주장 부지의 관람객 통행로 등은 아스팔트나 콘크리트로 포장하여야 한다.

【참고3】 문화시설[「도시 · 군계획시설의 결정 · 구조 및 설치기준에 관한 규칙」(이하 “「도시 · 군계획시설규칙」”) 제96조~제98조]

규칙 제96조【문화시설】이 절에서 "문화시설"이란 국가 또는 지방자치단체가 설치하거나 문화체육관광부장관(제6호의 경우에는 과학기술정보통신부장관을, 제7호의 경우에는 산업통상자원부장관을 말한다), 특별시장, 광역시장, 특별자치시장, 도지사 또는 특별자치도지사가 지정하는 자가 도시·군계획시설로 설치할 필요성이 있다고 인정하여 도시·군관리계획의 입안권자에게 요청하여 설치하는 다음 각 호의 시설을 말한다. <개정 2023.8.1.>

1. 「공연법」 제2조제4호의 규정에 의한 공연장
2. 「박물관 및 미술관 진흥법」 제2조제1호 및 제2호의 규정에 의한 박물관 및 미술관
3. 「지방문화원진흥법」 제6조제1항의 규정에 의한 시설
4. 「문화예술진흥법」 제2조제1항제3호의 규정에 의한 문화시설
5. 「문화산업진흥 기본법」 제2조제17호 및 제18호에 따른 문화산업진흥시설 및 문화산업단지
6. 「과학관의 설립 · 운영 및 육성에 관한 법률」 제2조제1호의 규정에 의한 과학관
7. 「전시산업발전법」 제2조제4호에 따른 전시시설(이하 "전시시설"이라 한다)
8. 「국제회의산업 육성에 관한 법률」 제2조제3호에 따른 국제회의시설(이하 "국제회의시설"이라 한다)
9. 「도서관법」 제4조제2항제1호에 따른 공공도서관 및 같은 조 제7호에 따른 전문도서관

규칙 제97조【문화시설의 결정기준】문화시설의 결정기준은 다음 각호와 같다. <개정 2023.12.22.>

1. 이용자가 접근하기 쉽도록 대중교통수단의 이용이 편리한 장소에 설치하고, 주거생활의 평온을 방해하지 아니하는 곳에 설치할 것
2. 지역의 문화발전과 문화증진을 위하여 지역의 특성과 기능을 고려할 것
3. 전시시설 및 국제회의시설은 제1호 및 제2호 외에 다음 각 목의 기준에도 적합할 것
   가. 전시시설 및 국제회의시설을 가능한 한 함께 설치할 것
   나. 준주거지역, 상업지역 또는 준공업지역에 한정하여 설치할 것. 다만, 도시 · 군계획조례로 정하는 범위에서 일반주거지역, 일반공업지역 또는 자연녹지지역에 설치할 수 있으나, 제1종일반주거지역 및 자연녹지지역의 경우에는 4층 이하의 건축물에만 설치할 수 있다.
   다. 다수의 이용자가 단시간에 모였다 흩어질 수 있도록 다른 교통수단과의 연계를 고려하고, 지역 간 교통연결이 편리한 장소에 설치할 것
   라. 주거지역에 인접하여 설치하는 경우에는 교통 · 소음 등으로 인하여 거주환경에 영향이 없도록 외곽 경계부분에 녹지 · 도로 등의 차단공간을 두는 등 대책을 수립할 것
   마. 장래의 수요 증가 및 다른 기능과의 연계에 대비하여 시설의 확충이 가능하도록 할 것
4. 빗물이용시설의 설치를 고려하고, 물이 스며들지 않는 표면에서 유출되는 빗물을 최소화하도록 빗물이 땅에 잘 스며들 수 있는 구조로 하거나 식생도랑, 저류 · 침투조, 빗물정원, 옥상정원 등 빗물관리시설 설치를 고려할 것 <신설 2023.12.22.>

규칙 제98조【문화시설의 구조 및 설치기준】① 문화시설에는 다음 각 호의 편익시설을 설치할 수 있다. <개정 2021.2.24>

1. 「건축법 시행령」 별표 1 제3호가목부터 마목까지의 시설
2. 「건축법 시행령」 별표 1 제4호가목(극장, 영화관, 음악당 및 비디오물소극장에 한정한다) · 라목 · 바목 · 아목 · 자목 · 파목(골프연습장은 제외한다) 및 하목(금융업소에 한정한다)의 시설
3. 「건축법 시행령」 별표 1 제5호가목(극장, 영화관, 음악당 및 비디오물소극장에 한정한다) 및 라목의 시설
4. 「건축법 시행령」 별표 1 제10호바목의 시설
5. 「건축법 시행령」 별표 1 제11호가목(어린이집, 아동복지관 및 지역아동센터에 한정한다) · 나목(노인여가복지시설에 한정한다) 및 다목(사회복지관에 한정한다)의 시설
6. 「건축법 시행령」 별표 1 제13호(골프장 및 골프연습장은 제외한다)의 시설
7. 「건축법 시행령」 별표 1 제19호바목의 시설 중 「환경친화적 자동차의 개발 및 보급 촉진에 관한 법률」 제2조제9호에 따른 수소연료공급시설 <신설 2021.2.24>
8. 「건축법 시행령」 별표 1 제27호가목부터 다목까지의 시설

② 제1항에서 규정한 사항 외에 문화시설의 구조 및 설치 기준에 관하여는 다음 각 호의 법률에서 정하는 바에 따른다. <개정 2016.2.12.>

1. 「공연법」
2. 「박물관 및 미술관 진흥법」
3. 「지방문화원진흥법」
4. 「문화예술진흥법」
5. 「문화산업진흥 기본법」
6. 「과학관의 설립 · 운영 및 육성에 관한 법률」
7. 「전시산업발전법」
8. 「국제회의산업 육성에 관한 법률」
9. 「도서관법」

〈1〉 공연장(「공연법」 제2조, 영 제1조의2, 규칙 제5조)

법 제2조 【정의】 이 법에서 사용하는 용어의 정의는 다음과 같다.

1. "공연"이란 음악 · 무용 · 연극 · 뮤지컬 · 연예 · 국악 · 곡예 등 예술적 관람물을 실연(實演)에 의하여 공중(公衆)에게 관람하도록 하는 행위를 말한다. 다만, 상품 판매나 선전에 부수(附隨)한 공연은 제외한다.
4. "공연장"이란 공연을 주된 목적으로 설치하여 운영하는 시설로서 대통령령으로 정하는 것을 말한다.

영 제1조의2 【공연장의 범위】 「공연법」(이하 "법"이라 한다) 제2조제4호에서 "대통령령으로 정하는 것"이란 연간 90일 이상 또는 계속하여 30일 이상 공연에 제공할 목적으로 설치하여 운영하는 시설을 말한다.

규칙 제5조 【공연장의 시설기준】 법 제9조제1항의 규정에 의하여 공연장의 등록을 하고자 하는 자가 갖추어야 할 시설은 무대시설(조명시설 · 음향시설을 포함한다) 및 방음 시설로 한다. 다만, 객석의 천장이 없는 공연장의 경우에는 방음시설을 갖추지 아니할 수 있다.

〈2〉 박물관 및 미술관(「박물관 및 미술관 진흥법」 제2조, 제3조)

구분	박물관	미술관
정의	문화·예술·학문의 발전과 일반 공중의 문화향유 및 평생교육 증진에 이바지하기 위하여 역사·고고(考古)·인류·민속·예술·동물·식물·광물·과학·기술·산업 등에 관한 자료를 수집·관리·보존·조사·연구·전시·교육하는 시설	문화·예술의 발전과 일반 공중의 문화향유 및 평생교육 증진에 이바지하기 위하여 박물관 중에서 특히 서화·조각·공예·건축·사진 등 미술에 관한 자료를 수집·관리·보존·조사·연구·전시·교육하는 시설
종류	국립 박물관, 공립 박물관, 사립 박물관, 대학 박물관	국립 미술관, 공립 미술관, 사립 미술관, 대학 미술관

■ 박물관 또는 미술관 등록요건(「박물관 및 미술관 진흥법 시행령」 별표 2) <개정 2022.11.29.>

1. 공통요건

가. 「소방시설 설치 및 관리에 관한 법률」 제12조제1항에 따른 소방시설의 설치

나. 「화재의 예방 및 안전관리에 관한 법률」 제36조제3항에 따른 피난유도 안내정보의 부착(「화재예방, 소방시설 설치·유지 및 안전관리에 관한 법률」 제20조제2항 전단에 따른 소방안전관리대상물에 해당하는 박물관 또는 미술관으로 한정한다)

다. 박물관 또는 미술관 자료의 가치는 다음의 기준에 따라 평가한다.

1) 자료의 해당 분야에의 적합성
2) 자료 수집의 적정성
3) 자료의 학술적 · 예술적 · 교육적 · 역사적 가치
4) 자료의 희소성
5) 그 밖에 박물관 또는 미술관의 자료가 해당 박물관 또는 미술관에서 소장할 가치가 있다고 판단할 수 있는 기준으로서 문화체육관광부장관 또는 시 · 도지사가 정하는 기준

2. 개별 요건

가. 제1종 박물관 또는 미술관

유형	박물관 자료 또는 미술관 자료	학예사	시 설
종합박물관	각 분야별 100점 이상	각 분야별 1명 이상	1. 각 분야별 전문박물관의 해당 전시실 2. 수장고(收藏庫) 3. 작업실 또는 준비실 4. 사무실 또는 연구실 5. 자료실·도서실·강당 중 1개 시설 6. 도난 방지시설, 온습도 조절장치
전문박물관	100점 이상	1명 이상	1. 100제곱미터 이상의 전시실 또는 2,000제곱미터 이상의 야외전시장 2. 수장고 3. 사무실 또는 연구실 4. 자료실·도서실·강당 중 1개 시설 5. 도난 방지시설, 온습도 조절장치
미술관	100점 이상	1명 이상	1. 100제곱미터 이상의 전시실 또는 2,000제곱미터 이상의 야외전시장 2. 수장고 3. 사무실 또는 연구실 4. 자료실·도서실·강당 중 1개 시설 5. 도난 방지시설, 온습도 조절장치
동물원	100종 이상	1명 이상	1. 300제곱미터 이상의 야외전시장(전시실을 포함한다) 2. 사무실 또는 연구실 3. 동물 사육·수용 시설 4. 동물 진료·검역 시설 5. 사료창고 6. 오물·오수 처리시설
식물원	1. 실내: 100종 이상 2. 야외: 200종 이상	1명 이상	1. 200제곱미터 이상의 전시실 또는 6,000제곱미터 이상의 야외전시장 2. 사무실 또는 연구실 3. 육종실 4. 양묘장 5. 식물병리시설 6. 비료저장시설
수족관	100종 이상	1명 이상	1. 200제곱미터 이상의 전시실 2. 사무실 또는 연구실 3. 수족치료시설 4. 순환장치 5. 예비수조

나. 제2종 박물관 또는 미술관

유 형	박물관 자료 또는 미술관 자료	학예사	시 설
자료관·사료관·유물관·전시장·전시관·향토관·교육관·문서관·기념관·보존소·민속관·민속촌·문화관 및 예술관	60점 이상	1명 이상	1. 82제곱미터 이상의 전시실 2. 수장고 3. 사무실 또는 연구실·자료실·도서실 및 강당 중 1개 시설 4. 도난 방지시설, 온습도 조절장치
문화의 집	도서·비디오테이프 및 콤팩트디스크		1. 다음의 시설을 갖춘 363제곱미터 이상의 문화공간 가. 인터넷 부스(개인용 컴퓨터 4대 이상 설치) 나. 비디오 부스(비디오테이프 레코더 2대 이상 설치) 다. 콤팩트디스크 부스(콤팩트디스크 플레이어 4대

	각각 300점 이상		이상 설치) 라. 문화관람실(빔 프로젝터 1대 설치) 마. 문화창작실(공방 포함) 바. 안내데스크 및 정보자료실 사. 문화사랑방(전통문화사랑방 포함) 2. 도난 방지시설

〈3〉 지방문화원의 시설기준(「지방문화원진흥법」 제4조 · 제6조) <개정 2020.6.9.>

법 제4조 【지방문화원의 설립】 ① 지방문화원을 설립하려는 자는 시 · 도지사의 인가를 받아야 한다. <개정 2020.6.9.>

② 지방문화원은 법인으로 한다.

③ 지방문화원은 특별자치시 · 특별자치도 · 시 · 군 또는 자치구의 행정구역을 그 사업구역으로 한다. <개정 2018.10.16.>

④ 시 · 도지사(특별자치시장 및 특별자치도지사는 제외한다)는 제1항에 따라 지방문화원의 설립인가를 하려면 미리 그 사업구역을 관할하는 시장 · 군수 또는 구청장(자치구의 구청장을 말한다. 이하 같다)의 의견을 들어야 한다. <개정 2018.10.16.>

⑤ 시 · 도지사는 제1항에 따른 인가의 신청을 받은 날부터 20일 이내에 인가 여부를 신청인에게 통지하여야 한다. <신설 2018.10.16.>

⑥ 시 · 도지사가 제5항에서 정한 기간 내에 인가 여부 또는 민원 처리 관련 법령에 따른 처리기간의 연장을 신청인에게 통지하지 아니하면 그 기간(민원 처리 관련 법령에 따라 처리기간이 연장 또는 재연장된 경우에는 해당 처리기간을 말한다)이 끝난 날의 다음 날에 인가를 한 것으로 본다. <신설 2018.10.16.>

⑦ 지방문화원은 그 명칭 중에 "문화원" 또는 "文化院"이라는 용어를 사용하여야 하며, 그 지방문화원의 사업구역인 특별자치시 · 특별자치도 · 시 · 군 또는 자치구의 명칭이나 다른 지방문화원과 구별할 수 있는 지명(地名)을 표시하여야 한다. 이 경우 사업구역의 특색을 고려하여 역사인물, 전통문화 등을 명칭에 부가하여 표시할 수 있다. <개정 2018.10.16.>

⑧ 지방문화원은 특별자치시 · 특별자치도 · 시 · 군 또는 자치구별로 1개의 원(院)을 두며, 필요한 경우 특별시 · 광역시 · 특별자치시 · 도 및 특별자치도(이하 "시 · 도"라 한다) 조례로 정하는 바에 따라 그 분원을 둘 수 있다. <개정 2018.10.16, 2020.6.9>

⑨ 제8항에도 불구하고 특별자치시 · 특별자치도 · 시 · 군 또는 자치구를 통폐합하는 경우에는 해당 지역 주민의 의견을 수렴하여 이미 설치된 지방문화원을 유지할 수 있다. <신설 2020.6.9>

⑩ 지방문화원의 설립과 운영 등에 필요한 사항은 시 · 도 조례로 정한다. <개정 2020.6.9.>

법 제6조 【시설】 ① 지방문화원은 그 목적사업을 수행하기 위하여 시 · 도 조례로 정하는 필요한 시설을 갖추어야 한다. <개정 2020.2.18.>

② 지방문화원은 그 목적사업의 수행에 지장이 없는 범위에서 제1항에 따른 시설 중 일부를 지역주민의 공동이익 증진을 위하여 이용하도록 제공하여야 한다.

〈4〉 문화시설(「문화예술진흥법」 제2조, 영 제2조)

법 제2조 【정의】 ① 이 법에서 사용하는 용어의 뜻은 다음과 같다. <개정 2022.9.27.>

1. "문화예술" 이란 문학, 미술(응용미술을 포함한다), 음악, 무용, 연극, 영화, 연예(演藝), 국악, 사진, 건축, 어문(語文), 출판, 만화, 게임, 애니메이션 및 뮤지컬 등 지적, 정신적, 심미적 감상과 의미의 소통을 목적으로 개인이나 집단이 자신 또는 타인의 인상(印象), 견문, 경험 등을 바탕으로 수행한 창의적 표현활동과 그 결과물을 말한다.
2. "문화산업" 이란 문화예술의 창작물 또는 문화예술 용품을 산업 수단에 의하여 기획 · 제작 · 공연 · 전

시 · 판매하는 것을 업(業)으로 하는 것을 말한다.

3. "문화시설"이란 공연, 전시, 문화 보급, 문화 전수 등 문화예술 활동에 지속적으로 이용되는 시설을 말한다.
  가.「공연법」제2조제4호에 따른 공연장 등 공연시설
  나.「박물관 및 미술관 진흥법」제2조제1호 및 제2호에 따른 박물관 및 미술관 등 전시시설
  다.「도서관법」제2조제1호에 따른 도서관 등 도서시설
  라.「문학진흥법」 제2조제5호에 따른 문학관
  마. 문화예술회관 등 공연시설과 다른 문화시설이 복합된 종합시설
  바. 예술인이 창작활동을 영위하기 위한 창작공간으로서 다중이용에 제공되는 시설 또는 예술인의 창작물을 공연 · 전시 등을 하기 위하여 조성된 시설
  사. 그 밖에 대통령령으로 정하는 시설
4. "생략"

② 문화시설의 종류는 대통령령으로 정하는 바에 따라 세분할 수 있다.

영 제2조【문화시설의 종류】① 「문화예술진흥법」(이하 "법"이라 한다) 제2조제1항제3호바목에서 "대통령령으로 정하는 시설"이란 다음 각 호의 시설을 말한다.<개정 2023.10.31.>
1. 지역문화활동시설
2. 문화 보급 · 전수시설
3. 그 밖에 문화예술 활동에 지속적으로 이용된다고 문화체육관광부장관이 인정하는 시설 <신설 2023.10.31>

② 법 제2조제1항제3호 각 목의 문화시설의 상세 분류는 별표 1과 같다.

[별표 1] 문화시설의 상세분류(제2조 관련) 〈개정 2022.12.6.〉

1. 공연시설
  가. 공연장:「공연법」제2조제4호에 따른 공연장(영화상영관은 제외한다)
    1) 종합공연장: 시 · 도 종합문화예술회관 등 1천 석 이상의 대규모 공연장
    2) 일반공연장: 시 · 군 · 구 문화예술회관등 1천 석 미만 300석 이상의 중규모 공연장
    3) 소공연장: 300석 미만의 소규모 공연장
  나. 영화상영관:「영화 및 비디오물의 진흥에 관한 법률」에 따른 영화를 상영하는 공연장
    1)「영화 및 비디오물의 진흥에 관한 법률」제36조제1항에 따른 영화상영관
    2)「영화 및 비디오물의 진흥에 관한 법률」제2조제10호 단서에 따른 비상설상영장
  다. 야외음악당 등: 연주 · 연극 · 무용 등을 할 수 있는 야외시설로서「공연법」에 따른 공연장 외의 시설
2. 전시시설
  가. 박물관:「박물관 및 미술관 진흥법」제2조제1호에 따른 박물관
  나. 미술관:「박물관 및 미술관 진흥법」제2조제2호에 따른 미술관
  다. 화랑: 회화 · 서예 · 사진 · 공예 등의 작품을 전시 · 매매하는 시설
  라. 조각공원: 조각작품을 전시하는 공원
3. 도서시설
  가. 도서관:「도서관법」 제3조제1호에 따른 도서관
  나. 작은도서관:「도서관법」제4조제2항제1호가목에 따른 작은도서관
4. 지역문화활동시설
  가. 문화의 집: 지역주민이 생활권역에서 문화예술을 이해하고 체험하며 직접 참여할 수 있도록 하기 위한 것으로서 관련 프로그램과 지식 및 정보를 제공하는 복합문화공간
  나. 삭제 <2019.4.16.>
  다. 문화체육센터: 지역주민의 문화 · 체육활동을 향상하기 위하여 건립된 시설
  라. 청소년활동시설:「청소년기본법」제17조에 따른 청소년활동시설

5. 문화 보급 · 전수시설
가. 지방문화원: 「지방문화원진흥법」 제2조에 따른 지방문화원
나. 국악원: 전통 국악의 발전을 위하여 설치된 교육시설 및 전수시설
다. 전수회관: 지방 고유의 무형문화재를 지속적으로 교육 · 전수하고 보존할 수 있는 시설
6. 종합시설: 제1호가목, 나목 또는 다목의 시설과 제2호부터 제5호까지의 시설이 복합되어 다양한 문화예술 활동에 이용될 수 있는 시설

〈5〉 문화산업진흥시설·문화산업단지(「문화산업진흥 기본법」 제2조 · 제21조 · 제24조)

법 제2조【정의】 ① 이 법에서 사용하는 용어의 뜻은 다음과 같다. <개정 2023.8.8.>
17. "문화산업진흥시설"이란 문화산업 관련 사업자와 그 지원시설 등을 집단적으로 유치함으로써 문화산업 관련 사업자의 활동을 지원하기 위한 시설로 제21조제1항에 따라 지정된 시설물을 말한다.
18. "문화산업단지"란 기업 · 대학 · 연구소 · 개인 등이 공동으로 문화산업과 관련한 연구개발 · 기술훈련 · 정보교류 · 공동제작 등을 할 수 있도록 조성한 토지 · 건물 · 시설의 집합체로 제24조제2항에 따라 지정 · 개발된 산업단지를 말한다.

법 제21조【문화산업진흥시설의 지정 등】 ① 문화체육관광부장관은 문화산업의 진흥을 위하여 필요하다고 인정하는 경우 시 · 도지사와 협의를 거쳐 문화산업진흥시설을 지정하고, 그 시설의 운영 등에 필요한 예산의 전부 또는 일부를 지원할 수 있다.
② 제1항에 따른 문화산업진흥시설로 지정을 받으려는 자(지방자치단체를 포함한다)는 대통령령으로 정하는 바에 따라 지정을 신청하여야 한다.
③ 제1항에 따라 지정된 문화산업진흥시설은 「벤처기업육성에 관한 특별조치법」 제18조에 따른 벤처기업집적시설로 지정된 것으로 본다.
④ 문화산업진흥시설의 지정요건 및 지원 등에 필요한 사항은 대통령령으로 정한다.

법 제24조【문화산업단지의 조성】 ① 국가나 지방자치단체는 문화산업 관련 기술의 연구 및 문화상품 개발 · 제작과 전문인력 양성 등을 통하여 문화산업을 효율적으로 진흥하기 위하여 문화산업단지를 조성할 수 있다.
② 제1항에 따른 문화산업단지의 조성은 「산업입지 및 개발에 관한 법률」에 따른 국가산업단지, 일반산업단지 또는 도시첨단산업단지의 지정 · 개발 절차에 따른다.

〈6〉 과학관(「과학관의 설립 · 운영 및 육성에 관한 법률」 제2조제1호 · 제3조, 영 제5조)

법 제2조【정의】 이 법에서 사용하는 용어의 정의는 다음과 같다.
1. "과학관"이란 과학기술자료를 수집 · 조사 · 연구하여 이를 보존 · 전시하며, 각종 과학기술교육프로그램을 개설하여 과학기술지식을 보급하는 시설로서 제6조제1항에 따른 과학기술자료, 전문직원 등 등록요건을 갖춘 시설을 말한다.

법 제3조【과학관의 구분】 과학관은 그 설립 · 운영의 주체에 따라 다음과 같이 구분한다.
1. 국립과학관: 국가가 설립 · 운영하는 과학관 또는 국가가 법인으로 설립한 과학관
2. 공립과학관: 지방자치단체가 설립 · 운영하는 과학관 또는 지방자치단체가 법인으로 설립한 과학관
3. 사립과학관: 제1호 및 제2호를 제외한 법인 · 단체 또는 개인이 설립 · 운영하는 과학관

영 제5조【등록요건】 법 제6조제1항에 따른 과학관의 등록요건은 별표 2와 같다.

[별표 2] 과학관의 등록요건

구분	시설	과학기술자료	전문직원
■ 종합과학관 (별표1의 분류 중 서로 다른 두 가지 이상의 자료를 취급하는 과학관)	1. 200㎡ 이상의 전시실(동물원 또는 식물원이 있는 종합과학관의 경우에는 별도의 당해 분야 전문과학관의 면적) 2. 사무실·연구실·자료실·강당 중 1개	자료별로 각각 60점(종) 이상	자료별로 각각 1명 이상
■ 전문과학관 (별표1의 분류 중 한 가지 자료를 취급하는 과학관)	1. 100㎡ 이상의 전시실(동물원의 경우에는 사육시설, 진료 및 검역시설, 오물 및 오수처리 시설을 포함한 200㎡ 이상의 야외전시장, 식물원의 경우에는 200㎡ 이상의 전시실 또는 1,000㎡ 이상의 야외 전시장) 2. 사무실·연구실·자료실·강당 중 1개	30점(종) 이상	1명 이상

6 종교시설

가. 종교집회장[교회, 성당, 사찰, 기도원, 수도원, 수녀원, 제실(際室,) 사당, 그 밖에 이와 비슷한 것]	바닥면적의 합계가 500㎡ 이상인 것
나. 종교집회장(바닥면적의 합계가 500㎡ 이상인 것)에 설치하는 봉안당(奉安堂)	-

7 판매시설

가. 도매시장(농수산물도매시장, 농수산물공판장, 그 밖에 이와 비슷한 것) 【참고1】		그 안에 있는 근린생활시설을 포함
나. 소매시장(대규모점포, 그 밖에 이와 비슷한 것) 【참고2, 3】		그 안에 있는 근린생활시설을 포함
다. 상점	① 식품·잡화·의류·완구·건축자재·의약품·의료기기 등 일용품을 판매하는 소매점	바닥면적의 합계 1,000㎡ 이상인 것 그 안에 있는 근린생활시설을 포함
	② 청소년게임제공업, 일반게임제공업, 인터넷컴퓨터게임시설제공업, 복합유통게임제공업의 시설 【참고4】	바닥면적의 합계 500㎡ 이상인 것 그 안에 있는 근린생활시설을 포함

【참고1】 시장

■ 시장의 종류(「도시·군계획시설규칙」 제82조)
① 「유통산업발전법」에 따른 대규모점포 및 임시시장
② 「농수산물유통 및 가격안정에 관한 법률」에 따른 농수산물도매시장 · 농수산물공판장 및 농수산물종합유통센타
③ 「축산법」에 따른 가축시장

■ 시장의 결정기준 등(「도시·군계획시설규칙」 제83조, 제84조)

규칙 제83조 【시장의 결정기준】 시장의 결정기준은 다음 각호와 같다. <개정 2023.8.1.>
1. 주로 지역간에 수급이 이루어지는 물품을 취급하는 시장은 유통업무설비와 연계하여 설치할 것
2. 도매기능의 시장은 교통수단의 연결이 쉬운 철도역 · 고속국도 또는 주간선도로에 가까운 도시의 외곽

에 설치할 것
3. 소매기능의 시장의 분포는 주민이 쉽게 접근하여 이용할 수 있도록 적절한 배치간격을 유지할 것
4. 다수인이 모였다 흩어짐에 따라 발생하는 교통체증의 발생 등으로 시장의 기능이 저하되지 아니하도록 원활한 교통소통을 기할 수 있는 교통수단을 연결시킬 것
5. 시장의 원활한 기능을 위하여 주차장 · 관리사무소 등을 합리적으로 설치할 것
6. 주간선도로의 교차지점이나 인구가 밀집한 지역에 설치되지 아니하도록 인근의 토지이용현황을 고려할 것
7. 시장의 규모와 입지는 생활권, 시장의 세력권 및 장래의 확장가능성 등을 고려하여 결정할 것
8. 주변의 주거지역에 소음 · 악취 및 교통체증 등을 발생시킬 우려가 없는 지역에 설치할 것
9. 준주거지역 · 중심상업지역 · 일반상업지역 · 근린상업지역 · 유통상업지역 · 준공업지역 · 자연녹지지역 및 계획관리지역에 한하여 설치할 것. 다만, 「유통산업발전법」 별표에 따른 대규모점포(대형마트 · 전문점을 제외한다)는 자연녹지지역에 설치할 수 없다.
10. 시장의 규모는 「유통산업발전법」 또는 「농수산물유통 및 가격안정에 관한 법률」이 정하는 바에 의할 것

규칙 **제84조【시장의 구조 및 설치기준】** ① 시장에는 다음 각 호의 편익시설을 설치할 수 있다. <개정 2021.2.24.>
1. 「건축법 시행령」 별표 1 제3호(같은 호 가목 및 아목은 제외한다)의 시설
2. 「건축법 시행령」 별표 1 제4호가목 · 다목 · 라목 · 바목부터 자목까지 · 카목 · 타목 · 파목(골프연습장은 제외한다) · 하목 · 너목 및 러목(노래연습장에 한정한다)
3. 「건축법 시행령」 별표 1 제5호가목 · 나목(마권 장외발매소, 마권 전화투표소는 제외한다) 및 라목의 시설
4. 「건축법 시행령」 별표 1 제10호다목 및 바목의 시설
5. 「건축법 시행령」 별표 1 제11호 다목(사회복지관에 한정한다)의 시설
6. 「건축법 시행령」 별표 1 제13호(골프장 및 골프연습장은 제외한다)의 시설
7. 「건축법 시행령」 별표 1 제19호바목의 시설 중 「환경친화적 자동차의 개발 및 보급 촉진에 관한 법률」 제2조제9호에 따른 수소연료공급시설
8. 「건축법 시행령」 별표 1 제27호 가목 및 나목의 시설

② 제1항에서 규정한 사항 외에 시장의 구조 및 설치에 관하여는 「유통산업발전법」 · 「농수산물유통 및 가격안정에 관한 법률」 또는 「축산법」이 정하는 바에 따른다.

【참고2】 대규모점포의 정의 및 종류(「유통산업발전법」 제2조 별표, 영 제3조)

① 정의 : "대규모점포"라 함은 다음 각 목의 요건을 갖춘 매장을 보유한 점포의 집단으로서 아래 ②에서 규정하는 것을 말한다.

가. 하나 또는 건물간의 가장 가까운 거리가 50m 이내이고 소비자가 통행할 수 있는 지하도 또는 지상통로가 설치되어 있어 하나의 대규모점포로 기능할 수 있는 것 안에 하나 또는 여러 개로 나누어 설치되는 매장일 것

나. 상시 운영되는 매장일 것

다. 매장면적의 합계가 3,000㎡ 이상일 것

② 종류

업 태	내 용
1. 대형마트	용역의 제공장소*를 제외한 매장면적의 합계가 3천㎡ 이상인 점포의 집단으로서 식품 · 가전 및 생활용품을 중심으로 점원의 도움 없이 소비자에게 소매하는 점포의 집단

2. 전문점	용역의 제공장소*를 제외한 매장면적의 합계가 3천㎡ 이상인 점포의 집단으로서 의류·가전 또는 가정용품 등 특정 품목에 특화한 점포의 집단
3. 백화점	용역의 제공장소*를 제외한 매장면적의 합계가 3천㎡ 이상인 점포의 집단으로서 다양한 상품을 구매할 수 있도록 현대적 판매시설과 소비자편익시설이 설치된 점포로서 직영의 비율이 30% 이상인 점포의 집단
4. 쇼핑센터	용역의 제공장소*를 제외한 매장면적의 합계가 3천㎡ 이상인 점포의 집단으로서 다수의 대규모점포 또는 소매점포와 각종 편의시설이 일체적으로 설치된 점포로서 직영 또는 임대의 형태로 운영되는 점포의 집단
5. 복합쇼핑몰	용역의 제공장소*를 제외한 매장면적의 합계가 3천㎡ 이상인 점포의 집단으로서 쇼핑, 오락 및 업무기능 등이 한 곳에 집적되고, 문화·관광시설로서의 역할을 하며, 1개의 업체가 개발·관리 및 운영하는 점포의 집단
6. 그 밖의 대규모점포	제1호부터 제5호까지의 규정에 해당하지 아니하는 다음 점포의 집단 ① 용역의 제공장소*를 제외한 매장면적의 합계가 3천㎡ 이상인 점포의 집단 ② 용역의 제공장소*를 포함하여 매장면적의 합계가 3천㎡ 이상인 점포의 집단으로서 용역의 제공장소를 제외한 매장면적의 합계가 전체 매장면적의 50/100 이상을 차지하는 점포의 집단.(다만, 시장·군수 또는 구청장이 지역경제의 활성화를 위하여 필요하다고 인정하는 경우 매장면적의 10/100의 범위에서 용역의 제공장소를 제외한 매장의 면적 비율 조정가능)

* 매장에 포함되는 용역의 제공장소는 다음에 해당하는 시설이 설치되는 장소로 한다.
  1.「건축법 시행령」 별표 1 제3호나목부터 마목까지의 규정에 따른 제1종 근린생활시설
  2. 제2종 근린생활시설
  3. 문화 및 집회시설
  4. 운동시설
  5. 일반업무시설(오피스텔은 제외한다)

【참고3】 농산물도매시장, 농수산물공판장, 농수산물종합유통센터 등

(「농수산물 유통 및 가격안정에 관한 법률」 제2조, 규칙 제44조)

법 제2조【정의】 법에서 사용하는 용어의 뜻은 다음과 같다.

2. "농수산물도매시장"이란 특별시·광역시·특별자치시·특별자치도 또는 시가 양곡류·청과류·화훼류·조수육류(鳥獸肉類)·어류·조개류·갑각류·해조류 및 임산물 등 대통령령으로 정하는 품목의 전부 또는 일부를 도매하게 하기 위하여 제17조에 따라 관할구역에 개설하는 시장을 말한다.
3. "중앙도매시장"이란 특별시·광역시·특별자치시 또는 특별자치도가 개설한 농수산물도매시장 중 해당 관할구역 및 그 인접지역에서 도매의 중심이 되는 농수산물도매시장으로서 농림축산식품부령 또는 해양수산부령으로 정하는 것을 말한다.
4. "지방도매시장"이란 중앙도매시장 외의 농수산물도매시장을 말한다.
5. "농수산물공판장"이란 지역농업협동조합, 지역축산업협동조합, 품목별·업종별협동조합, 조합공동사업법인, 품목조합연합회, 산림조합 및 수산업협동조합과 그 중앙회(농협경제지주회사를 포함한다. 이하 "농림수협등"이라 한다), 그 밖에 대통령령으로 정하는 생산자 관련 단체와 공익상 필요하다고 인정되는 법인으로서 대통령령으로 정하는 법인(이하 "공익법인"이라 한다)이 농수산물을 도매하기 위하여 제43조에 따라 특별시장·광역시장·특별자치시장·도지사 또는 특별자치도지사(이하 "시·도지사"라 한다)의 승인을 받아 개설·운영하는 사업장을 말한다.
6. "민영농수산물도매시장"이란 국가, 지방자치단체 및 제5호에 따른 농수산물공판장을 개설할 수 있는 자 외의 자(이하 "민간인등"이라 한다)가 농수산물을 도매하기 위하여 제47조에 따라 시·도지사의 허가를 받아 특별시·광역시·특별자치시·특별자치도 또는 시 지역에 개설하는 시장을 말한다.
12. "농수산물종합유통센터"란 제69조에 따라 국가 또는 지방자치단체가 설치하거나 국가 또는 지방자

치단체의 지원을 받아 설치된 것으로서 농수산물의 출하 경로를 다원화하고 물류비용을 절감하기 위하여 농수산물의 수집·포장·가공·보관·수송·판매 및 그 정보처리 등 농수산물의 물류활동에 필요한 시설과 이와 관련된 업무시설을 갖춘 사업장을 말한다.

규칙 제44조 【시설기준】 ① 법 제67조제2항에 따라 부류별 도매시장·공판장·민영도매시장이 보유하여야 하는 시설의 최소기준은 별표 2와 같다.

〈1〉 농수산물도매시장·공판장 및 민영도매시장의 시설기준

(「농수산물유통 및 가격안정에 관한 법률 시행규칙」 별표 2)

구분	시설 \ 부류별	양곡	청과			수산			축산			화훼	약용작물
	도시인구별 (단위:명)	-	30만 미만	30만이상 ~100만 미만	100만 이상	30만 미만	30만이상 ~100만 미만	100만 이상	30만 미만	30만이상 ~100만 미만	100만 이상	-	-
		㎡	㎡	㎡	㎡	㎡	㎡	㎡	㎡	㎡	㎡	㎡	㎡
필수시설	대지	1,650	3,300	8,250	16,500	1,650	3,300	6,600	1,320	2,640	5,280	1,650	1,650
	건물	660	1,320	3,300	6,600	660	1,320	2,640	530	1,060	2,110	660	660
	경매장(유개)	500	990	2,480	4,950	500	990	1,980	170	330	660	500	500
	주차장	500	330	830	1,650	170	330	660	170	330	660	330	330
	저온창고(농수산물도매시장만 해당)		300	500	1,000								
	냉장실					17 (20톤)	30 (40톤)	50 (60톤)	70 (80톤)	130 (160톤)	200 (240톤)		
	저빙실					17 (20톤)	30 (40톤)	50 (60톤)					
	쓰레기처리장	30	30	70	100	30	70	100	70	130	200	30	30
	위생시설 (수세식화장실)	30	30	70	100	30	70	100	30	70	100	30	30
	사무실	30	30	50	70	30	50	70	30	70	100	30	30
	하주대기실·출하상담실	30	30	50	70	30	50	70	30	70	100	30	30

부류별	양곡	청과	수산	축산	화훼	약용작물
부수 시설	상온창고, 중도매인점포, 중도 매인사무실	저온창고(공판장 및 민영도매시장만 해당), 상온창고, 가공처리장, 재발효 및 추열실, 중도매인 점포, 중도매인사무실, 소각시설, 농산물품질관리실, 대금정산 조직 사무실, 수출지원실	상온창고, 가공처리장, 제빙시설, 염장조, 염장실, 중도매인 점포, 중도매인사무실, 소각시설, 용융기, 대금정산 조직 사무실, 수출지원실	식육운반차량, 중도매인사무실, 축산물위생검사시설 및 사무실, 도체등급판정시설 및 사무실, 부산물처리시설, 농산물품질관리실, 부분육가공처리시설, 대금정산 조직 사무실	저온창고, 상온창고, 중도매인점포, 중도매인사무실	상온창고, 중도매인점포, 중도매인사무실
기타 시설	가. 회의실, 경비실, 기계실등 나. 금융기관의 점포 다. 기타 이용자의 편의를 위하여 필요한 시설					

※ 비고

1. ( )내는 처리능력을 말한다.

2. 필수시설중 "사무실"은 당해 도매시장·공판장 또는 민영도매시장에서 영업하는 도매시장법인·시장도매인·공판장의 사무실을 말한다.
3. 도매시장법인을 두지 아니하는 지방도매시장의 경우 경매장을 설치하지 아니할 수 있으며, 이 경우 부수시설중 "중도매인점포"·"중도매인사무실"을 적용하지 아니하고, 필수시설에 "시장도매인점포"를 추가한다. 도매시장법인과 시장도매인을 함께 두는 도매시장의 경우 필수시설에 "시장도매인점포"를 추가하되, 도매시장법인의 영업장소(중도매인의 영업장소등 관련시설을 포함한다)와 시장도매인의 영업장소는 업무규정이 정하는 바에 따라 분리하도록 하여야 한다.
4. 부수시설 또는 기타시설은 도매시장·공판장 또는 민영도매시장의 여건에 따라 보유하지 아니할 수 있다.
5. 충분한 주차장·차량진입도로 및 상하차대와 상·하수도시설을 갖추어야 한다.
6. 인구는 개설허가 또는 승인신청당시 인구를 기준으로 한다. 다만, 특별시 및 광역시의 공판장·민영도매시장의 경우에는 그 시설이 설치되는 자치구의 인구를 기준으로 한다.
7. 청과부류를 취급하는 공판장·민영도매시장에 대하여는 청과부류시설기준의 50퍼센트를 감하여 적용할 수 있으며, 민영도매시장·공판장이 청과부류와 기타부류를 겸영하는 경우에는 청과부류의 시설기준만을 적용한다.
8. 수산부류중 활어류·패류·해조류·건어류·염건어류·염장어류·건해조류 및 젓갈류만을 취급하는 경우에는 냉장실 및 저빙실을 보유하지 아니할 수 있으며, 이 경우의 시설기준은 기준시설의 50퍼센트를 감하여 적용할 수 있다.
9. 축산부류중에서 조류 및 난류만을 취급하는 도매시장·공판장·민영도매시장에 대하여는 축산부류시설기준의 50퍼센트를 감하여 적용할 수 있다.
10. 산지에 설치되는 공판장의 경우 위의 시설기준에서 50퍼센트를 감하여 적용할 수 있다. 다만, 산지에 설치되는 수산물공판장은 위의 시설기준에서 80퍼센트를 감하여 적용할 수 있고, 주차장·사무실·하주대기실·출하상담실을 필수시설에서 제외할 수 있다.

〈2〉 농수산물종합유통센터의 시설기준(「농수산물유통 및 가격안정에 관한 법률 시행규칙」 별표 3)

구 분	기 준
부 지	20,000m²이상
건 물	10,000m²이상
시 설	1. 필수시설 가. 농수산물의 처리를 위한 집·배송시설 나. 포장·가공시설 다. 저온저장고 라. 사무실·전산실 마. 농산물품질관리실 바. 거래처주재원실 및 출하주대기실 사. 오·폐수시설 아. 주차시설 2. 편의시설 가. 직판장 나. 수출지원실 다. 휴게실 라. 식당 마. 금융기관의 점포 바. 기타 이용자의 편의를 위하여 필요한 시설

※ 비고
1. 편의시설은 지역여건에 따라 보유하지 아니할 수 있다.
2. 부지 및 건물면적은 취급물량과 소비여건을 고려하여 기준면적에서 50%까지 감하여 적용할 수 있다.

【참고4】 게임제공업소의 종류 등 ……4 제2종 근린생활시설 【참고3】 참조

건축법
1. 총 칙
2. 건 축
3. 유지관리
4. 대지도로
5. 구조재료
6. 지역지구
7. 건축설비
8. 특별건축구역
9. 보 칙
10. 벌 칙
건축법 관련기준

8 운수시설

가. 여객자동차터미널 【참고1】
나. 철도시설 【참고2】
다. 공항시설 【참고3】
라. 항만시설 【참고4】
마. 그 밖에 위 가.~라. 까지의 시설과 비슷한 시설 <신설 2018.9.4.>

【참고1】 여객자동차터미널(「도시 · 군계획시설규칙」 제31조)

여객자동차터미널 (도시·군계획시설규칙 제31조)	「여객자동차 운수사업법」 제2조제5호에 따른 여객자동차터미널로서 여객자동차터미널사업자가 시내버스운송사업 · 농어촌버스운송사업 · 시외버스운송사업 또는 전세버스 운송사업에 제공하기 위하여 설치하는 터미널
여객자동차터미널 (여객자동차 운수사업법 제2조제5호)	다음에 해당하는 장소가 아닌 곳으로서 승합자동차를 정류(停留)시키거나 여객을 승하차(乘下車)시키기 위하여 설치된 시설과 장소를 말하며, 그 종류는 국토교통부령으로 정한다. 가. 도로의 노면(路面) 나. 그 밖에 일반교통에 사용되는 장소
여객자동차 터미널의 종류 (여객자동차 운수사업법 시행규칙 제72조)	1. 공영터미널: 여객자동차운송사업에 사용하는 승합자동차를 정류시키기 위한 공영차고지로 사용하기 위하여 지방자치단체가 설치한 터미널 2. 공용터미널: 공영터미널 외의 여객자동차터미널

■ 여객자동차터미널(「도시·군계획시설규칙」 제32조 · 제33조)

규칙 제32조 【자동차정류장의 결정기준】 자동차정류장의 결정기준은 다음 각 호와 같다.

1. 여객자동차터미널, 여객자동차운수사업용 공영차고지, 전세버스운송사업용 차고지 및 복합환승센터
   가. 주간선도로 또는 다른 교통수단과의 유기적인 연결이 가능한 지역에 설치할 것
   나. 여객수요가 집중되는 지역으로서 이용자가 접근하기 쉬운 지역에 설치할 것
   다. 고속국도를 주로 이용하는 자동차를 위한 자동차정류장의 경우에는 고속국도와 쉽게 연결되도록 할 것. 다만, 당해 자동차정류장의 전용도로를 설치하는 경우에는 그러하지 아니하다.
   라. 여객자동차터미널, 여객자동차운수사업용 공영차고지 및 전세버스운송사업용 차고지의 소음권에 평온을 요하는 지역이 포함되지 아니하도록 인근의 토지이용현황을 고려할 것
   마. 준주거지역 · 중심상업지역 · 일반상업지역 · 유통상업지역 · 준공업지역 및 계획관리지역에 한하여 설치할 것. 다만, 시내버스운송사업용 여객자동차터미널은 제2종일반주거지역 · 제3종일반주거지역 · 생산녹지지역 및 자연녹지지역에도 설치할 수 있으며, 시외버스운송사업용 여객자동차터미널 · 전세버스운송사업용 여객자동차터미널 및 여객자동차운수사업용 공영차고지는 자연녹지지역에도 설치할 수 있다.

규칙 제33조【자동차정류장의 구조 및 설치기준】 자동차정류장의 구조 및 설치기준은 다음 각 호와 같다.

1. 화물자동차 휴게소에 설치하는 화물운송주선사무실은 전체 건축물 연면적의 30퍼센트 미만으로 설치할 것
2. 화물자동차 휴게소에는 휴게실, 샤워실, 수면실, 체력단련실 등 화물자동차 운전자의 편익 증진을 위한 충분한 시설을 설치할 것

② 자동차정류장에 설치할 수 있는 시설은 다음 각 호와 같다. 다만, 개발제한구역에 설치하는 전세버스운송사업용 차고지 또는 화물자동차운송사업용 차고지에는 「개발제한구역의 지정 및 관리에 관한 특별조치법 시행령」 별표 1 제3호서목나)에 따른 부대시설만 설치할 수 있다. <개정 2019.12.27.>

1. 부대시설 : 주유소 · 자동차용 가스충전소 · 전기차 충전시설 및 배터리교환시설 · 변전실 · 보일러실 · 공해방지시설 · 자동차정비시설 · 방송실 · 배차실 · 안내실 · 차고 · 세차장 · 종업원용 휴게실 · 종업원용 목욕실 · 종업원용 기숙사 · 승무원대기실 · 물류터미널에 설치하는 종업원 및 운송주선업자용 사무실 겸용 숙소
2. 편익시설: 다음 각 목에 해당하지 않는 시설
   가. 「건축법 시행령」 별표 1 제1호 및 제2호의 시설
   나. 「건축법 시행령」 별표 1 제4호나목 · 마목 · 차목 · 파목(골프연습장에 한정한다) · 더목 및 러목(안마시술소에 한정한다)의 시설
   다. 「건축법 시행령」 별표 1 제5호나목(마권 장외발매소 및 마권 전화투표소에 한정한다) · 다목 및 마목의 시설
   라. 「건축법 시행령」 별표 1 제6호부터 제9호까지의 시설
   마. 「건축법 시행령」 별표 1 제10호가목 · 나목 · 라목 및 마목의 시설
   바. 「건축법 시행령」 별표 1 제11호가목(어린이집, 아동복지관 및 지역아동센터는 제외한다) · 나목(노인여가복지시설은 제외한다) 및 다목(사회복지관은 제외한다)의 시설
   사. 「건축법 시행령」 별표 1 제12호의 시설
   아. 「건축법 시행령」 별표 1 제13호(골프장 및 골프연습장에 한정한다)의 시설
   자. 「건축법 시행령」 별표 1 제14호부터 제26호까지의 시설. 다만, 「건축법 시행령」 별표 1 제19호바목의 시설 중 「환경친화적 자동차의 개발 및 보급 촉진에 관한 법률」 제2조제9호에 따른 수소연료공급시설은 제외한다.
   차. 「건축법 시행령」 별표 1 제27호다목부터 바목까지의 시설
   카. 「건축법 시행령」 별표 1 제28호의 시설
3. 제1호 및 제2호의 시설과 유사한 시설로서 도시 · 군계획시설사업 실시계획 인가권자 소속 도시계획위원회의 심의를 거친 시설. 이 경우 도시계획위원회의 심의는 「국토의 계획 및 이용에 관한 법률」 제90조제1항의 규정에 의한 실시계획 공람을 하기 전에 거쳐야 한다.

③ 제1항 및 제2항에서 규정한 사항 외에 자동차정류장의 구조 및 설치에 관하여는 「여객자동차 운수사업법」 · 「화물자동차 운수사업법」 · 「물류시설의 개발 및 운영에 관한 법률」 또는 「국가통합교통체계효율화법」에서 정하는 바에 따른다. <개정 2013.12.31.>

■ 여객자동차터미널의 구조 및 설비기준(「여객자동차터미널 구조 및 설비기준에 관한 규칙」)

제1조【목적】 이 규칙은 「여객자동차운수사업법」 제38조제2항에 따른 여객자동차터미널의 공사시행 인가를 위한 여객자동차터미널의 구조와 설비기준을 정함을 목적으로 한다.

제2조【구조의 설계】 ① 유도차로, 조차장소(자동차를 회전시키는 등 자동차를 다루는 장소를 말한다. 이하 같다), 정류장소, 그 밖에 자동차가 통행하거나 정류 또는 주차하는 장소(이하 "자동차용 장소"라 한다)는 자동차하중, 지진, 그 밖에 진동이나 충격에 견딜 수 있도록 안전하게 설계하여야 한다. <개정 2017.5.16.>

② 제1항에 따른 설계의 기준이 되는 자동차하중은 20톤으로 한다. <개정 2017.5.16.>

건 축 법
1. 총 칙
2. 건 축
3. 유지관리
4. 대지도로
5. 구조재료
6. 지역지구
7. 건축설비
8. 특별건축구역
9. 보 칙
10. 벌 칙
건 축 법 관련기준

제3조【자동차의 출구 및 입구】 자동차의 출구 및 입구는 다음 각 호의 기준에 적합하게 설치하여야 한다. <개정 2017.5.16.>

1. 다음 각 목의 장소와 접하지 아니할 것
   가. 「도로교통법」 제32조 및 제33조에 따른 정차 또는 주차금지 장소
   나. 교량 또는 터널
   다. 육교 밑의 도로, 노폭이 6.5미터 미만인 도로 또는 종단 경사가 10퍼센트를 넘는 도로
2. 정류장소의 수가 11개 이상인 여객자동차터미널로서 자동차의 출구 또는 입구를 노폭이 20미터 이상의 도로의 노면에 접하여 설치할 때에는 그 도로의 굴절지점이나 노폭 20미터 이상의 다른 도로와의 교차점으로부터 30미터 이상 떨어진 곳일 것. 다만, 그 지역을 관할하는 특별시장 · 광역시장 · 특별자치시장 · 도지사 또는 특별자치도지사(이하 "시 · 도지사"라 한다)가 도로교통의 원활과 안전을 저해하지 아니한다고 인정하는 경우에는 그러하지 아니한다.
3. 자동차의 출구 또는 입구가 굽어져 있을 때에는 자동차의 회전이 쉽도록 그 굴절을 완화시킬 것
4. 도로의 노면에 접하는 자동차 출구 부근의 구조는 차폭이 2.5미터의 자동차가 해당 출구에 도달하였을 때 그 자동차를 운전하는 자가 좌우로 각각 70도(자동차 운전자와 도로의 중심선을 수직으로 연결하는 직선을 기준으로 한다)의 범위에서 그 도로를 통행하는 것을 확인할 수 있도록 할 것. 다만, 신호기, 반사경, 그 밖에 적절한 보안설비를 하는 경우는 제외한다.

제4조【설비의 배치】 여객자동차터미널의 설비는 자동차의 원활한 운행과 여객 등 이용자에게 안전하고 편리하도록 배치하여야 한다. <개정 2017.5.16.>

제5조【유도차로 및 조차장소】 유도차로 및 조차장소는 다음 각 호의 기준에 적합하게 설치해야 한다. <개정 2021.8.27.>

1. 유도차로 및 조차장소는 자동차가 후진을 하지 아니하고 출구 또는 입구를 운행할 수 있도록 할 것
2. 유도차로의 노폭은 6.5미터 이상으로 할 것. 다만, 유도차로가 일방통행인 경우에는 3.5미터 이상으로 할 수 있다.
3. 횡단육교 또는 이와 유사한 장애물이 있는 유도차로 및 조차장소의 경우 노면에서 횡단육교 또는 장애물까지의 높이는 4.5미터 이상으로 할 것
4. 유도차로의 굴절부분의 구조는 자동차(길이 12미터, 폭 2.5미터, 축간거리 6.5미터, 전단에서 전차축까지의 수평거리가 2미터, 최소회전반경 12미터인 자동차)가 원활하게 회전할 수 있도록 할 것
5. 유도차로 및 조차장소의 경사부분의 기울기는 10퍼센트 이내일 것
6. 조차장소의 형상 및 너비는 해당 여객자동차터미널의 규모 및 구조에 적합할 것.
7. 삭제 <2017.5.16.>

제6조【정류장소】 정류장소는 다음 각 호의 기준에 적합하게 설치하여야 한다.

1. 자동차 1대가 정류할 수 있는 장소(이하 "단위정류장소"라 한다)는 길이 13미터 이상, 너비 3.5미터 이상으로 하고, 구획선 등 적당한 방법으로 그 위치를 명시할 것.
2. 지면의 기울기가 1.5퍼센트 이내일 것.
3. 횡단육교 또는 이와 유사한 장애물이 있는 정류장소의 경우 노면에서 횡단육교 또는 장애물까지의 높이는 4.5미터 이상으로 할 것

[전문개정 2017.5.16.]

제7조【여객용 장소】 ① 여객자동차터미널의 승강장 · 여객통로 · 대기실 기타 여객이 이용하는 장소(이하 "여객용 장소"라 한다)는 자동차용 장소와 공용하게 해서는 안 된다. <개정 2021.8.27.>

② 여객자동차터미널의 여객용 장소(승강장을 제외한다)와 자동차용 장소는 각각 울타리 · 구획선 또는 그 밖의 적당한 방법으로 명확하게 구분하여야 한다. <개정 2021.8.27.>

제8조【승강장】 승강장은 다음 각 호의 기준에 적합하게 설치하여야 한다. <개정 2017.5.16.>

1. 통로의 너비는 80센티미터 이상으로 하여 「교통약자의 이동편의 증진법」 제2조제1호에 따른 교통

약자(이하 "교통약자"라 한다)를 포함한 여객이 타고 내리는 데에 불편이 없도록 하여야 한다.
2. 승강장에 접하는 자동차용 장소의 지면보다 높게하여 교통약자를 포함한 여객이 타고 내리는 데에 편리하도록 하여야 한다.

제8조의2 삭제 <2017.5.16.>

제8조의3【대기실】 대기실에는 난방시설(재래식난방시설을 포함한다), 환기시설 및 안내시설 등을 갖추어야 한다. <개정 2021.8.27.>

제8조의4【화장실】 화장실은 「공중화장실 등에 관한 법률」에 따른 기준에 적합하게 설치해야 한다. [전문개정 2017.5.16.]

제8조의5【대기실 및 승강장에 이르는 통로】 대기실 및 승강장에 이르는 통로에 계단이 있는 경우 교통약자의 이용에 불편함이 없도록 다음 각 호의 기준에 적합한 경사로를 설치해야 한다. <개정 2021.8.27.>
1. 경사로의 경사도는 1:12 이하로 하되, 표면은 평탄하고 미끄러지지 아니하도록 할 것
2. 경사로의 양 측면에 높이 85센티미터의 위치에 경사로 노면에 평행하게 직경 3.2센티미터 이상 3.8센티미터 이하의 연속된 손잡이를 설치할 것

제8조의6【매점 및 휴게실】 여객자동차터미널안에 매점 또는 휴게실을 설치하고자 하는 경우에는 별표에서 정하는 여객자동차터미널시설과 구분하여 설치하여야 한다.

제8조의7【여객자동차터미널의 시설기준】 여객자동차터미널 시설의 종류 및 면적등은 별표의 기준과 같다.

제9조【포장】 여객자동차터미널의 유도차로 · 조차장소 · 정류장소 · 주차장소 · 승강장 · 대합실 및 여객통로는 포장하여야 한다.

제10조【방풍우설비】 승강장, 대기실 및 여객통로는 지붕을 덮고 비나 바람을 막을 수 있도록 해야 한다. <개정 2021.8.27.>

제11조【배수시설】 여객자동차터미널의 자동차용 장소에는 이용하는 차량의 안전한 운행을 위하여 물을 빼내는 도랑 등 배수시설을 설치하여야 한다.

제12조【피난설비】 여객자동차터미널의 건축물에 있어서 직접 지상으로 통하는 여객의 출입구가 있는 층 외의 층에 승강장, 대기실, 그 밖에 여객용 설비를 설치할 때에는 「건축물의 피난 · 방화구조 등의 기준에 관한 규칙」 제9조제2항 및 제3항의 기준에 적합한 피난계단 또는 이와 동등이상의 피난설비를 해야 한다. <개정 2021.8.27.>

제13조 삭제 <1975.8.7>

제14조【조명설비】 여객자동차터미널에는 그 유도차로 · 조차장소 및 여객용 장소의 지면의 조명도를 20룩스 이상으로 유지할 수 있는 조명설비를 하여야 한다. 다만, 그 조명설비는 운전자를 눈부시게 하여 운전에 지장을 주지 아니하도록 하여야 한다. <개정 2017.5.16.>

제15조 삭제 <1992.7.23>

제16조【보칙】 이 규칙에서 규정한 사항 외의 여객자동차터미널의 설비에 관한 기준은 국토교통부장관이 정한다. <개정 2017.5.16.>

[별표] 여객자동차터미널 시설기준(최저치) 〈개정 2023.12.20.〉 (위 규칙 제8조의7 관련)

구분 / 1일 이용인원(인)	매표실		대합실(㎡)	정류장소(㎡)		승강장(승차 대기장)(㎡)	주차장(유도차로, 조차장소 포함)(㎡)	화장실				사무실(개소)	안내실(㎡)	배차실(㎡)	승무원 휴게소(㎡)	간이 세차장(㎡)
	매표 창구수(개)	면적(㎡)		승차장	하차장			남자용 대변기(개)	남자용 소변기(개)	여자용 대변기(개)	세면기(개)					
500 이하	1	4	60	91	46	12	200	2	3	5	2	1	6	1	10	20
501 ~ 1,000	1	4	95	91	46	12	200	2	3	5	2		6		10	20
1,001 ~ 2,000	2	7	142	136	91	18	310	2	3	5	2		6		10	32
2,001 ~ 3,000	2	7	237	227	91	30	509	2	4	6	2		6		10	52
3,001 ~ 4,500	3	10	353	338	136	45	749	3	6	9	3		6		10	76
4,501 ~ 6,500	4	13	432	349	136	55	829	4	7	11	3		8		10	110
6,501 ~ 9,000	5	17	607	480	195	78	1,155	5	7	12	3		8		10	150
9,001 ~ 12,000	6	20	821	655	266	105	1,567	6	10	16	4		8		12	200
12,001 ~ 15,500	10	36	1,076	848	344	138	2,036	7	14	21	5		8		15	230
15,501 ~ 19,500			1,370	1,084	432	175	2,586	8	16	24	6		8		19	329
19,501 ~ 24,000			1,700	1,350	490	217	3,215	11	22	33	8		8		24	399
24,001 ~ 29,000			1,799	1,609	643	229	3,474	12	24	36	9		10		24	399
29,001 ~ 35,000			2,168	1,940	779	277	4,203	15	30	45	11		10		29	489
35,001 ~ 42,000			2,609	2,336	935	333	5,051	18	36	54	13		10		35	589
42,001 ~ 50,000			2,877	2,420	967	368	5,211	19	38	57	14		10		35	599
50,001 이상			3,440	2,894	1,162	440	6,299	22	44	66	17		10		45	719

비고: 1. 1일 이용인원은 이용객이 가장 많은 달의 1일 평균 출발인원을 기준으로 산출한다.
2. 매표실의 매표창구는 1개 이상 설치하여야 하되, 나머지 매표창구는 무인 발권기로 대체할 수 있다.
3. 제2호에 따라 무인발권기로 매표창구를 대체하는 경우 무인발권기 1대는 매표창구 0.6개로 본다.
4. 대합실에는 승차를 위하여 대기하는 자 등을 위하여 의자를 설치하여야 한다.
5. 안내실은 대합실 내에 설치하여야 한다.

【참고2】 철도시설

■ 철도(「도시·군계획시설규칙」 제22조~제24조)

규칙 제22조【철도】 이 절에서 "철도"라 함은 다음 각호의 시설을 말한다. <개정 2020.9.9.>
1. 「철도의 건설 및 철도시설 유지관리에 관한 법률」 제2조제1호에 따른 철도
2. 「도시철도법」 제2조제2호에 따른 도시철도
3. 삭제 <2005.7.1.>
4. 「국가철도공단법」 제7조 및 「한국철도공사법」 제9조제1항에 따른 사업의 시설

규칙 제23조【철도의 결정기준】 철도의 결정기준은 다음 각호와 같다. <개정 2019.8.7.>
1. 지역의 성장에 따른 장래의 시설확장, 건설비 등 경제적 측면 등을 고려하여 결정하되, 적정한 규모의 철로·철도역·철도차량기지 등으로 구분할 것
2. 전국적인 철도체계와 관련하여 다른 교통수단과의 관계를 종합적으로 검토할 것
3. 노선은 주변지역의 토지이용계획 및 건축물의 이용현황, 하천 등의 통과에 따른 기술적 사항 및 건설비 등을 고려하여 결정할 것
4. 철도역은 여객 및 화물이 쉽게 모였다 흩어지도록 다른 교통수단과 연결되는 곳에 설치하되, 여객수와 화물수송량이 많은 지역에는 여객전용역과 화물전용역을 구분할 것
5. 철도역은 제1종전용주거지역·보전녹지지역 및 보전관리지역외의 지역에 설치할 것

6. 도시지역을 지상으로 통과하는 철도는 지역공동체를 단절시키지 아니하도록 노선을 계획하고, 지역주민이 소통할 수 있는 공간을 충분히 확보할 것
7. 생태계가 단절되지 아니하도록 생태통로를 확보하고 중요한 녹지축은 보전할 것

규칙 제24조【철도의 구조 및 설치기준】철도의 결정기준은 다음 각호와 같다. <개정 2019.3.20.>
1. 철도역에는 장애인 · 노인 · 임산부 · 어린이 등을 위한 엘리베이터 또는 에스컬레이터를 설치할 것
2. 제1호에 규정된 사항외에 철도의 구조 및 설치에 관하여는 「철도의 건설 및 철도시설 유지관리에 관한 법률」 또는 「도시철도법」이 정하는 바에 의할 것

■ 철도시설(「철도의 건설 및 철도시설 유지관리에 관한 법률」 제2조) <개정 2023.4.18.>

법 제2조【정의】이 법에서 사용하는 용어의 뜻은 다음과 같다. 다만, 이 법에 특별한 규정이 있는 것을 제외하고는 「철도산업발전 기본법」에서 정하는 바에 따른다. <개정 2023.4.18.>
1. "철도"란 여객 또는 화물을 운송하는 데 필요한 철도시설과 철도차량 및 이와 관련된 운영 · 지원체계가 유기적으로 구성된 운송체계를 말한다.
6. "철도시설"이란 다음 각 목의 어느 하나에 해당하는 시설(부지를 포함한다)을 말한다.
가. 철도의 선로(선로에 딸리는 시설을 포함한다), 역 시설(물류시설, 환승 시설 및 역사(驛舍)와 같은 건물에 있는 판매시설 · 업무시설 · 근린생활시설 · 숙박시설 · 문화 및 집회시설 등을 포함한다) 및 철도 운영을 위한 건축물 · 건축설비
나. 선로 및 철도차량을 보수 · 정비하기 위한 선로 보수기지, 차량 정비기지 및 차량 유치시설
다. 철도의 전철전력설비, 정보통신설비, 신호 및 열차 제어설비
라. 철도노선 간 또는 다른 교통수단과의 연계 운영에 필요한 시설
마. 철도기술의 개발 · 시험 및 연구를 위한 시설
바. 철도경영연수 및 철도전문인력의 교육훈련을 위한 시설
사. 그 밖에 철도의 건설 · 유지보수 및 운영을 위한 시설로서 대통령령으로 정하는 시설

영 제2조【철도시설】「철도건설법」(이하 "법"이라 한다) 제2조제6호사목에서 "대통령령으로 정하는 시설"이란 다음 각 호의 어느 하나에 해당하는 시설을 말한다. <개정 2021.1.5.>
1. 철도건설사업에 필요한 공사용 건설자재를 현장에서 가공 · 조립 · 운반 또는 보관하기 위한 시설(공사기간 중에 설치되는 시설만 해당한다)
2. 철도건설사업에 필요한 공사용 진입도로, 주차장, 야적장, 토석채취장 및 사토장(흙 처리장)의 설치 및 운영에 필요한 시설
3. 철도차량부품의 보관 및 운반시설
4. 건설장비 및 검사계측기기의 정비 · 점검 및 수리를 위한 시설
5. 그 밖에 건설안전 관련 시설, 안내시설 등 철도건설사업의 시행에 필요한 시설

■ 철도시설(「철도산업발전기본법」 제3조)

법 제3조【정의】이 법에서 사용하는 용어의 정의는 다음 각호와 같다. <개정 2020.6.9>
1. "철도"라 함은 여객 또는 화물을 운송하는 데 필요한 철도시설과 철도차량 및 이와 관련된 운영 · 지원체계가 유기적으로 구성된 운송체계를 말한다.
2. "철도시설"이라 함은 다음 각목의 1에 해당하는 시설(부지를 포함한다)을 말한다.
가. 철도의 선로(선로에 부대되는 시설을 포함한다), 역시설(물류시설 · 환승시설 및 편의시설 등을 포함한다) 및 철도운영을 위한 건축물 · 건축설비
나. 선로 및 철도차량을 보수 · 정비하기 위한 선로보수기지, 차량정비기지 및 차량유치시설

건 축 법
1. 총 칙
2. 건 축
3. 유지관리
4. 대지도로
5. 구조재료
6. 지역지구
7. 건축설비
8. 특별건축구역
9. 보 칙
10. 벌 칙
건 축 법 관련기준

건 축 법
1. 총 칙
2. 건 축
3. 유지관리
4. 대지도로
5. 구조재료
6. 지역지구
7. 건축설비
8. 특별건축구역
9. 보 칙
10. 벌 칙
건 축 법 관련기준

다. 철도의 전철전력설비, 정보통신설비, 신호 및 열차제어설비
라. 철도노선간 또는 다른 교통수단과의 연계운영에 필요한 시설
마. 철도기술의 개발·시험 및 연구를 위한 시설
바. 철도경영연수 및 철도전문인력의 교육훈련을 위한 시설
사. 그 밖에 철도의 건설·유지보수 및 운영을 위한 시설로서 대통령령이 정하는 시설

영 제2조【철도시설】 철도산업발전기본법(이하 "법"이라 한다) 제3조제2호 사목에서 "대통령령이 정하는 시설"이라 함은 다음 각호의 시설을 말한다.
1. 철도의 건설 및 유지보수에 필요한 자재를 가공·조립·운반 또는 보관하기 위하여 당해 사업기간중에 사용되는 시설
2. 철도의 건설 및 유지보수를 위한 공사에 사용되는 진입도로·주차장·야적장·토석채취장 및 사토장과 그 설치 또는 운영에 필요한 시설
3. 철도의 건설 및 유지보수를 위하여 당해 사업기간중에 사용되는 장비와 그 정비·점검 또는 수리를 위한 시설
4. 그 밖에 철도안전관련시설·안내시설 등 철도의 건설·유지보수 및 운영을 위하여 필요한 시설로서 국토교통부장관이 정하는 시설

■ 도시철도시설(「도시철도법」 제2조)

법 제2조【정의】 이 법에서 사용하는 용어의 뜻은 다음과 같다.
2. "도시철도"란 도시교통의 원활한 소통을 위하여 도시교통권역에서 건설·운영하는 철도·모노레일·노면전차(路面電車)·선형유도전동기(線形誘導電動機)·자기부상열차(磁氣浮上列車) 등 궤도(軌道)에 의한 교통시설 및 교통수단을 말한다.
3. "도시철도시설"이란 다음 각 목의 어느 하나에 해당하는 시설(부지를 포함한다)을 말한다.
가. 도시철도의 선로(線路), 역사(驛舍) 및 역 시설(물류시설, 환승시설 및 역사와 같은 건물에 있는 판매시설·업무시설·근린생활시설·숙박시설·문화 및 집회시설 등을 포함한다)
나. 선로 및 도시철도차량을 보수·정비하기 위한 선로보수기지, 차량정비기지, 차량유치시설, 창고시설 및 기지시설
다. 도시철도의 전철전력설비, 정보통신설비, 신호 및 열차제어설비
라. 도시철도 기술의 개발·시험 및 연구를 위한 시설
마. 도시철도 경영연수 및 철도전문인력을 양성하기 위한 교육훈련시설
바. 그 밖에 도시철도의 건설, 유지보수 및 운영을 위한 시설로서 대통령령으로 정하는 시설

영 제2조【도시철도시설】 「도시철도법」(이하 "법"이라 한다) 제2조제3호바목에서 "대통령령으로 정하는 시설"이란 다음 각 호의 어느 하나에 해당하는 시설을 말한다.
1. 도시철도의 건설 및 유지보수에 필요한 자재(資材)를 가공·조립·운반 또는 보관하기 위하여 해당 사업기간 동안 사용되는 시설
2. 도시철도의 건설 및 유지보수를 위한 공사에 사용되는 진입도로, 주차장, 야적장, 토석채취장 및 사토장(捨土場)과 그 설치 또는 운영에 필요한 시설
3. 도시철도의 건설 및 유지보수를 위하여 해당 사업기간 동안 사용되는 장비와 그 장비의 정비·점검 또는 수리를 위한 시설
4. 그 밖에 도시철도 안전 관련 시설, 안내시설 등 도시철도의 건설·유지보수 및 운영을 위하여 필요한 시설로서 국토교통부장관이 정하는 시설

【참고3】 공항시설

■ 공항(「도시·군계획시설규칙」 제27조, 제28조)

규칙 제27조【공항】 이 절에서 "공항"이란 다음 각 호의 시설을 말한다. <개정 2017.3.30.>
1. 「공항시설법」 제2조제3호에 따른 공항
2. 「공항시설법」 제2조제7호에 따른 공항시설

규칙 제28조【공항의 결정기준 및 구조 · 설치기준】 ① 공항의 결정기준은 다음 각호와 같다.
1. 공항의 입지는 국토종합계획 · 지역계획 등 상위국토계획과의 관계를 광역적인 측면에서 종합적으로 검토하여 결정할 것
2. 여객 및 화물의 원활한 수송을 위하여 공항까지 도로 · 철도 등 교통수단이 원활히 연결되도록 할 것
3. 향후 시가지로 발전할 지역이 활주로의 연장선상에 위치하지 아니하도록 할 것
4. 안개 · 돌풍 등 비정상적인 기후로 인한 장애가 적은 장소에 결정할 것
5. 장래 항공기의 대형화 · 고속화와 운항횟수의 증가에 대비한 시설확충을 고려할 것

② 제1항에 규정된 사항외에 공항의 결정 · 구조 및 설치에 관하여는 「공항시설법」이 정하는 바에 의한다. <개정 2017.3.30.>

■ 공항 및 공항시설(「공항시설법」 제2조)

법 제2조【정의】 이 법에서 사용하는 용어의 뜻은 다음과 같다.
3. "공항"이란 공항시설을 갖춘 공공용 비행장으로서 국토교통부장관이 그 명칭 · 위치 및 구역을 지정 · 고시한 것을 말한다.
7. "공항시설"이란 공항구역에 있는 시설과 공항구역 밖에 있는 시설 중 대통령령으로 정하는 시설로서 국토교통부장관이 지정한 다음 각 목의 시설을 말한다.
   가. 항공기의 이륙 · 착륙 및 항행을 위한 시설과 그 부대시설 및 지원시설
   나. 항공 여객 및 화물의 운송을 위한 시설과 그 부대시설 및 지원시설

영 제3조【공항시설의 구분】 법 제2조제7호 각 목 외의 부분에서 "대통령령으로 정하는 시설"이란 다음 각 호의 시설을 말한다.
1. 다음 각 목에서 정하는 기본시설
   가. 활주로, 유도로, 계류장, 착륙대 등 항공기의 이착륙시설
   나. 여객터미널, 화물터미널 등 여객시설 및 화물처리시설
   다. 항행안전시설
   라. 관제소, 송수신소, 통신소 등의 통신시설
   마. 기상관측시설
   바. 공항 이용객을 위한 주차시설 및 경비 · 보안시설
   사. 공항 이용객에 대한 홍보시설 및 안내시설
2. 다음 각 목에서 정하는 지원시설
   가. 항공기 및 지상조업장비의 점검 · 정비 등을 위한 시설
   나. 운항관리시설, 의료시설, 교육훈련시설, 소방시설 및 기내식 제조 · 공급 등을 위한 시설
   다. 공항의 운영 및 유지 · 보수를 위한 공항 운영 · 관리시설
   라. 공항 이용객 편의시설 및 공항근무자 후생복지시설
   마. 공항 이용객을 위한 업무 · 숙박 · 판매 · 위락 · 운동 · 전시 및 관람집회 시설
   바. 공항교통시설 및 조경시설, 방음벽, 공해배출 방지시설 등 환경보호시설
   사. 공항과 관련된 상하수도 시설 및 전력 · 통신 · 냉난방 시설

건 축 법
1. 총 칙
2. 건 축
3. 유지관리
4. 대지도로
5. 구조재료
6. 지역지구
7. 건축설비
8. 특별건축구역
9. 보 칙
10. 벌 칙
건 축 법 관련기준

아. 항공기 급유시설 및 유류의 저장 · 관리 시설
자. 항공화물을 보관하기 위한 창고시설
차. 공항의 운영 · 관리와 항공운송사업 및 이와 관련된 사업에 필요한 건축물에 부속되는 시설
카. 공항과 관련된 「신에너지 및 재생에너지 개발 · 이용 · 보급 촉진법」 제2조제3호에 따른 신에너지 및 재생에너지 설비
3. 도심공항터미널
4. 헬기장에 있는 여객시설, 화물처리시설 및 운항지원시설
5. 공항구역 내에 있는 「자유무역지역의 지정 및 운영에 관한 법률」 제4조에 따라 지정된 자유무역지역에 설치하려는 시설로서 해당 공항의 원활한 운영을 위하여 필요하다고 인정하여 국토교통부장관이 지정 · 고시하는 시설
6. 그 밖에 국토교통부장관이 공항의 운영 및 관리에 필요하다고 인정하는 시설

【참고4】 항만시설

■ **항만**(「도시·군계획시설규칙」 제25조, 제26조)

규칙 제25조 **【항만】** 이 절에서 "항만"이란 다음 각 호의 시설을 말한다.
1. 「항만법」 제2조제5호에 따른 항만시설
2. 「어촌 · 어항법」 제2조제5호에 따른 어항시설
3. 「마리나항만의 조성 및 관리 등에 관한 법률」 제2조제2호에 따른 마리나항만시설

규칙 제26조 **【항만의 결정기준 및 구조 · 설치기준】** ① 항만의 결정기준은 다음 각 호와 같다.
1. 항만의 규모는 화물의 수량 · 종류, 여객의 수, 대상지역의 지형 · 지물, 해륙의 교통수단 상호간의 연계성과 장래의 화물 · 여객의 증가 및 선박의 대형화에 따른 시설 확충 등을 고려하여 결정할 것
2. 항만기능을 원활히 하고 해운교통과 내륙교통이 신속하게 변환될 수 있도록 도로 · 철도 등 교통수단의 배치가 용이한 지역에 결정할 것
3. 마리나항만은 주변 항만 및 마리나항만을 이용하는 선박의 안전과 경제성 등을 고려하여 결정할 것
4. 항만 및 마리나항만은 도시활성화를 위하여 주변의 토지이용계획 및 도시 경관을 고려하여 결정할 것

② 제1항에 규정된 사항외에 항만의 결정 · 구조 및 설치에 관하여는 「항만법」, 「어촌 · 어항법」 또는 「마리나항만의 조성 및 관리 등에 관한 법률」에서 정하는 바에 따른다.

■ **항만시설**(「항만법」 제2조)

법 제2조 **【정의】** 이 법에서 사용하는 용어의 뜻은 다음과 같다. <개정 2022.1.4>
1. "항만"이란 선박의 출입, 사람의 승선 · 하선, 화물의 하역 · 보관 및 처리, 해양친수활동 등을 위한 시설과 화물의 조립 · 가공 · 포장 · 제조 등 부가가치 창출을 위한 시설이 갖추어진 곳을 말한다.
5. "항만시설"이란 다음 각 목의 어느 하나에 해당하는 항만구역 안의 시설과, 다음 각 목의 어느 하나에 해당하는 항만구역 밖의 시설로서 해양수산부장관이 지정 · 고시한 것을 말한다.
가. 기본시설
1) 항로, 정박지, 소형선 정박지, 선회장(旋回場) 등 수역시설(水域施設)
2) 방파제, 방사제(防砂堤), 파제제(波除堤), 방조제, 도류제(導流堤), 갑문, 호안(해안보호둑을 말한다) 등 외곽시설
3) 도로, 교량, 철도, 궤도, 운하 등 임항교통시설(臨港交通施設)
4) 안벽, 소형선 부두, 잔교(棧橋: 선박이 부두에 닿도록 구름다리 형태로 만든 구조물), 부잔교(浮棧橋: 선박을 매어두거나 선박이 부두에 닿도록 물 위에 띄워 만든 구조물), 돌핀(계선말뚝을 말한다), 선착장, 램프(경사식 진출입로를 말한다) 등 계류시설(繫留施設)
나. 기능시설
1) 선박의 입항 · 출항을 위한 항로표지 · 신호 · 조명 · 항무통신(港務通信)에 관련된 시설 등 항행 보조

시설
2) 고정식 또는 이동식 하역장비, 화물 이송시설, 배관시설 등 하역시설
3) 대기실, 여객승강용 시설, 소하물 취급소 등 여객이용시설
4) 창고, 야적장, 컨테이너 장치장(藏置場) 및 컨테이너 조작장, 사일로[시멘트, 곡물 등 산적화물(散積貨物)의 저장시설을 말한다], 유류(油類)저장시설, 가스저장시설, 화물터미널 등 화물의 유통시설과 판매시설
5) 선박을 위한 연료공급시설과 급수시설, 얼음 생산 및 공급 시설 등 선박보급시설
6) 항만의 관제(管制)·정보통신·홍보·보안에 관련된 시설
7) 항만시설용 부지
8) 「어촌·어항법」 제2조제5호나목의 기능시설[제21조제3호에 따른 어항구(漁港區)(이하 이 조에서 "어항구"라 한다)에 있는 것으로 한정한다]
9) 「어촌·어항법」 제2조제5호다목의 어항편익시설(어항구에 있는 것으로 한정한다)
10) 방음벽, 방진망(防塵網), 수림대(樹林帶) 등 공해방지시설

다. 지원시설
1)보관창고, 집배송장, 복합화물터미널, 정비고 등 배후유통시설
2) 선박기자재, 선용품(船用品) 등을 보관·판매·전시 등을 하기 위한 시설
3) 화물의 조립·가공·포장·제조 등을 위한 시설
4) 공공서비스의 제공, 시설관리 등을 위한 항만 관련 업무용 시설
5) 항만시설을 사용하는 사람, 항만시설 인근 지역의 주민, 여객 등 항만을 이용하는 사람 및 항만에서 일하는 사람을 위한 휴게소·숙박시설·진료소 등 「공공보건의료에 관한 법률」 제2조제3호에 따른 공공보건의료기관·위락시설·연수장·주차장·차량통관장 등 후생복지시설과 편의제공시설
6) 항만 관련 산업의 기술개발이나 벤처산업 지원 등을 위한 연구시설
7) 신·재생에너지 관련 시설, 자원순환시설 및 기후변화 대응 방재시설 등 저탄소 항만의 건설을 위한 시설
8) 그 밖에 항만기능을 지원하기 위한 시설로서 해양수산부령으로 정하는 것

라. 항만친수시설(港灣親水施設)
1) 낚시터, 유람선, 낚시어선, 모터보트, 요트, 윈드서핑용 선박 등을 수용할 수 있는 해양레저용 시설
2) 해양박물관, 어촌민속관, 해양유적지, 공연장, 학습장, 갯벌체험장 등 해양 문화·교육 시설
3) 해양전망대, 산책로, 해안 녹지, 조경(造景)시설 등 해양공원시설
4) 인공해변·인공습지 등 준설토(浚渫土)를 재활용하여 조성한 인공시설

마. 항만배후단지

9 의료시설

가. 병원(종합병원, 병원, 치과병원, 한방병원, 정신병원 및 요양병원을 말함) 【참고1】 【참고2】

나. 격리병원(전염병원, 마약진료소, 그 밖에 이와 비슷한 것)

【참고1】 종합의료시설(「도시·군계획시설규칙」 제151조~제153조)

규칙 제151조 【종합의료시설】 이 절에서 "종합의료시설"이란 다음 각 호의 시설을 말한다.<개정 2023.8.1.>
1. 「의료법」 제3조제2항제3호가목·다목 및 라목에 따른 병원·한방병원 또는 요양병원으로서 다음 각 목의 요건을 모두 갖춘 병원급 의료기관
가. 300개 이상의 병상(요양병원의 경우는 요양병상을 말한다)
나. 7개 이상의 진료과목
2. 「의료법」 제3조제2항제3호바목에 따른 종합병원

건 축 법
1. 총 칙
2. 건 축
3. 유지관리
4. 대지도로
5. 구조재료
6. 지역지구
7. 건축설비
8. 특별건축구역
9. 보 칙
10. 벌 칙
건 축 법 관련기준

규칙 제152조【종합의료시설의 결정기준】종합의료시설의 결정기준은 다음 각 호와 같다. <개정 2023.12.12.>

1. 인근의 토지이용계획을 고려하여 의료행위에 지장을 주는 매연·소음·진동 등의 저해요소가 없고 일조·통풍 및 배수가 잘 되는 장소에 설치할 것
2. 제2종일반주거지역·제3종일반주거지역·준주거지역·중심상업지역·일반상업지역·근린상업지역·전용 공업지역·일반공업지역·준공업지역·자연녹지지역 및 계획관리지역에 한하여 설치할 것
3. 이용자 특히, 구급환자가 쉽게 접근할 수 있도록 도심부에 설치하고, 각종 교통기관과 연결되도록 할 것. 다만, 「의료법」 제3조제2항제3호에 따른 요양병원은 그러하지 아니하다.
4. 시각적으로 불쾌감을 주는 사물에 대하여는 은폐시설을 하여야 하며, 주변에 충분한 녹지시설을 하여 평온한 환경을 유지할 수 있도록 할 것
5. 기존 의료시설의 배치상황을 고려하여 기존 의료시설과 기능·시설 등이 중복되지 아니하도록 할 것
6. 주차장·휴게소·구내매점·휴게음식점·제과점·세면장·화장실 등 이용자를 위한 편익시설을 설치할 것
7. 빗물이용을 위한 시설의 설치를 고려하고, 물이 스며들지 않는 표면에서 유출되는 빗물을 최소화하도록 빗물이 땅에 잘 스며들 수 있는 구조로 하거나 식생도랑, 저류·침투조, 빗물정원, 옥상정원 등의 빗물관리시설 설치를 고려할 것
8. 재해취약지역에는 종합의료시설 설치를 가급적 억제하고 부득이 설치하는 경우에는 재해발생 가능성을 충분히 고려하여 설치할 것

규칙 제153조【종합의료시설의 구조 및 설치기준】① 종합의료시설에 환자 및 환자보호자용 숙소를 설치하는 경우에는 의료행위에 지장을 초래하지 아니하도록 숙소 이용객과 환자의 동선을 분리하여 설치하여야 한다.

② 종합의료시설에 설치할 수 있는 편익시설은 다음 각 호와 같다. <개정 2021.2.24>

1. 환자 및 환자보호자용 숙소(해당 병원 입원실 총 면적의 50퍼센트를 초과하지 아니하는 범위로 한정한다)
2. 「건축법 시행령」 별표 1 제3호가목 또는 다목에 해당하는 시설(환자 및 환자보호자용 숙소와 함께 설치하는 시설로 한정한다)
3. 「건축법 시행령」 별표 1 제3호나목에 해당하는 시설
4. 「건축법 시행령」 별표 1 제19호바목의 시설 중 「환경친화적 자동차의 개발 및 보급 촉진에 관한 법률」 제2조제9호에 따른 수소연료공급시설 <신설 2021.2.24>

③ 제1항 및 제2항에서 규정한 사항 외에 종합의료시설의 구조 및 설치에 관하여는 「의료법」 및 「관광진흥법」이 정하는 바에 따른다.

【참고2】 의료기관의 종류(「의료법」 제3조~제3조의3)

1. 병원급 의료기관 (의사, 치과의사 또는 한의사가 주로 입원환자를 대상으로 의료행위를 하는 의료기관)	① 종합병원	▪100개 이상의 병상을 갖출 것 ▪100병상 이상 300병상 이하인 경우에는 내과·외과·소아청소년과·산부인과 중 3개 진료과목, 영상의학과, 마취통증의학과와 진단검사의학과 또는 병리과를 포함한 7개 이상의 진료과목을 갖추고 각 진료과목마다 전속하는 전문의를 둘 것 ▪300병상을 초과하는 경우에는 내과, 외과, 소아청소년과, 산부인과, 영상의학과, 마취통증의학과, 진단검사의학과 또는 병리과, 정신건강의학과 및 치과를 포함한 9개 이상의 진료과목을 갖추고 각 진료과목마다 전속하는 전문의를 둘 것 *위 진료과목(이하 "필수진료과목") 외에 필요하면 추가로 진료과목을 설치·운영할 수 있다. 이 경우 필수진료과목 외의 진료과목에 대하여는 해당 의료기관에 전속하지 아니한 전문의를 둘 수 있다.

	② 병원 ③ 한방병원 ④ 치과병원	▪ 30개 이상의 병상(병원, 한방병원만 해당)을 갖춘 의료기관
	⑤ 요양병원	▪ 「장애인복지법」에 따른 의료재활시설로서, ▪ 30개 이상의 요양병상(장기입원이 필요한 환자를 대상으로 의료행위를 하기 위하여 설치한 병상)을 갖춘 의료기관
2. 의원급 의료기관	① 의원 ② 치과의원 ③ 한의원	▪ 의사, 치과의사 또는 한의사가 주로 외래환자를 대상으로 각각 그 의료행위를 하는 의료기관
3. 조산원		▪ 조산사가 조산과 임산부 및 신생아를 대상으로 보건활동과 교육·상담을 하는 의료기관

〈1〉 의료기관의 종류별 시설기준(의료법 시행규칙 별표 3) <개정 2023.9.22>

시 설	종합병원 병원 요양병원	치과병원	한방병원	의 원	치과의원	한의원	조산원
1. 입원실	입원환자 100명 이상(병원·요양병원의 경우는 30명 이상)을 수용할 수 있는 입원실		입원환자 30명 이상을 수용할 수 있는 입원실	입원실을 두는 경우 입원환자 29명 이하를 수용할 수 있는 입원실	의원과 같음	의원과 같음	1 (분만실 겸용)
2. 중환자실	1 (병상이 300개 이상인 종합병원만 해당한다)						
3. 수술실	1 (외과계 진료과목이 있는 종합병원이나 병원인 경우에만 갖춘다)	1 (외과계 진료과목이 있는 경우에만 갖춘다)	1 (좌동)	1 (외과계 진료과목이 있고, 전신마취 하에 수술을 하는 경우에만 갖춘다)	1 (좌동)		
4. 응급실	1 (병원·요양병원의 경우는 「응급의료에 관한 법률」에 따라 지정받은 경우에만 갖춘다)						
5. 임상 검사실	1 (요양병원은 제외한다)	1	1 (관련의과 또는 치과진료 과목이 있는 경우에만 갖춘다)				
6. 방사선 장치	1 (요양병원은 제외한다)	1	1 (관련의과 또는 치과진료 과목이 있는 경우에만 갖춘다)				
7. 회복실	1 (수술실이 설치되어 있는 경우에만 갖춘다)	1 (좌동)	1 (좌동)	1 (좌동)	1 (좌동)		

8. 물리 치료실	1 (종합병원에만 갖춘다)						
9. 한방 요법실	1 (관련 한의과 진료과목이 있는 경우에만 갖춘다)	1 (좌동)	1				
10. 병리 해부실	1 (종합병원에만 갖춘다)						
11. 조제실	1 (조제실을 두는 경우에만 갖춘다)	1 (좌동)	1 (좌동)	1 (좌동)	1 (좌동)	1 (좌동)	1 (좌동)
11의2. 탕전실	1 (요양병원이 탕전을 하는 경우에만 갖춘다)	1 (관련 한의과 진료과목을 두고 탕전을 하는 경우에만 갖춘다)	1 (탕전을 하는 경우에만 갖춘다)			1 (탕전을 하는 경우에만 갖춘다)	
12. 의무 기록실	1	1	1				
13. 소독시설	1		1	1 (외래환자를 진료하지 아니하는 의원은 제외한다)	1	1	1
14. 급식시설	1 (외부 용역업체에 급식을 맡기는 경우에는 적용되지 아니한다)	1 (좌동)	1 (좌동)				
15. 세탁물 처리시설	1 (세탁물전량을 위탁처리하는 경우에는 갖추지 아니하여도 된다)	1 (좌동)	1 (좌동)				
16. 시체실	1 (종합병원만 갖춘다. 다만, 「장사 등에 관한 법률」 제29조에 따른 장례식장을 설치·운영하는 경우로서 장례식장에 시신을 안치하기 위한 시설을 둔 경우에는 갖추지 않아도 된다)						
17. 의료폐기물 처리시설	1 (의료폐기물 전량을 위탁처리하는 경우에는 해당하지 않는다)	1 (좌동)	1 (좌동)				
18. 자가발전 시설	1	1	1				
19. 구급자동차	1 (요양병원은 제외하며, 「응급의료에 관한 법률」 제44조제2항에 따						

	라 구급자동차의 운용을 위탁한 경우에는 갖추지 않아도 된다)
20. 그 밖의 시설	가. 탕전실, 의무기록실, 급식시설, 세탁처리시설 및 적출물소각시설은 의료기관이 공동으로 사용할 수 있다. 나. 요양병원은 거동이 불편한 환자가 장기간 입원하는 데에 불편함이 없도록 식당, 휴게실, 욕실, 화장실, 복도 및 계단과 엘리베이터(계단과 엘리베이터는 2층 이상인 건물만 해당하고, 층간 경사로를 갖춘 경우에는 엘리베이터를 갖추지 아니할 수 있다)를 갖추어야 한다. 다. 탕전실은 의료기관에서 분리하여 따로 설치할 수 있다. 라. 종합병원, 병원, 한방병원, 요양병원은 해당 병원에서 사망하는 사람 등의 장사 관련 편의를 위하여 「장사 등에 관한 법률」 제29조에 따른 장례식장을 설치할 수 있다. 이 경우 장례식장의 운영은 법인, 단체 또는 개인 등에게 위탁할 수 있다.

〈2〉 의료기관의 시설규격(「의료법 시행규칙」 별표 4) <개정 2023.9.22.>

1. 입원실
   가. 입원실은 3층 이상 또는 「건축법」 제2조제1항제5호에 따른 지하층에는 설치할 수 없다. 다만, 「건축법 시행령」 제56조에 따른 내화구조(耐火構造)인 경우에는 3층 이상에 설치할 수 있다.
   나. 입원실의 면적(벽·기둥 및 화장실의 면적을 제외한다)은 환자 1명을 수용하는 곳인 경우에는 10제곱미터 이상이어야 하고(면적의 측정 방법은 「건축법 시행령」 제119조의 산정 방법에 따른다. 이하 같다) 환자 2명 이상을 수용하는 곳인 경우에는 환자 1명에 대하여 6.3제곱미터 이상으로 하여야 한다.
   다. 삭제 <2017.2.3.>
   라. 입원실에 설치하는 병상 수는 최대 4병상(요양병원의 경우에는 6병상)으로 한다. 이 경우 각 병상 간 이격거리는 최소 1.5미터 이상으로 한다.
   마. 입원실에는 손씻기 시설 및 환기시설을 설치하여야 한다.
   바. 병상이 300개 이상인 종합병원에는 보건복지부장관이 정하는 기준에 따라 전실(前室) 및 음압시설(陰壓施設: 방 안의 기압을 낮춰 내부 공기가 방 밖으로 나가지 못하게 만드는 설비) 등을 갖춘 1인 병실(이하 "음압격리병실"이라 한다)을 1개 이상 설치하되, 300병상을 기준으로 100병상 초과할 때 마다 1개의 음압격리병실을 추가로 설치하여야 한다. 다만, 제2호카목에 따라 중환자실에 음압격리병실을 설치한 경우에는 입원실에 설치한 것으로 본다.
   사. 병상이 300개 이상인 요양병원에는 보건복지부장관이 정하는 기준에 따라 화장실 및 세면시설을 갖춘 격리병실을 1개 이상 설치하여야 한다.
   아. 산모가 있는 입원실에는 입원 중인 산모가 신생아에게 모유를 먹일 수 있도록 산모와 신생아가 함께 있을 수 있는 시설을 설치하도록 노력하여야 한다.
   자. 감염병환자등의 입원실은 다른 사람이나 외부에 대하여 감염예방을 위한 차단 등 필요한 조치를 하여야 한다.

2. 중환자실
   가. 병상이 300개 이상인 종합병원은 입원실 병상 수의 100분의 5 이상을 중환자실 병상으로 만들어야 한다.
   나. 중환자실은 출입을 통제할 수 있는 별도의 단위로 독립되어야 하며, 무정전(無停電) 시스템을 갖추어야 한다.
   다. 중환자실의 의사당직실은 중환자실 내 또는 중환자실과 가까운 곳에 있어야 한다.
   라. 병상 1개당 면적은 15제곱미터 이상으로 하되, 신생아만을 전담하는 중환자실(이하 "신생아중환자실"이라 한다)의 병상 1개당 면적은 5제곱미터 이상으로 한다. 이 경우 "병상 1개당 면적"은 중환자실 내 간호사실, 당직실, 청소실, 기기창고, 청결실, 오물실, 린넨보관실을 제외한 환자 점유 공간[중환자실 내에 있는 간호사 스테이션(station)과 복도는 병상 면적에 포함한다]을 병상 수로 나눈 면적을 말한다.
   마. 병상마다 중앙공급식 의료가스시설, 심전도모니터, 맥박산소계측기, 지속적수액주입기를 갖추고, 병상 수의 10퍼센트 이상 개수의 침습적 동맥혈압모니터, 병상 수의 30퍼센트 이상 개수의 인공호흡기, 병상 수의 70퍼센트 이상 개수의 보육기(신생아중환자실에만 해당한다)를 갖추어야 한다.
   바. 중환자실 1개 단위(Unit)당 후두경, 앰부백(마스크 포함), 심전도기록기, 제세동기를 갖추어야 한다. 다만, 신생아중환자실의 경우에는 제세동기 대신 광선기와 집중치료기를 갖추어야 한다.
   사. 중환자실에는 전담의사를 둘 수 있다. 다만, 신생아중환자실에는 전담전문의를 두어야 한다.
   아. 전담간호사를 두되, 간호사 1명당 연평균 1일 입원환자수는 1.2명(신생아 중환자실의 경우에는 1.5명)을 초과하여서는 아니 된다.
   자. 중환자실에 설치하는 병상은 벽으로부터 최소 1.2미터 이상, 다른 병상으로부터 최소 2미터 이상 이격하여 설치하여야 한다.

차. 중환자실에는 병상 3개당 1개 이상의 손씻기 시설을 설치하여야 한다.
카. 중환자실에는 보건복지부장관이 정하는 기준에 따라 병상 10개당 1개 이상의 격리병실 또는 음압격리병실을 설치하여야 한다. 이 경우 음압격리병실은 최소 1개 이상 설치하여야 한다.

3. 수술실
가. 수술실은 수술실 상호 간에 칸막이벽으로 구획되어야 하고, 각 수술실에는 하나의 수술대만 두어야 하며, 환자의 감염을 방지하기 위하여 먼지와 세균 등이 제거된 청정한 공기를 공급할 수 있는 공기정화설비를 갖추고, 내부 벽면은 불침투질로 하여야 하며, 적당한 난방, 조명, 멸균수세(滅菌水洗), 수술용 피복, 붕대재료, 기계기구, 의료가스, 소독 및 배수 등 필요한 시설을 갖추어야 하고, 바닥은 접지가 되도록 하여야 하며, 콘센트의 높이는 1미터 이상을 유지하게 하고, 호흡장치의 안전관리시설을 갖추어야 한다.
나. 수술실에는 기도 내 삽관유지장치, 인공호흡기, 마취환자의 호흡감시장치, 심전도 모니터 장치를 갖추어야 한다.
다. 수술실 내 또는 수술실에 인접한 장소에 상용전원이 정전된 경우 나목에 따른 장치를 작동할 수 있는 축전지 또는 발전기 등의 예비전원설비를 갖추어야 한다. 다만, 나목에 따른 장치에 축전지가 내장되어 있는 경우에는 예비전원설비를 갖춘 것으로 본다.

4. 응급실
외부로부터 교통이 편리한 곳에 위치하고 산실(産室)이나 수술실로부터 격리되어야 하며, 구급용 시설을 갖추어야 한다.

5. 임상검사실
임상검사실은 자체적으로 검사에 필요한 시설·장비를 갖추어야 한다.

6. 방사선 장치
가. 방사선 촬영투시 및 치료를 하는 데에 지장이 없는 면적이어야 하며, 방사선 위해(危害) 방호시설(防護施設)을 갖추어야 한다.
나. 방사선 사진필름을 현상·건조하는 데에 지장이 없는 면적과 이에 필요한 시설을 갖춘 건조실을 갖추어야 한다.
다. 방사선 사진필름을 판독하는 데에 지장이 없는 면적과 이에 필요한 설비가 있는 판독실을 갖추어야 한다.

7. 회복실
수술 후 환자의 회복과 사후 처리를 하는 데에 지장이 없는 면적이어야 하며, 이에 필요한 시설을 갖추어야 한다.

8. 물리치료실
물리요법을 시술하는 데에 지장이 없는 면적과 기능회복, 재활훈련, 환자의 안전관리 등에 필요한 시설을 갖추어야 한다.

9. 한방요법실
경락자극요법시설 등 한방요법시설과 특수생약을 증기, 탕요법에 의하여 치료하는 시설을 갖추어야 한다.

10. 병리해부실
병리·병원에 관한 세포학검사·생검 및 해부를 할 수 있는 시설과 기구를 갖추어 두어야 한다.

11. 조제실
약품의 소분(小分)·혼합조제 및 생약의 보관, 혼합약제에 필요한 조제대 등 필요한 시설을 갖추어야 한다.

11의2. 탕전실
가. 탕전실에는 조제실, 한약재 보관시설, 작업실, 그 밖에 탕전에 필요한 시설을 갖추어야 한다. 다만, 의료기관 내에 조제실 및 한약재 보관시설을 구비하고 있는 경우에는 이를 충족한 것으로 본다.
나. 조제실에는 개봉된 한약재를 보관할 수 있는 한약장 또는 기계·장치와 한약을 조제할 수 있는 시설을 두어야 한다.
다. 한약재 보관시설에는 쥐·해충·먼지 등을 막을 수 있는 시설과 한약재의 변질을 예방할 수 있는 시설을 갖추어야 한다.
라. 작업실에는 수돗물이나 「먹는물관리법」 제5조에 따른 먹는 물의 수질기준에 적합한 지하수 등을 공급할 수 있는 시설, 한약의 탕전 등에 필요한 안전하고 위생적인 장비 및 기구, 환기 및 배수에 필요한 시설, 탈의실 및 세척시설 등을 갖추어야 한다.
마. 작업실의 시설 및 기구는 항상 청결을 유지하여야 하며 종사자는 위생복을 착용하여야 한다.
바. 의료기관에서 분리하여 따로 설치한 탕전실에는 한의사 또는 한약사를 배치하여야 한다.
사. 의료기관에서 분리하여 따로 설치한 탕전실에서 한약을 조제하는 경우 조제를 의뢰한 한의사의 처방전, 조제 작업일지, 한약재의 입출고 내역, 조제한 한약의 배송일지 등 관련 서류를 작성·보관하여야 한다.

12. 의무기록실
의무기록(외래·입원·응급 환자 등의 기록)을 보존기간에 따라 비치하여 기록·관리 및 보관할 수 있는 서가 등 필요한 시설을 설치하여야 한다.

13. 소독시설

증기·가스장치 및 소독약품 등의 자재와 소독용 기계기구를 갖추어 두고, 위생재료·붕대 등을 집중 공급하는 데에 적합한 시설을 갖추어야 한다.

14. 급식시설
   가. 조리실은 식품의 운반과 배식이 편리한 곳에 위치하고, 조리, 보관, 식기 세척, 소독 등 식품을 위생적으로 처리할 수 있는 설비와 공간을 갖추어야 한다.
   나. 식품저장실은 환기와 통풍이 잘 되는 곳에 두되, 식품과 식품재료를 위생적으로 보관할 수 있는 시설을 갖추어야 한다.
   다. 급식 관련 종사자가 이용하기 편리한 준비실·탈의실 및 옷장을 갖추어야 한다.

15. 세탁물 처리시설
   「의료기관세탁물관리규칙」에서 정하는 적합한 시설과 규모를 갖추어야 한다.

16. 시체실
   시체의 부패 방지를 위한 냉장시설과 소독시설을 갖추어야 한다.

17. 의료폐기물 처리시설
   「폐기물관리법 시행규칙」 제14조에 따른 시설과 규모를 갖추어야 한다.

18. 자가발전시설
   공공전기시설을 사용하지 아니하더라도 해당 의료기관의 필요한 곳에 전기를 공급할 수 있는 자가발전시설을 갖추어야 한다.

19. 구급자동차
   보건복지가족부장관이 정하는 산소통·산소호흡기와 그 밖에 필요한 장비를 갖추고 환자를 실어 나를 수 있어야 한다.

20. 그 밖의 시설
   가. 장례식장의 바닥면적은 해당 의료기관의 연면적의 5분의 1을 초과하지 못한다.
   나. 요양병원의 식당 등 모든 시설에는 휠체어가 이동할 수 있는 공간이 확보되어야 하며, 복도에는 병상이 이동할 수 있는 공간이 확보되어야 한다.
   다. 별표 3 제20호나목에 따라 엘리베이터를 설치하여야 하는 경우에는 「승강기시설 안전관리법 시행규칙」 별표 1에 따른 침대용 엘리베이터를 설치하여야 하며, 층간 경사로를 설치하는 경우에는 「장애인 · 노인 · 임산부 등의 편의증진에 관한 법률 시행규칙」 별표 1에 따른 경사로 규격에 맞아야 한다.
   라. 요양병원의 복도 등 모든 시설의 바닥은 문턱이나 높이차이가 없어야 하고, 불가피하게 문턱이나 높이차이가 있는 경우 환자가 이동하기 쉽도록 경사로를 설치하여야 하며, 복도, 계단, 화장실 대 · 소변기, 욕실에는 안전을 위한 손잡이를 설치하여야 한다. 다만, 「장애인 · 노인 · 임산부 등의 편의증진에 관한 법률」 제9조에 따라 요양병원에 출입구 · 문, 복도, 계단을 설치하는 경우에 그 시설은 같은 법에 따른 기준에도 맞아야 한다.
   마. 요양병원의 입원실, 화장실, 욕실에는 환자가 의료인을 신속하게 호출할 수 있도록 병상, 변기, 욕조 주변에 비상연락장치를 설치하여야 한다.
   바. 요양병원의 욕실
      1) 병상이 이동할 수 있는 공간 및 보조인력이 들어가 목욕을 시킬 수 있는 공간을 확보하여야 한다.
      2) 적정한 온도의 온수가 지속적으로 공급되어야 하고, 욕조를 설치할 경우 욕조에 환자의 전신이 잠기지 않는 깊이로 하여야 한다.
   사. 요양병원의 외부로 통하는 출입구에 잠금장치를 갖추되, 화재 등 비상시에 자동으로 열릴 수 있도록 하여야 한다.

10 교육연구시설(제2종 근린생활시설에 해당하는 것 제외)

구분	비고
가. 학교(유치원, 초등학교, 중학교, 고등학교, 전문대학, 대학, 대학교 그 밖에 이에 준하는 각종 학교를 말함) 【참고1】	—
나. 교육원(연수원, 그 밖에 이와 비슷한 것)	—
다. 직업훈련소	운전 및 정비관련 직업훈련소 제외
라. 학원 【참고2】	자동차학원, 무도학원 및 정보통신기술을 활용하여 원격으로 교습하는 것 제외
마. 연구소 【참고3】	연구소에 준하는 시험소와 계측계량소 포함
바. 도서관 【참고4】 【참고5】	—

건 축 법
1. 총 칙
2. 건 축
3. 유지관리
4. 대지도로
5. 구조재료
6. 지역지구
7. 건축설비
8. 특별건축구역
9. 보 칙
10. 벌 칙
건 축 법 관련기준

【참고1】 학교(「도시·군계획시설규칙」, 「유아교육법」, 「초·중등교육법」, 「고등교육법」, 「고등학교 이하 각급 학교 설립·운영 규정」)

관계법1 「도시 · 군계획시설규칙」 (제88조~제90조)

규칙 제88조【학교】 "학교"란 다음 각 호의 시설을 말한다.

1. 「유아교육법」 제2조제2호의 규정에 의한 유치원
2. 「초 · 중등교육법」 제2조의 규정에 의한 학교
3. 「고등교육법」 제2조제1호부터 제5호까지의 규정에 따른 학교 및 같은 조 제7호의 각종학교 중 국가 또는 지방자치단체가 설치 · 운영하는 교육기관. 다만, 같은 법 제2조제5호에 따른 원격대학 중 사이버대학 및 같은 법 제30조에 따른 대학원대학은 제외한다.
4. 「경제자유구역 및 제주국제자유도시의 외국교육기관 설립 · 운영에 관한 특별법」 제5조의 규정에 의하여 설립하는 외국교육기관으로서 제1호 내지 제3호의 규정에 의한 학교에 상응하는 외국교육기관

규칙 제89조【학교의 결정기준】 ① 학교의 결정기준은 다음 각호와 같다. <개정 2023.12.22.>

1. 통학권의 범위, 주변환경의 정비상태 등을 종합적으로 검토하여 건전한 교육목적 달성과 주민의 문화교육향상에 기여할 수 있는 중심시설이 되도록 할 것
2. 지역 전체의 인구규모 및 취학률을 고려한 학생수를 추정하여 지역별 인구밀도에 따라 적절한 배치간격을 유지할 것
3. 재해취약지역에는 설치를 가급적 억제하고 부득이 설치하는 경우에는 재해발생 가능성을 충분히 고려하여 설치할 것
4. 위생 · 교육 · 보안상 지장을 초래하는 공장 · 쓰레기처리장 · 유흥업소 · 관람장과 소음 · 진동 등으로 교육활동에 장애가 되는 고속국도 · 철도 등에 근접한 지역에는 설치하지 아니할 것. 다만, 근로청소년의 교육을 위하여 산업체가 당해 산업체안에 부설학교를 설치하는 경우에는 그러하지 아니하다.
5. 통학에 위험하거나 지장이 되는 요인이 없어야 하며, 교통이 빈번한 도로 · 철도 등이 관통하지 아니하는 곳에 설치할 것
6. 일조 · 통풍 및 배수가 잘 되는 지역에 설치할 것
7. 학교주변에는 녹지 등 차단공간을 둘 것
8. 옥외체육장은 원칙적으로 교사부지와 연접된 곳에 설치할 것. 다만, 주변에 적정규모의 옥외체육장 및 운동장이 있어 이를 이용하는 경우에는 그러하지 아니하다.
9. 도서관 · 강당 등 일반주민들이 사용할 수 있는 시설을 설치하는 경우에는 관리상 또는 방화상 지장이 없도록 할 것
10. 초등학교는 2개의 근린주거구역단위에 1개의 비율로, 중학교 및 고등학교는 3개 근린주거구역단위에 1개의 비율로 배치할 것. 다만, 초등학교는 관할 교육장이 필요하다고 인정하여 요청하는 경우에는 2개의 근린주거구역단위에 1개의 비율보다 낮은 비율로 설치할 수 있다.
11. 초등학교는 학생들이 안전하고 편리하게 통학할 수 있도록 다른 공공시설의 이용관계를 고려하여야 하며, 통학거리는 1천5백미터 이내로 할 것. 다만, 도시지역외의 지역에 설치하는 초등학교중 학생수의 확보가 어려운 경우에는 학생수가 학년당 1개 학급 이상을 유지할 수 있는 범위까지 통학거리를 확대할 수 있으나, 통학을 위한 교통수단의 이용가능성을 고려할 것
12. 중학교 및 고등학교는 2개의 근린주거구역단위에 1개의 비율로 배치하되, 당해 지역의 인구밀도 · 가구당 인구수 · 진학률 · 주거형태 등과 설치하고자 하는 학교의 규모에 따라 적절히 조정할 것
13. 대학은 당해 대학의 기능과 특성에 적합하도록 하여야 하며 대학의 배치에 관하여는 도시 · 군기본계획을 고려할 것
14. 초등학교 · 중학교 및 고등학교는 보행자전용도로 · 자전거전용도로 · 공원 및 녹지축과 연계하여 설치할 것
15. 재해 발생 시 「자연재해대책법」 등에 따라 대피소 기능을 하는 경우에는 주민의 일시적 체류를 위한 시설(식량저장시설, 냉난방시설, 위생시설, 환기시설 및 소방시설을 말한다. 이하 "주민일시체류시설" 이라 한다)을 설치할 것
16. 빗물이용을 위한 시설의 설치를 고려하고, 물이 스며들지 않는 표면에서 유출되는 빗물을 최소화하도록 빗물이 땅에 잘 스며들 수 있는 구조로 하거나 식생도랑, 저류 · 침투조, 빗물정원, 옥상정원 등

빗물관리시설 설치를 고려할 것

17. 나무, 화초, 잔디 등을 심는 경우에는 식재면의 높이를 인접한 포장면의 바닥 높이보다 낮게 할 것. 다만, 해당 나무, 화초, 잔디 등을 보호하거나 경관 또는 보행자 안전을 위해 필요한 경우에는 그렇지 않다. <신설 2023.12.22.>

② 제1항의 규정에 의한 근린주거구역의 범위는 이미 개발된 지역의 경우에는 개발현황에 따라 정하고, 새로이 개발되는 지역(재개발 또는 재건축되는 지역을 포함한다)의 경우에는 2천세대 내지 3천세대를 1개 근린주거구역으로 한다. 다만, 인접한 지역의 개발여건을 고려하여 필요한 경우에는 2천세대 미만인 지역을 근린주거구역으로 할 수 있다.

규칙 제90조【학교의 구조 및 설치기준】 ① 학교(제88조제3호 및 제4호의 학교에 한정한다)에는 다음 각 호의 편익시설을 설치할 수 있다.

1. 「건축법 시행령」 별표 1 제3호(같은 호 바목부터 아목까지는 제외한다)의 시설
2. 「건축법 시행령」 별표 1 제4호가목(극장, 영화관, 음악당 및 비디오물소극장에 한정한다)·라목·바목·카목(직업훈련소에 한정한다)·파목(골프연습장은 제외한다) 및 하목(금융업소에 한정한다)의 시설
3. 「건축법 시행령」 별표 1 제13호(골프장 및 골프연습장은 제외한다)의 시설

② 제1항에서 규정한 사항 외에 학교의 구조 및 설치에 관하여는 「유아교육법」·「초·중등교육법」 또는 「고등교육법」이 정하는 바에 따른다.

관계법2 「유아교육법」(법 제2조, 제7조, 제9조, 시행령 제8조)

법 제2조【정의】 이 법에서 사용하는 용어의 뜻은 다음 각호와 같다.

1. "유아"란 만 3세부터 초등학교 취학전까지의 어린이를 말한다.
2. "유치원"이란 유아의 교육을 위하여 이 법에 따라 설립·운영되는 학교를 말한다.

법 제7조【유치원의 구분】 유치원은 다음 각호와 같이 구분한다.

1. 국립유치원 : 국가가 설립·경영하는 유치원
2. 공립유치원 : 지방자치단체가 설립·경영하는 유치원(설립주체에 따라 시립유치원과 도립유치원으로 구분할 수 있다)
3. 사립유치원 : 법인 또는 사인(私人)이 설립·경영하는 유치원

법 제9조【유치원의 병설】 유치원은 「초·중등교육법」 제2조에 따른 초등학교·중학교 및 고등학교에 병설될 수 있다.

영 제8조【유치원의 설립기준】 법 제8조제1항에 따라 유치원(법 제15조의 유치원에 준하는 특수학교를 포함한다. 이하 같다)을 설립하려는 자가 갖추어야 하는 시설·설비 등 유치원의 설립기준에 관한 사항은 따로 대통령령으로 정한다. ※ 「고등학교 이하 각급 학교 설립·운영 규정」 참조

관계법3 「초·중등 교육법」(제2조, 제4조, 제5조)

법 제2조【학교의 종류】 초·중등교육을 실시하기 위하여 다음 각 호의 학교를 둔다. <개정 2019.12.3>

1. 초등학교
2. 중학교·고등공민학교
3. 고등학교·고등기술학교
4. 특수학교
5. 각종학교

법 제4조 【학교의 설립 등】 ① 학교를 설립하려는 자는 시설 · 설비 등 대통령령으로 정하는 설립 기준을 갖추어야 한다.

② 사립학교를 설립하려는 자는 특별시 · 광역시 · 특별자치시 · 도 · 특별자치도 교육감(이하 "교육감"이라 한다)의 인가를 받아야 한다.

③ 사립학교를 설립 · 경영하는 자가 학교를 폐교하거나 대통령령으로 정하는 중요 사항을 변경하려면 교육감의 인가를 받아야 한다.

법 제5조 【학교의 병설】 초등학교 · 중학교 및 고등학교는 지역의 실정에 따라 상호 병설(竝設)할 수 있다.

관계법4 「고등교육법」 (제2조)

법 제2조 【학교의 종류】 고등교육을 실시하기 위하여 다음 각 호의 학교를 둔다.
1. 대학
2. 산업대학
3. 교육대학
4. 전문대학
5. 방송대학 · 통신대학 · 방송통신대학 및 사이버대학(이하 "원격대학"이라 한다)
6. 기술대학
7. 각종학교

관계법5 「고등학교 이하 각급 학교 설립 · 운영 규정」 (제2조~제6조, 제8조~제10조, 제12조, 제17조)

영 제2조 【시설 · 설비기준】 유치원 · 초등학교 · 중학교 · 고등학교 · 공민학교 · 고등공민학교 · 고등기술학교와 이에 준하는 각종학교(이하 "각급학교"라 한다)의 설립 · 운영에 필요한 시설 및 설비기준은 제3조 내지 제12조 및 제17조와 같다.

영 제3조 【교사】 ① 각급학교의 교사(교실, 도서실 등 교수 · 학습활동에 직 · 간접적으로 필요한 시설물을 말한다)는 교수 · 학습에 적합하여야 하고, 그 내부환경은 「학교보건법」 제4조의 규정에 의한 환경위생 및 식품위생의 유지 · 관리에 관한 기준에 적합하여야 한다.

② 유치원의 교사는 교실, 화장실 및 교사실을 갖추어야 하고, 유치원에서 조리한 음식을 유아의 급식으로 제공하는 경우에는 조리실도 갖추어야 한다. 다만, 병설유치원의 교사실과 조리실은 병설된 학교의 교사 중 유치원으로 사용되는 부분 외의 부분에 둘 수 있다.

③ 각급학교의 교사 기준면적(연면적을 말한다. 이하 같다)은 별표 1과 같다. 다만, 별표 1에 따른 기준면적(유치원 교사 중 교실 총면적 기준은 제외한다)은 특별시 · 광역시 · 특별자치시 · 도 및 특별자치도(이하 "시 · 도"라 한다)의 교육감(이하 "시 · 도교육감"이라 한다)이 각급학교의 학교별 특성을 고려하여 교육상 지장이 없는 범위에서 시 · 도 조례로 정하는 바에 따라 3분의 1의 범위 안에서 완화할 수 있다.

영 제3조의2 【복합시설】 교육부장관 또는 시 · 도교육감은 국 · 공립학교에 교육상 지장이 없는 범위 안에서 문화 및 복지시설, 생활체육시설, 평생교육시설 등의 복합시설을 둘 수 있다.

영 제4조 【교사용 대지】 교사용 대지의 기준면적은 건축관련법령의 건폐율 및 용적률에 관한 규정에 따라 산출한 면적으로 한다.

영 제5조 【체육장】 ① 각급학교의 체육장(옥외체육장을 말한다. 이하 같다)은 배수가 잘 되거나 배수시설을 갖춘 곳에 위치하여야 한다.

② 제1항의 규정에 의한 체육장의 기준면적은 별표 2와 같다.

③ 교육부장관 또는 시 · 도교육감은 다음 각 호의 어느 하나에 해당하는 경우로서 교육상 지장이 없다

고 인정되는 경우에는 제1항의 규정에 의한 체육장을 두지 아니하거나 제2항의 규정에 의한 체육장의 기준면적을 완화하여 인가할 수 있다.
1. 새로이 설립되는 각급학교가 「초·중등교육법」 제2조 또는 「고등교육법」 제2조의 규정에 의한 학교의 체육장 또는 공공체육시설 등과 인접하여 공동사용이 용이한 경우
2. 도심지 및 도서·벽지 등 지역의 여건상 기준면적 규모의 체육장의 확보가 곤란한 경우
3. 삭제 <2001.10.31>

영 **제6조【교지】** 각급학교의 교지는 제4조의 규정에 의한 교사용 대지와 제5조의 규정에 의한 체육장의 면적을 합한 용지로서 교사의 안전·방음·환기·채광·소방·배수 및 학생의 통학에 지장이 없는 곳에 위치하여야 한다.

영 **제8조【교구】** ① 각급학교에는 학과 또는 교과별로 필요한 도서·기계·기구 등의 교구를 갖추어야 한다.
② 제1항의 규정에 의한 교구의 종목 및 기준은 시·도교육감이 정하여 고시한다.

영 **제9조【산업수요 맞춤형 고등학교 등의 실험·실습실등】** 「초·중등교육법 시행령」 제90조제1항제10호의 산업수요 맞춤형 고등학교, 같은 법 시행령 제91조제1항에 따른 특성화고등학교(자연현장실습 등 체험위주의 교육을 전문으로 실시하는 고등학교는 제외한다), 전문계학과를 설치한 일반고등학교 및 고등기술학교와 이에 준하는 각종학교에는 당해 학교의 교육과정에 필요한 실험·실습시설 및 설비를 갖추어야 한다.

영 **제10조【급수·온수공급시설】** ① 각급학교에는 급수시설을 두어야 하되, 수질검사결과 위생상 무해하다고 판명된 것이어야 한다.
② 학교에는 온수를 공급할 수 있는 시설을 갖추어야 한다.

영 **제12조【각종학교 등의 시설기준】** 시·도교육감은 「초·중등교육법 시행령」 제76조의 규정에 의한 특성화중학교(이하 "특성화중학교"라 한다), 「초·중등교육법 시행령」 제91조의 규정에 의한 특성화고등학교(이하 "특성화고등학교"라 한다), 공민학교·고등공민학교·고등기술학교 및 각종학교에 대하여 교육상 지장이 없는 범위안에서 제3조 및 제5조의 규정에 의한 기준면적을 완화하여 인가할 수 있다.

영 **제17조【학생정원의 증원에 따른 시설기준 등】** ① 학급 또는 학과를 증설하거나 학생정원을 증원하는 경우에는 그 증설 또는 증원분을 포함한 전체에 대하여 이 영에 의한 기준을 갖추어야 한다. 다만, 수익용기본재산의 경우에는 증설 또는 증원분에 대하여 적용한다.
② 제1항 단서에도 불구하고 「교육기본법」 제4조제3항에 따른 학급당 적정 학생 수를 유지하기 위하여 학급의 증설이나 학생정원의 증원이 필요하다고 시·도교육감이 인정하는 경우에는 제13조에 따른 수익용기본재산의 기준을 그 증설 또는 증원분에 대하여 적용하지 않는다. <신설 2022.10.25>

〈1〉 교사의 기준면적(「고등학교 이하 각급 학교 설립·운영 규정」 별표 1) <개정 2017.12.29>

(단위 : ㎡)

학 교	학생수별 기준면적		
유치원	40명이하	41명이상	
	5N	80+3N	
	교사 중 교실 총면적 2.2N		
초등학교·공민학교 및 이에 준하는 각종학교	240명이하	241명이상 960명이하	961명이상
	7N	720+4N	1,680+3N

중학교·고등공민학교 및 이에 준하는 각종학교		120명이하	121명이상 720명이하	721명이상
		14N	1,080+5N	1,800+4N
고등학교·고등기술학교 및 이에 준하는 각종학교	계열별	120명이하	121명이상 720명이하	721명이상
	인문계열	14N	960+6N	1,680+5N
	전문계열		720+8N	2,160+6N
	예·체능계열		480+10N	1,920+8N

※ 비고
1. N은 각급학교의 전학년의 학생정원을 말한다.
2. 위 표의 고등학교 계열구분은 시·도교육감이 정하는 바에 의하되, 동일고등학교에 2이상의 계열이 있는 경우에는 각 계열별 기준면적을 합한 면적을 적용한다.
3. 「초·중등교육법」 제30조의 규정에 의한 통합·운영학교 및 동일구내에 2이상의 각급학교가 위치하는 경우에는 각 학교 급별 기준면적을 합한 면적을 적용한다.
4. 주간수업과 야간수업을 겸하여 행하는 학교에 대하여는 그중 인가학생정원이 많은 것을 기준으로 한다.
5. 수준별 교육과정의 심화·보충 학습에 필요한 시설의 기준면적은 지역 및 학교 특성에 따라 시·도교육감이 별도로 정할 수 있다.

〈2〉 체육장의 기준면적(「고등학교 이하 각급 학교 설립·운영 규정」 별표 2)

(단위 : ㎡)

학 교	학생수별 기준면적		
유치원	40명이하	41명이상	
	160	120+N	
초등학교·공민학교 및 이에 준하는 각종학교	600명이하	601명이상 1,800명이하	1,801명이상
	3,000	1,800+2N	3,600+N
중학교·고등공민학교 및 이에 준하는 각종학교	600명이하	601명이상 1,800명이하	1,801명이상
	4,200	3,000+2N	4,800+N
고등학교·고등기술학교 및 이에 준하는 각종학교	600명이하	601명이상 1,800명이하	1,801명이상
	4,800	3,600+2N	5,400+N

※ 비고
1. N은 각급학교의 전학년의 학생정원을 말한다.
2. 교내에 수영장·체육관·강당·무용실등 실내체육시설이 있는 경우 실내체육시설 바닥면적의 2배 면적을 제외할 수 있다.
3. 「초·중등교육법」 제30조의 규정에 의한 통합·운영학교 및 동일구내에 2이상의 각급학교가 위치하는 경우에는 각 학교 급별 기준면적을 합한 면적을 적용한다.
4. 주간수업과 야간수업을 겸하여 행하는 학교에 대하여는 그중 인가학생정원이 많은 것을 기준으로 한다.

관계법6 「대학설립·운영규정」(제1조, 제4조)

영 제1조【목적】이 영은 「고등교육법」 및 「사립학교법」의 규정에 의하여 대학·산업대학·교육대학·전문대학 및 이에 준하는 각종학교(이하 "대학"이라 한다)의 설립기준과 대학을 운영함에 있어서 필요한 시설·교원 및 수익용기본재산등에 관하여 필요한 사항을 규정함을 목적으로 한다.

건 축 법
1. 총 칙
2. 건 축
3. 유지관리
4. 대지도로
5. 구조재료
6. 지역지구
7. 건축설비
8. 특별건축구역
9. 보 칙
10. 벌 칙
건 축 법 관련기준

영 제4조【교사】 ① 교사는 별표 2의 구분에 따른다.

② 제1항에 따른 교사의 확보 기준은 다음 각 호와 같다. <개정 2023.9.19>

1. 교육기본시설: 교육 · 연구활동에 적합하게 갖출 것
2. 지원시설 및 연구시설(교지 밖의 연구시설의 경우 「국토의 계획 및 이용에 관한 법률」 제2조제6호 라목에 따른 학교로 도시 · 군계획시설결정이 된 경우로 한정한다. 이하 같다): 제3항에 따라 확보한 면적의 범위에서 대학이 필요한 경우에 갖출 것
3. 부속시설: 「고등교육법 시행령」 제3조에 따른 학교헌장에서 정하는 바에 따라 갖출 것. 다만, 의학 · 치의학 · 한의학 관련 학과 · 학부 또는 「고등교육법 시행령」 제22조제2호의 전문대학원을 두는 의학계열이 있는 대학은 다음 각 목의 구분에 따른 기준을 충족하는 부속병원을 직접 갖추거나 그 기준을 충족하는 병원에 위탁하여 교육에 지장이 없이 실습하도록 하여야 한다.
   가. 의학 관련 학과 · 학부 또는 의학전문대학원을 두는 의학계열이 있는 대학: 「전공의의 수련환경 개선 및 지위 향상을 위한 법률 시행령」 제4조제1항에 따른 인턴 수련병원의 지정기준
   나. 치의학 관련 학과 · 학부 또는 치의학전문대학원을 두는 의학계열이 있는 대학: 「치과의사전문의의 수련 및 자격 인정 등에 관한 규정」 제7조제1항에 따른 인턴과정 수련치과병원의 지정기준
   다. 한의학 관련 학과 · 학부 또는 한의학전문대학원을 두는 의학계열이 있는 대학: 「한의사전문의의 수련 및 자격 인정 등에 관한 규정」 제6조제1항에 따른 일반수련의과정 수련한방병원의 지정기준

③ 교육기본시설과 지원시설 및 연구시설(이하 "교육기본시설등"이라 한다)의 면적은 별표 3에 따른 학생 1인당 교사기준면적에 편제완성연도를 기준으로 한 계열별 학생정원을 곱하여 합산한 면적 이상으로 한다. 이 경우 계열별 학생정원을 합한 학생정원이 1천명(대학원대학 및 장애인만을 입학대상으로 하는 대학의 경우에는 200명) 미만인 경우에는 그 정원을 1천명(대학원대학 및 장애인만을 입학대상으로 하는 대학의 경우에는 200명)으로 보되, 계열별로 학생정원을 환산하는 방법은 교육부령으로 정한다. <개정 2023.9.19>

④ 제3항에 따른 계열별 학생정원을 산정할 때 동일한 학과 또는 학부에 주간과 야간과정을 함께 운영하는 경우에는 그중 학생정원이 많은 과정의 학생정원을 합한 정원을 기준으로 한다. 이 경우 야간과정의 학생정원을 산정할 때에는 야간수업 대학원 학생정원을 제외한다. <개정 2022.8.9>

⑤ 교사는 건축관계법령에 적합해야 하며, 교수 · 학습에 직접 사용되는 교사의 내부환경은 「학교보건법」 제4조에 따른 환경위생 및 식품위생의 유지 · 관리에 관한 기준에 적합해야 한다. <개정 2023.9.19>

⑥ 삭제 <개정 2023.9.19>

⑦ 제3항에 따라 교사면적을 산정할 때 제2조제6항제1호의 건축물은 교사로 보고, 같은 조 제7항제2호의 건축물과 「산업교육진흥 및 산학협력촉진에 관한 법률」 제37조에 따른 협력연구소의 건축물이 대학의 교육 및 연구활동에 사용되는 경우에는 그 사용되는 면적을 교사로 본다. <개정 2022.8.9>

〈1〉 교사시설의 구분(대학설립·운영 규정 별표 2) <개정 2023.9.19.>

교사시설	구 분
교육기본시설	강의실·실험실습실·도서관·체육관·교수연구실·행정실·학생회관·대학본부·정보전산원·산학협력단·학교기업의 시설 및 그 부대시설과 그 밖의 교육과 관련하여 학칙으로 정하는 시설
지원시설	강당·실습공장·학생기숙사 등 학생 주거용 시설 및 그 부대시설과 그 밖의 학생 지원과 관련하여 학칙으로 정하는 시설
연구시설	연구용 실험실·대학원 연구실·대학부설 연구소 및 그 부대시설과 그 밖의 연구와 관련하여 학칙으로 정하는 시설

부속시설	공통		교육기본시설, 지원시설 및 연구시설 외에 학칙으로 정하는 대학에 부속한 일체의 시설로서 박물관, 교수·직원·대학원생·연구원의 주택 또는 아파트, 공관, 연수원, 부속학교 등
	농학계열	농학에 관한 학과등	농장·농장건물 및 농장가공장
		축산학에 관한 학과등	사육장 또는 목장과 그 부속건물
		임학에 관한 학과등	학술림·임산가공장
	공학계열	공학에 관한 학과등	공장
		항공학에 관한 학과등	항공기·격납고
	수산·해양계열	어로학·항해학에 관한 학과등	실습선
		수산제조학에 관한 학과등	수산가공장
		증식학에 관한 학과등	양식장 또는 어장 및 그 부속건물
		기관학에 관한 학과등	기관공장
	약학계열	약학에 관한 학과등	약초원·실습약국
		제약학에 관한 학과등	제약실습공장
	의학계열	의학·한의학·치의학에 관한 학과등	부속병원
		수의학에 관한 학과등	동물병원

※ 비고 : 대학 또는 학과, 학부의 필요에 따라 설치할 수 있는 세부 부속시설의 종류는 교육부장관이 고시로 따로 정할 수 있다.

〈2〉 교사(교육기본시설 · 지원시설 · 연구시설)기준면적(「대학설립·운영 규정」 별표 3) <개정 2023.9.19.>

(단위 : ㎡)

구분 \ 계열별		인문 · 사회	자연과학	공학	예 · 체능	의학
학생1인당 교사기준 면적	설립이후 최초 편제완성연도를 경과하지 않은 대학	12	17	20	19	20
	운영 중인 대학	12	14			

※ 비고 : 전문대학 및 이에 준하는 각종학교의 경우에는 교사기준면적의 10분의7에 해당하는 것으로 한다.

관계법7 「대학설립 · 운영규정」(제5조)

영 제5조【교지】 ① 대학은 별표 4의 교지기준면적에 따른 교지를 교육 · 연구 활동에 지장이 없는 적합한 장소에 확보해야 한다. 이 경우 동일한 대학의 교지가 분리되어 있는 경우에는 각각의 교지가 교지별로 수용하는 학생정원을 기준으로 별표 4의 교지기준면적을 충족해야 한다. <개정 2022.8.9.>

② 제1항에 따른 교지는 대학이 교육 · 연구를 위하여 사용하는 모든 용지 중 다음 각 호의 용지를 제외한 것으로 한다. <개정 2019.4.2.>

1. 농장 · 학술림 · 사육장 · 목장 · 양식장 · 어장 및 약초원 등 실습지

1의2. 제2조제6항제5호에 따라 학생기숙사 등 학생 주거용 시설로 사용되는 시설 · 건축물의 부지

2. 제7조에 따른 수익용기본재산에 해당하는 용지

③ 제1항에 따라 교지의 기준면적을 산정하는 경우에 제2조제6항제1호의 토지는 교지로 본다.

④ 대학의 교지가 다음 각 호의 어느 하나에 해당하는 경우에는 교지가 분리되지 않은 것으로 보아 제1항 후단을 적용하지 않는다. <개정 2022.8.9.>

1. 교지가 도로 · 하천 등으로 부득이하게 나뉘어 인접한 경우

2. 교지경계선(분리되지 않은 것으로 보는 교지가 있는 경우 그 교지의 경계선을 포함한다)을 기준으로

교지 간 최단거리가 20킬로미터 이하인 경우. 이 경우 분리된 교지가 3개 이상인 경우에는 각각의 교지 간 최단거리가 모두 20킬로미터 이하여야 한다.

3. 각각의 교지가 동일한 지방자치단체(「지방자치법」 제2조제1항제2호의 시·군·구인 지방자치단체를 말한다) 내에 있는 경우
4. 대학이 별표 2에 따른 교사시설 중 학생기숙사 등 학생 주거용 시설을 기존 교지(기존 교지가 이미 분리되어 있는 경우에는 그 학생 주거용 시설과 가장 가까운 교지를 말한다) 밖의 부지(「국토의 계획 및 이용에 관한 법률」 제2조제6호라목에 따른 학교로 도시·군계획시설결정이 된 부지로 한정한다)에 설치하는 경우

〈3〉 교지기준면적(「대학설립·운영 규정」 별표 4) <개정 2023.9.19.>

(단위 : ㎡)

학생정원	400명 이하	400명 초과 ~ 1,000명 미만	1,000명 이상
면적	교사건축면적이상	교사기준면적이상	교사기준면적의 2배 이상

※ 비고
1. "학생정원"은 편제완성연도를 기준으로 한 학생정원을 말한다.
2. "건축면적"은 건축법시행령 제119조제1항제2호의 건축면적을 말한다.
3. 위 표에도 불구하고 운영 중인 대학에 대해서는 위 표에 따른 교지기준면적을 적용하지 않는다.

【참고2】 학원(「학원의 설립·운영 및 과외교습에 관한 법률」 제2조, 제2조의2, 제8조)

법 제2조 【정의】 이 법에서 사용하는 용어의 뜻은 다음과 같다. <개정 2023.4.18.>

1. "학원"이란 사인(私人)이 대통령령으로 정하는 수 이상의 학습자 또는 불특정다수의 학습자에게 30일 이상의 교습과정(교습과정의 반복으로 교습일수가 30일 이상이 되는 경우를 포함한다. 이하 같다)에 따라 지식·기술(기능을 포함한다. 이하 같다)·예능을 교습(상급학교 진학에 필요한 컨설팅 등 지도를 하는 경우와 정보통신기술 등을 활용하여 원격으로 교습하는 경우를 포함한다. 이하 같다)하거나 30일 이상 학습장소로 제공되는 시설을 말한다. 다만, 다음 각 목의 어느 하나에 해당하는 시설은 제외한다.
   가. 「유아교육법」, 「초·중등교육법」, 「고등교육법」, 그 밖의 법령에 따른 학교
   나. 도서관·박물관 및 과학관
   다. 사업장 등의 시설로서 소속 직원의 연수를 위한 시설
   라. 「평생교육법」에 따라 인가·등록·신고 또는 보고된 평생교육시설
   마. 「국민 평생 직업능력 개발법」에 따른 직업능력개발훈련시설이나 그 밖에 평생교육에 관한 다른 법률에 따라 설치된 시설
   바. 「도로교통법」에 따른 자동차운전학원
   사. 「주택법」 제2조제3호에 따른 공동주택에 거주하는 자가 공동으로 관리하는 시설로서 「공동주택관리법」 제14조에 따른 입주자대표회의의 의결을 통하여 영리를 목적으로 하지 아니하고 입주민을 위한 교육을 하기 위하여 설치하거나 사용하는 시설
2. "교습소"란 제4호에 따른 과외교습을 하는 시설로서 학원이 아닌 시설을 말한다.
3. "개인과외교습자"란 학습자의 주거지 또는 교습자의 주거지로서 「건축법」 제2조제2항의 단독주택 또는 공동주택에서 교습료를 받고 과외교습을 하는 자를 말한다.
4. "과외교습"이란 초등학교·중학교·고등학교 또는 이에 준하는 학교의 학생이나 학교 입학 또는 학력 인정에 관한 검정을 위한 시험 준비생에게 지식·기술·예능을 교습하는 행위를 말한다. 다만, 다음 각 목의 어느 하나에 해당하는 행위는 제외한다.
   가. 제1호 각 목에 따른 시설에서 그 설치목적에 따라 행하는 교습행위

나. 같은 등록기준지 내의 친족이 하는 교습행위
다. 대통령령으로 정하는 봉사활동에 속하는 교습행위
5. "학습자"란 다음 각 목의 자를 말한다.
가. 학원이나 교습소에서 교습을 받는 자
나. 30일 이상 학습장소로 제공되는 시설을 이용하는 자
다. 개인과외교습자로부터 교습을 받는 자

법 제2조의2【학원의 종류】① 학원의 종류는 다음 각 호와 같다.
1. 학교교과교습학원: 「초·중등교육법」 제23조에 따른 학교교육과정을 교습하거나 다음 각 목의 사람을 대상으로 교습하는 학원
가. 「유아교육법」 제2조제1호에 따른 유아
나. 「장애인 등에 대한 특수교육법」 제15조제1항 각 호의 어느 하나에 해당하는 장애가 있는 사람
다. 「초·중등교육법」 제2조제3항에 따른 학교의 학생. 다만, 직업교육을 목적으로 하는 직업기술분야의 학원에서 취업을 위하여 학습하는 경우는 제외한다.
2. 평생직업교육학원: 제1호에 따른 학원 외에 평생교육이나 직업교육을 목적으로 하는 학원
② 제1항에 따른 학원의 종류별 교습과정의 분류는 대통령령으로 정한다.

법 제8조【시설기준】학원에는 교습과정별로 시·도의 조례로 정하는 단위시설별 기준에 따라 교습과 학습에 필요한 시설과 설비를 갖추고 유지하여야 한다. 다만, 학원의 소방시설은 소방 관계 법령으로 정하는 바에 따른다.

【참고3】연구시설(「도시·군계획시설규칙」 제105조, 제106조)

규칙 제105조【연구시설】이 절에서 "연구시설"이라 함은 과학·기술·학술·문화·예술 및 산업경제 등에 관한 조사·연구·시험 등을 위하여 설치하는 연구시설을 말한다.

규칙 제106조【연구시설의 결정기준 및 구조·설치기준】① 연구시설의 결정기준 및 구조·설치기준은 다음 각 호와 같다. <개정 2014.12.31.>
1. 쾌적한 연구환경의 확보를 위하여 해당 연구시설의 기능과 특성에 적합한 곳에 설치할 것
2. 전기·상하수도 등 기반시설이 갖추어진 곳에 설치할 것
3. 소음·진동 등 연구 및 시험활동에 대한 외적 방해요소가 없도록 인근의 토지이용현황을 고려할 것
4. 연구기능과 관련이 있는 다른 기관의 이용에 편리하고 관련기관과 연락하기 쉬운 곳에 설치할 것
② 연구시설에는 다음 각 호의 편익시설을 설치할 수 있다. <개정 2021.2.24>
1. 「건축법 시행령」 별표 1 제3호가목부터 마목까지의 시설
2. 「건축법 시행령」 별표 1 제4호가목(극장, 영화관, 음악당 및 비디오물소극장에 한정한다)·리목·비목·아목·카목(직업훈련소에 한정한다)·파목(골프연습장은 제외한다) 및 하목(금융업소에 한정한다)의 시설
3. 「건축법 시행령」 별표 1 제5호라목의 시설
4. 「건축법 시행령」 별표 1 제10호바목의 시설
5. 「건축법 시행령」 별표 1 제11호가목(어린이집, 아동복지관 및 지역아동센터에 한정한다)·나목(노인여가복지시설에 한정한다) 및 다목(사회복지관에 한정한다)의 시설
6. 「건축법 시행령」 별표 1 제13호(골프장 및 골프연습장은 제외한다)의 시설
7. 「건축법 시행령」 별표 1 제19호바목의 시설 중 「환경친화적 자동차의 개발 및 보급 촉진에 관한 법률」 제2조제9호에 따른 수소연료공급시설 <신설 2021.2.24>
8. 「건축법 시행령」 별표 1 제27호다목의 시설

건 축 법
1. 총 칙
2. 건 축
3. 유지관리
4. 대지도로
5. 구조재료
6. 지역지구
7. 건축설비
8. 특별건축구역
9. 보 칙
10. 벌 칙
건 축 법 관련기준

【참고4】 도서관(「도서관법」 제3조, 제4조, 제23조, 영 제33조)

법 **제3조【정의】** 이 법에서 사용하는 용어의 뜻은 다음과 같다. <개정 2023.8.8>

1. "도서관"이란 국민에게 필요한 도서관자료를 수집·정리·보존·제공함으로써 정보이용·교양습득·학습활동·조사연구·평생학습·독서문화진흥 등에 기여하는 시설을 말한다.

법 **제4조【도서관의 구분】** ① 도서관은 그 설립·운영 주체에 따라 다음 각 호와 같이 구분한다.

1. 국립 도서관: 국가가 설립·운영하는 도서관
2. 공립 도서관: 지방자치단체 및 「지방교육자치에 관한 법률」 제32조에 따라 교육감이 설립·운영하는 도서관
3. 사립 도서관: 「민법」, 「상법」, 그 밖의 법률에 따라 설립된 법인·단체 또는 개인이 설립·운영하는 도서관

② 도서관은 그 설립목적 및 대상에 따라 다음 각 호와 같이 구분한다.

1. 공공도서관: 공중의 정보이용·독서활동·문화활동 및 평생학습을 주된 목적으로 하는 도서관을 말하며, 다음 각 목의 시설을 포함한다.
   가. 주민의 참여와 자치를 기반으로 지역사회의 생활 친화적 도서관문화의 향상을 주된 목적으로 하는 작은도서관
   나. 어린이, 장애인, 노인, 다문화가족 등에게 도서관서비스를 제공하는 것을 주된 목적으로 하는 도서관
2. 대학도서관: 「고등교육법」 제2조 각 호에 따른 학교 및 다른 법률의 규정에 따라 설립된 대학교육과정 이상의 교육기관에서 교원과 학생 및 직원에게 도서관서비스를 제공하는 것을 주된 목적으로 하는 도서관
3. 학교도서관: 「초·중등교육법」 제2조 각 호에 따른 학교에서 교원과 학생 및 직원에게 도서관서비스를 제공하는 것을 주된 목적으로 하는 도서관
4. 전문도서관: 법인·단체 또는 개인이 소관 업무와 관련하여 소속 직원, 공중에게 특정 분야의 전문적인 도서관서비스를 제공하는 것을 주된 목적으로 하는 도서관
5. 특수도서관: 특수한 환경에 처한 사람에게 도서관서비스를 제공하는 시설로서, 다음 각 목의 도서관을 말한다.
   가. 의료기관에 입원 중인 사람이나 그 보호자 등에게 도서관서비스를 제공하는 것을 주된 목적으로 하는 병원도서관
   나. 육군·해군·공군 등 각급 부대의 장병에게 도서관서비스를 제공하는 것을 주된 목적으로 하는 병영도서관
   다. 교도소·보호감호소·치료감호소 등에 수용된 사람에게 도서관서비스를 제공하는 것을 주된 목적으로 하는 교정시설도서관

법 **제23조【광역대표도서관의 인력·시설·장서 등의 기준】** ① 법 제25조제2항에 따라 광역대표도서관이 갖춰야 하는 인력·시설·장서 등의 기준은 별표 1과 같다.

영 **제33조【도서관 인력·시설·자료】** ① 법 제45조제1항에 따른 사서의 배치기준은 별표 5와 같다.
② 법 제45조제2항에 따른 도서관 시설 및 도서관자료의 기준은 별표 6과 같다.
③ 법 제45조제3항에 따른 도서관자료의 교환·이관·폐기 및 제적의 기준과 범위는 별표 7과 같다.

■ 광역대표도서관의 인력·시설·장서 등의 기준(「도서관법 시행령」 별표 1) <전부개정 2022.12.6>

1. 인력기준
   가. 사서를 16명 이상 둘 것. 다만, 다음에 해당하는 경우 다음의 구분에 따른 수 이상의 사서를 추가로 두어야 한다.
      1) 공공도서관당 인구 수가 2만명 이상인 경우: 다음 계산식에 따라 계산한 사서 수(소수점 이하는 버린다)

$$\text{사서 수} = \frac{\text{공공도서관당 인구 수} - \text{2만명}}{\text{2만명}}$$

2) 도서관 면적이 3,300제곱미터 이상인 경우: 다음 계산식에 따라 계산한 사서 수(소수점 이하는 버린다)

$$\text{사서 수} = \frac{\text{도서관 면적} - 3{,}300\text{제곱미터}}{330\text{제곱미터}}$$

나. 이동도서관·스마트도서관 등 문화체육관광부장관이 정하여 고시하는 도서관서비스를 운영하는 광역대표도서관은 해당 도서관서비스마다 전담 사서를 1명 이상 둘 것

2. 시설기준 : 도서관 면적이 3,300제곱미터 이상일 것
3. 장서 등 기준: 20만점 이상의 도서관자료를 갖추고, 매년 2만점 이상의 신규 도서관자료를 수집할 것

비고 1. "공공도서관당 인구 수"란 해당 시·도의 총 인구 수를 해당 시·도 내에서 운영 중인 공공도서관(법 제4조제2항제1호 각 목의 도서관은 제외한다)의 수로 나눈 값을 말한다.
2. 위 표 제1호에도 불구하고 시·도는 지역여건이나 재정상황 등을 고려하여 같은 호에 따른 인력 기준을 조례로 달리 정할 수 있다.

■ 공공도서관의 등록 요건(「도서관법 시행령」 별표 2) <개정 2023.9.12>

1. 사서 요건

가. 국공립 공공도서관 및 국공립 어린이도서관등

1) 사서를 4명 이상 둘 것. 다만, 다음에 해당하는 경우 다음의 구분에 따른 수 이상의 사서를 추가로 두어야 한다.

가) 공공도서관당 인구 수가 2만명 이상인 경우: 다음 계산식에 따라 계산한 사서 수(소수점 이하는 버린다)

$$\text{사서 수} = \frac{\text{공공도서관당 인구 수} - 2\text{만명}}{2\text{만명}}$$

나) 도서관 면적이 330제곱미터 이상인 경우: 다음 계산식에 따라 계산한 사서 수(소수점 이하는 버린다)

$$\text{사서 수} = \frac{\text{도서관 면적} - 330\text{제곱미터}}{330\text{제곱미터}}$$

2) 이동도서관·스마트도서관 등 문화체육관광부장관이 정하여 고시하는 도서관서비스를 운영하는 국공립 공공도서관은 해당 도서관서비스마다 사서를 1명 이상 둘 것

나. 국공립 작은도서관 : 사서를 1명 이상 둘 것

2. 시설 요건

가. 공공도서관

1) 국공립 공공도서관: 도서관 면적이 330제곱미터 이상일 것

2) 사립 공공도서관: 도서관 면적이 264제곱미터 이상일 것

나. 작은 도서관 : 도서관 면적이 33제곱미터 이상일 것

다. 어린이도서관등

1) 국공립 어린이도서관등: 도서관 면적이 330제곱미터 이상일 것

2) 사립 공공도서관: 도서관 면적이 33제곱미터 이상일 것

3. 도서관자료 요건

가. 공공도서관

1) 국공립 공공도서관

가) 공공도서관당 인구 수가 2만명 미만인 경우: 1만점 이상의 도서관자료를 갖출 것

나) 공공도서관당 인구 수가 2만명 이상 5만명 미만인 경우: 1만5천점 이상의 도서관자료를 갖출 것

다) 공공도서관당 인구 수가 5만명 이상인 경우: 3만점 이상의 도서관자료를 갖출 것

2) 사립 공공도서관: 3천점 이상의 도서관자료를 갖출 것

나. 작은 도서관 : 1천점 이상의 도서관자료를 갖출 것

다. 어린이도서관등
1) 국공립 공공도서관등
가) 공공도서관당 인구 수가 2만명 미만인 경우: 1만점 이상의 도서관자료를 갖출 것
나) 공공도서관당 인구 수가 2만명 이상 5만명 미만인 경우: 1만5천점 이상의 도서관자료를 갖출 것
다) 공공도서관당 인구 수가 5만명 이상인 경우: 3만점 이상의 도서관자료를 갖출 것
2) 사립 공공도서관
가) 도서관 면적이 264제곱미터 이상인 경우: 3천점 이상의 도서관자료를 갖출 것
나) 도서관 면적이 264제곱미터 미만인 경우: 1천점 이상의 도서관자료를 갖출 것

비고 1."공공도서관"이란 법 제4조제2항제1호의 공공도서관에서 같은 호 각 목의 도서관을 제외한 도서관을 말한다.
2. "어린이도서관등"이란 법제4조제2항나목에 따른 도서관을 말한다.
3. "공공도서관당 인구 수"란 해당 시·도의 총 인구 수를 해당 시·도의 관할지역 안에서 운영 중인 공공도서관의 수로 나눈 값을 말한다.
4. 위 표 제1호에도 불구하고 지방자치단체는 지역여건이나 재정상황 등을 고려하여 같은 호에 따른 공립 공공도서관, 공립 작은도서관 및 공립 어린이도서관등의 사서 요건을 조례로 달리 정할 수 있다.

■ 도서관 시설 및 도서관자료의 기준(「도서관법 시행령」 별표 6) <개정 2023.9.12>

1. 시설 기준
가. 국공립 공공도서관 및 국공립 어린이도서관등: 도서관 면적이 330제곱미터 이상일 것
나. 작은도서관: 도서관 면적이 33제곱미터 이상일 것
2. 도서관자료 기준
가. 국공립 공공도서관
1) 공공도서관당 인구 수가 2만명 미만인 경우: 1만점 이상의 도서관자료를 갖추고, 매년 1천점 이상의 신규 도서관자료를 수집할 것
2) 공공도서관당 인구 수가 2만명 이상 5만명 미만인 경우: 1만5천점 이상의 도서관자료를 갖추고, 매년 1천5백점 이상의 신규 도서관자료를 수집할 것
3) 공공도서관당 인구 수가 5만명 이상인 경우: 3만점 이상의 도서관자료를 갖추고, 매년 3천점 이상의 신규 도서관자료를 수집할 것
나. 작은도서관: 1천점 이상의 도서관자료를 갖출 것
다. 국공립 어린이도서관등
1) 공공도서관당 인구 수가 2만명 미만인 경우: 1만점 이상의 도서관자료를 갖추고, 매년 1천점 이상의 신규 도서관자료를 수집할 것
2) 공공도서관당 인구 수가 2만명 이상 5만명 미만인 경우: 1만5천점 이상의 도서관자료를 갖추고, 매년 1천5백점 이상의 신규 도서관자료를 수집할 것
3) 공공도서관당 인구 수가 5만명 이상인 경우: 3만점 이상의 도서관자료를 갖추고, 매년 3천점 이상의 신규 도서관자료를 수집할 것

비고 1. "공공도서관"이란 법 제4조제2항제1호의 공공도서관에서 같은 호 각 목의 도서관을 제외한 도서관을 말한다.
2. "어린이도서관등"이란 법 제4조제2항제1호나목에 따른 도서관을 말한다.
3. "공공도서관당 인구 수"란 해당 시·도의 총 인구 수를 해당 시·도의 관할지역 안에서 운영 중인 공공도서관의 수로 나눈 값을 말한다.

【참고5】 학교도서관(「학교도서관진흥법」 제13조, 영 제8조)

법 제2조 【정의】 이 법에서 사용하는 용어의 정의는 다음과 같다. <개정 2021.12.7>

건축법 1.총칙 2.건축 3.유지관리 4.대지도로 5.구조재료 6.지역지구 7.건축설비 8.특별건축구역 9.보칙 10.벌칙 건축법 관련기준

1. "학교"란 「초 · 중등교육법」 제2조 각 호에 따른 학교를 말한다.
2. "학교도서관"이란 학교에서 학생과 교원의 학습 · 교수활동을 지원함을 주된 목적으로 하는 도서관이나 도서실을 말한다.

법 제13조【시설 · 자료 등】① 학교도서관은 해당 학교의 특성과 사용자 요구에 적합한 시설 · 자료를 갖추어야 한다.
② 학교도서관은 자료의 효율적 이용을 위하여 이용 가치가 없거나 파손된 자료를 폐기하거나 제적할 수 있다.
③ 제1항에 따른 학교도서관 시설 · 자료의 기준과 제2항에 따른 폐기 · 제적의 기준과 범위에 필요한 사항은 대통령령으로 정한다.

영 제8조【시설 · 자료의 기준 등】① 법 제13조제3항에 따라 학교도서관이 갖추어야 하는 시설 · 자료의 기준은 다음 각 호와 같다. <개정 2023.3.28.>
1. 삭제 <2023.3.28.>
2. 면적은 100제곱미터 이상으로 한다. 다만, 교육감은 학생수 등을 고려하여 학생 및 교직원의 교수 · 학습에 지장이 없는 범위에서 그 면적을 조정할 수 있다.
3. 각각의 학교는 1,000종 이상의 자료를 갖추어야 하고, 연간 100종 이상의 자료를 추가로 확보하여야 한다.
② 제1항에 따라 학교도서관에 갖추어야 하는 시설 및 자료의 구체적인 기준은 교육감이 정한다.
③ 법 제13조제3항에 따라 폐기 · 제적할 수 있는 자료는 다음 각 호와 같다.
1. 이용가치의 상실된 자료로서 보존이 필요 없다고 인정되는 자료
2. 훼손 또는 파손 · 오손된 자료로서 이용하기 어렵다고 인정되는 자료
3. 불가항력적인 재해 · 사고, 그 밖에 이에 준하는 사태로 인하여 유실된 자료

11 노유자시설

가. 아동 관련 시설(어린이집【참고1】, 아동복지시설【참고2】, 그 밖에 이와 비슷한 것으로서 단독주택, 공동주택 및 제1종 근린생활시설에 해당하지 아니하는 것)
나. 노인복지시설 (단독주택과 공동주택에 해당하지 아니하는 것)【참고3】
다. 그 밖에 다른 용도로 분류되지 아니한 사회복지시설 및 근로복지시설

【참고1】 어린이집(「영유아보육법」 제2조, 제10조)

법 제2조【정의】이 법에서 사용하는 용어의 뜻은 다음과 같다. <개정 2023.6.13./시행 2024.2.9.>
1. "영유아"란 7세 이하의 취학 전 아동을 말한다.
2. "보육"이란 영유아를 건강하고 안전하게 보호 · 양육하고 영유아의 발달 특성에 맞는 교육을 제공하는 어린이집 및 가정양육 지원에 관한 사회복지서비스를 말한다.
3. "어린이집"이란 보호자의 위탁을 받아 영유아를 보육하는 기관을 말한다.

법 제10조【어린이집의 종류】어린이집의 종류는 다음 각 호와 같다. <개정 2017.3.14.>
1. 국공립어린이집 : 국가나 지방자치단체가 설치 · 운영하는 어린이집
2. 사회복지법인어린이집 : 「사회복지사업법」 에 따른 사회복지법인(이하 "사회복지법인"이라 한다)이 설치 · 운영하는 어린이집
3. 법인 · 단체등어린이집: 각종 법인(사회복지법인을 제외한 비영리법인)이나 단체 등이 설치 · 운영하는 어린이집으로서 대통령령으로 정하는 어린이집

4. 직장어린이집 : 사업주가 사업장의 근로자를 위하여 설치·운영하는 어린이집(국가나 지방자치단체의 장이 소속 공무원 및 국가나 지방자치단체의 장과 근로계약을 체결한 자로서 공무원이 아닌 자를 위하여 설치·운영하는 어린이집을 포함한다)
5. 가정어린이집 : 개인이 가정이나 그에 준하는 곳에 설치·운영하는 어린이집
6. 협동어린이집 : 보호자 또는 보호자와 보육교직원이 조합(영리를 목적으로 하지 아니하는 조합에 한정한다)을 결성하여 설치·운영하는 어린이집
7. 민간어린이집 : 제1호부터 제6호까지의 규정에 해당하지 아니하는 어린이집

〈1〉 어린이집의 설치기준(「영유아보육법 시행규칙」 별표1) <개정 2022.6.22>

1. 어린이집의 입지조건

가. 어린이집은 보육수요·보건·위생·급수·안전·교통·환경 및 교통편의 등을 충분히 고려하여 쾌적한 환경을 갖춘 부지를 선정하여야 한다.
나. 어린이집은 「주택건설기준 등에 관한 규정」 제9조의2제1항 각 호의 시설로부터 50m 이상 떨어진 곳에 위치해야 한다. 이 경우 해당 시설의 외곽 경계선이 되는 담 또는 벽을 기준으로 하며, 해당 시설에 담 또는 벽이 없는 경우에는 그 시설의 부지 경계선을 기준으로 한다.
다. 어린이집은 「건축법 시행령」 별표 1에 따라 각 어린이집을 설치할 수 있는 곳에 설치한다. 다만, 영유아 20명 이하를 보육하는 직장어린이집, 부모협동어린이집 및 국공립어린이집은 가정어린이집을 설치할 수 있는 곳에도 설치할 수 있다.

1의2. 어린이집의 재산요건

가. 가정어린이집 및 민간어린이집은 시설로 사용되는 토지·건물의 소유권·전세권 등에 대한 부채비율이 100분의 50 미만이어야 한다.
나. 협동어린이집은 보육영유아의 보호자 11명 이상 또는 보호자와 보육교직원을 합하여 11명 이상의 출자가 있어야 한다.

2. 어린이집의 규모

어린이집은 다음의 인원을 보육할 수 있는 시설을 갖추어야 하며, 정원은 총 300명을 초과할 수 없다.
가. 국공립어린이집: 상시 영유아 11명 이상
나. 직장어린이집: 상시 영유아 5명 이상
다. 사회복지법인어린이집, 법인·단체등어린이집 및 민간어린이집: 상시 영유아 21명 이상
라. 가정어린이집: 상시 영유아 5명 이상 20명 이하
마. 협동어린이집: 상시 영유아 11명 이상

3. 어린이집의 구조 및 설비기준

가. 일반기준
1) 어린이집의 구조 및 설비는 그 시설을 이용하는 영유아의 특성에 맞도록 하여야 하며, 사적 용도를 위한 시설 등 영유아의 보육 목적에 부합하지 않는 시설은 설치할 수 없다. 다만, 관할 특별자치시장·특별자치도지사·시장·군수·구청장이 지역적 특수성을 고려하여 필요하다고 인정하는 경우에는 어린이집이 설치된 건물 내에 다음의 시설을 설치할 수 있다. <개정 2023.7.18.>
가) 육아종합지원센터 <신설 2023.7.18>
나) 보육교직원의 기숙시설
다) 「아동복지법」 제44조의2에 따른 다함께돌봄센터 또는 같은 법 제52조제1항제8호에 따른 지역아동센터
2) 어린이집이 설치된 건물 내에 1)나)에 따른 시설을 설치하려는 경우에는 다음의 기준을 준수해야 한다.
가) 어린이집이 설치된 건물[4)가)②(ⅱ)에 따라 설치된 경우로 한정한다]의 최상층부터

설치하되, 어린이집과 다른 층에 설치할 것

나) 시설에서 건물 외부로 통하거나 직통계단으로 향하는 출입구를 어린이집과 별도로 설치하는 등 양 시설의 공간을 분리할 것

다) 「아동복지법」 등 관련 법령에 따라 비상재해대비시설 또는 전기·가스·수도 계량기를 설치·사용하는 경우에는 어린이집의 시설과 분리하여 설치·사용할 것

3) 어린이집은 하나의 건물에 설치하여야 한다. 다만, 담 또는 울타리로 둘러싸인 동일 대지 안에 여러 개의 건물(모두 5층 이하이어야 한다)이 있는 경우 각 건물의 전체 또는 1층[4)가)②에 따른 1층을 말하며, 같은 ② (ⅰ)의 경우를 포함한다]만이 어린이집으로 사용되고 4)바)①에 따른 옥외놀이터가 설치된 경우에는 그러하지 아니하다.

4) 어린이집에는 다음의 설비를 하여야 한다. 이 경우 보육실을 포함한 시설면적(놀이터 면적은 제외한다)은 영유아 1명당 4.29제곱미터 이상으로 한다.

가) 보육실

① 보육실은 영유아가 주로 생활하는 실내공간으로 반별 정원을 고려하여 별도로 구획된 공간을 의미한다.

② 보육실은 건축법령상의 층수와 관계없이 해당 층 4면의 100분의 80 이상이 지상에 노출되어 있고, 해당 층 주 출입구의 하단이 지표면부터 1미터 이내인 층(이하 "1층"이라 한다)에 설치하여야 한다. 다만, 다음 각 호의 어느 하나에 해당하는 경우는 예외로 한다.

(ⅰ) 해당 층 4면의 100분의 50 이상 100분의 80 미만이 지상에 노출되고, 해당 층 주 출입구의 하단이 지표면부터 1미터 이내이며, 지방보육정책위원회의 심의를 거쳐 채광·환기·습도·침수 등 영유아의 건강과 안전에 문제가 없는 것으로 확인된 해당 층에 어린이집을 설치하는 경우

(ⅱ) 건물 전체[1)의 단서에 따른 시설이 설치된 층은 제외한다]를 하나의 어린이집으로 사용하면서 1층[(ⅰ)의 경우를 포함한다] 이상 5층 이하에 보육실을 설치하는 경우. 다만 영아를 위한 보육실은 1층[(ⅰ)의 경우를 포함한다]에 우선적으로 배치하여야 한다.

(ⅲ) 건물의 1층[(ⅰ)의 경우를 포함한다] 이상 5층 이하에 직장어린이집을 설치하는 경우. 이 경우 해당 건물은 외부인의 출입을 제한할 수 있는 등 영유아의 안전관리가 가능한 건물이어야 한다.

(ⅳ) 300세대 이상의 아파트단지 전체가 「건축법 시행령」 제119조제1항제3호다목에 따른 필로티나 그 밖에 이와 비슷한 구조인 경우에 그 위층에 어린이집을 설치하는 경우(필로티나 그 밖에 이와 비슷한 구조인 층에 거주공간이 없는 경우에만 해당한다)

(ⅴ) 산업단지에 있는 건물의 1층[(ⅰ)의 경우를 포함한다] 이상 5층 이하에 제5조의4에 따른 어린이집을 설치하는 경우

(ⅵ) 산업단지에 있는 「산업집적활성화 및 공장설립에 관한 법률」에 따른 지식산업센터 건물의 1층[(ⅰ)의 경우를 포함한다] 이상 5층 이하에 어린이집을 설치하는 경우

(ⅶ) 「주택법」 제2조제3호에 따른 공동주택에 「주택건설기준 등에 관한 규정」 제55조의2에 따라 설치하여야 하는 주민공동시설 건물의 1층[(ⅰ)의 경우를 포함한다] 이상 2층 이하에 국공립어린이집을 설치하는 경우

(ⅷ) 지방보육정책위원회의 심의를 거쳐 장애인 등을 위한 편의시설을 1층에 설치하여야 하는 등 1층에 어린이집을 설치할 수 없는 불가피한 사유가 있다고 특별자치시장·특별자치도지사·시장·군수·구청장이 인정하는 경우로서 「건축법 시행령」 별표 1 제14호가목에 따른 공공업무시설 건물의 1층[(ⅰ)의 경우를 포함한다] 이상 5층 이하에 국공립어린이집을 설치하는 경우

③ 영유아 1명당 2.64제곱미터 이상의 공간을 확보하여야 하며, 전체 정원 및 면적 산정 시에는 보육실, 거실, 공동놀이실을 포함하여 산정한다.

④ 보육실에는 침구, 놀이기구 및 쌓기놀이활동, 소꿉놀이활동, 미술활동, 언어활동, 수학·과학활동, 음률활동 등에 필요한 교재·교구를 갖추어야 한다.

⑤ 어린이집은 환기·채광·조명·온도 및 습도가 적절히 유지·관리되도록 하여야 한다.

⑥ 보육실은 바닥난방시설을 갖추어야 한다.

⑦ 그 밖에 보육실 설치에 필요한 구체적인 기준은 보건복지부장관이 정한다.

나) 조리실

① 조리실은 채광이 잘 되도록 하고, 기계 환기시설을 하여 청정한 실내 환경을 유지하도록 하며, 창

문에는 방충망을 설치하여야 한다.

② 식기를 소독하고 위생적으로 취사 및 조리할 수 있는 설비를 갖추어야 한다.

③ 공공기관이나 사회복지관 안에 설치된 어린이집의 경우에는 같은 건물에 있는 조리실을 함께 사용할 수 있으며, 유치원과 같은 건물에 설치된 어린이집은 유치원의 조리실을 함께 사용할 수 있다.

④ 사업주가 직장어린이집을 설치한 경우로서 직장어린이집이 설치된 건물에 집단급식소를 운영하는 경우에는 조리실을 별도로 설치하지 아니할 수 있다. 이 경우 영유아를 위한 음식의 조리공간은 분리(별도의 방을 분리함에 있어 벽이나 층 등으로 구분하는 경우를 말한다) 또는 구획(칸막이·커튼 등으로 구분하는 경우를 말한다)되어 있어야 한다.

다) 목욕실

① 목욕실은 난방을 하여야 한다.

② 바닥은 미끄럼 방지장치를 하여야 한다.

③ 샤워설비, 세면설비 및 냉온수 공급을 위한 설비를 갖추어야 하며, 수도꼭지는 온수 사용 시 화상을 입지 아니하도록 온도를 조정 및 고정할 수 있어야 한다.

④ 목욕실은 보육실과 인접한 공간에 위치하여야 한다.

라) 화장실

① 바닥은 미끄럼 방지장치를 하여야 한다.

② 세정장치와 수도꼭지 등은 냉온수의 온도를 조정 및 고정할 수 있어야 한다.

③ 화장실은 수세식 유아용 변기를 설치하고, 보육실과 같은 층의 인접한 공간에 설치하여야 한다. 다만, 가정어린이집의 경우 성인용 변기에 디딤판과 탈부착식 유아용 변기를 설치하고 이동식 유아용 변기를 갖춘 경우에는 유아용 변기를 설치하지 아니할 수 있다.

마) 교사실

① 보육정원이 21명 이상인 어린이집은 교사가 교육활동을 계획・준비하고 자료 제작 등을 할 수 있도록 구획된 교사실을 설치하여야 한다.

② 교사실에는 교육활동 준비와 행정사무, 휴식 등에 필요한 설비를 갖추어야 한다.

바) 놀이터

① 보육 정원 50명 이상인 시설(12개월 미만의 영아만을 보육하는 어린이집은 제외한다)은 영유아 1명당 3.5제곱미터 이상의 규모로 옥외놀이터를 설치하는 것을 원칙으로 한다. 다만, 보건복지부장관이 어린이집 규모(정원)에 따라 같은 시간대에 놀이 활동에 참여하는 최대 영유아 수 및 면적의 기준을 정하는 경우에는 그 기준에 따라 놀이터를 설치할 수 있다.

② 옥외놀이터에는 모래밭(천연 및 인공 잔디, 고무매트, 폐타이어 블록 또는 「어린이놀이시설 안전관리법」에서 정하는 기준에 적합한 것을 포함한다)에 6세 미만의 영유아가 이용할 수 있는 대근육활동을 위한 놀이기구 1종 이상을 포함하여 놀이기구 3종 이상이 설치된 옥외놀이터를 설치하여야 한다. 다만, 사업주가 직장어린이집을 설치하는 경우 및 업무용시설 밀집지역 등 지역적 특수성에 따라 옥외놀이터를 설치하는 것이 불가능한 경우에는 옥내놀이터를 설치하거나(다만, 지하층에는 설치할 수 없다) 「어린이놀이시설 안전관리법」에 따라 설치·관리되는 인근의 놀이터(놀이터 관리주체의 사용 승낙을 받고, 6세 미만의 영유아가 이용할 수 있는 놀이기구가 3종 이상 설치되어 있는 경우로 한정한다)를 활용할 수 있다.

③ 옥내놀이터는 다음과 같이 설치한다.

(ⅰ) 옥내놀이터는 놀이터로 사용하는 공간 및 그 주변에 소음・분진・폭발・화재의 위험이 없어야 하며, 실내공간을 활용하는 경우 조명・채광・환기・온도・습도가 적정하여야 한다.

(ⅱ) 어린이집에 엘리베이터가 설치되지 아니한 경우 옥내놀이터는 보육실로부터 5층 이내에 설치하며, 층 간 이동을 위하여 아동용 손잡이 레일을 설치하는 등 안전에 필요한 장비를 구비하여야 한다. 이 경우 아동용 손잡이 레일은 영유아가 잡거나 짚고 올라갈 수 없는 구조여야 하며, 영유아의 신체가 빠지거나 끼는 사고가 없도록 설치한다.

(ⅲ) 옥내놀이터를 어린이집으로 사용하는 건물 내의 실외공간에 설치하는 경우에는 울타리나 보호난간을 최소 1.5미터 이상으로 설치하되 놀이기구의 높이 등에 맞춰 안전을 확보할 수 있는 높이로 설치하여야 하고, 그 밖에 안전에 필요한 장비를 구비하여야 한다. 이 경우 울타리나 보호난간의 재질은 부식・파손의 위험이 없어야 하며, 영유아가 잡거나 짚고 올라갈 수 없는

구조로 설치하되, 난간 사이에 간격이 있는 경우 그 안치수는 80밀리미터 이하로 하여야 한다.

(iv) 옥내놀이터를 어린이집의 최상층 바닥면에 설치하는 경우, 울타리나 보호난간은 바닥면 최하단으로부터 1.2미터까지는 콘크리트 · 조적(벽돌 등) 또는 강화유리 등으로 설치하여야 하고, 고정식 놀이기구는 해당 층 바닥이 설치하고자 하는 놀이시설의 하중을 견딜 수 있도록 건축되어 있고, 「어린이놀이시설 안전관리법」에서 정한 기준에 적합한 경우에 설치할 수 있다.

(v) 건물 2층 이상에 옥내놀이터를 설치하는 경우, 영유아보육법령에서 정하는 비상재해 대비시설을 갖추어야 한다.

④ 어린이집의 놀이터, 놀이기구 및 어린이용품은「전기용품 및 생활용품 안전관리법」, 「어린이놀이시설 안전관리법」 및 「환경보건법」에서 정한 기준을 준수하여야 한다.

⑤ 그 밖에 놀이터 설치에 필요한 구체적인 기준은 보건복지부장관이 정한다.

사) 급배수시설

① 상수도 또는 간이상수도에 의하여 먹는 물을 공급하는 경우에는 저수조를 경유하지 아니하고 직접 수도꼭지에 연결하여 공급하여야 한다. 다만, 직접 수도꼭지에 연결하기 곤란한 경우는 제외한다.

② 어린이집에서 지하수를 먹는물로 사용할 경우에는 저수조 등의 시설을 경유하여야 한다.

③ 더러운 물, 빗물 등이 잘 처리되도록 배수설비를 하여야 한다.

아) 비상재해대비시설

① 소화용 기구를 갖춰 두고 비상구를 설치하는 등 비상재해에 대비한 시설을 갖추어야 한다. 이 경우 비상구는 상단에 비상구 유도등을 달고 잠금장치를 문 안쪽에 설치하여야 한다.

② 어린이집은 비상시 양 방향으로 피난할 수 있어야 하며, 각 층별 출구 및 피난시설 등은 다음의 구분에 따른다.

(i) 어린이집이 건물 1층인 경우: 주 출입구 외에 도로 등 안전한 외부 지상과 연결이 가능한 1개 이상의 출구[비상구 또는 유사시 사람의 출입이 가능한 창 또는 개구부(開口部)]를 어린이집 주 출입구의 반대방향에 설치하거나 장변길이의 2분의 1 이상을 이격하여 설치할 것. 이 경우 출구의 규격은 유효 폭 0.75미터 이상 유효높이 1.75미터 이상이어야 하고, 출구의 최하단은 안전한 외부 지표면부터 1.2미터 이하여야 한다.

(ii) 어린이집이 2층과 3층인 경우: 비상계단 또는 대피용 미끄럼대를 영유아용으로 설치하고 그 밖에 안전사고 및 비상재해에 대비한 피난시설, 장비 등을 구비할 것. 다만, 「건축법 시행령」 제34조제2항에 따라 어린이집 내부에 직통계단을 2개소 이상 설치하거나, 「화재예방, 소방시설 설치·유지 및 안전관리에 관한 법률 시행령」 별표 1에 따른 스프링클러설비(간이스프링클러설비를 포함한다)를 「스프링클러설비의 화재안전기준(NFSC 103)」 또는 「간이스프링클러설비의 화재안전기준(NFSC 103A)」 등 관련 기준에 따라 건물 전체에 걸쳐 유효하게 설치하고,「화재예방, 소방시설 설치·유지 및 안전관리에 관한 법률」 제9조제1항에 따라 국민안전처장이 정하여 고시하는 피난기구의 화재안전기준에 따른 피난기구를 「화재예방, 소방시설 설치·유지 및 안전관리에 관한 법률 시행령」 별표 5에 따라 설치한 경우에는 비상계단 또는 대피용 미끄럼대를 설치하지 아니할 수 있다.

(iii) 어린이집이 4층과 5층인 경우: 「화재예방, 소방시설 설치·유지 및 안전관리에 관한 법률 시행령」 별표 1에 따른 스프링클러설비 및 자동화재탐지설비를「스프링클러설비의 화재안전기준(NFSC 103)」 및 「자동화재탐지설비 및 시각경보장치의 화재안전기준(NFSC 203)」에 따라 건물 전체에 걸쳐 유효하게 설치하고, 건물 내에 양방향 피난이 가능한 2개소 이상의 직통계단을 설치하며(2개 이상의 직통계단 설치가 곤란한 경우에는 직통계단 1개소는 건물외부에 비상계단을 설치하여 이에 갈음할 수 있다), 보육실의 주출입구는 직통계단 또는 비상계단까지의 보행거리가 30m 이내가 되도록 설치하고, 건물의 천장·바닥과 벽체 등의 내부마감재는 불연재로 설치하며, 벽체 등에는 가연성 장식물을 부착하지 아니하고, 조리실은 내화구조로 된 바닥, 벽 및 「건축법 시행령」 제64조에 따른 방화문으로 외부와 구획하며, 「화재예방, 소방시설 설치·유지 및 안전관리에 관한 법률 시행규칙」 제7조에 따른 연소우려가 있는 건축물의 구조가 아니어야 하고, 2급 이상의 소방안전관리자를 고용(직원 중 소방안전관리자로 선임할 수 있는 자격증을 가진 자가 있을 경우에는 그러하지 아니하다)하여 방화관리를 할 것

③ 그 밖의 소방시설의 설치는 「화재예방, 소방시설 설치·유지 및 안전관리에 관한 법률 시행령」

제15조에 따른다.

④ 가스를 사용하는 경우에는 「도시가스사업법」, 「액화석유가스의 안전관리 및 사업법」에서 정한 규정에 따라 설치하고 관리하여야 한다.

⑤ 그 밖에 비상재해대비시설 설치에 필요한 구체적인 기준은 보건복지부장관이 정한다.

자) 폐쇄회로 텔레비전

① 폐쇄회로 텔레비전은 「개인정보 보호법 시행령」 제3조제1호에 따른 장치로서 보육실 등을 촬영하고 모니터를 통하여 그 영상을 구현할 수 있으며, 그 영상정보를 녹화·저장할 수 있는 기능을 갖추어야 한다.

② 폐쇄회로 텔레비전은 각 보육실, 공동놀이실, 놀이터(인근놀이터를 제외한다) 및 식당(별도로 구획된 공간으로 마련되어 있는 경우에 한정한다), 강당(별도로 구획된 공간으로 마련되어 있는 경우에 한정한다)에 1대 이상씩 설치하되 사각지대의 발생을 최소화할 수 있도록 설치되어야 한다.

③ 폐쇄회로 텔레비전은 보육실 등 일정한 장소에 일정한 방향을 지속적으로 촬영할 수 있도록 설치되어야 한다.

④ 폐쇄회로 텔레비전은 임의로 조작이 가능하거나 녹음기능이 있도록 설치되어서는 아니 된다.

⑤ 폐쇄회로 텔레비전은 화면 속 인물의 행동 등이 용이하게 식별될 수 있도록 고해상도[HD(High Definition)]급 이상(보건복지부장관이 정하여 고시하는 해상도 이상을 말한다)의 성능을 보유하여야 한다.

⑥ 저장장치는 영상정보를 폐쇄회로 텔레비전의 화질 기준 이상의 화질로 60일 이상 저장할 수 있는 용량을 갖춘 것으로 하여야 한다.

⑦ 어린이집을 설치·운영하는 자는 출입구 등 잘 보이는 곳에 다음의 사항이 포함된 안내판을 설치하여야 한다.

(ⅰ) 폐쇄회로 텔레비전 설치 목적

(ⅱ) 폐쇄회로 텔레비전 설치 장소, 촬영 범위 및 촬영 시간

(ⅲ) 관리책임자의 성명 및 연락처

⑧ 폐쇄회로 텔레비전의 설치와 관련하여 이 규칙에 규정하고 있지 아니한 사항은 「개인정보 보호법」 및 「정보통신공사업법」의 관련 내용을 준용한다.

차) 그 밖에 실내설비는 다음의 기준을 갖추어야 한다.

① 영유아가 접근할 수 없는 안전한 장소에 응급조치를 위한 비상약품 및 간이 의료기구 등을 갖춰 두어야 한다.

② 비상구를 제외한 모든 출입문 및 창문은 안쪽에서 잠길 우려가 없어야 하고, 밖에서 쉽게 열 수 있어야 하며, 출입문 및 창문의 가장자리에는 영유아의 손이 끼지 아니하도록 손끼임 방지 고무패킹이나 완충장치를 설치하여야 한다.

③ 돌출형 방열기(라디에이터)는 영유아의 신체가 직접 닿지 아니하도록 울타리를 설치하여야 하며, 이와 유사한 온열기를 사용하는 경우에는 영유아가 직접 온열기에 닿지 아니하도록 적절한 보호장치를 설치하여야 한다.

④ 책상, 의자 등 가구의 모서리는 둥글고 표면이 매끄럽게 처리된 것이나, 고무 등으로 모서리에 보호장치를 설치하여야 한다.

⑤ 보육실에 설치된 교구장, 수납장 등은 안전을 위하여 아래 부분에 무거운 비품을 보관하여야 하고, 선반을 설치하는 경우에는 물건이 떨어지지 아니하도록 지지대를 설치하여야 하며, 무거운 물건은 너무 많이 쌓아 놓아서는 아니 된다.

⑥ 보일러 설비, 퓨즈박스(두꺼비집), 화기, 소독수, 살충제, 조리실의 칼 · 가위 · 포크 · 랩 등은 영유아의 손이 닿지 아니하는 위치에 배치되어야 한다.

⑦ 어린이집 내부(벽, 천장 등)의 마감재료는「건축법 시행령」 제2조 에 따른 불연재료, 준불연재료 또는 난연재료를 사용하여야 하며, 보육실은「환경보건법 시행령」 제16조에 따른 환경안전관리기준을 준수하여 설치하여야 한다. 실내장식물과 창문에 설치하는 커튼류 및 카펫 등 「화재예방, 소방시설설치유지 및 안전관리에 관한 법률」 제12조에 따른 방염대상물품은 화재예방, 소방시설설치유지 및 안전관리에 관한 법령에 따른 방염성능이 있는 것으로 설치하여야 한다.

나. 장애아 12명 이상을 보육할 수 있는 시설을 갖춘 장애아전문어린이집을 설치하는 경우에는 「장애인·노인·임산부 등의 편의증진보장에 관한 법률」에서 정한 시설 및 설비 외에 다음의 설비를 갖추어야 한다.

1) 장애아가 활동하기에 충분하도록 어린이집의 시설(놀이터는 제외한다)은 장애아 1명당 7.83제곱미터 이상, 보육실(교실, 거실, 포복실, 유희실, 치료교실, 집단활동실을 포함한다)은 장애아 1명당 6.6제곱미터 이상의 면적을 확보하여야 한다. 다만, 비장애아를 함께 보육하는 경우에는 어린이집의 시설면적(놀이터 면적은 제외한다)은 비장애아 1명당 4.29제곱미터 이상, 보육실(교실, 거실, 포복실, 유희실, 치료교실, 집단활동실을 포함한다)은 비장애아 1명당 2.64제곱미터 이상의 면적을 확보하여야 한다.

2) 집단활동실(강당, 놀이실)은 문턱 없이 접근이 가능한 통로에 연결되어야 하고 휠체어·보행기 등의 출입에 장애가 없어야 한다.

3) 출입구는 비상재해 시 대피하기 쉽도록 복도 또는 넓은 공간에 직접 연결되게 설계되어야 하며, 시각장애아를 위한 점자블록이나 유도장치를 갖추어야 한다.

4) 옥외 피난계단의 유효폭은 0.9미터 이상이어야 한다.

5) 회전문과 자재문(自在門: 문턱이 없어 양방향으로 열리는 문)은 금하며 자동문 설치 시 문의 개폐 시간은 3초 이상을 확보하여야 한다.

6) 휠체어에 앉은 영유아가 문의 손잡이를 잡을 수 있어야 한다.

7) 계단 외에 엘리베이터 또는 기울기 1/12 이하의 경사로를 설치하여야 한다.

다. 장애아 3명 이상을 보육하는 장애아 통합 어린이집은 다음과 같은 설비를 갖추도록 노력하여야 한다.

1) 2층 이상의 시설에는 엘리베이터를 설치하거나 적어도 한 곳 이상에 기울기 1/12 이하의 경사로를 설치하여야 한다.

2) 출입구는 비상재해 시 대피하기 쉽도록 복도 또는 넓은 공간에 직접 연결되도록 하고, 시각장애아를 위한 점자블록이나 유도장치를 설치하여야 한다.

3) 복도, 문, 화장실은 휠체어의 출입에 장애가 없어야 한다.

4) 옥외 피난계단의 유효폭은 0.9미터 이상이어야 한다.

【참고2】 아동복지시설(「아동복지법」 제50조, 제52조, 규칙 제24조)

법 제50조 【아동복지시설의 설치】

④ 아동복지시설의 시설기준 및 설치 등에 필요한 사항은 보건복지부령으로 정한다. <개정 2019.1.15.>

법 제52조 【아동복지시설의 종류】 ① 아동복지시설의 종류는 다음과 같다. <개정 2021.12.21., 2024.1.2.>

1. 아동양육시설 : 보호대상아동을 입소시켜 보호, 양육 및 취업훈련, 자립지원 서비스 등을 제공하는 것을 목적으로 하는 시설
2. 아동일시보호시설 : 보호대상아동을 일시보호하고 아동에 대한 향후의 양육대책수립 및 보호조치를 행하는 것을 목적으로 하는 시설
3. 아동보호치료시설 : 아동에게 보호 및 치료 서비스를 제공하는 다음 각 목의 시설
   가. 불량행위를 하거나 불량행위를 할 우려가 있는 아동으로서 보호자가 없거나 친권자나 후견인이 입소를 신청한 아동 또는 가정법원, 지방법원소년부지원에서 보호위탁된 19세 미만인 사람을 입소시켜 치료와 선도를 통하여 건전한 사회인으로 육성하는 것을 목적으로 하는 시설
   나. 정서적·행동적 장애로 인하여 어려움을 겪고 있는 아동 또는 학대로 인하여 부모로부터 일시 격리되어 치료받을 필요가 있는 아동을 보호·치료하는 시설
4. 공동생활가정: 보호대상아동에게 가정과 같은 주거여건과 보호, 양육, 자립지원 서비스를 제공하는 것을 목적으로 하는 시설
5. 자립지원시설 : 아동복지시설에서 퇴소한 사람에게 취업준비기간 또는 취업 후 일정 기간 동안 보호함으로써 자립을 지원하는 것을 목적으로 하는 시설
6. 아동상담소 : 아동과 그 가족의 문제에 관한 상담, 치료, 예방 및 연구 등을 목적으로 하는 시설
7. 아동전용시설: 어린이공원, 어린이놀이터, 아동회관, 체육·연극·영화·과학실험전시 시설, 아동휴게숙박시설, 야영장 등 아동에게 건전한 놀이·오락, 그 밖의 각종 편의를 제공하여 심신의 건강유지와 복지증진에 필요한 서비스를 제공하는 것을 목적으로 하는 시설

8. 지역아동센터 : 지역사회 아동의 보호·교육, 건전한 놀이와 오락의 제공, 보호자와 지역사회의 연계 등 아동의 건전육성을 위하여 종합적인 아동복지서비스를 제공하는 시설
9. 아동보호전문기관
10. 제48조에 따른 가정위탁지원센터
11. 제10조의2에 따른 보장원
12. 제39조의2에 따른 자립지원전담기관
13. 제53조의2에 따른 학대피해아동쉼터 <신설 2024.1.2.>

규칙 제24조 【시설기준 등】 법 제50조제4항에 따른 아동복지시설의 시설기준은 별표 2와 같고, 운영기준은 별표 3과 같다. <개정 2019.7.16.>

〈2〉 아동복지시설의 시설기준(아동복지법 시행규칙 별표 2) <개정 2022.6.22.>

1. 공통 시설기준

가. 시설의 입지조건

시설은 보건·위생·급수·안전·환경 및 교통편의 등을 충분히 고려하고, 시설 50미터 주위에 「청소년보호법」 제2조제5호에 따른 청소년유해업소가 없는 쾌적한 환경의 부지를 선정하여야 한다. 다만, 법 제52조제1항제1호부터 제5호까지의 시설은 「청소년보호법」 제2조제5호나목3)에 따른 업소가 있는 부지에 선정할 수 있고, 법 제52조제1항제4호 및 제8호의 시설은 「청소년보호법 시행령」 제5조제3항 단서에 따른 업소가 있는 부지에 선정할 수 있으며, 법 제52조제1항제6호부터 제8호까지의 시설은 「청소년보호법」 제2조제5호나목에 따른 업소가 있는 부지에 선정할 수 있다.

나. 가목에도 불구하고 개인인 설치·운영자가 법 제51조에 따라 시설을 폐업하고, 비영리법인이 그 동일한 부지 또는 건물에 법 제52조제1항 각 호의 아동복지시설 중 폐업된 시설과 같은 종류의 시설을 새로 설치하는 경우에는 시설의 입지조건을 갖춘 것으로 본다. <신설 2022.6.22>

다. 시설의 구조 및 설비

1) 시설의 구조 및 설비는 그 시설을 이용하는 아동의 성별·연령별 특성에 맞도록 하여야 한다.
2) 아동 30명 이상을 수용하는 시설에는 다음의 설비를 갖추어야 한다. 다만, 지역아동센터의 경우에는 나)부터 라)까지의 설비 상호간에는 이를 겸용할 수 있도록 설치할 수 있고, 아동이 상시 생활하지 않는 경우에는 가) 및 마)부터 아)까지의 설비를 갖추지 않을 수 있다.

가) 거실
① 적당한 난방 및 통풍 시설을 하고, 상당 기간의 일조량을 확보할 수 있도록 하여야 한다.
② 출입구는 비상재해 시 대피하기 쉽도록 복도 또는 넓은 공간에 직접 면하게 하여야 한다.
③ 복도·다락 등을 제외한 거실의 실제 면적은 아동 1명당 6.6제곱미터 이상으로 하고, 침실 1개의 정원은 3명 이하로 한다. 다만, 법 제52조제1항제3호에 따른 아동보호치료시설의 침실 1개의 정원은 아동의 특성을 고려하여 6명 이하로 할 수 있다.
④ 7세 이상의 아동을 수용하는 거실은 남녀별로 설치하여야 한다.
⑤ 허약아·미숙아·질병이환아 등을 격리하여 수용할 수 있는 격리실을 따로 두어야 한다.

나) 사무실
사무를 위한 적당한 설비를 갖추어야 한다.

다) 양호실
진찰·건강상담 및 치료를 위한 적당한 설비를 갖추어야 한다.

라) 상담실
상담을 위한 적당한 설비를 갖추어야 한다.

마) 조리실
① 채광 및 환기가 잘 되도록 하고 창문에는 방충망을 설치하여야 한다.
② 식기를 소독하고 위생적으로 취사 및 조리할 수 있는 설비를 갖추어야 한다.

바) 목욕실
욕탕·샤워 및 세면 설비를 갖추어야 한다.
사) 세탁장
세탁에 필요한 기계·기구 등 설비를 갖추어야 한다.
아) 건조장
세탁물을 건조할 수 있는 설비를 갖추어야 한다.
자) 화장실
① 적수세식 화장실을 원칙으로 하되, 수세식이 아닌 화장실은 방수처리를 하고 소독수와 살충제를 비치하여야 한다.
② 변기의 수는 아동 5명당 1개 이상으로 설치하여야 한다. 다만, 지역아동센터의 경우에는 변기를 1개 이상 설치할 수 있다.
차) 급수·배수시설
① 급수·배수시설은 상수도에 의한다. 다만, 상수도에 의할 수 없는 경우에는 「먹는물 관리법」 제5조에 따른 먹는물의 수질기준에 적합한 지하수 등을 공급할 수 있는 시설을 갖추어야 한다.
② 지하수 등을 사용하는 경우 취수원은 화장실, 폐기물처리시설, 동물사육장, 그 밖에 지하수가 오염될 우려가 있는 장소로부터 20미터 이상 떨어진 곳에 위치하여야 한다.
③ 빗물·오수 등의 배수에 지장이 없도록 배수설비를 하여야 한다.
카) 비상재해대비시설
「소방시설 설치·유지 및 안전관리에 관한 법률 시행령」에서 정하는 바에 따라 소화용 기구를 비치하고, 비상구를 설치하며, 비상재해에 대비한 시설을 갖추어야 한다.

3) 10명 이상 30명 미만의 아동을 수용하는 시설에는 2)가)부터 카)까지의 설비를 갖추어야 한다. 다만, 2)나)부터 라)까지의 설비 상호간 및 2)바)부터 자)까지의 설비 상호간에는 이를 겸용할 수 있도록 설치할 수 있고, 아동이 상시 생활하지 않는 시설의 경우에는 2)가) 및 마)부터 아)까지의 설비를 갖추지 않을 수 있다.

4) 아동 10명 미만을 수용하는 시설에는 2)가)부터 카)까지의 설비를 갖추어야 한다. 다만, 2)가)부터 라)까지의 설비 상호간 및 2)바)부터 자)까지의 설비 상호간에는 이를 겸용할 수 있도록 설치할 수 있고, 아동이 상시 생활하지 않는 시설의 경우에는 2)가) 및 마)부터 아)까지의 설비를 갖추지 않을 수 있다.

2. 시설별 기준

가. 아동양육시설·아동일시보호시설
다음의 설비를 갖추어야 한다.
1) 강당 또는 오락실: 66제곱미터 이상으로 오락용구를 비치하여야 한다.
2) 도서실: 열람석과 아동의 정서 함양을 위한 도서류를 비치하여야 한다.
3) 심리검사·치료실: 16.5제곱미터 이상으로 심리검사·치료를 위한 적당한 설비를 갖추어야 한다.

나. 아동보호치료시설
아동양육시설에 준하되, 심리검사·치료실을 별도로 갖추어야 하며, 심리검사·치료실은 16.5제곱미터 이상으로 심리검사·치료를 위한 적당한 설비를 갖추어야 한다.

다. 공동생활가정
전용면적 82.5제곱미터 이상의 주택형 숙사를 갖추어야 한다.

라. 자립지원시설
복도·목욕실 등을 제외한 거실의 실제면적은 아동 1명당 9.9제곱미터 이상으로 하며, 1실의 정원은 2명 이하로 한다.

마. 아동상담소
1) 상담실: 16.5제곱미터 이상
2) 심리검사·치료실: 16.5제곱미터 이상으로 하며, 2개실 이상을 갖출 것
3) 집단지도실: 33제곱미터 이상
4) 사무실: 16.5제곱미터 이상
5) 자료실 또는 대기실: 16.5제곱미터 이상(30명 이상 시설만 해당한다)

바. 지역아동센터
사무실 · 조리실 · 식당 및 집단지도실을 각각 갖추되, 해당 시설을 모두 합한 면적이 전용면적 82.5제곱미터 이상이고, 아동 1명당 전용면적 3.3제곱미터 이상이어야 한다. 다만, 집단지도실은 2개실 이상을 갖추어야 한다.
사. 통합하여 설치하는 경우
1) 가목부터 바목까지의 시설별 기준을 각각 갖추어야 한다.
2) 1)에도 불구하고 강당, 오락실, 집단지도실, 도서실은 공동으로 사용할 수 있다.

3. 아동복지사업별 시설기준

가. 개요
1) 아동복지시설이 고유사업 외에 법 제52조제3항에 따른 사업을 실시하려는 경우에는 해당 사업에 필요한 시설을 별도로 갖추어야 한다.
2) 1)에도 불구하고 고유사업 외에 추가로 실시하는 사업이 1개인 경우에는 사무실, 상담실, 심리검사 · 치료실, 조리실 · 식당 및 도서실을 고유사업 운영에 필요한 시설과 공동으로 사용할 수 있다.
나. 아동가정지원사업
1) 사무실: 16.5제곱미터 이상
2) 상담실: 16.5제곱미터 이상
다. 아동주간보호사업
1) 사무실: 16.5제곱미터 이상
2) 거실: 33제곱미터 이상
라. 아동전문상담사업
1) 사무실: 16.5제곱미터 이상
2) 상담실: 16.5제곱미터 이상으로 하며, 2개실 이상을 갖출 것
3) 심리검사 · 치료실: 33제곱미터 이상
마. 학대아동보호사업
1) 사무실: 16.5제곱미터 이상
2) 상담실: 16.5제곱미터 이상
3) 심리검사 · 치료실: 16.5제곱미터 이상
바. 공동생활가정사업
전용면적 82.5제곱미터 이상의 주택형 숙사를 갖추어야 한다.
사. 방과 후 아동지도사업
사무실 · 조리실 · 식당 및 집단지도실을 각각 갖추되, 해당 시설을 모두 합한 면적이 전용면적 82.5제곱미터 이상으로 한다. 다만, 해당 시설을 이용하는 1일 평균 아동의 수가 20명 미만인 시설은 전용면적 60제곱미터 이상으로 한다.

【참고3】 노인복지시설(「노인복지법」 제31조, 제32조, 제34조, 제36조, 제38조, 제39조의5)

법 제31조 【노인복지시설의 종류】 노인복지시설의 종류는 다음 각호와 같다. <개정 2023.10.31./시행 2024.11.1.>
1. 노인주거복지시설
2. 노인의료복지시설
3. 노인여가복지시설
4. 재가노인복지시설
5. 노인보호전문기관
6. 제23조의2제1항제2호의(→「노인 일자리 및 사회활동 지원에 관한 법률」 제9조제1항제2호에 따른) 노인일자리지원기관
7. 제39조의19에 따른 학대피해노인 전용쉼터

법 제32조 【노인주거복지시설】 ① 노인주거복지시설은 다음 각 호의 시설로 한다.
1. 양로시설 : 노인을 입소시켜 급식과 그 밖에 일상생활에 필요한 편의를 제공함을 목적으로 하는 시설

2. 노인공동생활가정 : 노인들에게 가정과 같은 주거여건과 급식, 그 밖에 일상생활에 필요한 편의를 제공함을 목적으로 하는 시설
3. 노인복지주택 : 노인에게 주거시설을 임대하여 주거의 편의 · 생활지도 · 상담 및 안전관리 등 일상생활에 필요한 편의를 제공함을 목적으로 하는 시설

② 노인주거복지시설의 입소대상 · 입소절차 · 입소비용 및 임대 등에 관하여 필요한 사항은 보건복지부령으로 정한다.

③ 노인복지주택의 설치 · 관리 및 공급 등에 관하여 이 법에서 규정된 사항을 제외하고는 「주택법」 및 「공동주택관리법」의 관련규정을 준용한다.

法 제34조【노인의료복지시설】 ① 노인의료복지시설은 다음 각 호의 시설로 한다.
1. 노인요양시설 : 치매 · 중풍 등 노인성질환 등으로 심신에 상당한 장애가 발생하여 도움을 필요로 하는 노인을 입소시켜 급식 · 요양과 그 밖에 일상생활에 필요한 편의를 제공함을 목적으로 하는 시설
2. 노인요양공동생활가정 : 치매 · 중풍 등 노인성질환 등으로 심신에 상당한 장애가 발생하여 도움을 필요로 하는 노인에게 가정과 같은 주거여건과 급식 · 요양, 그 밖에 일상생활에 필요한 편의를 제공함을 목적으로 하는 시설
3. 삭제 <2011.6.7>

② 노인의료복지시설의 입소대상 · 입소비용 및 입소절차와 설치 · 운영자의 준수사항 등에 관하여 필요한 사항은 보건복지부령으로 정한다.

法 제36조【노인여가복지시설】 ① 노인여가복지시설은 다음 각 호의 시설로 한다.
1. 노인복지관 : 노인의 교양 · 취미생활 및 사회참여활동 등에 대한 각종 정보와 서비스를 제공하고, 건강증진 및 질병예방과 소득보장 · 재가복지, 그 밖에 노인의 복지증진에 필요한 서비스를 제공함을 목적으로 하는 시설
2. 경로당 : 지역노인들이 자율적으로 친목도모 · 취미활동 · 공동작업장 운영 및 각종 정보교환과 기타 여가활동을 할 수 있도록 하는 장소를 제공함을 목적으로 하는 시설
3. 노인교실 : 노인들에 대하여 사회활동 참여욕구를 충족시키기 위하여 건전한 취미생활 · 노인건강유지 · 소득보장 기타 일상생활과 관련한 학습프로그램을 제공함을 목적으로 하는 시설
4. 삭제 <2011.6.7>

② 노인여가복지시설의 이용대상 및 이용절차 등에 관하여 필요한 사항은 보건복지부령으로 정한다.

法 제38조【재가노인복지시설】 ① 재가노인복지시설은 다음 각 호의 어느 하나 이상의 서비스를 제공함을 목적으로 하는 시설을 말한다.
1. 방문요양서비스 : 가정에서 일상생활을 영위하고 있는 노인(이하 "재가노인"이라 한다)으로서 신체적 · 정신적 장애로 어려움을 겪고 있는 노인에게 필요한 각종 편의를 제공하여 지역사회안에서 건전하고 안정된 노후를 영위하도록 하는 서비스
2. 주 · 야간보호서비스 : 부득이한 사유로 가족의 보호를 받을 수 없는 심신이 허약한 노인과 장애노인을 주간 또는 야간 동안 보호시설에 입소시켜 필요한 각종 편의를 제공하여 이들의 생활안정과 심신기능의 유지 · 향상을 도모하고, 그 가족의 신체적 · 정신적 부담을 덜어주기 위한 서비스
3. 단기보호서비스 : 부득이한 사유로 가족의 보호를 받을 수 없어 일시적으로 보호가 필요한 심신이 허약한 노인과 장애노인을 보호시설에 단기간 입소시켜 보호함으로써 노인 및 노인가정의 복지증진을 도모하기 위한 서비스
4. 방문 목욕서비스 : 목욕장비를 갖추고 재가노인을 방문하여 목욕을 제공하는 서비스
5. 그 밖의 서비스 : 그 밖에 재가노인에게 제공하는 서비스로서 보건복지부령이 정하는 서비스

② 제1항에 따른 재가노인복지시설의 이용대상 · 비용부담 및 이용절차 등에 관하여 필요한 사항은 보건복지부령으로 정한다.

法 제39조의5【노인보호전문기관의 설치 등】 ① 국가는 지역 간의 연계체계를 구축하고 노인학대를 예

방하기 위하여 다음 각 호의 업무를 담당하는 중앙노인보호전문기관을 설치 · 운영하여야 한다.
1. 노인인권보호 관련 정책제안
2. 노인인권보호를 위한 연구 및 프로그램의 개발
3. 노인학대 예방의 홍보, 교육자료의 제작 및 보급
4. 노인보호전문사업 관련 실적 취합, 관리 및 대외자료 제공
5. 지역노인보호전문기관의 관리 및 업무지원
6. 지역노인보호전문기관 상담원의 심화교육
7. 관련 기관 협력체계의 구축 및 교류
8. 노인학대 분쟁사례 조정을 위한 중앙노인학대사례판정위원회 운영
9. 그 밖에 노인의 보호를 위하여 대통령령으로 정하는 사항

② 학대받는 노인의 발견 · 보호 · 치료 등을 신속히 처리하고 노인학대를 예방하기 위하여 다음 각 호의 업무를 담당하는 지역노인보호전문기관을 특별시 · 광역시 · 도 · 특별자치도(이하 "시 · 도"라 한다)에 둔다. <개정 2020.12.29>
1. 노인학대 신고전화의 운영 및 사례접수
2. 노인학대 의심사례에 대한 현장조사
3. 피해노인 및 노인학대자에 대한 상담
3의2. 피해노인에 대한 법률 지원의 요청 <신설 2020.12.29>
4. 피해노인가족 관련자와 관련 기관에 대한 상담
5. 상담 및 서비스제공에 따른 기록과 보관
6. 일반인을 대상으로 한 노인학대 예방교육
7. 노인학대행위자를 대상으로 한 재발방지 교육
8. 노인학대사례 판정을 위한 지역노인학대사례판정위원회 운영 및 자체사례회의 운영
9. 그 밖에 노인의 보호를 위하여 보건복지부령으로 정하는 사항

③ 보건복지부장관 및 시 · 도지사는 노인학대예방사업을 목적으로 하는 비영리법인을 지정하여 제1항에 따른 중앙노인보호전문기관과 제2항에 따른 지역노인보호전문기관의 운영을 위탁할 수 있다.

④ 제1항에 따른 중앙노인보호전문기관과 제2항에 따른 지역노인보호전문기관의 설치기준과 운영, 상담원의 자격과 배치기준 및 제3항에 따른 위탁기관의 지정 등에 필요한 사항은 대통령령으로 정한다.

〈1〉 노인주거복지시설의 시설기준 및 직원배치기준(「노인복지법 시행규칙」 별표 2) <개정 2019.9.27.>

1. 공통사항

가. 시설의 규모

노인주거복지시설(이하 이 표에서 "시설"이라 한다)은 다음 각 호의 구분에 따른 인원이 입소할 수 있는 시설을 갖추어야 한다.

(1) 양로시설 : 입소정원 10명 이상(입소정원 1명당 연면적 15.9㎡ 이상의 공간을 확보하여야 한다)
(2) 노인공동생활가정 : 입소정원 5명 이상 9명 이하(입소정원 1명당 연면적 15.9㎡ 이상의 공간을 확보하여야 한다)
(3) 노인복지주택 : 30세대 이상

나. 시설의 구조 및 설비

(1) 시설의 구조 및 설비는 일조 · 채광 · 환기 등 입소자의 보건위생과 재해방지 등을 충분히 고려하여야 한다.
(2) 복도 · 화장실 · 침실 등 입소자가 통상 이용하는 설비는 휠체어 등의 이동이 가능한 공간을 확보하여야 하며 문턱제거, 손잡이 시설 부착, 바닥 미끄럼 방지 등 노인의 활동에 편리한 구조를 갖추어야 한다.
(3) 「화재예방, 소방시설 설치유지 및 안전관리에 관한 법률」이 정하는 바에 따라 소화용 기구를 비치하고 비상구를 설치하여야 한다. 다만, 입소자 10명 미만인 시설의 경우에는 소화용 기구를 갖추는 등 시설실정에 맞게 비상재해에 대비하여야 한다.
(4) 입소자가 건강한 생활을 영위하는데 도움이 되는 도서관, 스포츠 · 레크리에이션 시설 등 적정한 문

화·체육부대시설을 설치하도록 하되, 지역사회와 시설간의 상호교류 촉진을 통한 사회와의 유대감 증진을 위하여 입소자가 이용하는데 지장을 주지 아니하는 범위에서 외부에 개방하여 운영할 수 있다.

다. 재가노인복지시설의 병설·운영

시설의 장은 시설의 개방성을 높여 지역사회와의 교류를 증진하고 입소자가 외부사회와의 단절감을 느끼지 아니하도록 하기 위하여 재가노인복지시설을 병설·운영할 수 있다.

2. 시설 설치에 관한 특례

가. 시설 설치자는 시설을 설치할 토지 및 건물의 소유권 또는 사용권을 확보하여야 하며, 시설 설치목적 외의 목적에 의한 저당권을 해당 토지 및 건물에 설정하여서는 아니 된다. 다만, 시설(노인복지주택은 임대의 경우에만 해당한다)의 설치목적에 의한 저당권을 설정하는 경우에도 저당권의 피담보채권액과 입소보증금의 합이 건설원가의 80% 이하이어야 한다.

나. 타인 소유의 토지 또는 건물을 사용하여 입소자로부터 입소비용의 전부를 수납하여 운영하는 시설을 설치하려는 경우에는 다음 각 호의 요건을 갖추어야 한다.

(1) 임대차계약·지상권설정계약 등 사용계약의 양 당사자는 법인일 것

(2) 토지 또는 건물에 대한 등기 등 법적 대항요건을 갖출 것

(3) 사용계약서에 다음의 내용이 포함되어 있을 것

㈎ 토지 또는 건물의 사용목적이 시설의 설치·운영을 위한 것이라는 취지의 내용

㈏ 계약기간의 연장을 위한 자동갱신조항

㈐ 무단 양도(매매, 증여, 그 밖의 권리의 변동을 수반하는 일체의 행위를 포함한다) 및 전대의 금지조항

㈑ 장기간에 걸친 임차료 등의 인상방법(무상으로 사용하는 경우는 제외한다)

㈒ 토지 또는 건물에 대한 사용권자의 우선 취득권에 관한 내용

다. 양로시설·노인공동생활가정 또는 임대형 노인복지주택을 설치하려는 자는 입소자에 대한 보증금 반환채무의 이행을 보장하기 위하여 입소계약 체결 후 보증금 수납일부터 10일 이내에 다음 각 호의 요건에 적합한 인·허가보증보험에 가입하여야 한다. 다만, 시설 개원이후 입소자별로 전세권 또는 근저당권 설정 등의 조치를 한 경우에는 각각 인·허가보증보험에 가입하지 아니할 수 있다.

(1) 보증내용 : 입소자의 입소보증금 반환채무 이행보증

(2) 보증가입금액 : 입소보증금 합계의 100분의 50 이상

(3) 보증가입기간 : 보증금 납부일부터 퇴소시까지

(4) 보증가입관계 : 시장·군수·구청장을 피보험자로 함

(5) 보험금 수령방법 : 시장·군수·구청장의 확인 하에 입소자가 보험금을 직접 수령함

3. 시설기준

<table>
<tr><th colspan="2">구분 / 시설별</th><th>침실</th><th>사무실</th><th>요양보호사 및 자원봉사자실</th><th>의료 및 간호사실</th><th>체력단련실 및 프로그램실</th><th>식당 및 조리실</th><th>비상재해대비시설</th><th>화장실</th><th>세면장 및 샤워실(목욕실)</th><th>세탁장 및 세탁물건조장</th></tr>
<tr><td rowspan="2">양로시설</td><td>입소자 30명 이상</td><td>○</td><td>○</td><td>○</td><td>○</td><td>○</td><td>○</td><td>○</td><td>○</td><td>○</td><td>○</td></tr>
<tr><td>입소자 30명 미만 10명 이상</td><td>○</td><td colspan="2">○</td><td>○</td><td>○</td><td>○</td><td>○</td><td>○</td><td colspan="2">○</td></tr>
<tr><td colspan="2">노인공동생활가정</td><td>○</td><td colspan="3">○</td><td>–</td><td>○</td><td>○</td><td>○</td><td colspan="2">○</td></tr>
<tr><td colspan="2">노인복지주택</td><td colspan="10">침실 1, 관리실 1(사무실·숙직실 포함), 식당 및 조리실 1, 체력단련실 및 프로그램실 1, 의료 및 간호사실 1, 식료품점 또는 매점 1, 비상재해대비시설 1, 경보장치 1</td></tr>
</table>

비고 : 세탁물을 전량 위탁처리하는 경우에는 세탁장 및 세탁물건조장을 두지 아니할 수 있다.

4. 설비기준

양로시설	노인공동생활가정	노인복지주택
가. 침실	가. 침실	가. 침실

(1) 독신용·합숙용·동거용 침실을 둘 수 있다. (2) 남녀공용인 시설의 경우에는 합숙용 침실을 남실 및 여실로 각각 구분하여야 한다. (3) 입소자 1명당 침실면적은 5.0㎡ 이상이어야 한다. (4) 합숙용침실 1실의 정원은 4명 이하이어야 한다. (5) 합숙용침실에는 입소자의 생활용품을 각자 별도로 보관할 수 있는 보관시설을 설치하여야 한다. (6) 채광·조명 및 방습설비를 갖추어야 한다.	"양로시설과 동일"	(1) 독신용·동거용 침실의 면적은 20㎡ 이상이어야 한다. (2) 취사할 수 있는 설비를 갖추어야 한다. (3) 목욕실, 화장실 등 입소자의 생활편의를 위한 설비를 갖추어야 한다. (4) 채광·조명 및 방습설비를 갖추어야 한다.
나. 식당 및 조리실: 조리실 바닥재는 내수 소재이고, 조리실은 세척 및 배수에 편리한 구조여야 한다.	나. 식당 및 조리실 : "양로시설과 동일"	-
다. 세면장 및 샤워실(목욕실) (1) 바닥은 미끄럽지 아니하여야 한다. (2) 욕조를 설치하는 경우에는 욕조에 노인의 전신이 잠기지 아니하는 깊이로 하고 욕조의 출입이 자유롭도록 최소한 1개 이상의 보조봉과 수직의 손잡이 기둥을 설치하여야 한다. (3) 급탕을 자동온도조절장치로 하는 경우에는 물의 최고 온도는 섭씨 40도 이상이 되지 아니하도록 하여야 한다.	다. 세면장 및 샤워실(목욕실) "양로시설과 동일"	-
라. 프로그램실 : 자유로이 이용할 수 있는 적당한 문화시설과 오락기구를 갖추어 두어야 한다.	-	나. 프로그램실 : "양로시설과 동일"
마. 체력단련실 : 입소 노인들이 기본적인 체력을 유지할 수 있는데 필요한 적절한 운동기구를 갖추어야 한다.	-	다. 체력단련실 : "양로시설과 동일"
바. 의료 및 간호사실 : 진료 및 간호에 필요한 상용의약품·위생재료 또는 의료기구를 갖추어야 한다.	-	라. 의료 및 간호사실 : "양로시설과 동일"
사. 경사로 : 침실이 2층 이상인 경우 경사로를 설치하여야 한다. 다만, 「승강기시설 안전관리법」에 따른 승객용 엘리베이터를 설치하는 경우에는 경사로를 설치하지 아니할 수 있다.	라. 경사로 : "양로시설과 동일"	마. 경사로 : "양로시설과 동일"
-	-	바. 경보장치 : 타인의 도움이 필요할 때 경보가 울릴 수 있도록 거실, 화장실, 욕실, 복도 등 필요한 곳에 설치하여야 한다.
아. 그 밖의 시설 (1) 복도·화장실 그 밖의 필요한 곳에 야간 상용등을 설치하여야 한다. (2) 계단의 경사는 완만하여야 하며, 난간을 설치하여야 한다. (3) 바닥은 부드럽고 미끄럽지 아니한 바닥재를 사용하여야 한다.	마. 그 밖의 시설 "양로시설과 동일"	-

5. 직원의 자격기준 "생략"
6. 직원의 배치기준 "생략"

〈2〉 노인의료복지시설의 시설기준 및 직원배치기준(「노인복지법 시행규칙」 별표 4) <개정 2022.8.31.>

1. 공통사항

가. 시설의 규모

노인의료복지시설(이하 이 표에서 "시설"이라 한다)은 다음 각 호의 구분에 따른 인원이 입소할 수 있는 시설을 갖춰야 한다. 이 경우 입소정원 1명당 연면적 산정 시 「주차장법」에 따른 설치기준을 초과하는 주차장의 면적은 제외하며, 그 밖에 연면적의 산정에 필요한 세부 사항은 보건복지부장관이 정한다.

(1) 노인요양시설: 입소정원 10명 이상(입소정원 1명당 연면적 23.6㎡ 이상의 공간을 확보해야 한다). 다만, 노인요양시설 안에 치매전담실을 두는 경우에는 치매전담실 1실당 정원을 16명 이하로 한다.

(2) 노인요양공동생활가정: 입소정원 5명 이상 9명 이하(입소정원 1명당 연면적 20.5㎡ 이상의 공간을 확보해야 한다)

나. 시설의 구조 및 설비

(1) 시설의 구조 및 설비는 일조·채광·환기 등 입소자의 보건위생과 재해방지 등을 충분히 고려해야 한다.

(2) 복도·화장실·침실 등 입소자가 통상 이용하는 설비는 휠체어 등이 이동 가능한 공간을 확보해야 하며 문턱 제거, 손잡이시설 부착, 바닥 미끄럼 방지 등 노인의 활동에 편리한 구조를 갖춰야 한다.

(3) 「화재예방, 소방시설 설치·유지 및 안전관리에 관한 법률」이 정하는 바에 따라 소화용 기구를 비치하고 비상구를 설치해야 한다. 다만, 입소자가 10명 미만인 시설의 경우에는 소화용 기구를 갖추는 등 시설의 실정에 맞게 비상재해에 대비해야 한다.

(4) 입소자가 건강한 생활을 영위하는데 도움이 되는 도서관, 스포츠·레크리에이션 시설 등 적정한 문화·체육부대시설을 설치하되, 지역사회와 시설간의 상호교류 촉진을 통한 사회와의 유대감 증진을 위하여 입소자가 이용하는데 지장을 주지 않는 범위에서 외부에 개방하여 운영할 수 있다.

다. 재가노인복지시설의 병설·운영

시설의 장은 시설의 개방성을 높여 지역사회와의 교류를 증진하고 입소자가 외부사회와의 단절감을 느끼지 않도록 재가노인복지시설을 병설·운영할 수 있다.

2. 시설 설치에 관한 특례

가. 시설 설치자는 시설을 설치할 토지 및 건물의 소유권을 확보해야 하고, 시설 설치목적 외의 목적에 따른 저당권, 그 밖에 시설로서의 이용을 제한할 우려가 있는 권리를 해당 토지 및 건물에 설정해서는 안 된다. 이 경우 시설의 설치목적에 따른 저당권을 설정하는 경우에는 저당권의 피담보채권액과 입소보증금의 합이 건설원가의 80퍼센트 이하여야 한다.

나. 가목에도 불구하고 입소자로부터 입소비용의 전부를 수납하여 운영하는 노인요양시설을 설치하는 경우, 보건복지부장관이 지정하여 고시하는 지역에 입소자 30명 미만의 노인요양시설을 설치하는 경우 및 국가 또는 지방자치단체가 노인요양시설을 설치하는 경우에는 다음 (1)부터 (4)까지의 규정에 따른 요건을 모두 갖춘 경우에만 타인 소유의 토지 및 건물을 사용하여 설치할 수 있고, 노인요양공동생활가정을 설치하는 경우에는 다음 (1), (3) 및 (4)의 규정에 따른 요건을 모두 갖춘 경우에만 타인 소유의 토지 및 건물을 사용하여 설치할 수 있다.

(1) 사용하려는 토지 및 건물에 선순위 권리자 및 그 밖에 시설로서의 이용을 제한할 우려가 있는 권리가 설정되어 있지 않을 것

(2) 임대차계약·지상권설정계약 등 사용계약의 양 당사자가 법인일 것

(3) 토지 또는 건물에 대한 등기 등 법적 대항요건을 갖출 것

(4) 사용계약서에 다음의 내용이 포함되어 있을 것

(가) 토지 또는 건물의 사용목적이 시설의 설치·운영을 위한 것이라는 취지의 내용

(나) 계약기간의 연장을 위한 자동갱신조항

(다) 무단 양도(매매·증여 그 밖에 권리의 변동을 수반하는 일체의 행위를 포함한다) 및 전대의 금지조항

(라) 장기간에 걸친 임차료 등의 인상방법(무상으로 사용하는 경우는 제외한다)

(마) 토지 또는 건물에 대한 사용권자의 우선 취득권에 관한 내용

다. 시설을 설치하려는 자는 입소자에 대한 보증금 반환채무의 이행을 보장하기 위하여 입소계약 체결 후 보증금 수납일부터 10일 이내에 다음 각 호의 요건에 적합한 인·허가보증보험에 가입해야 한다. 다만, 시설 개원이후 입소자별로 전세권 또는 근저당권 설정 등의 조치를 한 경우에는 인·허가보증보험에 가입하지 않을 수 있다.

(1) 보증내용: 입소자의 입소보증금 반환채무 이행보증

(2) 보증가입금액: 입소보증금 합계의 50퍼센트 이상

(3) 보증가입기간: 보증금 납부일부터 퇴소 시까지

(4) 보증가입관계: 시장·군수·구청장을 피보험자로 함

(5) 보험금 수령방법: 시장·군수·구청장의 확인 하에 입소자가 보험금을 직접 수령함

3. 시설기준

<table>
<tr><th colspan="2">구분
시설별</th><th>침실</th><th>사무실</th><th>요양보호사실</th><th>자원봉사자실</th><th>의료 및 간호사실</th><th>물리(작업)치료실</th><th>프로그램실</th><th>식당 및 조리실</th><th>비상재해대비시설</th><th>화장실</th><th>세면장 및 목욕실</th><th>세탁장 및 세탁물 건조장</th></tr>
<tr><td rowspan="2">노인요양시설</td><td>입소자 30명 이상</td><td>○</td><td>○</td><td>○</td><td>○</td><td>○</td><td>○</td><td>○</td><td>○</td><td>○</td><td>○</td><td>○</td><td>○</td></tr>
<tr><td>입소자 30명 미만 10명 이상</td><td>○</td><td colspan="3">○</td><td>○</td><td>○</td><td>○</td><td>○</td><td>○</td><td>○</td><td colspan="2">○</td></tr>
<tr><td colspan="2">노인요양공동생활가정</td><td>○</td><td colspan="4">○</td><td colspan="2">○</td><td>○</td><td>○</td><td colspan="3">○</td></tr>
</table>

비고

1. 세탁물을 전량 위탁하여 처리하는 경우에는 세탁장 및 세탁물 건조장을 두지 않을 수 있다.
2. 의료기관의 일부를 시설로 신고하는 경우에는 물리(작업)치료실, 조리실, 세탁장 및 세탁물 건조장을 공동으로 사용할 수 있다. 다만, 공동으로 사용하려는 물리(작업)치료실이 시설의 침실과 다른 층에 있는 경우에는 입소자의 이동이 가능하도록 경사로 또는 엘리베이터를 설치해야 한다.
3. 노인요양시설 안에 두는 치매전담실은 다음의 요건을 갖춰야 한다.
   가. 정원 1명당 면적이 1.65㎡ 이상인 공동거실을 갖출 것
   나. 치매전담실 입구에 출입문을 두어 공간을 구분하되, 화재 등 비상시에 열 수 있도록 할 것
   다. 공동으로 사용할 수 있는 화장실과 간이욕실(세면대를 포함한다. 이하 같다)을 갖출 것. 다만, 침실마다 화장실과 간이욕실이 있는 경우에는 그렇지 않다.
4. 치매전담형 노인요양공동생활가정은 다음의 요건을 갖춰야 한다.
   가. 1층에 설치할 것. 다만, 엘리베이터가 설치된 경우에는 2층 이상에도 설치할 수 있다.
   나. 정원 1명당 면적이 1.65㎡ 이상인 공동거실을 갖출 것

4. 설비기준

가. 침실
  (1) 독신용·합숙용·동거용 침실을 둘 수 있다.
  (2) 남녀공용인 시설의 경우에는 합숙용 침실을 남실 및 여실로 각각 구분해야 한다.
  (3) 입소자 1명당 침실면적은 6.6㎡ 이상이어야 한다. 다만, 치매전담실의 경우에는 다음의 구분에 따른다.
    (가) 가형: 1인실 9.9㎡ 이상, 2인실 16.5㎡ 이상, 3인실 23.1㎡ 이상, 4인실 29.7㎡ 이상
    (나) 나형: 1인실 9.9㎡ 이상, 다인실 1명당 6.6㎡ 이상
  (4) 합숙용 침실 1실의 정원은 4명 이하여야 한다.
  (5) 합숙용 침실에는 입소자의 생활용품을 각자 별도로 보관할 수 있는 보관시설을 설치해야 한다.
  (6) 적당한 난방 및 통풍장치를 갖춰야 한다.
  (7) 채광·조명 및 방습설비를 갖춰야 한다.
  (8) 노인질환의 종류 및 정도에 따른 특별침실을 입소정원의 5퍼센트 이내의 범위에서 두어야 한다.
  (9) 침실바닥 면적의 7분의 1 이상의 면적을 창으로 하여 직접 바깥 공기에 접하도록 하고, 열고 닫을 수 있도록 한다.
  (10) 노인들이 자유롭게 침대에 오르내릴 수 있어야 한다.
  (11) 안전설비를 갖춰야 한다.
  (12) 공동주택에 설치되는 노인요양공동생활가정의 침실은 1층에 두어야 한다.

나. 식당 및 조리실: 조리실 바닥재는 내수 소재이고, 조리실은 세척 및 배수에 편리한 구조여야 한다.

다. 세면장 및 목욕실
  (1) 바닥재는 미끄럽지 않은 소재여야 한다.
  (2) 욕조를 설치하는 경우에는 욕조에 노인의 전신이 잠기지 않는 깊이로 하고, 욕조 출입이 편리하도록 최소한 1개 이상의 보조봉과 수직의 손잡이 기둥을 설치해야 한다.
  (3) 급탕을 자동 온도조절 장치로 하는 경우에는 물의 최고 온도는 섭씨 40도 이상이 되지 않도록 해야 한다.

라. 프로그램실: 자유롭게 이용할 수 있는 적당한 문화시설과 오락기구를 갖춰야 한다.

마. 물리(작업)치료실: 기능회복 또는 기능감퇴를 방지하기 위한 훈련 등에 지장이 없는 면적과 필요한 시설 및 장비를 갖춰야 한다.

바. 의료 및 간호사실: 진료 및 간호에 필요한 상용의약품·위생재료 또는 의료기구를 갖춰야 한다.

사. 그 밖의 시설
  (1) 복도, 화장실, 그 밖의 필요한 곳에 야간 상용등을 설치해야 한다.
  (2) 계단의 경사는 완만해야 하며, 치매노인의 낙상을 방지하기 위하여 계단의 출입구에 출입문을 설치하고, 그 출입문에 잠금장치를 갖추되, 화재 등 비상시에 자동으로 열릴 수 있도록 해야 한다.
  (3) 바닥재는 부드럽고 미끄럽지 않은 소재여야 한다.
  (4) 주방 등 화재 위험이 있는 곳에는 치매노인이 임의로 출입할 수 없도록 잠금장치를 설치해야 한다.
  (5) 배회환자의 실종 등을 예방할 수 있도록 외부 출입구에 잠금장치를 갖추되, 화재 등 비상시에 자동으로 열릴 수 있도록 해야 한다.

아. 경사로: 침실이 2층 이상에 있는 경우 경사로를 설치해야 한다. 다만, 「승강기 안전관리법 시행규칙」에 따른 승객용 엘리베이터를 설치한 경우에는 경사로를 설치하지 않을 수 있다.

5. 직원의 자격기준 "생략"
6. 직원의 배치기준 "생략"

〈3〉 노인여가복지시설의 시설기준 및 직원배치기준(「노인복지법 시행규칙」 별표 7) <개정 2019.9.27>

1. 시설의 규모

노인여가복지시설은 다음 각 목의 구분에 따른 면적 이상이거나 또는 인원이 이용할 수 있는 시설을 갖추어야 한다.
가. 노인복지관 : 연면적 5백 제곱미터 이상
나. 경로당 : 이용정원 20명 이상(섬 또는 읍·면지역의 경우에는 10명 이상)
다. 노인교실 : 이용정원 50명 이상

2. 시설기준

구분 / 시설별	사무실	식당 및 조리실	상담실 또는 면회실	집회실 또는 강당	프로그램실	화장실	물리치료실	비상재해대비시설	거실 또는 휴게실	전기시설	강의실	휴게실	객실	공동목욕장	기타부대시설
노인복지관	1	1	1	1	1	1	1	1							
경로당						1			1	1					
노인교실	1					1					1	1			

비고
1. 노인복지관 : 오락실에 인터넷 등을 통하여 전자정보의 접근이 가능한 컴퓨터를 설치할 수 있다.
2. 노인교실 : 사무실 및 휴게실은 사업에 지장이 없는 범위에서 강의실과 겸용할 수 있다.

3. 설비기준

구분 / 시설의 종류	노인복지관	경로당	노인교실
설비기준	가. 식당 및 조리실 : 조리실바닥재는 내수 소재이고, 조리실은 세척 및 배수에 편리한 구조여야 한다. 나. 프로그램실 : 자유로이 이용할 수 있는 적당한 문화시설과 오락기구를 비치해야 한다. 다. 물리치료실 : 기능회복 또는 기능감퇴를 방지하기 위한 훈련 등에 지장이 없는 면적과 필요한 시설을 갖추어야 한다.	가. 거실 또는 휴게실 : 20제곱미터 이상이어야 한다.	가. 강의실 : 33제곱미터 이상이어야 한다.

4. 직원의 자격기준 "생략"
5. 직원의 배치기준 "생략"

〈4〉 재가노인복지시설의 시설기준 및 직원배치기준(「노인복지법 시행규칙」 별표 9) <개정 2021.6.30>

1. 시설의 규모
  가. 방문요양, 방문목욕 및 방문간호를 제공하는 시설: 시설전용면적 16.5제곱미터 이상(연면적 기준)
  나. 주·야간보호, 단기보호를 제공하는 시설: 시설 연면적 90제곱미터 이상(이용정원이 6명 이상인 경우에는 1명당 6.6제곱미터 이상의 생활실 또는 침실 공간을 추가로 확보하여야 함). 다만, 주·야간보호시설 안에 치매전담실을 두는 경우에는 치매전담실 1실당 이용정원을 25명 이하로 하여야 한다.
  다. 재가노인지원서비스: 시설전용면적 33제곱미터 이상(연면적 기준)
  라. 복지용구를 제공하거나 대여하는 시설: 복지용구 진열·체험 공간 23.1제곱미터 이상 및 복지용구 세정·소독·수선 공간 56.2제곱미터 이상

2. 시설 및 설비 기준
  가. 방문요양, 방문목욕 및 방문간호를 제공하는 시설
    1) 다음 기준에 해당하는 시설·설비를 갖추어야 한다.

구분	사무실	통신설비, 집기 등 사업에 필요한 설비 및 비품	이동용 욕조 또는 이동목욕차량	혈압계, 온도계 등 방문간호에 필요한 비품
방문요양	○	○	-	-
방문목욕	○	○	○	-
방문간호	○	○	-	○

    가) "이동목욕차량"이란 욕조, 급탕기, 물탱크, 호스릴 등을 갖춘 차량으로서 자동차등록증 상 차량용도에 "이동목욕용"으로 표시되어 있거나 이동목욕용으로 구조변경한 내용을 기재·등록한 차량을 말한다.
    나) 의료기관(의사가 배치된 「지역보건법」에 따른 보건소, 보건의료원 또는 보건지소와 「농어촌 등 보건의료를 위한 특별조치법」에 따른 보건진료소를 포함한다. 이하 이 표에서 같다)을 개설·운영하는 자가 방문간호를 제공하는 경우에는 시설·설비 및 비품 등을 해당 의료기관과 공동으로 사용할 수 있다.

  나. 주·야간보호, 단기보호를 제공하는 시설
    1) 시설의 입지조건
    보건·위생·안전·환경 및 교통편의 등을 충분히 고려하여 이용자가 쉽게 접근하고 편리하게 이용할 수 있는 쾌적한 환경의 부지를 선정하여야 한다.
    2) 다음 기준에 해당하는 시설을 갖추어야 한다.

<table>
<tr><th colspan="2">구 분</th><th>생활실</th><th>침실</th><th>사무실</th><th>의료 및 간호 사실</th><th>프로그램실</th><th>물리 (작업) 치료실</th><th>식당 및 조리실</th><th>화장실</th><th>세면장 및 목욕실</th><th>세탁장 및 건조장</th></tr>
<tr><td rowspan="2">주·야간 보호</td><td>이용자 10명 이상</td><td>○</td><td></td><td colspan="2">○</td><td colspan="2">○</td><td>○</td><td>○</td><td colspan="2">○</td></tr>
<tr><td>이용자 10명 미만</td><td>○</td><td></td><td colspan="2">○</td><td colspan="2">○</td><td>○</td><td colspan="3">○</td></tr>
<tr><td rowspan="2">단기 보호</td><td>이용자 10명 이상</td><td></td><td>○</td><td colspan="2">○</td><td colspan="2">○</td><td>○</td><td>○</td><td colspan="2">○</td></tr>
<tr><td>이용자 10명 미만</td><td></td><td>○</td><td colspan="2">○</td><td colspan="2">○</td><td>○</td><td colspan="3">○</td></tr>
</table>

비고
  1. 주·야간보호 이용자가 10명 이상의 경우, 사무실과 의료 및 간호사실은 공간을 함께 사용할 수 있으나 각각의 시설에 대한 기능은 모두 갖추고 있어야 한다.
    (가) 사무실과 의료 및 간호사실은 공간을 함께 사용 가능하나 각각의 시설에 대한 기능은 모두 갖추고 있어야 한다.
    (나) 프로그램실과 물리(작업)치료실은 공간을 함께 사용할 수 있으나 각각의 시설에 대한 기능은 모두 갖추고 있어야 한다.
  2. 주·야간보호시설 내 치매전담실에는 프로그램실을 두어야 한다.
  3. 주·야간보호시설 내 치매전담실 입구에는 출입문을 두어 공간을 구분하되, 화재 등 비상시에 열 수 있

도록 하여야 한다.

3) 설비기준

가) 시설의 규모·구조 및 설비는 이용자가 쾌적한 일상생활을 하는데 적합하여야 하며, 일조·채광·환기 등 이용자의 보건위생과 재해방지 등을 충분히 고려하여야 한다.

나) 복도·화장실·생활실·침실 등 이용자가 통상 이용하는 시설은 휠체어 등의 이동이 가능한 공간을 확보하여야 하며, 문턱을 제거하고, 손잡이 설비를 부착하며, 바닥의 미끄럼을 방지하는 등 이용자의 활동에 편리한 구조를 갖추어야 한다.

다) 「화재예방, 소방시설 설치유지 및 안전관리에 관한 법률」이 정하는 바에 따라 소화용 기구를 비치하고 비상구를 설치하여야 한다.

라) 급·배수 설비

(1) 급수설비는 상수도에 의한다. 다만, 상수도에 의할 수 없는 경우에는 「먹는물관리법」 제5조에 따른 먹는물의 수질기준에 적합한 지하수 등을 공급할 수 있는 설비를 갖추어야 한다.

(2) 시설에서 사용되는 먹는물의 경우에는「수도법」또는「먹는물관리법」에 따라 수질검사를 받아야 한다.

(3) 빗물·오수 등의 배수에 지장이 없도록 배수설비를 갖추어야 한다.

마) 건물 내 경사로: 침실이 2층 이상인 경우 건물 내에 경사로를 설치하여야 한다. 다만, 「승강기시설 안전관리법」에 따른 승객용 엘리베이터를 설치한 경우에는 경사로를 설치하지 아니할 수 있다.

바) 그 밖의 설비

(1) 복도·화장실, 그 밖의 필요한 곳에 야간 상용 등을 설치하여야 한다.

(2) 계단의 경사는 완만하여야 하며, 이용자의 낙상을 방지하기 위하여 계단의 출입구에 출입문을 설치하고, 그 출입문에 잠금장치를 갖추되, 화재 등 비상시에 자동으로 열릴 수 있도록 하여야 한다.

(3) 바닥은 부드럽고 미끄럽지 아니한 바닥재를 사용하여야 한다.

(4) 주방 등 화재위험이 있는 곳에는 치매노인이 임의로 출입할 수 없도록 잠금장치를 설치하여야 한다.

(5) 배회이용자의 실종 등을 예방할 수 있도록 외부 출입구에 잠금장치를 갖추되, 화재 등 비상시에 자동으로 열릴 수 있도록 하여야 한다.

사) 다음의 설비기준을 갖추어야 한다.

(1) 생활실

(가) 이용자가 자유롭게 활동할 수 있는 공간과 안전설비를 갖춘 생활실을 두어야 한다.

(나) 적당한 난방 및 통풍장치, 채광·조명 및 방습설비를 갖추어야 한다.

(2) 침실

(가) 독신용·동거용·합숙용 침실을 둘 수 있다.

(나) 남녀공용인 시설의 경우에는 합숙용 침실을 남실 및 여실로 각각 구분하여야 한다.

(다) 이용자 1명당 침실 면적은 6.6제곱미터 이상이어야 한다.

(라) 합숙용 침실 1실의 정원은 4명 이하이어야 한다.

(마) 합숙용 침실에는 이용자의 생활용품을 각자 별도로 보관할 수 있는 보관설비를 설치하여야 한다.

(바) 침실 바닥 면적의 7분의 1 이상의 면적을 창으로 하여 직접 바깥 공기에 접하도록 하며, 개폐가 가능하여야 한다.

(사) 침대를 사용하는 경우에는 이용자들이 자유롭게 오르내릴 수 있어야 한다.

(아) 이용자가 자유롭게 활동할 수 있는 공간과 안전설비를 갖춘 침실을 두어야 한다.

(자) 적당한 난방 및 통풍장치, 채광·조명 및 방습설비를 갖추어야 한다.

(3) 사무실: 사무를 위한 적당한 집기·비품 및 탈의 공간을 갖추어야 한다.

(4) 의료 및 간호사실: 진료 및 간호에 필요한 상용의약품·위생재료 또는 의료기구를 갖추어야 한다.

(5) 프로그램실: 자유로이 이용할 수 있는 적당한 문화설비와 오락기구를 갖추어두어야 한다.

(6) 물리(작업)치료실: 기능회복 또는 기능감퇴를 방지하기 위한 훈련 등에 지장이 없는 면적과 필요한 설비 및 장비를 갖추어야 한다.

(7) 식당 및 조리실

(가) 조리실 바닥재는 내수 소재이고, 조리실은 세척 및 배수에 편리한 구조여야 한다.

(나) 채광 및 환기가 잘 되도록 하고, 창문에는 방충망을 설치하여야 한다.

(다) 식기를 소독하고 위생적으로 취사 및 조리를 할 수 있는 설비를 갖추어야 한다.

(라) 급식제공을 외부기관에 위탁하는 경우에는 조리실을 두지 않을 수 있다.

(8) 세면장 및 목욕실

(가) 바닥은 미끄럽지 아니하여야 한다.

(나) 욕탕샤워기 및 세면설비와 깨끗한 물을 사용할 수 있는 설비를 갖추어야 한다.

(다) 욕조를 설치하는 경우에는 욕조에 이용자의 전신이 잠기지 아니하는 깊이로 하고 욕조 출입이 자유롭도록 최소한 1개 이상의 보조봉과 수직의 손잡이 기둥을 설치하여야 한다.

(라) 급탕을 자동온도조절 장치로 하는 경우에는 물의 최고온도는 섭씨 40도 이상이 되지 아니하도록 하여야 한다.

(9) 세탁장 및 건조장: 세탁 및 세탁물을 건조할 수 있는 설비를 갖추어야 한다. 다만, 세탁물을 전량 위탁처리하는 경우에는 두지 아니할 수 있다.

다. 재가노인지원서비스: 사무실, 상담실, 교육실, 자원봉사자실을 갖추어야 한다.

라. 복지용구를 제공하거나 대여하는 시설: 다음의 시설 및 설비를 모두 갖추어야 한다. 다만, 3) 및 4)는 다른 사업자와 같이 사용할 수 있다.

1) 사무실. 이 경우 복지용구 외의 재가급여를 제공하는 데 필요한 사무실과 같이 사용할 수 없다.

2) 복지용구 진열·체험 공간

3) 복지용구 세정에 필요한 수도·배수시설 및 소독·수선에 필요한 용구를 갖춘 공간

4) 복지용구 보관·관리·대여 공간

3. 직원의 자격기준 "생략"

4. 인력기준 "생략"

5. 하나의 재가노인복지시설에서 여러 가지 재가노인복지서비스를 함께 제공하는 경우의 특례 "생략"

6. 재가노인복지서비스를 제공하는 시설을 사회복지시설에 병설하는 경우의 특례 "생략"

12 수련시설

가. 생활권 수련시설(청소년수련관, 청소년문화의 집, 청소년특화시설, 그 밖에 이와 비슷한 것) 【참고1】
나. 자연권 수련시설(청소년수련원, 청소년야영장, 그 밖에 이와 비슷한 것) 【참고2】
다. 유스호스텔
라.「관광진흥법」에 따른 야영장시설로서 30 야영장시설이 아닌 것. 【참고3】

【참고1】 청소년 수련시설(「도시·군계획시설규칙」 제112조~제114조)

규칙 제112조【청소년수련시설】이 절에서 "청소년수련시설"이라 함은 「청소년활동진흥법」 제10조제1호의 규정에 의한 청소년수련시설을 말한다.

규칙 제113조【청소년수련시설의 결정기준】청소년수련시설의 결정기준은 다음 각호와 같다. <개정 2021.8.27>

1. 생활권청소년수련시설은 일상 생활권안에서 청소년이 수시로 이용하기에 편리한 곳으로서 광장·공원·학교·체육시설 및 문화시설 등과의 연계를 고려하여 설치할 것
2. 자연권청소년수련시설은 수려한 자연환경을 갖추어 자연과 더불어 행하는 수련활동 실시에 적합한 곳으로서 청소년이 이용하기에 편리하고 환경훼손이 최소화될 수 있는 입지와 설치방법을 강구할 것
3. 도시지역외의 지역에 설치하는 자연권청소년수련시설의 규모는 원칙적으로 1제곱킬로미터를 초과하지 아니하도록 하고, 전체면적의 30퍼센트 이상을 원지형대로 보전할 것
4. 유흥업소 그 밖에 청소년 유해시설과 가까운 곳이 아닐 것
5. 지역별 인구밀도를 고려하여 청소년이 쉽게 접근할 수 있도록 적정한 배치간격을 유지할 것
6. 주변의 토지이용계획 및 건축물과 조화를 이룰 것

건축법
1. 총칙
2. 건축
3. 유지관리
4. 대지도로
5. 구조재료
6. 지역지구
7. 건축설비
8. 특별건축구역
9. 보칙
10. 벌칙
건축법 관련기준

7. 제1종전용주거지역·제2종전용주거지역·전용공업지역·보전녹지지역·생산녹지지역·생산관리지역 및 보전관리지역외의 지역에 설치할 것

규칙 제114조【청소년수련시설의 구조 및 설치기준】① 도시지역 외의 지역에 설치하는 청소년수련시설의 구조 및 설치기준은 다음 각 호와 같다. <개정 2021.8.27., 2023.12.22.>

1. 산지에 건축물을 배치하는 경우 평균 경사도가 25도 이하이고 표고가 산자락하단을 기준으로 250미터 이하인 지역으로 할 것
2. 기존 지형을 고려하여 건축물을 배치하고, 양호한 조망을 확보할 수 있도록 할 것
3. 건축물의 길이는 경사도가 15도 이상인 산지에서는 100미터 이내로 하고, 그 밖의 지역에서는 150미터 이내로 할 것
4. 경사도가 15도 이상인 산지에 건축물 등을 2 이상 설치하는 경우에는 경관·조망권 등의 확보를 위하여 길이가 긴 것을 기준으로 그 길이의 5분의 1 이상의 거리를 둘 것
5. 제1호·제3호 및 제4호의 기준을 적용함에 있어 경사도 및 표고는 원지형을 기준으로 산정할 것
6. 청소년야영장·체육시설 등으로 사용하기 위하여 토지의 형질을 변경하는 경우 원칙적으로 다음 각 목의 기준에 적합할 것
   가. 산지인 토지의 형질을 변경하는 경우 평균 경사도가 25도 이하이고 표고가 산자락하단을 기준으로 300미터 이하인 지역으로 할 것
   나. 청소년야영장은 기존 지형을 최대한 이용하여 토지의 형질변경을 최소화할 것
   다. 체육시설은 기존 지형의 경사도를 50퍼센트 이상 변경하지 않도록 하여 과도한 성토(흙쌓기)·절토(땅깎기) 등이 이루어지지 않도록 할 것. 다만, 기본적인 지형을 유지하면서 1,000제곱미터 미만의 토지에 대하여 경사도를 변경하는 경우에는 그렇지 않다.
7. 청소년수련시설 부지는 다음 각목의 기준에 적합하게 구획할 것. 다만, 필요한 경우 용도구획을 추가할 수 있다.
   가. 수련시설용지 및 체육시설용지는 원칙적으로 전체부지 면적의 60퍼센트 미만으로 할 것
   나. 녹지용지는 원지형보전녹지·완충용녹지 등으로 구획하고, 전체부지 면적의 40퍼센트 이상으로 할 것
   다. 기반시설용지에는 도로·주차장·환경오염방지시설 등을 설치하도록 할 것
8. 기반시설은 다음 각 목의 기준에 적합하게 설치할 것
   가. 전체부지의 경계에서 국도·지방도·시도·군도, 그 밖에 폭 10미터 이상인 도로에 연결되는 진입도로를 다음 기준에 의하여 설치할 것
      (1) 폭 8미터 이상으로 하되, 보도의 설치가 필요한 경우에는 10미터 이상으로 할 것
      (2) 삭제<2008.1.14>
      (3) 제101조제4항제3호 가목(3)의 규정은 청소년수련시설의 진입도로 설치에 관하여 이를 준용한다. 이 경우 "체육시설"은 "청소년수련시설"로 본다.
   나. 부지내 도로는 폭 4미터 이상으로 할 것
   다. 상수도시설은 청소년수련시설의 최대 수용인원에 대하여 1인 1일 기준으로 300리터 이상을 공급하고, 유스호스텔 등 숙박시설이 있는 경우에는 당해 숙박시설에 한하여 1실(4인 기준)에 1천200리터를 기준으로 하여 필요한 급수량을 공급할 수 있도록 할 것
   라. 제101조제4항제3호 라목 내지 바목의 기준에 적합할 것
9. 청소년야영장에는 야영시설에서 100미터 이내에 임시대피소를 설치할 것
10. 빗물이용시설의 설치를 고려하고, 물이 스며들지 않는 표면에서 유출되는 빗물을 최소화하도록 빗물이 땅에 잘 스며들 수 있는 구조로 하거나 식생도랑, 저류·침투조, 빗물정원, 옥상정원 등 빗물관리시설 설치를 고려할 것 <신설 2023.12.22.>

② 청소년수련시설(「청소년활동 진흥법」 제10조제1호다목에 따른 청소년문화의 집에 한정한다)에는 다음 각 호의 편익시설을 설치할 수 있다. <신설 2014.12.31.>

1. 「건축법 시행령」 별표 1 제3호가목부터 라목까지의 시설

2. 「건축법 시행령」 별표 1 제4호바목 · 아목 · 카목(직업훈련소에 한정한다) 및 하목(금융업소에 한정한다)의 시설
3. 「건축법 시행령」 별표 1 제10호바목의 시설
4. 「건축법 시행령」 별표 1 제27호다목의 시설

③ 제1항 및 제2항에서 규정한 사항 외에 청소년수련시설의 구조 및 설치에 관하여는 「청소년활동 진흥법」에서 정하는 바에 따른다. <개정 2014.12.31.>

【참고2】 청소년활동시설의 종류(「청소년활동 진흥법」 제2조, 제10조)

법 제2조 【정의】 이 법에서 사용하는 용어의 뜻은 다음과 같다.

1. "청소년활동"이란 「청소년기본법」 제3조제3호에 따른 청소년활동을 말한다.
2. "청소년활동시설"이란 청소년수련활동, 청소년교류활동, 청소년문화활동 등 청소년활동에 제공되는 시설로서 제10조에 따른 시설을 말한다.

법 제10조 【청소년활동시설의 종류】 청소년활동시설의 종류는 다음 각호와 같다.

1. 청소년수련시설
   가. 청소년수련관: 다양한 청소년수련거리를 실시할 수 있는 각종 시설 및 설비를 갖춘 종합수련시설
   나. 청소년수련원: 숙박기능을 갖춘 생활관과 다양한 청소년수련거리를 실시할 수 있는 각종 시설과 설비를 갖춘 종합수련시설
   다. 청소년문화의 집: 간단한 청소년수련활동을 실시할 수 있는 시설 및 설비를 갖춘 정보 · 문화 · 예술 중심의 수련시설
   라. 청소년특화시설: 청소년의 직업체험, 문화예술, 과학정보, 환경 등 특정 목적의 청소년활동을 전문적으로 실시할 수 있는 시설과 설비를 갖춘 수련시설
   마. 청소년야영장: 야영에 적합한 시설 및 설비를 갖추고, 청소년수련거리 또는 야영편의를 제공하는 수련시설
   바. 유스호스텔: 청소년의 숙박 및 체류에 적합한 시설 · 설비와 부대 · 편익시설을 갖추고, 숙식편의 제공, 여행청소년의 활동지원(청소년수련활동 지원은 제11조에 따라 허가된 시설 · 설비의 범위에 한정한다)을 기능으로 하는 시설
2. 청소년이용시설 : 수련시설이 아닌 시설로서 그 설치목적의 범위에서 청소년활동의 실시와 청소년의 건전한 이용 등에 제공할 수 있는 시설

■ 수련시설의 시설기준(「청소년활동진흥법 시행규칙」 별표 3) <개정 2021.11.8.>

1. 공통기준

가. 일반기준

구 분	기 준
1) 입지	청소년의 건전한 정서함양에 적합한 장소로서 수련시설은 다음의 입지조건을 갖추어야 한다. 가) 청소년수련관, 청소년문화의 집, 청소년특화시설: 일상생활권, 도심지 근교 및 그 밖의 지역 중 청소년수련활동 실시에 적합한 곳으로서 청소년이 이용하기에 편리한 지역이어야 한다. 나) 청소년수련원, 청소년야영장: 자연경관이 수려한 지역, 국립 · 도립 · 군립공원, 그 밖의 지역 중 자연과 더불어 행하는 청소년수련활동 실시에 적합한 곳으로서 청소년이 이용하기에 편리한 지역이어야 한다. 다) 유스호스텔: 명승고적지, 역사유적지 부근 및 그 밖의 지역 중 청소년이 여행활동 시 이용하기에 편리한 지역이어야 한다.
2) 구조	가) 시설 및 기구 · 설비 등은 청소년이 이용하기에 편리한 구조로 하여야 하며 장애인을 위한 배려를 하여야 한다. 나) 수용정원에 적합한 면적과 구조로 하여야 한다.

3) 설치기준	가) 주변 환경을 자연친화적으로 보존·활용하여야 한다. 나) 시설의 종류별로 개별기준에 정한 시설·설비를 설치하되, 그 설치기준은 개별기준에서 정한 것을 제외하고는 나. 단위시설·설비기준에 따른다. 다) 법 제33조제2항 각 호의 영업을 하기 위한 시설을 설치하는 경우에는 이 기준에서 정한 것 외에 해당 법령에서 정한 기준에 따라야 한다. 라) 폐교시설 등 기존시설을 활용한 수련시설의 경우에는 「시설물의 안전 및 유지관리에 관한 특별법」 제28조에 따라 등록한 안전진단전문기관으로 하여금 안전점검을 실시하도록 하고, 안전점검을 실시한 결과 시설물의 재해 및 재난예방과 안전성 확보 등을 위하여 필요하다고 인정되는 경우에는 같은 법 제2조제6호의 정밀안전진단을 실시하여야 한다. 마) 청소년수련관, 청소년수련원, 청소년야영장, 청소년특화시설 및 유스호스텔은 전용시설로만 설치하여야 한다. 다만, 청소년수련활동과 연계할 수 있는 다음의 시설과는 복합시설로 설치할 수 있다. (1) 「문화예술진흥법」 제2조제3호의 문화시설 (2) 「체육시설의 설치·이용에 관한 법률」 제2조제1호의 체육시설 (3) 「식품위생법 시행령」 제21조제8호가목 및 나목의 휴게음식점영업 및 일반음식점영업을 위한 근린생활시설 중 청소년수련시설 이용자에게만 음식을 제공하는 시설
4) 관리시설	관리실·사무실·안내시설 등 시설물의 관리·운영에 필요한 시설·설비를 수련시설의 종류에 따라 설치하여야 한다.
5) 기타시설	수련시설의 종류 및 기능의 범위에서 입지여건·특성·자연환경 등에 따라 해당 수련시설의 개별기준에서 정하지 않았더라도 다른 종류의 수련시설의 개별기준에서 정한 시설·설비 등을 설치할 수 있다.
6) 금지시설	동일 건물 또는 해당 시설에 「청소년 보호법」 제2조제5호에 따른 청소년유해업소가 있어서는 안 되며, 설치예정지역으로부터 직선거리 50미터 이내에는 유흥주점 등 청소년이 이용하기에 적합하지 않은 시설이 있어서는 안 된다.

나. 단위시설·설비기준

※ 2. 개별기준에 따라 시설·설비를 설치하는 경우에는 개별기준에서 정한 사항을 제외하고는 다음의 기준에 맞아야 한다.

구 분	기 준
1) 실내집회장	가) 강당·회의실 등으로서 개별기준에서 정한 집회장 수용인원이 150명 이하인 경우에는 150제곱미터, 150명을 초과하는 경우에는 초과하는 1명마다 0.8제곱미터를 더한 면적 이상의 면적이어야 하며, 그 면적의 합계가 800제곱미터를 초과하는 경우에는 800제곱미터로 할 수 있다. 나) 둘 이상의 강의실 사이에 이동식 칸막이를 설치하여 이를 쉽게 강당으로 사용할 수 있는 구조로 한 경우 이를 실내집회장으로 볼 수 있다(개별기준에서 실내집회장을 두도록 정하지 않은 경우에 한정한다).
2) 야외집회장	가) 무대, 확성설비 등 집회활동에 필요한 기구·설비를 갖추어야 한다. 나) 해당 집회장에 수용할 인원이 150명 이하인 경우에는 200제곱미터, 150명을 초과하는 경우에는 초과하는 1명마다 0.7제곱미터를 더한 면적 이상의 면적이어야 하며, 그 면적의 합계가 2,000제곱미터를 초과하는 경우에는 2,000제곱미터로 할 수 있다. 다) 운동장에 야외집회장으로 이용할 수 있는 기구·설비를 갖춘 경우에는 이를 야외집회장으로 볼 수 있다.
3) 체육활동장	가) 「체육시설의 설치·이용에 관한 법률」에 따른 체육시설(골프장업·골프연습장업·스키장업·자동차경주장업·무도학원업 및 무도장업용 체육시설은 제외한다) 및 이에 해당하지 않지만 청소년의 체육활동에 이용할 수 있는 시설을 말한다. 나) 체육활동장의 설치기준은 「체육시설의 설치·이용에 관한 법률」을 준용하고, 같은 법에서 정하지 않은 사항은 해당 종목별 경기단체가 정하는 시설관계 공인규정 등을 준용한다(관람석 등은 설치하지 않을 수 있다)

4) 수련의 숲	가) 자연림 또는 인공적으로 조성한 숲지대로서 그 안에 야외탁자·장(長)의자·예술조형물·그늘집 등의 조경시설물과 휴게소 등을 설치하여 휴식 및 명상 등을 할 수 있도록 한 것을 말한다. 나) 자연체험장을 수림지대에 설치한 경우로서 그 수림지대에 조경시설물 등을 설치한 경우에는 이를 수련의 숲으로 볼 수 있다.
5) 특성화수련활동장	가) 문화적 감성 함양 활동장 문화적 감성을 개발하고 정서를 순화하며 문화에 대한 이해를 증진시키고 취미활동 등의 함양을 위한 활동에 필요한 활동장으로서 극장·공연장·음악감상실·전시장 그 밖에 이와 유사한 것을 말한다. 나) 과학 및 정보화능력 함양활동장 창조적 능력·탐구심·정보화능력·미래과학능력 등을 함양하기 위한 활동에 필요한 활동장으로서 컴퓨터실, 과학실습·자연관찰·천체관측시설, 요리실습시설, 어류·조수사육장 그 밖에 이와 유사한 것을 말한다. 다) 봉사와 협력정신 함양활동장 인간존중의 정신 및 심성을 개발하고 정의감·상부상조정신 등을 배양하기 위한 활동에 필요한 활동장으로서 자원봉사정보 및 활용센터, 자원봉사체험 연계 네트워크 그 밖에 이와 유사한 것을 말한다. 라) 모험심과 개척정신 함양활동장 신체의 강건함·용기·인내심·탐험정신·도전의식·진취성 등을 키울 수 있는 활동에 필요한 활동장으로서 탐험시설, 수상·해양·항공훈련시설, 영농시설, 산악자전거장, 개척물설치훈련장, 암벽등반시설 그 밖에 이와 유사한 것을 말한다. 마) 전문적 직업능력 함양활동장 직업 전문성, 현실적응능력 등을 배양하고 직업관 등을 확립하기 위한 활동에 필요한 활동장으로서 취업정보센터, 직업교육용시설 그 밖에 이와 유사한 것을 말한다. 바) 국제감각 함양활동장 세계문화의 이해와 외국의 교류체험 및 한민족의 정체성 등을 고양하기 위한 활동에 필요한 활동장으로서 국제교류관(국제회의실·접견실·회의실·친선교류실 등), 학습·정보관(청소년교육정보센터 등), 어학실습실 그 밖에 이와 유사한 것을 말한다. 사) 그 밖의 특성화활동장 가)부터 바)까지에서 규정한 분야 외의 환경의식 함양 등 특성화된 청소년수련활동을 실시할 수 있는 활동장을 말한다.
6) 자치활동실	동아리활동·분임토의 등에 이용되는 시설로서 의자·탁자 등을 갖추어야 한다.
7) 강의실	가) 1실당 면적은 50제곱미터 이상이어야 한다. 나) 칠판·교탁·책상·걸상 등과 그 밖에 필요한 기구·설비를 갖추어야 한다. 다) 책상면과 칠판면의 조도가 150럭스(lux) 이상이어야 한다.
8) 생활관(유스호스텔의 숙박실을 포함)	가) 숙박실은 숙박정원 1인당 2.4제곱미터 이상이어야 한다. 다만, 중학생 또는 초등학생의 경우에는 생활관 또는 숙박실의 전체 숙박정원의 100분의 10(중학생) 또는 100분의 20(초등학생)을 추가한 인원을 해당 수련시설의 숙박정원으로 할 수 있다. 나) 채광과 통풍이 양호하여야 하며, 지하실 등에 설치되어서는 안 된다. 다) 가족실을 설치하려는 경우에는 둘 이상으로 구획된 침실과 거실, 주방 등을 갖춘 형식으로 할 수 있으며, 거실을 갖춘 경우에는 거실면적 중 100분의 30에 해당하는 면적을 숙박실의 면적으로 본다. 라) 생활관의 형태를 소규모로 분산 설치할 경우에는 청소년지도자용 숙박실을 청소년용 숙박실 근처에 배치하여야 한다. 마) 숙박실이 있는 층마다 공동으로 이용할 수 있는 화장실·샤워장·세면장을 설치하여야 한다(생활관을 소규모로 분산 설치하는 경우에는 가까운 거리마다 설치하여야 한다). 다만, 해당 층의 숙박실 전체에 화장실 등이 설치된 경우에는 설치하지 않을 수 있다. 바) 공동세탁실을 갖추어야 한다. 다만, 세면장·샤워장 등을 세탁실로도 사용할 수 있는 구조 및 면적으로 한 경우에는 세탁실을 별도로 갖추지 않을 수 있다. 사) 난방설비를 갖추어야 한다. 다만, 개별 숙박실마다 난방설비를 설치하는 경우에는 해

	당 숙박실 내에 「화재예방, 소방시설 설치·유지 및 안전관리에 관한 법률」 제36조 제3항에 따라 제품검사를 받은 일산화탄소 경보기를 설치해야 한다.
9) 야영지	가) 야영정원 1인당 20제곱미터 이상이어야 한다. 나) 자가취사장·화장실 및 세면장을 갖추어야 한다. 다만, 야영지 주변에 그와 같은 시설이 있는 경우에는 설치하지 않을 수 있다. 다) 평지 또는 완경사 지역으로서 절벽·급류 등 위험한 장소의 인근에 설치되어서는 안되며, 홍수의 범람·해일 등 재해의 우려가 없는 지역이어야 한다. 라) 배수가 잘 이루어져야 하며, 자연배수가 되지 않는 지반일 경우 배수로 또는 덮은 도랑 등을 설치하여 인공적으로 배수가 이루어지도록 하여야 한다.
10) 식당	매식을 하는 식당 또는 집단급식소로서 급식인원 1인당 1제곱미터 이상의 면적이어야 하며, 급식인원에 알맞는 조리기구·배식설비·식탁·의자 등의 기구·설비를 갖추어야 한다.
11) 자가취사장	가) 배기가 잘 되는 구조로 하여야 하며, 화재 등을 예방할 수 있도록 소화장비를 갖추어야 한다. 나) 급수·배수설비, 개수설비, 오물처리설비 등을 갖추어야 한다. 다) 유스호스텔의 경우에는 취사설비(가스레인지 또는 전열취사기구 등과 조리대 및 개수대를 말한다)와 식탁·의자 및 개별취사용구·부식 등을 보관할 수 있는 보관대를 구비하여야 한다. 라) 옥외에 설치하는 경우에는 비바람을 막을 수 있는 구조로 하여야 하며, 이용에 불편이 없도록 가까운 장소에 설치하여야 한다.
12) 위생시설	가) 화장실은 수세식 또는 이에 준하는 방식으로 설치하여야 하며, 이용이 편리한 위치에 남녀를 구분하여 설치하여야 한다. 나) 취사 및 음용에 공급되는 물은 상수도를 사용하는 경우를 제외하고는 관할 보건소에서 보건위생상 해가 없다고 증명한 것이어야 한다.
13) 지도자실	청소년지도자들이 청소년수련활동 지도 등을 위한 준비실로 사용하는 실내공간으로 의자·탁자 등 필요한 기구·설비를 갖추어야 한다.
14) 상담실	가) 내부의 장식·설비 등은 안락함이 느껴지도록 설치하여야 한다. 나) 응접세트 또는 의자·탁자 등을 갖추어야 한다. 다) 다수의 상담이 동시에 가능하도록 설치하는 경우에 있어서는 칸막이 등을 설치하여야 한다.
15) 양호실	가) 간단한 구급약품의 비치나 상병자에 대한 응급처치 등을 할 수 있도록 약품보관함·침대·침구 등을 갖추어야 한다. 나) 관리실·사무실 등에 병설하여 설치할 수 있다(개별기준에서 정하지 않은 경우에 한정한다).
16) 휴게실	가) 이용자들의 휴식을 위한 공간으로 의자 및 탁자를 갖추어야 한다. 나) 공유면적에 의자 및 탁자를 배치하여 휴식장소로 이용할 경우에는 이를 휴게실로 볼 수 있다(개별기준에서 정하지 않은 경우에 한정한다).
17) 물품보관시설	물품보관시설을 설치하거나 물품보관함을 비치하여야 한다.
18) 방송설비	해당 수련시설에서 안내방송 등을 할 수 있는 설비로서 주된 장치는 별도의 방송실에 설치하거나 관리실 등에 병설할 수 있다.

2. 개별기준

가. 청소년수련관

구 분	기 준
1) 면적	연건축면적이 1,500제곱미터 이상이어야 한다.
2) 실내집회장	150명 이상을 수용할 수 있어야 한다.
3) 체육활동장	연면적 150제곱미터 이상의 실내체육시설을 설치하여야 한다.
4) 자치활동실	2개소 이상 설치하여야 한다.
5) 특성화수련활동장	2개 이상의 시설을 선택하여 설치하여야 한다.

6) 상담실	1개소 이상 설치하여야 한다.
7) 휴게실	1개소 이상 설치하여야 한다.
8) 위생시설	수용정원에 적합한 화장실, 세면장 등을 설치하여야 한다.
9) 지도자실	1개소 이상 설치하여야 한다.
10) 기타설비	방송설비를 갖추어야 한다.
11) 수용정원	2)부터 5)까지에 해당하는 시설(실내시설에 한정한다)을 일시에 사용할 수 있는 적정인원을 말한다.

나. 청소년문화의 집

구 분	기 준
1) 활동시설	1. 공통기준 나목의 1) 및 5)부터 7)까지에 해당하는 시설 중 두 종류 이상을 갖추어야 한다.
2) 휴게시설	휴게실을 별도로 설치하거나 실내공간 또는 마당을 청소년의 휴식 및 대화장소로 제공할 수 있는 구조로 배치하여야 한다.
3) 위생시설	수용정원에 적합한 화장실·세면장 등을 설치하여야 한다.
4) 기타시설	물품보관시설을 갖추어야 한다.
5) 수용정원	1)에 해당하는 시설(실내시설에 한정한다)을 일시에 사용할 수 있는 적정인원을 말한다.

다. 청소년수련원

구 분	기 준
1) 생활관	가) 100명 이상이 숙박할 수 있어야 한다. 나) 각각의 숙박실은 10명 이하의 규모로 하여야 한다. <개정 2021.11.8>
2) 식당	생활관 숙박정원의 100분의 30 이상의 인원에게 일시에 급식할 수 있어야 한다.
3) 실내집회장	생활관 숙박정원의 100분의 50 이상을 수용할 수 있어야 한다.
4) 야외집회장	생활관 숙박정원의 100분의 60 이상을 수용할 수 있어야 한다.
5) 체육활동장	연면적 100제곱미터 이상의 실내체육시설 또는 연면적 1,500제곱미터 이상의 실외체육시설을 설치하여야 한다.
6) 수련의 숲	연면적 1,000제곱미터 이상이어야 한다.
7) 강의실	1실 이상 설치하여야 한다.
5) 특성화수련활동장	1개 이상의 시설을 선택하여 설치하여야 한다.
9) 지도자실	1개소 이상 설치하여야 한다.
10) 휴게실	1개소 이상 설치하여야 한다.
11) 비상설비	가) 비상조명설비 또는 기구를 갖추어야 한다. 나) 비상급수설비를 갖추어야 한다.
12) 기타시설	방송설비, 양호실, 물품보관시설을 갖추어야 한다.
13) 숙박정원	생활관에서 일시에 숙박할 수 있는 적정인원을 말한다.

비고
폐교시설을 이용하여 설치하는 청소년수련원은 1)부터 3)까지 및 5)에 해당하는 시설에 대하여는 기준규모 이하로 할 수 있으며, 6)에 해당하는 시설의 설치를 생략할 수 있다.

라. 청소년야영장

구 분	기 준
1) 야영지	100명 이상이 야영할 수 있어야 한다.
2) 야외집회장	수용정원의 100분의 40 이상을 수용할 수 있어야 한다.
3) 대피시설	가) 폭우·폭설 등 급작스런 재해에 대비하여 대피시설을 설치하여야 한다. 다만, 다른 용도의 시설이 있어 이를 대피시설로 사용할 수 있는 경우에는 별도의 대피시설을 설치하지 않을 수 있다. 나) 대피시설의 구조는 비바람을 막을 수 있는 구조로 하여야 한다.
4) 체육활동장	연면적 1,000제곱미터 이상의 실외체육시설을 설치하여야 한다.

5) 비상설비	가) 비상시 야영지에서 대피시설까지 원활하게 이동할 수 있도록 비상조명설비 또는 기구를 갖추어야 한다. 나) 야영지에서 대피시설 또는 관리사무소에 연락할 수 있는 통신수단을 확보하여야 한다.
6) 야영정원	야영지에서 일시에 야영할 수 있는 적정인원을 말한다.

비고

1) 국가·지방자치단체 또는 공공단체 등이 도시공원·자연공원 또는 관광지 등에 설치하는 청소년야영장으로서 관련법령에 따른 조성계획에 따라 설치하는 경우에는 위 기준에 불구하고 그 계획에 따른다.
2) 생활관을 설치하는 경우에는 숙박정원을 100명 미만으로 하여야 한다.
3) 폐교시설을 이용하여 설치하는 청소년야영장은 1), 2) 및 4)에 해당하는 시설에 대하여는 기준 규모 이하로 할 수 있다.

마. 청소년특화시설

구 분	기 준
1) 활동시설	직업체험, 문화예술, 과학정보, 환경 등의 특화된 분야의 활동을 행할 수 있는 전문 자료실, 동아리방, 연구실, 체험실 등의 시설을 갖추어야 한다.
2) 휴게실	1개소 이상 설치하여야 한다.
3) 지도자실	1개소 이상 설치하여야 한다.
4) 냉·난방시설	냉·난방설비를 갖추어야 한다.
5) 비상설비	가) 비상조명설비 또는 기구를 갖추어야 한다. 나) 비상급수설비를 설치하여야 한다.
6) 기타시설	방송설비 및 물품보관시설을 갖추어야 한다.
7) 수용정원	활동시설(실내시설에 한정한다)에서 일시에 수용할 수 있는 적정인원을 말한다.

바. 유스호스텔

구 분	기 준
1) 숙박실	가) 각각의 숙박실은 10명 이하의 규모로 하되, 2인실 이하의 숙박정원의 합계는 전체 숙박정원의 100분의 40을 초과할 수 없다. 나) 청소년을 동반한 가족 등에게 제공하기 위한 가족실을 둘 수 있다. 이 경우 그 숙박정원의 합계는 전체 숙박정원의 100분의 30을 초과할 수 없다.
2) 대화·정보실	여행·문화정보 등을 제공하고 만남의 공간으로 활용될 수 있도록 조성한다.
3) 자가취사장	숙박정원 50인당 1조 이상의 취사설비를 갖추어야 한다. 다만, 그 합계가 5조를 초과하는 경우에는 5조로 할 수 있다.
4) 휴게실	1개소 이상 설치하여야 한다.
5) 지도자실	1개소 이상 설치하여야 한다.
6) 난방시설	난방설비를 갖추어야 한다.
7) 비상설비	가) 비상조명설비 또는 기구를 갖추어야 한다. 나) 비상급수설비를 설치하여야 한다.
8) 기타시설	방송설비 및 물품보관시설을 갖추어야 한다.
9) 숙박정원	숙박실에서 일시에 숙박할 수 있는 적정인원을 말한다.

【참고3】 야영장(「관광진흥법」 제3조, 시행령 제2조, 제5조)

➡ 30 야영장시설 참조

13 운동시설

가. 탁구장, 체육도장, 테니스장, 체력단련장, 에어로빅장, 볼링장, 당구장, 실내낚시터, 골프연습장, 놀이형시설, 그 밖에 이와 비슷한 것	제1종 및 제2종 근린생활시설이 아닌 것(해당용도로 쓰는 바닥면적합계가 500㎡ 이상인 것)
나. 체육관	관람석이 없거나 관람석의 바닥면적이 1,000㎡ 미만일 것
다. 운동장(육상장, 구기장, 볼링장, 수영장, 스케이트장, 롤러스케이트장, 승마장, 사격장, 궁도장, 골프장 등과 이에 딸린 건축물)	관람석이 없거나 관람석의 바닥면적이 1,000㎡ 미만일 것

【참고】 체육시설(「도시 · 군계획시설규칙」 제99조~제101조)

규칙 제99조【체육시설】이 절에서 "체육시설"이란 「체육시설의 설치 · 이용에 관한 법률」에서 정하는 체육시설로서 다음 각 호의 시설을 말한다. 다만, 제1호 및 제2호의 경우에는 같은 법 제5조에 따른 전문체육시설 및 제6조에 따른 생활체육시설(건축물 안에 설치하는 골프연습장은 제외한다)만 해당한다. <개정 2023.8.1>

1. 국가 또는 지방자치단체가 설치하거나 소유하는 체육시설
2. 「국민체육진흥법」 제33조에 따른 대한체육회, 제34조에 따른 대한장애인체육회 및 제36조에 따른 서울올림픽기념국민체육진흥공단이 설치 · 관리하는 체육시설
3. 「2002년월드컵축구대회지원법」 제2조제1호에 따른 경기장시설
4. 「제14회아시아경기대회지원법」 제2조에 따른 경기장시설
5. 「2011대구세계육상선수권대회, 2013충주세계조정선수권대회, 2014인천아시아경기대회, 2014인천장애인아시아경기대회 및 2015광주하계유니버시아드대회 지원법」 제2조에 따른 경기장시설
6. 「2018 평창 동계올림픽대회 및 장애인동계올림픽대회 지원 등에 관한 특별법」 제2조에 따른 경기장시설
7. 국민의 건강증진과 여가선용에 기여하기 위하여 설치하는 시설(국제경기종목으로 채택된 경기를 위한 시설 중 육상경기장과 한 종목 이상의 운동경기장을 함께 갖춘 시설 또는 3종목 이상의 운동경기장을 함께 갖춘 시설로 한정한다)로서 관람석의 수가 1천석 이하인 소규모 실내운동장을 제외한 종합운동장(이하 "운동장"이라 한다)

규칙 제100조【체육시설의 결정기준】체육시설의 결정기준은 다음 각 호와 같다. <개정 2018.12.27>

1. 주요시설물의 주변이나 인구밀집지역에 설치하지 않도록 인근의 토지이용현황을 고려할 것. 다만, 시장 · 군수 또는 구청장(자치구의 구청장을 말한다. 이하 같다)이 설치하는 생활체육시설은 주민이 거주지와 가까운 곳에서 쉽게 이용할 수 있는 곳에 설치할 것
2. 제1종전용주거지역 · 유통상업지역 · 전용공업지역 · 일반공업지역 · 보전녹지지역 · 생산관리지역 · 보전관리지역 · 농림지역 및 자연환경보전지역외의 지역에 설치할 것. 다만, 시장 · 군수 또는 구청장이 설치하는 생활체육시설은 제1종전용주거지역에도 설치할 수 있으며, 체육시설 면적의 50퍼센트 이상이 계획관리지역에 해당하면 나머지 면적이 생산관리지역이나 보전관리지역에 해당하는 경우에도 설치할 수 있다.
3. 이용자의 접근과 분산이 쉬워야 하며, 다수의 이용자가 단시간내에 모이고 흩어질 수 있도록 다른 교통수단과의 연계를 고려하고, 지역 간의 교통연결이 편리한 장소에 설치할 것
4. 평탄한 지형 · 지대에 설치하고, 기복이 있는 토지의 경사면은 부대시설 등으로 적절히 이용할 수 있도록 할 것
5. 실외체육시설의 경우 시 · 군의 공간체계의 일환으로 설치하며, 풍향과 풍속이 비교적 일정하고 기상조건이 급변하지 않는 지역에 설치할 것
6. 여러 시설을 집결시키되, 부득이한 경우에는 대규모 체육시설의 운영과 관람자의 이용에 지장을 초래하지 않는 범위에서 시설을 분산시킬 것

7. 도시지역외의 지역에 설치하는 체육시설의 규모는 지역적 특성, 입지여건, 경사도 · 표고 등의 지형여건, 설치하고자 하는 체육시설의 특성을 고려하여 정할 것

규칙 제101조 **【체육시설의 구조 및 설치기준】** ① 체육시설의 일반적 구조 및 설치기준은 다음 각 호와 같다. <개정 2023.12.22.>

1. 체육시설은 국제적으로 통용되는 규격으로 설치하되, 그 규모는 시 · 군의 여건에 따라 적정하게 정할 것. 다만, 시장 · 군수 또는 구청장이 설치하는 생활체육시설에 대하여는 그러하지 아니하다.
2. 체육시설에는 그 기능에 따라 다음 각목의 시설을 설치할 것
   가. 관중석
   나. 관리시설 : 관리사무소 · 창고 · 매표소 · 안내소 · 조명시설 · 급수시설 · 배수시설 · 방수시설 · 각종 표지판 · 쓰레기장
   다. 편익시설 : 주차장 · 휴게실 · 매점 · 휴게음식점 · 일반음식점(골프장에 설치하는 경우에만 해당한다) 점 · 탈의실 · 욕실 · 화장실
3. 야구장, 야구연습장 및 골프연습장 등 공이 체육시설 밖으로 나가는 것을 막기 위하여 그물 등의 시설을 설치하는 체육시설은 해당 그물 등의 시설에 채도가 낮은 색을 칠하는 등 주위 경관과 조화를 이루도록 할 것
4. 빗물이용을 위한 시설의 설치를 고려하고, 물이 스며들지 않는 표면에서 유출되는 빗물을 최소화하도록 빗물이 땅에 잘 스며들 수 있는 구조로 하거나 식생도랑, 저류 · 침투조, 빗물정원, 옥상정원 등 빗물관리시설 설치를 고려할 것
5. 재해가 발생할 때 「자연재해대책법」 등에 따라 대피소 기능을 하는 운동장에는 주민일시체류시설을 설치할 것

② 체육시설에는 다음 각 호의 편익시설(제1항 제2호다목의 시설은 제외한다)을 설치할 수 있다.

1. 「건축법 시행령」 별표 1 제3호가목부터 마목까지의 시설
2. 「건축법 시행령」 별표 1 제4호가목(극장, 영화관, 음악당 및 비디오물소극장에 한정한다) · 라목 · 바목 · 아목 · 자목 · 파목(골프연습장은 제외한다) 및 하목(금융업소에 한정한다)의 시설
3. 「건축법 시행령」 별표 1 제5호가목(극장, 영화관, 음악당 및 비디오물소극장에 한정한다) 및 라목의 시설
4. 「건축법 시행령」 별표 1 제10호바목의 시설
5. 「건축법 시행령」 별표 1 제11호가목(어린이집, 아동복지관 및 지역아동센터에 한정한다) · 나목(노인여가복지시설에 한정한다) 및 다목(사회복지관에 한정한다)의 시설
6. 「건축법 시행령」 별표 1 제13호(골프장 및 골프연습장은 제외한다)의 시설
7. 「건축법 시행령」 별표 1 제27호가목부터 다목까지의 시설

③ 체육시설에는 체육시설의 이용에 지장이 없는 범위에서 제1항제2호 및 제2항에 따라 설치가능한 시설 외의 시설로서 이용자의 편의를 도모하기 위한 시설 및 체육시설의 관리에 필요한 재정을 지원하기 위한 수익시설을 도시 · 군계획시설결정권자 소속 도시계획위원회의 심의를 거쳐 설치할 수 있다. 다만, 수익시설을 설치할 수 있는 운동장은 다음 각 호의 운동장으로 한정한다. <개정 2018.12.27.>

1. 국가 또는 지방자치단체가 설치하는 운동장
2. 「2018 평창 동계올림픽대회 및 동계패럴림픽대회 지원 등에 관한 특별법」 제2조에 따른 경기장시설
3. 주무부장관, 특별시장, 광역시장, 특별자치시장, 도지사 또는 특별자치도지사가 수익시설을 설치할 필요가 있다고 인정하여 도시 · 군관리계획의 입안권자에게 요청한 운동장

④ 도시지역 외의 지역에 설치하는 체육시설(운동장은 제외한다)의 추가적인 설치 및 구조기준은 다음 각 호와 같다. <개정 2021.8.27>

1. 체육시설을 설치하기 위하여 토지의 형질을 변경하는 경우 원칙적으로 다음 각 목의 기준에 적합할 것. 다만, 스키장에 대하여는 가목 및 나목을 적용하지 않는다.
   가. 산지인 토지의 형질을 변경하는 경우 평균 경사도가 25도 이하이고 표고가 가장 낮은 지역(이하 "산자락하단"이라 한다)을 기준으로 300미터 이하인 지역으로 할 것. 이 경우 경사도 및 표고는 원지형을 기준으로 산정한다.
   나. 산정 부근에서는 토지의 형질을 변경하지 아니하도록 할 것
   다. 토지의 형질변경에 따라 발생하는 경사면은 높이를 30미터 이하로 하고, 5미터 이하의 소단(小段:

비탈면 중간에 좁은 폭으로 설치하는 평탄한 부분을 말한다)의 폭을 1미터 이상으로 하여 녹지로 조성하고 원칙적으로 체육시설 밖에서 보이지 않도록 할 것

2. 체육시설 부지는 다음 각목의 기준에 적합하게 구획할 것. 다만, 필요한 경우 용도구획을 추가할 수 있다.
  가. 체육시설용지는 원칙적으로 전체부지 면적의 60퍼센트 미만으로 할 것
  나. 체육시설이 아닌 건축시설의 용지는 원칙적으로 전체부지 면적의 5퍼센트 미만으로 할 것
  다. 녹지용지는 원지형보전녹지, 복원녹지, 완충용녹지 등으로 구획하고, 전체부지 면적의 40퍼센트 이상으로 할 것
  라. 기반시설용지에는 도로 · 주차장 · 환경오염방지시설 등을 설치하도록 할 것

3. 기반시설의 설치는 다음 각 목의 기준에 의할 것
  가. 전체부지의 경계에서 국도 · 지방도 · 시도 · 군도, 그 밖에 폭 10미터 이상인 도로에 연결되는 진입도로를 다음의 기준에 의하여 계획할 것
    (1) 폭 8미터 이상으로 하되, 보도의 설치가 필요한 경우에는 10미터 이상으로 할 것
    (2) 삭제<2008.1.14>
    (3) 진입도로의 폭이 8미터(보도의 설치가 필요한 경우에는 10미터를 말한다) 미만인 경우에 다음의 구분에 따른 전체 부지 면적의 10퍼센트 이내에서 확대하는 때에는 (1)에도 불구하고 당해 체육시설의 진입도로의 폭을 유지할 수 있다. 다만, 당해 진입도로의 폭이 8미터 미만인 경우로서 그 도로의 여건상 대형승합자동차의 교행이 어려운 구간에 대하여는 대기차선을 설치하여야 한다.
      (가) 2002년 12월 31일 이전에 설치된 체육시설(법률 제6655호 국토의계획및이용에관한법률에 의하여 폐지되기 전의 「국토이용관리법」에 의하여 2003년 1월 1일 이후에 설치되었거나 설치 중인 체육시설을 포함한다)인 경우 그 당시 전체 부지의 면적
      (나) 2003년 1월 1일 이후에 설치 완료된 체육시설(법률 제6655호 국토의계획및이용에관한법률에 의하여 폐지되기 전의 「국토이용관리법」에 의하여 2003년 1월 1일 이후에 설치되었거나 설치 중인 체육시설을 제외한다)인 경우 그 전체 부지의 면적(전체 부지의 면적이 1제곱킬로미터 미만인 경우에 한한다)
  나. 부지내 도로는 폭 4미터 이상으로 할 것
  다. 상수도시설은 체육시설의 최대 수용인원에 대하여 1인 1일 기준으로 150리터 이상을 공급할 수 있도록 계획할 것
  라. 발생하는 하수를 BOD 10ppm 이하로 처리할 수 있는 하수처리시설을 설치할 것. 다만, 환경기준 유지를 위한 사전환경성 협의에 따라 환경관서에서 요구하는 기준이 있을 경우 그 기준을 충족하여야 한다.
  마. 폐기물 발생시설이 있는 경우에는 「폐기물관리법」에 의한 처리시설(소각장을 포함한다)을 설치할 것. 다만, 위탁처리가 가능한 경우에는 그러하지 아니하다.
  바. 주차장 등 그 밖에 필요한 기반시설은 관계 법령에 적합하게 설치할 것

⑤ 제1항 내지 제4항에 규정된 사항외에 체육시설의 구조 및 설치에 관하여는 「체육시설의 설치 · 이용에 관한 법률」이 정하는 바에 의한다.

■ 체육시설의 종류(「체육시설의 설치·이용에 관한 법률 시행령」 별표 1) <개정 2021.6.8>

구 분	체육시설 종류
운동 종목	골프장, 골프연습장, 궁도장, 게이트볼장, 농구장, 당구장, 라켓볼장, 럭비풋볼장, 롤러스케이트장, 배구장, 배드민턴장, 벨로드롬, 볼링장, 봅슬레이장, 빙상장, 사격장, 세팍타크로장, 수상스키장, 수영장, 무도학원, 무도장, 스쿼시장, 스키장, 승마장, 썰매장, 씨름장, 아이스하키장, 야구장, 양궁장, 역도장, 에어로빅장, 요트장, 육상장, 자동차경주장, 조정장, 체력단련장, 체육도장, 체조장, 축구장, 카누장, 탁구장, 테니스장, 펜싱장, 하키장, 핸드볼장, 인공암벽장, 그 밖에 국내 또는 국제적으로 치러지는 운동 종목의 시설로서 문화체육관광부장관이 정하는 것
시설 형태	운동장, 체육관, 종합 체육시설, 가상체험 체육시설

■ 체육시설업의 종류별 범위(「체육시설의 설치·이용에 관한 법률 시행령」 별표 2) <개정 2021.6.8.>

업 종	영업의 범위
1. 스키장업	눈, 잔디, 그 밖에 천연 또는 인공 재료로 된 슬로프를 갖춘 스키장을 경영하는 업
2. 썰매장업	눈, 잔디, 그 밖에 천연 또는 인공 재료로 된 슬로프를 갖춘 썰매장(「산림문화·휴양에 관한 법률」에 따라 조성된 자연휴양림 안의 썰매장을 제외한다)을 경영하는 업
3. 요트장업	바람의 힘으로 추진되는 선박(보조추진장치로서 엔진을 부착한 선박을 포함한다)으로서 체육활동을 위한 선박을 갖춘 요트장을 경영하는 업
4. 빙상장업	제빙시설을 갖춘 빙상장을 경영하는 업
5. 종합 체육시설업	신고 체육시설업의 시설 중 실내수영장을 포함한 두 종류 이상의 체육시설을 같은 사람이 한 장소에 설치하여 하나의 단위 체육시설로 경영하는 업
6. 체육도장업	문화체육관광부령으로 정하는 종목의 운동을 하는 체육도장을 경영하는 업
7. 무도학원업	수강료 등을 받고 국제표준무도(볼룸댄스) 과정을 교습하는 업(「평생교육법」, 「노인복지법」, 그 밖에 다른 법률에 따라 허가·등록·신고 등을 마치고 교양강좌로 설치·운영하는 경우와 「학원의 설립·운영 및 과외교습에 관한 법률」에 따른 학원은 제외한다)
8. 무도장업	입장료 등을 받고 국제표준무도(볼룸댄스)를 할 수 있는 장소를 제공하는 업
9. 가상체험 체육시설	정보처리 기술이나 기계장치를 이용한 가상의 운동경기 환경에서 실제 운동경기를 하는 것처럼 체험하는 시설 중 골프 또는 야구 종목의 운동이 가능한 시설을 경영하는 업
10. 체육교습업	체육시설을 이용하는 자로부터 직접 이용료를 받고 다음 각 목의 어느 하나에 해당하는 운동에 대하여 13세 미만의 어린이를 대상으로 30일 이상 교습행위를 제공하는 업(교습과정의 반복으로 교습일수가 30일 이상이 되는 경우를 포함한다) 가. 농구 나. 롤러스케이트(인라인롤러와 인라인스케이트를 포함한다) 다. 배드민턴 라. 빙상 마. 수영 바. 야구 사. 줄넘기 아. 축구 자. 가목부터 아목까지의 운동 중 두 종류 이상의 운동을 포함한 운동
11. 인공암벽장업	인공적으로 구조물을 설치하여 등반을 할 수 있는 인공암벽장을 경영하는 업

■ 체육시설업 시설물의 설치 제한 사항(「체육시설의 설치·이용에 관한 법률 시행령」 별표 3) <개정 2023.12.29.>

골프장 안에는 「공중위생관리법」 제2조제1항제2호에 따른 숙박업의 시설물(이하 "숙박시설"이라 한다)을 설치할 수 없다. 다만, 다음 각 호의 요건에 모두 충족하는 경우에는 설치할 수 있다.

1. 골프장 사업계획부지가 다음 각 목에 해당하지 않을 것

가. 「환경정책기본법」 제38조제1항에 따라 지정·고시된 특별대책지역. 다만, 「한강수계 상수원수질개선 및 주민지원 등에 관한 법률」 및 「금강수계 물관리 및 주민지원 등에 관한 법률」에 따른 오염총량관리기본계획의 수립·시행 지역은 제외한다.

나. 「수도권정비계획법」 제6조제1항제3호에 따른 자연보전권역. 다만, 「한강수계 상수원수질개선 및 주민지원 등에 관한 법률」에 따른 오염총량관리기본계획의 수립·시행 지역은 제외한다.

다. 「자연공원법」 제2조제5호에 따른 공원구역

라. 「수도법」 제3조제3호에 따른 광역상수원의 상수원보호구역(같은 법 제7조제1항에 따른 상수원보호구역을 말한다. 이하 같다)으로부터 상류방향으로 유하거리(流下距離) 20킬로미터 이내[「한강수계 상수원수질

개선 및 주민지원 등에 관한 법률」, 「낙동강수계 물관리 및 주민지원 등에 관한 법률」, 「금강수계 물관리 및 주민지원 등에 관한 법률」, 「영산강·섬진강수계 물관리 및 주민지원 등에 관한 법률」 및 「물환경보전법」에 따른 오염총량관리기본계획의 수립·시행 지역(이하 "기본계획수립시행지역"이라 한다)의 경우 취수지점으로부터 상류방향으로 유하거리 7킬로미터 이내]인 지역

마. 상수원보호구역으로부터 상류방향으로 유하거리 10킬로미터 이내(기본계획수립시행지역의 경우 취수지점으로부터 상류방향으로 유하거리 7킬로미터 이내)인 지역

바. 취수지점(공중이 이용하는 것만 해당한다. 이하 이 표에서 같다)으로부터 상류방향으로 유하거리 15킬로미터 이내(기본계획수립시행지역의 경우 취수지점으로부터 상류방향으로 유하거리 7킬로미터 이내)인 지역

사. 취수지점으로부터 하류방향으로 유하거리 1킬로미터 이내인 지역

2. 숙박시설 설치 예정부지가 환경영향평가 협의 시 녹지를 보전하도록 협의된 지역이 아닐 것 (사업계획승인 당시 숙박시설이 설치되지 않은 골프장만 해당한다)

■ **체육시설의 종류 및 시설기준**(「체육시설의 설치·이용에 관한 법률」 제5조~제7조, 제11조, 시행규칙 제2조~제4조, 제8조)

법 제5조【전문체육시설】 ① 국가와 지방자치단체는 국내·외 경기대회의 개최와 선수 훈련 등에 필요한 운동장이나 체육관 등 체육시설을 대통령령으로 정하는 바에 따라 설치·운영하여야 한다.
② 제1항에 따른 체육관은 체육, 문화 및 청소년 활동 등 필요한 용도로 활용될 수 있도록 설치되어야 한다.
③ 제1항에 따른 체육시설의 사용을 촉진하기 위하여 지방자치단체는 「공유재산 및 물품 관리법」, 그 밖의 다른 법률의 규정에도 불구하고 그 사용료의 전부나 일부를 대통령령으로 정하는 바에 따라 감면할 수 있다.

법 제6조【생활체육시설】 ① 국가와 지방자치단체는 국민이 거주지와 가까운 곳에서 쉽게 이용할 수 있는 생활체육시설을 대통령령으로 정하는 바에 따라 설치·운영하여야 한다.
② 제1항에 따른 생활체육시설을 운영하는 국가와 지방자치단체는 장애인이 생활체육시설을 쉽게 이용할 수 있도록 시설이나 기구를 마련하는 등의 필요한 시책을 강구하여야 한다.
③ 제1항에 따른 체육시설의 사용을 촉진하기 위하여 지방자치단체는 「공유재산 및 물품 관리법」, 그 밖의 다른 법률의 규정에도 불구하고 그 사용료의 전부나 일부를 대통령령으로 정하는 바에 따라 감면할 수 있다.

법 제7조【직장체육시설】 ① 직장의 장은 직장인의 체육 활동에 필요한 체육시설을 설치·운영하여야 한다.
② 제1항에 따른 직장의 범위와 체육시설의 설치 기준은 대통령령으로 정한다.

법 제11조【시설 기준 등】 ① 체육시설업자는 체육시설업의 종류에 따라 문화체육관광부령으로 정하는 시설 기준에 맞는 시설을 설치하고 유지·관리하여야 한다.
② 문화체육관광부장관은 제10조에 따른 체육시설업의 건전한 육성을 위하여 필요하다고 인정하면 대통령령으로 정하는 바에 따라 체육시설의 이용 및 운영에 지장이 없는 범위에서 시설물의 설치 및 부지 면적을 제한할 수 있다.

규칙 제2조【전문체육시설의 설치기준】 영 제3조제2항에 따른 전문체육시설의 설치기준은 별표 1과 같다.

규칙 제3조【생활체육시설의 설치기준】 영 제4조제2항에 따른 생활체육시설의 설치기준은 별표 2와 같다.

규칙 제4조【직장체육시설의 설치기준】 ① 영 제5조제1항 단서에서 "문화체육관광부령으로 정하는 직장"이란 다음 각 호의 직장을 말한다.
1. 「초·중등교육법」 및 「고등교육법」에 따른 학교
2. 체육시설의 설치·운영을 주된 업무로 하는 직장
3. 다음 각 목의 어느 하나에 해당하는 직장
가. 인구과밀지역인 도심지에 위치하여 직장체육시설의 부지를 확보하기 어려운 직장
나. 가까운 직장체육시설이나 그 밖의 체육시설을 항상 사용할 수 있는 직장
다. 그 밖에 시·도지사가 직장체육시설을 설치할 수 없는 부득이한 사유가 있다고 인정하는 직장

② 제1항제3호에 따른 직장의 장이 직장체육시설의 전부 또는 일부를 설치·운영하지 아니하려는 경우에는 별지 제1호서식의 직장체육시설 설치면제 신청서에 그 사유를 증명할 수 있는 서류를 첨부하여 관할 시장·군수 또는 구청장을 거쳐 시·도지사에게 제출하여야 한다. <개정 2015.8.4.>

③ 영 제5조제2항에 따른 직장체육시설의 설치기준은 별표 3과 같다.

규칙 제8조【체육시설업의 시설 기준】 법 제11조제1항에 따른 체육시설업의 종류별 시설 기준은 별표 4와 같다.

〈2〉 전문체육시설의 설치기준(「체육시설의 설치·이용에 관한 법률 시행규칙」 별표 1)

1. 특별시·광역시·도 및 특별자치도

시설 종류	설치기준
종합운동장	대한육상경기연맹의 시설관계공인규정에 따른 1종 공인경기장
체육관	바닥면적이 1,056제곱미터(길이 44미터, 폭 24미터) 이상이고, 바닥에서 천장까지의 높이가 12.5미터 이상인 관람석을 갖춘 체육관
수영장	대한수영연맹의 시설관계공인규정에 따른 1급 공인수영장
그 밖에 전국 규모의 종합경기대회 개최종목시설	해당 종목별 경기단체의 시설규정에 따른 시설

2. 시·군

시설 종류	설치기준				
	구 분		① 혼합형	② 소도시형	③ 중도시형
	적용기준		군지역 또는 인구 10만 명 미만인 시	인구 10~15만 명인 시	인구 15만 명 이상인 시
운동장	경기장 규격		공인 제2종	공인 제2종	공인 제2종
	관람석 수		5,000석	10,000석	15,000석
	경기장 면적		20,640㎡	20,640㎡	20,640㎡
	스탠드 면적	계	1,822㎡	3,526㎡	6,178㎡
		일반	273㎡	455㎡	455㎡
		본부석	4개소	8개소	14개소
체육관	경기장 규격		폭×길이×높이 24m×46m×12.4m	폭×길이×높이 24m×46m×12.8m	폭×길이×높이 24m×46m×13.5m
	부지 면적		6,109㎡	7,124㎡	8,236㎡
	건축 면적		1,864㎡	2,196㎡	2,472㎡
	연면적	계	2,541㎡	3,011㎡	3,743㎡
		지하층	367㎡	393㎡	467㎡
		1층	1,811㎡	1,926㎡	2,213㎡
		2층	363㎡	692㎡	1,063㎡
	관람석 수		500석	1,000석	1,420석
수영장	경기장 규격		3급 공인	3급 공인	2급 공인
	수영조 규격	길이	50m 또는 25m	50m 또는 25m	50m
		폭	21 ~ 25m	21 ~ 25m	21 ~ 25m
		레인 수	8 ~ 10레인	8 ~ 10레인	8 ~ 10레인
	관중석 수		-	-	300석
기타 시설	해당 종목별 경기단체의 시설규정에 따른 시설				

비고 위 설치기준은 해당 시·군의 인구·지형·교통 등 지역 여건을 고려하여 조정할 수 있음.

〈3〉 생활체육시설의 설치기준(「체육시설의 설치·이용에 관한 법률 시행규칙」 별표 2) <개정 2019.6.25>

1. 특별자치시 · 특별자치도 · 시 · 군 · 구
   체육관, 수영장, 볼링장, 체력단련장, 테니스장, 에어로빅장, 탁구장, 골프연습장, 게이트볼장 등의 실내·외 체육시설 중 지역 주민의 선호도와 입지 여건 등을 고려하여 설치

2. 읍·면·동
   테니스장, 배드민턴장, 운동장, 골프연습장, 게이트볼장, 롤러스케이트장, 체력단련장 등의 실외체육시설 중 지역 주민의 선호도와 입지 여건 등을 고려하여 설치

〈4〉 직장체육시설의 설치기준(「체육시설의 설치·이용에 관한 법률 시행규칙」 별표 3)

구 분	설치기준
직원이 500명 이상인 직장	영 별표 1의 체육시설의 종류 중 두 종류 이상의 체육시설

〈5〉 체육시설업의 시설기준(「체육시설의 설치·이용에 관한 법률 시행규칙」 별표 4) <개정 2022.11.4>

1. 공통기준

구 분	시설기준
가. 필수시설	
(1) 편의시설	○ 수용인원에 적합한 주차장(등록 체육시설업만 해당한다) 및 화장실을 갖추어야 한다. 다만, 해당 체육시설이 다른 시설물과 같은 부지에 위치하거나 복합건물 내에 위치한 경우로서 그 다른 시설물과 공동으로 사용하는 주차장 및 화장실이 있을 때에는 별도로 갖추지 아니할 수 있다. ○ 수용인원에 적합한 탈의실(수영장업을 제외한 신고 체육시설업과 자동차경주장업의 경우에는 세면실로 대신할 수 있다)을 갖추어야 한다. 다만, 탈의실 또는 세면실을 건축물 내 다른 시설과 공동으로 사용하는 경우에는 이를 별도로 갖추지 않을 수 있다. ○ 수용인원에 적합한 급수시설을 갖추어야 한다.
(2) 안전시설	○ 체육시설(무도학원업과 무도장업은 제외한다) 내의 조도(照度)는 「산업표준화법」에 따른 조도기준에 맞아야 한다. ○ 부상자 및 환자의 구호를 위한 응급실 및 구급약품을 갖추어야 한다. 다만, 신고 체육시설업(수영장업은 제외한다)과 골프장업에는 응급실을 갖추지 아니할 수 있다. ○ 적정한 환기시설을 갖추어야 한다. ○ 어린이 이용자를 운송하기 위한 차량을 운행하는 경우에는 「도로교통법」 제52조에 따라 신고된 어린이통학버스를 갖추어야 한다. 이 경우 「자동차 및 자동차부품의 성능과 기준에 관한 규칙」 제53조의4에 따라 설치하는 어린이 하차확인장치가 정상적으로 작동되어야 한다. ○ 높이 3미터 이상으로서 추락의 위험이 있는 장소(계단은 제외한다)에는 견고한 재질로 된 높이 1.2미터 이상의 안전난간을 설치해야 한다.
(3) 관리시설	○ 등록 체육시설업에는 매표소·사무실·휴게실 등 그 체육시설의 유지·관리에 필요한 시설을 설치하여야 한다. 다만, 관리시설을 복합 용도의 시설물 내 다른 시설물과 공동으로 사용하는 경우에는 이를 별도로 갖추지 아니할 수 있다.
나. 임의시설	
(1) 편의시설	○ 관람석을 설치할 수 있다. ○ 체육용품의 판매·수선 또는 대여점을 설치할 수 있다. ○ 관계 법령에 따라 식당·목욕시설·매점 등 편의시설을 설치할 수 있다(무도학

건 축 법
1. 총 칙
2. 건 축
3. 유지관리
4. 대지도로
5. 구조재료
6. 지역지구
7. 건축설비
8. 특별건축구역
9. 보 칙
10. 벌 칙
건 축 법 관련기준

	원업과 무도장업은 제외한다).
(2) 운동시설	○ 등록 체육시설업에는 그 체육시설을 이용하는 데에 지장이 없는 범위에서 그 체육시설 외에 다른 종류의 체육시설을 설치할 수 있다. ○ 하나의 체육시설을 계절 또는 시간에 따라 체육종목을 달리하여 운영하는 경우에는 각각 해당 체육시설업의 시설기준에 맞아야 한다.

2. 체육시설업의 종류별 기준

가. 골프장업

구 분	시설기준
필수시설	
① 운동시설	○ 회원제 골프장업은 3홀 이상, "비회원제 골프장은 3홀 이상, 간이골프장업은 3홀 이상 9홀 미만의 골프코스를 갖추어야 한다. ○ 각 골프코스 사이에 이용자가 안전사고를 당할 위험이 있는 곳은 20미터 이상의 간격을 두어야 한다. 다만, 지형상 일부분이 20미터 이상의 간격을 두기가 극히 곤란한 경우에는 안전망을 설치할 수 있다. ○ 각 골프코스에는 티그라운드·페어웨이·그린·러프·장애물·홀컵 등 경기에 필요한 시설을 갖추어야 한다.
② 안전시설	○ 위치 및 지형상 타구에 의해 골프장 주변에 안전사고의 위험이 있는 경우, 타구에 의한 안전사고 발생을 최소화할 수 있도록 안전시설(비구방지망 등)을 설치하는 등 필요한 조치를 해야 한다.
③ 관리시설	○ 골프코스 주변, 러프지역, 땅깎기 지역(절토지) 및 흙쌓기 지역(성토지)의 경사면 등에는 조경을 해야 한다.

나. 스키장업

구 분	시설기준
필수시설	
① 운동시설	○ 슬로프는 길이 300미터 이상, 폭 30미터 이상이어야 한다(지형적 여건으로 부득이한 경우는 제외한다). ○ 평균 경사도가 7도 이하인 초보자용 슬로프를 1면 이상 설치하여야 한다. ○ 슬로프 이용에 필요한 리프트를 설치하여야 한다.
② 안전시설	○ 슬로프 내 이용자가 안전사고를 당할 위험이 있는 곳에는 안전망과 안전매트를 함께 설치하거나 안전망과 안전매트 중 어느 하나를 설치하여야 한다. 이 경우 안전망은 그 높이가 지면에서 1.8미터 이상, 설면으로부터 1.5미터 이상이어야 하고, 스키장 이용자에게 상해를 일으키지 않도록 설계하여야 하며, 안전매트는 충돌 시 충격을 완화할 수 있는 제품을 사용하되, 그 두께가 50밀리미터 이상이어야 한다. 안전망과 안전매트의 최하부는 모두 설면과 접촉하여야 한다. ○ 구급차와 긴급구조에 사용할 수 있는 설상차(雪上車)를 각각 1대 이상 갖추어야 한다. ○ 정전 시 이용자의 안전관리에 필요한 전력공급장치를 갖추어야 한다.
③ 관리시설	○ 절토지 및 성토지의 경사면에는 조경을 하여야 한다.

다. 요트장업

구 분	시설기준
필수시설	
① 운동시설	○ 3척 이상의 요트를 갖추어야 한다. ○ 요트를 안전하게 보관할 수 있는 계류장(繫留場) 또는 요트보관소를 갖추어야 한다.
② 안전시설	○ 긴급해난구조용 선박 1척 이상 및 요트장을 조망할 수 있는 감시탑을 갖추어야 한다. ○ 요트 내에는 승선인원 수에 적정한 구명대를 갖추어야 한다.

라. 조정장업 및 카누장업

구 분	시설기준
필수시설	
① 운동시설	○ 5척 이상의 조정(카누)을 갖추어야 한다. ○ 수면은 폭 50미터 이상 길이 200미터 이상이어야 하고, 수심은 1미터 이상이어야 하며, 유속은 시간당 5킬로미터 이하여야 한다.
② 안전시설	○ 조정장(카누장)의 수용능력에 적정한 구명대 및 1척 이상의 구조용 선박(모터보트)과 조정장(카누장) 전체를 조망할 수 있는 감시탑을 갖추어야 한다.

마. 빙상장업

구 분	시설기준
필수시설	
안전시설	○ 빙판 외곽에 높이 1미터 이상의 울타리를 견고하게 설치하여야 한다. ○ 유해 냉각매체를 사용하지 않는 제빙시설을 설치하여야 한다. ○ 정빙기실(整氷機室) 내에는 가스누설경보기를 설치해야 한다.

바. 자동차경주장업

1) 2륜 자동차경주장업

구 분	시설기준
필수시설	
① 운동시설	○ 트랙은 길이 400미터 이상, 폭 5미터 이상이어야 한다. ○ 트랙의 바닥면은 포장한 곳과 포장하지 아니한 곳이 있어야 한다.
② 안전시설	○ 트랙의 양편에는 폭 3미터 이상의 안전지대를 설치하여야 한다. ○ 경주장 전체를 조망할 수 있는 통제소를 설치하여야 한다.
③ 관리시설	○ 2륜 자동차를 수리할 수 있는 시설을 갖추어야한다.

2) 4륜 자동차경주장업

구 분	시설기준
필수시설	
① 운동시설	○ 트랙은 길이 2킬로미터 이상으로서 출발지점과 도착지점이 연결되는 순환형태여야 하고, 트랙의 폭은 11미터 이상 15미터 이하여야 하며, 출발지점에서 첫 번째 곡선 부분 시작지점까지는 250미터 이상의 직선구간이어야 한다. ○ 트랙에는 전 구간에 걸쳐 차량의 제동거리를 고려하여 적절한 시계(경주 중인 선수가 진행방향으로 장애물 없이 트랙이 보이는 거리)가 확보되어야 한다. ○ 트랙의 바닥면은 포장 또는 비포장이어야 한다. ○ 트랙의 종단 기울기(차량진행방향으로의 경사를 말한다)는 오르막 20% 이하, 내리막 10% 이하여야 한다. ○ 트랙의 횡단 기울기(차량진행방향 좌우의 경사를 말한다)는 직선구간은 1.5% 이상 3% 이하, 곡선구간은 10% 이하여야 한다. ○ 트랙의 양편 가장자리는 폭 15센티미터의 흰색선으로 표시하여야 한다.
② 안전시설	○ 출발지점을 제외한 트랙의 직선 부분은 트랙의 좌우 흰색선 바깥쪽으로 3미터 이상 5미터 이하의 안전지대를 두어야 하며, 트랙의 곡선 부분은 다음의 공식에 따른 폭의 안전지대를 두어야 한다. 다만, 안전지대의 바닥에 깊이 25센티미터 이상으로 자갈을 까는 경우 안전지대의 폭은 트랙의 직선 부분은 2미터 이상, 곡선 부분은 위의 공식에 따라 산출된 폭의 2분의 1 이상으로 할 수 있다. 안전지대의 폭(미터)=(속도)2/300 ※ 속도의 단위는 시간당 킬로미터임 ○ 트랙 양편의 안전지대 바깥쪽 경계선에는 경주 중인 차량이 트랙을 이탈하는 경우 안전지대 바깥쪽으로 벗어나지 아니하고 정지할 수 있는 정도의 수직 보호벽(높이 69센티미터 이상이어야 한다)을 가드레일(2단 이상)이나 콘크리트벽으로 설치하여야 한다.

	○ 관람객과 다른 시설물 등을 경주 중인 차량의 사고로부터 보호하고 경주장 외부로부터 무단 접근을 방지하기 위하여 수직 보호벽 바깥쪽에 3미터 내외의 간격을 두고 높이 1.8미터 이상의 견고한 철망·울타리 등을 설치하여야 한다. ○ 경주의 안전한 진행에 필요한 종합통제소·검차장·표지판 및 신호기 등을 갖추어야 한다. ○ 감시탑은 트랙의 전체를 조망할 수 있고 경주 중인 차량이 잘 보이는 곳으로서 트랙의 여러 곳에 설치하되, 감시탑 간의 간격은 직선거리 500미터 이하여야 하고, 감시탑 간에는 육안으로 연락할 수 있어야 한다. ○ 견인차, 구급차, 소화기 탑재차 및 트랙의 이상 유무를 확인할 수 있는 통제차를 각 1대 이상 배치하여야 한다. ○ 긴급사고 발생 시 견인차, 구급차, 소화기 탑재차 등이 트랙에 쉽게 접근할 수 있도록 비상도로를 설치하여야 한다.

사. 승마장업

구 분	시설기준
필수시설 운동시설	○ 실내 또는 실외 마장면적은 500제곱미터 이상이어야 하고, 실외 마장은 0.8미터 이상의 나무울타리를 설치하여야 한다. ○ 3마리 이상의 승마용 말을 배치하고, 말의 관리에 필요한 마사(馬舍)를 설치하여야 한다.

아. 종합 체육시설업

구 분	시설기준
1) 필수시설 2) 임의시설	○ 해당 체육시설업의 필수시설기준에 따른다. ○ 해당 체육시설업의 임의시설기준에 따른다. ○ 수영조 바닥면적과 체력단련장 및 에어로빅장의 운동전용면적을 합한 면적의 15퍼센트 이하의 규모로 체온관리실[온수조·냉수조·발한실(發汗室: 땀 내는 방)]을 설치할 수 있다. 다만, 체온관리실은 종합 체육시설업의 시설이용자만 이용하게 하여야 한다.

자. 수영장업

구 분	시설기준
1) 필수시설 ① 운동시설	○ 물의 깊이는 0.9미터 이상 2.7미터 이하로 하고, 수영조의 벽면에 일정한 거리 및 수심 표시를 하여야 한다. 다만, 어린이용·경기용 등의 수영조에 대하여는 이 기준에 따르지 아니할 수 있다. ○ 수영조와 수영조 주변 통로 등의 바닥면은 미끄러지지 아니하는 자재를 사용하여야 한다. ○ 도약대를 설치한 경우에는 도약대 돌출부의 하단 부분으로부터 3미터 이내의 수영조의 수심은 2.5미터 이상으로 하여야 한다. ○ 도약대는 사용 시 미끄러지지 아니하도록 하여야 한다. ○ 도약대로부터 천장까지의 간격이 스프링보드 도약대와 높이 7.5미터 이상의 플랫폼 도약대인 경우에는 5미터 이상, 높이 7.5미터 이하의 플랫폼 도약대인 경우에는 3.4미터 이상이어야 한다. ○ 물의 정화설비는 순환여과방식으로 하여야 한다. ○ 물이 들어오는 관과 나가는 관의 배관설비는 물이 계속하여 순환되도록 하여야 한다. ○ 수영조 주변 통로의 폭은 1.2미터 이상[난간 손잡이(hand rail)를 설치하는 경우에는 1.2미터 미만으로 할 수 있다]으로 하고, 수영조로부터 외부로 경사지도록 하거나 그 밖의 방법을 마련하여 오수 등이 수영조로 새어 들 수 없도록 하여야 한다.
② 안전시설	○ 이용자의 안전을 위하여 수영조 전체를 조망할 수 있는 감시탑을 설치하여야 한다. ○ 수영조 내 사다리는 벽과 사다리 사이에 팔, 다리 등 신체일부가 끼이는 사고

	가 발생하지 않도록 설치되어야 한다.
2) 임의시설 편의시설	○ 물 미끄럼대, 유아 및 어린이용 수영조를 설치할 수 있다.

차. 체육도장업

구 분	시설기준
필수시설 운동시설	○ 운동전용면적 3.3제곱미터당 수용인원은 1명 이하가 되도록 하여야 한다. ○ 바닥면은 운동 중 발생하는 충격의 흡수가 가능하게 하여야 한다. ○ 해당 종목의 운동에 필요한 기구와 설비를 갖추어야 한다.

카. 골프연습장업

구 분	시설기준
1) 필수시설 ① 운동시설	○ 실내 또는 실외 연습에 필요한 타석을 갖추거나, 실외 연습에 필요한 2홀 이하의 골프 코스(각 홀의 부지면적은 1만3천제곱미터 이하이어야 한다) 또는 18홀 이하의 피칭연습용 코스(각 피칭연습용 코스의 폭과 길이는 100미터 이하이어야 한다)를 갖추어야 한다. 다만, 타구의 원리를 응용한 연습 또는 교습이 아닌 별도의 오락·게임 등을 할 수 있는 타석을 설치하여서는 안된다. ○ 타석 간의 간격이 2.5미터 이상, 타석과 타석 뒤 보행통로와의 거리는 1.5미터 이상이어야 하며, 타석의 주변에는 이용자가 연습을 위하여 휘두르는 골프채에 벽면·천장과 그 밖에 다른 설비 등이 부딪치지 아니하도록 충분한 공간이 있어야 한다.
② 안전시설	○ 연습 중 타구에 의하여 안전사고가 발생하지 않도록 그물·보호망 등을 설치하여야 한다. 다만, 실외 골프연습장으로서 위치 및 지형상 안전사고의 위험이 없는 경우에는 그러하지 아니하다.
2) 임의시설 운동시설	○ 연습이나 교습에 필요한 기기를 설치할 수 있다. ○ 2홀 이하의 퍼팅연습용 그린을 설치할 수 있다. 다만, 퍼팅의 원리를 응용하여 골프연습이 아닌 별도의 오락·게임 등을 할 수 있는 그린을 설치하여서는 아니 된다.

타. 체력단련장업

구 분	시설기준
필수시설 운동시설	○ 바닥면은 운동 중 발생하는 충격을 흡수할 수 있어야 한다. ○ 체중기 등 필요한 기구를 갖추어야 한다.

파. 당구장업

구 분	시설기준
필수시설 운동시설	○ 당구대 1대당 16제곱미터 이상의 면적을 확보하여야 한다.

하. 썰매장업

구 분	시설기준
필수시설 ① 운동시설	○ 슬로프 규모에 적절한 썰매와 제설기 또는 눈살포기(자연설을 이용할 수 있는 지역만 해당한다) 등을 갖추어야 한다.
② 안전시설	○ 슬로프의 가장자리에는 안전망과 안전매트를 설치하여야 한다.

거. 무도학원업 및 무도장업

구 분	시설기준
필수시설 운동시설	○ 무도학원업은 바닥면적이 66제곱미터 이상이어야 하며, 무도장업은 특별시와 광역시의 경우에는 330제곱미터 이상, 그 외의 지역의 경우에는 231제곱미터 이상이어야 한다. ○ 소음 방지에 적합한 방음시설을 하여 소리가 밖으로 새어 나가지 아니하도록 하여야 한다. ○ 바닥은 목재마루로 하고 마루 밑에 받침을 두어 탄력성이 있게 하여야 한다. ○ 무도학원업과 무도장업으로 사용되고 있는 건축물의 용도가 「건축법 시행령」 별표 1의 용도별 건축물의 종류에 적합하여야 하고, 그 밖에 「건축법」 및 「국토의 계획 및 이용에 관한 법률」에 적합한 위치이어야 한다. ○ 운동시설은 사무실 등 다른 용도의 시설과 완전히 구획되어야 한다. ○ 업소 내의 조도는 무도학원업은 100럭스 이상, 무도장업은 30럭스 이상 되어야 하며, 조명의 밝기를 조절하는 장치를 설치하여서는 아니 된다.

너. 야구장업

구 분	시설기준
필수시설	
① 운동시설	○ 야구장에는 투수석(투수 마운드), 타자석(타자 박스), 코치석(코치 박스), 충돌경고 트랙, 포수 뒤 그물망, 선수대기석(더그아웃), 타자 시선 보호벽, 파울 기둥(파울폴), 대기타자 공간(서클) 및 베이스를 설치해야 한다. ○ 관람석이 있는 경우, 의자와 계단은 결함 없이 안전하게 설치하고 관리해야 한다. ○ 경기장은 평탄하게 유지해야 한다.
② 안전시설	○ 타구로 인한 사고를 예방하기 위하여 1루, 3루 및 홈플레이트 뒤에는 안전장치(그물망 등)를 설치해야 한다(안전을 위해 필요한 경우에는 외야 뒤쪽에도 설치해야 한다).

더. 가상체험 체육시설업

1) 골프 종목

구 분	시설기준
필수시설	
① 운동시설	○ 타석과 스크린(화면)과의 거리는 3미터 이상, 타석으로부터 천장까지의 높이는 2.8미터 이상, 타석과 대기석과의 거리는 1.5미터 이상이어야 한다.
② 안전시설	○ 이용자가 타석에서 휘두르는 골프채에 벽면, 천장 및 그밖에 다른 시설 등이 부딪히지 않도록 충분한 공간이 있어야 한다. ○ 타석과 스크린 사이의 벽면, 천장 및 바닥은 충격을 흡수할 수 있는 재질이어야 한다. ○ 스크린은 타구에 의한 안전사고 예방을 위해 벽면과의 사이에 틈을 두고 평편하게 설치되어야 한다. ○ 바닥은 미끄럽지 않은 재질로 설치해야 한다.

2) 야구 종목

구 분	시설기준
필수시설	
① 운동시설	○ 타석과 스크린(화면)과의 거리는 3미터 이상, 타석으로부터 천장까지의 높이는 2.8미터 이상, 타석과 대기석과의 거리는 1.5미터 이상이어야 한다.
② 안전시설	○ 이용자가 타석에서 휘두르는 골프채에 벽면, 천장 및 그밖에 다른 시설 등이 부딪히지 않도록 충분한 공간이 있어야 한다. ○ 타석과 스크린 사이의 벽면, 천장 및 바닥은 충격을 흡수할 수 있는 재질이어야 한다. ○ 스크린은 타구에 의한 안전사고 예방을 위해 벽면과의 사이에 틈을 두고 평편

건축법
1. 총 칙
2. 건 축
3. 유지관리
4. 대지도로
5. 구조재료
6. 지역지구
7. 건축설비
8. 특별건축구역
9. 보 칙
10. 벌 칙
건 축 법 관련기준

	하게 설치되어야 한다. ○ 바닥은 미끄럽지 않은 재질로 설치해야 한다.

러. 체육교습업

구 분	시설기준
필수시설 ① 운동시설 ② 안전시설	○ 해당 종목의 운동에 필요한 기구와 보조장비를 갖추어야 한다. ○ 이용자 안전을 위하여 필요한 경우 운동 공간에 적절한 안전 장치를 갖추어야 한다. ○ 빙상·수영 종목을 교습할 때에는 제1호 및 이 호 마목·자목의 시설 기준과 별표 6 제1호 및 제2호사목·차목의 안전·위생 기준이 준수되는 시설에서만 해야 한다.

머. 인공암벽장업 <신설 2021.6.9>

구 분	시설기준
필수시설 ① 운동시설	○ 등반벽 마감재 및 홀더 등은 구조부재(構造部材)와 튼튼하게 연결해야 한다.
② 안전시설	○ 볼더링 인공암벽의 경우에는 충격을 충분히 흡수할 수 있는 매트리스를 인공암벽의 추락면에 설치해야 한다. ○ 실외 인공암벽장은 운영시간 외에는 외부인이 접근하지 못하도록 울타리나 경고 센서를 설치하는 등 안전조치를 취해야 한다. 또한, 인공암벽장을 무단이용하는 경우 안전사고가 발생할 수 있음을 알리는 안내문을 눈에 잘 띄는 곳에 게시해야 한다.
③ 관리시설	○ 실외 인공암벽장을 설치할 경우에는 누수나 지반침하가 발생하지 않도록 해야 한다. ○ 실외 인공암벽장을 설치할 경우에는 주변 옹벽 및 석축 등이 쓰러지지 않도록 해야 한다.

14 업무시설

가. 공공업무시설	국가 또는 지방자치단체의 청사 및 외국공관의 건축물 【참고1】	제1종 근린생활시설이 아닌 것 (해당용도로 쓰는 바닥면적의 합계가 1,000㎡ 이상인 것)
나. 일반업무시설	① 금융업소, 사무소, 결혼상담소 등 소개업소, 출판사, 신문사, 그 밖에 이와 비슷한 것	제1종 및 제2종 근린생활시설이 아닌 것(해당용도로 쓰는 바닥면적의 합계가 500㎡ 이상인 것)
	② 오피스텔(업무를 주로 하며, 분양하거나 임대하는 구획 중 일부 구획에서 숙식을 할 수 있도록 한 건축물)	오피스텔 건축기준에 적합한 것 【참고2】

【참고1】 공공 청사(「도시·군계획시설규칙」 제94조, 제95조)

규칙 제94조【공공청사】 이 절에서 "공공청사"라 함은 다음 각호의 시설을 말한다.
1. 공공업무를 수행하기 위하여 설치·관리하는 국가 또는 지방자치단체의 청사
2. 우리나라와 외교관계를 수립한 나라의 외교업무수행을 위하여 정부가 설치하여 주한외교관에게 빌려주는 공관
3. 교정시설(교도소·구치소·소년원 및 소년분류심사원에 한한다)

건축법
1. 총 칙
2. 건 축
3. 유지관리
4. 대지도로
5. 구조재료
6. 지역지구
7. 건축설비
8. 특별건축구역
9. 보 칙
10. 벌 칙
건 축 법 관련기준

규칙 제95조【공공청사의 결정기준 및 구조 · 설치기준】 ① 공공청사의 결정기준 및 구조 · 설치기준은 다음 각 호와 같다. <개정 2023.12.22.>

1. 각종 교통수단의 연계를 고려할 것
2. 보행자전용도로 및 자전거전용도로와의 연계를 고려할 것
3. 교통이 혼잡한 상점가나 번화가에 설치하여서는 아니되며, 공무집행에 적합한 환경을 유지할 수 있도록 인근의 토지이용현황을 고려할 것
4. 중추적인 시설은 시 · 군 전체의 공간구조를 고려하여 침수 및 산사태 등 재해발생 가능성이 적은 지역에 단독형으로 설치하고, 국지적인 시설은 이용자의 분포 상황을 고려하여 분산형으로 할 것
5. 유사한 기능의 공공청사는 일정한 지역에 집단화할 수 있도록 기존 공공청사의 배치상황을 고려할 것
6. 주차장 · 휴게소 · 공중전화 · 구내매점 등 이용자를 위한 편익시설과 안내실 · 업무대기실 · 화장실 등 부대시설을 충분히 확보할 것
7. 장래의 업무수요의 증가에 대비하여 시설확충이 가능하도록 할 것
8. 물류 · 유통업무를 수행하는 공공청사에는 이용자 및 지역 주민들의 편의를 위하여 주유소를 설치할 수 있도록 고려할 것
9. 이용자의 다양한 요구를 반영하고 장애인, 노약자 및 외국인 등 모든 사람이 이용하기에 편리한 구조로 설치할 것
10. 주변 환경과 조화를 이루고 지역의 경관을 선도할 수 있도록 할 것
11. 기획단계부터 지역 특성에 맞는 디자인 및 효율적인 예산 집행을 고려하고 「건축기본법」 제23조에 따른 민간전문가의 참여 및 같은 법 제24조에 따른 설계공모를 적극 활용할 것
12. 재해취약지역에는 공공청사를 가급적 설치하지 않도록 하고, 부득이하게 설치해야 하는 경우에는 재해 발생 가능성을 충분히 고려하여 설치해야 하며, 재해 발생 시 「자연재해대책법」 등에 따라 대피소 기능을 하는 경우에는 주민일시체류시설을 설치할 것
13. 빗물이용을 위한 시설의 설치를 고려하고, 물이 스며들지 않는 표면에서 유출되는 빗물을 최소화하도록 빗물이 땅에 잘 스며들 수 있는 구조로 하거나 식생도랑, 저류 · 침투조, 빗물정원, 옥상정원 등 빗물관리시설 설치를 고려할 것

② 공공청사에는 다음 각 호의 편익시설(제1항제6호의 편익시설은 제외한다)을 설치할 수 있다.

1. 「건축법 시행령」 별표 1 제3호가목부터 마목까지 및 사목의 시설
2. 「건축법 시행령」 별표 1 제4호가목(극장, 영화관, 음악당 및 비디오물소극장에 한정한다) · 라목 · 바목 · 파목(골프연습장은 제외한다) 및 하목(금융업소에 한정한다)의 시설
3. 「건축법 시행령」 별표 1 제10호바목의 시설
4. 「건축법 시행령」 별표 1 제11호가목(어린이집, 아동복지관 및 지역아동센터에 한정한다) · 나목(노인여가복지시설에 한정한다) 및 다목(사회복지관에 한정한다)의 시설
5. 「건축법 시행령」 별표 1 제13호(골프장 및 골프연습장은 제외한다)의 시설
6. 「건축법 시행령」 별표 1 제27호다목의 시설

【참고2】 오피스텔 건축기준 (국토교통부고시 제2023-758호, 2023.12.13.)

■ 건축기준

1. 각 사무구획별 노대(발코니)를 설치하지 아니할 것
2. 다른 용도와 복합으로 건축하는 경우(지상층 연면적 3,000㎡ 이하인 건축물은 제외한다)에는 오피스텔의 전용출입구를 별도로 설치할 것. 다만, 단독주택 및 공동주택을 복합으로 건축하는 경우에는 건축주가 주거기능 등을 고려하여 전용출입구를 설치하지 아니할 수 있다.
3. 사무구획별 전용면적이 120㎡를 초과하는 경우 온돌 · 온수온돌 또는 전열기 등을 사용한 바닥난방을 설치하지 아니할 것
4. 전용면적의 산정방법은 건축물의 외벽의 내부선을 기준으로 산정한 면적으로 하고, 2세대 이상이 공동으로 사용하는 부분으로서 다음 각목의 어느 하나에 해당하는 공용면적을 제외하며, 바닥면적에서

전용면적을 제외하고 남는 외벽면적은 공용면적에 가산한다.
가. 복도·계단·현관 등 오피스텔의 지상층에 있는 공용면적
나. 가목의 공용면적을 제외한 지하층·관리사무소 등 그 밖의 공용면적
5. 오피스텔 거주자의 생활을 지원하는 시설로서 경로당, 어린이집은 오피스텔에 부수시설로 설치할 수 있다. <신설 2023.12.13.>

■ 피난 및 설비기준
1. 주요구조부가 내화구조 또는 불연재료로 된 16층 이상인 오피스텔의 경우 피난층외의 층에서는 피난층 또는 지상으로 통하는 직통계단을 거실의 각 부분으로부터 계단에 이르는 보행거리가 40m 이하가 되도록 설치할 것
2. 각 사무구획별 경계벽은 내화구조로 하고 「건축물의 피난 · 방화구조 등의 기준에 관한 규칙」 제19조 제2항에 따른 벽두께 이상으로 하거나 45dB 이상의 차음성능이 확보되도록 할 것

■ 배기시설 권고기준
- 허가권자는 오피스텔에 설치하는 배기설비에 대하여 「주택건설기준 등에 관한 규칙」 제11조 각 호의 기준 중 전부 또는 일부를 적용할 것을 권고할 수 있다.

15 숙박시설 〈개정 2021.5.4., 2021.11.2〉

가. 일반숙박시설 및 생활숙박시설* 【참고1】【참고2】	
나. 관광숙박시설(관광호텔, 수상관광호텔, 한국전통호텔, 가족호텔, 호스텔, 소형호텔, 의료관광호텔 및 휴양 콘도미니엄) 【참고3】	-
다. 다중생활시설	바닥면적의 합계 500㎡ 이상인 것
라. 그 밖에 위의 시설과 비슷한 것	-

* 「공중위생관리법」 제3조제1항 전단에 따라 숙박업 신고를 해야 하는 시설로서 국토교통부장관이 정하여 고시하는 요건을 갖춘 시설

【참고1】 일반숙박시설 및 생활숙박시설(「공중위생관리법」 제2조, 제3조, 시행령 제4조, 규칙 제2조)

법 제2조【정의】 ① 법에서 사용하는 용어의 정의는 다음과 같다.
1. "공중위생영업"이라 함은 다수인을 대상으로 위생관리서비스를 제공하는 영업으로서 숙박업 · 목욕장업 · 이용업 · 미용업 · 세탁업 · 건물위생관리업을 말한다.
2. "숙박업"이라 함은 손님이 잠을 자고 머물 수 있도록 시설 및 설비등의 서비스를 제공하는 영업을 말한다. 다만, 농어촌에 소재하는 민박등 대통령령이 정하는 경우를 제외한다.

법 제3조【공중위생영업의 신고 및 폐업신고】 ① 공중위생영업을 하고자 하는 자는 공중위생영업의 종류별로 보건복지부령이 정하는 시설 및 설비를 갖추고 시장 · 군수 · 구청장(자치구의 구청장에 한한다. 이하 같다)에게 신고하여야 한다. 보건복지부령이 정하는 중요사항을 변경하고자 하는 때에도 또한 같다. <개정 2010.1.18.>

영 제4조【숙박업의 세분】 법 제2조제2항에 따라 숙박업을 다음과 같이 세분한다.
1. 숙박업(일반): 손님이 잠을 자고 머물 수 있도록 시설(취사시설은 제외한다) 및 설비 등의 서비스를 제공하는 영업
2. 숙박업(생활): 손님이 잠을 자고 머물 수 있도록 시설(취사시설을 포함한다) 및 설비 등의 서비스를 제공하는 영업

규칙 제2조【시설 및 설비기준】 「공중위생관리법」(이하 "법"이라 한다) 제3조제1항에 따른 공중위생영업의 종류별 시설 및 설비기준은 별표 1과 같다. <개정 2015.7.2.>

[별표1] 공중위생영업의 종류별 시설 및 설비기준(제2조 관련)<개정 2022.6.22.>

Ⅰ. 일반기준

1. 공중위생영업장은 독립된 장소이거나 공중위생영업 외의 용도로 사용되는 시설 및 설비와 분리(벽이나 층 등으로 구분하는 경우를 말한다. 이하 같다) 또는 구획(칸막이커튼 등으로 구분하는 경우를 말한다. 이하 같다)되어야 한다.
2. 제1호에도 불구하고 다음 각 목에 해당하는 경우에는 공중위생영업장을 별도로 분리 또는 구획하지 아니하여도 된다.
   가. 법 제2조제1항제5호 각 목에 해당하는 미용업을 2개 이상 함께 하는 경우(해당 미용업자의 명의로 각각 영업신고를 하거나 공동신고를 하는 경우를 포함한다)로서 각각의 영업에 필요한 시설 및 설비기준을 모두 갖추고 있으며, 각각의 시설이 선출 등으로 서로 구분될 수 있는 경우
   나. 건물위생관리업을 하는 경우로서 영업에 필요한 설비 및 장비 등을 영업장과 독립된 공간에 보관하는 경우
   다. 건물의 일부를 대상으로 숙박업을 하는 경우로서 접객대, 로비시설, 계단, 엘리베이터 및 출입구 등을 공동으로 사용하는 경우
   라. 그 밖에 별도로 분리 또는 구획하지 않아도 되는 경우로서 보건복지부장관이 인정하는 경우

Ⅱ. 개별기준

1. 숙박업
   가. 숙박업(생활)은 취사시설과 환기를 위한 시설이나 창문을 설치하여야 한다. 이 경우 실내에 취사시설을 설치할 때에는 고정형 취사시설을 객실별로 설치하거나 공동 취사공간에 설치해야 한다.
   나. 숙박업(생활)은 객실별로 욕실 또는 샤워실을 설치하여야 한다. 다만, 「관광진흥법 시행령」 제2조제1항제2호마목에 따른 호스텔업은 욕실 또는 샤워실을 공용으로 설치할 수 있다.
   다. 건물의 일부를 대상으로 하는 숙박업은 객실이 독립된 층으로 이루어지거나 객실 수가 30개 이상 또는 영업장의 면적이 해당 건물 연면적의 3분의 1 이상이어야 한다. 다만, 지역적 여건 등을 고려하여 특별시광역시특별자치시도특별자치도의 조례로 객실 수 및 면적 기준을 완화하여 정할 수 있다. <개정 2022.6.22.>
2. "이하 생략"

【참고2】 생활숙박시설 건축기준(국토교통부고시 제2021-1204호, 2021.11.2., 제정) 제3조

1. 「공중위생관리법 시행규칙」 별표1에서 규정하고 있는 생활숙박업 설비기준에 적합할 것.
2. 프런트데스크, 로비(공용 화장실을 포함한다)를 설치할 것.
3. 린넨실(침구, 시트, 수건 등 천 종류를 수납하는 방을 말한다)을 30객실당 1개소 이상을 설치할 것
4. 관광객을 위한 식음료시설(레스토랑 등)을 설치할 것
5. 객실의 출입제어, 보안 등을 확인할 수 있는 객실관리(제어)시스템을 도입하여 설계도서에 포함할 것
6. 각 구획별 발코니를 설치할 경우 외기에 개방된 노대 형태로 설치하여야 하며, 발코니 설치 시 「건축물 피난·방화구조 등의 기준에 관한 규칙」 제17조제4항에 따른 추락방지를 위한 안전시설을 설치할 것

【참고3】 관광숙박시설(「관광진흥법」 제3조, 시행령 제2조)

■ 관광숙박업의 종류

호텔업*	관광호텔업	관광객의 숙박에 적합한 시설을 갖추어 관광객에게 이용하게 하고 숙박에 딸린 음식·운동·오락·휴양·공연 또는 연수에 적합한 시설 등(이하 "부대시설"이라 한다)을 함께 갖추어 관광객에게 이용하게 하는 업
	수상관광호텔업	수상에 구조물 또는 선박을 고정하거나 매어 놓고 관광객의 숙박에 적합한 시설을 갖추거나 부대시설을 함께 갖추어 관광객에게 이용하게 하는 업
	한국전통호텔업	한국전통의 건축물에 관광객의 숙박에 적합한 시설을 갖추거나 부대시설을 함께 갖추어 관광객에게 이용하게 하는 업
	가족호텔업	가족단위 관광객의 숙박에 적합한 시설 및 취사도구를 갖추어 관광객에게 이용하게 하거나 숙박에 딸린 음식·운동·휴양 또는 연수에 적합한 시설을 함께 갖추어 관광객에게 이용하게 하는 업

건 축 법
1. 총 칙
2. 건 축
3. 유지관리
4. 대지도로
5. 구조재료
6. 지역지구
7. 건축설비
8. 특별건축구역
9. 보 칙
10. 벌 칙
건 축 법 관련기준

	호스텔업	배낭여행객 등 개별 관광객의 숙박에 적합한 시설로서 샤워장, 취사장 등의 편의시설과 외국인 및 내국인 관광객을 위한 문화·정보 교류시설 등을 함께 갖추어 이용하게 하는 업
	소형호텔업	관광객의 숙박에 적합한 시설을 소규모로 갖추고 숙박에 딸린 음식·운동·휴양 또는 연수에 적합한 시설을 함께 갖추어 관광객에게 이용하게 하는 업
	의료관광호텔업	의료관광객의 숙박에 적합한 시설 및 취사도구를 갖추거나 숙박에 딸린 음식·운동 또는 휴양에 적합한 시설을 함께 갖추어 주로 외국인 관광객에게 이용하게 하는 업
휴양 콘도미니엄업 〈개정 2023.8.8〉		관광객의 숙박과 취사에 적합한 시설을 갖추어 이를 그 시설의 회원이나 소유자등, 그 밖의 관광객에게 제공하거나 숙박에 딸리는 음식·운동·오락·휴양·공연 또는 연수에 적합한 시설 등을 함께 갖추어 이를 이용하게 하는 업

* 호텔업 : 관광객의 숙박에 적합한 시설을 갖추어 이를 관광객에게 제공하거나 숙박에 딸리는 음식、운동、오락、휴양、공연 또는 연수에 적합한 시설 등을 함께 갖추어 이를 이용하게 하는 업

■ 등록기준(「관광진흥법 시행령」 별표 1) 〈개정 2021.8.10.〉

호텔업	관광호텔업	(1) 욕실이나 샤워시설을 갖춘 객실을 30실 이상 갖추고 있을 것 (2) 외국인에게 서비스를 제공할 수 있는 체제를 갖추고 있을 것 (3) 대지 및 건물의 소유권 또는 사용권을 확보하고 있을 것. 다만, 회원을 모집하는 경우에는 소유권을 확보하여야 한다.
	수상관광호텔업	(1) 수상관광호텔이 위치하는 수면은 「공유수면관리 및 매립에 관한 법률」 또는 「하천법」에 따라 관리청으로부터 점용허가를 받을 것 (2) 욕실이나 샤워시설을 갖춘 객실이 30실 이상일 것 (3) 외국인에게 서비스를 제공할 수 있는 체제를 갖추고 있을 것 (4) 수상오염을 방지하기 위한 오수 저장·처리시설과 폐기물처리시설을 갖추고 있을 것 (5) 구조물 및 선박의 소유권 또는 사용권을 확보하고 있을 것. 다만, 회원을 모집하는 경우에는 소유권을 확보하여야 한다.
	한국전통호텔업	(1) 건축물의 외관은 전통가옥의 형태를 갖추고 있을 것 (2) 이용자의 불편이 없도록 욕실이나 샤워시설을 갖추고 있을 것 (3) 외국인에게 서비스를 제공할 수 있는 체제를 갖추고 있을 것 (4) 대지 및 건물의 소유권 또는 사용권을 확보하고 있을 것. 다만, 회원을 모집하는 경우에는 소유권을 확보하여야 한다.
	가족호텔업	(1) 가족단위 관광객이 이용할 수 있는 취사시설이 객실별로 설치되어 있거나 층별로 공동취사장이 설치되어 있을 것 (2) 욕실이나 샤워시설을 갖춘 객실이 30실 이상일 것 (3) 객실별 면적이 19제곱미터 이상일 것 (4) 외국인에게 서비스를 제공할 수 있는 체제를 갖추고 있을 것 (5) 대지 및 건물의 소유권 또는 사용권을 확보하고 있을 것. 다만, 회원을 모집하는 경우에는 소유권을 확보하여야 한다.
	호스텔업	(1) 배낭여행객 등 개별 관광객의 숙박에 적합한 객실을 갖추고 있을 것 (2) 이용자의 불편이 없도록 화장실, 샤워장, 취사장 등의 편의시설을 갖추고 있을 것. 다만, 이러한 편의시설은 공동으로 이용하게 할 수 있다. (3) 외국인 및 내국인 관광객에게 서비스를 제공할 수 있는 문화·정보 교류시설을 갖추고 있을 것 (4) 대지 및 건물의 소유권 또는 사용권을 확보하고 있을 것

	소형호텔업	(1) 욕실이나 샤워시설을 갖춘 객실을 20실 이상 30실 미만으로 갖추고 있을 것 (2) 부대시설의 면적 합계가 건축 연면적의 50퍼센트 이하일 것 (3) 두 종류 이상의 부대시설을 갖출 것. 다만, 「식품위생법 시행령」 제21조제8호다목에 따른 단란주점영업, 같은 호 라목에 따른 유흥주점영업 및 「사행행위 등 규제 및 처벌 특례법」 제2조제1호에 따른 사행행위를 위한 시설은 둘 수 없다. (4) 조식 제공, 외국어 구사인력 고용 등 외국인에게 서비스를 제공할 수 있는 체제를 갖추고 있을 것 (5) 대지 및 건물의 소유권 또는 사용권을 확보하고 있을 것. 다만, 회원을 모집하는 경우에는 소유권을 확보하여야 한다.
	의료관광호텔업	(1) 의료관광객이 이용할 수 있는 취사시설이 객실별로 설치되어 있거나 층별로 공동취사장이 설치되어 있을 것 (2) 욕실이나 샤워시설을 갖춘 객실이 20실 이상일 것 (3) 객실별 면적이 19제곱미터 이상일 것 (4) 「교육환경 보호에 관한 법률」 제9조제13호 · 제22호 · 제23호 및 제26호에 따른 영업이 이루어지는 시설을 부대시설로 두지 않을 것 (5) 의료관광객의 출입이 편리한 체계를 갖추고 있을 것 (6) 외국어 구사인력 고용 등 외국인에게 서비스를 제공할 수 있는 체제를 갖추고 있을 것 (7) 의료관광호텔 시설(의료관광호텔의 부대시설로 「의료법」 제3조제1항에 따른 의료기관을 설치할 경우에는 그 의료기관을 제외한 시설을 말한다)은 의료기관 시설과 분리될 것. 이 경우 분리에 관하여 필요한 사항은 문화체육관광부장관이 정하여 고시한다. (8) 대지 및 건물의 소유권 또는 사용권을 확보하고 있을 것 (9) 의료관광호텔업을 등록하려는 자가 다음의 구분에 따른 요건을 충족하는 외국인환자 유치 의료기관의 개설자 또는 유치업자일 것 (가) 외국인환자 유치 의료기관의 개설자 "생략" (나) 유치업자 "생략"
휴양 콘도미니엄업		가. 객실 (1) 같은 단지 안에 객실이 30실 이상일 것. 단서 "생략" (2) 관광객의 취사·체류 및 숙박에 필요한 설비를 갖추고 있을 것. 다만, 객실 밖에 관광객이 이용할 수 있는 공동취사장 등 취사시설을 갖춘 경우에는 총 객실의 30퍼센트(「국토의 계획 및 이용에 관한 법률」 제6조제1호에 따른 도시지역의 경우에는 총 객실의 30퍼센트 이하의 범위에서 조례로 정하는 비율이 있으면 그 비율을 말한다) 이하의 범위에서 객실에 취사시설을 갖추지 아니할 수 있다. 나. 매점 등 매점이나 간이매장이 있을 것. 다만, 여러 개의 동으로 단지를 구성할 경우에는 공동으로 설치할 수 있다. 다. 문화체육공간 공연장·전시관·미술관·박물관·수영장·테니스장·축구장·농구장, 그 밖에 관광객이 이용하기 적합한 문화체육공간을 1개소 이상 갖출 것. 다만, 수개의 동으로 단지를 구성할 경우에는 공동으로 설치할 수 있으며, 관광지·관광단지 또는 종합휴양업의 시설 안에 있는 휴양콘도미니엄의 경우에는 이를 설치하지 아니할 수 있다. 라. 대지 및 건물의 소유권 또는 사용권을 확보하고 있을 것. 다만, 분양 또는 회원을 모집하는 경우에는 소유권을 확보하여야 한다.

16 위락시설

가. 단란주점 【참고1】	해당용도로 쓰는 바닥면적의 합계 150㎡이상인 것
나. 유흥주점이나 그 밖에 이와 비슷한 것 【참고1】	—
다. 「관광진흥법」에 따른 유원시설업 【참고2】의 시설, 그 밖에 이와 비슷한 시설	제2종 근린생활시설과 운동시설에 해당되는 것은 제외
라. 무도장 및 무도학원 【참고3】	—
마. 카지노영업소 【참고4】	—

【참고1】 식품접객업의 종류 …… 제1종 근린생활시설 해설 【참고1】 참조

【참고2】 유원시설업(「관광진흥법」 제3조, 영 제2조)

■ 유원시설업의 종류

유원시설업(遊園施設業) : 유기시설(遊技施設)이나 유기기구(遊技機具)를 갖추어 이를 관광객에게 이용하게 하는 업(다른 영업을 경영하면서 관광객의 유치 또는 광고 등을 목적으로 유기시설이나 유기기구를 설치하여 이를 이용하게 하는 경우를 포함한다)

1. 종합유원시설업	유기시설이나 유기기구를 갖추어 관광객에게 이용하게 하는 업으로서 대규모의 대지 또는 실내에서 안전성검사 대상 유기시설 또는 유기기구 여섯 종류 이상을 설치하여 운영하는 업
2. 일반유원시설업	유기시설이나 유기기구를 갖추어 관광객에게 이용하게 하는 업으로서 안전성검사 대상 유기시설 또는 유기기구 한 종류 이상을 설치하여 운영하는 업
3. 기타 유원시설업	유기시설이나 유기기구를 갖추어 관광객에게 이용하게 하는 업으로서 안전성검사 대상이 아닌 유기시설 또는 유기기구를 설치하여 운영하는 업

■ 유원시설업의 시설 및 설비기준(「관광진흥법 시행규칙」 별표 1의2) <개정 2019.10.16.>

1. 공통기준

구 분	시설 및 설비기준
가. 실내에 설치한 유원시설업	(1) 독립된 건축물이거나 다른 용도의 시설(「게임산업진흥에 관한 법률」 제2조제6호의2가목 또는 제7호에 따른 청소년게임제공업 또는 인터넷컴퓨터게임시설제공업의 시설은 제외한다)과 분리, 구획 또는 구분되어야 한다. (2) 유원시설업 내에 「게임산업진흥에 관한 법률」 제2조제6호의2가목 또는 제7호에 따른 청소년게임제공업 또는 인터넷컴퓨터게임시설제공업을 하려는 경우 청소년게임제공업 또는 인터넷컴퓨터게임시설제공업의 면적비율은 유원시설업 허가 또는 신고 면적의 50퍼센트 미만이어야 한다.
나. 종합유원시설업 및 일반유원시설업	(1) 방송시설 및 휴식시설(의자 또는 차양시설 등을 갖춘 것을 말한다)을 설치하여야 한다. (2) 화장실(유원시설업의 허가구역으로부터 100미터 이내에 공동화장실을 갖춘 경우는 제외한다)을 갖추어야 한다. (3) 이용객을 지면으로 안전하게 이동시키는 비상조치가 필요한 유기기구 또는 유기시설에 대하여는 비상시에 이용객을 안전하게 대피시킬 수 있는 시설[축전지 또는 발전기 등의 예비전원설비, 사다리, 계단시설, 윈치(중량물을 끌어올리거나 당기는 기계설비), 로프 등 해당 시설에 적합한 시설]을 갖추어야 한다. (4) 물놀이형 유기시설 또는 유기기구를 설치한 경우 다음 각 호의 시설을 갖추어야 한다.

	① 수소이온화농도, 유리잔류염소농도를 측정할 수 있는 수질검사장비를 비치하여야 한다. ② 익수사고를 대비한 수상인명구조장비(구명구, 구명조끼, 구명로프 등)를 갖추어야 한다. ③ 물놀이 후 씻을 수 있는 시설(유원시설업의 허가구역으로부터 100미터 이내에 공동으로 씻을 수 있는 시설을 갖춘 경우는 제외한다)을 갖추어야 한다.

2. 개별기준

구 분	시설 및 설비기준
가. 종합유원시설업	(1) 대지 면적(실내에 설치한 유원시설업의 경우에는 건축물 연면적)은 1만 제곱미터 이상이어야 한다. (2) 법 제33조제1항에 따른 안전성검사 대상 유기시설 또는 유기기구 6종 이상을 설치하여야 한다. (3) 정전 등 비상시 유기시설 또는 유기기구 이외 사업장 전체의 안전에 필요한 설비를 작동하기 위한 예비전원시설과 의무 시설(구급약품, 침상 등이 비치된 별도의 공간) 및 안내소를 설치하여야 한다. (4) 음식점 시설 또는 매점을 설치하여야 한다.
나. 일반유원시설업	(1) 법 제33조제1항에 따른 안전성검사 대상 유기시설 또는 유기기구 1종 이상을 설치하여야 한다. (2) 안내소를 설치하고, 구급약품을 비치하여야 한다.
다. 기타유원시설업	(1) 대지 면적(실내에 설치한 유원시설업의 경우에는 건축물 연면적)은 40제곱미터 이상이어야 한다.(시행규칙 제40조제1항 관련 별표 11 제2호나목2)에 해당되는 유기시설 또는 유기기구를 설치하는 경우는 제외한다) (2) 법 제33조제1항에 따른 안전성검사 대상이 아닌 유기시설 또는 유기기구 1종 이상을 설치하여야 한다. (3) 구급약품을 비치하여야 한다.

3. 제1호 및 제2호의 기준에 관한 특례

(1) 제1호 및 제2호에도 불구하고 제7조에 따라 6개월 미만의 단기로 일반유원시설업의 허가를 받으려 하거나 제11조에 따라 6개월 미만의 단기로 기타유원시설업의 신고를 하려는 경우에는 (2) 및 (3)의 기준을 적용한다.

(2) 공통기준

(가) 실내에 설치하는 경우에는 독립된 건축물이거나 다른 용도의 시설(「게임산업진흥에 관한 법률」 제2조제6호의2가목 또는 제7호에 따른 청소년게임제공업 또는 인터넷컴퓨터게임시설제공업의 시설은 제외한다)과 분리, 구획 또는 구분되어야 한다.

(나) 실내에 설치한 유원시설업 내에 「게임산업진흥에 관한 법률」 제2조제6호의2가목 또는 제7호에 따른 청소년게임제공업 또는 인터넷컴퓨터게임시설제공업을 하려는 경우 청소년게임제공업 또는 인터넷컴퓨터게임시설제공업의 면적비율은 유원시설업 허가 또는 신고 면적의 50퍼센트 미만이어야 한다.

(다) 구급약품을 비치하여야 한다.

(3) 개별기준

(가) 일반유원시설업

1) 법 제33조제1항에 따른 안전성검사 대상 유기시설 또는 유기기구 1종 이상을 설치하여야 한다.

2) 휴식시설 및 화장실을 갖추어야 하나, 불가피한 경우에는 허가구역으로부터 100미터 이내에 그 이용이 가능한 휴식시설 및 화장실을 갖추어야 한다.

3) 비상시 유기시설 또는 유기기구로부터 이용객을 안전하게 대피시킬 수 있는 시설(사다리, 로프 등)을 갖추어야 한다.

4) 물놀이형 유기시설 또는 유기기구를 설치한 경우 수질검사장비와 수상인명구조장비를 비치하여야 한다.

(나) 기타 유원시설업

1) 대지 면적(실내에 설치한 유원시설업의 경우에는 건축물 연면적)은 40제곱미터 이상이어야 한다.(제40조제1항 관련 별표 11 제2호나목2)에 해당되는 유기시설 또는 유기기구를 설치하는 경우는 제외한다)

2) 법 제33조제1항에 따른 안전성검사 대상이 아닌 유기시설 또는 유기기구 1종 이상을 설치하여야 한다.

【참고3】 무도학원업 및 무도장업(「체육시설의 설치·이용에 관한 법률 시행령」 제6조 별표 2)

업 종	영업의 범위
7. 무도학원업	수강료 등을 받고 국제표준무도(볼룸댄스) 과정을 교습하는 업(「평생교육법」, 「노인복지법」, 그 밖에 다른 법률에 따라 허가·등록·신고 등을 마치고 교양강좌로 설치·운영하는 경우와 「학원의 설립·운영 및 과외교습에 관한 법률」에 따른 학원은 제외한다)
8. 무도장업	입장료 등을 받고 국제표준무도(볼룸댄스)를 할 수 있는 장소를 제공하는 업

■ 무도학원업 및 무도장업의 시설기준(「체육시설의 설치·이용에 관한 법률 시행규칙」 별표 4)

거. 무도학원업 및 무도장업

구 분	시설기준
필수시설 운동시설	○ 무도학원업은 바닥면적이 66제곱미터 이상이어야 하며, 무도장업은 특별시와 광역시의 경우에는 330제곱미터 이상, 그 외의 지역의 경우에는 231제곱미터 이상이어야 한다. ○ 소음 방지에 적합한 방음시설을 하여 소리가 밖으로 새어 나가지 아니하도록 하여야 한다. ○ 바닥은 목재마루로 하고 마루 밑에 받침을 두어 탄력성이 있게 하여야 한다. ○ 무도학원업과 무도장업으로 사용되고 있는 건축물의 용도가 「건축법 시행령」 별표 1의 용도별 건축물의 종류에 적합하여야 하고, 그 밖에 「건축법」 및 「국토의 계획 및 이용에 관한 법률」에 적합한 위치이어야 한다. ○ 운동시설은 사무실 등 다른 용도의 시설과 완전히 구획되어야 한다. ○ 업소 내의 조도는 무도학원업은 100럭스 이상, 무도장업은 30럭스 이상 되어야 하며, 조명의 밝기를 조절하는 장치를 설치하여서는 아니 된다.

【참고4】 카지노업(「관광진흥법」 제3조, 시행규칙 제35조, 36조)

전문 영업장을 갖추고 주사위·트럼프·슬롯머신 등 특정한 기구 등을 이용하여 우연의 결과에 따라 특정인에게 재산상의 이익을 주고 다른 참가자에게 손실을 주는 행위 등을 하는 업

※ 카지노업의 영업종류(시행규칙 별표8), 카지노업 영업준칙(시행규칙 별표9) 등 참조

17 공 장

물품의 제조·가공[염색·도장(塗裝)·표백·재봉·건조·인쇄 등을 포함한다] 또는 수리에 계속적으로 이용되는 건축물	제1종 및 제2종 근린생활시설, 위험물저장 및 처리시설, 자동차 관련 시설, 자원순환 관련 시설 등으로 따로 분류되지 아니한 것

【참고】 공장의 기준 및 범위(「산업집적활성화 및 공장설립에 관한 법률」 제2조제1호, 제13호, 영 제2조, 제4조의6)

공장	건축물 또는 공작물, 물품제조공정을 형성하는 기계·장치 등 제조시설과 그 부대시설(이하 "제조시설등"이라 한다)을 갖추고 대통령령이 정하는 제조업을 영위하기 위한 사업장으로서 대통령령이 정하는 것

건 축 법
1. 총 칙
2. 건 축
3. 유지관리
4. 대지도로
5. 구조재료
6. 지역지구
7. 건축설비
8. 특별건축구역
9. 보 칙
10. 벌 칙
건 축 법 관련기준

지식산업센터 (영4조의6)	동일 건축물에 제조업, 지식산업 및 정보통신산업을 영위하는 자와 지원시설이 복합적으로 입주할 수 있는 건축물로서 다음 각 호의 요건을 모두 갖춘 건축물 1. 지상 3층 이상의 집합건축물일 것 2. 공장, 지식산업의 사업장 또는 정보통신산업의 사업장이 6개 이상 입주할 수 있을 것 3. 바닥면적(지상층만 해당)의 합계가 위 2.에 따른 건축면적의 300% 이상일 것
공장의 범위 (영2조)	① 제조업의 범위는 한국표준산업분류에 따른 제조업으로 한다. ② 공장의 범위에 포함되는 것은 다음과 같다. 1. 제조업을 하기 위하여 필요한 제조시설(물품의 가공·조립·수리시설을 포함한다. 이하 같다) 및 시험생산시설 2. 제조업을 하는 경우 그 제조시설의 관리·지원, 종업원의 복지후생을 위하여 해당 공장부지안에 설치하는 부대시설로서 산업통상자원부령으로 정하는 것 3. 제조업을 하는 경우 관계법령에 따라 설치가 의무화된 시설 4. 1.~3.의 시설이 설치된 공장부지

18 창고시설

가. 창고(물품저장시설로서 「물류정책기본법」에 따른 일반창고와 냉장 및 냉동창고를 포함) 【참고1】	위험물저장 및 처리시설 또는 그 부속용도에 해당하지 아니하는 시설
나. 하역장	
다. 물류터미널 (「물류시설의 개발 및 운영에 관한 법률」) 【참고2】	
라. 집배송시설 【참고3】	

【참고1】 창고

관계법 「물류정책기본법」(제2조, 시행령 제3조, 별표 1)

법 제2조 【정의】 ① 이 법에서 사용하는 용어의 정의는 다음과 같다.

1. "물류(物流)"란 재화가 공급자로부터 조달·생산되어 수요자에게 전달되거나 소비자로부터 회수되어 폐기될 때까지 이루어지는 운송·보관·하역(荷役) 등과 이에 부가되어 가치를 창출하는 가공·조립·분류·수리·포장·상표부착·판매·정보통신 등을 말한다.
2. "물류사업"이란 화주(貨主)의 수요에 따라 유상(有償)으로 물류활동을 영위하는 것을 업(業)으로 하는 것으로 다음 각 목의 사업을 말한다.
   가. 자동차·철도차량·선박·항공기 또는 파이프라인 등의 운송수단을 통하여 화물을 운송하는 화물운송업
   나. 물류터미널이나 창고 등의 물류시설을 운영하는 물류시설운영업
   다. 화물운송의 주선(周旋), 물류장비의 임대, 물류정보의 처리 또는 물류컨설팅 등의 업무를 하는 물류서비스업
   라. 가목부터 다목까지의 물류사업을 종합적·복합적으로 영위하는 종합물류서비스업
4. "물류시설"이란 물류에 필요한 다음 각 목의 시설을 말한다.
   가. 화물의 운송·보관·하역을 위한 시설
   나. 화물의 운송·보관·하역 등에 부가되는 가공·조립·분류·수리·포장·상표부착·판매·정보통신 등을 위한 시설
   다. 물류의 공동화·자동화 및 정보화를 위한 시설
   라. 가목부터 다목까지의 시설이 모여 있는 물류터미널 및 물류단지

② 제1항제2호에 따른 각 물류사업의 구체적인 범위는 대통령령으로 정한다.

건축법
1. 총 칙
2. 건 축
3. 유지관리
4. 대지도로
5. 구조재료
6. 지역지구
7. 건축설비
8. 특별건축구역
9. 보 칙
10. 벌 칙
건 축 법 관련기준

영 제3조【물류사업의 범위】

법 제2조제2항에 따른 물류사업의 범위는 별표 1과 같다.

■ 물류사업의 범위(별표 1/발췌)

대분류	세분류	세세분류
물류시설 운영업	창고업 (공동집배송센터운영업 포함)	일반창고업, 냉장 및 냉동 창고업, 농·수산물 창고업, 위험물품보관업, 그 밖의 창고업
	물류터미널운영업	복합물류터미널, 일반물류터미널, 해상터미널, 공항화물터미널, 화물차전용터미널, 컨테이너화물조작장(CFS), 컨테이너장치장(CY), 물류단지, 집배송단지 등 물류시설의 운영업
물류 서비스업	화물취급업(하역업 포함)	화물의 하역, 포장, 가공, 조립, 상표부착, 프로그램 설치, 품질검사 등 부가적인 물류업

【참고2】 물류터미널(「도시 · 군계획시설규칙」, 「물류시설의 개발 및 운영에 관한 법률」)

관계법1 「도시 · 군계획시설규칙」(제31조제2호, 제32조제2호)

규칙 제31조【자동차정류장】

2. 물류터미널: 「물류시설의 개발 및 운영에 관한 법률」 제2조제2호에 따른 물류터미널로서 물류터미널사업자가 「화물자동차운수사업법」 제3조제1항제1호에 따른 일반화물자동차운송사업 또는 「해운법」 제2조제3호에 따른 해상화물운송사업에 제공하기 위하여 설치하는 터미널 <개정 2023.8.1.>

규칙 제32조【자동차정류장의 결정기준】

2. 물류터미널, 화물자동차운수사업용 공영차고지, 화물자동차운송사업용 차고지, 화물자동차 휴게소
   가. 주간선도로 또는 다른 교통수단과의 유기적인 연결이 가능한 지역에 결정할 것
   나. 고속국도를 주로 이용하는 자동차를 위한 자동차정류장의 경우에는 고속국도와 쉽게 연결되도록 할 것. 다만, 당해 자동차정류장의 전용도로를 설치하는 경우에는 그러하지 아니하다.
   다. 지역의 현황 또는 장래에 있어서의 공간구조 · 산업활동 및 물동량을 고려하여 유통의 원활을 기할 수 있을 것
   라. 용지를 확보하기 쉽고 지역간의 교통이 편리한 장소에 설치할 것
   마. 수송능률을 높이고 모든 교통시설과의 연결이 쉽도록 인근의 토지이용계획을 고려할 것
   바. 중심상업지역 · 일반상업지역 · 유통상업지역 · 일반공업지역 · 준공업지역 및 계획관리지역에 한하여 설치할 것. 다만, 지역의 토지이용계획상 불가피한 경우로서 지역간을 연결하는 주간선도로 또는 고속국도와의 연결이 쉬운 인접지역에 2만제곱미터 이상의 규모로 설치하는 때에는 환경오염방지대책을 수립한 경우에 한하여 자연녹지지역에도 설치할 수 있다.

관계법2 「물류시설의 개발 및 운영에 관한 법률」(제2조)

법 제2조【정의】 이 법에서 사용하는 용어의 정의는 다음과 같다. <개정 2020.6.9.>

1. "물류시설"이란 다음 각 목의 시설을 말한다.
   가. 화물의 운송 · 보관 · 하역을 위한 시설
   나. 화물의 운송 · 보관 · 하역과 관련된 가공 · 조립 · 분류 · 수리 · 포장 · 상표부착 · 판매 · 정보통신 등의 활동을 위한 시설
   다. 물류의 공동화 · 자동화 및 정보화를 위한 시설
   라. 가목부터 다목까지의 시설이 모여 있는 물류터미널 및 물류단지
2. "물류터미널"이란 화물의 집화(集貨) · 하역(荷役) 및 이와 관련된 분류 · 포장 · 보관 · 가공 · 조립 또는 통관 등에 필요한 기능을 갖춘 시설물을 말한다. 다만, 가공 · 조립 시설은 대통령령으로 정하는 규모

건 축 법
1. 총 칙
2. 건 축
3. 유지관리
4. 대지도로
5. 구조재료
6. 지역지구
7. 건축설비
8. 특별건축구역
9. 보 칙
10. 벌 칙
건 축 법 관련기준

이하의 것이어야 한다.

3. "물류터미널사업"이란 물류터미널을 경영하는 사업으로서 복합물류터미널사업과 일반물류터미널사업을 말한다. 다만, 다음 각 목의 시설물을 경영하는 사업은 제외한다.

가. 「항만법」 제2조제5호의 항만시설 중 항만구역 안에 있는 화물하역시설 및 화물보관 · 처리 시설

나. 「공항시설법」 제2조제7호의 공항시설 중 공항구역 안에 있는 화물운송을 위한 시설과 그 부대시설 및 지원시설

다. 「철도사업법」 제2조제8호에 따른 철도사업자가 그 사업에 사용하는 화물운송 · 하역 및 보관 시설

라. 「유통산업발전법」 제2조제14호 및 제15호의 집배송시설 및 공동집배송센터

4. "복합물류터미널사업" 이란 두 종류 이상의 운송수단 간의 연계운송을 할 수 있는 규모 및 시설을 갖춘 물류터미널사업을 말한다.

5. "일반물류터미널사업" 이란 물류터미널사업 중 복합물류터미널사업을 제외한 것을 말한다.

5의2. "물류창고" 란 화물의 저장 · 관리, 집화 · 배송 및 수급조정 등을 위한 보관시설 · 보관장소 또는 이와 관련된 하역 · 분류 · 포장 · 상표부착 등에 필요한 기능을 갖춘 시설을 말한다.

5의3. "물류창고업" 이란 화주(貨主)의 수요에 따라 유상으로 물류창고에 화물을 보관하거나 이와 관련된 하역 · 분류 · 포장 · 상표부착 등을 하는 사업을 말한다. 다만, 다음 각 목의 어느 하나에 해당하는 것은 제외한다.

가. 「주차장법」에 따른 주차장에서 자동차의 보관, 「자전거 이용 활성화에 관한 법률」에 따른 자전거 주차장에서 자전거의 보관

나. 「철도사업법」에 따른 철도사업자가 여객의 수하물 또는 소화물을 보관하는 것

다. 그 밖에 「위험물안전관리법」에 따른 위험물저장소에 보관하는 것 등 국토교통부와 해양수산부의 공동부령으로 정하는 것

5의4. "스마트물류센터" 란 첨단물류시설 및 설비, 운영시스템 등을 도입하여 저비용 · 고효율 · 안전성 · 친환경성 등에서 우수한 성능을 발휘할 수 있는 물류창고로서 제21조의4제1항에 따라 국토교통부장관의 인증을 받은 물류창고를 말한다.

6. "물류단지" 란 물류단지시설과 지원시설을 집단적으로 설치 · 육성하기 위하여 제22조 또는 제22조의2에 따라 지정 · 개발하는 일단(一團)의 토지 및 시설로서 도시첨단물류단지와 일반물류단지를 말한다.

6의2. "도시첨단물류단지" 란 도시 내 물류를 지원하고 물류 · 유통산업 및 물류 · 유통과 관련된 산업의 육성과 개발을 촉진하려는 목적으로 도시첨단물류단지시설과 지원시설을 집단적으로 설치하기 위하여 「국토의 계획 및 이용에 관한 법률」에 따른 도시지역에 제22조의2에 따라 지정 · 개발하는 일단의 토지 및 시설을 말한다.

6의3. "일반물류단지" 란 물류단지 중 도시첨단물류단지를 제외한 것을 말한다.

6의4. "물류단지시설" 이란 일반물류단지시설과 도시첨단물류단지시설을 말한다.

7. "일반물류단지시설" 이란 화물의 운송 · 집화 · 하역 · 분류 · 포장 · 가공 · 조립 · 통관 · 보관 · 판매 · 정보처리 등을 위하여 일반물류단지 안에 설치되는 다음 각 목의 시설을 말한다.

가. 물류터미널 및 창고

나. 「유통산업발전법」 제2조제3호 · 제8호 · 제16호 및 제17조의2의 대규모점포 · 전문상가단지 · 공동집배송센터 및 중소유통공동도매물류센터

다. 「농수산물유통 및 가격안정에 관한 법률」 제2조제2호 · 제5호 및 제12호의 농수산물도매시장 · 농수산물공판장 및 농수산물종합유통센터

라. 「궤도운송법」에 따른 궤도사업을 경영하는 자가 그 사업에 사용하는 화물의 운송 · 하역 및 보관시설

마. 「축산물위생관리법」 제2조제11호의 작업장

바. 「농업협동조합법」 · 「수산업협동조합법」 · 「산림조합법」 · 「중소기업협동조합법」 또는 「협동조합 기본법」에 따른 조합 또는 그 중앙회(연합회를 포함한다)가 설치하는 구매사업 또는 판매사업 관련 시설

사. 「화물자동차 운수사업법」 제2조제2호의 화물자동차운수사업에 이용되는 차고, 화물취급소, 그 밖

에 화물의 처리를 위한 시설
아. 「약사법」 제44조제2항제2호의 의약품 도매상의 창고 및 영업소시설
자. 그 밖에 물류기능을 가진 시설로서 대통령령으로 정하는 시설
차. 가목부터 자목까지의 시설에 딸린 시설(제8호가목 또는 나목의 시설로서 가목부터 자목까지의 시설과 동일한 건축물에 설치되는 시설을 포함한다)
7의2. "도시첨단물류단지시설"이란 도시 내 물류를 지원하고 물류·유통산업 및 물류·유통과 관련된 산업의 육성과 개발을 목적으로 도시첨단물류단지 안에 설치되는 다음 각 목의 시설을 말한다.
가. 제7호가목부터 자목까지의 시설 중에서 도시 내 물류·유통기능 증진을 위한 시설
나. 「산업입지 및 개발에 관한 법률」 제2조제7호의2에 따른 공장, 지식산업 관련 시설, 정보통신산업 관련 시설, 교육·연구시설 중 첨단산업과 관련된 시설로서 국토교통부령으로 정하는 물류·유통 관련 시설
다. 그 밖에 도시 내 물류·유통기능 증진을 위한 시설로서 대통령령으로 정하는 시설
라. 가목부터 다목까지의 시설에 딸린 시설

〈1〉 물류터미널의 구조 및 설비기준(「물류시설의 개발 및 운영에 관한 법률 시행규칙」 별표 1) <개정 2021.8.27>

구 분	설비기준
1. 구조의 내구력	○ 자동차의 하중(40톤)·지진 그 밖의 진동이나 충격에 대하여 견딜 수 있도록 안전하게 설계할 것
2. 구내차도 및 조차장소(操車場所: 자동차를 돌리는 등 자동차를 다루는 장소)	① 구내차도는 자동차가 후진하지 아니하고 출입구를 향하여 운행할 수 있도록 할 것 ② 구내차도의 너비는 6.5미터 이상으로 할 것. 다만, 일방 통행의 구내차도는 3.5미터 이상으로 할 수 있다. ③ 구내차도 또는 조차장소 위에 횡단육교 또는 이와 유사한 구조물을 설치하는 경우에는 그 유효높이를 4.5미터 이상으로 할 것 ④ 구내차도 또는 조차장소의 경사부분의 기울기는 10퍼센트 이내로 할 것 ⑤ 조차장소의 형상 및 너비는 해당 복합물류터미널의 규모 및 구조에 적합하게 할 것
3. 자동차의 입구 및 출구	○ 자동차의 출입과 안전에 지장이 없는 곳에 위치하도록 할 것
4. 화물취급장	① 일정한 시간대에 적재하여야 할 물동량 중 최대물량을 동시에 적재할 수 있는 충분한 면적으로 할 것 ② 화물을 안전하고 용이하게 하역할 수 있도록 할 것 ③ 전산정보체계를 갖출 것. 다만, 일반물류터미널의 경우에는 그러하지 아니하다. ④ 화물자동분류설비(Sorting Machine)를 갖출 것. 다만, 일반물류터미널 및 컨테이너전용물류터미널의 경우에는 그러하지 아니하다.
5. 창고 또는 배송센터	○ 해당 물류터미널에서 보관 또는 집화·배송하는 물동량을 보관하기에 충분한 면적으로 할 것
6. 주차장	○ 승용차용주차장과 화물자동차용주차장을 각각 갖출 것

【참고3】 집배송시설(「유통산업발전법」 제2조)

법 제2조 【정의】 이 법에서 사용하는 용어의 정의는 다음과 같다. <개정 2015.2.3.>
15. "집배송시설"이란 상품의 주문처리·재고관리·수송·보관·하역·포장·가공 등 집하(集荷) 및 배송에 관한 활동과 이를 유기적으로 조정하거나 지원하는 정보처리활동에 사용되는 기계·장치 등의 일련의 시설을 말한다.
16. "공동집배송센터"란 여러 유통사업자 또는 제조업자가 공동으로 사용할 수 있도록 집배송시설 및 부대업무시설이 설치되어 있는 지역 및 시설물을 말한다.

건 축 법
1. 총 칙
2. 건 축
3. 유지관리
4. 대지도로
5. 구조재료
6. 지역지구
7. 건축설비
8. 특별건축구역
9. 보 칙
10. 벌 칙
건 축 법 관련기준

〈2〉 공동집배송센터의 시설기준(「유통산업발전법 시행규칙」 별표 6)

1. 주요시설 : 다음 각 목에 해당하는 집배송시설을 갖추어야 하며, 그 연면적이 공동집배송센터 전체 연면적의 100분의 50 이상이 되도록 하여야 한다.
   가. 보관·하역시설
      (1) 「건축법 시행령」 별표 1 제18호 가목 및 나목에 따른 창고·하역장 또는 이와 유사한 것
      (2) 화물적치용 건조물 또는 이와 유사한 것
      (3) 보관·하역 관련 물류자동화설비
   나. 분류·포장 및 가공시설
      (1) 「건축법 시행령」 별표 1 제17호에 따른 공장(제조에 사용되는 시설을 제외한다) 또는 이와 유사한 것
      (2) 분류·포장 관련 물류자동화설비
   다. 수송·배송시설
      (1) 상품의 입하·출하시설 또는 이와 유사한 시설
      (2) 수송·배송 관련 물류자동화설비
   라. 정보 및 주문처리시설 : 전자주문시스템(EOS), 전자문서교환(EDI), 판매시점관리시스템(POS) 등 집배송시설 이용 상품의 흐름 및 거래업체간 상품의 주문, 수주·발주 활동을 자동적으로 파악·처리할 수 있는 정보화 시설
2. 부대시설 : 집배송시설의 기능을 원활히 하기 위한 다음 각 목에 해당하는 시설이 우선적으로 설치·운영되도록 노력하여야 한다.
   가. 「건축법 시행령」 별표 1 제3호 가목 및 나목에 따른 소매점 및 휴게음식점
   나. 「건축법 시행령」 별표 1 제4호 가목·나목·바목 및 사목에 따른 일반음식점, 휴게음식점, 금융업소, 사무소, 부동산중개업소, 결혼상담소 등 소개업소, 출판사, 제조업소, 수리점, 세탁소 또는 이와 유사한 것
   다. 「건축법 시행령」 별표 1 제5호 라목에 따른 전시장
   라. 「건축법 시행령」 별표 1 제7호 가목·나목 및 다목(1)에 따른 도매시장, 소매시장, 상점
   마. 「건축법 시행령」 별표 1 제14호 나목에 따른 일반업무시설
   바. 그 밖의 후생복리시설

19 위험물 저장 및 처리시설

가. 주유소(기계식 세차설비 포함) 및 석유판매소 【참고1】	「위험물안전관리법」, 「석유 및 석유대체연료 사업법」, 「도시가스사업법」, 「고압가스 안전관리법」, 「액화석유가스의 안전관리 및 사업법」, 「총포·도검·화약류 등의 안전관리에 관한 법률」, 「화학물질 관리법」* 등에 따라 설치 또는 영업의 허가를 받아야 하는 건축물로서 좌측란에 해당하는 것. 다만, 자가난방·자가발전과 이와 비슷한 목적으로 쓰는 저장시설은 제외
나. 액화석유가스충전소·판매소·저장소(기계식 세차설비 포함) 【참고2】	
다. 위험물 제조소·저장소·취급소 【참고3】	
라. 액화가스 취급소·판매소	
마. 유독물 보관·저장·판매시설	
바. 고압가스 충전소·판매소·저장소	
사. 도료류 판매소	
아. 도시가스 제조시설 【참고4】	
자. 화약류 저장소 【참고5】	
차. 그 밖에 위의 시설과 비슷한 것	

【참고1】 주유소 및 판매소(「석유 및 석유대체연료 사업법 시행령」 제2조)

영 제2조 【정의】

3. "주유소"란 석유정제업자, 석유수출입업자, 일반대리점, 다른 주유소 또는 일반판매소(산업통상자원부령으로 정하는 일반판매소로 한정한다. 이하 이 호에서 같다)로부터 휘발유·등유 또는 경유를 공급받아 이를 점포(「위험물안전관리법」 제9조에 따라 완공검사를 받은 제조소등의 설치장소를 말한다. 이하 같다)에서 고정된 주유설비를 이용하여 다른 주유소, 일반판매소 또는 실소비자에게 직접 판매하는

소매업자인 석유판매업자를 말한다. 이 경우 등유 또는 경유는 점포에서 고정된 주유설비를 이용하여 다른 주유소, 일반판매소 또는 실소비자에게 직접 판매하면서 산업통상자원부령으로 정하는 이동판매의 방법으로 판매하는 경우를 포함한다.

4. "일반판매소"란 석유정제업자, 석유수출입업자, 일반대리점, 주유소 또는 다른 일반판매소로부터 등유 또는 경유(농업협동조합중앙회 또는 지역농업협동조합이 일반판매소를 경영하는 경우와 주유소가 설치되어 있지 아니한 면 지역에서 일반판매소를 경영하는 자의 경우에는 휘발유를 포함한다)를 공급받아 이를 점포에서 주유소, 다른 일반판매소 또는 실소비자에게 직접 판매하는 소매업자인 석유판매업자를 말한다. 이 경우 점포에서 주유소, 다른 일반판매소 또는 실소비자에게 직접 판매하면서 산업통상자원부령으로 정하는 이동판매 또는 배달판매의 방법으로 판매하는 경우를 포함하며, 등유 또는 경유를 주유소로부터 공급받거나 주유소에 직접 판매하는 일반판매소의 경우에는 산업통상자원부령으로 정하는 일반판매소로 한정한다.

영 제15조【석유판매업의 등록】

① 법 제10조제6항에 따른 석유판매업의 시설기준 등 등록 요건은 별표 2와 같다. <개정 2019.9.3.>

[별표 2] 석유판매업 및 석유대체연료 판매업의 등록 요건(제15조 및 제36조제2항 관련) <개정 2018.4.30.>

1. 석유판매업의 등록 요건

가. 일반대리점의 등록 요건

구분 \ 지역	전국
1) 시설기준 가) 저장시설 나) 수송장비	 700킬로리터 이상 저장할 수 있는 지상 또는 지하 저장시설일 것 50킬로리터 이상 수송할 수 있을 것
2) 자본금	납입자본금 또는 출자총액이 1억원 이상일 것

비고

1. 저장시설 및 수송장비는 등록을 한 특별시·광역시·도·특별자치도(이하 "시·도"라 한다)에 설치하여야 한다. 다만, 시·도지사는 지역실정을 고려하여 인접한 시·도에 저장시설 및 수송장비를 설치하게 할 수 있다.
2. 「항만운송사업법」 제26조의3에 따른 항만운송관련사업의 등록을 한 자가 같은 법 시행령 제2조제3호에 따른 선박연료공급업을 하기 위하여 이 영에 따른 일반대리점인 석유판매업(선박급유로 한정한다)의 등록을 하려는 경우에는 같은 법 시행령 별표 6에 따른 항만운송관련사업 중 선박급유업의 등록기준을 적용한다.

나. 용제대리점의 등록 요건

구분 \ 지역	전국
1) 시설기준 가) 저장시설 나) 수송장비	 150킬로리터 이상 저장할 수 있는 지상 또는 지하 저장시설일 것 20킬로리터 이상 수송할 수 있을 것
2) 자본금	납입자본금 또는 출자총액이 5천만원 이상일 것

비고

저장시설 및 수송장비는 등록을 한 시·도에 설치하여야 한다. 다만, 시·도지사는 지역실정을 고려하여 인접한 시·도에 저장시설 및 수송장비를 설치하게 할 수 있다.

다. 주유소의 등록 요건

구분 \ 지역	서울특별시	그 밖의 지역
1) 시설기준		
가) 저장시설	40킬로리터 이상 저장할 수 있는 지하 저장시설일 것	20킬로리터 이상 저장할 수 있는 지하 저장시설일 것
나) 주유기	1대 이상일 것	1대 이상일 것
다) 공중화장실	1개 이상일 것. 다만, 다음의 어느 하나에 해당하는 경우에는 설치하지 않을 수 있다. (1)「주차장법」 제2조제1호나목에 따른 노외주차장(특별시장 또는 구청장이 설치한 노외주차장만 해당한다)의 부대시설로 설치하는 주유소 (2) 주유소의 경계로부터 보행거리 20미터 이내에 「공중화장실 등에 관한 법률」 제2조제1호에 따른 공중화장실(국가 또는 지방자치단체가 설치한 공중화장실로 한정한다)의 출입문이 있는 주유소 (3)「마리나항만의 조성 및 관리 등에 관한 법률」 제2조제1호에 따른 마리나항만에 설치하여 선박에 주유하는 주유소(「위험물안전관리법」 제5조제4항에 따른 기술기준에 적합한 것만 해당한다.	1개 이상일 것. 다만, 다음의 어느 하나에 해당하는 경우에는 설치하지 않을 수 있다. (1)「주차장법」 제2조제1호나목에 따른 노외주차장(광역시장·특별자치시장·도지사·특별자치도지사 또는 시장·군수·구청장이 설치한 노외주차장만 해당한다)의 부대시설로 설치하는 주유소 (2) 주유소의 경계로부터 보행거리 20미터 이내에 「공중화장실 등에 관한 법률」 제2조제1호에 따른 공중화장실(국가 또는 지방자치단체가 설치한 공중화장실로 한정한다)의 출입문이 있는 주유소 (3)「마리나항만의 조성 및 관리 등에 관한 법률」 제2조제1호에 따른 마리나항만에 설치하여 선박에 주유하는 주유소(「위험물안전관리법」 제5조제4항에 따른 기술기준에 적합한 것만 해당한다.
2) 그 밖의 사항	시·도지사 또는 시장·군수·구청장은 관할 지역의 도시계획, 도로사정, 환경여건 등 지역실정을 고려하여 다음 각 호의 사항에 한정하여 등록 요건을 추가로 정할 수 있다. 다만, 특별시 및 광역시에서는 (1)의 거리기준을 추가로 정할 수 없다. (1) 「유통산업발전법」 제2조제3호의 대규모점포와 주유소 간 거리기준 (2) 광역도시계획·도시계획·지구단위계획 또는 도로·교통·건축 관련 법령에 근거한 주유소 입지·도로와의 관계에 관한 기준	

라. 용제판매소의 등록 요건

구분 \ 지역	전국
1) 시설기준	자기가 독점적으로 사용하는 저장시설로서 자기 소유의 저장시설 또는 1년 이상의 임차기간을 정하여 임차한 저장시설(「위험물안전관리법 시행령」 별표 2 제2호부터 제5호까지의 저장소를 말한다) 또는 취급시설(「위험물안전관리법 시행령」 별표 3 제2호 및 제4호의 취급소를 말한다)일 것
2) 자본금	납입자본금 또는 출자총액이 3천만원 이상일 것

마. 부산물인 석유제품 생산판매업의 등록 요건 : 출자총액이 3천만원 이상일 것

바. 부생연료유판매소의 등록 요건

구분 \ 지역	전국
1) 저장시설	40킬로리터 이상 저장할 수 있는 지상 또는 지하 저장시설일 것
2) 수송장비	10킬로리터 이상 수송할 수 있을 것

비고

저장시설 및 수송장비는 등록을 한 시·도에 설치하여야 한다. 다만, 시·도지사는 지역실정을 고려하여 인접한 시·도에 저장시설 및 수송장비를 설치하게 할 수 있다.

2. 석유대체연료 판매업의 등록 요건

가. 석유대체연료 대리점의 등록 요건

구분 \ 지역	전국
1) 시설기준 가) 저장시설 나) 수송장비	 150킬로리터 이상 저장할 수 있는 지상 또는 지하 저장시설일 것 20킬로리터 이상 수송할 수 있을 것
2) 자본금	납입자본금 또는 출자총액이 5천만원 이상일 것

비고

저장시설 및 수송장비는 등록을 한 시·도에 설치하여야 한다. 다만, 시·도지사는 지역실정을 고려하여 인접한 시·도에 저장시설 및 수송장비를 설치하게 할 수 있다.

나. 석유대체연료 주유소의 등록 요건

구분 \ 지역	전국
1) 시설기준 가) 저장시설 나) 주유기 다) 공중화장실	 20킬로리터 이상 저장할 수 있는 지하 저장시설일 것 1대 이상일 것 1개 이상일 것. 다만, 「주차장법」 제2조제1호나목에 따른 노외주차장(특별시장·광역시장 또는 시장·군수·구청장이 설치한 노외주차장만 해당한다)의 부대시설로 설치하는 주유소이거나 주유소의 경계로부터 보행거리 20미터 이내에 「공중화장실 등에 관한 법률」 제2조제1호에 따른 공중화장실(국가 또는 지방자치단체가 설치한 공중화장실로 한정한다)의 출입문이 있는 주유소의 경우는 제외한다.
2) 그 밖의 사항	시·도지사 또는 시장·군수·구청장은 관할지역의 도시계획, 도로사정, 환경여건 등 지역실정을 고려하여 다음 각 호의 사항에 한정하여 등록 요건을 추가로 정할 수 있다. 다만, 특별시 및 광역시에서는 제1호의 거리기준을 추가로 정할 수 없다. 1. 「유통산업발전법」 제2조제3호의 대규모점포와 주유소 간 거리기준 2. 광역도시계획·도시계획·지구단위계획 또는 도로·교통·건축 관련 법령에 근거한 주유소 입지·도로와의 관계에 관한 기준

다. 석유대체연료 판매소의 등록 요건

구분 \ 지역	전국
저장시설	20킬로리터 이상 저장할 수 있는 지상 또는 지하저장시설일 것

【참고2】 액화석유가스(「액화석유가스의 안전관리 및 사업법」 제2조)

법 제2조【정의】

1. "액화석유가스"란 프로판이나 부탄을 주성분으로 한 가스를 액화(液化)한 것[기화(氣化)된 것을 포함한다]을 말한다.
2. "액화석유가스 충전사업"이란 저장시설에 저장된 액화석유가스를 용기(容器)에 충전(배관을 통하여 다른 저장 탱크에 이송하는 것을 포함한다. 이하 같다)하거나 자동차에 고정된 탱크에 충전하여 공급하는 사업을 말한다.

3. "액화석유가스 충전사업자"란 제3조에 따라 액화석유가스 충전사업의 허가를 받은 자를 말한다.
6. "액화석유가스 판매사업"이란 용기에 충전된 액화석유가스를 판매하거나 자동차에 고정된 탱크(탱크의 규모 등이 산업통상자원부령으로 정하는 기준에 맞는 것만을 말한다)에 충전된 액화석유가스를 지식경제부령으로 정하는 규모 이하의 저장 설비에 공급하는 사업을 말한다.
7. "액화석유가스 판매사업자"란 제3조에 따라 액화석유가스 판매사업의 허가를 받은 자를 말한다.
10. "액화석유가스 저장소"란 산업통상자원부령으로 정하는 일정량 이상의 액화석유가스를 용기 또는 저장 탱크에 저장하는 일정한 장소를 말한다.
11. "액화석유가스 저장자"란 제6조에 따라 액화석유가스 저장소의 설치 허가를 받은 자를 말한다.

【참고3】 위험물 등(「위험물안전관리법」 제2조)

법 제2조【정의】

1. "위험물"이라 함은 인화성 또는 발화성 등의 성질을 가지는 것으로서 대통령령이 정하는 물품을 말한다.
2. "지정수량"이라 함은 위험물의 종류별로 위험성을 고려하여 대통령령이 정하는 수량으로서 제6호의 규정에 의한 제조소등의 설치허가 등에 있어서 최저의 기준이 되는 수량을 말한다.
3. "제조소"라 함은 위험물을 제조할 목적으로 지정수량 이상의 위험물을 취급하기 위하여 제6조제1항의 규정에 따른 허가(동조제3항의 규정에 따라 허가가 면제된 경우 및 제7조제2항의 규정에 따라 협의로써 허가를 받은 것으로 보는 경우를 포함한다. 이하 제4호 및 제5호에서 같다)를 받은 장소를 말한다.
4. "저장소"라 함은 지정수량 이상의 위험물을 저장하기 위한 대통령령이 정하는 장소로서 제6조제1항의 규정에 따른 허가를 받은 장소를 말한다.
5. "취급소"라 함은 지정수량 이상의 위험물을 제조외의 목적으로 취급하기 위한 대통령령이 정하는 장소로서 제6조제1항의 규정에 따른 허가를 받은 장소를 말한다.
6. "제조소등"이라 함은 제3호 내지 제5호의 제조소 · 저장소 및 취급소를 말한다.

■ **제조소 등 위험용도의 위치·구조 및 설비기준**(「위험물안전관리법 시행규칙」 별표 참조)

- 제조소, 옥내저장소, 옥외탱크저장소, 옥내탱크저장소, 지하탱크저장소, 간이탱크저장소, 이동탱크저장소, 옥외저장소, 암반탱크저장소, 주유취급소, 판매취급소, 이송취급소, 일반취급소 등

【참고4】 도시가스 공급시설(「도시가스사업법」 제2조)

법 제2조【정의】

1. "도시가스"란 천연가스(액화한 것을 포함한다. 이하 같다), 배관(配管)을 통하여 공급되는 석유가스, 나프타부생(副生)가스, 바이오가스 또는 합성천연가스로서 대통령령으로 정하는 것을 말한다.

1의2. "도시가스사업"이란 수요자에게 도시가스를 공급하거나 도시가스를 제조하는 사업(「석유 및 석유대체연료 사업법」에 따른 석유정제업은 제외한다)으로서 가스도매사업, 일반도시가스사업, 도시가스충전사업, 나프타부생가스 · 바이오가스제조사업 및 합성천연가스제조사업을 말한다.

5. "가스공급시설"이란 도시가스를 제조하거나 공급하기 위한 시설로서 산업통상자원부령으로 정하는 가스제조시설, 가스배관시설, 가스충전시설, 나프타부생가스 · 바이오가스제조시설 및 합성천연가스제조시설을 말한다.

■ **가스공급시설의 시설·기술·검사·정밀안전진단·안전성평가의 기준**(「도시가스사업법 시행규칙」 별표 참조)

- 가스도매사업, 일반도시가스사업, 도시가스충전사업, 나프타부생가스제조사업, 바이오가스제조사업, 합성천연가스제조사업 등

【참고5】 화약류 저장소(「총포 · 도검 · 화약류 등의 안전관리에 관한 법률」 제24조)

법 제24조【화약류의 저장】

① 화약류는 제25조에 따른 화약류저장소에 저장하여야 하며, 대통령령으로 정하는 저장방법, 저장량, 그 밖에 재해예방에 필요한 기술상의 기준에 따라야 한다. 다만, 대통령령으로 정하는 수량 이하의 화약류의 경우에는 그러하지 아니하다.

② 화약류의 제조업자와 판매업자는 자가전용의 화약류저장소를 설치하여야 한다.

20 자동차 관련시설(건설기계관련시설을 포함) 〈개정 2021.5.4〉

가. 주차장
나. 세차장
다. 폐차장 【참고】
라. 검사장
마. 매매장
바. 정비공장
사. 운전학원 및 정비학원(운전 및 정비 관련 직업훈련시설 포함)
아. 「여객자동차 운수사업법」, 「화물자동차 운수사업법」 및 「건설기계관리법」에 따른 차고 및 주기장(駐機場)
자. 전기자동차 충전소로서 제1종 근린생활시설에 해당하지 않는 것 <신설 2021.5.4>

【참고】 폐차장(「도시 · 군계획시설규칙」 제162조 ~ 제164조, 「자동차관리법」 제2조, 제53조)

1. 도시 · 군계획시설규칙

규칙 제162조【폐차장】 「자동차관리법」 제2조제6호의 규정에 의한 자동차관리사업중 동법 제53조의 규정에 의한 자동차폐차업의 등록을 한 자가 설치하는 사업장을 말한다.

규칙 제163조【폐차장의 결정기준】 폐차장의 결정기준은 다음 각 호와 같다.

1. 인구밀집지역이나 공공기관 · 학교 · 연구시설 · 의료시설 · 종교시설 등과 인접한 곳에는 설치하지 아니하며, 주거환경에 나쁜 영향을 주지 아니하도록 인근의 토지이용현황을 고려할 것
2. 대형차량의 출입에 지장이 없고 배수가 쉬우며, 주민의 보건위생에 위해를 끼칠 우려가 없는 지역에 설치할 것
3. 대기 · 수질오염 등 각종 환경오염문제를 고려하여 설치할 것
4. 유통상업지역 · 전용공업지역 · 일반공업지역 · 준공업지역 · 자연녹지지역 및 계획관리지역에 한하여 설치할 것

규칙 제164조【폐차장의 구조 및 설치기준】 폐차장의 구조 및 설치에 관하여는 「자동차관리법」이 정하는 바에 의한다.

2. 자동차관리법

법 제2조【정의】

5. "폐차"란 자동차를 해체하여 국토교통부령으로 정하는 자동차의 장치를 그 성능을 유지할 수 없도록 압축 · 파쇄(破碎) 또는 절단하거나 자동차를 해체하지 아니하고 바로 압축 · 파쇄하는 것을 말한다.
6. "자동차관리사업"이란 자동차매매업 · 자동차정비업 및 자동차해체재활용업을 말한다.
9. "자동차해체재활용업"이란 폐차 요청된 자동차(이륜자동차는 제외한다)의 인수(引受), 재사용 가능한 부품의 회수, 폐차 및 그 말소등록신청의 대행을 업으로 하는 것을 말한다.

건 축 법
1. 총 칙
2. 건 축
3. 유지관리
4. 대지도로
5. 구조재료
6. 지역지구
7. 건축설비
8. 특별건축구역
9. 보 칙
10. 벌 칙
건 축 법 관련기준

법 제53조【자동차관리사업의 종류 등】 ① 자동차관리사업을 하려는 자는 국토교통부령으로 정하는 바에 따라 시장 · 군수 · 구청장에게 등록하여야 한다. 등록 사항을 변경하려는 경우에도 또한 같다. 다만, 대통령령으로 정하는 경미한 등록 사항을 변경하는 경우에는 그러하지 아니하다. <개정 2013.3.23>
② 제1항에 따른 자동차관리사업은 대통령령으로 정하는 바에 따라 세분할 수 있다.
③ 제1항에 따른 자동차관리사업 등록의 기준 및 절차 등에 관하여 필요한 사항은 국토교통부령으로 정하는 범위에서 특별시 · 광역시 · 특별자치시 · 도(특별자치도를 포함한다) 또는 인구 50만명 이상의 시의 조례로 정한다. 이 경우 특별시 및 광역시 중 인구 50만 이상의 자치구에서 자동차매매업을 영위하고자 하는 자는 국토교통부령으로 정하는 등록기준을 갖추어야 한다. <개정 2015.8.11.>

■ 자동차관리사업의 등록기준(「자동차관리법 시행규칙」 별표 21의3) <개정 2023.5.25>

1. 자동차 매매업의 등록기준

구분	기준
가. 전시시설 연면적	· 660㎡ 이상으로 하되, 매매업자 3명 이상이 같은 장소에서 공동으로 사업장을 사용하는 경우에는 매매업자 각 1명에게 적용하는 면적기준(660㎡)의 30퍼센트 범위에서 완화할 수 있다.
나. 전시시설의 구조	· 전시시설 외부에서 차량이 보이지 않도록 시설을 갖추되, 주거 및 도시미관과 조화되도록 설치해야 한다. 다만, 사업장 외벽을 전시용 유리창(Show Window) 등으로 하는 경우에는 그러하지 아니하다.
다. 사무실	· 사무실은 전시시설과 붙어있거나 같은 건물에 위치해야 한다. 다만, 다음의 요건을 모두 갖춘 경우에는 전시시설의 경계선으로부터 반경 100미터 이내의 건물에 사무실을 둘 수 있다. 1) 사무실과 전시시설을 도보로 이동할 수 있어 매수인이 계약을 체결하는 데 불편함과 위험을 느끼지 않을 것 2) 적법하게 매매업의 운영이 가능하다고 해당 시장 · 군수 · 구청장이 인정한 건물에 위치한 사무실일 것
라. 기타	· 그밖에 자동차매매업에 필요한 기준은 시 · 도 또는 인구 50만 이상 시의 조례로 정할 수 있다.

주) 1. "전시시설"이란 자동차 전시용 시설(사무실은 제외한다)을 말한다.
2. 전시시설의 연면적을 산정할 때에는 전체 전시시설의 연면적의 합계에서 비전시시설(공용통로, 화장실, 계단, 복도 및 엘리베이터 등 자동차를 직접 전시하는 시설 이외의 시설을 말한다)을 제외하고 계산하되, 두 곳 이상의 장소가 다음 각 목의 어느 하나에 해당하는 경우에는 각 장소의 면적을 합산하여 계산할 수 있다.
가. 서로 다른 필지인 경우로서 매매자동차를 도로를 거치지 않고 다른 장소로 이동하는 것이 가능한 경우
나. 서로 다른 건물에 위치한 경우로서 공중보행통로 등을 이용하여 자동차매매업자 등이 다른 건물로 이동하는 것이 가능한 경우
3. 위 표 나목의 기준은 특별시 및 광역시 중 인구 50만 이상의 자치구에 한정하여 적용한다. 다만, 해당 자치구의 구청장이 해당 전시시설이 위치한 토지의 용도지역 및 지역 주민의 의견 등을 고려하여 필요하지 않다고 인정하는 경우에는 적용하지 않는다.

2. 자동차 정비업의 등록기준

구분		자동차 종합정비업	소형자동차 종합정비업	자동차 전문정비업	자동차 원동기정비업
가. 시설면적	작업장 · 검차장 · 사무실 · 부품창고 등을 포함한 면적	1,000㎡ 이상	400㎡ 이상	50㎡ 이상	300㎡이상
나. 시설 · 장비	1) 검사시설(핏트 또는 리프트)	○	○	○	-
	2) 체인부록(1톤 이상)	-	-	-	○
	3) 도장시설(스프레이건 포함)	○	○	-	-
	4) 부동액회수재생기	○	○	○	○

다.정비·검사기구	1) 제동시험기	○	○	–	–
	2) 전조등시험기	○	○	–	–
	3) 사이드슬립측정기	○	○	–	–
	4) 속도계시험기	○	○	–	–
	5) 일산화탄소측정기	○	○	○	○
	6) 탄화수소측정기	○	○	○	○
	7) 매연측정기	○	○	○	○
라. 시험·측정기	1) 연료분사펌프시험기	○	○	–	○
	2) 압력측정기	○	○	–	○
	3) 회전반경측정기	○	○	○	–
	4) 휠밸런스	○	○	○	–
	5) 토인측정기	○	○	○	–
	6) 캠버캐스터측정기	○	○	○	–
	7) 엔진종합시험기	–	–	–	○
	8) 노즐시험기	–	–	–	○
마. 공작기계	1) 실린더보링머신	–	–	–	○
	2) 실린더호닝머신	–	–	–	○
	3) 밸브시트그라인더(연마기)	–	–	–	○
	4) 밸브시트카터	–	–	–	○
	5) 크랭크연마기	–	–	–	○

주) 1. 둘 이상의 정비·검사기구 또는 시험·측정기의 기능을 모두 가진 하나의 정비·검사기구 또는 시험·측정기를 갖춘 경우에는 해당 기능을 가진 각각의 하나의 정비·검사기구 또는 시험·측정기를 모두 갖춘 것으로 본다.
2. 제131조제2항제3호에 따라 등록된 자동차정비업의 경우에는 일산화탄소측정기, 탄화수소측정기, 매연측정기, 연료분사펌프시험기 및 압력측정기를 갖추지 않을 수 있다.
3. 나목부터 마목까지의 시설·장비 등은 임대차 계약을 통하여 사용권을 확보하고, 그 사실을 서류를 통해 증명하는 경우에는 그 계약기간 중에는 해당 시설·장비 등을 갖춘 것으로 본다.
4. 가목부터 마목까지의 기준 외에 자동차정비업에 필요한 기준은 시·도 또는 인구 50만 이상 시의 조례로 정할 수 있다.

3. 자동차 해체재활용업의 등록기준

구 분		기 준	
		세부기준	면적 또는 대수
가. 시설기준	1) 시설 면적	해체작업장, 보관창고, 사무실 등을 포함할 것	4,500㎡ 이상
	2) 해체작업장		600㎡ 이상
	3) 부품보관창고		600㎡ 이상
나. 장비기준	1) 구난차	권상능력(물건을 매달아 올리거나 내리는 힘) 3톤 이상을 갖출 것	1대 이상
	2) 지게차	인양능력(끌어서 높은 곳으로 끌어올리는 능력) 3.5톤 이상을 갖출 것	1대 이상
	3) 중량계	계량능력(무게를 재는 능력) 20톤 이상을 갖출 것	1대 이상
	4) 압축기	압축능력(압력을 가하여 부피를 줄이는 능력) 10㎥ 이상을 갖출 것	압축기·파쇄기·전단기·용해로 중 선택하여 1대 이상
	5) 파쇄기	가압능력(압력을 가하는 능력) 500HP 이상 또는 생산능력 5톤/hr 이상을 갖출 것	
	6) 전단기	전단능력(절단하는 능력) 800톤 이상 또는 처리능력 15톤/hr 이상을 갖출 것	
	7) 용해로	용해능력(녹이는 능력) 1회당 5톤 이상을 갖출 것	

주) 1. 가목 및 나목 외에 자동차해체재활용업에 필요한 기준은 시·도 또는 인구 50만 이상 시의 조례로 정할 수 있다.
2. 나목의 장비는 임대차 계약을 통하여 사용권을 확보하고, 그 사실을 서류를 통해 증명하는 경우에는 그 계약기간 중에는 해당 장비를 갖춘 것으로 본다.

■ 자동차해체 재활용영업소 시설기준(「자동차관리법 시행규칙」 별표 28) <개정 2022.3.10>

구 분		기 준	
		세부기준	면적 또는 대수
1. 대지		영업에 필요한 사무실을 포함할 것	
2. 장비	가. 중량기	계량능력(무게를 재는 능력) 10톤 이상	1대이상
	나. 고철운반용자동차	최대적재량 2톤 이상	1대이상
	다. 지게차	인양능력(끌어서 높은 곳으로 끌어올리는 능력) 3.5톤 이상	1대이상

주) 장비는 임대차 계약을 통하여 사용권을 확보하고, 그 사실을 서류를 통해 증명하는 경우에는 그 계약기간 중에는 해당 장비를 보유한 것으로 본다.

21 동물 및 식물관련시설

가. 축사[양잠·양봉·양어·양돈·양계·곤충사육 시설 및 부화장 등을 포함]	–
나. 가축시설[가축용 운동시설, 인공수정센터, 관리사(管理舍), 가축용 창고, 가축시장, 동물검역소, 실험동물 사육시설, 그 밖에 이와 비슷한 것]	–
다. 도축장 【참고】	–
라. 도계장	–
마. 작물재배사	–
바. 종묘배양시설	–
사. 화초 및 분재 등의 온실	–
아. 동물 또는 식물과 관련된 가목부터 사목까지의 시설과 비슷한 것	동·식물원 제외

【참고】 도축장(「도시·군계획시설규칙」 제148조~제150조, 「축산물 위생관리법」 제2조, 제21조)

1. 도시·군계획시설규칙

규칙 제148조 【도축장】 이 절에서 "도축장"이라 함은「축산물 위생관리법」 제2조제11호에 따른 도축장을 말한다.

규칙 제149조 【도축장의 결정기준】 도축장의 결정기준은 다음 각호와 같다.
1. 인구밀집지역이나 학교·연구시설·의료시설·종교시설 등 평온을 요하는 시설에 근접하여 설치하지 아니하도록 인근의 토지이용계획을 고려할 것
2. 도축장의 효율성을 높이기 위하여 필요한 경우에는 「축산물위생관리법」 제2조제11호에 따른 집유장·축산물가공장 또는 축산물보관장을 함께 설치할 수 있다.
3. 일반공업지역·준공업지역·생산녹지지역·자연녹지지역·생산관리지역·계획관리지역 및 농림지역에

한하여 설치할 것

4. 도축장으로 인하여 주민의 보건위생과 생활환경이 저해되지 아니하도록 필요한 위생시설과 환경보호시설을 설치할 것

5. 공급대상자의 소비인구·소비량 등을 충분히 조사하여 적정한 규모를 정하여야 하며, 가축의 반입과 수육의 반출이 쉽고 교통이 편리한 곳에 설치할 것

6. 용수와 동력을 쉽게 확보할 수 있고 배수와 오물처리를 원활하게 할 수 있는 곳에 설치할 것

규칙 제150조【도축장의 구조 및 설치기준】 도축장의 구조 및 설치에 관하여는 「축산물 위생관리법」이 정하는 바에 의한다.

2. 축산물 위생관리법

법 제2조【정의】

1. "가축"이란 소, 말, 양(염소 등 산양을 포함한다. 이하 같다), 돼지(사육하는 멧돼지를 포함한다. 이하 같다), 닭, 오리, 그 밖에 식용(食用)을 목적으로 하는 동물로서 대통령령으로 정하는 동물을 말한다.

11. "작업장"이란 도축장, 집유장, 축산물가공장, 식용란선별포장장, 식육포장처리장 또는 축산물보관장을 말한다.

법 제21조【영업의 종류 및 시설기준】 ① 다음 각 호의 어느 하나에 해당하는 영업을 하려는 자는 총리령으로 정하는 기준에 적합한 시설을 갖추어야 한다. <개정 2017.10.24.>

1. 도축업
2. 집유업
3. 축산물가공업

3의2. 식용란선별포장업

4. 식육포장처리업
5. 축산물보관업
6. 축산물운반업
7. 축산물판매업

7의2. 식육즉석판매가공업

8. 그 밖에 대통령령으로 정하는 영업

② 제1항에 따른 영업의 세부 종류와 그 범위는 대통령령으로 정한다.

■ 도축업의 시설기준(「축산물위생관리법 시행규칙」 별표 10 영업의 종류별 시설기준) <개정 2023.3.2>

1. 도축업

가. 포유류 가축의 도축업

1) 공통시설기준 "생략"

2) 개별시설기준 "세부 내용 생략"

가) 소 도축업

나) 말·당나귀 도축업

다) 양 도축업

라) 돼지 도축업

마) 사슴·토끼 도축업

나. 가금류 가축의 도축업

1) 공통시설기준 "생략"

2) 개별시설기준 "세부 내용 생략"

가) 닭 도축업

나) 그 밖의 가금류 가축의 도축업

다. 공동사용시설의 설치생략 등 “생략”
라. 차량을 이용한 도축업 시설기준 특례 “생략”

2. 집유업 “이하 생략”

22 자원순환 관련 시설

가. 하수 등 처리시설 【참고1】	라. 폐기물 처분시설 【참고2】
나. 고물상	마. 폐기물 감량화시설 【참고2】
다. 폐기물 재활용시설 【참고2】	-

【참고1】 하수 및 분뇨 처리시설(「하수도법」 제2조)

법 제2조 【정의】
1. "하수"라 함은 사람의 생활이나 경제활동으로 인하여 액체성 또는 고체성의 물질이 섞이어 오염된 물(이하 "오수"라 한다)과 건물·도로 그 밖의 시설물의 부지로부터 하수도로 유입되는 빗물·지하수를 말한다. 다만, 농작물의 경작으로 인한 것은 제외한다.
2. "분뇨"라 함은 수거식 화장실에서 수거되는 액체성 또는 고체성의 오염물질(개인하수처리시설의 청소과정에서 발생하는 찌꺼기를 포함한다)을 말한다.
9. "공공하수처리시설"이라 함은 하수를 처리하여 하천·바다 그 밖의 공유수면에 방류하기 위하여 지방자치단체가 설치 또는 관리하는 처리시설과 이를 보완하는 시설을 말한다.
9의2. "간이공공하수처리시설"이란 강우(降雨)로 인하여 공공하수처리시설에 유입되는 하수가 일시적으로 늘어날 경우 하수를 신속히 처리하여 하천·바다, 그 밖의 공유수면에 방류하기 위하여 지방자치단체가 설치 또는 관리하는 처리시설과 이를 보완하는 시설을 말한다.
10. "분뇨처리시설"이라 함은 분뇨를 침전·분해 등의 방법으로 처리하는 시설을 말한다.
13. "개인하수처리시설"이라 함은 건물·시설 등에서 발생하는 오수를 침전·분해 등의 방법으로 처리하는 시설을 말한다.

■ 개인하수처리시설 제조제품의 구조·규격·재질 및 성능 기준 (「하수도법 시행규칙」 별표12) <개정 2019.12.20>

1. 개인하수처리시설의 구조·규격 및 성능 기준
  가. 오수처리시설의 구조·규격 및 성능 기준은 다음과 같다.
    1) 별표 3의 오수처리시설 방류수수질기준을 지킬수 있는 처리능력을 갖춘 구조·규격이어야 한다.
    2) 영 제24조에 따른 오수처리시설의 설치기준에 맞는 구조·규격 및 부품을 갖추어야 한다.
    3) 구조물 본체의 직경이나 높이는 3m를 초과하여서는 아니 된다.
    4) 구조물을 원형으로 제조하는 경우에는 구조물의 내부에 1.5m마다 보강링을 구조물의 본체와 일체형으로 성형하여야 하며, 보강링의 단면은 안전성이 1보다 작고, 허용 좌굴하중이 단위 폭당 하중의 2배 이상이 되도록 하여야 한다.
    5) 4)의 보강링은 유리섬유강화플라스틱(FRP)으로 제작하여야 하고, 그 안전성 및 허용 좌굴하중의 계산식은 다음과 같다. 다만, 유리섬유강화플라스틱(FRP) 외의 재질을 사용하려면 같은 수준 이상의 보강기능이 있어야 하며, 부식 등으로 인한 재질의 약화가 발생되지 아니하도록 방식처리(防蝕處理) 등을 하여야 한다.
      가) 안전성 계산식: σ ÷ 420kg/㎠ + σ1 ÷ 700kg/㎠
      나) 허용좌굴하중 계산식: 3EI/r3
        ※ 응력(변형력)(σ) = Pr ÷ A
        굴곡응력(σ1) = 0.84Pr/bt
          P: 단위 폭당 하중(P = 40.73kg/cm)

r: 반지름
A: 보강링의 단면적
b: 보강링의 너비
t: 보강링의 두께
E: 탄성율(80,000)
I: 보강링의 단면 2차 모멘트(I=bt3/12)

나. 정화조의 구조·규격 및 성능 기준은 다음과 같다.

1) 제3조에 따른 정화조의 방류수수질기준을 준수할 수 있는 처리능력을 갖춘 구조·규격이어야 한다.

2) 영 제24조에 따른 정화조의 설치기준에 맞는 구조·규격 및 부품을 갖추어야 한다.

3) 구조물 본체의 직경 또는 높이는 3미터를 초과하여서는 아니 된다(콘크리트로 된 구조물은 제외한다).

4) 구조·규격 및 성능기준은 다음과 같다.

침전 및 소화실(부패실)의 구조 및 규격	성능기준
(1) 2실 이상 4실 이하로 구분하여 직렬로 연결하여야 한다. (2) 총유효용량은 1.5㎥ 이상으로 하고, 처리대상 인원이 5명을 초과하는 경우에는 5명당 0.5㎥ 이상을 가산한 용량으로 한다. 다만, 처리대상 인원이 3명 이하인 경우에는 총유효용량을 1.0㎥ 이상으로 한다. (3) 제1실의 유효용량은 2실형에는 총유효용량의 3분의 2, 3실형 및 4실형에는 2분의 1로 하여야 하고, 최종실에는 여과장치를 설치하되, 그 장치의 아래로부터 오수가 통과하는 구조로 하며, 쇄석층(碎石層) 또는 이에 준하는 여재(濾材) 부분의 부피는 총유효용량의 5퍼센트 이상 10퍼센트 이하로 하여 이를 해당 유효용량에 가산한다. (4) 각 실의 유효수심은 1m 이상 2.7m 이하이어야 하고, 유입관 개구부의 위치는 수면으로부터 유효수심의 3분의 1의 깊이로 하며, 유출관 또는 단층벽 하단 개구부의 위치는 수면으로부터 유효수심의 2분의 1의 깊이로 하거나, 각 실 간 벽의 같은 깊이에 적당한 수의 폭 3㎝의 세로구멍을 6㎝ 간격으로 설치하되, 부상물이나 스컴(scum)의 유출이 방지되는 구조이어야 한다. (5) 제1실의 유입관은 "T"자형 관으로 설치하되, 단층벽이나 "T"자형 관을 설치하는 경우에는 위에서 볼 수 있는 점검뚜껑을 두고, "T"자형 관의 지름은 10㎝ 이상이어야 한다. (6) 찌꺼기를 제거할 수 있는 뚜껑을 설치하여야 한다.	생물화학적 산소요구량을 50퍼센트 이상 제거할 수 있어야 한다.

2. 개인하수처리시설의 재질기준

가. 재질 및 재질별 제조 가능한 규모는 다음 각 호와 같다.

1) 폴리에틸렌(PE): 정화조 10인용 이하

2) 유리섬유강화플라스틱(FRP): 정화조 50인용 이하, 오수처리시설

나. 재질별 품질기준은 다음 각 호와 같다.

1) 폴리에틸렌(PE) 제품(재활용제품 포함)의 겉모양은 부분적 형태의 불규칙성,비틀림, 균열, 홈, 변형 등의 결함이 없어야 하고, 한국산업규격(KS) M 3604-1·M 3604-2(재활용 폴리에틸렌 정화조 구성부품)의 제4호 및 제5호에 따른 품질기준 등에 맞아야 한다.

2) 유리섬유강화플라스틱(FRP)으로 제조하는 제품은 다음의 기준에 맞아야 한다.

가) 제품의 겉모양은 부분적 형태의 불규칙성, 비틀림, 균열, 홈, 변형 등의 결함이 없어야 한다.

나) 유리섬유 함유량은 25% 이상이어야 한다.

다) 한국산업규격(KS) F 4803(유리섬유강화플라스틱제 정화조 구성부품)의 제3호부터 제5호까지의 규정에 따른 품질기준 등에 맞아야 한다.

라) 다음의 두께 기준에 맞아야 한다. 다만, 각형의 경우에는 높이와 환산지름[2×가로×세로/(가로+세로)] 중 큰 값을 기준으로 두께를 산정한다.

지름(㎜)	두께(㎜)
1,500 이하	7 이상
1,500 초과 1,700 이하	8 이상
1,700 초과 2,200 이하	9 이상

2,200 초과 2,700 이하	10 이상
2,700 초과 2,900 이하	11 이상
2,900 초과	12 이상

비고

1. 맨홀부의 두께는 10㎜ 이상이어야 한다.
2. 내부 칸막이의 두께는 구조물의 본체 지름이 1,500㎜ 이하이면 6㎜ 이상, 1,500㎜를 초과하는 것이면 7㎜ 이상이어야 한다.

다. 개인하수처리시설의 재질은 제58조에 따른 해당 개인하수처리시설의 재질검사성적서와 같거나 그 이상이어야 한다.

3. 품질표시기준

가. 개인하수처리시설의 뚜껑에는 개인하수처리시설제조업자의 상호 및 등록번호를 각각 새겨야 한다.

나. 개인하수처리시설 몸체의 내외부(내부에는 시설을 사용할 때에도 확인이 가능하도록 맨홀부)에는 보기 쉬운 곳에 내식성 금속재질로 부착하거나 새기는 방법으로 다음의 표시를 하여야 한다.

오수처리시설	
제품번호:	
1. 상호: (대표자:)	2. 제조자의 주소(연락처): ( )
3. 처리공법:	4. 설계 BOD 유입농도: mg/L
5. BOD 방류수질: mg/L	6. 처리용량: ㎥/일
7. 재질: (두께: ㎜이상)	
8. 제조일자: 년 월 일	

비고 제품번호는 각각의 제품별로 구분할 수 있도록 다음의 표시방법에 따라 표시하여야 한다.
<표시방법>
등록관청-등록번호-생산연도-제조된 순서에 따른 일련번호
예시) 경기-제1호-03-0001

정화조	
제품번호:	
1. 상호: (대표자 :)	2. 제조자의 주소(연락처): ( )
3. 처리공법:	4. 처리대상 인원: 명용
5. 재질: (두께 : ㎜ 이상)	6. 제조일자: 년 월 일

비고 제품번호는 각각의 제품별로 구분할 수 있도록 다음의 표시방법에 따라 표시하여야 한다.
<표시방법>
등록방법-등록번호-생산연도-제조된 순서에 따른 일련번호
예시) 경기-제1호-03-0001

【참고2】 폐기물 처리시설(「도시·군계획시설규칙」, 「폐기물관리법」)

1. 도시·군계획시설규칙

규칙 제156조【폐기물처리 및 재활용시설】 이 절에서 "폐기물처리 및 재활용시설"이란 다음 각 호의 시설을 말한다. 다만, 「폐기물관리법 시행규칙」 제38조 각 호의 시설은 제외한다. <개정 2018.12.27.>

1. 「폐기물관리법」 제2조제8호에 따른 폐기물처리시설중 다음 각 목의 어느 하나에 해당하는 자가 설치하는 시설

가. 국가 또는 지방자치단체

나. 「폐기물관리법」 제25조제3항에 따른 폐기물처리업의 허가를 받은 자. 다만, 폐기물의 재활용을 목

적으로 시설을 설치하는 경우를 제외한다.

다.「폐기물관리법」 제25조제3항에 따른 폐기물처리업의 허가를 받고자 하는 자로서 같은 법 제25조제2항에 따라 사업계획의 적합통보를 받은 자. 다만, 폐기물의 재활용을 목적으로 시설을 설치하는 경우를 제외한다.

2.「폐기물관리법」 제5조의 규정에 의한 광역폐기물처리시설

3.「자원의 절약과 재활용 촉진에 관한 법률」 제2조제10호에 따른 재활용시설중 다음 각 목의 어느 하나에 해당하는 자가 설치하는 시설

가. 시장·군수 또는 구청장

나.「자원의 절약과 재활용 촉진에 관한 법률」 제23조의 규정에 의한 재활용지정사업자

다.「자원의 절약과 재활용 촉진에 관한 법률」 제34조의 규정에 의한 재활용단지를 조성하는 자

라. 폐기물의 재활용을 목적으로 「폐기물관리법」 제25조제3항에 따른 폐기물처리업의 허가를 받은 자 또는 폐기물처리업의 허가를 받고자 하는 자로서 같은 법 제25조제2항에 따라 사업계획의 적합통보를 받은 자

4.「건설폐기물의 재활용 촉진에 관한 법률」 제21조제3항에 따른 건설폐기물처리업의 허가를 받은 자 또는 건설폐기물처리업의 허가를 받고자 하는 자로서 같은 법 제21조제2항에 따라 사업계획의 적합통보를 받은 자가 설치하는 시설

규칙 **제157조【폐기물처리 및 재활용시설의 결정기준】** 폐기물처리 및 재활용시설의 결정기준은 다음 각 호와 같다. <개정 2018.12.27>

1. 인구밀집지역이나 공공기관·학교·연구시설·의료시설·종교시설 등과 가깝지 아니하고 주거환경에 나쁜 영향을 주지 아니하도록 인근의 토지이용계획을 고려할 것. 다만, 「대기환경보전법」에 의한 배출허용기준에 적합한 시설을 갖춘 경우에는 그러하지 아니하다.
2. 풍향과 배수를 고려하여 주민의 보건위생에 위해를 끼칠 우려가 없는 지역에 설치할 것
3. 대기 및 수질오염 등 각종 환경오염문제를 고려하여야 하며, 주위에 담장·수림대 등의 차단공간을 둘 것
4. 용수와 동력을 확보하기 쉽고 자동차가 접근하기 편리하며, 폐기물 운송차량이 시가지를 관통하지 아니하는 지역에 설치할 것
5. 매립의 방법으로 처리하는 시설은 지형상 저지대·저습지·협곡·계곡·공유수면매립예정지 등에 설치하여야 하며, 매립후의 토지이용계획을 미리 고려할 것
6. 당해 시·군의 폐기물처리계획 및 대책 등을 고려하고, 필요한 경우 폐기물소각시설을 설치할 것
7. 폐기물처리시설은 공업지역·녹지지역·관리지역·농림지역(농업진흥지역을 제외한다)·자연환경보전지역에 설치할 것. 다만, 다음 각 목의 시설은 제2종일반주거지역·제3종일반주거지역·준주거지역·일반상업지역에도 설치할 수 있다.

가.「폐기물관리법 시행령」 별표 3 제1호가목의 소각시설로서 1일처리능력이 2천톤 이하인 시설

나.「폐기물관리법 시행령」 별표 3 제1호나목의 기계적 처리시설(압축시설 및 파쇄·분쇄시설에 한한다)로서 1일처리능력이 1천톤 이하이고 「대기환경보전법」에 의한 배출허용기준에 적합한 시설

8. 삭제<2004.12.3>
9. 재활용시설(제156조제3호 및 제4호의 폐기물처리시설을 말한다)은 주거지역(제2종일반주거지역·제3종일반주거지역 및 준주거지역에 한한다)·일반상업지역·공업지역·녹지지역·관리지역·농림지역(농업진흥지역을 제외한다)·자연환경보전지역에 설치할 것

규칙 **제158조【폐기물처리 및 재활용시설의 구조 및 설치기준】** ① 폐기물처리 및 재활용시설의 구조 및 설치기준은 다음 각호와 같다. <개정 2018.12.27>

1. 소각시설의 경우에는 「대기환경보전법」에 의한 배출허용기준에 적합한 시설을 갖출 것
2. 소각장의 폐열을 사용하는 주민편익시설 등을 설치할 수 있도록 할 것

② 제1항에 규정된 사항외에 폐기물처리 및 재활용시설의 구조 및 설치에 관하여는 「폐기물관리법」 또는 「자원의 절약과 재활용 촉진에 관한 법률」이 정하는 바에 의한다. <개정 2018.12.27.>

2. 폐기물관리법

법 제2조【정의】

1. "폐기물"이란 쓰레기, 연소재(燃燒滓), 오니(汚泥), 폐유(廢油), 폐산(廢酸), 폐알칼리 및 동물의 사체(死體) 등으로서 사람의 생활이나 사업활동에 필요하지 아니하게 된 물질을 말한다.
2. "생활폐기물"이란 사업장폐기물 외의 폐기물을 말한다.
3. "사업장폐기물"이란 「대기환경보전법」, 「수질 및 수생태계 보전에 관한 법률」 또는 「소음·진동관리법」에 따라 배출시설을 설치·운영하는 사업장이나 그 밖에 대통령령으로 정하는 사업장에서 발생하는 폐기물을 말한다.
4. "지정폐기물"이란 사업장폐기물 중 폐유·폐산 등 주변 환경을 오염시킬 수 있거나 의료폐기물(醫療廢棄物) 등 인체에 위해(危害)를 줄 수 있는 해로운 물질로서 대통령령으로 정하는 폐기물을 말한다.
5. "의료폐기물"이란 보건·의료기관, 동물병원, 시험·검사기관 등에서 배출되는 폐기물 중 인체에 감염 등 위해를 줄 우려가 있는 폐기물과 인체 조직 등 적출물(摘出物), 실험 동물의 사체 등 보건·환경보호상 특별한 관리가 필요하다고 인정되는 폐기물로서 대통령령으로 정하는 폐기물을 말한다.

5의2. "처리"란 폐기물의 수집, 운반, 보관, 재활용, 처분을 말한다.

6. "처분"이란 폐기물의 소각(燒却)·중화(中和)·파쇄(破碎)·고형화(固形化) 등의 중간처분과 매립하거나 해역(海域)으로 배출하는 등의 최종처분을 말한다.
7.
8. "폐기물처리시설"이란 폐기물의 중간처분시설, 최종처분시설 및 재활용시설로서 대통령령으로 정하는 시설을 말한다.
9. "폐기물감량화시설"이란 생산 공정에서 발생하는 폐기물의 양을 줄이고, 사업장 내 재활용을 통하여 폐기물 배출을 최소화하는 시설로서 대통령령으로 정하는 시설을 말한다.

영 제5조【폐기물처리시설】

법 제2조제8호에 따른 폐기물처리시설은 별표 3과 같다

영 제6조【폐기물 감량화시설】

법 제2조제9호에서 "대통령령으로 정하는 시설"이란 별표 4의 시설을 말한다.

[별표3] 폐기물처리시설의 종류(제5조 관련)〈개정 2022.11.29.〉

1. 중간처분시설
   가. 소각시설
      1) 일반 소각시설
      2) 고온 소각시설
      3) 열분해 소각시설
      4) 고온 용융시설
      5) 열처리 조합시설 [1)에서 4)까지의 시설중 둘 이상의 시설이 조합된 시설]
   나. 기계적 처분시설
      1) 압축시설(동력 10마력 이상인 시설로 한정한다)
      2) 파쇄·분쇄 시설(동력 20마력 이상인 시설로 한정한다)
      3) 절단시설(동력 10마력 이상인 시설로 한정한다)
      4) 용융시설(동력 10마력 이상인 시설로 한정한다)
      5) 증발·농축 시설
      6) 정제시설(분리·증류·추출·여과 등의 시설을 이용하여 폐기물을 처분하는 단위시설을 포함한다)
      7) 유수 분리시설
      8) 탈수·건조 시설
      9) 멸균분쇄 시설

다. 화학적 처분시설
1) 고형화 · 고화 · 안정화 시설
2) 반응시설(중화 · 산화 · 환원 · 중합 · 축합 · 치환 등의 화학반응을 이용하여 폐기물을 처분하는 단위시설을 포함한다)
3) 응집 · 침전 시설

라. 생물학적 처분시설
1) 소멸화 시설(1일 처분능력 100킬로그램 이상인 시설로 한정한다)
2) 호기성(好氣性: 산소가 있을 때 생육하는 성질) · 혐기성(嫌氣性: 산소가 없을 때 생육하는 성질) 분해시설

마. 그 밖에 환경부장관이 폐기물을 안전하게 중간처분할 수 있다고 인정하여 고시하는 시설

2. 최종 처분시설

가. 매립시설
1) 차단형 매립시설
2) 관리형 매립시설(침출수 처리시설, 가스 소각 · 발전 · 연료화 시설 등 부대시설을 포함한다)

나. 그 밖에 환경부장관이 폐기물을 안전하게 최종 처분할 수 있다고 인정하여 고시하는 시설

3. 재활용시설

가. 기계적 재활용시설
1) 압축 · 압출 · 성형 · 주조시설(동력 10마력 이상인 시설로 한정한다)
2) 파쇄 · 분쇄 · 탈피 시설(동력 20마력 이상인 시설로 한정한다)
3) 절단시설(동력 10마력 이상인 시설로 한정한다)
4) 용융 · 용해시설(동력 10마력 이상인 시설로 한정한다)
5) 연료화시설
6) 증발 · 농축 시설
7) 정제시설(분리 · 증류 · 추출 · 여과 등의 시설을 이용하여 폐기물을 재활용하는 단위시설을 포함한다)
8) 유수 분리 시설
9) 탈수 · 건조 시설
10) 세척시설(철도용 폐목재 받침목을 재활용하는 경우로 한정한다)

나. 화학적 재활용시설
1) 고형화 · 고화 시설
2) 반응시설(중화 · 산화 · 환원 · 중합 · 축합 · 치환 등의 화학반응을 이용하여 폐기물을 재활용하는 단위시설을 포함한다)
3) 응집 · 침전 시설
4) 열분해시설(가스화시설을 포함한다) <신설 2022.11.29>

다. 생물학적 재활용시설
1) 1일 재활용능력이 100킬로그램 이상인 다음의 시설
가) 부숙(썩혀서 익히는 것) 시설(미생물을 이용하여 유기물질을 발효하는 등의 과정을 거쳐 제품의 원료 등을 만드는 시설을 말하며, 1일 재활용능력이 100킬로그램 이상 200킬로그램 미만인 음식물류 폐기물 부숙시설은 제외한다).
나) 사료화 시설(건조에 의한 사료화 시설을 포함한다)
다) 퇴비화 시설(건조에 의한 퇴비화 시설, 지렁이분변토 생산시설 및 생석회 처리시설을 포함한다)
라) 동애등에분변토 생산시설
마) 부숙토(腐熟土: 썩혀서 익힌 흙) 생산시설
2) 호기성 · 혐기성 분해시설
3) 버섯재배시설

건 축 법
1. 총 칙
2. 건 축
3. 유지관리
4. 대지도로
5. 구조재료
6. 지역지구
7. 건축설비
8. 특별건축구역
9. 보 칙
10. 벌 칙
건 축 법 관련기준

라. 시멘트 소성로
마. 용해로(폐기물에서 비철금속을 추출하는 경우로 한정한다)
바. 소성(시멘트 소성로는 제외한다) · 탄화 시설
사. 골재가공시설
아. 의약품 제조시설
자. 소각열회수시설(시간당 재활용능력이 200킬로그램 이상인 시설로서 법 제13조의2제1항제5호에 따라 에너지를 회수하기 위하여 설치하는 시설만 해당한다)
차. 수은회수시설 <신설 2020.7.21>
카. 그 밖에 환경부장관이 폐기물을 안전하게 재활용할 수 있다고 인정하여 고시하는 시설

[별표4] 폐기물 감량화시설의 종류(제6조 관련)

1. 공정 개선시설
물질정제, 물질대체에 의한 원료 변경과 해당 제조공정 일부 또는 전체 공정의 변경, 설비 변경 등의 방법으로 해당 공정에서 배출되는 폐기물의 총량을 줄이는 효과가 있는 시설
2. 폐기물 재이용시설
제조공정에서 발생되는 폐기물을 해당 공정의 원료 또는 부원료로 재사용하거나 다른 공정의 원료로 사용하기 위하여 사업자가 같은 사업장에 설치하는 시설
3. 폐기물 재활용시설
제조공정에서 발생되는 폐기물을 재활용하기 위하여 같은 사업장에서 제조시설과 연속선상에 설치하는 「자원의 절약과 재활용촉진에 관한 법률」 제2조제10호의 재활용시설 중 환경부령으로 정하는 시설
4. 그 밖의 폐기물 감량화시설
사업장폐기물의 발생과 배출을 줄이는 효과가 있다고 환경부장관이 정하여 고시하는 시설

■ 폐기물 처분시설 또는 재활용시설의 설치기준(「폐기물관리법 시행규칙」 별표 9) "생략"

23 교정(矯正)시설(제1종 근린생활시설에 해당하는 것을 제외) 〈개정 2023.5.15〉

가. 교정시설(보호감호소, 구치소 및 교도소) 【참고1】
나. 갱생보호시설, 그 밖에 범죄자의 갱생 · 보육 · 교육 · 보건 등의 용도로 쓰이는 시설
다. 소년원 및 소년분류심사원 【참고2】
라. 삭제 <2023.5.16>

【참고1】 교도소 등(「도시 · 군계획시설규칙」, 「민영교도소 등의 설치운영에 관한 법률」, 「형의 집행 및 수용자의 처우에 관한 법률」)

1. 도시 · 군계획시설규칙

규칙 제94조【공공청사】
3. 교정시설(교도소 · 구치소 · 소년원 및 소년분류심사원에 한한다)

규칙 제95조【공공청사의 결정기준 및 구조 · 설치기준】☞ 14 업무시설 참조

2. 민영교도소 등의 설치·운영에 관한 법률

법 제2조【정의】
1. "교정업무(矯正業務)"란 「형의 집행 및 수용자의 처우에 관한 법률」 제2조제4호에 따른 수용자(이하 "수용자"라 한다)의 수용 · 관리, 교정(矯正) · 교화(敎化), 직업교육, 교도작업(矯導作業), 분류 · 처우, 그 밖에 「형의 집행 및 수용자의 처우에 관한 법률」에서 정하는 업무를 말한다.

2. "수탁자(受託者)"란 제3조에 따라 교정업무를 위탁받기로 선정된 자를 말한다.
3. "교정법인"이란 법무부장관으로부터 교정업무를 포괄적으로 위탁받아 교도소 · 소년교도소 또는 구치소 및 그 지소(이하 "교도소등"이라 한다)를 설치 · 운영하는 법인을 말한다.
4. "민영교도소등"이란 교정법인이 운영하는 교도소등을 말한다.

법 제20조【민영교도소등의 시설】 교정법인이 민영교도소등을 설치 · 운영할 때에는 대통령령으로 정하는 기준에 따른 시설을 갖추어야 한다.

영 제14조【민영교도소등의 시설기준】 ① 교정법인이 설치 · 운영하는 교도소등은 위탁수용 대상자의 특성을 고려하여 위탁계약에서 달리 정한 경우를 제외하고는 다음 각 호의 시설을 갖추어야 한다.
1. 거실 및 수용동
2. 작업장 및 직업훈련시설
3. 접견실 및 그 부대시설
4. 교육 · 집회시설
5. 위생 · 의료시설
6. 운동장
7. 취사장 및 그 부대시설
8. 목욕탕, 이발관 등 수용자 후생복지시설
9. 그 밖에 위탁계약으로 정하는 시설

② 교정법인은 「형의 집행 및 수용자의 처우에 관한 법률」 제45조에 따른 종교행사를 치르기 위하여 마련된 장소를 제외하고는 그 법인이 운영하는 교도소등의 시설에서 수용자가 항상 출입하거나 접근할 수 있는 장소에 특정종교의 상징물을 설치해서는 아니 된다. 다만, 법무부장관이 국가의 종교적 중립성과 종파간의 형평성을 해치지 아니하는 범위에서 특별히 허가한 경우에는 그러하지 아니하다.

3. 형의 집행 및 수용자의 처우에 관한 법률

법 제6조【교정시설의 규모 및 설비】 ① 신설하는 교정시설은 수용인원이 500명 이내의 규모가 되도록 하여야 한다. 다만, 교정시설의 기능 · 위치나 그 밖의 사정을 고려하여 그 규모를 늘릴 수 있다. <개정 2020.2.4.>
② 교정시설의 거실 · 작업장 · 접견실이나 그 밖의 수용생활을 위한 설비는 그 목적과 기능에 맞도록 설치되어야 한다. 특히, 거실은 수용자가 건강하게 생활할 수 있도록 적정한 수준의 공간과 채광 · 통풍 · 난방을 위한 시설이 갖추어져야 한다.
③ 법무부장관은 수용자에 대한 처우 및 교정시설의 유지 · 관리를 위한 적정한 인력을 확보하여야 한다. <신설 2019.4.23.>

법 제61조【분류전담 시설】 법무부장관은 수형자를 과학적으로 분류하기 위하여 분류심사를 전담하는 교정시설을 지정 · 운영할 수 있다.

【참고2】 소년원 및 소년분류심사원(「보호소년 등의 처우에 관한 법률」 제1조, 제3조, 제6조, 시행령 제3조, 제5조의2)

■ 보호소년 등의 처우에 관한 법률

법 제1조【목적】
이 법은 보호소년 등의 처우 및 교정교육과 소년원과 소년분류심사원의 조직, 기능 및 운영에 관하여 필요한 사항을 규정함을 목적으로 한다.

법 제3조【임무】 소년원은 보호소년을 수용하여 교정교육을 하는 것을 임무로 한다. <개정 2020.10.20.>
② 소년분류심사원은 다음 각 호의 임무를 수행한다. <개정 2013.7.30.>
1. 위탁소년의 수용과 분류심사
2. 유치소년의 수용과 분류심사

3. 「소년법」 제12조에 따른 전문가 진단의 일환으로 법원소년부가 상담조사를 의뢰한 소년의 상담과 조사
4. 「소년법」 제49조의2에 따라 소년 피의사건에 대하여 검사가 조사를 의뢰한 소년의 품행 및 환경 등의 조사
5. 제1호부터 제4호까지의 규정에 해당되지 아니하는 소년으로서 소년원장이나 보호관찰소장이 의뢰한 소년의 분류심사

법 **제6조 【소년원 등의 규모 등】** ① 신설하는 소년원 및 소년분류심사원은 수용정원이 150명 이내의 규모가 되도록 하여야 한다. 다만, 소년원 및 소년분류심사원의 기능 · 위치나 그 밖의 사정을 고려하여 그 규모를 증대할 수 있다.

② 보호소년등의 개별적 특성에 맞는 처우를 위하여 소년원 및 소년분류심사원에 두는 생활실은 대통령령으로 정하는 바에 따라 소규모로 구성하여야 한다.

③ 소년원 및 소년분류심사원의 생활실이나 그 밖의 수용생활을 위한 설비는 그 목적과 기능에 맞도록 설치되어야 한다.

④ 소년원 및 소년분류심사원의 생활실은 보호소년등의 건강한 생활과 성장을 위하여 적정한 수준의 공간과 채광 · 통풍 · 난방을 위한 시설이 갖추어져야 한다.

영 **제3조 【소년원의 기능별 분류 · 운영】** ① 법 제5조에 따라 소년원을 다음 각 호와 같이 분류한다. <개정 2022.2.17.>

1. 초 · 중등교육 소년원: 「초 · 중등교육법」에 따른 초 · 중등교육이 필요한 소년을 수용 · 교육하는 소년원
2. 직업능력개발훈련 소년원: 「국민 평생직업능력 개발법」에 따른 직업능력개발훈련이 필요한 소년을 수용 · 교육하는 소년원
3. 의료 · 재활교육 소년원: 약물 오 · 남용, 정신 · 지적발달 장애, 신체질환 등으로 집중치료나 특수교육이 필요한 소년을 수용 · 교육하는 소년원
4. 인성교육 소년원: 정서순화, 품행교정 등 인성교육이 집중적으로 필요한 소년을 수용 · 교육하는 소년원

② 제1항에 따른 소년원의 세부분류 · 운영기준은 법무부장관이 정한다.

영 **제5조의2 【생활실 수용정원】** 법 제6조제2항에 따라 소년원 또는 소년분류심사원(이하 "소년원등"이라 한다)에 두는 생활실의 수용정원은 4명 이하로 한다. 다만, 소년원등의 기능 · 위치나 그 밖의 사정을 고려하여 수용인원을 증대할 수 있다. <개정 2021.4.20.>

24 국방 · 군사시설(제1종 근린생활시설에 해당하는 것을 제외) 〈신설 2023.5.15〉

- 「국방 · 군사시설 사업에 관한 법률」에 따른 국방 · 군사시설

【참고】 국방·군사시설(「국방·군사시설 사업에 관한 법률」 제2조)

법 **제2조 【정의】**

1. "국방 · 군사시설"이란 다음 각 목의 어느 하나에 해당하는 시설을 말한다.
   가. 군사작전, 전투준비, 교육 · 훈련, 병영생활 등에 필요한 시설
   나. 국방 · 군사에 관한 연구 및 시험 시설
   다. 군용 유류(油類) 및 폭발물의 저장 · 처리 시설
   라. 진지(陣地) 구축시설
   마. 군사 목적을 위한 장애물 또는 폭발물에 관한 시설
   바. 대한민국에 주둔하는 외국군대의 부대시설(部隊施設)과 그 구성원 · 군무원 · 가족의 거주를 위한 주택시설 등 군사 목적을 위하여 필요한 시설
   사. 그 밖에 군부대에 부속된 시설로서 군인의 주거 · 복지 · 체육 또는 휴양 등을 위하여 필요한 시설

25 방송통신시설(제1종 근린생활시설에 해당하는 것을 제외)

가. 방송국(방송프로그램 제작시설 및 송신 · 수신 · 중계시설을 포함)
나. 전신전화국
다. 촬영소
라. 통신용 시설
마. 데이터센터
바. 그 밖에 위의 시설과 비슷한 것

【참고】 방송·통신시설(「도시 · 군계획시설규칙」, 「전기통신기본법」, 「전파법」 및 「방송법」)

1. 도시 · 군계획시설규칙

규칙 제76조【방송 · 통신시설】 "방송 · 통신시설"이란 국가 또는 지방자치단체가 설치하는 시설(제1호의 경우에는 방송통신위원회가 지정하는 시설을 포함한다)로서 다음 각 호의 시설을 말한다. <개정 2023.8.1>

1.「전기통신사업법」 제2조제4호에 따른 사업용전기통신설비
2.「전파법」 제2조제1항제5호의 규정에 의한 무선설비(「전기통신사업법」 제2조제4호에 따른 사업용전기통신설비는 제외한다)
3.「방송법」 제79조에 따른 유선방송국설비(종합유선방송국으로 한정한다)

규칙 제77조【방송 · 통신시설의 결정기준】 방송 · 통신시설은 이용자가 접근하기 쉽고 방송시설 종사자의 원활한 활동을 위하여 교통이 편리한 장소에 설치하여야 한다.

규칙 제78조【방송 · 통신시설의 구조 및 설치기준】 방송 · 통신시설의 구조 및 설치에 관하여는 「전기통신기본법」 · 「전파법」 또는 「방송법」이 정하는 바에 의한다.

2. 전기통신사업법

법 제2조【정의】
4. "사업용전기통신설비"란 전기통신사업에 제공하기 위한 전기통신설비를 말한다.
5. "자가전기통신설비"란 사업용전기통신설비 외의 것으로서 특정인이 자신의 전기통신에 이용하기 위하여 설치한 전기통신설비를 말한다.

3. 전파법

법 제2조【정의】 ① 이 법에서 사용하는 용어의 뜻은 다음과 같다. <개정 2020.6.9>
5. "무선설비"란 전파를 보내거나 받는 전기적 시설을 말한다.

4. 방송법

법 제79조【유선방송국설비등에 관한 기술기준 등】 ① 과학기술정보통신부장관은 유선방송국설비(綜合有線放送局 및 中繼有線放送 · 音樂有線放送을 행하기 위한 設備를 포함한다. 이하 같다)의 설치 및 유지에 관한 사항과 전송 · 선로설비의 분계점등에 필요한 기술기준(이하 "기술기준"이라 한다)을 정하여 고시하여야한다. <개정 2017.7.26.>
☞ 유선방송국설비 등에 관한 기술기준 [과학기술정보통신부고시 제2022-63호, 2022.11.9]
② 종합유선방송사업자 · 중계유선방송사업자 및 음악유선방송사업자는 대통령령으로 정하는 기한까지 기술기준이 정하는 바에 따라 유선방송국설비를 설치하여야 한다. <개정 2022.1.11.>

26 발전시설(제1종 근린생활시설에 해당하는 것을 제외)

발전소(집단에너지 공급시설을 포함)로 사용되는 건축물

27 묘지관련시설

가. 화장시설	–
나. 봉안당	종교시설에 해당하는 것은 제외
다. 묘지와 자연장지에 부수되는 건축물	–
라. 동물화장시설, 동물건조장(乾燥葬)시설, 동물 전용 납골시설	–

【참고】화장시설·봉안시설·자연장지(「도시 · 군계획시설규칙」 제136조~제138조)

규칙 제136조【장사시설】 이 절에서 "장사시설"이란 다음 각 호의 시설을 말한다.
1. 화장시설: 다음 각 목의 시설을 말한다.
   가.「장사 등에 관한 법률」 제13조제1항에 따른 공설화장시설
   나.「장사 등에 관한 법률」 제15조제1항에 따른 사설화장시설 중 일반의 사용에 제공하는 화장시설
2. 공동묘지: 다음 각 목의 시설을 말한다.
   가. 국가가 설치 · 운영하는 공동묘지(법인 등에 위탁하여 설치 · 운영하는 경우를 포함하며, 이하 "국립묘지"라 한다)
   나.「장사 등에 관한 법률」 제13조제1항에 따른 공설묘지
   다.「장사 등에 관한 법률」 제14조제1항에 따른 사설묘지 중 일반의 사용에 제공되는 묘지
3. 봉안시설: 다음 각 목의 시설을 말한다.
   가. 국가가 설치 · 운영하는 봉안시설(법인 등에 위탁하여 설치 · 운영하는 경우를 포함한다)
   나.「장사 등에 관한 법률」 제13조제1항에 따른 공설봉안시설
   다.「장사 등에 관한 법률」 제15조제1항에 따른 사설봉안시설 중 일반의 사용에 제공되는 봉안시설
4. 자연장지: 다음 각 목의 시설을 말한다.
   가.「장사 등에 관한 법률」 제13조제1항에 따른 공설자연장지
   나.「장사 등에 관한 법률」 제16조제1항제3호에 따른 법인등자연장지 중 일반의 사용에 제공되는 자연장지
5. 장례식장: 「장사 등에 관한 법률」 제29조제1항에 따른 장례식장을 말한다.

규칙 제137조【장사시설의 결정기준】 장사시설의 결정기준은 다음 각 호의 구분에 따른 기준과 같다.
1. 화장시설의 결정기준은 다음 각 목과 같다.
   가. 토지의 취득과 화장장의 관리 · 운영이 쉽고 장래에 확장이 가능한 지역에 설치할 것
   나. 지형상 배수가 잘되는 장소에 설치할 것
   다. 화장시설과 그 주변지역에는 녹화 또는 조경을 하고 필요한 편익시설을 설치할 것
   라. 이용자가 불편하지 아니하도록 교통이 편리한 곳에 설치하고 진입도로 및 주차장을 충분한 규모로 확보할 것
2. 공동묘지의 결정기준은 다음 각 목과 같다.
   가. 토지의 취득과 공동묘지의 관리 · 운영이 쉽고 장래에 확장이 가능한 지역에 설치할 것
   나. 지형상 배수가 잘되는 장소에 설치할 것
   다. 묘역과 그 주변지역에는 녹화 또는 조경을 하고 필요한 편익시설을 설치할 것

라. 성묘 등 여러 사람이 한꺼번에 이용할 때를 대비하여 진입도로 및 주차장을 충분한 규모로 확보할 것
마. 도시지역 외의 지역에 설치하는 공동묘지의 규모는 원칙적으로 1제곱킬로미터를 초과하지 않도록 하고, 전체면적의 30퍼센트 이상을 훼손없이 원지형대로 보전할 것. 다만, 국립묘지 및 공설묘지에 대해서는 시설의 규모제한을 적용하지 않는다.
3. 봉안시설의 결정기준은 다음 각 목과 같다.
가. 토지의 취득과 봉안시설의 관리·운영이 쉽고 장래에 확장이 가능한 지역에 설치할 것
나. 지형상 배수가 잘되고 붕괴나 침수의 우려가 없는 장소에 설치할 것
다. 봉안시설과 그 주변지역에는 녹화 또는 조경을 하고 필요한 편익시설을 설치할 것
라. 이용자가 불편하지 않도록 교통이 편리한 곳에 설치하고 성묘 등 여러 사람이 한꺼번에 이용할 때를 대비하여 진입도로 및 주차장을 충분한 규모로 확보할 것
4. 자연장지의 결정기준은 다음 각 목과 같다.
가. 지형상 배수가 잘 되고 붕괴나 침수의 우려가 없는 장소에 설치할 것
나. 자연장지와 그 주변지역에는 녹화 또는 조경을 하고 필요한 편익시설을 설치할 것
다. 이용자가 불편하지 않도록 교통이 편리한 곳에 설치하고 성묘 등 여러 사람이 한꺼번에 이용할 때를 대비하여 진입도로 및 주차장을 충분한 규모로 확보할 것
5. 장례식장의 결정기준은 다음 각 목과 같다.
가. 인근의 토지이용계획을 고려하여 설치하되, 인구밀집지역이나 학교·연구소·청소년시설 또는 도서관 등과 가까운 곳에는 설치하지 않을 것
나. 주위의 다른 건축물과 차단되도록 외곽에 녹지대 또는 조경시설을 설치할 것
다. 대중교통수단과의 연결이 쉬운 곳에 설치할 것
라. 준주거지역·일반상업지역·근린상업지역·일반공업지역·준공업지역·보전녹지지역·자연녹지지역 및 계획관리지역에 한정하여 설치할 것

규칙 제138조【장사시설의 구조 및 설치기준】 ① 화장시설에는 일반의 사용에 제공되는 봉안시설, 자연장지 및 장례식장을 설치할 수 있다.
② 공동묘지에는 일반의 사용에 제공하는 화장시설, 봉안시설, 자연장지 및 장례식장을 설치할 수 있다.
③ 도시지역 외의 지역에 공동묘지를 설치하기 위하여 토지의 형질을 변경하는 경우에는 원칙적으로 다음 각 호의 기준에 적합해야 한다.
1. 산지인 토지의 형질을 변경하는 경우 평균 경사도가 25도 이하이고 표고가 산자락하단을 기준으로 300미터 이하인 지역으로 할 것
2. 기존 지형을 최대한 이용하여 토지의 형질변경을 최소화하고 기존 지형의 경사도를 50퍼센트 이상 변경하지 아니하도록 하여 과도한 성토·절토 등이 이루어지지 않도록 할 것
3. 공동묘지 부지는 다음 각 목의 기준에 적합하게 구획할 것. 다만, 필요한 경우 용도구획을 추가할 수 있다.
가. 묘지시설용지는 원칙적으로 전체부지 면적의 50퍼센트 미만으로 하고, 3만제곱미터 미만의 가구단위로 구획할 것
나. 납골시설용지는 원칙적으로 묘지시설용지 면적의 10퍼센트 이상으로 할 것
다. 녹지용지는 원지형보전녹지 및 그 밖의 녹지 등으로 전체부지 면적의 40퍼센트 이상으로 할 것
라. 기반시설용지에는 도로·환경오염방지시설·관리사무소·주차장 등을 설치하도록 할 것
4. 기반시설의 설치는 다음 각 목의 기준에 의할 것
가. 전체부지의 경계에서 국도·지방도 그 밖에 폭 10미터 이상인 도로에 연결되는 진입도로를 다음 기준에 따라 설치할 것
(1) 전체부지 면적이 30만제곱미터 미만인 경우에는 폭 8미터 이상
(2) 전체부지 면적이 30만제곱미터 이상 60만제곱미터 미만인 경우에는 폭 10미터 이상
(3) 전체부지 면적이 60만제곱미터 이상인 경우에는 폭 12미터 이상
(4) 공동묘지에 설치된 진입도로의 폭이 12미터 미만인 경우로서 다음의 구분에 따른 전체 부지 면적

건 축 법
1. 총 칙
2. 건 축
3. 유지관리
4. 대지도로
5. 구조재료
6. 지역지구
7. 건축설비
8. 특별건축구역
9. 보 칙
10. 벌 칙
건 축 법 관련기준

의 10퍼센트 이내에서 공동묘지를 확대하는 경우에는 (1)부터 (3)까지의 규정에도 불구하고 해당 진입도로의 폭을 유지할 수 있다. 다만, 해당 진입도로의 폭이 8미터 미만인 경우로서 그 도로의 여건상 대형승합자동차의 교차통행이 어려운 구간에 대해서는 대기차선을 설치해야 한다.

(가) 2002년 12월 31일 이전에 설치된 공동묘지(법률 제6655호 국토의계획및이용에관한법률에 의하여 폐지되기 전의 「국토이용관리법」에 따라 2003년 1월 1일 이후에 설치되었거나 설치 중인 공동묘지를 포함한다)인 경우 그 당시 전체 부지의 면적

(나) 2003년 1월 1일 이후에 설치 완료된 공동묘지(법률 제6655호 국토의계획및이용에관한법률에 의하여 폐지되기 전의 「국토이용관리법」에 따라 2003년 1월 1일 이후에 설치되었거나 설치 중인 공동묘지를 제외한다)인 경우로서 진입도로의 폭이 10미터 미만이고 전체 부지의 면적이 30만제곱미터 미만인 경우 그 전체 부지의 면적

(다) 2003년 1월 1일 이후에 설치 완료된 공동묘지(법률 제6655호 국토의계획및이용에관한법률에 의하여 폐지되기 전의 「국토이용관리법」에 따라 2003년 1월 1일 이후에 설치되었거나 설치 중인 공동묘지를 제외한다)인 경우로서 진입도로의 폭이 10미터 이상 12미터 미만이고 전체 부지의 면적이 60만제곱미터 미만인 경우 그 전체 부지의 면적

나. 부지내 가구사이에 폭 4미터 이상의 도로를 구획할 것

다. 발생하는 하수를 BOD 10ppm 이하로 처리할 수 있는 하수처리시설을 설치할 것. 다만, 환경기준 유지를 위한 사전환경성 협의에 따라 환경관서에서 요구하는 기준이 있을 경우 그 기준을 충족하여야 한다.

5. 건축물의 층수는 4층 이하로 하고, 시설물 또는 공작물의 높이는 20미터 이하로 할 것

④ 제1항부터 제3항까지에서 규정된 사항 외에 장사시설의 구조 및 설치에 관한 세부사항은 「장사 등에 관한 법률」이 정하는 바에 따른다. 다만, 국립묘지 및 국가가 설치・운영하는 봉안시설(법인 등에 위탁하여 설치・운영하는 경우를 포함한다)의 구조 및 설치기준에 관하여는 관계 법령에서 정하는 바에 따른다.

관계법 **「장사등에 관한 법률」(제2조, 제13조, 제15조)**

법 **제2조 【정의】** 이 법에서 사용하는 용어의 뜻은 다음과 같다. <개정 2015.12.29.>

1. "매장"이란 시신(임신 4개월 이후에 죽은 태아를 포함한다. 이하 같다)이나 유골을 땅에 묻어 장사(葬事)하는 것을 말한다.
2. "화장"이란 시신이나 유골을 불에 태워 장사하는 것을 말한다.
3. "자연장(自然葬)"이란 화장한 유골의 골분(骨粉)을 수목 · 화초 · 잔디 등의 밑이나 주변에 묻어 장사하는 것을 말한다.
4. "개장"이란 매장한 시신이나 유골을 다른 분묘 또는 봉안시설에 옮기거나 화장 또는 자연장하는 것을 말한다.
5. "봉안"이란 유골을 봉안시설에 안치하는 것을 말한다.
6. "분묘"란 시신이나 유골을 매장하는 시설을 말한다.
7. "묘지"란 분묘를 설치하는 구역을 말한다.
8. "화장시설"이란 시신이나 유골을 화장하기 위한 화장로 시설(대통령령으로 정하는 부대시설을 포함한다)을 말한다.
9. "봉안시설"이란 유골을 안치(매장은 제외한다)하는 다음 각 목의 시설을 말한다.
   가. 분묘의 형태로 된 봉안묘
   나. 「건축법」 제2조제1항제2호의 건축물인 봉안당
   다. 탑의 형태로 된 봉안탑
   라. 벽과 담의 형태로 된 봉안담

13. "자연장지(自然葬地)"란 자연장으로 장사할 수 있는 구역을 말한다.
14. "수목장림"이란 「산림자원의 조성 및 관리에 관한 법률」 제2조제1호에 따른 산림에 조성하는 자연장지를 말한다.
15. "장사시설"이란 묘지 · 화장시설 · 봉안시설 · 자연장지 및 제28조의2 · 제29조에 따른 장례식장을

말한다.

법 **제13조【공설묘지 등의 설치】** ① 시 · 도지사 및 시장 · 군수 · 구청장은 공설묘지 · 공설화장시설 · 공설봉안시설 및 공설자연장지를 설치 · 조성 및 관리하여야 한다.

법 **제15조【사설화장시설 등의 설치】** ① 시 · 도지사 또는 시장 · 군수 · 구청장이 아닌 자가 화장시설(이하 "사설화장시설"이라 한다) 또는 봉안시설(이하 "사설봉안시설"이라 한다)을 설치 · 관리하려는 경우에는 보건복지부령으로 정하는 바에 따라 그 사설화장시설 또는 사설봉안시설을 관할하는 시장등에게 신고하여야 한다. 신고한 사항 중 대통령령으로 정하는 사항을 변경하려는 경우에도 또한 같다.
② ~ ⑥ "생략"

■ **공설묘지, 사설묘지, 사설화장시설, 사설봉안시설, 사설자연장지 설치기준 "생략"**
(장사등에 관한 법률 시행령 별표 1~4 참조)

28 관광휴게시설

가. 야외음악당
나. 야외극장
다. 어린이회관
라. 관망탑
마. 휴게소
바. 공원 · 유원지 또는 관광지에 부수되는 시설 【참고】

【참고】 유원지(「도시 · 군계획시설규칙」 제56조 ~ 제58조)

규칙 **제56조【유원지】** 이 절에서 "유원지"라 함은 주로 주민의 복지향상에 기여하기 위하여 설치하는 오락과 휴양을 위한 시설을 말한다.

규칙 **제57조【유원지의 결정기준】** 유원지의 결정기준은 다음 각호와 같다. <개정 2019.8.7.>
1. 시 · 군내 공지의 적절한 활용, 여가공간의 확보, 도시환경의 미화, 자연환경의 보전 등의 효과를 높일 수 있도록 할 것
2. 숲 · 계곡 · 호수 · 하천 · 바다 등 자연환경이 아름답고 변화가 많은 곳에 설치할 것
3. 유원지의 소음권에 주거지 · 학교 등 평온을 요하는 지역이 포함되지 아니하도록 인근의 토지이용현황을 고려할 것
4. 준주거지역 · 일반상업지역 · 자연녹지지역 및 계획관리지역에 한하여 설치할 것. 다만, 다음 각 목의 어느 하나에 해당하는 경우에는 유원지의 나머지 면적을 연접(용도지역의 경계선이 서로 닿아 있는 경우를 말한다)한 생산관리지역이나 보전관리지역에 설치할 수 있다.
   가. 유원지 전체면적의 50퍼센트 이상이 계획관리지역에 해당하는 경우로서 유원지의 나머지 면적을 생산관리지역이나 보전관리지역에 연속해서 설치하는 경우
   나. 유원지 전체면적의 90퍼센트 이상이 준주거지역 · 일반상업지역 · 자연녹지지역 또는 계획관리지역에 해당하는 경우로서 도시계획위원회의 심의를 거쳐 유원지의 나머지 면적을 생산관리지역이나 보

전관리지역에 연속해서 설치하는 경우
5. 이용자가 쉽게 접근할 수 있도록 교통시설을 연결할 것
6. 대규모 유원지의 경우에는 각 지역에서 쉽게 오고 갈 수 있도록 교통시설이 고속국도나 지역간 주간선도로에 쉽게 연결되도록 할 것
7. 전력과 용수를 쉽게 공급받을 수 있고 자연재해의 우려가 없는 지역에 설치할 것
8. 시냇가 · 강변 · 호반 또는 해변에 설치하는 유원지의 경우에는 다음 각목의 사항을 고려할 것
가. 시냇가 · 강변 · 호반 또는 해변이 차단되지 아니하고 완만하게 경사질 것
나. 깨끗하고 넓은 모래사장이 있을 것
다. 수영을 할 수 있는 경우에는 수질이 「환경정책기본법」 등 관계 법령에 규정된 수질기준에 적합할 것
라. 상수원의 오염을 유발시키지 아니하는 장소일 것
9. 유원지의 규모는 1만제곱미터 이상으로 당해 유원지의 성격과 기능에 따라 적정하게 할 것

규칙 **제58조【유원지의 구조 및 설치기준】** ① 유원지의 구조 및 설치기준은 다음 각 호와 같다. <개정 2023.12.232>
1. 각 계층의 이용자의 요구에 응할 수 있도록 다양한 시설을 설치할 것
2. 연령과 성별의 구분없이 이용할 수 있는 시설을 포함할 것
3. 휴양을 목적으로 하는 유원지를 제외하고는 토지이용의 효율화를 기할 수 있도록 일정지역에 시설을 집중시키고, 세부시설 간 유기적 연관성이 있는 경우에는 둘 이상의 세부시설을 하나의 부지에 함께 설치하는 것을 고려할 것
4. 유원지에는 보행자 위주로 도로를 설치하고 차로를 설치하는 경우에도 보행자의 안전과 편의를 저해하지 아니하도록 할 것
5. 특색있고 건전한 휴식공간이 될 수 있도록 세부시설을 설치할 것
6. 유원지의 목적 및 지역별 특성을 고려하여 세부시설 조성계획에서 휴양시설, 편익시설 및 관리시설의 종류를 정할 것
7. 하천, 계곡 및 산지에 유원지를 설치하는 경우 재해위험성을 충분히 고려하고, 야영장 및 숙박시설은 반드시 재해로부터 안전한 곳에 설치할 것
8. 유원지의 주차장 표면을 포장하는 경우에는 잔디블록 등 투수성 재료를 사용하고, 배수로의 표면은 빗물받이 폭 이상의 생태형으로 설치하는 것을 고려할 것
9. 나무, 화초, 잔디 등을 심는 경우에는 그 식재면의 높이를 인접한 포장면의 바닥 높이보다 낮게 할 것. 다만, 해당 나무, 화초, 잔디 등을 보호하거나 경관 또는 보행자 안전을 위해 필요한 경우에는 그렇지 않다. <신설 2023.12.22>

② 유원지에는 다음 각 호의 시설을 설치할 수 있다. 이 경우 제1호의 유희시설은 어린이용 위주의 유희시설과 가족용 위주의 유희시설로 구분하여 설치해야 한다. <개정 2021.8.27>
1. 유희시설 :「관광진흥법」에 따른 유기시설 · 유기기구, 번지점프, 그네 · 미끄럼틀 · 시소 등의 시설, 미니썰매장 · 미니스케이트장 등 여가활동과 운동을 함께 즐길 수 있는 시설 그 밖에 기계 등으로 조작하는 각종 유희시설
2. 운동시설 : 육상장 · 정구장 · 테니스장 · 골프연습장 · 야구장(실내야구연습장을 포함한다) · 탁구장 · 궁도장 · 체육도장 · 수영장 · 보트놀이장 · 부교(받침기둥 없이 물에 띄우는 다리를 말한다) · 잔교(구름다리) · 계류장 · 스키장(실내스키장을 포함한다) · 골프장(9홀 이하인 경우에만 해당한다) · 승마장 · 미니축구장 등 각종 운동시설
3. 휴양시설 : 휴게실 · 놀이동산 · 낚시터 · 숙박시설 · 야영장(자동차야영장을 포함한다) · 야유회장 · 청소년수련시설 · 자연휴양림 · 간이취사시설
4. 특수시설 : 동물원 · 식물원 · 공연장 · 예식장 · 마권장외발매소(이와 유사한 것을 포함한다) · 관람장 · 전시장 · 진열관 · 조각 · 야외음악당 · 야외극장 · 온실 · 수목원 · 광장
5. 위락시설 : 관광호텔에 부속된 시설로서 「관광진흥법」 제15조에 따른 사업계획승인을 받아 설치하는 위락시설
6. 편익시설: 다음 각 목의 시설
가. 「건축법 시행령」 별표 1 제3호(마목 및 아목은 제외한다)의 시설

나.「건축법 시행령」 별표 1 제4호바목부터 자목까지 · 차목(동물병원, 동물미용실 및 그 밖에 이와 유사한 것에 한정한다) · 하목(금융업소에 한정한다) · 더목 및 러목(노래연습장에 한정한다)의 시설
다.「건축법 시행령」 별표 1 제10호바목의 시설
라.「건축법 시행령」 별표 1 제11호가목(어린이집, 아동복지관 및 지역아동센터에 한정한다) · 나목(노인여가복지시설에 한정한다) 및 다목(사회복지관에 한정한다)의 시설
마.「건축법 시행령」 별표 1 제16호가목의 시설
바.「건축법 시행령」 별표 1 제19호바목의 시설 중 「환경친화적 자동차의 개발 및 보급 촉진에 관한 법률」 제2조제9호에 따른 수소연료공급시설
사.「건축법 시행령」 별표 1 제27호다목의 시설
아. 전망대, 의무실, 자전거대여소, 서바이벌게임장, 음악감상실, 스크린골프장 및 당구장
7. 관리시설 : 도로(보행자전용도로, 보행자우선도로 및 자전거전용도로를 포함한다) · 주차장 · 궤도 · 쓰레기처리장 · 관리사무소 · 화장실 · 안내표지 · 창고
8. 제1호부터 제7호까지의 시설과 유사한 시설로서 유원지별 목적 · 규모 및 지역별 특성에 적합하여 도시 · 군계획시설결정권자 소속 도시계획위원회(해당 도시 · 군계획시설결정권자에게 소속된 위원회를 말한다. 이하 제64조제2항제3호, 제101조제3항 및 제119조제2호나목4)에서 같다)의 심의를 거친 시설
③ 유원지안에서의 안녕질서의 유지 그 밖에 유원지주변의 상황으로 보아 특히 필요하다고 인정되는 경우에는 파출소 · 초소 등의 시설을 제2조제2항의 규정에 의한 세부시설에 대한 조성계획에 포함시킬 수 있다.
④ 유원지중 「관광진흥법」 제2조제6호에 따른 관광지 또는 같은 조 제7호에 따른 관광단지로 지정된 지역과 같은 법 제15조에 따라 같은 법 시행령 제2조제3호가목에 따른 전문휴양업이나 같은 호 나목에 따른 종합휴양업으로 사업계획의 승인을 받은 지역에는 제2항에도 불구하고 「관광진흥법」에서 정하는 시설을 포함하여 설치할 수 있다.
⑤ 유원지중 「제주특별자치도 설치 및 국제자유도시 조성을 위한 특별법」에 의한 개발사업으로 조성하는 유원지에 대하여는 제1항제4호 · 제5호 및 제2항의 규정을 적용하지 아니한다.

29 장례시설

가. 장례식장 【참고】	의료시설의 부수시설(「의료법」 상의 의료기관의 종류에 따른 시설을 말함)에 해당하는 것은 제외
나. 동물 전용의 장례식장	–

【참고】 장례식장 (「도시 · 군계획시설규칙」 제136조, 제137조)

법 제136조【장사시설】
5. 장례식장: 「장사 등에 관한 법률」 제29조제1항에 따른 장례식장을 말한다.

법 제137조【장사시설의 결정기준】
5. 장례식장의 결정기준은 다음 각 목과 같다.
가. 인근의 토지이용계획을 고려하여 설치하되, 인구밀집지역이나 학교 · 연구소 · 청소년시설 또는 도서관 등과 가까운 곳에는 설치하지 않을 것
나. 주위의 다른 건축물과 차단되도록 외곽에 녹지대 또는 조경시설을 설치할 것
다. 대중교통수단과의 연결이 쉬운 곳에 설치할 것
라. 준주거지역 · 일반상업지역 · 근린상업지역 · 일반공업지역 · 준공업지역 · 보전녹지지역 · 자연녹지지역 및 계획관리지역에 한정하여 설치할 것

건 축 법
1. 총 칙
2. 건 축
3. 유지관리
4. 대지도로
5. 구조재료
6. 지역지구
7. 건축설비
8. 특별건축구역
9. 보 칙
10. 벌 칙
건 축 법 관련기준

관계법 「장사등에 관한 법률」(제29조제1항)

법 제29조【장례식장영업의 신고 등】 ① 시·도지사 또는 시장·군수·구청장이 아닌 자가 장례식장을 설치·운영하려는 경우에는 대통령령으로 정하는 시설·설비 및 안전기준을 갖추어 보건복지부령으로 정하는 바에 따라 장례식장 소재지를 관할하는 시장등에게 신고하여야 한다. 신고한 사항을 변경하려는 경우에도 같다.

③ 제1항에 따라 신고하고 장례식장을 운영하는 자(이하 "장례식장영업자" 라 한다)는 장례식장에서 시신을 보관·안치·염습·운구 등을 할 때에는 보건복지부령으로 정하는 바에 따라 시신을 위생적으로 관리하여야 한다.

영 제26조의4【장례식장의 시설·설비 및 안전기준】 ① 장례식장을 설치·운영하려는 자는 법 제28조의2 제1항 또는 제29조제1항에 따라 다음 각 호의 목적에 필요한 시설·설비 및 안전기준을 갖추어야 한다.

1. 시신의 보관·안치·염습·운구
2. 문상·조문 및 발인
3. 장례식장의 관리
4. 비상재해 대비 및 안전관리

② 제1항에 따른 시설·설비 및 안전기준에 관한 세부 기준은 보건복지부령으로 정한다.

규칙 제20조의2【장례식장의 위생관리 기준 등】법 제29조제3항에 따라 장례식장영업자가 준수해야 할 위생관리 기준 및 영 제26조의4제2항에 따른 시설·설비·안전기준에 관한 세부기준은 별표 1의3과 같다.

■ 장례식장의 위생관리 기준 및 시설·설비·안전기준에 관한 세부기준(「장사등에 관한 법률 시행규칙」 별표 1의3)

1. 장례식장 시설·설비의 구분
   가. 시신을 보관하거나 안치·염습·운구 등을 하기 위한 시설
   나. 유족이 문상을 받거나 장례를 하기 위한 시설과 문상객을 위한 편의시설
   다. 장례 상담 등 장례식장을 총괄 관리할 수 있는 시설 및 편의시설
   라. 비상재해 및 안전관리 시설
2. 위생관리 및 시설·설비 기준
   "생략"
3. 안전기준
   "생략"

관계법 의료시설에 부수된 장례식장(「의료법」 제36조제1호)

법 제36조【준수사항】 제33조제2항 및 제8항에 따라 의료기관을 개설하는 자는 보건복지부령으로 정하는 바에 따라 다음 각 호의 사항을 지켜야 한다.

1. 의료기관의 종류에 따른 시설기준 및 규격에 관한 사항
2. ~ 6. "생략"

※ 의료기관의 종류별 시설기준 및 시설규격(의료법 시행규칙 별표3, 4)은 9 의료시설 참조

[시행규칙 별표3] 의료기관의 종류별 시설기준 중 장례식장 관련 내용(20. 그 밖의 시설 라.)

종합병원, 병원, 한방병원, 요양병원은 해당 병원에서 사망하는 사람 등의 장사 관련 편의를 위하여 「장사 등에 관한 법률」 제29조에 따른 장례식장을 설치할 수 있다.

[시행규칙 별표4] 의료기관의 시설규격 중 장례식장 관련 내용(20. 그 밖의 시설 가.)

장례식장의 바닥면적은 해당 의료기관의 연면적의 1/5을 초과하지 못한다.

30 야영장 시설

「관광진흥법」에 따른 야영장 시설로서 관리동, 화장실, 샤워실, 대피소, 취사시설 등의 용도로 쓰는 것 【참고】	바닥면적의 합계가 300㎡ 미만인 것 * 300㎡ 이상인 것은 수련시설임

【참고】 야영장(「관광진흥법」 제3조, 시행령 제2조, 제5조, 제5조의2)

법 제3조【관광사업의 종류】 ① 관광사업의 종류는 다음 각 호와 같다. <개정 2022.9.27>

3. 관광객 이용시설업 : 다음 각 목에서 규정하는 업
   가. 관광객을 위하여 음식·운동·오락·휴양·문화·예술 또는 레저 등에 적합한 시설을 갖추어 이를 관광객에게 이용하게 하는 업
   나. 대통령령으로 정하는 2종 이상의 시설과 관광숙박업의 시설(이하 "관광숙박시설"이라 한다) 등을 함께 갖추어 이를 회원이나 그 밖의 관광객에게 이용하게 하는 업
   다. 야영장업: 야영에 적합한 시설 및 설비 등을 갖추고 야영편의를 제공하는 시설(「청소년활동 진흥법」 제10조제1호마목에 따른 청소년야영장은 제외한다)을 관광객에게 이용하게 하는 업

영 제2조【관광사업의 종류】 ①「관광진흥법」(이하 "법"이라 한다) 제3조제2항에 따라 관광사업의 종류를 다음과 같이 세분한다. <개정 2021.3.23.>

3. 관광객 이용시설업의 종류
   가. 전문휴양업: "생략"
   나. 종합휴양업: "생략"
   다. 야영장업:
      1) 일반야영장업: 야영장비 등을 설치할 수 있는 공간을 갖추고 야영에 적합한 시설을 함께 갖추어 관광객에게 이용하게 하는 업
      2) 자동차야영장업: 자동차를 주차하고 그 옆에 야영장비 등을 설치할 수 있는 공간을 갖추고 취사 등에 적합한 시설을 함께 갖추어 자동차를 이용하는 관광객에게 이용하게 하는 업
   라. 관광유람선업: "생략"
   마. 관광공연장업: "생략"
   바. 외국인관광 도시민박업: "생략"
   사. 한옥체험업: "생략"

영 제5조【등록기준】 법 제4조제3항에 따른 관광사업의 등록기준은 별표 1과 같다. "이후 생략"

규칙 제5조의2【야영장 시설의 종류】 영 제5조 및 별표 1 제4호다목(1)(사)에 따른 야영장 시설의 종류는 별표 1과 같다.

■ 야영장업의 등록기준(「관광진흥법 시행령」 별표 1. 4. 다.) <개정 2021.8.10>

(1) 공통기준
(가) 침수, 유실, 고립, 산사태, 낙석의 우려가 없는 안전한 곳에 위치할 것
(나) 시설 배치도, 이용방법, 비상 시 행동 요령 등을 이용객이 잘 볼 수 있는 곳에 게시할 것
(다) 비상 시 긴급상황을 이용객에게 알릴 수 있는 시설 또는 장비를 갖출 것
(라) 야영장 규모를 고려하여 소화기를 적정하게 확보하고 눈에 띄기 쉬운 곳에 배치할 것
(마) 긴급 상황에 대비하여 야영장 내부 또는 외부에 대피소와 대피로를 확보할 것
(바) 비상시의 대응요령을 숙지하고 야영장이 개장되어 있는 시간에 상주하는 관리요원을 확보할 것
(사) 야영장 시설은 자연생태계 등의 원형이 최대한 보존될 수 있도록 토지의 형질변경을 최소화하여 설치할 것. 이 경우 야영장에 설치할 수 있는 야영장 시설의 종류에 관하여는 문화체육관광부령으로 정한다.
(아) 야영장에 설치되는 건축물(「건축법」 제2조제1항제2호에 따른 건축물을 말한다. 이하 이 목에서 같다)의 바닥면적 합계가 야영장 전체면적의 100분의 10 미만일 것. 다만, 「초·중등교육법」 제2조에 따

른 학교로서 학생 수의 감소, 학교의 통폐합 등의 사유로 폐지된 학교의 교육활동에 사용되던 시설과 그 밖의 재산(이하 "폐교재산"이라 한다)을 활용하여 야영장업을 하려는 경우(기존 폐교재산의 부지면적 증가가 없는 경우만 해당한다)는 그렇지 않다. <개정 2021.8.10>

(자) (아)에도 불구하고 「국토의 계획 및 이용에 관한 법률」 제36조제1항제2호가목에 따른 보전관리지역 또는 같은 법 시행령 제30조제4호가목에 따른 보전녹지지역에 야영장을 설치하는 경우에는 다음의 요건을 모두 갖출 것

1) 야영장 전체면적이 1만제곱미터 미만일 것
2) 야영장에 설치되는 건축물의 바닥면적 합계가 300제곱미터 미만이고, 야영장 전체면적의 100분의 10 미만일 것
3) 「하수도법」 제15조제1항에 따른 배수구역 안에 위치한 야영장은 같은 법 제27조에 따라 공공하수도의 사용이 개시된 때에는 그 배수구역의 하수를 공공하수도에 유입시킬 것. 다만, 「하수도법」 제28조에 해당하는 경우에는 그렇지 않다.
4) 야영장 경계에 조경녹지를 조성하는 등의 방법으로 자연환경 및 경관에 대한 영향을 최소화할 것
5) 야영장으로 인한 비탈면 붕괴, 토사 유출 등의 피해가 발생하지 않도록 할 것

(2) 개별기준

(가) 일반야영장업

1) 야영용 천막을 칠 수 있는 공간은 천막 1개당 15제곱미터 이상을 확보할 것
2) 야영에 불편이 없도록 하수도 시설 및 화장실을 갖출 것
3) 긴급상황 발생 시 이용객을 이송할 수 있는 차로를 확보할 것

(나) 자동차야영장업

1) 차량 1대당 50제곱미터 이상의 야영공간(차량을 주차하고 그 옆에 야영장비 등을 설치할 수 있는 공간을 말한다)을 확보할 것
2) 야영에 불편이 없도록 수용인원에 적합한 상·하수도 시설, 전기시설, 화장실 및 취사시설을 갖출 것
3) 야영장 입구까지 1차선 이상의 차로를 확보하고, 1차선 차로를 확보한 경우에는 적정한 곳에 차량의 교행(交行)이 가능한 공간을 확보할 것

(3) (1) 및 (2)의 기준에 관한 특례

(가) (1) 및 (2)에도 불구하고 다음 1) 및 2)의 요건을 모두 충족하는 야영장업을 하려는 경우에는 (나) 및 (다)의 기준을 적용한다.

1) 「해수욕장의 이용 및 관리에 관한 법률」 제2조제1호에 따른 해수욕장이나 「국토의 계획 및 이용에 관한 법률 시행령」 제2조제1항제2호에 따른 유원지에서 연간 4개월 이내의 기간 동안만 야영장업을 하려는 경우
2) 야영장업의 등록을 위하여 토지의 형질을 변경하지 아니하는 경우

(나) 공통기준

1) 침수, 유실, 고립, 산사태, 낙석의 우려가 없는 안전한 곳에 위치할 것
2) 시설 배치도, 이용방법, 비상 시 행동 요령 등을 이용객이 잘 볼 수 있는 곳에 게시할 것
3) 비상 시 긴급상황을 이용객에게 알릴 수 있는 시설 또는 장비를 갖출 것
4) 야영장 규모를 고려하여 소화기를 적정하게 확보하고 눈에 띄기 쉬운 곳에 배치할 것
5) 긴급 상황에 대피할 수 있도록 대피로를 확보할 것
6) 비상 시 대응요령을 숙지하고 야영장이 개장되어 있는 시간에 상주하는 관리요원을 확보할 것

(다) 개별기준

1) 일반야영장업

가) 야영용 천막을 칠 수 있는 공간은 천막 1개당 15제곱미터 이상을 확보할 것
나) 야영에 불편이 없도록 하수도 시설 및 화장실의 이용이 가능할 것
다) 긴급상황 발생 시 이용객을 이송할 수 있는 차로를 확보할 것

2) 자동차야영장업

가) 차량 1대당 50제곱미터 이상의 야영공간(차량을 주차하고 그 옆에 야영장비 등을 설치할 수 있는 공간을 말한다)을 확보할 것
나) 야영에 불편이 없도록 상·하수도 시설, 전기시설, 화장실 및 취사시설의 이용이 가능할 것
다) 야영장 입구까지 1차선 이상의 차로를 확보하고, 1차선 차로를 확보한 경우에는 적정한 곳에 차량의 교행이 가능한 공간을 확보할 것

■ 야영장 시설의 종류(「관광진흥법 시행규칙」 별표 1) <개정 2019.3.4.>

구 분	시설의 종류
1. 기본시설	야영덱(텐트를 설치할 수 있는 공간)을 포함한 일반야영장 및 자동차야영장 등
2. 편익시설	야영시설(주재료를 천막으로 하여 바닥의 기초와 기둥을 갖추고 지면에 설치되어야 한다)·야영용 트레일러(동력이 있는 자동차에 견인되어 육상을 이동할 수 있는 형태를 갖추어야 한다)·관리실·방문자안내소·매점·바비큐장·문화예술체험장·야외쉼터·야외공연장 및 주차장 등
3. 위생시설	취사장·오물처리장·화장실·개수대·배수시설·오수정화시설 및 샤워장 등
4. 체육시설	실외에 설치되는 철봉·평행봉·그네·족구장·배드민턴장·어린이놀이터·놀이형시설·수영장 및 운동장 등
5. 안전·전기·가스시설	소방시설·전기시설·가스시설·잔불처리시설·재해방지시설·조명시설·폐쇄회로텔레비전시설(CCTV)·긴급방송시설 및 대피소 등

4 면적·높이 및 층수의 산정 (법 제84조)(영 제119조)

법 제84조【면적·높이 및 층수의 산정】
건축물의 대지면적, 연면적, 바닥면적, 높이, 처마, 천장, 바닥 및 층수의 산정방법은 대통령령으로 정한다.

※「건축물 면적, 높이 등 세부 산정기준」(국토교통부 고시 제2021-1422호, 2021.12.30.)의 제정 내용을 반영함. 이 기준의 전체 내용은 1권 Ⅱ 건축법관련기준 참조 바람

1 대지면적(영 제119조제1항제1호)

영 제119조【면적 등의 산정방법】
① 법 제84조에 따라 건축물의 면적·높이 및 층수 등은 다음 각 호의 방법에 따라 산정한다. <개정 2018.9.4., 2019.10.22., 2020.10.8., 2021.1.8., 2021.5.4., 2021.11.2.>
1. 대지면적: 대지의 수평투영면적으로 한다. 다만, 다음 각 목의 어느 하나에 해당하는 면적은 제외한다.
   가. 법 제46조제1항 단서에 따라 대지에 건축선이 정하여진 경우: 그 건축선과 도로 사이의 대지면적
   나. 대지에 도시·군계획시설인 도로·공원 등이 있는 경우: 그 도시·군계획시설에 포함되는 대지(「국토의 계획 및 이용에 관한 법률」 제47조제7항에 따라 건축물 또는 공작물을 설치하는 도시·군계획시설의 부지는 제외한다)면적

해설 대지라 함은 건축물이 축조되는 영역을 말하는 것으로서, 「측량·수로조사 및 지적에 관한 법률」에 따른 각 필지로 구획된 토지를 말한다. 대개의 경우 대지면적은 토지면적과 일치하나, 대지안에 건축선이 정하여진 경우 등에 있어서는 토지대장의 면적과 차이가 있을 수 있다. 여기에서 대지면적은 「건축법」(건폐율, 용적률 등)이 적용되는 실제 영역이라 할 수 있다.

【1】 원 칙

·대지의 수평투영면적으로 함

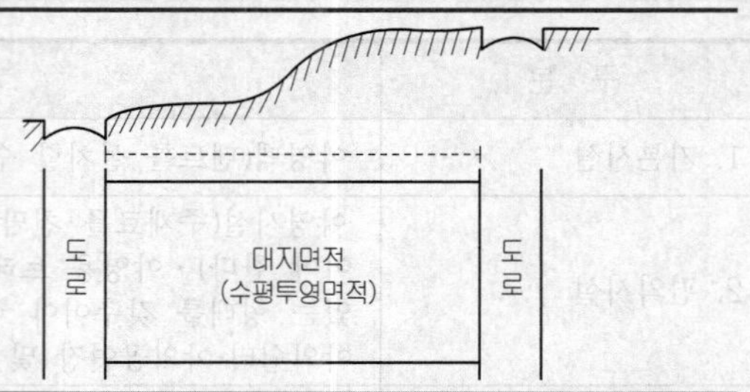

■ 대지의 수평투영면적의 산정 예시

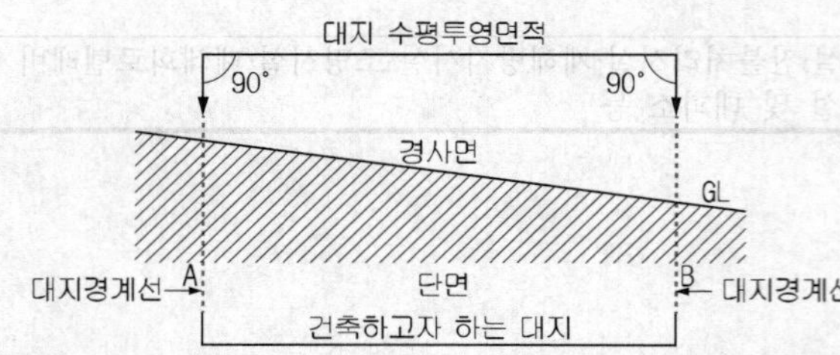

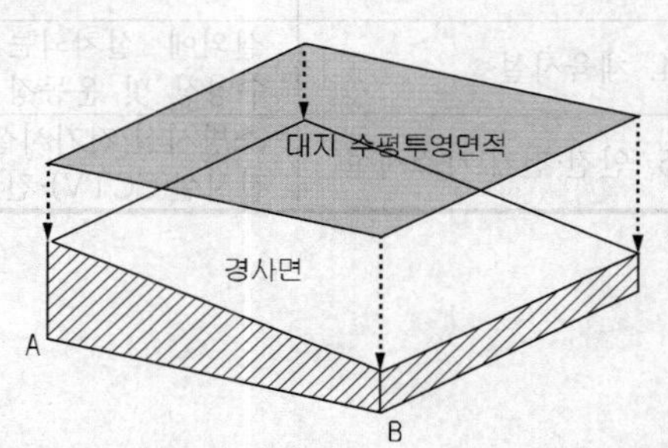

【2】 대지에 건축선이 정하여진 경우(건축법 제46조제1항 단서 내용)

1. 전면도로의 너비가 소요 너비 이상인 경우

▶ 대지면적 = a×b (※ 토지면적과 일치됨)

소요폭 이상도로
a
b

2. 전면도로의 너비가 소요 너비에 못 미치는 경우
(도로 양측이 대지인 경우)
▨ 부분 : 대지면적에서 제외

▶ 그 도로의 중심선으로부터 그 소요 너비의 1/2의 수평거리만큼 물러난 선을 건축선으로 하고, 그 건축선과 도로 사이의 면적은 대지면적에서 제외함

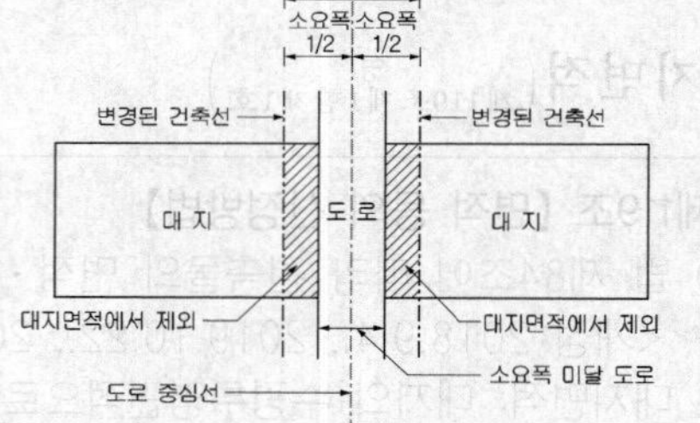

3. 전면도로가 소요 너비에 못 미치는 경우
(한면에 하천·철도·경사지 등이 있는 경우)
▨ 부분 : 대지면적에서 제외

▶ 그 경사지 등이 있는 쪽의 도로경계선에서 소요 너비에 해당하는 수평거리의 선을 건축선으로 하고, 그 건축선과 도로 사이의 면적은 대지면적에서 제외함

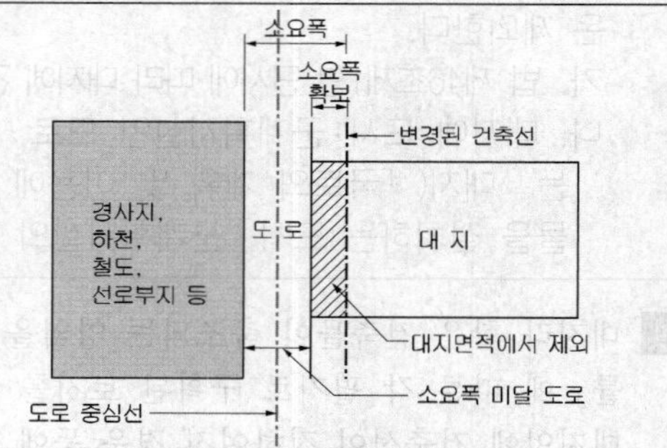

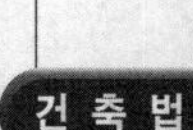

4. 도로모퉁이 대지

▷ 부분 : 대지면적에서 제외

5. 소요너비 미달인 막다른 도로에 면한 대지

▶ 막다른도로가 35m 미만인 도로는 폭 3m 이상만 확보하면 됨(35m 미만인 막다른 도로의 경우 모퉁이 대지는 제외 안됨)

▨ 부분 : 대지면적에서 제외

예시 소요 너비에 못 미치는 전면도로에 면한 모퉁이 대지의 산정순서 예

▨ 부분 : 대지면적에서 제외

※ ①, ②, ③은 건축선

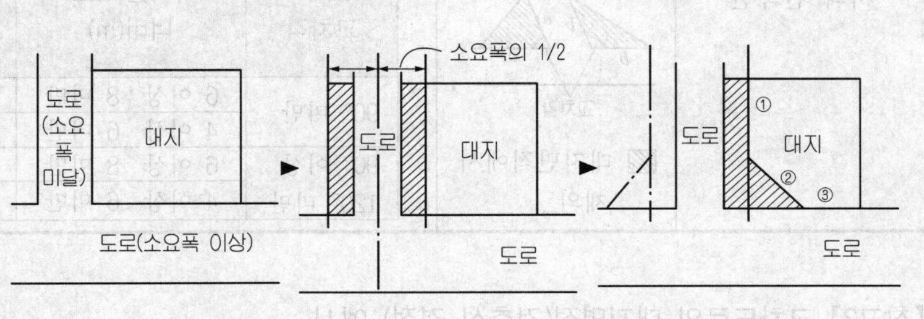

【3】 대지에 도시·군계획시설이 있는 경우

• 대지에 도로·공원 등의 도시·군계획시설이 있는 경우

▶ 도시 · 군계획시설에 포함되는 부분을 대지면적에서 제외

▨ 부분 : 대지면적에서 제외

예외 도시·군계획시설결정의 고시일부터 10년 이내에 사업이 시행되지 아니하는 경우 사업부지 중 지목(地目)이 대(垈)인 토지의 소유자는 매수의무자에게 매수를 청구할 수 있으나, 매수의무자가 매수하지 않기로 결정한 경우 등에는 개발행위허가를 받아 건축물 및 공작물의 설치가 가능하며 이 경우 이 부분의 토지는 대지면적에 포함됨

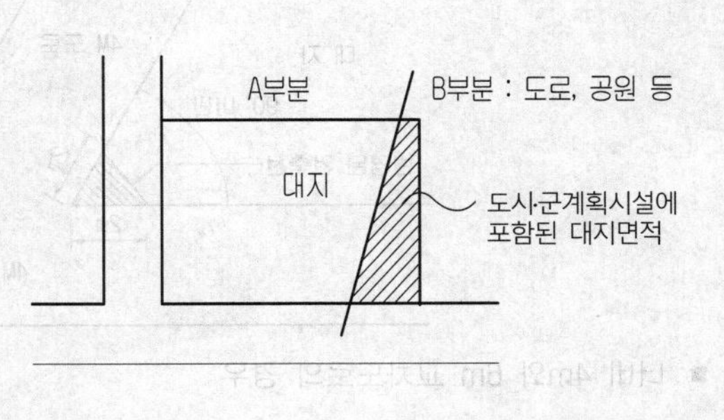

【참고1】 도로 및 건축선

■ 전면도로의 소요너비	• 일반적인 경우	너비 4m 이상
	• 막다른 도로의 경우	너비 2m 이상(길이 10m 미만)
		너비 3m 이상(길이 10m 이상 35m 미만)
		너비 6m* 이상(길이 35m 이상) (*도시지역이 아닌 읍 · 면지역에서는 4m 이상)

구분	도로	건축선	대지면적
■ 건축선	① 소요너비 이상의 도로	대지와 도로의 경계선을 건축선으로 한다.	
	② 소요너비 미달 도로	가. 중심선으로부터 소요너비 1/2에 상당하는 물러난 선 (도로 양측이 대지인 경우)	
		나. 반대측 도로경계선에서 소요너비에 상당하는 선 (경사지 · 하천 · 철도 · 선로부지 등이 있는 경우)	대지면적에서 제외 (건축선과 도로사이의 부분)
		다. 도로 모퉁이에서의 건축선[주)]	
		라. 특별자치시장 · 특별자치도지사 · 시장 · 군수 · 구청장이 따로 지정하는 건축선	대지면적에 포함 (건축선과 도로 사이부분)

주) 도로모퉁이에서의 건축선

교차각

▨ 대지면적에서 제외

도로의 교차각	교차되는 도로의 너비(m)	해당도로의 너비(m)	
		6 이상 8 미만	4 이상 6 미만
90° 미만	6 이상 8 미만	4	3
	4 이상 6 미만	3	2
90° 이상 120° 미만	6 이상 8 미만	3	2
	4 이상 6 미만	2	2

【참고2】 교차도로의 대지면적(건축선 결정) 예시

■ 너비 4m와 4m 교차도로의 경우

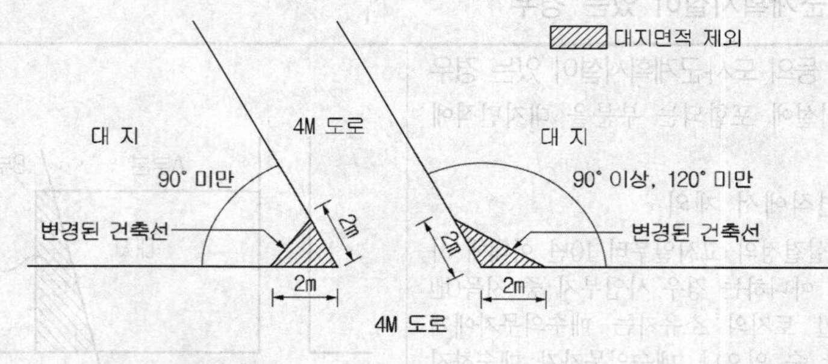

■ 너비 4m와 6m 교차도로의 경우

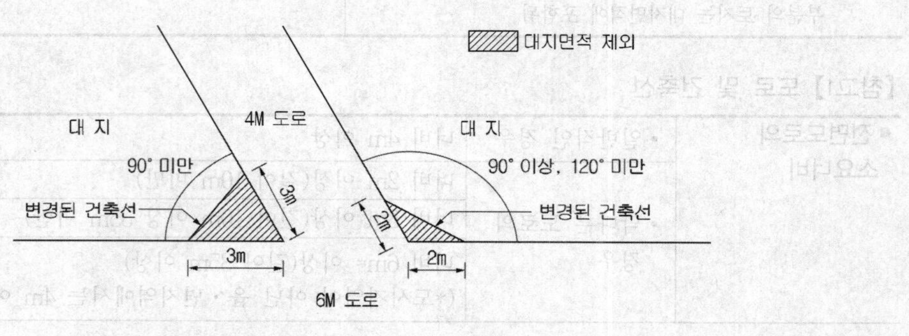

■ 너비 6m터와 6m 교차도로의 경우

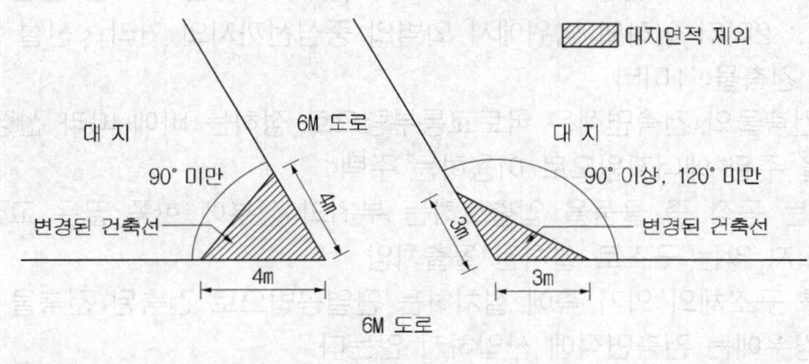

【참고3】 대지면적의 적용내용

■ 대지의 분할제한 규정

■ 건폐율 · 용적률 · 조경면적 등의 산출 근거

2 건축면적(영 제119조 제1항 제2호, 제3항)(규칙 제43조)

영 제119조【면적 등의 산정방법】 ①

2. 건축면적: 건축물의 외벽(외벽이 없는 경우에는 외곽 부분의 기둥으로 한다. 이하 이 호에서 같다)의 중심선으로 둘러싸인 부분의 수평투영면적으로 한다. 다만, 다음 각 목의 어느 하나에 해당하는 경우에는 해당 목에서 정하는 기준에 따라 산정한다. <개정 2020.10.8., 2021.11.2>

가. 처마, 차양, 부연(附椽), 그 밖에 이와 비슷한 것으로서 그 외벽의 중심선으로부터 수평거리 1미터 이상 돌출된 부분이 있는 건축물의 건축면적은 그 돌출된 끝부분으로부터 다음의 구분에 따른 수평거리를 후퇴한 선으로 둘러싸인 부분의 수평투영면적으로 한다.

1) 「전통사찰의 보존 및 지원에 관한 법률」 제2조제1호에 따른 전통사찰: 4미터 이하의 범위에서 외벽의 중심선까지의 거리

2) 사료 투여, 가축 이동 및 가축 분뇨 유출 방지 등을 위하여 처마, 차양, 부연, 그 밖에 이와 비슷한 것이 설치된 축사: 3미터 이하의 범위에서 외벽의 중심선까지의 거리(두 동의 축사가 하나의 차양으로 연결된 경우에는 6미터 이하의 범위에서 축사 양 외벽의 중심선까지의 거리를 말한다)

3) 한옥: 2미터 이하의 범위에서 외벽의 중심선까지의 거리

4) 「환경친화적자동차의 개발 및 보급 촉진에 관한 법률 시행령」 제18조의5에 따른 충전시설(그에 딸린 충전 전용 주차구획을 포함한다)의 설치를 목적으로 처마, 차양, 부연, 그 밖에 이와 비슷한 것이 설치된 공동주택(「주택법」 제15조에 따른 사업계획승인 대상으로 한정한다): 2미터 이하의 범위에서 외벽의 중심선까지의 거리

5) 「신에너지 및 재생에너지 개발 · 이용 · 보급 촉진법」 제2조제3호에 따른 신 · 재생에너지 설비(신 · 재생에너지를 생산하거나 이용하기 위한 것만 해당한다)를 설치하기 위하여 처마, 차양, 부연, 그 밖에 이와 비슷한 것이 설치된 건축물로서 「녹색건축물 조성 지원법」 제17조에 따른 제로에너지건축물 인증을 받은 건축물: 2미터 이하의 범위에서 외벽의 중심선까지의 거리

6) 「환경친화적 자동차의 개발 및 보급 촉진에 관한 법률」 제2조제9호의 수소연료공급

시설을 설치하기 위하여 처마, 차양, 부연 그 밖에 이와 비슷한 것이 설치된 별표 1 제19호가목의 주유소, 같은 호 나목의 액화석유가스 충전소 또는 같은 호 바목의 고압가스 충전소: 2미터 이하의 범위에서 외벽의 중심선까지의 거리 <신설 2021.11.2>

7) 그 밖의 건축물: 1미터

나. 다음의 건축물의 건축면적은 국토교통부령으로 정하는 바에 따라 산정한다.

1) 태양열을 주된 에너지원으로 이용하는 주택

2) 창고 또는 공장 중 물품을 입출고하는 부위의 상부에 한쪽 끝은 고정되고 다른 쪽 끝은 지지되지 않는 구조로 설치된 돌출차양

3) 단열재를 구조체의 외기 측에 설치하는 단열공법으로 건축된 건축물

다. 다음의 경우에는 건축면적에 산입하지 않는다.

1) 지표면으로부터 1미터 이하에 있는 부분(창고 중 물품을 입출고하기 위하여 차량을 접안시키는 부분의 경우에는 지표면으로부터 1.5미터 이하에 있는 부분)

2) 「다중이용업소의 안전관리에 관한 특별법 시행령」 제9조에 따라 기존의 다중이용업소(2004년 5월 29일 이전의 것만 해당한다)의 비상구에 연결하여 설치하는 폭 2미터 이하의 옥외 피난계단(기존 건축물에 옥외 피난계단을 설치함으로써 법 제55조에 따른 건폐율의 기준에 적합하지 아니하게 된 경우만 해당한다)

3) 건축물 지상층에 일반인이나 차량이 통행할 수 있도록 설치한 보행통로나 차량통로

4) 지하주차장의 경사로

5) 건축물 지하층의 출입구 상부(출입구 너비에 상당하는 규모의 부분을 말한다)

6) 생활폐기물 보관시설(음식물쓰레기, 의류 등의 수거시설을 말한다. 이하 같다)

7) 「영유아보육법」 제15조에 따른 어린이집(2005년 1월 29일 이전에 설치된 것만 해당한다)의 비상구에 연결하여 설치하는 폭 2미터 이하의 영유아용 대피용 미끄럼대 또는 비상계단(기존 건축물에 영유아용 대피용 미끄럼대 또는 비상계단을 설치함으로써 법 제55조에 따른 건폐율 기준에 적합하지 아니하게 된 경우만 해당한다)

8) 「장애인 · 노인 · 임산부 등의 편의증진 보장에 관한 법률 시행령」 별표 2의 기준에 따라 설치하는 장애인용 승강기, 장애인용 에스컬레이터, 휠체어리프트 또는 경사로

9) 「가축전염병 예방법」 제17조제1항제1호에 따른 소독설비를 갖추기 위하여 같은 호에 따른 가축사육시설(2015년 4월 27일 전에 건축되거나 설치된 가축사육시설로 한정한다)에서 설치하는 시설

10) 「매장문화재 보호 및 조사에 관한 법률」 제14조제1항제1호 및 제2호에 따른 현지보존 및 이전보존을 위하여 매장문화재 보호 및 전시에 전용되는 부분

11) 「가축분뇨의 관리 및 이용에 관한 법률」 제12조제1항에 따른 처리시설(법률 제12516호 가축분뇨의 관리 및 이용에 관한 법률 일부개정법률 부칙 제9조에 해당하는 배출시설의 처리시설로 한정한다)

12) 「영유아보육법」 제15조에 따른 설치기준에 따라 직통계단 1개소를 갈음하여 건축물의 외부에 설치하는 비상계단(같은 조에 따른 어린이집이 2011년 4월 6일 이전에 설치된 경우로서 기존 건축물에 비상계단을 설치함으로써 법 제55조에 따른 건폐율 기준에 적합하지 않게 된 경우만 해당한다)

규칙 제43조 【태양열을 이용하는 주택 등의 건축면적 산정방법 등】

① 영 제119조제1항제2호나목1) 및 3)에 따라 태양열을 주된 에너지원으로 이용하는 주택의 건축면적과 단열재를 구조체의 외기측에 설치하는 단열공법으로 건축된 건축물의 건축면적은 건축

물의 외벽중 내측 내력벽의 중심선을 기준으로 한다. 이 경우 태양열을 주된 에너지원으로 이용하는 주택의 범위는 국토교통부장관이 정하여 고시하는 바에 따른다. <개정 2020.10.28.>
② 영 제119조제1항제2호나목2)에 따라 창고 또는 공장 중 물품을 입출고하는 부위의 상부에 설치하는 한쪽 끝은 고정되고 다른 끝은 지지되지 않는 구조로 된 돌출차양의 면적 중 건축면적에 산입하는 면적은 다음 각 호에 따라 산정한 면적 중 작은 값으로 한다. <개정 2020.10.28.>
1. 해당 돌출차양을 제외한 창고의 건축면적의 10퍼센트를 초과하는 면적
2. 해당 돌출차양의 끝부분으로부터 수평거리 6미터를 후퇴한 선으로 둘러싸인 부분의 수평투영면적

해설 건축면적은 건폐율 산정시 적용되는 면적으로서 건축물의 수평투영면적으로 산정한다. 이는 지상부분의 건축물의 대지점유부분으로서, 차양·처마·부연 등은 그 이용목적상 길이 1m~4m까지는 면적에서 제외시키며 그 이상 돌출시에는 전용성의 의도가 있는 것으로 보아 건축면적에 포함시킨다. 또한 지표면상 1m 이하의 부분은 이전의 지하층 등의 규정시 지하구조물의 연장으로 보아 지상층의 점유부분으로 보지 않으며, 지하주차장의 경사로, 생활폐기물 보관함 등은 건축면적의 산정에서 제외된다.

【1】 원칙 :
건축물의 외벽(외곽기둥)의 중심선으로 둘러싸인 부분의 수평투영면적

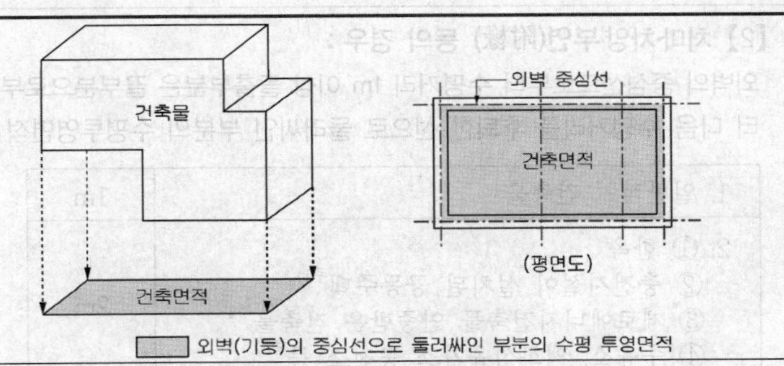

【참고】 건축물의 외벽(기둥)의 중심선 적용 예시

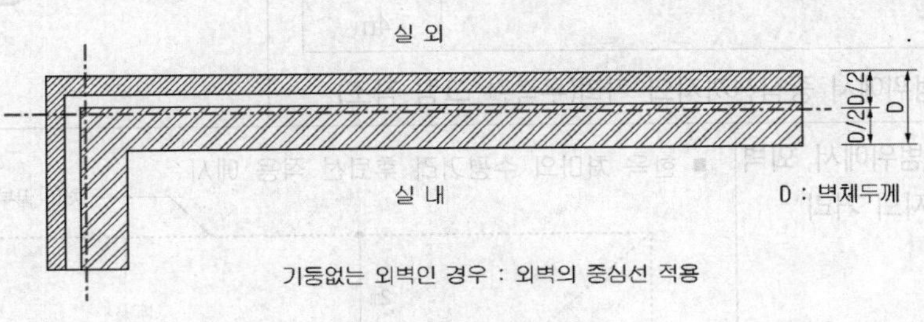

기둥없는 외벽인 경우 : 외벽의 중심선 적용

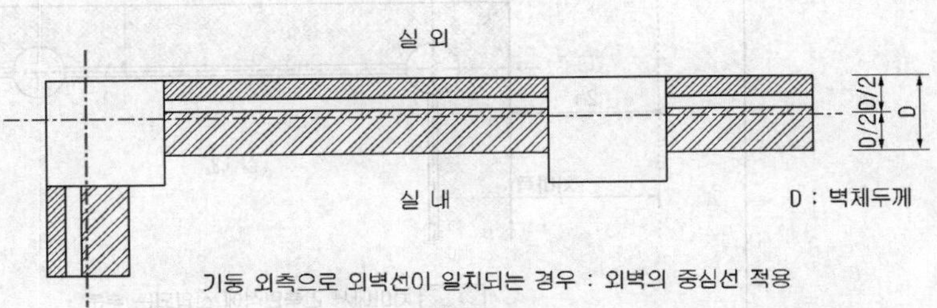

기둥 외측으로 외벽선이 일치되는 경우 : 외벽의 중심선 적용

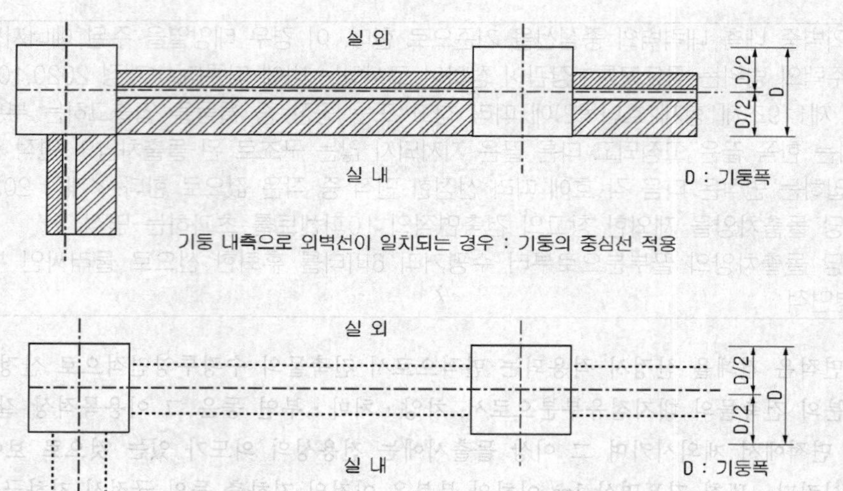

기둥 내측으로 외벽선이 일치되는 경우 : 기둥의 중심선 적용

외벽이 없는 경우 : 기둥의 중심선 적용

【2】 처마·차양·부연(附椽) 등의 경우 :

외벽의 중심선으로부터 수평거리 1m 이상 돌출부분은 끝부분으로부터 다음 수평거리를 후퇴한 선으로 둘러싸인 부분의 수평투영면적

구분	거리
1. 일반적인 건축물	1m
2. ① 한옥 ② 충전시설이 설치된 공동주택[주1)] ③ 제로에너지건축물 인증받은 건축물[주2)] ④ 주유소, 액화석유가스 충전소 등[주3)]	2m
3. 축사[주4)]	3m
4. 전통사찰	4m

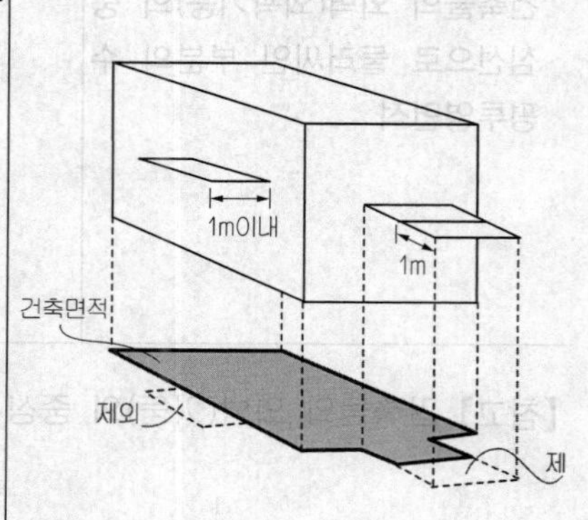

1. 1m 이하의 범위에서 중심선까지의 거리(우측란 그림 참조)
2. 2m 이하의 범위에서 외벽의 중심선까지의 거리
   ① 한옥

■ 한옥 처마의 수평거리 후퇴선 적용 예시

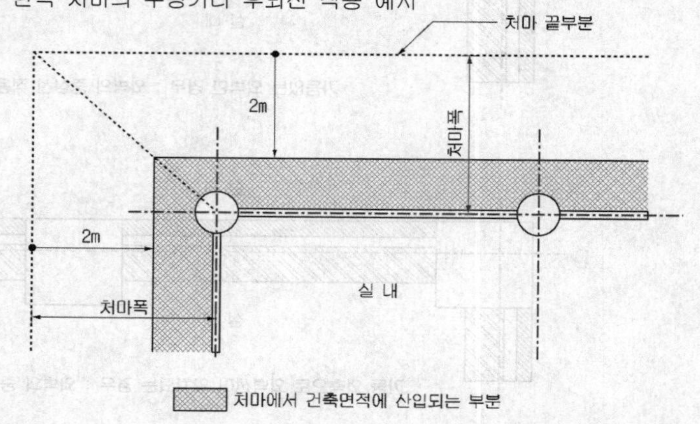

② 「환경친화적자동차의 개발 및 보급 촉진에 관한 법률 시행령」에 따른 충전시설(그에 딸린 충전 전용 주차구획 포함)의 설치를 목적으로 처마, 차양, 부연 등이 설치된 공동주택(「주택법」에 따른 사업계획승인 대상으로 한정)	■ 공동주택의 환경친화적자동차 충전시설 처마, 차양, 부연 등의 적용 예시 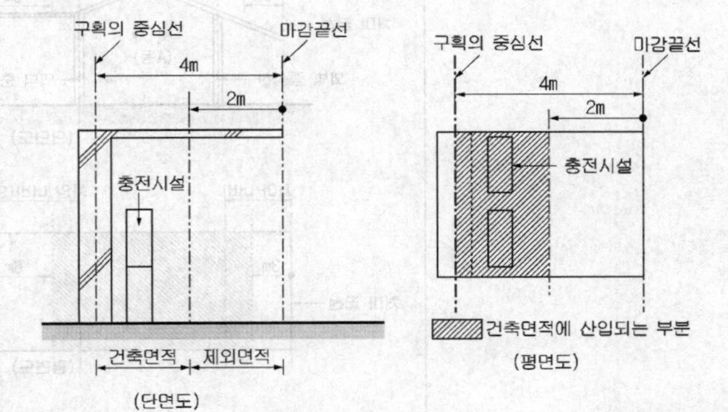
③ 「신에너지 및 재생에너지 개발・이용・보급 촉진법」에 따른 신・재생에너지 설비(신・재생에너지를 생산하거나 이용하기 위한 것만 해당)를 설치하기 위하여 처마, 차양, 부연 등이 설치된 건축물로서 「녹색건축물 조성 지원법」에 따른 제로에너지건축물 인증을 받은 건축물	■ 건축물의 지붕에 신재생에너지를 공급, 이용하는 시설을 설치하는 경우 그 부분 처마, 차양, 부연 등의 수평거리 후퇴선 적용 예시 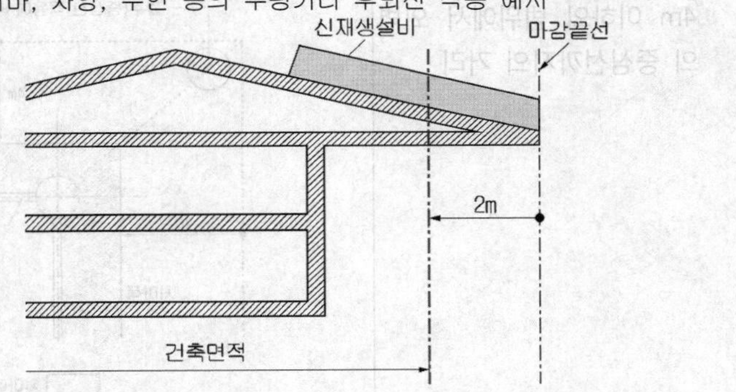

④ 「환경친화적 자동차의 개발 및 보급 촉진에 관한 법률」에 따른 수소연료공급시설을 설치하기 위하여 처마, 차양, 부연 그 밖에 이와 비슷한 것이 설치된 주유소, 액화석유가스 충전소 또는 고압가스 충전소

3. 사료 투여, 가축 이동 및 가축 분뇨 유출 방지 등을 위하여 처마, 차양, 부연, 그 밖에 이와 비슷한 것이 설치된 축사: 3m 이하의 범위에서 외벽의 중심선까지의 거리(두 동의 축사가 하나의 차양으로 연결된 경우에는 6m 이하의 범위)	■ 축사 처마의 수평거리 후퇴선 적용 예시 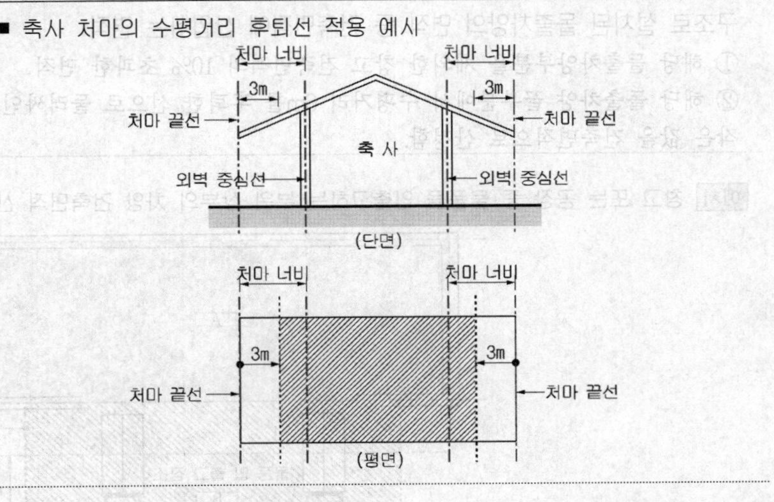

■ 두 동의 축사가 하나의 차양으로 연결된 경우 적용 예시

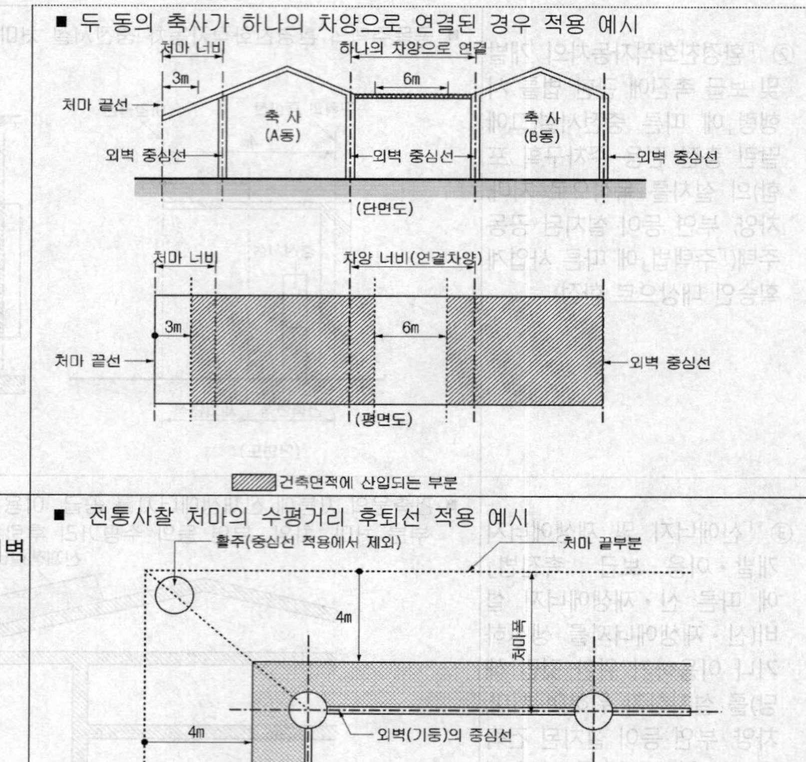

4. 전통사찰 : 4m 이하의 범위에서 외벽의 중심선까지의 거리

■ 전통사찰 처마의 수평거리 후퇴선 적용 예시

【3】 창고 또는 공장의 물품 입출고 부위의 돌출차양

■ 창고 또는 공장의 물품을 입출고하는 부위의 상부에 한쪽 끝은 고정되고 다른 쪽 끝은 지지되지 않는 구조로 설치된 돌출차양의 면적 중 건축면적에 산입하는 면적

① 해당 돌출차양부분을 제외한 창고 건축면적의 10% 초과한 면적

② 해당 돌출차양 끝부분에서 수평거리 6m를 후퇴한 선으로 둘러싸인 부분의 수평투영면적 중 작은 값을 건축면적으로 산정함.

예시 창고 또는 공장 중 물품을 입출고하는 부위 상부의 차양 건축면적 산정

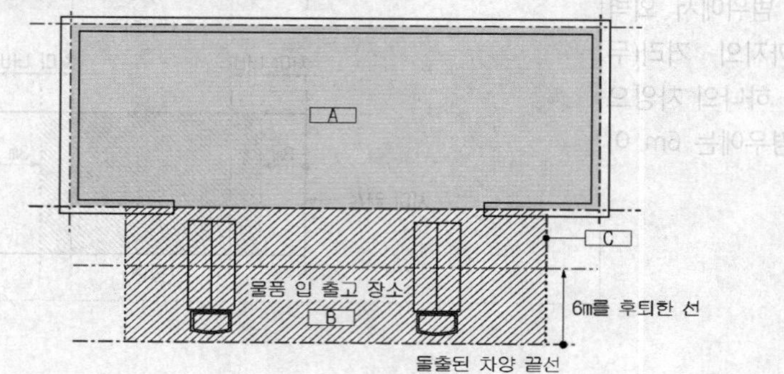

A : 돌출차양을 제외한 창고의 건축면적
B : 돌출차양 수평투영면적
C : 돌출차양 끝부분으로부터 수평거리 6m를 후퇴한 선으로 둘러싸인 수평투영면적

EX1) : 작은값인 산정1)의 값을 건축면적에 산입
산정1) A면적=200m², B면적=30m²
- A면적 × 10%=20m²
∴ 10%를 초과하는 면적=10m²[(A면적 × 10%)-B]
산정2) C면적=20m²

EX2) : 작은값인 산정2)의 값을 건축면적에 산입
산정1) A면적=200m², B면적=40m²
- A면적 × 10%=20m²
∴ 10%를 초과하는 면적=20m²[(A면적 × 10%)-B]
산정2) C면적=15m²

* '돌출차양을 제외한 창고의 건축면적'을 A라 하고 '돌출차양의 수평투영면적'을 B라 하며 '해당 돌출차양을 제외한 창고의 건축면적의 10%를 초과하는 면적'은 B-A×10%, 그리고 '해당 돌출차양의 끝부분으로부터 수평거리 6m를 후퇴한 선으로 둘러싸인 부분의 수평투영면적'을 C, 이 때 (B-A×10%)< C 의 경우, 창고 또는 공장의 건축면적은 A+(B-A×10%)로 결정되며, (B-A×10%) >C의 경우, 창고 또는 공장의 건축면적은 A + C로 결정함

【4】 노대 등의 건축면적 산입 방법

- 노대 등은 건축면적에 모두 산입
- 「건축구조 기준」 등에 적합한 확장형 발코니 주택은 발코니 외부에 단열재를 시공 시 일반 건축물 벽체와 동일하게 건축면적을 산정

■ 노대 등의 건축면적 산정 예시

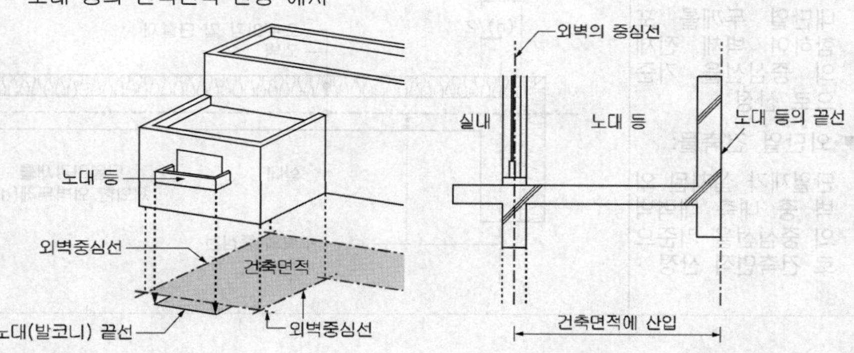

예시 건축구조기준 등에 적합한 확장형 발코니 주택의 건축면적 산정 예시
(바닥면적 산정 시에도 동일하게 적용함)

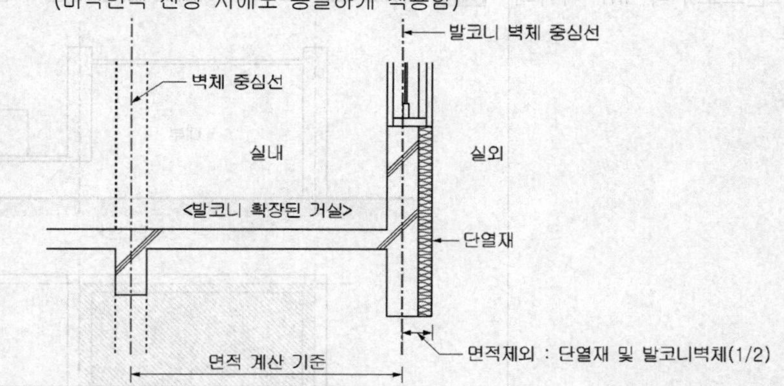

【5】 태양열 주택과 외단열 건축물

▪ 태양열 주택과 단열재를 구조체의 외기측에 설치하는 단열공법으로 건축된 건축물(이하 "외단열 건축물")의 경우 외벽 중심선의 위치는 외벽 중 내측 내력벽의 중심선으로 한다.

원칙 일반 건축물 : 벽체의 중심선	예외 외단열 건축물, 태양열 주택 : 외벽 중 내측 내력벽의 중심선
D 외부 내부 D/2 / D 외부 내부 D/2	D 외부 내부 D/2 / D 외부 내부 D/2 내측 내력벽의 중심선

※ 중심선 산정 시

▪ 내단열 건축물:

내단열 두께를 포함하여 벽체 전체의 중심선을 기준으로 산정

▪ 외단열 건축물:

단열재가 설치된 외벽 중 내측 내력벽의 중심선을 기준으로 건축면적 산정

예시 외단열 공법으로 건축된 건축물의 구획의 중심선 산정 예시

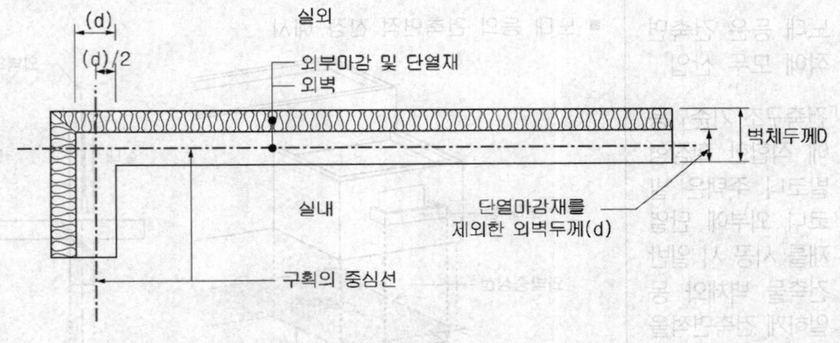

【6】 건축면적 산입 제외되는 부분

1. 지표면으로부터 1m 이하의 부분

예시 지표면으로부터 1m 이하에 있는 부분의 건축면적 산정 예시

내부
마감 끝선
1m이하
G.L
<단 면>

외벽 중심선
건축면적
건축면적 제외
<평 면>

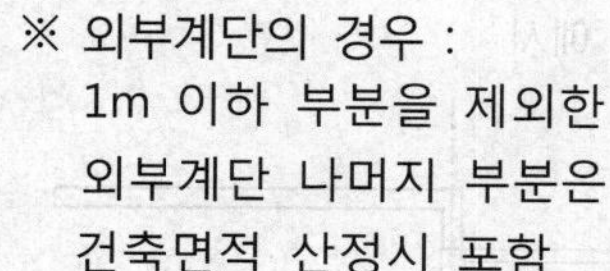
※ 외부계단의 경우 :
1m 이하 부분을 제외한
외부계단 나머지 부분은
건축면적 산정시 포함

예시 건축면적 산정 시 제외되는 외부계단 예시

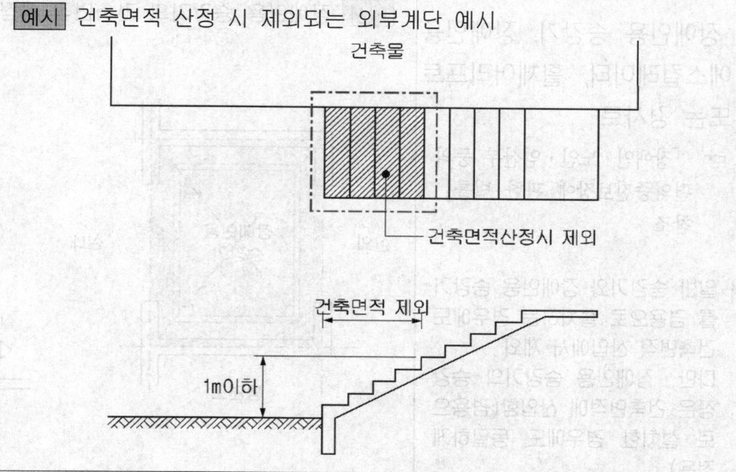

2. 창고 중 물품 입출고용 차량 접안 부분으로 지표면으로부터 1.5m 이하의 부분

예시 창고 중 물품을 입출고하기 위한 차량 접안부 건축면적 산정 예시

마감 끝선
내부
1.5m이하
G.L
<단 면>

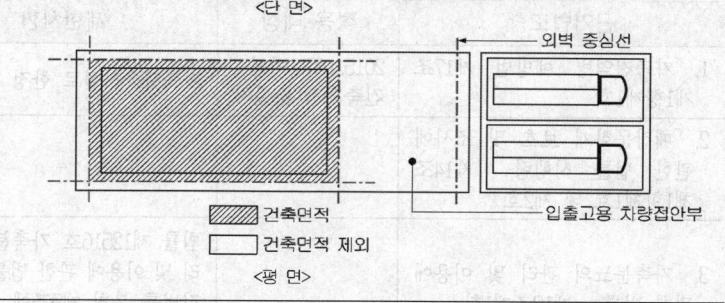

외벽 중심선
건축면적
건축면적 제외
입출고용 차량접안부
<평 면>

3. 지하 주차장의 경사로

※ 상부에 건축물 이용자 편의를 위해 비나 눈, 먼지 등을 차단하기 위한 지붕을 설치하는 경우 기둥의 설치 유무 등과 관계없이 건축면적에 산입하지 않음

예시 지하주차장으로 내려가는 경사로 지붕의 건축면적 산정 예시

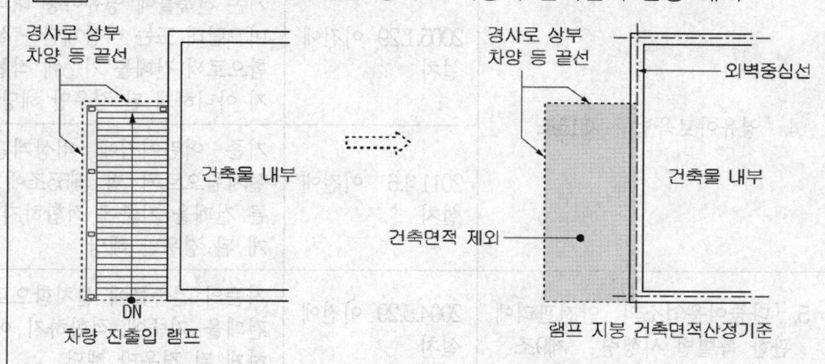

4. 장애인용 승강기, 장애인용 에스컬레이터, 휠체어리프트 또는 경사로

☞ 「장애인·노인·임산부 등의 편의증진보장에 관한 법률」 참조

※ 일반 승강기와 장애인용 승강기를 겸용으로 설치하는 경우에도 건축면적 산입에서 제외
다만, 장애인용 승강기의 승강장은 건축면적에 산입함(겸용으로 설치한 경우에도 동일하게 적용)

예시 장애인용 승강기의 건축면적 산정제외 예시

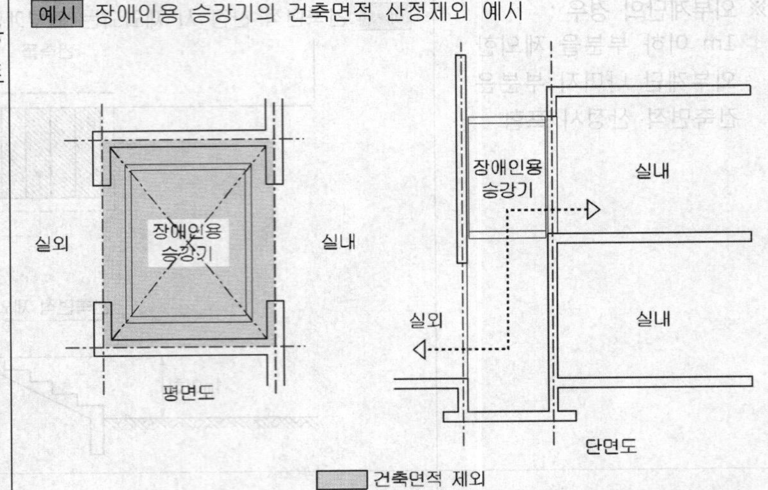

5. 그 밖에 건축면적에서 제외되는 부분
① 건축물 지상층에 일반인이나 차량이 통행할 수 있도록 설치한 보행통로나 차량통로
② 건축물 지하층의 출입구 상부(출입구 너비상당 부분만 해당)
③ 생활폐기물 보관시설(음식물쓰레기, 의류 등의 수거시설)

【7】 기존 건축물 등의 예외 적용(건축면적 산입 제외)

근거법조항	적용 대상	제한사항	건축면적 면제 대상
1.「가축전염병 예방법」 제17조 제1항제1호	2015.4.27. 이전 건축되거나 설치	가축사육시설로 한정	가축사육시설에서 설치하는 시설
2.「매장문화재 보호 및 조사에 관한 법률 시행령」 제14조 제1항제1호 및 제2호	-	-	현지보존 및 이전보존을 위하여 매장문화재 보호 및 전시에 전용되는 부분
3.「가축분뇨의 관리 및 이용에 관한 법률」 제12조제1항	-	법률 제12516호 가축분뇨의 관리 및 이용에 관한 법률 일부개정법률 부칙 제9조에 해당하는 배출시설의 처리시설로 한정	배출시설의 처리시설
4.「영유아보육법」 제15조	2005.1.29 이전에 설치	기존 건축물에 영유아용 대피용 미끄럼대 또는 비상계단을 설치함으로써 건폐율 기준에 적합하지 아니하게 된 경우만 해당	어린이집의 비상구에 연결하여 설치하는 폭 2m 이하의 영유아용 대피용 미끄럼대 또는 비상계단
	2011.4.6 이전에 설치	기존 어린이집에 비상계단을 설치함으로써 법 제55조에 따른 건폐율 기준에 적합하지 않게 된 경우만 해당	어린이집 직통계단 1개소를 갈음하여 건축물의 외부에 설치하는 비상계단
5.「다중이용업소의 안전관리에 관한 특별법 시행령」 제9조	2004.5.29 이전에 설치	기존의 건축물에 설치함으로써 건폐율 기준에 적합하지 아니하게 된 경우만 해당	기존의 다중이용업소의 비상구에 연결하여 설치하는 폭 2m 이하의 옥외피난계단

※ 다중이용업소의 옥외피난 계단의 건축면적 산정 기준선

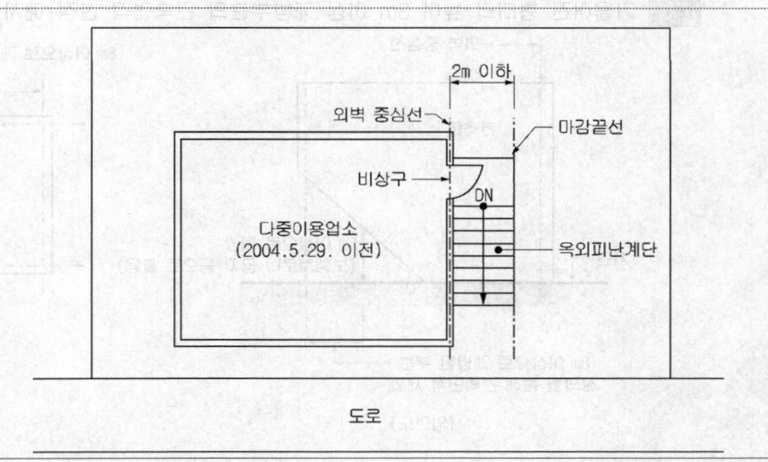

【8】 저층부 개방 건축물의 건축면적 제외

영 제119조【면적 등의 산정방법】

③ 다음 각 호의 요건을 모두 갖춘 건축물의 건폐율을 산정할 때에는 제1항제2호에도 불구하고 지방건축위원회의 심의를 통해 제2호에 따른 개방 부분의 상부에 해당하는 면적을 건축면적에서 제외할 수 있다. <신설 2020.4.21.>

1. 다음 각 목의 어느 하나에 해당하는 시설로서 해당 용도로 쓰는 바닥면적의 합계가 1천 제곱미터 이상일 것
   가. 문화 및 집회시설(공연장 · 관람장 · 전시장만 해당한다)
   나. 교육연구시설(학교 · 연구소 · 도서관만 해당한다)
   다. 수련시설 중 생활권 수련시설, 업무시설 중 공공업무시설
2. 지면과 접하는 저층의 일부를 높이 8미터 이상으로 개방하여 보행통로나 공지 등으로 활용할 수 있는 구조 · 형태일 것

해설 창의적인 건축물의 건축을 통해 도시 경관을 만들기 위하여 문화 및 집회시설, 교육연구시설, 공공업무시설로서 해당 용도로 쓰는 바닥면적의 합계가 1,000㎡ 이상이고 건축물의 지표면과 접하는 저층 부분을 개방하여 보행통로나 공지 등으로 활용할 수 있는 형태의 건축물의 경우 건폐율을 산정할 때 지방건축위원회의 심의를 통해 개방 부분의 상부에 해당하는 면적을 건축면적에서 제외할 수 있도록 규정이 신설됨.<건축법 시행령 개정 2020.4.21.>

예시 수직 형태의 높이 8m 이상 개방부분의 건축면적 산정 예시

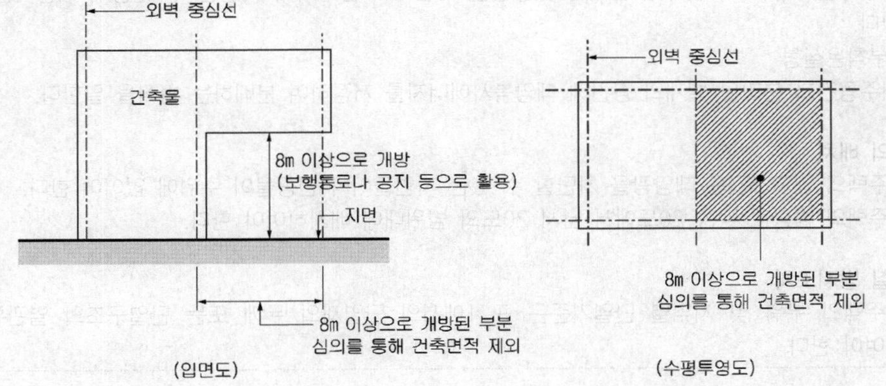

건 축 법
1. 총 칙
2. 건 축
3. 유지관리
4. 대지도로
5. 구조재료
6. 지역지구
7. 건축설비
8. 특별건축구역
9. 보 칙
10. 벌 칙
건 축 법 관련기준

예시 기울어진 형태의 높이 8m 이상 개방부분의 건축면적 산정 예시

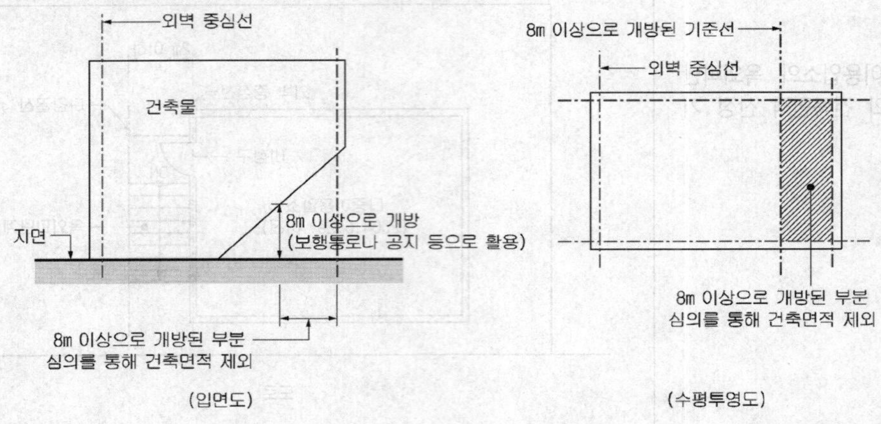

【참고1】 건축면적과 건폐율

건축면적은 건폐율 산정시 이용된다.

> * 건폐율 : 대지면적에 대한 건축면적의 비율
>
> $$건폐율 = \frac{건축면적}{대지면적} \times 100(\%)$$

【참고2】 태양열 주택의 기준(건설교통부 고시 제1986-386호, 1986.9.4)

1. 적용범위

태양열을 주된 에너지원으로 이용하는 주택의 건축면적을 산정하기 위하여 자연형 태양열방식(직접획득형, 축열벽형, 부착온실형)을 사용하는 주택에 대하여 규정

2. 용어정의

가. 자연형 태양열방식

건축물에 집열창, 축열체, 온실등을 설치하여 많은 양의 태양열이 실내에 유입도록 하고 이 열을 자연적인 방법으로 집열, 저장하여 자연순환(전도·대류·복사)토록 함으로써 태양열로 난방의 일부를 충당할 수 있도록 한 방식을 말한다.

나. 직접획득형

집열창를 투과하여 실내에 들어온 태양광을 바닥이나 벽등에 설치된 축열체의 표면이 흡수하여 열에너지로 전환시켜 축열한 후 난방에 이용하는 방식을 말한다.

다. 축열벽형

집열창을 투과하여 실내에 들어온 태양광을 축열벽이 흡수하여 축열한 후 난방에 이용하는 방식을 말한다.

라. 부착온실형

거주공간과 분리된 별개의 공간에 태양복사에너지를 저장하여 분배하는 방식을 말한다.

3. 주택의 배치

가. 주택의 입지조건은 태양광을 차단할 수 있는 자연물이나 인공물이 주위에 없어야 한다.

나. 주택의 방향은 남동 20도에서 남서 20도의 범위내에 배치하여야 한다.

4. 열손실 방지조치

가. 주택의 부위 및 지역별 단열기준은 표 1에서의 단열재의 두께 또는 단열구조의 열관류율에 적합하여야 한다.

<표 1> 부위별 단열기준

단열기준		단열재의 두께(㎜) (암면, 유리면, 발포폴리스티렌, 요소발포보온재, 경질우레탄폼)	단열구조의 열관류율 (Kcal/㎡h℃)
부위별	지역		
거실의 외벽	Ⅰ	80이상	0.35이하
	Ⅱ	70이상	0.40이하
	Ⅲ	50이상	0.50이하
최상층에 있는 반자 또는 지붕	Ⅰ	120이상	0.25이하
	Ⅱ	100이상	0.30이하
	Ⅲ	70이상	0.40이하
최하층에 있는 거실의 바닥(외기에 면하는 바닥을 포함한다)	Ⅰ	50이상	0.50이하
	Ⅱ	50이상	0.50이하
	Ⅲ	30이상	0.80이하

비고 Ⅰ 지역: 서울, 경기, 인천, 강원, 충북
Ⅱ 지역: 충남, 전북, 전남, 경북, 경남, 대구, 부산
Ⅲ 지역: 제주

나. 외기에 접하는 창호는 틈새바람을 줄이는 기밀구조로 하여야 한다.

5. 집열창

가. 집열창의 면적은 <표 2>에 정하는 값 이상을 설치하여야 하며, 이때 집열창 설치면접 계산은 외곽 창틀을 제외한 면적으로 한다. 다만, 표에 명시되지 않은 지역에 대해서는 위도상 가장 가까운 도시의 경우에 따른다.

<표 2> 지역별 집열창 설치면적

지역명	위 도	직접획득형	축열벽형
춘천	37.54	난방면적의 24%	난방면적의 62%
서울	37.34	난방면적의 22%	난방면적의 54%
인천	37.29	난방면적의 22%	난방면적의 54%
수원	37.16	난방면적의 23%	난방면적의 57%
청주	36.38	난방면적의 21%	난방면적의 54%
대전	36.18	난방면적의 21%	난방면적의 50%
대구	35.53	난방면적의 19%	난방면적의 43%
전주	35.49	난방면적의 19%	난방면적의 44%
광주	35.08	난방면적의 18%	난방면적의 40%
부산	38.06	난방면적의 16%	난방면적의 34%
제주	33.31	난방면적의 11%	난방면적의 24%

나. 실내환기를 위하여 집열창의 일부는 개폐식으로 하여야 한다.

다. 집열창의 향은 건물의 향과 동일하게 하여야 한다.

6. 축열체

가. 직접획득형

1) 축열체는 직접획득 공간부위의 바닥, 벽 또는 천정에 설치한다.

2) 축열체는 콘크리트, 콘크리트블럭(내부충전), 보통벽돌, 시멘트벽돌, 진흙벽돌등을 사용하되, 콘크리트의 경우에는 경량골재를 사용하여서는 안된다.

3) 축열체의 두께는 10㎝이상으로 한다.

4) 바닥에 축열체를 설치할 경우 표면층 태양광에 노출되는 부위는 무광택 어두운색의 재질로 마감하여야 한다.

5) 바닥에 축열체를 설치하지 않을 경우 표면중 태양광에 노출되는 부위는 입사되는 태양광을 벽이나 천정등의 축열체에 반사시킬 수 있도록 밝은색의 재질로 마감하여야 한다.

나. 축열벽형

1) 축열체는 남측집열창과 실내공간 사이의 벽(축열벽)에 설치한다.

2) 축열벽의 두께는 사용재료에 따라 <표 3>에 정하는 값을 적용한다.

<표 3> 축열벽의 두께

재 료	두 께(㎝)
진흙벽돌	20～30
보통벽돌	20～35
시멘트벽돌	30～45
conc	30～45

3) 축열벽은 남측집열창과 면하도록 집열창 면적과 동일하게 설치하여야 한다.

4) 실내채광 및 환기를 위하여 축열벽에 전용 난방면적의 10%정도 크기의 창호를 개폐식으로 된 집열창과 같은 위치에 설치하여야 한다. 이때 창호면적은 축열벽 면적에 포함하여 산정한다.

5) 태양광에 노출되는 축열벽의 표면은 어두운색의 재질로 마감하여야 한다.

6) 집열창과 축열벽 사이의 간격은 12～15㎝로 하며, 바닥에 개폐장치가 있는 청소용 배수구를 설치하여야 하며, 바닥은 배수가 용이하도록 경사지게 시공하여야 한다.

7. 통기구

주간에 대류에 의한 난방효과를 얻기 위하여 축열벽 상·하단부에 통기구를 설치할 수 있으며, 다음 사항에 적합한 것이어야 한다.

1) 상·하단 통기구 면적의 합은 축열벽 면적의 1～3%로 한다.

2) 상·하단 통기구의 거리를 가능한 한 멀리하여 벽면 전체에 균일하게 설치한다.

3) 통기구에는 야간에 있어서의 역류를 방지하기 위한 가동식 바람막이를 설치하여야 한다.

8. 차양

가. 하절기 태양광을 차단하기 위하여 집열창 상단부에 차양을 설치하여야 한다.

나. 차양은 <표 4>에 명시되지 않은 지역에 대해서는 위도상의 가장 가까운 도시의 경우에 따른다.

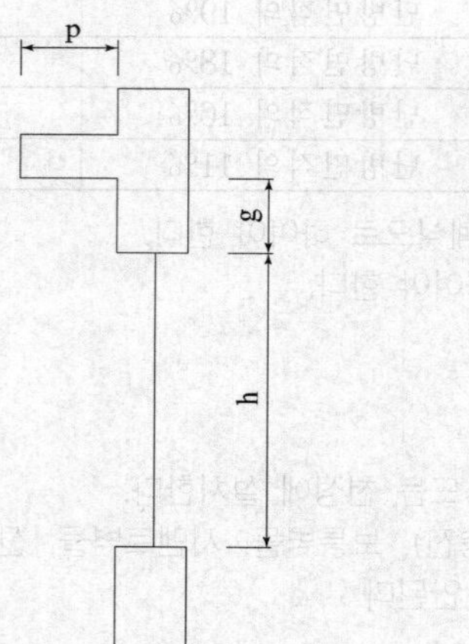

p : 차양돌출 길이

g : 차양분리 길이

h : 창 높이

p = p.h

g = g.h

<표 4> 차양길이 환산표

위 도	차양돌출길이비 (p)	차양분리길이비 (g)
37°34′ (서울)	0.560	0.489
36°18′ (대전)	0.502	0.432
35°53′ (대구)	0.502	0.466
35°49′ (전주)	0.500	0.456
35°08′ (광주)	0.477	0.454
35°06′ (부산)	0.476	0.454
34°08′ (여수)	0.464	0.448
33°14′ (서귀포)	0.415	0.422

9. 야간단열

야간에 있어서의 열손실을 방지하기 위하여 남측집열부에 가동성 야간 단열막 또는 커텐을 설치하여야 한다.

3 바닥면적(영 제119조 제1항 제3호)

영 제119조【면적 등의 산정방법】①

3. 바닥면적: 건축물의 각 층 또는 그 일부로서 벽, 기둥, 그 밖에 이와 비슷한 구획의 중심선으로 둘러싸인 부분의 수평투영면적으로 한다. 다만, 다음 각 목의 어느 하나에 해당하는 경우에는 각 목에서 정하는 바에 따른다. <개정 2021.1.8., 2021.5.4., 2023.9.12./시행 2024.9.13>

가. 벽·기둥의 구획이 없는 건축물은 그 지붕 끝부분으로부터 수평거리 1미터를 후퇴한 선으로 둘러싸인 수평투영면적으로 한다.

나. 건축물의 노대등의 바닥은 난간 등의 설치 여부에 관계없이 노대등의 면적(외벽의 중심선으로부터 노대등의 끝부분까지의 면적을 말한다)에서 노대등이 접한 가장 긴 외벽에 접한 길이에 1.5미터를 곱한 값을 뺀 면적을 바닥면적에 산입한다.

다. 필로티나 그 밖에 이와 비슷한 구조(벽면적의 2분의 1 이상이 그 층의 바닥면에서 위층 바닥 아래면까지 공간으로 된 것만 해당한다)의 부분은 그 부분이 공중의 통행이나 차량의 통행 또는 주차에 전용되는 경우와 공동주택의 경우에는 바닥면적에 산입하지 아니한다.

라. 승강기탑(옥상 출입용 승강장을 포함한다), 계단탑, 장식탑, 다락[층고(層高)가 1.5미터(경사진 형태의 지붕인 경우에는 1.8미터) 이하인 것만 해당한다], 건축물의 내부에 설치하는 냉방설비 배기장치 전용 설치공간(각 세대나 실별로 외부 공기에 직접 닿는 곳에 설치하는 경우로서 1제곱미터 이하로 한정한다), 건축물의 외부 또는 내부에 설치하는 굴뚝, 더스트슈트, 설비덕트, 그 밖에 이와 비슷한 것과 옥상·옥외 또는 지하에 설치하는 물탱크, 기름탱크, 냉각탑, 정화조, 도시가스 정압기, 그 밖에 이와 비슷한 것을 설치하기 위한 구조물과 건축물 간에 화물의 이동에 이용되는 컨베이어벨트만을 설치하기 위한 구조물은 바닥면적에 산입하지 않는다.

마. 공동주택으로서 지상층에 설치한 기계실, 전기실, 어린이놀이터, 조경시설 및 생활폐기물 보관시설의 면적은 바닥면적에 산입하지 않는다.

바. 「다중이용업소의 안전관리에 관한 특별법 시행령」 제9조에 따라 기존의 다중이용업소(2004년 5월 29일 이전의 것만 해당한다)의 비상구에 연결하여 설치하는 폭 1.5미터 이하의 옥외 피난계단(기존 건축물에 옥외 피난계단을 설치함으로써 법 제56조에 따른 용적률에 적합하지 아니하게 된 경우만 해당한다)은 바닥면적에 산입하지 아니한다.

아. 제1항제2호나목3)의 건축물의 경우에는 단열재가 설치된 외벽 중 내측 내력벽의 중심선을 기준으로 산정한 면적을 바닥면적으로 한다.

자. 「영유아보육법」 제15조에 따른 어린이집(2005년 1월 29일 이전에 설치된 것만 해당한다)의비상구에 연결하여 설치하는 폭 2미터 이하의 영유아용 대피용 미끄럼대 또는 비상계단의 면적은 바닥면적(기존 건축물에 영유아용 대피용 미끄럼대 또는 비상계단을 설치함으로써 법 제56조에 따른 용적률 기준에 적합하지 아니하게 된 경우만 해당한다)에 산입하지 아니한다.

차. 「장애인·노인·임산부 등의 편의증진 보장에 관한 법률 시행령」 별표 2의 기준에 따라 설치하는 장애인용 승강기, 장애인용 에스컬레이터, 휠체어리프트 또는 경사로는 바닥면적에 산입하지 아니한다.

카. 「가축전염병 예방법」 제17조제1항제1호에 따른 소독설비를 갖추기 위하여 같은 호에 따른 가축사육시설(2015년 4월 27일 전에 건축되거나 설치된 가축사육시설로 한정한다)에서 설치하는 시설은 바닥면적에 산입하지 아니한다.

타. 「매장문화재 보호 및 조사에 관한 법률」 제14조제1항제1호 및 제2호에 따른 현지보존 및 이전보존을 위하여 매장문화재 보호 및 전시에 전용되는 부분은 바닥면적에 산입하지 아니한다.

파. 「영유아보육법」 제15조에 따른 설치기준에 따라 직통계단 1개소를 갈음하여 건축물의 외부에 설치하는 비상계단의 면적은 바닥면적(같은 조에 따른 어린이집이 2011년 4월 6일 이전에 설치된 경우로서 기존 건축물에 비상계단을 설치함으로써 법 제56조에 따른 용적률 기준에 적합하지 않게 된 경우만 해당한다)에 산입하지 않는다.

하. 지하주차장의 경사로(지상층에서 지하 1층으로 내려가는 부분으로 한정한다)는 바닥면적에 산입하지 않는다.

거. 제46조제4항제3호에 따른 대피공간의 바닥면적은 건축물의 각 층 또는 그 일부로서 벽의 내부선으로 둘러싸인 부분의 수평투영면적으로 한다. <신설 2023.9.12./시행 2024.9.13.>

너. 제46조제5항제3호 또는 제4호에 따른 구조 또는 시설(해당 세대 밖으로 대피할 수 있는 구조 또는 시설만 해당한다)을 같은 조 제4항에 따른 대피공간에 설치하는 경우 또는 같은 조 제5항제4호에 따른 대체시설을 발코니(발코니의 외부에 접하는 경우를 포함한다. 이하 같다)에 설치하는 경우에는 해당 구조 또는 시설이 설치되는 대피공간 또는 발코니의 면적 중 다음의 구분에 따른 면적까지를 바닥면적에 산입하지 않는다. <신설 2023.9.12./시행 2024.9.13.>

1) 인접세대와 공동으로 설치하는 경우: 4제곱미터
2) 각 세대별로 설치하는 경우: 3제곱미터

해설 바닥면적은 건축물의 규모를 나타내기 위한 기준으로서 각 부분의 면적이나, 전체의 크기(각 층 바닥면적의 합계=연면적)를 나타낸다.

실질적으로 바닥면적은 유효공간(거실, 창고)을 말하며, 그 공간이용에 필요한 통로 등도 포함된다.

건 축 법
1. 총 칙
2. 건 축
3. 유지관리
4. 대지도로
5. 구조재료
6. 지역지구
7. 건축설비
8. 특별건축구역
9. 보 칙
10. 별 칙
건 축 법 관련기준

【1】 원칙

■ 건축물의 각 층 또는 그 일부로서 벽·기둥 그 밖에 이와 유사한 구획의 중심선으로 둘러싸인 부분의 수평투영면적으로 산정

• 그림의 A_1, A_2, A_3 → 각 층 바닥면적

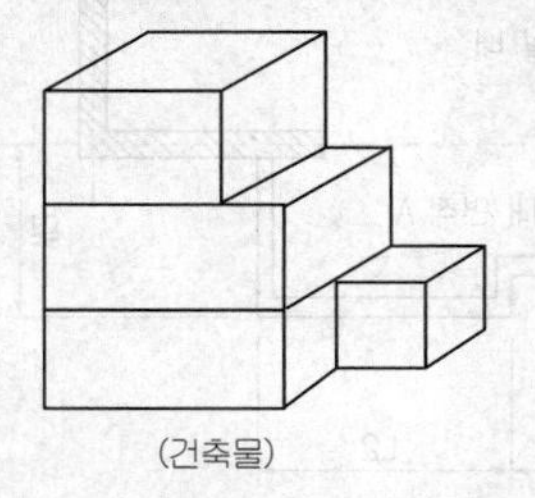

(건축물)

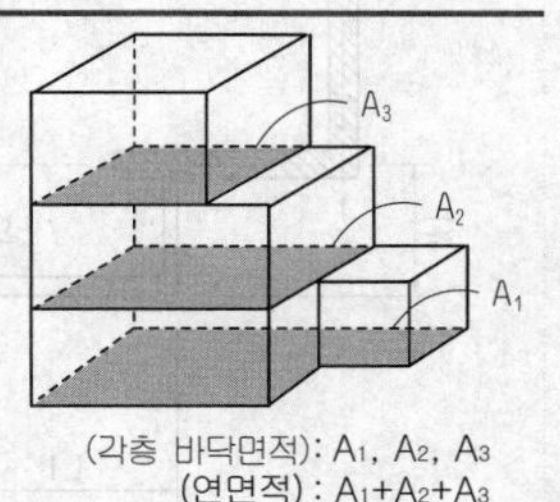

(각층 바닥면적) : A_1, A_2, A_3
(연면적) : $A_1+A_2+A_3$

【2】 바닥면적 산정의 방법

1. 벽, 기둥의 구획이 없는 건축물:
지붕 끝부분으로부터 수평거리 1m 후퇴한 선으로 둘러싸인 부분의 수평투영면적

■ 부분 : 바닥면적 산입

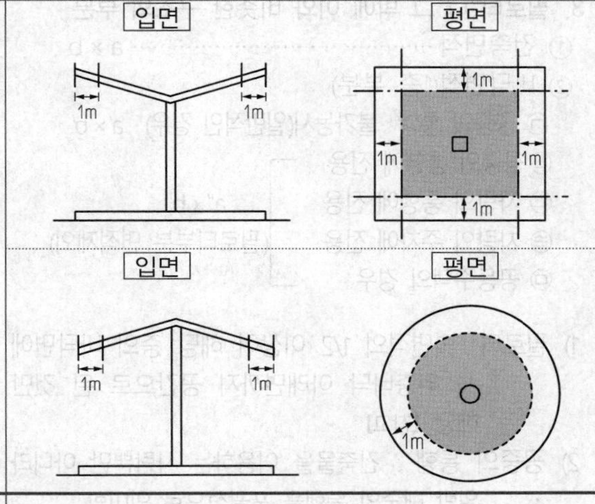

2. 건축물 노대등의 바닥:
난간 등의 설치여부에 관계없이 노대등의 면적에서 노대등이 접한 가장 긴 외벽에 접한 길이에 1.5m를 곱한 값을 뺀 면적【참고】

• 산입바닥면적＝노대면적(A)-1.5m× ℓ

■ 제5장 부분의 방화구획의 내용 중 "주택의 발코니 및 대피공간의 구조변경절차 및 설치기준"부분 참조

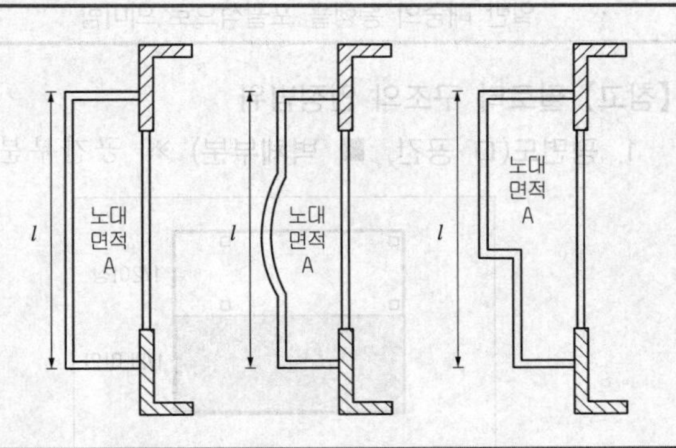

【참고】 노대의 면적(A)

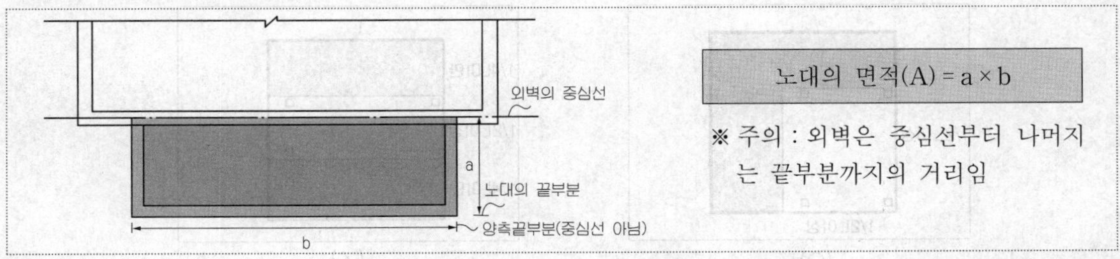

노대의 면적(A) = a × b

※ 주의 : 외벽은 중심선부터 나머지는 끝부분까지의 거리임

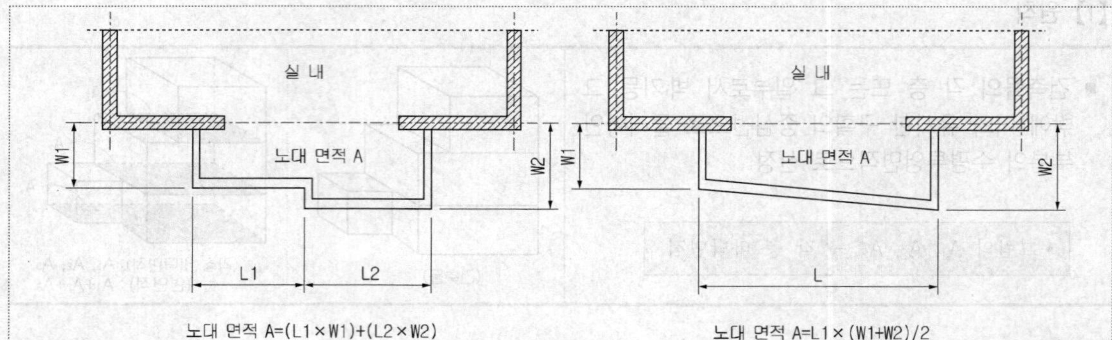

3. 필로티[1]나 그 밖에 이와 비슷한 구조의 부분

① 건축면적 ································· a × b

② 바닥면적(1층 부분)

㉠ 공중의 통행[2] 불가능시(일반적인 경우) · a′× b′

㉡ 공중의 통행에 전용
㉢ 차량의 통행에 전용
㉣ 차량의 주차에 전용
㉤ 공동주택의 경우

→ a″× b″ (필로티부분 면적제외)

1) 필로티 : 벽면적의 1/2 이상이 해당 층의 바닥면에서 위층바닥 아래면까지 공간으로 된 것만 해당 【참고】

2) 공중의 통행 : 건축물을 이용하는 사람뿐만 아니라 일반 대중의 통행을 포괄적으로 의미함

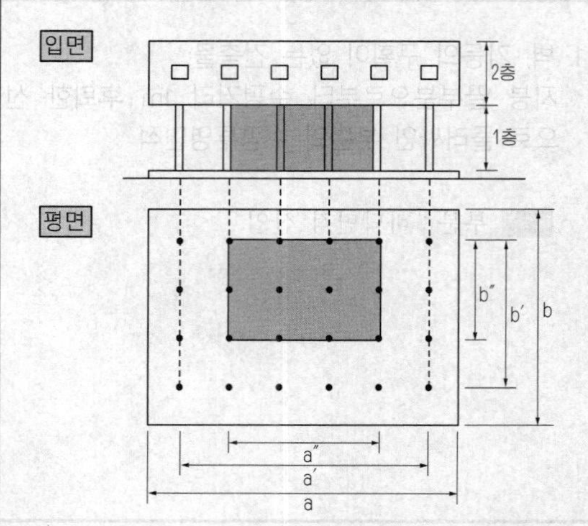

【참고】 필로티 구조의 인정범위

1. 평면도(□ 공간, ■ 벽체부분) ※ 공간부분을 필로티로 인정

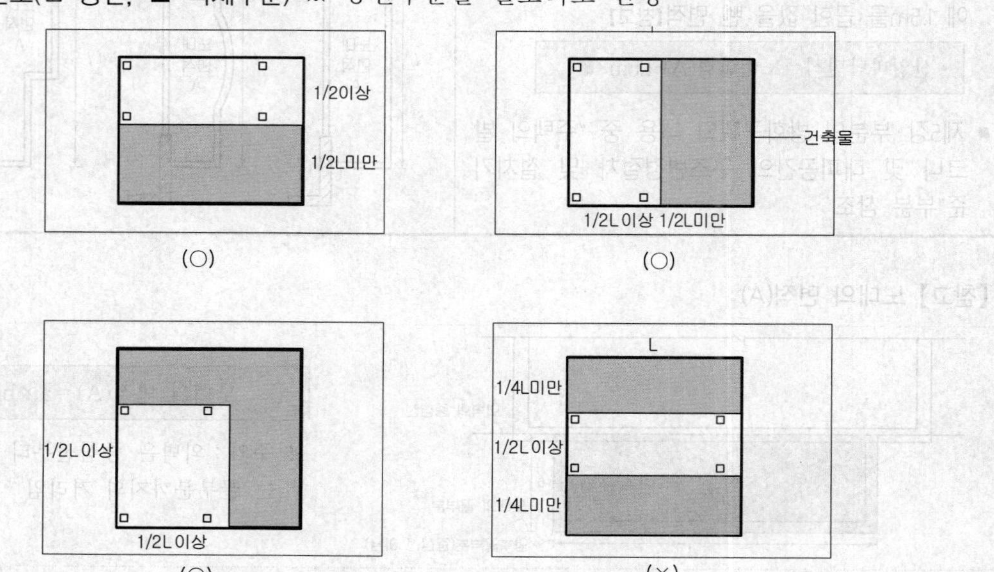

2. 입면도(□ 공간, ■ 벽체부분) ※ 공간부분을 필로티로 인정

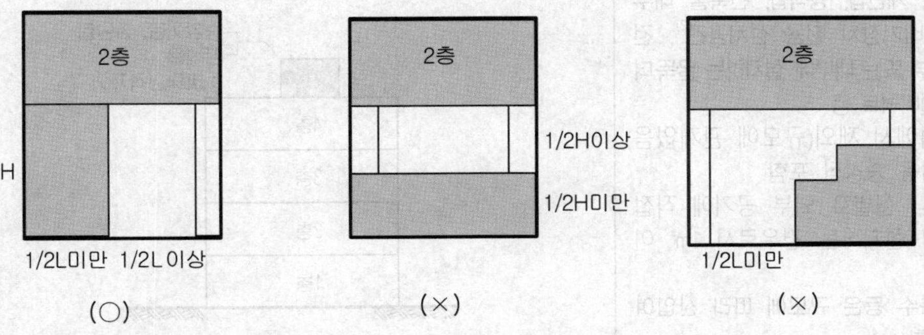

4. 다락

층고가 1.5m (경사진 형태의 지붕: 1.8m) 초과하는 경우 바닥면적에 산입 【참고】

※ 부분에 따라 높이가 다른 경우 가중평균한 높이로서 산정

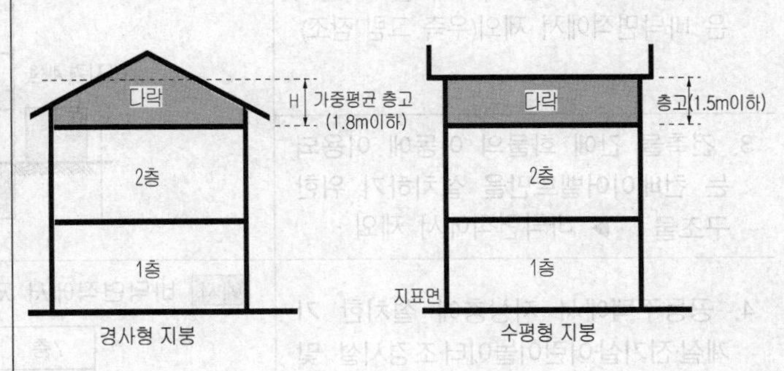

【참고】 다락 : 「건축법」 상의 정의는 없으나 건축물의 지붕속 또는 부엌 등의 천장위에 건축물의 구조상 발생한 공간을 2층처럼 만들어 거실의 용도가 아닌 물품의 보관 등에 활용토록한 공간을 말함

※ 다락의 설치장소는 최상층으로 제한되지 않음 ➡ **11** 법제처 법령해석 참조

5. 외부계단

※ 외부계단을 지지하는 벽·기둥 등의 구획이 없고 새시 등으로 구획되지 않은 개방형 외부계단의 바닥면적은 그 끝부분으로부터 수평거리 1m를 후퇴한 선으로 둘러싸인 수평투영면적으로 하되, 외부계단을 지지하는 벽·기둥 등의 구획이 있는 경우 외부계단의 바닥면적은 그 벽, 기둥 등의 중심선으로 둘러싸인 부분의 수평투영면적으로 산정함

예시 외부계단의 바닥면적 산정 예시

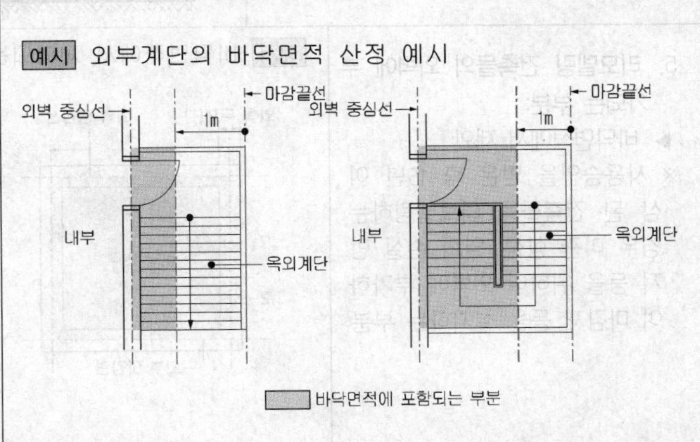

【3】 바닥면적 산정에서 제외 등

1. 승강기탑[1], 계단탑, 장식탑, 건축물 내부 냉방설비 배기장치 전용 설치공간[2], 건축물의 외부 또는 내부에 설치하는 굴뚝더스트슈트·설비덕트 등
▶ 바닥면적에서 제외(규모에 관계없음)
1) 옥상 출입용 승강장 포함
2) 각 세대나 실별로 외부 공기에 직접 닿는 곳에 설치하는 경우로서 1㎡ 이하로 한정
※ 높이 · 층수 등은 규모에 따라 산입여부를 결정함

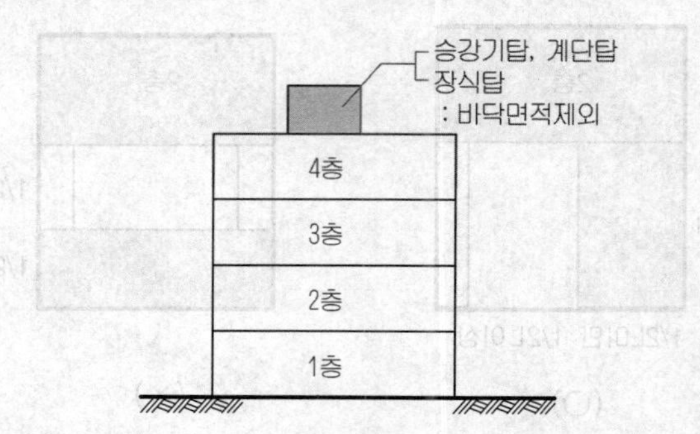

2. 물탱크·기름탱크·냉각탑·정화조·도시가스 정압기 등을 설치하기 위한 구조물
▶ 옥상, 옥외 또는 지하에 설치하는 것은 바닥면적에서 제외(우측 그림 참조)

3. 건축물 간에 화물의 이동에 이용되는 컨베이어벨트만을 설치하기 위한 구조물 : ▶ 바닥면적에서 제외

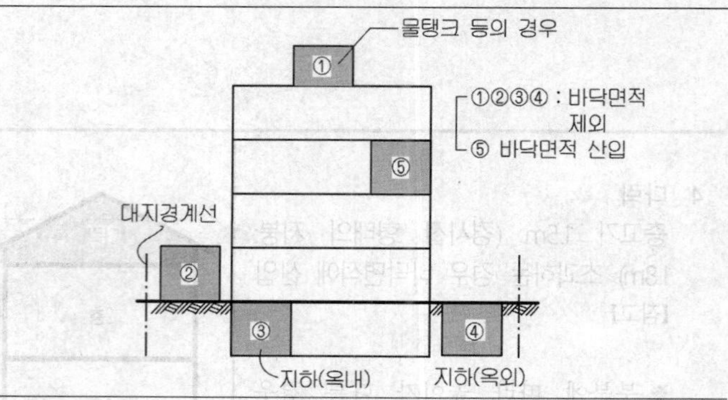

4. 공동주택에서 지상층에 설치한 기계실·전기실·어린이놀이터·조경시설 및 생활폐기물 보관시설 :
▶ 바닥면적에서 제외
※ 공동주택은 층수에 관계없이 규정이 적용됨

예시 바닥면적에서 제외되는 공동주택의 각종 시설 위치 예시

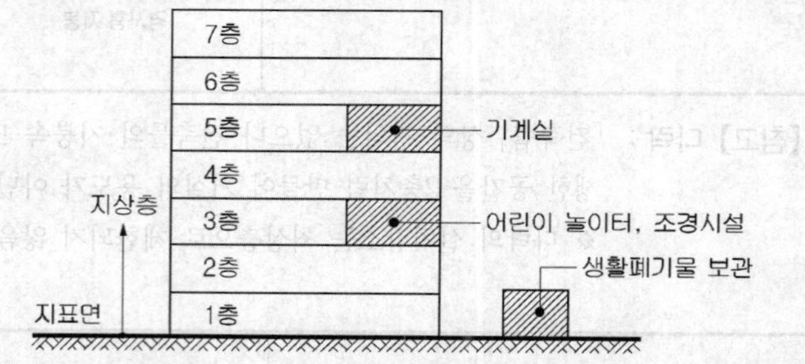

5. 리모델링 건축물의 외벽에 부가되는 부분:
▶ 바닥면적에서 제외
※ 사용승인을 받은 후 15년 이상 된 건축물을 리모델링하는 경우 미관 향상, 열의 손실 방지 등을 위하여 외벽에 부가하여 마감재 등을 설치하는 부분

예시 바닥면적에서 제외되는 공동주택의 각종 시설 위치 예시

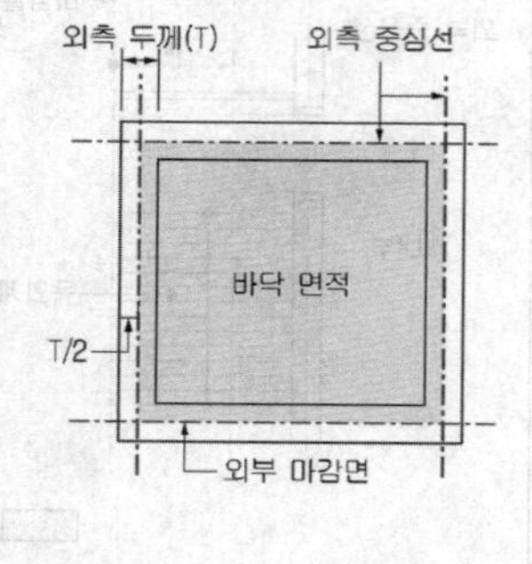

리모델링(전) 바닥면적 산정기준

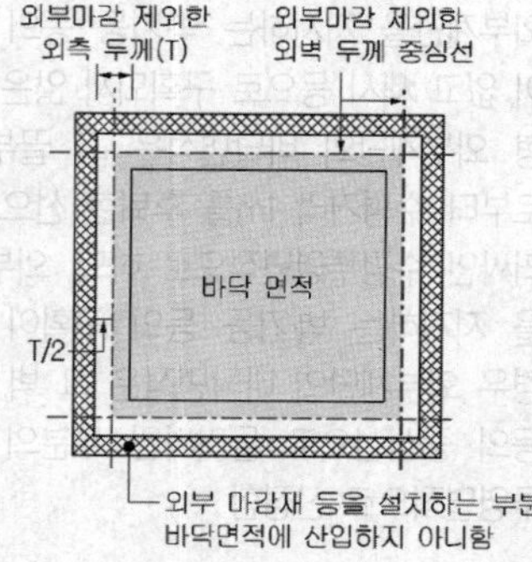

「건축법시행령」 제6조제1항제6호에 따른 건축물을 리모델링후 바닥면적 산정 완화 기준

6. 외단열 공법의 건축물 ※ 중심선 산정 시 내단열 건축물은 내단열 두께를 포함하여 벽체 전체의 중심선을 기준으로 산정하고, 외단열 건축물은 단열재가 설치된 외벽 중 내측 내력벽의 중심선을 기준으로 바닥면적 산정함	예시 외단열 공법으로 건축된 건축물의 구획의 중심선 산정 예시 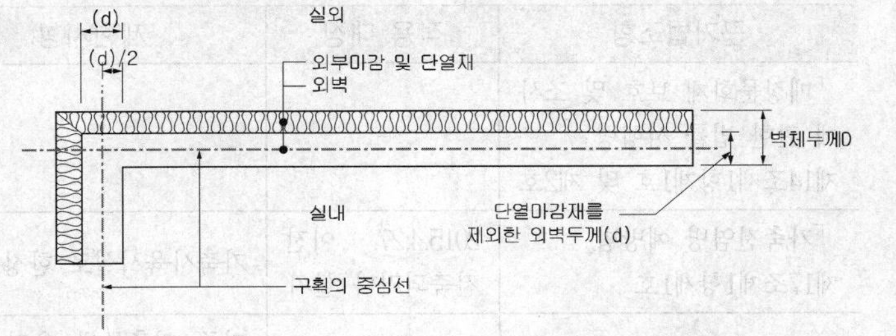
7. 장애인등의 통행이 가능한 다음의 시설 설치시: ▶ 바닥면적에서 제외 ※ 장애인용 승강기, 장애인용 에스컬레이터, 휠체어리프트 또는 경사로 부분 : 바닥면적 제외	예시 바닥면적에서 제외되는 장애인 편의시설 예시 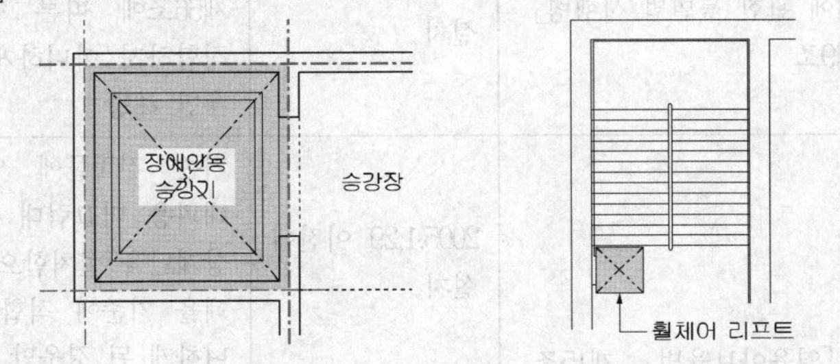
8. 지하주차장의 경사로(지상층에서 지하 1층으로 내려가는 부분으로 한정): ▶ 바닥면적에서 제외 ※ 상부에 건축물 이용자 편의를 위해 비나 눈, 먼지 등을 차단하기 위한 지붕을 설치하는 경우 기둥의 설치 유무 등과 관계없이 바닥면적에 산입하지 않음	예시 바닥면적에 산입하지 않는 지상층에서 지하 1층 주차장으로 내려가는 경사로 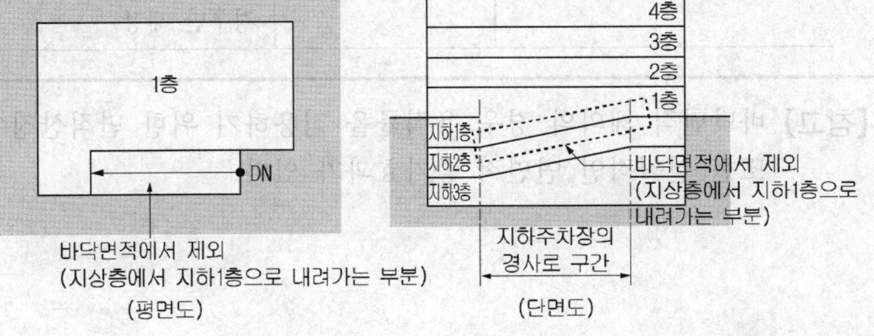
9. 대피공간*의 바닥면적의 산정 * 아파트로서 4층 이상인 층의 각 세대가 2개 이상의 직통계단을 사용할 수 없는 경우 인접 세대와 공동 또는 단독으로 설치하는 대피공간 <신설 2023.9.12./시행 2024.9.13.>	■ 바닥면적 산정의 기준 건축물의 각 층 또는 그 일부로서 벽의 내부선으로 둘러싸인 부분의 수평투영면적 ■ 바닥면적 산정에서 제외되는 부분 1) 대피공간 2) 하향식 피난구 또는 대체시설 설치된 발코니 ■ 바닥면적 산정에 제외되는 면적 1) 인접세대와 공동으로 설치하는 경우: 4㎡ 까지 2) 각 세대별로 설치하는 경우: 3㎡ 까지

건 축 법
1. 총 칙
2. 건 축
3. 유지관리
4. 대지도로
5. 구조재료
6. 지역지구
7. 건축설비
8. 특별건축구역
9. 보 칙
10. 벌 칙
건 축 법 관련기준

10. 그 밖에 관련법에서 정하는 시설 : ▶ 바닥면적에서 제외

근거법조항	적용 대상	제한사항	바닥면적 면제 대상
「매장문화재 보호 및 조사에 관한 법률 시행령」 제14조제1항제1호 및 제2호	-	-	현지보존 및 이전보존을 위하여 매장문화재 보호 및 전시에 전용되는 부분
「가축전염병 예방법」 제17조제1항제1호	2015.4.27. 이전 건축되거나 설치	가축사육시설로 한정	가축사육시설에서 설치하는 시설
「다중이용업소의 안전관리에 관한 특별법 시행령」 제9조	2004.5.29 이전에 설치	기존 건축물에 옥외 피난계단을 설치함으로써 법 제56조에 따른 용적률에 적합하지 아니하게 된 경우만 해당	기존의 다중이용업소의 비상구에 연결하여 설치하는 폭 1.5미터 이하의 옥외 피난계단
「영유아보육법」 제15조	2005.1.29 이전에 설치	기존 건축물에 영유아용 대피용 미끄럼대 또는 비상계단을 설치함으로써 건폐율 기준에 적합하지 아니하게 된 경우만 해당	어린이집의 비상구에 연결하여 설치하는 폭 2m 이하의 영유아용 대피용 미끄럼대 또는 비상계단
	2011.4.6 이전에 설치	기존 어린이집에 비상계단을 설치함으로써 용적률 기준에 적합하지 않게 된 경우만 해당	어린이집 직통계단 1개소를 갈음하여 건축물의 외부에 설치하는 비상계단

【참고】 바닥면적 제외의 경우 용적률을 적용하기 위한 면적산정에 있어 유리한 점이 있으며, 또한 실질적인 연면적 증가효과가 있다.

4 연면적(영 제119조제1항제4호)

영 제119조【면적 등의 산정방법】 ①

4. 연면적: 하나의 건축물 각 층의 바닥면적의 합계로 하되, 용적률을 산정할 때에는 다음 각 목에 해당하는 면적은 제외한다. <개정 2021.1.8.>
   가. 지하층의 면적
   나. 지상층의 주차용(해당 건축물의 부속용도인 경우만 해당한다)으로 쓰는 면적
   다. 삭제 <2012.12.12>
   라. 삭제 <2012.12.12>
   마. 제34조제3항 및 제4항에 따라 초고층 건축물과 준초고층 건축물에 설치하는 피난안전구역의 면적
   바. 제40조제4항제2호에 따라 건축물의 경사지붕 아래에 설치하는 대피공간의 면적

원칙 연면적: 하나의 건축물의 각 층 바닥면적의 합계

* 건축물 전체규모를 말할 때의 연면적은 항상 지하층을 포함한다.

(지하층내의 물탱크, 기름탱크 등 제외)

연면적=지상+지하층의 바닥면적
$=B_1+B_2+1F+2F+3F+4F+5F$
(필로티 구조가 아닌 주차장부분도 전부포함)

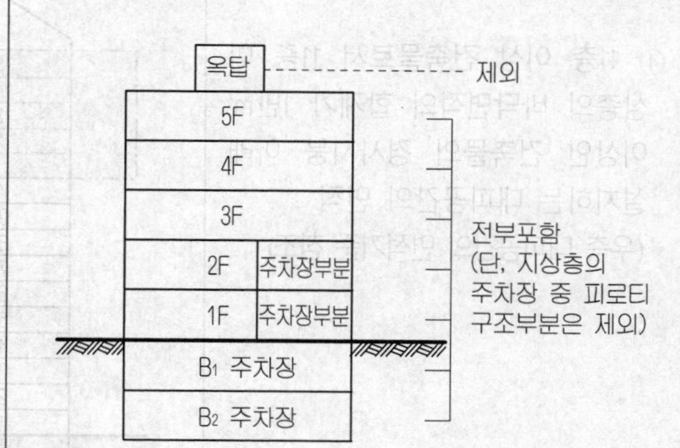

■ **연면적 합계**: 하나의 대지에 둘 이상의 건축물이 있는 경우 각 동 건축물의 연면적의 합

(우측란의 예)
① A동 연면적 : 600㎡
② B동 연면적 : 450㎡
연면적의 합계 : 1,050㎡(①+②)

■ 연면적과 연면적의 합계

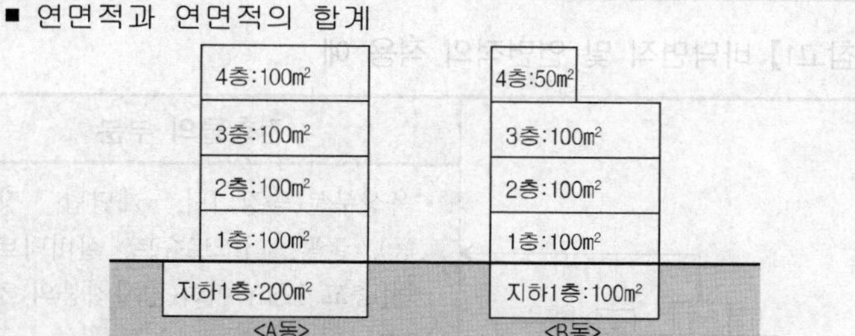

예외 용적률 산정시의 연면적에서 제외되는 면적

① 지하층 부분의 면적
② 지상층의 주차 면적(해당 건축물의 부속용도인 경우만 해당)
※ 지상층의 주차장은 필로티구조와 관계없이 제외됨

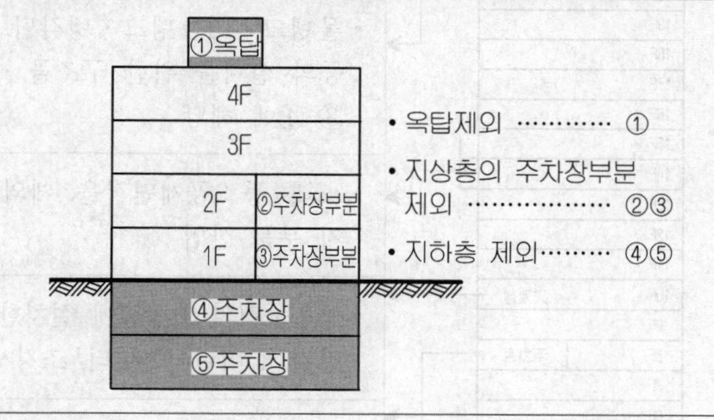

③ 초고층 건축물과 준초고층 건축물의 피난안전구역의 면적
(우측 피난안전구역의 설치기준 참조)

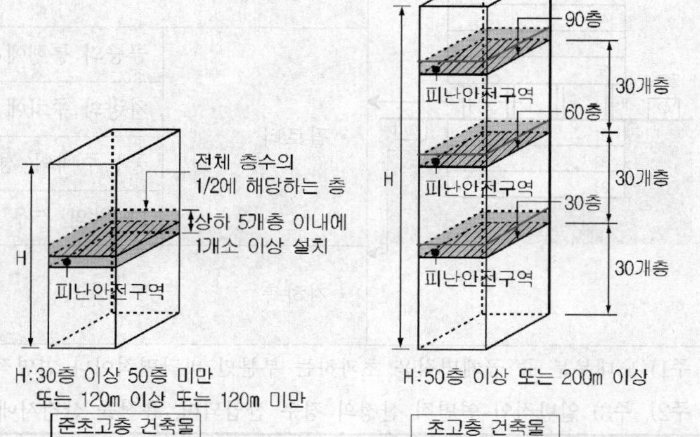

④ 11층 이상 건축물로서 11층 이상층의 바닥면적의 합계가 1만㎡ 이상인 건축물의 경사지붕 아래 설치하는 대피공간의 면적 (우측 대피공간의 면적기준 참조)

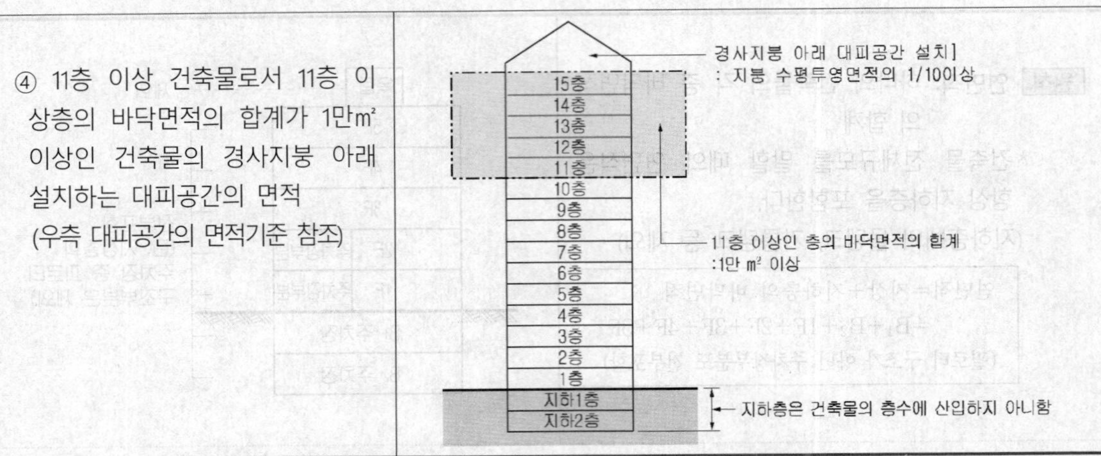

【참고1】 바닥면적 및 연면적의 적용 예

건축물의 부분		바닥면적	연면적
• 옥상부분(승강기탑, 계단탑, 장식탑 등), 굴뚝, 더스트슈트, 설비덕트, 다락[층고 1.5m 이하(경사지붕의 경우 : 1.8m)인 것] 등		제외	제외
• 물탱크·기름탱크·냉각탑·정화조 등의 설치를 위한 구조물 … ① ② ③ ④에 해당		제외	제외
• 노대 등 : 공제면적을 제외한 나머지 부분 산입		제외 또는 산입[주1)]	제외 또는 산입[주1)]
• 공동주택의 지상층에 설치한 기계실, 전기실, 어린이놀이터, 조경시설 등		제외(공동주택에 한함)	제외(공동주택에 한함)
• 지상층의 주차장		산입	산입 또는 제외[주2)]
• 필로티	공중의 통행에 전용	제외	제외
	차량의 주차에 전용	제외	제외
	공동주택의 경우	제외	제외
	그 밖의 경우	산입	산입
• 지하층		산입	산입 또는 제외[주3)]

주1) 노대부분 중 공제면적을 초과하는 부분만 바닥면적이나 연면적에 산입됨

주2), 주3) 일반적인 연면적 산정의 경우 산입되며, 용적률 산정시에 한하여 제외됨

【참고2】 바닥면적, 연면적 및 연면적 합계의 구분

① 바닥면적은 건축물 부분의 면적을 말한다.[(예)침실의 바닥면적, 2층의 바닥면적]
② 연면적은 건축물의 전체부분 즉 하나의 건축물의 각층 바닥면적의 합계를 말한다.
또한 연면적은 각 층 바닥면적의 합계이므로, 바닥면적에서 제외되는 부분[(예) 옥탑부분]은 당연히 연면적에서도 제외된다.
③ 연면적의 합계는 2동 이상 건축물의 각 동의 연면적의 합을 말한다.

【참고3】 연면적과 용적률

■ 용적률은 대지면적에 대한 연면적의 비율이다.

$$용적률 = \frac{연면적}{대지면적} \times 100(\%)$$

5 건축물의 높이(영 제119조제1항제5호)

영 제119조【면적 등의 산정방법】①

5. 건축물의 높이: 지표면으로부터 그 건축물의 상단까지의 높이[건축물의 1층 전체에 필로티(건축물을 사용하기 위한 경비실, 계단실, 승강기실, 그 밖에 이와 비슷한 것을 포함한다)가 설치되어 있는 경우에는 법 제60조 및 법 제61조제2항을 적용할 때 필로티의 층고를 제외한 높이]로 한다. 다만, 다음 각 목의 어느 하나에 해당하는 경우에는 각 목에서 정하는 바에 따른다.

가. 법 제60조에 따른 건축물의 높이는 전면도로의 중심선으로부터의 높이로 산정한다. 다만, 전면도로가 다음의 어느 하나에 해당하는 경우에는 그에 따라 산정한다.

1) 건축물의 대지에 접하는 전면도로의 노면에 고저차가 있는 경우에는 그 건축물이 접하는 범위의 전면도로부분의 수평거리에 따라 가중평균한 높이의 수평면을 전면도로면으로 본다.

2) 건축물의 대지의 지표면이 전면도로보다 높은 경우에는 그 고저차의 2분의 1의 높이만큼 올라온 위치에 그 전면도로의 면이 있는 것으로 본다.

나. 법 제61조에 따른 건축물 높이를 산정할 때 건축물 대지의 지표면과 인접 대지의 지표면 간에 고저차가 있는 경우에는 그 지표면의 평균 수평면을 지표면으로 본다. 다만, 법 제61조제2항에 따른 높이를 산정할 때 해당 대지가 인접 대지의 높이보다 낮은 경우에는 해당 대지의 지표면을 지표면으로 보고, 공동주택을 다른 용도와 복합하여 건축하는 경우에는 공동주택의 가장 낮은 부분을 그 건축물의 지표면으로 본다.

다. 건축물의 옥상에 설치되는 승강기탑·계단탑·망루·장식탑·옥탑 등으로서 그 수평투영면적의 합계가 해당 건축물 건축면적의 8분의 1(「주택법」 제15조제1항에 따른 사업계획승인 대상인 공동주택 중 세대별 전용면적이 85제곱미터 이하인 경우에는 6분의 1) 이하인 경우로서 그 부분의 높이가 12미터를 넘는 경우에는 그 넘는 부분만 해당 건축물의 높이에 산입한다.

라. 지붕마루장식·굴뚝·방화벽의 옥상돌출부나 그 밖에 이와 비슷한 옥상돌출물과 난간벽(그 벽면적의 2분의 1 이상이 공간으로 되어 있는 것만 해당한다)은 그 건축물의 높이에 산입하지 아니한다.

【1】 원칙

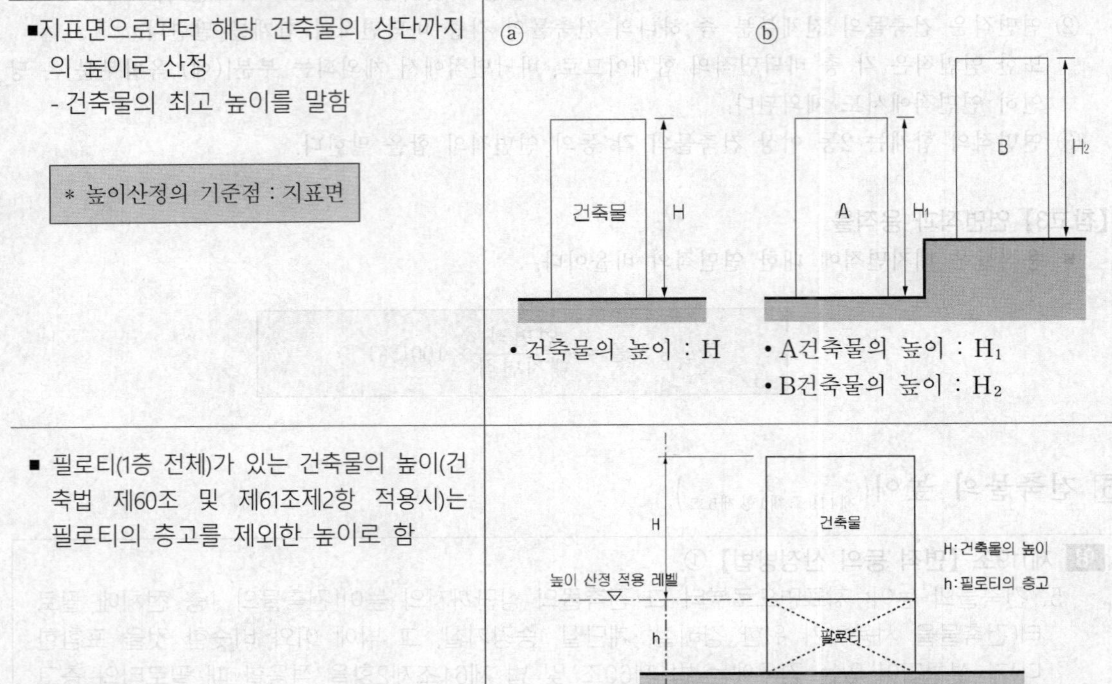

■지표면으로부터 해당 건축물의 상단까지의 높이로 산정
- 건축물의 최고 높이를 말함

* 높이산정의 기준점 : 지표면

■ 필로티(1층 전체)가 있는 건축물의 높이(건축법 제60조 및 제61조제2항 적용시)는 필로티의 층고를 제외한 높이로 함

【2】 예외규정

(1) 법 제60조(건축물의 높이제한)에 따른 건축물의 높이 산정

■ 허가권자가 가로구역을 단위로 하여 건축물의 높이를 지정·공고할 수 있는 구역에서 높이산정의 기준

* 높이산정의 기준점 : 전면도로의 중심선

① 원칙: 전면도로의 중심선

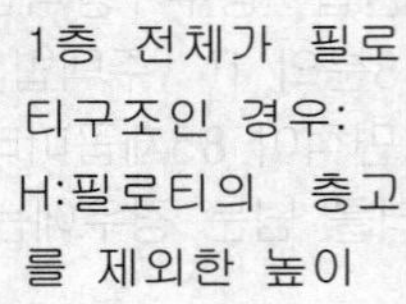

■ 1층 전체가 필로티구조인 경우: H:필로티의 층고를 제외한 높이

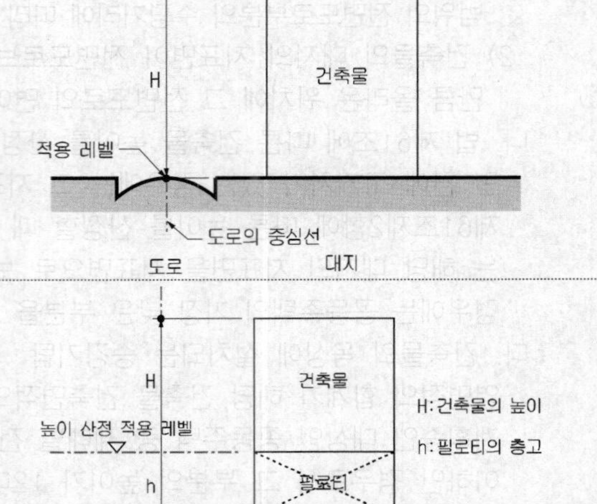

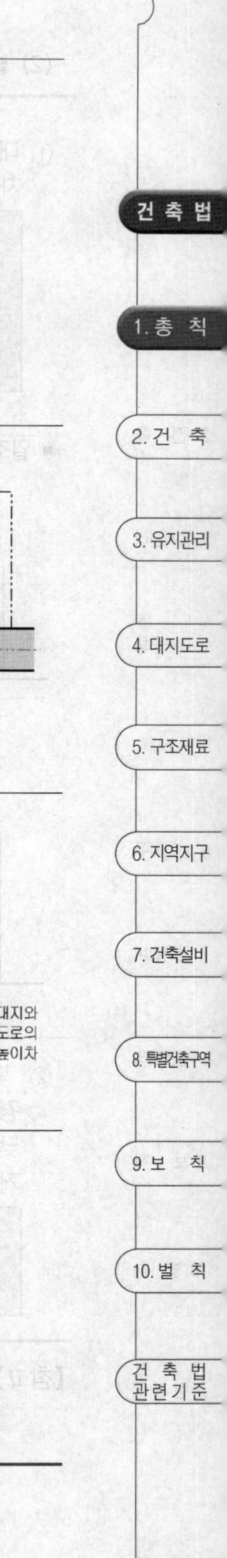

	■ 주상복합 건축물의 경우(예시)	H 공동주택 공동주택 외의 용도 적용 레벨 도로의 중심선 도로 대지
■ 허가권자가 가로구역을 단위로 하여 건축물의 높이를 지정·공고할 수 있는 구역 * 높이산정의 기준점 : 전면도로의 중심선	② 전면도로의 노면에 고저차가 있는 경우: 가중평균 도로면	<단면> H 건축물 도로가중평균높이 -1 +1 경사도로 건축물이 도로에 접하고 있는 범위 <평면> 대지 경계선 건축물 -1 +1 경사도로 경사도로 건축물이 도로에 접하고 있는 범위
	③ 대지면이 전면도로 보다 높은 경우: 가상 전면 도로면	H 건축물 가상 전면 도로의 레벨 h/2 h/2 h:대지와 도로의 높이차 전면 도로의 레벨 도로의 중심선 도로 대지
	④ 대지면이 전면도로 보다 낮은 경우: 전면 도로 중심선	H 건축물 도로의 중심선 도로 대지

(2) 법61조(일조 등의 확보를 위한 건축물의 높이제한) 규정에 따른 높이산정

① 대지의 지표면과 인접대지의 지표면간에 고저차가 있는 경우 평균수평면을 지표면으로 봄

> 일조권 적용시 높이산정의 기준점 : 평균수평면
>
> *법 제61조2항에 따른 공동주택의 경우 해당 대지가 인접대지의 높이보다 낮은 경우에는 해당 대지의 지표면을 말함

일조권 적용시의 건축물의 높이 ─ A건축물 : H_1 / B건축물 : H_2

■ 일조 높이제한 적용의 예(법 제61조제1항)

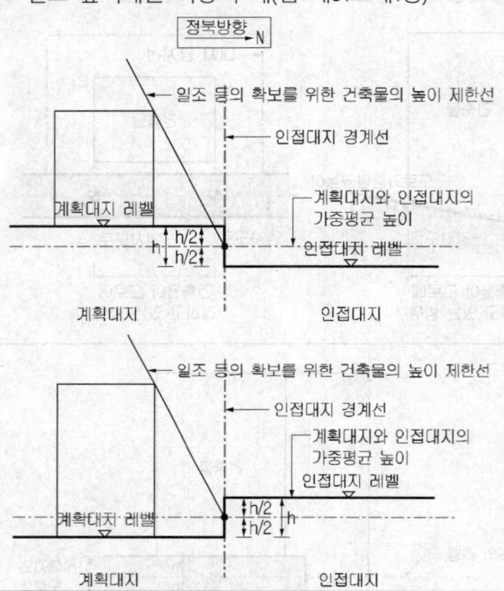

■ 공동주택 채광방향 높이제한 적용의 예(법 제61조제2항)

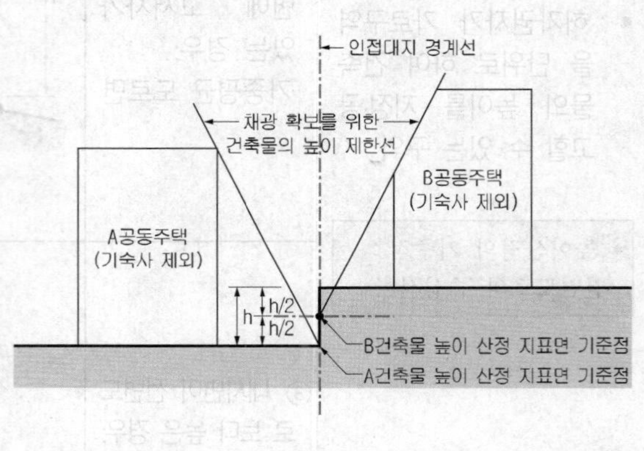

② 복합용도(공동주택과 다른 용도) 건축물의 경우 : 공동주택의 높이는 공동주택의 가장 낮은 부분을 지표면으로 하여 산정(전용주거지역 및 일반주거지역 제외)

> 공동주택의 높이 : 공동주택의 가장 낮은 부분(가상지표면)에서 건축물의 상단까지의 높이

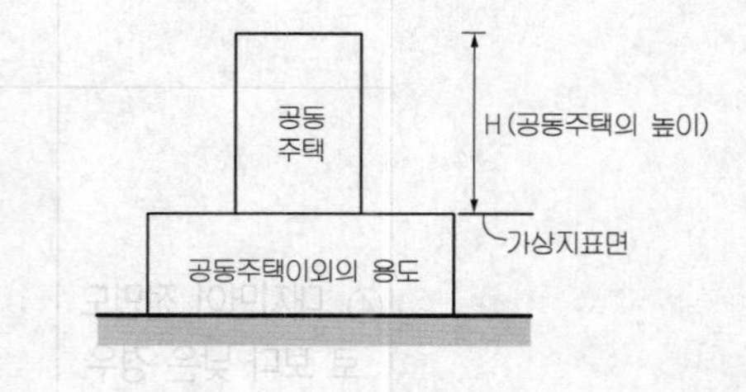

【참고】 건축물의 1층 전체에 필로티(건축물의 사용을 위한 경비실, 계단실, 승강기실, 그 밖에 이와 비슷한 것 포함)가 설치되어 있는 경우 「건축법」 제60조(건축물의 높이제한) 및 제61조(공동주택의 일조권 적용 규정) 제2항(채광방향의 높이제한 규정)을 적용함에 있어 필로티의 층고를 제외한 높이를 건축물의 높이로 산정함. ☞ 제6장-8-2-[참고2] 해설 참조

(3) 옥상부분의 높이산정

1) 옥상에 설치되는 승강기탑 · 계단탑 · 망루 · 장식탑 · 옥탑 등

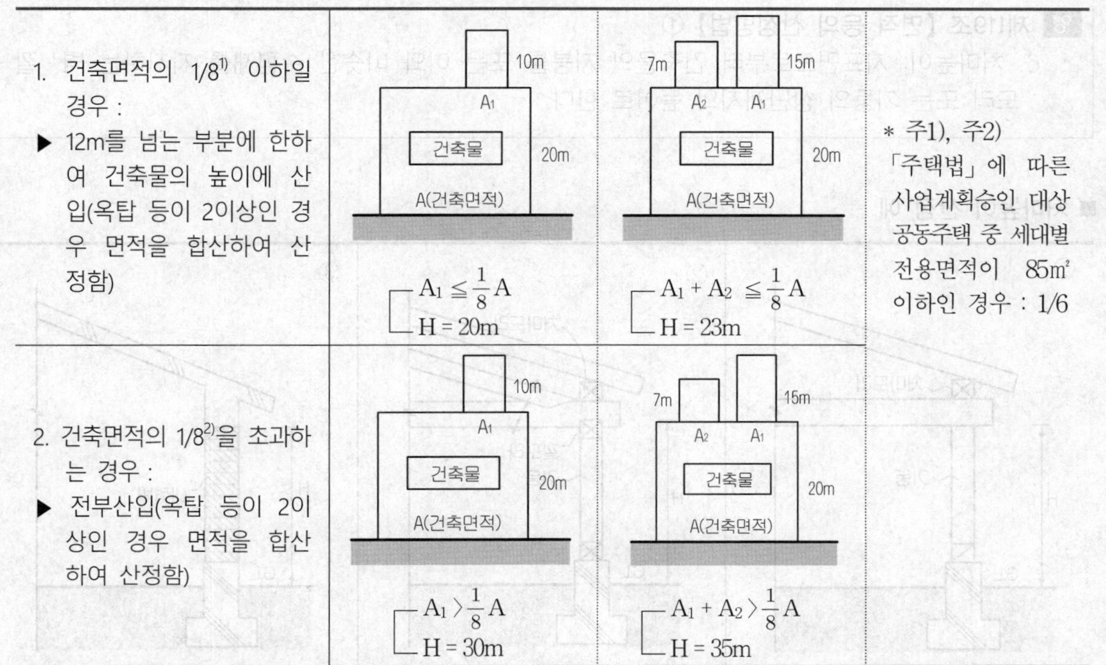

1. 건축면적의 1/8[1] 이하일 경우 :
▶ 12m를 넘는 부분에 한하여 건축물의 높이에 산입(옥탑 등이 2이상인 경우 면적을 합산하여 산정함)
10m
A1
건축물
20m
A(건축면적)
$A_1 \leq \frac{1}{8}A$
H = 20m
7m
15m
A2
A1
건축물
20m
A(건축면적)
$A_1 + A_2 \leq \frac{1}{8}A$
H = 23m
* 주1), 주2)
「주택법」에 따른 사업계획승인 대상 공동주택 중 세대별 전용면적이 85㎡ 이하인 경우 : 1/6
2. 건축면적의 1/8[2]을 초과하는 경우 :
▶ 전부산입(옥탑 등이 2이상인 경우 면적을 합산하여 산정함)
10m
A1
건축물
20m
A(건축면적)
$A_1 > \frac{1}{8}A$
H = 30m
7m
15m
A2
A1
건축물
20m
A(건축면적)
$A_1 + A_2 > \frac{1}{8}A$
H = 35m

2) 옥상돌출부(높이산정시 제외)

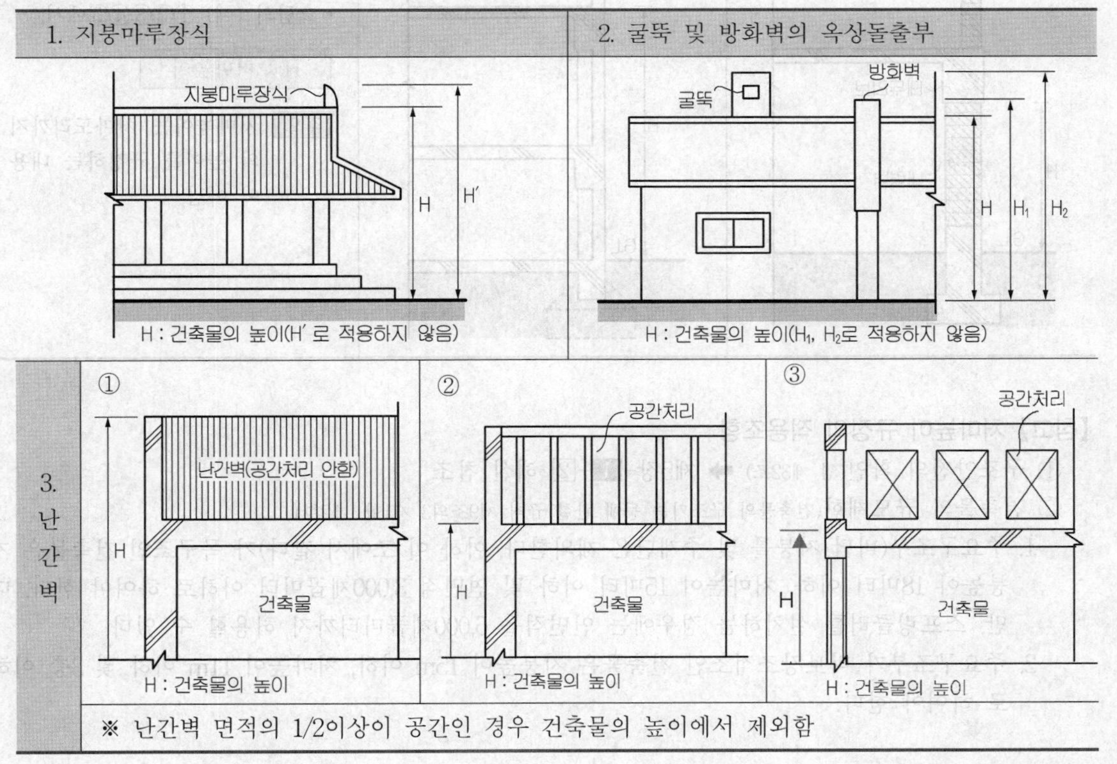

6 처마높이(영 제119조 제1항 제6호)

> **영** 제119조【면적 등의 산정방법】①
> 6. 처마높이: 지표면으로부터 건축물의 지붕틀 또는 이와 비슷한 수평재를 지지하는 벽·깔도리 또는 기둥의 상단까지의 높이로 한다.

■ 처마높이 산정 예

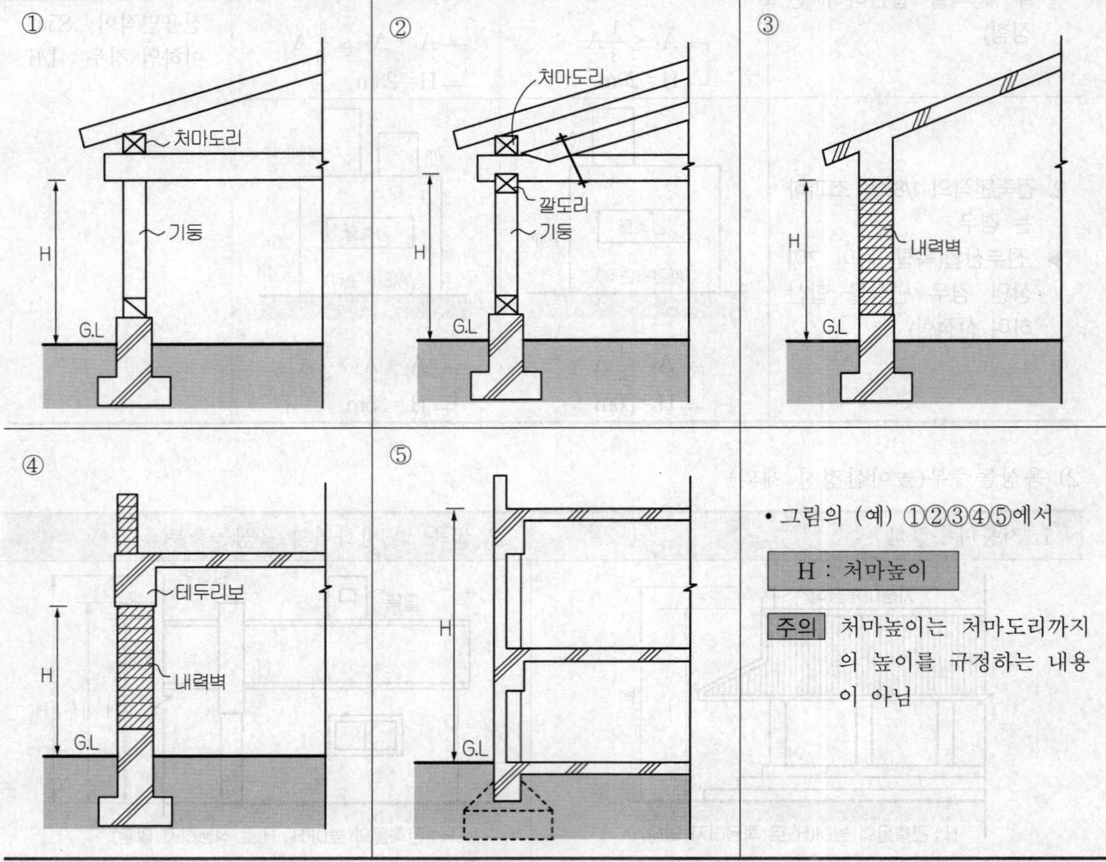

【참고】 처마높이 규정의 적용조항

① 구조안전의 확인(영 제32조) ➡ 제5장-1-2 해설 참조

② 건축물의 규모제한(건축물의 구조기준 등에 관한 규칙 제9조의3 제1항, 제2항)

1. 주요구조부(바닥·지붕틀 및 주계단은 제외한다. 이하 이 조에서 같다)가 목구조인 건축물은 지붕높이 18미터 이하, 처마높이 15미터 이하 및 연면적 3,000제곱미터 이하로 하여야 한다. 다만, 스프링클러를 설치하는 경우에는 연면적을 6,000제곱미터까지 허용할 수 있다.
2. 주요구조부가 비보강조적조인 건축물은 지붕높이 15m 이하, 처마높이 11m 이하 및 3층 이하로 하여야 한다.

7 반자높이(영 제119조제1항제7호)

영 제119조【면적 등의 산정방법】①
7. 반자높이: 방의 바닥면으로부터 반자까지의 높이로 한다. 다만, 한 방에서 반자높이가 다른 부분이 있는 경우에는 그 각 부분의 반자면적에 따라 가중평균한 높이로 한다.

【1】반자높이의 원칙

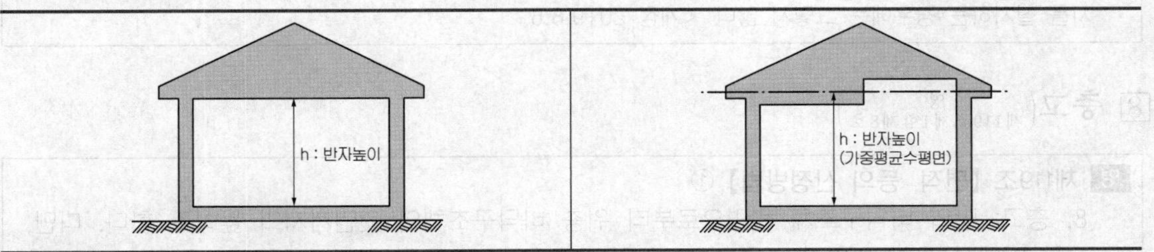

【2】산정의 예

• 가중평균높이$(h)=\frac{\text{방의 부피}}{\text{방의 면적}}$(각 부분의 반자의 면적에 따라 가중평균)

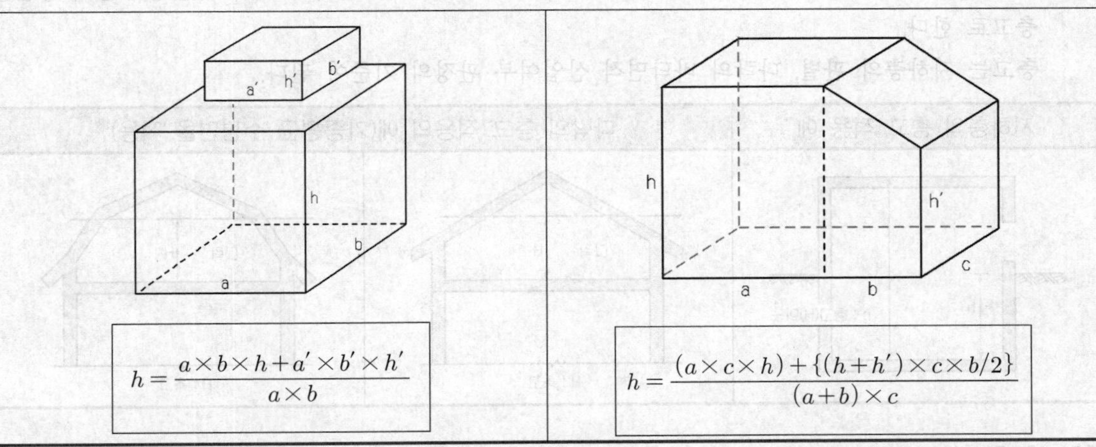

$$h=\frac{a\times b\times h+a'\times b'\times h'}{a\times b}$$

$$h=\frac{(a\times c\times h)+\{(h+h')\times c\times b/2\}}{(a+b)\times c}$$

【참고1】반자높이의 규정은 실질적으로 거실관계규정에 적용된다. 이는 거실의 용적을 확보함으로서, 해당 거실의 위생환경의 확보에 목적이 있다.

【참고2】거실의 반자높이(h): 방의 바닥 마감면에서 반자까지의 높이

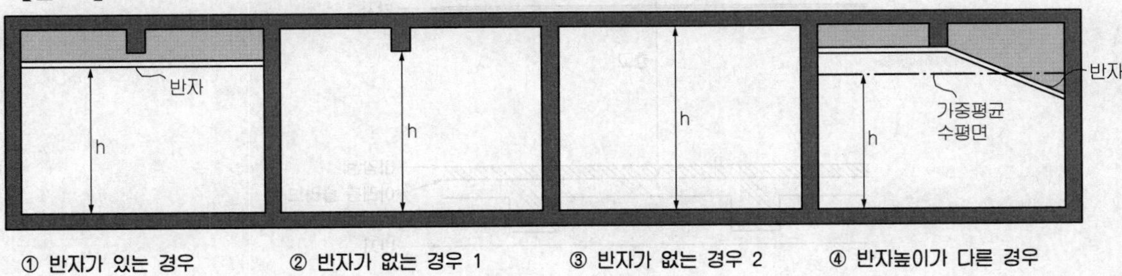

① 반자가 있는 경우 ② 반자가 없는 경우 1 ③ 반자가 없는 경우 2 ④ 반자높이가 다른 경우

【참고3】 거실의 반자높이(피난·방화규칙 제16조)

> **피난규칙** 제16조【거실의 반자높이】 ① 영 제50조의 규정에 의하여 설치하는 거실의 반자(반자가 없는 경우에는 보 또는 바로 윗층의 바닥판의 밑면 기타 이와 유사한 것을 말한다. 이하같다)는 그 높이를 2.1미터 이상으로 하여야 한다.
> ② 문화 및 집회시설(전시장 및 동·식물원은 제외한다), 종교시설, 장례식장 또는 위락시설 중 유흥주점의 용도에 쓰이는 건축물의 관람실 또는 집회실로서 그 바닥면적이 200제곱미터 이상인 것의 반자의 높이는 제1항에도 불구하고 4미터(노대의 아랫부분의 높이는 2.7미터)이상이어야 한다. 다만, 기계환기장치를 설치하는 경우에는 그렇지 않다. <개정 2019.8.6.>

8 층고(영 제119조 제1항 제8호)

> **영** 제119조【면적 등의 산정방법】 ①
> 8. 층고: 방의 바닥구조체 윗면으로부터 위층 바닥구조체의 윗면까지의 높이로 한다. 다만, 한 방에서 층의 높이가 다른 부분이 있는 경우에는 그 각 부분 높이에 따른 면적에 따라 가중평균한 높이로 한다.

해설 층고는 방의 바닥구조체 윗면으로부터 위층 바닥구조체 윗면까지의 높이로서, 동일한 방에서 층의 높이가 다른 부분이 있는 경우 그 각 부분의 높이에 따른 면적에 따라 가중평균한 수평면을 층고로 한다.
층고는 지하층의 판별, 다락의 바닥면적 산입여부 판정의 기준이 된다.

지하층의 층고 적용 예	다락의 층고 적용의 예(가중평균 수평면을 적용)

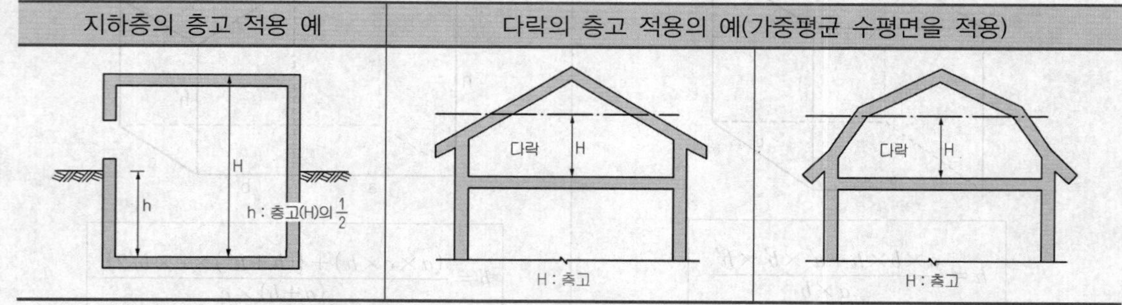

【참고】 층고산정 예시[건축물 면적, 높이 등 세부 산정기준(국토교통부 고시 제2021-1422호, 2021.12.30.)]
아래층 바닥면에서 위층 바닥면으로 마감면이 아닌 구조체를 기준으로 산정

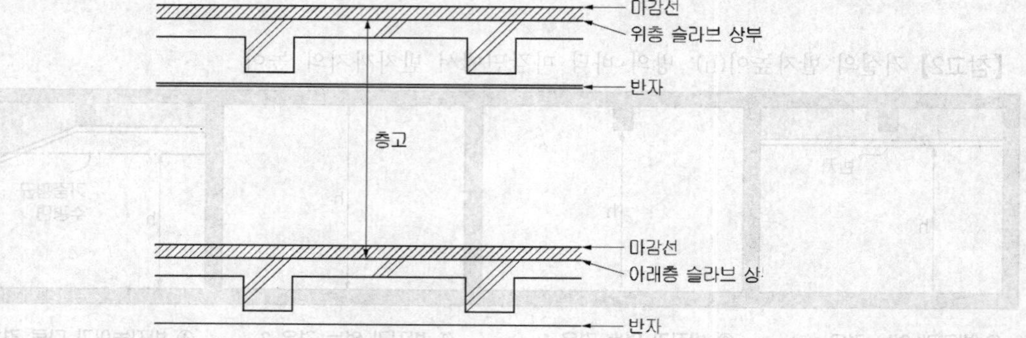

9 층수(영 제119조제1항제9호)

> **영** 제119조【면적 등의 산정방법】①
>
> 9. 층수: 승강기탑(옥상 출입용 승강장을 포함한다), 계단탑, 망루, 장식탑, 옥탑, 그 밖에 이와 비슷한 건축물의 옥상 부분으로서 그 수평투영면적의 합계가 해당 건축물 건축면적의 8분의 1(「주택법」 제15조제1항에 따른 사업계획승인 대상인 공동주택 중 세대별 전용면적이 85제곱미터 이하인 경우에는 6분의 1) 이하인 것과 지하층은 건축물의 층수에 산입하지 아니하고, 층의 구분이 명확하지 아니한 건축물은 그 건축물의 높이 4미터마다 하나의 층으로 보고 그 층수를 산정하며, 건축물이 부분에 따라 그 층수가 다른 경우에는 그 중 가장 많은 층수를 그 건축물의 층수로 본다. <개정 2016.8.11.>

해설 「건축법」에서의 층수는 지상층만으로 산정한다. 지하층은 건축물의 전체규모를 말할 때, 지상·지하를 구분하여 말하며, 옥상부분은 건축면적의 1/8 이하일 때 층수에 산입하지 아니한다. 반면에 옥상부분이 상식적인 판단이상으로 규모가 큰 것(건축면적의 1/8 초과)은 다른 용도로 전용가능성이 있다고 보아, 층수와 높이 등에 포함시킨다.

【1】 층수산정의 원칙

1. 지상층만으로 산정(지하층은 제외)
2. 부분에 따라 그 층수를 달리하는 경우 : 가장 많은 층수로 산정
3. 옥상부분 : 건축면적의 1/8을 넘는 경우 층수에 산입(「주택법」 제15조제1항에 따른 사업계획승인 대상인 공동주택 중 세대별 전용면적 85m² 이하인 경우에는 1/6)
4. 층의 구분이 명확하지 않을 때 : 4m마다 1개층으로 산정

【2】 층수산정의 예

1. 옥상부분을 거실 등으로 사용하는 경우	2. 옥상부분의 면적	
	건축면적의 1/8 이하	건축면적의 1/8 초과

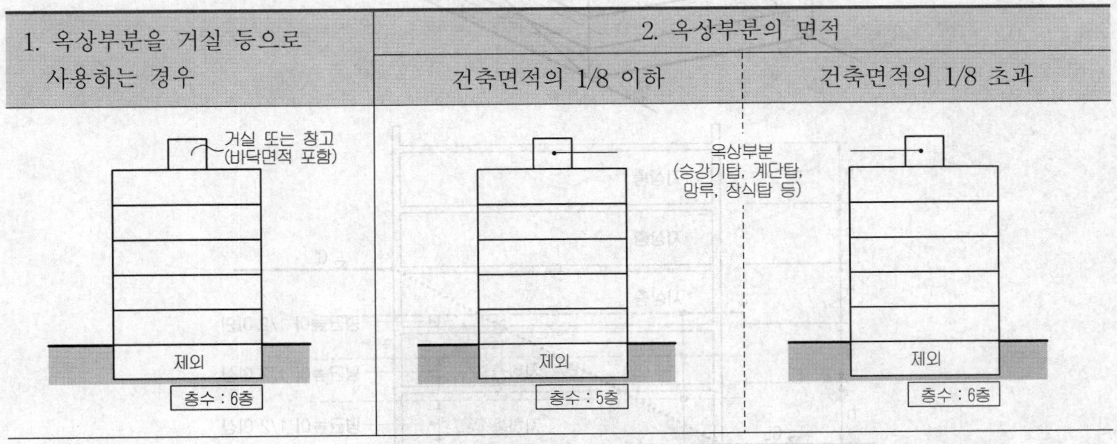

3. 부분에 따라 층수를 달리하는 경우

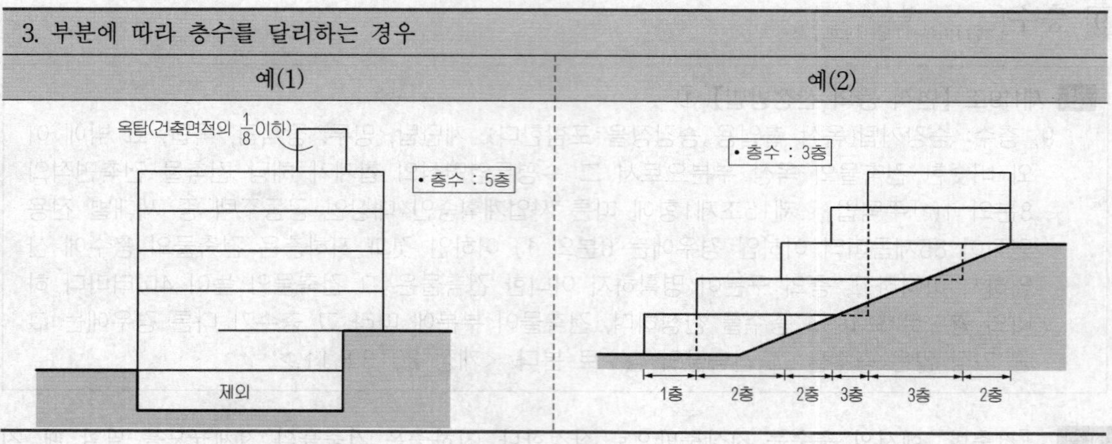

10 지하층의 지표면 산정(영 제119조제1항제10호)

> **영** 제119조【면적 등의 산정방법】①
>
> 10. 지하층의 지표면: 법 제2조제1항제5호에 따른 지하층의 지표면은 각 층의 주위가 접하는 각 지표면 부분의 높이를 그 지표면 부분의 수평거리에 따라 가중평균한 높이의 수평면을 지표면으로 산정한다.

➡ 2-8-【2】 '지하층의 지표면 산정' 해설 참조

■ 지하층의 지표면 산정 예시

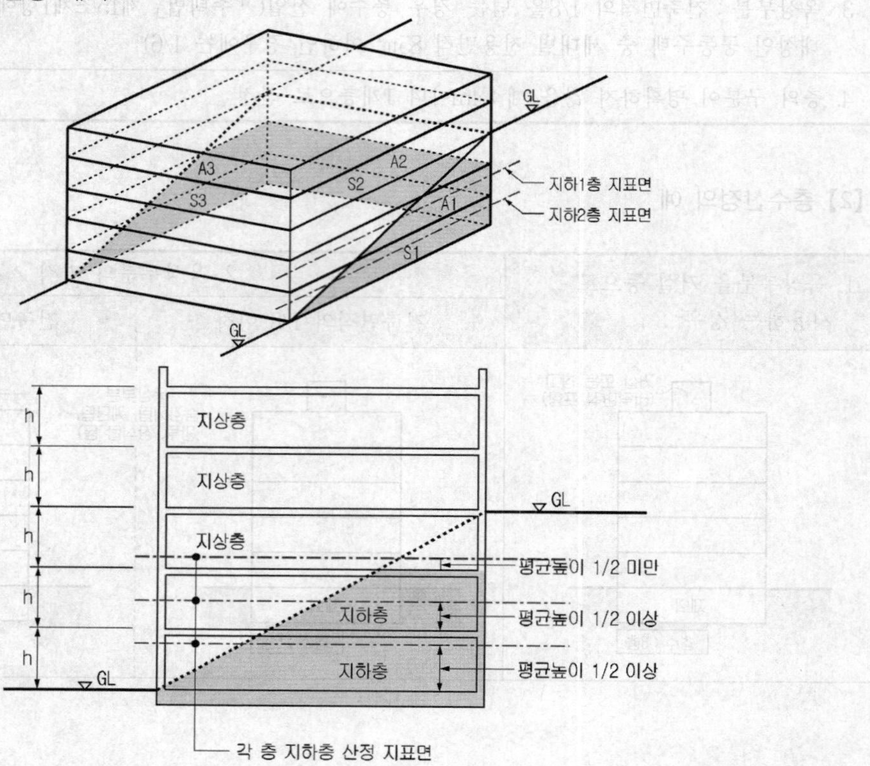

11 지표면 산정(영 제119조 제2항)

> **영 제119조【면적 등의 산정방법】**
> ② 제1항 각 호(제10호는 제외한다)에 따른 기준에 따라 건축물의 면적·높이 및 층수 등을 산정할 때 지표면에 고저차가 있는 경우에는 건축물의 주위가 접하는 각 지표면 부분의 높이를 그 지표면 부분의 수평거리에 따라 가중평균한 높이의 수평면을 지표면으로 본다. 이 경우 그 고저차가 3미터를 넘는 경우에는 그 고저차 3미터 이내의 부분마다 그 지표면을 정한다.

해설
- 면적·높이·층수산정의 규정 적용시 지표면에 고저차가 있을 때의 지표면의 기준은 건축물의 주위가 접하는 각 지표면부분의 높이를 해당 지표면부분의 수평거리에 따라 가중평균한 수평면으로 한다.(지하층의 지표면 산정의 경우 제외)
- 고저차가 3m를 넘는 때에는 해당 고저차 3m 이내의 부분마다 그 기준을 정한다.

■ 지표면에 고저차가 있는 경우

지표면에 고저차가 있을 때(지하층의 지표면 산정 제외)의 지표면의 기준은 건축물의 주위가 접하는 각 지표면부분의 높이를 그 지표면부분의 수평거리에 따라 가중평균한 높이의 수평면으로 한다.

$$\text{가중평균한 수평면} = \frac{\text{건축물의 주위가 접하는 각 지표면부분의 면적의 합}}{\text{지표면 부분의 수평거리의 합}}$$

【1】 지표면의 고저차가 3m 이내인 경우

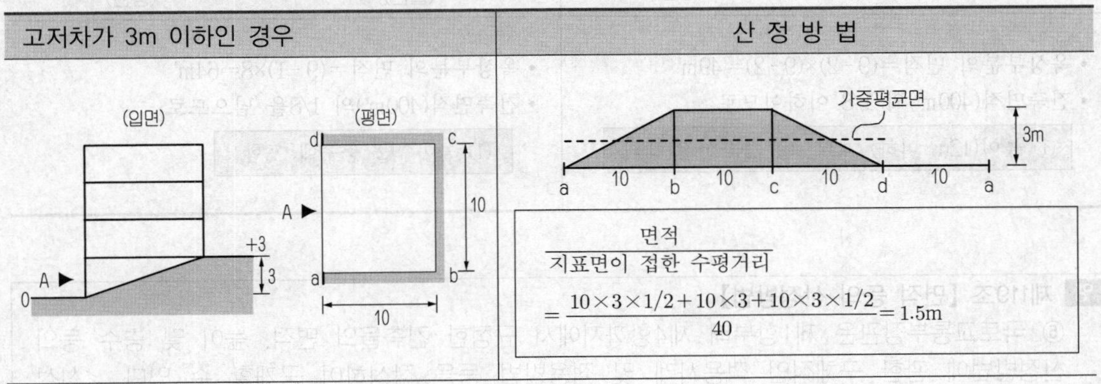

【2】 지표면의 고저차가 3m 초과인 경우

- 고저차가 3m를 넘는 경우 그 고저차 3m 이내의 부분마다 그 지표면을 정한다.

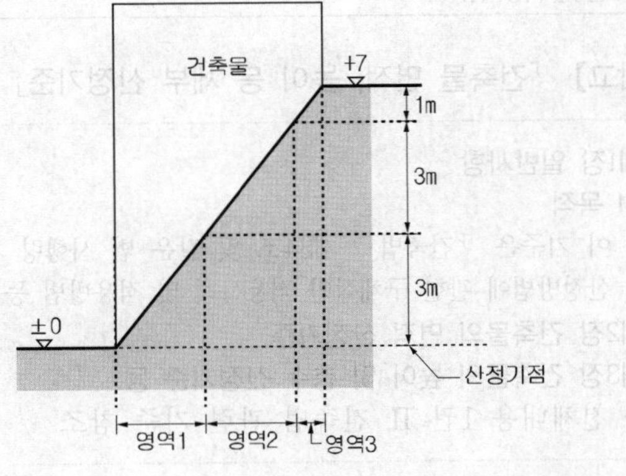

12 수평투영면적의 산정방법(영 제119조제4항)

> **영** 제119조【면적 등의 산정방법】
> ④ 제1항제5호다목 또는 제1항제9호에 따른 수평투영면적의 산정은 제1항제2호에 따른 건축면적의 산정방법에 따른다. <개정 2020.4.21.>

해설
- 옥상부분의 높이산정(시행령 제2조제1항제5호 다목)의 경우와
- 옥상부분의 층수산정(시행령 제2조제1항제9호)의 경우 수평투영면적의 산정방법은 건축면적의 산정방법에 따른다.

■ 그림해설

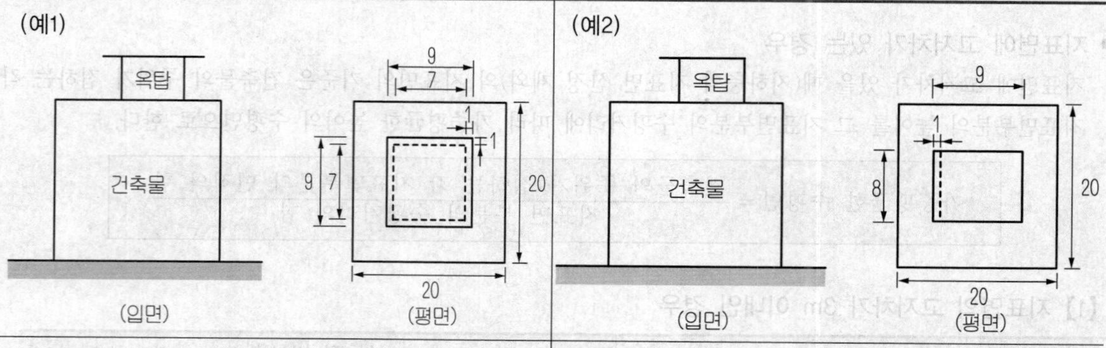

(예1)	(예2)
• 옥상부분의 면적=(9-2)×(9-2)=49㎡	• 옥상부분의 면적=(9-1)×8=64㎡
• 건축면적(400㎡)의 1/8 이하이므로	• 건축면적(400㎡)의 1/8을 넘으므로
① 높이(12m 이하) 제외 ② 층수산정 제외	① 높이 ② 층수에 포함

> **영** 제119조【면적 등의 산정방법】
> ⑤ 국토교통부장관은 제1항부터 제4항까지에서 규정한 건축물의 면적, 높이 및 층수 등의 산정방법에 관한 구체적인 적용사례 및 적용방법 등을 작성하여 공개할 수 있다. <신설 2021.5.4.>

【참고】 「건축물 면적, 높이 등 세부 산정기준」(국토교통부 고시 제2021-1422호, 2021.12.30.)

제1장 일반사항
1.1 목적
이 기준은 「건축법」 제84조 및 같은 법 시행령 제119조제5항에 따라 건축물의 면적, 높이 및 층수 등의 산정방법에 관한 구체적인 적용사례 및 적용방법 등을 참고할 수 있도록 하는데 그 목적이 있다.
제2장 건축물의 면적 산정기준
제3장 건축물의 높이 및 층수 산정기준 등
➡ 전체내용 1권 Ⅱ 건축법 관련 기준 참조

5 적용 제외(법 제3조)

법 제3조【적용 제외】

① 각 호의 어느 하나에 해당하는 건축물에는 이 법을 적용하지 아니한다. <개정 2019.11.26., 2023.3.21./시행 2024.3.22. 2023.8.8./시행 2024.5.17>

1. 「문화재보호법」에 따른 지정문화재나 임시지정문화재(→「문화유산의 보존 및 활용에 관한 법률」에 따른 지정문화유산이나 임시지정문화유산) 또는 「자연유산의 보존 및 활용에 관한 법률」에 따라 지정된 명승이나 임시지정명승(→천연기념물등이나 임시지정천연기념물, 임시지정명승, 임시지정시·도자연유산)
2. 철도나 궤도의 선로 부지(敷地)에 있는 다음 각 목의 시설
   가. 운전보안시설
   나. 철도 선로의 위나 아래를 가로지르는 보행시설
   다. 플랫폼
   라. 해당 철도 또는 궤도사업용 급수(給水)·급탄(給炭) 및 급유(給油) 시설
3. 고속도로 통행료 징수시설
4. 컨테이너를 이용한 간이창고(「산업집적활성화 및 공장설립에 관한 법률」 제2조제1호에 따른 공장의 용도로만 사용되는 건축물의 대지에 설치하는 것으로서 이동이 쉬운 것만 해당된다)
5. 「하천법」에 따른 하천구역 내의 수문조작실 <신설 2016.1.19.>

②「국토의 계획 및 이용에 관한 법률」에 따른 도시지역 및 같은 법 제51조제3항에 따른 지구단위계획구역(이하 "지구단위계획구역"이라 한다) 외의 지역으로서 동이나 읍(동이나 읍에 속하는 섬의 경우에는 인구가 500명 이상인 경우만 해당된다)이 아닌 지역은 제44조부터 제47조까지, 제51조 및 제57조를 적용하지 아니한다. <개정 2014.1.14>

③「국토의 계획 및 이용에 관한 법률」 제47조제7항에 따른 건축물이나 공작물을 도시·군계획시설로 결정된 도로의 예정지에 건축하는 경우에는 제45조부터 제47조까지의 규정을 적용하지 아니한다. <개정 2011.4.14>

해설 「건축법」은 원칙적으로 도시지역과 같이 건축행위가 활발하게 행하여지는 지역에서 적용되는 법으로 농림, 자연환경보전지역 등의 지역에서는 「건축법」의 일부 규정을 적용하지 않는다.

【1】「건축법」의 적용구분

<table>
<tr><th colspan="3">구 분</th><th>전부적용</th><th>일부규정적용제외</th><th>일부적용제외규정</th></tr>
<tr><td colspan="3">① 도시지역 및 지구단위계획구역 【참고1】, 【참고2】</td><td>○</td><td></td><td rowspan="5">법 제44조 [대지와 도로의 관계]
법 제45조 [도로의 지정·폐지 또는 변경]
법 제46조 [건축선의 지정]
법 제47조 [건축선에 따른 건축제한]
법 제51조 [방화지구안의 건축물]
법 제57조 [대지의 분할제한]</td></tr>
<tr><td rowspan="4">② 위 ①외의 지역</td><td rowspan="3">동 또는 읍의 지역</td><td>일반지역</td><td>○</td><td></td></tr>
<tr><td>인구 500인 이상의 섬</td><td>○</td><td></td></tr>
<tr><td>인구 500인 미만의 섬</td><td></td><td>○</td></tr>
<tr><td colspan="2">동 또는 읍이 아닌 지역</td><td></td><td>○</td></tr>
<tr><td colspan="3">③「국토의 계획 및 이용에 관한 법률」 제47조 제7항 규정에 따른 건축물이나 공작물을 도시·군계획시설로 결정된 도로의 예정지 안에 건축하는 경우 【참고3】</td><td></td><td>○</td><td>법 제45조 [도로의 지정·폐지 또는 변경]
법 제46조 [건축선의 지정]
법 제47조 [건축선에 따른 건축제한]</td></tr>
</table>

건 축 법
1. 총 칙
2. 건 축
3. 유지관리
4. 대지도로
5. 구조재료
6. 지역지구
7. 건축설비
8. 특별건축구역
9. 보 칙
10. 벌 칙
건 축 법 관련기준

【참고1】 국토의 용도구분 (「국토의 계획 및 이용에 관한 법률」 제6조, 제7조)

국토는 토지의 이용실태 및 특성, 장래의 토지이용방향 등을 고려하여 다음과 같은 용도지역으로 구분한다. 또한, 국가 또는 지방자치단체는 용도지역의 효율적인 이용 및 관리를 위하여 해당 용도지역에 관한 개발·정비 및 보전에 필요한 조치를 강구하여야 한다.

지 역	내 용	관리의무
도시지역	인구와 산업이 밀집되어 있거나 밀집이 예상되어 그 지역에 대하여 체계적인 개발·정비·관리·보전 등이 필요한 지역	이 법 또는 관계 법률에서 정하는 바에 따라 그 지역이 체계적이고 효율적으로 개발·정비·보전될 수 있도록 미리 계획을 수립하고 그 계획을 시행하여야 함
관리지역	도시지역의 인구와 산업을 수용하기 위하여 도시지역에 준하여 체계적으로 관리하거나 농림업의 진흥, 자연환경 또는 산림의 보전을 위하여 농림지역 또는 자연환경보전지역에 준하여 관리할 필요가 있는 지역	이 법 또는 관계 법률에서 정하는 바에 따라 필요한 보전조치를 취하고 개발이 필요한 지역에 대하여는 계획적인 이용과 개발을 도모하여야 함
농림지역	도시지역에 속하지 아니하는 「농지법」에 따른 농업진흥지역 또는 「산지관리법」에 따른 보전산지 등으로서 농림업을 진흥시키고 산림을 보전하기 위하여 필요한 지역	이 법 또는 관계 법률에서 정하는 바에 따라 농림업의 진흥과 산림의 보전·육성에 필요한 조사와 대책을 마련하여야 함
자연환경 보전지역	자연환경·수자원·해안·생태계·상수원 및 문화재의 보전과 수산자원의 보호·육성 등을 위하여 필요한 지역	이 법 또는 관계 법률에서 정하는 바에 따라 환경오염 방지, 자연환경·수질·수자원·해안·생태계 및 문화재의 보전과 수산자원의 보호·육성을 위하여 필요한 조사와 대책을 마련하여야 함

【참고2】 지구단위계획구역(「국토의 계획 및 이용에 관한 법률」 제51조)

법 제51조 【지구단위계획구역의 지정 등】 ① 국토교통부장관, 시·도지사, 시장 또는 군수는 다음 각 호의 어느 하나에 해당하는 지역의 전부 또는 일부에 대하여 지구단위계획구역을 지정할 수 있다. <개정 2017.2.8.>

1. 제37조에 따라 지정된 용도지구
2. 「도시개발법」 제3조에 따라 지정된 도시개발구역
3. 「도시 및 주거환경정비법」 제8조에 따라 지정된 정비구역
4. 「택지개발촉진법」 제3조에 따라 지정된 택지개발지구
5. 「주택법」 제15조에 따른 대지조성사업지구
6. 「산업입지 및 개발에 관한 법률」 제2조제8호의 산업단지와 같은 조 제12호의 준산업단지
7. 「관광진흥법」 제52조에 따라 지정된 관광단지와 같은 법 제70조에 따라 지정된 관광특구
8. 개발제한구역·도시자연공원구역·시가화조정구역 또는 공원에서 해제되는 구역, 녹지지역에서 주거·상업·공업지역으로 변경되는 구역과 새로 도시지역으로 편입되는 구역 중 계획적인 개발 또는 관리가 필요한 지역

8의2. 도시지역 내 주거·상업·업무 등의 기능을 결합하는 등 복합적인 토지 이용을 증진시킬 필요가 있는 지역으로서 대통령령으로 정하는 요건에 해당하는 지역

8의3. 도시지역 내 유휴토지를 효율적으로 개발하거나 교정시설, 군사시설, 그 밖에 대통령령으로 정하는 시설을 이전 또는 재배치하여 토지 이용을 합리화하고, 그 기능을 증진시키기 위하여 집중적으로 정비가 필요한 지역으로서 대통령령으로 정하는 요건에 해당하는 지역

9. 도시지역의 체계적·계획적인 관리 또는 개발이 필요한 지역

건축법
1. 총 칙
2. 건 축
3. 유지관리
4. 대지도로
5. 구조재료
6. 지역지구
7. 건축설비
8. 특별건축구역
9. 보 칙
10. 벌 칙
건축법 관련기준

10. 그 밖에 양호한 환경의 확보나 기능 및 미관의 증진 등을 위하여 필요한 지역으로서 대통령령으로 정하는 지역
② 국토교통부장관, 시 · 도지사, 시장 또는 군수는 다음 각 호의 어느 하나에 해당하는 지역은 지구단위계획구역으로 지정하여야 한다. 다만, 관계 법률에 따라 그 지역에 토지 이용과 건축에 관한 계획이 수립되어 있는 경우에는 그러하지 아니하다.
1. 제1항제3호 및 제4호의 지역에서 시행되는 사업이 끝난 후 10년이 지난 지역
2. 제1항 각 호 중 체계적 · 계획적인 개발 또는 관리가 필요한 지역으로서 대통령령으로 정하는 지역
③ 이후 "생략"

【참고3】 도시·군계획시설부지의 매수청구 및 매수청구자의 권리(「국토의 계획 및 이용에 관한 법률」 제47조)

① 도시 · 군계획시설결정의 고시일부터 10년 이내에 해당 도시 · 군계획시설의 설치에 관한 도시 · 군계획시설사업이 시행되지 아니하는 경우 지목이 대인 토지의 소유자는 특별시장 · 광역시장 · 특별자치시장 · 특별자치도지사 · 시장 또는 군수 등 매수의무자에게 그 토지의 매수를 청구할 수 있다.
⑦ 매수의무자가 해당 기간안에 매수하지 않거나 매수하지 않기로 결정한 경우 매수청구를 한 토지의 소유자는 개발행위 허가를 받아 다음의 건축물 또는 공작물을 설치할 수 있다.

1. 단독주택으로서 3층 이하인 것	*「건축법 시행령」 별표 1, 제1호, 제3호, 제4호
2. 제1종근린생활시설로서 3층 이하인 것	
3. 제2종근린생활시설로서 3층 이하인 것 [다중생활시설(500㎡ 미만), 단란주점(150㎡ 미만), 안마시술소, 노래연습장을 제외]	
4. 공작물	

【2】 적용제외

아래의 건축물은 건축물로는 정의되지만 고증에 따른 복원, 원형의 보존 및 관리의 효율성 등을 기하기 위하여 「건축법」 적용에서 제외한다.

건축물 구분	내 용
1. 지정문화재, 임시지정문화재	• 「문화재보호법」 에 따라 지정된 것 【참고】
지정문화유산, 임시지정문화유산	• 「문화유산의 보존 및 활용에 관한 법률」 에 따라 지정된 것 <시행 2024.3.22.>
천연기념물등, 임시지정천연기념물, 임시지정명승, 임시지정시 · 도자연유산	• 「자연유산의 보존 및 활용에 관한 법률」 에 따라 지정된 것 <시행 2024.5.17.>
2. 철도 또는 궤도의 선로 부지에 있는 시설	• 운전보안시설 • 철도 선로의 위나 아래를 가로지르는 보행시설 • 플랫폼 • 해당 철도 또는 궤도사업용 급수·급탄 및 급유 시설
3. 고속도로 통행료 징수시설	-
4. 컨테이너를 이용한 간이창고	• 「산업집적활성화 및 공장설립에 관한 법률」 에 따른 공장의 용도로만 사용되는 건축물의 대지에 설치하는 것으로서 이동이 쉬운 것 **관계법**
5. 하천구역 내의 수문조작실	• 「하천법」 에 따른 하천구역 내의 시설

【참고】 문화재의 정의(「문화재보호법」 제2조, 제32조)

구분	내용	
유형문화재	건조물, 전적(典籍: 글과 그림을 기록하여 묶은 책), 서적(書跡), 고문서, 회화, 조각, 공예품 등 유형의 문화적 소산으로서 역사적·예술적 또는 학술적 가치가 큰 것과 이에 준하는 고고자료(考古資料)	
무형문화재	여러 세대에 걸쳐 전승되어 온 무형의 문화적 유산 중 다음 각 목의 어느 하나에 해당하는 것을 말한다. ① 전통적 공연·예술 ② 공예, 미술 등에 관한 전통기술 ③ 한의약, 농경·어로 등에 관한 전통지식 ④ 구전 전통 및 표현 ⑤ 의식주 등 전통적 생활관습 ⑥ 민간신앙 등 사회적 의식(儀式) ⑦ 전통적 놀이·축제 및 기예·무예	
기념물	① 절터, 옛무덤, 조개무덤, 성터, 궁터, 가마터, 유물포함층 등의 사적지와 특별히 기념이 될 만한 시설물로서 역사적·학술적 가치가 큰 것 ② 경치 좋은 곳으로서 예술적 가치가 크고 경관이 뛰어난 것 ③ 동물(그 서식지, 번식지, 도래지를 포함한다), 식물(그 자생지를 포함한다), 광물, 동굴, 지질, 생물학적 생성물 및 특별한 자연현상으로서 역사적·경관적 또는 학술적 가치가 큰 것	
민속문화재	의식주, 생업, 신앙, 연중행사 등에 관한 풍속이나 관습과 이에 사용되는 의복, 기구, 가옥 등으로서 국민생활의 변화를 이해하는데 반드시 필요한 것	
지정문화재	① 국가지정문화재	문화재청장이 지정한 문화재
	② 시·도지정문화재	특별시장·광역시장·특별자치시장·도지사 또는 특별자치도지사가 지정한 문화재
	③ 문화재자료	①이나 ②에 따라 지정되지 아니한 문화재중 시·도지사가 지정한 문화재
임시지정 문화재	문화재청장이 지정할 만한 가치가 있다고 인정되는 문화재가 지정 전에 원형보존을 위한 긴급한 필요가 있고 문화재위원회의 심의를 거칠 시간적 여유가 없으면 중요문화재로 임시지정 할 수 있는 문화재	

관계법 공장(「산업집적활성화 및 공장설립에 관한 법률」 제2조, 영 제2조)

법 제2조 【정의】 이 법에서 사용하는 용어의 뜻은 다음과 같다.

1. "공장"이란 건축물 또는 공작물, 물품제조공정을 형성하는 기계·장치 등 제조시설과 그 부대시설(이하 "제조시설등"이라 한다)을 갖추고 대통령령으로 정하는 제조업을 하기 위한 사업장으로서 대통령령으로 정하는 것을 말한다.

영 제2조 【공장의 범위】 ①「산업집적활성화 및 공장설립에 관한 법률」(이하 "법"이라 한다) 제2조제1호에 따른 제조업의 범위는 「통계법」 제22조에 따라 통계청장이 고시하는 표준산업분류(이하 "한국표준산업분류"라 한다)에 따른 제조업으로 한다. <개정 2021.9.14>

② 법 제2조제1호에 따른 공장의 범위에 포함되는 것은 다음 각 호와 같다.

1. 제조업을 하기 위하여 필요한 제조시설(물품의 가공·조립·수리시설을 포함한다. 이하 같다) 및 시험생산시설
2. 제조업을 하는 경우 그 제조시설의 관리·지원, 종업원의 복지후생을 위하여 해당 공장부지 안에 설치하는 부대시설로서 산업통상자원부령으로 정하는 것
3. 제조업을 하는 경우 관계 법령에 따라 설치가 의무화된 시설
4. 제1호부터 제3호까지의 시설이 설치된 공장부지

6 적용의 완화(법 제5조)(영 제6조)(규칙 제2조의4)

법 제5조【적용의 완화】

① 건축주, 설계자, 공사시공자 또는 공사감리자(이하 "건축관계자"라 한다)는 업무를 수행할 때 이 법을 적용하는 것이 매우 불합리하다고 인정되는 대지나 건축물로서 대통령령으로 정하는 것에 대하여는 이 법의 기준을 완화하여 적용할 것을 허가권자에게 요청할 수 있다. <개정 2014.5.28>

② 제1항에 따른 요청을 받은 허가권자는 제4조에 따른 건축위원회의 심의를 거쳐 완화 여부와 적용 범위를 결정하고 그 결과를 신청인에게 알려야 한다. <개정 2014.5.28>

③ 제1항과 제2항에 따른 요청 및 결정의 절차와 그 밖에 필요한 사항은 해당 지방자치단체의 조례로 정한다.

영 제6조【적용의 완화】

① 법 제5조제1항에 따라 완화하여 적용하는 건축물 및 기준은 다음 각 호와 같다. <개정 2016.8.11., 2017.2.3., 2020.5.12.>

1. 수면 위에 건축하는 건축물 등 대지의 범위를 설정하기 곤란한 경우: 법 제40조부터 제47조까지, 법 제55조부터 제57조까지, 법 제60조 및 법 제61조에 따른 기준
2. 거실이 없는 통신시설 및 기계·설비시설인 경우: 법 제44조부터 법 제46조까지의 규정에 따른 기준
3. 31층 이상인 건축물(건축물 전부가 공동주택의 용도로 쓰이는 경우는 제외한다)과 발전소, 제철소, 「산업집적활성화 및 공장설립에 관한 법률 시행령」 별표 1의2 제2호마목에 따라 산업통상자원부령으로 정하는 업종의 제조시설, 운동시설 등 특수 용도의 건축물인 경우: 법 제43조, 제49조부터 제52조까지, 제62조, 제64조, 제67조 및 제68조에 따른 기준
4. 전통사찰, 전통한옥 등 전통문화의 보존을 위하여 시·도의 건축조례로 정하는 지역의 건축물인 경우: 법 제2조제1항제11호, 제44조, 제46조 및 제60조제3항에 따른 기준
5. 경사진 대지에 계단식으로 건축하는 공동주택으로서 지면에서 직접 각 세대가 있는 층으로의 출입이 가능하고, 위층 세대가 아래층 세대의 지붕을 정원 등으로 활용하는 것이 가능한 형태의 건축물과 초고층 건축물인 경우: 법 제55조에 따른 기준
6. 다음 각 목의 어느 하나에 해당하는 건축물인 경우: 법 제42조, 제43조, 제46조, 제55조, 제56조, 제58조, 제60조, 제61조제2항에 따른 기준
   가. 허가권자가 리모델링 활성화가 필요하다고 인정하여 지정·공고한 구역(이하 "리모델링 활성화 구역"이라 한다) 안의 건축물
   나. 사용승인을 받은 후 15년 이상이 되어 리모델링이 필요한 건축물
   다. 기존 건축물을 건축(증축, 일부 개축 또는 일부 재축으로 한정한다. 이하 이 목 및 제32조제3항에서 같다)하거나 대수선하는 경우로서 다음의 요건을 모두 갖춘 건축물
   1) 기존 건축물이 건축 또는 대수선 당시의 법령상 건축물 전체에 대하여 다음의 구분에 따른 확인 또는 확인 서류 제출을 하여야 하는 건축물에 해당하지 아니할 것
   가) 2009년 7월 16일 대통령령 제21629호 건축법 시행령 일부개정령으로 개정되기 전의 제32조에 따른 지진에 대한 안전여부의 확인
   나) 2009년 7월 16일 대통령령 제21629호 건축법 시행령 일부개정령으로 개정된 이후부터 2014년 11월 28일 대통령령 제25786호 건축법 시행령 일부개정령으로 개정되기 전까지의 제32조에 따른 구조 안전의 확인
   다) 2014년 11월 28일 대통령령 제25786호 건축법 시행령 일부개정령으로 개정된 이후의 제32조에 따른 구조 안전의 확인 서류 제출
   2) 제32조제3항에 따라 기존 건축물을 건축 또는 대수선하기 전과 후의 건축물 전체에

대한 구조 안전의 확인 서류를 제출할 것. 다만, 기존 건축물을 일부 재축하는 경우에는 재축 후의 건축물에 대한 구조 안전의 확인 서류만 제출한다.

7. 기존 건축물에 「장애인·노인·임산부 등의 편의증진 보장에 관한 법률」 제8조에 따른 편의시설을 설치하면 법 제55조 또는 법 제56조에 따른 기준에 적합하지 아니하게 되는 경우: 법 제55조 및 법 제56조에 따른 기준

7의2. 「국토의 계획 및 이용에 관한 법률」에 따른 도시지역 및 지구단위계획구역 외의 지역 중 동이나 읍에 해당하는 지역에 건축하는 건축물로서 건축조례로 정하는 건축물인 경우: 법 제2조제1항제11호 및 제44조에 따른 기준

8. 다음 각 목의 어느 하나에 해당하는 대지에 건축하는 건축물로서 재해예방을 위한 조치가 필요한 경우: 법 제55조, 법 제56조, 법 제60조 및 법 제61조에 따른 기준
   가. 「국토의 계획 및 이용에 관한 법률」 제37조에 따라 지정된 방재지구(防災地區)
   나. 「급경사지 재해예방에 관한 법률」 제6조에 따라 지정된 붕괴위험지역

9. 조화롭고 창의적인 건축을 통하여 아름다운 도시경관을 창출한다고 법 제11조에 따른 특별시장·광역시장·특별자치시장·특별자치도지사 또는 시장·군수·구청장(이하 "허가권자"라 한다)가 인정하는 건축물과 「주택법 시행령」 제10조제1항에 따른 도시형 생활주택(아파트는 제외한다)인 경우: 법 제60조 및 제61조에 따른 기준

10. 「공공주택 특별법」 제2조제1호에 따른 공공주택인 경우: 법 제61조제2항에 따른 기준

11. 다음 각 목의 어느 하나에 해당하는 공동주택에 「주택건설 기준 등에 관한 규정」 제2조제3호에 따른 주민공동시설(주택소유자가 공유하는 시설로서 영리를 목적으로 하지 아니하고 주택의 부속용도로 사용하는 시설만 해당하며, 이하 "주민공동시설"이라 한다)을 설치하는 경우: 법 제56조에 따른 기준
   가. 「주택법」 제15조에 따라 사업계획 승인을 받아 건축하는 공동주택
   나. 상업지역 또는 준주거지역에서 법 제11조에 따라 건축허가를 받아 건축하는 200세대 이상 300세대 미만인 공동주택
   다. 법 제11조에 따라 건축허가를 받아 건축하는 「주택법 시행령」 제10조에 따른 도시형 생활주택

12. 법 제77조의4제1항에 따라 건축협정을 체결하여 건축물의 건축·대수선 또는 리모델링을 하려는 경우: 법 제55조 및 제56조에 따른 기준

② 허가권자는 법 제5조제2항에 따라 완화 여부 및 적용 범위를 결정할 때에는 다음 각 호의 기준을 지켜야 한다. <개정 2016.8.11.>

1. 제1항제1호부터 제5호까지, 제7호·제7호의2 및 제9호의 경우
   가. 공공의 이익을 해치지 아니하고, 주변의 대지 및 건축물에 지나친 불이익을 주지 아니할 것
   나. 도시의 미관이나 환경을 지나치게 해치지 아니할 것
2. 제1항제6호의 경우
   가. 제1호 각 목의 기준에 적합할 것
   나. 증축은 기능향상 등을 고려하여 국토교통부령으로 정하는 규모와 범위에서 할 것
   다. 「주택법」 제15조에 따른 사업계획승인 대상인 공동주택의 리모델링은 복리시설을 분양하기 위한 것이 아닐 것
3. 제1항제8호의 경우
   가. 제1호 각 목의 기준에 적합할 것
   나. 해당 지역에 적용되는 법 제55조, 법 제56조, 법 제60조 및 법 제61조에 따른 기준을 100분의 140 이하의 범위에서 건축조례로 정하는 비율을 적용할 것
4. 제1항제10호의 경우
   가. 제1호 각 목의 기준에 적합할 것

나. 기준이 완화되는 범위는 외벽의 중심선에서 발코니 끝부분까지의 길이 중 1.5미터를 초과하는 발코니 부분에 한정될 것. 이 경우 완화되는 범위는 최대 1미터로 제한하며, 완화되는 부분에 창호를 설치해서는 아니 된다.

5. 제1항제11호의 경우
  가. 제1호 각 목의 기준에 적합할 것
  나. 법 제56조에 따른 용적률의 기준은 해당 지역에 적용되는 용적률에 주민공동시설에 해당하는 용적률을 가산한 범위에서 건축조례로 정하는 용적률을 적용할 것
6. 제1항제12호의 경우
  가. 제1호 각 목의 기준에 적합할 것
  나. 법 제55조 및 제56조에 따른 건폐율 또는 용적률의 기준은 법 제77조의4제1항에 따라 건축협정이 체결된 지역 또는 구역(이하 "건축협정구역"이라 한다) 안에서 연접한 둘 이상의 대지에서 건축허가를 동시에 신청하는 경우 둘 이상의 대지를 하나의 대지로 보아 적용할 것

규칙 제2조의5【적용의 완화】
영 제6조제2항제2호나목에서 "국토교통부령으로 정하는 규모 및 범위"란 다음 각 호의 구분에 따른 증축을 말한다. <개정 2016.7.20., 2016.8.12., 2022.2.11>

1. 증축의 규모는 다음 각 목의 기준에 따라야 한다.
  가. 연면적의 증가
    1) 공동주택이 아닌 건축물로서「주택법 시행령」 제10조제1항제1호에 따른 소형 주택으로의 용도변경을 위하여 증축되는 건축물 및 공동주택: 건축위원회의 심의에서 정한 범위 이내일 것.
    2) 그 외의 건축물: 기존 건축물 연면적 합계의 10분의 1의 범위에서 건축위원회의 심의에서 정한 범위 이내일 것. 다만, 영 제6조제1항제6호가목에 따른 리모델링 활성화 구역은 기존 건축물의 연면적 합계의 10분의 3의 범위에서 건축위원회 심의에서 정한 범위 이내일 것.
  나. 건축물의 층수 및 높이의 증가: 건축위원회 심의에서 정한 범위 이내일 것.
  다.「주택법」 제15조에 따른 사업계획승인 대상인 공동주택 세대수의 증가: 가목에 따라 증축 가능한 연면적의 범위에서 기존 세대수의 100분의 15를 상한으로 건축위원회 심의에서 정한 범위 이내일 것
2. 증축할 수 있는 범위는 다음 각 목의 구분에 따른다.
  가. 공동주택
    1) 승강기 · 계단 및 복도
    2) 각 세대 내의 노대 · 화장실 · 창고 및 거실
    3)「주택법」에 따른 부대시설
    4)「주택법」에 따른 복리시설
    5) 기존 공동주택의 높이 · 층수 또는 세대수
  나. 가목 외의 건축물
    1) 승강기 · 계단 및 주차시설
    2) 노인 및 장애인 등을 위한 편의시설
    3) 외부벽체
    4) 통신시설 · 기계설비 · 화장실 · 정화조 및 오수처리시설
    5) 기존 건축물의 높이 및 층수
    6) 법 제2조제1항제6호에 따른 거실

건 축 법
1. 총 칙
2. 건 축
3. 유지관리
4. 대지도로
5. 구조재료
6. 지역지구
7. 건축설비
8. 특별건축구역
9. 보 칙
10. 벌 칙
건 축 법 관련기준

해설 수면위의 건축물 등 특수한 환경 및 용도의 건축물은 일반적인 「건축법」의 규정을 적용하지 어려운 경우가 발생하므로 건축관계자의 요청에 따라 심의를 거쳐 법규정 적용을 완화받을 수 있다.

【1】 적용의 완화

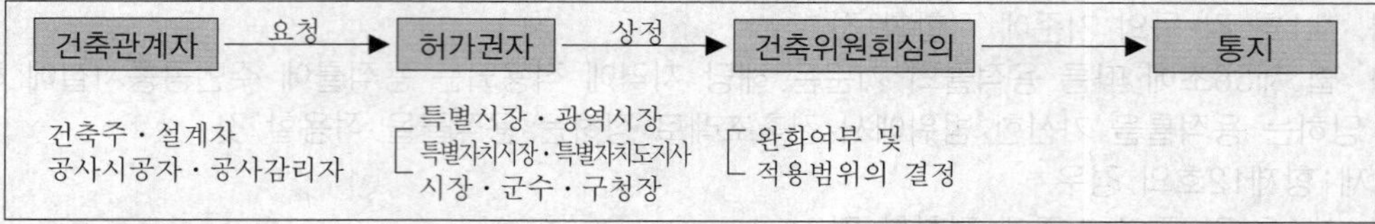

【2】 적용완화대상 및 내용

적용대상	완화할 수 있는 규정	완화 및 적용범위 결정 기준
1. 수면위에 건축하는 건축물 등 대지의 범위를 설정하기 곤란한 경우	• 대지의 안전 등[법 제40조] • 토지굴착부분에 대한 조치 등[법 제41조] • 대지안의 조경[법 제42조] • 공개 공지 등의 확보[법 제43조] • 대지와 도로의 관계[법 제44조] • 도로의 지정 · 폐지 또는 변경[법 제45조] • 건축선의 지정[법 제46조] • 건축선에 따른 건축제한[법 제47조] • 건축물의 건폐율[법 제55조] • 건축물의 용적률[법 제56조] • 대지의 분할제한[법 제57조] • 건축물의 높이제한[법 제60조] • 일조 등의 확보를 위한 건축물의 높이제한[법 제61조]	① 공공의 이익을 해치지 아니하고, 주변의 대지 및 건축물에 지나친 불이익을 주지 아니할 것 ② 도시의 미관이나 환경을 지나치게 해치지 아니할 것
2. 거실이 없는 통신시설 및 기계 · 설비시설	• 대지와 도로와의 관계[법 제44조] • 도로의 지정 · 폐지 또는 변경[법 제45조] • 건축선의 지정[법 제46조]	
3. • 31층 이상의 건축물(건축물 전부가 공동주택인 경우 제외) • 발전소 · 제철소 · 첨단업종 제조시설 · 운동시설 등 특수용도 건축물	• 공개 공지 등의 확보[법 제43조] • 건축물의 피난시설 및 용도제한 등[법 제49조] • 건축물의 내화구조와 방화벽[법 제50조] • 방화지구안의 건축물[법 제51조] • 건축물의 내부 마감재료[법 제52조] • 건축설비기준 등[법 제62조] • 승강기[법 제64조] • 관계전문기술자[법 제67조] • 기술적 기준[법 제68조]	
4. 전통사찰, 전통한옥 등 전통문화의 보존을 위하여 시 · 도의 건축조례로 정하는 지역의 건축물	• 도로의 정의[법 제2조제1항제11호] • 대지와 도로의 관계[법 제44조] • 건축선의 지정[법 제46조] • 건축물의 높이제한[법 제60조제3항]	

<table>
<tr><td>5. ▪ 경사진 대지에 계단식으로 건축하는 공동주택으로서 지면에서 직접 각 세대가 있는 층으로의 출입이 가능하고 위층 세대가 아래층 세대의 지붕을 정원 등으로 활용하는 것이 가능한 형태의 건축물
▪ 초고층 건축물</td><td>• 건축물의 건폐율[법 제55조]</td><td rowspan="4">① 공공의 이익을 해치지 아니하고, 주변의 대지 및 건축물에 지나친 불이익을 주지 아니할 것
② 도시의 미관이나 환경을 지나치게 해치지 아니할 것</td></tr>
<tr><td>6. 기존 건축물에 장애인관련 편의시설을 설치하면 건폐율 및 용적률 기준에 부적합하게 되는 경우
관계법1</td><td>• 건축물의 건폐율[법 제55조]
• 건축물의 용적률[법 제56조]</td></tr>
<tr><td>7. 도시지역 및 지구단위계획구역 외의 지역 중 동이나 읍에 해당하는 지역에 건축하는 건축물로서 건축조례로 정하는 건축물</td><td>• 도로의 정의[법 제2조제1항제11호]
• 대지와 도로의 관계[법 제44조]</td></tr>
<tr><td>8. ▪ 조화롭고 창의적인 건축을 통하여 아름다운 도시경관을 창출한다고 허가권자가 인정하는 건축물
▪ 「주택법」에 따른 도시형 생활주택(아파트 제외)</td><td>• 건축물의 높이제한[법 제60조]
• 일조 등의 확보를 위한 건축물의 높이제한[법 제61조]</td></tr>
<tr><td>9. 「공공주택 특별법」에 따른 공공주택(공공임대주택, 공공분양주택)
관계법2</td><td>• 일조 등의 확보를 위한 건축물의 높이제한[법 제61조제2항]</td><td>• 위 ①② 기준에 적합할 것
• 기준이 완화되는 범위는 외벽의 중심선에서 발코니 끝부분까지의 길이 중 1.5m를 초과하는 발코니 부분에 한정될 것. (완화되는 범위는 최대 1m로 제한하며, 완화되는 부분에 창호를 설치 금지)</td></tr>
<tr><td>10. 리모델링 건축물
▪ 사용승인을 받은 후 15년 이상되어 리모델링이 필요한 건축물
▪ 리모델링 활성화 구역의 건축물
▪ 기존 건축물을 건축[1]하거나 대수선하는 경우로서 일정 요건[2]을 갖춘 건축물</td><td>• 대지안의 조경[법 제42조]
• 공개 공지 등의 확보[법 제43조]
• 건축선의 지정[법 제46조]
• 건축물의 건폐율[법 제55조]
• 건축물의 용적률[법 제56조]
• 대지안의 공지[법 제58조]
• 건축물의 높이제한[법 제60조]
• 일조 등의 확보를 위한 건축물의 높이제한[법 제61조제2항]</td><td>• 위 ①② 기준에 적합할 것
• 증축은 기능향상 등을 고려하여 국토교통부령으로 정하는 규모와 범위[3](규칙 제2조의5 참조)에서 할 것
• 사업계획승인 대상 공동주택의 리모델링은 복리시설을 분양하기 위한 것이 아닐 것</td></tr>
<tr><td>11. 방재지구 · 붕괴위험지역의 대지에 건축하는 건축물로서 재해예방을 위한 조치가 필요한 경우
관계법3 관계법4</td><td>• 건축물의 건폐율[법 제55조]
• 건축물의 용적률[법 제56조]
• 건축물의 높이제한[법 제60조]
• 일조 등의 확보를 위한 건축물의 높이제한[법 제61조]</td><td>• 위 ①② 기준에 적합할 것
• 해당 지역에 적용되는 기준의 140/100 이하의 범위에서 건축조례로 정하는 비율을 적용할 것</td></tr>
</table>

12. 다음 공동주택에 주민공동시설을 설치하는 경우 **관계법5** ▪ 사업계획 승인 대상 공동주택 ▪ 상업, 준주거지역에서 건축허가 받은 200세대 이상 300세대 미만 공동주택 ▪ 건축허가 받은 도시형 생활주택	• 건축물의 용적률[법 제56조]	• 위 ①② 기준에 적합할 것 • 해당 지역용적률에 주민공동시설에 해당하는 용적률을 가산한 범위에서 건축조례로 정하는 용적률을 적용할 것
13. 건축협정을 체결하여 건축물의 건축·대수선 또는 리모델링을 하려는 경우	• 건축물의 건폐율[법 제55조] • 건축물의 용적률[법 제56조]	• 위 ①② 기준에 적합할 것 • 건축협정구역 안에서 연접한 둘 이상의 대지에서 건축허가를 동시에 신청하는 경우 둘 이상의 대지를 하나의 대지로 보아 적용할 것

※ 위 적용대상 10.의 1), 2), 3)

1) **건축** : 증축, 일부 개축 또는 일부 재축으로 한정

2) **건축하거나 대수선하는 경우 모두 갖춰야할 요건**

① 기존 건축물이 건축 또는 대수선 당시의 법령상 건축물 전체에 대하여 다음의 확인 또는 확인 서류 제출을 하여야 하는 건축물에 해당하지 아니할 것

1. 2009.7. 16. 대통령령 제21629호 건축법 시행령 일부개정령으로 개정되기 전의 제32조에 따른 지진에 대한 안전여부의 확인
2. 2009.7. 16. 대통령령 제21629호 건축법 시행령 일부개정령으로 개정된 이후부터 2014.11.28. 대통령령 제25786호 건축법 시행령 일부개정령으로 개정되기 전까지의 제32조에 따른 구조 안전의 확인
3. 2014.11.28. 대통령령 제25786호 건축법 시행령 일부개정령으로 개정된 이후의 제32조에 따른 구조 안전의 확인 서류 제출

② 기존 건축물을 건축 또는 대수선하기 전과 후의 건축물 전체에 대한 구조 안전의 확인 서류를 제출할 것.
예외 기존 건축물을 일부 재축하는 경우 재축 후의 건축물에 대한 구조 안전의 확인 서류만 제출

3) **국토교통부령으로 정하는 규모 및 범위**(규칙 제2조의5)

① 증축의 규모

구 분		규 모
1. 연면적의 증가	1) 공동주택이 아닌 건축물로서 「주택법」상의 소형 주택으로의 용도변경을 위해 증축되는 건축물 및 공동주택	건축위원회의 심의에서 정한 범위 이내일 것.
	2) 그 외의 건축물:	기존 건축물 연면적 합계의 1/10(리모델링 활성화구역:3/10)의 범위에서 건축위원회의 심의에서 정한 범위 이내일 것
2. 층수 및 높이의 증가	건축위원회 심의에서 정한 범위 이내일 것.	
3. 「주택법」상의 사업계획승인 대상 공동주택 세대수의 증가	1.에 따라 증축 가능한 연면적의 범위에서 기존 세대수의 15/100를 상한으로 건축위원회 심의에서 정한 범위 이내일 것	

건 축 법
1. 총 칙
2. 건 축
3. 유지관리
4. 대지도로
5. 구조재료
6. 지역지구
7. 건축설비
8. 특별건축구역
9. 보 칙
10. 벌 칙
건 축 법 관련기준

② 증축할 수 있는 범위

구 분	범 위
1. 공동주택	1) 승강기 · 계단 및 복도 2) 각 세대 내의 노대 · 화장실 · 창고 및 거실 3) 「주택법」에 따른 부대시설 4) 「주택법」에 따른 복리시설 5) 기존 공동주택의 높이 · 층수 또는 세대수
2. 그 외의 건축물	1) 승강기 · 계단 및 주차시설 2) 노인 및 장애인 등을 위한 편의시설 3) 외부벽체 4) 통신시설 · 기계설비 · 화장실 · 정화조 및 오수처리시설 5) 기존 건축물의 높이 및 층수 6) 거실

관계법1 편의시설의 설치기준 (「장애인 · 노인 · 임산부 등의 편의증진 보장에 관한 법률」 제8조)

법 제8조 【편의시설의 설치기준】 ① 대상시설별로 설치하여야 하는 편의시설의 종류는 대상시설의 규모, 용도 등을 고려하여 대통령령으로 정한다.

② 편의시설의 구조와 재질 등에 관한 세부기준은 보건복지부령으로 정한다. 이 경우 편의시설의 종류별 안내 내용과 안내 표시 디자인 기준을 함께 정하여야 한다. <개정 2019.1.15.>

관계법2 공공주택 (「공공주택 특별법」 제2조)

법 제2조 【정의】 이 법에서 사용하는 용어의 뜻은 다음과 같다. <개정 2021.7.20.>

1. "공공주택"이란 제4조제1항 각 호에 규정된 자 또는 제4조제2항에 따른 공공주택사업자가 국가 또는 지방자치단체의 재정이나 「주택도시기금법」에 따른 주택도시기금(이하 "주택도시기금"이라 한다)을 지원받아 이 법 또는 다른 법률에 따라 건설, 매입 또는 임차하여 공급하는 다음 각 목의 어느 하나에 해당하는 주택을 말한다.
   가. 임대 또는 임대한 후 분양전환을 할 목적으로 공급하는 「주택법」 제2조제1호에 따른 주택으로서 대통령령으로 정하는 주택(이하 "공공임대주택"이라 한다)
   나. 분양을 목적으로 공급하는 주택으로서 「주택법」 제2조제5호에 따른 국민주택규모 이하의 주택(이하 "공공분양주택"이라 한다)

관계법3 방재지구 (「국토의 계획 및 이용에 관한 법률」 제37조)

법 제37조 【용도지구의 지정】 ① 국토교통부장관, 시 · 도지사 또는 대도시 시장은 다음 각 호의 어느 하나에 해당하는 용도지구의 지정 또는 변경을 도시 · 군관리계획으로 결정한다. <개정 2017.4.18.>

5. 방재지구: 풍수해, 산사태, 지반의 붕괴, 그 밖의 재해를 예방하기 위하여 필요한 지구

영 제75조 【방재지구안에서의 건축제한】 방재지구안에서는 풍수해 · 산사태 · 지반붕괴 · 지진 그 밖에 재해예방에 장애가 된다고 인정하여 도시 · 군계획조례가 정하는 건축물을 건축할 수 없다. 다만, 특별시장 · 광역시장 · 특별자치시장 · 특별자치도지사 · 시장 또는 군수가 지구의 지정목적에 위배되지 아니하는 범위안에서 도시 · 군계획조례가 정하는 기준에 적합하다고 인정하여 당해 지방자치단체에 설치된 도시계획위원회의 심의를 거친 경우에는 그러하지 아니하다. <개정 2012.4.10>

관계법4 붕괴위험지역 (「급경사지 재해예방에 관한 법률」 제6조)

법 제6조【붕괴위험지역의 지정 등】 ① 관리기관은 소관 급경사지에 대하여 제5조에 따른 안전점검을 실시하여 붕괴위험지역으로 지정할 필요가 있는 때에는 재해위험도평가와 주민의견 수렴절차를 거쳐 그 지역을 관할하고 있는 시장 · 군수 · 구청장에게 붕괴위험지역의 지정을 요청하고, 그 요청을 받은 시장 · 군수 · 구청장은 특별한 사유가 없는 한 즉시 이를 지정 · 고시하여야 한다. 이를 변경하는 때에도 또한 같다. <개정 2017.3.21.>

② 시장 · 군수 · 구청장은 관할 구역 안에서 관리기관 외의 자가 소유하거나 관리하는 급경사지에 대하여 직접 재해위험도 평가를 하고 주민의견 수렴절차를 거쳐 붕괴위험지역으로 지정 · 고시할 수 있다. 이 경우 해당 시장 · 군수, 구청장은 해당 붕괴위험지역의 관리기관이 된다.

관계법5 주민공동시설 (「주택건설기준 등에 관한 규정」 제2조)

영 제2조【정의】

3. "주민공동시설" 이란 해당 공동주택의 거주자가 공동으로 사용하거나 거주자의 생활을 지원하는 시설로서 다음 각 목의 시설을 말한다. <개정 2022.12.6>
   가. 경로당
   나. 어린이놀이터
   다. 어린이집
   라. 주민운동시설
   마. 도서실(정보문화시설과 「도서관법」 제4조제2항가목에 따른 작은도서관을 포함한다)
   바. 주민교육시설(영리를 목적으로 하지 아니하고 공동주택의 거주자를 위한 교육장소를 말한다)
   사. 청소년 수련시설
   아. 주민휴게시설
   자. 독서실
   차. 입주자집회소
   카. 공용취사장
   타. 공용세탁실
   파. 「공공주택건설 등에 관한 특별법」 제2조에 따른 공공주택의 단지 내에 설치하는 사회복지시설
   하. 「아동복지법」 제44조의2의 다함께돌봄센터(이하 "다함께돌봄센터"라 한다)
   거. 「아이돌봄 지원법」 제19조의 공동육아나눔터
   너. 그 밖에 가목부터 거목까지의 시설에 준하는 시설로서 「주택법」 (이하 "법"이라 한다) 제15조제1항에 따른 사업계획의 승인권자(이하 "사업계획승인권자"라 한다)가 인정하는 시설

7 건축위원회(법 제4조)(영 제5조~제5조의6)(규칙 제2조~제2조의3)

법 제4조【건축위원회】

① 국토교통부장관, 시·도지사 및 시장·군수·구청장은 다음 각 호의 사항을 조사·심의·조정 또는 재정(이하 이 조에서 "심의등"이라 한다)하기 위하여 각각 건축위원회를 두어야 한다. <개정 2014.5.28>

1. 이 법과 조례의 제정·개정 및 시행에 관한 중요 사항
2. 건축물의 건축등과 관련된 분쟁의 조정 또는 재정에 관한 사항. 다만, 시·도지사 및 시장·군수·구청장이 두는 건축위원회는 제외한다.
3. 건축물의 건축등과 관련된 민원에 관한 사항. 다만, 국토교통부장관이 두는 건축위원회는 제외한다.
4. 건축물의 건축 또는 대수선에 관한 사항
5. 다른 법령에서 건축위원회의 심의를 받도록 규정한 사항

② 국토교통부장관, 시·도지사 및 시장·군수·구청장은 건축위원회의 심의등을 효율적으로 수행하기 위하여 필요하면 자신이 설치하는 건축위원회에 다음 각 호의 전문위원회를 두어 운영할 수 있다. <개정 2014.5.28.>

1. 건축분쟁전문위원회(국토교통부에 설치하는 건축위원회에 한정한다)
2. 건축민원전문위원회(시·도 및 시·군·구에 설치하는 건축위원회에 한정한다)
3. 건축계획·건축구조·건축설비 등 분야별 전문위원회

③ 제2항에 따른 전문위원회는 건축위원회가 정하는 사항에 대하여 심의등을 한다. <개정 2014.5.28>

④ 제3항에 따라 전문위원회의 심의등을 거친 사항은 건축위원회의 심의등을 거친 것으로 본다. <개정 2014.5.28>

⑤ 제1항에 따른 각 건축위원회의 조직·운영, 그 밖에 필요한 사항은 대통령령으로 정하는 바에 따라 국토교통부령이나 해당 지방자치단체의 조례(자치구의 경우에는 특별시나 광역시의 조례를 말한다. 이하 같다)로 정한다.

영 제5조【중앙건축위원회의 설치 등】

① 법 제4조제1항에 따라 국토교통부에 두는 건축위원회(이하 "중앙건축위원회"라 한다)는 다음 각 호의 사항을 조사·심의·조정 또는 재정(이하 "심의등"이라 한다)한다. <개정 2014.11.28>

1. 법 제23조제4항에 따른 표준설계도서의 인정에 관한 사항
2. 건축물의 건축·대수선·용도변경, 건축설비의 설치 또는 공작물의 축조(이하 "건축물의 건축등"이라 한다)와 관련된 분쟁의 조정 또는 재정에 관한 사항
3. 법과 이 영의 제정·개정 및 시행에 관한 중요 사항
4. 다른 법령에서 중앙건축위원회의 심의를 받도록 한 경우 해당 법령에서 규정한 심의사항
5. 그 밖에 국토교통부장관이 중앙건축위원회의 심의가 필요하다고 인정하여 회의에 부치는 사항

② 제1항에 따라 심의등을 받은 건축물이 다음 각 호의 어느 하나에 해당하는 경우에는 해당 건축물의 건축등에 관한 중앙건축위원회의 심의등을 생략할 수 있다.

1. 건축물의 규모를 변경하는 것으로서 다음 각 목의 요건을 모두 갖춘 경우
   가. 건축위원회의 심의등의 결과에 위반되지 아니할 것

나. 심의등을 받은 건축물의 건축면적, 연면적, 층수 또는 높이 중 어느 하나도 10분의 1을 넘지 아니하는 범위에서 변경할 것

2. 중앙건축위원회의 심의등의 결과를 반영하기 위하여 건축물의 건축등에 관한 사항을 변경하는 경우

③ 중앙건축위원회는 위원장 및 부위원장 각 1명을 포함하여 70명 이내의 위원으로 구성한다.

④ 중앙건축위원회의 위원은 관계 공무원과 건축에 관한 학식 또는 경험이 풍부한 사람 중에서 국토교통부장관이 임명하거나 위촉한다.

⑤ 중앙건축위원회의 위원장과 부위원장은 제4항에 따라 임명 또는 위촉된 위원 중에서 국토교통부장관이 임명하거나 위촉한다.

⑥ 공무원이 아닌 위원의 임기는 2년으로 하며, 한 차례만 연임할 수 있다.

영 제5조의2【위원의 제척 · 기피 · 회피】

① 중앙건축위원회의 위원(이하 이 조 및 제5조의3에서 "위원"이라 한다)이 다음 각 호의 어느 하나에 해당하는 경우에는 중앙건축위원회의 심의 · 의결에서 제척(除斥)된다.

1. 위원 또는 그 배우자나 배우자이었던 사람이 해당 안건의 당사자(당사자가 법인 · 단체 등인 경우에는 그 임원을 포함한다. 이하 이 호 및 제2호에서 같다)가 되거나 그 안건의 당사자와 공동권리자 또는 공동의무자인 경우
2. 위원이 해당 안건의 당사자와 친족이거나 친족이었던 경우
3. 위원이 해당 안건에 대하여 자문, 연구, 용역(하도급을 포함한다), 감정 또는 조사를 한 경우
4. 위원이나 위원이 속한 법인 · 단체 등이 해당 안건의 당사자의 대리인이거나 대리인이었던 경우
5. 위원이 임원 또는 직원으로 재직하고 있거나 최근 3년 내에 재직하였던 기업 등이 해당 안건에 관하여 자문, 연구, 용역(하도급을 포함한다), 감정 또는 조사를 한 경우

② 해당 안건의 당사자는 위원에게 공정한 심의 · 의결을 기대하기 어려운 사정이 있는 경우에는 중앙건축위원회에 기피 신청을 할 수 있고, 중앙건축위원회는 의결로 이를 결정한다. 이 경우 기피 신청의 대상인 위원은 그 의결에 참여하지 못한다.

③ 위원이 제1항 각 호에 따른 제척 사유에 해당하는 경우에는 스스로 해당 안건의 심의 · 의결에서 회피(回避)하여야 한다.

영 제5조의3【위원의 해임 · 해촉】

국토교통부장관은 위원이 다음 각 호의 어느 하나에 해당하는 경우에는 해당 위원을 해임하거나 해촉(解囑)할 수 있다.

1. 심신장애로 인하여 직무를 수행할 수 없게 된 경우
2. 직무태만, 품위손상이나 그 밖의 사유로 인하여 위원으로 적합하지 아니하다고 인정되는 경우
3. 제5조의2제1항 각 호의 어느 하나에 해당하는 데에도 불구하고 회피하지 아니한 경우

영 제5조의4【운영세칙】

제5조, 제5조의2 및 제5조의3에서 규정한 사항 외에 중앙건축위원회의 운영에 관한 사항, 수당 및 여비의 지급에 관한 사항은 국토교통부령으로 정한다.

영 제5조의6【전문위원회의 구성 등】

① 국토교통부장관, 시 · 도지사 또는 시장 · 군수 · 구청장은 법 제4조제2항에 따라 다음 각 호의 분야별로 전문위원회를 구성 · 운영할 수 있다.

1. 건축계획 분야
2. 건축구조 분야
3. 건축설비 분야
4. 건축방재 분야
5. 에너지관리 등 건축환경 분야
6. 건축물 경관(景觀) 분야(공간환경 분야를 포함한다)
7. 조경 분야
8. 도시계획 및 단지계획 분야
9. 교통 및 정보기술 분야
10. 사회 및 경제 분야
11. 그 밖의 분야

② 제1항에 따른 전문위원회의 구성 · 운영에 관한 사항, 수당 및 여비 지급에 관한 사항은 국토교통부령 또는 건축조례로 정한다.

규칙 제2조【중앙건축위원회의 운영 등】

① 법 제4조제1항 및 「건축법 시행령」(이하 "영"이라 한다) 제5조의4에 따라 국토교통부에 두는 건축위원회(이하 "중앙건축위원회"라 한다)의 회의는 다음 각 호에 따라 운영한다. <개정 2016.1.13>

1. 중앙건축위원회의 위원장은 중앙건축위원회의 회의를 소집하고, 그 의장이 된다.
2. 중앙건축위원회의 회의는 구성위원(위원장과 위원장이 회의 시마다 확정하는 위원을 말한다) 과반수의 출석으로 개의(開議)하고, 출석위원 과반수의 찬성으로 조사 · 심의 · 조정 또는 재정(이하 "심의등"이라 한다)을 의결한다.
3. 중앙건축위원회의 위원장은 업무수행을 위하여 필요하다고 인정하는 경우에는 관계 전문가를 중앙건축위원회의 회의에 출석하게 하여 발언하게 하거나 관계 기관 · 단체에 대하여 자료를 요구할 수 있다.
4. 중앙건축위원회는 심의신청 접수일부터 30일 이내에 심의를 마쳐야 한다. 다만, 심의요청서 보완 등 부득이한 사정이 있는 경우에는 20일의 범위에서 연장할 수 있다.

② 중앙건축위원회의 회의에 출석한 위원에 대하여는 예산의 범위에서 수당 및 여비를 지급할 수 있다. 다만, 공무원인 위원이 그의 소관 업무와 직접적으로 관련하여 출석하는 경우에는 그러하지 아니하다.

③ 중앙건축위원회의 심의등 관련 서류는 심의등의 완료 후 2년간 보존하여야 한다. <신설 2016.1.13.>

④ 중앙건축위원회에 회의록 작성 등 중앙건축위원회의 사무를 처리하기 위하여 간사를 두되, 간사는 국토교통부의 건축정책업무 담당 과장이 된다. <신설 2016.1.13>

⑤ 이 규칙에서 규정한 사항 외에 중앙건축위원회의 운영에 필요한 사항은 중앙건축위원회의 의결을 거쳐 위원장이 정한다.

건 축 법
1. 총 칙
2. 건 축
3. 유지관리
4. 대지도로
5. 구조재료
6. 지역지구
7. 건축설비
8. 특별건축구역
9. 보 칙
10. 벌 칙
건 축 법 관련기준

규칙 제2조의2【중앙건축위원회의 심의등의 결과 통보】
국토교통부장관은 중앙건축위원회가 심의등을 의결한 날부터 7일 이내에 심의등을 신청한 자에게 그 심의등의 결과를 서면으로 알려야 한다.

규칙 제2조의3【전문위원회의 구성등】
① 삭제 <1999.5.11>
② 법 제4조제2항에 따라 중앙건축위원회에 구성되는 전문위원회(이하 이 조에서 "전문위원회"라 한다)는 중앙건축위원회의 위원 중 5인 이상 15인 이하의 위원으로 구성한다.
③ 전문위원회의 위원장은 전문위원회의 위원중에서 국토교통부장관이 임명 또는 위촉하는 자가 된다.
④ 전문위원회의 운영에 관하여는 제2조제1항 및 제2항을 준용한다. 이 경우 "중앙건축위원회"는 각각 "전문위원회"로 본다.

해설 건축위원회는 「건축법」 및 조례의 시행에 관한 사항과 건축물의 건축등과 관련된 분쟁의 조정 또는 재정에 관한 사항 등을 조사·심의·조정 또는 재정하기 위하여 국토교통부에 중앙건축위원회, 특별시·광역시·도·특별자치도 및 시·군·구(자치구)에 지방건축위원회를 둔다.
건축위원회의 위원은 관계공무원과 건축에 관한 전문가들로 구성되어, 효율적이고 합리적인 법의 집행을 수행하기 위한 심의 등을 행한다.
2014.11.28.일자로 시행되는 개정법령에서 건축위원회 심의의 공정성과 투명성을 높이기 위하여 건축위원회의 재심의 및 회의록 공개 제도를 신설하고, 건축 민원 행정에 대한 국민 만족도 제고와 건축 분쟁의 원활한 조정을 위하여, 지방자치단체 소관 건축위원회에 건축민원전문위원회를 두어 질의민원을 심의하도록 하며, 국토교통부 소관 건축위원회에는 건축분쟁전문위원회를 두어 분쟁민원의 심의·조정을 담당하도록 하였다.

1 중앙건축위원회

【1】 중앙건축위원회의 설치
국토교통부에 설치

【2】 위원회의 구성
① 위원장 및 부위원장 각 1명을 포함하여 70명 이내의 위원으로 구성
② 중앙건축위원회의 위원은 관계 공무원과 건축에 관한 학식 또는 경험이 풍부한 사람 중에서 국토교통부장관이 임명하거나 위촉
③ 중앙건축위원회의 위원장과 부위원장은 위원 중에서 국토교통부장관이 임명하거나 위촉
④ 공무원이 아닌 위원의 임기 : 2년(한 차례만 연임가능)

【3】 위원의 제척, 해임 등

(1) 제척 및 회피
위원이 다음의 경우 중앙건축위원회의 심의·의결에서 제척(除斥)된다.

① 위원 또는 그 배우자나 배우자이었던 사람이 해당 안건의 당사자(당사자가 법인·단체 등인 경우 그 임원을 포함)가 되거나 그 안건의 당사자와 공동권리자 또는 공동의무자인 경우
② 위원이 해당 안건의 당사자와 친족이거나 친족이었던 경우
③ 위원이 해당 안건에 대하여 자문, 연구, 용역(하도급을 포함한다), 감정 또는 조사를 한 경우
④ 위원이나 위원이 속한 법인·단체 등이 해당 안건의 당사자의 대리인이거나 대리인이었던 경우
⑤ 위원이 임원 또는 직원으로 재직하고 있거나 최근 3년 내에 재직하였던 기업 등이 해당 안건에 관하여 자문, 연구, 용역(하도급을 포함한다), 감정 또는 조사를 한 경우
⑥ 해당 안건의 당사자는 위원에게 공정한 심의·의결을 기대하기 어려운 사정이 있는 경 중앙건축위원회에 기피 신청을 할 수 있고, 중앙건축위원회는 의결로 이를 결정한다. 이 경우 기피 신청의 대상인 위원은 그 의결에 참여하지 못한다.
⑦ 위원이 제척 사유에 해당하는 경우에는 스스로 해당 안건의 심의·의결에서 회피(回避)하여야 한다.

(2) 해임, 해촉

다음에 해당하는 경우 위원을 해임하거나 해촉(解囑)할 수 있다.
① 심신장애로 인하여 직무를 수행할 수 없게 된 경우
② 직무태만, 품위손상이나 그 밖의 사유로 인하여 위원으로 적합하지 아니하다고 인정되는 경우
③ 회피사유에 해당하는 데에도 회피하지 아니한 경우

【4】 회의

① 중앙건축위원회의 위원장은 중앙건축위원회의 회의를 소집하고, 그 의장이 된다.
② 중앙건축위원회의 회의는 구성위원(위원장과 위원장이 회의 시마다 확정하는 위원) 과반수의 출석으로 개의(開議)하고, 출석위원 과반수의 찬성으로 조사·심의·조정 또는 재정(이하 "심의등")을 의결한다.
③ 중앙건축위원회의 위원장은 업무수행을 위하여 필요하다고 인정하는 경우 관계 전문가를 중앙건축위원회의 회의에 출석하게 하여 발언하게 하거나 관계 기관·단체에 대하여 자료를 요구할 수 있다.
④ 중앙건축위원회는 심의신청 접수일부터 30일 이내에 심의를 마쳐야 한다.
- 심의요청서 보완 등 부득이한 사정이 있는 경우 20일의 범위에서 연장가능
⑤ 중앙건축위원회의 회의에 출석한 위원에 대하여는 예산의 범위에서 수당 및 여비를 지급할 수 있다.
⑥ 중앙건축위원회의 심의등 관련 서류는 심의등의 완료 후 2년간 보존하여야 한다.
⑦ 중앙건축위원회에 회의록 작성 등 중앙건축위원회의 사무를 처리하기 위하여 간사를 두되, 간사는 국토교통부의 건축정책업무 담당 과장이 된다.
⑧ 이 규칙에서 규정한 사항 외에 중앙건축위원회의 운영에 필요한 사항은 중앙건축위원회의 의결을 거쳐 위원장이 정한다.

【5】 심의사항 등

(1) 심의사항

① 표준설계도서의 인정에 관한 사항
② 건축물의 건축·대수선·용도변경, 건축설비의 설치 또는 공작물의 축조(이하 "건축물의 건축등"이라 한다)와 관련된 분쟁의 조정 또는 재정에 관한 사항

③ 건축법과 건축법 시행령의 제정·개정 및 시행에 관한 사항
④ 다른 법령에서 중앙건축위원회의 심의를 받도록 한 경우 해당 법령에서 규정한 심의사항
⑤ 그 밖에 국토교통부장관이 중앙건축위원회의 심의가 필요하다고 인정하여 회의에 부치는 사항

(2) 심의의 생략

심의등을 받은 건축물이 다음에 해당하는 경우 심의등을 생략할 수 있다.

① 건축물의 규모를 변경하는 것으로서 다음 요건을 모두 갖춘 경우
- 건축위원회의 심의등의 결과에 위반되지 아니할 것
- 심의등을 받은 건축물의 건축면적, 연면적, 층수 또는 높이 중 어느 하나도 1/10을 넘지 아니하는 범위에서 변경할 것

② 중앙건축위원회의 심의등의 결과를 반영하기 위하여 건축물의 건축등에 관한 사항을 변경하는 경우

(3) 심의결과 통보

국토교통부장관은 중앙건축위원회가 심의등을 의결한 날부터 7일 이내에 심의등을 신청한 자에게 그 심의등의 결과를 서면으로 알려야 한다.

【6】 전문위원회

국토교통부장관, 시 · 도지사 및 시장 · 군수 · 구청장은 건축위원회의 심의등을 효율적으로 수행하기 위하여 필요하면 자신이 설치하는 건축위원회에 전문위원회를 두어 운영할 수 있다.

(1) 건축분쟁전문위원회

- 중앙건축위원회에 설치
- 건축법 제88조 ~ 제103조에 규정되어 있음(※ 제9장 해설 참조)

(2) 건축민원전문위원회

- 시 · 도 및 시 · 군 · 구에 설치하는 건축위원회에 설치(※ 아래 4 참조)

(3) 분야별 전문위원회

① 중앙건축위원회에 구성되는 전문위원회

1. 구 성	중앙건축위원회의 위원 중 5인 이상 15인 이하의 위원으로 구성
2. 위원장	전문위원회위원 중에서 국토교통부장관이 임명 또는 위촉한 자
3. 운 영	중앙건축위원회의 운영규정(규칙 제2조제1항 및 제2항)을 준용

② 지방건축위원회(시 · 도 및 시 · 군 · 구에 설치되는 건축위원회)에 구성되는 전문위원회
- 구성, 운영 등과 수당 및 여비지급에 관한 사항은 건축조례로 정한다.

③ 분야

1. 건축계획 분야 2. 건축구조 분야 3. 건축설비 분야 4. 건축방재 분야 5. 에너지관리 등 건축환경 분야
6. 건축물 경관 분야(공간환경 분야 포함) 7. 조경 분야 8. 도시계획 및 단지계획 분야
9. 교통 및 정보기술 분야 10. 사회 및 경제 분야 11. 그 밖의 분야

(4) 전문위원회의 심의사항 등

① 전문위원회는 건축위원회가 정하는 사항을 심의한다.
② 전문위원회의 심의등을 거친 사항은 건축위원회의 심의등을 거친 것으로 본다.

[2] 지방건축위원회

법 제4조의2【건축위원회의 건축 심의 등】

① 대통령령으로 정하는 건축물을 건축하거나 대수선하려는 자는 국토교통부령으로 정하는 바에 따라 시·도지사 또는 시장·군수·구청장에게 제4조에 따른 건축위원회(이하 "건축위원회"라 한다)의 심의를 신청하여야 한다. <개정 2017.1.17.>

② 제1항에 따라 심의 신청을 받은 시·도지사 또는 시장·군수·구청장은 대통령령으로 정하는 바에 따라 건축위원회에 심의 안건을 상정하고, 심의 결과를 국토교통부령으로 정하는 바에 따라 심의를 신청한 자에게 통보하여야 한다.

③ 제2항에 따른 건축위원회의 심의 결과에 이의가 있는 자는 심의 결과를 통보받은 날부터 1개월 이내에 시·도지사 또는 시장·군수·구청장에게 건축위원회의 재심의를 신청할 수 있다.

④ 제3항에 따른 재심의 신청을 받은 시·도지사 또는 시장·군수·구청장은 그 신청을 받은 날부터 15일 이내에 대통령령으로 정하는 바에 따라 건축위원회에 재심의 안건을 상정하고, 재심의 결과를 국토교통부령으로 정하는 바에 따라 재심의를 신청한 자에게 통보하여야 한다.

[본조신설 2014.5.28.]

법 제4조의3【건축위원회 회의록의 공개】

시·도지사 또는 시장·군수·구청장은 제4조의2제1항에 따른 심의(같은 조 제3항에 따른 재심의를 포함한다. 이하 이 조에서 같다)를 신청한 자가 요청하는 경우에는 대통령령으로 정하는 바에 따라 건축위원회 심의의 일시·장소·안건·내용·결과 등이 기록된 회의록을 공개하여야 한다. 다만, 심의의 공정성을 침해할 우려가 있다고 인정되는 이름, 주민등록번호 등 대통령령으로 정하는 개인 식별 정보에 관한 부분의 경우에는 그러하지 아니하다.

[본조신설 2014.5.28]

영 제5조의5【지방건축위원】

① 법 제4조제1항에 따라 특별시·광역시·특별자치시·도·특별자치도(이하 "시·도"라 한다) 및 시·군·구(자치구를 말한다. 이하 같다)에 두는 건축위원회(이하 "지방건축위원회"라 한다)는 다음 각 호의 사항에 대한 심의등을 한다. <개정 2016.1.19, 2020.4.21>

1. 법 제46조제2항에 따른 건축선(建築線)의 지정에 관한 사항
2. 법 또는 이 영에 따른 조례(해당 지방자치단체의 장이 발의하는 조례만 해당한다)의 제정·개정 및 시행에 관한 사항
3. 삭제 <2014.11.11.>
4. 다중이용 건축물 및 특수구조 건축물의 구조안전에 관한 사항
5. 삭제 <2016.1.19.>
6. 삭제 <2020.4.21.>
7. 다른 법령에서 지방건축위원회의 심의를 받도록 한 경우 해당 법령에서 규정한 심의사항
8. 특별시장·광역시장·특별자치시장·도지사 또는 특별자치도지사(이하 "시·도지사"라 한다) 및 시장·군수·구청장이 도시 및 건축 환경의 체계적인 관리를 위하여 필요하다고 인정하여 지정·공고한 지역에서 건축조례로 정하는 건축물의 건축등에 관한 것으로서 시·도지사 및 시장·군수·구청장이 지방건축위원회의 심의가 필요하다고 인정한 사항. 이 경우 심의 사항은 시·도지사 및 시장·군수·구청장이 건축 계획, 구조 및 설비 등에 대해 심의 기준을 정하여 공고한 사항으로 한정한다. <개정 2020.4.21.>

② 제1항에 따라 심의등을 받은 건축물이 제5조제2항 각 호의 어느 하나에 해당하는 경우에는 해당 건축물의 건축등에 관한 지방건축위원회의 심의등을 생략할 수 있다.

③ 제1항에 따른 지방건축위원회는 위원장 및 부위원장 각 1명을 포함하여 25명 이상 150명 이하의 위원으로 성별을 고려하여 구성한다. <개정 2016.1.19.>

④ 지방건축위원회의 위원은 다음 각 호의 어느 하나에 해당하는 사람 중에서 시 · 도지사 및 시장 · 군수 · 구청장이 임명하거나 위촉한다.

1. 도시계획 및 건축 관계 공무원
2. 도시계획 및 건축 등에서 학식과 경험이 풍부한 사람

⑤ 지방건축위원회의 위원장과 부위원장은 제4항에 따라 임명 또는 위촉된 위원 중에서 시 · 도지사 및 시장 · 군수 · 구청장이 임명하거나 위촉한다.

⑥ 지방건축위원회 위원의 임명 · 위촉 · 제척 · 기피 · 회피 · 해촉 · 임기 등에 관한 사항, 회의 및 소위원회의 구성 · 운영 및 심의등에 관한 사항, 위원의 수당 및 여비 등에 관한 사항은 조례로 정하되, 다음 각 호의 기준에 따라야 한다. <개정 2018.9.4., 2020.4.21>

1. 위원의 임명 · 위촉 기준 및 제척 · 기피 · 회피 · 해촉 · 임기
 가. 공무원을 위원으로 임명하는 경우에는 그 수를 전체 위원 수의 4분의 1 이하로 할 것
 나. 공무원이 아닌 위원은 건축 관련 학회 및 협회 등 관련 단체나 기관의 추천 또는 공모절차를 거쳐 위촉할 것
 다. 다른 법령에 따라 지방건축위원회의 심의를 하는 경우에는 해당 분야의 관계 전문가가 그 심의에 위원으로 참석하는 심의위원 수의 4분의 1 이상이 되게 할 것. 이 경우 필요하면 해당 심의에만 위원으로 참석하는 관계 전문가를 임명하거나 위촉할 수 있다.
 라. 위원의 제척 · 기피 · 회피 · 해촉에 관하여는 제5조의2 및 제5조의3을 준용할 것
 마. 공무원이 아닌 위원의 임기는 3년 이내로 하며, 필요한 경우에는 한 차례만 연임할 수 있게 할 것
2. 심의등에 관한 기준
 가. 「국토의 계획 및 이용에 관한 법률」 제30조제3항 단서에 따라 건축위원회와 도시계획위원회가 공동으로 심의한 사항에 대해서는 심의를 생략할 것
 나. 제1항제4호에 관한 사항은 법 제21조에 따른 착공신고 전에 심의할 것. 다만, 법 제13조의2에 따라 안전영향평가 결과가 확정된 경우는 제외한다. <신설 2020.4.21.>
 다. 지방건축위원회의 위원장은 회의 개최 10일 전까지 회의 안건과 심의에 참여할 위원을 확정하고, 회의 개최 7일 전까지 회의에 부치는 안건을 각 위원에게 알릴 것. 다만, 대외적으로 기밀 유지가 필요한 사항이나 그 밖에 부득이한 사유가 있는 경우에는 그러하지 아니하다.
 라. 지방건축위원회의 위원장은 다목에 따라 심의에 참여할 위원을 확정하면 심의등을 신청한 자에게 위원 명단을 알릴 것
 마. 삭제 <2014.11.28.>
 바. 지방건축위원회의 회의는 구성위원(위원장과 위원장이 다목에 따라 회의 참여를 확정한 위원을 말한다) 과반수의 출석으로 개의(開議)하고, 출석위원 과반수 찬성으로 심의등을 의결하며, 심의등을 신청한 자에게 심의등의 결과를 알릴 것
 사. 지방건축위원회의 위원장은 업무 수행을 위하여 필요하다고 인정하는 경우에는 관계 전문가를 지방건축위원회의 회의에 출석하게 하여 발언하게 하거나 관계 기관 · 단체에 자료를 요구할 것

아. 건축주 · 설계자 및 심의등을 신청한 자가 희망하는 경우에는 회의에 참여하여 해당 안건 등에 대하여 설명할 수 있도록 할 것
자. 제1항제4호, 제7호 및 제8호에 따른 사항을 심의하는 경우 심의등을 신청한 자에게 지방건축위원회에 간략설계도서(배치도 · 평면도 · 입면도 · 주단면도 및 국토교통부장관이 정하여 고시하는 도서로 한정하며 전자문서로 된 도서를 포함한다)를 제출하도록 할 것
차. 건축구조 분야 등 전문분야에 대해서는 분야별 해당 전문위원회에서 심의하도록 할 것(제5조의6제1항에 따라 분야별 전문위원회를 구성한 경우만 해당한다)
카. 지방건축위원회 심의 절차 및 방법 등에 관하여 국토교통부장관이 정하여 고시하는 기준에 따를 것
[본조신설 2012.12.12.]

영 제5조의7【지방건축위원회의 심의】
① 법 제4조의2제1항에서 "대통령령으로 정하는 건축물"이란 제5조의5제1항제4호, 제7호 및 제8호에 따른 심의 대상 건축물을 말한다. <개정 2018.9.4., 2021.5.4>
② 시 · 도지사 또는 시장 · 군수 · 구청장은 법 제4조의2제1항에 따라 건축물을 건축하거나 대수선하려는 자가 지방건축위원회의 심의를 신청한 경우에는 법 제4조의2제2항에 따라 심의 신청 접수일부터 30일 이내에 해당 지방건축위원회에 심의 안건을 상정하여야 한다.
③ 법 제4조의2제3항에 따라 재심의 신청을 받은 시 · 도지사 또는 시장 · 군수 · 구청장은 지방건축위원회의 심의에 참여할 위원을 다시 확정하여 법 제4조의2제4항에 따라 해당 지방건축위원회에 재심의 안건을 상정하여야 한다.
[본조신설 2014.11.28.]

영 제5조의8【지방건축위원회 회의록의 공개】
① 시 · 도지사 또는 시장 · 군수 · 구청장은 법 제4조의3 본문에 따라 법 제4조의2제1항에 따른 심의(같은 조 제3항에 따른 재심의를 포함한다. 이하 이 조에서 같다)를 신청한 자가 지방건축위원회의 회의록 공개를 요청하는 경우에는 지방건축위원회의 심의 결과를 통보한 날부터 6개월까지 공개를 요청한 자에게 열람 또는 사본을 제공하는 방법으로 공개하여야 한다.
② 법 제4조의3 단서에서 "이름, 주민등록번호 등 대통령령으로 정하는 개인 식별 정보"란 이름, 주민등록번호, 직위 및 주소 등 특정인임을 식별할 수 있는 정보를 말한다.
[본조신설 2014.11.28.]

규칙 제2조의4【지방건축위원회의 심의 신청 등】
① 법 제4조의2제1항 및 제3항에 따라 건축물을 건축하거나 대수선하려는 자는 특별시 · 광역시 · 특별자치시 · 도 · 특별자치도 및 시 · 군 · 구(자치구를 말한다. 이하 같다)에 두는 건축위원회(이하 "지방건축위원회" 라 한다)의 심의 또는 재심의를 신청하려는 경우에는 별지 제1호서식의 건축위원회 심의(재심의)신청서에 영 제5조의5제6항제2호자목에 따른 간략설계도서를 첨부(심의를 신청하는 경우에 한정한다)하여 제출하여야 한다.
② 영 제6조의3제2항 및 제4항에 따라 구조 안전에 관한 지방건축위원회의 심의 또는 재심의를 신청할 때에는 별지 제1호의5서식의 건축위원회 구조 안전 심의(재심의) 신청서에 별표 1의2에 따른 서류를 첨부(재심의를 신청하는 경우는 제외한다)하여 제출하여야 한다. <신설 2015.7.7.>

③ 법 제4조의2제2항 및 제4항에 따라 특별시장 · 광역시장 · 특별자치시장 · 도지사 · 특별자치도지사(이하 "시 · 도지사"라 한다) 또는 시장 · 군수 · 구청장(자치구의 구청장을 말한다. 이하 같다)은 지방건축위원회의 심의 또는 재심의를 완료한 날부터 14일 이내에 그 심의 또는 재심의의 결과를 심의 또는 재심의를 신청한 자에게 통보하여야 한다. <개정 2015.7.7.>
[본조신설 2014.11.28.]

【1】 지방건축위원회의 설치

특별시 · 광역시 · 특별자치시 · 도 · 특별자치도(이하 "시 · 도") · 시 · 군 및 구(자치구)에 설치

【2】 위원회의 구성

① 위원장 및 부위원장 각 1명을 포함하여 25명 이상 150명 이하의 위원으로 성별을 고려하여 구성

② 지방건축위원회의 위원은 다음에 해당하는 사람 중에서 시·도지사 및 시장·군수·구청장이 임명하거나 위촉

1. 도시계획 및 건축 관계 공무원
2. 도시계획 및 건축 등에서 학식과 경험이 풍부한 사람

③ 지방건축위원회의 위원장과 부위원장은 위원 중에서 시·도지사 및 시장·군수·구청장이 임명하거나 위촉

【3】 조례로 정해야 하는 사항(【4】, 【6】의 기준에 따라야 함)

① 지방건축위원회 위원의 임명·위촉·제척·기피·회피·해촉·임기 등에 관한 사항

② 회의 및 소위원회의 구성·운영 및 심의등에 관한 사항

③ 위원의 수당 및 여비 등에 관한 사항

【4】 위원의 임명 · 위촉 기준 및 제척 · 기피 · 회피 · 해촉 · 임기

① 공무원을 위원으로 임명하는 경우 전체 위원 수의 1/4 이하로 할 것

② 공무원이 아닌 위원은 건축 관련 학회 및 협회 등 관련 단체나 기관의 추천 또는 공모절차를 거쳐 위촉할 것

③ 다른 법령에 따라 지방건축위원회의 심의를 하는 경우 해당 분야의 관계 전문가가 그 심의에 위원으로 참석하는 심의위원 수의 1/4 이상이 되게 할 것.(이 경우 필요하면 해당 심의에만 위원으로 참석하는 관계 전문가를 임명, 위촉가능)

④ 위원의 제척·기피·회피·해촉에 관하여는 중앙건축위원회의 규정을 준용할 것

⑤ 공무원이 아닌 위원의 임기는 3년 이내로 하며, 필요시 한 차례만 연임할 수 있게 할 것

【5】 심의사항

① 건축법 또는 건축법 시행령에 따른 조례(해당 지방자치단체의 장이 발의하는 조례만 해당)의 제정·개정 및 시행에 관한 사항

② 건축선(建築線)의 지정에 관한 사항

③ 다중이용 건축물 및 특수구조 건축물의 구조안전에 관한 사항

④ 다른 법령에서 지방건축위원회의 심의를 받도록 규정한 심의사항

⑤ 특별시장 · 광역시장 · 특별자치시장 · 도지사 또는 특별자치도지사(이하 “시 · 도지사”) 및 시장 · 군수 · 구청장이 도시 및 건축 환경의 체계적인 관리를 위하여 필요하다고 인정하여 지정 · 공고한 지역에서 건축조례로 정하는 건축물의 건축등에 관한 것으로서 시 · 도지사 및 시장 · 군수 · 구청장이 지방건축위원회의 심의가 필요하다고 인정한 사항. 이 경우 심의 사항은 시 · 도지사 및 시장 · 군수 · 구청장이 건축 계획, 구조 및 설비 등에 대해 심의 기준을 정하여 공고한 사항으로 한정한다.

【6】 심의등에 관한 기준

① 건축위원회와 도시계획위원회가 공동으로 심의한 사항에 대해서는 심의를 생략할 것

② 다중이용 건축물 및 특수구조 건축물의 구조안전에 관한 사항은 착공신고 전에 심의할 것.

예외 안전영향평가 결과가 확정된 경우는 제외

② 위원장은 회의 개최 10일 전까지 회의 안건과 심의에 참여할 위원을 확정하고, 회의 개최 7일 전까지 회의에 부치는 안건을 각 위원에게 알릴 것.

예외 대외적으로 기밀 유지가 필요한 사항이나 그 밖에 부득이한 사유가 있는 경우

③ 위원장은 심의에 참여할 위원을 확정하면 심의등을 신청한 자에게 위원 명단을 알릴 것

④ 회의는 구성위원(위원장과 위원장이 회의 참여를 확정한 위원) 과반수의 출석으로 개의하고, 출석위원 과반수 찬성으로 심의등을 의결하며, 심의등을 신청한 자에게 심의등의 결과를 알릴 것

⑤ 위원장은 업무 수행을 위하여 필요하다고 인정하는 경우에는 관계 전문가를 지방건축위원회의 회의에 출석하게 하여 발언하게 하거나 관계 기관·단체에 자료를 요구할 것

⑥ 건축주·설계자 및 심의등을 신청한 자가 희망하는 경우 회의에 참여하여 해당 안건 등에 대하여 설명할 수 있도록 할 것

⑦ 위 【5】 심의사항 ③~⑤를 심의하는 경우 심의등을 신청한 자에게 간략설계도서(배치도·평면도·입면도·주단면도 및 국토교통부장관이 정하여 고시하는 도서로 한정하며 전자문서로 된 도서를 포함)를 제출하도록 할 것

⑧ 건축구조 분야 등 전문분야에 대해서는 분야별 해당 전문위원회에서 심의하도록 할 것(분야별 전문위원회를 구성한 경우만 해당)

⑨ 지방건축위원회 심의 절차 및 방법 등에 관하여 국토교통부장관이 정하여 고시하는 기준에 따를 것

【7】 심의 절차 등

① 위 【6】 ③~⑤의 대상 건축물을 건축하거나 대수선하려는 자는 허가 신청전 시·도지사 및 시장·군수·구청장에게 건축위원회의 심의를 신청하여야 함

- 제출서류 : 건축위원회 심의(재심의)신청서(별지 제1호서식), 간략설계도서(배치도·평면도·입면도·주단면도 등)

* 특수구조의 건축물의 건축 등의 경우: 구조안전에 관한 심의 및 재심의 신청시 건축위원회 구조 안전 심의(재심의) 신청서에 구조안전 심의 신청 시 첨부서류(별표 1의2)를 첨부(재심의시는 제외)하여 제출

건 축 법
1. 총 칙
2. 건 축
3. 유지관리
4. 대지도로
5. 구조재료
6. 지역지구
7. 건축설비
8. 특별건축구역
9. 보 칙
10. 벌 칙
건 축 법 관련기준

[별표 1의2] **구조 안전 심의 신청 시 첨부서류**(제2조의4제2항 관련)

분야	도서종류	표시하여야 할 사항
1. 건축	가. 건축개요	1) 사업 개요: 위치, 대지면적, 사업기간 등 2) 건축물 개요: 규모(높이, 면적 등), 용도별 면적 및 건폐율, 용적률 등
	나. 배치도	1) 축척 및 방위, 대지에 접한 도로의 길이 및 너비 2) 대지의 종ㆍ횡단면도
	다. 평면도	1) 1층 및 기준층 평면도 2) 기둥ㆍ벽ㆍ창문 등의 위치 3) 방화구획 및 방화문의 위치 4) 복도 및 계단 위치
	라. 단면도	1) 종ㆍ횡단면도 2) 건축물 전체높이, 각층의 높이 및 반자높이 등
2. 구조	가. 구조계획서	1) 설계근거기준 2) 하중조건분석 3) 구조재료의 성질 및 특성 4) 구조 형식선정 계획 5) 구조안전 검토
	나. 구조도 및 구조계산서	1) 구조내력상 주요부분 평면 및 단면 2) 내진설계(지진에 대한 안전여부 확인 대상)내용 3) 구조 안전 확인서 4) 주요부분의 상세도면
3. 기타	가. 지질조사서	1) 토질개황 2) 각종 토질시험내용 3) 지내력 산출근거 4) 지하수위 5) 기초에 대한 의견
	나. 시방서	1) 시방내용(표준시방서에 없는 공법인 경우만 해당함) 2) 흙막이 공법 및 도면

② 심의 신청을 받은 시·도지사 또는 시장·군수·구청장은 심의 신청 접수일로부터 30일 이내에 해당 지방건축위원회에 심의 안건을 상정하고, 심의 결과를 심의를 완료한 날로부터 14일 이내에 신청자에게 통보

③ 건축위원회의 심의 결과에 이의가 있는 자는 심의 결과를 통보받은 날부터 1개월 이내에 시·도지사 또는 시장·군수·구청장에게 건축위원회의 재심의 신청 가능(재심의 신청서만 제출)

④ 재심의 신청을 받은 시·도지사 또는 시장·군수·구청장은 신청일로부터 15일 이내에 지방건축위원회의 심의에 참여할 위원을 다시 확정하여 재심의 안건을 상정하고, 재심의 결과를 재심의를 완료한 날부터 14일 이내에 신청한 자에게 통보

【8】 건축위원회 회의록의 공개 등

① 심의 및 재심의 신청한 자가 지방건축위원회의 회의록 공개를 요청하는 경우 건축위원회 심의의 일시·장소·안건·내용·결과 등이 기록된 회의록을 공개하여야 함

예외 심의의 공정성을 침해할 우려가 있다고 인정되는 이름, 주민등록번호, 직위 및 주소 등 특정인임을 식별할 수 있는 정보는 제외

② 지방건축위원회의 심의 결과를 통보한 날부터 6개월까지 공개를 요청한 자에게 열람 또는 사본을 제공하는 방법으로 공개

3 건축민원전문위원회 등

법 제4조의4【건축민원전문위원회】

① 제4조제2항에 따른 건축민원전문위원회는 건축물의 건축등과 관련된 다음 각 호의 민원[특별시장·광역시장·특별자치시장·특별자치도지사 또는 시장·군수·구청장(이하 "허가권자"라 한다)의 처분이 완료되기 전의 것으로 한정하며, 이하 "질의민원"이라 한다]을 심의하며, 시·도지사가 설치하는 건축민원전문위원회(이하 "광역지방건축민원전문위원회"라 한다)와 시장·군수·구청장이 설치하는 건축민원전문위원회(이하 "기초지방건축민원전문위원회"라 한다)로 구분한다.

1. 건축법령의 운영 및 집행에 관한 민원
2. 건축물의 건축등과 복합된 사항으로서 제11조제5항 각 호에 해당하는 법률 규정의 운영 및 집행에 관한 민원
3. 그 밖에 대통령령으로 정하는 민원

② 광역지방건축민원전문위원회는 허가권자나 도지사(이하 "허가권자등"이라 한다)의 제11조에 따른 건축허가나 사전승인에 대한 질의민원을 심의하고, 기초지방건축민원전문위원회는 시장(행정시의 시장을 포함한다)·군수·구청장의 제11조 및 제14조에 따른 건축허가 또는 건축신고와 관련한 질의민원을 심의한다.

③ 건축민원전문위원회의 구성·회의·운영, 그 밖에 필요한 사항은 해당 지방자치단체의 조례로 정한다.

법 제4조의5【질의민원 심의의 신청】

① 건축물의 건축등과 관련된 질의민원의 심의를 신청하려는 자는 제4조의4제2항에 따른 관할 건축민원전문위원회에 심의 신청서를 제출하여야 한다.

② 제1항에 따른 심의를 신청하고자 하는 자는 다음 각 호의 사항을 기재하여 문서로 신청하여야 한다. 다만, 문서에 의할 수 없는 특별한 사정이 있는 경우에는 구술로 신청할 수 있다.

1. 신청인의 이름과 주소
2. 신청의 취지·이유와 민원신청의 원인이 된 사실내용
3. 그 밖에 행정기관의 명칭 등 대통령령으로 정하는 사항

③ 건축민원전문위원회는 신청인의 질의민원을 받으면 15일 이내에 심의절차를 마쳐야 한다. 다만, 사정이 있으면 건축민원전문위원회의 의결로 15일 이내의 범위에서 기간을 연장할 수 있다.

법 제4조의6【심의를 위한 조사 및 의견 청취】

① 건축민원전문위원회는 심의에 필요하다고 인정하면 위원 또는 사무국의 소속 공무원에게 관계 서류를 열람하게 하거나 관계 사업장에 출입하여 조사하게 할 수 있다.

② 건축민원전문위원회는 필요하다고 인정하면 신청인, 허가권자의 업무담당자, 이해관계자 또는 참고인을 위원회에 출석하게 하여 의견을 들을 수 있다.

③ 민원의 심의신청을 받은 건축민원전문위원회는 심의기간 내에 심의하여 심의결정서를 작성하여야 한다.

법 제4조의7【의견의 제시 등】

① 건축민원전문위원회는 질의민원에 대하여 관계 법령, 관계 행정기관의 유권해석, 유사판례와 현장여건 등을 충분히 검토하여 심의의견을 제시할 수 있다.

건축법
1. 총칙
2. 건축
3. 유지관리
4. 대지도로
5. 구조재료
6. 지역지구
7. 건축설비
8. 특별건축구역
9. 보칙
10. 벌칙
건축법 관련기준

② 건축민원전문위원회는 민원심의의 결정내용을 지체 없이 신청인 및 해당 허가권자등에게 통지하여야 한다.
③ 제2항에 따라 심의 결정내용을 통지받은 허가권자등은 이를 존중하여야 하며, 통지받은 날부터 10일 이내에 그 처리결과를 해당 건축민원전문위원회에 통보하여야 한다.
④ 제2항에 따른 심의 결정내용을 시장 · 군수 · 구청장이 이행하지 아니하는 경우에는 제4조의4제2항에도 불구하고 해당 민원인은 시장 · 군수 · 구청장이 통보한 처리결과를 첨부하여 광역지방건축민원전문위원회에 심의를 신청할 수 있다.
⑤ 제3항에 따라 처리결과를 통보받은 건축민원전문위원회는 신청인에게 그 내용을 지체 없이 통보하여야 한다.

법 제4조의8【사무국】
① 건축민원전문위원회의 사무를 처리하기 위하여 위원회에 사무국을 두어야 한다.
② 건축민원전문위원회에는 다음 각 호의 사무를 나누어 맡도록 심사관을 둔다.
1. 건축민원전문위원회의 심의 · 운영에 관한 사항
2. 건축물의 건축등과 관련된 민원처리에 관한 업무지원 사항
3. 그 밖에 위원장이 지정하는 사항
③ 건축민원전문위원회의 위원장은 특정 사건에 관한 전문적인 사항을 처리하기 위하여 관계 전문가를 위촉하여 제2항 각 호의 사무를 하게 할 수 있다.

영 제5조의9【건축민원전문위원회의 심의 대상】
법 제4조의4제1항제3호에서 "대통령령으로 정하는 민원"이란 다음 각 호의 어느 하나에 해당하는 민원을 말한다.
1. 건축조례의 운영 및 집행에 관한 민원
2. 그 밖에 관계 건축법령에 따른 처분기준 외의 사항을 요구하는 등 허가권자의 부당한 요구에 따른 민원

영 제5조의10【질의민원 심의의 신청】
① 법 제4조의5제2항 각 호 외의 부분 단서에 따라 구술로 신청한 질의민원 심의 신청을 접수한 담당 공무원은 신청인이 심의 신청서를 작성할 수 있도록 협조하여야 한다.
② 법 제4조의5제2항제3호에서 "행정기관의 명칭 등 대통령령으로 정하는 사항"이란 다음 각 호의 사항을 말한다.
1. 민원 대상 행정기관의 명칭
2. 대리인 또는 대표자의 이름과 주소(법 제4조의6제2항 및 제4조의7제2항 · 제5항에 따른 위원회 출석, 의견 제시, 결정내용 통지 수령 및 처리결과 통보 수령 등을 위임한 경우만 해당한다)

해설 건축 민원 행정에 대한 국민 만족도 제고와 건축 분쟁의 원활한 조정을 위하여, 지방자치단체 소관 건축위원회에 건축민원전문위원회를 두어 질의민원을 심의하도록 건축법 및 시행령이 개정되었다. (시행 2014.11.29.)

【1】 건축민원전문위원회의 심의 대상

건축물의 건축등과 관련된 다음의 민원[허가권자의 처분이 완료되기 전의 것으로 한정, 이하 "질의민원"]을 심의

① 건축법령의 운영 및 집행에 관한 민원

② 건축물의 건축등과 복합된 사항으로서 제11조제5항 각 호에 해당하는 법률 규정의 운영 및 집행에 관한 민원

③ 건축조례의 운영 및 집행에 관한 민원

④ 그 밖에 관계 건축법령에 따른 처분기준 외의 사항을 요구하는 등 허가권자의 부당한 요구에 따른 민원

【2】 건축민원전문위원회의 구분

① 광역지방 건축민원전문위원회: 시・도지사가 설치

- 허가권자나 도지사의 건축허가 또는 사전승인에 대한 질의민원을 심의

② 기초지방 건축민원전문위원회: 시장・군수・구청장이 설치

- 시장・군수・구청장의 건축허가 또는 건축신고와 관련한 질의민원을 심의

【3】 질의민원의 심의의 신청

① 질의민원의 심의를 신청하려는 자는 관할 건축민원전문위원회에 심의 신청서를 제출

② 심의의 신청은 다음 사항을 기재한 문서로 신청하여야 하며, 문서에 의할 수 없는 특별한 사정이 있는 경우 구술로 신청

㉠ 신청인의 이름과 주소

㉡ 신청의 취지·이유와 민원신청의 원인이 된 사실내용

㉢ 민원 대상 행정기관의 명칭

㉣ 대리인 또는 대표자의 이름과 주소(위원회 출석, 의견 제시, 결정내용 통지 수령 및 처리결과 통보 수령 등을 위임한 경우만 해당)

③ 건축민원전문위원회는 신청인의 질의민원을 받으면 15일 이내에 심의절차를 마쳐야 함
(다만, 사정이 있으면 건축민원전문위원회의 의결로 15일 이내의 범위에서 기간 연장가능)

【4】 심의를 위한 조사 및 의견 청취

① 건축민원전문위원회는 심의에 필요하다고 인정하면 위원 또는 사무국의 소속 공무원에게 관계 서류를 열람하게 하거나 관계 사업장에 출입하여 조사하게 할 수 있다.

② 건축민원전문위원회는 필요하다고 인정하면 신청인, 허가권자의 업무담당자, 이해관계자 또는 참고인을 위원회에 출석하게 하여 의견을 들을 수 있다.

③ 민원의 심의신청을 받은 건축민원전문위원회는 심의기간 내에 심의하여 심의결정서를 작성하여야 한다.

【5】 심의 결정내용의 처리 등

① 건축민원전문위원회는 민원심의의 결정내용을 지체 없이 신청인 및 해당 허가권자등에게 통지하여야 한다.

② 심의 결정내용을 통지받은 허가권자등은 통지받은 날부터 10일 이내에 그 처리결과를 해당 건

축민원전문위원회에 통보하여야 하며, 건축민원전문위원회는 신청인에게 그 내용을 지체 없이 통보하여야 한다.

③ 심의 결정내용을 시장·군수·구청장이 이행하지 아니하는 경우에는 해당 민원인은 시장·군수·구청장이 통보한 처리결과를 첨부하여 광역지방건축민원전문위원회에 심의를 신청할 수 있다.

【6】 사무국

① 건축민원전문위원회의 사무를 처리하기 위하여 위원회에 사무국을 두어야 한다.

② 건축민원전문위원회에는 다음 사무를 나누어 맡도록 심사관을 둔다.

㉠ 건축민원전문위원회의 심의·운영에 관한 사항

㉡ 건축물의 건축등과 관련된 민원처리에 관한 업무지원 사항

㉢ 그 밖에 위원장이 지정하는 사항

③ 위원장은 전문적인 사항을 처리하기 위하여 관계 전문가를 위촉하여 위 ②의 사무를 하게 할 수 있다.

8 기존의 건축물 등에 관한 특례 등(법 제6조)(법 제6조의2)(영 제6조의2)(규칙 제3조)

1 기존의 건축물 등에 관한 특례(법 제6조)(영 제6조의2)(규칙 제3조)

법 제6조【기존의 건축물 등에 관한 특례】

허가권자는 법령의 제정·개정이나 그 밖에 대통령령으로 정하는 사유로 대지나 건축물이 이 법에 맞지 아니하게 된 경우에는 대통령령으로 정하는 범위에서 해당 지방자치단체의 조례로 정하는 바에 따라 건축을 허가할 수 있다.

영 제6조의2【기존의 건축물등에 대한 특례】

① 법 제6조에서 "그 밖에 대통령령으로 정하는 사유"란 다음 각 호의 어느 하나에 해당하는 경우를 말한다.

1. 도시·군관리계획의 결정·변경 또는 행정구역의 변경이 있는 경우
2. 도시·군계획시설의 설치, 도시개발사업의 시행 또는 「도로법」에 따른 도로의 설치가 있는 경우
3. 그 밖에 제1호 및 제2호와 비슷한 경우로서 국토교통부령으로 정하는 경우

② 허가권자는 기존 건축물 및 대지가 법령의 제정·개정이나 제1항 각 호의 사유로 법령등에 부적합하더라도 다음 각 호의 어느 하나에 해당하는 경우에는 건축을 허가할 수 있다. <개정 2016.1.19., 2016.5.17, 2021.11.2.>

1. 기존 건축물을 재축하는 경우
2. 증축하거나 개축하려는 부분이 법령등에 적합한 경우
3. 기존 건축물의 대지가 도시·군계획시설의 설치 또는 「도로법」에 따른 도로의 설치로 법 제57조에 따라 해당 지방자치단체가 정하는 면적에 미달되는 경우로서 그 기존 건축물을 연면적 합계의 범위에서 증축하거나 개축하는 경우
4. 기존 건축물이 도시·군계획시설 또는 「도로법」에 따른 도로의 설치로 법 제55조 또는 법 제56조에 부적합하게 된 경우로서 화장실·계단·승강기의 설치 등 그 건축물의 기능을 유지하기 위하여 그 기존 건축물의 연면적 합계의 범위에서 증축하는 경우

5. 법률 제7696호 건축법 일부개정법률 제50조의 개정규정에 따라 최초로 개정한 해당 지방자치단체의 조례 시행일 이전에 건축된 기존 건축물의 건축선 및 인접 대지경계선으로부터의 거리가 그 조례로 정하는 거리에 미달되는 경우로서 그 기존 건축물을 건축 당시의 법령에 위반되지 않는 범위에서 수직으로 증축하는 경우
6. 기존 한옥을 개축하는 경우
7. 건축물 대지의 전부 또는 일부가 「자연재해대책법」 제12조에 따른 자연재해위험개선지구에 포함되고 법 제22조에 따른 사용승인 후 20년이 지난 기존 건축물을 재해로 인한 피해 예방을 위하여 연면적의 합계 범위에서 개축하는 경우

③ 허가권자는 「국토의 계획 및 이용에 관한 법률 시행령」 제84조의2 또는 제93조의3에 따라 기존 공장을 증축하는 경우에는 다음 각 호의 기준을 적용하여 해당 공장(이하 "기존 공장"이라 한다)의 증축을 허가할 수 있다. <신설 2016.1.19., 2022.1.18.>

1. 제3조의3제2호에도 불구하고 도시지역에서의 길이 35미터 이상인 막다른 도로의 너비기준은 4미터 이상으로 한다.
2. 제28조제2항에도 불구하고 연면적 합계가 3천제곱미터 미만인 기존 공장이 증축으로 3천제곱미터 이상이 되는 경우 해당 대지가 접하여야 하는 도로의 너비는 4미터 이상으로 하고, 해당 대지가 도로에 접하여야 하는 길이는 2미터 이상으로 한다.

규칙 제3조【기존의 건축물에 대한 특례】

영 제6조의2제1항제3호에서 "국토교통부령으로 정하는 경우"란 다음 각 호의 어느 하나에 해당하는 경우를 말한다. <개정 2014.10.15>

1. 법률 제3259호 「준공미필건축물 정리에 관한 특별조치법」, 법률 제3533호 「특정건축물 정리에 관한 특별조치법」, 법률 제6253호 「특정건축물 정리에 관한 특별조치법」 및 법률 제7698호 「특정건축물 정리에 관한 특별조치법」 및 법률 제11930호 「특정건축물 정리에 관한 특별조치법」에 따라 준공검사필증 또는 사용승인서를 교부받은 사실이 건축물대장에 기재된 경우
2. 「도시 및 주거환경정비법」에 의한 주거환경개선사업의 준공인가증을 교부받은 경우
3. 「공유토지분할에 관한 특례법」에 의하여 분할된 경우
4. 대지의 일부 토지소유권에 대하여 「민법」 제245조에 따라 소유권이전등기가 완료된 경우
5. 「지적재조사에 관한 특별법」에 따른 지적재조사사업으로 새로운 지적공부가 작성된 경우

해설 적법하게 건축된 기존건축물의 대지 또는 건축물이 법령의 제정·개정으로 인하여 규정에 맞지 않게 된 경우, 증축·개축 등의 행위시 불이익을 초래할 경우가 있어 이에 대한 특례규정을 두고 있다.

■ 특례적용의 사유 및 범위

적용 사유	적용 범위
1. 법령의 제정·개정 2. 도시·군관리계획의 결정·변경 또는 행정구역의 변경 3. 도시·군계획시설의 설치, 도시개발사업의 시행, 「도로법」에 따른 도로의 설치가 있는 경우	① 기존건축물의 개축하는 경우 ② 증축 또는 개축하고자 하는 부분이 법령등에 적합한 경우 ③ 기존건축물의 대지가 도시·군계획시설의 설치 또는 「도로법」에 따른 도로의 설치로 대지의 분

건축법 1. 총칙 2. 건축 3. 유지관리 4. 대지도로 5. 구조재료 6. 지역지구 7. 건축설비 8. 특별건축구역 9. 보칙 10. 벌칙 건축법 관련기준

4.「준공미필건축물 정리에 관한 특별조치법」,「특정건축물정리에 관한 특별조치법」등에 따른 준공검사필증 또는 사용승인서를 교부받은 사실이 건축물대장에 기재된 경우 5.「도시 및 주거환경정비법」에 의해 주거환경개선사업의 준공인가증을 교부받은 경우 6.「공유토지분할에 관한 특례법」에 의해 토지가 분할된 경우 7. 대지의 일부 토지소유권에 대해「민법」에 따른 소유권 이전등기가 완료된 경우 8. 「지적재조사에 관한 특별법」에 따른 지적재조사사업으로 새로운 지적공부가 작성된 경우	할 제한 규정(법 제57조)에 따라 해당 지방자치단체가 정하는 면적에 미달되는 경우로서 그 기존 건축물의 연면적 합계의 범위에서 증축 또는 개축하는 경우 ④ 기존건축물이 도시 · 군계획시설 또는「도로법」에 따른 도로의 설치로 건폐율, 용적률 규정(법 제55조, 제56조)에 부적합하게 된 경우로서 화장실 · 계단 · 승강기의 설치 등 그 건축물의 기능유지를 위해 기존 건축물의 연면적 합계의 범위에서 증축하는 경우 ⑤ 기존 한옥을 개축하는 경우 ⑥ 건축물 대지의 전부 또는 일부가「자연재해대책법」에 따른 자연재해위험개선지구에 포함되고 사용승인 후 20년이 지난 기존 건축물을 재해로 인한 피해 예방을 위하여 연면적의 합계 범위에서 개축하는 경우 등
9.「국토의 계획 및 이용에 관한 법률 시행령」의 기존 공장에 대한 특례 등의 규정에 따라 기존 공장을 증축하는 경우	허가권자는 다음 기준을 적용하여 기존공장의 증축을 허가할 수 있음 ① 도시지역에서의 길이 35m 이상인 막다른 도로의 너비기준은 (원칙적으로 6m 이상으로 하여야 하나) 4m 이상으로 한다. ② 연면적 합계가 3,000㎡ 미만인 기존 공장이 증축으로 3,000㎡ 이상이 되는 경우 - 해당 대지가 접하여야 하는 도로의 너비: (원칙적으로 6m 이상이어야 하나) 4m 이상으로 함 - 해당 대지가 도로에 접하여야 하는 길이: (원칙적으로 4m 이상이어야 하나) 2m 이상으로 함

관계법 「국토의 계획 및 이용에 관한 법률 시행령」 제84조의2, 제93조의3

영 제84조의2【생산녹지지역 등에서 기존 공장의 건폐율】 ① 삭제 <2022.1.18>

② 제84조제1항에도 불구하고 법 제77조제4항제2호에 따라 생산녹지지역, 자연녹지지역 또는 생산관리지역에 있는 기존 공장(해당 용도지역으로 지정될 당시 이미 준공된 공장으로 한정한다)의 소유자가 2025년 12월 31일까지 증축(준공 당시의 부지에서 증축하는 경우로 한정한다) 허가를 신청한 경우에는 건폐율을 40퍼센트 이내의 범위에서 최초 건축허가 시 해당 공장에 허용된 건폐율까지 완화하여 적용할 수 있다. <신설 2022.1.18>

③ 제84조제1항에도 불구하고 법 제77조제4항제2호에 따라 생산녹지지역, 자연녹지지역, 생산관리지역 또는 계획관리지역에 있는 기존 공장(해당 용도지역으로 지정될 당시 이미 준공된 것으로 한정한다)이 부지를 확장하여 건축물을 증축하는 경우(2020년 12월 31일까지 증축허가를 신청한 경우로 한정한다)로서 다음 각 호의 어느 하나에 해당하는 경우에는 그 건폐율은 40퍼센트의 범위에서 해당 특별시 · 광역시 · 특별자치시 · 특별자치도 · 시 또는 군의 도시 · 군계획조례로 정하는 비율을 초과해서는 아니 된다. 이 경우 제1호의 경우에는 부지를 확장하여 추가로 편입되는 부지(해당 용도지역으로 지정된 이후에 확장하여 추가로 편입된 부지를 포함하며, 이하 "추가편입부지"라 한다)에 대해서만 건폐율 기준을 적용하고, 제2호의 경우에는 준공 당시의 부지(해당 용도지역으로 지정될 당시의 부지를 말하며, 이하 이 항에서 "준공당시부

지"라 한다)와 추가편입부지를 하나로 하여 건폐율 기준을 적용한다. <개정 2018.11.13., 2022.1.18>

1. 추가편입부지에 건축물을 증축하는 경우로서 다음 각 목의 요건을 모두 갖춘 경우
   가. 추가편입부지의 면적이 3천제곱미터 이하로서 준공당시부지 면적의 50퍼센트 이내일 것
   나. 관할 특별시장 · 광역시장 · 특별자치시장 · 특별자치도지사 · 시장 또는 군수가 해당 지방도시계획위원회의 심의를 거쳐 기반시설의 설치 및 그에 필요한 용지의 확보가 충분하고 주변지역의 환경오염 우려가 없다고 인정할 것
2. 준공당시부지와 추가편입부지를 하나로 하여 건축물을 증축하려는 경우로서 다음 각 목의 요건을 모두 갖춘 경우
   가. 제1호 각 목의 요건을 모두 갖출 것
   나. 관할 특별시장 · 광역시장 · 특별자치시장 · 특별자치도지사 · 시장 또는 군수가 해당 지방도시계획위원회의 심의를 거쳐 다음의 어느 하나에 해당하는 인증 등을 받기 위하여 준공당시부지와 추가편입부지를 하나로 하여 건축물을 증축하는 것이 불가피하다고 인정할 것
      1) 「식품위생법」 제48조에 따른 식품안전관리인증
      2) 「농수산물 품질관리법」 제70조에 따른 위해요소중점관리기준 이행 사실 증명
      3) 「축산물 위생관리법」 제9조에 따른 안전관리인증
   다. 준공당시부지와 추가편입부지를 합병할 것. 다만, 「건축법 시행령」 제3조제1항제2호가목에 해당하는 경우에는 합병하지 아니할 수 있다.

영 제93조의3【기존 공장에 대한 특례】 제93조제2항 및 제3항에도 불구하고 녹지지역 또는 관리지역에 있는 기존 공장(해당 용도지역으로 지정될 당시 이미 준공된 공장으로 한정한다)이 다음 각 호의 어느 하나에 해당하는 경우로서 해당 공장의 소유자가 2025년 12월 31일까지 증축 또는 개축 허가를 신청한 경우에는 해당 호에서 정한 비율까지 건폐율을 완화하여 적용할 수 있다.

1. 기존 부지 내에서 증축 또는 개축하는 경우: 40퍼센트 이내의 범위에서 최초 건축허가 시 해당 공장에 허용된 건폐율
2. 부지를 확장하여 건축물을 증축하려는 경우로서 다음 각 목의 어느 하나에 해당하는 경우: 40퍼센트. 이 경우 가목의 경우에는 추가편입부지에 대해서만 건폐율 기준을 적용하고, 나목의 경우에는 기존 부지와 추가편입부지를 하나로 하여 건폐율 기준을 적용한다.
   가. 추가편입부지에 건축물을 증축하려는 경우로서 다음의 요건을 모두 갖춘 경우
      1) 추가편입부지의 면적이 3천제곱미터 이하로서 기존 부지면적의 50퍼센트 이내일 것
      2) 제71조부터 제80조까지, 제82조, 제83조, 제85조부터 제89조까지 및 「수산자원관리법 시행령」 제40조제1항에 따른 건축제한 및 용적률 규정에 적합할 것
      3) 관할 특별시장 · 광역시장 · 특별자치시장 · 특별자치도지사 · 시장 또는 군수가 해당 지방도시계획위원회의 심의를 거쳐 기반시설의 설치 및 그에 필요한 용지의 확보가 충분하고 주변지역의 환경오염 우려가 없다고 인정할 것
   나. 기존 부지와 추가편입부지를 하나로 하여 건축물을 증축하려는 경우로서 다음 각 목의 요건을 모두 갖춘 경우
      1) 가목1)부터 3)까지의 요건을 모두 갖출 것
      2) 관할 특별시장 · 광역시장 · 특별자치시장 · 특별자치도지사 · 시장 또는 군수가 해당 지방도시계획위원회의 심의를 거쳐 다음의 어느 하나에 해당하는 인증 등을 받기 위하여 기존 부지와 추가편입부지를 하나로 하여 건축물을 증축하는 것이 불가피하다고 인정할 것
         가) 「식품위생법」 제48조에 따른 식품안전관리인증
         나) 「농수산물 품질관리법」 제70조에 따른 위해요소중점관리기준 이행 사실 증명
         다) 「축산물 위생관리법」 제9조에 따른 안전관리인증
      3) 기존 부지와 추가편입부지를 합병할 것. 다만, 「건축법 시행령」 제3조제1항제2호가목에 해당하는 경우에는 합병하지 않을 수 있다.

[본조신설 2022.1.18.]

② 특수구조 건축물의 특례(법 제6조의2)(영 제6조의3)

법 제6조의2【특수구조 건축물의 특례】
건축물의 구조, 재료, 형식, 공법 등이 특수한 대통령령으로 정하는 건축물(이하 "특수구조 건축물"이라 한다)은 제4조, 제4조의2부터 제4조의8까지, 제5조부터 제9조까지, 제11조, 제14조, 제19조, 제21조부터 제25조까지, 제40조, 제41조, 제48조, 제48조의2, 제49조, 제50조, 제50조의2, 제51조, 제52조, 제52조의2, 제52조의4, 제53조, 제62조부터 제64조까지, 제65조의2, 제67조, 제68조 및 제84조를 적용할 때 대통령령으로 정하는 바에 따라 강화 또는 변경하여 적용할 수 있다. <개정 2019.4.23., 2019.4.30.>

영 제6조의3【특수구조 건축물 구조 안전의 확인에 관한 특례】
① 법 제6조의2에서 "대통령령으로 정하는 건축물"이란 제2조제18호에 따른 특수구조 건축물을 말한다.
② 특수구조 건축물을 건축하거나 대수선하려는 건축주는 법 제21조에 따른 착공신고를 하기 전에 국토교통부령으로 정하는 바에 따라 허가권자에게 해당 건축물의 구조 안전에 관하여 지방건축위원회의 심의를 신청하여야 한다. 이 경우 건축주는 설계자로부터 미리 법 제48조제2항에 따른 구조 안전 확인을 받아야 한다.
③ 2항에 따른 신청을 받은 허가권자는 심의 신청 접수일부터 15일 이내에 제5조의6제1항제2호에 따른 건축구조 분야 전문위원회에 심의 안건을 상정하고, 심의 결과를 심의를 신청한 자에게 통보하여야 한다.
④ 제3항에 따른 심의 결과에 이의가 있는 자는 심의 결과를 통보받은 날부터 1개월 이내에 허가권자에게 재심의를 신청할 수 있다.
⑤ 제3항에 따른 심의 결과 또는 제4항에 따른 재심의 결과를 통보받은 건축주는 법 제21조에 따른 착공신고를 할 때 그 결과를 반영하여야 한다.
⑥ 제3항에 따른 심의 결과의 통보, 제4항에 따른 재심의의 방법 및 결과 통보에 관하여는 법 제4조의2제2항 및 제4항을 준용한다.

해설 붕괴사고에서 드러난 바와 같이 현행의 건축설계기준이 최근 기후이변을 반영하지 못하고 새로 개발된 특수구조 건축물에 일반 건축물과 동일한 건축기준이 적용됨에 따라 구조안전에 적합한 설계와 시공이 이루어지기 어렵고, 허가권자도 이를 제대로 관리하지 못하는 등의 제도적인 미비가 있었음.
따라서 특수구조 건축물의 안전사고 방지를 위하여 국토교통부장관이 건축구조 기준을 정기적으로 모니터링하고, 특수구조 건축물에 대해서는 설계, 인・허가 또는 시공 시 건축구조 기준을 강화하여 적용할 수 있도록 하려는 것임.(2015.1.6. 건축법 개정)

【1】 특수구조 건축물의 정의

① 한쪽 끝은 고정되고 다른 끝은 지지(支持)되지 아니한 구조로 된 보·차양 등이 외벽의 중심선으로부터 3m 이상 돌출된 건축물
② 기둥과 기둥 사이의 거리(기둥의 중심선 사이의 거리를 말하며, 기둥이 없는 경우에는 내력벽과 내력벽의 중심선 사이의 거리)가 20m 이상인 건축물
③ 특수한 설계·시공·공법 등이 필요한 건축물로서 국토교통부장관이 정하여 고시하는 구조로 된 건축물

건축법
1. 총 칙
2. 건 축
3. 유지관리
4. 대지도로
5. 구조재료
6. 지역지구
7. 건축설비
8. 특별건축구역
9. 보 칙
10. 벌 칙
건축법 관련기준

【참고】 특수구조 건축물 대상기준(국토교통부 고시 제2018-777호, 2018.12.7.)

특수구조 건축물 대상기준

제1조【목적】 이 기준은 「건축법 시행령」 제2조제18호 다목에 따라 특수구조 건축물의 종류를 정하는 것을 목적으로 한다.

제2조【특수구조 건축물】 특수구조 건축물은 다음 각 호의 어느 하나에 해당하는 건축물을 말한다.

1. 건축물의 주요구조부가 공업화박판강구조(PEB : Pre-Engineered Metal Building System), 강관 입체트러스(스페이스프레임), 막 구조, 케이블 구조, 부유식구조 등 설계·시공·공법이 특수한 구조형식인 건축물
2. 6개층 이상을 지지하는 기둥이나 벽체의 하중이 슬래브나 보에 전이되는 건축물(전이가 있는 층의 바닥면적 중 50퍼센트 이상에 해당하는 면적이 필로티 등으로 상하부 구조가 다르게 계획되어 있는 경우로 한정한다.)
3. 건축물의 주요구조부에 면진 · 제진장치를 사용한 건축물
4. 건축구조기준에 따른 허용응력설계법, 허용강도설계법, 강도설계법 또는 한계상태설계법에 의하여 설계되지 않은 건축물
5. 건축구조기준의 지진력 저항시스템 중 다음 각 목의 어느 하나에 해당하는 시스템을 적용한 건축물
   가. 철근콘크리트 특수전단벽
   나. 철골 특수중심가새골조
   다. 합성 특수중심가새골조
   라. 합성 특수전단벽
   마. 철골 특수강판전단벽
   바. 철골 특수모멘트골조
   사. 합성 특수모멘트골조
   아. 철근콘크리트 특수모멘트골조
   자. 특수모멘트골조를 가진 이중골조 시스템

【2】 구조안전 확인에 대한 지방건축위원회의 심의

① 특수구조 건축물을 건축하거나 대수선하려는 건축주는 착공신고를 하기 전에 허가권자에게 해당 건축물의 구조 안전에 관하여 지방건축위원회의 심의를 신청하여야 한다. 이 경우 건축주는 설계자로부터 미리 구조 안전 확인을 받아야 한다.

② 신청을 받은 허가권자는 심의(재심의) 신청 접수일부터 15일 이내에 건축구조 분야 전문위원회에 심의 안건을 상정하고, 심의(재심의) 결과를 심의(재심의)를 신청한 자에게 통보하여야 한다.

③ 심의 결과에 이의가 있는 자는 심의 결과를 통보받은 날부터 1개월 이내에 허가권자에게 재심의를 신청할 수 있다.

④ 심의 결과 또는 재심의 결과를 통보받은 건축주는 착공신고를 할 때 그 결과를 반영하여야 한다.

【3】 특수구조 건축물의 특례(다음 규정을 강화 또는 변경 적용 가능)

규정내용	법조항	규정내용	법조항
• 건축위원회	제4조	• 질의민원 심의의 신청	제4조의5
• 건축위원회의 건축 심의 등	제4조의2	• 심의를 위한 조사 및 의견 청취	제4조의6
• 건축위원회 회의록의 공개	제4조의3	• 의견의 제시 등	제4조의7
• 건축민원전문위원회	제4조의4	• 사무국	제4조의8

• 리모델링에 대비한 특례 등	제8조	• 용도변경	제19조
• 다른 법령의 배제	제9조	• 착공신고 등	제21조
• 건축허가	제11조	• 건축물의 사용승인	제22조
• 건축신고	제14조	• 건축물의 설계	제23조
• 적용의 완화	제5조	• 건축시공	제24조
• 기존의 건축물 등에 관한 특례	제6조	• 건축물의 공사감리	제25조
• 통일성을 유지하기 위한 도의 조례	제7조	• 건축물의 유지·관리	제35조
• 대지의 안전 등	제40조	• 건축자재의 품질관리 등	제52조의4
• 토지 굴착 부분에 대한 조치 등	제41조	• 지하층	제53조
• 구조내력 등	제48조	• 건축설비기준 등	제62조
• 건축물 내진등급의 설정	제48조의2	• 온돌 및 난방설비 등의 시공	제63조
• 건축물의 피난시설 및 용도제한 등	제49조	• 승강기	제64조
• 건축물의 내화구조와 방화벽	제50조	• 지능형건축물의 인증	제65조의2
• 고층건축물의 피난 및 안전관리	제50조의2	• 관계전문기술자	제67조
• 방화지구 안의 건축물	제51조	• 기술적 기준	제68조
• 건축물의 마감재료	제52조	• 면적·높이 및 층수의 산정	제84조
• 실내건축	제52조의2		

3 부유식 건축물의 특례(법 제6조의3)(영 제6조의4)

법 제6조의3 【부유식 건축물의 특례】

① 「공유수면 관리 및 매립에 관한 법률」 제8조에 따른 공유수면 위에 고정된 인공대지(제2조제1항제1호의 "대지"로 본다)를 설치하고 그 위에 설치한 건축물(이하 "부유식 건축물"이라 한다)은 제40조부터 제44조까지, 제46조 및 제47조를 적용할 때 대통령령으로 정하는 바에 따라 달리 적용할 수 있다. **관계법**

② 부유식 건축물의 설계, 시공 및 유지관리 등에 대하여 이 법을 적용하기 어려운 경우에는 대통령령으로 정하는 바에 따라 변경하여 적용할 수 있다.

[본조신설 2016.1.19.]

영 제6조의4 【부유식 건축물의 특례】

① 법 제6조의3제1항에 따라 같은 항에 따른 부유식 건축물(이하 "부유식 건축물"이라 한다)에 대해서는 다음 각 호의 구분기준에 따라 법 제40조부터 제44조까지, 제46조 및 제47조를 적용한다.

1. 법 제40조에 따른 대지의 안전 기준의 경우: 같은 조 제3항에 따른 오수의 배출 및 처리에 관한 부분만 적용
2. 법 제41조부터 제44조까지, 제46조 및 제47조의 경우: 미적용. 다만, 법 제44조는 부유식 건축물의 출입에 지장이 없다고 인정하는 경우에만 적용하지 아니한다.

② 제1항에도 불구하고 건축조례에서 지역별 특성 등을 고려하여 그 기준을 달리 정한 경우에는 그 기준에 따른다. 이 경우 그 기준은 법 제40조부터 제44조까지, 제46조 및 제47조에 따른 기준의 범위에서 정하여야 한다.
[본조신설 2016.7.19.][종전 제6조의4는 제6조의5로 이동 <2016.7.19.>]

해설 친수 여가활동의 증가로 건축수요가 예상되는 부유식 건축물에 대한 체계적 관리를 위하여 「건축법」에 따른 건축기준을 강화 또는 변경할 수 있도록 부유식 건축물에 대한 특례 규정을 신설함(2016.1.19.)

【1】 부유식 건축물의 정의

공유수면 위에 고정된 인공대지(건축법상의 "대지"로 봄)를 설치하고 그 위에 설치한 건축물

관계법 「공유수면 관리 및 매립에 관한 법률」 제2조, 제8조

법 제2조【정의】 이 법에서 사용하는 용어의 뜻은 다음과 같다. <개정 2020.2.18.>
1. "공유수면"이란 다음 각 목의 것을 말한다.
가. 바다: 「해양조사와 해양정보 활용에 관한 법률」 제8조제1항제3호에 따른 해안선으로부터 「배타적 경제수역 및 대륙붕에 관한 법률」에 따른 배타적 경제수역 외측 한계까지의 사이
나. 바닷가: 「해양조사와 해양정보 활용에 관한 법률」 제8조제1항제3호에 따른 해안선으로부터 지적공부(地籍公簿)에 등록된 지역까지의 사이
다. 하천 · 호소(湖沼) · 구거(溝渠), 그 밖에 공공용으로 사용되는 수면 또는 수류(水流)로서 국유인 것

법 제8조【공유수면의 점용 · 사용허가】 ① 다음 각 호의 어느 하나에 해당하는 행위를 하려는 자는 대통령령으로 정하는 바에 따라 공유수면관리청으로부터 공유수면의 점용 또는 사용(이하 "점용 · 사용"이라 한다)의 허가(이하 "점용 · 사용허가"라 한다)를 받아야 한다. 다만, 「수상에서의 수색 · 구조 등에 관한 법률」 제19조에 따른 조난된 선박등의 구난작업, 「재난 및 안전관리 기본법」 제37조에 따른 응급조치를 위하여 공유수면을 점용 · 사용하려는 경우 또는 제28조에 따라 매립면허를 받은 자가 매립면허를 받은 목적의 범위에서 해당 공유수면을 점용 · 사용하려는 경우에는 그러하지 아니하다. <개정 2017.3.21.>
1. 공유수면에 부두, 방파제, 교량, 수문, 신 · 재생에너지 설비(「신에너지 및 재생에너지 개발 · 이용 · 보급 촉진법」 제2조제3호에 따른 신 · 재생에너지 설비를 말한다. 이하 이 장에서 같다), 건축물(「건축법」 제2조제1항제2호에 따른 건축물로서 공유수면에 토지를 조성하지 아니하고 설치한 건축물을 말한다. 이하 이 장에서 같다), 그 밖의 인공구조물을 신축 · 개축 · 증축 또는 변경하거나 제거하는 행위
2. 공유수면에 접한 토지를 공유수면 이하로 굴착(掘鑿)하는 행위
3. 공유수면의 바닥을 준설(浚渫)하거나 굴착하는 행위
4. 대통령령으로 정하는 포락지 또는 개인의 소유권이 인정되는 간석지를 토지로 조성하는 행위
5. 공유수면으로부터 물을 끌어들이거나 공유수면으로 물을 내보내는 행위. 다만, 해양수산부령으로 정하는 행위는 제외한다.
6. 공유수면에서 흙이나 모래 또는 돌을 채취하는 행위
7. 공유수면에서 식물을 재배하거나 베어내는 행위
8. 공유수면에 흙 또는 돌을 버리는 등 공유수면의 수심(水深)에 영향을 미치는 행위
9. 점용 · 사용허가를 받아 설치된 시설물로서 국가나 지방자치단체가 소유하는 시설물을 점용 · 사용하는 행위
10. 공유수면에서 「광업법」 제3조제1호에 따른 광물을 채취하는 행위
11. 제1호부터 제10호까지에서 규정한 사항 외에 공유수면을 점용 · 사용하는 행위
② 공유수면관리청은 제1항제1호에 따른 건축물의 신축 · 개축 및 증축을 위한 허가를 할 때에는 대통령령

령으로 정하는 건축물에 대하여만 허가하여야 한다.
③ 공유수면관리청은 점용·사용허가를 하려는 경우에는 대통령령으로 정하는 바에 따라 관계 행정기관의 장과 미리 협의하여야 한다.
④ 점용·사용허가를 받은 자가 그 허가사항 중 점용·사용 기간 및 목적 등 대통령령으로 정하는 사항을 변경하려는 경우에는 공유수면관리청의 변경허가를 받아야 한다.
⑤ 제4항에 따른 변경허가에 관하여는 제3항을 준용한다.
⑥ 공유수면관리청은 점용·사용허가 또는 제4항에 따른 변경허가를 하였을 때에는 대통령령으로 정하는 바에 따라 그 내용을 고시하여야 한다.
⑦ 공유수면관리청은 점용·사용허가를 하는 경우 해양환경·생태계·수산자원 및 자연경관의 보호, 그 밖에 어업피해의 예방 또는 공유수면의 관리·운영을 위하여 필요하다고 인정하는 경우에는 대통령령으로 정하는 바에 따라 어업인 등 이해관계자의 의견을 들어야 하며, 점용·사용의 방법 및 관리 등에 관한 부관(附款)을 붙일 수 있다. <개정 2022.1.4.>
⑧ 점용·사용허가를 받은 자는 그 허가받은 공유수면을 다른 사람이 점용·사용하게 하여서는 아니 된다. 다만, 국방 또는 자연재해 예방 등 공익을 위하여 필요한 경우로서 공유수면관리청의 승인을 받은 경우에는 그러하지 아니하다.
⑨ 공유수면관리청이 아닌 행정기관의 장은 다른 법률에 따라 점용·사용허가 또는 제4항에 따른 변경허가를 받은 것으로 보는 행정처분을 하였을 때에는 즉시 그 사실을 공유수면관리청에 통보하여야 한다. <신설 2017.3.21.>

【2】 부유식 건축물의 특례

규정내용	법조항	적용범위
• 대지의 안전 등	제40조	• 제3항의 오수의 배출 및 처리에 관한 부분만 적용
• 토지 굴착 부분에 대한 조치 등	제41조	• 좌측 규정 미적용 *법 제44조: 부유식 건축물의 출입에 지장이 없다고 인정하는 경우에만 적용하지 않음
• 대지의 조경	제42조	
• 공개 공지 등의 확보	제43조	
• 대지와 도로의 관계	제44조*	
• 건축선의 지정	제46조	
• 건축선에 따른 건축제한	제47조	

【3】 건축조례의 기준 지정

1. 건축조례에서 지역별 특성 등을 고려하여 그 기준을 달리 정한 경우 건축조례의 기준에 따를 것
2. 조례의 기준은 법 제40조 ~ 제44조, 제46조, 제47조에 따른 기준의 범위에서 정할 것

4 리모델링에 대비한 특례(법 제8조)(영 제6조의5)

법 제8조【리모델링에 대비한 특례 등】
리모델링이 쉬운 구조의 공동주택의 건축을 촉진하기 위하여 공동주택을 대통령령으로 정하는 구조로 하여 건축허가를 신청하면 제56조, 제60조 및 제61조에 따른 기준을 100분의 120의 범위에서 대통령령으로 정하는 비율로 완화하여 적용할 수 있다.

영 제6조의5【리모델링이 쉬운 구조 등】

① 법 제8조에서 "대통령령으로 정하는 구조"란 다음 각 호의 요건에 적합한 구조를 말한다. 이 경우 다음 각 호의 요건에 적합한지에 관한 세부적인 판단 기준은 국토교통부장관이 정하여 고시한다.

1. 각 세대는 인접한 세대와 수직 또는 수평 방향으로 통합하거나 분할할 수 있을 것
2. 구조체에서 건축설비, 내부 마감재료 및 외부 마감재료를 분리할 수 있을 것
3. 개별 세대 안에서 구획된 실(室)의 크기, 개수 또는 위치 등을 변경할 수 있을 것

② 법 제8조에서 "대통령령으로 정하는 비율"이란 100분의 120을 말한다. 다만, 건축조례에서 지역별 특성 등을 고려하여 그 비율을 강화한 경우에는 건축조례로 정하는 기준에 따른다.

해설 건축물의 노후화 억제 또는 기능향상을 위한 리모델링이 용이한 구조의 공동주택의 건축을 촉진하기 위하여 리모델링이 용이한 구조로 건축허가를 신청하는 경우 「건축법」의 일부규정을 완화하여 적용할 수 있게 함

■ 특례적용가능 구조 및 완화내용

공동주택의 구조	완화규정 및 내용			비 고
1. 각 세대는 인접한 세대와 수직 또는 수평방향으로 통합하거나 분할할 수 있을 것 2. 구조체에서 건축설비, 내부 마감재료 및 외부 마감재료를 분리할 수 있을 것 3. 개별 세대 안에서 구획된 실의 크기, 개수 또는 위치 등을 변경할 수 있을 것	법 제56조	건축물의 용적률	• 120/100의 범위에서 완화적용가능	• 세부적인 판단기준은 국토교통부장관이 정하여 고시함 • 건축조례에서 지역별 특성 등을 고려하여 그 비율을 강화한 경우 조례가 정하는 기준에 따름
	법 제60조	건축물의 높이제한		
	법 제61조	일조 등의 확보를 위한 건축물의 높이제한		

【참고1】리모델링이 용이한 공동주택 기준 (건설교통부 고시 제2018-774호, 2018.12.7)

제1조【목적】 이 기준은 「건축법」 제8조 및 「건축법 시행령」 제6조의5의 규정에 따라 공동주택에 대한 리모델링이 용이한 구조의 판단을 위한 세부적인 기준 등에 대하여 정함을 목적으로 한다.

제2조【적용범위】 이 기준은 「건축법 시행령」 별표1 제2호 공동주택(다세대주택 및 기숙사는 제외한다. 이하 같다)을 신축하는 경우에 적용한다.

제3조【정의】 이 기준에서 사용하는 용어의 정의는 다음과 같다.

1. "내구성" 이란 건축물 또는 그 부위의 열화에 대한 저항성을 말한다.
2. "내구연한" 이란 건축물 또는 그 부위의 열화에 대한 저항성의 한계에 이르기까지의 기간을 말한다.
3. "가변성" 이란 건축물의 구조적 안전성을 유지하면서 평면계획이나 설비 등을 변화하거나 다양화 할 수 있는 성능과 새로운 변화에 적응할 수 있는 환경을 만들어 갈 수 있는 성능을 통합한 개념을 의미한다.
4. "설비" 란 건축물에 설치하는 전기 · 전화 · 초고속 정보통신 · 지능형 홈네트워크 · 가스 · 급수 · 배수 · 환기 · 난방 · 소화 · 배연 및 오물처리 등을 위한 배선, 배관 등을 말한다.

제4조【기본 원칙】 ① 리모델링이 용이한 공동주택은 반영구적인 장수명, 내구성, 안전성, 가변성, 친환경성 등의 성능과 품질 등을 확보할 수 있도록 설계, 시공, 감리 및 유지관리가 이루어져야 한다.

② 허가권자는 향후 리모델링을 대비하고, 이 기준의 효율적 운영과 목적 달성을 위하여 다음 각 호의 사항을 권장할 수 있다.

1. 건축물의 내구연한 설정 및 내구성 확보를 위한 사항
2. 리모델링에 필요한 설계도서(「건축법」 제2조 제1항 제14호 규정에 따른 설계도서를 말한다)의 보존
3. 리모델링 취지 등을 고려하여 노후화 억제, 기능향상 등을 기하고 자원의 절약 및 건설폐기물 최소화 등 친환경성이 지속적으로 유지되도록 관리
4. 향후 리모델링시 발코니, 주차장 등 추가설치와 관련, 창의적이고 실현가능한 설계가 되도록 조치

③ 국가와 지방자치단체는 리모델링의 설계, 시공 및 유지관리 등에 대해 창의적 설계 및 신공법, 재료, 자재 등의 성능 및 품질을 높이기 위하여 지속적인 연구를 통해 리모델링이 용이한 건축물이 조기에 정착되도록 해야 한다.

제5조【건축허가 또는 사업계획승인 신청】 ① 리모델링이 용이한 구조로 인정받고자 신청하는 자(「건축법」에 따른 건축주, 「주택법」에 따른 사업주체 등을 말한다. 이하 "건축주등"이라 한다)는 「건축법」(이하 "법"이라 한다) 제11조 또는 같은 법 제16조에 따라 건축허가(「주택법」 제15조에 의한 사업계획승인을 포함한다. 이하 같다)를 신청하거나 허가사항을 변경하는 경우에 별지 제1호 서식의 리모델링이 용이한 공동주택 인정신청서(이하 "인정신청서"라 한다), 별지 제2호 서식의 리모델링이 용이한 공동주택 판단평가서(이하 "판단평가서"라 한다)를 첨부하여 허가권자에게 제출하여야 한다.

② 허가권자는 건축주등에게 판단평가서에 대한 평가근거자료를 따로 요청할 수 있다. 이 경우 건축주등은 특별한 사유가 없는 한 평가근거자료를 허가권자에게 제출하여야 한다.

③ 건축주등은 제1항에 따른 인정신청서 제출 시 제6조 제1항에 따른 별표의 평가항목에 대한 종합적인 의견, 항목별의 검토의견 및 관련서류 등을 첨부하여야 한다.

제6조【평가 및 승인】 ① 리모델링이 용이한 구조의 판단에 대한 세부적인 평가방법 및 기준은 [별표]를 따른다.

② 건축위원회에서 제5조에 따라 제출한 인정신청서와 판단평가서를 심의하여 그 결과 평가점수 합계가 80점 이상인 경우에 용적률 등에 대하여 완화가 가능하며, 허가권자는 상·하수도 등 기반시설을 고려하여 이를 승인할 수 있다.

③ 필요한 경우 허가권자는 제2항에 따른 건축위원회와는 별도로 분야별 전문 소위원회를 구성하여 판단평가서의 적정성 여부 등에 대해 심의를 하게 할 수 있다.

④ 허가권자는 건축주등이 제5조에 따라 제출한 서류가 미비하거나, 사실과 다를 경우에는 건축주등에게 보완을 요청할 수 있다. 이 경우 허가권자는 특별한 경우를 제외하고 건축주등이 보완요청을 20일 이내에 이행하지 아니한 경우에는 신청을 반려할 수 있다.

제7조【허가사항 변경 등】 제6조에 따라 리모델링이 용이한 구조로 승인받은 공동주택으로서 법 제16조에 따라 건축허가를 받은 사항을 변경하고자 하는 경우에는 변경사항에 대한 신청·평가 및 승인 등에 대해서는 제5조 및 제6조를 준용한다.

제8조【건축조례 제·개정 기본원칙】 「건축법 시행령」 제6조의5 제2항 단서규정에 따라 건축조례에서 비율을 강화하는 경우에는 리모델링의 활성화 취지에 맞도록 시·군·구별 지역적 특성 등을 고려하여 기준을 정할 수 있다.

제9조【시행 세칙】 이 기준에 대한 세부적인 사항은 국토교통부장관이 운영지침으로 정하여 시행할 수 있다.

【참고2】 리모델링을 고려한 건축물 설계기준 및 해설서(건설교통부, 2001.12.14.) ☞ CD참조

9 통일성을 유지하기 위한 도의 조례(법 제7조)

법 제7조【통일성을 유지하기 위한 도의 조례】
도(道) 단위로 통일성을 유지할 필요가 있으면 제5조제3항, 제6조, 제17조제2항, 제20조제2항제3호, 제27조제3항, 제42조, 제57조제1항, 제58조 및 제61조에 따라 시·군의 조례로 정하여야 할 사항을 도의 조례로 정할 수 있다. <개정 2015.5.18.>

해설 도 단위의 법적용에 있어서 통일성을 유지할 필요가 있는 경우에 아래의 규정을 시·군의 조례로 정하지 않고 도의 조례로 정할 수 있음

■ 도의 조례로 정할 수 있는 규정 내용

규정내용(지방자치 조례 → 도의 조례)	
• 적용의 완화(법 제5조제3항)	• 대지의 조경(법 제42조)
• 기존의 건축물 등에 관한 특례(법 제6조)	• 대지의 분할 제한(법 제57조제1항)
• 건축허가 등의 수수료(법 제17조제2항)	• 대지 안의 공지(법 제58조)
• 가설건축물(법 제20조 제2항제3호)	• 일조 등의 확보를 위한 건축물의 높이제한(법 제61조)
• 현장조사·검사 및 확인업무의 대행(법 제27조제3항)	-

10 다른 법령의 배제(법 제9조)

법 제9조【다른 법령의 배제】

① 건축물의 건축등을 위하여 지하를 굴착하는 경우에는 「민법」 제244조제1항을 적용하지 아니한다. 다만, 필요한 안전조치를 하여 위해(危害)를 방지하여야 한다.

② 건축물에 딸린 개인하수처리시설에 관한 설계의 경우에는 「하수도법」 제38조를 적용하지 아니한다.

해설 다른 법령의 배제

행위내용	목 적	배제되는 법의 규정 및 내용
• 지하를 굴착하는 경우 (필요한 안전조치를 취해 위해를 방지하여야 함)	• 건축물의 건축 등을 위함	「민법」 제244조(지하시설 등에 대한 제한) ① 우물을 파거나 용수, 하수 또는 오물등을 저치할 지하시설을 하는 때에는 경계로부터 2미터이상의 거리를 두어야 하며 저수지, 구거 또는 지하실공사에는 경계로부터 그 깊이의 반이상의 거리를 두어야 한다.
• 개인하수 처리시설의 설계의 경우	• 건축물에 딸린 시설로 사용하기 위함	「하수도법」 제38조 (개인하수처리시설의 설계 · 시공) ① 개인하수처리시설을 설치 또는 변경하려는 자는 다음 각 호의 어느 하나에 해당하는 자에게 개인하수처리시설을 설계 · 시공하도록 하여야 한다. 1. 제51조제1항에 따라 개인하수처리시설을 설계 · 시공하는 영업의 등록을 한 자 2. 「가축분뇨의 관리 및 이용에 관한 법률」 제34조에 따라 처리시설 설계 · 시공업의 등록을 한 자 3. 「건설산업기본법」 제9조제1항 본문에 따라 건설업의 등록을 한 자 중 대통령령으로 정하는 업종의 등록을 한 자 4. 「환경기술 및 환경산업 지원법」 제15조에 따른 환경전문공사업 중 대통령령으로 정하는 분야의 등록을 한 자 ② 제1항에도 불구하고 다음 각 호의 어느 하나에 해당하는 경우에는 제1항 각 호에 해당하지 아니하는 자가 개인하수처리시설을 설치하거나 변경할 수 있다. 1. 하수처리에 관한 연구를 목적으로 개인하수처리시설을 설치 또는 변경하는 경우 2. 국내에서 처리기술상 일반화되어 있지 아니한 하수처리방법을 이용하는 경우로서 시험용 시설(국공립 시험기관 또는 대학부설 연구소, 그 밖에 환경부장관이 인정하는 연구 · 시험기관의 시험을 거친 경우로 한정한다)을 설치하는 경우 3. 제52조제1항에 따라 개인하수처리시설제조업의 등록을 한 자가 자신이 제조한 개인하수처리시설을 직접 설치 또는 변경하는 경우

11 질의회신 · 법령해석

■ 목차

1 대 지

질의회신 대지가 수년간 사용하고 있는 전면도로에 접한 경우 건축시 도로중심선에서 후퇴해야 하는지?

국토교통부 민원마당 FAQ 2019.5.24.

질의 대지가 수년간 사용하고 있는 3.0미터 전면도로에 접한 경우 건축시 도로중심선에서 후퇴해야 하는지?

회신 건축법 제46조제1항에 의하면 도로와 접한 부분에 건축물을 건축할 수 있는 선("건축선(建築線)")은 대지와 도로의 경계선으로 하며, 다만, 제2조제1항제11호에 따른 소요 너비에 못 미치는 너비의 도로인 경우에는 그 중심선으로부터 그 소요 너비의 2분의1의 수평거리만큼 물러난 선을 건축선으로 하되,

그 도로의 반대쪽에 경사지, 하천, 철도, 선로부지, 그 밖에 이와 유사한 것이 있는 경우에는 그 경사지 등이 있는 쪽의 도로경계선에서 소요 너비에 해당하는 수평거리의 선을 건축선으로 하며, 도로의 모퉁이에서는 대통령령으로 정하는 선을 건축선으로 하도록 규정하고 있음.

따라서, 당해 도로가 건축법 제2조제1항제11호에서 규정한 도로로서 소요 너비에 못 미치는 경우에는 그 중심선으로부터 그 소요 너비의 2분의1의 수평거리만큼 물러난 선을 건축선으로 하면 되는 것이며,

다만, 질의의 도로가 건축법상 도로에 해당되는 지 여부에 대하여는 당해 지역 허가권자가 현지현황을 확인하여 판단하여야 할 사항임

질의회신 두 필지에 각각의 건축물 건축시 대지합병 및 허가 가능여부

국토교통부 민원마당 FAQ 2012.9.26.

질의 가. A토지와 B토지에 각각 건축물을 건축하려고 하는 경우 이를 건축법시행령 제3조제1항제1호의 규정에 따라 하나의 건축물을 두 필지 이상에 걸쳐서 건축하는 것으로 보아 건축허가가 가능한지 여부

나. 위 A토지와 B토지는 소유자가 달라 합필이 불가한 상황이며, 실제 위 B토지에는 건축물을 건축하지 않은 경우, 건축물이 있는 A토지와 건축물이 없는 B토지를 합필하지 않고 사용승인이 가능한지 여부

다. 위 내용으로 건축허가, 사용승인을 해준 행정당국의 조치가 적법한지 여부

회신 가. 「건축법 시행령」 제3조제1항에 따라 2이상의 필지를 하나의 대지로 할 수 있는 경우 중 같은 항 제1호의 하나의 건축물을 2필지 이상에 걸쳐 건축하는 경우라 함은 1개동의 건축물을 2이상의 필지에 걸쳐 건축하는 경우를 말하는 것이며,

나. 토지의 합병이 불가능한 경우 등 「건축법 시행령」 제3조제1항제1호부터 제5호까지 해당하는 토지 이외에 건축물이 2이상의 필지에 건축되는 경우에는 같은 항 제6호에 따라 사용승인을 신청하는 때에 하나의 필지로 합필할 것을 조건으로 건축허가를 하는 경우 그 합필대상이 되는 토지를 하나의 대지로 할 수 있는 것임

다. 아울러, 허가권자는 「건축법」 등 관계법령을 종합 검토하여 그에 적합한 경우 건축허가 또는 사용승인 등을 하여야 하는 것임을 회신하오니, 행정기관의 처분이 적법한지 여부 등 보다 구체적인 사항은 자세한 자료를 갖추어 해당 지역의 건축허가권자인 시장.군수.구청장에게 문의하시기 바람

질의회신 대지합병 관련

국토교통부 민원마당 FAQ 2019.5.24.

질의 건축물을 증축하면서 산지전용허가를 득한 토지를 분할하여 기존 대지에 포함시킬 때, 사용승인전 두 필지(기존대지+추가 확보 토지)의 토지를 반드시 합병해야 하는지?(건축물이 두필지에 걸쳐 있지 아니함)

회신 건축법시행령 제3조제1항제6호에 의하면 동 법 제22조에 따른 사용승인을 신청할 때 둘 이상의 필지를 하나의 필지로 합칠 것을 조건으로 건축허가를 하는 경우 그 필지가 합쳐지는 토지에 대하여 둘이상의 필지를 하나의 대지로 볼 수 있도록 규정하고 있음

건축법 제22조1항에 따라 건축물의 사용승인을 신청할 때 「측량 · 수로조사 및 지적에 관한 법률」 제3조에 따른 지적공부의 변동사항 등록신청을 함께 신청할 수 있도록 규정하고 있음

질의회신 도시계획시설(도로-터널) 상부 건축허가 여부 및 대지 범위?

국토교통부 민원마당 FAQ 2019.5.24.

질의 도시계획시설(도로-터널) 상부 건축 인·허가 제한가능 여부

회신 건축법 제48조에 따라 건축물은 고정하중·적재하중·적설하중·풍압·지진 기타의 진동 및 충격 등에 대하여 안전한 구조를 가져야 하므로, 허가권자는 건축물을 건축하고자 하는 대지 하부에 도시계획시설(도로-터널) 공사가 예정되어 있다면 건축물의 안전성 여부 및 「국토의 계획 및 이용에 관한 법률」 제64조등 관련 규정을 종합적으로 검토할 필요가 있을 것임

질의회신 하나의 대지 및 연접한 대지의 일부만 대지로 하는 경우 하나의 대지로 인정 여부

국토교통부 민원마당 FAQ 2019.5.24.

질의 연접하고 있는 두 필지(A, B)에 걸쳐 건축함에 있어 필지 B의 일부만을 건축부지에 포함하여 건축하고자 하는 경우, 필지 A와 건축하고자 하는 부지에 포함된 필지 B의 일부를 건축법 제2조의 규정에 의한 대지로 인정 할 수 있는 지 여부

회신 건축법 제2조 제1항 제1호 및 동법시행령 제3조 제1항 제6호의 규정에 의하여 A, B 두 필지에 걸쳐 건축하는 경우로서 건축법 제18조의 규정에 의한 사용승인을 신청하는 때에는 2 이상의 필지를 하나의 필지로 합필할 것을 조건으로 하여 건축허가를 하는 경우 그 합필 대상이 되는 토지를 하나의 대지로 할 수 있는 것이며, B필지의 일부를 건축법 제18조의 규정에 의한 사용승인을 신청하는 때에는 분필할 것을 조건으로 하여 건축허가를 하는 경우 그 분필대상이 되는 부분의 토지는 동시행령 동조 제2항 제5호의 규정에 따라 필지의 일부를 하나의 대지로 할 수 있는 것이므로, 필지 A와 필지 B의 일부를 합한 부지는 하나의 대지로 볼 수 있는 것임 (*법 제18조 ⇒ 제22조, 2008.3.21 개정)

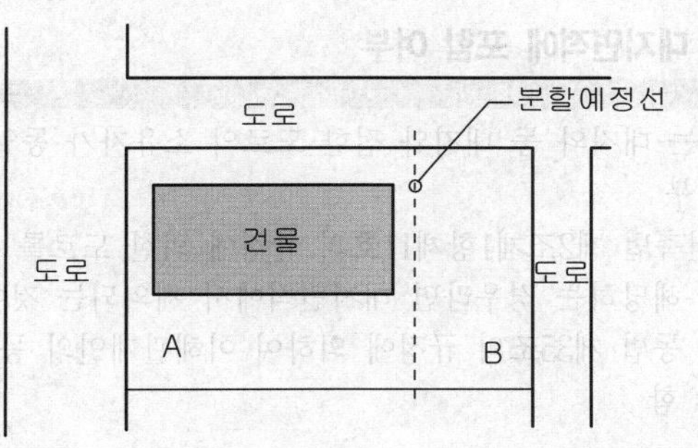

질의회신 인근 부설주차장 설치 시 대지면적에 포함 여부

국토교통부 민원마당 FAQ 2019.5.24.

질의 건축물의 부설주차장을 동 건축물이 건축되는 부지의 인근 부지에 설치하는 경우 건폐율, 용적률 산정을 위한 대지면적을 건축물이 건축되는 부지 및 부설주차장이 건축되는 부지를 합한 면적으로 할 수 있는지 여부

회신 건폐율 및 용적률은 대지면적을 기준으로 산정하는 것인바, 건축법 제2조 및 동법 시행령 제3조의 규정에 의한 하나의 대지로 볼 수 있는 경우에 가능함

질의회신 2 필지의 토지 사이에 구거를 공유수면점용허가 등을 받고 개발행위허가를 받는다면 구거까지 포함하여 하나의 대지로 볼 수 있는 지

국토교통부 민원마당 FAQ 2013.12.20.

질의 2 필지의 토지 사이에 구거(소유자 : 국가)이자 건축법상 도로에도 해당되는 토지가 있는 경우, 2 필지의 토지와 구거에 골프연습장(망부분까지 포함)을 건축하고자 하는 사항으로 구거에 대하여 공유수면점용허가 등

을 받고 개발행위허가를 받는다면 구거부분까지 포함하여 하나의 대지로 볼 수 있는 지

회신 질의의 구거 상부에 점용허가 등을 받아 시설물을 설치할 수 있는 경우라면 점용허가를 받은 부분의 토지를 포함하여 하나의 대지로 할 수 있을 것으로 사료되나 다만, 건축가능여부는 구거가 건축법 제2조 제1항 제11호의 규정에 의거 도로인 점을 감안하여 건축하고자 하는 대지 및 도로(구거)에 접한 다른 대지의 조건 등을 종합적으로 검토하여 판단하여야 할 것임

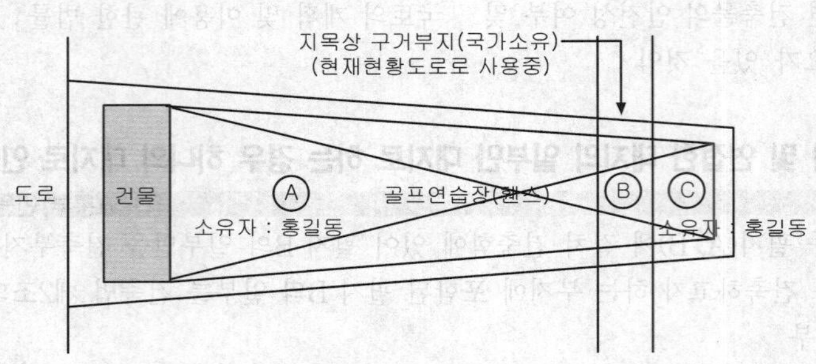

질의회신 건축허가시 고가도로 하부 대지 관련

국토교통부 민원마당 FAQ 2019.5.24.

질의 고가도로의 하부에 건축물을 건축하기 위해 도로점용허가 받은 부분을 하나의 대지로 볼 수 있는 지

회신 도시계획시설인 고가도로의 하부에 건축물의 건축을 위해 도로점용허가를 받은 토지에 「건축법」 제11조제1항에 따른 건축허가를 신청하는 경우라면 점용허가를 받은 부분의 토지를 하나의 대지로 보고 점용허가를 받은 부분의 실제면적을 대지의 면적으로 할 수 있을 것임

질의회신 도로부분의 면적을 대지면적에 포함 여부

국토교통부 민원마당 FAQ 2019.5.24.

질의 건축물의 건축하고자 하는 대지와 동 대지와 접한 도로의 소유자가 동일한 경우, 도로부분의 면적을 대지면적에 포함할 수 있는지 여부

회신 건축법상 도로라 함은 건축법 제2조제1항제11호의 규정에 의한 도로를 말하는 것으로서 , 귀 문의의 도로가 상기 규정에 의한 도로에 해당하는 경우라면 대지면적에서 제외되는 것이며, 또한 동도로를 대지면적에 포함하기 위하여는 허가권자가 동법 제35조의 규정에 의하여 이해관계인의 동의를 얻어 도로를 폐지한 후 대지로의 포함여부를 검토하여야 함

질의회신 제방도로에 접한 대지에 건축허가 또는 신고 가능 여부

국토교통부 민원마당 FAQ 2019.5.24.

질의 제방도로에 접한 대지에 건축허가 또는 신고가 가능한 지

회신 건축법 제44조의 규정에 의하면 건축물의 대지는 2미터 이상을 같은 법 제2조 제1항 제11호의 규정에 의한 도로에 접해야 하는 것으로 이 경우 도로는 국토의 계획 및 이용에 관한 법률·도로법·사도법 기타 관계법령에 의하여 신설 또는 변경에 관한 고시가 된 도로와 건축허가 또는 신고시 허가권자가 그 위치를 지정·공고한 도로를 말하는 것으로 보아야 할 것임

다만, 건축법 제44조 제1항 단서에 따르면 해당 건축물의 출입에 지장이 없다고 인정되는 경우 또는 건축물의 주변에 건축이 금지되고 공중의 통행에 지장이 없는 공지로서 허가권자가 인정하는 것은 그러하지 아니하도록 하고 있는 바, 질의의 신청대지에 건축물의 건축허가·신고가 가능한 지 여부는 동 대지와 접한 제방도로가 상기 법령에 적합한 것인 지의 여부를 당해 허가권자가 확인·검토 하여 판단해야 할 것임

질의 회신 산지전용허가 등을 받은 일단의 토지를 하나의 대지로 인정여부

건교부 건축기획팀-28, 2005.9.5.

질의 산지전용허가 및 개발행위허가(형질변경)를 받은 일단의 토지를 하나의 대지로 할 수 있는지

회신 건축법 시행령 제3조제2항 제3호 및 제4호의 규정에 의하면 1이상의 필지의 일부에 대하여 산지전용허가나 개발행위허가를 받은 경우 그 허가받은 부분의 토지를 하나의 대지로 할 수 있는 것임

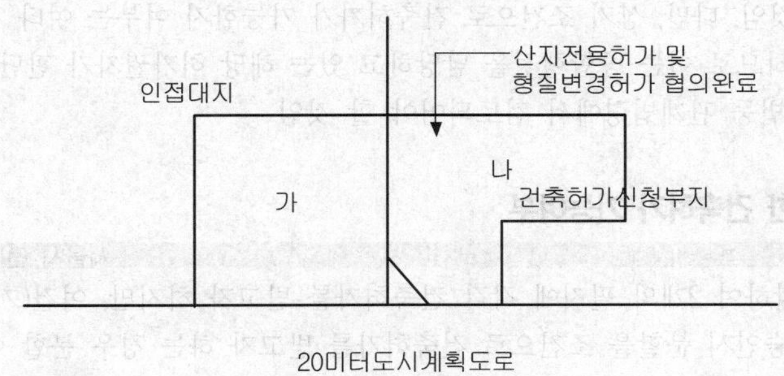

질의 회신 일조권 적용을 위한 경계선의 여부

국토교통부 민원마당 FAQ 2019.5.24.

질의 건축물을 건축하고자 하는 대지가 지적경계선과 다르게 담장이 설치되어 있는 경우 일조권등 건축기준의 적용을 위한 경계선은 어느 부분으로 보아야 하는지의 여부

회신 건축법 제2조제1항제1호에 따라 대지라 함은 지적법에 의하여 각 필지로 구획된 토지를 말하는 것인 바, 귀 문의의 경우에는 지적법에 따른 지적경계선을 기준으로 건축기준을 적용하는 것임

질의 회신 토지등록 정정대상 토지(지적불부합지)에 건축 시 경계측량 등 여부

국토교통부 민원마당 FAQ 2019.5.24.

질의 토지등록 정정대상토지(지적불부합지)에 건축하고자 하는 경우 경계측량 등을 하지 아니하고 건축할 수 있는지

회신 대지는 동법 제2조 제1항 제1호의 규정에서 "지적법에 의하여 각 필지로 구획된 토지"로 정의하고 있는 바, 구획이 명확하지 아니하는 토지에 대하여는 대지의 범위를 증명할 수 없을 것으로 사료됨

질의 회신 지목이 임야 및 답인 경우의 건축 여부

건교부 건축 58070-353, 2003.2.24.

질의 토지대장상 지목이 "임야" 및 "답"으로 되어있는 경우 건축물을 건축할 수 있는지 여부

회신 건축법상 "대지"라 함은 지적법에 의하여 각 필지로 구획된 토지를 말하는 것으로, 지목이 "임야" 및 "답"이라하여 건축법상 건축을 제한하고 있지는 않으나, 이 경우 농지법, 산림법등 기타 관계법령상 해당 토지에 대하여 건축을 허용하고 있는지 여부가 선행되어야 할 것이니, 이에 대한 구체적인 사항은 해당 시장·군수·구청장에게 직접문의바람

질의 회신 접도구역의 대지면적 산입여부

건교부 건축 58070-1694, 2003.9.15.

질의 대지면적의 일부가 접도구역에 해당하는 경우 건폐율, 용적률의 산정시 접도구역부분을 대지면적에서 제외하여야 하는 것인지 여부

회신 건축법령상 대지는 같은법시행령 제3조에 따른 대지를 기준으로 하여야 하는 것이므로 접도구역내 토지도 대지면적에 산입하는 것이니 기타 구체적인 사항은 상세한 자료를 갖추어 해당 허가권자에게 문의바람

질의회신 대지분할 후 맞벽건축의 건축허가 가능여부

건교부 건축 58550-496, 2003.3.20.

질의 1인 소유인 하나의 대지를 가분할 하여 동일한 건축주로 맞벽건축을 하고자 하는바, 건축허가가 가능한지 여부

회신 허가권자가 건축허가를 할 때에 사용승인 신청 전까지 대지를 분필할 것을 조건으로 건축허가를 하는 경우 그 분필대상이 되는 부분의 토지를 건축법상 하나의 대지로 볼 수 있을 것이며 맞벽의 가분할 대지도 각각의 대지로 볼 수 있을 것임. 다만, 상기 조건으로 건축허가가 가능한지 여부는 여타 건축관계 기준등에 적합한지 여부등 검토가 필요하므로 이는 종합행정을 담당하고 있는 해당 허가권자가 판단해야 할 사항이며, 대지의 분필 가능여부는 지적법등 관계법령에서 검토되어야 할 것임

질의회신 분필을 전제한 건축허가 가능여부

서울시 건지 58550-3142, 2002.8.1.

질의 하나의 필지를 분할하여 2개의 필지에 각각 건축허가를 받고자 하지만, 여건(기존건물의 존치)상 토지분할이 여의치 않아 사용승인시 분할을 조건으로 건축허가를 받고자 하는 경우 분할 예정인 각각의 필지별로 건축허가가 가능한지 아니면 분할 예정 필지 중 1개의 필지에만 건축허가가 가능한지 여부

회신 건축법 제2조제1항제1호 및 같은 법시행령 제3조제2항제5호의 규정에 의하면 같은 법 제18조에 따른 사용승인을 신청하는 때에 분필할 것을 조건으로 하여 건축허가를 하는 경우 그 분필 대상되는 부분의 토지도 "대지"의 범위에 포함는 것인 바,

질의와 같이 기존 건축물의 존치 등의 사유로 인하여 건축허가 시점에는 관계법령에 의하여 분할이 제한되지만, 사용승인을 신청하는 시점에는 분할제한 사항이 해소되어 관계법령상 분할이 가능한 경우라면 사용승인시 분필 할 것을 조건으로 건축허가 처리하는 것이 가능한 것으로 판단되며, 또한 분필을 조건으로 하는 경우 건축허가를 처리함에 있어서 분필 예정 필지 중 1개의 필지로 한정하도록 건축법령에서 제한하고 있지는 않음

질의회신 골프장 대지의 범위

건교부 건축 58070-1315, 1999.4.14.

질의 골프장 내에 설치한 건축물(관리동)에 대한 대지의 범위를 해당 건축물이 위치하고 있는 지적도상의 필지로 하여야 하는지, 골프장 전체의 대지로 하여야 하는지

회신 건축법상 "대지"라 함은 건축법 제2조제1호에 따라 지적법에 의하여 각 필지로 구획된 토지를 말하는 것으로서, 이를 기준으로 하여 질의의 골프장이 체육시설의 설치 · 이용에 관한 법률에 의거 승인을 받는 사업계획내용에 따라 지적법상 체육용지로서 1필지로 합병하는 경우에는 그 전체를, 관리동 등 건축물의 부지를 별도로 분리하는 경우에는 해당 부지를 건축법상 대지의 범위로 보는 것임

2 건축물

질의회신 옥상에 설치된 정자가 건축물에 해당되는지 여부

국토교통부 민원마당 FAQ 2019.5.24.

질의 옥상에 조경시설과 함께 정각(정자)을 설치하는 경우, 이를 건축물로 보아야 하는지 여부.

회신 「건축법」 제2조제1항제2호의 규정에 따르면 건축물이란 토지에 정착하는 공작물 중 지붕과 기둥 또는 벽이 있는 것과 이에 딸린 시설물을 말하는 것이며,

「조경기준」(국토해양부고시 제2009-35호, '09.1.28) 제3조제3호에 따르면 조경시설이라 함은 조경과 관련된 파고라 · 벤치 · 환경조형물 · 정원석 · 휴게 · 여가 · 수경 · 관리 및 기타 이와 유사한 것으로 설치되는 시설, 생태연못 및 하천, 동물 이동통로 및 먹이공급시설 등 생물의 서식처 조성과 관련된 생태적 시설을 말하는 것인 바, 질의의 경우는 해당 시설물의 구조, 규모, 설치목적 및 이용양태와 옥상에 설치된 조경과 유기적인 연계성 여

부 등 현지의 구체적인 현황을 종합적으로 검토하여 판단할 사항임

질의 회신 부유식 구조물이 건축물에 해당되는지 여부

국토교통부 민원마당 FAQ 2019.5.24.

질의 가. 한강공원 수변에 부유식구조물로 설치되는 여객터미널이 선박인지 아니면 건축물인지
나. 상부구조와 하부구조를 분리, 하부 부유체는 선박 관련 법률을 적용하고 상부시설은 건축법을 적용하여 개별 법률에 따른 행정절차 이행이 가능한지

회신 「건축법」 제2조제1항제2호에 따라 건축물이란 토지에 정착하는 공작물 중 지붕과 기둥 또는 벽이 있는 것과 이에 부수되는 시설물을 말함.
이와 관련, 수면 위에 설치되는 구조물로서 수위 등에 따라 그 위치가 달라지는 부유식 구조물의 경우에는 상기 규정에 따른 건축물로 보기는 어려울 것으로 판단됨.

질의 회신 등나무 조경구조물이 건축물인지

국토교통부 민원마당 FAQ 2023.8.3.

질의 주택의 대지 안에 등나무 조경을 위한 목구조물(기둥과 서까래로 구성)을 설치할 경우 이를 건축물로 보아야 하는지 또는 공작물로 보아야 하는지

회신 골조는 있으나 지붕이 없는 '조경 시설물'까지 건축물로 보는 것은 아니나, 이에 유리·천막 등 지붕을 설치할 경우에는 건축물에 해당할 수 있는 것임

질의 회신 해상공작물이 건축물인지

건교부 건축 58550-1482, 1999.4.26.

질의 다음 경우가 건축법상 건축물에 해당되는지
가. 바다에 파일 등을 설치하고 그 위에 지붕과 기둥 또는 벽이 있는 구조를 갖춘 공작물
나. 부선 형태의 구조물 위에 지붕과 기둥 또는 벽이 있는 구조로 신축하는 공작물
다. 해상유람선 등 이미 지붕과 기둥 또는 벽이 있는 구조의 기존선박(기관장치 제거)을 설치한 공작물

회신 건축법 제2조 제1항 제2호의 규정에서 "건축물"이라 함은 토지에 정착하는 공작물 중 지붕과 지붕 또는 벽이 있는 것과 이에 부수되는 시설물을 말하는 것으로 정의하고 있는 바, 여기에서 정착한다는 것은 실질적, 임의적으로 이동이 불가능하거나 이동이 가능하다 하더라도 이동의 실익이 없어서 상당한 기간 현저한 이동이 추정되지 않는 것을 뜻하는 것으로 질의 가, 나, 다의 경우에는 토지에 정착되어 있는 것으로 보아 모두 건축물에 해당하는 것이나, 축조된 선박 등을 활용하여 건축물로 이용되는 경우에는 건축법령상의 모든 건축기준을 적용하기 곤란하므로 건축법시행령 제6조 제1항 제1호의 규정과 같이 일부 규정에 한하여 적용될 수 있는 것임

질의 회신 콘크리트로 지하차고를 설치 시 이를 건축물로 보아야 하는 지

국토교통부 민원마당 FAQ 2019.5.24.

질의 택지개발지구내 경사지에 위치한 대지조성을 위하여 각 필지의 구조적 안전을 위해 콘크리트로 지하차고를 설치한 경우 이를 건축물로 보아야 하는 것인지 여부

회신 건축법상 건축물이라 함은 건축법 제2조 제1항 제2호의 규정에 의하여 토지에 정착하는 공작물 중 지붕과 기둥 또는 벽이 있는 것과 이에 부수되는 시설물, 지하 또는 고가의 공작물에 설치하는 사무소·공연장·점포·차고·창고 등을 말하는 것으로 귀 질의의 지하차고는 건축물에 해당하는 것으로 판단됨

질의 회신 건축물 전면에 설치된 차양 및 계단을 건축물로 볼 수 있는지 여부

국토교통부 민원마당 FAQ 2023.6.15.

질의 「건축법」 제47조제1항을 적용함에 있어 건축물 전면에 설치된 차양·계단 및 화단을 「건축법」 제2조제

건축법
1. 총칙
2. 건축
3. 유지관리
4. 대지도로
5. 구조재료
6. 지역지구
7. 건축설비
8. 특별건축구역
9. 보칙
10. 벌칙
건축법 관련기준

1항제2호에 의한 건축물로 볼 수 있는지 여부

회신 「건축법」 제2조제1항제2호에서 '건축물'은 토지에 정착(定着)하는 공작물 중 지붕과 기둥 또는 벽이 있는 것과 이에 딸린 시설물로 규정하고 있는바, 당해 계단, 화단등이 상기 규정에 따른 지붕과 기둥 또는 벽이 있는 것에 딸린 시설물과 별개로 독립적으로 토지상에 설치된 경우라면 건축물로 보기 어려운 것으로 사료되나, 질의의 시설이 이에 해당여부는 허가권자가 그 시설의 구조.형태 등의 구체적인 내용을 종합적으로 검토하여 사실 판단할 사항임

질의회신 차량안전용 셔터의 건축신고 절차 여부

국토교통부 민원마당 FAQ 2019.5.24.

질의 건축물과 30센티미터를 이격하여 차량안전용 셔터를 설치하는 경우 건축 허가(신고) 절차 이행 등 건축법 적용 여부

회신 제2조 제1항 제2호에 따라 '토지에 정착하는 공작물 중 지붕과 기둥 또는 벽이 있는 것과 이에 부수되는 시설물 등'을 건축물로 규정하고 있는 바, 질의의 경우 이법에서 정한 건축허가(신고) 절차 및 건축면적 산정 등을 포함한 이 법 및 관계법규를 적용하여야 할 것임

질의회신 기존건축물에 임시 가설건축물 증축시 위반여부

건교부 건축기획팀-3479, 2006.5.30.

질의 기존건축물에 임시로 가설건축물을 증축했을 때 「건축법」 위반건축물에 해당되는지

회신 「건축법」 제2조제2호에 따라 "건축물"이라함은 토지에 정착하는 공작물중 지붕과 기둥 또는 벽이 있는 것과 이에 부수되는 시설물, 지하 또는 고가의 공작물에 설치하는 사무소·공연장·점포·차고·창고 그 밖에 대통령령이 정하는 것을 말하는 바, 질의의 경우 가설 천막을 덮거나 가설건축물 하부에 바퀴를 달고 있어 실질적·임의적 이동은 가능하다 하더라도 상당한 기간 현저한 이동이 추정되지 아니하는지 여부 등 구체적인 내용을 검토하여 해당 허가권자가 판단하여 건축물로 볼 수 있는지 여부를 결정해야 할 것으로 사료됨

질의회신 건축물 해당여부

국토교통부 민원마당 FAQ 2019.5.24.

질의 캐러밴(캠핑카 뒤에 달고 다니는 것) 10대 정도를 갖다 놓고 영업을 하려고 할 경우, 이를 건축물로 보아야 하는지 여부

회신 「건축법」 제2조제1항제2호에서 "건축물"이란 토지에 정착하는 공작물 중 지붕과 기둥 또는 벽이 있는 것과 이에 딸린 시설물, 지하나 고가의 공작물에 설치하는 사무소, 공연장, 점포, 차고, 창고, 그 밖에 대통령령으로 정하는 것으로 정의하고 있음. 여기서 '정착'한다는 것은 실질적, 임의적으로 이동이 불가능하거나 이동이 가능하다 하더라도 이동의 실익이 없어서 상당한 기간 현저한 이동이 추정되지 않는 것을 뜻하는 것으로 판단됨. 따라서, 질의의 시설이 상기 규정에 따른 건축물에 해당되는지 여부는 허가권자가 현지현황, 구조, 기능 등을 종합적으로 검토하여 판단해야 함

질의회신 바퀴를 단 이동용 경비용 박스의 허가여부

건교부 건축기획팀-1988, 2006.3.30.

질의 바퀴를 달아 공동주택 단지 안에서 이동하며 사용하는 경비용 박스가 허가를 받은 후 설치하여야 하는 건축물인지

회신 건축법 제2조제1항제2호의 규정에 의하여 "건축물"이라 함은 토지에 정착하는 공작물 중 지붕과 기둥 또는 벽이 있는 것과 이에 부수되는 시설물, 지하 또는 고가의 공작물에 설치하는 사무소·공연장·점포·차고·창고 기타 대통령령이 정하는 것을 말하는 것으로, 문의의 경비용 박스가 단지 안에서 상시 이동하는 것이라면 건축물로 보기 어려울 것임

질의 회신 바퀴달린 컨테이너를 건축물로 볼 수 있는지 여부

건교부 건축 58550-1974, 2003.10.29.

질의 농림지역내에 위치한 기존 일반음식점에서 컨테이너에 바퀴를 설치하여 주방으로 사용하는 경우 이를 건축물로 볼 수 있는지 여부

회신 건축법상 건축물은 건축법 제2조제2호에 따라 토지에 정착하는 공작물중 지붕과 기둥 또는 벽이 있는 것과 이에 부수되는 시설물로 정의되는 바, 이 경우 정착한다는 것은 실질적, 임의적 이동이 불가능하거나 이동이 가능하다 하더라도 실질적 이동의 실익이 없어서(즉 조립상 무리하게 이동시킬 합리적 이유가 없어서)상당한 기간, 현저한 이동이 추정되지 않는 다는 뜻으로 해석함이 타당하므로, 질의의 경우 컨테이너가 실질적, 임의적 이동은 가능하다 하더라도 상당한 기간, 현저한 이동이 추정되지 않는지 여부등 구체적인 내용을 검토하여 해당 허가권자가 판단하여 건축물로 볼 수 있는지 여부를 결정해야 할 것임

질의 회신 지상으로 환기구 및 출입구를 둔 지하 저류시설의 건축물 여부

건교부 건축기획팀-1012, 2006.2.17.

질의 지상으로 환기구 및 출입구(유지관리)를 둔 지하의 저류시설을 건축물로 보아야 하는 지 여부

회신 건축법 제2조제1항제2호의 규정에 의하여 "건축물"이라 함은 토지에 정착하는 공작물중 지붕과 기둥 또는 벽이 있는 것과 지하 또는 고가의 공작물에 설치하는 사무소·점포·창고등을 말하는 것인 바, 질의의 경우가 건축물의 기능 유지나 관리 등에 필요한 시설이 아닌 것으로서 지하 하수관로의 월류를 방지하기 위하여 단순히 지하 하수등을 저장하여 배수하기 위한 기능의 시설이라면 이는 건축물로 보기는 어려울 것으로 보여짐 아울러 건축법 시행령 제118조제1항제9호의 규정에 의거 건축조례가 정하는 저장시설 기타 이와 유사한 것은 시장·군수·구청장에게 신고하여야 하는 공작물로 규정하고 있음

질의 회신 오이재배용 비닐하우스가 건축물에 해당하는지 여부

건교부 건축과-861, 2005.2.17.

질의 오이재배용 비닐하우스가 건축물에 해당하는지 여부

회신 건축법상 건축물이라 함은 건축법 제2조제1항제2호에 따라 토지에 정착하는 공작물중 지붕과 기둥 또는 벽이 있는 것과 이에 부수되는 시설물을 말하는 것이며, 농·어업용 비닐하우스는 가설건축물로 볼 수 있을 것임

질의 회신 어린이집 비상탈출 미끄럼틀이 건축물인지 여부

건교부 건축기획팀-596, 2005.10.6.

질의 개정된 영유아 보육법령에 의하여 2층 이상의 어린이집에 비상탈출 미끄럼틀을 설치하는 경우 동 미끄럼틀이 건축법에 따른 건축물로 보아야 하는지 여부

회신 질의의 경우 비상탈출용 미끄럼틀의 구조나 이용형태 등을 종합적으로 검토하여 판단할 사항이나, 건축법 제2조의 규정에 의거 "건축물"이라 함은 토지에 정착하는 공작물중 지붕과 기둥 또는 벽이 있는 것과 이에 부수되는 시설물 등을 말하는 것이므로, 질의의 미끄럼틀이 이와 유사한 구조로 설치되는 시설물이라면 이는 건축물의 일부로 보아야 할 것으로 판단됨

질의 회신 기존 건축물에 설치한 차양시설이 건축물인지 여부

서울시 건축과-11804, 2005.8.1.

질의 기존 건축물의 옥외 주차장에 차양시설을 설치한 경우 이를 건축물로 보아 건축법에 위반되는지 여부

회신 건축물이라 함은 건축법 제2조제11호에 따라 토지에 정착되는 구조물 중 지붕과 기둥 또는 벽이 있는 것과 이에 부수되는 시설물을 말하는 것이며, 건축물의 처마, 차양, 부연 등 그 밖에 이와 유사한 것으로서 사용되는 부분은 건축법시행령 제119조제1항제2호에 따라 그 끝부분으로부터 1m를 후퇴한 부분을 건축면적에 산입하는 것인 바,

건축법
1. 총칙
2. 건축
3. 유지관리
4. 대지도로
5. 구조재료
6. 지역지구
7. 건축설비
8. 특별건축구역
9. 보칙
10. 벌칙
건축법 관련기준

건 축 법
1. 총 칙
2. 건 축
3. 유지관리
4. 대지도로
5. 구조재료
6. 지역지구
7. 건축설비
8. 특별건축구역
9. 보 칙
10. 벌 칙
건 축 법 관련기준

기존 건축물에 1m이상으로 돌출된 차양시설 등의 설치로 인하여 건축면적에 산입되는 경우에는 증축에 해당되어 건축법 제8조 및 같은 법시행령 제9조에 따라 증축허가나 신고를 하고 설치하여야 하며 이를 위반한 경우에는 건축법 제69조에 따른 시정명령 등의 조치를 할 수 있으며, 또한, 건축법 제83조에 따른 이행강제금의 부과 등 필요한 조치를 하는 것임 (* 법 제8조, 제69조, 제83조 ⇒ 제11조, 제79조, 제80조, 2008.3.21 개정)

질의 회신 건축물로 볼 수 없는 납골묘

건교부 건축과-1962, 2005.4.14.

질의 장사 등에 관한 법률에 따른 납골묘가 건축법에 따른 건축물인지의 여부

회신 건축물이라 함은 건축법 제2조제1항제2호에 따라 토지에 정착하는 공작물 중 지붕과 기둥 또는 벽이 있는 것과 이에 부수되는 시설물을 말하는 바, 질의의 납골묘가 장사 등에 관한 법률 및 같은 법 시행령 별표3의 기준에 따른 것이라면 건축법에 따른 건축물로 보기는 어려울 것임

질의 회신 벽체시설물을 건축물로 볼 수 있는지 여부

건교부 건축 58550-35, 2003.1.4.

질의 높이 2미터 이상인 벽체(일자형)로 구성되어 유골을 안치할 수 있는 구조로 된 시설물인 경우 이를 건축법 제2조제2호에 따른 건축물로 볼 수 있는지 여부

회신 건축법 제2조제2호에 따른 건축물이라 함은 토지에 정착하는 공작물중 지붕과 기둥 또는 벽이 있는 것과 이에 부수되는 시설물을 말하므로, 질의의 시설물이 벽체로만 구성되어 있다면 이는 건축법령 건축물로 볼 수 없음

질의 회신 공장부지내 조립식 기성제품의 도장 공간의 건축물 인정여부

건교부 건축 58550-593, 2001.3.20.

질의 공장부지내에 자동차 외부도장 및 건조 등을 위하여 설치하는 조립식 기성제품(바닥, 벽, 지붕이 있으며 그 내부에서 도장 등 작업을 할 수 있고 위치이동이 가능함)을 건축물로 보아 건축허가나 신고를 받아야 하는지 여부

회신 건축법령상 건축물이라 함은 건축법 제2조제1항제2호 규정에 의하여 토지에 정착하는 공작물 중 지붕과 기둥 또는 벽이 있는 것과 이에 부수되는 시설물을 말하는 것으로, 질의의 경우는 조립식 기성제품으로 이동이 가능한 것이라 하더라도 바닥, 벽, 지붕이 있으며, 이를 이용하여 자동차의 정비와 관련된 영업행위를 하는 것이므로 건축물로 보는 것이 타당할 것임.

질의 회신 2개동 사이에 연결복도 설치시 건축물 여부

건교부 건축 58070-1917, 1999.5.27.

질의 2,000㎡ 이상인 건축물 2개동을 연결하는 복도 설치시 하나의 건축물로 보는지

회신 일반적으로 건축물의 구조나 기능상 건축물의 일부분이 연결되어 공유하고 있는 경우에는 이를 하나의 건축물로 보아 건축법령의 기준이 적용되는 것이나, 각각의 건축물로서 출입부분에 방화문 또는 방화셔터를 설치하여 피난 · 방화 · 미관 등에 지장이 없고 연결통로로만 사용하기 적절한 규모라고 허가권자가 인정하는 경우라면 별개의 건축물로 적용할 수 있음

질의 회신 이동 가능한 매표소가 건축물인지

건교부 건축 58070-612, 1999.2.18.

질의 유기장(놀이시설) 영업시 매표소 건축물을 이동 가능하게 설치할 경우 건축물 또는 공작물로 보아 허가를 받거나 신고를 해야 하는지 또는 허가(신고)없이 가능한지

회신 가. "건축물"이라 함은 토지에 정착하는 공작물 중 지붕과 기둥 또는 지붕과 벽이 있는 것 등으로서, 실질적 · 임의적인 이동이 불가하거나 이동이 가능하더라도 실질적인 이동의 실익이 없어서 상당한 기간동안 현

저한 이동이 추정되지 않는 것도 건축물에 해당됨.

나. 유기시설에 건축물이 수반되는 경우에는 건축법령상 유기장에 해당하는 위락시설로 분류되는 것으로서, 동 용도에 따른 지역 · 지구내 건축제한 등 건축법 및 관계법령에 적합한 범위 안에서 규모 · 용도 등에 따라 건축허가 또는 신고를 하여야 하는 것임

질의 회신 폐기차를 이용하여 음식점을 할 경우 건축물 여부

건교부 건축 58070-578, 1999.2.12.

질의 폐기차 2칸을 이용하여 대중음식점으로 이용코자 하는데 이를 건축물로 볼 수 없어서 음식점 허가가 불가능한 것인지

회신 "건축물"이라 함은 토지에 정착하는 공작물 중 지붕과 기둥 또는 지붕과 벽이 있는 것 등으로서 폐기차를 토지에 정착하여 건축물로 사용코자 하는 경우에는 건축법 및 관계법령에 적합한 범위 안에서 규모 · 용도 등에 따라 건축허가를 받거나 신고할 수 있는 것임

질의 회신 레일위의 바퀴가 달린 구조물이 건축법상 건축물에 해당하는 지 여부

국토교통부 민원마당 FAQ 2019.5.24.

질의 레일위의 바퀴가 달린 구조물이 건축법상 건축물에 해당하는 지 여부

회신 「건축법」 제2조제1항제2호 규정에 의하면 건축물이란 토지에 정착하는 공작물 중 지붕과 기둥 또는 벽이 있는 것과 이에 딸린 시설물, 지하나 고가의 공작물에 설치하는 사무소, 공연장, 점포, 차고, 창고 등을 말하는 바,

이와 관련, 정착한다는 것은 실질적, 임의적 이동이 불가능하거나 이동이 가능하다 하더라도 실질적 이동의 실익이 없어서 상당한 기간, 현저한 이동이 추정되지 않는 것을 말하는 것임

3 건축물의 용도

법령해석 물품의 제조 · 가공 · 수리 등을 위한 시설이 제2종 근린생활시설에 해당 함에도 해당 용도를 공장으로 하여 건축허가가 할 수 있는지

「건축법 시행령」 별표 1등 관련 법제처 법령해석 16-0545, 2017.1.5./건축사협회 수정게시 2022.9.16.

질의요지 「건축법 시행령」 별표 1 제4호 너목에서는 제조업소, 수리점 등 물품의 제조·가공·수리 등을 위한 시설로서 같은 건축물에 해당 용도로 쓰는 바닥면적 합계가 500㎡ 미만이고 일정한 요건에 해당하는 것을 "제2종 근린생활시설"로 규정하고 있고, 같은 표 제17호에서는 물품의 제조· 가공[염색·도장(塗裝)·표백·재봉·건조·인쇄 등을 포함함] 또는 수리에 계속적으로 이용되는 건축물로서 제2종 근린생활시설 등으로 따로 분류되지 아니한 것을 "공장"으로 규정하고 있는 바,

제조업소 수리점 등 물품의 제조·가공·수리 등을 위한 시설이 「건축법 시행령」 별표 1 제4호 너목에 따른 제2종 근린생활시설에 해당하는 경우 해당 건축물의 용도를 같은 표 제17호에 따른 "공장"으로 하여 건축허가를 할 수 있는지

회답 제조업소, 수리점 등 물품의 제조·가공·수리 등을 위한 시설이 「건축법 시행령」 별표 1 제4호너목에 따른 제2종 근린생활시설에 해당하는 경우에는 해당 건축물 용도를 같은 표 제17호에 따른 "공장"으로 하여 건축허가를 할 수 없음.

이유 「건축법 시행령」 별표 1 제17호에서는 "공장"을 물품의 제조·가공·수리에 계속적으로 이용되는 건축물로서 "제2종 근린생활시설" 등으로 따로 분류되지 않은 것으로 규정하고 있는 바, 해당 규정 문언상 같은 표 제4호 너목에 따른 요건을 갖추어 "제2종 근린생활시설"로 분류되는 건축물은 그 용도가 "공장"에 해당하지 않

는 것이 분명하다 할 것 이므로,
해당 건축물의 용도를 "공장"으로 하여 허가하는 것은 건축 법령에서 정한 바와 다른 내용의 허가를 하는 것이 되므로 허용되지 않는다고 할 것임.

법령해석 주된 건축물과 부속건축물의 이격 여부

「건축법 시행령」 제2조제12호 관련 법제처 법령해석 16-0259, 2016.7.6.

질의요지 「건축법 시행령」 제2조제12호에서는 부속건축물이란 같은 대지에서 주된 건축물과 분리된 부속용도의 건축물로서 주된 건축물을 이용 또는 관리하는 데에 필요한 건축물을 말한다고 규정하고 있는바, 부속건축물은 주된 건축물과 반드시 이격(離隔)시켜 건축되어야 하는지?

<질의 배경> ○ 민원인은 부속건축물(주차장) 건축 추진과정에서 부속건축물의 개념에 대해서 국토교통부에 질의하였는데, 국토교통부에서 부속건축물은 주된 건축물과 별개의 동으로 건축하여야 하고 그 건축형태는 주된 건축물과 부속건축물이 이격하고 있는 형태여야 한다고 답변하자, 부속건축물은 반드시 주된 건축물과 간격을 두고 건축하여야 하는 것인지에 대하여 법제처에 직접 법령해석을 요청함.

회답 「건축법 시행령」 제2조제12호에 따른 부속건축물은 주된 건축물과 반드시 이격시켜 건축되어야 합니다. 다만, 부속건축물과 주된 건축물의 이격 거리에 대한 사항은 대지현황, 건축물의 기능, 구조 및 안전성, 관계법령 등을 고려하여 건축허가 등의 과정에서 건축주의 의견을 반영하여 결정할 수 있다고 할 것입니다.

이유 "생략"

질의회신 대지가 다른 건축물의 부속용도

국토교통부 민원마당 FAQ 2023.6.15.

질의 대지가 다른 건축물을 학원의 부속용도로 볼 수 있는지 여부

회신 ○「건축법」 제2조제1항제3호에 따라 건축물의 용도란 건축물의 종류를 유사한 구조, 이용목적 및 형태별로 묶어 같은 법 시행령 제3조의5 [별표1]에서 분류하고 있으며, ○「건축법 시행령」 제2조제12호에 따르면 "부속건축물"이란 같은 대지에서 주된 건축물과 분리된 '부속용도'의 건축물로서 주된 건축물을 이용 또는 관리하는 데에 필요한 건축물을 말한다고 되어 있고, 제13호에 따르면 '부속용도'란 건축물의 주된 용도의 기능에 필수적인 용도로서 사무, 작업, 집회, 물품저장, 주차, 그 밖에 관계법령에서 주된 용도의 부수시설로 설치할 수 있도록 규정하고 있는 시설로 규정하고 있음 ○ 한편 건축물의 용도는 당해 대지를 기준으로 이용목적을 감안하여 분류하는 것이므로 부속건축물이 '같은 대지'안에 있는 경우에 적용할 수 있을 것으로 사료되며, 질의의 경우가 이에 해당하는지 여부 등 보다 더 자세한 사실판단은 해당 지역의 시장 ? 군수 또는 구청장에게 문의하시기 바람

질의회신 인접 건축물이 부속건축물에 해당되는 지

국토교통부 민원마당 FAQ 2019.5.24.

질의 인접한 축사의 관리를 위한 시설이 부속건축물(용도)에 해당되는 지

회신 「건축법 시행령」 별표 1 제21호 나목의 규정에 의하면 가축시설(가축용운동시설, 인공수정센터, 관리사, 가축용 창고, 가축시장, 동물검역소, 실험동물사육시설 기타 이와 유사한 것)은 동물 및 식물관련시설로 용도분류 하는 것이며,
「건축법 시행령」 제2조 제1항 제12호 규정에 의하여 질의의 시설(축사를 관리을 위한 시설)이 동일한 대지 안에서 주된 건축물과 분리된 부속용도의 건축물로서 주된 건축물의 이용 또는 관리에 필요한 건축물에 해당되는 경우 주된 건축물의 부속건축물로 볼 수 있으나, 동 시설이 각각 독립된 대지에 있는 경우 부속건축물로 간주하기 어려울 것임

질의회신 같은 대지의 영업소와 창고의 용도 관련

국토교통부 민원마당 FAQ 2019.5.24.

질의 같은 대지 안의 의약품도매업을 하기 위한 '영업소와 창고'를 각각 제2종 근린생활시설, 업무시설, 판매시설, 창고시설 등으로 따로 볼 수 있는 지 여부

회신 건축물의 용도는 유사한 구조, 이용목적 및 형태별로 「건축법 시행령」 별표1에서 묶어 분류하고 있으며, 「건축법 시행령」 제13호에서 건축물의 주된 용도의 기능에 필수적인 용도로서 각 목에 해당하는 용도는 부속용도라 규정하고 있습니다. 질의의 시설이 의약품 판매소 등에 해당하는 경우 그 규모에 따라 별표1 제4호 제2종 근린생활시설 또는 제7호 판매시설로 분류할 수 있는 것이며, 창고 등 부수되는 시설이 상기 부속용도에 해당하는 경우라면 주된 용도로 함께 분류함이 타당할 것이나, 개별적인 건축물의 용도분류와 관련한 사항은 건축물 현황 및 관계법령 등을 종합적으로 검토하여 판단할 사항인 바, 관련 자료를 갖추어 해당 지역의 허가권자인 시장·군수·구청장에게 직접 문의바람

질의회신 위락시설 여부

국토교통부 민원마당 FAQ 2019.5.24.

질의 지하 1층, 지상 5층인 건축물로서 2층만이 그 용도가 위락시설로 되어 있어 2층을 카지노업소의 영업장으로 사용하고 그 용도가 위락시설이 아닌 나머지 층들은 카지노영업을 위한 창고, 사무실, 안내실, 직원교육장, 전산실 등으로 사용하는 경우 위락시설로 변경하여야 하는 것이 아닌 지

회신 건축법에서 건축물의 용도는 건축법 제2조 제2항 및 같은 법 시행령 제3조의4 및 별표 1에 따라 분류하며 또한 같은 법 시행령 제2조 제1항 제14호에 따라 건축물의 주된 용도의 기능에 필수적인 용도로서 건축물의 설비·대피 및 위생, 사무·작업·집회·물품저장·주차, 구내식당·구내탁아소·구내운동시설등 종업원후생복리시설 및 구내소각시설 기타 이와 유사한 시설이나 관계법령에서 주된 용도의 부수시설로 설치할 수 있도록 규정하고 있는 시설의 용도는 부속용도로서 부속용도는 용도를 따로 분류하지 아니하고 그 주된 용도로 분류하여 건축법령을 적용하는 바,

질의의 건축물에서 2층을 제외한 나머지 층들의 용도는 위 규정에 따른 위락시설 (카지노업소)의 부속용도에 해당된다면 그 용도는 위락시설로 분류되므로 위락시설로 사용하기 위해서는 건축법 제19조에 따라 용도변경하여야 할 것으로 판단됨

질의회신 예식장 전용건물의 부페 음식점이 예식장의 부대시설인지 여부

건교부 고객만족센타-2007.7.30.

질의 예식장 전용건물에서 하객을 위한 피로연 목적의 부페 음식점이 예식장의 부대시설로 보아야 하는지 아니면 제2종근생(일반음식점)시설로 보아야하는지 여부(단, 동 부페는 회갑연, 돌잔치 등 목적으로도 사용되고 있음)

회신 건축물의 용도분류는 건축법 시행령 별표1에 의하는 것이며,「건축법 시행령」 제3조의4 규정에 의하여 건축물의 용도를 분류하는 목적은 건축물은 그 용도에 따라 그 용도의 건축기준에 따라 건축하여

야 하고, 당해 건축물은 그 건축물의 용도에 적합하게 사용하여야 하는 것임. 따라서, 동 "별표1" 제5호 다목의 예식장의 경우 그 규모와 관계없이 문화 및 집회시설로, 일반음식점의 경우에는 제4호 제2종근린생활시설로 분류되는 것이며, 질의의 예식장은 허가권자가「건전가정의례의 정착 및 지원에 관한 법률」 등 관계법령과 당해 건축물의 실제 현황 등을 종합적으로 검토·판단하여야 하며, 예식장에 일반음식점이 필수적인 부속용도로 보기는 어려울 것으로 사료됨

질의회신 부속용도의 증축으로 인한 기존건축물의 주용도 (변경)적용 여부

국토교통부 민원마당 FAQ 2019.5.24.

질의 기존 건축물의 용도가 제2종근린생활시설(제조업인)인 건축물의 증축 시 동일 건축물안에 사무소의 설치가 가능한 지?

회신 가. 건축법시행령 제2조 제13호 나목의 구정에 의하여 주된 용도의 기능에 필수적인 용도로서 사무·작업 기타 이와 유사한 시설의 용도로 사용하는 경우에는 당해 건축물의 "부속용도"로 볼 수 있으며 이 경우에 당해 건축물의 용도분류는 주용도의 용도로 분류하는 것임
나. 질의의 경우가 주 건축물의 부속용도인 사무소로서 증축으로 인하여 동일한 건축물안에서 동법시행령 별표 1 제4호 사목의 용도로 쓰이는 바닥면적의 합계가 500제곱미터를 초과하는 경우에는 동표 제 13호의 규정에 의한 공장으로 용도를 변경하여야 할 것임

질의회신 전시장 일부에 설치한 상담공간과 휴게공간을 부속용도로 볼 수 있는지

건교부 건축 58070-816, 2003.5.9.

질의 문화 및 집회시설 중 전시장의 일부에 공장에서 생산된 견본제품 등을 전시하여 상담, 홍보 등의 업무만 하는 공간과 전시장을 방문하는 자의 휴게공간 제공을 위한 간이휴게소에 대하여 동 전시장의 부속용도로 볼 수 있는지 여부

회신 건축법시행령 제2조제1항제14호에 따라 "부속용도"라함은 건축물의 주된 용도에 필수적인 용도로서 동호각 목의 어느 하나에 해당하는 사무·작업·집회 등을 위한 용도로 사용되는 장소를 말하는 것인바, 문의의 경우 전시장에 부속되는 사무공간 및 간이휴게공간은 동 전시장의 부속용도로 볼수 있을 것으로 사료되니 보다 구체적인 사항은 해당 허가권자에게 문의바람

질의회신 건축물의 용도분류 시 "당해 용도에 쓰이는 바닥면적의 합계"에 공용부분이 산정 여부

국토교통부 민원마당 FAQ 2019.5.24.

질의 건축법시행령 별표 1 '용도별 건축물의 종류'에 명시된 "당해 용도에 쓰이는 바닥면적의 합계"에 공용부분이 포함되는 지

회신 질의의 "당해 용도에 쓰이는 바닥면적의 합계"에는 주된 용도에 부수되는 공용부분(복도·계단·화장실 등)의 면적이 공용비율에 따라 포함되는 것이나, 지하주차장 등의 면적은 제외되는 것임

1. 단독주택

법령해석 다가구주택의 세대수 요건 판단기준

「건축법 시행령」 별표 1 제1호다목 등 관련 제처 법령해석 21-0594, 2021.12.7./건축사협회 수정게시 2022.7.28.

질의요지 전체 사업부지 내의 세대수가 19세대를 초과하는 주택을 건축하려는 경우로서 사용승인(「건축법」 제22조에 따른 사용승인)을 신청할 때 필지별 세대수가 19세대 이하가 되도록(「건축법 시행령」 별표 1 제1호다목1)·2)의 요건을 갖춘 경우를 전제) 필지를 분할하는 것을 조건으로 건축허가를 하는 경우, 해당 주택은 분할 예정인 필지 내의 세대수를 기준으로 하여 「건축법 시행령」 별표 1 제1호다목에 따른 다가구주택에 해당하는지, 아니면 전체 사업부지의 세대수를 기준으로 하여 같은 별표 제2호에 따른 공동주택에 해당하는지 여부

회답 이 사안의 주택은 분할 예정인 필지 내의 세대수를 기준으로 해야 하므로, 「건축법」 제2조제2항제1호 및 같은 법 시행령 별표 1 제1호다목에 따른 다가구주택에 해당함

이유 건축법 시행령 별표 1 제1호 다목 3)에서는 다가구주택의 요건 중 하나로 "19세대(대지 내 동별 세대수를 합한 세대를 말한다) 이하가 거주할 수 있을 것"을 규정하고 있는바, 법령의 문언상 19세대 이하의 요건을 충족하였는지 여부는 "대지"를 단위로 판단한다고 보아야 함.
분할 예정인 해당 필지의 단위를 하나의 대지로 하여 건축법 시행령 별표 1 제1호다목3)에 따라 다세대주택의 요건으로서 19세대 이하의 요건을 충족하는지 여부를 판단하여야 하므로, 이 사안의 주택은 분할 예정인 필지 내의 세대수를 기준으로 「건축법」 제2조제2항제1호 및 같은 법 시행령 별표 1 제1호다목에 따른 다가구주택에 해당한다고 보아야 함.

법령해석 **다가구주택의 세대 수 요건 적용기준**

「건축법 시행령」 별표 1 등 관련 법제처 법령해석 15-0461, 2015.11.11.

질의요지 「건축법 시행령」 별표 1 제1호다목3)에서는 다가구주택의 요건으로 "19세대 이하가 거주할 수 있을 것"을 규정하고 있는바,

하나의 대지에 두 동(棟) 이상으로 구성된 다가구주택을 건축하는 경우, 대지 내 모든 동의 세대 수를 합산하여 19세대 이하가 되어야 하는지, 아니면 동별 세대 수가 19세대 이하이면 되는지?

회답 하나의 대지에 두 동 이상으로 구성된 다가구주택을 건축하는 경우에는 대지 내 모든 동의 세대 수를 합산하여 19세대 이하가 되어야 할 것임

이유 "생략"

※ 건축법 시행령 개정(2016.7.19.)으로 다가구주택의 세대수를 대지 내 동별 세대수를 합하여 19세대로 규정함

법령해석 **「청소년복지 지원법」에 따른 청소년복지시설을 설치할 수 있는 건축물의 범위**

「건축법 시행령」 별표 1 등 관련 법제처 법령해석 20-0508, 0675, 2020.3.4./건축사협회 수정게시 2022.9.16.

질의요지 가) 「청소년복지 지원법」 제31조제1호에 따른 청소년쉼터(이하 "청소년 쉼터")를 공동생활가정에 해당하는 것으로 보아 「건축법 시행령」 별표1 제1호 또는 제2호에 따른 단독주택 또는 공동주택에 설치 할 수 있는지

나) 청소년복지법 제31조제2호에 따른 청소년자립지원관을 공동생활가정에 해당하는 것으로 보아 「건축법 시행령」 별표1 제1호 또는 제2호에 따른 단독주택 또는 공동주택에 설치할 수 있는지

회답 가) 청소년쉼터는 공동생활가정에 해당하는 것으로 보아 「건축법 시행령」 별표1 제1호 또는 제2호에 따른 단독주택 또는 공동주택에 설치할 수 있음 나) 청소년자립지원관은 공동생활가정에 해당하는 것으로 보아 「건축법 시행령」 별표1 제1호 또는 제2호에 따른 단독주택 또는 공동주택에 설치할 수 있음

이유 가) 청소년복지법 제31조에서는 「청소년기본법」 제17조에 따른 청소년 복지시설의 종류를 구분하면서 가출청소년에 대하여 가정·학교·사회로 복귀하여 생활할 수 있도록 일정 기간 보호하면서 상담·주거·학업·자립 등을 지원하는 시설을 청소년쉼터(제1호)라고 규정하고 있고, 구체적으로 청소년쉼터에서는 가출청소년의 일시보호 및 숙식제공, 상담·선도, 학업 및 직업훈련 지원활동 등을 주요 업무로 하고 있다는 점에 비추어 보면, 청소년쉼터는 공동생활가정의 개념에 준하여 가출청 소년에게 가정과 같은 주거여건과 보호를 제공하는 것으로 볼 수 있음

나) 청소년복지법 제31조에서는 「청소년기본법」 제17조에 따른 청소년 복지시설의 종류를 구분하면서 일정 기간 청소년쉼터 또는 청소년회복 지원시설의 지원을 받았는데도 가정·학교·사회로 복귀하여 생활할 수 없는 청소년에게 자립하여 생활할 수 있는 능력과 여건을 갖추도록 지원하는 시설을 청소년자립지원관(제2호)이라고 규정하고 있고, 구체적으로 청소년자립지원관에서는 자립준비청소년이 안정적으로 자립생 활을 영위할 수 있도록 일상생활, 학업, 취업지원 및 주거지원 서비스를 제공하고 있다는 점에 비추어 보면, 청소년자립지원관은 공동생활 가정의 개념에 준하여 자립준비청소년에게 가정과 같은 주거여건과 보호를 제공하는 것으로 볼 수 있음

법령해석 **「건축법」에 따른 용도가 단독주택인 건축물은 목재수입유통업 등록기준인 "사무실 및 보관시설"로 인정될 수 있는지**

목재의 지속가능한 이용에 관한 법률 시행령 별표 2 등 법제처 법령해석 19-0645, 2020.3.4./건축사협회 수정게시 2022.9.16.

질의요지 「건축법」에 따른 용도가 단독주택인 건축물은 「목재의 지속가능한 이용에 관한 법률」(이하 "목재이용법"이라 함) 제24조 및 같은 법 시행령 별표2 제3호에 따라 목재수입유통업을 등록하기 위해 갖춰야 하는 "사무실 및 보관시설"로 인정 될 수 있는지?

회답 「건축법」에 따른 용도가 단독주택인 건축물은 목재수입유통업의 등록기준인 "사무실 및 보관시설"로

인정될 수 없음.

이유 건축물의 용도에 따른 건축기준을 정함으로써 건축물의 안정성 및 기능을 확보하기 위한 것임을 고려하면 「건축법」 제3조에 따라 「건축법」의 적용이 제외되는 건축물에 해당하지 않는 한 건축물 이용은 건축법령에 따른 용도에 부합해야 할 것(법제처 2010.12.23. 회신 10-0447 참고)임.

그렇다면 「건축법 시행령」 별표 1에서 단독주택과 제1종 근린생활시설, 제2종 근린생활시설 및 창고시설을 각각 용도를 구분하여 정하고 있으므로, 건축법령에 따른 용도가 제1종근린생활시설 및 제2종근린생 활시설에 해당하는 사무소인 경우 목재이용법 시행령 별표2 제3호에 따른 '사무실'로 인정될 수 있고,(법제처 2010. 12. 23. 회신 10-0447 해석례 참고) 건축법령에 따른 용도가 창고시설인 경우 같은 영 별표 2 제3호에 따른 '보관시설'로 인정될 수 있다고 할 것임.

그러나 이 사안과 같이 「건축법」에 따른 용도가 단독주택인 건축물은 그 용도가 주거로 정해져 있으므로 해당 단독주택을 다른 용도로 사용하기 위해서는 같은 법 제19조에 따른 용도변경을 하거나 제19조의2에 따른 복수 용도를 인정받지 않는 한 단독주택 용도인 상태로 목재수입유통업의 등록기준인 "사무실 및 보관시설"로 인정될 수 없음.

법령해석 가정폭력피해자 보호시설이 단독주택에 포함되는 공동생활가정에 해당하는지 여부

법제처 법령해석 08-0114, 2008.6.13.

질의요지 「건축법 시행령」 별표 1에서 용도별 건축물의 종류를 규정하고 있고, 위 별표 1 제1호의 단독주택은 가정보육시설·공동생활가정 및 재가노인복지시설을 포함하고 있는바, 「가정폭력방지 및 피해자보호 등에 관한 법률」에 따른 가정폭력피해자 보호시설을 「건축법 시행령」 별표 1 제1호의 단독주택 용도의 건축물에 설치할 수 있는지?

회답 「가정폭력방지 및 피해자보호 등에 관한 법률」에 따른 가정폭력피해자 보호시설은 공동생활가정에 해당한다고 볼 수 있으므로, 「건축법 시행령」 별표 1 제1호의 단독주택 용도의 건축물에 설치할 수 있음.

이유 "생략"

질의회신 노유자시설의 용도분류 기준

국토교통부 민원마당 FAQ 2013.12.11.

질의 노인요양 공동생활가정을 위한 건축물의 용도분류

회신 가.「건축법시행령 별표 1. 제1호 및 제2호에 따라 단독주택과 공동주택의 형태를 갖춘 가정보육시설, 공동생활가정, 지역아동센터 및 노인복지시설은 단독주택 또는 공동주택에 해당하는 것이며,

나. 노인요양 공동생활가정의 건축법상 용도는 노유자시설에 해당하는 것이나, 단독주택 또는 공동주택의 형태를 갖춘 노인공동생활가정의 설치도 가능한 것임

질의회신 다가구주택 층수 관련

국토교통부 민원마당 FAQ 2023.6.15.

질의 1층에 근린생활시설 및 일부(바닥면적 1/2미만)를 필로티 구조(주차장 외부 설치)로 하는 경우, 1층을 다가구주택의 층수에서 제외할 수 있는지 여부

회신 「건축법 시행령」 제3조의5 관련 [별표 1] 제1호다목에 따라 다가구주택은 주택으로 쓰이는 층수(지하층을 제외한다)가 3개층 이하일 것. 다만, 1층 전부 또는 일부를 필로티 구조로 하여 주차장으로 사용하고 나머지 부분을 주택(주거 목적으로 한정) 외의 용도로 사용하는 경우에는 해당 층을 주택의 층수에서 제외하도록 규정되어 있음. 따라서, 질의와 같은 경우라면 상기규정에 해당될 것으로 판단되나, 보다 자세한 사항에 대해서는 관련 자료를 갖추어 해당 지역의 허가권자에게 문의하시기 바람

건축법
1. 총 칙
2. 건 축
3. 유지관리
4. 대지도로
5. 구조재료
6. 지역지구
7. 건축설비
8. 특별건축구역
9. 보 칙
10. 벌 칙
건축법 관련기준

질의회신 다가구주택 층수 관련

국토교통부 민원마당 FAQ 2023.6.15.

질의 필로티 구조가 아닌 다가구주택의 1층 일부를 주차장으로 사용하는 경우 다가구 주택의 층수 산정시 주택의 층수에 포함하여야 하는 지 여부

회신 「건축법 시행령」 [별표 1] 제1호 다목에 따르면, 다가구주택은 주택으로 쓰는 층수(지하층은 제외)가 3개 층 이하일 것. 다만, 1층의 전부 또는 일부를 필로티 구조로 하여 주차장으로 사용하고 나머지 부분을 주택(주거 목적으로 한정한다) 외의 용도로 쓰는 경우에는 해당 층을 주택의 층수에서 제외하도록 하고 있음. 따라서, 질의와 같이 다가구주택의 1층의 일부에 필로티 구조가 아닌 부설주차장을 설치하는 경우라면 층수에 산입하여야 할 것으로 사료되며, 이에 해당하는 지 여부는 해당 건축물의 구조와 형태 등을 종합적으로 검토하여 허가권자가 판단할 사항임

질의회신 동일 건축물에 다중주택과 다가구주택을 함께 건축할 수 있는지

국토교통부 민원마당 FAQ 2023.6.15.

질의 동일 건축물에 다중주택과 다가구주택을 함께 건축할 수 있는지 여부

회신 건축법상 건축물의 용도는 건축물의 종류를 유사한 구조, 이용 목적 및 형태별로 묶어 건축법 시행령 제3조의5 [별표1]에서 분류하고 있는 것으로, 동 [별표1] 제1호 나목에 따르면 "다중주택"은 학생 또는 직장인 등 여러 사람이 장기간 거주할 수 있는 구조로 되어 있는 것으로 독립된 주거의 형태를 갖추지 아니하고, 1개 동의 주택으로 쓰이는 바닥면적의 합계가 660제곱미터 이하이고, 주택으로 쓰는 층수(지하층 제외)가 3개 층 이하인 것으로 규정하고 있고, 다목에 따르면 "다가구주택"은 주택으로 쓰는 층수가 3개 층 이하, 1개 동의 주택으로 쓰이는 바닥면적의 합계가 660제곱미터 이하이고 19세대(대지 내 동별 세대수를 합한 세대를 말한다) 이하가 거주할 수 있을 것이라고 규정하고 있음. 상기 건축물의 용도분류체계의 기준을 고려할 때, 하나의 건축물이 상기 다중주택과 다가구주택의 요건을 동시에 만족할 수는 없을 것으로 사료되나, 보다 구체적인 사항은 이용목적, 설계현황, 관계법령 등에 따라 종합적으로 검토하여 허가권자가 판단할 사항이니, 관련 자료를 갖추어 당해지역 시장, 군수, 구청장 등 종합행정을 담당하고 있는 허가권자에게 문의 바람

질의회신 다가구주택의 해당 여부

국토교통부 민원마당 FAQ 2019.5.24.

질의 다가구주택의 층수산정시 1층 바닥면적의 2분의 1이상을 필로티 구조로 하여 주차장으로 사용하고 나머지부분을 주택 외의 용도로 사용하는 경우 해당 층을 주택의 층수에서 제외하고 있는 바, 여기서 주택외의 용도에 다가구주택의 부속용도인 창고, 다용도실, 경비실을 포함할 수 있는 지 여부

회신 「건축법 시행령」 제3조의4관련 별표1 제1호 다목에 의거 다가구주택은 주택으로 쓰이는 층수(지하층을 제외한다)가 3개층 이하일 것. 다만, 1층 바닥면적의 2분의 1이상을 필로티 구조로 하여 주차장으로 사용하고 나머지 부분을 주택 외의 용도로 사용하는 경우에는 해당 층을 주택의 층수에서 제외할 수 있다고 규정되어 있음. 이는 1층을 주택외의 용도와 일부 필로티 구조의 주차장으로 사용하는 경우에는 주택의 층수에서 제외하도록 하여 실제로 주택 1개 층의 추가 건축이 가능하게 함으로써, 주거밀집지역 토지의 효율적 활용 등으로 다가구주택 건축의 활성화를 모색하기 위함이며, 여기서 주택 외의 용도란 해당 건축물이 개별 가구가 거주하는 주택이 아닌 다른 용도를 의미하는 것으로 판단되는바, 귀 시에서 질의한 주택외의 용도에는 창고, 다용도실, 경비실도 포함될 수 있을 것으로 사료됨(※건축법 시행령 개정 2016.5.17. : 1층의 전부 또는 일부를 필로티 구조로 하여 주차장으로 사용하고, 나머지 부분을 주택 외의 용도로 쓰는 경우로 변경됨)

질의회신 다가구주택과 동일 건축물내 증축 가능 여부

국토교통부 민원마당 FAQ 2019.5.24.

질의 지상 1층 주차장(피로티구조), 2~4층 다가구주택(3층, 15가구)으로 사용중인 기존건축물에 1층 부분 전

체를 제2종 근린생활시설(사무소)로 증축 가능한 지 여부

회신 「건축법 시행령」 제3조의4 관련 〔별표 1〕 제1호 다목에 의거 "다가구주택"이란 주택으로 쓰이는 층수가 3개층 이하로서 1개동의 주택으로 쓰이는 바닥면적의 합계가 660제곱미터 미만이며, 19세대이하가 거주할 수 있는 주택을 말하는 것으로, 다가구주택(현재 3개층, 단서조항에 따라 1층은 층수산정에서 제외됨)의 경우, 1층 부분을 제2종 근린생활시설로 증축한다 하더라도 다가구주택 부분은 3개층을 유지하여 층수제한 규정에 저촉되지 않으며, 동일 건축물의 복합용도 사용은 같은법 시행령 제47조(방화에 장애가 되는 용도의 제한)의 규정 및 주차장법 등 기타 관계법령에 적합할 경우 별도로 제한하고 있지 아니함

질의회신 다중주택 관련

국토교통부 민원마당 FAQ 2023.6.15.

질의 가. 다중주택에 싱크대를 각 방마다 설치할 수 있는 지
나. 다중주택에 욕조나 샤워시설을 설치할 수 있는 지

회신 「건축법 시행령」 별표1 제1호나목의 다중주택은 다음의 요건을 모두 갖춘 주택을 말하는 것임. 1) 학생 또는 직장인 등 여러 사람이 장기간 거주할 수 있는 구조로 되어 있는 것. 2) 독립된 주거의 형태를 갖추지 아니한 것(각 실별로 욕실은 설치할 수 있으나, 취사시설은 설치하지 아니한 것을 말함) 3) 1개 동의 주택으로 쓰이는 바닥면적(부설 주차장 제외)의 합계가 660제곱미터 이하이고, 주택으로 쓰는 층수(지하층은 제외)가 3개 층 이하일 것 건축법령에서 취사시설에 대하여 별도로 규정하고 있지는 아니하나, 통상 취사시설이라 함은 요리를 하는 과정에서 필요한 도구와 시설을 총칭하는 것으로 싱크대는 조리할 재료를 다듬거나 씻거나 조리할 수 있도록 만든 시설로 취사시설로 보아야 할 것이며, 욕조나 샤워시설 설치에 대하여는 별도의 제한을 두고있지 아니함.

질의회신 다중주택 내 공동취사시설를 설치해야 하는지

국토교통부 민원마당 FAQ 2023.6.15.

질의 다중주택 내에 공동취사장을 의무로 설치해야 하는지

회신 「건축법 시행령」 별표1 제1호 나목에 따라 "다중주택"이란 학생 또는 직장인 등 여러 사람이 장기간 거주할 수 있는 구조로 되어 있는 것, 독립된 주거의 형태를 갖추지 아니한 것(각 실별로 욕실은 설치할 수 있으나 취사시설은 설치하지 않은 것을 말한다), 1개 동의 주택으로 쓰이는 바닥면적(부설주차장 면적은 제외)의 합계가 660제곱미터 이하이고 층수으로 쓰는 층수(지하층은 제외)가 3층 이하인 주택을 말함 상기 규정에 각 실별로 취사시설을 설치하지 아니하도록 규정하고 있으나, 공동취사시설의 설치에 대하여는 별도로 규정하고 있지 아니함

질의회신 단독주택의 각각의 방에 화장실 (욕실포함)을 설치 할 수 있는지 여부

건교부 고객만족센타-2007.11.21.

질의 단독주택의 각각의 방에 화장실(욕실포함)을 설치 할 수 있는지 여부

회신 건축법령에서 단독주택 내 화장실의 설치기준에 대하여 구체적으로 정하고 있는 사항은 없으나, 화장실의 설치로 인하여 각 방별로 독립된 주거환경이 갖추게 된 경우라면 다가구 주택 또는 다세대주택 등으로 볼 수도 있는 것임

질의회신 20층인 업무시설의 일부를 다가구주택으로 용도변경 가능한 지

국토교통부 민원마당 FAQ 2019.5.24.

질의 20층인 업무시설의 일부를 다가구주택으로 용도변경 가능한 지

회신 다가구주택의 규모(3개층 이하, 660㎡ 미만, 19세대 이하)로서 건축기준에 적합한 경우에는 그 일부를 다가구주택으로 용도변경이 가능함

질의 회신 사택이 단독주택인지 여부

건교부 건축기획팀-2581, 2006.4.25.

질의 '67년도에 광산지역에서 "사택(건축물대장상)"용도로 사용승인된 건축물(현재 광산은 폐광)을 현행 건축법상 "주택"으로 볼 수 있는 지 여부

회신 질의의 경우는 해당 허가권자가 사택이 주된 용도 시설을 위한 부대시설 등으로 건축된 것인지 또는 개별적인 용도로 설치된 것인지 여부와 그간의 추진현황이나 건축물대장 기재내용 등을 검토하여 판단할 사항이나, 질의의 사택이 개별적인 용도로 건축된 것으로서 그 이용상에 있어 주거기능을 목적으로 사용되어 왔다면 이는 주택으로 볼 수 있을 것임

질의 회신 지하층이 연결된 단독주택을 건축하는 경우 건축물의 용도

국토교통부 민원마당 FAQ 2023.6.15.

질의 지하층이 연결된 단독주택을 건축하는 경우 건축물의 용도

회신 건축법령상 하나의 건축물에 대하여 별도 규정하고 있지 아니하나, 일반적으로 하나의 건축물이라 함은 건축물의 구조, 기능, 이용형태 상 건축물이 연결되어 공유하고 있는 경우를 말하는 것임. 한편, 건축법상 건축물의 용도는 건축물의 종류를 유사한 구조, 이용 목적 및 형태별로 묶어 「건축법 시행령」 제3조의5 [별표1]에서 분류하고 있는 것으로, 동 별표 제1호 가목에 해당하는 단독주택(단독주택)은 하나의 건축물에 하나의 세대가 거주할 수 있는 구조나 형태 등을 갖춘 경우를 말하는 바, 질의의 경우가 기초, 기둥, 내력벽 등이 구조적으로 연결되어 공유하고 있는 경우라면 하나의 건축물로 보아 단독주택으로 볼 수 없을 것으로 사료되나, 질의의 사항은 개별 건축허가와 관련된 사항으로, 해당 건축물이 일반건축물인지 집합건축물인지 여부, 지구단위계획구역 상 저촉되는 사항은 없는지 여부 등 종합검토가 필요한 바, 동 건축물의 용도에 관하여는 구조도면 등 관련 자료를 구비하시어 해당지역 허가권자에게 문의하여 주시기 바람. 다만, 질의의 건축물이 택지개발업무처리지침에 따른 "블록형 단독주택"에 해당한다면 동 기준 운영부서에 별도로 문의 필요

질의 회신 주택의 건축물 용도?

국토교통부 민원마당 FAQ 2023.6.15.

질의 가. 하나의 대지에 각각 1세대가 거주할 수 있는 주택 2동을 건축하고 2동을 한 사람이 소유하는 경우 경우 단독주택인 지 공동주택인 지 여부

나. 하나의 대지에 각각 1세대가 거주할 수 있는 주택 2동을 건축하고 2동을 두 사람이 따로 소유하는 경우 단독주택인 지 공동주택인 지 여부

회신 "가"와 "나"의 경우 모두 주택의 소유형태와 관계없이 하나의 건축물에 하나의 세대가 거주할 수 있는 구조·형태* 등을 갖추었다면 당해 주택은 건축법 시행령 별표 1 제1호 가목의 단독주택으로 분류하여야 할 것임 * 건축물이 별동으로 완전히 분리되어 있고, 각각 하나의 세대가 거주할 수 있는 구조나 형태를 갖춘 경우

질의 회신 필로티로 된 다가구주택의 바닥면적 산입시 1층 계단면적의 포함여부

서울시 건지 58550-221, 2002.1.18.

질의 지하1층, 지상4층인 다가구주택을 건축함에 있어서 지하1층은 주차장, 지상1층은 필로티구조의 주차장으로하고 지상2층~4층을 다가구주택으로 계획하는 경우 지하1층 및 지상1층 주차장 부분에 생기는 계단실의 면적으로 주거용 면적 660㎡에 포함되는지 여부

회신 건축법시행령 별표1 제1호다목의 규정에 의하면 다가구주택은 1개 동의 주택으로 쓰이는 바닥면적의 합계를 660㎡로 제한하면서 이 경우 지하주차장의 면적은 제외하도록 하고 있으며, 건축법시행령 제119조제1항제3호 라목의 규정에 의하면 필로티 그 밖에 이와 유사한 구조(벽면적의 1/2이상이 해당 층의 바닥면에서 윗층 바닥 아래면까지 공간으로 된 것에 한한다)의 부분은 해당 부분이 차량의 주차·통행에 전용되는 경우에는 바닥면적 산정에서 제외하고 있음

따라서 질의와 같은 경우 다가구주택 기준인 주택으로 쓰이는 바닥면적의 합계(660㎡이하)를 산정함에 있어서 지하주차장의 계단실 부분은 제외되는 것이 타당할 것이고, 필로티구조의 주차장인 지상1층의 경우에는 차량의 주차·통행에 전용되는 부분은 제외되지만, 2층 다가구주택으로 출입을 위하여 설치되는 계단실 부분의 면적은 산입되어야 할 것으로 사료됨

건축법
1. 총 칙
2. 건 축
3. 유지관리
4. 대지도로
5. 구조재료
6. 지역지구
7. 건축설비
8. 특별건축구역
9. 보 칙
10. 벌 칙
건 축 법 관련기준

질의 회신 주택용도가 연속되지 아니한 경우 다가구주택 여부

건교부 건축 58070-1979, 1999.5.31.

질의 다가구주택의 규모가 3개층이라 함은 연속되지 않아도 되는지

회신 1999. 5. 9. 시행된 개정 건축법시행령 별표1 제1호다목에 따른 다가구주택이라 함은 주택으로 쓰이는 층수가 3개 층 이하이고 주택으로 쓰이는 바닥면적의 합계가 660㎡이하이며 19세대 이하가 거주할 수 있는 주택으로서 공동주택에 해당하지 아니하는 것을 말하는 것으로서, "3개 층"이라 함은 그 연속여부와는 관계없음

2. 공동주택

질의 회신 다세대주택에 해당 여부

국토교통부 민원마당 FAQ 2023.6.15.

질의 1층은 근린생활시설과 필로티 구조의 주차장이고 2층부터 5층까지는 주택으로 바닥면적의 합계가 660㎡ 이하인 경우 다세대주택 해당 여부

회신 「건축법 시행령」 별표1 제2호 단서 및 나목에 따라 다세대주택은 주택으로 쓰이는 1개 동의 바닥면적의 합계가 660제곱미터 이하이고, 층수가 4개층 이하인 주택이며, 층수를 산정함에 있어서 1층의 전부 또는 일부를 필로티 구조로 하여 주차장으로 사용하고 나머지 부분을 주택(주거 목적에 한정) 외의 용도로 사용하는 경우에는 해당 층을 주택의 층수에서 제외하는 바, 질의와 같이 1층의 일부를 필로티 구조로 하여 주차장으로 사용하고 나머지 부분을 주택 외의 용도(근린생활시설)로 사용하는 경우 2층부터 5층까지의 부분은 다세대주택에 해당할 것으로 사료됨

질의 회신 개인사업자의 기숙사의 건축주 여부

국토교통부 민원마당 FAQ 2019.5.24.

질의 개인사업자가 기숙사의 건축주가 될 수 있는지?

회신 「건축법 시행령」 별표 1 제2호 라목의 규정에 의하여 "기숙사"는 학교 또는 공장 등의 학생 또는 종업원 등을 위하여 사용되는 것으로서 공동취사 등을 할 수 있는 구조로서 독립된 주거의 형태를 갖추어 아니한 것을 말하는 것으로, 건축법령상 기숙사를 건축하고자 하는 자의 범위에 대하여는 별도로 규정한 바 없으나, 기숙사를 상기 규정에 의한 용도대로 사용하지 아니하고 임대 또는 영업의 목적으로 건축하는 경우에는 이는 기숙사로 볼 수 없을 것임

질의 회신 학교 인가여부와 관계없이 기숙사가 가능한지 여부

건교부 건축기획팀-2580, 2006.4.25.

질의 교육관련 법령에 따른 학교나 학원으로서 인가여부와 관계없이 건축법령에 따른 기숙사의 건축허가가 가능한지 여부

회신 건축물의 용도분류는 「건축법시행령」 별표1에 의하는 것이며, 이에 정하지 아니한 용도는 건축허가권자가 해당 건축물의 구조·기능·규모 및 이용형태와 관계법령 등을 종합 검토·판단하여 그와 유사한 용도로 분류하는 것으로 동 별표1제2호 라목에 따른 '기숙사'는 학교 또는 공장 등의 학생 또는 종업원 등을 위하여 사용되는 것으로서 공동취사 등을 할 수 있는 구조이되, 독립된 주거의 형태를 갖추지 아니한 것을 말하는 것임.
건축법령상 '기숙사'를 건축하고자 하는 자의 범위에 대하여 별도로 규정한 바 없으나, '기숙사'를 상기 라목에 따

른 용도대로 사용하지 아니하고 개인 등이 숙박에 필요한 시설 등을 갖추고 손님을 숙박시키는 업을 영위하는 경우 이는 숙박시설로 분류하여 공중위생관리법등 관계법령에 적합하여야 하고, 학생 또는 직장인 등이 장기간 거주할 수 있는 구조로 된 경우에는 다중주택으로 분류하여 다중주택의 건축허가기준에 적합하여야 하는 것임

질의회신 학생복리 증진을 위한 기숙사의 용도분류

건교부건축과-624, 2005.2.2.

질의 대학교 설립운영규정에 의하여 부속시설로 학생들의 복리증진 등을 위해 기숙사 증축시 동 기숙사를 공동주택으로 보아야 하는지 또는 교육연구 및 복지시설의 부속용도로 보아야 하는지

회신 건축법 제2조제1항제2의2에서 건축물의 용도라 함은 건축물의 종류를 유사한 구조·이용목적 및 형태별로 묶어 분류하고 있고 같은 법 시행령 제2조제1항제14호 각 목에서는 건축물의 주된 용도의 기능에 필수적인 용도는 부속용도로 규정하고 있는 바, 질의의 학생기숙사가 구내식당·학생들의 편의를 위한 후생복리시설 및 그 밖에 이와 유사한 용도이거나 관계법령에서 주된 용도의 부속시설로 그 설치를 의무화하고 있는 경우라면 교육연구 및 복지시설의 부속용도로 볼 수 있을 것임

질의회신 옥상계단실 바닥면적이 건축면적의 1/8이상으로 층수가 5층인 경우 다세대 주택인지

건교부 건축 58070-416, 2003.3.5.

질의 주택으로 쓰이는 층수가 4개층(연면적 660제곱미터 이하)이나, 옥상계단실 바닥면적이 건축면적의 8분의1이상이 됨에 따라 건축물의 층수가 5층이 되는 경우에도 다세대 주택으로 볼 수 있는지 여부

회신 다세대주택이라 함은 건축법시행령 별표1제2호다목에서 주택으로 쓰이는 1개동의 연면적(지하주차장 면적을 제외함)이 660제곱미터 이하이고 층수가 4개층 이하인 주택을 말하는 것인바, 귀 질의의 경우에는 5층에 해당하므로 다세대주택으로 볼 수 없는 것임

3. 제1종 근린생활시설

법령해석 민간어린이집이 제1종 근린생활시설에 해당하는지 여부

「건축법 시행령」 별표 1 관련 법제처 법령해석 18-0195, 2018.5.21.

질의요지 「영유아보육법」 제10조제7호에 따른 민간어린이집이 「건축법 시행령」 별표 1 제3호사목에 따른 "지역아동센터 등 주민이 공동으로 이용하는 시설"에 해당하는지?

<질의 배경> 민원인은 어린이집이「건축법 시행령」 별표 1 제3호사목에 따른 제1종 근린생활시설인 "주민이 공동으로 이용하는 시설"에 해당한다고 생각하고 이에 대해 보건복지부와 국토교통부에 질의하였으나 해당하지 않는다는 답변을 받자 법제처에 법령해석을 요청함.

회답 「영유아보육법」 제10조제7호에 따른 민간어린이집은 「건축법 시행령」 별표 1 제3호사목에 따른 "지역아동센터 등 주민이 공동으로 이용하는 시설"에 해당하지 않습니다.

이유 "생략"

법령해석 같은 건축물에 해당 용도로 쓰는 바닥면적 합계가 1,000제곱미터 미만인 일용품의 도매점이 「건축법 시행령」 제3조의4 및 별표 1 제3호가목의 제1종 근린생활시설에 해당하는지 여부

「건축법 시행령」 제3조의5 등 관련 법제처 법령해석 12-0202, 2012.4.27.

질의요지 「건축법 시행령」 제3조의4 및 별표 1에 따른 용도별 건축물의 종류 중 제3호가목에 따르면 "같은 건축물에 해당 용도로 쓰는 바닥면적의 합계가 1천 제곱미터 미만인 일용품(식품·잡화·의류·완구·서적·건축자재·의약품·의료기기 등) 등의 소매점"을 제1종 근린생활시설로 규정하고 있는데, 위와 같은 일용품을 대량으로 소매업소에 판매·공급하는 영업시설(같은 별표 제7호가목의 "도매시장", 나목의 "소매시장"에 해당되지 아니

함)의 면적이 1천 제곱미터 미만인 경우, 이 시설은 같은 별표 제3호가목에 따른 제1종 근린생활시설에 해당하는지, 아니면 같은 별표 제7호다목1)의 "상점"인 판매시설에 해당하는지 여부?

회답 일용품(식품·잡화·의류·완구·서적·건축자재·의약품·의료기기 등)을 대량으로 소매업소에 판매·공급하는 영업시설의 면적이 1천 제곱미터 미만인 경우, 이 시설은 「건축법 시행령」 제3조의4 및 별표 1 제3호가목에 따른 제1종 근린생활시설에 해당한다고 할 것입니다.

이유 "생략"

질의회신 해당용도로 쓰는 바닥면적에 따른 고시원 용도 분류

국토교통부 민원마당 FAQ 2023.6.15.

질의 건축법상 해당용도로 쓰는 바닥면적에 따른 고시원 용도

회신 「건축법 시행령」 별표1 제4호 거목 및 제15호 다목에 따라 같은 건축물에 해당용도(고시원)로 쓰는 바닥면적의 합계가 500제곱미터 미만인 것은 제2종근린생활시설로, 이상인 것은 숙박시설로 용도를 분류하는 것임(※ 고시원 ⇒ 다중생활시설)

질의회신 고시원에 칸막이 벽체 및 개별 화장실 설치 관련

국토교통부 민원마당 FAQ 2023.6.15.

질의 근린생활시설 용도의 고시원에 실 구획 칸막이벽체 및 개별화장실 설치가 가능한지

회신 「건축법 시행령」 별표1 용도별 건축물의 종류 제4호 거목에 따르면 "다중생활시설"은 「다중이용업소의 안전에 관한 특별법」에 따른 다중이용업 중 고시원업의 시설로서 국토교통부장관이 고시하는 기준에 적합한 것을 말함 다중생활시설 건축기준(국토교통부 고시) 제2조에 다중생활시설의 건축기준을 규정하고 있으나, 동 기준에 실을 구획하기 위한 칸막이벽체와 개별화장실 설치는 별도로 제한하고 있지 않으므로 설치가 가능할 것으로 판단됨

질의회신 한국전력의 지사가 제1종 근린생활시설에 포함되는 지

국토교통부 민원마당 FAQ 2019.5.24.

질의 한국전력의 지사, 지점의 사옥이 제1종 근린생활시설에 포함되는 지

회신 건축법 시행령 별표 1 제3항 바목에 따르면 "동사무소·경찰관 파출소·소방서·우체국·전신전화국·방송국·보건소·공공도서관·지역건강보험조합, 그 밖에 이와 유사한 것으로서 동일한 건축물 안에서 당해 용도에 쓰이는 바닥면적의 합계가 1천제곱미터 미만인 것"으로 규정하고 있는 바,
질의의 한국전력의 지사, 지점의 사옥은 이에 해당되지 않는 것으로 판단됨

질의회신 동일한 건축물내 제1종 · 제2종 근린생활시설의 합산 여부

국토교통부 민원마당 FAQ 2019.5.24.

질의 동일한 건축물 안에 제1종 근린생활시설인 체육도장(바닥면적 420제곱미터)과 제2종 근린생활시설인 골프연습장(바닥면적 390제곱미터)이 있을 때 운동시설에 해당하는 것인지, 아니면 각각 제1종, 제2종 근린생활시설에 해당하는 것인 지 여부

회신 건축법시행령 별표1 제13호 가목(2006.5.8 대통령령 제19466호 개정)에 따르면 탁구장·체육도장·테니스장·체력단련장·에어로빅장·볼링장·당구장·실내낚시터·골프연습장, 그 밖에 이와 유사한 것으로서 제1종 근린생활시설과 제2종 근린생활시설에 해당하지 아니하는 것은 운동시설에 해당함
따라서, 동일한 건축물 안에 체육도장과 골프연습장을 함께 설치하는 경우 건축물의 용도는 제1종 근린생활시설인 체육도장에 쓰이는 바닥면적의 합계(500제곱미터이상은 운동시설)와 제2종 근린생활시설인 골프연습장에 쓰이는 바닥면적의 합계(500제곱미터이상은 운동시설)에 따라 각각의 해당 용도를 분류하는 것이므로, 귀 질의의 경우 체육도장은 제1종 근린생활시설, 골프연습장은 제2종 근린생활시설에 해당함.

질의 회신 농어촌에 있는 마을회관 겸 경로당의 용도분류

건교부 고객만족센타-2007.11.21.

질의 농어촌에 마을회관 겸 경로당으로 동시에 사용하고 있는데, 건축법상 용도를 건축법 시행령 별표1의 제3호 제1종 근린생활시설 중 마을회관, 마을공동작업소, 마을공동구판장, 그 밖에 이와 유사한 것으로 보아도 되는지, 아니면 별표1의 제11호 노유자시설로만 보아야 하는지

회신 마을회관의 경우는 마을 사람들이 공동으로 사용하는 것으로 볼 수 있으나, 질의의 경우 당해 경로당의 경로대상이 주로 이용하는 시설이라면 노인복지시설, 마을회관에 부속된 경로당인 경우라면 제1종근린생활시설(마을회관 등)로 볼 수 있는바 당해 허가권자가 그 시설의 구조.이용형태.기능 등과 관계법령을 종합적으로 검토하여 판단하여야 할 사항임

4. 제2종 근린생활시설

법령해석 대기오염배출시설 또는 소음·진동배출시설의 설치 허가 또는 신고의 대상으로 폐수를 전량 위탁처리하는 경우 제2종 근린생활시설에 해당하는지 여부

「건축법 시행령」 별표 1 등 관련 | 법제처 법령해석 20-0272, 2020.7.24.

질의요지 「대기환경보전법」 또는 「소음·진동관리법」에 따른 배출시설의 설치 허가 또는 신고의 대상이면서 「물환경보전법」에 따른 폐수배출시설의 설치 허가 또는 신고의 대상으로서 폐수를 전량 위탁처리하는 경우,(각주: 제조업소, 수리점 등 물품의 제조·가공·수리 등을 위한 시설로서 같은 건축물에 해당 용도로 쓰는 바닥면적의 합계가 500제곱미터 미만인 경우를 전제함.) 해당 시설은 「건축법 시행령」 별표 1 제4호너목 2)에 따른 제2종 근린생활시설에 해당하는지?

회답 이 사안의 경우 해당 시설은 「건축법 시행령」 별표 1 제4호너목2)에 따른 제2종 근린생활시설에 해당합니다.

이유 "생략"

법령해석 건축물의 용도가 "교육연구시설" 인 건축물을 「학원의 설립·운영 및 과외교습에 관한 법률 시행령」 제2조제1항제4호에 따른 독서실로 사 용가능한지 여부

「건축법 시행령」 별표 1등 관련 | 법제처 법령해석 19-0162, 2019.5.20./건축사협회 수정게시 2022.9.16.

질의요지 건축물의 용도가 「건축법 시행령」 별표 1 제10호에 따른 교육연구시설인 건축물을 용도변경 없이 「학원의 설립·운영 및 과외교습에 관한 법률 시행령」 제2조제1항제4호에 따른 "독서실"로 사용할 수 있는지

회답 교육연구시설인 건축물을 용도변경 없이 독서실로 사용할 수 없음.

이유 두 법은 입법목적 및 규율대상이 서로 다르고 학원법령에서 건축법령 을 배제하는 규정을 두고 있지도 않으므로 독서실에 관해서는 학원법령과 건축법령이 모두 적용되어야 함. 따라서 학원법 및 같은 법 시행령에서 독서실을 "학원인 시설"로 규정하고 있더라도 독서실은 학원법령과는 별개로 건축법령에 따른 요건을 기본적으로 갖추어야 하는 것이고 독서실의 용도에 대해서는 건축물의 용도에 대해 규정하고 있는 건축법령의 규정에 따라 판단해야지 학원법령의 규정을 근거로 판단할 수는 없다고 할 것임.

그런데 「건축법 시행령」 별표1 제4호에서는 제2종 근린생활시설의 종류 중 하나로 독서실(타목)을 학원과 별도로 규정하면서 "학원(카목)"과 달리 적용 범위에 있어 아무런 제한을 두고 있지 않으며, 같은 별표 제10호에서는 "교육연구시설" 용도의 건축물 종류를 규정하면서 "제2종 근린생활시설에 해당하는 것은 제외한다"고 명문으로 규정하는 바, 해당 규정의 문언상 "제2종 근린생활시설"로 분류되는 건축물인 독서실은 그 용도가 "교육연구시설"에는 해당하지 않는다고 보아야 함.

질의회신 동일한 건축물내 제1종·제2종 근린생활시설의 합산 여부

국토교통부 민원마당 FAQ 2019.5.24.

질의 동일한 건축물 안에 제1종 근린생활시설인 체육도장(바닥면적 420제곱미터)과 제2종 근린생활시설인 골프연습장(바닥면적 390제곱미터)이 있을 때 운동시설에 해당하는 것인지, 아니면 각각 제1종, 제2종 근린생활시설에 해당하는 것인 지 여부

회신 「건축법 시행령」 [별표1] 제13호 가목(2006.5.8 대통령령 제19466호 개정)에 따르면 탁구장·체육도장·테니스장·체력단련장·에어로빅장·볼링장·당구장·실내낚시터·골프연습장, 그 밖에 이와 유사한 것으로서 제1종 근린생활시설과 제2종 근린생활시설에 해당하지 아니하는 것은 운동시설에 해당함. 따라서, 동일한 건축물 안에 체육도장과 골프연습장을 함께 설치하는 경우 건축물의 용도는 제1종 근린생활시설인 체육도장에 쓰이는 바닥면적의 합계(500제곱미터 이상은 운동시설)와 제2종 근린생활시설인 골프연습장에 쓰이는 바닥면적의 합계(500제곱미터 이상은 운동시설)에 따라 각각의 해당 용도를 분류하는 것이므로, 귀 질의의 경우 체육도장은 제1종 근린생활시설, 골프연습장은 제2종 근린생활시설에 해당함

질의회신 500㎡ 미만의 소규모 수영장의 건축물 용도는?

국토교통부 민원마당 FAQ 2019.5.24.

질의 500㎡ 미만의 소규모 수영장의 건축물 용도는?

회신 건축물의 용도는 건축물의 종류를 유사한 구조, 이용목적 및 형태로 묶어 분류한 것으로 건축법 시행령 '별표1'에 의하는 것이며,

질의의 소규모 수영장이 국제경기 종목 등으로 채택된 경기를 위한 주된 시설이 아닌 일반적인 간이 수영장으로서 테니스장, 체력단련장, 에어로빅장, 볼링장, 물놀이형 시설 등과 그 구조 및 이용목적 등이 비슷한 경우라면 그 규모에 따라 동 '별표1' 제4호라목의 제2종근린생활시설 또는 제13호 가목의 운동시설로 볼 수 있을 것으로 사료되나, 이에 해당 여부는 허가권자가 해당 시설의 구조, 이용현황, 형태 및 관계법령 등을 종합적으로 검토.판단하여야 할 사항임

질의회신 가정봉사원 파견시설의 제2종 근린생활시설로 분류 여부

국토교통부 민원마당 FAQ 2019.5.24.

질의 노인복지법에 의한 가정봉사원 파견시설을 건축법령상 소개소, 사무소 등과 같은 것으로 보아 제2종 근린생활시설에 해당하는 것으로 볼 수 있는지 여부

※ 가정봉사원파견시설 개요

○ 법적 성격 : 노인복지법상 재가노인복지시설(노인복지법 제38조)

○ 시설 내용 : 일상생활이 곤란한 노인이 있는 가정에 가정봉사원을 파견하여 노인의 일상생활에 필요한 신체수발, 가사지원, 장애관리 등 각종 편의를 제공하는 시설(가정봉사원파견시설은 노인이 머물거나 이용하는 시설이 아니라, 종사자 및 가정봉사원이 이용하는 공간에 불과하여 실질적으로 일반 사무실과 아무런 차이가 없음)

회신 가정봉사원 파견시설이 노인을 머무르게 하면서 복지서비스를 제공하는 시설이 아니라 가정봉사원 파견시설(복지서비스 업무 및 가정봉사원 등)을 위한 사무소로 이용되는 경우에는 당해 건축물의 용도를 건축법 시행령 별표 1 제4호 바목 또는 제14호 나목의 규정에 의하여 그 규모 등에 따라 제2종 근린생활시설 또는 업무시설로 분류할 수 있을 것으로 사료되나, 이의 사실판단의 경우에는 건축허가권자가 당해 건축물에 대한 건축물대장과 실질적인 현지 이용현황·형태·용도·기능 등을 종합적으로 확인·검토하여 판단하여야 할 것임

질의회신 운영되지 않는 학원의 제2종 근린생활시설로 분류 여부

국토교통부 민원마당 FAQ 2019.5.24.

질의 건축물대장상의 용도가 제2종 근린생활시설 중 학원으로 기재되어 있으나 학원은 폐원으로 운영되지 아니하고 다른 용도로도 사용하지 아니한 경우 동 건축물의 용도는 ?

회신 동 건축물이 건축법령에 적합한 제2종 근린생활시설 중 학원으로 건축물대장에 기재된 이후 다른 용도로 변경하여 사용한 사실이 없다면 당해 건축물의 용도는 제2종 근린생활시설 중 학원인 것임

질의회신 재가 장기요양기관의 제2종 근린생활시설로 분류 여부

국토교통부 민원마당 FAQ 2019.5.24.

질의 노인장기요양법에 의한 재가장기요양기관을 건축법령상 소개소, 사무소 등과 같은 것으로 보아 제2종 근린생활시설에 해당하는 것으로 볼 수 있는지 여부

※ 재가장기요양기관 개요 ○ 법적성격 : 노인장기요양법 제31조에 의한 재가장기요양기관 ○ 시설내용 : 일상생활이 곤란한 노인이 있는 가정에 봉사원을 파견하여 방문요양, 방문목욕, 방문간호 등을 위해 서비스를 제공하는 직원들이 이용하는 시설(노인 등이 이용하는 시설이 아니라, 직원 등이 이용하는 공간에 불과하여 실질적으로 일반 사무실과 아무런 차이가 없음)

회신 재가 장기요양기관이 노인을 머무르게 하면서 복지서비스를 제공하는 시설이 아니라 가정봉사원 파견을 위한 사무소로 이용되는 경우에는 당해 건축물의 용도를 건축법시행령 별표 1 제4호 바목 또는 제14호 나목의 규정에 의하여 그 규모 등에 따라 제2종 근린생활시설 또는 업무시설로 분류할 수 있을 것으로 사료되나, 이의 사실판단은 건축허가권자가 당해 건축물에 대한 건축물대장과 실질적인 이용현황·형태·구조·기능 등을 종합적으로 확인·검토하여 판단하여야 함

질의회신 스크린골프연습장의 용도 분류

국토교통부 민원마당 FAQ 2023.6.15.

질의 500제곱미터 미만의 스크린골프연습장의 용도 분류 문의

회신 「건축법」 제2조제1항제3호에 따라 "건축물의 용도"란 건축물의 종류를 유사한 구조, 이용 목적 및 형태별로 묶어 분류한 것으로, 해당 스크린골프연습장은 「건축법 시행령」 별표1 제4호파목의 골프연습장으로 쓰는 바닥면적의 합계가 500제곱미터 미만인 경우 제2종근린생활시설(골프연습장)로 분류하고 있고 그 이상인 경우에는 제13호가목에 따라 운동시설(골프연습장)로 구분하고 있음

질의회신 관광진흥법에 따른 유원시설인 플레이타임이 제2종 근린생활시설인지 여부

건교부 건축과-20, 2005.1.4.

질의 어린이놀이기구(일명 플레이타임, 200㎡ 이하)를 설치하여 관광진흥법에 따른 유원시설업을 할 경우 해당 건축물의 용도를 제2종 근린생활시설로 분류할 수 있는지 여부

회신 건축물의 용도는 건축법 시행령 별표1에서 분류하고 있으며, 동 용도분류에 명시되지 아니한 것은 해당 건축물의 구조 · 기능 · 규모 · 이용행태 및 관계법령 등을 종합적으로 고려하여 건축법 시행령 별표1에서 규정하고 있는 용도와 가장 유사한 용도로 분류해야 하는 것인바, 질의의 어린이놀이기구가 건축법 시행령 별표1 제4호라목에 따른 테니스장 · 체력단련장 · 에어로빅장 · 볼링장 등 이와 유사한 것으로 허가권자가 판단하는 경우 500㎡ 미만인 것은 제2종 근린생활시설로 분류할 수 있을 것임

5. 문화 및 집회시설

질의회신 전시장의 용도분류 기준

국토교통부 민원마당 FAQ 2019.5.24.

질의 화장품의 전시, 홍보, 강의실, 판매계약, 상담실, 사무실 등의 용도로 사용하고 있는 건축물의 용도분류

회신 가. '건축물의 용도'란 건축물의 종류를 유사한 구조, 이용 목적 및 형태별로 묶어 분류한 것이며 건축물의 용도분류는 허가권자가 「건축법시행령」 별표 1. 용도별 건축물의 종류와 비교하여 가장 유사한 용도로 분류함

나. 「건축법시행령」 별표 1. 제5호라목의 '전시장'의 이용목적은 '전시 또는 박람'이 주목적이며, 제7호의 '판매시설'의 이용목적은 '판매'가 주목적인 것이니, 질의의 사항은 귀 허가권자가 당해 건축물의 이용 목적 등을 기준으로 '전시장'에 해당하는지 '판매시설'에 해당하는지 여부를 종합적으로 검토하여 결정할 사항임

질의회신 화랑의 용도

건교부 건축 58070-4655, 1997.12.24.

질의 바닥면적 357㎡인 화랑의 용도는

회신 미술품을 전람해 놓은 화랑은 건축법시행령 별표1 제5호 마목에 따른 문화 및 집회시설로 분류되는 것임

6. 종교시설

법령해석 종교집회장에 설치하는 봉안당이 「학교보건법」 제6조제1항제5호에 따라 학교환경위생 정화구역에서 설치가 금지되는 '납골시설'에 해당되는지 여부

「학교보건법」 제6조제1항제5호 등 관련 법제처 법령해석 15-0121, 2015.4.7.

질의요지 종교집회장에 설치하는 봉안당(奉安堂)이 「학교보건법」 제6조제1항제5호에 따라 학교환경위생 정화구역에서 설치가 금지되는 '납골시설'에 해당하는지?

<질의 배경> ○ 민원인은 경기도 부천시 소재 사찰 내에 봉안당을 설치하기 위하여 「장사 등에 관한 법률」 제15조제1항에 따라 사설봉안시설의 설치 신고를 할 수 있는지를 부천시에 문의함.

○ 부천시는 민원인이 설치하려는 봉안당이 학교환경위생 정화구역(상대정화구역)에 위치하므로, 「학교보건법」 제6조제1항제5호에 따라 학교환경위생 정화구역에서 '납골시설'의 설치가 금지된다는 취지로 답변하였고, 「학교보건법」의 소관부처인 교육부도 같은 입장이라고 답변하자, 이에 이견이 있어 민원인이 직접 법령해석을 요청함.

회답 종교집회장에 설치하는 봉안당은 「학교보건법」 제6조제1항제5호에 따라 학교환경위생 정화구역에서 설치가 금지되는 '납골시설'에 해당합니다.

이유 "생략"

질의회신 종교시설 목사를 위한 사택을 종교시설로 분류할 수 있는지 여부

건교부 고객만족센타-2008.1.25.

질의 교회인근 대지(교회 소유)에 종교시설(교회부속건물)의 용도로 교회목사를 위한 사택을 건축할 수 있는지 여부?

회신 용도별 건축물의 종류는 「건축법 시행령」 제3조의4 별표1에 의하는 것이며, 이에 정하여 지지 아니한 건축물의 용도는 당해 건축허가권자가 그 시설의 구조·기능·규모와 이용형태 등을 관계법령과 종합 검토·판단하여 동 별표1에 명시된 용도와 가장 유사한 용도로 분류하는 것임.

따라서, 부속용도는 당해 허가권자가 그 시설을 확인 후 건축법 시행령 제2조제14조에 해당여부를 판단해야 하는 것으로 종교시설에서 주택은 그 부속용도로 보기 어려울 것으로 사료되는바, 종교집회장은 종교시설로, 주택부분은 주택으로 분류하여야 할 것으로 사료됨

7. 판매시설

질의회신 건축물의 용도분류

국토교통부 민원마당 FAQ 2019.5.24.

질의 「건축법시행령」 별표 1. 제7호 가목의 '그 밖에 이와 비슷한 것'의 정확한 의미는?

회신 가. 「건축법시행령」 별표 1. 제7호 가목의 규정에 의하여 도매시장(「농수산물유통 및 가격안정에 관한 법률」에 따른 농수산물도매시장, 농수산물공판장, 그 밖에 이와 비슷한 것을 말하며, 그 안에 있는 근린생활시

설을 포함한다)은 판매시설(도매시장)로 분류함.
나. 이 경우 '그 밖에 이와 비슷한 것'이란 「농수산물유통 및 가격안정에 관한 법률」에 따른 농수산물도매시장 또는 농수산물공판장은 아니나 당해 허가권자(특별자치도지사 또는 시장·군수·구청장)가 "「농수산물유통 및 가격안정에 관한 법률」에 따른 농수산물도매시장 또는 농수산물공판장"으로 볼 수 있다고 판단하는 것(시장 등 : 사전적 의미의 시장)의 의미로 보는 것이 타당할 것으로 사료됨.
보다 구체적인 사항은 자세한 자료를 갖추어 해당 지역의 허가권자인 시장.군수.구청장에게 문의바람

질의회신 건축물 용도분류 관련 질의

국토교통부 민원마당 FAQ 2019.5.24.

질의 문화 및 집회시설(전시장)을 소매점으로 용도변경하여 소매점으로 쓰는 바닥면적의 합계가 기존 제1종 근린생활시설(소매점)과 합산하여 1,000㎡ 이상이 되는 경우, 기존 부분의 용도변경 없이 새로 용도변경하는 부분만 판매시설로 변경할 수 있는지 여부

회신 건축물의 용도는 유사한 구조, 이용목적 및 형태별로 건축법 시행령 별표1에서 분류하고 있음.
동 별표1 제3호 가목 및 제7호에 따라 수퍼마켓과 일용품 등의 소매점으로서 같은 건축물에 해당 용도로 쓰는 바닥면적의 합계가 1천 제곱미터 미만인 것은 제1종 근린생활시설로, 동 면적 이상인 경우 판매시설로 분류하여야 하는 것이며, 질의의 건축물이 일반건축물인 경우 새로이 소매점으로 변경하는 부분뿐만 아니라, 기존 소매점(제1종 근린생활시설)부분도 판매시설로 함께 용도변경하여야 할 것으로 사료됨

질의회신 판매시설인 건축물에 사무소를 설치할 수 있는지 여부

국토교통부 민원마당 FAQ 2019.5.24.

질의 판매시설인 건축물에 케이블TV 서비스센터 등을 설치할 수 있는지 여부

회신 가.「건축법시행령」 별표 1. 제7호의 규정에 의하여 판매시설은 그 안에 있는 근린생활시설을 포함하므로 판매시설에 제1종 근린생활시설이나 제2종 근린생활시설을 설치하는 경우 해당 근린생활시설은 용도가 판매시설로 분류되는 것임.
나. 다만, 질의의 케이블TV 서비스센터가 근린생활시설에 해당하는지 여부는 질의의 건축물이 있는 시장·군수 또는 구청장이 당해 건축물의 구조, 기능, 애용형태 및 관계법령 등을 종합적으로 검토하여 판단할 사항임.

질의회신 판매시설내 근린생활시설의 용도분류

국토교통부 민원마당 FAQ 2019.5.24.

질의 건축법 시행령 별표 1 제7호 다목의 상점은 그 안에 있는 근린생활을 포함하는 바, "그 안에 있는 근린생활시설"에 상점의 구획 내부에 있는 것만 해당되는지 아니면 층을 달리하는 등 상점의 구획 바깥에 있는 근린생활시설도 포함되는지?

회신 건축법 시행령 별표 1 제7호 다목의 상점은 그 안에 있는 근린생활을 포함하는 바, 이는 상점이 일정규모 이상이면 상점 내부에 설치된 근린생활시설을 모두 포함하여 판매시설로 분류한다는 것이며, 상점의 바깥에 있는 근린생활시설까지 판매시설로 분류하여야 하는 것은 아님

질의회신 판매시설 안에 있는 근린생활시설의 용도분류

국토교통부 민원마당 FAQ 2019.5.24.

질의 판매시설인 건축물을 근린생활시설의 목욕장으로 용도를 변경하지 아니하고 사용할 수 있는지 여부

회신 가.「건축법 시행령」 [별표 1] 제7호에 따라 판매시설은 그 안에 있는 근린생활시설을 포함하는 것으로 건축법상 해당 '근린생활시설'의 용도는 '판매시설'로 분류되는 것이며,
나. '판매시설'안에 '근린생활시설'로 사용하고자 하는 부분이 해당 판매시설의 다른 부분과 구분하여 분리되는 경우라면 이는 '판매시설'과 '근린생활시설'의 복합용도인 건축물로 보아 해당 근린생활시설 부분에 대한 용도

변경을 하여야 할 것임

다. 다만, 건축법상의 용도변경이 가능한 경우라도 '판매시설'이 입지한 토지의 용도에 대하여는 「국토의 계획 및 이용에 관한 법률」에 따른 지구단위계획 상의 허용용도 등에도 적합하여야 하는 것임.

8. 운수시설

질의회신 도시철도 차량기지 내의 업무용시설의 건축법상 용도 분류

국토교통부 민원마당 FAQ 2019.5.24.

질의 「시설물의 안전관리에 관한 특별법」 대상시설물 여부와 관련하여 건축물대장에 "운수시설"로 되어 있는 도시철도 차량기지 내의 업무용시설(5천제곱미터이상)의 건축법상 용도에 대한 질의

회신 용도별 건축물의 종류는 「건축법 시행령」 "별표 1"에 의하는 것이나, 이에 정하여 지지 아니한 건축물의 용도는 당해 건축 허가권자가 그 시설의 구조·기능·규모와 이용형태 등을 관계법령과 종합 검토·판단하여 동 별표 1에 명시된 용도와 가장 유사한 용도로 분류함.

귀 문의의 차량기지는 차량을 유치·검수 및 정비 등을 하기 위해 설치한 시설(도시철도건설규칙 제2조)을 말하는 것인 바, 당해 건축물대장에 "운수시설"로 명기되었다 하더라도 동 차량기지내 직원들의 업무용 시설로 사용중인 건축물은 구조·기능·규모·이용행태 등에 따라 종합적으로 검토하여 운수시설 또는 업무시설 등으로 분류되어야 할 것임

질의회신 공항이용객을 위한 할인점등의 용도분류

건교부 건축58550-76, 2003.1.13.

질의 도시계획시설인 김포공항의 일부(공항청사 및 청원경찰대로 사용중인 건축물)를 공항이용객 보다는 공항 인근지역 주민까지 이용할 수 있는 대형할인점 · 골프연습장 · 예식장 · 극장등으로 변경하는 경우 이를 항공법시행령 제10조제2호 마목에 따른 공항지원시설로 보아 건축법시행령 별표1 제6호바목에서 규정한 공항시설로 볼 수 있는지 여부

회신 도시계획시설의결정 · 구조및설치기준에관한규칙 제29조에 따른 공항시설과 건축법시행령 별표1 제6호 바목에서 규정한 공항시설은 항공법에 따른 공항시설을 말하는 것인 바, 질의의 경우와 같이 김포공항에 설치할 예정인 공항이용객(항공기탑승객만을 가르키는 것이 아니라 그 밖에 공항시설이나 공항을 이용하는 모든 사람을 의미함)을 위한 대형할인점 · 골프연습장 · 예식장 · 극장등은 항공법시행령 제10조제2호 라목과 마목 및 같은법 제5호의 규정에서 정하고 있는 공항시설에 해당된다고 볼 수 있음

※ 건축법시행령 개정(2006.5.8)으로 건축법시행령 별표1 제6호는 제7호 판매시설, 제8호 운수시설로 변경됨. 따라서 공항시설은 운수시설에 해당됨

9. 의료시설

질의회신 치과의원, 한의원, 의원 용도분류

국토교통부 민원마당 FAQ 2019.5.24.

질의 치과의원, 한의원, 의원을 제1종 근린생활시설과 의료시설 모두의 용도로 분류될 수 있도록 개정 건의

* <질의배경> 의료시설인 병원(일반건축물)으로 사용 중인 건축물 일부를 임대받아 치과의원을 개설하고자 하나, 건축물 소유자는 추후 병원으로 다시 사용할 것을 이유로 용도변경을 원치 않고 있고, 관할 보건소에서는 건축물의 용도가 의료시설(병원)이라는 이유로 치과의원 개설신고를 반려함에 따라, 같은 의료기관인 치과의원을 용도변경 없이 의료시설(병원)에 설치할 수 있도록 건의

회신 건축물의 용도란 건축물의 종류를 유사한 구조, 이용 목적 및 형태별로 묶어 분류한 것을 말하며, 「건축

법 시행령」 별표1 "용도별 건축물의 종류"에 따르면 의료법에 따른 의료기관 중 의원·치과의원·한의원 등은 제1종 근린생활시설로 , 병원·종합병원·치과병원 등은 의료시설로 분류하고 있음.

이는 의료기관 중에서 외래환자의 진료를 주로 하며 수술실이나 응급실 등을 갖추지 아니하고 비교적 소규모로 운영되는 의원에 대하여는 인간의 건강·위생·치료를 위해 기본적으로 필요한 시설로 보아 제1종 근린생활시설로 분류하고 있는 것이며,

건축물은 용도 별로 화재위험성 정도나 건축물의 이용양태, 구조강도, 설비설치 내용이 다름에 따라 건축법에서는 그 용도 별로 피난안전, 설비, 구조 등 건축기준을 구분하여 적용하고 있는 바, 건축물의 용도는 해당되는 하나의 용도로 구분하여 적용하여야 할 것임

다만, 질의와 같이 관계 법령에 따른 의료기관에 해당되는 것으로서 병원과 같은 건축물에 설치되는 의원은 이를 의료시설로 보아 이에 따른 건축기준을 적용함이 타당할 것으로 사료되며, 영업신고와 관련된 사항은 해당되는 법령에서 개별적으로 검토되어야 할 사항임

질의회신 도시계획시설인 종합의료시설에 제1종 근린생활시설인 한의원의 설치 가능 여부

국토교통부 민원마당 FAQ 2019.5.24.

질의 도시계획시설로 결정된 종합의료시설에 「건축법」 상 제1종 근린생활시설인 한의원 설치가 가능한 지 여부

회신 가.「건축법」 상 건축허가(용도변경포함)관련, 도시계획시설에 대하여는 우선 「도시계획시설의 결정·구조 및 설치기준에 관한 규칙」 에 적합하여야 하는 것임. 따라서 동규칙 제151조의 규정에 의하여 "종합의료시설"이라 함은 「의료법」 제3조 제3항의 규정에 의한 종합병원으로 규정하고 있으므로

나.「의료법」 제3조 제3항에 "종합병원"이라 함은 의사 및 치과의사가 의료를 행하는 곳을 말하는 것이므로, 한의사가 진료하는 한의원을 도시계획시설로 결정된 종합의료시설에 용도변경은 할 수 없을 것임

질의회신 사회복지시설인 노인전문병원과 「건축법」 상 병원과의 관계

건교부건축기획팀-430, 2006.1.23.

질의 「산업입지 및 개발에 관한 법률」 에 의거 사회복지시설부지로 인가를 받은 경우 사회복지시설인 노인전문병원을 「건축법」 상 병원시설로 건축허가 신청 가능여부

회신 산업입지 및 개발에 관한 법률에 의거 사업인가를 받은 사회복지시설이 건축법령 등에 따른 건축이 가능한 건축물 용도를 한정한 것이 아니고, 국토의 계획 및 이용에 관한 법률등 관련법령에서 건축하고자 하는 해당 건축물의 용도(의료시설)의 입지를 특별히 제한하지 않고 각 기준에도 위반되지 않는다면 건축하고자 하는 해당 용도에 따른 건축법상 기준이나 관계법령(의료법등)에서 정한 설치기준에 맞게 신청이 가능할 것으로 보여짐

질의회신 치과기공소의 용도분류

건교부 건축 58550-1039, 2001.5.8.

질의 현행 건축법시행령 별표1에 따른 "용도별 건축물의 종류"에서 구체적으로 용도가 분류되지 않은 치과기공소의 건축법령상 용도분류는

회신 건축물의 용도분류는 건축법 제2조제1항제2의2호에 따라 건축물의 종류를 유사한 구조·이용목적 및 이용형태별로 묶어 같은법시행령 제3조의4(별표1)에서 분류한 것을 말하는 것으로, 동 규정상 치과기공소의 용도에 대하여 별도로 분류하고 있지 아니하나 치과기공소는 치과진료에 필요한 치과기공물, 충전물 등을 제작, 수리하는 장소로서 치과기공소의 개설시에도 지도치과의사를 선정하고 보철물 제작 등 업무에 대하여 동치과의사의 지시에 따르도록 하고 있으며, 치과의원내에서도 동기공소가 설치되는 점을 감안할 때, 치과의원과 동일한 용도로 보아 동 별표1에 따른 제1종 근린생활시설로 분류하는 것이 타당할 것임

건 축 법
1. 총 칙
2. 건 축
3. 유지관리
4. 대지도로
5. 구조재료
6. 지역지구
7. 건축설비
8. 특별건축구역
9. 보 칙
10. 벌 칙
건 축 법 관련기준

10. 교육연구시설

법령해석 하나의 대지에 있는 두 동의 건축물 간의 간격이 일정 거리 떨어진 경우의 건축물 용도

「건축법 시행령」 별표 1 등 관련 법제처 법령해석 13-0294, 2013.8.21.

질의요지 하나의 대지(공동주택 내)에 있는 두 동의 건축물 간 간격이 상당히 떨어져 있으면서 두 동의 건축물에 각각 있는 학원 용도로 쓰는 바닥면적의 합계가 500제곱미터 이상인 경우, 그 건축물의 용도는 「건축법 시행령」 별표 1 제4호자목의 제2종 근린생활시설인지, 아니면 같은 표 제10호라목의 교육연구시설인지?

회답 하나의 대지(공동주택 내)에 있는 두 동의 건축물 간 간격이 상당히 떨어져 있으면서 두 동의 건축물에 각각 있는 학원 용도로 쓰는 바닥면적의 합계가 500제곱미터 이상인 경우, 그 건축물의 용도는 「건축법 시행령」 별표 1 제10호라목의 교육연구시설에 해당한다고 할 것임.

이유 "생략"

질의회신 학원의 용도분류

국토교통부 민원마당 FAQ 2019.5.24.

질의 3층에 독서실(300㎡)이 영업중인 기존 5층 건축물의 4층에 새로이 300㎡규모의 학원을 신설할 경우, 건축물의 용도를 기존 독서실에 대하여 학원의 설립·운영 및 과외교습에 관한 법률 시행령 제2조 제1항 제4호에 따른 학원으로 보아 교육연구시설로 볼 것인지 아니면 건축법 시행령 별표 1에 학원과 별도로 독서실을 제2종 근린생활시설로 명시하고 있으므로 별개의 용도로 보아 신설 학원을 제2종 근린생활시설로 볼 것인지 여부?

※ 학원의 설립·운영 및 과외교습에 관한 법률 시행령 제2조 제1항 제4호 : "독서실"이라 함은 학습장소로 제공되는 학원인 시설을 말함.

회신 건축법 시행령 별표 1 "용도별 건축물의 종류" 제4호 자목에 의거 사진관·표구점·학원(동일한 건축물안에서 당해 용도에 쓰이는 바닥면적의 합계가 500제곱미터 미만인 것에 한하며, 자동차학원 및 무도학원을 제외한다)·직업훈련소(동일한 건축물 안에서 그 용도에 쓰이는 바닥면적의 합계가 500제곱미터 미만인 것을 말하되, 운전·정비 관련 직업훈련소를 제외한다)·장의사·동물병원·독서실·총포판매사, 그 밖에 이와 유사한 것을 제2종 근린생활시설로 정하고 있는 바,

독서실은 학원과는 별도로 제2종 근린생활시설로 명시하고 있으므로 이는 각각의 시설로서 신설 학원은 제2종 근린생활시설로 보아야 할 것임.

질의회신 학원으로 사용되는 건축물의 용도 관련

국토교통부 민원마당 FAQ 2019.5.24.

질의 학원으로 사용되고 있는 기존건축물의 일부에 학원을 추가로 설치하고자 하는 경우 건축법상 해당 건축물의 용도를 판단하기 위한 면적산정 방법은?

회신 「건축법 시행령」 별표1 제4호 바목 및 제10호 라목에 따라 같은 건축물에 학원 용도로 쓰는 바닥면적의 합계가 500제곱미터 미만인 것은 제2종근린생활시설, 초과하는 것은 교육연구시설로 분류함

이 경우 같은 건축물에서 기존 학원과 새로 설치하고자 하는 학원의 바닥면적을 모두 합한 것을 말함

참고로, 개별 건축물의 구체적인 건축물 용도의 판단은 해당 건축물의 허가(신고 포함)현황, 관리현황 및 실제 건축물의 사용현황 등을 종합적으로 검토하여 판단해야 함

질의회신 독서실을 건축법에 따른 학원의 일부로 볼 수 있는지

국토교통부 민원마당 FAQ 2019.5.24.

질의 독서실을 건축법에 따른 학원의 일부로 볼 수 있는지

회신 현행 「건축법시행령」 [별표1] 제4호 자목에 따르면 '학원'과 '독서실'은 각각 서로 다른 종류의 건축물

로 분류함.
다만, 2000.7.1일 상기 [별표1]에 '독서실'을 신설하여 개정 시행하기 전에는 '독서실'은 '학원'에 포함된 건축물로 분류하여 건축법령을 적용하였음.

질의회신 교육연구시설 건축물 용도 관련

국토교통부 민원마당 FAQ 2019.5.24.

질의 교육연구시설인 건축물에 종교인을 대상으로 교육 및 연수 등을 목적으로 강당, 식당, 숙소 등의 시설을 설치하는 경우 건축물의 용도를 교육연구시설로 볼 수 있는지?

회신 종교집회장과 같이 종교적인 목적으로 주로 사용되는 건축물이 아닌 종교인을 대상으로 교육 또는 연수를 주요 목적으로 하는 건축물로서 교육생 또는 연수생들의 후생복리시설에 해당하는 숙소 등이 부수적으로 설치되는 경우 동 별표1 제10호의 교육연구시설로 볼 수 있을 것으로 사료됨

질의회신 교육연구시설내 게스트하우스의 용도분류

국토교통부 민원마당 FAQ 2023.6.15.

질의 대학이 산학협력 사업을 위한 편의시설로서 휴게·식당·숙박·집회 등의 기능을 갖춘 시설(게스트하우스)을 학교 내에 설치하는 경우, 동 게스트하우스의 용도를 「건축법」 상 학교(교육연구시설)의 부속용도로 볼 수 있는지 여부

회신 건축법령에 의한 건축물의 용도를 분류함에 있어 건축물의 주된 용도의 기능에 필수적인 용도로서 「건축법 시행령」 제2조 제1항 제13호 각 목의 어느 하나에 해당하는 용도는 부속용도로 보며, 제13호 라목의 규정에 의하여 부속용도에는 "관계법령에서 주된 용도의 부수시설로 설치할 수 있도록 규정하고 있는 시설의 용도"도 포함됨. 따라서 질의의 게스트하우스가 「대학 설립 운영 규정」 등 관계법령에서 학교(교육연구시설)의 부수시설로 설치할 수 있도록 규정하고 경우에는 동 건축물의 용도를 학교(교육연구시설)의 부속용도로 볼 수 있을 것이나 부속용도에 해당하는지 여부는 상기규정 및 관계법령을 종합적으로 고려하여 허가권자가 판단할 사항임

질의회신 건축물 일부를 학원으로 용도변경시 처리기준

국토교통부 민원마당 FAQ 2019.5.24.

질의 건축물의 일부를 학원으로 용도변경 함으로써 학원으로 쓰이는 부분의 바닥면적의 합계가 500제곱미터를 초과하게 되는 경우의 처리

회신 가. 건축법시행령 별표1. 제4호자목에 따른 제2종 근린생활시설의 '학원'은 같은 건축물에 해당 용도로 쓰는 바닥면적의 합계가 500제곱미터 미만인 것만 해당되며, 자동차학원 및 무도학원을 제외하고 있음.
나. 이 경우 질의와 같이 건축물의 일부를 학원으로 용도변경 함으로써 학원으로 쓰이는 부분의 바닥면적의 합계가 500제곱미터를 초과하게 되는 경우 종전에는 기존 건축물에 대하여 모두 교육연구시설로 변경토록 하였으나,
다. 법제처의 법령해석 결과에 따라 당해 건축물이 집합건물인 경우, 기존 학원으로 쓰는 건축물은 제외하고 '학원'으로 용도를 변경하려는 건축물(부분)에 대하여 '교육연구시설'로 용도를 변경하여 사용할 수 있는 것임.

질의회신 대학교에서 연구목적 등을 위해 설치한 천문대의 건축법령상 용도

건교부 건축 58070-2061, 2003.11.7.

질의 대학교에서 연구목적 등을 위하여 천문대를 설치하는 경우 건축법령상 용도는?

회신 대학교에서 천체현상의 관측 · 연구를 목적으로 건축하는 천문대는 「건축법 시행령」 별표1 제8호 교육연구 및 복지시설 중 마목의 연구소로 분류할 수 있을 것으로 판단되니, 보다 구체적인 사항은 관련 자료 등을 갖추어 해당 허가권자와 협의바람[※교육연구 및 복지시설⇒교육연구시설, 「건축법 시행령」 개정(2006.5.8.)]

건 축 법
1. 총 칙
2. 건 축
3. 유지관리
4. 대지도로
5. 구조재료
6. 지역지구
7. 건축설비
8. 특별건축구역
9. 보 칙
10. 벌 칙
건 축 법 관련기준

11. 노유자 시설

법령해석 민간어린이집이 제1종 근린생활시설에 해당하는지

「건축법 시행령」 별표 1등 관련 법제처 법령해석 18-0195, 2018.5.21./건축사협회 수정게시 2022.9.16.

질의요지 영유아보육법 제10조제7호에 따른 민간어린이집이 건축법 시행령 별표 1 제3호사목에 따른 "지역아동센터 등 주민이 공동으로 이용하는 시설" 에 해당하는지

<질의 배경> 민원인은 어린이집이 건축법 시행령 별표 1 제3호사목에 따른 제1종 근린생활시설인 "주민이 공동으로 이용하는 시설"에 해당한다고 생각하고, 이에 대해 보건복지부와 국토교통부에 질의하였으나 해당하지 않는다는 답변을 받자 법제처에 법령해석을 요청.

회답 영유아보육법 제10조제7호에 따른 민간어린이집은 건축법 시행령 별표1 제3호사목에 따른 "지역아동센터 등 주민이 공동으로 이용하는 시설" 에 해당하지 아니함

이유 건축법 시행령 별표 1에서는 단독주택의 형태를 갖춘 가정어린이집은 단독주택(제1호)으로, 공동주택의 형태를 갖춘 가정어린이집은 공동주택(제2호)으로, 그 외의 어린이집은 노유자시설(제11호)로 각각 규정하고 있으므로

가정어린이집이 아닌 민간어린이집은 「건축법 시행령」 별표1 제11호에 따른 노유자시설에만 해당한다고 보아야 하고, 그렇다면 어린이집을 같은 별표1 제3호의 제1종 근린생활시설로 볼 수 있는 "주민이 공동으로 이용하는 시설"에 해당한다고 볼 여지는 없음.

질의회신 노인교실의 용도 관련

국토교통부 민원마당 FAQ 2019.5.24.

질의 「노인복지법」에 따른 노인여가복지시설인 '노인교실'의 건축법령상 건축물 용도는?

회신 질의 시설이「노인복지법」등 관계 법령에서 정하고 있는 '노인복지시설'에 해당하는 것으로 관계 법령에 따라 설치신고 등이 이루어지는 시설인 경우에는 해당 건축물의 용도를 '노유자시설'로 분류함이 타당할 것임

질의회신 노인전문 요양병원의 용도분류

건교부 고객만족센타-2007.10.6.

질의 노인전문요양병원을 의료법 제3조제4항 규정에 의한 "병원"과 이용목적 및 시설기준 등이 유사하므로 "병원"으로 분류하는 것이 타당한 지 여부와 그렇지 않다면 요양병원은 건축법 제2조제2항(건축물의 용도분류)의 의료시설 중 어떤 용도로 분류하여야 하는지 여부

회신 건축물의 용도분류는 건축법 시행령 별표1에 의하는 것이며, 질의의 경우가 의료법령에 의한 병원이 아닌 노인복지법령에 의한 노인복지시설에 해당되는 경우라면 동 별표1 제21호의 노유자시설로 볼 수 있을 것으로 사료됨

질의회신 유아놀이방의 건축법상 용도

건교부 건축58070-151, 2003.1.22.

질의 유아놀이방의 건축법상 용도는

회신 귀문의의 경우 영유아보육법에 따른 보육시설이라면 바닥면적에 관계없이 건축법시행령 별표1 제8호 사목에 따라 교육연구 및 복지시설중 아동관련시설이 되는 것임

※ 건축법시행령 개정(2006.5.8)으로 위 교육연구 및 복지시설은 노유자시설임

12. 수련시설

질의회신 영어마을의 건축법상 용도분류

건교부 건축기획팀-5758, 2006.9.22.

질의 영어마을의 건축법상 용도분류
※영어마을은 초・중학생이 원어민 강사와 함께 영어권 문화체험을 위한 영어체험의 장으로, 숙식시설을 겸하고 있으며, 연면적 10,000~13,000m2(약 3,000~4,000평) 규모의 4층 이하로 건립 계획임

회신 건축물의 용도분류는 건축법 시행령 별표1에 의하는 것이며, 이에 정하지 아니한 건축물의 용도는 당해 허가권자가 그 시설의 구조・기능・규모와 이용형태 등을 관계법령과 종합 검토・판단하여 동 별표에 명시된 용도와 가장 유사한 용도로 분류하는 것인바, 질의의 "영어마을"이 청소년활동진흥법령에 규정된 청소년수련관 등으로 볼 수 있다면 "수련시설"로, 그렇지 않다면 "교육연구시설"로 분류하는 것이 타당할 것으로 사료됨

질의회신 역사공원내 청소년문화의 집 건립

국토교통부 민원마당 FAQ 2019.5.24.

질의 숙박시설이 포함된 청소년문화의 집을 공원시설로 포함하여 역사공원의 조성계획 결정.고시('07.8월)이후 청소년수련시설기준 관련 법령이 개정('08.1월)됨으로 인하여 청소년문화의 집에는 생활관(유스호스텔의 숙박시설 포함)이 제외된 경우 당초 결정.고시된 청소년문화의 집내 숙박시설 설치가능 여부?

회신 가.「도시공원 및 녹지 등에 관한 법률(이하 "도시공원법"이라 함)시행규칙」 제9조 및 별표1에 의하면 역사공원에는 청소년수련시설(생활권수련시설에 한함)을 설치할 수 있도록 하고 있음
나. 또한, 청소년수련시설의 시설기준 등에 대하여는 개별법인 「청소년활동진흥법령」에서 규정하고 있으며, 도시공원내 공원시설로서 설치가능한 생활권수련시설 중에는 청소년문화의 집을 포함하고 있음
다. 귀 질의의 공원시설이 공원조성계획의 결정.고시이후 「청소년활동진흥법령」 등 관련법령의 개정으로 청소년수련시설의 시설기준이 변경되었다 하더라도 종전법을 기준으로 적법하게 결정된 시설이라면 당초 결정.고시된 내용대로 시설설치 등을 추진하는 것이 타당할 것으로 사료됨.(도시환경과-2805, '08.10.23)

13. 운동시설

법령해석 운동시설에 편의시설로서 일반음식점의 설치가 가능한지 여부

법제처 법령해석 08-0129, 2008.7.24.

질의요지 「체육시설의 설치·이용에 관한 법률 시행규칙」 제8조는 체육시설업의 종류별 시설 기준을 별표 4에서 정하도록 하고, 이에 따라 위 별표 4 제1호나목(1)에서는 관계 법령에 따라 식당·목욕시설·매점 등 편의시설을 설치할 수 있다고 규정(이하 "별표 4 편의시설기준"이라 함)하고 있는바, 「국토의 계획 및 이용에 관한 법률」에 따른 지구단위계획상 일반음식점인 식당의 설치가 가능한 건축물인 제2종 근린생활시설 용도의 건축물이 입지할 수 없는 지역에 위치하고 있으며, 건축물의 주용도가 「건축법 시행령」 제3조의4 및 별표 1 제13호에 따라 운동시설이고 부속용도는 「체육시설의 설치·이용에 관한 법률」에 따라 체육시설업의 편의시설인 식당으로 건축허가가 된 경우, 위 건축물에 「건축법 시행령」상 일반음식점 설치가 가능한 건축물인 제2종 근린생활시설로 건축물 용도를 변경하는 절차 없이 체육시설업의 편의시설로서 일반음식점인 식당을 설치할 수 있는지?

회답 ○ 건축물의 주용도가 「건축법 시행령」 제3조의4 및 별표 1 제13호에 따라 운동시설이고 부속용도는 「체육시설의 설치·이용에 관한 법률」에 따라 체육시설업의 편의시설인 식당으로 건축허가가 된 경우, 위 건축물에 체육시설업의 편의시설로서 일반음식점인 식당을 설치하기 위해서는 그 일반음식점인 식당이 「건축법 시행령」 제2조제1항제14호가 정한 부속용도의 범위 내의 것으로서 해당 지역에 「국토의 계획 및 이용에 관한 법률」에 따른 지구단위계획상 일반음식점의 설치가 가능한 제2종 근린생활시설 용도의 건축물이 입지할 수 있는 경우여야 하

는 등 관계 법령 등이 정한 범위 내여야 할 것임.

○ 따라서, 위 건축물에 일반음식점인 식당을 설치할 경우 체육시설업의 후생복리시설 및 편의시설로서의 용도를 초과하게 되거나, 「국토의 계획 및 이용에 관한 법률」에 따른 지구단위계획을 위반하게 되는 등으로 관계 법령 등이 정한 범위에 위배된다면 「건축법 시행령」상 일반음식점 설치가 가능한 건축물인 제2종 근린생활시설로 건축물 용도를 변경하는 절차 없이 체육시설업의 편의시설로서 일반음식점인 식당을 설치할 수는 없음.

이유 "생략"

질의회신 스키장의 건축물 용도분류

국토교통부 민원마당 FAQ 2019.5.24.

질의 스키장을 건축법령상 운동시설로 볼 수 있는 지 여부

회신 건축법시행령 별표 1 제9호 다목의 규정에 의한 운동시설로 보는 것이 타당할 것임

질의회신 '풋살'이 공원시설(운동시설)에 해당여부

국토교통부 민원마당 FAQ 2019.5.24.

질의 '풋살'이 「체육시설의 설치.이용에 관한 법률시행령」 별표1에 의한 운동시설에 포함 여부

회신 "풋살"이란 5인제 축구를 말하는 운동종목으로 1960년대 이래 각종 국제.국내 경기대회가 치러지고 있음은 물론 1999년 국민생활체육전국풋살연합회가 결성되어 운영('04년 현재 회원 20여만명 추정-국민생활체육전국풋살연합회 자료)되고 있는 것으로 체육시설의 설치 이용에 관한 법률 시행령 별표 1의 "축구장"에 해당됨. (문화체육관광부 스포츠산업과-1272, '09.4.3)

질의회신 체육관 · 운동장(수영장, 빙상장 등)의 관람석의 정의

건교부 고객만족센타-2007.10.25.

질의 체육관·운동장(수영장, 빙상장 등)을 관람석 바닥면적의 합계에 따라 운동시설 및 문화 및 집회시설(관람장)로 용도를 구분함에 있어 관람석의 정의는 무엇인지?

"관람석의 바닥면적의 합계 1천㎡"에는 건축물의 공유부분인 기계실, 복도, 화장실, 계단, 로비 등의 면적이 포함 되는지?

회신 관람석은 관람을 위한 좌석 등의 시설을 의미하는 것으로 볼 수 있으며, 관람석의 형태는 설계자의 의도에 따라 다소 달라질 수 있으나 허가권자가 판단할 때 건축물이거나 그에 부수되는 시설물에 해당하는 경우라면 그 면적은 지붕의 설치여부에 관계없이 산정되어야 할 것으로 사료되며,

또한 계단, 통로 등 공용부분 등이 관람석에 부속된 경우라면 그 면적 또한 합계하여야 할 것으로 사료되는 바, 당해 건축물의 용도판단 또는 면적산정은 허가권자가 그 건축물의 구조, 기능, 이용형태 등을 종합적으로 검토하여 판단하여야 할 사항임

질의회신 체력단력장+골프연습장의 용도는

건교부 건축 58070-1503, 1999.4.26.

질의 동일한 건축물 안에서 체력단련장 300㎡와 골프연습장 350㎡가 있는 경우 용도

회신 건축법시형령 별표1 제4호 라목의 규칙에 의하여 동일한 건축물 안에서 체력단련장 · 골프연습장 등의 용도로 사용되는 바닥면적 합계가 500㎡ 미만인 것은 제2종 근린생활시설로 분류하는 것이나, 동 규모 이상인 것은 운동시설로 분류되는 것임

질의회신 실내수영장의 용도

건교부 건축 58070-629, 2003.4.10.

질의 건축물내에서 해당 용도에 쓰이는 바닥면적의 합계가 1,300제곱미터의 실내수영장의 용도는

회신 귀 문의의 실내수영장은 건축법시행령 별표1 제9호다목에 따라 운동장(육상ㆍ구기ㆍ볼링ㆍ수영ㆍ스케이트ㆍ로울러스케이트ㆍ승마ㆍ사격ㆍ궁도ㆍ골프장 등과 이에 부수되는 건축물로서 관람석이 없거나 관람석의 바닥면적이 1천제곱미터미만인 것)과 운동장에 부수되는 건축물로 보아 운동시설에 해당하는 것으로 판단되니, 이에 대한 보다 구체적인 사항은 해당 허가권자에게 문의바람

14. 업무시설

법령해석 바닥면적 합계500제곱미터 미만인 오피스텔이 「건축법 시행령」 제3조의4 별표 1 중 어느 건축물 용도에 해당하는지 여부

「건축법 시행령」 제3조의4 관련 법제처 법령해석 11-0320, 2011.7.15./건축사협회 수정게시 2022.9.16.

질의요지 바닥면적 합계 500제곱미터 미만인 오피스텔(업무를 주로 하며, 분양하거나 임대하는 구획 중 일부의 구획에서 숙식을 할 수 있도록 한 건축물로서 국토해양부장관이 고시하는 기준에 적합한 것)은 「건축법 시행령」 제3조 의4 별표 1에 따른 용도별 건축물의 종류 중 제4호바목에 따른 제2종 근린생활시설에 해당하는지 아니면 제14호나목에 따른 일반업무시설에 해당하는지 아니면 양자 모두에 해당하지 않아 건축할 수 없는 것인지

회답 바닥면적 합계 500제곱미터 미만인 오피스텔(업무를 주로 하며, 분양하거나 임대하는 구획 중 일부의 구획에서 숙식을 할 수 있도록 한 건축물로 국토해양부장관이 고시하는 기준에 적합한 것)은 「건축법 시행령」 제3조의4 별표 1에 따른 용도별 건축물의 종류 중 제14호나목에 따른 일반업무시설에 해당함.

이유 제2종 근린생활시설이란 통상 주택가 인근에 소재하면서 주택의 편의를 위하여 제공되는 시설을 의미하나, 오피스텔은 당초 도입취지가 도심가 에서 낮에는 사무 등의 업무에 활용되도록 하면서, 저녁에는 숙식까지 가능하도록 한 건물을 허용하려는 것이었다는 점에서, 오피스텔은 비록 바닥면적이 500제곱미터 미만이라 하더라도 이를 제2종 근린생활시설로 보기는 어려움.

반면에, 오피스텔의 위와 같은 도입 취지 및 사용 목적 등을 고려하고, 같은 별표 1 제14호나목 일반업무시설에 관한 규정에서 오피스텔의 경우 바닥면적에 특별한 제한을 규정하고 있지 않은 점 등을 고려하면, 오피스텔을 같은 별표 1 제14호나목 일반업무시설로 분류하는 것에 법령상 별 문제가 없는 것으로 보임.

질의회신 오피스텔 바닥면적 관련

국토교통부 민원마당 FAQ 2019.5.24.

질의 오피스텔의 바닥면적 기준에 관한 규정이 있는지 여부

회신 「건축법 시행령」 별표1 제4호 바목에 따라 금융업소, 사무소, 그 밖에 이와 비슷한 것으로서 같은 건축물에 해당 용도로 쓰는 바닥면적의 합계가 500제곱미터 미만인 것은 제2종 근린생활시설로 분류하고 있으며, 같은법 시행령 별표1 제14호 나목에 따라 금융업소, 사무소, 오피스텔, 그 밖에 이와 비슷한 것으로서 제2종 근린생활시설에 해당하지 아니하는 것은 일반업무시설로 분류하고 있는 바,

일반업무시설인 오피스텔로 분류되기 위해서는 해당 오피스텔의 용도로 쓰는 바닥면적의 합계가 500제곱미터 이상이 되어야 할 것임

질의회신 오피스텔에 게스트룸을 설치했을때 건축허가 관련

국토교통부 민원마당 FAQ 2022.6.21.

질의 주상복합건물(지상1~2층 근린생활시설, 지상3~7층 오피스텔, 지상8~28층 공동주택)에 대해 오피스텔 건축기준에 의거 각 용도별 출입구를 분리하고, 건축법시행령 제34조에 의거하여 오피스텔층에 2개의 직통계단을 설치할 경우 1개의 직통계단은 오피스텔 전용으로 사용하고, 다른 하나는 공동주택과 겸용하여 사용할 수

있는 지

회신 오피스텔 건축기준 제2조제2호에 따라 지상층 연면적이 3천제곱미터를 넘으며 오피스텔과 다른 용도가 복합으로 사용되는 경우 오피스텔의 전용출입구를 설치하도록 규정하고 있는바, 이는 오피스텔과 다른 용도의 지상층 연면적이 3천제곱미터를 넘는 경우 오피스텔과 타용도의 출입구, 계단 및 승강기등을 분리하여 설치하여야 함

질의회신 오피스텔과 고시원이 함께 할 수 있는지

국토교통부 민원마당 FAQ 2022.6.21.

질의 오피스텔이 있는 건축물에 고시원이 함께 할 수 없는 것인지 여부

회신 가.「건축법시행령」 제47조제항제2호에 따라 공동주택과 제2종 근린생활시설 중 고시원은 같은 건축물에 함께 설치할 수 없는 것이나, 업무시설에 해당하는 오피스텔에 대하여는 건축법상 별도로 규정하고 있지 않음. 나. "생략"

질의회신 오피스텔에 게스트룸을 설치했을때 건축허가 관련

국토교통부 민원마당 FAQ 2023.6.15.

질의 오피스텔에 게스트룸을 함께 설계한 경우 건축허가가 가능한 지 여부.

※ 게스트룸 : 오피스텔에 찾아오는 손님들에게 주중에 5만원, 성수기에 8만원 정도의 숙박비를 받고 대여해 주는 숙박시설

회신 용도별 건축물의 종류는 「건축법 시행령」 별표1에 의하는 것으로 동 별표1에 규정된 건축물의 용도를 판단하기 위해서는 건축물의 구조, 기능, 이용형태와 관련 법령 등을 종합적으로 고려하여야 함

이와 관련, 오피스텔은 업무를 주로 하며 일부 구획에서 숙식을 할 수 있도록 한 업무시설로 분류된 건축물로, 전용숙박시설로 사용하는 것은 부적합한 것으로 사료됨

따라서, 질의의 경우 상기 별표1에 따른 오피스텔 또는 숙박시설로 볼 것인지 여부는 해당 건축물의 구조, 기능, 이용형태 및 공중위생관리법령에 따른 "숙박업"에 적합 여부 등을 종합적으로 검토하여 허가권자가 판단하여야 할 것임

질의회신 오피스텔 내부에 발코니와 유사한 다용도실의 구획 가능 여부

국토교통부 민원마당 FAQ 2023.6.15.

질의 오피스텔 내부에 발코니와 유사한 다용도실의 구획 가능 여부

회신 「오피스텔 건축기준」 제2조제1호에 따르면 각 사무구획별 노대(발코니)를 설치하지 아니할 것으로 규정하고 있고, 「건축법 시행령」 제2조제14호에 따르면 "발코니"란 건축물의 내부와 외부를 연결하는 완충공간으로서 전망이나 휴식 등의 목적으로 건축물 외벽에 접하여 부가적(附加的)으로 설치되는 공간을 말한다고 정의하고 있음 따라서, 질의의 다용도실이 건축법에서 규정하고 있는 노대(발코니)와 유사한 구조, 형태 및 기능을 갖춘 경우에는 설치할 수 없을 것으로 사료되나 개별 건축허가 안건과 관련된 사항은 구체적인 사실관계 파악 등을 통하여 허가권자가 판단할 사항이니, 보다 상세한 사항은 관련 서류 등을 구비하여 해당지역 시장, 군수, 구청장 등 허가권자에게 문의바람

질의회신 부동산중개업소의 업무시설에 설치 가능 여부

국토교통부 민원마당 FAQ 2019.5.24.

질의 부동산중개업소의 업무시설에 설치 가능 여부?

회신 건축법시행령 별표 1 제4호 바목에 의한 제2종 근린생활시설의 경우 업무시설에도 설치가 가능한 것이므로, 일반업무시설로 분류되는 오피스텔에서도 제2종 근린생활시설로의 용도변경 없이 설치가 가능함.

질의회신 군부대 영내 이외의 지역에서 군관련 업무시설에 대한 용도분류

건교부 건축기획팀-1741, 2005.12.2.

질의 국방부 조달본부 내의 나대지에 건물(임시건물)을 증축하여 방위사업청 및 국방기술품질원에 근무할 직원의 사무실로 사용하고자 하는바, 해당 건물이 「건축법 시행령」 별표1 제19호다목에서 규정한 "군사시설"에 해당하는지 여부

회신 「건축법」 제2조제1항제2의2호의 규정에 따르면 "건축물의 용도"는 건축물의 종류를 유사한 구조·이용목적 및 형태별로 묶어 분류한 것으로 규정하고 있으며, 건축물의 종류는 「건축법시행령」 별표1에서 분류하고 있으나, 각 개별 건축물에 대한 시설기준이나 분류기준을 구체적으로 정하고 있지 아니하므로 동 규정에 명시되지 않은 용도에 대하여는 그 시설의 구조·이용목적 및 형태 등을 종합적으로 검토하여 판단되어야 할 것임

따라서 질의의 시설이 국가행정기관에 속하는 것으로서 군부대 영내 이외의 지역에서 군관련 업무를 전반적으로 관장하는 등의 공적행정사무를 수행하고 군사시설 설치와 관련된 법령에서 별도의 군사시설로 분류되지 않고 있는 경우라면 건축법령을 적용함에 있어 이는 업무시설(공공업무시설)로 분류함이 보다 타당할 것으로 판단됨

15. 숙박시설

법령해석 「건축법 시행령」 별표1 제15호다목에 따른 다중생활시설(숙박시설)에서 공부할 수 있는 시설을 갖추고 숙박 또는 숙식을 제공하는 고시원 영업이 「공중위생관리법」에 따른 숙박업에 해당 하는지

「건축법 시행령」 별표 1등 관련 법제처 법령해석 17-0207, 17.7.13./건축사협회 수정게시 2022.9.16.

질의요지 건축물 용도가 「건축법 시행령」 별표1 제15호다목에 따른 숙박시설에 해당하는 다중생활시설에서 다중이용업소법 시행령 제2조제7호 의2에 따라 학습자가 공부할 수 있는 시설을 갖추고 숙박 또는 숙식을 제공하는 형태로 이루어지는 고시원 영업이 「공중위생관리법」 제2조제1항제2호에 따른 숙박업에 해당하는지

회답 「건축법 시행령」 별표1 제15호다목에 따른 숙박시설에 해당하는 다중생활시설에서 다중이용업소법 시행령 제2조제7호의2에 따라 학습자가 공부할 수 있는 시설을 갖추고 숙박 또는 숙식을 제공하는 형태로 이루어지는 고시원업 영업은 「공중위생관리법」 제2조제1항제2호에 따른 숙박업에 해당하지 않음.

이유 「공중위생관리법」 제2조제1항제2호에 따른 숙박업 정의 규정 중 "잠을 자고 머물 수 있도록 시설 및 설비 등의 서비스를 제공"한다는 문언의 의미는 침구, 욕실 또는 샤워시설, 창문 등 환기시설, 난방시설 등이 갖추어진 방실 및 숙박에 필수적인 침구, 수건 등의 세탁 또는 교환, 객실 청소 등의 부대서비스를 제공하는 것이라 할 것인데,

「공중위생관리법 시행규칙」 별표4 제1호가목(2)에서 공중위생영업자 중 숙박업자가 준수하여야 하는 위생관리기준으로 요·이불·베개 등 침구의 포와 수건은 숙박자 1인이 사용할 때마다 세탁하고, 수시로 일광 그 밖의 방법에 따라 건조시켜야 한다는 객실·침구의 청결에 관한 내용 등을 포함시키고 있는 것은 그러한 부대서비스 제공의 의미를 전제로 하고 있다고 볼 수 있는데 비하여, 다중이용업소법 시행령 제2조제7호의2에 따른 고시원업은 "구획된 실 안에 학습자가 공부할 수 있는 시설을 갖추고 숙박 또는 숙식을 제공 하는 형태의 영업"으로 규정되어 있을 뿐 숙박업과 같이 침구 세탁, 객실 청소 등 숙박에 필수적인 부대 서비스의 제공을 전제로 한다고 보기는 어려울 것임.

질의회신 휴양펜션업 시설(건축물)의 용도분류

국토교통부 민원마당 FAQ 2019.5.24.

질의 「제주특별자치도 설치 및 국제자유도시 조성을 위한 특별법」 제174조의 규정에 의한 휴양펜션업 시설(건축물)의 용도가 「건축법 시행령」 별표 1 제15호 다목에 해당하는 지 여부

회신 「건축법 시행령」 별표 1(건축물의 용도분류)에는 문의의 휴양펜션업 시설이 명시되어 있지 아니하며 건축법에 명시되어 있지 않은 건축물의 용도는 관련법령, 건축물의 구조, 이용목적 및 형태 등을 고려하여 건

축법에 명시되어 있는 가장 유사한 용도로 분류하는 것으로 동 별표 중 제15호 다목의 시설은 제15호 가목 및 나목의 시설과 유사한 것을 숙박시설로 분류하도록 규정하고 있음

「제주특별자치도 설치 및 국제자유도시 조성을 위한 특별법」 제174조의 규정에 의한 휴양펜션업을 위한 시설은 동조 제1항에서 "관광객의 숙박·취사와 자연체험관광에 적합한 시설"로 규정하고 있으므로 「건축법」 제2조 제1항 제2호에 의한 건축물로서 이러한 휴양펜션업을 위한 시설의 용도는 「건축법 시행령」 별표 1 제15호 다목에 의하여 숙박시설로 분류하는 것이 타당한 것으로 판단됨

질의회신 고시원 바닥면적 산정 방법

국토교통부 민원마당 FAQ 2013.12.6.

질의 건축법상 용도분류시 고시원의 바닥면적을 산정함에 있어 현재 관계법령에 의하여 고시원업으로 등록된 부분까지 포함하여 산정하는 지?

회신 「건축법 시행령」 '별표1' 제4호 파목 및 제15호 다목에 따라 같은 건축물에 고시원 용도로 쓰는 바닥면적의 합계가 500제곱미터 미만인 것은 제2종근린생활시설로, 초과하는 것은 숙박시설로 분류함.

이 경우, 같은 건축물에서 기존의 적법한 고시원과 새로 설치하고자 하는 고시원의 용도의 바닥면적을 모두 합한 것을 기준으로 판단하는 것임

질의회신 고시원 용도적용

국토교통부 민원마당 FAQ 2019.5.24.

질의 「다중이용업소의 안전관리에 관한 특별법」에 따라 관할 소방서에 '안전시설등 설치신고('09.6.5)'를 하고, 이에 대한 '완비증명서를 발급('09.8.10)'받아 고시원으로 사용하고자 하는 경우 '09.7.16 개정된 「건축법 시행령」에 따른 용도를 적용하여야 하는지

회신 건축법상 '고시원'의 용도분류와 관련하여 「건축법 시행령」 개정일('09.7.16) 이전에 「다중이용업소의 안전관리에 관한 특별법」에 따라 '안전시설등 완비증명'을 받아 고시원으로 사용 중인 건축물에 대하여는 기존 건축물의 용도를 변경하지 아니하고 종전의 시설 그대로 사용할 수 있을 것이나, 「건축법 시행령」 개정일 이후에 '안전시설등 완비증명'을 받아 고시원으로 사용하는 경우에는 「건축법 시행령」 별표1의 제2종근린생활시설이나 숙박시설로 분류되는 것임

질의회신 관광진흥법령의 부대시설인 휴게실

건교부 건축 01254-3292, 1992.9.8.

질의 관광진흥법령에 따른 부대시설인 다실 또는 휴게실 중 휴게실을 설치하고자 하는 바, 건축법령상 용도분류 및 설치가능 여부

회신 질의의 휴게실이 관광진흥법령의 규정에서 부수시설로 그 설치가 의무화된 관광호텔의 부속용도인 경우라면 동 용도는 관광호텔인 것임

16. 위락시설

법령해석 위락시설 용도인 카지노업소에 설치되는 모니터룸에 대한 용도분류

법제처 법령해석 08-0146, 2008.9.2.

질의요지 「관광진흥법」에 따르면 카지노사업자는 카지노영업장 외에 전산실, 모니터룸도 갖추어야 하는데 이러한 시설도 「건축법 시행령」 별표1 제16호마목에 따른 위락시설의 일종인 카지노업소에 해당되어 위락시설 용도의 건축물에 설치되어야 하는지?

회답 카지노업에 사용되는 전산실이나 모니터룸은 「건축법 시행령」 별표1 제16호마목의 카지노업소의 필

수시설이므로 위락시설 용도의 건축물에 설치되어야 함.

이유 "생략"

질의회신 스포츠 댄스학원(무도학원)의 용도분류

국토해양부 고객만족센터-2008.8.6.

질의 가. 스포츠 댄스학원(무도학원) 관련

「체육시설의 설치·이용에 관한 법률」(이하 체육시설법)에 의해 등록을 받고 있는 무도학원과 같은 교습과목(국제표준무도)을 운영하는 스포츠댄스학원(무도학원)이 학원법에 의해 등록 시 기존 학원과 동일하게 제2종 근린생활시설 및 교육연구시설의 용도로 적용해야 하는지 아니면, "무도학원"으로 별도의 용도(위락시설)를 적용해야 하는지 여부

나. 평생교육시설 관련

1) 건축법 시행령 별표 1에서 기존 학원에 대한 건축물 용도와 같이 교육시설로 분류하여 당해용도로 쓰이는 바닥면적의 합계가 500㎡ 미만인 경우 제2종 근린생활시설을 적용하고, 500㎡ 이상인 경우 교육연구시설의 용도를 적용해야 하는지 아니면, 건축법시행령 별표 1에서 용도를 규정하고 있지 않기에 평생교육시설로 등록하려는 시설에 대하여 특별히 용도에 대한 규정을 적용하지 않아야 하는지 여부(용도변경 등)

2) 기존에 종교시설로 등록되어 있는 곳에서 일부분을 평생교육법에 의한 평생교육시설로 등록하려는 경우 용도변경 없이 운영 가능 여부

3) 원격교육형태 평생교육시설(정보통신기술을 활용한 사이버교육을 실시하는 시설로 다른 평생교육시설과 달리 강의실이 필요하지 않음)로 등록하려는 시설에 대하여 단독주택 및 공동주택에서의 운영 가능 여부

회신 가. 스포츠댄스학원(무도학원) 관련

건축법 시행령 제3조의4 및 별표 1에 따라 건축물의 용도를 분류하는 경우에는 건축물의 실질적인 구조·이용목적 및 형태에 따라 건축법령이 합당하게 적용되도록 분류하여야 할 것으로 스포츠댄스학원이 학원의 설립·운영 및 과외교습에 관한 법률의 적용을 받는다 하더라도 국제표준무도를 교습하는 등 이용형태가 무도학원과 다르지 아니하고, 건축법 시행령 별표 1 제4호 자목 및 제10호 라목에서 무도학원은 제2종 근린생활시설 및 교육연구시설에서 제외하여 위락시설로 분류하고 있는 바, 당해 건축물의 용도는 건축법 시행령 별표 1 제16호 바목의 위락시설로 분류함이 타당할 것으로 판단되나, 이를 적용시에는 체육시설법도 함께 검토되어야 할 것으로 사료됨.

나. 평생교육시설 관련

1) 건축법령에 의한 용도별 건축물의 종류는 '건축법 시행령' 별표1에 의하는 것이며, 동 별표에 정하여 지지 아니한 건축물의 용도는 당해 건축 허가권자가 그 시설의 구조·기능·규모와 이용형태 등을 관계법령과 종합 검토·판단하여 동 별표에 명시된 용도와 가장 유사한 용도로 분류하는 것으로, 평생교육시설의 구조·이용목적 등이 학원과 유사한 경우에는 제2종 근린생활시설 또는 교육연구시설로 분류하는 것이 타당할 것임.

2) 종교시설에 설치하는 평생교육시설에서 이루어지는 교육활동이 당해 종교시설의 집회 등과는 관련이 없는 경우 건축물의 용도는 제2종 근린생활시설 또는 교육연구시설 등 종교시설과 다른 용도가 되므로 건축법 제19조의 규정에 따라 용도변경을 하여야 함.

3) 원격교육형태 평생교육시설을 운영함에 있어 강의실이나 사무실 등 별도의 건축물이 필요하지 않는 경우에는 건축법과는 관련이 없으며, 등록여부는 소관 법률에 따라야 할 것으로 판단됨

질의회신 콜라텍의 용도분류

국토교통부 민원마당 FAQ 2019.5.24.

질의 주류를 판매하지 않는 '콜라텍'의 용도분류

회신 가. 「건축법」 상 건축물의 용도는 같은 법 시행령 (별표 1)에서 규정하고 있으며, 성인콜라텍이 「체육시설의 설치 · 이용에 관한 법률」에 의한 체육시설업 신고대상에 해당되지 아니하더라도 무도장, 무도학원, 유흥주점 등과 같은 용도의 영업을 사실상 행하는 경우와 주거환경의 훼손 및 미풍양속을 저해하는 경우에는 위락시설의 일종으

건 축 법
1. 총 칙
2. 건 축
3. 유지관리
4. 대지도로
5. 구조재료
6. 지역지구
7. 건축설비
8. 특별건축구역
9. 보 칙
10. 벌 칙
건 축 법 관련기준

로 분류하여야 할 것임.
나. 이 경우 귀 질의의 성인콜라텍에 대한 관계부처 의견조회결과 문화체육관광부는 콜라텍이 "그 운영방법 및 영업내용, 특성 등이 일률적이지 않고 다양한 행태를 띠고 있는 것으로 파악되며 일반적으로 콜라텍에서 행하여지는 춤의 종류가 비정형적인 사교무도인 점, 콜라 등의 음식물을 제공하는 점, 기타 영업행태 등을 종합할 때 「체육시설의 설치·이용에 관한 법률」에 의한 체육시설로 보기 어렵다"는 의견이고,
다. 보건복지가족부에서는 콜라텍이 "'음식류(주류포함)를 조리·판매하지 아니하고 단순히 음료(별도의 조리 등이 필요하지 않은 제품)를 판매하면서 카세트 또는 CD로 틀어주는 음악에 맞추어 음악 감상과 춤을 출 수 있도록 하는 업'을 의미하며 「식품위생법」에 의한 식품접객업과는 그 취지를 달리하고 있으므로 「식품위생법」에 의한 식품접객업소에 해당하지 아니한다"는 의견으로서
라. 질의와 같이 콜라텍에 대하여 건축법상 별도 규정은 없으나, 콜라텍업에 대한 건축물의 용도를 적용함에 있어서는 인·허가 담당부서에서 관계법령과 사실상의 영업행위 및 실질적인 이용목적, 기능·주변현황·구조 등에 따른 위의 가, 나, 다의 내용을 종합 검토하여 위락시설이나 제2종근린생활시설, 운동시설 등과 유사한 용도로 분류할 수 있을 것임

질의회신 노인레크레이션 시설 용도분류 관련

국토교통부 민원마당 FAQ 2019.5.24.

질의 노인의 건강을 위해서 레크레이션과 근력운동을 하고 가요음악을 통한 한국적인 춤으로 자연스럽게 율동하는 운동으로 유도할 수 있는 시설은 건축법상 어떤 용도로 분류하는지?

회신 건축법령상 건축물의 용도는 「건축법 시행령」 별표1에서 규정하고 있으며, 이에 해당하지 않는 건축물은 그 구조.기능.이용형태 등을 종합적으로 검토하여 동 별표1에 명시된 것 중 가장 유사한 용도로 분류함
따라서, 질의의 경우 해당 시설을 체력단련장, 에어로빅장 등과 유사하게 사용하는지 아니면 무도장, 무도학원 등과 유사하게 사용하는지 등 여부 등 현황을 종합적으로 검토하여 판단해야 할 것이니 이에 대하여는 해당 허가권자에게 문의하시기 바람
참고로, 「건축법 시행령」 별표1의 규정에 따라 같은 건축물 안에서 체력단련장, 에어로빅장, 테니스장 등으로 쓰이는 바닥면적 합계가 500제곱미터 미만인 것은 제2종근린생활시설로 분류되고 그 이상은 운동시설로 분류되며, 무도장 및 무도학원으로 사용되는 것은 위락시설로 분류되는 것임

질의회신 무도장의 용도분류

건교부건축기획팀-3227, 2006.5.23.

질의 건축법령에서 무도장의 의미와 무도장시설을 동호회 연습장으로 사용시 건축물의 용도분류는?

회신 용도별 건축물의 종류는 「건축법 시행령」 별표1에 의하는 것이며, 이에 정하여 지지 아니한 건축물의 용도는 해당 건축 허가권자가 그 시설의 구조·기능·규모와 이용형태 등을 관계법령과 종합 검토·판단하여 동 별표1에 명시된 용도와 가장 유사한 용도로 분류하는 것임.
「건축법 시행령」 별표1 제16호의 위락시설중 무도장이라 함은 「체육시설의 설치.이용에 관한 법률」 제10조에 따른 신고체육시설업의 하나로서 국제표준무도(볼룸댄스)를 할 수 있는 시설과 춤을 추며 즐기는 장소이며, 이와 유사한 시설의 구조·기능·규모와 이용형태를 갖춘 시설을 의미하는 것임.
질의한 시설의 경우 동 별표1의 위락시설로 분류할 것인지의 여부는 해당 지역 허가권자가 해당 건축물 사업승인 또는 건축물대장상 기재사항, 현지현황(동 시설의 구조·기능·규모와 이용형태 등), 관련법령 등을 종합적으로 검토·판단하여 동 별표1에 명시된 용도와 가장 유사한 용도로 분류하게 됨

건 축 법
1. 총 칙
2. 건 축
3. 유지관리
4. 대지도로
5. 구조재료
6. 지역지구
7. 건축설비
8. 특별건축구역
9. 보 칙
10. 벌 칙
건 축 법 관련기준

질의회신 '번지점프'시설의 건축법령상 용도

국토교통부 민원마당 FAQ 2019.5.24.

질의 신종 업종인 '번지점프' 시설이 건축법령상 용도가 운동시설인 지 아니면 위락시설인 지 여부

회신 질의의 번지점프 시설은 「체육시설 이용에 관한 법률 시행령」 제2조 [별표 1]의 규정에 의거한 체육시설로 분류되지 않고,

「도시계획시설의 결정·구조 및 설치 기준에 관한 규칙」 제58조 제2항제1호에서 번지점프 시설을 '유희시설'로 규정하고 있으며,

「관광 진흥법 시행령」 제2조 제1항 제5호의 규정의 '유원시설업의 시설'에 대하여 세부적으로 명시하고 있지는 않으나 동법 시행규칙 제38조 [별표 9] 제3호 놀이형 유형에 '점프대' 등으로 예시되어 있는 것을 감안할 때 번지점프 시설 역시 '유원시설업의 시설'과 유사한 것으로 보아도 무방할 것임

따라서 「건축법 시행령」 [별표 1] 제16호의 규정에서 '「관광진흥법」에 의한 유원시설업의 시설 기타 이와 유사한 것'을 '위락시설'로서 분류하고 있으므로 번지점프 시설은 '위락시설' 용도로 분류함이 타당한 것으로 사료됨

17. 공 장

질의회신 아파트형공장의 부대시설로 건축하는 기숙사의 용도

건교부건축기획팀-1818, 2006.3.24.

질의 아파트형공장에 부대시설로 건축하는 기숙사의 용도를 공장으로 할 수 있는지 및 공장과 기숙사를 함께 분양할 수 있는지

회신 건축법 시행령 제2조제1항제14호의 규정에 의하면 부속용도는 건축물의 주된 용도의 기능에 필수적인 용도로서 ①건축물의 설비・대피 및 위생 기타 이와 유사한 시설의 용도, ②사무・작업・집회・물품저장・주차 기타 이와 유사한 시설의용도, ③구내식당・구내탁아소・구내운동시설 등 종업원 후생복리시설 및 구내소각시설 기타 이와 유사한 용도, ④관계법령에서 주된 용도의 부수시설로서 그 설치를 의무화하고 있는 시설의 용도이며, 동령 별표1 제2호라목에 의하여 용도별 건축물의 종류 중 기숙사는 학교 또는 공장 등의 학생 또는 종업원 등을 위하여 사용되는 것으로서 공동취사 등을 할 수 있는 구조이되, 독립된 주거의 형태를 갖추지 아니한 것으로 정하고 있는 바, 문의의 기숙사가 산업집적활성화 및 공장설립에 관한 법률에 의하여 공장에 설치가 의무화되어 있다면 부속용도로서 공장으로 분류할 수 있을 것이나 그러하지 아니하고 건축법 시행령 별표1 제2호라목의 규정에 적합한 경우에는 공동주택(기숙사)으로 분류될 것이며, 공장과 기숙사를 함께 분양하는 것을 건축법령에서는 특별히 제한하거나 규정하고 있지 아니함

질의회신 인쇄소의 용도분류

건교부 건축 58550-4898, 1999.12.21.

질의 인쇄소는 건축법시행령 제3조의 4 별표1에서 제2종 근린생활시설과 공장 중 어디에 해당하는지

회신 질의의 경우 인쇄용으로 사용하는 건축물은 건축법시행령 제3조의4 관련 별표1 제13호에 따라 공장에 해당하는 것으로 건축법시행령 제65조에 따른 용도지역안에서의 건축허용기준 등에 적합하여야 하는 것임
(*별표1 제13호 ⇒ 제17호, 2006.5.8 개정)

18. 창고시설

질의회신 폐기물의 수집・운반업자의 임시보관용 건축물의 용도가 창고시설에 해당하는 지 여부

국토교통부 민원마당 FAQ 2023.6.15.

질의 「폐기물 관리법」에 의한 폐기물의 수집·운반업자의 임시보관용 건축물의 용도가 「건축법 시행령」

별표 1 제16호의 창고시설에 해당하는 지 여부

회신 「건축법 시행령」 별표 1 제22호 가목 중 "폐기물처리시설"은 폐기물 관계법률에서 규정한 폐기물처리시설을 말하는 것으로, 질의의 임시보관용 건축물이 위 폐기물 관계법률에 의한 폐기물처리시설 또는 「건축법 시행령」 제2조 제1항 제12호의 규정에 따른 폐기물처리시설의 부속건축물인 경우에는 동령 별표 1 제22호 가목의 규정에 따라 "자원순환 관련 시설"의 용도로 분류하여야 할 것임

질의회신 벼 건조저장시설(DSC)의 용도분류

건교부 고객만족센터-2007.6.28.

질의 벼 건조저장시설(DSC)의 용도분류와 관련임. 농협에서 단순히 산물 벼를 수매하여 사이로에 저장하는 방식으로 기계실, 송풍실, 사이로 등의 시설을 설치함. 이 경우 기계실(160㎡), 송풍실(20㎡)이 단순히 벼를 저장하기 위한 부속되는 시설인데, 이의 건축물이 기계 등의 설치로 인한 제조시설(공장)으로 분류되는지, 단순 창고 및 공작물(사이로)로 분류되는지 여부

회신 질의의 시설이 건축법 시행령 별표1 제18호의 규정에 의한 창고시설에 부속된 건축법 시행령 제2조제14호의 규정에 의한 부속용도에 해당하는 경우 그 주된 용도인 창고시설로 볼 수 있을 것으로 사료되나, 특정 설비가 추가 설치된 경우 그 주된 용도가 창고시설에 해당여부는 당해 허가권자가 그 시설의 구조・기능・규모・이용형태 등에 대한 사실확인을 통하여 건축법 시행령 별표1에서 정하는 바에 따라 분류하여야 할 것으로 사료됨

19. 위험물 저장 및 처리시설

법령해석 주유소 부속용도의 범위

「건축법 시행령」 제2조제1항제13호 등 관련 법제처 법령해석 11-0608, 2011.11.17./건축사협회 수정게시 2022.9.16.

질의요지 주유취급소를 건축하면서 「위험물안전관리법 시행규칙」 별표 13의 V 제1호마목의 주유취급소에 출입하는 사람을 대상으로 한 점포·휴게음식점을 함께 설치할 경우, 이 점포·휴게음식점이 「건축법 시행령」 제2조제1항제13의 주유취급소의 부속용도에 해당하는지, 아니면 같은 호의 부속용도에 해당하려면 "주된 용도의 기능에 필수적인 용도"인지에 대한 별도 판단이 필요한지

회답 위 주유취급소에 출입하는 사람을 대상으로 한 점포·휴게음식점은 「건축법 시행령」 제2조제1항제13의 주유취급소의 부속용도에 해당한 다고 할 것임.

이유 「건축법 시행령」 제2조제13호라목에 따라 관계 법령에서 건축물의 주 된 용도의 부수시설로 설치할 수 있게 규정하고 있는 시설의 용도라면 건축물의 주된 용도의 기능에 필수적인 용도로서 부속용도에 해당한다고 해석되고(대법원 2009. 12. 24. 선고 2007도1915 판결례 참조),

「위험물안전관리법」 제5조제1항·제4항 및 같은 법 시행규칙 별표 13 의 V 제1호마목 및 제2호에 따르면, 주유취급소에는 원칙적으로 건축 물 그 밖의 공작물의 설치가 제한되나, 주유 또는 그에 부대하는 업무를 위하여 사용되는 건축물 또는 시설로서 "주유취급소에 출입하는 사람을 대상으로 한 점포·휴게음식점 또는 전시장"을 설치할 수 있도록 규정하고 있으므로,

위험물안전관리법령에서 주유취급소의 부대업무를 위하여 설치할 수 있도록 규정하고 있는 점포 등은 위험물안전관리법령에서 규정된 주유 취급소의 주된 기능에 필수적인 용도로서 부속용도에 해당한다 할 것임.

법령해석 보전관리지역에서 주유소의 기계식 세차설비를 덮기 위한 별도의 철골구조물을 설치할 수 있는지

「건축법 시행령」 별표 1등 관련 법제처 법령해석 15-0305, 2015.7.28./건축사협회 수정게시 2022.9.16.

질의요지 「국토의 계획 및 이용에 관한 법률 시행령」 별표18 제2호아목에 따라 보전관리지역에서 도시 ? 군계획조례가 정하는 바에 따라 건축할 수 있는 「건축법 시행령」 별표 1 제19호의 위험물저장 및 처리시설인 주유소에 기계식 세차설비를 덮기 위한 별도의 건축행위가 수반되는 구조물을 설치할 수 있는지

건 축 법
1. 총 칙
2. 건 축
3. 유지관리
4. 대지도로
5. 구조재료
6. 지역지구
7. 건축설비
8. 특별건축구역
9. 보 칙
10. 벌 칙
건 축 법 관련기준

회답 주유소에 설치되는 기계식 세차 설비 외에 기계식 세차 설비를 덮기 위한 별도의 건축행위가 수반되는 구조물을 설치하는 것은 「국토의 계 획 및 이용에 관한 법률 시행령」 별표 18 제2호아목에 따라 보전관리 지역 안에서 건축할 수 있는 건축물인 「건축법 시행령」 별표1 제19 호의 "위험물저장 및 처리시설"에 해당하지 않음

이유 「건축법 시행령」 별표1 제19호가목에서 주유소에 설치하는 기계식 세차 설비를 별도로 분리해서 규정하고 있지 않고 "주유소(기계식 세차 설비를 포함한다)"라고 규정한 것은 주유소를 이용하는 자의 편의를 증진하기 위하여 주유소를 설치하는 경우에 그에 부수하여 기계식 세차 설비도 함께 설치할 수 있다는 의미라고 할 것임(법제처 2010. 3. 11. 회신 10-0015 해석례 참조).

또한, 「건축법 시행령」 별표 1 제19호 가목에 따른 주유소는 「위험물 안전관리법 시행령」 별표 3 제1호에 따른 주유취급소에 해당하게 되는데, 「위험물안전관리법 시행규칙」 별표13 V.제1호 라목에서는 주유취급소에 설치할 수 있는 주유 또는 그에 부대하는 업무를 위해 사용되는 건축물이나 공작물의 하나로 "자동차의 세정을 위한 작업장"을 규정하고 있으므로, 일반적으로 「건축법 시행령」 별표 1 제 19호가목에 따른 주유소에는 주유에 부대하는 업무를 위하여 자동차 세정을 위한 기계식 세차 설비를 부수적으로 함께 설치할 수 있다고 할 것임.

따라서 기계식 세차 설비가 기계식 세차 설비 외의 형태를 갖추게 됨으로써 실질적으로 "세차장"을 설치하는 것과 같은 행위는 허용되지 않는다고 할 것임.

질의회신 자가난방 · 자가발전을 위한 저장시설의 예와 제외하고 있는 취지

건교부 건축기획팀-1186, 2005.11.7.

질의 건축법 시행령 별표1 제15호에서 규정한 「위험물저장 및 처리시설」 종류 중에서 자가난방·자가발전과 이와 유사한 목적에 쓰이는 저장시설은 제외하고 있는 사항과 관련하여

가. 자가난방·자가발전과 이와 유사한 목적에 쓰이는 저장시설의 예와 제외하고 있는 취지

나. 버스회사에 설치된 자가주유 취급소가 자가난방·자가발전과 이와 유사한 목적에 쓰이는 저장시설에 해당하는지 여부

회신 가. 건축물의 기능유지나 난방설비상 자체난방 등을 위한 유류등의 저장탱크 및 보일러실 등이 자가난방의 저장시설의 예에 해당하는 것으로 볼 수 있을 것이며 이 경우는 부속시설로 보아 해당 건축물의 용도에 따르는 것임. 건축물 기능유지 등에 필요한 자가난방 등의 저장시설을 주된 건축물의 용도와 구분하여 「위험물저장 및 처리서설」로 분류하는 경우 「국토의 계획 및 이용에 관한 법률」상 용도지역에 따라 주된 건축물의 설치는 가능하나 그 건축물의 기능유지에 필요한 저장시설의 설치가 제한되는 등의 문제가 있을 수 있음

나. 질의의 경우가 건축물의 유지관리 등을 위한 자가난방 등의 목적이 아닌 대량의 차량 주유를 위한 것으로 일반적인 주유소 형태의 시설로서 석유사업법등 위험물안전관련법령에 따른 설치 또는 영업의 허가를 필요로 하는 경우라면 이는 「위험물 저장 및 처리시설」로 보아야 할 것으로 판단됨

(*별표 1 제15호 ⇒ 제19호, 2006.5.8 개정)

질의회신 주유소에 포함되는 기계식 세차설비에 셀프세차도 포함할 수 있는지 여부

건교부 건축기획팀-158, 2005.9.9.

질의 건축법 시행령 별표1 제15호가목의 주유소에 포함되는 기계식 세차설비에 셀프세차도 포함할 수 있는지

회신 건축법 시행령 별표1 제15호가목 괄호 안의 기계식 세차설비는 자동세차기가 설치된 건축물을 말하는 것이며 기계를 이용하여 사람이 작업하는 세차를 위한 건축물을 기계식세차설비로 보기는 어려울 것으로 사료됨. 다만, 셀프세차를 위한 구조물이 같은 법 제2조제1항 제2호에서 정의한 건축물이나 같은 법 시행령 제15조제5항의 규정에 의한 가설건축물, 같은 법 제72조제1항에 따른 공작물이 아닌 경우에는 이 법을 적용하지 아니하는 것임 (* 법 제72조 ⇒ 제83조, 2008.3.21. 개정) (*별표 1 제15호 ⇒ 제19호, 2006.5.8 개정)

질의회신 폐비닐을 열분해하여 제조·가공후 판매하고자 하는 건축물에 대한 건축법상 용도

건교부 건축 58550-195, 2003.1.28.

질의 폐비닐을 열분해하여 경질유 및 중질유로 제조·가공후 판매하고자 하는 건축물에 대한 건축법상 용도는

회신 질의의 건축물이 소방법 및 석유사업법등 관련법령에 의하여 설치 또는 영업의 허가를 받아야 하는 위험물제조소인 경우라면, 건축법시행령 별표1 제15호에 따른 위험물저장 및 처리시설(자가난방·자가발전의 목적으로 쓰이는 경우는 제외)로 분류할 수 있을 것이며, 위험물저장물처리시설에 해당하지 아니한 경우라면 건축법시행령 별표1 제13호에 따른 공장으로 분류해야 할 것임
(*별표 1 제13호 ⇒ 제17호, 제15호 ⇒ 제19호, 2006.5.8 개정)

20. 자동차 관련시설

법령해석 중고자동차의 성능·상태점검을 하는 곳이 검사장에 해당하는지 여부 등

법제처 법령해석 09-0174, 2009.6.22.

질의요지 가.「자동차관리법」 제58조제1항 및 같은 법 시행규칙 제120조제2항 및 별표 22에 따라 중고자동차의 성능·상태의 점검을 하는 곳도 「건축법 시행령」 별표 1 제20호 자동차 관련 시설 중 라목의 검사장에 해당하는지?

나.「자동차관리법 시행규칙」 제120조제1항제4호에 따라 자동차의 성능·상태의 점검 및 보증을 목적으로 국토해양부장관의 허가를 받아 설립된 단체가 같은 시행규칙 제120조제2항 및 별표22에 따른 시설·장비기준 등을 갖추어 관할 행정청에 신고하려는 경우, 관할 행정청은 위 기준에 부합하는지를 검토하여 신고 수리하면 되는지, 또는 위 기준뿐만 아니라, 「건축법」 등 다른 법령의 규정에 부합하는지도 함께 검토해서 신고 수리해야 하는지?

회답 가. 질의 가에 대하여

「자동차관리법」 제58조제1항 및 같은 법 시행규칙 제120조제2항 및 별표 22에 따라 중고자동차의 성능·상태의 점검을 하는 곳도 「건축법 시행령」 별표 1 제20호 자동차 관련 시설 중 라목의 검사장에 해당함.

나. 질의 나에 대하여

「자동차관리법 시행규칙」 제120조제1항제4호에 따라 자동차의 성능·상태의 점검 및 보증을 목적으로 국토해양부장관의 허가를 받아 설립된 단체가, 같은 시행규칙 제120조제2항 및 별표 22에 따른 시설·장비기준 등을 갖추어 관할 행정청에 신고하려는 경우, 「건축법」 등 관련 법령에 위반사항이 있을 경우에는 해당 법률에 따라 조치해야 하는 것은 별론으로 하고, 자동차관리법령상 기준을 갖추었다면 관할 행정청은 신고를 수리해야 함.

이유 "생략"

질의회신 자동차 광택 및 자동차흠집제거시설의 용도분류

건교부 건축과-4887, 2005.8.24.

질의 '자동차 광택 및 자동차흠집제거'를 업종으로 하는 시설의 건축신고와 관련하여 동 시설이 대기환경보전법령의 규정에 의거 '대기오염물질배출시설'을 설치하여야 하는 '도장시설'을 포함하고 있는 경우 건축법령에 따른 '자동차관련시설' 중 '정비공장'의 용도로 볼 수 있는지 여부

회신 질의의 '자동차 광택 및 자동차흠집제거시설'의 용도가 「대기환경보전법 시행규칙」 제5조에 따라 배출시설의 설치허가 또는 신고가 필요한 '도장시설'을 포함하는 경우라면 「표준산업분류표(통계청 고시, 2000.1.7)」를 참고로 할 때 「92212 자동차전문수리업」으로 간주하여 자동차관련 시설 중 정비공장으로 보는 것이 타당할 것으로 사료됨

질의회신 자동차관리법령에 따른 중고자동차 매매업 사무실의 용도

건교부 건축과-3941, 2005.7.12.

질의 자동차관리법령에 따른 중고자동차 매매업 사무실의 용도는

회신 자동차관리법령에 따른 중고자동차매매장의 자동차 매매장 위에 사무실을 설치하여 운영하고자 하는 경우 동 사무실의 용도는 건축법시행령 별표1 제16호 자동차관련시설 중 마목에 따른 매매장에 해당하는 것으로 분류됨이 타당할 것으로 판단됨 (*별표 1 제16호 ⇒ 제20호, 2006.5.8 개정)

질의회신 자동차 하치장의 용도

건교부 건축 58550-2839, 1999.7.21.

질의 자동차공장에서 생산된 자동차를 소비지의 일정장소로 운송하여 소비자 또는 영업소에 인도하기 전까지 일시적으로 보관하는 장소(하치장)의 시설이 건축법시행령 별표1의 건축법상 용도와 농지법시행령 제49조 제3항에 따른 행위제한시설 중 어느 시설에 해당하는지

회신 건축법상 용도분류는 건축물의 관련법상 영업허가의 종류 및 이용형태에 따라 분류하는 것으로 질의의 경우는 자동차매매(출고)를 위해 일시 보관하는 장소로서 주차장 또는 매매장과 유사한 시설이므로 건축법시행령 별표1 제16호의 자동차관련시설로 보는 것이 타당한 것으로 보이나, 질의의 내용 중 농지전용허가에 관한 적용에 대하여는 농지법에서 정하는 바에 따라야 할 것임 (*별표 1 제16호 ⇒ 제20호, 2006.5.8 개정)

질의회신 차고의 부대시설인 사무실의 용도

건교부 건축 58070-1042, 1998.4.2.

질의 근린생활시설(사무소)의 일부를 자동차운송사업법에 따른 차고의 부대시설로 사용하고자 하는 경우의 용도

회신 건축법시행령 별표1 제16호 아목에 따라 자동차운송사업법에 따른 차고(그 부속용도를 포함)는 자동차관련시설로 분류되는 것임 (*별표 1 제16호 ⇒ 제20호, 2006.5.8 개정)

질의회신 폐차장과 떨어진 폐차장 영업소

건교부 건축 58550-1031, 1997.3.24.

질의 폐차장과 떨어져 있는 폐차장영업소를 건축법상 용도분류에 자동차관련시설로 분류하여야 하는지, 아니면 근린생활시설 또는 업무시설로 분류하여야 하는지 여부

회신 폐차장은 자동차관련시설로 포함되어 있기 때문에 폐차장영업소가 폐차장과 떨어져 별도의 장소에 설치되어 있어도 폐차장과 관련된 영업을 하는 장소이므로 폐차장으로 인정하여 자동차관련시설로 보아야 함

21. 동물 및 식물관련시설

법령해석 건축물의 용도가 "동물 및 식물 관련 시설"인 건축물을 「동물보호법」 제32조제1항제6호에 따른 동물위탁관리업을 위한 시설로 사용할 수 있는지 여부

「건축법 시행령」 별표 1등 관련 법제처 법령해석 19-0589, 2019.12.27./건축사협회 수정게시 2022.9.16.

질의요지 건축물 용도가 「건축법 시행령」 별표1 제21호에 따른 동물 및 식물 관련 시설인 건축물을 용도변경 없이 「동물보호법」 제32조제1항 제6호에 따른 동물위탁관리업을 위한 시설로 사용할 수 있는지

회답 동물 및 식물 관련 시설인 건축물을 용도변경 없이 동물위탁관리업을 위한 시설로 사용할 수 없음.

이유 용도별 건축물의 종류에 따르면 「건축법 시행령」 별표 1 제4호의 제2종 근린생활시설은 국민의 생활에 근접하여 직접 편의를 제공하는 시설을 의미하고 같은 호 차목의 "동물병원, 동물미용실, 그 밖에 이와 유사한 시설"도 가정에서 반려 목적으로 기르는 동물에 대하여 각종 편의를 제공하는 시설인 반면, 같은 별표 제21호의 동물 및 식물 관련 시설 중 동물 관련 시설은 주로 가축을 위한 시설로서 가축의 번식, 사육, 도축 및 판

매를 위한 행위가 이루어지는 시설로 세부용도가 구분됨.
「동물보호법 시행규칙」 제36조제6호에서는 반려동물 소유자의 위탁받아 반려동물을 영업장 내에서 일시적으로 사육, 훈련 또는 보호 하는 영업을 동물위탁관리업의 세부 영업범위로 규정하고 있는바, 동물위탁관리업은 반려동물 소유자, 반려동물에게 일시적으로 편의를 제공하는 영업에 해당함.
이러한 점을 종합적으로 고려하면 동물위탁관리업 시설은 동물병원과 같이 제2종 근린생활시설 용도에 해당하며 동물 및 식물 관련 시설에 해당한다고 보기는 어려우므로, 이 사안의 경우 동물 및 식물 관련 시설인 건축물을 용도변경 없이 동물위탁관리업을 위한 시설로 사용할 수 없음.

법령해석 동물판매업 등록에 관하여 건축허가 등에 관한 「건축법」의 관련 규정이 적용되는지 여부

법제처 법령해석 08-0268, 2008.12.17.

질의요지 개정 「동물보호법」(2007.1.26. 법률 제8282호로 전부개정되어 2008.1.27. 시행된 것을 말함. 이하 같음) 제15조제1항에 따라 동물판매업을 하고자 하는 자가 시장·군수에게 등록을 해야 하는 동물판매업 등록제가 신설된 한편, 「건축법」은 건축물에 대한 건축 허가 및 용도에 관하여 규정하고 있는바, 개정 「동물보호법」 시행 전에 무허가건축물, 단독주택, 공동주택, 축사에서 자유업으로 동물판매업을 해오던 자가 개정 「동물보호법」 시행 후에 같은 장소에서 동물판매업의 등록을 할 수 있는지?

회답 개정 「동물보호법」 제15조제1항에 따른 동물판매업의 등록에 관하여 건축허가 및 건축물의 용도에 관한 「건축법」의 관련 규정이 적용되므로, 무허가건축물에서는 동물판매업의 등록을 할 수 없고, 단독주택이나 공동주택은 그 용도가 「건축법 시행령」 별표1 제4호의 제2종 근린생활시설 또는 같은 표 제21호의 동물 및 식물관련시설 용도로 변경되지 않았다면 그 단독주택이나 공동주택에서도 동물의 판매를 영업내용으로 하는 동물판매업의 등록을 할 수 없으며, 축사는 「건축법 시행령」 별표1 제21호의 동물 및 식물관련시설 용도에 해당되므로 축사에서는 동물의 생산·수입 또는 판매를 영업내용으로 하는 동물판매업의 등록을 할 수 있음

이유 "생략"

질의회신 콩나물 배양시설의 용도분류

건교부 고객만족센타-2007.12.6.

질의 건축법상의 용도분류에서 콩나물 배양시설은 어떤 용도로 볼 수 있는지

회신 건축물의 용도분류는「건축법 시행령」제3조의4 별표1에 의하는 것이며, 이에 정하여 지지 아니한 건축물의 용도는 당해 건축허가권자가 그 시설의 구조.기능.규모와 이용형태 등을 관계법령과 종합 검토판단하여 동 별표1에 명시된 용도와 가장 유사한 용도로 분류하는 것임. 질의의 경우 그 시설에 대한 구체적인 현황을 알 수 없어 명확한 회신이 어려우며, 당해 시설이 콩나물을 배양시설 또는 재배시설인 경우라 면 동 별표1 제21호의 동물 및 식물관련시설로 볼 수 있으나, 그 최종 판단은 당해 허가권자가 현지 확인을 통하여 판단하여야 할 사항으로 사료됨

질의회신 동물 및 식물관련시설의 관리사에 대한 정의

건교부 고객만족센타-2007.6.22.

질의 동물 및 식물관련시설에 관리사라는 용도가 있는데 관리사라 함은 정확히 무엇을 의미하는지와 면적제한이 있는지, 그리고 주택과 관리사는 어떻게 다른지 여부

회신 건축법령에서는 건축물의 용도분류는 건축법 시행령 별표1에 의하는 것이나, 건축물의 용도는 건축물의 종류를 유사한 구조. 이용목적 및 형태별로 묶어 분류한 것으로 당해 용도에 대한 정의가 아님을 알려드리며, 따라서, 동 별표1. 제21호 가목의 "관리사'에 대하여 정의하고 있지 아니하나, 일반적으로 당해 가축을 관리하기 위한 시설로 볼 있으며 면적에 대한 제한이 없으며, 독립된 주거형태를 갖춘 동 별표1. 제1호 또는 제2호에 해당하는 주택과는 전혀 별개의 시설로 보아야 할 것임
따라서, 주택은 사람의 주거생활을 위한 시설이고, 관리사는 동물 및 식물관련시설로서 가축을 위한 시설인 점

이 그 대표적인 차이점이라고 말 할 수 있음

질의회신 실험용 동물사육시설의 용도

건교부 건축 65625-723, 1996.2.25.

질의 의약품 개발·제조를 위한 실험용 동물사육시설의 용도는

회신 건축물의 용도는 건축법시행령 별표1에 따라 분류하고 있으며, 동 규정에 명시되지 않은 용도에 대하여는 그 시설의 구조·기능 및 이용형태 등을 종합 검토 판단하여 동 별표1에 명시된 용도와 가장 유사한 용도로 분류하고 있는 바, 귀 조회내용의 실험용 동물사육시설의 경우는 건축법시행령 별표1 제17호에 따른 동물 및 식물관련시설에는 해당할 것으로 사료되나, 동호의 범주 중 가목(축사 등)에 포함해야 하는지 또는 별도의 세부용도를 정해야 할지 등에 대하여는 허가권자가 종합 검토·판단하여야 할 것임

(*별표 1 제17호 ⇒ 제21호, 2006.5.8 개정)

22. 자원순환 관련 시설

법령해석 건축물 용도가 폐기물처리시설과 공장으로 중첩될 경우의 건축물 종류

「건축법 시행령」 별표 1 등 관련 법제처 법령해석 12-0127, 2012.4.3.

질의요지 「폐기물관리법」 제2조제8호에 따른 폐기물처리시설로서 동(구리)광재를 용융·추출하는 방법으로 회수하여 동괴를 제조하는 데 계속적으로 이용되는 건축물이 「건축법 시행령」 별표 1 제17호의 공장에 해당하는지 혹은 같은 별표 제22호의 분뇨 및 쓰레기 처리시설에 해당하는지?

회답 「폐기물관리법」 제2조제8호에 따른 폐기물처리시설로서 동(구리)광재를 용융·추출하는 방법으로 회수하여 동괴를 제조하는 데 계속적으로 이용되는 건축물은 「건축법 시행령」 별표 1 제22호의 분뇨 및 쓰레기 처리시설에 해당한다고 할 것임.

이유 "생략"

질의회신 폐의류 재사용 건축물 용도 분류 관련 문의

국토교통부 민원마당 FAQ 2023.6.15.

질의 폐의류(헌옷) 판매 수출업체들의 「폐기물관리법」 제46조제1항 및 같은 법 시행규칙 제66조제1항 내지 제2항에 따른 폐기물처리(재활용) 신고 대상시설인 경우 폐의류의 재활용은 「건축법 시행령」 별표 1 제22호(자원순환 관련 시설) 다목에 해당되는지?

회신 ㅇ 「건축법」 제2조제1항제3호에 따라 "건축물의 용도"란 건축물의 종류를 유사한 구조, 이용 목적 및 형태별로 묶어 「같은 법 시행령」 제3조의5 [별표1]에서 분류하고 있습니다. ㅇ 질의하신 폐의류 재사용 신고의 경우 해당 건축물의 용도는 「건축법 시행령」 제3조의5 관련 〔별표1〕 제22호의 자원순환관련 시설이 아닌 그 외 시설인 창고, 근린생활시설 등에서 가능할 것으로 판단되며, 보다 자세한 사항은 관계법령 등을 종합적으로 검토하여 허가권자가 판단할 사항이므로, 당해 지역의 시장·군수·구청장에게 문의바람[참고: 환경부 생활폐기물과-1350호(2022. 5. 4.)와 관련 폐기물처리(폐의류) 신고 시 해당 시설 문의에 대한 회신 답변: 단순 수선별 작업으로 폐의류를 선별할 경우 폐기물재활용시설에 해당하지 않음]

질의회신 폐기물재활용시설 건축물의 용도 분류

국토교통부 민원마당 FAQ 2023.6.15.

질의 가. 한국표준산업분류 개정 전에는 제조업으로 분류되어 공장등록 대상이었으나, 현재는 서비스업으로 분류되고 있는 폐기물재활용시설(폐합성수지를 수거·선별·분쇄·압출 과정을 거쳐 플라스틱 고형연료를 생산)에 대하여 공장등록을 하여야 하는지.

나. 상기 업종을 하기 위한 건축물의 용도를 '공장'이 아닌 '분뇨 및 쓰레기처리시설'로 분류할 수 있는지.

회신 건축물의 용도란 건축물의 종류를 유사한 구조, 이용 목적 및 형태별로 묶어 분류한 것으로 세부용도의 분류는 「건축법 시행령」 별표1에서 정하고 있으며, 동 별표 제22호에 따르면 폐기물처리시설 및 폐기물감량화시설은 '분뇨 및 쓰레기 처리시설'로 분류하고 있음

이와 관련, 질의 시설이 「폐기물관리법」 등 관계 법령에서 정하고 있는 "폐기물처리시설"에 해당하는 것으로 관계 법령에 따라 설치신고 등이 이루어지는 시설인 경우에는 해당 건축물의 용도를 '자원순환 관련 시설'로 분류함이 타당할 것으로 사료되며, 질의 '가'와 관련한 공장등록 여부에 대하여는 「건축법」에서 별도 정하고 있지 아니하니, 질의의 시설의 용도분류 등 보다 자세한 사항은 현지현황을 소상히 알고 있고 종합행정업무를 처리하고 있는 해당 지역의 건축허가권자인 시장, 군수, 구청장에게 문의하시기 바람

질의회신 폐기물의 수집 · 운반업자의 임시보관용 건축물의 용도가 창고시설에 해당하는 지 여부

국토해양부 민원마당 FAQ 2019.5.24.

질의 「폐기물 관리법」에 의한 폐기물의 수집·운반업자의 임시보관용 건축물의 용도가 「건축법 시행령」 별표 1 제16호의 창고시설에 해당하는 지 여부

회신 「건축법 시행령」 별표 1 제22호 가목 중 "폐기물처리시설"은 폐기물 관계법률에서 규정한 폐기물처리시설을 말하는 것으로, 질의의 임시보관용 건축물이 위 폐기물 관계법률에 의한 폐기물처리시설 또는 「건축법 시행령」 제2조 제1항 제12호의 규정에 따른 폐기물처리시설의 부속건축물인 경우에는 동령 별표 1 제22호 가목의 규정에 따라 "분뇨 및 쓰레기처리시설"의 용도로 분류하여야 할 것임

질의회신 토양환경보전법에 따른 오염된 토양정화시설의 용도분류

건교부 건축기획팀-2303, 2006.4.12.

질의 토양환경보전법에 따른 오염된 토양정화시설의 용도분류는

회신 용도별 건축물의 종류는「건축법 시행령」별표1에 의하는 것이며 이에 정하지 아니한 건축물의 용도는 해당 허가권자가 해당 건축물의 규모·이용형태·구조 등을 종합적으로 판단·결정하여 동 별표1에 명시된 용도와 가장 유사한 용도로 분류하는 것인 바, 질의의 오염된 반입·정화시설이 분뇨·폐기물처리시설과 유사한 것인 경우 동 별표1 제18호에 따른 분뇨 및 쓰레기처리시설로 볼 수 있을 것임 (*별표 1 제18호 ⇒ 제22호, 2006.5.8 개정)

질의회신 음식물쓰레기로 퇴비를 생산하는 처리시설의 용도분류

건교부 건축기획팀-783, 2005.10.14.

질의 음식물쓰레기를 수거하여 탈수 건조 후 부산물퇴비와 혼합하여 퇴비를 생산하는 과정의 처리시설의 용도분류는

회신 건축법 시행령 별표1. 제18호에 따라 분뇨·폐기물처리시설, 고물상, 폐기물재활용시설은 분뇨 및 쓰레기처리시설로 분류하며 제13호에 따라 분뇨 및 쓰레기처리시설로 분류된 것은 공장으로 분류할 수 없음. 폐기물관리법 제2조제7호에 따라 "폐기물처리시설"이라 함은 폐기물의 중간처리시설과 최종처리시설로서 대통령령이 정하는 시설을 말하며 같은법 시행령 별표2. 제1호라목에 따라 사료화·퇴비화·소멸화시설(1일처리능력 100kg 이상인 시설에 한한다)은 폐기물처리시설의 생물학적 처리시설에 해당하는 것으로 동 시설은 건축법 시행령 별표1. 제18호에 따른 분뇨 및 쓰레기시설로 분류하여야 할 것으로 사료됨
(*별표 1 제17호 ⇒ 제21호, 2006.5.8 개정)

23. 교정시설 ※ 23. 교정 및 군사시설 ⇒ 23. 교정시설, 24. 국방·군사시설 (개정 2023.9.12.)

법령해석 보호관찰소가 교정 및 군사 시설에 해당하는지

「건축법 시행령」 별표 1등 관련 법제처 법령해석 15-0560, 2015.12.24./건축사협회 수정게시 2022.9.16.

질의요지 「보호관찰 등에 관한 법률」에 따른 "보호관찰소"가 「건축법 시행령」 별표 1 제23호의 "교정 및 군사 시설" 중 같은 호 나목에 따른 "갱생보호시설, 그 밖에 범죄자의 갱생·보육·교육·보건 등의 용도로 쓰는 시설"에 해당하는지

회답 「보호관찰 등에 관한 법률」에 따른 "보호관찰소"는 "갱생보호시설, 그 밖에 범죄자의 갱생·보육·교육·보건 등의 용도로 쓰는 시설"에 해당하지 않음.

이유 "갱생보호시설"의 설치기준에 관하여 보호관찰법 제65조제4항 및 같은 법 시행규칙 별표 3에서는 일정한 갱생보호 대상자의 거주를 전제로 거실, 식당 등 각종 설비를 갖추어 대상자의 사회복귀를 지원 하고 있는 시설로 규정하고 있고, 같은 법 시행령 제41조제1항에 따르면 갱생보호시설에서 갱생보호 대상자에게 숙소·음식물 및 의복 등을 제공하고 정신교육을 하는 등 숙식을 제공한다고 규정하고 있는바, 갱생보호시설은 갱생보호 대상자에게 숙식 제공이 가능한 형태의 거주 시설을 말한다고 할 것임.

또한, 「건축법 시행령」 별표 1 제23호의 "교정 시설" 중 가목 및 다목에서는 보호감호소, 구치소 및 교도소(가목), 소년원 및 소년분류심 사원(다목)을 규정하고 있는데, 관계법령에 따르면 이 시설들은 모두 그 대상자가 시설에 입소하여 수용(거주)되는 것을 전제로 하는 시설에 해당한다고 할 것이므로, "교정 시설"로 규정되어 있는 다른 시설과의 관계에 비추어 보아도 "그 밖에 갱생 등 시설"은 갱생보호 대상자의 거주를 전제로 하는 시설로 그 범위를 제한적으로 보아야 할 것임.

보호관찰법 제14조제1항에서는 보호관찰소의 사무 중 하나로 갱생보호에 관한 사무를 규정하고 있으나, 보호관찰소가 직접 갱생보호 시설을 설치하거나 운영하도록 규정하지는 않고 있으며, 같은 법 제65 조제1항 및 제3항에서는 한국법무보호복지공단 또는 갱생보호사업의 허가를 받은 자로 하여금 갱생보호시설의 설치·운영을 할 수 있도록 규정하고 있는 점을 고려해 볼 때, 이들에 의하여 운영되는 갱생보호시설은 법무부장관의 소속기관인 보호관찰소와는 성질을 달리하는 것임

24. 국방·군사시설

법령해석 아파트 구조로 건축되는 군부대 관사시설의 「건축법」 상 건축물 용도

「건축법」 제2조제2항제2항 관련 법제처 법령해석 10-0389, 2010.11.18./건축사협회 수정게시 2022.9.16.

질의요지 군부대 영외 지역에서 「사회기반시설에 대한 민간투자법」에 따라 민간투자사업으로 건축되는 지상 5층 이상인 아파트 구조의 군부대 관사 시설의 경우, 「건축법」 상 건축물의 용도는 같은 법 시행령 별표 1 제2호가목에 따른 아파트인지, 같은 표 제23호라목에 따른 국방·군사시설인지 여부

회답 「건축법」 상 건축물의 용도는 같은 법 제2조제2항제23호에 따른 교정 및 군사 시설로서 같은 법 시행령 별표 1 제23호라목에 따른 국방·군사시설에 해당함.

이유 군부대 관사시설의 경우에는 공동주택 중 아파트와 같거나 유사한 구 조를 가지고 있다고 하더라도 군인 또는 군인 가족의 주거가 그 해당 건축물의 주된 이용 목적이 된다고 할 것이고, 「사회기반시설에 대한 민간투자법」 제2조제1호초목에 따르면, 군영 외에 건립되는 군부대 관사시설을 「군사기지 및 군사시설 보호법」 제2조제2호에 따른 군사 시설의 하나로 보아 민간투자사업의 대상으로 규정하고 있음.

또한, 「국방·군사시설 사업에 관한 법률」 제2조제1항제7호에 따르면, 군부대에 부속된 시설로서 군인의 주거·복지·체육 또는 휴양 등을 위해 필요한 시설을 국방·군사시설의 하나로 규정하는데, 여기서 "군부대에 부속된 시설"이 같은 대지에 있을 것을 전제로 하는 「건축법 시행령」 제2조제12호에 따른 부속건축물을 의미한다고 볼 수는 없다고 할 것이고, 군인은 비상시 신속한 출동에 대비하여 군의 영내 나 근접지 거주의 필요성이

크고, 군주둔지 주변의 주거사정이 열악한 점 등의 특수한 사정을 고려할 때 군 장교 및 하사관과 그 가족들의 주거용으로 쓰는 아파트 구조의 관사시설도 군사상 긴요한 시설로 보아야 할 것(대법원 1993. 9. 14. 선고 92다32012 판결례 참조)임.

법령해석 방위사업청 및 국방기술품질원의 사무실의 군사시설 해당여부

법제처 법령해석 05-0137, 2005.12.30.

질의요지 「국토의 계획 및 이용에 관한 법률」상 자연녹지지역인 국방부 조달본부안의 나대지에 신설되는 방위사업청 및 국방기술품질원의 사무실로 사용할 건물을 신축하고자 하는바, 위 건물이 「건축법 시행령 별표 1 제19호 다목」에 규정된 군사시설에 해당하는지 여부

회답 방위사업청 및 국방기술품질원의 사무실로 사용하고자 하는 건물은 「건축법 시행령 별표 1 제19호 다목」에 규정된 군사시설에 해당한다고 할 것이므로, 「국토의 계획 및 이용에 관한 법률」상 자연녹지지역인 국방부 조달본부안의 나대지에 신축이 가능하다고 할 것임

이유 "생략"(*별표 1 제19호 ⇒ 제23호, 2006.5.8 개정)

질의회신 군사시설의 건축물 용도분류

국토교통부 민원마당 FAQ 2019.5.24.

질의 군부대 근접지에 있는 대지에 기존 숙소를 철거 후 군인 간부숙소를 건축할 경우의 건축물의 용도분류

회신 가. 건축물의 용도라 함은 건축물의 종류를 유사한 구조, 기능, 이용목적 및 형태별로 묶어 분류한 것으로 허가권자(시장・군수 또는 구청장)가 「건축법시행령」 [별표 1]에서 나열하고 있는 건축물의 종류와 가장 비슷한 것으로 분류하는 것임.

나. 군인 간부숙소가 군부대 근접지에 있고 허가권자가 군사상 긴요한 시설이라고 판단되며 「국방· 군사시설 사업에 관한 법률」 제2조제1항에 따른 '국방· 군사시설'에 해당하는 경우에는 상기 [별표1] 제23호 라목에 따른 '국방· 군사시설'에 해당하는 것으로 볼 수 있는 것으로 판단됨.

질의회신 BTL사업관련 군사시설의 용도분류

국토교통부 민원마당 FAQ 2019.5.24.

질의 국방부 소유의 대지 내에 군인관사(군가족 포함) 건립시 건축물의 용도분류

회신 가. 건축물의 용도라 함은 건축물의 종류를 유사한 구조, 기능, 이용목적 및 형태별로 묶어 분류한 것으로 허가권자(시장・군수 또는 구청장)가 「건축법시행령」 [별표 1]에서 나열하고 있는 건축물의 종류와 가장 비슷한 것으로 분류하는 것임

나. 국방부 소유의 대지 안에 있고 허가권자가 군사상 긴요한 시설이라고 판단되며 「국방· 군사시설 사업에 관한 법률」 제2조제1항에 따른 '국방· 군사시설'에 해당하는 경우에는 상기 [별표1] 제23호 라목에 따른 '국방·군사시설'에 해당하는 것으로 볼 수 있는 것으로 판단되니,

다. 귀 질의의 건축물이 이에 해당하는지 여부 등 보다 구체적인 사항은 자세한 자료를 갖추어 종합행정을 담당하는 해당 지역의 건축허가권자에게 문의하시기 바람

질의회신 군인 관사시설의 건축물 용도 관련

국토교통부 민원마당 FAQ 2019.5.24.

질의 20세대 이상의 군부대 관사시설의 건축물 용도 및 건축허가절차는?

회신 가. 건축법령에서는 건축물의 종류를 유사한 구조, 기능, 이용목적 및 형태별로 묶어 「건축법 시행령」 별표1에서 건축물의 용도를 분류하고 있음 건축법령을 적용함에 있어 질의의 군부대 관사시설이 「국방, 군사시설사업에 관한법률」 또는 「군사기지 및 군사시설 보호법」에 따른 국방, 군사시설에 해당하는 경우에는

「건축법 시행령」 '별표1' 제23호 라목에 따른 '국방, 군사시설'볼 수 있을 것입니다.

나. 건축법 제29조에 따라 국가나 지방자치단체가 건축물을 건축하는 경우에는 미리 건축물의 소재지를 관할하는 허가권자와 협의해야 하며, 협의한 경우에는 제11조나 제14조에 따른 건축허가를 받았거나 신고한 것으로 보는 것임

질의회신 군인의 주거 · 복지 · 체육 · 휴양 등을 위하여 필요한 시설

건교부 건축기획팀-1355, 2006.3.6.

질의 국방·군사시설사업에 관한 법률 제2조제1항에서 규정한 "군인의 주거·복지·체육·휴양 등을 위하여 필요한 시설"을 건축법 시행령 별표1에서 규정한 군사시설로 볼 수 있는지 여부

회신 질의의 시설이 군사시설 관계법령에서 군사시설의 범주로 규정하고 있다면 건축법상 용도는 건축법 시행령 별표1 제19호 다목의 군사시설로 봄이 적정할 것으로 판단됨(*별표 1 제19호 ⇒ 제23호, 2006.5.8 개정)

25. 방송통신시설

질의회신 ITS(지능형 교통체계)용 교통정보센터의 용도분류

건교부 건축기획팀-722, 2005.10.12.

질의 국토관리청에서 추진하는 ITS(지능형 교통체계)용 교통정보센터의 건축물 용도는

회신 건축물의 용도분류는 건축법시행령 별표1에 따라 분류하고 있으며 동 규정에 명확히 명시되지 않은 용도에 대하여는 그 시설의 구조·이용목적 및 형태등을 종합적으로 검토하여 동 별표1에 명시된 용도와 가장 유사한 용도로 분류하여야 하는 것임.

질의의 건축물이 국민의 교통편익 도모를 위한 공익성 추구를 목적으로 하는 것으로서 그 구조 및 형태등이 교통관련 정보를 타 기관등으로 송·수신 하는 기계 및 선로등의 설치 및 운영관리 등을 위한 것이라면 이는 건축법 시행령 별표1에 따른 공공용시설(통신용시설)과 유사한 것으로 보아 분류할 수 있을 것으로 사료됨

※ 건축법시행령 개정(2006.5.8)으로 위 공공용시설은 방송통신시설임

26. 발전시설

"없음"

27. 묘지관련시설

질의회신 납골당의 용도분류

국토부 건축기획팀-5583, 2006.9.12.

질의 「건축법 시행령」 별표 1 제6호 나목에 규정된 "종교집회장안에 설치하는 납골당으로 제2종 근린생활시설에 해당하지 아니하는 것"의 해석에 관하여 제2종 근린생활시설에는 납골당의 용도분류가 없어 해석이 명확하지 않음

회신 건축법 시행령 별표 1 제4호 마목 및 제6호 가목 규정에 따르면 종교집회장으로서 당해용도에 쓰이는 바닥면적의 합계가 300제곱미터 미만인 것은 "제2종 근린생활시설"로, 300제곱미터 이상인 것은 "종교시설"로 용도분류되며,

제6호 나목 및 제26호 나목 규정에 따르면 종교집회장 안에 설치하는 납골당으로서 제2종 근린생활시설에 해당하지 아니하는 것은 "종교시설"로, 종교시설에 해당하는 것을 제외한 나머지 납골당은 "묘지관련시설"로 용도분류하도옥 규정되어 있음

위 규정에 따르면 종교집회장안에 부속하여 설치되는 납골당은 그 규모와 상관없이 주용도인 종교집회장의 용도(제2종 근린생활시설 또는 종교시설)로 용도분류하고, 종교집회장과 별도로 설치되는 납골당은 "묘지관련 시설"로 용도분류하여야 할 것임(※ 납골당 ⇒ 봉안당, 건축법 시행령 개정 2008.10.29.)

28. 관광휴게시설

질의회신 고속도로의 관광휴게시설(휴게소)에서 라면, 우동 등 판매시의 건축물 용도

건교부 고객만족센터-2007.7.13.

질의 고속도로의 관광휴게시설(휴게소)에서 라면, 우동 등 판매할 경우 근린생활시설(예 : 휴게음식점)로 건축물 용도를 변경해야 하는지 여부

회신 건축법 시행령 별표1. 제27호 마목에 해당하는 휴게소에서 휴게음식점 영업신고가 가능여부는 식품위생법령에서 검토 판단되어야 할 사항으로 사료되며, 동 시설이 관광휴게시설(휴게소)에 부속용도에 해당하는 경우 휴게소에도 설치가능 할 것이나, 동 시설에 건축법 시행령 제2조제14호의 규정에 의한 부속용도에 해당여부는 당해 지역 허가권자가 해당시설의 구조. 기능. 규모. 이용행태 등을 종합적으로 검토하여 판단하여야 할 사항임

질의회신 자동차 전용극장의 용도분류

건축 58550-2254, 2001.9.6.

질의 자동차 전용극장(300제곱미터 미만)의 용도를 제2종 근린생활시설(공연장)으로 보아야 하는지 관광휴게시설(야외극장)으로 보아야 하는지

회신 건축물의 용도는 건축법 제2조제1항제2호의2에 따라 건축물의 종류를 유사한 구조·이용목적 및 형태별로 묶어 분류한 것으로서 건축법시행령 별표1에서 용도별 건축물 종류를 정하고 있는바, 질의 자동차 전용극장의 경우 이용형태 등이 동 별표1 제21호나목의 야외극장과 유사한 것으로 판단되므로 관광휴게시설로 분류되어야 할 것으로 사료됨 (*별표 1 제21호 ⇒ 제27호, 2006.5.8 개정)

29. 장례시설

질의회신 종합병원에 설치하는 장례식장을 부속용도로 볼 수 있는 지

국토교통부 민원마당 FAQ 2019.5.24.

질의 종합병원에 설치하는 장례식장을 종합병원의 부속용도로 볼 수 있는 지

회신 질의의 장례식장이 당해 종합병원(일반병원은 제외)에 입원 등을 한 환자가 사망하였을 경우 조문객들의 분양 등 장례의식을 위하여 설치하는 것이라면 동 병원의 부속용도로 볼 수 있을 것으로 사료됨.

※ 의료법 제49조 제1항에 따르면 의료법인은 그 법인이 개설하는 의료기관에서 의료업무 외에 장사등에 관한 법률 제25조 제1항에 따른 장례식장의 설치·운영 등 부대사업을 할 수 있다고 규정됨

질의회신 종합병원의 부속용도로서의 장례식장 인정여부

건교부 건축과-561, 2005.1.31.

질의 종합병원에 입원 등을 한 환자가 사망하였을 경우 조문객을 분향하기 위한 장례식장 설치와 관련한 병원의 부속용도에 대하여

가. 상기내용이 시체실인지 장례식장인지

나. 상기내용과 관련한 건축물의 용도에 대한 건축법의 관련조문

다. 시체실을 장례식장으로 영업시 이를 위반한 행위에 대한 처벌

라. 관리지역과 농림지역에서 장례식장 가능 여부(도시정책과)

회신 가. 질의 "나"와 관련하여 건축법 제2조제1항제2의2의 규정에 의거 건축물의 용도라 함은 건축물의 종류를 유사한 구조·이용목적 및 형태별로 묶어 분류한 것으로 같은 법 시행령 별표1에서 용도별 건축물의 종류를 정하고 있고, 건축물의 주된 용도의 기능에 필수적인 용도로서 같은 법 시행령 제2조제1항제14호의 각 목의 어느 하나에 해당하는 용도를 부속용도로 규정하고 있음을 알려드리며,

나. 질의 "가" 및 "다"와 관련한 종합병원의 부속용도 및 영업위반 행위에 대한 처벌 문의는 의료법 및 장사 등에 관한 법률 등에 따라야 하므로 동 사안은 동 법률을 제정하여 운용하는 보건복지부나 또는 해당 허가권자인 시장·군수·구청장에게 문의하시기 바라며,

다. 질의 "라"는 국토의 계획 및 이용에 관한 법률 시행령 별표 21 및 별표 27의 규정에 따라 농림지역에서 장례식장은 해당 지역의 도시계획조례가 정하는 바에 따라 건축가능여부를 판단하여야 합니다. 다만 동 법률 제76조에서 농림지역 중 농업진흥지역이라면 건축물 그 밖의 시설에 대한 행위제한을 농지법령에서 정하는 바에 의하도록 하고 있으니 참고하시기 바라며 관리지역에서 장례식장은 건축할 수 있는 건축물임

※ 건축법시행령 개정(2008.2.22)으로 위 장례식장이 의료시설에서 별도의 용도로 분리됨

30. 야영장 시설 "없음"

4 건축설비

법령해석 건축설비 및 정보통신설비의 설계자

법제처 법령해석 07-0047, 2007.4.13.

질의요지 건축물에 "폐쇄회로텔레비젼(CCTV), 방송설비, 구내통신, 주배선반(MDF), 무선랜 및 주차관제"설비를 설치하는 경우, 그 설계를 「건축법」 상의 건축사가 해야 하는지 아니면 「정보통신공사업법」 상의 용역업자가 해야 하는 지?

회답 「건축법」 제19조의 규정에 의한 건축물의 건축등을 위한 설계를 하는 경우에는, "폐쇄회로텔레비젼(CCTV), 방송설비, 구내통신, 주배선반(MDF), 무선랜 및 주차관제"의 설치를 위한 설계는 건축사가 해야 합니다.

이유 "생략"

질의회신 "건축물의 건축 등을 위한 설계"에 해당 하는 지 여부

국토교통부 민원마당 FAQ 2022.6.21.

질의 건축물에 포함되는 폐쇄회로텔레비전(CCTV)·방송설비·구내통신·주배선반(MDF)·무선랜·주차관제 등의 설계가 건축사법 제4조 제1항의 "건축물의 건축 등을 위한 설계"에 해당하는 지 여부

회신 가. 건축사법 제4조 제1항에서는 건축법 제19조 제1항의 규정에 의한 건축물의 건축 등을 위한 설계는 건축사가 할 수 있도록 규정하고 있음. 나. 이와 관련하여 건축법 제2조 제1항 제3호에서는 건축물에 설치하는 전기·전화·초고속 정보통신·지능형 홈네트워크·가스·급수·배수(配水)·배수(排水)·환기·난방·소화·배연 및 오물처리의 설비와 굴뚝·승강기·피뢰침·국기게양대·공동시청안테나·유선방송수신시설·우편물수취함을 건축설비로 정의하고 있으며 이 경우 건축물에 설치되는 CCTV · 방송설비 · 구내통신 · MDF · 무선랜 · 주차관제 등은 위 규정에 의하여 건축설비에 해당하는 것으로 보아야 할 것임. 다. 또한, 동법 제2조 제1항 제12호에서 "건축물의 건축 등"에 해당하는 것을 건축물의 건축·대수선·용도변경, 건축설비의 설치 또는 공작물의 축조로 규정하고 있음. 라. 따라서, 건축물에 포함되는 CCTV·방송설비·구내통신·MDF·무선랜·주차관제 등의 설치를 위한 설계는 건축설비의 설치를 위한 설계로서 건축사법 제4조 제1항의 "건축물의 건축 등을 위한 설계"에 해당하는 것으로 보아야 할 것임. (법 제19조 ⇒ 제23조, 2008.3.21.)

건축법
1. 총 칙
2. 건 축
3. 유지관리
4. 대지도로
5. 구조재료
6. 지역지구
7. 건축설비
8. 특별건축구역
9. 보 칙
10. 벌 칙
건축법 관련기준

질의회신 태양광 발전설비 관련

국토교통부 민원마당 FAQ 2012.12.27.

질의 태양광 발전설비가 공작물에 해당하는지 여부와 높이 산정시 포함 여부

회신 「건축법」 제2조제1항제4호에 따르면 "건축설비"란 건축물에 설치하는 전기・전화 설비, 초고속 정보통신 설비, 지능형 홈네트워크 설비, 가스, 급수, 배수, 환기, 난방, 소화, 배연 및 오물처리의 설비, 굴뚝, 승강기, 피뢰침, 국기 게양대, 공동시청 안테나, 유선방송 수신시설, 우편함, 저수조, 그 밖에 국토해양부령으로 정하는 설비를 말하며, 태양광 발전시설의 경우 건축법령상 명확히 건축설비라 규정되어 있지 않으나, 「건축물 에너지절약 설계기준」 상에 신.재생에너지설비라 하여 건축설비의 하나로 보고 있으며, 국가 온실가스 감축을 위하여 정부에서 정책적으로 설치를 장려하고 있는 시설이기도 함

따라서, 동 시설이 건축물의 전기 및 전원공급을 위해 태양열을 이용하여 전원 및 전기 등 에너지원을 얻을 목적으로 설치된 것이라면 건축설비로 보는 것이 타당하며, 일반적인 건축물이나 공작물이 아닌 건축설비라면 건축물의 높이 산정에서 제외되는 것임

질의회신 배기구 관련

국토교통부 민원마당 FAQ 2019.5.24.

질의 다세대주택 1층에 식당영업을 하면서 배기구(닥트)를 4층 옥상까지 설치한 경우, 입주자 동의 및 건축법에 따라 허가를 득하여야 하는지 여부

회신 「건축법」 제2조제1항제4호에 따르면 '건축설비'란 건축물에 설치하는 전기·전화 설비, 초고속 정보통신 설비, 지능형 홈네트워크 설비, 가스·급수·배수(配水)·배수(排水)·환기·난방·소화·배연 및 오물처리의 설비, 굴뚝, 승강기, 피뢰침, 국기 게양대, 공동시청 안테나, 유선방송 수신시설, 우편함, 저수조, 그 밖에 국토해양부령으로 정하는 설비를 말함.

이러한 건축설비를 설치시 건축허가를 득하도록 의무화된 규정은 없으나, 건축물에 설치하는 급수 등 건축설비는 같은법 시행령 제87조에 따라 건축물의 안전・방화, 위생 등의 합리적 이용에 지장이 없도록 설치하여야 하고, 배관피트 및 닥트의 단면적과 수선구의 크기를 해당 설비의 수선에 지장이 없도록 하는 등 설비의 유지・관리가 쉽게 설치하여야 함

아울러, 질의의 배기구 설치시 입주자 동의여부는 민법 등 관계법령이 정하는 바에 따라야 할 사항임

질의회신 출입문 설치 관련

국토교통부 민원마당 FAQ 2019.5.24.

질의 건축물 내부 부속 공간인 보일러실을 철제 사다리를 이용하여 창문(바닥에서 90cm 높이에 설치)을 통해 출입하는 것이 가능한지 여부

회신 건축법」 제2조제1항제4호에 따라 "건축설비"란 건축물에 설치하는 전기·전화 설비, 가스·급수·배수·환기·난방·소화 설비, 저수조 등을 말하는 것으로,

같은 법 시행령 제87조제1항에 따르면 건축설비는 건축물의 안전·방화, 위생 등의 합리적 이용에 지장이 없도록 설치하여야 하고 그 유지·관리가 쉽게 설치하도록 하고 있음

이와 관련, 귀 질의와 같이 철제 사다리를 이용하여 보일러실을 출입하도록 하는 것은 건축설비의 합리적 이용 및 그 유지・관리 측면에서 바람직하지 아니한 것으로 사료됨

건 축 법
1. 총 칙
2. 건 축
3. 유지관리
4. 대지도로
5. 구조재료
6. 지역지구
7. 건축설비
8. 특별건축구역
9. 보 칙
10. 벌 칙
건 축 법 관련기준

5 지하층

법령해석 건축법 시행령 제119조제1항제10호(법규명령의 한계)

법제처 법령해석 06-0100, 2006.5.26.

질의요지 "지하층의 지표면 산정방법"에 대하여 규정하고 있는 「건축법 시행령」 제119조제1항제10호의 규정이 법률의 위임 근거가 없어 무효인지 여부

회답 「건축법 시행령」 제119조제1항제10호의 규정은 무효라고 할 수 없습니다.

이유 ○ 「헌법」 제75조의 규정에 의하면, 법률에서 구체적으로 범위를 정하여 위임받은 사항과 법률을 집행하기 위하여 필요한 사항에 관하여 대통령령을 발할 수 있는바, 「건축법 시행령」 제119조제1항제10호에서는 「건축법」 제2조제1항제4호의 규정에 의한 지하층인지 여부를 판단하는데 기준이 되는 지표면의 산정방법에 대하여 규정하고 있습니다.

○ 이러한 지하층의 지표면 산정방법에 대하여 대통령령으로 정하도록 「건축법」에서 명시적으로 규정하고 있지는 아니하나, 동법 제73조에서는 "건축물의 대지면적·연면적·바닥면적·높이·처마·천정·바닥 및 층수의 산정방법"을 대통령령으로 정하도록 위임하여 동법 시행령 제119조제1항은 이러한 각종 산정방법에 대하여 한데 모아 각호에서 규정하고 있는 점, 동법 시행령 제119조제1항제9호의 "층수"를 산정함에 있어서 지하층을 산입하지 아니하도록 하는 등 지하층인지 여부가 각호의 산정방법에 영향을 미치고 있어 그 기준이 되는 지표면 산정방법을 명확히 할 필요가 있는 점, 위임의 범위는 규제하고자 하는 대상의 종류와 성격에 따라 달라질 수 있는 점 등을 고려할 때, 동법 시행령 제119조제1항제10호에서 지하층의 지표면 산정방법을 규정한 것이 동법 제73조에서 예측하지 못한 사항을 정한 것이라고 하기는 어렵습니다.

○ 또한 「헌법」 제75조에서는 법률의 위임받은 사항 외에도 법률을 집행하기 위하여 필요한 사항을 대통령령으로 정할 수 있다고 하고 있는바, "지표면"은 "지구의 표면 또는 땅의 겉면"으로 그 의미가 명확하므로 「건축법 시행령」 제119조제1항제10호의 규정은 지표면에 대한 개념을 새로이 설정 또는 정립하고자 한 것이라기보다는 동법 제2조제1항제4호의 규정을 현실에 적용함에 있어 건축물의 각 층이 접하고 있는 지표면에 고저차가 있는 경우 이를 가중평균한 높이의 수평면을 지표면으로 하여 건축물의 각 층이 지하층인지 여부를 판단하겠다는 것으로서 동법 제2조제1항제4호의 규정을 실제 집행하는 데 필요한 사항이고 그 내용에 합리성이 인정되므로, 동법 시행령 제119조제1항제10호의 규정이 동법에 반한다거나 새로운 내용을 규정한 것이라고 볼 수 없습니다.

질의회신 대지의 변동으로 지하층이 된 경우 건축물대장 표시변경 처리

국토교통부 민원마당 FAQ 2023.6.15.

질의 건축물의 준공 후 대지의 고저차가 발생하여 지하층으로 변한 경우 건축물대장의 표시변경으로 처리할 수 있는지 여부

회신 가. 지상의 건축물이 「건축법」 제2조제1항제5호 및 같은 법 시행령 제119조제1항제10호의 규정에 의하여 지하층이 된 경우 「건축물대장의 기재 및 관리 등에 관한 규칙」 제18조의 규정에 의하여 건축물대장의 표시변경으로 처리가 가능한 것으로 판단되나,

나. 귀 질의와 같이 지상층이 지하층으로 변한 경위 등의 사실판단과 그 밖에 관련 사항 등을 허가권자가 종합적으로 검토하여 판단할 사항임을 회신하오니, 보다 구체적인 사항은 자세한 자료를 갖추어 해당 지역의 허가권자와 협의하여 처리하기 바람

질의회신 지하층 변경가능 여부

국토교통부 민원마당 FAQ 2019.5.24.

질의 건축허가 당시 건축물의 일부(지상1층~지상3층)가 지표면 이하(2/3이상)에 묻혀 있지만 지상1층 전면이 노출되어 지상층으로 인정받아 사용승인된 건축물로, 현행 건축법을 적용하여 지하층 산정기준에 적합할 경우,

건 축 법
1. 총 칙
2. 건 축
3. 유지관리
4. 대지도로
5. 구조재료
6. 지역지구
7. 건축설비
8. 특별건축구역
9. 보 칙
10. 벌 칙
건 축 법 관련기준

지하층으로 변경 가능한지 여부

회신 건축법」 제2조제1항제5호에 따르면 지하층이란 건축물의 바닥이 지표면 아래에 있는 층으로서 바닥에서 지표면까지 평균높이가 해당 층 높이의 2분의 1이상인 것을 말하며,
같은법 시행령 제119조제1항제10호에서 법 제2조제1항제5호에 따른 지하층의 지표면은 각 층의 주위가 접하는 각 지표면 부분의 높이를 그 지표면 부분의 수평거리에 따라 가중평균한 높이의 수평면을 지표면으로 산정하는 것으로, 질의와 같이 상기 규정에 따라 지하층으로 인정되는 경우라 한다면 지하층으로 변경이 가능할 것으로 사료되나, 이에 해당여부 등 보다 구체적인 사항은 자세한 자료를 갖추어 해당 지역의 허가권자에게 문의바람

질의회신 어느 한 층의 둘레가 지표면에 접하지 아니하고 지상에 노출된 경우 지하층 산정방법

국토교통부 민원마당 FAQ 2019.5.24.

질의 건축물 중 어느 한 층의 둘레가 지표면에 직접 접하거나 직접 접하지 아니하고 지상에 노출된 경우 당해 층의 지하층의 산정방법은?

회신 가. 지하층이라 함은 건축법 제2조제1항 제4호의 규정에 의하여 건축물의 바닥이 지표면 아래에 있는 층으로서 그 바닥으로 부터 지표면까지의 평균높이가 당해 층높이의 2분의 1이상인 것을 말하고, 지하층의 지표면 산정은 동법시행령 제119조 제1항 제10호에 따라 산정하는 것이나,
나. 지하층의 대부분을 외부로 노출시킨 후 차량 및 사람이 직접적으로 외부로 출입이 가능하도록 하는 등 실질적으로 지상층과 동일한 외관·이용형태·구조 등을 갖춘 경우라면 이를 지하층으로 인정하기는 어려울 것으로 사료되니 이에 대한 구체적인 적용은 당해 대지 및 건축물과 설계도서 등을 종합적으로 검토하여 판단하여야 할 것임

질의회신 지하층 관련

국토교통부 민원마당 FAQ 2022.6.29.

질의 「건축법」 제2조제1항제5호에 의한 가중평균 높이가 2분의 1 이상이 지표면 이하로써 공사중 설계변경이 가능한지 여부와 지하층으로 보는지 여부?

회신 지하층이란 「건축법」 제2조제1항제5호에 따르면 건축물의 바닥이 지표면 아래에 있는 층으로서 바닥에서 지표면까지 평균높이가 해당 층 높이의 2분의 1 이상인 것을 말하며, 같은법 제119조제1항제10호에 따르면 지하층의 지표면은 각 층의 주위가 접하는 각 지표면 부분의 높이를 그 지표면 부분의 수평거리에 따라 가중평균한 높이의 수평면을 지표면으로 산정하도록 하고 있음.
「건축법」 제16조 및 같은법 시행령 제12조에 따르면 허가를 받았거나 신고한 사항을 변경하려면 변경하기 전에 대통령령으로 정하는 바에 따라 허가권자의 허가를 받거나 특별자치도지사 또는 시장 · 군수 · 구청장에게 신고하여야 하는 것이며, 설계변경 가능 여부는 해당 지역 허가권자가 현지현황, 설계도서 및 관계법령 등을 종합적으로 검토하여 판단할 사항임.

질의회신 지하층인 지의 여부

국토교통부 민원마당 FAQ 2019.5.24.

질의 건축물의 최하층이 4면중 3면이 지표하에 있고 1면이 노출되어 있는 경우 지하층으로 인정되는 지 여부

회신 건축법상 지하층이라 함은 건축법 제2조 제1항 제4호의 규정에 의하여 건축물의 바닥이 지표면 아래에 있는 층으로서 그 바닥으로 부터 지표면까지의 평균높이가 당해 층높이의 2분의 1 이상인 것을 말함.
이 경우 지하층의 지표면 산정은 동법시행령 제119조 제1항 제10호 및 동조 제2항에 의하여 건축물의 주위가 접하는 각 지표면 부분의 높이를 당해 지표면부분의 수평거리에 따라 가중평균한 높이의 수평면을 지표면으로 보는 것이며 지표면의 고저차가 3미터를 넘는 경우에는 3미터 이내의 부분마다 그 지표면을 정하는 것으로 동 산정방법에 따라 지하층의 인정여부가 결정되는 것임.

질의회신 1개층을 지하층과 지상1층 구조로 할 수 있는지 여부

서울시 건축과-11580, 2005.7.27.

질의 지상1층에 사무실부분과 주차장부분으로 구분하여 방화구획(콘크리트 벽체)으로 구획하고 방화구획부분에는 비상출입구(갑종방화문)만을 설치한 상태에서 주차장부분의 1면은 노출되어 있으나 2면은 1/2이상이 지표면 아래에 있는 경우 주차장부분만을 지하층으로 볼 수 있는지 여부

회신 건축법 제2조 제1항 제4호에 따라 "지하층"이라 함은 건축물의 바닥이 지표면 아래에 있는 층으로서 그 바닥면으로부터 지표면까지의 평균높이가 해당 층높이의 2분의 1이상인 것을 말하는 것이고, 대지의 지표면에 고저차가 있는 경우 지하층 산정을 위한 지표면은 같은 법시행령 제119조 제1항 제10호에 따라 건축물의 주위가 접하는 각 지표면 부분의 높이를 해당 지표면부분의 수평거리에 따라 가중평균한 높이의 수평면으로 보는 것이며, 건축물의 층수는 건축법시행령 제119조 제1항 제1호에 따라 산정하는 것이지만 동일한 층에서 부분적으로 층을 달리할 수는 없는 것이므로 질의의 주차장부분이 지상 1층에 해당하는 높이에 위치하고 있으면서 방화구획으로 구획한 경우라 하더라도 지상1층의 일부만을 지하층으로 하는 것은 불가할 것으로 판단됨

질의회신 지하층은 하나의 구조, 지상층은 별개동일 경우 건축법상 한개동의 건축물인지 여부

건교부 건축58550-1002, 2002.5.1.

질의 지하층은 하나의 구조로 연결되어 있으나 지상층 부분은 수개의 공동주택부분과 주택이외의 부분(오피스텔 및 근린생활시설)으로 구분되어 있는 경우 이를 건축법령상 1동의 건축물로 볼 수 있는지 여부

회신 건축법령상 하나의 건축물에 대하여는 별도로 규정하고 있지 아니하며, 일반적으로 구조·기능상 건축물이 연결되어 이용상 공유하고 있는 경우라면 이를 건축법령상 하나의 건축물로 볼 수 있을 것임

6 거실

질의회신 거실에 엘리베이터, 복도, 화장실이 포함되는지 여부

국토교통부 민원마당 FAQ 2019.5.24.

질의 건축법제2조제1항제5호에 따른 "거실"에 엘리베이터, 복도, 화장실이 포함되는지 여부

회신 건축법제2조제1항제5호에 따른 "거실"이라함은 건축물안에서 주거·집무·작업·집회·오락 그 밖에 이와 유사한 목적을 위하여 사용되는 방을 말하는 것으로서 "거실"에는 공용으로 쓰이는 엘리베이터·복도·화장실은 포함되지 않는 것임을 알려드리니 구체적인 사항은 해당 허가권자와 협의바람

질의회신 공용으로 사용하는 계단, 복도 등의 면적이 거실 바닥면적에 포함되는 지 여부

국토교통부 민원마당 FAQ 2022.6.21.

질의 「건축법 시행령」 제34조제2항제3호 규정에 의한 공동주택(도시형생활주택 - 원룸형)의 경우, 거실 바닥면적 산정시 공용으로 사용하는 계단, 복도, 화장실의 바닥면적이 포함되는지 여부.

회신 건축법」 제2조제1항제6호 규정에 의해 "거실"이라 함은 건축물 안에서 거주, 집무, 작업, 집회, 오락, 그 밖에 이와 유사한 목적을 위하여 사용되는 방을 말하는 바, 이와 관련, 거실에는 누구나 이용할 수 있는 공용으로 쓰이는 계단, 복도, 화장실은 포함되지 않는 것임

질의회신 냉동 창고 시설이 거실에 해당하는지 여부

건교부건축과-4963, 2005.8.29.

질의 냉동 창고 시설이 거실에 해당하는지 여부에 대한 질의

회신 건축법 제2조제1항제5호에 따른 "거실"이라 함은 건축물안에서 주거·집무·작업·집회·오락 그 밖에 이와 유사한 목적을 위하여 사용되는 방을 말하고, 건축법시행령 별표1 제14호의 "창고시설"이라 함은 위험물저장 및 처리시설 또는 그 부속용도에 해당하지 아니하는 건축물로서 창고, 냉장·냉동창고 그 밖에 이와 유사한 것

과 하역장을 말하는 바, 건축물의 주용도인 창고시설에서 물품의 분류·정리·관리 등을 위한 작업공간은 거실로 보는 것임 (*별표 1 제14호 ⇒ 제18호, 2006.5.8 개정)

질의회신 거실 산입 여부

국토교통부 민원마당 FAQ 2019.5.24.

질의 「건축법」 제2조 제5호의 규정에 의한"거실"에 화장실, 욕실이 해당되는 지?

회신 「건축법」 제2조 제5호의 규정에 의하면 "거실"이라 함은 건축물안에서 거주·집무·작업·집회·오락 기타 이와 유사한 목적을 위하여 사용되는 방을 말하는 것으로 화장실 또는 욕실이 독립적으로 설치되어 공용으로 사용하는 경우에는 이를 거실로 볼 수 없을 것으로 보이나, 객실이나 세대내부에 부속되어 있는 화장실 또는 욕실은 거실로 보아야 할 것임

질의회신 의료시설의 복도, 계단이 거실에 해당되는지

건교부 건축 58070-2067, 1999.6.4.

질의 의료시설의 복도, 계단, 화장실이 거실에 해당되는지.

회신 거실이라 함은 건축법 제2조 제5호에 따라 건축물안에서 거주 · 집무 · 작업 · 집회 · 오락 등 그 밖에 이와 유사한 목적을 위하여 사용되는 방을 말하는 것으로서, 공용으로 사용하는 복도 · 계단 · 화장실 · 승강기는 거실에 포함되지 아니하는 것임

질의회신 공동주택 승강기 설치기준 산정시 현관면적여부

건교부 건축 58070-2298, 1998.6.30.

질의 건축법시행령 제89조 및 건축물의 설비기준 등에 관한 규칙 제5조 별표1 승용승강기의 설치기준을 적용함에 있어서 공동주택의 거실면적을 산정할 때 현관 · 화장실은 제외되는지.

회신 건축법시행령 제89조 및 건축물의 설비기준 등에 관한 규칙 제5조 별표1에 따른 승용승강기를 설치할 때의 거실면적을 산정함에 있어서 공용이 아닌 현관 · 화장실은 포함되는 것임

질의회신 숙박시설의 객실내 현관 등의 거실면적 산입여부

건교부 건축 58550-1995, 1995.5.18.

질의 숙박시설의 객실에 딸린 화장실 · 현관이 거실면적에 산입되는지

회신 건축법 제2조제1항제5호에 의하면 "거실"이라 함은 건축물안에서 거주 · 집무 · 작업 · 집회 · 오락 그 밖에 이와 유사한 목적을 위하여 사용되는 방을 말하는 것인 바, 건축물 내부에 화장실 · 현관이 독립적으로 설치되어 있다면 이는 거실로 볼 수 없을 것이나, 객실에 딸린 화장실 · 현관은 객실로 보아 거실면적에 산정하여야 하는 것임

질의회신 주차장이 거실인지

건교부 건축 58070-3191, 1995.8.2.

질의 지하 4층의 주차장이 거실에 포함되는지

회신 "거실"이라 함은 건축물 안에서 거주 · 집무 · 작업 · 집회 · 오락 그 밖에 이와 유사한 목적을 위하여 사용되는 방을 말하는 것인 바, 질의의 주차장은 거실로 볼 수 없을 것임

건 축 법
1. 총 칙
2. 건 축
3. 유지관리
4. 대지도로
5. 구조재료
6. 지역지구
7. 건축설비
8. 특별건축구역
9. 보 칙
10. 벌 칙
건 축 법 관련기준

7 주요구조부

질의회신 공장건축물의 작은 보를 내화구조로 하여야 하는 지 여부

국토교통부 민원마당 FAQ 2022.6.20.

질의 공장건축물의 작은 보를 내화구조로 하여야 하는 지 여부

회신 「건축법 시행령」 제56조제1항제3호에 따라 공장의 용도로 쓰는 건축물로서 그 용도로 쓰는 바닥면적의 합계가 2천 제곱미터 이상인 건축물의 주요구조부는 내화구조로 하여야 하는 바, 이와 관련 "주요구조부"란 「건축법」 제2조제1항제7호에 따라 내력벽, 기둥, 바닥, 보, 지붕틀 및 주계단을 말하며, 사이 기둥, 최하층 바닥, 작은 보, 차양, 옥외 계단, 그 밖에 이와 유사한 것으로 건축물의 구조상 중요하지 아니하는 부분은 제외함

질의회신 아파트 주출입구 상부의 캔틸레버가 "주요구조부"에 해당되는지 여부

건교부 건축기획팀-3403, 2006.5.29

질의 아파트 주출입구 상부에 캔틸레버 구조로 설치된 철근콘크리트 돌출차양(캐노피)이 건축법 제2조제1항제6호의 규정에 의한 "주요구조부"에 해당되는지

회신 건축물의 현황을 자세히 알 수 없어 정확한 회신이 어려우나, 건축법 제2조제1항제6호에서 "주요구조부라 함은 내력벽·기둥·바닥·보·지붕틀 및 주계단을 말한다. 다만, 사이기둥·최하층바닥·작은보·차양·옥외계단 기타 이와 유사한 것으로 건축물의 구조상 중요하지 아니한 부분을 제외한다"고 규정하고 있는 바,
동 규정에 의한 "주요구조부"란 건축물의 구조상 주요골격을 이루는 것으로 건물의 구조안전에 중요한 역할을 하는 부분을 말하는 것으로서 이는 건축물의 안전을 위하여 법률상 특별한 규제를 하거나 그밖에 개축, 재축, 대수선, 이전 등의 해당여부를 판단하는 데 법률상의 필요성이 있는 것으로 보아야 할 것임

8 건축

1. 신 축

질의회신 건축물 리모델링에 해당되는 지 여부

국토교통부 민원마당 FAQ 2019.5.24.

질의 역사적 보존가치가 높은 건축물의 외벽 2개만 남기고 나머지 부분을 철거한 후 원래의 건축물보다 더 큰 규모로 건축하는 것이 건축법상 리모델링에 해당하는 지

회신 기존건축물의 전부 또는 일부(내력벽·기둥·보·지붕틀중 3이상이 포함되는 경우를 말함)를 철거하고 그 대지안에 종전과 동일한 규모의 범위안에서 건축물을 다시 축조하는 것은 건축법 시행령 제2조제1항제3호에 의한 "개축"이며, 종전보다 더 큰 규모로 축조하는 것은 동조 동항 제1호에 의한 "신축"입니다. 또한, 건축법 제2조 제1항 제10호의2에 따라 "리모델링"이라 함은 건축물의 노후화 억제 또는 기능향상 등을 위하여 대수선 또는 일부 증축하는 행위를 말하는 것인 바, 질의와 같은 경우는 "신축"에 해당된다고 사료됨

질의회신 기존 도로 위의 건축물 신축

국토교통부 민원마당 FAQ 2019.5.24.

질의 가. 개인 토지 일부를 도로(길)로 사용하고 있는 경우 해당 도로를 포함한 토지 전체를 사용하여 건물을 신축할 수 있는지
나. 기존 도로를 사용하게 하고 도로 위로 2층 건물을 신축할 수 있는지

회신 질의의 경우는 우선 해당 도로(길)이 「건축법」 제2조제1항제11호에서 규정한 도로에 해당하는지 여부가 검토되어야 할 것이며, 건축법령에 해당하는 도로 위에는 건축이 제한됨

건 축 법
1. 총 칙
2. 건 축
3. 유지관리
4. 대지도로
5. 구조재료
6. 지역지구
7. 건축설비
8. 특별건축구역
9. 보 칙
10. 벌 칙
건 축 법 관련기준

건 축 법
1. 총 칙
2. 건 축
3. 유지관리
4. 대지도로
5. 구조재료
6. 지역지구
7. 건축설비
8. 특별건축구역
9. 보 칙
10. 벌 칙
건 축 법 관련기준

이 경우 「건축법」 제2조제1항제11호에서 규정한 도로는 보행과 자동차 통행이 가능한 너비 4미터 이상의 도로로서 「도로법」 등 관계법령에 따라 고시가 된 도로와 건축허가(신고) 시 허가권자가 위치를 지정·공고한 도로를 말하며,

허가권자가 도로를 지정・공고하고자 하는 경우에는 「건축법」 제45조에 따라 그 도로에 대한 이해관계인의 동의를 받아야 하는 것이며, 지정한 도로를 폐지하거나 변경하는 경우에도 또한 같다고 규정하고 있음

아울러, 같은 법 제46조에 따르면 도로와 접한 부분에 건축물을 건축할 수 있는 선(건축선)은 대지와 도로의 경계선으로 하며, 같은 법 제47조에 따라 건축물과 담장은 건축선의 수직면을 넘어서는 아니하도록 하고 있는 바, 질의와 관련한 보다 구체적인 사항은 도로 지정 및 건축허가 업무를 담당하고 있는 해당 지방자치단체에 문의하시는 것이 귀하의 민원의 신속한 해결에 도움이 될 수 있을 것으로 사료됨

질의회신 주된 건축물 신축 관련

국토교통부 민원마당 FAQ 2019.5.24.

질의 부속건축물은 남겨 둔 채 주된 용도의 건축물만 철거하고 새로 건축(바닥면적 증가)하고자 할 때, 현행 법령(대지안의 공지 규정)에 부적합한 부속건축물을 철거하여야만 건축이 가능한지 여부

회신 건축법 시행령」 제6조의2 제2항제2호에 따라 기존 건축물 및 대지가 법령의 제・개정으로 건축법령에 부적합하게 된 경우 '증축하거나 개축하려는 부분'이 법령등에 적합한 경우에는 건축조례로 정하는 바에 따라 건축을 허가할 수 있도록 하고 있음.

아울러, 같은 법 시행령 제2조제1호에 따라 '신축'이란 건축물이 없는 대지(기존건축물이 철거 또는 멸실된 대지를 포함)에 새로이 건축물을 축조하는 것(부속건축물만 있는 대지에 새로 주된 건축물을 축조하는 것을 포함하되 개축, 재축의 경우는 제외)을 말하는 것으로, 부속건축물을 남겨 둔 채 주된 건축물을 철거한 후 종전의 규모를 초과하여 새로이 주된 건축물을 축조하는 것은 '신축'에 해당될 것이나, 대지안의 공지규정은 대지안의 통풍・개방감을 확보하여 주거환경을 보호하고 화재발생 시 인접대지 및 건축물로의 연소확산 예방과 피난통로를 확보하며 도로의 기능을 보완하기 위한 것으로, 질의의 부속건축물이 동 기준의 법적 취지를 달성하는 데 무리가 없는 범위라면 철거 없이 주된 건축물의 건축이 가능할 것으로 판단되니, 이에 대한 자세한 내용은 현지현황을 소상히 알고 있는 해당 지역의 건축허가권자인 시장, 군수, 구청장에게 문의바람.

2. 증 축

질의회신 대수선에 해당되는 지 여부

국토교통부 민원마당 FAQ 2023.6.15.

질의 기존건축물 3동 중 2동을 철거하고 기존 건축면적보다 크게 건축하는 경우 증축인 지 대수선인 지 여부

회신 건축물의 증축이라 함은 「건축법 시행령」 제2조 제1항 제2호의 규정에 따라 기존건축물이 있는 대지에서 건축물의 건축면적, 연면적, 층수 또는 높이를 늘리는 것으로 규정하고 있고, 대수선이라 함은 같은 법 시행령 제3조의2 각호의 어느 하나에 해당하는 것으로서 증축·개축 또는 재축에 해당되지 않는 것을 말하는 바, 질의와 같이 건축면적이 증가하는 경우라면 이는 증축에 해당될 것임

질의회신 증축 해당 여부

국토교통부 민원마당 FAQ 2019.5.24.

질의 기존 건축물의 벽·기둥의 중심선 바깥으로 셔터를 설치한 경우가 증축에 해당되는 것인 지

회신 건축법에서 "증축"이라 함은 동법 시행령 제2조 제1항 제2호의 규정에 의하여 기존건축물이 있는 대지안에서 건축물의 건축면적·연면적·층수 또는 높이를 증가시키는 것을 말하며, 연면적은 동법 시행령 제119조 제1항제4호의 규정에 의하여 하나의 건축물의 각 층의 바닥면적의 합계로 산정하는 것임

또한 "바닥면적"은 동법 시행령 제119조 제1항 제3호의 규정에 의하여 건축물의 각 층 또는 그 일부로서 벽·기둥 기타 이와 유사한 구획의 중심선으로 둘러싸인 부분의 수평투영면적(제3호 각 목의 어느 하나에 해당하는 경우에는 각 목이 규정하는 바에 의함)으로 하는 것이므로

문의의 경우가 건축법상 증축에 해당하는지는 당해 부분의 벽·기둥 기타 이와 유사한 구획의 중심선이 변경되어 그 중심선으로 둘러싸인 부분의 수평투영면적이 증가하였는 지를 건축물의 현황 등을 확인하여 판단하여야 할 것임

질의회신 기존 주택에 샤시를 설치한 경우 증축에 해당하는지 여부

국토교통부 민원마당 FAQ 2019.5.24.

질의 기존 주택의 발코니에 샤시를 설치한 경우 증축에 해당하는 지 여부.

회신 「건축법 시행령」 제119조제1항제3호 나목에 따라 주택의 발코니 등 건축물의 노대나 그 밖에 이와 비슷한 것(이하 "노대등"이라 한다)의 바닥은 난간 등의 설치 여부에 관계없이 노대등의 면적(외벽의 중심선으로부터 노대등의 끝부분까지의 면적을 말한다)에서 노대등이 접한 가장 긴 외벽에 접한 길이에 1.5미터를 곱한 값을 뺀 면적을 바닥면적에 산입하도록 하고 있음

따라서, 기존 주택의 발코니에 단순히 샤시를 설치한 것만으로 바닥면적에 산입되는 것은 아니나 보다 구체적인 사항은 관련도면 등 자세한 자료를 갖추어 관할 소재지의 시장・군수・구청장에게 문의하시기 바람

질의회신 도시가스 공급을 위한 정압기계실의 건축허가 여부

국토교통부 민원마당 FAQ 2019.5.24.

질의 공동주택 준공 후 단지 내의 도시가스 공급을 위한 정압기계실이 건축물에 해당하는 지와 시설을 설치할 경우 건축허가 등 여부

회신 기존 공동주택이 있는 대지 안에서 정압기계실을 추가로 설치하는 것은 증축으로서 증축하고자 하는 경우에는 건축법 제8조, 제9조 또는 주택법 제42조에 의하여 허가를 받거나 신고를 하여야 함

(법 제8조, 제9조 ⇒ 제11조, 제14조, 2008.3.21 개정)

질의회신 건축물 증축 가능 여부

국토교통부 민원마당 FAQ 2019.5.24.

질의 서울특별시 서대문구 관내 유진상가는 1970년도에 홍제천(하천부지)을 복개하여 그 위에 건축한 주상복합건축물로서 1층의 구조는 중앙부분이 오픈 상가형식으로 되어 있고 상가 양측면은 공중의 통행과 주차를 할 수 있는 필로티 형식의 구조로 된 상태임

건축이후 지금까지 36년간 입주점포들의 물품적치장, 물품상하차장, 상가아파트 주민들의 통행로로 사용되어 오던 중 동 건물 상가에 입점한 자가 필로티의 일부분까지 침범하여 샤시와 유리로 점포를 확장함

점포를 확장한 필로티 부분이 건축물대장에 전유부분으로서 바닥면적과 건축면적에 포함되어 있으며 주택 및 점포 용도로 명시되어 있는 경우 본점포확장 행위가 무단증축인 지 여부

회신 건축법시행령 제2조 제1항 제2호 규정에 따르면 "증축"이라 함은 건축물의 건축면적·연면적·층수 또는 높이를 증가시키는 것을 말하는 것으로서, 건축물대장상 필로티 부분의 면적이 이미 건축면적에 포함되어 있고 주택 및 점포용도로 전유부분으로 명시되어 있는 경우, 피로티를 일부 구획하여 점포로 이용하는 행위를 무단증축으로 볼 수 없을 것임

질의회신 기존 건축물 3동 중 2동을 철거, 기존 건축면적보다 크게 건축하는 경우

국토교통부 민원마당 FAQ 2019.5.24.

질의 기존건축물 3동 중 2동을 철거하고 기존 건축면적보다 크게 건축하는 경우 증축인지 대수선인지 여부

회신 건축물의 증축이라 함은 건축법 시행령 제2조 제1항 제2호의 규정에 의하여 기존건축물이 있는 대지 안에서

건축물의 건축면적·연면적·층수 또는 높이를 증가시키는 것을 말하고, 대수선이라 함은 동령 제3조의2 각호의 1에 해당하는 것으로서 증축·개축 또는 재축에 해당되지 않는 것을 말하는 바, 질의와 같이 건축면적이 증가한다면 이는 증축에 해당될 것임

질의회신 내부에 중층을 설치한 경우의 증축여부

건교부 건축 58070-2284, 2003.12.10

질의 기존건축물의 1층 층고가 높아 1층 내부에 중층을 설치한 경우 이를 증축으로 보는지 여부

회신 건축법시행령 제2조제1항제2호의 규정에 의하면 증축이라 함은 기존건축물이 있는 대지안에서 건축물의 건축면적 · 연면적 · 층수 또는 높이를 증가시키는 것을 말함

따라서 기존건축물에 새롭게 층을 설치하는 경우라면 바닥면적 및 연면적이 증가되는 증축으로 볼 수 있는 것임

질의회신 기존주택에 지하층을 설치할 때 증축여부

건교부 건축 58550-1709, 2003.9.19

질의 기존 주택(한옥)의 하부에 지하층을 새로이 설치하고자 기존주택 전체를 일정 높이로 들어 올려 지하층만을 설치한 후 기존 주택을 원래 위치로 내려 배치하는 경우 이를 증축으로 볼 수 있는지 여부

회신 질의의 경우 별도로 층수 및 높이등의 변동이 없고 단순히 지하층만을 설치하여 바닥면적이 증가한 경우라면 건축법령을 적용함에 있어 증축으로 볼 수 있을 것임

질의회신 1층 일부 중층 설치후 이를 폐쇄한 경우 이를 증축으로 보는지

건교부 건축 58550-910, 2003.5.20.

질의 기존 건축물의 층고가 6.15미터인 1층 내부 일부를 높이 3미터 부분에 물건의 저장 또는 사람의 거주가 가능하게 중간층 형태의 바닥과 벽체를 설치하고, 출입하는 곳을 합판으로 막았을 경우 이를 증축으로 보는지 여부

회신 질의의 경우는 상기 행위가 단순히 기존건축물의 천장(반자)을 낮추는 것이 아니고 일반적인 천장구조물과 달리 철골기둥과 보등을 새로 설치하여 바닥을 지지하게 하고 바닥판은 경량철골 트러스등 구조적으로 안전성 있게 설치하여 1층 일부를 중층으로 설치하는 경우라면 이는 증축행위로 보는 것이 타당할 것으로 사료됨

질의회신 상부 설치된 계단탑, 승강기탑등을 증축으로 볼 수 있는지 여부

건교부 건축 58070-890, 2003.5.17.

질의 기존 건축물의 상부에 계단탑, 승강기탑 등을 건축면적의 1/8이하의 면적으로 설치하는 경우 이를 건축법상 증축으로 볼 수 있는지 여부

회신 "증축"이라함은 건축법시행령 제2조제1항제2호에 따라 기존건축물이 있는 대지안에서 건축물의 건축면적 · 연면적 · 층수 또는 높이를 증가시키는 것을 말하는 것인 바, 귀 문의의 부분이 건축법시행령 제119조에 따른 면적 · 층수 또는 높이에 포함되지 아니하는 경우라면 이는 증축에 해당하지 아니할 것으로 판단되나, 이에 대한 보다 구체적인 적용과 관련한 사항은 해당 건축물의 상세한 설계도서 등을 갖추어 해당 허가권자에게 문의 바람

질의회신 높이증가의 증축 여부와 한옥의 높이기준

건교부 건축 58550-539, 2003.3.26.

질의 가. 기존건축물의 지붕을 기와(높이 7cm)에서 샌드위치 팬널(높이 10cm)로 변경하는 과정에서 건축물 최상단 높이가 3센티미터 증가한 경우 이를 증축으로 보는 지 여부.

나. 한옥건축물의 용마루와 장식기와가 설치되어 있는 경우 장식기와가 건축물 높이에 포함되는지 여부.

회신 가. 건축법시행령 제119조제1항제5호에 따라 산정한 건축물의 높이가 3센티미터 증가되었다면 이는 증축에 해당하는 것이나, 같은법시행규칙 "별표5"의 규정에서 건축물의 전체높이의 2%이내(1미터를 초과할 수 없음)의 범위는 허용오차로 인정하고 있음을 알려드림.

나. 건축법시행령 제119저제1항제5호라목의 규정에 의해 지붕마루장식 부분은 건축물 높이에 산입되지 아니한바, 이 경우 지붕마루장식이라 함은 용마루 및 망와(용마루의 끝을 장식하는 망세기와)를 말하는 것임

질의회신 하나의 대지에 있는 2동의 건축물을 하나로 하는 경우 개축과 증축으로 볼 수 있는지

건교부 건축 58707-1408, 2003.8.2.

질의 하나의 대지에 일정거리를 두고 있는 2동의 건축물(각각 지상1층, 15제곱미터)을 하나의 건축물(지상1층, 45제곱미터)로 하는 경우 개축과 증축으로 볼 수 있는 것인지 여부

회신 귀 질의의 경우 건축법시행령 제2조제1항제2호에 따른 증축에 해당하는 것이니 보다 구체적인 사항은 해당 지역의 건축허가권자인 시장·군수·구청장에게 문의하시기 바람

질의회신 옥상방수를 위해 천막 설치 행위

건교부 건축 58070-2644, 1999.7.9.

질의 누수보수 방법으로 옥상방수 대신 15㎡ 규모의 가설건축물(파이프, 천막구조)의 설치가 가능한 지와 세대주 동의여부

회신 질의의 옥상방수를 위한 파이프구조 등으로 설치해 건축물의 높이가 증가되는 경우에는 "증축"에 해당되어 건축법 제8조(제9조)에 따라 허가(신고)로서 설치하여야 하는 것이며, 세입자 등의 동의여부에 대하여는 건축법에 규정하고 있지 아니하며, 민법, 집합건물의 소유 및 관리에 관한법률 등 관계법령에 따라야 할 사항임 (* 법 제8조, 제9조 ⇒ 제11조, 제14조, 2008.3.21 개정)

질의회신 평지붕 형태를 경사지붕으로의 수선·시공

건교부 건축 01254-217, 1992.1.25.

질의 기존 건축물이 노후하여 누수현상이 심하여 이를 원천적으로 처리하고자 평지붕 형태를 경사지붕 형태로 수선·시공한 경우 증축에 해당되는지

회신 건축법시행령 제2조제1항제2호에 따라 건축물의 높이를 증가시키는 경우에는 증축에 해당되는 것임

3. 개 축

법령해석 기존 건축물의 일부를 해체하고 건축물을 다시 축조하면서 동(棟)수를 늘리는 행위가 개축에 해당하는지

「건축법 시행령」 제2조제3호 등 관련 법제처 법령해석 22-0681, 2022.1.19./건축사협회 수정게시 2022.7.28.

질의요지 기존 건축물의 일부를 해체하고 그 대지에 연면적 합계는 종전 범위 내로 유지하면서 종전의 동(棟)수를 초과하여 건축물을 축조하는 경우가 같은 호에 따른 개축에 해당하는지 여부(주된 용도의 건축물로서, 용도 및 층수 등 그 밖의 다른 조건들은 기존 건축물과 같거나 작은 경우)

회답 「건축법 시행령」 제2조제3호에 따른 개축에 해당하지 않음

이유 건축면적과 연면적은 개별 건축물 단위를 기준으로 하는 것으로 보아야 하므로, 「건축법 시행령」 제2조제2호 및 제3호에서 규정한 기존 건축물은 하나의 건축물을 의미하는 것인바, 대지 내 여러 건축물이 있는 경우라면 그 각각의 건축물을 기준으로 그 규모의 변경 여부를 판단해야 함.

개축은 개별 건축물 단위로 기존에 존재하던 건축물과 같은 규모, 즉 건축면적, 연면적, 층수 및 높이가 늘어나지 않는 범위에서 건축물의 축조가 이루어지는 것으로서, 이 사안과 같이 기존 건축물과 같은 대지에서 동수를 늘려 건축물을 축조하는 것은 대지에 종전에는 존재하지 않던 건축물을 새로 축조하는 것이므로, 이러한 경우가 개축의 개념에 포함된다고 볼 수 없음.

법령해석 기존 건축물의 전부를 해체하고 건축물을 다시 축조하면서 높이를 늘리는 행위가 「건축법 시행령」 제2조제3호에 따른 개축에 해당하는지 여부

「건축법 시행령」 제2조제3호 등 관련 법제처 법령해석 21-0527, 2021.9.29./건축사협회 수정게시 2022.7.28.

질의요지 기존 건축물의 전부를 해체하고 그 대지에 기존 건축물과 연면적 합계는 동일하지만 기존 건축물의 높이를 초과하는 건축물을 다시 축조하는 경우가 「건축법 시행령」 제2조제3호에 따른 개축에 해당하는지 여부(그 밖의 다른 조건들은 기존 건축물과 같거나 작은 경우)

회답 「건축법 시행령」 제2조제3호에 따른 개축에 해당하지 않음

이유 「건축법」 제11조제3항 및 그 위임에 따른 같은 법 시행규칙 제6조제1항·별표 2에서는 건축허가신청에 필요한 설계도서인 건축계획서에 표시하여야 할 사항으로 건축물의 규모를 건축면적·연면적·층수·높이 등으로 규정하고 있는바, 「건축법 시행령」 제2조제2호 및 제3호와의 규정체계상 건축물의 "규모"는 건축물의 건축면적, 연면적, 층수 및 높이를 의미한다고 할 것이므로, 종전 건축물의 규모를 구성하는 건축면적, 연면적, 층수 또는 높이 중 어느 하나를 늘려서 건축물을 다시 축조한다면 종전과 같은 규모의 범위에서 건축물을 축조한 것으로 볼 수 없음

질의회신 건축물 개축에 해당하는 지 여부

국토교통부 민원마당 FAQ 2019.5.24.

질의 기존 7개동의 건축물을 철거후 동일규모로 일부 위치를 이동하여 3개동으로 건축하는 경우 개축에 해당하는 지 여부

회신 건축법시행령 제2조 제1항 제3호에 의거 "개축"이라 함은 기존 건축물의 전부 또는 일부를 철거하고 그 대지안에 종전과 동일한 규모의 범위안에서 건축물을 다시 축조하는 것을 말하는 것으로서, 상기규정에서 "종전과 동일한 규모의 범위"라 함은 건축물의 동수가 감소하더라도 면적과 층수 및 높이가 증가하지 않는 경우라면 이는 종전과 동일한 규모 범위의 개축에 해당하는 것임.

질의회신 건축물 개축 관련

국토교통부 민원마당 FAQ 2013.12.12.

질의 기존 건축물을 일부 철거하고 종전의 범위 내에서 다시 축조하고자 하는 경우 현행 건폐율 기준을 초과하여 축조가 가능한 지 여부

회신 「건축법」 제11조에 따라 건축물을 건축하고자 하는 경우에는 건축 관계 법령에 적합하도록 하고 있음에 따라 건폐율을 초과하는 경우에는 건축허가가 곤란할 것으로 판단됨.

다만, 「건축법」 제6조에 따라 허가권자는 법령의 제정·개정이나 같은 법 시행령 제6조의2제1항에서 정하는 사유로 대지나 건축물이 이 법에 맞지 아니하게 된 경우에는 일정 범위에서 해당 지방자치단체의 조례로 정하는 바에 따라 건축을 허가할 수 있도록 하고 있음.

따라서, 귀하의 질의내용이 동 규정에 따른 사유와 범위에 해당하는 지 여부 등 보다 구체적인 사항은 해당 건축허가권자인 시장, 군수, 구청장에게 문의바람.

질의회신 건축물 개축관련

국토교통부 민원마당 FAQ 2019.5.24.

질의 과밀억제권역내 교육연구시설인 3개동(가동: 지하1층/지상3층, 나동: 지상3층, 다동: 지상2층) 중 다동을 지상 3층까지 개축이 가능한 지 여부

회신 「건축법 시행령」 제2조제3호에 따라 "개축"이란 기존 건축물의 전부 또는 일부[내력벽·기둥·보·지붕틀(제16호에 따른 한옥의 경우에는 지붕틀의 범위에서 서까래는 제외한다) 중 셋 이상이 포함되는 경우를 말한다]를 철거하고 그 대지에 종전과 같은 규모의 범위에서 건축물을 다시 축조하는 것을 말함

동 규정에서 "종전과 같은 규모의 범위"라 함은 연면적, 최고층수, 최고높이 등이 기존 건축물과 동일한 범위 내를 의미함에 따라 다동을 개축하고자 하는 경우에는 기존 건축물의 층수인 2층까지 개축이 가능할 것으로 사료됨 그러나, 과밀억제권역 등 지역·지구에 따른 행위제한에 대하여는 건축법령에서 별도로 정하고 있지 않음에 따라 개축 가능여부 등 보다 구체적인 사항에 대하여는 해당 건축허가권자인 시장, 군수, 구청장에게 문의바람

4. 재 축

질의회신 건축물 재축관련

국토교통부 민원마당 FAQ 2019.5.24.

질의 천재지변이 아닌 고의성이 없는 인위적인 사고로 건물이 붕괴된 경우 재축이 가능한지 여부
<질의배경> 65년에 건축된 건물로 도로확장 계획에 따라 도로에 간섭되는 부분을 철거하였고 이후 대지 측량 결과 인접대지를 침범한 부분이 있어 이를 후퇴(벽체 2면, 대수선)하는 공사중 건물이 붕괴됨

회신 「건축법 시행령」 제2조제3호에 따르면 '개축'이란 기존 건축물의 전부 또는 일부(내력벽·기둥·보·지붕틀 중 셋 이상이 포함되는 경우를 말함)를 철거하고 그 대지에 종전과 같은 규모의 범위에서 건축물을 다시 축조하는 것을 말하며,
같은 조 제4호에 따라 '재축'이란 건축물이 천재지변 기타 재해에 의하여 멸실된 경우 그 대지 안에 종전과 동일한 규모의 범위 안에서 다시 축조하는 것을 말하는 것임
이와 관련하여 도시관리계획의 변경이나 도로설치 등 공공사업으로 인하여 건축물이 철거되거나 건축법 위반 사항에 대한 조치의 일환으로 건축물을 철거하고 다시 축조하는 경우 이를 '재축'으로 보기는 어려울 것이며, '개축(대수선 포함)' 공사를 하던 중 건축물이 붕괴되어 종전 규모의 범위에서 다시 축조하고자 하는 경우에는 이를 '개축'으로 봄이 타당할 것으로 사료됨

질의회신 건축물 재축에 해당 되는 지 여부

국토교통부 민원마당 FAQ 2019.5.24.

질의 재축에 있어서 "(생략)그 대지안에 종전과 동일한 규모의 범위(생략)" 로 정의하는 바, '규모'가 '구조'까지 포함하는 지 여부

회신 건축법 시행령 제2조 제1항에서 "재축"이라 함은 건축물이 천재지변 기타 재해에 의하여 멸실된 경우에 그 대지 안에 종전과 동일한 규모의 범위 안에서 다시 축조하는 것으로 정의되고 규모란 연면적, 최고층수, 최고높이 등을 의미하는 것임. 따라서, 그 대지 안에서 종전과 동일한 '규모'란 재축하고자 하는 건축물의 '구조'를 포함하지 아니하는 것으로 사료됨

9 대수선

※ 2006.5.8 시행령 개정으로 지붕틀, 기둥, 보 및 내력벽은 해체나 신설의 경우 규모에 관계없이 대수선으로 인정함

법령해석 「건축법 시행령」 제3조의2제9호에 따른 대수선 적용 대상 건축물의 범위

「건축법 시행령」 제3조의2제9호 등 관련 법제처 법령해석 23-0442,2023. 9.22.

질의요지 「건축법」 제2조제9호 및 그 위임에 따라 마련된 같은 영 제3조의2제9호에서는 "대수선"에 해당하는 것의 하나로 '건축물의 외벽에 사용하는 마감재료(각주: 두 가지 이상의 재료로 제작된 자재의 경우 각 재료를 포함하며, 이하 같음.)(같은 법 제52조제2항에 따른 마감재료를 말함)를 증설 또는 해체하거나 벽면적 30제곱미터 이상 수선 또는 변경하는 것'을 규정하고 있고, 같은 법 제52조제2항에서는 대통령령으로 정하는 건축물의 외벽에 사용하는 마감재료는 방화에 지장이 없는 재료로 해야 한다고 규정하고 있는 한편,

2019년 8월 6일 대통령령 제30030호로 일부개정되어 2019년 11월 7일 시행된 「건축법 시행령」(이하 "개정 건축법 시행령"이라 함)에서는 제61조제2항제2호를 신설하여 「건축법」 제52조제2항에 따라 건축물의 외벽에 사용하는 마감재료를 방화에 지장이 없는 재료로 해야 하는 건축물의 하나로 의료시설, 교육연구시설, 노유자시설 및 수련시설의 용도로 쓰는 건축물(이하 "의료시설등"이라 함)을 규정하면서, 같은 영 부칙 제5조에서는 '제61조제2항의 개정규정은 같은 영 시행일 이후 같은 법 제11조에 따른 건축허가 또는 대수선허가를 신청(각주: 건축허가 또는 대수선허가를 신청하기 위해 건축위원회에 심의를 신청하는 경우를 포함하며, 이하 같음.)하거나 같은 법 제14조에 따른 건축신고를 하는 경우부터 적용한다'고 규정하고 있는바,

개정 건축법 시행령 제61조제2항제2호의 시행일인 2019년 11월 7일 전에 건축허가를 받거나 건축신고되어 건축된 의료시설등으로서 종전 건축 당시 「건축법」 제52조제2항 전단 및 같은 법 시행령 제61조제2항에 따라 그 외벽에 방화에 지장이 없는 마감재료(이하 "방화마감재료"라 함)를 사용해야 하는 건축물에 해당하지 않아 그 외벽에 일반마감재료(각주: 방화마감재료가 아닌 마감재료를 말하며, 이하 같음.)가 사용된 의료시설등에 대하여 개정 건축법 시행령 제61조제2항제2호 신설에 따라 외벽 마감재료를 방화마감재료로 교체하기 위해 2019년 11월 7일 이후 해당 의료시설등의 외벽에 방화마감재료를 '증설'하려는 경우(각주: 증축, 개축 또는 재축에 해당하지 않는 것을 전제함.) 「건축법」 제11조제1항에 따른 대수선허가(각주: 「건축법」 제14조제1항에 따른 신고를 포함하며, 이하 같음.)를 받아야 하는지?

회답 이 사안의 경우, 해당 의료시설등의 외벽에 방화마감재료를 증설하려는 경우에도 「건축법」 제11조제1항에 따른 대수선허가를 받아야 합니다.

이유 "생략"

법령해석 건축물 대수선의 범위와 관련하여 "건축물의 외벽에 사용하는 마감재료"는 "방화에 지장이 없는 재료"이어야 하는지 여부

「건축법」 제2조제1항제11호 등 관련 법제처 법령해석 20-0100, 2020.5.4.

질의요지 「건축법 시행령」 제3조의2제9호에 따라 대수선의 대상이 되는지 여부를 판단할 때, "「건축법」 제52조제2항에 따른 마감재료"에는 "대통령령으로 정하는 건축물의 외벽에 사용하는 마감재료" 중 "방화에 지장이 없는 재료"만 포함되는지, 아니면 "방화에 지장이 없는 재료"가 아닌 마감재료도 포함되는지?

<질의 배경> 국토교통부에서는 위 질의요지에 대해 내부 이견이 있어 법제처에 법령해석을 요청함.

회답 「건축법 시행령」 제3조의2제9호에 따라 대수선의 대상이 되는지 여부를 판단할 때, "「건축법」 제52조제2항에 따른 마감재료"에는 "대통령령으로 정하는 건축물의 외벽에 사용하는 마감재료" 중 "방화에 지장이 없는 재료"만 포함됩니다.

이유 "생략"

질의회신 건축물 대수선 여부

국토교통부 민원마당 FAQ 2023.6.15.

질의 여관(연면적 400㎡, 4층) 내부에 엘리베이터를 새로 설치하는 경우(면적 증가 없음)에도 「건축법」 제11조에 따른 건축허가를 받아야 하는 지

회신 「건축법」 제11조 및 제14조에 따라서 건축물을 "건축"하거나 "대수선"하는 경우 에는 허가권자에게 허가를 받거나 신고를 하도록 규정하고 있으며, 같은 법 제2조제1항제8호에서"건축"은 건축물의 신축·증축·개축·재축·이전으로 규정하고 있고, 같은 항 제9호에서 건축물의 기둥, 보, 내력벽, 주계단 등의 구조나 외부 형태를 수선·변경하거나 증설하는 것을 "대수선"으로 규정하고 있음

따라서, 귀 질의의 경우 면적의 증가가 없다하더라도 엘리베이터를 설치하는 것이 상기 규정에 따른 "개축" 또는 "대수선"에 해당하는 경우 건축허가 또는 신고 대상이며, 보다 구체적인 사항은 건축계획 등 관련 자료를 갖추어 해당 지역의 허가권자에게 문의 바람

질의회신 4층 건축물에 엘리베이터 신규 설치가 대수선에 해당되는 지 여부

국토교통부 민원마당 FAQ 2023.6.15.

질의 4층 건축물의 내부에 엘리베이터를 새로 설치하는 경우가 대수선에 해당하는 지의 여부

회신 건축법령상 대수선이라 함은 「건축법 시행령」 제3조의2 각호의 1에 해당하는 것을 말하는 것인 바, 질의의 경우 4층 바닥(3층 천장)이 방화구획을 위한 것이라면 대수선에 해당할 것임

질의회신 대수선 해당 여부의 건축물 규모 판단은?

국토교통부 민원마당 FAQ 2019.5.24.

질의 건축법 제9조 제1항 제3호 규정에 의한 "대수선 행위시 허가 및 신고범위"와 관련하여 그 신고의 범위가 수선하고자하는 규모(예 : 대수선하는 부분이 10층 건물 중 9층의 일부분으로 연면적 150㎡인 경우)를 기준으로 하는 것인지 또는 수선하고자 하는 규모와는 상관없이 단순히 기존 건축물의 전체규모(연면적 200㎡ 미만이고 3층 미만인 건축물)에 의하여 정해지는 지 여부

회신 건축법 제9조 제1항 제3호의 규정에 따라 건축신고로써 건축허가를 받은 것으로 볼 수 있는 대수선의 범위는, 변경하고자 하는 부분에 대한 기준이 아닌 기존건축물의 전체규모에 따른 것으로서, 기존건축물의 연면적이 200㎡ 미만이고 3층 미만인 건축물에서의 대수선에 한하는 것임. (*법 제9조 ⇒ 제14조, 2008. 3. 21.)

질의회신 기둥, 지붕틀 보강 설치 후 기존구조와의 연결을 대수선으로 볼 수 있는지

건교부 건축 58550-2274, 2003.12.8.

질의 기존의 기둥, 지붕틀 등에 대한 해체작업 없이 새로이 모든 기둥과 지붕틀(각 3개 이상)을 보강하여 설치한 후 이를 용접 등으로 기존 기둥, 지붕틀 등과 연결하는 경우 건축법령상 대수선으로 볼 수 있는지 여부

회신 귀 문의의 경우와 같이 새로이 기둥(지붕틀) 등을 3개 이상 설치한 후 이를 기존 기둥(지붕틀)에 연결하여 사용하는 경우라면 건축법시행령 제3조의2에 따라 대수선에 해당하는 것으로 생각됨

10 도로

법령해석 「건축법」 제45조제1항제2호에 해당하는 경우에도 같은 법 제2조제1항제11호에 따른 도로의 너비 요건을 갖추어야 하는지 여부

「건축법」 제2조제1항제11호 등 관련 법제처 법령해석 19-0541, 2020.1.23./건축사협회 수정게시 2022.9.16.

질의요지 「건축법」 제45조제1항제2호에 따라 허가권자(각주: 특별시장・광역시장・특별자치시장・특별자치도지사 또는 시장・군수・구청장을 말하며, 이하 같음.)가 이해관계인의 동의를 받지 않고 건축위원회의 심의를 거쳐 도로를 지정할 수 있는 경우에도 해당 도로는 같은 법 제2조제1항제11호 각 목 외의 부분에서 규정하고 있는 보행과 자동차 통행이 가능한 "너비 4미터 이상"인 도로의 요건을 갖추어야 하는지? (각주: 지형적으로 자동차 통행이 불가능한 경우와 막다른 도로의 경우가 아님을 전제함.)

회답 해당 도로는 「건축법」 제2조제1항제11호 각 목 외의 부분에서 규정하는 "너비 4미터 이상"의 요건을 갖추어야 함.

이유 「건축법」 제45조제1항에서는 허가권자가 같은 법 제2조제1항제11호 나목에 따라 도로의 위치를 지정·공고하려면 그 도로에 대해 이해관 인의 동의를 받도록 하면서(각 호 외의 부분 본문) 주민이 오랫동안 통행로로 이용하고 있는 사실상의 통로로서 해당 지방자치단체의 조례 로 정하는 것인 경우에 해당하면 이해관계인의 동의를 받지 않고 건축 위원회 심의를 거쳐 도로를 지정할 수 있다고 규정하고(각 호 외의 부분 단서 및 제2호) 있는 바, 이는 도로의 지정 절차와 관련하여 이해관계인의 동의를 생략하고 건축위원회 심의로 그 절차를 대신할 수 있도록 하는 것일 뿐이고 도로 지정의 요건을 달리 규정한 것은 아님.

아울러 「건축법」은 건축물의 대지·구조·설비 기준 및 용도 등을 정하여 건축물의 안전·기능·환경 및 미관을

향상시킴으로써 공공복리를 증진하는 것을 목적으로 하는 법률로서 같은 법에서 정의하고 있는 도로는 특히 건축물의 건축과 관련하여 필요한 특정한 성질을 갖춘 도로에 대해 규정한 것으로 건축물이 원활하게 활용되기 위해서는 사람과 자동차의 통행이 자유로워야 한다는 점을 감안하여 건축과 관련 된 도로의 너비를 4미터 이상으로 규정한 것이라는 점도 이 사안을 해석할 때 고려해야 함.

건 축 법
1. 총 칙
2. 건 축
3. 유지관리
4. 대지도로
5. 구조재료
6. 지역지구
7. 건축설비
8. 특별건축구역
9. 보 칙
10. 벌 칙
건 축 법 관련기준

법령해석 개발행위허가 기준에 적합하게 도로를 설치한 경우 해당 도로를 「건축법」상의 도로로 볼 수 있는지 여부

「건축법」 제2조제1항제11호 관련 법제처 법령해석 17-0651, 2018.1.22./건축사협회 수정게시 2022.9.16.

질의요지 「국토계획법」에 따른 도시지역및지구단위계획구역외의지역으로서 동이나 읍이 아닌 지역에서 같은 법 제56조제1항에 따른 건축물 건축을 위한 개발행위허가 시 같은 법 시행령 별표 1의2에 따라 진입 도로가 설치된 경우,

「건축법」 제2조제1항제11호나목에 따라 특별시장·광역시장·특별자치 시장·도지사·특별자치도지사 등이 건축허가 시에 그 진입 도로의 위치를 지정하여 공고하지 않더라도 해당 진입도로를 「건축법」에 따른 도로로 볼 수 있는지

회답 「건축법」 제2조제1항제11호 나목에 따라 특별시장·광역시장·특별자치 시장·도지사·특별자치도지사 등이 건축허가 시에 그 진입 도로의 위치를 지정하여 공고하지 않았다면 해당 진입도로를「건축법」에 따른 도로로 볼 수 없음

이유 「건축법」 제3조제2항은 비도시 면지역의 경우 해당 지역의 규모나 지역적 특성 등에 비추어 볼 때, 해당 구역에 소재한 건축물의 대지에 대하여 「건축법」상의 도로와 접하도록 하는(제44조) 등 일반적인 건축물 및 그 대지와 도로의 관계를 적용하는 것은 현실적으로 어렵다는 정책적 판단에 따른 것인 바 (법제처 2012.10.31.12-0559 해석례 참조

「건축법」 제3조제2항에서 같은 법 제45조를 적용하지 않는다는 것은 비도시 면지역에 대해서는 건축 허가나 신고 시에 해당 건축물의 출입 등에 필요한 도로의 위치를 지정하지 않더라도 건축물을 건축할 수 있도록 하려는 취지이지, 도로의 위치 지정·공고가 없는 도로를 「건축법」에 따른 도로에 포함하려는 취지는 아니라고 할 것이므로, 그러한 의견은 타당하지 않다고 할 것임

법령해석 도로의 너비에 차도나 보도 외의 연석선, 길어깨, 안전확보장치 등의 너비가 포함되는지

「건축법」 제2조제1항제11호 관련 법제처 법령해석 16-0633, 2016.11.29./건축사협회 수정게시 2022.9.16.

질의요지 가). 건축법 제2조제1항제11호에 따른 도로의 너비에 차도나 보도 외에 연석선, 길어깨, 안전 확보장치 등의 너비도 포함되는지?

나). 종전 「도시계획시설기준에 관한 규칙」(2000.8.18. 건설교통부령 제257호로 개정되기 전의 것으로서 2003.1.1. 폐지) 제10조제4호 및 구 「도시·군계획시설의 결정·구조 및 설치기준에 관한 규칙」(2012.10.31. 국토해양부령 제525호로 개정되기 전의 것을 말함) 제10조제8호에서 "일반도 로"는 보행자의 통행에 필요한 보도의 폭을 충분히 확보하여야 한다고 규정하고 있는바, 명확하게 구분되는 보도를 갖추지 않은 도로를 일반 도로로 결정할 수 있는지?

회답 가). 건축법 제2조제1항제11호에 따른 도로의 너비에 차도나 보도 외에 연석선, 길어깨, 안전확보장치 등의 너비도 포함됨.

나). 명확하게 구분되는 보도를 갖추지 않은 도로를 일반도로로 결정할 수 있음.

이유 건축법상 도로의 너비에 실제로 보행과 자동차 통행이 가능한 너비만 포함되고, 사람이나 차량이 안전하게 통행하기 위하여 필요한 시설물 등인 연석선, 길어깨, 안전확보장치 등이 차지하는 너비는 제외된다고 해석하게 되면, 실제로 갖추어야 할 도로의 너비 기준인 4미터(35미터 이상의 막다른 도로는 6미터) 보다 더 넓은 도로에 건축물이 접해야만 건축허가를 받을 수 있게 되는 불합리한 결과가 나오게 됨.

「도로의 구조·시설기준에 관한 규칙」 제10조제3항에서는 일반도로에 서의 차로의 최소 폭을 3미터로 규정하고 있고, 같은 규칙 제16조제3 항에서는 보도의 최소 유효폭을 2미터로 규정하고 있는바, 도로에 보도가 반드시 차도와 명확하게 구분되는 형태로 함께 갖추어져야 한다면 그 최소폭이 5미터에 이르게 되어 도로의 최소폭을 4미터로 규정한 「건축법」 제2조제1항제11호의 규정이 무의미해질 수 있다는 점도 이 사안을 해석할 때 고려하여야 함.

법령해석 접도의무의 기준이 되는 도로의 의미

「건축법」 제2조제11호, 제44조 관련 법제처 법령해석 16-0162, 2016.7.21./건축사협회 수정게시 2022.9.16.

질의요지 건축법 제2조제1항제11호에 따른 "도로" 외에 "지목이 도로이고 사 실상 도로로 사용되는 토지"가 같은 법 제44조에 따른 건축물의 대지가 접하여야 하는 "도로"에 포함되는지?

회답 건축법 제2조제1항제11호에 따른 "도로" 외에 "지목이 도로이고 사실상 도로로 사용되는 토지"는 같은 법 제44조에 따른 건축물의 대지가 접하여야 하는 "도로"에 포함되지 않음.

이유 법령에서의 정의 규정은 그 법령에서 쓰고 있는 중요한 용어 등에 대 하여 법령 자체에서 그 의미를 명확하게 함으로써 법령의 해석과 적용상의 의문점을 없애기 위하여 두는 것으로서 총칙에서 규정된 정의 규정은 그와 달리 해석하여야 할 특별한 규정을 두고 있지 않는 한 그 법령의 전체에 그 효력이 미친다고 할 것인바, 「건축법」의 정의 규정인 제2조제1항 각 호에서 규정하고 있는 용어의 의미는 다른 특별한 규정이 없는 한 「건축법」의 다른 규정에 대해서도 효력이 미친다고 할 것임.

다음으로, 「건축법」 제44조제1항 각 호 외의 부분 본문에서는 건축물의 대지는 2미터 이상이 도로에 접하여야 한다고 규정하고 있을 뿐이 고, 여기서 "도로"가 같은 법 제2조제1항제11호에 따른 "도로"와 다른 의미로 해석될 만한 별도의 제한을 규정하고 있지 않은 것이 문언상 명백하다고 할 것인바, 「건축법」 제44조에 따른 건축물 대지의 접도 의무 기준이 되는 "도로"는 같은 법 제2조제1항제11호에서 규정하고 있는 "도로"를 의미한다고 할 것이므로 「건축법」 제2조제1항제11호에 따른 "도로"에 해당하지 않는 경우에는 같은 법 제44조에 따라 건축물의 대지가 접하여야 하는 "도로"에도 해당하지 않는다고 할 것임.

질의회신 건축물 건축시 도로 사용승락 관련

국토교통부 민원마당 FAQ 2019.5.24.

질의 개인 사도로서 이미 사도개설 허가를 받아 건축물이 건축된 후 인근대지에 건축물을 건축하기 위해 개인 사도를 연장하고자 하는 경우 개인 사도를 연장하여 도로로 사용하고자 하는 토지에 대해서만 도로사용승낙을 받아야 하는 지, 아니면 기존 사도도 다시 도로사용승낙을 받아야 하는 지?

회신 대지에 건축물을 건축하기 위해서는 「건축법」 제44조제1항에 따라 대지가 2미터 이상 도로에 접하여야 하며, 여기서 말하는 도로란 같은 법 제2조제1항제11호에서 정의한 도로를 의미함.

질의의 개인 사도가 「건축법」 제2조제1항제11호가목의 「사도법」에 따라 신설에 관한 고시가 된 도로[또는 같은 호 나목의 건축허가(신고)시 허가권자가 위치를 지정하여 공고한 도로]라면 동 도로에 대해 다시 도로사용승낙을 받을 필요가 없을 것이나, 당해 도로가 이에 해당되는 지 등은 현지현황을 잘 알고 있는 해당지역의 허가권자인 시장・군수・구청장에게 문의바람.

질의회신 건축물의 인접 도로 관련

국토교통부 민원마당 FAQ 2019.5.24.

질의 연면적의 합계가 2,000m² 이상인 건축물의 대지는 너비 6m 이상의 도로에 4m 이상 접하여야 한다고 규정하고 있는 바, 너비 6m 이상의 도로라 함은 도로법상의 도로로서 지적도상에 표시된 도로를 지칭하는 것인지 아니면 건축주가 자기 땅 위에 만든 사설도로도 인정되는지 여부(사설도로와 연결된 주도로는 농로로서 그 너비가 3~7m 이상임)

건 축 법
1. 총 칙
2. 건 축
3. 유지관리
4. 대지도로
5. 구조재료
6. 지역지구
7. 건축설비
8. 특별건축구역
9. 보 칙
10. 벌 칙
건 축 법 관련기준

회신 건축법상 "도로"란 「건축법」 제2조제1항제11호에 따라 보행과 자동차 통행이 가능한 너비 4미터 이상의 도로(예정도로 포함)로서 「도로법」 등 관계법령에 따라 신설 또는 변경에 관한 고시가 된 도로와 건축허가 또는 신고 시 허가권자가 그 위치를 지정·공고한 도로를 말함.
이와 관련, 「건축법」 제44조제2항 및 같은법 시행령 제28조제2항의 규정에 따르면 연면적의 합계가 2천 제곱미터(공장은 3천 제곱미터) 이상인 건축물(축사 등 일부건축물 제외)의 대지는 너비 6m 이상의 도로에 4m 이상 접하도록 하고 있는 바, 이는 일정규모 이상의 건축물 이용시 보행 및 차량통행에 불편함이 없어야 함은 물론, 화재 · 재난 등의 발생시 긴급차량의 진입 등에 지장이 없도록 하여 건축물의 안전 · 기능의 향상과 공공복리의 증진이라는 건축법의 목적에 부합되게 하기 위한 것으로서, 귀 질의와 같이 당해 허가신청 대지부분만 6m 이상으로 확보하는 것은 상기 규정에 따른 도로에 접한 것으로 볼 수 없을 것으로 사료되는 바, 보다 구체적인 사항은 자세한 자료를 갖추어 현지현황을 소상히 알고 있는 해당 지역의 허가권자에게 문의바람

질의회신 건축법상 도로 관련

국토교통부 민원마당 FAQ 2019.5.24.

질의 대지에 접하고 있는 구거를 도로로 볼 수 있는지 및 담장설치의 적법 여부

회신 건축법상 "도로"란 「건축법」 제2조제1항제11호에 따라 보행과 자동차 통행이 가능한 너비 4미터 이상의 도로로서 「도로법」 등 관계법령에 따라 신설 또는 변경에 관한 고시가 된 도로와 건축허가 또는 신고 시 허가권자가 그 위치를 지정·공고한 도로를 말하는 것이며,
허가권자는 도로의 위치를 지정·공고하고자 할 때에는 「건축법」 제45조제1항에 따라 당해 도로에 대한 이해관계인의 동의를 얻어야 하며, 이해관계인의 동의를 얻기가 곤란하다고 인정하는 경우 등에 있어서는 건축위원회의 심의를 거쳐 도로를 지정할 수 있음.
아울러, 「건축법」 제44조에 따라 건축물의 대지는 2미터 이상을 도로에 접하여야 하는 것이나, 해당 건축물의 출입에 지장이 없다고 인정되거나 건축물의 주변에 광장 · 공원 등 관계법령에 따라 건축이 금지되고 공중의 통행에 지장이 없는 공지로 허가권자가 인정하는 공지가 있는 경우에는 그러하지 아니할 수 있는 것이며,
대지가 소요너비에 못 미치는 너비의 도로에 접하고 있는 경우에는 같은 법 제46조제1항에 의하여 당해 도로의 중심선으로부터 그 소요 너비의 2분의 1의 수평거리만큼 물러난 선을 건축선으로 하여야 하는 것으로 같은 법 제47조제1항에 따라 건축물과 담장은 건축선의 수직면을 넘어서는 안됨

질의회신 도로부분의 면적을 대지면적에 포함 여부

국토교통부 민원마당 FAQ 2019.5.24.

질의 건축물의 건축하고자 하는 대지와 동 대지와 접한 도로의 소유자가 동일한 경우, 도로부분의 면적을 대지면적에 포함할 수 있는지 여부

회신 건축법상 도로라 함은 건축법 제2조제1항제11호의 규정에 의한 도로를 말하는 것으로서, 귀 문의의 도로가 상기 규정에 의한 도로에 해당하는 경우라면 대지면적에서 제외되는 것이며, 또한 동도로를 대지면적에 포함하기 위하여는 허가권자가 동법 제35조의 규정에 의하여 이해관계인의 동의를 얻어 도로를 폐지한 후 대지로의 포함여부를 검토하여야 함

질의회신 건축법 또는 도로법 등 관계법에서 결정 · 고시되지 아니한 경우 도로로 볼 수 있는 지

국토교통부 민원마당 FAQ 2019.5.24.

질의 지적법상 지목이 도로이나 건축법 또는 도로법 등 관계법에서 결정·고시되지 아니한 경우 도로로 볼 수 있는 지

회신 지적법에서 비록 지목은 도로라 하더라도 관계법에서 도로로 결정·고시된 것이 아니고 시장·군수 등 허가권자가 이를 도로로 지정한 것이 아니라면 건축법상의 도로로 볼 수 없는 것임

질의회신 건축물 진입도로 관련

국토교통부 민원마당 FAQ 2019.5.24.

질의 건축물을 건축하고자 진입도로(농로 및 구거) 에 대하여 목적외 사용승낙을 받을 경우 건축법상도로 인정할 수 있는지 여부?

회신 건축법 제2조 제1항 제11호에 따르면 "도로"란 보행과 자동차 통행이 가능한 너비 4미터 이상의 도로로서 「국토의 계획 및 이용에 관한 법률」, 「도로법」, 「사도법」, 그 밖의 관계법령에 따라 신설 또는 변경에 관한 고시가 된 도로이거나, 건축허가 또는 신고 시에 시·도지사 또는 시장·군수가 위치를 지정하여 공고한 도로 또는 그 예정도로를 말하는 것이며,

허가권자가 도로의 위치를 지정·공고하려면 건축법 제45조 제1항에 따라 그 도로에 대한 이행관계인의 동의를 받은 후 도로관리대장에 적어서 관리하도록 정하고 있는바,

당해 농로 또는 구거가 보행과 자동차 통행이 가능한 너비 4미터 이상의 도로로서 구조와 기능 등을 갖추고 관계법령에 적합한 경우 도로로 지정할 수 있을 것으로 사료되나, 그렇지 아니한 경우 도로의 지정하기 어려울 것으로 사료되며, 도로 지정 가능여부는 허가권자가 확인·검토하여 판단할 사항임

질의회신 건축법상 도로 관련

국토교통부 민원마당 FAQ 2019.5.24.

질의 ① 1985년 당시 건축법령에 따른 도로로 건축허가를 받은 경우 허가권자가 지정.공고한 도로로 볼 수 있는 지와 동 도로가 도로대장에 기재되지 않은 경우 건축법상 도로로 볼 수 없는 지 여부

② 현재 도로의 소유자가 일방적으로 도로를 폐지할 수 있는 지와 새로운 건축허가에 따라 도로의 지정.공고 내용이 변경된 경우 도로대장 등재는 누가 하여야 하는 지 여부

③ 도로면적을 대지면적에 포함하여야 하는 지 여부

회신 건축법 제2조제1항제11호에 따라 허가권자가 도로의 위치를 지정.공고하도록 한 규정은 1999.2.8일 개정된 건축법(법률 제5895)에서부터 규정하고 있고, 개정부칙 제4조에 따라 종전의 규정에 의하여 지정된 도로는 제2조제1항제11호 나목의 개정규정에 의하여 지정·공고된 것으로 보도록 하고 있음에 따라,

종전의 규정에 따라 건축법상 도로로 지정을 받아 건축허가를 받은 경우에 단순히 도로대장에 등재가 되지 않았다고 해서 건축법상 도로로 인정하지 않는 것은 곤란할 것으로 사료됨.

건축법 제44조제2항에 따라 허가권자는 같은 조 제1항에 따라 지정한 도로를 폐지하거나 변경하려면 그 도로에 대한 이해관계인의 동의를 받도록 하고 있고, 그 도로에 편입된 토지의 소유자, 건축주 등이 허가권자에게 같은 조 제1항에 따라 지정된 도로의 폐지나 변경을 신청하는 경우에도 또한 그 도로에 대한 이해관계인의 동의를 받도록 하고 있으며,

허가권자는 동 규정에 따른 도로를 지정하거나 변경하면 국토해양부령으로 정하는 바에 따라 도로관리대장에 이를 적어서 관리하도록 하고 있음.

건축법 시행령 제119조제1항제1호에 따라 대지의 수평투영면적을 대지면적으로 하고 있으며,「건축법」 제2조제1항제11호에 따른 도로는 동 규정에 따른 대지면적에서 제외되어야 할 것으로 사료됨.

질의회신 건축법 도로 관련

국토교통부 민원마당 FAQ 2019.5.24.

질의 단독주택을 신축하고자 하나 신축 부지외 4개 부지에서 이용하고 있는 진입도로 중 일부 사유지에 대하여 도로사용승락서를 제출하여야 하는지 여부

회신 질의의 경우는 우선 진입도로가 「건축법」 제2조제11호에서 규정한 도로에 해당하는지 여부가 검토되어야 할 것이며, 건축법령에 해당하는 도로로서 이러한 도로에 접한 대지에 건축허가(신고)를 신청시 도로소유자의 동의를 받아야 하는지에 대하여는 건축법령에서 별도로 규정하고 있지 않음.

다만,「건축법」 제2조제1항제11호에서 규정한 도로는 보행과 자동차 통행이 가능한 너비 4미터 이상의 도로로서

「도로법」 등 관계법령에 따라 고시가 된 도로와 건축허가(신고) 시 허가권자가 위치를 지정·공고한 도로를 말하는 것이며, 허가권자가 도로를 지정·공고하고자 하는 경우에는 「건축법 시행령」 제45조제1항에 따라 그 도로에 대한 이해관계인의 동의를 받아야 하는 것이니, 질의와 관련한 보다 구체적인 사항은 도로 지정 및 건축허가 업무를 담당하고 있는 해당 지방자치단체에 문의하면 자세한 사항을 아실 수 있을 것임.

질의회신 이미 도로로 사용 중인 타인 소유 토지에 대한 동의서 첨부여부

건교부 건축기획팀-1890, 2006.3.28.

질의 건축물대장기재 신청시 이미 도로로 사용 중인 타인 소유의 토지에 대하여 '토지의 사용에 관한 권리 증빙서류'를 제출하여야 하는 지 여부

회신 건축법 제2조제1항11호 규정에 의하면, 「국토의 계획 및 이용에 관한 법률」 등 관계법령에 의하여 신설 또는 변경에 관한 고시가 된 도로 등에는 '토지의 사용에 관한 권리 증빙서류'를 제출할 필요가 없을 것으로 사료됨

질의회신 막다른 도로 관련

국토교통부 민원마당 FAQ 2019.5.24.

질의 건축법령에 적법한 막다른 도로(A) 중간 부분에 또 다른 막다른 도로(B)가 분기되어 있는 경우, 막다른 도로(B)의 시작점을 도로(A)의 시작점으로 보아야 하는지 아니면 도로(B)가 분기되는 곳을 시작점으로 보아야 하는지 여부

회신 「건축법」 제2조제1항제11호에 따르면 "도로"란 보행과 자동차 통행이 가능한 너비 4미터 이상의 도로로서 관계 법령에 따라 고시가 된 도로이거나 건축허가(신고) 시 지정·공고한 도로를 말하는 것이며,

지형적으로 자동차 통행이 불가능한 경우와 막다른 도로의 경우에는 같은 법 시행령 제3조의3에 적합하도록 규정하고 있는 바,

질의의 막다른 도로(A)가 상기 규정에 적합한 경우라면 이는 건축법령에서 정하고 있는 "도로"에 해당하는 것이므로, 동 "도로"에서 분기된 도로(B)의 시작점은 당해 막다른 도로(B)의 분기점을 시작점으로 보는 것이 타당할 것임

질의회신 막다른 도로의 길이산정 방법

서울시 건축과-15155호, 2004.10.22

질의 건축법 제2조 제1항 제11호 및 같은 법시행령 제3조의3 규정에 의하여 막다른 도로의 길이에 따라 도로의 너비를 산정할 때 막다른 도로의 길이 산정 방법은

회신 건축법시행령 제3조의2 제2호에 따라 막다른 도로는 그 길이에 따라 너비를 산정하는 것인 바, 막다른 도로의 길이는 통과도로에서부터 막다른 도로 끝부분까지의 도로중심선 길이를 말하는 것이고, 위 기준에 의하여 산정된 막다른 도로의 길이에 따라 건축법시행령 제3조 제2호에 따른 소요너비를 확보하여야 하는 것임

질의회신 막다른 도로의 정의

건교부 건축 58070-604, 2003.4.4.

질의 막다른 도로라 함은?

회신 건축법시행령 제3조의3에 따른 막다른 도로라 함은 통과도로로부터 막다르게 접한 부분까지를 말하는 것이며, 되돌아오지 않고 계속 진행이 가능한 도로는 통과도로에 해당하는 것인바, 보다 구체적인 사항은 해당 허가권자에게 문의하기 바람

질의회신 지적도상 도로이나 계단 등이 있는 경우의 도로

건교부 건축 30420-3102, 1999.8.28.

질의 지적도상 통과도로이나 지형적 조건으로 축대가 설치되어 사실상 막다른 도로인 경우와 그 축대에 계단을 설치하였을때 건축법 제2조제1항제11호 및 같은 법시행령 제3조제4항제2호 규정에 의거 도로의 폭을 확보

하여야 하는지

회신 지적도상 통과도로라 할지라도 계단, 축대 등으로 차량통행이 불가함으로 막다른 도로로 보아 도로의 폭을 확보하여야 하는 것임

질의회신 현황도로의 건축법상 도로 인정 여부

국토교통부 민원마당 FAQ 2013.12.11.

질의 사람 및 차량의 통행인 가능한 현황도로이며, 건축허가시 도로대장 및 토지주 동의서를 제출할 경우, 적법한 도로가 되는지 여부

회신 「건축법」 제2조제1항제11호에 따라 도로란 보행과 자동차 통행이 가능한 너비 4미터 이상의 도로로서 「국토의 계획 및 이용에 관한 법률」, 「도로법」, 「사도법」, 그 밖의 관계법령에 따라 신설 또는 변경에 관한 고시가 된 도로(예정도로 포함)나 건축허가 또는 신고 시에 허가권자가 위치를 지정하여 공고한 도로(예정도로 포함)를 말하는 것이며,

같은 법 제45조제1항에 따르면 허가권자는 제2조제1항제11호에 따라 도로의 위치를 지정·공고하려면 국토해양부령으로 정하는 바에 따라 그 도로에 대한 이해관계인의 동의를 받아야 하는 것으로,

귀 질의의 현황도로가 상기규정에 따라 건축허가시 허가권자가 도로로 지정·공고하게 되면 이는 건축법상 도로가 되는 것이니, 이와 관련한 구체적인 사항은 관련 자료를 갖추어 해당 지역 허가권자에게 문의바람

질의회신 건축허가시 현황도로 관련

국토교통부 민원마당 FAQ 2019.5.24.

질의 수십년부터 자동차 등의 통행도로로 이용되고 있는 현황도로를 이용하여 농가주택의 건축허가가 가능한지 여부

회신 건축법상 "도로"라 함은「건축법」 제2조제1항제11호에 따라 보행과 자동차 통행이 가능한 너비 4미터 이상의 도로로서 「도로법」 등 관계법령에 따라 신설 또는 변경에 관한 고시가 된 도로와 건축허가 또는 신고시 허가권자가 그 위치를 지정·공고한 도로를 말함.

또한, 같은 법 제44조에 따르면 건축물의 대지는 2미터 이상이 도로(자동차만의 통행에 사용되는 도로는 제외)에 접하도록 하고 있으나, 허가권자가 해당 건축물의 출입에 지장이 없다고 인정하는 경우 등에 대해서는 그러하지 않음. 따라서, 상기 조항의 인정여부 등 질의의 도로와 관련한 보다 구체적인 사항에 대해서는 건축법상 도로 관련 업무를 담당하고 있는 해당 지역의 시장, 군수, 구청장 등에게 문의바람.

질의회신 지목이 "도"가 아닌 현황도로를 도로로 볼 수 있는지 여부

건교부 건축 58070-52, 2003.1.8.

질의 지목이 '도'가 아닌 현황도로를 도로로 볼 수 있는지 여부

회신 건축법상 도로라함은 건축법 제2조제1항제11호에 따라 도시계획법·도로법·사도법 그 밖에 관계법령에 의하여 신설 또는 변경에 관한 고시가 된 도로 또는 건축허가(신고)시 허가권자가 그 위치를 지정·공고한 도로를 말하는 것인 바, 상기 규정에 따른 도로는 지목에 관계없이 건축법상 도로로 인정되는 것이니 귀 문의의 경우가 건축법상 도로에 해당하는지 여부 등 보다 구체적인 사항은 해당 지역의 현황을 상세히 알고 있는 해당 허가권자에게 직접 문의바람

질의회신 지정도로의 지목변경 및 지적분할 여부

건교부 건축 58070-368, 2003.2.26.

질의 건축법 제2조제1항제11호나목에 따라 지정된 도로를 지적 분할 후 지목을 도로로 변경하여야 하는지 여부

회신 건축법 제2조제1항제11호나목에 따라 건축허가(신고)시 허가권자가 그 위치를 지정·공고한 도로에 대하여 건축법령상 지적분할 및 지목변경을 반드시 하여야 하는 것은 아닌바, 보다 구체적인 사항은 관련 내용을 상세히 알고 있는 해당 허가권자에게 직접 문의하시기 바람

건 축 법
1. 총 칙
2. 건 축
3. 유지관리
4. 대지도로
5. 구조재료
6. 지역지구
7. 건축설비
8. 특별건축구역
9. 보 칙
10. 벌 칙
건 축 법 관련기준

질의회신 도로지정과 건축허가의 병행처리 여부

건교부 건축 58070-1073, 2003.6.17.

질의 건축법상 도로는 건축허가시 특별시장 · 광역시장 · 도지사 또는 시장 · 군수 · 구청장이 그 위치를 지정하여 건축허가와 함께 병행처리가 가능한 것인지 또는 건축허가 전에 정하여야 하는 것인지 여부

회신 건축법 제2조제1항제11호 나목에 따른 도로는 건축허가와 함께 병행처리할 수 있는 것임

질의회신 점용허가 받은 수로를 건축법상 도로로 보아 건축허가 가능한지 여부

건교부 건축 58070-2083, 2003.11.13.

질의 농업기반공사의 수로를 임대하여 점용허가를 받은 경우 동 수로를 건축법상 도로로 보아 건축허가가 가능한지 여부

회신 도로라 함은 건축법 제2조제1항11호에 따라 보행 및 자동차통행이 가능한 너비4미터이상의 도로로서 도시계획법 · 도로법 · 사도법 그 밖에 관계법령에 의하여 신설 또는 변경에 관한 고시가 된 도로와 건축허가 또는 신고시 시 · 도지사 또는 시장 · 군수 · 구청장이 그 위치를 지정 · 공고한 도로를 말하는 것이므로 질의의 수로는 동 규정에 해당하는 도로로 볼 수 없는 것임을 알려드리니 보다 구체적인 사항은 해당 허가권자에게 문의하시기 바람

질의회신 「국토의 계획 및 이용에 관한 법률」 상의 도로 인정 여부

국토해양부 민원마당 FAQ 2012.9.26.

질의 토지이용계획확인서에 「국토의 계획 및 이용에 관한 법률」에 따른"지역 · 지구 등 지정여부"에"중로1류"로 명시된 도로에 6미터 50센티미터를 접할 경우 건축허가가 가능한 도로인지 여부

회신 「건축법」 제2조제1항제11호. "도로"란 보행과 자동차 통행이 가능한 너비 4미터 이상의 도로(지형적으로 자동차 통행이 불가능한 경우와 막다른 도로의 경우에는 대통령령으로 정하는 구조와 너비의 도로)로서 「국토의 계획 및 이용에 관한 법률」, 「도로법」, 「사도법」, 그 밖의 관계 법령에 따라 신설 또는 변경에 관한 고시가 된 도로 또는 건축허가 또는 신고 시에 특별시장·광역시장·도지사·특별자치도지사(이하 "시·도지사"라 한다) 또는 시장·군수·구청장(자치구의 구청장을 말한다. 이하 같다)이 위치를 지정하여 공고한 도로나 그 예정도로를 말하며, 「건축법」 제44조제1항에 따라 건축물의 대지는 2미터 이상이 도로(자동차만의 통행에 사용되는 도로는 제외한다)에 접하도록 하고 있음.

따라서, 동 규정에 따라 「국토의 계획 및 이용에 관한 법률」에 따라 신설 또는 변경에 관한 고시가 된 경우라면 건축법상 도로에 해당할 것임

질의회신 도시계획예정도로에 접한 대지에 건축허가시 도로소유자 동의필요여부

건교부 건축 58070-2350, 2003.12.19.

질의 도시계획예정도로에 접한 대지에 건축허가를 받고자 하는 경우 도로소유자의 동의를 받아야 하는지 여부

회신 도시계획예정도로는 건축법 제2조제1항제11호에 따른 건축법상 도로이며 건축법상 도로에 접한 대지는 별도로 도로 소유자의 동의를 받지 않아도 되는 것이니, 이에 대한 보다 구체적인 사항은 해당지역의 허가권자에게 문의하시기 바람

11 발코니

질의회신 발코니의 정의 및 구조, 비바닥면적 산정 제외 여부

국토교통부 민원마당 FAQ 2019.5.24.

질의 가. 발코니 외부에 건축물 전체적(40층 아파트)으로 기둥을 설치한 경우에 있어 이를 바닥면적 산정에서 제외할 수 있는 발코니로 인정할 수 있는 지?

나. 외벽 전체적를 커튼월로 구성한 것을 발코니로 인정할 수 있는 지?

회신 가. 건축법 시행령 제2조 제1항 제15호에 따라 발코니는 건축물의 내부와 외부를 연결하는 완충공간으로서 전망·휴식 등의 목적으로 건축물 외벽에 접하여 부가적으로 설치되는 공간으로 건축물의 구조·형태 상 외벽이 항상 기둥보다 바깥에 있어야 하는 것은 아니므로, - 외벽에 부가적으로 설치한 발코니를 기둥 등 내력구조체로 지지한 것만으로 당해 발코니를 실내공간화한 것으로 보기는 어려울 것으로 판단되며, 구조적으로 효율적이고 경제적인 건축물의 건축을 위하여 필요한 범위 내에서 발코니를 내력구조체로 지지할 수 있는 것으로 그 범위는 내력구조체의 기능, 형태, 설치위치 등을 확인하여 판단할 수 있을 것임.

나. 건축물의 외벽을 커튼월로 하고 그 내부에 설치하는 공간은 건축법 시행령 제2조 제14호 규정이 적용되는 발코니로 보기 어려운 것임 - (참고) 건축법시행령 제2조제14호 : "발코니"란 건축물의 내부와 외부를 연결하는 완충공간으로서 전망이나 휴식 등의 목적으로 건축물 외벽에 접하여 부가적(附加的)으로 설치되는 공간을 말한다. 이 경우 주택에 설치되는 발코니로서 국토교통부장관이 정하는 기준에 적합한 발코니는 필요에 따라 거실·침실·창고 등의 용도로 사용할 수 있다.

질의회신 발코니 변경 관련

국토교통부 민원마당 FAQ 2023.6.15.

질의 사용승인 후 발코니(확장형) 면적을 늘려(폭 0.9m→1.4m) 전용면적을 줄이고, 줄어든 면적을 이용하여 1층에 근린생활시설을 추가설치할 수 있는지 여부

회신 발코니란 건축물의 내부와 외부를 연결하는 완충공간으로서 전망이나 휴식 등의 목적으로 건축물 외벽에 접하여 부가적으로 설치되는 공간을 말하는 것으로 건축물의 바닥면적 산정 시 일정부분을 제외하고 있으며, 주택에 설치되는 발코니에 대하여는 필요에 따라 거실 등의 용도로 사용할 수 있도록 하고 있음

이는 건축물의 다양한 입면창출 등 창의적인 건축설계를 도모하고, 대지가 협소하여 별도의 휴식공간 설치가 어려운 건축물과 발코니 불법개조에 따른 사회문제 해소 등을 위하여 건축법령의 일부 기준을 완화하여 적용할 수 있게 한 것이나, 발코니를 확장하게 됨에 따라 실질적으로 거실과 발코니의 구분이 없다하여 추가시설의 부족한 면적을 확보하고자 기존의 거실을 발코니로 명명하거나 형식적 축소를 통해 발코니로 하고자 하는 경우까지 상기의 완화규정이 적용되는 발코니로 보기는 어려울 것임

질의회신 발코니 폭의 일부만 구조변경 할 경우 방화판 등 설치대상인 지

국토교통부 민원마당 FAQ 2022.6.20.

질의 발코니 구조변경(확장)을 발코니 폭의 일부(예 : 발코니 폭이 2m일때 발코니 끝선이 아닌 1~1.5m까지)만 할 경우 방화판 및 방화유리 설치대상인지 여부

회신 「발코니 등의 구조변경절차 및 설치기준」 제4조제1항 규정에 따라 아파트 2층 이상의 층에서 스프링클러의 살수범위에 포함되지 않는 발코니를 구조변경 하는 경우에는 발코니 끝부분에 바닥판 두께를 포함하여 높이가 90센티미터 이상의 방화판 또는 방화유리창을 설치하여야 하는 것으로 동 규정은 발코니를 확장할 경우 하부층에서 발생한 화염이 당해 층 실내로 바로 전파되는 것을 일정시간 차단하기 위한 규정인 바, 귀 질의의 경우 아파트 2층 이상의 층에서 스프링클러의 살수범위에 포함되지 않는 발코니를 구조변경 하는 경우라면 발코니 폭의 일부만 확장 할 경우라도 동 규정에 적합하게 방화판 또는 방화유리창을 설치하여야 할 것으로 판단됨

질의회신 건축물 외벽 내부에 발코니 설치 가능 여부

국토교통부 민원마당 FAQ 2023.6.15.

질의 건축물 외벽 내부에 발코니 설치 가능 여부

회신 「건축법 시행령」 제2조제14호에 따르면 "발코니"란 건축물의 내부와 외부를 연결하는 완충공간으로서 전망이나 휴식 등의 목적으로 건축물 외벽에 접하여 부가적(附加的)으로 설치되는 공간을 말함.
이에 따르면, 외벽에 접하여 부가적으로 설치되지 않고 발코니의 외기와 접하는 부분을 내력벽으로 하여 실내 공간화하는 경우에는 발코니로 볼 수 없을 것으로 사료되나, 보다 자세한 사항은 관련자료를 갖추어 해당지역 허가권자에게 문의바람.

질의회신 발코니 인정여부

국토교통부 민원마당 FAQ 2019.5.24.

질의 다세대(다가구)주택으로서 2층과 3층 부분의 면적차이로(일조권 및 도로사선에 의한 부분이 아님) 생긴 부분에 발코니를 설치했을 경우, 이를 발코니로 인정할 수 있는지 여부

회신 「건축법 시행령」 제2조제14호에 따르면 "발코니"란 건축물의 내부와 외부를 연결하는 완충공간으로서 전망이나 휴식 등의 목적으로 건축물 외벽에 접하여 부가적으로 설치되는 공간을 말하는 것으로,
이 경우 주택에 설치되는 발코니로서 국토해양부장관이 정하는 기준에 적합한 발코니는 필요에 따라 거실·침실·창고 등의 용도로 사용할 수 있는 것을 말함
위 규정에 의한 완충공간으로서 발코니는 건축물의 소음방지나 안전보호 등 물리적 기능과 함께 주공간이 불가피하게 외부에 직접 면하게 되는 적층형 주택에서 거주자에게 안정감을 주고자 하는 심리적 기능 등에 필요한 역할을 수행하도록 건축되는 것으로,
귀 질의와 같이 2층의 지붕에 면하여 후퇴한 3층의 외부공간에 설치하는 부분은 발코니에 해당하지 아니하는 것으로 판단됨

질의회신 발코니 확장시 신고 여부

국토교통부 민원마당 FAQ 2023.6.15.

질의 2003.1.8. 건축허가를 득한 후 2003.7.5. 사용승인을 얻은 건축물의 발코니를 구조변경(확장)하고자 하는 경우 소유자가 건축사의 확인을 받아 허가권자에게 신고하여야 하는 지

회신 건축주는 발코니를 구조변경 하고자 하는 경우에는 "발코니 등의 구조변경절차 및 설치기준"(국토교통부고시 제2018-775호) 제12조 제1항의 규정에 따라 동 기준 제2조부터 제6조까지 및 제8조의 규정에 대하여 건축사의 확인을 받아 허가권자에게 신고하도록 규정하고 있음

질의회신 지하층 발코니 인정여부

국토교통부 민원마당 FAQ 2023.6.15.

질의 지하층에 발코니 설치가 가능한지와 동 발코니 설치시 바닥면적 산입여부

회신 「건축법 시행령」 제2조제14호 따르면 "발코니"란 건축물의 내부와 외부를 연결하는 완충공간으로서 전망이나 휴식 등의 목적으로 건축물 외벽에 접하여 부가적으로 설치되는 공간을 말함
귀 질의의 경우에는 상기 규정의 요건에 적합하지 않아 같은법 시행령 제119조제1항제3호나목의 규정에 따른 바닥면적에서 제외되는 발코니로 볼 수 없을 것으로 판단되니, 보다 구체적인 사항은 관련 자료를 갖추어 해당지역의 허가권자에게 문의 바람

질의회신 발코니 구조변경 관련

국토교통부 민원마당 FAQ 2023.6.15.

질의 건축허가 신청서에 발코니 확장표시를 하여 건축허가 신청이 가능한지.

회신 "발코니 등의 구조변경절차 및 설치기준(건설교통부 고시 제2005-400호, '05.12.8)" 운영과 관련하여 우리 부에서 16개 광역자치단체에 송부(건축기획팀-2125, '05.12.23)한 바 있는 '발코니관련 기준해설' 중 제9조 설명자료에 따르면, 건축허가(사업계획승인신청 포함)시 도면은 발코니 확장전 원 도면과 발코니가 확장된 상태의 도면(확장계획이 있는 경우에 한함)을 함께 제출받아 면적산정 및 발코니 판단의 근거자료로 활용할 수 있도록 하고 있음(※조항변경 : 건설교통부 고시 제2005-400호 ⇒ 국토교통부고시 제2018-775호, 2018.12.7)

질의회신 단독주택 발코니 구조변경

국토교통부 민원마당 FAQ 2023.6.15.

질의 단독주택의 경우 발코니 설치 개소수를 제한하고 있는 지 여부.

회신 「발코니 등의 구조변경절차 및 설치기준」(국토교통부 고시) 제2조에 따라 단독주택의 경우 구조변경을 할 수 있는 발코니는 외벽 중 2면 이내로 제한되어 있음

질의회신 발코니 구조 관련

국토교통부 민원마당 FAQ 2023.6.15.

질의 단독(다가구, 다중)주택의 발코니 부분 확장이 가능한지 여부

회신 「건축법 시행령」 제2조제14호에 따르면 "발코니"란 건축물의 내부와 외부를 연결하는 완충공간으로서 전망이나 휴식 등의 목적으로 건축물 외벽에 접하여 부가적으로 설치되는 공간을 말합니다. 아울러, 주택에 설치되는 발코니로서 국토교통부장관이 정하는 기준(발코니 등의 구조변경절차 및 설치기준)에 적합한 발코니는 필요에 따라 거실·침실·창고 등의 용도로 사용할 수 있는 것으로, 동 기준에 적합한 경우에는 부분적으로도 발코니 구조변경이 가능할 것으로 사료됨

질의회신 내력벽을 축조하여 각각 분리시킨 경우 발코니로 볼 수 없는지

건교부 건축기획팀-517, 2006.1.26.

질의 건축허가를 받고 건축하던 중 하나의 발코니 사이에 내력벽을 축조하여 각각 분리시킨 경우 발코니로 볼 수 없는지

회신 각각의 분리된 부분이 건축법 시행령 제2조제1항제15호의 규정에 적합한 경우에는 발코니로 볼 수 있을 것임

건축허가 평면도

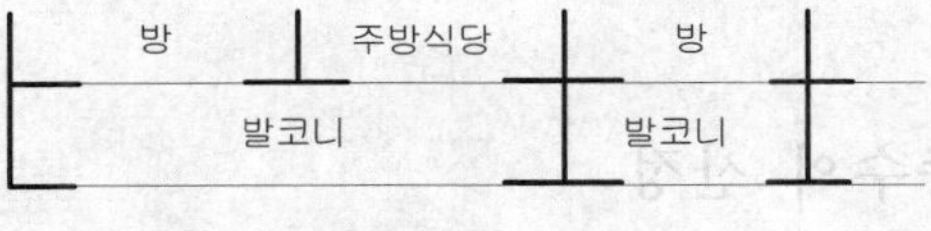

공사완료 평면도

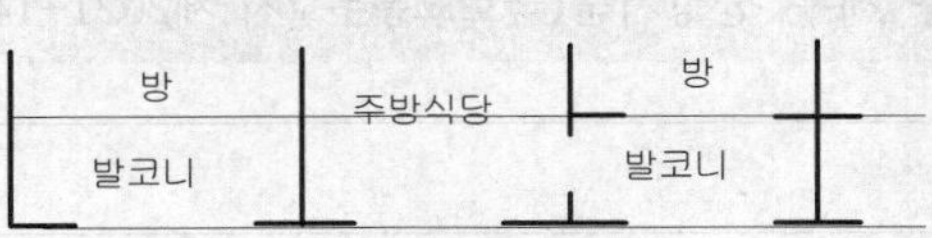

질의회신 유료 노인복지주택의 발코니도 구조 변경할 수 있는지 여부

건교부 건축기획팀-306, 2006.1.16.

질의 개정된 건축법 시행령에 의하여 구조변경을 할 수 있는 발코니에 유료노인복지주택의 발코니도 포함되는지

회신 건축법 시행령(일부개정 2005.12.2 대통령령 제19163호) 제2조제1항제15호의 규정 중 "주택"은 동령 별

표1에 의한 용도별 건축물의 종류 중 제1호 및 제2호에 의한 단독주택 및 공동주택을 말하는 것임

질의회신 발코니를 화장실로 사용할 수 있는지 여부

건교부 건축기획팀-679, 2006.2.3.

질의 「건축법 시행령」 제2조제1항제15호 규정에 의한 발코니를 화장실로 설치하여 사용할 수 있는지 여부

회신 「건축법 시행령」 제2조제1항제15호 규정에 의거 "발코니"라 함은 건축물의 내부와 외부를 연결하는 완충공간으로서 전망·휴식 등의 목적으로 건축물 외벽에 접하여 부가적으로 설치되는 공간을 말하며, 이 경우 주택에 설치되는 발코니로서 건설교통부장관이 정하는 기준에 적합한 발코니는 필요에 따라 거실·침실·창고 등 다양한 용도로 사용할 수 있음. 즉 "발코니"는 건축주의 필요에 따라 「발코니 등의 구조변경절차 및 설치기준」에 적법하게 구조 변경하여 다양한 용도로 사용할 수 있는 공간임. 하지만, 주택으로서의 최저주거기준을 만족하기 위한 전용부엌, 화장실(목욕시설 포함) 등 필수적인 설비는 실내공간에 기본적으로 갖추어야 할 것으로 질의의 화장실이 이에 해당되는 것임

질의회신 아래층 보다 작은 최상층세대 외벽에 발코니 설치 가능 여부

건교부 건축기획팀-237, 2006.1.12.

질의 건축물의 최상층에 위치한 다세대주택의 평면규모가 그 아래층보다 작은 경우 최상층의 세대 외벽에 발코니를 설치할 수 있는지(발코니 바깥은 옥상임)

회신 건축법 시행령(일부개정 2005.12.2 대통령령 제19163호) 제2조제1항제15호의 정의에 따르면 "발코니"는 건축물의 내부와 외부를 연결하는 완충공간으로서 전망·휴식 등의 목적으로 건축물 외벽에 접하여 부가적으로 설치되는 공간을 말하는 것인 바, 귀 질의의 발코니도 이에 해당하는 것으로 사료됨

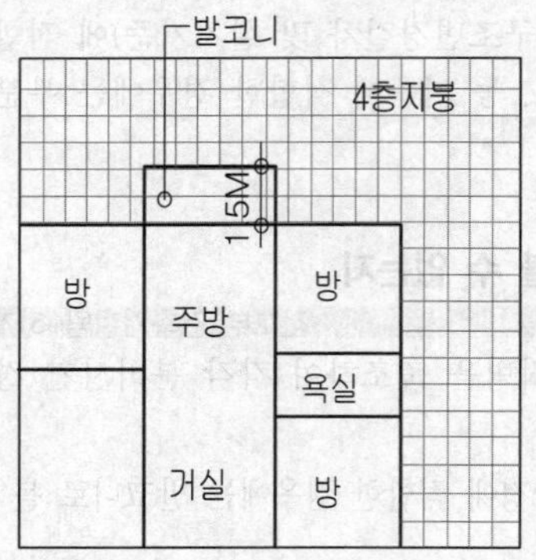

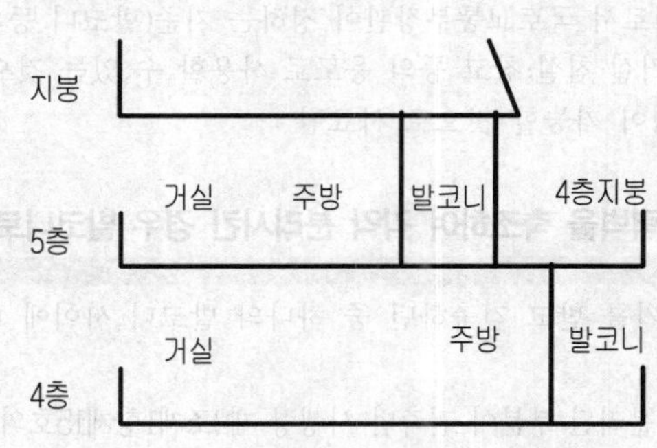

12 면적·높이 및 층수의 산정

☞ 건축물 면적, 높이 등 세부 산정기준(국토교통부고시 제2021-1422호, 2021.12.30.제정) 2편참고

1. 대지면적

질의회신 대지에 도시계획시설인 도로가 있는 경우 그 도로가 대지면적에 포함되는지 여부?

국토교통부 민원마당 FAQ 2022.6.29.

질의 대지에 도시계획시설인 도로가 있는 경우 그 도로가 대지면적에 포함되는지 여부?

회신 「건축법 시행령」 제119조제1항제1호나목에 따르면 대지에 도시계획시설인 도로·공원 등이 있는 경

우에는 그 도시계획시설에 포함되는 대지면적은 당해 대지면적에서 제외하는 것으로 규정하고 있는 바, 질의의 도로가 도시계획시설인 경우에는 상기 규정에 따라 대지면적에서 제외되는 것으로 사료됨

질의회신 도시계획시설(도로)이 부지를 통과하는 경우 대지의 범위

국토교통부 민원마당 FAQ 2022.6.29.

질의 도시계획시설로 주차장부지와 동부지를 통과하는 도로가 결정된 경우로서, 주차장부지에 건축물을 건축할 때 대지의 범위에 도로를 포함시킬 수 있는지 여부와 건축물의 상부가 도로를 침범할 수 있는 지 여부

회신 대지면적이라 함은 대지의 수평투영면적으로서 대지안에 도시계획시설인 도로·공원 등이 있는 경우 그 도시계획시설에 포함되는 도로면적은 대지면적에서 제외하는 것이며, 건축물 및 담장은 건축선의 수직면을 넘어서는 아니 되는 것임

질의회신 건축선 후퇴부분이 대지면적에 산정되는지

국토교통부 민원마당 FAQ 2023.6.15.

질의 건축선 후퇴부분이 대지면적에 산정되는지 여부

회신 「건축법 시행령」 제119조제1항제1호에 따르면 건축법 제46조제1항 단서에 따라 대지에 건축선이 정하여진 경우 그 건축선과 도로 사이의 면적은 대지면적 산정시 포함하지 않도록 규정하고 있음.

이와 관련, 질의의 부분이 도로폭 미달로 후퇴된 부분이거나, 두개의 도로가 만나는 도로 모퉁이 부분의 후퇴된 건축선인 경우에는 대지면적에 포함되지 않을 수 있을 것으로 사료되나, 보다 자세한 사항은 관련자료를 갖추어 해당지역 허가권자에게 문의 바람

<건축법 제46조제1항> 제46조(건축선의 지정) ① 도로와 접한 부분에 건축물을 건축할 수 있는 선[이하 "건축선(建築線)"이라 한다]은 대지와 도로의 경계선으로 한다. 다만, 제2조제1항제11호에 따른 소요 너비에 못 미치는 너비의 도로인 경우에는 그 중심선으로부터 그 소요 너비의 2분의 1의 수평거리만큼 물러난 선을 건축선으로 하되, 그 도로의 반대쪽에 경사지, 하천, 철도, 선로부지, 그 밖에 이와 유사한 것이 있는 경우에는 그 경사지 등이 있는 쪽의 도로경계선에서 소요 너비에 해당하는 수평거리의 선을 건축선으로 하며, 도로의 모퉁이에서는 대통령령으로 정하는 선을 건축선으로 한다.

질의회신 건축선 후퇴부분 대지면적에 제외

국토교통부 민원마당 FAQ 2019.5.24.

질의 건축선 후퇴부분을 대지면적에서 제외시켜 건폐율을 산정하는지 여부

회신 건축선 후퇴부분은 건축물 담장 등 구조물의 설치를 제한하고 도로면으로부터 높이 4.5미터 이하에 있는 출입구.창문 등 구조물의 개폐시 이를 넘지 못하도록 하여 통행상 지장이 없도록 규정하고 있고, 대지안에 건축선이 정하여진 경우에는 그 건축선과 도로사이의 대지면적을 포함하지 않도록 규정하고 있음

질의회신 대지면적에서 제외 여부

국토교통부 민원마당 FAQ 2013.12.6.

질의 공동주택 준공시 지구단위계획에서 지정한 건축한계선 1m 도로변 전면공지(보행자도로)를 분할하여 지목을 "도로"로 지정한 경우 잔여대지와 대지 분할하여 도로로 지정한 토지를 합하여 공동주택의 대지면적으로 볼 수 있는지

회신 「건축법 시행령」 제3조제1항제4호에 따라, 「주택법」 제16조에 따른 사업계획승인을 받아 주택과 그 부대시설 및 복리시설을 건축하는 경우 「주택법」 제2조제4호에 따른 주택단지에 대하여는 둘 이상의 필지를 하나의 대지로 할 수 있으며,

「건축법 시행령」 제119조제1항제1호에 따라 건축선과 도로 사이의 대지면적과 도로, 공원 등의 도시계획시설에 포함되는 대지면적은 해당 부분을 대지면적 산정시 제외함

질의의 필지분할 등으로 인하여 당초 승인받은 주택단지가 변경되거나 해당 부분이 도시계획시설 등에 해당하는 경우에는 상기 기준에 따라 대지의 범위 등이 달라질 수 있을 것으로 판단되오니,

이에 대한 보다 구체적인 사항은 자세한 자료를 가지고 주택법 등 종합행정업무를 처리하고 있는 해당 지역의 허가권자(사업계획승인권자 포함)에게 문의 바람

건축법
1. 총 칙
2. 건 축
3. 유지관리
4. 대지도로
5. 구조재료
6. 지역지구
7. 건축설비
8. 특별건축구역
9. 보 칙
10. 벌 칙
건축법 관련기준

질의회신 용도 폐지된 도로를 대지면적에 포함 가능한지 여부

건교부 건축기획팀-48, 2006.1.3.

질의 건축허가시 조건에 의하여 개설한 도로의 인접한 대지에 공장을 신축하면서 도로를 폐지하고 폐지된 도로 부분을 신축예정인 공장의 대지에 포함하고자 하는 것이 가능한지 여부

회신 질의의 도로가 건축법 제2조제1항제11호 나목에 해당하는 도로인 경우라면 동 도로의 폐지는 동법 제35조의 규정에 따라야 할 것이며, 사용승인을 신청하는 때에 2 이상의 필지 또는 1 이상의 필지의 일부를 하나의 대지로 하도록 합필 또는 분필을 조건으로 건축허가를 하는 경우 동법 시행령 제3조제1항제6호 및 동조제2항제5호의 규정에 의거 합필 또는 분필대상이 되는 토지를 하나의 대지로 할 수 있음(* 법 제35조 ⇒ 제45조, 2008.3.21 개정)

질의회신 인근 부설주차장 설치 시 대지면적에 포함 여부

국토교통부 민원마당 FAQ 2019.5.24.

질의 건축물의 부설주차장을 동 건축물이 건축되는 부지의 인근 부지에 설치하는 경우 건폐율, 용적률 산정을 위한 대지면적을 건축물이 건축되는 부지 및 부설주차장이 건축되는 부지를 합한 면적으로 할 수 있는지 여부

회신 건폐율 및 용적률은 대지면적을 기준으로 산정하는 것인바, 건축법 제2조 및 동법 시행령 제3조의 규정에 의한 하나의 대지로 볼 수 있는 경우에 가능함

질의회신 차량의 진 · 출입을 위한 완화차선의 대지면적 제외 여부

국토교통부 민원마당 FAQ 2019.5.24.

질의 신축하고자 하는 건축물의 대지일부에 차량의 진·출입을 위한 완화차선을 설치한 경우 완화차선 부분을 대지면적에서 제외하여야 하는지 여부

회신 문의의 완화차선이 건축법 제2조 제1항 제11호의 규정에 의한 도로가 아니라면 이는 대지면적에 산입되는 것인 바, 도로인지 여부 등은 건축허가권자가 판단하여야 할 것임

질의회신 도시관리계획으로 결정된 대학교의 건폐율 산정을 위한 대지면적

건교부 건축기획팀-1240, 2005.11.8.

질의 도시관리계획으로 결정된 대학교의 건폐율 산정을 위한 대지면적

회신 건축법 제2조제1항 단서 및 같은 법 시행령 제3조제1항제4호의 규정에 의하면 국토의 계획 및 이용에 관한 법률 제2조제7호에 따른 도시계획시설에 해당하는 건축물을 건축하는 경우 해당 도시계획시설이 설치되는 일단의 토지는 2 이상의 필지를 하나의 대지로 할 수 있으며, 대지면적은 건축법 시행령 제119조제1항제1호에 따라 대지의 수평투영면적으로 하되 대지 안에 도시계획시설인 도로·공원 등이 있는 경우 그 도시계획시설에 포함되는 대지면적은 동호 나목에 따라 해당 대지면적에서 제외하는 것임

2. 건축면적

법령해석 공동주택에 설치하는 장애인 등 편의시설의 건축면적 및 바닥면적 산정 방법에 관한 경과조치의 적용범위

(2016.1.19. 대통령령 제26909호로 일부개정되어 같은 날 시행된 「건축법 시행령」 부칙 제3조 등 관련) 법제처 법령해석 15-0258, 2015.5.12.

질의요지 2016년 1월 19일 대통령령 제26909호로 개정되어 같은 날 시행되기 전의 「건축법 시행령」 (이하

"종전 건축법 시행령"이라 함) 제119조제1항제2호다목8) 및 같은 항 제3호차목에서는 「장애인·노인·임산부 등의 편의증진 보장에 관한 법률 시행령」(이하 "장애인등편의법 시행령"이라 함) 별표 2 제3호가목(6)에 따른 장애인용 승강기, 장애인용 에스컬레이터, 휠체어리프트, 경사로 또는 승강장(공공건물 및 공중이용시설에 설치하는 것을 말함. 이하 "공공건물 등의 장애인 편의시설"이라 함)의 경우에는 건축면적 및 바닥면적에 산입하지 아니한다고 규정하고 있었으나, 2016년 1월 19일 대통령령 제26909호로 개정되어 같은 날 시행된 「건축법 시행령」(이하 "개정 건축법 시행령"이라 함) 제119조제1항제2호다목8) 및 같은 항 제3호차목에서는 장애인등편의법 시행령 별표 2 제3호가목(6)에 따른 공공건물 등의 장애인 편의시설뿐만 아니라 같은 표 제4호가목(6)에 따른 장애인용 승강기, 장애인용 에스컬레이터, 휠체어리프트, 경사로 또는 승강장(공동주택에 설치하는 것을 말함. 이하 "공동주택의 장애인 편의시설"이라 함)의 경우에도 건축면적 및 바닥면적에 산입하지 아니한다고 규정하여 그 산입 제외 대상을 종전 건축법 시행령보다 확대하면서, 개정 건축법 시행령 부칙 제3조에서는 같은 영의 시행 전에 건축허가를 신청(건축허가를 신청하기 위해 건축위원회 심의를 신청한 경우를 포함함. 이하 같음)하거나 건축신고(변경신고를 포함함. 이하 같음)를 한 공동주택의 장애인 편의시설에 대한 건축면적 및 바닥면적 산정방법 등에 대해서는 같은 영 제119조제1항제2호다목8) 및 같은 항 제3호차목 등의 개정규정에도 불구하고 종전의 규정에 따른다는 경과조치를 두었는바,

개정 건축법 시행령의 시행 전에 건축허가를 신청한 공동주택으로서 같은 영의 시행 이후 해당 건축허가의 변경허가를 신청하는 공동주택의 경우에도 개정 건축법 시행령 부칙 제3조가 적용되어 종전 건축법 시행령 제119조제1항제2호다목8) 및 같은 항 제3호차목에 따라 건축면적 및 바닥면적 산정 시 공동주택의 장애인 편의시설 면적이 포함되는지?

<질의배경> ○ 서울특별시는 구 건축법 시행령의 시행 전에 건축허가를 신청하였다가 그 시행 이후 해당 건축허가의 변경허가를 신청한 공동주택에 대해서도 같은 영 부칙 제3조의 경과조치가 적용되어 종전 규정에 따라 건축면적 등을 산정해야 하는지, 아니면 그와 같은 경우에는 해당 경과조치가 적용되지 않아 개정 규정에 따라 건축면적 등을 산정해야 하는지 의문이 있어, 국토교통부 질의를 거쳐 법령해석을 요청함.

회답 개정 건축법 시행령의 시행 전에 건축허가를 신청한 공동주택으로서 같은 영의 시행 이후 해당 건축허가의 변경허가를 신청하는 공동주택의 경우에는 개정 건축법 시행령 부칙 제3조가 적용되지 않아 개정 건축법 시행령 제119조제1항제2호다목8) 및 같은 항 제3호차목에 따라 건축면적 및 바닥면적 산정 시 공동주택의 장애인 편의시설 면적이 제외됩니다.

이유 "생략"

질의회신 주택 발코니의 건축면적 산정방법

국토교통부 민원마당 FAQ 2019.5.24.

질의 주택 발코니의 건축면적의 산정방법은

회신 건축법 시행령 제119조 제1항 제2호에 따라 건축면적은 건축물(지표면으로부터 1미터이하에 있는 부분 제외)의 외벽(외벽이 없는 경우에는 외곽부분의 기둥을 말함)의 중심선[처마, 차양, 부연 그 밖에 이와 유사한 것으로서 당해 외벽의 중심선으로부터 수평거리 1미터(한옥의 경우에는 2미터) 이상 돌출된 부분이 있는 경우에는 그 끝부분으로부터 수평거리 1미터(한옥의 경우에는 2미터)를 후퇴한 선]으로 둘러싸인 부분의 수평투영면적으로 하는 바, ○. 발코니의 경우에 있어서도 발코니의 난간벽 등의 중심선으로 둘러싸인 부분으로 건축면적을 건축면적을 산정하여야 할 것으로 판단됨

질의회신 주유소 캐노피 건축면적 및 바닥면적 산정방법

국토교통부 민원마당 FAQ 2019.5.24.

질의 주유소의 주유를 위한 4개의 기둥으로 이루어진 캐노피 구조의 시설물에 대한 건축면적 및 바닥면적 산정방법

회신 캐노피구조물의 지붕끝부분으로부터 수평거리 1미터를 후퇴한 선으로 둘러싸인 수평투영면적을 건축면

건축법
1. 총 칙
2. 건 축
3. 유지관리
4. 대지도로
5. 구조재료
6. 지역지구
7. 건축설비
8. 특별건축구역
9. 보 칙
10. 벌 칙
건 축 법 관련기준

적 및 바닥면적으로 보아야 할 것임

질의회신 보행통로의 건축면적 산정방법

국토교통부 민원마당 FAQ 2023.6.15.

질의 지상 층에 일반시민 누구나가 사용할 수 있고 인근 광장 등으로 연계되어 자유로이 통행할 수 있도록 설치된 보행통로를 건축면적에 산입하여야 하는 지

회신 ○ 「건축법 시행령」 제1항제2호다목 3)에 따라 건축물 지상층에 일반인이나 차량이 통행할 수 있도록 설치한 보행통로나 차량통로는 건축면적에 산입하지 아니하는 것인 바,

○ 특정인이 아닌 일반시민 누구나가 수영장 및 인근 광장 등을 이용하기 위하여 자유로이 통행할 수 있도록 설치한 보행통로에 해당하는 경우라면 상기 규정에 따라 건축면적에 산입하지 않을 수 있을 것으로 사료되나, 보다 자세한 사항은 건축물의 구조, 보행통로의 이용형태 등을 종합적으로 고려하여 해당 지역 건축허가권자가 판단하여야 할 사항으로 사료됨

질의회신 근린생활시설에 발코니설치 가능여부 및 건축면적 산정여부

국토교통부 민원마당 FAQ 2023.6.15.

질의 근린생활시설에 발코니설치 가능여부 및 건축면적 산정여부

회신 건축법령상 근린생활시설에 발코니를 설치하지 못하도록 규정한 사항은 없으며 근린생활시설에 발코니를 설치하는 경우 발코니의 면적은 모두 건축면적에 포함되는 것임

질의회신 건축면적 산정방법

국토교통부 민원마당 FAQ 2019.5.24.

질의 지하주차장 경사로 및 건축물 지하층의 출입구 상부에 지붕을 설치하는 경우에도 건축면적에 산입하지 아니하는 것인지

회신 건축법시행령 제119조제1항제2호 다목에 따르면 지하주차장의 경사로 및 건축물 지하층의 출입구 상부(출입구 너비에 상당하는 규모의 부분)는 건축면적에 산입하지 아니하는 바, 경사로 및 지하층 출입구 상부에 주민들의 생활편의를 도모할 수 있도록 비나 눈, 먼지 등을 차단하기 위하여 질의와 같이 지붕을 설치하는 경우 건축면적에 산입하지 아니하는 것임

질의회신 외벽의 중심선이 다른 경우 건축면적 산정

국토교통부 민원마당 FAQ 2019.5.24.

질의 건축물의 외벽의 중심선과 외곽부분의 기둥의 중심선이 다른 경우 건축면적의 산정

회신 건축물의 건축면적은 건축법 시행령 제119조 제1항 제2호의 규정에 의하여 건축물(지표면으로부터 1미터이하에 있는 부분을 제외)의 외벽(외벽이 없는 경우에는 외곽부분의 기둥)의 중심선(처마, 차양, 부연 등은 별도로 정함)으로 둘러싸인 부분의 수평투영면적으로 하는 바, 외벽의 중심선과 외곽부분의 기둥의 중심선이 다른 경우에는 둘 중 외곽에 위치한 것의 중심선으로 하는 것임

질의회신 외부로 돌출 된 기둥이 있는 건축물의 건축면적 산정

국토교통부 민원마당 FAQ 2019.5.24.

질의 외벽으로부터 외부로 돌출 된 기둥이 있는 건축물의 경우 건축법 시행령 제119조 제1항 제2호의 건축면적 산정에 대한 질의

회신 건축법 시행령 제119조 제1항 제2호의 규정에서 "외벽이 없는 경우"는 건축물의 가장 바깥부분에 외벽의 중심선이 없는 경우를 말하는 것으로 외벽의 중심선과 외부기둥의 중심선이 함께 있는 경우에는 가장 외곽에 위치한 중심선을 기준으로 건축면적을 산정하여야 하는 것임

질의회신 선큰 계단의 건축면적 및 바닥면적 산입 여부

국토교통부 민원마당 FAQ 2019.5.24.

질의 지상에서 지하 선큰으로 내려가는 계단부분의 건축면적 및 바닥면적 산입 여부

회신 건축물의 건축면적 및 바닥면적 산정은 건축법시행령 제119조 제1항 제2호 및 제3호의 규정에 의하는 것임. 다만, 문의의 계단부분이 상부가 노출되고, 건축물의 일부가 아닌 독립된 구조물로서 지상과 지하로의 이동을 위하여 설치된 것이라면 상기 규정에 의한 건축면적 및 바닥면적 산정시 제외할 수 있을 것으로 사료되나, 해당 허가권자의 사실판단이 요구됨

질의회신 단독주택 옥외계단의 건축면적 산입여부

국토교통부 민원마당 FAQ 2019.5.24.

질의 단독주택(다가구)의 2층으로 올라가는 옥외계단의 건축면적 산입여부.

회신 주택의 옥외계단은 지표면으로부터 높이가 1m를 초과하는 부분을 모두 건축면적에 산입하는 것임.

질의회신 골프연습장의 건축면적 산정

국토교통부 민원마당 FAQ 2019.5.24.

질의 골프연습장의 철탑과 철탑내부(그물망으로 둘러 쌓인 부분)의 건축면적은?

회신 건축법 시행령 제118조 제1항 제7호의 규정에 의한 골프연습장의 철탑부분의 건축면적 산정은 동법 시행령 제118조 제3항의 규정에 의거 동법 제83조(면적·높이 및 층수의 산정)의 규정을 준용토록 규정하고 있으므로, 철탑부분(철탑이 없는 부분은 제외)의 수평투영면적을 합하여 건축면적에 산입하고, 철탑이 없는 그물망 부분은 건축면적에서 제외하는 것임

질의회신 건축면적 산정 관련

국토교통부 민원마당 FAQ 2019.5.24.

질의 지표면으로부터 1미터 이하 부분 건축면적 산정시 지하층 상부의 난간높이를 적용하여야 하는지 여부

회신 가. 「건축법 시행령」 제119조제1항제2호의 규정에 의하면 건축면적은 건축물의 외벽(외벽이 없는 경우에는 외곽 부분의 기둥)의 중심선으로 둘러싸인 부분의 수평투영면적을 말하는 것이나, 지표면으로부터 1미터 미만인 부분은 건축면적에 산입하지 않도록 하고 있음

나. 따라서, 질의의 경우 지하층의 상부가 지표면으로부터 1미터 미만으로 돌출되어 있는 부분은 건축면적 산정에서 제외되는 것이나, 그 이상으로 돌출된 부분은 건축면적에 산입하여야 하는 것임

질의회신 고저차 있는 지표면에서 건축면적 제외하는 지표면 1m 이하의 기준

건교부 건축기획팀-2979, 2006.5.12.

질의 지표면으로부터 1m 이하에 있는 부분은 건축면적 산정시 제외하는데 위의 지표면은 가중평균한 지표면인지 실제 지표면인지

회신 질의내용이 불분명하여 정확한 회신이 곤란하나, 건축법 시행령 제119조제2항의 규정에서 같은 조제1항 각 호(제10호를 제외함)의 경우에 지표면에 고저차가 있는 경우에는 건축물의 주위가 접하는 각 지표면 부분의 높이를 해당 지표면부분의 수평거리에 따라 가중평균한 높이의 수평면을 지표면으로 보며, 그 고저차가 3m를 넘는 경우에는 해당 고저차 3m 이내의 부분마다 그 지표면을 정한다고 하고 있으므로, 같은 조제1항제2호의 규정에 따라 건축면적을 산정함에 있어 건축물의 주위가 접하는 지표면에 고저차가 있는 경우라면 위 규정에 따라 지표면을 정하여야 할 것임

질의회신 창고의 "물품을 입출고하는 부위의 상부"에 대한 정의

건교부 건축기획팀-1241, 2005.11.8.

질의 건축법 시행령[일부개정 2005.10.20 대통령령 제19092호] 제119조제1항제2호 단서에 따라 창고의 건축면

적을 산정함에 있어 "물품을 입출고하는 부위의 상부"는 물품을 입출고하는 개구부의 상부만을 말하는 것인지와 물품을 입출고하는 부위 외의 부분에 설치하는 차양의 건축면적 산정 방법

회신 건축법 시행령[일부개정 2005.10.20 대통령령 제19092호] 제119조제1항제2호 단서의 규정은 물품을 입출고하는 개구부 상부에 설치하는 하나의 돌출차양 전체에 대하여 적용하는 것이 타당하며, 물품을 입출고하는 부분 외의 부분에 따로 설치된 돌출차양 및 그 밖에 처마·차양 등의 건축면적은 영 제119조제1항제2호 본문에 따라 산정하는 것임

질의회신 지상에 설치하는 정화조를 건축물로 보아 건축면적에 포함하는지

건교부 건축 58070-1828, 2003.10.7.

질의 지상에 설치하는 정화조를 건축물로 보아 건축면적에 포함하는지 여부

회신 귀 질의의 정화조가 지상에 설치되는 경우 건축법 제2조제1항제2호 규정에 따른 건축물로 보아 건축면적에 포함시키는 것이니, 이에 대한 보다 구체적인 사항은 자세한 자료를 갖추어 해당 지역의 건축허가권자인 시장・군수・구청장에게 직접 문의하기 바람

질의회신 지하층외벽 바깥쪽 채광, 환기 등을 위한 비어있는 공간의 건축면적, 바닥면적 산입여부

건교부 건축 58070-2253, 2003.12.4.

질의 건축물 지하층 외벽 바깥쪽으로 채광, 환기 등을 위하여 상부가 비어있는 공간(일명 드라이에어리어, 지표면으로 0.2미터 돌출)이 있는 경우, 동 부분이 건축면적 또는 바닥면적에 산입되는지 여부

회신 건축물의 건축면적 및 바닥면적의 산정은 건축법시행령 제119조제1항제2호 및 제3호의 규정에 의하는 것이므로, 귀 문의의 부분이 지표면으로부터 1미터 이하로 돌출되어 있고, 상부가 티어 있는 상태(건축물 등이 없음)에서 거실의 용도가 아닌 단순히 채광, 환기 등을 위한 공간으로 사용되는 경우라면 건축면적 및 바닥면적 산입시 제외할 수 있을 것으로 판단되나, 이에 대한 구체적인 적용은 해당 건축물의 상세한 설계도서 등 관련 내용을 검토한 후 해당 허가권자가 판단하여야 할 것으로 사료됨

질의회신 외벽이 콘크리트와 단열재, 시멘트벽돌, 화강석으로 시공되는 경우 외벽 중심선 산정방법

건교부 건축 58070-639, 2003.4.10.

질의 건축물의 외벽이 콘크리트와 단열재, 시멘트벽돌, 화강석으로 현장에서 시공되는 경우, 건축면적 산정을 위한 외벽의 중심선 산정방법은

회신 건축법시행령 제119조제1항제2호에 따라 건축면적은 건축물의 외벽의 중심선으로 둘러싸인 부분의 수평투영면적을 말하는 것인 바, 귀 문의의 경우는 콘크리트 부분을 포함한 전체 벽체의 중심선으로 건축면적을 산정하여야 할 것이니 보다 구체적인 사항은 해당 허가권자에게 문의하기 바람

3. 바닥면적

법령해석 건축물의 바닥면적 산입 대상에서 제외되는 계단탑의 범위

「건축법 시행령」 119조 제1항 제3호 라목 등 관련 법제처 법령해석 23-0160, 2023.4.28.

질의요지 「건축법」 제84조에서는 건축물의 대지면적, 연면적, 바닥면적, 높이, 처마, 천장, 바닥 및 층수의 산정방법은 대통령령으로 정한다고 규정하고 있고, 그 위임에 따라 마련된 같은 법 시행령 제119조제1항제3호에서는 건축물의 바닥면적은 건축물의 각 층 또는 그 일부로서 벽, 기둥, 그 밖에 이와 비슷한 구획의 중심선으로 둘러싸인 부분의 수평투영면적으로 하되(본문), 같은 호 각 목의 어느 하나에 해당하는 경우에는 각 목에서 정하는 바에 따른다(단서)고 규정하면서, 같은 호 라목에서 승강기탑(옥상출입용 승강장을 포함한다), 계단탑, 장식탑, 다락[층고(層高)가 1.5미터(경사진 형태의 지붕인 경우에는 1.8미터) 이하인 것만 해당한다] 등은 바닥면

적에 산입하지 않는다고 규정하고 있는바,
공동주택(각주: 「주택법」 제2조제3호에 따른 공동주택으로서 같은 법 제15조에 따라 사업계획승인을 받아 건설하는 공동주택을 말하며, 이하 같음.) 단지 내 지하주차장에서 지상으로 통하는 피난계단(각주: 「건축법」 제49조제1항 및 같은 법 시행령 제35조제1항에 따라 지하 2층 이하인 층에 설치하는 피난계단을 말하며, 이하 같음.)의 계단탑으로서 지상에 설치되는 계단탑이 「건축법 시행령」 제119조제1항제3호라목에 따라 건축물의 바닥면적 산입 대상에서 제외되는 계단탑에 해당하는지?

회답 공동주택 단지 내 지하주차장에서 지상으로 통하는 피난계단의 계단탑으로서 지상에 설치되는 계단탑도 「건축법 시행령」 제119조제1항제3호라목에 따라 건축물의 바닥면적 산입 대상에서 제외되는 계단탑에 해당합니다.

이유 "생략"

법령해석 바닥면적 산정 시 산입되지 않는 공동주택 필로티의 범위

「건축법 시행령」 119조 제1항 제3호 다목 등 관련 　　법제처 법령해석 20-0536, 2020.12.2.

질의요지 「건축법 시행령」 제119조제1항제3호다목에서는 필로티나 그 밖에 이와 비슷한 구조(각주: 벽면적의 2분의 1 이상이 그 층의 바닥면에서 위층 바닥 아래면까지 공간으로 된 것을 말하며, 이하 같음.)의 부분은 그 부분이 공중의 통행이나 차량의 통행 또는 주차에 전용되는 경우와 공동주택의 경우에는 바닥면적에 산입하지 않는다고 규정하고 있는바, 공동주택 중 연립주택의 경우(각주: 「건축법 시행령」 별표 1 제2호 각 목 외의 부분 단서에 해당하지 않아 연립주택의 1층이 층수에서 제외되지 않은 경우를 전제함.) 바닥면적 산정에서 제외되는 필로티 부분은 해당 필로티를 주차 용도로 사용하는 경우로 한정되는지?
<질의 배경> 민원인은 위 질의요지에 대한 국토교통부의 회신에 이견이 있어 법제처에 법령해석을 요청함.

회답 이 사안의 경우 바닥면적 산정에서 제외되는 필로티 부분은 해당 필로티를 주차 용도로 사용하는 경우로 한정되지 않습니다.

이유 「건축법 시행령」 제119조제1항제3호다목에서는 필로티나 그 밖에 이와 비슷한 구조(이하 "필로티등"이라 함)의 부분에 대한 건축물의 바닥면적을 산정하는 방법으로 그 부분이 공중의 통행이나 차량의 통행 또는 주차에 전용되는 경우와 공동주택의 경우에는 바닥면적에 산입하지 않는다고 규정하여, 바닥면적에 산입하지 않는 필로티등 부분은 그 부분의 용도를 기준으로 하는 경우와 필로티등 구조로 된 건축물의 종류를 기준으로 하는 경우로 구분하고 있는바, 전자의 경우에는 필로티등 부분이 "공중의 통행이나 차량의 통행 또는 주차에 전용되는 경우"로 그 용도가 한정되지만 "공동주택의 경우"에는 필로티등 부분의 용도와 관계없이 바닥면적에 산입하지 않는 것이 문언상 분명합니다.

또한 필로티등의 용도에 따른 바닥면적 산정 기준에서도 주차 용도 외에 공중이나 차량이 통행하는 용도로 사용되는 경우를 포함하고 있는데 공동주택인 경우의 필로티등에 대해서만 그 용도가 주차 용도로 제한된다고 보는 것은 타당하지 않으며, 공동주택의 경우 필로티등 부분은 공동주택 주민의 통행 등 공동주택 주민의 필요에 따라 활용될 것이 예상된다는 점에 비추어 그 용도를 제한하지 않은 것으로 보아야 합니다.

아울러 「건축법 시행령」 별표 1 제2호 단서에서 아파트 또는 연립주택의 1층 전부를 필로티 구조로 하여 주차장으로 사용하는 경우에는 필로티 부분을 층수에서 제외한다고 규정하고 있더라도 이는 아파트 또는 연립주택 등을 층수에 따라 공동주택으로 분류하도록 용도별 건축물의 종류를 정한 것으로, 건축물의 바닥면적 산정방법을 정한 같은 영 제119조제1항제3호와는 구분되는 별개의 규정이므로, 같은 별표 규정을 근거로 공동주택의 필로티 부분이 주차 용도로 사용되는 경우에만 바닥면적에서 제외된다고 볼 수는 없습니다.

법령해석 「건축법 시행령」 제119조제1항제3호다목에 따른 필로티와 비슷한 구조의 판단시 "벽면적"의 의미

「건축법 시행령」 119조 제1항 제3호 다목 등 관련 　　법제처 법령해석 19-0371, 2019.11.11.

건 축 법
1. 총 칙
2. 건 축
3. 유지관리
4. 대지도로
5. 구조재료
6. 지역지구
7. 건축설비
8. 특별건축구역
9. 보 칙
10. 벌 칙
건 축 법 관련기준

질의요지 「건축법 시행령」 제119조제1항제3호다목에 따른 "필로티나 그 밖에 이와 비슷한 구조(벽면적의 2분의 1 이상이 그 층의 바닥면에서 위층 바닥 아래면까지 공간으로 된 것만 해당한다)의 부분"에서의 "벽면적"은 건축물 최외측의 벽면적을 의미하는지 아니면 필로티와 비슷한 구조로 구획된 부분의 벽면적을 의미하는지?

<질의 배경> 민원인은 위 질의요지에 대해 국토교통부에 문의하였고 회신 내용에 이견이 있어 법제처에 법령해석을 요청함.

회답 이 사안의 경우 필로티와 비슷한 구조로 구획된 부분의 벽면적을 의미합니다.

이유 「건축법 시행령」 제119조제1항제3호 각 목 외의 부분 본문에서는 건축물의 바닥면적은 건축물의 각 층 또는 그 일부로서 벽, 기둥, 그 밖에 이와 비슷한 구획의 중심선으로 둘러싸인 부분의 수평투영면적으로 하도록 원칙적인 산정방법을 규정하고 있고, 같은 호 다목에서는 필로티나 그 밖에 이와 비슷한 구조의 부분이 공중의 통행이나 차량의 통행 또는 주차에 전용되는 경우와 공동주택의 경우에는 바닥면적에 산입하지 않도록 규정하면서 필로티와 비슷한 구조는 벽면적의 2분의 1 이상이 그 층의 바닥면에서 위층 바닥 아래까지 공간으로 된 것만 해당한다고 규정하고 있습니다.

이와 같이 필로티 및 필로티와 비슷한 구조에 대한 바닥면적의 산정방법에 관한 규정에서는 "필로티 부분" 또는 "그 밖에 이와 비슷한 구조의 부분"으로 표현하여 반드시 해당 층 전체를 기준으로 필로티 또는 필로티와 비슷한 구조를 판단하지 않고 있으므로, 필로티와 비슷한 구조 여부에 대해 괄호 안의 기준을 갖추었는지를 판단할 때에는 "벽면적"을 "필로티와 비슷한 구조의 벽면적"으로 보는 것이 문언에 부합하는 해석입니다.

또한 「건축법 시행령」 제119조제1항제3호다목에서 바닥면적에 산입하지 아니하기 위한 요건으로 필로티 또는 이와 비슷한 구조일 것 외에도 "그 부분이 공중의 통행이나 차량의 통행 또는 주차에 전용되는 경우"를 요건으로 정하고 있는데 이는 필로티 또는 이와 비슷한 구조의 부분을 통행이나 주차에 활용하도록 권장하려는 취지가 있는 것으로 보이는바, 만약 해당 규정의 벽면적을 건축물 최외측의 벽면적이라고 보게 되면 필로티와 비슷한 구조의 부분이 바닥면적에 산입되지 않을 요건이 더욱 강화되게 되어 오히려 필로티와 비슷한 구조의 부분을 통행이나 주차에 공간을 활용하도록 권장하려는 원래의 규정 취지에도 부합하지 않게 된다는 점도 이 사안을 해석할 때 고려해야 합니다.

※ 법령정비 권고사항

「건축법 시행령」 제119조제1항제3호다목에 따라 바닥면적 산입에서 제외하려는 대상을 건축물의 외벽 면적을 기준으로 규율할 필요성이 있다면 그러한 취지가 드러나도록 명확하게 정비할 필요가 있습니다.

법령해석 건축물의 바닥면적 산정 시 장애인용 승강기 등의 면적을 제외하도록 한 규정의 적용 범위

「건축법 시행령」 제119조제1항제3호차목 등 관련 법제처 법령해석 18-0246, 2018.9.3.

질의요지 건축물의 바닥면적 산정 시 장애인용 승강기 등의 면적을 제외하도록 한 「건축법 시행령」 제119조제1항제3호차목이 「장애인·노인·임산부 등의 편의증진 보장에 관한 법률 시행령」 별표 2 제3호 및 제4호에 따른 시설에 장애인용 승강기 등을 설치하는 경우에만 적용되는지, 아니면 그 밖의 시설에 장애인용 승강기 등을 설치하는 경우에도 적용되는지?

<질의 배경> 민원인은 「건축법 시행령」 제119조제1항제3호차목이 공공건물, 공중이용시설, 공동주택 외의 시설(예컨대 단독주택 등)에 설치하는 장애인용 승강기 등에도 적용된다는 국토교통부 해석에 이견이 있어 법제처에 법령해석을 요청함.

회답 이 사안의 경우 그 밖의 시설에 장애인용 승강기 등을 설치하는 경우에도 적용됩니다.

이유 "생략"

법령해석 다락을 최상층이 아닌 중간층에 설치할 수 있는지 여부

「건축법 시행령」 제119조조제1항제3호 관련 법제처 법령해석 17-0184, 2017.6.1.

질의요지 「건축법 시행령」 제119조제1항제3호에서는 건축물의 바닥면적은 그 건축물의 각 층 또는 그 일부로서 벽, 기둥, 그 밖에 이와 비슷한 구획의 중심선으로 둘러싸인 부분의 수평투영면적으로 하되, 같은 호 각 목의 어느 하나에 해당하는 경우에는 각 목에서 정하는 바에 따른다고 규정하면서, 같은 호 라목에서는 다락[층고(層高)가 1.5미터(경사진 형태의 지붕인 경우에는 1.8미터를 말함) 이하인 것만 해당함. 이하 같음]은 바닥면적에 산입하지 아니한다고 규정하고 있는바,

「건축법 시행령」 제119조제1항제3호라목에 따라 바닥면적에 산입되지 않는 "다락"의 설치 장소가 건축물의 최상층으로 제한되는지?

<질의 배경> ○ 경기도 안양시는 "다락"의 일반적인 의미에 따라 설치 장소가 건축물의 최상층에 제한되는 것이 아닌지 국토교통부에 질의하였으나, 국토교통부가 다락의 설치 장소를 제한하는 명문의 규정이 없다는 이유로 최상층에 제한되지 않는다고 답변하자, 이에 이의가 있어 해석을 요청함.

회답 「건축법 시행령」 제119조제1항제3호라목에 따라 바닥면적에 산입되지 않는 "다락"의 설치 장소는 건축물의 최상층으로 제한되지 않습니다.

이유 「건축법」 제84조에서는 건축물의 대지면적, 연면적, 바닥면적, 높이, 처마, 천장, 바닥 및 층수의 산정방법은 대통령령으로 정한다고 규정하고 있고, 그 위임에 따른 「건축법 시행령」 제119조제1항제3호에서는 건축물의 바닥면적은 그 건축물의 각 층 또는 그 일부로서 벽, 기둥, 그 밖에 이와 비슷한 구획의 중심선으로 둘러싸인 부분의 수평투영면적으로 하되, 같은 호 각 목의 어느 하나에 해당하는 경우에는 각 목에서 정하는 바에 따른다고 규정하면서, 같은 호 라목에서 다락은 바닥면적에 산입하지 아니한다고 규정하고 있는바,

이 사안은 「건축법 시행령」 제119조제1항제3호라목에 따라 바닥면적에 산입되지 않는 "다락"의 설치 장소가 건축물의 최상층으로 제한되는지에 관한 것이라 하겠습니다.

먼저, 「건축법」 제84조 및 같은 법 시행령 제119조제1항제3호라목에서는 다락의 경우 바닥면적에 산입하지 아니한다고 규정하면서, 그러한 다락의 층고를 1.5미터(경사진 형태의 지붕인 경우에는 1.8미터를 말함) 이하인 것이라고만 규정하고 있는바, 통상적으로 다락이 주로 부엌 위에 2층처럼 만들어서 물건을 넣어두는 곳이라는 의미로 사용되는 점에 비추어 볼 때(국립국어원 표준국어대사전 참조), 구체적인 다락의 의미, 다락의 설치 장소나 위치 등에 대한 건축법령상 명문의 규정이 없음에도 불구하고, 「건축법 시행령」 제119조제1항제3호라목의 규정에 따라 다락의 설치 장소나 위치가 반드시 건축물의 최상층으로 제한된다고 보기는 어렵다고 할 것입니다.

그리고, 「행정규제기본법」 제4조제3항에 따라 행정기관은 법률에 명시적인 근거가 없는 규제로 국민의 권리를 제한하거나 의무를 부과할 수는 없는데, 「건축법 시행령」 제119조제1항제4호에서는 연면적을 하나의 건축물 각 층의 바닥면적의 합계로 규정하고 있고, 「건축법」 제56조에서는 용적률을 대지면적에 대한 연면적의 비율이라고 규정하고 있으며, 용도지역에서의 용적률은 「국토의 계획 및 이용에 관한 법률」 제78조에 따른 기준에 따라 그 최대한도가 결정되도록 규정하고 있는바, 바닥면적 산정에서 제외되는 다락을 건축물의 최상층에만 설치할 수 있다고 해석한다면, 다락과 같은 형태의 구조물이 최상층이 아닌 층에 설치되는 경우, 그 면적은 「건축법 시행령」 제119조제1항제3호라목에 따른 다락이라고 볼 수 없어 바닥면적 산정에 포함될 것이고, 그로 인해 같은 항 제4호에 따른 건축물의 연면적이나 「건축법」 제56조에 따른 용적률 적용에도 영향을 미치게 되어 건축법령상 강화된 규제가 적용될 수 있어, 결과적으로 법령상 명시적 근거도 없이 같은 형태의 구조물을 그 위치에 따라 달리 취급하게 되는 불합리한 결과가 초래될 수 있다는 점도 이 사안을 해석할 때 고려하여야 할 것입니다.

이상과 같은 점을 종합해 볼 때, 「건축법 시행령」 제119조제1항제3호라목에 따라 바닥면적에 산입되지 않는 "다락"의 설치 장소는 건축물의 최상층으로 제한되지 않는다고 할 것입니다.

법령해석 공동주택에 설치하는 장애인용 승강기의 승강장이 건축물의 바닥면적에 산입되지 않는 시설에 해당하는지

「건축법 시행령」 제119조 관련 법제처 법령해석 16-0129, 2016.7.27.

질의요지 「건축법 시행령」 제119조제1항제3호차목에서는 "「장애인·노인·임산부 등의 편의증진 보장에 관한

법률 시행령」 별표 2 제3호가목(6) 및 같은 표 제4호가목(6)에 따른 장애인용 승강기, 장애인용 에스컬레이터, 휠체어리프트, 경사로 또는 승강장"을 건축물의 바닥면적에 산입하지 않도록 규정하고 있고, 「장애인·노인·임산부 등의 편의증진 보장에 관한 법률 시행령」 별표 2 제3호가목(6)에서는 공공건물 및 공중이용시설에 "장애인등의 통행이 가능한 계단, 장애인용 승강기, 장애인용 에스컬레이터, 휠체어리프트, 경사로 또는 승강장"을 설치하도록 규정하고 있으며, 같은 표 제4호가목(6)에서는 공동주택에 "장애인 등의 통행이 가능한 계단·장애인용 승강기, 장애인용 에스컬레이터, 휠체어리프트 또는 경사로"를 설치하도록 규정하고 있는바,
「건축법 시행령」 제119조제1항제3호차목에 따라 건축물의 바닥면적을 산정하는 경우, 공동주택의 장애인용 승강기의 탑승 등을 위한 공간이 "승강장"으로서 건축물의 바닥면적의 산입에서 제외되는지?
<질의 배경> ○ 민원인은 공동주택에 설치하는 장애인용 승강기의 탑승 등을 위한 공간도 승강장에 해당하여 「건축법 시행령」 제119조제1항제3호차목에 따라 건축물의 바닥면적의 산입에서 제외될 수 있는지 국토교통부에 질의하였는데, 국토교통부로부터 바닥면적의 산입에서 제외되지 않는다는 답변을 받자 이에 이의가 있어 직접 법제처에 법령해석을 요청함.

회답 「건축법 시행령」 제119조제1항제3호차목에 따라 건축물의 바닥면적을 산정하는 경우, 공동주택의 장애인용 승강기의 탑승 등을 위한 공간은 "승강장"에 해당하지 않아 건축물의 바닥면적의 산입에서 제외되지 않습니다.

이유 "생략"

법령해석 공공하수처리시설의 지하에 설치하는 하수처리시설의 바닥면적 산입 여부

「건축법 시행령」 제119조제1항 등 관련 법제처 법령해석 12-0571, 2013.1.14.

질의요지 공공하수처리시설의 지하에 설치하는 수조부(침사지, 침전지, 반응조 등), 파이프시설·펌프 및 점검통로를 「건축법 시행령」 제119제1항제3호라목에 따라 바닥면적에 산입하지 아니할 수 있는지?

회답 공공하수처리시설의 지하에 설치하는 수조부(침사지, 침전지, 반응조 등) 및 물리적·기능적으로 수조부의 일부로 볼 수 있는 설비의 경우에만 「건축법 시행령」 제119제1항제3호라목에 따라 바닥면적에 산입하지 아니할 수 있다고 할 것임.

이유 "생략"

법령해석 건축면적의 8분의 1이상 건축하여 층수에 포함된 철근콘크리트 구조로 건축된 건축물(고시원) 상부층 내부에 소화전 설비기기(압력탱크, 고압펌프), 소화전 설비배관, 소화전 전기기기(소방제어판넬) 및 소화전급수물탱크(FRP)가 설치된 경우, 「건축법 시행령」 제119조제1항제3호라목에 따라 옥상 · 옥외에 설치하는 물탱크 등 설치를 위한 구조물로 판단하여 바닥면적 산정에서 제외하여야 하는지 아니면 소화전기계실로 판단하여 바닥면적에 산입하여야 하는지 여부

「건축법 시행령」 제119조제1항제3호 등 관련 법제처 법령해석 12-0204, 2012.5.4.

질의요지 건축면적의 8분의 1이상 건축하여 층수에 포함된 철근콘크리트 구조로 건축된 건축물(고시원) 상부층 내부에 소화전 설비기기(압력탱크, 고압펌프), 소화전 설비배관, 소화전 전기기기(소방제어판넬) 및 소화전급수물탱크(FRP)가 설치된 경우, 「건축법 시행령」 제119조제1항제3호라목에 따라 옥상·옥외에 설치하는 물탱크 등 설치를 위한 구조물로 판단하여 바닥면적 산정에서 제외하여야 하는 것인지 아니면 소화전기계실로 판단하여 바닥면적에 산입하여야 하는지?
건축물(「주택법」 제16조제1항에 따른 사업계획승인 대상인 공동주택 중 세대별 전용면적이 85제곱미터 이하인 경우가 아님)의 옥상에 출입하기 위하여 옥상에 「승강기시설 안전관리법 시행규칙」 별표 2의2에 따른 승강장을 설치한 경우, 그 수평투영면적의 합계가 해당 건축물 건축면적의 8분의 1 이하라면 이를 「건축법 시행령」 제119조제1항제9호에 따른 승강기탑으로 보아 건축물의 층수에 산입하지 않을 수 있는지?

회답 이 사안의 경우 물탱크 등 설치를 위한 구조물로 판단하여 바닥면적 산정에서 제외할 것인지 아니면 소화전기계실로 판단하여 바닥면적에 산입할 것인지 여부는 허가권자가 해당 건축물에서 소방관계시설의 설치현

황, 물탱크의 위치, 용도와 면적, 건축물 각 부분의 구체적 사항 등을 종합적으로 검토하여 결정하여야 할 것임.

이유 "생략"

법령해석 「건축법 시행령」 제119조제1항제3호에 따라 바닥면적의 산입에서 제외되는 "필로티나 그 밖에 이와 비슷한 구조" 의 범위

법제처 법령해석 11-0674, 2011.12.15.

질의요지 「건축법 시행령」 제119조제1항제3호다목에 따르면, 필로티나 그 밖에 이와 비슷한 구조(벽면적의 2분의 1 이상이 그 층의 바닥면에서 위층 바닥 아래면까지 공간으로 된 것만 해당함)의 부분은 그 부분이 공중의 통행이나 차량의 통행 또는 주차에 전용되는 경우 바닥면적에 산입하지 않도록 하고 있는바, 건축물 벽면적의 2분의 1 이상이 공간으로 되어 있는 구조의 부분이기는 하나, 그 벽 상부에 위층에 해당하는 건축물이 없는 경우에도 그 부분이 공중의 통행이나 차량의 통행 또는 주차에 전용되는 경우라면 같은 목에 따른 "필로티나 그 밖에 이와 비슷한 구조"로 보아 바닥면적에 산입하지 않는지?

회답 건축물 벽면적의 2분의 1 이상이 공간으로 되어 있는 구조의 부분이기는 하나, 그 벽 상부에 위층에 해당하는 건축물이 없는 경우에는 그 부분이 공중의 통행이나 차량의 통행 또는 주차에 전용된다고 하더라도 「건축법 시행령」 제119조제1항제3호다목이 적용되지 않아 바닥면적에 산입하는 것으로 보아야 할 것임.

이유 「건축법」 제2조제2호에 따르면 건축물이란 토지에 정착하는 공작물 중 지붕과 기둥 또는 벽이 있는 것 등을 말하고, 같은 법 제84조 및 같은 법 시행령 제119조제1항에서는 건축물의 면적 등의 산정방법을 정하고 있는바, 같은 항 제3호에서는 바닥면적에 대하여 건축물의 각 층 또는 그 일부로서 벽, 기둥, 그 밖에 이와 비슷한 구획의 중심선으로 둘러싸인 부분의 수평투영면적으로 하도록 하면서도 같은 호 각 목의 어느 하나에 해당하는 경우에는 각 목에서 정하는 바에 따르도록 하고 있고, 같은 호 다목에서는 필로티나 그 밖에 이와 비슷한 구조(벽면적의 2분의 1 이상이 그 층의 바닥면에서 위층 바닥 아래면까지 공간으로 된 것만 해당함)의 부분은 그 부분이 공중의 통행이나 차량의 통행 또는 주차에 전용되는 경우와 공동주택의 경우에는 바닥면적에 산입하지 아니하도록 하고 있음.

그런데, 필로티는 건물을 지상에서 기둥으로 들어올려 건물을 지상에서 분리시킴으로써 만들어지는 공간 또는 기둥으로서 필로티 구조는 필로티 상부에 건축물이 있는 경우를 전제로 하는 개념이라고 할 것인바, 「건축법 시행령」 제119조제1항제3호다목에 따라 바닥면적에 산입하지 않는 경우는 필로티나 그 밖에 이와 비슷한 구조에 한정된다고 할 것이고, 이에 더하여 바닥면적에 산입하지 아니하는 범위를 벽면적의 2분의 1 이상이 그 층의 바닥면에서 위층 바닥 아래면까지 공간으로 된 것만 해당하도록 한정하고 있음을 고려할 때, 그 층의 위층에 해당하는 건축물이 있음을 전제로 하고 있다고 볼 수 있음.

또한, 위층에 해당하는 건축물이 없이 벽면적의 2분의 1 이상이 해당 층의 바닥면에서 지붕까지 공간으로 된 것까지 「건축법 시행령」 제119조제1항제3호다목에서 정한 필로티나 그 밖에 이와 비슷한 구조에 포함된다고 본다면, 일정한 경우 지붕과 기둥 2개로 구성된 건축물 등과 같이 같은 호 가목에 따라 벽·기둥의 구획이 없는 건축물에 해당하여 바닥면적에 일정 부분 산정하여야 하는 건축물 또한 같은 호 다목에도 포함되어 바닥면적의 산정 여부가 구분이 되지 않는 결과를 초래하여 타당하지 않다고 할 것이고, 아울러 「건축법」 제2조제2호에 따른 건축물에는 해당하나 바닥면적에 산입하지 않는다면 바닥면적이나 연면적이 존재하지 않는 건축물에 해당하는 것으로 보아야 할 것이어서 타당하지 않다고 할 것임.

따라서, 건축물 벽면적의 2분의 1 이상이 공간으로 되어 있는 구조의 부분이기는 하나, 그 벽 상부에 위층에 해당하는 건축물이 없는 경우에는 그 부분이 공중의 통행이나 차량의 통행 또는 주차에 전용된다고 하더라도 「건축법 시행령」 제119조제1항제3호다목이 적용되지 않아 바닥면적에 산입하는 것으로 보아야 할 것임.

질의회신 승강로 부분의 바닥면적 산입 여부

국토교통부 민원마당 FAQ 2022.6.29.

건 축 법
1. 총 칙
2. 건 축
3. 유지관리
4. 대지도로
5. 구조재료
6. 지역지구
7. 건축설비
8. 특별건축구역
9. 보 칙
10. 벌 칙
건 축 법 관련기준

질의 승강기 승강로 부분이 바닥면적에 산입되는 지

회신 각 층의 바닥면적에 산입 됨

질의회신 2, 3층에 설치된 물탱크 부분의 바닥면적 산입여부

국토교통부 민원마당 FAQ 2022.6.29.

질의 건축물의 2, 3층에 설치된 물탱크 부분이 바닥면적에 포함되는 지 여부

회신 바닥면적에 산입함

질의회신 외부계단 바닥면적 산정

국토교통부 민원마당 FAQ 2019.5.24.

질의 1-3층 오를 수 있는 외부계단 하부에 주차장 설치 시 바닥면적 산정 어떻게 산정하나요?

갑설) 외부계단하부를 각 층별 주차장천장으로 보고, 외부계단이 천장으로 덮히는 구획만큼.. 외부계단A는 1층 바닥면적에, 외부계단B는 2층 바닥면적으로 산정

을설) 각층별 투영면적으로 봐서 외벽선에서 1M후퇴한거리로해서 외부계단A는 2층바닥면적에, 외부계단B는 3층바닥면적으로 산정

회신 건축물 외부계단의 경우 바닥면적은 건축법시행령 제119조제1항제3호 가목의 규정에 의하여 외부계단 끝부분으로 부터 1미터를 후퇴한 나머지부분을 산입하는 것이 타당할 것으로 사료됨

(관계법령) 건축법시행령 제119조제1항제3호 가목 : 바닥면적: 건축물의 각 층 또는 그 일부로서 벽, 기둥, 그 밖에 이와 비슷한 구획의 중심선으로 둘러싸인 부분의 수평투영면적으로 한다. 다만, 다음 각 목의 어느 하나에 해당하는 경우에는 각 목에서 정하는 바에 따른다. 가. 벽·기둥의 구획이 없는 건축물은 그 지붕 끝부분으로부터 수평거리 1미터를 후퇴한 선으로 둘러싸인 수평투영면적으로 한다.

☞ 건축물 면적, 높이 등 세부 산정기준(국토교통부고시 제2021-1422호, 2021.12.30.제정) 참고

질의회신 지하층 기계실, 전기실의 거실 바닥면적 산입여부

국토부 민원마당 전자민원처리공개 2018.4.20.

질의 [건축법 시행령 34조 2항 5호] 지하층으로서 그 층 거실의 바닥면적의 합계가 200제곱미터 이상인 것은 직통계단을 2개소 이상 설치하여야 한다. 이때 거실은 거주, 집무, 작업, 집회, 오락, 그 밖에 이와 유사한 목적을 위하여 사용되는 방이라고 정의되어 있는데, 지하층의 기계실, 전기실, 발전기실, 물탱크실의 바닥면적을 거실로 보아야하는지

회신 건축법 제2조제1항제6호에 따르면, 거실이란 건축물 안에서 거주, 집무, 작업, 집회, 오락, 그 밖에 이와 유사한 목적을 위하여 사용되는 방으로 규정하고 있음. 따라서, 기계의 유지·관리를 위한 점검만을 목적으로 출입하는 경우에는 거실에 해당하지 않을 것이나, 직원 등이 상주하여 업무 등을 수행하는 경우라면 이는 거실로 보아야 할 것으로 판단됨

질의회신 정화조 중간관리층 바닥면적 산정

국토교통부 민원마당 FAQ 2019.5.24.

질의 2003년 5월 건축허가 당시 지하 1층의 정화조 중간관리층을 바닥면적에 산입하여야 하는지 여부

회신 '09.2.24 시행 「건축법 시행령」 제119조제1항제3호 마목에서는 옥상·옥외 또는 지하에 설치하는 물탱크·기름탱크·냉각탑·정화조 기타 이와 유사한 것의 설치를 위한 구조물은 바닥면적에 산입하지 아니하도록 하고 있음 다만, 상기 규정을 적용함에 있어 동 구조물을 점검·관리하기 위하여 설치되는 공간은 지하층의 일부로 보아 바닥면적에 산입하여야 하는 것으로 판단되니, 이에 대한 자세한 내용은 관련 자료를 갖추어 해당 지역의 허가권자에게 문의하시기 바람

건축법
1. 총칙
2. 건축
3. 유지관리
4. 대지도로
5. 구조재료
6. 지역지구
7. 건축설비
8. 특별건축구역
9. 보칙
10. 벌칙
건축법 관련기준

질의회신 누드형 엘리베이터 바닥면적 산입 관련

국토교통부 민원마당 FAQ 2019.5.24.

질의 공동주택 단지내 지하주차장 상부 지상에 장애인의 지하주차장 출입을 위해 단독으로 설치하는 누드형 엘리베이터의 지상층 승강로 부분을 바닥면적에 산입하여야 하는지 여부

회신 「건축법」 제84조 및 같은 법 시행령 제119조제1항제3호 라목에 따르면 승강기탑, 계단탑, 장식탑, 다락[층고가 1.5미터(경사진 형태의 지붕인 경우에는 1.8미터) 이하인 것만 해당한다], 건축물의 외부 또는 내부에 설치하는 굴뚝, 더스트슈트, 설비덕트, 그 밖에 이와 비슷한 것은 바닥면적에 산입하지 아니하는 것임. 이와 관련, 귀 질의와 같이 공동주택 단지내 지하주차장 상부에 지상으로 출입을 위해 단독으로 승강기를 설치한 경우 지하층의 승강로 부분은 바닥면적에 산입되는 것이나, 지상층의 승강로 부분은 상기 규정에 따른 승강기탑으로 보아 바닥면적에 산입하지 아니하는 것임

질의회신 중층 공간의 바닥면적 산입 여부

국토교통부 민원마당 FAQ 2019.5.24.

질의 공장건축물 1층 내부에 중층(층고 약2.9미터 이상)을 설치하여 작업장으로 사용할 경우 중층부분이 바닥면적에 산입되는지 여부

회신 질의의 중층부분은 거실(작업장)로 사용할 수 있는 구조로 건축되어 있으므로 건축법 시행령 제119조제1항제3호 규정에 의하여 바닥면적에 산입해야 함.

질의회신 공동주택 발코니의 면적산정 방법

국토교통부 민원마당 FAQ 2019.5.24.

질의 공동주택 발코니 면적 산정 방법

회신 「건축법 시행령」 제2조제14호에서 "발코니"를 건축물의 내부와 외부를 연결하는 완충공간으로서 전망이나 휴식 등의 목적으로 건축물 외벽에 접하여 부가적(附加的)으로 설치되는 공간으로 정의하면서 주택에 설치되는 발코니로서 국토교통부장관이 정하는 기준에 적합한 발코니는 필요에 따라 거실·침실·창고 등의 용도로 사용할 수 있다고 규정하고 있음. 또한, 같은 령 제119조제1항제3호나목에서 주택의 발코니 등 건축물의 노대나 그 밖에 이와 비슷한 것(이하 "노대등"이라 한다)의 바닥은 난간 등의 설치 여부에 관계없이 노대등의 면적(외벽의 중심선으로부터 노대등의 끝부분까지의 면적을 말함)에서 노대등이 접한 가장 긴 외벽에 접한 길이에 1.5미터를 곱한 값을 뺀 면적을 바닥면적에 산입하도록 규정하고 있음.

따라서, 바닥면적에 산입하지 아니하는 발코니를 확장하여 거실, 침실 등의 용도로 사용하는 경우 해당 부분은 전용면적에 산입하지 아니함.

질의회신 발코니의 바닥면적 산정 여부

국토교통부 민원마당 FAQ 2013.12.6.

질의 가. 발코니 외부에 건축물 전체적(40층 아파트)으로 기둥을 설치한 경우에 있어 이를 바닥면적 산정에서 제외할 수 있는 발코니로 인정할 수 있는 지?

나. 외벽 전체적을 커튼월로 구성한 것을 발코니로 인정할 수 있는 지?

회신 가. 건축법 시행령 제2조 제1항 제15호에 따라 발코니는 건축물의 내부와 외부를 연결하는 완충공간으로서 전망·휴식 등의 목적으로 건축물 외벽에 접하여 부가적으로 설치되는 공간으로 건축물의 구조·형태 상 외벽이 항상 기둥보다 바깥에 있어야 하는 것은 아니므로,

외벽에 부가적으로 설치한 발코니를 기둥 등 내력구조체로 지지한 것만으로 당해 발코니를 실내공간화한 것으로 보기는 어려울 것으로 판단되며 구조적으로 효율적이고 경제적인 건축물의 건축을 위하여 필요한 범위 내에서 발코니를 내력구조체로 지지할 수 있는 것으로 그 범위는 내력구조체의 기능, 형태, 설치위치 등을 확인하여 판단할 수 있을 것임.

나. 건축물의 외벽을 커튼월로 하고 그 내부에 설치하는 공간은 건축법 시행령 제2조 제1항 제15호 및 제119조 제1항 제3호 다목의 규정이 적용되는 발코니로 보기 어려운 것임(건축과-1214, 2003.07.07 참조)

질의회신 바닥면적에서 제외되는 유사 사례 등

국토교통부 민원마당 FAQ 2019.5.24.

질의 건축법령상 바닥면적에서 제외되는 설비덕트 기타 이와 유사한 것이라 함은 무엇을 말하는 것인 지 및 사람이 통행할 수 없는 공간을 상기의 기타 이와 유사한 것으로 보아 바닥면적에서 제외할 수 있는 지 여부

회신 건축법시행령 제119조 제1항 제3호 마목의 규정에 의하여 설비덕트 기타 이와 유사한 것은 바닥면적 산정시 제외하고 있는 바, 이 경우 "기타 이와 유사한 것"이라 함은 건축물의 건축시 전기·가스·통신설비 등의 설치를 위한 덕트 부분으로 보아야 할 것이며, 사람이 통행할 수 없는 부분이라고 하여 모두 바닥면적 산정시 제외된다고 볼 수는 없을 것이며, 바닥면적 산정시 제외여부는 당해 건축물의 설계도서 등을 검토하는 등 구체적인 현황에 따라 판단하여야 할 것임

질의회신 바닥면적 산정 위한 벽체의 중심선

국토교통부 민원마당 FAQ 2019.5.24.

질의 가. 건축물의 벽체의 중심선과 기둥의 중심을 연결한 선이 일치하지 아니하는 경우 바닥면적을 산정하는 기준이 되는 것은?

나. 건축물의 외벽이 철근콘크리트와 외단열구조체(드라이비트)로 구성된 경우 바닥면적을 산정하기 위한 벽체의 중심선은?

회신 가. 건축물의 바닥면적은 「건축법」 제73조 및 동법 시행령 제119조 제1항제3호의 규정에 의하여 건축물의 각 층 또는 그 일부로서 벽·기둥 기타 이와 유사한 구획의 중심선으로 둘러싸인 부분의 수평투영면적으로 하며(다만, 제3호 각 목의 어느 하나에 해당하는 경우에는 각 목이 규정하는 바에 의함), 벽체의 중심선과 기둥의 중심을 연결한 선이 일치하지 아니하는 경우에는 그 중 바깥쪽에 위치한 것을 구획의 중심선으로 하여야 할 것이며,

나. 건축법 시행령 제119조 제1항 제3호 본문의 규정에 따라 바닥면적을 산정함에 있어 벽체의 중심선은 벽 구조체와 기타 마감재 등을 포함한 벽체 전체의 중심선으로 하여야 할 것임[※건축법 시행령 제119조제1항(개정 2011.6.29)으로 위 나.의 경우 단열재가 설치된 외벽중 내측 내력벽의 중심선을 기준으로 바닥면적을 산정함]

질의회신 바닥면적 산정 제외 여부

국토교통부 민원마당 FAQ 2019.5.24.

질의 대학캠퍼스 구내에 교육문화관으로서 강의 및 문화집회용 다목적 건축물의 1층 일부에 필로티구조로서 통행에 전용되는 부분을 공중의 통행에 전용되는 부분으로 보아 바닥면적에서 제외할 수 있는 지의 여부

회신 피로티라 함은 지표면과 접하는 1층 부분을 공간으로 구성하여 통행 또는 주차 및 차량통행 등의 목적으로 사용하고, 그 상층부분은 업무 또는 거주공간으로 활용하는 것을 말하는 것인 바, 문의의 경우와 같이 상층부에 건축물이 없다면 이를 필로티로 보기는 곤란할 것임

질의회신 벽체와 기둥중심선이 차이가 있는 경우 바닥면적산정

건교부 건축 30420-2379, 1992.7.10.

질의 건축물의 바닥면적을 산정하는 경우 벽체의 중심선으로 둘러싸인 부분의 면적과 기둥의 중심선으로 둘러싸인 부분의 면적이 차이가 있을 때 바닥면적 산정방법

회신 건축물의 바닥면적의 산정은 건축법시행령 제119조 제1항 제3호에 따라 산정하여야 할 것인 바, 이 경우 벽체의 중심선으로 둘러싸인 부분의 면적과 기둥의 중심선으로 둘러싸인 부분의 면적에 차이가 있는 경우는 벽체 또는 기둥중심선 중 외곽에 위치한 벽체 또는 기둥중심선을 기준으로 산정하여야 할 것임.

건축법
1. 총 칙
2. 건 축
3. 유지관리
4. 대지도로
5. 구조재료
6. 지역지구
7. 건축설비
8. 특별건축구역
9. 보 칙
10. 벌 칙
건축법 관련기준

질의회신 외벽 벽체의 이동으로 인한 바닥면적의 증가

건교부 건축기획팀-1569, 2006.3.13.

질의 아파트 단지 내 상가에서 당초 기둥의 중심선보다 안쪽에 있는 유리벽체의 중심선의 구획으로 바닥면적을 산정하여 허가 및 사용승인을 받았으나 유리벽체를 철거한 후 그 중심선 너머의 바닥부분까지 사용하는 경우 증축에 해당되는지와 관계법령에 의하여 증축이 가능한지

회신 문의의 경우 건축법 시행령 제119조제1항제3호 본문에 따라 바닥면적을 산정하는 기준이 되는 벽·기둥 등의 구획의 중심선이 바깥쪽으로 이동되어 그에 따라 산정되는 바닥면적이 증가하게 되는 경우라면 동령 제119조제1항제4호 및 제2조제1항제2호의 규정에 의거 증축에 해당하는 것으로 판단되며,

단지 내 상가가 주택법에 따른 복리시설인 경우 증축가능여부 등은 주택법에서 규정한 바에 따라 검토되어야 할 것임

질의회신 다락에 해당되는 지 및 바닥면적 산입여부

국토교통부 민원마당 FAQ 2022.6.29.

질의 건축물의 복층부분의 상부에 합판 등을 설치하여 층고를 1.5m이하가 되도록 할 경우 이를 바닥면적 산정시 제외되는 다락으로 볼 수 있는 지

회신 건축법상 다락에 대한 명확한 용어정의는 없으나 일반적으로 다락이라 함은 지붕과 천장사이 공간을 가로막아 물건의 저장 등 부수적으로 사용하기 위한 공간으로서 건축법시행령 제119조 제1항 제3호 마목의 규정에 의하면 층고가 1.5미터이하인 다락은 바닥면적에 산입하지 아니하고 층수에도 산입하지 아니하는 것인 바, 이를 거실로 사용하거나 층고가 1.5미터를 초과하는 경우에는 바닥면적 및 층수에 산입하여야 할 것임

질의회신 다락높이가 다른 경우 바닥면적 산정 방법

국토교통부 민원마당 FAQ 2019.5.24.

질의 건축물의 층고 산정 시 다락의 높이가 다른 경우 높이 산정방법

회신 "다락"이라함은 건축법상 정의된 바는 없으나, 일반적으로 건축물의 지붕속의 공간을 가로 막아 물건의 저장등을 위하여 사용하기 위한 곳으로, 그 높이의 산정방법은 건축법시행령 제119조 제1항 제8호의 단서규정에 의하여 동일한 방에서 층의 높이가 다른 부분이 있는 경우에는 그 각 부분의 높이에 따른 면적에 따라 가중평균한 높이를 층고로 하는 것임

질의회신 다락이 1.5m 이상인 경우 바닥면적 산입여부

국토교통부 민원마당 FAQ 2019.5.24.

질의 다락이 1.5m 이상인 경우 바닥면적 산입여부

회신 거실로 사용하거나 층고가 1.5m를 초과하는 경우 바닥면적 및 층수에 산입

질의회신 다락 관련

국토교통부 민원마당 FAQ 2019.5.24.

질의 판매시설로서 지붕이 없는 저층을 가로막아(층고 1.5m 이하) 물건 등을 저장하는 공간을 구획한 경우 '다락'으로 간주하여 바닥면적 산정 시 제외할 수 있는지 여부

회신 '다락'이란 일반적으로 지붕과 천장 사이 공간을 가로막아 물건의 저장 등을 위하여 부수적으로 사용되는 공간을 말하는 것으로서, 건축법령에서는 '다락'에 대하여 별도로 정의하고 있지는 아니하나, 「건축법 시행령」 제119조제1항제3호 라목에 따르면 층고가 1.5미터(경사진 형태의 지붕인 경우에는 1.8미터) 이하인 것만 해당하는 것으로 규정하고 있으며, 이에 해당하는 경우에는 바닥면적과 층수 산정에서 제외할 수 있도록 하고 있는 바, 이는 창의적인 건축설계를 도모하고 국민편의를 증진시키고자 설계과정에서 발생되는 건축물의 부수

적인 공간에 대해 일부 건축기준을 완화하여 적용할 수 있도록 하고자 하는 것임
따라서, 일반적으로 정의되고 있는 '다락'의 사전적 의미 외에 건축법령에서 정하는 기준에 적합한 경우에는 이를 '다락'으로 보아 건축기준을 완화하여 적용하는 것이 타당할 것으로 판단됨

질의회신 아파트 최상층의 다락방에 난방시설 설치 가능여부

건교부 건축기획팀-2556, 2006.4.25.

질의 아파트 최상층의 다락방에 난방시설 설치 가능여부

회신 「건축법 시행령」 제119조제1항제3호마목에 따라 바닥면적에 산입하지 아니하는 '다락'이라 함은 층고가 1.5m(경사진 형태의 지붕인 경우에는 1.8m)이하인 것에 한하는 것인 바, 일반적으로 '다락'이라 함은 지붕과 천장사이 공간을 가로막아 물건의 저장 등 부수적으로 사용하기 위한 공간으로서 그 기능상 거실로 사용하지 않는 곳이므로 바닥면적에서 제외토록 하고 있는 바, 이 부분을 거실로 사용하기 위하여 난방시설을 설치하는 경우에는 동 부분의 면적을 바닥면적에 포함하여야 할 것임

질의회신 기둥이 설치된 발코니의 바닥면적 산정방법

건교부 건축기획팀-477, 2006.1.25.

질의 외벽에 접하고 외기에 전부 노출시킨 발코니에 기둥이 설치된 경우 바닥면적의 산정

회신 주택의 발코니의 바닥면적은 건축법 시행령 제119조제1항제3호 다목의 규정에 따라 산정하는 것이며 외벽에 접하여 외기에 직접 노출시킨 경우에는 기둥이 설치되었다 하더라도 발코니에 해당하는 것으로 볼 수 있을 것이며 바닥면적은 위 규정에 의하여 산정을 하여야 할 것임

질의회신 공동주택에서 공동으로 사용할 수 있는 조경시설의 바닥면적 제외

건교부 건축기획팀-852, 2006.2.9.

질의 공동주택에서 건축물의 바닥면적에 산입하지 아니하는 조경시설의 범위

회신 건축법 시행령 제119조제1항제3호 바목에 따라 해당 건축물의 바닥면적에서 제외하는 조경시설은 공동주택에서 공동으로 사용할 수 있는 조경시설을 말하는 것임

질의회신 단독주택 1층 필로티에 차량 주차시 바닥면적 산정 제외여부

건교부 건축과-3215, 2005.6.10.

질의 단독주택의 1층을 필로티의 구조로 하고 차량 및 트랙터 등의 주차 용도로 사용하는 경우 바닥면적 산정시 제외할 수 있는지

회신 건축법 시행령 제119조제1항 제3호 라목의 규정에 의하면 필로티 그 밖에 이와 유사한 구조의 부분은 해당 부분이 공중의 통행 또는 차량의 통행·주차에 전용되는 경우에 바닥면적에 산입하지 아니하는 것인 바, 필로티 부분을 차량 및 트랙터, 경운기 등의 주차에 사용하는 경우도 이에 해당하는 것으로 사료됨

질의회신 상부 계단탑 형태로 된 무빙워크(moving walk)의 바닥면적 산입 여부

건교부 건축과-925, 2005.2.21.

질의 건축물 하부층에서 옥상으로의 이동을 위하여 설치한 무빙워크(moving walk)의 상부에 계단탑 형태의 구조물을 설치한 경우 동 구조물이 건축법령상 바닥면적에 산입되는지 여부

회신 건축법 시행령 제119조제1항제3호마목에서 승강기실 및 계단실의 상부에 설치하는 승강기탑·계단탑은 바닥면적 산정시 제외하도록 규정하고 있는 바, 무빙워크의 상부 구조물이 승강기탑·계단탑과 유사한 목적으로 설치된 것이라면 동 부분은 상기 규정을 준용하여 바닥면적 산정시 제외하는 것이 타당할 것으로 사료됨

질의회신 별도로 떨어진 계단탑에 대한 바닥면적 산입여부

건교부 건축과-605, 2005.2.1.

질의 계단탑과 같은 층에 별도로 창고 등이 있는 경우 계단탑 면적을 바닥면적에 산입해야 하는지 여부

회신 건축법 시행령 제119조제1항제3호마목에 따라 승강기탑·계단탑·장식탑 등은 바닥면적에 산입하지 아니하는 것인바, 옥상일부에 창고 등이 있다하더라도 계단탑 면적은 바닥면적에 산입하지 아니하는 것임

질의회신 높이 및 층수에 산입되는 승강기탑·계단탑 부분이 바닥면적 및 용도분류 위한 층수 포함여부

건교부 건축 58070-214, 2003.1.30.

질의 건축물의 옥상에 설치하는 승강기탑 · 계단탑 등으로서 그 수평투영면적의 합계가 해당 건축물의 건축면적의 8분의1을 초과하는 경우에는 건축물의 높이 및 층수에 산입되는 것인 바, 이 경우 승강기탑 · 계단탑 부분이 바닥면적 및 주택의 용도를 분류하기 위한 층수에 포함되는지 여부

회신 건축법시행령제119조제5호 및 제9호에 따라 승강기탑 · 장식탑 등이 건축물의 높이 및 층수에 포함된다고 하더라도 동 부분은 같은법시행령 제119조제1항제3호마목에 따라 바닥면적에는 산입되지 아니하는 것이나, 같은법시행령 별표1 제1호 및 제2호의 주택의 용도를 분류하기 위한 층수에는 포함되어야 할 것이니, 보다 구체적인 사항은 해당 허가권자에게 직접 문의하기 바람

질의회신 발코니에 설치한 보일러실의 바닥면적 산입여부

서울시건축과-2162, 2005.2.15.

질의 공동주택 단위세대의 각 실별로 구획된 발코니 외부에 난간벽과 수직벽(보일러의 급 · 배기설비 설치를 위한 수직 벽체)을 일부 설치하여 발코니 외부에 접한 벽면적의 1/2이상이 공간(OPEN)으로 되어있지 않은 경우 이를 바닥면적에 포함해야 되는지 여부

회신 건축법시행령 제119조 제1항 제3호 다목에 따라 노대(발코니)의 바닥은 난간벽등의 설치여부에 관계없이 노대등의 면적에서 노대등이 접한 가장 긴 외벽에 접한 길이에 1.5m를 곱한 값을 바닥면적 산정시 공제할 수 있는 바, 발코니의 세대간 경계 또는 각 세대의 실과 실의 경계를 벽이나 기둥으로 한 경우와 발코니를 지지하기 위하여 기둥 · 벽을 설치한 경우도 노대등이 접한 가장 긴 외벽에 접한 길이에 1.5m를 곱한 값을 바닥면적 산정시 공제할 수 있는 것이며, 이 경우 발코니 벽면적의 1/2이상이 공간(OPEN)으로 된 경우에만 바닥면적에서 제외하도록 하는 규정은 없음.

그러나, 발코니 일부분을 개별 가스보일러실을 설치하기 위해 구획하는 경우에는 보일러실로 구획된 부분의 면적은 바닥면적에 산입하여야 하는 것임

질의회신 지하층 보일러실도 바닥면적 산정시 포함시켜야 하는지

건교부 건축 58070-156, 2003.1.22.

질의 지하층 보일러실도 바닥면적 산정시 포함시켜야 하는지 여부

회신 건축법시행령 제119조제1항제3호의 규정에 의거 바닥면적은 건축물의 각층 또는 그 일부로서 벽 · 기둥 그 밖에 이와 유사한 구획의 중심선으로 둘러싸인 부분의 수평투영면적으로 하는 것인바, 질의의 지하층 보일러실은 바닥면적 산정시 포함시켜야 할 것으로 사료되니 보다 구체적인 사항은 해당 시장 · 군수 · 구청장에게 문의하기 바람

질의회신 바닥면적 산정

국토교통부 민원마당 FAQ 2019.5.24.

질의 복층형 공동주택(2개층이 1세대)에서 출입구가 없는 층의 계단실과 정차를 하지 아니하는 구조로 된 층의 승강로 부분을 바닥면적에 산입하여야 하는 지 여부

회신 「건축법 시행령」 제119조제1항제3호에 따라 바닥면적은 건축물의 각 층 또는 그 일부로서 벽, 기둥, 그 밖에 이와 비슷한 구획의 중심선으로 둘러싸인 부분의 수평투영면적으로 하도록 하고 있음에 따라, 층의 구분이 명확하고 각 세대의 출입 등을 위하여 사용이 가능한 계단실의 경우에는 바닥면적에 산입하여야 할 것으로

사료되며, 중간층에 승강기를 정차하기 위한 별도의 출입문 등 시설물이나 승강장이 설치되어 있지 아니한 경우의 승강로 부분은 바닥면적에서 제외할 수 있을 것으로 사료되나, 보다 구체적인 사항은 관련 자료를 첨부하여 해당 건축허가권자인 시장·군수·구청장에게 문의 바람

질의회신 캔틸레버 구조로 된 골프연습장의 타석부분의 바닥면적 산정

건교부 건축과-4766, 2005.8.18.

질의 골프연습장의 캔틸레버 구조로 된 타석부분의 바닥면적 산정

회신 건축법 시행령 제119조제1항제3호가목에 의하여 벽·기둥의 구획이 없는 건축물에 있어서는 그 지붕 끝부분으로부터 수평거리 1m를 후퇴한 선으로 둘러싸인 수평투영면적을 바닥면적으로 하는 것으로, 문의의 부분도 상기 규정에 의하여 바닥면적을 산정할 수 있을 것으로 판단됨

질의회신 옥상에 설치한 승강기실의 바닥면적 산정방법

국토교통부 민원마당 FAQ 2019.5.24.

질의 건축물의 옥상으로 출입할 수 있는 승강기 및 계단을 설치하였으나, 승강기실(승강기탑은 승강기실 상부에 설치)과 계단탑의 면적이 당해 건축면적의 1/8이하인 경우, 이에 대한 층수 및 바닥면적 산정방법은?

회신 승강기실 부분은 건축물의 층수 및 바닥면적에 산입하고, 기타 계단탑, 승강기탑 등은 제외하는 것임.

질의회신 기둥이 없는 캔틸레버의 구조로 설치된 처마부분의 바닥면적 산입 여부

건교부 건축 58070-148, 2003.1.22.

질의 건축물(공장)의 외벽에서 일정길이가 돌출되어 기둥이 없는 캔틸레버의 구조로 설치된 처마부분의 바닥면적 산입 여부

회신 귀 질의의 경우 바닥면적 산정은 건축법시행령 제119조제1항제3호에 따라 건축물의 각층 또는 그 일부로서 벽·기둥 그 밖에 이와 유사한 구획의 중심선으로 둘러싸인 부분의 수평투영면적으로 산정하는 것이므로, 벽·기둥 등의 구획이 없는 건축물의 처마는 바닥면적 산정시 포함하지 않아도 될 것임

질의회신 2층 근린생활시설의 캐노피 형태로 구성된 부분을 처마로 보아 바닥면적 제외가능여부

건교부 건축 58070-510, 2003.3.20.

질의 건축물의 2층의 일부는 근린생활시설로, 일부는 옥상 등으로 활용하는 경우 동 근린생활시설부분의 캐노피 형태로 구성된 부분을 처마로 보아 바닥면적에서 제외할 수 있는지 여부

회신 일반적으로 처마라 함은 건축물의 지붕부분의 외벽(외곽기둥)밖으로 내민 부분을 일컫는 말인 바, 귀 문의의 경우와 같이 건축물의 상부층의 일부에 근린생활시설을 설치한 후 캐노피 형태로 건축하여 공간으로 활용하는 부분은 상기의 처마에 해당하는 것으로 볼 수 없을 것으로 판단되니 보다 구체적인 사항은 관련 설계도서 등을 갖추어 해당 허가권자에게 직접 문의하시기 바람

질의회신 지붕이 없는 옥외관람장 바닥면적 산정

건교부 건축 58070-1978, 1999.5.31.

질의 지붕없이 외부에 돌출된 옥외관람장(스탠드)의 바닥면적 산정방법

회신 옥외관람장은 모두 해당 층의 바닥면적에 산입되는 것임

질의회신 돌출된 처마의 바닥면적 산입여부

건교부 건축 58070-1645, 2003.9.6.

질의 처마가 5미터이상 돌출 되었을 경우 바닥면적에 산입하여야 하는지 여부

회신 건축물의 처마나 차양은 바닥면적에 산입하지 않아도 되는 것이나, 귀 질의의 경우에는 처마로 보기 어

려울 것으로 사료되며, 건축법시행령 제119조제1항제3호가목의 규정에 의거 벽·기둥의 구획이 없는 건축물에 있어서는 그 지붕 끝부분으로부터 수평거리 1미터를 후퇴한 선으로 둘러싸인 수평투영면적을 바닥면적으로 하는 것이니, 보다 구체적인 사항은 해당 허가권자에게 직접 문의하기 바람

질의회신 주차전용의 1층 필로티부분에 2층으로 가기위한 계단실 등의 바닥면적 제외여부

건교부 건축 58070-1232, 2003.7.9.

질의 공동주택(아파트)의 1층이 필로티구조로 주차에 전용될 경우 용적률 산정시 2층으로 올라가기 위한 1층의 계단실 및 엘리베이터의 바닥면적을 제외할 수 있는지 여부

회신 건축법시행령 제119조제1항제3호 라목에 따라 공동주택의 경우 필로티의 부분은 바닥면적에 산입하지 아니하는 것이나, 해당 필로티 부분을 제외한 계단실 및 엘리베이터부분은 바닥면적에 산입되는 것이며, 또한 용적률에도 산정되는 것임

질의회신 옥외피난계단 설치시 바닥면적 산정방법

국토교통부 민원마당 FAQ 2019.5.24.

질의 옥외피난계단 설치시 그 층의 거실의 바닥면적 합계라 함은 계단실, 기계실, 화장실도 포함하는지 여부

회신 건축법시행령 제36조의 규정에 의거 건축물의 3층이상의 층(피난층을 제외한다)으로서 공연장, 위락시설중 주점영업의 용도에 쓰이는 층으로서 그 층의 거실의 바닥 면적의 합계가 300제곱미터이상인 것은 직통계단 외에 그 층으로부터 지상으로 통하는 옥외피난계단을 따로 설치하도록 규정하고 있는바, 이 경우 공용으로 사용하는 계단실. 복도. 화장실은 포함되지 않음

4. 연면적·용적률

질의회신 지하층 주차장 면적이 연면적에 포함되는 지

국토교통부 민원마당 FAQ 2023.6.15.

질의 지하층 주차장 면적이 건축물의 연면적에 포함되는 지의 여부

회신 「건축법」 제119조 제1항 제4호의 규정에 의하여 "연면적"이라 함은 하나의 건축물의 각 층의 바닥면적의 합계로 하되, 용적률의 산정에 있어서는 지하층의 면적을 제외하고 있음

다만, 질의의 경우 용적률 산정을 위한 연면적이 아닌 건축물의 연면적 산정시에는 지하층의 주차장 면적을 포함하는 것으로, 보다 자세한 사항은 관련자료를 갖추어 해당지역 허가권자에게 문의 바람

질의회신 건축신고 시 연면적의 산정

국토교통부 민원마당 FAQ 2019.5.24.

질의 가. 동일 필지 내에 개별 건축물의 면적이 200㎡미만인 건축물을 여러 동 건축할 경우, 건축허가 등의 기준이 되는 연면적이란 동일 필지내 개별 건축물의 연면적 합계인지 아니면 개별 건축물 1동당 연면적인지 여부. 나. "생략"

회신 가. 「건축법시행령」 제119조 제1항 제4호에서 연면적은 하나의 건축물의 각 층의 바닥면적의 합계로 산정한다고 규정하고 있는 바, 연면적에 대해서 건축법령을 적용하는 경우에는 하나의 건축물을 단위로 적용하여야 할 것임. 나. "생략"

질의회신 용적률 산정 관련

국토교통부 민원마당 FAQ 2023.6.15.

건축법
1. 총 칙
2. 건 축
3. 유지관리
4. 대지도로
5. 구조재료
6. 지역지구
7. 건축설비
8. 특별건축구역
9. 보 칙
10. 벌 칙
건축법 관련기준

질의 건축법령상 부설주차장 건축물의 승강기, 계단부분 면적을 용적률 산정 시 제외할 수 있는 지 여부

회신 「건축법 시행령」 제119조제1항제4호나목에 따라 지상층의 주차용(해당 건축물의 부속용도인 경우만 해당한다)으로 쓰는 면적은 용적률을 산정할 때에 제외하도록 하고 있는 바, 상기 규정이 주차면적 부족 등에 따라 발생되는 이용자의 불편해소와 편의 증진 등을 위하여 건축기준 일부를 완화한 취지를 감안할 때, 해당 주차용 건축물 사용에 필요한 주차구획, 차로 및 주차용 건축물의 상하 이동을 위하여 부설주차장 내에 필수적으로 설치되는 계단, 승강기 면적도 포함하는 것이 바람직하다 사료되나, 이에 해당하는 지 여부는 해당 시설의 설치목적과 이용형태 등을 종합적으로 검토하여 허가권자가 판단할 사항임

질의회신 용적률 산정 관련

국토교통부 민원마당 FAQ 2019.5.24.

질의 지하층 출입구로써 경사도로에 접하여 묻히지 않고 노출된 면의 용적률 산정시 면적에 포함되어야 하는지(가중평균으로는 지하층임)

회신 「건축법 시행령」 제119조제1항제4호에 따르면 연면적은 하나의 건축물 각 층의 바닥면적의 합계로 하되, 지하층의 면적 또는 지상층의 주차용(해당 건축물의 부속용도인 경우만 해당)으로 쓰는 면적 등은 용적률을 산정할 때 제외하며, 같은 항 제10호에서 법 제2조제1항제5호에 따른 지하층의 지표면은 각 층의 주위가 접하는 각 지표면 부분의 높이를 그 지표면 부분의 수평거리에 따라 가중평균한 높이의 수평면을 지표면으로 산정하도록 규정하고 있음 따라서, 질의의 지하층 출입구가 용적률 산정시 제외되는 면적인지 여부는 우선 당해 부분이 「건축법」 제2조제1항제5호에 따른 지하층에 해당되는 지를 우선 확인해 보아야 할 것으로 사료되는 바, 이에 대한 판단은 허가권자가 설계도서 및 상기규정 등을 종합적으로 검토・판단하여야 할 것임

질의회신 기계식 주차타워의 면적 및 층수 산정방법

건교부 건축기획팀-181, 2005.9.12.

질의 1동의 기계식 주차타워의 면적 및 층수 산정방법

회신 건축법 시행령 제119조제1항제4호에 따라 연면적은 하나의 건축물의 각 층 바닥면적의 합계로 하는 것이며, 질의의 건축물이 층의 구획이 없거나 불분명한 승강기식 주차장치 형태라면 같은 법 시행령 같은 조 동항제9호에 따라 층의 구분이 명확하지 아니한 건축물은 해당 건축물의 높이 4m마다 하나의 층으로 산정하도록 하고 있음

5. 건축물의 높이

법령해석 건축물의 높이 및 층수 산정 시 수평투영면적의 합계에서 장애인용 승강기의 승강기탑의 수평투영면적이 제외되는지 여부

「건축법 시행령」 제119조 제1항 등 관련 법제처 법령해석 22-0172, 2022.6.2.

질의요지 「건축법 시행령」 제119조제1항제5호다목에서는 건축물의 옥상에 설치되는 승강기탑・계단탑・망루・장식탑・옥탑 등(이하 "승강기탑 등"이라 함)으로서 그 수평투영면적의 합계가 해당 건축물 건축면적의 8분의 1 이하인 경우로서 그 부분의 높이가 12미터를 넘는 경우에는 그 넘는 부분만 해당 건축물의 높이에 산입한다고 규정하고 있고, 같은 항 제9호에서는 승강기탑 등으로서 그 수평투영면적의 합계가 해당 건축물 건축면적의 8분의 1 이하인 것과 지하층은 건축물의 층수에 산입하지 않는다고 규정하고 있으며, 같은 조 제4항에서는 같은 조 제1항제5호다목 또는 제1항제9호에 따른 수평투영면적 산정은 같은 항 제2호에 따른 건축면적의 산정방법에 따른다고 규정하고 있고, 같은 항 제2호에서는 건축면적은 건축물의 외벽의 중심선으로 둘러싸인 부분의 수평투영면적으로 한다고 규정하면서(본문), 장애인용 승강기의 경우에는 건축면적에 산입하지 않는다고 규정[단서 및 다목8)]하고 있는바,

장애인용 승강기의 승강기탑이 건축물의 옥상에 설치되는 경우, 「건축법 시행령」 제119조제1항제5호다목 및 같은 항 제9호에 따라 승강기탑 등의 수평투영면적의 합계를 산정할 때 장애인용 승강기의 승강기탑의 수평투영면적은 제외되는지?

회답 이 사안의 경우 장애인용 승강기의 승강기탑의 수평투영면적은 「건축법 시행령」 제119조제1항제5호다목 및 같은 항 제9호에 따라 승강기탑 등의 수평투영면적의 합계를 산정할 때 제외되지 않습니다.

이유 「건축법 시행령」 제119조제1항제5호다목 및 같은 항 제9호에 따라 건축물의 높이에 승강기탑 등의 높이 중 일부만 산입하거나 건축물의 층수에 승강기탑 등의 부분을 산입하지 않을 수 있는지 여부를 판단하기 위해서는 먼저 옥상에 설치되는 승강기탑 등의 수평투영면적을 합산해야 할 것인데, 해당 규정에서 승강기탑이 장애인용 승강기의 승강기탑인 경우 수평투영면적의 합계 산정 대상에서 제외한다는 별도의 규정을 두고 있지 않는 이상, 건축물의 높이나 층수 산정을 위한 기준으로서의 수평투영면적의 합계를 산정할 때에 장애인용 승강기의 승강기탑의 수평투영면적은 제외되지 않습니다.

그리고 「건축법 시행령」 제119조제4항에서는 같은 조 제1항제5호다목 및 같은 항 제9호에 따른 수평투영면적의 산정은 같은 항 제2호에 따른 건축면적의 산정방법에 따른다고 규정하고 있는데, 같은 항 제2호 본문에서는 건축물의 외벽의 중심선으로 둘러싸인 부분을 수평투영면적으로 한다고 규정하여 원칙적인 건축면적 산정방법을 정하고 있고, 같은 호 단서 및 같은 호 다목8)은 건축물의 건축면적에 산입하지 않는 예외적인 경우를 규정한 것이므로, 같은 항 제5호다목 및 같은 항 제9호에 따라 건축물 옥상 부분 승강기탑 등의 수평투영면적을 산정할 때에는 같은 항 제2호 본문에 따라 승강기탑 등 각각의 외벽의 중심선으로 둘러싸인 부분을 측정하여 그 면적을 산정하면 된다고 할 것이고, 건축물의 건축면적 산정과는 별개인 건축물의 높이 및 층수 산정에 대해 같은 항 제2호 단서 및 같은 호 다목8)이 적용된다고 보아 승강기탑 등의 수평투영면적을 합산할 때 장애인용 승강기의 승강기탑 부분의 수평투영면적이 제외된다고 해석할 수는 없을 것입니다.

또한 건축물의 높이나 층수는 지표면 또는 지하로부터 그 건축물의 상단까지를 측정하는 것이 원칙이라고 할 것이나, 「건축법 시행령」 제119조제1항제5호다목 및 같은 항 제9호는 옥상에 설치되는 승강기탑 등의 수평투영면적의 합계가 건축물 건축면적의 8분의 1 이하인 경우에는 그 부분의 높이가 12미터를 넘는 경우 그 넘는 부분만을 해당 건축물의 높이에 산입하거나 층수 산정에서 제외하려는 예외규정으로서(각주: 법제처 2012. 4. 27. 회신 12-0207 해석례), 그러한 예외규정을 해석할 때에는 합리적인 이유 없이 문언의 의미를 확대하여 해석해서는 안 되고 보다 엄격하게 해석할 필요(각주: 법제처 2012. 11. 3. 회신 12-0596 해석례)가 있다고 할 것인바, 같은 항 제2호다목8) 및 제3호차목에서 장애인용 승강기, 장애인용 에스컬레이터, 휠체어리프트 또는 경사로의 면적을 건축면적과 바닥면적에 산입하지 않도록 명시적으로 규정하고 있는 것과 달리, 건축물의 높이 및 층수 산정에 대해서는 이와 같은 명시적 규정이 없으므로 승강기탑 등의 수평투영면적 합계 산정 대상에서 장애인용 승강기의 승강기탑의 수평투영면적이 제외되는 것으로 볼 수는 없습니다.

따라서 이 사안의 경우 장애인용 승강기의 승강기탑의 수평투영면적은「건축법 시행령」 제119조제1항제5호다목 및 같은 항 제9호에 따라 승강기탑 등의 수평투영면적의 합계를 산정할 때 제외되지 않습니다.

질의회신 전면도로면에 고저차가 있을 경우 건축물의 높이제한 규정 적용 방법

국토교통부 민원마당 FAQ 2019.5.24.

질의 다음의 경우 건축법 제51조 제3항의 건축물의 높이제한 규정 적용 방법은

가. 대지보다 전면도로가 높은 경우

나. 대지와 접한 도로의 노면에 고저차가 있는 경우

회신 귀 문의의 경우 건축법시행령 제119조 제1항 제5호 가목의 규정에 의하여

″가″의 경우는 당해 전면도로면을 기준으로,

″나″의 경우 당해 건축물이 접하는 범위의 전면도로부분의 수평거리에 따라 가중평균한 높이의 수평면을 전면도로면으로 보며, 이 경우 그 고저차가 3 미터를 넘는 경우에는 당해 고저차 3미터 이내의 부분마다 그 지표면을 정함

질의회신 옥상부분의 수평투영면적 산정방법과 이에 따른 건축물의 높이 및 층수 산정 방법 문의

국토교통부 민원마당 FAQ 2019.5.24.

질의 옥상의 계단실과 엘리베이터 승강로 등의 옥탑에 외부계단이 돌출되어 있는 경우, 옥상부분의 수평투영면적 산정방법과 이에 따른 건축물의 높이 및 층수산정 방법 문의

회신 「건축법 시행령」 제119조제1항제5호 다목의 규정에 따르면 건축물의 옥상에 설치되는 승강기탑·계단탑·망루·장식탑·옥탑 등으로서 그 수평투영면적의 합계가 해당 건축물의 건축면적의 8분의 1이하인 경우로서 그 부분의 높이가 12미터를 넘는 경우에는 그 넘는 부분만 해당 건축물의 높이에 산입함.

또한, 같은조 같은항 제9호를 보면 승강기탑, 계단탑, 망루, 장식탑, 옥탑 그 밖에 이와 비슷한 건축물의 옥상부분으로서 그 수평투영면적의 합계가 해당 건축물 건축면적의 8분의 1이하인 것은 건축물의 층수에 산입하지 아니함. 아울러, 같은조 제3항을 보면 제1항제5호다목 또는 제1항제9호에 따른 수평투영면적의 산정은 제1항제2호에 따른 건축면적의 산정방법에 따르도록 하고 있음을 알려드림.

질의회신 고저차가 3m를 넘는 대지에 건축하는 건축물의 높이 산정 방법

국토교통부 민원마당 FAQ 2019.5.24.

질의 고저차가 3m를 넘는 대지에 건축하는 건축물의 높이 산정 방법은?

회신 건축법시행령 제119조 제2항 단서규정에 의하여 지표면의 고저차가 3미터를 넘는 경우에는 당해 고저차 3미터 이내의 부분마다 그 지표면을 산정하는 것이며, 이에 따라 산정된 각각의 지표면을 기준으로 건축물 각 부분의 높이를 따로 산정하는 것임

질의회신 승강기탑등이 최고 높이에 산입되는 지의 여부

국토교통부 민원마당 FAQ 2023.6.15.

질의 「건축법」 제51조 제1항 및 제2항의 규정에 의하여 지방자치단체의 조례로 가로구역별의 건축물의 최고높이를 정하고 있는바, 이 경우 「건축법시 행령」 제119조제1항제5호다목에 의하여 건축물의 높이에 산입되지 아니하는 부분도 최고높이에 산입되는지의 여부 (※ 법 제51조 ⇒ 제60조 2008.3.21.)

회신 「건축법 시행령」 제119조제1항제5호다목의 규정에 의하여 높이에 산입되지 않는 부분은 건축법령에서 규정하고 있는 높이제한을 적용함에 있어 이를 높이에 산입하지 않는 것임

질의회신 가중평균한 지표면이 2 이상인 경우 해당 건축물의 최고높이

건교부 건축기획팀-859, 2006.2.9.

질의 건축물의 주위가 접하는 지표면부분의 경사가 급하여 가중평균하여 산정한 지표면이 2 이상인 경우 건축법 시행령 제119조제1항제5호 본문에 따른 해당 건축물의 최고높이는?

회신 건축법 시행령 제119조제2항의 규정에 의하면 같은 조제1항 각 호(제10호를 제외함)의 경우에 지표면에 고저차가 있는 경우에는 건축물의 주위가 접하는 각 지표면 부분의 높이를 해당 지표면부분의 수평거리에 따라 가중평균한 높이의 수평면을 지표면으로 보되, 이 경우 그 고저차가 3m를 넘는 경우에는 해당 고저차 3m 이내의 부분마다 그 지표면을 정하며, 같은 조제1항제5호 각 호외 본문의 규정에 의하면 건축물의 높이는 지표면으로부터 해당 건축물의 상단까지의 높이[건축물의 1층 전체에 필로티(건축물의 사용을 위한 경비실·계단실·승강기실 그 밖에 이와 유사한 것을 포함함)가 설치되어 있는 경우에는 제82조 및 제86조제2항의 규정을 적용함에 있어서 필로티의 층고를 제외한 높이]로 하는 것이므로,

건축법 시행령 제119조제2항에 따라 고저차가 3m를 넘는 부분에 따라 지표면이 다른 경우 건축물의 최고높이는 고저차 3m 이내의 부분마다 산정한 지표면 구간별로 즉, 고저차 3m 이내마다 나눈 구간별로 그 구간에 속한 건축물의 상단까지의 높이를 구하되 그 중 가장 큰 값을 해당 건축물의 최고높이로 하는 것이 타당할 것으로 판단됨

질의회신 건축물 높이관련

국토교통부 민원마당 FAQ 2019.5.24.

질의 건축물의 높이 산정시 건축물의 1층 전체에 필로티(건축물을 사용하기 위한 경비실, 계단실, 승강기실, 그 밖에 이와 비슷한 것을 포함한다)가 설치되어 있는 경우에는 법 제60조 및 법 제61조제2항을 적용할 때 필로티의 층고를 제외하는 바, 여기서 "그 밖에 이와 비슷한 것"에 공동주택의 주민공동시설(주민휴게시설, 독서실 등)이 포함되는지 여부

회신 「건축법 시행령」 제119조제1항제5호의 따르면 건축물의 1층 전체에 필로티(건축물의 사용을 위한 경비실, 계단실, 승강기실, 그 밖에 이와 비슷한 것을 포함한다)가 설치되어 있는 경우에는 법 제60조 및 제61조제2항을 적용할 때 필로티의 층고를 제외한 높이를 건축물의 높이로 하도록 규정하고 있음. 이와 관련, 필로티 내에 설치되는 경비실, 계단실, 승강기실 그 밖에 이와 비슷한 실은 건축물의 사용 및 관리를 위해 필수적으로 설치되는 실로 보아, 필로티의 범주에 포함하여 건축물 높이 산정시 완화하여 주는 것으로, 귀 질의의 공동주택의 주민공동시설(주민휴게시설, 독서실 등)은 상기 규정의 "그 밖에 이와 비슷한 것"에 포함되지 않을 것으로 판단되니, 보다 구체적인 사항은 자세한 자료를 갖추어 해당 지역의 허가권자(사업계획승인권자 포함)에게 문의하시기 바람

질의회신 1층 필로티로 된 지하 상가, 지상 공동주택인 경우의 층고산정 방법

건교부건축과-2166, 2005.4.21.

질의 대지 안에서 1층 전체가 필로티인 공동주택과 상가가 지하로 연결되어 있는 경우 공동주택의 높이 산정시 필로티의 층고를 제외할 수 있는지의 여부

회신 건축법 시행령 제86조제2항의 규정을 적용함에 있어서 동령 제119조제1항 제5호에 따른 건축물의 높이는 지표면으로부터 해당 건축물의 높이[건축물의 1층 전체에 필로티(건축물의 사용을 위한 경비실·계단실·승강기실 그 밖에 이와 유사한 것을 포함)가 설치되어 있는 경우에는 필로티의 층고를 제외한 높이]로 하는 바, 질의의 경우 지표면 위를 각각의 건축물로 하여 영 제86조제2항의 규정을 적용하는 것이 타당할 것으로 사료됨

질의회신 옥상에 기둥과 보로만 이루어진 구조물을 설치한 경우 건축물 높이에 산입되는지

건교부 건축 58070-404, 2003.3.4.

질의 건축물의 옥상에 기둥과 보로만 이루어진 구조물을 설치한 경우에도 건축물의 높이에 산입되는지 여부

회신 건축법시행령 제119조제1항제5호라목의 규정 중 괄호안의 내용은 옥상 난간벽으로서 2분의1이상이 공간으로 되어 있는 경우 높이에 산입하지 아니하는 것이나, 귀 질의의 경우에서 기둥과 보로 구획된 건축물의 부분은 건축물의 높이에 산입하여야 할 것으로 사료되니 구체적인 사항은 해당 허가권자와 상의하기 바람

질의회신 건축법시행령에서 건축물의 높이에 제외되는 난간벽은 어느 부분을 말하는 것인지

건교부 건축 58070-1157, 2003.6.27.

질의 건축물의 옥상 부분의 난간이 콘크리트(하부)+파이프(상부)로 구성되어 있는 경우 건축법시행령 제119조제1항제5호라목의 건축물의 높이에 제외되는 난간벽은 어느 부분을 말하는 것인지 여부

회신 귀 문의의 경우는 콘크리트(하부)+파이프(상부) 전체를 건축법시행령 제119조제1항제5호라목의 난간벽으로 보는 것이 타당할 것으로 사료되니 이에 대한 보다 구체적인 사항은 해당 허가권자에게 문의하시기 바람

질의회신 차면시설 부분을 전면도로에 따른 건축물의 높이제한에서 제외할 수 있는 것인지

건교부 건축 58070-1941, 2003.10.27.

질의 신청대지 전면도로 반대편의 다세대주택으로부터의 차면을 위해 신청대지 담장의 상부에 차면이 필요한 부분만을 목재그릴로 처리하여 개구율 50%이상이 되는 차면시설을 설치하였을 경우 동 차면시설 부분을 전면

도로에 따른 건축물의 높이제한에서 제외할 수 있는 것인지 여부

회신 건축법시행령 제119조제1항제5호 라목에 따라 지붕마루장식 · 굴뚝 · 방화벽의 옥상돌출부 그 밖에 이와 유사한 옥상돌출물과 벽면적의 2분의 1이상이 공간으로 되어 있는 난간벽은 전면도로에 따른 건축물의 높이제한을 위한 해당 건축물의 높이에 산입하지 아니하는 것이나, 귀 질의의 경우 이에 해당여부 등 보다 구체적인 사항은 자세한 자료를 갖추어 해당 지역의 건축허가권자에게 직접 문의하기 바람

질의회신 한옥의 용마루 및 용마루의 끝에 대는 망와 부분의 건축물 높이 산정 여부

국토교통부 민원마당 FAQ 2019.5.24.

질의 건축법시행령 제119조제1항제5호라목에 따라 지붕마루장식은 해당 건축물의 높이에 산입하지 아니하는 것인 바, 한옥의 용마루 및 용마루의 끝에 대는 망와 부분이 건축물의 높이에 포함되는지 여부

회신 건축법시행령 제119조 제1항 제5호 마목의 지붕마루장식으로 보아 건축물의 높이에 포함하지 아니하는 바, 이 경우 지붕마루장식이라 함은 용마루 및 망와(용마루의 끝을 장식하는 망새기와)를 말하는 것임

질의회신 통신용 철탑이 있는 경우 건축물의 높이

건교부 건축 58550-3019, 1999.8.2.

질의 건축물의 옥상에 높이 14m의 통신용 철탑을 설치하는 경우 건축법 제119조제1항제5호 다목에 따른 다음의 건축물 높이 산정방법

회신 건축법시행령 제119조제1항제5호 다목의 규정에 의거 건축물의 옥상에 설치되는 승강기탑 · 계단탑 · 망루 · 장식탑 · 옥탑 등은 수평투영면적의 합계가 해당 건축물의 건축면적의 8분의 1이하인 경우로서 그 부분의 높이가 12미터를 넘는 경우에는 그 넘는 부분에 한하여 해당 건축물의 높이에 산입토록 되어 있으므로 건축물의 옥상에 통신용 철탑을 설치하는 경우 건축물의 높이산정은 이에 따르는 것이 타당할 것임

질의회신 최고 고도지구 안의 옥탑부분의 높이 적용여부

건교부 건축 58070-1801, 1999.5.19.

질의 가. 최고 고도지구 내 도시계획으로 정하는 최고높이는 건축법상 높이에 산입하지 않는 부분(건축면적의 8분의 1이하로서 높이가 12m 이하인 옥탑 등)도 포함되는지.

나. 대지가 경사지인 경우 지표면은 가중 평균면을 기준으로 하는지 또는 조성된 지표면을 기준으로 하는지

회신 가. 최고 고도지구 안에서는 도시계획으로 정하는 높이를 초과하여 건축물을 건축할 수 없는 것인 바, 이 경우 건축물의 높이산정 방법은 도시계획으로 특별히 정한 바가 없는 경우라면 건축법시행령 제119조 제1항 제5호 다목의 규정에 따라야 하는 것이며,

나. 건축법 또는 도시계획법령에 맞게 대지를 조성하여 건축하는 경우에는 그 조성된 면을 지표면으로 보아야 하는 것임(※최고 고도지구→고도지구: 「국토의 계획 및 이용에 관한 법률 시행령」 개정 2017.12.29.)

6. 처마높이

질의회신 처마 관련

국토교통부 민원마당 FAQ 2019.5.24.

질의 박공형 지붕의 경사부분과 수평재 부분이 맞닿은 부분(◺)에 수평으로 물홈통(배수로)이 설치된 경우 처마높이 산정을 위한 처마의 위치는 수평재의 상단인지 아니면 물홈통이 설치된 부분의 상단으로 보아야 하는지

회신 박공형 지붕의 경사부분과 수평재 부분이 맞닿은 부분(◺)에 수평으로 물홈통(배수로)이 설치된 경우 처마높이 산정을 위한 처마의 위치는 수평재의 상단인지 아니면 물홈통이 설치된 부분의 상단으로 보아야 하는지

질의회신 처마높이의 산정

건교부 건축 444.1-18258, 1972.10.21.

질의 건축법시행령 제119조제1항제6호에 따른 처마높이의 산정방법에 있어 그림과 같이 철근콘크리트조 또는 벽돌조의 철근콘크리트슬래브일 때 어느 부분으로 처마높이를 산정하여야 하는지

회신 본 질의에 대한 건축물의 처마높이는

① 그림 1에 있어서는 '라'부분

② 그림 2에 있어서는 '나'부분으로 산정됨

[그림1]

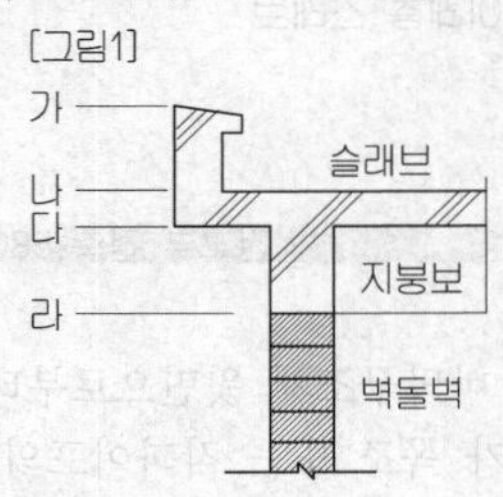

[그림2]

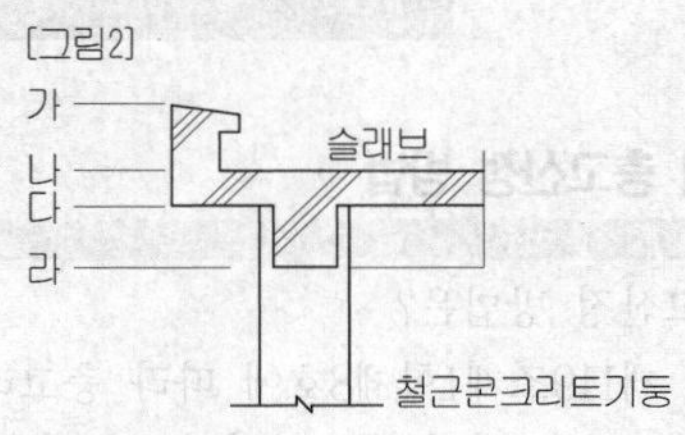

6. 층고

질의회신 다락 층고 산정방법

국토교통부 민원마당 FAQ 2019.5.24.

질의 지붕이 경사진 다락의 층고 산정방법과 바닥면적에서 제외되는 건축물의 옥상부분(다락 및 계단탑이 일체화된 경우)이 층수에 포함되는 지 여부

회신 「건축법 시행령」 제119조제1항제8호에 따라 층고는 방의 바닥 구조체 윗면으로부터 위층 바닥 구조체의 윗면까지의 높이로 하도록 하고 있으나, 한 방에서 층의 높이가 다른 부분이 있는 경우에는 그 각 부분 높이에 따른 면적에 따라 가중 평균한 높이로 하도록 하고 있음에 따라 지붕이 경사진 다락은 그 각 부분 높이에 따른 면적에 따라 가중 평균한 높이를 층고로 하여야 하며 이 경우 층고가 1.8미터 이하인 다락은 바닥면적 및 층수에 산입되지 않음

또한, 같은 항 제9호에 따라 승강기탑, 계단탑, 망루, 장식탑, 옥탑, 그 밖에 이와 비슷한 건축물의 옥상 부분으로서 그 수평투영면적의 합계가 해당 건축물 건축면적의 8분의 1(「주택법」 제16조제1항에 따른 사업계획승인 대상인 공동주택 중 세대별 전용면적이 85제곱미터 이하인 경우에는 6분의 1) 이하인 것은 층수에 산입하지 아니하도록 하고 있음에 따라 계단탑의 수평투영면적의 합계가 해당 건축물 건축면적의 8분의 1 이상인 경우에는 층수에 산입하여야 함

질의회신 동일한 방에서 층의 높이가 다른 경우 건축물의 층고 산정방법

국토교통부 민원마당 FAQ 2019.5.24.

질의 동일한 방에서 층의 높이가 다른 경우 건축물의 층고 산정방법은

회신 건축법상 층고라 함은 방의 바닥 구조체 윗면으로부터 위층 바닥 구조체의 윗면까지의 높이로 하는 것이며, 동일한 방에서 층의 높이가 다른 부분이 있는 경우에는 그 각 부분의 높이에 따른 면적에 따라 가중평균한 높이로 하는 것임

질의회신 층고산정 기준

건교부 건축 58070-1315, 1999.4.14.

질의 층고산정 기준은

회신 건축법시행령 제119조제1항제8호에 따른 층고산정기준은 아래층 바닥면에서 위층 바닥면으로 마감면이 아닌 구조체를 기준으로 산정(질의 그림③) 하는 것임

← 마감면
← 위층 스래브
← 위층 반자
① ② ③ ④
← 아래층 마감면
← 아래층 스래브

질의회신 건축물의 층고산정 방법

건교부 건축 58070-1602, 2003.9.1.

질의 건축물의 층고산정 방법은?

회신 건축법시행령 제119조제1항제8호에 따라 층고라 함은 방의 바닥구조체 윗면으로부터 위층 바닥구조체의 윗면까지의 높이로 하는 산정하는 것이며, 이 경우 바닥구조체가 목조 또는 각파이프의 구조인 경우 방의 바닥을 이루어 힘을 받게 되는 바닥구조의 조합체를 말하는 것임

7. 층수

법령해석 층수 산정에서 제외되는 승강기탑의 범위

「건축법 시행령」 제119조 등 관련 법제처 법령해석 12-0207, 2012.4.27.

질의요지 「건축법 시행령」 제119조제1항제9호에 따르면 승강기탑, 계단탑, 망루, 장식탑, 옥탑, 그 밖에 이와 비슷한 건축물의 옥상 부분으로서 그 수평투영면적의 합계가 해당 건축물 건축면적의 8분의 1(「주택법」 제16조제1항에 따른 사업계획승인 대상인 공동주택 중 세대별 전용면적이 85제곱미터 이하인 경우에는 6분의 1) 이하인 것은 건축물의 층수에 산입하지 않도록 하고 있는바,

건축물(「주택법」 제16조제1항에 따른 사업계획승인 대상인 공동주택 중 세대별 전용면적이 85제곱미터 이하인 경우가 아님)의 옥상에 출입하기 위하여 옥상에 「승강기시설 안전관리법 시행규칙」 별표 2의2에 따른 승강장을 설치한 경우, 그 수평투영면적의 합계가 해당 건축물 건축면적의 8분의 1 이하라면 이를 「건축법 시행령」 제119조제1항제9호에 따른 승강기탑으로 보아 건축물의 층수에 산입하지 않을 수 있는지?

회답 건축물(「주택법」 제16조제1항에 따른 사업계획승인 대상인 공동주택 중 세대별 전용면적이 85제곱미터 이하인 경우가 아님)의 옥상에 출입하기 위하여 옥상에 「승강기시설 안전관리법 시행규칙」 별표 2의2에 따른 승강장을 설치한 경우, 그 수평투영면적의 합계가 해당 건축물 건축면적의 8분의 1 이하라 하더라도 이를 「건축법 시행령」 제119조제1항제9호에 따른 승강기탑으로 볼 수 없으므로 건축물의 층수 산입에서 제외되는 것은 아니라고 할 것입니다.

이유 "생략"

질의회신 1층 필로티 층수산정 포함여부

국토교통부 민원마당 FAQ 2019.5.24.

질의 제1종일반주거지역 안에서는 4층 이하의 건축물에 한하여 건축할 수 있는 바, 다세대주택의 1층 전부가 주차장으로 사용하는 필로티 구조로 되어 있는 경우 위 4층 이하의 건축제한을 적용함에 있어 위 1층 필로티 부분이 층수산정에 포함되는 지?

회신 ○ 법제처 법령해석 (안건번호 07-0430, 2008-01-18)

건축법
1. 총칙
2. 건축
3. 유지관리
4. 대지도로
5. 구조재료
6. 지역지구
7. 건축설비
8. 특별건축구역
9. 보칙
10. 벌칙
건축법 관련기준

제1종일반주거지역 안에서 다세대주택을 건축하고자 하는 경우 1층 전부가 주차장으로 사용하는 필로티 구조라 하더라도 이러한 1층도 제1종일반주거지역 안에서의 층수에 포함되므로, 이를 포함한 4층 이하의 건축물만 허용된다고 할 것입니다.

질의회신 테라스하우스 층수 산정방법

국토교통부 민원마당 FAQ 2019.5.24.

질의 대지의 고저차(3m이상)를 이용하여 테라스하우스 형태로 건축물을 건축하는 경우 층수 산정방법?

회신 문의의 경우 주거건축물의 개별 건축물을 경사진 대지의 지형을 이용하여 계단식의 테라스하우스 형태로 건축하는 경우 동 부분에 대한 건축법상 건축불의 층수 산정은 건축법시행령 제119조 제2항 단서규정에 의하여 산정된 지표면에 따라 개별적으로 층수를 산정할 수 있을 것으로 사료됨.

질의회신 테라스하우스 2개층 + 20층 아파트인 경우 층수산정

건교부 건축기획팀-3142, 2006.5.18.

질의 하부에 테라스하우스 2개층과 상부에 20층 아파트가 있는 구조일 경우 지하층 여부 및 층수 산정에 대하여

회신 건축법 제2조제1항제4호에서 "지하층"이라 함은 건축물의 바닥이 지표면 아래에 있는 층으로서 그 바닥으로부터 지표면까지의 평균높이가 해당 층 높이의 2분의 1이상인 것을, 같은 법 시행령 제119조제1항제9호에서 층수의 산정은 건축물의 부분에 따라 그 층수를 달리하는 경우에는 그 중 가장 많은 층수로 산정하는 것임

질의회신 계단식 공동주택의 지반 고저차에 따른 층수산정 여부

건교부 건축과-481, 2005.1.27.

질의 고저차가 있는 대지에 계단식으로 지표면을 조성하여 동 지표면을 기준으로 1개동의 공동주택을 계단식으로 건축하고, 벽체 등으로 상호간 이동이 불가능하게 구획한 경우 구획된 부분별로 건축물의 층수를 산정할 수 있는지 여부

회신 귀 문의의 경우가 별도로 형성된 각각의 지표면에 따라 구조 및 이용상 구획되어 있어 별개의 주택으로 인정받을 수 있다면 건축법령에 따른 층수는 각각의 지표면에 따라 구획된 부분별로 산정할 수 있을 것으로 사료되나, 개별 법령 및 규정 등에 의하여 층수 등을 제한하고 있는 경우라면 이는 관련 법령 및 규정의 취지 등도 함께 감안하여 검토하여야 할 것임

질의회신 계단식 공동주택을 고저차가 있는 지표면에 따라 건축하는 경우

건교부 건축 58070-1783, 2003.10.1.

질의 지표면에 고저차가 있는 대지에 계단식인 1동의 공동주택을 고저차가 있는 지표면을 따라 건축하는 경우로서 지표면이 높은 곳은 낮은 쪽의 지표면보다 1개 층이 추가되나, 각각의 지표면으로부터는 동일한 4개 층인 경우, 동 건축물을 4층 건축물로 보아 연립주택으로 인정될 수 있는지

회신 귀 문의의 경우와 같이 지표면의 고저차를 활용하여 공동주택을 건축하는 경우로서 각각의 지표면에서부터의 층수가 동일한 경우로서 고저차에 따라 층수가 다른 부분이 구조 및 이용상 완전히 구획된 별개의 주택인 경우라면 이는 연립주택으로 보는 것이 타당할 것임

질의회신 공동주택의 1층(필로티구조)을 건축물의 층수 산정시 제외 여부

건교부 고객만족센터-1721, 2006.9.11.

질의 공동주택의 1층 전부를 필로티구조로 하여 주차장으로 사용하는 경우 건축법 시행령 별표1 제2호의 규정에 의하여 주택으로 쓰이는 층수를 산정하는데에 있어서는 제외되어 건축물의 층수 산정시에도 제외되는 것인지에 대한 질의

회신 공동주택 1층 전부를 필로티 구조로 하여 주차장으로 사용하는 경우에는 건축법 시행령 별표1 제2호의 규정에 의하여 주택으로 쓰이는 층수를 산정하는데 있어서는 제외되는 것이지만, 동 법 시행령 제119조제1항 제9호의 규정에 의하여 당해 건축물의 층수에는 산입되는 것임

13층
12층
11층
10층
9층
8층
7층
6층
5층
4층
3층
2층
피로티(주차장)
지하층

질의회신 건축물의 층수산정

국토교통부 민원마당 FAQ 2019.5.24.

질의 내부공간의 높이가 2.6m~7.8m 이고, 내부공간이 기둥과 보로 된 구조물로 구분·형성되어 있는 경우, 내부공간의 층수는?

회신 가. 건축법시행령 제119조 제1항 제9호에 따라 건축물의 층의 구분이 명확하지 아니한 건축물은 당해 건축물의 높이 4미터 마다 하나의 층으로 산정해야 하며 건축물의 부분에 따라 그 층수를 달리하는 경우에는 그 중 가장 많은 층수로 산정해야 하는 것임

나. 질의의 내부공간 중간에 거실 등으로 사용가능 여부 또는 가시설로서 구조변경의 용이성 등과 층간 바닥의 유무, 구조, 피난, 기능, 이용행태 및 관계법령 등 구체적인 사항을 고려하여 허가권자가 종합적으로 판단을 해야 할 것임

질의회신 돔형태 건축물의 층수 산정

국토교통부 민원마당 FAQ 2019.5.24.

질의 교회 등의 돔형태 지붕부분의 높이가 4m를 초과하는 경우 건축법시행령 제119조 제1항 제9호의 규정에 의하여 이를 4m마다 하나의 층으로 보아야 하는 지 여부

회신 문의의 돔부분이 지붕의 일부로써 거실의 용도로 사용하지 아니하고 단지 장식적인 요소에 해당한다면 동 부분의 높이가 4m를 초과한다고 하여 이를 4m마다 하나의 층으로 볼 필요는 없을 것임

질의회신 층고의 높이차로 인한 층을 달리하는 건축물의 층수 산정

국토교통부 민원마당 FAQ 2019.5.24.

질의 층고의 높이차로 인하여 한 동 안에서 부분적으로 층수를 달리하는 특이한 건축물의 경우 층수 산정기준

회신 건축법령에서 건축규제의 기준이 되는 척도에는 높이·면적·층수 등이 있으며 이 중 층수에 따른 규제는 피난·구조 등 건축물의 안전에 관련한 사항이 대부분임

따라서, 건축법령의 층수산정 기준(건축법시행령 제119조제1항제9호)에 따라 층수를 산정하기 애매한 특이한 구조인 건축물의 층수산정의 경우, 허가권자가 건축물 설계현황을 면밀히 검토하여 피난동선, 구조안전 등을 고려하여 적의 판단할 사안임

질의회신 층수산정 관련

국토교통부 민원마당 FAQ 2019.5.24.

질의 지구단위계획이 수립된 택지개발지구 제1종 일반주거지역내에서 벽 및 지붕을 판넬로 마감한 골프연습장을 건축 시 층 구분이 되는 타석부분과 층 구분이 안되는 타석외의 부분이 있는 경우 층수 산정방법

회신 「건축법 시행령」 제119조제1항제9호의 규정에 따라 층의 구분이 명확하지 아니한 건축물은 그 건축물의 높이 4미터마다 하나의 층으로 보고 그 층수를 산정하나, 층의 구분이 명확한 경우에는 층고에 관계없이 이를 하나의 층으로 볼 수 있을 것으로 사료되며, 건축물의 부분에 따라 그 층수가 다른 경우에는 그 중 가장 많은 층수를 그 건축물의 층수로 보아야 할 것임

이와는 별개로, 당해 지구단위계획(해당 지역의 미관·경관 등을 개선하여 양호한 환경을 확보하며 해당 지역을 체계적·계획적으로 관리하기 위해 수립하는 계획)에서 건축물의 층수를 제한하고 있다면 그 높이 또한 제한하고 있다고 보아야 할 것인 바, 구체적인 사항은 지구단위계획을 수립한 해당 지자체에서 당해 지구단위계획구역의 지정목적 및 입안취지, 해당 지역의 여건, 도시기본계획 및 다른 도시관리계획과의 관계(경관계획 포함) 등을 종합 검토하여 결정하여야 할 것임

질의회신 골프연습장 층수산정 방법

국토교통부 민원마당 FAQ 2019.5.24.

질의 골프연습장의 철탑 부분을 건축법시행령 제119조제1항제9호의 단서규정을 적용하여 4미터마다 하나의 층으로 보아 층수산정을 하여야 하는 지 여부

회신 건축법시행령 제119조 제1항 제9호 규정에 의거 층의 구분이 명확하지 아니한 건축물은 당해 건축물의 높이 4미터마다 하나의 층으로 산정하는 것이나, 동 규정은 골프연습장의 철탑 부분에 대하여 적용되지 아니하는 것임

질의회신 옥상부분의 수평투영면적 산정방법과 이에 따른 건축물의 높이 및 층수산정 방법 문의

국토교통부 민원마당 FAQ 2019.5.24.

질의 옥상의 계단실과 엘리베이터 승강로 등의 옥탑에 외부계단이 돌출되어 있는 경우, 옥상부분의 수평투영면적 산정방법과 이에 따른 건축물의 높이 및 층수산정 방법 문의

회신 건축법 시행령」 제119조제1항제5호 다목의 규정에 따르면 건축물의 옥상에 설치되는 승강기탑·계단탑·망루·장식탑·옥탑 등으로서 그 수평투영면적의 합계가 해당 건축물의 건축면적의 8분의 1이하인 경우로서 그 부분의 높이가 12미터를 넘는 경우에는 그 넘는 부분만 해당 건축물의 높이에 산입함.

또한, 같은조 같은항 제9호를 보면 승강기탑, 계단탑, 망루, 장식탑, 옥탑 그 밖에 이와 비슷한 건축물의 옥상부분으로서 그 수평투영면적의 합계가 해당 건축물 건축면적의 8분의 1이하인 것은 건축물의 층수에 산입하지 아니함.

아울러, 같은조 제3항을 보면 제1항제5호다목 또는 제1항제9호에 따른 수평투영면적의 산정은 제1항제2호에 따른 건축면적의 산정방법에 따르도록 하고 있음.

질의회신 변전소 옥상에 설치하는 냉각용 환풍탑(높이 4m)의 층수 산입 여부

건교부 건축기획팀-1578, 2006.3.13.

질의 변전소 옥상에 설치하는 냉각용 환풍탑(높이 4m)의 층수 산입 여부

회신 건축법 시행령 제119조제1항제9호의 규정에 의거 승강기탑·계단탑·망루·장식탑·옥탑 그 밖에 이와 유사한 건축물의 옥상부분으로서 그 수평투영면적의 합계가 해당 건축물의 건축면적의 8분의 1이하인 것은 층수에 산입하지 아니하는 것인 바, 질의의 경우 환풍탑 설치를 위한 건축물 면적이 해당 건축물의 건축면적의 8분의 1을 초과하는 경우라면 층수산정에 포함되어야 할 것으로 판단됨

질의회신 음식점 내부를 상·하 구분, 영업장으로 사용시 층수증가로 볼 수 있는지 여부

건교부 건축과-587, 2005.2.1.

질의 제2종 근린생활시설인 음식점(바닥면적 151.21㎡, 층고 5.7m) 내부를 무단증축(높이 2.1m, 면적 87.94㎡)하여 상·하 모두를 영업장으로 사용하는 경우 해당 건축물의 층수가 증가한 것으로 볼 수 있는지 여부

회신 건축법 시행령 제119조제1항제9호에 따라 건축물의 부분에 따라 그 층수를 달리하는 경우에는 그 중 가장 많은 층수로 건축물의 층수를 산정하는 것인바, 귀 질의의 경우 해당 건축물의 층수가 증가한 것으로 보아야 할 것임

질의회신 높이 및 층수에 산입되는 승강기탑·계단탑 부분이 바닥면적 및 용도분류 위한 층수 포함여부

건교부 건축 58070-214, 2003.1.30.

질의 건축물의 옥상에 설치하는 승강기탑 · 계단탑 등으로서 그 수평투영면적의 합계가 해당 건축물의 건축면적의 8분의1을 초과하는 경우에는 건축물의 높이 및 층수에 산입되는 것인 바, 이 경우 승강기탑 · 계단탑 부분이 바닥면적 및 주택의 용도를 분류하기 위한 층수에 포함되는지 여부

회신 건축법시행령제119조제5호 및 제9호에 따라 승강기탑 · 장식탑 등이 건축물의 높이 및 층수에 포함된다고 하더라도 동 부분은 같은법시행령 제119조제1항제3호마목에 따라 바닥면적에는 산입되지 아니하는 것이나, 같은법시행령 별표1 제1호 및 제2호의 주택의 용도를 분류하기 위한 층수에는 포함되어야 할 것이니, 보다 구체적인 사항은 해당 허가권자에게 직접 문의하기 바람

질의회신 높이 1.5m 미만의 다락의 층수·높이 산입여부

건교부 건축 58070-101, 1999.1.12.

질의 가중평균 높이가 1.5m 미만인 다락의 층수 · 높이 산정

회신 일반적으로 다락이라 함은 지붕과 천장사이 공간을 가로막아 물건의 저장 등 부수적으로 사용하기 위한 공간으로서, 건축법시행령 제119조제1항제3호 마목의 규정에 의하면 층고가 1.5m 이하인 다락은 바닥면적에 산입하지 아니하는 것인 바, 그 구조 · 기능 · 형태상 이에 해당하는 경우에는 하나의 층의 일부로 보아 층수 · 높이에는 산입하지 아니함

질의회신 대지가 경사지인 경우 층수산정은

건교부 건축 58070-284, 1999.1.22.

질의 대지가 경사지로서 부분별로는 6층이나 하나의 건축물에서 가장 많은 7층으로 건축허가를 받은 건축물의 경우 건축법상 6층으로 인정여부

회신 건축법시행령 제119조 제1항 제9호에 따라 건축물의 부분에 따라 그 층수를 달리하는 경우에는 그중 가장 많은 층수로 하는 것으로서, 질의의 경우 건축법상 층수는 허가를 받은 7층으로 하는 것임

질의회신 타워형 전망대의 층수 산정방법

건교부 건축 58550-2978, 1993.7.20.

질의 해상국립공원 내 타원형 전망대를 건축하고자 하는 경우의 층수 산정방법은

회신 층의 구분이 명확하지 아니한 건축물은 건축법시행령 제119조제1항제9호에 따라 해당 건축물의 높이 4미터마다 하나의 층으로 산정하도록 하고 있으나 동 층수 산정방법은 건축법령의 제기준을 적용하기 위한 것으로 질의와 같은 해상공원의 설계기준에서 정하는 층수제한과 관련한 층수 산정방법에 있어서도 동 규정을 적용할 것인지 여부는 자연공원법령의 층수제한 규정취지 등에 따라 판단하여야 할 것임

8. 지표면 산정

법령해석 복합 건축물의 각 부분 높이 산정의 기준이 되는 지표면의 의미

「건축법 시행령」 제86조제3항제2호가목 관련 법제처 법령해석 18-0172, 2018.5.25.

질의요지 「건축법」 제61조제2항제2호에 따른 하나의 대지에 건축된 두 동(棟)의 공동주택에 A층 미만인 층에는 업무시설만, B층 이상인 층에는 공동주택만 위치하고 있고, A층 이상부터 B층 미만까지의 모든 층에는

공동주택과 업무시설이 복합되어 있으나 같은 대지의 다른 건축물과 마주 보는 부분에는 업무시설만 위치하고 있는 공동주택에 대해 「건축법 시행령」 제86조제3항제2호가목에 따른 건축물 각 부분 높이를 같은 영 제119조제1항제5호나목 단서에 따라 산정하는 경우 그 기준이 되는 지표면은 해당 건축물에 있는 "공동주택의 가장 낮은 부분"인지 아니면 "다른 건축물과 마주보는 부분에 위치한 공동주택의 가장 낮은 부분"인지?

<질의 배경> 같은 대지에서 두 주상복합 건축물을 건축하여 사용승인을 받으려는 민원인이 「건축법 시행령」 제86조제3항제2호가목에 따른 건축물 각 부분 높이를 산정할 때에는 다른 건축물과 마주보는 면에 위치한 공동주택의 가장 낮은 부분을 지표면으로 보아 높이를 산정해야 한다고 생각하여 국토교통부에 질의하였으나, 국토교통부에서는 해당 건축물에 있는 공동주택의 가장 낮은 부분 가장 낮은 부분을 기준으로 하여야 한다는 취지의 답변을 하였고, 이에 이견이 있어 법제처에 해석을 요청함.

회답 「건축법」 제61조제2항제2호에 따른 하나의 대지에 건축된 두 동의 공동주택에 A층 미만인 층에는 업무시설만, B층 이상인 층에는 공동주택만 위치하고 있고, A층 이상부터 B층 미만까지의 모든 층에는 공동주택과 업무시설이 복합되어 있으나 같은 대지의 다른 건축물과 마주 보는 부분에는 업무시설만 위치하고 있는 공동주택에 대해 「건축법 시행령」 제86조제3항제2호가목에 따른 건축물 각 부분 높이를 같은 영 제119조제1항제5호나목 단서에 따라 산정하는 경우 그 기준이 되는 지표면은 해당 건축물에 있는 "공동주택의 가장 낮은 부분"입니다.

이유 「건축법」 제61조제2항 각 호 외의 부분에서는 같은 항 각 호의 어느 하나에 해당하는 공동주택(일반상업지역과 중심상업지역에 건축하는 것은 제외하며, 이하 같음)은 채광(採光) 등의 확보를 위해 대통령령으로 정하는 높이 이하로 해야 한다고 규정하면서 같은 항 제2호에서는 하나의 대지에 두 동 이상을 건축하는 경우를 규정하고 있습니다.

그리고 「건축법」 제61조제2항의 위임에 따라 같은 법 시행령 제86조제3항 각 호 외의 부분 본문에서는 공동주택은 같은 항 각 호의 기준에 적합해야 한다고 규정하면서 같은 항 제2호 각 목 외의 부분 본문에서는 같은 대지에서 두 동 이상의 건축물이 서로 마주보고 있는 경우에 건축물 각 부분 사이의 거리는 같은 호 각 목의 거리 이상을 띄어 건축할 것이라고 규정하고 있고, 같은 호 가목에서는 채광을 위한 창문 등이 있는 벽면으로부터 직각방향으로 건축물 각 부분 높이의 0.5배(도시형 생활주택의 경우에는 0.25배) 이상의 범위에서 건축조례로 정하는 거리 이상이라고 규정하고 있습니다.

한편 「건축법 시행령」 제119조제1항 각 호 외의 부분에서는 「건축법」 제84조에 따라 건축물의 면적·높이 및 층수 등은 같은 항 각 호의 방법에 따라 산정한다고 규정하면서 같은 항 제5호 각 목 외의 부분에서는 건축물의 높이를 지표면으로부터 그 건축물의 상단까지의 높이로 하되(본문), 같은 호 각 목의 어느 하나에 해당하는 경우에는 각 목에서 정하는 바에 따른다고(단서) 규정하고 있으며, 같은 호 나목에서는 「건축법」 제61조에 따른 건축물 높이를 산정할 때 건축물 대지의 지표면과 인접 대지의 지표면 간에 고저차가 있는 경우에는 그 지표면의 평균 수평면을 지표면으로 보되(본문), 「건축법」 제61조제2항에 따른 높이를 산정할 때 해당 대지가 인접 대지의 높이보다 낮은 경우에는 해당 대지의 지표면을 지표면으로 보고, 공동주택을 다른 용도와 복합하여 건축하는 경우에는 공동주택의 가장 낮은 부분을 그 건축물의 지표면으로 본다고(단서) 규정하고 있는바,

이 사안은 「건축법」 제61조제2항제2호에 따른 하나의 대지에 건축된 두 동의 공동주택에 A층 미만인 층에는 업무시설만, B층 이상인 층에는 공동주택만 위치하고 있고, A층 이상부터 B층 미만까지의 모든 층에는 공동주택과 업무시설이 복합되어 있으나 같은 대지의 다른 건축물과 마주 보는 부분에는 업무시설만 위치하고 있는 공동주택에 대해 「건축법 시행령」 제86조제3항제2호가목에 따른 건축물 각 부분 높이를 같은 영 제119조제1항제5호나목 단서에 따라 산정하는 경우 그 기준이 되는 지표면은 해당 건축물에 있는 "공동주택의 가장 낮은 부분"인지 아니면 "다른 건축물과 마주보는 부분에 위치한 공동주택의 가장 낮은 부분"인지에 관한 것입니다.

먼저 「건축법 시행령」 제119조제1항제5호나목 단서에서 공동주택을 다른 용도와 복합하여 건축하는 경우 「건축법」 제61조제2항에 따른 높이를 산정할 때 그 건축물의 지표면으로 보는 기준으로 "공동주택의 가장 낮은 부분"을 규정하면서 건축물 내에서 공동주택의 배치를 고려하여 이를 결정하도록 하는 별도의 규정을 두

고 있지 않으므로 "공동주택의 가장 낮은 부분"은 해당 건축물에 있는 공동주택의 가장 낮은 부분으로 보는 것이 그 문언에 따른 해석입니다.

또한 「건축법」 제61조제2항에서 제2호를 규정한 취지는 하나의 대지에 두 동 이상의 건축물을 건축하는 경우 공동주택에서 이루어지는 주거생활에 중요한 영향을 미치는 채광, 통풍 등을 일정 수준으로 확보할 수 있도록 그 공동주택의 높이를 일정한 수준 이하로 제한하려는 것이고, 같은 법 시행령 제86조제3항에서 이러한 높이 제한의 방안으로 같은 대지의 건축물 사이에 이격해야 하는 거리를 건축물의 높이를 기준으로 하여 규정한 것임을 고려해 볼 때도 같은 법 시행령 제119조제1항제5호나목 단서의 "공동주택의 가장 낮은 부분"은 "전체 건축물에 있는 공동주택의 가장 낮은 부분"을 의미하는 것으로 보는 것이 지표면으로부터 산정하는 건축물 높이 산정의 원칙에 대한 예외로서 공동주택을 다른 용도와 복합하여 건축하는 경우 그 지표면 보다 높은 위치인 공동주택의 가장 낮은 부분을 지표면으로 보아 이를 기준으로 높이를 산정할 수 있도록 한 「건축법 시행령」 제119조제1항제5호나목 단서에 부합하는 해석입니다.

만약 이와 달리 「건축법 시행령」 제119조제1항제5호나목 단서의 "공동주택의 가장 낮은 부분"을 "다른 건축물과 마주보는 면에 위치한 공동주택의 가장 낮은 부분"으로 해석할 경우 하나의 대지에 두 동 이상의 건축물을 건축하면서 다른 건축물과 마주보는 면에는 공동주택이 아닌 다른 용도의 시설을 배치시키는 방식으로 사실상 높이 제한 없이 고층 건축물을 건축할 수 있는 결과를 초래하여 공동주택의 높이를 적절히 제한하여 공동주택의 채광 등을 확보하려는 「건축법」 제61조제2항의 취지를 무의미하게 만들 우려가 있다는 점도 이 사안을 판단할 때에 함께 고려해야 할 것입니다.

이상과 같은 점을 종합해 볼 때 「건축법」 제61조제2항제2호에 따른 하나의 대지에 건축된 두 동의 공동주택에 A층 미만인 층에는 업무시설만, B층 이상인 층에는 공동주택만 위치하고 있고, A층 이상부터 B층 미만까지의 모든 층에는 공동주택과 업무시설이 복합되어 있으나 같은 대지의 다른 건축물과 마주 보는 부분에는 업무시설만 위치하고 있는 공동주택에 대해 「건축법 시행령」 제86조제3항제2호가목에 따른 건축물 각 부분 높이를 같은 영 제119조제1항제5호나목 단서에 따라 산정하는 경우 그 기준이 되는 지표면은 해당 건축물에 있는 "공동주택의 가장 낮은 부분"입니다.

법령해석 "건축물의 주위가 접하는 각 지표면 부분의 높이"에서 건축물의 의미

「건축법 시행령」 제119조제2항 관련 법제처 법령해석 16-0078, 2016.6.2.

질의요지 「건축법 시행령」 제119조제2항 전단에서는 건축물의 높이를 산정할 때 지표면에 고저차가 있는 경우에는 건축물의 주위가 접하는 각 지표면 부분의 높이를 그 지표면 부분의 수평거리에 따라 가중평균한 높이의 수평면을 지표면으로 본다고 규정하고 있는바,

지표면에 고저차가 있는 하나의 대지에 여러 건축물이 있는 경우 「건축법 시행령」 제119조제2항 전단에서 규정하고 있는 "건축물의 주위가 접하는 각 지표면 부분의 높이"에서의 건축물은 개별적인 각각의 건축물을 의미하는지, 아니면 여러 건축물 전부를 의미하는지?

<질의 배경> ○ 지표면에 고저차가 있는 하나의 대지에 여러 건축물이 있는 경우 「건축법 시행령」 제119조제2항의 "건축물의 주위가 접하는 각 지표면 부분의 높이"에서 건축물의 의미를 명확히 하기 위하여 국토교통부에서 법제처에 법령해석을 요청함.

회답 지표면에 고저차가 있는 하나의 대지에 여러 건축물이 있는 경우 「건축법 시행령」 제119조제2항 전단에서 규정하고 있는 "건축물의 주위가 접하는 각 지표면 부분의 높이"에서의 건축물은 여러 건축물 전부를 의미하는 것이 아니라 개별적인 각각의 건축물을 의미합니다.

이유 「건축법」 제84조에서는 건축물의 높이의 산정방법은 대통령령으로 정한다고 규정하고 있고, 그 위임에 따라 같은 법 시행령 제119조제1항제5호 각 목 외의 부분 본문에서는 건축물의 높이를 지표면으로부터 그 건축물의 상단까지의 높이라고 규정하고 있으며, 같은 조 제2항 전단에서는 같은 조 제1항 각 호(제10호는 제외한다)에 따른 기준에 따라 건축물의 높이를 산정할 때 지표면에 고저차가 있는 경우에는 건축물의 주위가 접

하는 각 지표면 부분의 높이를 그 지표면 부분의 수평거리에 따라 가중평균한 높이의 수평면을 지표면으로 본다고 규정하고 있는바,

이 사안은 지표면에 고저차가 있는 하나의 대지에 여러 건축물이 있는 경우 「건축법 시행령」 제119조제2항 전단에서 규정하고 있는 "건축물의 주위가 접하는 각 지표면 부분의 높이"에서 건축물은 개별적인 각각의 건축물을 의미하는지, 아니면 여러 건축물 전부를 의미하는지에 관한 것이라 하겠습니다.

먼저, 「건축법 시행령」 제119조제1항제5호 각 목 외의 부분 본문에서는 건축물의 높이를 지표면으로부터 "그 건축물"의 상단까지의 높이라고 규정하고 있는바, 해당 규정에 따라 높이 산정의 대상이 되는 건축물은 그 문언상 일단(一團)의 건축물들이 아니라 개별적인 건축물임이 분명하다 할 것입니다. 그런데, 같은 영 제119조제2항 전단은 같은 조 제1항제5호에 따른 기준에 따라 건축물의 높이를 산정할 때 지표면에 고저차가 있는 경우 기준이 되는 지표면을 정하고 있는 규정으로서, 같은 조 제1항제5호에 따라 건축물의 높이를 산정하는 경우임을 전제하고 있으므로 여기서의 건축물도 같은 조 제1항제5호와 동일하게 개별 건축물을 의미한다고 보아야 할 것입니다.

그렇다면, 비록 지표면에 고저차가 있는 하나의 대지에 여러 건축물이 있는 경우라고 하더라도 「건축법 시행령」 제119조제1항제5호에 따라 건축물의 높이를 산정하는 경우 같은 조 제2항 전단에 따라 그 기준이 되는 지표면은 하나의 대지 안에 있는 여러 건축물 전부를 대상으로 정할 것이 아니라, 대지 안에 있는 개별 건축물을 대상으로 각각 정해야 할 것입니다.

따라서, 지표면에 고저차가 있는 하나의 대지에 여러 건축물이 있는 경우 「건축법 시행령」 제119조제2항 전단에서 규정하고 있는 "건축물의 주위가 접하는 각 지표면 부분의 높이"에서의 건축물은 여러 건축물 전부를 의미하는 것이 아니라 개별적인 각각의 건축물을 의미한다고 할 것입니다.

질의회신 대지범위 설정과 지표면 산정방법

국토교통부 민원마당 FAQ 2019.5.24.

질의 도시철도 차량기지 상부에 도시계획시설로서 인공지반(데크)을 설치하여 건축물을 건축하는 경우 건폐율, 용적률 산정 등을 위한 대지의 범위 설정과 지표면의 산정방법

회신 도시계획시설인 철도시설 상부에 「국토의 계획 및 이용에 관한 법률」에 따른 입체적 도시계획시설로 결정(공간적 범위) 받아 인공지반을 설치한 후 그 상부에 건축물을 건축하고자 하는 경우,

건폐율, 용적률을 산정하기 위한 대지의 범위와 지표면의 산정은 입체적 도시계획시설로 결정 받은 인공지반 부분을 하나의 대지로 하고, 동 대지의 지표면은 인공지반 최상부를 지표면으로 보아야 할 것으로 사료됨

질의회신 일조권 산정시 지표면 관련

국토교통부 민원마당 FAQ 2022.6.28.

질의 경사도로를 사이에 두고 고저차가 심한 인접대지의 일부분에 계획부지가 접하였을 때 정북방향 일조권 적용을 위한 인접대지의 지표면 산정방법

회신 「건축법 시행령」 제119조제1항제5호 나목에 따르면 일조 등의 확보를 위한 건축물의 높이를 산정함에 있어 건축물의 대지의 지표면과 인접대지의 지표면간에 고저차가 있는 경우에는 그 지표면의 평균수평면을 지표면(법 제61조제2항에 따른 높이를 산정할 때 해당 대지가 인접대지의 높이보다 낮은 경우에는 그 대지의 지표면을 말함)으로 하는 것이며, 인접대지의 지표면은 대지 전체에 대하여 가중평균한 하나의 지표면을 산정하여 해당 규정을 적용하여야 할 것임

질의회신 일조권 적용을 위한 지표면 산정기준

국토교통부 민원마당 FAQ 2022.6.28.

질의 건축하고자 하는 대지가 일조권 적용방향으로 도로와 접하고 있는 상태에서 동 대지와 도로 간에 고저차가 있고, 도로 반대편의 대지와도 고저차가 있는 경우 일조권 적용을 위한 지표면 산정 기준은?

회신 건축하고자 하는 대지와 인접대지사이에 도로가 있는 경우 건축법시행령 제86조 제1항의 규정에 의한 정북방향의

일조권 적용을 위한 지표면은 당해 대지와 도로 반대편의 대지와의 평균수평면을 기준으로 하는 것임

질의회신 각각의 지표면에 고저차가 있는 두개의 인접대지간의 지표면 산정방법

국토교통부 민원마당 FAQ 2019.5.24.

질의 "A"대지의 지표면이 고저차가 있고 "B"대지의 지표면도 고저차가 있는 경우 "A"대지와 "B"대지간 일조권 산정을 위한 지표면 산정 방법은?

회신 건축법시행령 제119조 제1항 제5호 나목에 의하면 일조등의 확보를 위한 건축물의 높이 산정에 있어 건축물의 대지의 지표면과 인접대지의 지표면간에 고저차가 있는 경우에는 그 지표면의 평균수평면을 지표면으로 보도록 하고 있고, 동조제2항에 의하면 지표면에 고저차가 있는 경우에는 건축물의 주위가 접하는 각 지표면 부분의 높이를 당해 지표면 부분의 수평거리에 따라 가중평균한 높이의 수평면을 지표면으로 보고 있는 바, 귀 질의의 경우에는 "A" 및 "B" 대지 각각의 가중평균 수평면을 산정후 그 지표면의 평균수평면을 지표면으로 다시 산정하는 것임.

질의회신 고저차가 있는 지표면 산정 및 높이적용 기준 등

국토교통부 민원마당 FAQ 2019.5.24.

질의 가. 공동주택 사업과 관련하여 건축물의 지표면에 고저차가 있는 경우 일조권 적용을 위한 지표면 산정기준?

나. 건축물의 지표면에 고저차가 있는 경우 전면도로에 의한 건축물의 높이 제한 산정기준은?

다. 하나의 대지내에서 건축하고자 하는 2동의 공동주택 각동의 지표면 높이가 다른 경우 2동간 일조권 적용을 위한 높이 산정 기준면?

라. 건축법 시행령 119조 관련 내용을 주택법 적용 공동주택 사업에 적용 해야 하는 지?

회신 가. 건축물의 지표면에 고저차가 있는 경우에는 「건축법 시행령」 제119조제1항 및 제2항에 의하여 제1항 각호의 경우 건축물 주위가 접하는 지표면 부분의 높이를 당해 지표면 부분의 수평거리에 따라 가중 평균한 높이의 수평면을 지표면으로 보는 것이며, 동조 제1항 제5호 나목에 의하여 건축물의 일조 등 확보를 위한 높이제한 규정에 의한 건축물의 높이 산정에 있어서는 건축물의 대지의 지표면과 인접대지의 지표면간에 고저차가 있는 경우에는 그 지표면의 평균수평면을 지표면으로 보는 것임

나. 또한, 건축물의 지표면에 고저차가 있는 경우 전면도로에 의한 건축물의 높이 제한 산정기준은 동조 제1항 제5호 가목에 의하여 전면도로의 중심선으로부터의 높이로 하는 것이며, 건축물의 대지에 지표면이 전면도로보다 높은 경우에는 동조 제1항 제5호 가목 (2)에 의하여 그 고저차의 2분의 1의 높이만큼 올라온 위치에 당해 전면도로의 면이 있는 것으로 보는 것임

다. 하나의 대지내에서 건축하고자 하는 2동의 공동주택 각동의 지표면 높이가 다른 경우라면 건축법시행령 제119조 제1항제5호의 규정에 의거 건축물의 높이는 지표면으로부터 당해 건축물의 상단까지의 높이로 하도록 하고 있으므로, 각 동의 건축물의 높이는 각동의 건축물이 접하는 지표면을 기준으로 산정하여야 할 것임

라. 「주택법」 제17조에 의하면 주택건설 사업계획 승인시 「건축법」 제8조의 규정에 의한 건축허가를 의제처리 하고 있으며, 또한 건축물을 건축하고자 하는 경우에는 건축법 및 관계법령에 적합하게 건축하여야 하는 것임

질의회신 대지와 인접대지에 고저차가 있는 경우 일조권 산정을 위한 지표면 산정 기준

국토교통부 민원마당 FAQ 2023.6.15.

질의 건축하고자 하는 대지와 인접대지에 고저차가 있는 경우 일조권 산정을 위한 지표면의 기준은?

회신 「건축법시행령」 제119조 제1항 제5호 나목의 규정에 의하여 동법 제53조의 규정에 의한 건축물의 높이의 산정에 있어 건축물의 대지의 지표면과 인접대지의 지표면에 고저차가 있는 경우에는 그 지표면의 평균수평면을 지표면으로 보며, 다만 전용주거지역 및 일반주거지역을 제외한 지역에서 공동주택을 다른 용도와 복합하여 건축하는 경우에는 공동주택의 가장 낮은 부분을 당해 건축물의 지표면으로 보는 것임(※ 법 제53조 ⇒ 제61조, 2008.3.21.)

건 축 법
1. 총 칙
2. 건 축
3. 유지관리
4. 대지도로
5. 구조재료
6. 지역지구
7. 건축설비
8. 특별건축구역
9. 보 칙
10. 벌 칙
건 축 법 관련기준

질의회신 상업지역내 주상복합건축물의 공동주택부분의 지표면 산정

국토교통부 민원마당 FAQ 2019.5.24.

질의 상업지역내 주상복합건축물의 하부층 상가와 상부층 공동주택이 필로티로 연결되어 있는 경우, 일조권 기준을 적용하기 위한 지표면 산정방법은?

회신 건축법시행령 제119조 제1항 제5호 다목의 단서 규정에 의하여 같은법 제53조의 규정에 의한 건축물의 높이산정에 있어 전용주거지역 및 일반주거지역을 제외한 지역에서 공동주택을 다른 용도와 복합하여 건축하는 경우에는 공동주택의 가장 낮은 부분을 당해 건축물의 지표면으로 보는 것인 바, 귀 문의의 경우에는 공동주택 하부의 공간으로 형성된 층의 가장 아래부분을 당해 건축물의 지표면으로 보는 것이 타당할 것임 (* 법 제53조 ⇒ 제61조, 2008.3.21 개정)

질의회신 경사지의 지하층 산정기준

국토교통부 민원마당 FAQ 2019.11.19.

질의 가. 경사지에 공동주택의 한 면이 완전히 노출되게 지하층을 설치시 가중평균한 값이 2분의 1 이상이 되지 않을 경우에도 이를 지하층으로 인정할 수 있는지.
나. 공동주택 감리시 건축상세도면을 건축주에게 요구할 수 있는지

회신 가. 건축법령상 지하층이라 함은 당해 층의 바닥으로부터 지표면까지 높이가 당해 층 높이의 2분의 1이상인 것으로서, 가중 평균한 높이가 이에 적합한 경우 한 면이 노출되더라도 지하층으로 인정될 수 있는 것이며(건축법제2조제1항5호), 나. 건축법상 상세시공도면의 작성은 건축법 제24조제4항 및 건축법 제25조제5항의 규정에 따라 감리자의 요청에 따라 시공자가 작성하도록 하고 있음.

질의회신 전면도로가 지표면보다 낮은 경우 지표면 산정방법

국토교통부 민원마당 FAQ 2019.5.24.

질의 건축물을 건축하고자 하는 대지의 지표면이 전면도로가 4미터 낮고, 인접대지(정북방향 포함)의 지표면과는 높이가 같은 경우 건축법 제51조 및 제53조의 규정을 적용하기 위한 지표면 산정방법은

회신 건축법시행령 제119조 제1항 제5호 가목의 규정에 의하여 같은법 제51조의 규정에 의한 건축물의 높이의 산정에 있어서는 전면도로의 중심선으로부터의 높이로 하는 것이나, 건축물을 건축하고자하는 대지의 지표면이 전면도로보다 높은 경우에는 그 고저차의 2분의1의 높이만큼 올라온 위치에 당해 전면도로의 면이 있는 것으로 보는 것임 (* 법 제51조, 제53조 ⇒ 제60조, 제61조, 2008.3.21 개정)

질의회신 지표면 산정 관련

국토교통부 민원마당 FAQ 2022.6.29.

질의 일조권 적용을 위한 건축물 높이 산정시 지표면 산정방법

회신 「건축법 시행령」 제119조제1항제5호 나목에 따르면 일조 등의 확보를 위한 건축물의 높이를 산정함에 있어 건축물의 대지의 지표면과 인접대지의 지표면간에 고저차가 있는 경우에는 그 지표면의 평균수평면을 지표면으로 하는 것이며, 동조제2항의 규정에 따라 건축물의 면적·높이 및 층수 등을 산정할 때 지표면에 고저차가 있는 경우에는 건축물의 주위가 접하는 각 지표면부분의 높이를 그 지표면 부분의 수평거리에 따라 가중 평균한 높이의 수평면을 지표면으로 보는 것으로 이 경우, 그 고저차가 3미터를 넘는 경우에는 그 고저차 3미터 이내의 부분마다 그 지표면을 정하는 것임

질의회신 일조권 등의 높이산정시 지표면 기준

건교부 건축 58070-2186, 1999.6.12.

질의 인접지와 고저차가 심하여 대지를 정북방향 인접지보다 대지를 낮게 조성한 경우 정북방향 일조 등의

확보를 위한 높이제한시 적용 지표면은

회신 건축법 제53조의 규정을 적용함에 있어 인접대지와 고저차가 있는 경우에는 같은 법시행령 제119조제1항제5호 나목에 따라 그 평균수평면을 기준으로 하는 것인 바, 이 경우 대지를 조성하는 경우에는 그 조성한 대지의 지표면을 기준으로 함. (* 법 제53조 ⇒ 제61조, 2008.3.21 개정)

13 적용제외

질의회신 건축법 적용 제외 건축물에 대한 건축물대장 생성

국토교통부 민원마당 FAQ 2023.6.15.

질의 '운전보안시설'의 정의 및 건축물대장을 생성할 수 있는지 여부

회신 ㅇ「건축법」 제3조제1항제2호 가목에 따라 건축법을 적용하지 아니하는 '운전보안시설'이란 「도시철도 운전규칙」 제3조제5호가 정의하는 "운전보안장치"를 설치·운영하는 시설을 의미하는 것으로 승무사무소, 검수고, 전기실, 건널목처소 등을 의미함. ㅇ 이와 관련, 「건축법」 제38조에 따른 건축물대장은 「건축법」의 적용을 받아 건축하는 건축물을 대상으로 하는 것으로, 상기 '운전보안시설'과 같이 「건축법」을 적용 받지 아니하는 건축물은 현행 규정상 건축물대장을 생성할 수 없는 것이니, 보다 구체적인 사항은 자세한 자료를 갖추어 종합행정을 담당하는 허가권자인 시장, 군수, 구청장에게 문의 바람

질의회신 도시철도 역사의 건축법 적용 여부 등

국토교통부 민원마당 FAQ 2019.5.24.

질의 가. 도로위에 건설하는 도시철도(모노레일)의 역사, 정거장 시설은 건축법을 적용하여야 하는 지

※ 정거장 규모 : 바닥면적 860㎡(20m×43m), 간격 800m마다 1개소

도로양옆 지역 : 공업지역, 상업지역, 주거지역

나. 정거장 건축 시 도로 양편에 있는 기존건축물에 일조권, 사선제한, 이격거리 등 건축법을 적용 하여야 하는 지

다. 역사 등 건축물의 설계는 반드시 건축사가 하여야 하는 지 또는 다른 법령에 의하여 건축사가 아닌 다른 자격소지자도 할 수 있는 지

회신 가.「건축법」 제3조 제1항 제4호에 의거 철도 또는 궤도의 선로부지안에 있는 운전보안시설, 철도선로의 상하를 횡단하는 보행시설, 플랫홈, 당해 철도 또는 궤도사업용 급수·급탄 및 급유시설물은 건축법령을 적용하지 아니하는 것이나, 귀 질의의 역사 등 건축물에 대하여는 건축법을 적용하는 것임

나.「건축법」 제5조 제1항에 의하면 건축주·설계자·공사시공자 또는 공사감리자는 그 업무를 수행함에 있어서 이 법의 규정을 적용하는 것이 매우 불합리하다고 인정되는 대지 또는 건축물로서 대통령령이 정하는 것에 대하여는 이 법의 기준을 완화하여 적용할 것을 허가권자에게 요청할 수 있으며,

동법 시행령 제6조 제1항 제1호에 의하면 수면위에 건축하는 건축물 등 대지의 범위를 설정하기 곤란한 경우에는 건축물의 건폐율, 건축물의 높이제한, 일조 등의 확보를 위한 건축물의 높이제한 등의 기준을 완화하여 적용할 수 있도록 규정하고 있음

다. 질의의 역사 등 건축물이 「건축법」 제19조 제1항 각호에 해당하는 건축물이라면 동 건축물의 건축 등을 위한 설계는 건축사가 아니면 이를 할 수 없는 것임 (법 제19조 ⇒ 제23조, 2008.3.21.)

질의회신 고속도로 통행료징수시설의 건축법 적용여부

건교부 건축 58550-678, 1999.2.23.

질의 고속도로 내에 설치하는 통행료징수시설과 징수업무 수행을 위한 사무소의 건축법의 적용은?

회신 고속도로 통행료징수시설은 건축법시행령 제4조제1항제1호의 규정에서 건축법을 적용하지 않도록 하고 있으나, 질의의 고속도로 통행료 징수업무 수행을 위한 사무소는 건축법을 적용하여야 함

14 건축위원회

법령해석 지방건축위원회의 심의를 생략할 수 있는 요건인 층수 변경의 기준

「건축법 시행령」 제5조의5제2항 등 관련 법제처 법령해석 21-0674, 2021.12.1./건축사협회 수정게시 2022.7.28.

질의요지 각각의 층수가 다른 여러 개의 동(棟)으로 구성된 공동주택단지 전체가 지방건축위원회의 심의등을 받은 후 건축물의 규모를 변경하는 경우, 심의등을 받은 건축물의 층수가 10분의 1을 넘지 않는 범위의 변경인지 여부를 판단할 때 층수가 변경되는 해당 동의 층수를 기준으로 해야 하는지, 아니면 공동주택단지 내 가장 높은 동 등 다른 동의 층수를 기준으로 할 수 있는지 여부

회답 건축물의 층수가 10분의 1을 넘지 않는 범위의 변경인지 여부는 층수가 변경되는 해당 동의 층수를 기준으로 판단해야 함

이유 「건축법」 제2조제1항제2호에서는 건축물을 토지에 정착(定着)하는 공작물 중 지붕과 기둥 또는 벽이 있는 것과 이에 딸린 시설물 등으로 정의하고 있고, 같은 법 시행령 제119조제1항제4호에서는 연면적을 "하나의 건축물" 각 층의 바닥면적의 합계로 규정하고 있으며, 「건축법」 제55조와 제56조에서는 건축물의 건폐율과 용적률에 대해 규정하면서 대지에 건축물이 둘 이상 있는 경우에는 건축면적과 연면적이 각각 "건축면적의 합계"와 "연면적의 합계"를 의미한다고 규정하고 있는 점 등에 비추어 볼 때, 건축법령에서 일반적으로 사용하는 "건축물"은 개별 건축물을 의미한다고 할 것인바, 지방건축위원회의 심의등을 받은 후 그 건축물 규모의 변경 여부 및 범위를 판단할 때에도 변경이 발생한 해당 동의 규모를 기준으로 판단해야 함.

법령해석 주택건설 사업계획의 승인으로 의제되는 건축허가에 대한 협의와 건축위원회의 심의와의 관계

「주택법」 제19조 및 「건축법」 제4조의2 등 관련 법제처 법령해석 18-0438, 2018.12.14.

질의요지 주택건설 사업계획의 승인권자가 「주택법」 제15조에 따른 사업계획의 승인으로 「건축법」 제11조에 따른 건축1)1) 해당 건축이 「건축법」 제4조 및 제4조의2에 따른 건축위원회의 심의 대상에 해당하는 경우이고 주택건설 사업계획의 승인권자가 「주택법」 제18조제1항제1호에 따른 통합심의를 하지 않는 경우로 한정함. 허가를 의제받기 위해 「주택법」 제19조제1항에 따라 관계 행정기관의 장과 협의하는 경우 협의를 요청받은 관계 행정기관의 장은 그 협의에 응하여 의견을 회신하기 전에 건축위원회(「건축법」 제4조에 따른 건축위원회를 말하며, 이하 같음)의 심의를 반드시 거쳐야 하는지?

<질의 배경> 강원도 인제군은 주택건설 사업계획의 승인으로 의제되는 건축허가에 대한 협의 시 건축위원회의 심의를 필수적으로 거쳐야 하는지에 대해 의문이 있어 국토교통부 질의를 거쳐 법령해석을 요청함.

회답 이 사안의 경우 건축위원회의 심의를 반드시 거쳐야 합니다.

이유 「주택법」 제19조제1항제1호에 따르면 주택건설 사업계획의 승인권자가 그 사업계획의 승인을 할 때 「건축법」 제11조에 따른 건축허가에 관하여 관계 행정기관의 장과 협의한 경우 그 협의한 사항에 대하여는 해당 건축허가를 받은 것으로 의제되는바, 이러한 인허가 의제 제도는 대규모 개발사업과 같이 하나의 목적 사업을 수행하기 위해 여러 법률에서 규정된 허가, 인가, 결정, 승인 또는 신고 등(이하 "인허가등"이라 함)이 필요한 경우 그 창구를 단일화하고 절차를 간소화하며 비용과 시간을 절감함으로써 국민의 권익을 보호하려는 취지에서 도입된 것입니다.1)1) 법제처 2012. 3. 2. 회신 11-0760 해석례 등 참조

그런데 「건축법」에서는 일정한 규모·용도의 건축물을 건축하려는 자는 같은 법 제11조에 따른 "건축허가" 신청과는 별도로 같은 법 제4조의2에 따른 "건축위원회 심의" 신청을 하도록 하고 있어 규정체계상 건축허가 절차와 건축위원회 심의 절차는 구분되고 실무상으로도 두 절차가 분리·운영되고 있어 건축위원회의 심의를 일반적인 건축허가 절차의 일부분으로 보기는 어려우므로 "건축허가"를 의제받기 위한 이 사안의 경우에 "건축위원회 심의" 절차를 생략할 수는 없다고 보아야 하고, 그와 같이 해석하는 것이 건축허가의 공정성·전문성을 확보하기 위해 도입한 건축위원회 심의 제도의 취지2)2) 대법원 2007. 10. 11. 선고 2007두1316 판결례 참조 에도 부합합니다.3)3) 법제처 2012. 3. 2. 회신 11-0760 해석례 참조

건 축 법
1. 총 칙
2. 건 축
3. 유지관리
4. 대지도로
5. 구조재료
6. 지역지구
7. 건축설비
8. 특별건축구역
9. 보 칙
10. 벌 칙
건 축 법 관련기준

그리고 「주택법」 제18조제1항 및 제5항에서는 주택건설 사업계획의 승인권자는 필요하다고 인정하는 경우 「건축법」에 따른 건축위원회의 심의 등 관련 법률상의 심의를 통합하여 심의할 수 있고 이러한 통합심의를 거친 경우 「건축법」에 따른 건축위원회의 심의 등 관련 법률상의 심의를 거친 것으로 본다고 규정하고 있는데, 이는 주택건설사업 추진 시 개별법에 따라 각각 거쳐야 하는 건축위원회 심의 등을 주택건설 사업계획의 승인권자가 공동위원회를 구성하여 통합심의할 수 있도록 하여 주택건설 관련 인허가 기간을 단축하기 위해 도입된 것으로서4)4) 의안번호 제1812632호 주택법 일부개정법률안(2011. 7. 15 발의) 국회 심사보고서 참조 건축위원회 심의 등이 각 개별법상 반드시 거쳐야 하는 필수적 절차임을 전제로 한 것으로 보인다는 점도 이 사안을 해석할 때 고려해야 합니다.

법령해석 「건축법 시행령」 제5조제2항 각 호의 사유가 발생한 경우 건축위원회의 재심의등을 생략하여야 하는지?

「건축법 시행령」 제5조의5제2항 등 법제처 법령해석 16-0172, 2016.7.6.

질의요지 「건축법」 제4조제1항에서는 국토교통부장관, 시·도지사 및 시장·군수·구청장은 같은 법과 조례의 제정·개정 및 시행에 관한 중요 사항(제1호), 건축물의 건축·대수선·용도변경, 건축설비의 설치 또는 공작물의 축조(이하 "건축물의 건축등"이라 함)와 관련된 분쟁의 조정 또는 재정에 관한 사항(제2호) 등 같은 항 각 호의 사항을 조사·심의·조정 또는 재정(이하 "심의등"이라 함)하기 위하여 각각 건축위원회를 두도록 규정하고 있고, 같은 법 시행령 제5조제2항 각 호에서는 건축물의 규모를 변경하는 것으로서 건축위원회의 심의등의 결과에 위반되지 아니하면서 심의등을 받은 건축물의 건축면적, 연면적, 층수 또는 높이 중 어느 하나도 10분의 1을 넘지 아니하는 범위에서 변경하거나(제1호), 중앙건축위원회의 심의등의 결과를 반영하기 위하여 건축물의 건축등에 관한 사항을 변경하는 경우(제2호)에는 중앙건축위원회의 심의등을 생략할 수 있도록 하고 있으며, 같은 영 제5조의5제2항에서는 지방건축위원회의 심의등을 받은 건축물이 같은 영 제5조제2항 각 호의 어느 하나에 해당하는 경우에는 지방건축위원회의 심의등을 생략할 수 있다고 규정하고 있는바,

「건축법 시행령」 제5조의5제1항에 따라 지방건축위원회의 심의등을 받은 건축물이 건축물의 건축면적, 연면적, 층수 또는 높이를 10분의 1을 넘는 범위에서 변경하였으나, 지방건축위원회의 심의등의 결과를 반영하기 위하여 변경이 이루어진 경우 지방건축위원회의 심의등을 반드시 생략하여야 하는지?

<질의 배경> ○ 공동주택을 건축하기 위해 건축허가를 신청한 민원인은 지방건축위원회의 심의를 거치는 과정에서 주차대수 확보가 부족하므로 세대당 1대 이상 주차대수를 확보하라는 취지의 심의결과를 통지받고, 심의결과를 반영하기 위하여 건축물의 연면적 및 대지면적 증가 등이 10분의 1을 초과하게 되었으나, 지방건축위원회의 심의결과를 반영하기 위하여 건축물의 건축등에 관한 사항을 변경한 경우에 해당하므로 지방건축위원회의 재심의는 생략해야 하는 것이 아닌지 해당 지방자치단체에 문의하였는데, 해당 지방자치단체로부터 생략하지 않을 수 있다는 답변을 받자, 지방건축위원회의 심의등을 받은 건축물에 대한 재심의등의 생략이 기속행위인지 여부에 대하여 법령 적용상 의문이 있어 법령해석을 요청함.

회답 「건축법 시행령」 제5조의5제1항에 따라 지방건축위원회의 심의등을 받은 건축물이 건축물의 건축면적, 연면적, 층수 또는 높이를 10분의 1을 넘는 범위에서 변경하였으나, 지방건축위원회의 심의등의 결과를 반영하기 위하여 변경이 이루어진 경우 지방건축위원회의 심의등을 생략할 수 있지만, 반드시 생략하여야 하는 것은 아닙니다.

이유 "생략"

질의회신 건축위원회 심의대상 건축물 관련

국토교통부 민원마당 FAQ 2023.6.15.

질의 임대용 도시생활형 주택(11층, 연면적 3,000㎡, 120세대)을 건축하고자 할 경우 「건축법 시행령」 제5조제4항제6호의 분양을 목적으로 하는 건축물로 보아 지방건축위원회의 심의를 받아야 하는 지

회신 우리부에서는 건축허가를 신속하게 진행하고, 설계의도가 존중될 수 있도록 하기 위하여 조례로 정할 수 있는 지방건축위원회의 심의 대상 건축물을 지방자치단체의 장이 도시 및 건축 환경의 체계적인 관리를 위하여 필요하다고 인정하여 지정・공고한 지역에서 조례로 정하는 건축물로 심의 대상 범위를 한정하고, 그 심의 사항은 지방자치단체의 장이 건축 계획, 구조 및 설비 등에 대해 심의 기준을 정하여 공고한 사항으로 한정하는 내용으로 건축법 시행령을 일부 개정(대통령령 제30626호, 2020.4.21)한 바 있으며, 따라서 지방건축위원회의 심의대상이 되는 건축물의 용도나 규모, 절차 등은 해당 지방자치단체의 조례로 정하는 것임에 따라, 질의의 사항이 이에 해당하는지 여부는 건축조례, 관계법령 등을 종합적으로 검토하여 허가권자의 사실판단이 필요한 사항이니 허가권자에게 문의 바람

질의회신 건축심의 생략 가능 여부

국토교통부 민원마당 FAQ 2023.6.15.

질의 건축심의 생략 가능 여부

회신 ○ 「건축법 시행령」 제5조 제2항에 따르면 제1항에 따라 심의등을 받은 건축물이 제5조제2항 각 호의 어느 하나에 해당하는 경우에는 해당 건축물의 건축등에 관한 지방건축위원회의 심의등을 생략할 수 있다고 규정하고 있음. (1. 건축물의 규모를 변경하는 것으로서 다음 각 목의 요건을 모두 갖춘 경우 가. 건축위원회의 심의등의 결과에 위반되지 아니할 것 나. 심의등을 받은 건축물의 건축면적, 연면적, 층수 또는 높이 중 어느 하나도 10분의 1을 넘지 아니하는 범위에서 변경할 것 2. 중앙건축위원회의 심의등의 결과를 반영하기 위하여 건축물의 건축등에 관한 사항을 변경하는 경우)

○ 따라서 심의등을 받은 건축물이 「건축법 시행령」 제5조제2항제1호 또는 제2호에 해당되는 경우라면 지방건축위원회의 심의등을 생략할 수 있음. 보다 상세한 사항은 관련 서류 등을 구비하여 해당지역 시장, 군수, 구청장 등 허가권자에게 문의하여 주시기 바람

질의회신 지방건축위원회 심의대상 여부

국토교통부 민원마당 FAQ 2019.5.24.

질의 도시 및 주거환경정비법에 의한 정비사업을 추진하던 중 사업시행 변경인가를 거쳐야 할 사항이 발생하여 도시 및 주거환경정비법 제4조 제2항에 따라 도시계획위원회와 건축위원회의 공동심의를 받은 경우에도 건축법 시행령 제5조 제4항에 따라 지방건축위원회의 심의를 받아야 하는 지 여부

회신 건축법 시행령 제5조 제7항 제2호 가목에서 국토의 계획 및 이용에 관한 법률 제30조 제3항 단서의 규정에 의하여 건축위원회와 도시계획위원회가 공동으로 심의한 사항에 대하여는 심의를 생략할 것으로 규정하고 있는 바, 다른 법령에 의하여 국토의 계획 및 이용에 관한 법률 제30조제3항 단서에 의한 심의를 대신하는 경우에도 위 규정에 따라 공동으로 심의한 사항에 대하여는 심의를 생략하고 그 외의 사항에 한하여 건축위원회의 심의를 받아야 할 것임

질의회신 용도변경으로 다중이용건축물이 되는 경우 건축위원회 심의대상 여부

국토교통부 민원마당 FAQ 2013.12.6.

질의 다중이용시설물이 아닌 기존건축물을 용도변경함으로서 다중이용건축물이 되는 경우 건축위원회의 심의를 받아야 하는 지 여부

회신 「건축법시행령」 제5조제4항제3호 규정에 의해 문화 및 집회시설(전시장 및 동·식물원을 제외한다)의 용도에 쓰이는 바닥면적의 합계가 5천제곱미터이상인 건축물은 "다중이용건축물"에 해당하여 건축에 관한 사항에 대하여 지방건축위원회의 심의를 받아야 함.

상기 규정은 불특정다수인이 이용하는 다중이용건축물에 대하여 구조·피난 및 소방사항을 검토함으로서 건축물의 안전과 기능을 향상시키고 이용자에게 유해·위험이 없도록 하여 공공복리를 증진코자 한 것인 바, 다중이용건축물이 아닌 기존건축물을 용도변경함으로서 다중이용건축물이 되는 경우에는 동 규정에 따른 심의를 받

건 축 법
1. 총 칙
2. 건 축
3. 유지관리
4. 대지도로
5. 구조재료
6. 지역지구
7. 건축설비
8. 특별건축구역
9. 보 칙
10. 벌 칙
건 축 법 관련기준

아야 하는 것임

질의회신 심의대상 건축물의 연면적 합계

국토교통부 민원마당 FAQ 2019.5.24.

질의 "다중이용건축물"중 관광숙박시설의 용도에 쓰이는 건축물인 경우 지방건축위원회의 심의를 거쳐야 하는 연면적 5천제곱미터 이상이 동당 연면적인 지, 각동의 연면적의 합계인 지

회신 가. 건축법시행령 제5조 제4항 제3호 가목에 의하면 문화 및 집회시설(전시장 및 동·식물원을 제외한다), 종교시설, 판매시설, 운수시설, 의료시설 중 종합병원 또는 숙박시설 중 관광숙박시설의 용도에 쓰이는 바닥면적의 합계가 5천제곱미터 이상인 건축물은 지방건축위원회의 심의를 거치도록 규정하고 있으며,

나. 위"가"에서 "바닥면적"이라 함은 일단의 대지안에서의 건축물로서 하나의 용도로 쓰이는 바닥면적을 의미하며, 대지안에 다수의 건축물이 있다 하더라도 "가"에서 열거한 용도 중 해당 용도에 대한 각 동의 바닥면적 합계를 적용하여야 할 것임 따라서 질의 내용중 관광숙박시설의 용도에 쓰이는 각 동의 바닥면적의 합계가 5천제곱미터 이상 이라면 지방건축위원회의 심의를 거쳐야 할 것임

질의회신 도시계획위원회와 건축위원회의 공동심의시 지방건축위원회의 심의 생략할 수 있는 지

국토교통부 민원마당 FAQ 2019.5.24.

질의 도시 및 주거환경정비법에 의하여 도시계획위원회와 건축위원회가 공동으로 심의하여 결정·고시된 주택재개발 정비계획에 의하여 건축하고자 하는 경우 지방건축위원회의 심의를 생략할 수 있는 지

회신 건축법 시행령 제5조 제7항 제2호 가목의 규정에서는 지방건축위원회의 운영에 있어 「국토의 계획 및 이용에 관한 법률」 제30조 제3항 단서의 규정에 의하여 건축위원회와 도시계획위원회가 공동으로 심의한 사항에 대하여는 심의를 생략하도록 하고 있는 바, 문의의 경우 지방건축위원회에서 심의하고자 하는 사항에 대하여 건축위원회와 도시계획위원회가 공동으로 심의한 경우라면 그 사항에 대하여는 심의를 생략할 수 있음

질의회신 지방건설기술심의위원회의 심의를 거친 공용 건축물의 건축위원회 심의 생략 여부

국토교통부 민원마당 FAQ 2019.5.24.

질의 가.「건설기술관리법 시행령」 제19조의 규정에 따라 지방건설기술심의위원회의 심의를 거친 공용 건축물(국가 또는 지방자치단체가 건축주인 경우)이 「건축법 시행령」 제5조 제4항의 규정에 따라 건축위원회 심의 대상에 해당하는 경우, 지방건설기술심의위원회 심의를 이미 받았으므로 건축위원회를 생략할 수 있는 지 여부 나. 건축위원회 심의생략이 불가능하다면 지방자치단체의 건축조례로 정하여 심의생략이 가능한 지 여부

회신 가.「건축법 시행령」 제5조 제4항의 규정에 따르면 지방건축위원회는 다중이용건축물 등의 건축에 관한 사항을 심의하여야 하며, 「건축법」의 규정에 따른 지방건축위원회 심의를 「건설기술관리법」의 규정에 따른 지방건설기술심의위원회의 심의로 갈음할 수 있도록 관련법령에서 별도로 규정하고 있지 아니하므로, 지방건설기술심의위원회의 심의를 받았다하여 지방건축위원회의 심의를 생략할 수는 없을 것으로 사료됨 나. 「건축법 시행령」 제5조 제7항의 규정에 따르면 지방건축위원회의 회의 등에 관한 사항을 건축조례로 정할 수 있도록 규정하고 있으나 동항 각 호에서 정한 기준에 따라야 하는 것으로, 동항 제2호 가목 및 나목의 기준에 따라 건축위원회와 도시계획위원회가 공동으로 심의한 사항 및 중앙건축위원회가 심의한 사항에 대하여 지방건축위원회를 생략할 수 있도록 한 규정 이외에 별도로 지방건축위원회를 생략할 수 있도록 건축조례로 위임한 규정이 없으므로, 건축조례로 정하여 지방건축위원회 심의를 생략할 수는 없을 것으로 사료됨

질의회신 운영지침 등에 임의로 심의대상을 정하여 심의할 수 있는 지 여부

국토교통부 민원마당 FAQ 2019.5.24.

질의 지방건축위원회에서 「건축법」 제4조 및 같은 법 시행령 제5조에서 정한 건축위원회 심의 사항 이외에 이 법 및 다른 법령에서 정하지 아니한 "부설주차장 추가 설치"에 관한 내용을 건축심의 운영지침 등으로 임의

로 정하여 심의할 수 있는지 여부

회신 지방건축위원회에서 심의할 수 있는 사항은 「건축법」 제4조 제1항 및 같은 법 시행령 제5조에서 정한 것에 한하며, 그 이외의 사항은 심의대상에 해당하지 아니함

질의회신 기존 다중이용건축물에 승강기 철거 증설에 따른 건축위원회 심의 여부

건교부 건축기획팀- 948, 2005.10.24.

질의 기존 다중이용건축물에 건축설비(승강기)를 철거, 증설하고 일부 용도를 변경하고 증축(600㎡)을 하고자 하는 경우 건축위원회의 심의를 받아야 하는지

회신 건축법 시행령 제5조제4항제3호에 따라 다중이용건축물의 건축에 관한 사항을 심의하기 위하여 지방건축위원회를 두는 바, 질의와 같이 기존 다중이용건축물의 증축에 관한 사항도 지방건축위원회의 심의 대상이 될 수 있는 것임

질의회신 기부채납을 부여하는 건축심의 가능여부

건교부 건축과-4725, 2005.8.17.

질의 건축법 제4조 및 같은 법 시행령 제5조제4항에 따른 지방건축위원회 심의시 건축선 후퇴 부분(건축법 제36조제1항 단서규정에 따른 도로 소요 폭 미달에 따른 후퇴 및 도시계획시설인 도로·공원이 아닌 경우임)에 대하여 기부채납을 하도록 하는 것을 심의통과 조건으로 부여할 수 있는 것인지 여부.

회신 건축법 제4조 및 같은 법 시행령 제5조제4항에 따른 지방건축위원회 심의에서 건축선 후퇴 부분에 대하여 기부채납을 하도록 의무화하는 내용을 심의통과 조건으로 부의할 수는 없을 것으로 사료됨

질의회신 경락받고 사업권을 양도받은 자가 신청한 건축심의의 효력

건교부 건축과-610, 2005.2.2.

질의 종전 건축주(A)로부터 토지를 경락받고, 동 토지상의 사업권 일체를 양수받은 자(B)가 설계변경(15층 → 16층)에 따른 건축위원회 심의를 신청하여 심의를 완료한 경우 상기의 건축위원회 심의가 기존 건축 허가를 받은 사항에 대한 심의를 한 것으로 볼 수 있는지 여부와 상기의 토지 및 사업권 일체를 양수하고, 건축위원회 심의를 받은 자(B)를 건축주로 볼 수 있는지 여부

회신 귀 문의의 경우가 기존에 건축허가를 받은 건축물의 층수 증가 등에 따른 설계변경으로 인하여 건축법 제4조 및 같은법 시행령 제5조제4항에 따른 건축위원회 심의대상에 해당되어 심의를 받은 것이라면 이는 기존에 건축허가를 받은 건축물에 대한 심의를 한 것으로 볼 수 있을 것으로 사료되며, 귀 문의의 경우 해당 허가권자가 건축위원회 심의를 신청한 자(B)를 기존 건축주(A)의 건축에 대한 권리를 적법하게 양수하여 새로운 건축주가 된 것으로 인정하여 건축위원회 심의를 완료하였다면 동 건축물에 대한 건축주는 건축위원회 심의를 신청한 자(B)로 볼 수 있을 것으로 사료됨

15 적용의 완화

법령해석 1동의 공동주택 일부만 건폐율 완화 요건을 갖춘 경우 해당 공동주택이 건폐율 완화 적용대상 건축물에 해당하는지 여부

「건축법 시행령」 제6조제1항제5호 등 관련 법제처 법령해석 18-0225, 2018.7.9.

질의요지 1동의 공동주택 일부가 경사진 대지에 계단식으로 건축되어 그 일부 세대에 대해서만 지면에서 직접 각 층으로의 출입이 가능하고 위층 세대가 아래층 세대의 지붕을 정원 등으로 활용하는 것이 가능한 경우, 해당 공동주택이 「건축법 시행령」 제6조제1항제5호에 따라 건폐율 기준을 완화하여 적용하는 건축물에 해당하는지?

<질의 배경> 건축설계사인 민원인은 테라스하우스를 설계하는 데 있어 「건축법 시행령」 제6조제1항제5호에

따라 건폐율을 완화하기 위해서는 공동주택 전체가 위 규정에 따른 요건을 갖추어야 하는지 의문이 있어 국토교통부를 거쳐 법제처에 법령해석을 요청함.

회답 이 사안의 경우 해당 공동주택은 건폐율 기준을 완화하여 적용하는 건축물에 해당하지 않습니다

이유 「건축법 시행령」 제6조제1항제5호에서는 완화된 건폐율 기준을 적용할 수 있는 건축물의 요건 중 하나로 경사진 대지에 계단식으로 건축하는 공동주택으로서 지면에서 직접 각 세대가 있는 층으로의 출입이 가능하고 위층 세대가 아래층 세대의 지붕을 정원 등으로 활용하는 것이 가능한 형태의 건축물을 규정하고 있는바, 해당 규정에서는 명시적으로 공동주택의 "전부"가 위와 같은 요건을 갖출 것을 규정하고 있지는 않지만 그 문언상 건폐율 기준을 완화하여 적용하기 위해서는 1동의 공동주택 전부가 경사진 대지에 계단식으로 건축되어야 하고, 각 세대가 있는 모든 층에 대해 지면에서 직접 출입이 가능해야 하며, 모든 위층 세대가 아래층 세대의 지붕을 정원 등으로 활용할 수 있어야 할 것이므로, 이 사안과 같이 공동주택 일부에 대해서만 위의 요건을 갖춘 경우 해당 공동주택은 건폐율 기준을 완화하여 적용하는 건축물에 해당하지 않습니다.

그리고 건폐율 제도는 도시의 수평적 과밀화를 방지하고 일조·채광·통풍 등 쾌적한 생활환경을 조성하며 화재 등 비상시에 대비하기 위해 건축물의 대지에 일정한 공간을 확보하도록 하는 제도로서, 건축 관계 법령에서는 용도지역에 따라 해당 구역의 면적과 인구 규모, 용도지역의 특성 등을 고려하여 건폐율의 최대한도를 정하도록 하고 있고(「건축법」 제55조 및 「국토의 계획 및 이용에 관한 법률」 제77조) 이러한 건폐율 규정을 위반하여 건축물을 건축한 건축주 등에 대해서는 벌금에 처하도록 하고 있는바(「건축법」 제108조 및 제110조), 이와 같은 규정 체계와 내용에 비추어 볼 때 건폐율 기준은 원칙적으로 준수되어야 하고 건폐율 기준을 위반한 건축물의 건축은 금지된다고 보아야 합니다.

그런데 구릉지대 및 산지가 많은 우리나라 토지의 특성을 고려할 때 토지를 과도하게 훼손하지 않고 자연적인 형태를 유지하면서 계단식으로 공동주택을 건축하는 경우에 대해서도 일반적인 건폐율 기준을 적용하는 것은 매우 불합리한 측면이 있어 「건축법」 제5조 및 같은 법 시행령 제6조제1항제5호에서는 건축주 등 건축관계자가 업무를 수행할 때 「건축법」에 따른 건폐율 기준을 적용하는 것이 매우 불합리하다고 인정되어 일정한 요건을 갖춘 건축물 등에 대해서는 건폐율 기준을 완화하여 적용할 것을 허가권자에게 요청할 수 있도록 예외적으로 허용해준 것인바, 1동의 공동주택 일부만 「건축법 시행령」 제6조제1항제5호에 따른 요건을 갖춘 경우에 대해서까지 그 적용범위를 확대하여 건폐율 기준을 완화하는 것은 건폐율 제도 및 건축기준 완화 제도의 취지에 부합한다고 보기 어렵습니다.

법령해석 지구단위계획구역의 용적률 기준을 완화 관련

건축법 제5조관련 | 법제처 법령해석 07-0198, 2007.8.3.

질의요지 「국토의 계획 및 이용에 관한 법률」 상의 지구단위계획구역 안에서 리모델링이 용이한 구조의 공동주택을 건축하고자 하는 경우 지구단위계획의 변경 없이 「건축법」 제5조의4에 따라 해당 지구단위계획구역의 용적률 기준을 완화하여 적용할 수 있는지?

회답 「국토의 계획 및 이용에 관한 법률」 상의 지구단위계획구역 안에서 리모델링이 용이한 구조의 공동주택을 건축하고자 하는 경우 지구단위계획의 변경 없이 「건축법」 제5조의4에 따라 해당 지구단위계획구역의 용적률 기준을 완화하여 적용할 수 없습니다.

이유 "생략"

질의회신 건축법령의 완화 적용 여부

국토교통부 민원마당 FAQ 2019.5.24.

질의 공동주택의 건설사업계획 승인 신청 당시 대지에 인접한 도시계획도로에 대하여 건축물의 높이제한 및 일조규정을 적용하였으나, 건축공사를 진행하던 중 도시계획도로가 폐지되었음 이후 설계변경을 하고자 함에 있어 당초의 도시계획도로에 관한 경계선을 기준으로 높이제한 및 일조규정을 적용할 수 있는 지

회신 질의와 같이 당초 건축허가를 받은(허가가 의제되는 경우 포함) 건축물이 법령의 개정이나 도시관리계

획의 변경 등의 사유로 인하여 현행 법, 영 또는 건축조례의 규정에 적합하지 아니하게 된 경우, 당초 허가를 받은 용적률, 건폐율, 높이 등 규모의 범위 내에서 변경하는 것이고 건축물 배치 등 그 변경하고자 하는 부분이 그 변경으로 인하여 당해 건축물이 법령 등의 규정에 부적합한 정도가 종전보다 더 심화되지 아니하는 범위 내에서 변경하는 경우라면 가능할 것임

질의회신 수상호텔 건축법 적용여부

국토교통부 민원마당 FAQ 2019.5.24.

질의 가. 공유수면위에 선박과 같은 구조물의 수상관광호텔을 이동이 불가능하도록 닻 등으로 정착이 건축법 적용대상인 지

나. "가"에서 건축법을 적용하여야 한다면 동법 제5조의 규정에 의한 완화의 범위는?

다. 건축법 적용 시 지번이 없는 사업지에 건축물대장 및 건물등기가 가능한 지

회신 가. 건축법 제2조 제1항 제2호의 규정에서 "건축물"이라 함은 토지에 정착하는 공작물 중 지붕과 지붕 또는 벽이 있는 것과 이에 부수되는 시설물을 말하는 것으로 정의하고 있으며,

여기에서 정착한다는 것은 실질적, 임의적으로 이동이 불가능하거나 이동이 가능하다 하더라도 이동의 실익이 없어서 상당한 기간 현저한 이동이 추정되지 않는 것을 뜻하는 것으로 질의의 수상관광호텔의 경우도 토지에 정착되어 있는 것으로 보아 모두 건축물에 해당한다 할 것이나, 축조된 선박 등을 활용하여 건축물로 이용되는 경우에는 건축법령상의 모든 건축기준을 적용하기 곤란하므로 건축법 시행령 제6조 제1항 제1호의 규정과 같이 일부 규정에 한하여 적용될 수 있을 것임

나. 건축법 제5조에 따라, 건축주·설계자·공사시공자 또는 공사감리자는 그 업무를 수행함에 있어서 동법의 규정을 적용하는 것이 매우 불합리하다고 인정되는 대지 또는 건축물로서 대통령령이 정하는 것에 대하여는 이 법의 기준을 완화하여 적용할 것을 허가권자에게 요청할 수 있으며, 요청을 받는 허가권자는 건축위원회의 심의를 거쳐 완화여부 및 적용범위를 결정하고,

동법 시행령 제6조 제1항 제1호에 따라 수면 위에 건축하는 건축물 등 대지의 범위를 설정하기 곤란한 경우에는 법 제40조부터 제47조까지, 법 제55조부터 제57조까지, 법 제60조부터 법 제61의 기준을 완화할 수 있으며, 또한, 동항 제3호에 따라 31층 이상인 건축물(공동주택을 제외한다)과 발전소·제철소·운동시설등 특수용도의 건축물인 경우 법 제43조, 법 제49조부터 제52조까지, 법 제62조, 법 제64조, 법 제66조부터 법 제68까지의 기준을 완화할 수 있는 바, 개별 대지나 건축물에 대한 건축법령의 완화여부 및 적용범위는 그에 대한 건축위원회의 심의결과 등에 결정되는 것이므로 이의 구체적인 사항은 도면 등 자료를 갖추어 소재지를 관할하는 허가권자에게 문의하시기 바람

다. 건축물의 대지의 위치나 범위를 설정하기 곤란한 경우에도 당해 건축물의 관리를 위하여는 건축물대장을 작성하여야 하며, 건물등기에 대해서는 부동산등기법에 따라야 할 것임

질의회신 전통한옥밀집지역 내 노후 된 한옥을 철거하고, 신축시 기준완화 가능여부

건교부 건축기획팀-2024, 2006.3.31.

질의 전통한옥밀집지역 내 노후 된 한옥을 철거하고, 한옥을 신축하고자 하는 경우 건축법의 기준을 완화하여 적용할 수 있는지 여부

회신 건축법 제5조제1항에 따라 같은 법 시행령 제6조제1항제4호에 해당하는 건축물로서 이 법의 기준을 완화하여 적용하고자 하는 경우 같은 법 같은 조제2항에 따라 허가권자는 건축위원회의 심의를 거쳐 완화여부 및 적용 범위를 결정하고 그 결과를 신청인에게 통지하여 주도록 규정하고 있음

질의회신 발코니가 없는 중간부분을 증축시 일조권 높이제한 규정을 적용 여부

건교부 건축 58070-1671, 2003.9.9.

질의 공동주택의 발코니가 없는 중간부분을 리모델링하여 증축하는 경우 일조 등의 확보를 위한 건축물의 높

이제한 규정을 적용하여야 하는 것인지 여부

회신 건축법시행령 제6조1항에 따라 건축법 제53조(일조 등의 확보를 위한 건축물의 높이제한)규정을 완화하여 적용할 수 있으며, 이 경우 절차는 허가권자에게 완화 요청하고, 이를 요청 받은 허가권자는 같은법 제4조에 따른 건축위원회의 심의를 거쳐 완화여부 및 적용범위를 결정하고 그 결과를 신청인에게 통지하여야 하는 것임 (* 법 제53조 ⇒ 제61조, 2008.3.21 개정)

질의회신 20년 이상된 건축물의 개축시 적용의 완화 적용가능여부

서울시 건지 58550-309, 2002.1.26.

질의 건축 당시의 법령에는 적법하였으나, 현행 규정에 맞지 않게 된 20년 이상 경과된 건축물을 모두 철거하고 개축하는 경우 건축법 제5조(적용의 완화)의 규정을 적용할 수 있는지

회신 건축법 제5조 및 같은 법시행령 제6조제①항제5호에 따라 사용승인을 얻은 후 20년 이상 경과되어 리모델링(건축물의 노후화 억제 또는 기능향상 등을 위하여 증축·개축 또는 대수선을 하는 행위를 말함)이 필요한 건축물의 경우 건축위원회에서 건축법의 일부 규정(법 제32조, 제36조, 제47조, 제48조, 제51조, 제43조 및 제67조)에 대한 완화여부 및 적용범위를 결정하도록 하고 있으며, 건축법시행령 제6조제2항제2호 다목에 따라 개축의 경우는 완화여부 및 적용범위를 결정함에 있어서 다음의 기준을 준수하도록 하고 있음

가. 공공의 이익을 저해하지 아니하고, 주변 대지 및 건축물에 지나치게 불이익을 주지 아니할 것

나. 도시미관이나 환경을 지나치게 저해하지 아니할 것

다. "적용의 완화" 규정에 의하여 증축하는 부분과 기존 건축물과의 접합 부분 또는 그 접합부분의 인접 부분에 한하여 할 것

따라서 질의의 경우와 같이 20년 이상 경과된 부적합한 기존 건축물을 모두 철거하고 개축하는 경우에는 건축법 제5조(적용의 완화)의 규정을 적용할 수 없을 것으로 판단되며, 같은 법 제5조의2(기존건축물의 건축물등에 대한 특례) 규정에 따라야 할 것으로 판단됨 (* 법 제5조의2, 제32조, 제36조, 제43조, 제47조, 제48조, 제51조, 제67조 ⇒ 제6조, 제42조, 제46조 제52조, 제55조, 제56조, 제60조, 제77조, 2008.3.21 개정)

16 기존의 건축물등에 대한 특례 등

법령해석 건축물 증축 시 「건축법 시행령」 제61조제2항에 따른 외벽 마감재료 규정과 같은 영 제6조의2제2항제2호에 따른 기존의 건축물에 대한 특례 규정의 적용 관계

「건축법 시행령」 제6조의2제2항제2호 등 관련 법제처 법령해석 23-0870, 2023.11.1.

질의요지 「건축법」 제52조제2항 전단에서는 대통령령으로 정하는 건축물의 외벽에 사용하는 마감재료는 방화에 지장이 없는 재료로 해야 한다고 규정하고 있고, 같은 항 전단의 위임에 따라 마련된 같은 법 시행령 제61조제2항제3호에서는 외벽에 사용하는 마감재료를 방화에 지장이 없는 재료(이하 "방화마감재료"라 함)로 해야 할 대상 건축물 중 하나로 '3층 이상 또는 높이 9미터 이상인 건축물'을 규정하고 있는데, 같은 호는 종전의 「건축법 시행령」(각주: 2019. 8. 6. 대통령령 제30030호로 일부개정되기 전의 것을 말함.) 제61조제2항제2호에서 방화마감재료 사용 대상 건축물의 범위를 '6층 이상 또는 높이 22미터 이상인 건축물'로 규정하고 있던 것을 2019년 8월 6일 대통령령 제30030호로 일부개정되어 2019년 11월 7일 시행된 「건축법 시행령」(이하 "개정 건축법 시행령"이라 함) 제61조제2항제3호로 이동하여 규정하면서 그 적용 대상 건축물의 범위를 확대하여 규정한 것으로서, 같은 영 부칙 제5조에서는 "제61조제2항의 개정규정은 같은 영 시행일 이후 건축허가 또는 대수선허가를 신청하거나 건축신고를 하는 경우부터 적용한다"고 규정하고 있는 한편,

「건축법」 제6조에서는 허가권자(각주: 특별시장·광역시장·특별자치시장·특별자치도지사 또는 시장·군수·구청장을 말하며, 이하 같음.)는 법령의 제정·개정 등(각주: 법령의 제정·개정 및 「건축법 시행령」 제6

조의2제1항 각 호의 어느 하나에 해당하는 경우를 말하며, 이하 같음.)으로 대지나 건축물이 같은 법에 맞지 아니하게 된 경우에는 대통령령으로 정하는 범위에서 해당 지방자치단체의 조례로 정하는 바에 따라 건축을 허가할 수 있다고 규정하고 있고, 같은 조의 위임에 따라 기존의 건축물에 대한 특례를 규정한 같은 법 시행령 제6조의2제2항에서는 허가권자는 기존 건축물 및 대지가 법령의 제정·개정 등으로 법령등(각주: 「건축법」, 같은 법 시행령 또는 건축조례를 말하며, 이하 같음.)에 부적합하더라도 '증축하거나 개축하려는 부분이 법령등에 적합한 경우'(제2호) 등에는 건축을 허가할 수 있다고 규정하고 있는바,

개정 건축법 시행령의 시행일인 2019년 11월 7일 전에 건축된 건축물로서, 종전에는 외벽에 방화마감재료를 사용해야 하는 건축물이 아니었으나, 개정 건축법 시행령 제61조제2항제3호에 따라 그 외벽에 방화마감재료를 사용해야 하는 건축물에 해당하게 된 건축물(각주: 3층 이상 5층 이하 또는 높이 9미터 이상 22미터 미만인 건축물을 말함.)을 2019년 11월 7일 이후 증축(각주: 기존 건축물이 있는 대지에서 건축물의 건축면적, 연면적, 층수 또는 높이를 늘리는 것을 말하며(「건축법 시행령」 제2조제2호 참조), 이하 같음.)하기 위해 「건축법」 제11조에 따라 허가를 신청하는 경우, 허가권자는 증축하려는 부분의 외벽만을 방화마감재료로 하는 증축을 같은 법 제6조 및 같은 법 시행령 제6조의2제2항제2호의 특례를 적용하여 조례로 정하는 바에 따라 허가할 수 있는지?(각주: 허가권자가 그 밖의 법령상 요건 충족여부, 공익상 필요 등을 고려해 건축허가를 할 것인지 여부는 별론으로 함.)

회답 이 사안의 경우, 허가권자는 증축하려는 부분의 외벽만을 방화마감재료로 하는 증축을 「건축법」 제6조 및 같은 법 시행령 제6조의2제2항제2호의 특례를 적용하여 해당 지방자치단체의 조례로 정하는 바에 따라 허가할 수 있습니다.

이유 "생략"

법령해석 「건축법」에 따른 용적률의 특례를 중첩적으로 적용할 수 있는지 여부

「건축법」 제8조 등 관련 법제처 법령해석 20-0715, 2021.4.21.

질의요지 가. 하나의 건축물이 「건축법」 제8조에 따른 리모델링이 쉬운 구조의 공동주택과 같은 법 제65조의2에 따른 지능형건축물에 모두 해당하는 경우, 해당 건축물에 적용되는 용적률은 같은 법 제8조 및 제65조의2제6항 중 용적률 완화 범위가 더 큰 기준을 적용하여 최대 100분의 120까지 완화할 수 있는지, 아니면 용적률 완화 기준을 중첩적으로 적용하여 최대 100분의 135까지 완화할 수 있는지?(각주: 「건축법 시행령」 제6조의5제2항 단서에 따른 건축조례가 없는 경우를 전제함.)

나. 하나의 건축물이 「건축법」 제8조에 따른 리모델링이 쉬운 구조의 공동주택과 같은 법 제65조의2에 따른 지능형건축물에 모두 해당하는 경우로서 「건축법」 제8조 및 같은 법 시행령 제6조의5제2항 단서에 따라 리모델링이 쉬운 구조의 공동주택에 적용되는 용적률 완화 범위를 건축조례로 강화하여 100분의 104의 비율로 정한 경우, 해당 건축물에 적용되는 용적률은 같은 조례 및 「건축법」 제65조의2제6항 중 용적률 완화 범위가 더 큰 기준을 적용하여 최대 100분의 115까지 완화할 수 있는지, 아니면 용적률 완화 기준을 중첩적으로 적용하여 최대 100분의 (각주: 100분의 104와 100분의 115를 합산한 값으로, 해당 비율은 「건축법」 제8조 및 같은 법 시행령 제6조의5제2항 본문에 따른 최대 완화 기준인 100분의 120 이하임.)까지 완화할 수 있는지?

<질의배경> 민원인은 위 질의요지에 대한 국토교통부의 회신 내용에 이견이 있어 법제처에 법령해석을 요청함.

회답 가. 질의 가에 대해

이 사안의 경우 용적률은 최대 100분의 120까지 완화할 수 있습니다.

나. 질의 나에 대해

이 사안의 경우 용적률은 최대 100분의 115까지 완화할 수 있습니다.

이유 가. 질의 가에 대해

「건축법」 제56조에서는 건축물의 용적률에 대해 그 최대한도는 「국토의 계획 및 이용에 관한 법률」(이하 "국토계획법"이라 함) 제78조에 따른 용적률 기준에 따른다고 하면서(본문), 「건축법」에서 기준을 완화하여

적용하도록 규정한 경우에는 그에 따르도록 규정하고 있는바(단서), 「건축법」 제56조 단서에 해당하는 용적률 완화 규정은 국토계획법 제78조에 따른 용적률 기준을 적용하도록 한 원칙에 대한 예외규정인 만큼 합리적인 이유 없이 문언의 의미를 확대하여 해석해서는 안 될 것입니다.(각주: 법제처 2018. 9. 3. 회신 18-0283 해석례 참조)

그런데 「건축법」 제8조에서는 리모델링이 쉬운 구조의 공동주택의 경우 같은 법 제56조에 따른 용적률을 100분의 120의 범위에서 대통령령으로 정하는 비율로 완화하여 적용할 수 있다고 규정하고 있고, 같은 법 제65조의2제6항에서는 지능형건축물의 경우 같은 법 제56조에 따른 용적률을 100분의 115의 범위에서 완화하여 적용할 수 있다고 규정하여, 각각 일정한 요건을 충족하는 건축물에 적용되는 용적률 특례의 최대 범위를 정하면서 모두 같은 법 '제56조에 따른 용적률'을 기준으로 완화할 수 있다는 점을 명확히 하고 있을 뿐, 하나의 건축물에 대한 여러 특례 규정의 중첩 적용 여부나 중첩 적용을 전제한 용적률 합산방식 등에 대해서는 별도로 규정하고 있지 않습니다.

그리고 「건축법」 제56조에 따라 용적률의 최대한도의 기준이 되는 국토계획법 제78조에서는 용도지역의 특성을 고려하여 건축물의 밀도를 조절함으로써 국토의 효율적인 이용이 가능하도록 용도지역별로 건축물에 적용되는 용적률의 상한을 정하고 있는데, 「건축법」에서 특정 구조의 건축을 장려하기 위한 목적으로 용적률 특례를 규정한 것만으로 용적률 완화 기준을 중첩 적용하여 용적률 상한이 누적적으로 증가될 수 있다고 보는 것은 건축물의 밀도를 관리하기 위해 엄격하게 용적률 상한을 규율하고 있는 용적률 제도의 취지에도 반하게 됩니다.

그렇다면 「건축법」 제8조 및 제65조의2제6항의 용적률에 대한 특례 규정은 모두 같은 법 제56조에 따른 용적률을 기준으로 하여 적용하는 것으로서 그 적용 대상이 하나의 건축물인 경우 완화 범위가 더 큰 특례 규정이 적용된다고 보아야 할 것인바, 이 사안의 경우 「건축법」 제8조에 따라 최대 100분의 120까지 용적률을 완화할 수 있습니다.

나. 질의 나에 대해

앞에서 살펴본 바와 같이 「건축법」 제8조 및 제65조의2제6항은 하나의 건축물에 적용되는 용적률의 최대한도에 대한 예외 규정으로서 모두 같은 법 제56조의 용적률, 즉 국토계획법 제78조에 따른 용도지역별 용적률의 상한을 기준으로 완화 범위를 정하고 있는바, 하나의 건축물이 「건축법」 제8조에 따른 리모델링이 쉬운 구조의 공동주택과 같은 법 제65조의2에 따른 지능형건축물에 모두 해당하는 경우에는 완화 범위가 더 큰 특례 규정이 적용된다고 보아야 하고, 각각의 특례 규정을 중첩적으로 적용할 수는 없습니다.

그렇다면 이 사안과 같이 「건축법」 제8조 및 같은 법 시행령 제6조의5제2항 단서에 따라 리모델링이 쉬운 구조의 공동주택에 적용되는 용적률 완화 비율을 100분의 120 범위에서 건축조례로 강화하여 100분의 104의 비율로 정한 경우, 해당 건축조례에 따른 100분의 104의 비율은 「건축법」 제8조에 따라 리모델링이 쉬운 구조의 공동주택에 적용되는 용적률의 완화 범위인 것이므로, 해당 특례와 다른 건축법령에 따른 용적률 특례 중 완화 범위가 더 큰 특례 규정을 적용해야 하고, 위임 건축조례에서 정한 비율과 다른 특례에 따른 완화 비율의 합이 위임 근거 규정에서 정한 최대치보다 작다고 해서 중첩 적용이 가능하다고 볼 수는 없습니다.

따라서 이 사안의 경우 「건축법」 제8조 및 같은 법 시행령 제6조의5제2항 단서의 위임에 따른 건축조례에서 정한 100분의 104와 같은 법 제65조의2제6항에 따른 100분의 115 중 유리한 기준에 따라 최대 100분의 115까지 용적률을 완화할 수 있다고 보아야 합니다.

법령해석 「주차장법」 상 부설주차장 설치기준에 위반되는 기존 건축물을 재축하는 경우 건축허가가 가능한지 여부

「건축법 시행령」 제6조의2 관련 법제처 법령해석 19-0022, 2019.5.29.

질의요지 기존 건축물이 「주차장법」의 개정으로 인해 같은 법 제19조에 따른 부설주차장의 설치기준에 적합하지 않게 된 경우, 「건축법 시행령」 제6조의2제2항제1호에 따라 해당 건축물을 재축(각주: 「건축법 시행령」 제2조제4호에 따라 천재지변이나 그 밖의 재해(災害)로 멸실된 경우 그 대지에 같은 호 각 목의 요건을 모두 갖추어 다시 축조하는 것을 말하며, 이하 같음.)할 때 현행 「주차장법」 제19조에 반하더라도 건축허가를 할 수 있는지?

<질의배경> 경북 구미시 A 상가건물은 건축허가 당시 「주차장법」 상 부설주차장 설치 대상 시설이 아니었다가 법 개정으로 부설주차장 설치 대상에 해당하게 됨. 그 후 인근 건설공사 과정에서 진동이 발생하여 A건물의 지반이 붕괴되는 재해가 발생했고, 조속히 멸실 후 재축해야 하는 상황이 되자, 해당 건물의 재축 업무를 맡은 건축사무소 직원인 민원인은 현행 「주차장법」 상 부설주차장의 설치 요건에 맞지 않더라도 「건축법」 제6조에 따라 건축허가가 가능한지 국토교통부를 거쳐 법제처에 법령해석을 요청함.

회답 이 사안의 경우 건축허가를 할 수 없습니다.

이유 「주차장법」 제19조제1항에서는 「국토의 계획 및 이용에 관한 법률」 에 따른 도시지역 등 일정 지역에서 건축물을 건축하려는 자 등에게 부설주차장 설치 의무를 부과하고 있고, 같은 법 제19조의2에서는 부설주차장을 설치하는 자는 건축 허가를 신청할 때 부설주차장 설치계획서를 제출하도록 하고 있습니다.

그런데 「건축법」 제12조제1항 및 그 위임에 따른 같은 법 시행령 제10조제1항에서는 허가권자가 건축허가를 하려면 건축복합민원 일괄협의회를 개최하여 해당 건축물의 건축이 「주차장법」 제19조(제11호) 등 관계 법령의 규정에 맞는지 확인하도록 하고 있고, 「건축법 시행규칙」 별지 제1호의4서식에 따른 "건축허가신청서" 및 같은 규칙 별표 2에 따른 "건축허가신청에 필요한 설계도서"에는 각각 주차장의 설치에 관한 사항이 포함되어 있는바, 이러한 관련 규정들을 종합적으로 고려할 때 건축허가 신청의 내용은 「주차장법」 제19조에 따른 부설주차장 설치기준에 적합해야 합니다.

그리고 「건축법 시행령」 제6조의2제2항에 따르면 허가권자는 기존 건축물이 법령의 제정·개정 등으로 "법령등"에 부적합하더라도 해당 건축물을 재축하는 경우(제1호)에는 건축을 허가할 수 있는데 같은 영 제2조제4호나목2)에서는 「건축법」, 같은 법 시행령 또는 건축조례를 "법령등"으로 약칭하여 「건축법 시행령」 에서 사용하도록 하고 있고, 「주차장법」 은 이러한 "법령등"의 범위에 포함되지 않으므로 허가권자는 현행 「주차장법」 에 반하는 기존 건축물의 재축에 대하여 「건축법 시행령」 제6조의2제2항제1호를 적용할 수 있다고 보기는 어렵습니다.

한편 종전에 적법하게 건축된 건축물이 천재지변이나 그 밖의 재해로 멸실되어 다시 축조하는 경우 현행 건축법령의 내용에 부적합하더라도 해당 건축물이 멸실되기 이전의 규모 이하로 다시 건축할 수 있도록 한 「건축법 시행령」 제6조의2제2항제1호의 취지에 비추어 볼 때, "법령등"은 건축허가를 받기 위해 준수해야 하는 「주차장법」 등 건축 관계 법령을 포함하는 것으로 보아야 한다는 의견이 있습니다.

그러나 「주차장법」 과 「건축법」 은 각각 입법목적과 규정사항, 적용대상 등을 달리하는 별개의 법률이고,(각주: 대법원 1990. 7. 20. 선고 89도1829 판결례 참조) 「건축법 시행령」 제6조의2제2항은 법령에 반하는 건축을 예외적으로 허용하는 특례 규정으로 엄격하게 해석할 필요가 있다는 점을 고려할 때 해당 규정의 명시적인 문언에 반하여 "법령등"의 의미를 관계 법령까지 확대 해석할 수는 없다는 점에서 그러한 의견은 타당하지 않습니다.

법령해석 「건축법」에 따른 특례를 중첩적으로 적용할 수 있는지 여부

「건축법」 제8조 및 제43조 관련 — 법제처 법령해석 18-0283, 2018.9.3.

질의요지 가로구역(街路區域)의 건축물이 「건축법」 제8조(리모델링이 쉬운 구조로 건축할 경우 높이기준의 100분의 120의 범위에서 완화) 및 제43조제2항(공개 공지 등을 설치할 경우 높이기준의 1.2배 이하 범위에서 완화)에 따른 요건을 모두 갖춘 경우, 해당 건축물의 높이는 그 건축물에 적용하는 높이기준의 100분의 120의 범위에서 정해야 하는지, 아니면 100분의 120의 범위를 초과하여 정할 수 있는지?

<질의 배경> 국토교통부는 일부 지방자치단체에서 건축물의 높이 완화 특례를 중첩 적용할 수 있는지 여부가 문제되자 명확한 집행기준을 마련하기 위해 법제처에 법령해석을 요청함.

회답 이 사안의 경우 해당 건축물의 높이는 그 건축물에 적용하는 높이기준의 100분의 120의 범위에서 정해야 합니다.

이유 「건축법」 제8조 및 제43조는 일정한 요건을 충족하는 경우에 예외적으로 건축물의 높이기준을 완화하여 적용할 수 있도록 한 규정인바, 일정한 원칙에 대한 예외규정을 해석할 때에는 합리적인 이유 없이 문언의 의미를 확대하여 해석할 수는 없습니다.1)1) 법제처 2016. 8. 29. 회신 16-0128 해석례 참조

이러한 측면에서 살펴보면 「건축법」 제8조 및 제43조에서는 각각 "같은 법 제60조에 따른 높이"를 기준으로 하여 완화할 수 있도록 규정하고 있는바, 문언상 양 규정 중 어느 규정을 적용하여 건축물의 높이를 산정하더라도 같은 법 제60조에 따른 높이가 그 기준이고, 이를 기준으로 100분의 120의 범위에서 완화하여 정할 수 있을 뿐입니다. 그리고 건축물의 높이를 제한하는 취지는 일조・채광・통풍 등을 원활하게 하여 개방감을 확보하고 도시의 미관과 쾌적하고 위생적인 생활환경을 조성하기 위한 것이라는 점을 고려할 때, 「건축법」에 따른 건축물 높이 완화 규정은 서로 중첩적으로 적용할 것이 아니라 그 중 하나를 선택하여 가장 유리한 비율의 범위에서 건축물의 높이를 정하는 것이 건축물의 높이를 원칙적으로 제한하되 예외적으로 완화하고 있는 건축법령의 취지에 부합하는 해석입니다.

또한 「건축법」 제8조 및 제43조 외에도 제65조의2제6항 및 제77조의13에서 건축물의 높이 완화에 관한 특례 규정을 두고 있는데 이러한 규정들도 일관되게 "같은 법 제60조에 따른 높이"를 기준으로 하여 완화 비율을 정하고 있을 뿐 높이 완화에 관한 다른 특례규정을 중첩적으로 적용할 수 있도록 규정하고 있지 않은바, 만일 각각의 규정이 모두 적용된다고 본다면 건축법령 및 관계법령에서 정하는 여러 가지의 건축물의 높이를 완화하는 규정들이 모두 중첩적으로 적용될 수 있게 되어 「건축법」 제60조제1항에 따른 건축물의 높이 제한 규정이 유명무실하게 될 가능성이 있다는 점도 이 사안을 해석할 때에 고려할 필요가 있습니다.

질의회신 건축법 제6조 기존건축물 특례

국토부 민원마당 전자민원처리공개 2018.8.21.

질의 1) 건축법 제6조에 '허가권자는 법령의 제정・개정이나 그 밖에 대통령령으로 정하는 사유로 대지나 건축물이 이 법에 맞지 아니하게 된 경우에는 대통령령으로 정하는 범위에서 해당 지방자치단체의 조례로 정하는 바에 따라 건축을 허가할 수 있다.'로 되어있는데 여기서 법령이 건축법만 말하는지 아니면 주차장법이나 에너지관련법등 건축관련 모든 법이 다 포함이 되는지

2) 또 재축을 하는데 기존 건축허가 시에는 구조안전확인서 제출 대상이 아니었는데 현재는 내진설계대상에 해당됨. 이럴 때 내진설계를 해야하는지? 아니면 구조안전확인서만 제출하면 되는지? 또는 둘 다 필요 없이 그냥 건축사가 구조설계만 하면 되는지

회신 건축법 제6조에서 허가권자는 법령의 제정・개정이나 그 밖에 대통령령으로 정하는 사유는 이법 또는 건축법 시행령제 6조의2에서 정하고 있는 사항을 말하며, 같은 법 제6조의2제2항에 따라 허가권자는 기존 건축물 및 대지가 법령의 제정·개정이나 제1항 각 호의 사유로 법령등에 부적합하더라도 기존 건축물을 재축하는 경우에 해당하는 경우에는 건축을 허가할 수 있다고 규정하고 있으며, 같은 법 제48조에 따라 건축법 시행령 제32조제2항 각 호의 어느 하나에 해당하는 건축물을 건축(신축, 증축, 개축, 재축, 이전)하거나 대수선하려는 경우에는 구조안전 확인 서류를 허가권자에게 제출토록 하고 있음. 상기 규정에 따라 지진하중 고려 대상일 경우 내진설계 등이 반영된 구조안전 확인서류를 제출하여야 할 것으로 사료됨.

질의회신 대수선 시 기존건축물에 대한 특례 적용 여부

국토교통부 민원마당 FAQ 2023.6.15.

질의 건축선을 넘어서 있는 기존건축물의 지붕을 대수선하고자 할 때 기존건축물에 대한 특례를 적용할 수 있는 지의 여부

회신 건축물을 대수선하는 경우에도 「건축법」 및 관계법령의 규정에 적합하여야 하는 것이며, 「건축법」 제47조의 규정에 따르면 건축물 및 담장은 건축선의 수직면을 넘어서는 아니되며, 같은 법 제6조 및 같은 법 시행령 제6조의2의 규정에 따라 기존건축물을 증축 또는 개축하고자 하는 경우에도 해당 부분이 법령등에 적

합한 경우 당해 지방자치단체의 조례가 정하는 바에 의하여 허가가 가능할 것임

질의회신 기존건축물 증축 특례 관련

국토교통부 민원마당 FAQ 2019.5.24.

질의 지상 1층의 필로티 공개공지를 변경하여 증축(면적산입)을 하고자 하나, 도시계획조례 변경으로 해당 용도의 입지가 불가한 경우, 건축법에 따른 기존건축물 등에 대한 특례를 적용할 수 있는지 여부

회신 「건축법 시행령」 제6조의2 제2항에 따르면 기존 건축물 및 대지가 법령의 제정·개정이나 제1항 각 호의 사유로 법, 이 영 또는 건축조례(이하 "법령등"이라 함)에 부적합하더라도 증축하려는 부분이 법령 등에 적합한 경우에는 건축을 허용하도록 특례를 규정하고 있음 그러나, 질의하신 바와 같이 해당지역의 도시계획조례 개정으로 입지가 불가하게 된 용도의 증축은 상기 규정에 따른 특례 적용이 곤란할 것으로, 현행 법령에서 정한 입지제한에 적합한 범위내에서 증축을 하여야 할 것으로 사료되는 바, 이와 관련한 보다 구체적인 사항은 현지상황을 소상히 파악하고 있는 해당 허가권자와 협의하여 처리하시기 바람

질의회신 기존건축물 일조권 특례관련

국토교통부 민원마당 FAQ 2019.5.24.

질의 개발제한구역에서 제1종일반주거지역으로 변경되었으며, 동 지역의 기존건축물 내부에 증축을 할 경우 일조권 기준을 적용받아야 하는 지 여부

회신 「건축법」 제6조 및 같은 법 시행령 제6조의2에 따르면 허가권자는 도시관리계획의 결정·변경 등으로 기존 건축물 및 대지가 건축법령의 규정에 부적합하더라도 증축하려는 부분이 법령 등에 적합한 경우에는 해당 지방자치단체의 조례가 정하는 바에 따라 건축을 허가할 수 있는 것으로, 귀 질의와 같이 증축하고자 하는 부분이 외부의 변경이 전혀 없이 내부에서만 증축하는 경우라면 「건축법」 제61조에 따른 일조 등의 확보를 위한 건축물의 높이제한 규정에 적합한 경우로 보는 것이 타당할 것으로 판단됨을 회신하오니, 보다 구체적인 사항에 대해서는 해당 지역의 허가권자에게 문의하시기 바람

질의회신 "대지안의 공지" 규정이 시행되기 이전에 지어진 건축물의 용도변경시 적용여부

건교부 고객만족센타 2008.1.16.

질의 "대지안의 공지" 규정이 시행되기 이전에 지어진 건물 중 400㎡를 위락시설로 용도변경 하고자 할 경우 용도변경 하고자 하는 부분이 건축법 시행령 제80조의2 별표2의 위락시설의 기준면적 1,000㎡ 이상에 해당되지 않으므로 "대지안의 공지"규정을 적용하지 않을 수 있는지 여부

회신 건축법 제50조의 규정에 의하면 건축물을 건축하거나 용도변경 하는 경우에는 「국토의 계획 및 이용에 관한 법률」에 의한 용도지역·용도지구, 건축물의 용도 및 규모 등에 따라 건축선 및 인접대지경계선으로부터 6m 이내의 범위에서 대통령령이 정하는 바에 의하여 당해 지방자치단체의 조례로 정하는 거리 이상을 띄어야 하는 것이며,

건축법 시행령 제14조제6항의 규정에 의하면 기존의 건축물 또는 대지가 법령의 제정·개정이나 같은 법 시행령 제6조의2제1항 각호의 사유로 인하여 법령 등의 규정에 부적합하게 된 경우에는 당해 지방자치단체의 조례로 정하는 바에 의하여 용도변경 하고자 하는 부분이 법령 등의 규정에 적합한 범위 안에서 용도변경을 할 수 있는 것으로 규정되어 있음

질의회신 관리지역에서 자연녹지지역으로 변경된 지역에서의 용도변경 가능여부

건교부 고객만족센타 2008.1.15.

질의 건폐율 40%이던 관리지역에서 건폐율 23%로 건축물이 허가 받아 준공 된 이후 건폐율 20%인 자연녹지지역으로 변경된 경우 용도변경 가능여부(단, 건축물의 증축, 개축, 신축, 재축은 없음)

회신 건축법 시행령 제14조 제6항에 의하면 기존의 건축물 또는 대지가 법령의 제정·개정이나 도시관리계획의 결

정·변경 등의 사유로 인하여 법령 등의 규정에 부적합하게 된 경우에는 당해 지방자치단체의 조례로 정하는 바에 의하여 용도변경 하고자 하는 부분이 법령 등의 규정에 적합한 범위 안에서 용도변경을 할 수 있도록 하고 있음. 따라서, 질의와 같이 용도지역의 변경으로 인하여 국토의 계획 및 이용에 관한 법률 제77조 및 제78조에서 정하는 건폐율 및 용적률 기준에 적합하지 아니함에 불구하고 동 법률 제76조에서 정하는 용도지역 내 건축제한에 적합한 경우라면 당해 지방자치단체의 건축조례에 따라 용도변경의 가능여부를 판단하여야 할 것임

질의회신 기존건축물의 특례조항 적용여부

건교부 도시정책팀 2007.12.10.

질의 국토의 계획 및 이용에 관한 법률 시행령 제71조(용도지역 안에서의 건축제한) 규정의 별표27(관리지역 안에서 건축할 수 있는 건축물)중 2항 카목을 보면 건축법 시행령 별표1제15호의 숙박시설(해당 용도에 쓰이는 바닥면적의 합계가 660㎡ 이하이고 3층 이하로 건축하는 것에 한한다)라고 규정하고 있는데, 2003년도에 관리지역 내 4층 숙박시설(숙박시설 용도의 연면적 660㎡ 이내임)을 허가 받아 완공 받은 건축물의 1층(현재 필로티 사용)부분에 대한 근린생활시설로의 증축(숙박시설 용도의 증축은 없으며, 층수는 기존 그대로 임)이 건축법 제5조의2(기존의 건축물 등에 대한 특혜) 규정에 의거 증축이 가능한지 여부

회신 「국토의 계획 및 이용에 관한 법률 시행령」 제71조(용도지역 안에서의 건축제한) 규정의 별표27(관리지역 안에서 건축할 수 있는 건축물)중 제2항 카목에 따라 관리지역 안에서는 당해 도시계획조례로 건축법 시행령 별표1 제15호의 숙박시설로서 해당 용도에 쓰이는 바닥면적의 합계가 660㎡ 이하이고 3층 이하로 건축하는 것에 한하여 건축이 가능하도록 하고 있음.

또한, 「국토의 계획 및 이용에 관한 법률」 제76조제4항에 따라 건축물 그 밖의 시설의 용도·종류 및 규모 등을 변경하는 경우 변경후의 건축물 등의 용도·종류 및 규모 등은 용도지역 및 용도지구 안에서의 건축제한에 적합하도록 하고 있으므로, 관리지역 내 숙박시설시설인 기존 적법한 건축물로서 그 층수가 3층 이상이 되는 경우에는 건축물의 용도변경이 불가한 것임

질의회신 도시관리계획 변경으로 건폐율이 초과된 기존건축물의 일부철거 후 개축 가능여부

건교부 고객만족센터 2007.4.6.

질의 도시관리계획의 변경으로 인하여 건폐율이 초과된 기존건축물에서 건축물을 일부철거하고 개축하여 건폐율이 줄어드는 건축행위의 가능여부

회신 국토의 계획 및 이용에 관한 법률 시행령 제 93조에 의거 도시관리계획의 변경으로 인하여 기존의 건축물이 제71조 내지 제92조의 규정에 의한 건폐율·용적률 및 높이 등의 규모기준에 부적합하게 된 경우에도 증축 또는 개축(“건축법” 제2조제1항제9호의 규정에 의한 증축 또는 개축을 말한다)은 증축 또는 개축하고자 하는 부분이 제71조 내지 제92조의 규정에 의한 건폐율·용적률 및 높이 등의 규모기준에 적합한 경우에는 이를 할 수 있도록 하고 있으나, 질의의 경우 건폐율 부분이 적합하지 아니한 바 개축이 어려울 것으로 사료됨.

질의회신 면적 미달 대지에 용적률의 현행법 최대한도 초과 가능여부

건교부 건축기획팀-1702, 2006.3.20.

질의 건축법 제5조의2 및 같은 법 시행령 제6조의2제2항제3호의 규정에 의하면 기존건축물의 대지가 도시계획시설의 설치 또는 「도로법」에 따른 도로의 설치로 인하여 법 제49조에 따라 해당 지방자치단체가 정하는 면적에 미달되는 경우로서 해당 기존건축물의 연면적의 합계의 범위 내에서의 증축 또는 개축을 지방자치단체의 조례로 정하는 바에 따라 허가할 수 있도록 하고 있으므로 이에 따라 증축하고자 하는 경우 용적률이 현행법에 따른 최대한도를 초과할 수 있는지

회신 국토의 계획 및 이용에 관한 법률 시행령 제93조제1항의 규정에 의하면 도시계획시설의 설치, 도시계획사업의 시행 또는 「도로법」에 따른 도로의 설치 등의 사유로 인하여 기존의 건축물이 동령 제71조 내지 제92조에 따른 건폐율·용적률 및 높이 등의 규모기준에 부맞게 된 경우에도 재축(건축법 제2조제1항제9호에 따른

재축을 말함)은 이를 할 수 있으며, 증축 또는 개축(건축법 제2조제1항제9호에 따른 증축 또는 개축을 말함)은 증축 또는 개축하고자 하는 부분이 영 제71조 내지 제92조에 따른 건폐율·용적률 및 높이 등의 규모기준에 적합한 경우에는 이를 할 수 있는 바, 건축법 제5조의2에 따라 기존건축물을 증축하는 경우라 하더라도 증축하고자 하는 사항은 건축법 외에 국토의 계획 및 이용에 관한 법률 그 밖에 관계법률에 적합하여야 할 것임 (* 법 제5조의2 ⇒ 제6조, 2008.3.21 개정)

질의회신 기존 건축물 증축과 관련한 특별피난계단의 부속실 설치 여부

건교부 건축기획팀-3525, 2006.6.1.

질의 1996년 11월 5일 건축허가를 득하고 2002년 3월 13일 사용승인을 받은 기존 건축물(지하5층/지상25층)로서 거실용도로 사용하고 있는 25층의 일부를 증축하고자 하는 것과 관련하여
1) 특별피난계단 부속실과 비상용승강기 승강장을 겸용하는 부분에 대하여 「건축법」 제5조의2 규정에 따라 증축하는 부분만 현행법령에 맞게 하면 되는 지 여부
2) 특별피난계단의 부속실에서 건축물 내부로 출입할 수 있는 출입구(갑종방화문)를 2개 이상 설치할 수 있는지 여부

회신 1) 「건축법」 제5조의2 규정에 의해 허가권자는 법령의 제정·개정이나 그 밖에 대통령령이 정하는 사유로 인하여 대지 또는 건축물이 이 법의 규정에 부맞게 된 경우에는 대통령령이 정하는 범위안에서 해당 지방자치단체의 조례로 정하는 바에 따라 건축을 허가할 수 있음
2) 「건축물의 피난·방화구조 등의 기준에 관한 규칙」 제9조제2항제3호 아목 규정에 의해 특별피난계단의 부속실에는 계단실외의 건축물의 내부와 접하는 창문등(출입구를 제외)을 설치하지 않아야 하는 것임
(* 법 제5조의2 ⇒ 제6조, 2008.3.21 개정)

질의회신 도시계획시설의 설치로 건폐율을 초과한 건축물에 대한 개축가능여부

건교부 건축기획팀-1959, 2006.3.30.

질의 기존건축물의 대지의 일부에 도시계획시설의 설치 또는 도로법에 따른 도로의 설치로 인하여 건축물의 건폐율이 현행 법령에 따른 최대한도를 초과하게 된 경우 개축하고자 건축물이 현행 건폐율의 최대한도를 초과할 수 있는지

회신 국토의 계획 및 이용에 관한 법률 시행령 제93조제1항의 규정에 의하면 도시계획시설의 설치, 도시계획사업의 시행 또는 도로법에 따른 도로의 설치 등의 사유로 인하여 기존의 건축물이 동령 제71조 내지 제92조에 따른 건폐율·용적률 및 높이 등의 규모기준에 안맞게 된 경우, 증축 또는 개축(건축법 제2조제1항제9호에 따른 증축 또는 개축을 말함)은 증축 또는 개축하고자 하는 부분이 영 제71조 내지 제92조에 따른 건폐율·용적률 및 높이 등의 규모기준에 적합한 경우에는 이를 할 수 있음

질의회신 용도지역이 변경된 경우 기존 공장건축물의 증축 및 개축 가능여부

건교부 건축기획팀-310, 2006.1.16.

질의 법령의 제정 등으로 용도지역이 변경된 경우 기존 공장건축물의 증축 및 개축 가능여부와 증축과 개축을 동시에 할 수 있는지 여부 및 행정절차

회신 건축법 제5조의2 및 같은 법 시행령 제6조의2제2항의 규정에 의해 허가권자는 기존의 건축물 및 대지가 법령의 개정 등으로 인하여 법·이 영 또는 건축조례(이하 "법령 등"이라 함)의 규정에 부적합하더라도 기존건축물의 증축하고자 하는 부분이 법령 등의 규정에 적합한 경우에는 해당 지방자치단체의 조례로 정하는 바에 따라 건축을 허가할 수 있도록 하고 있음을 알려드리며,
"증축"이라 함은 건축법 시행령 제2조제1항제2호에 따라 기존건축물이 있는 대지 안에서 건축물의 건축면적·연면적·층수 또는 높이를 증가시키는 것을 말하는 것으로 질의의 경우 "증축"에 해당 될 것으로 판단됨 (* 법 제5조의2 ⇒ 제6조, 2008.3.21 개정)

질의회신 현행법에 부적합한 건축법 제정 이전 건축물에 대한 증·개축가능여부

건교부 건축과-4860, 2005.8.23.

질의 건축법 제정시행 전에 건축된 건축물로서 건축물대장상에 등재되어 있으나, 대지가 도로에 접하지 아니하여 건축법 제33조의 규정에 부적합한 경우 동 법 제5조의2(기존의 건축물 등에 대한 특례)의 규정을 적용 받아 증·개축이 가능한지 여부

회신 질의의 건축물이 건축법령 제정 전에 건축된 건축물로서 동 건축물의 대지가 도로에 접하지 아니하여 건축법령상 부적합한 경우라도 건축법 제5조의2(기존의 건축물 등에 대한 특례) 및 같은 법 시행령 제6조의2에 따라 증·개축 하고자 하는 부분이 법령 등의 규정에 적합한 경우에 한하여 해당 지방자치단체의 조례가 정하는 바에 따라 증·개축이 가능할 것임. (※ 법 제5조의2, 제33조→ 제6조, 제44조, 2008.3.21, 개정)

질의회신 기존시설이 허가가 불가능한 용도가 된 뒤 자연재해를 당한 후 대수선가능여부

건교부 건축 58070-33, 2003.1.4.

질의 20년전부터 운영해오던 가스충전소가 자연재해(2002년 태풍루사)로 침수되었으나 2~3년전에 가스충전소 설치가 불가능한 지역으로 변경되었을 경우 가스충전소의 대수선이 가능한지 여부

회신 건축법시행령 제6조의2제2항의 규정에 의거 허가권자는 기존의 건축물 및 대지가 법령의 제정·개정이나 같은 조제1항 각 호의 사유로 인하여 법·이 영 또는 건축조례의 규정에 부적합하더라도 동항 각 호의 어느 하나에 해당하는 경우에는 건축을 허가할 수 있는 것이니 구체적인 사항은 해당 허가권자에게 문의하기 바람

질의회신 도시계획선에 편입된 대지일부에 별동 증축시 도로계획선에 편입된 기존건물 철거여부

건교부 건축 58070-1353, 2003.7.28.

질의 건축물의 일부가 도시계획선(도로)에 편입되어 있는 신청대지의 일부에 별동으로 증축을 하고자 하는 경우 도로계획선에 편입된 기존 건물부분을 철거하여야 하는 것인지 여부

회신 건축법 제5조의2 및 같은 법시행령 제6조의2제2항의 규정에 의해 허가권자는 기존의 건축물 및 대지가 법령의 개정 등으로 인하여 법·이 영 또는 건축조례(이하 "법령 등"이라 함)의 규정에 부적합하더라도 기존건축물의 증축하고자 하는 부분이 법령 등의 규정에 적합한 경우에는 해당 지방자치단체의 조례로 정하는 바에 따라 건축을 허가할 수 있도록 하고 있음을 알려드리니, 이에 해당여부 등 보다 구체적인 사항은 자세한 내용을 갖추어 해당 지역의 건축허가권자(조례제정권자 포함)에게 직접 문의하기 바람 (* 법 제5조의2 ⇒ 제6조, 2008.3.21 개정)

질의회신 건폐율 특례를 받은 리모델링후 재증축 가능여부

건교부 건축 58070-835, 2002.4.12.

질의 준공된지 20년 이상된 판매시설로 현행 건폐율 규정에는 부적합하나, 건축물의 기능향상을 위해 리모델링시 건폐율 기준을 완화 적용받아 주차장을 수평증축하여 사용승인된 건축물로서

가. 동 주차장(법정주차 대수 이상)을 법정주차장으로 하여 별도의 주차장 설치없이 기존의 판매시설위에 다시 판매시설 등을 증축할 수 있는지 여부?

나. "가"항에서 판매시설의 증축이 불가할 경우 기 설치된 주차장의 상부에 판매시설에 적합한 주차장을 추가로 설치하는 경우 판매시설의 증축 가능 여부?

회신 가. 건축법시행령 제6조제1항제5호에 따른 일반건축물의 리모델링은 사용승인을 얻은 후 20년 이상 경과된 노후건축물의 기능향상등을 위하여 필요한 설비시설, 승강기, 계단, 주차시설등 주기능을 보완하기 위하여 연면적의 10분의1의 범위안에서 건축위원회의 심의를 거쳐 건폐율등 일부기준을 완화적용 받아 증축 등이 가능하도록 한 것임

나. 문의의 경우와 같이 상기 규정에 의거 건폐율의 규정을 완화 받아 주차시설을 설치하였다면 주용도인 판매시설의 증축은 불가한 것임

12 판례

대법원판례 공동주택관리법위반

대법원 2021도2436, 2021.6.10.

판시사항 [1] 건축법령이 정한 증축 행위가 공동주택관리법 제35조 제1항 제2호의 허가 대상에 포함되는지 여부(적극)

[2] 피고인이 관할관청의 허가를 받지 않고 공동주택의 외부 공간에 2층과 지상을 연결하는 길이와 높이가 각 1m를 초과하고 면적이 약 3㎡인 경량철골조 옥외계단을 설치하여 무단으로 공동주택을 증축하였다는 공소사실로 기소된 사안에서, 옥외계단 설치 행위로 건축면적 등이 늘어났다면 건축법 시행령 제2조 제2호의 증축 행위로서 공동주택관리법 제35조 제1항 제2호에 따라 관할관청의 허가 대상이 될 수 있다고 한 사례

판결요지 [1] 공동주택관리법 제35조 제1항 제2호, 구 공동주택관리법 시행령(2019.10.22. 대통령령 제30147호로 개정되기 전의 것) 제35조 제1항 [별표 3]은 일정한 공동주택의 증축 행위에 관하여 관할관청의 허가를 받도록 하고 있으나, 공동주택관리법은 증축 행위의 의미에 관한 정의규정을 두지 않은 채 "이 법에서 따로 정하지 아니한 용어의 뜻은 주택법에서 정한 바에 따른다."라고 규정하고 있다(제2조 제2항). 그런데 이에 따라 준용되는 주택법에서도 증축 행위에 관한 정의규정을 발견할 수 없다.

한편 공동주택관리법 제2조 제1항 제1호 (나)목, 주택법 제2조 제1호 등 관계 법령 체계상 공동주택관리법은 스스로 정의하지 않은 사항에 관하여는 건축법령상의 정의가 준용될 수 있음을 전제하고 있는데, 건축법 제2조 제1항 제2호는 건축물을 토지에 정착하는 공작물 중 지붕과 기둥 또는 벽이 있는 것과 이에 딸린 시설물, 지하나 고가의 공작물에 설치하는 사무소 · 공연장 · 점포 · 차고 · 창고, 그 밖에 대통령령으로 정하는 것으로 정의하고 있고, 건축법 시행령 제2조 제2호에 따르면 증축이란 기존 건축물이 있는 대지에서 건축물의 건축면적, 연면적, 층수 또는 높이를 늘리는 것을 말한다. 따라서 건축법령이 정한 증축 행위는 체계적 · 논리적 해석 원리상 특별한 사정이 없는 한 공동주택관리법 제35조 제1항 제2호의 허가 대상에 포함된다.

[2] 피고인이 관할관청의 허가를 받지 않고 공동주택의 외부 공간에 2층과 지상을 연결하는 길이와 높이가 각 1m를 초과하고 면적이 약 3㎡인 경량철골조 옥외계단을 설치하여 무단으로 공동주택을 증축하였다는 공소사실로 기소된 사안에서, 피고인이 설치한 위 옥외계단에 지붕이나 기둥, 벽 등을 두고 있지 않더라도, 위와 같은 용도와 현황 등에 비추어 볼 때 이는 기존 건축물에 딸린 시설물로서 건축법 제2조 제1항 제2호가 정한 건축물에 해당한다고 봄이 타당하므로 피고인의 옥외계단 설치 행위로 말미암아 건축면적, 연면적, 층수 또는 높이가 늘어났다면, 건축법 시행령 제2조 제2호의 증축 행위로서 공동주택관리법 제35조 제1항 제2호에 따라 관할관청의 허가 대상이 될 수 있다는 이유로, 피고인이 관할관청의 허가 없이 공동주택 증축 행위를 하였다고 보아 공소사실을 유죄로 판단한 원심판단을 수긍한 사례.

대법원판례 건축법위반

대법원 2015도10671, 2016.12.15.

판시사항 건축법령이 건축물을 수선·변경하는 행위 중 일정한 행위를 '대수선'으로 정의하고 규율 대상으로 삼는 취지 / 건축법 시행령에서 말하는 내력벽의 '해체'에 내력벽을 완전히 없애는 경우에 이르지 않더라도 위험상황이 변동될 가능성이 있는 정도로 내력벽의 일부만을 제거하는 경우가 포함되는지 여부

판결요지 건축법상 허가 또는 신고 대상행위인 '대수선'이란 건축물의 기둥, 보, 내력벽, 주계단 등의 구조나 외부 형태를 수선·변경하거나 증설하는 것으로서 대통령령으로 정하는 것을 말한다(건축법 제2조 제1항 제9호). 내력벽을 증설 또는 해체하거나 그 벽면적을 30㎡ 이상 수선 또는 변경하는 것으로서 증축·개축 또는 재축에 해당하지 않는 것은 대수선에 포함된다(건축법 시행령 제3조의2 제1호). 여기에서 '내력벽'이란 일반적으로 건축물의 하중을 견디거나 전달하기 위한 벽체를 의미한다.

한편 구 건축법 시행령(2006.5.8. 대통령령 제19466호로 개정되기 전의 것) 제3조의2 제1호는 '내력벽의 벽면적을 30㎡ 이상 해체하여 수선 또는 변경하는 것'을 대수선으로 규정하고 있었다. 2006.5.8. 대통령령 제19466호로

건 축 법
1. 총 칙
2. 건 축
3. 유지관리
4. 대지도로
5. 구조재료
6. 지역지구
7. 건축설비
8. 특별건축구역
9. 보 칙
10. 벌 칙
건 축 법 관련기준

개정된 건축법 시행령에서 대수선의 정의를 '내력벽을 증설·해체하거나 내력벽의 벽면적을 30㎡ 이상 수선 또는 변경하는 것'으로 개정하여, '내력벽의 증설'을 추가하고 '내력벽의 해체'에 벽면적을 30㎡ 이상으로 제한한 내용을 삭제하였다. 그 후 2008.10.29. 대통령령 제21098호로 개정된 건축법 시행령에서 '증설·해체하거나'가 '증설 또는 해체하거나'로 표현만 수정되어 현재에 이르고 있다.

'해체(解體)'란 사전적 의미에서 여러 가지 부속으로 맞추어진 기계 따위를 뜯어서 헤치거나 구조물 따위를 헐어 무너뜨리는 것을 뜻하는데, 해체 대상물의 일부만을 제거하는 것도 포함될 수 있다. 건축법령이 건축물을 수선·변경하는 행위 중 일정한 행위를 대수선으로 정의하고 규율 대상으로 삼는 취지는 건축물의 위험상황이 변동될 수 있는 행위의 범주를 설정하고 구조안전 등을 해치지 않는 경우에 제한적으로 대수선을 허용함으로써 건축물로부터 발생하는 위험을 방지하고자 하는 데 있다. 건축법 시행령은 대수선의 범위를 확대하여 내력벽의 해체에 관해서는 벽면적의 제한을 삭제하고, 내력벽의 해체를 수반하지 않는 수선·변경행위도 대수선에 포함시키는 내용으로 개정되었다.

위와 같은 법령의 문언과 목적, 개정의 연혁과 취지 등을 고려하면, 건축법 시행령에서 말하는 내력벽의 '해체'에는 내력벽을 완전히 없애는 경우는 물론이고 그에 이르지 않더라도 위험상황이 변동될 가능성이 있는 정도로 내력벽의 일부만을 제거하는 경우도 포함된다.

대법원판례 국토의계획및이용에관한법률위반

대법원 2007도1915, 2009.12.24.

판시사항 [1] 종합병원에서 의무적 설치 시설인 시체실에 더하여 '장례의식에 필요한 각종 부대시설' 등을 추가하여 장례식장의 용도로 변경·사용하는 경우, 이러한 장례식장이 건축법령에서 말하는 종합병원의 '부속용도'에 해당하는지 여부(소극)

[2] 증축 부분이 장례식장의 운영을 위한 부속시설인 식당(접객실)으로 증축되어 그러한 용도로만 사용되고 있다는 이유로, 국토의 계획 및 이용에 관한 법률상 장례식장의 부속건축물로서 용도제한을 받는다고 본 원심의 판단을 수긍한 사례

[3] 피고인 등이 장례식장의 식당(접객실) 부분을 증축함에 있어 지방자치단체와 협의를 거쳤다거나 건설교통부에 관련 질의를 하였다고 하더라도, 형법 제16조의 법률의 착오에 있어서 '정당한 이유'가 있다고 볼 수 없다고 한 원심의 판단을 수긍한 사례

판결요지 [1] 구 의료법(2006.9.27. 법률 제8007호로 개정되기 전의 것) 제3조, 제32조, 구 의료법 시행규칙(2008. 4. 11. 보건복지가족부령 제11호로 개정되기 전의 것) 제28조의2 [별표 2]의 규정에 의하면 종합병원의 경우 시체실의 설치가 의무화되어 있고, 구 건축법 시행령(2006.5.8. 대통령령 제19466호로 개정되기 전의 것) 제2조 제1항에 의하면 관계 법령에서 주된 용도의 부수시설로 그 설치를 의무화하고 있는 시설의 용도는 건축물의 주된 용도의 기능에 필수적인 용도로서 '부속용도'에 해당하므로, 종합병원의 의무적 설치 시설인 시체실의 용도는 종합병원의 부속용도에 해당한다고 할 것이나, 구 건축법(2006.9.27. 법률 제8014호로 개정되기 전의 것) 제2조, 구 건축법 시행령 제3조의4 [별표 1]의 규정에 의하면 '건축물의 용도'라 함은 건축물의 종류를 유사한 구조·이용목적 및 형태별로 묶어 분류한 것을 말하고, 건축물의 종류를 분류함에 있어 의료시설은 병원(종합병원·병원·치과병원·한방병원·정신병원 및 요양소를 말한다), 격리병원(전염병원·마약진료소 기타 이와 유사한 것을 말한다), 장례식장으로 그 건축물의 용도가 명확히 구분되어 있으므로, 종합병원이라 하더라도 의무적 설치 시설인 시체실에 더하여 장례의식에 필요한 각종 부대시설(예식실, 분향소, 식당 등) 등을 추가하는 등으로 이를 장례식장의 용도로 변경·사용하는 경우에는 더 이상 종합병원의 부속용도에 해당한다고 볼 수 없어, 종합병원이 아닌 경우와 마찬가지로 관련 법령에 따른 용도변경의 제한을 받는다.

[2] 당해 장례식장이 종합병원의 의무적 설치 시설인 시체실에 더하여 장례의식에 필요한 각종 부대시설인 예식실, 분향소, 식당 등을 갖추고 있으므로 종합병원의 '부속용도'에 해당한다고 볼 수 없고, 위 장례식장의 각종 부대시설 중 시체실, 예식실, 분향소 등 대부분은 상업지역 안에 위치하고 있으나, 증축 부분 1,081㎡는 제2종

일반주거지역 안에 위치하고 있고, 그 증축의 경위와 목적, 위치와 구조 및 용도 등에 비추어 장례식장 운영을 위한 부대시설인 식당(접객실)으로 증축되어 그러한 용도로만 사용되고 있는 장례식장의 부속건축물이라 할 것이어서, 그 용도에 관하여는 주된 건축물인 장례식장에 대한 건축제한에 따라야 할 것이므로, 장례식장의 건축이나 용도변경이 제한되는 제2종 일반주거지역 안에서 장례식장의 부속건축물에 해당하는 식당(접객실)을 건축하거나 그와 같은 용도로 변경하는 행위는, 구 국토의 계획 및 이용에 관한 법률 제76조 등의 규정에 의한 용도제한을 위반하는 것이라는 원심의 판단을 수긍한 사례.

[3] 피고인 또는 충청남도가 장례식장의 식당(접객실) 부분을 증축함에 있어 홍성군과 그 증축에 관한 협의 과정을 거쳤고 건설교통부에 관련 질의도 했던 것으로 보이나, 홍성군과의 협의는 증축부분이 장례식장이 아닌 '병원'의 부속건물임을 전제로 한 것이고 그에 관한 건축물대장에의 기재나 사용승인 또한 마찬가지이며, 건설교통부의 질의회신도 종합병원의 경우 일반적으로 장례식장의 설치나 운영이 그 부속시설로서 허용된다는 취지가 아니라 종합병원에 입원한 환자가 사망한 경우 그 장례의식을 위한 시설의 설치는 부속용도로 볼 수 있다는 취지에 불과하므로, 위와 같은 협의나 질의를 거쳤다는 사정만으로 이 사건 장례식장의 설치·운영에 관하여 피고인이 자신의 행위가 죄가 되지 아니하는 것으로 오인하였거나 그와 같은 오인에 정당한 이유가 있었다고 할 수 없다고 본 원심의 판단을 수긍한 사례

대법원판례 건축법 위반(대문이 건축물인지 여부 등)

대법원 2006도8935, 2007.3.16.

판시사항 [1] 종전에 없던 대문을 새로이 축조하는 것이 건축물의 증축에 해당하는지 여부(적극)

[2] 대문이 건축선의 제한을 받는지 여부(적극)

[3] 건축선의 결정 기준 및 건축선을 위반하여 대문을 축조한 이후에 그 부지 부분을 매수하였다면, 위 건축행위가 사후적으로 적법하게 되는지 여부(소극)

판결이유 [1] 대문은 건물에 부수되는 시설물로서 구 건축법(2005. 11. 8. 법률 제7696호로 개정되기 전의 것, 이하 '법'이라고만 한다) 제2조 제1항 제2호가 규정하는 건축물에 해당한다고 할 것이므로 종전에 없던 대문을 새로이 축조하는 것은 건축물의 증축에 해당하고, 그 증축면적이 85㎡ 이내인 경우에는 법 제9조 제1항 제1호의 규정에 따라 관할관청에 신고하여야 한다고 할 것이다.

한편, 법 제37조 제1항 본문은 "건축물 및 담장은 건축선을 넘어서는 아니된다."고 규정하고 있는데, 대문은 건축물이므로 건축선의 제한을 받는다고 할 것이다.

같은 취지의 원심판결은 정당하고, 거기에 상고이유의 주장과 같은 사실오인이나 법리오해 등의 위법이 있다고 할 수 없다.

상고이유의 주장은 대문이 건축물에 해당하는 것이 아니라 법 제72조 제1항, 법 시행령 제118조 제1항이 규정하는 공작물에 해당한다는 것을 전제로 하는 것이어서 받아들일 수 없다.

[2] 법 제36조 제1항은 건축선은 도로와 접한 부분에 있어서 대지와 도로의 경계선으로 하되, 너비가 4m에 미달하는 도로인 경우에는 그 중심으로부터 4m의 2분의 1에 상당하는 수평거리를 후퇴한 선을 건축선으로 한다고 규정하고 있으므로 건축선은 대지와 도로와의 관계에 따라 정해지는 것일 뿐 그 대지나 도로의 소유권의 귀속과는 아무런 관계가 없다고 할 것이므로 피고인이 이 사건 대문을 축조한 이후에 그 부지 부분을 매수하였다고 하더라도 그러한 사정만으로는 건축선을 위반한 건축행위가 사후적으로 적법하게 되는 것이라고는 할 수 없다.

같은 취지의 원심판결은 정당하고, 거기에 상고이유의 주장과 같은 사실오인이나 법리오해 등의 위법이 있다고 할 수 없다.

[3] 그러므로 상고를 기각하기로 하여 관여 법관의 일치된 의견으로 주문과 같이 판결한다.

대법원판례 건축법 위반(무도학원의 의미 등)

대법원 2006도5130, 2007.1.25.

판시사항 [1] 구 건축법상의 무도학원에 해당하는지 여부의 판단 기준 및 무도학원의 의미

[2] 관할관청에 신고 없이 근린생활시설인 건물 부분을 무도학원으로 용도변경하는 행위가 구 건축법 위반에 해당한다고 한 사례

판결요지 [1] 구 건축법(2005.11.8. 법률 제7696호로 개정되기 전의 것)이 무도학원의 정의와 관련하여 체육시설법령에 따른다는 명문의 규정을 두고 있지 않은 이상 무도학원에 해당하는지 여부는 건축법의 독자적인 기준에 따라 판단하여야 할 것인바, 건축법의 목적, 무도학원의 사전적 의미, 건축법이 무도장을 유흥주점·특수목욕장 등과 같은 용도인 위락시설의 일종으로 분류하여 용도변경을 엄격하게 제한하고 있는 것은 무도학원이 무분별하게 설치·운영될 경우 선량한 풍속을 저해할 우려가 있다는 데 그 취지가 있다고 보이는 점, 따라서 국제표준무도(볼룸댄스) 이외의 무도 교습이 이루어지는 학원이라고 하여 특별히 건축법상 용도변경에 관한 규제를 완화할 이유가 없고, 오히려 국제표준무도가 아닌 무도인 이른바 사교댄스 등은 국제표준무도(볼룸댄스)에 비하여 건전한 풍속을 해칠 우려가 상대적으로 더 커 용도변경의 규제 필요성이 더욱 크다고 할 수 있는 점 등을 종합하여 보면, 건축법상 위락시설의 일종인 무도학원은 교습하는 무도(춤)의 종류를 불문하고 일반적으로 유료로 무도(춤)의 교습이 이루어지는 시설을 지칭하는 것이라고 해석함이 상당하다.

[2] 관할관청에 신고 없이 근린생활시설인 건물 부분을 무도학원으로 용도변경한 행위가 구 건축법(2005.11.8. 법률 제7696호로 개정되기 전의 것) 위반에 해당한다고 한 사례.

대법원판례 손해배상(기)

대법원 98다52988, 2001.2.9.

판시사항 [1] 도시계획시설물에 대한 건축허가의 경우 건폐율 산정기준이 되는 대지의 범위

[2] 도시계획사업시행자가 건축허가가 된 대상토지 중 일부에 대한 소유권 내지 사용권을 취득하지 못한 경우 건축허가를 취소할 수 있는지 여부(소극)

[3] 법규해석을 그르쳐 위법한 행정처분을 한 행정청의 귀책사유 유무

판결요지 [1] 건폐율에 관한 법령의 규정은 당해 토지와 인근 토지의 이용관계를 조절하며, 토지의 규모나 도로사정 등을 고려하여 토지의 적정한 이용을 확보하기 위한 것이고, 도시계획시설에 해당하는 건축물이 설치되는 일단의 토지는 여러 필지의 토지라도 하나의 대지로 보도록 되어 있으므로 건축허가의 대상이 된 도시계획시설이 설치될 일단의 토지 중 아직 소유권이나 사용권을 취득하지 못한 토지가 있다고 하더라도 이를 포함하여 건폐율을 산정하여야 할 것이다.

[2] 구 도시계획법(2000.1.28. 법률 제6243호로 개정되기 전의 것) 제25조에 의한 도시계획실시계획의 인가를 받은 도시계획사업의 시행자는 같은 법 제29조 및 제30조에 따라 도시계획사업구역으로 지정된 토지를 도시계획사업의 시행기간 내에는 토지수용법이 정하는 바에 의하여 협의취득하거나 수용 또는 사용할 수 있으므로 건축허가 신청 당시 그 대지 중 일부에 대하여 도시계획사업의 시행자가 그 소유 또는 사용권을 아직 취득하지 못한 것을 하자로 보더라도 도시계획사업의 준공예정일이 경과하기 전까지는 그 치유가 불가능하다고 단정할 수는 없다고 할 것이고, 더욱이 건축허가를 받게 되면 그 허가를 기초로 하여 일정한 사실관계와 법률관계를 형성하게 되므로 그 허가를 취소함에 있어서는 허가를 받은 자가 입게 될 불이익과 건축행정상의 공익 및 제3자의 이익을 허가조건 위반의 정도와 비교·교량하여 개인적 이익을 희생시켜도 부득이하다고 인정되는 경우가 아니면 함부로 그 허가를 취소할 수 없는 것이므로, 건축허가가 된 대지 중 일부에 대하여 아직 도시계획사업시행자가 소유권 내지 사용권을 취득하지 못하고 있었다는 사정만으로 건축허가를 취소할 정도의 하자라고 할 수는 없다.

2

건축물의 건축

1장 총칙에서는 「건축법」의 규정내용, 목적과 용어의 정의 및 면적·높이 등의 산정방법에 관하여 설명하였다. 이에 관한 내용의 정확한 이해는 「건축법」의 올바른 해석의 근본이 된다.

2장에서는 건축물의 설계, 건축허가(신고), 시공·감리 및 사용승인의 과정을 설명하고, 관련법과의 관계규정 등을 정리하였다.
건축물은 건축허가 등의 건축물의 건축에 관한 규정을 통하여 비로소 실체화될 수 있다. 건축물의 건축에 관한 내용은 크게 설계, 시공·감리, 사용승인 및 유지관리(「건축법」 제3장 ➡「건축물관리법」으로 이관/시행 2020.5.1., 관련 법조문은 제3권 3단 편집 참조)로 구분된다.

구분	건축물의 건축																
	설계·허가(신고)							시공·감리					사용승인·유지관리				
규정내용	설계자규제	사전결정	사전승인	건축허가	건축신고	가설건축물	해체·멸실신고 ※	착공신고	시공자규제	허용오차	공사감리	공사완료	조사·검사업무의 대행	사용승인	건축물대장	용도변경	유지관리 ※

※ 「건축물관리법」 제정으로 「건축법」에서 삭제되어 이관 됨(시행 2020.5.1.)

건 축 법
1. 총 칙
2. 건 축
3. 유지관리
4. 대지도로
5. 구조재료
6. 지역지구
7. 건축설비
8. 특별건축구역
9. 보 칙
10. 벌 칙
건 축 법 관련기준

1 설 계(법 제23조)(영 제18조)

법 제23조【건축물의 설계】

① 제11조제1항에 따라 건축허가를 받아야 하거나 제14조제1항에 따라 건축신고를 하여야 하는 건축물 또는 「주택법」 제66조제1항 또는 제2항에 따른 리모델링을 하는 건축물의 건축등을 위한 설계는 건축사가 아니면 할 수 없다. 다만, 다음 각 호의 어느 하나에 해당하는 경우에는 그러하지 아니하다. <개정 2016.1.19.>

1. 바닥면적의 합계가 85제곱미터 미만인 증축 · 개축 또는 재축
2. 연면적이 200제곱미터 미만이고 층수가 3층 미만인 건축물의 대수선
3. 그 밖에 건축물의 특수성과 용도 등을 고려하여 대통령령으로 정하는 건축물의 건축등

② 설계자는 건축물이 이 법과 이 법에 따른 명령이나 처분, 그 밖의 관계 법령에 맞고 안전 · 기능 및 미관에 지장이 없도록 설계하여야 하며, 국토교통부장관이 정하여 고시하는 설계도서 작성기준에 따라 설계도서를 작성하여야 한다. 다만, 해당 건축물의 공법(工法) 등이 특수한 경우로서 국토교통부령으로 정하는 바에 따라 건축위원회의 심의를 거친 때에는 그러하지 아니하다.

③ 제2항에 따라 설계도서를 작성한 설계자는 설계가 이 법과 이 법에 따른 명령이나 처분, 그 밖의 관계 법령에 맞게 작성되었는지를 확인한 후 설계도서에 서명날인하여야 한다.

④ 국토교통부장관이 국토교통부령으로 정하는 바에 따라 작성하거나 인정하는 표준설계도서나 특수한 공법을 적용한 설계도서에 따라 건축물을 건축하는 경우에는 제1항을 적용하지 아니한다.

영 제18조【설계도서의 작성】

법 제23조제1항제3호에서 "대통령령으로 정하는 건축물"이란 다음 각 호의 어느 하나에 해당하는 건축물을 말한다. <개정 2016.6.30.>

1. 읍 · 면지역(시장 또는 군수가 지역계획 또는 도시 · 군계획에 지장이 있다고 인정하여 지정 · 공고한 구역은 제외한다)에서 건축하는 건축물 중 연면적이 200제곱미터 이하인 창고 및 농막(「농지법」에 따른 농막을 말한다)과 연면적 400제곱미터 이하인 축사, 작물재배사, 종묘배양시설, 화초 및 분재 등의 온실
2. 제15조제5항 각 호의 어느 하나에 해당하는 가설건축물로서 건축조례로 정하는 가설건축물

해설 건축물의 설계는 건축사가 자기책임하에 건축물의 설계도서를 「건축법」 및 기타 관계법령의 규정에 적합하고, 안전·기능·미관 및 환경에 지장이 없도록 작성하여야 한다.

한편, 표준설계도서에 의한 건축물, 특수공법을 적용한 건축물, 바닥면적의 합계가 85㎡ 미만의 증축·개축·재축 등과 신고대상 가설건축물로서 건축조례로 정하는 것은 건축사의 설계에 의하지 않고도 예외가 인정된다.

건 축 법
1. 총 칙
2. 건 축
3. 유지관리
4. 대지도로
5. 구조재료
6. 지역지구
7. 건축설비
8. 특별건축구역
9. 보 칙
10. 벌 칙
건 축 법 관련기준

1 설 계

■ 설계자 규제(건축사가 아니면 설계할 수 없는 건축물)

건축사 설계 대상	예 외
다음 건축물의 건축등을 위한 설계 ① 건축허가 대상 건축물 ② 건축신고 대상 건축물 ③ 허가 대상 가설건축물 ④ 「주택법」에 따른 리모델링을 하는 건축물 관계법1 ⑤ 바닥면적의 합계 500㎡ 이상인 허가대상 용도변경 설계	① 바닥면적의 합계가 85㎡ 미만의 증축·개축 또는 재축 ② 연면적이 200㎡ 미만이고 층수가 3층 미만인 건축물의 대수선 ③ 국토교통부장관이 작성하거나 인정하는 표준설계도서에 따라 건축하는 건축물 관계법2 ④ 특수한 공법을 적용한 설계도서에 따라 건축하는 건축물 ⑤ 읍·면지역(시장·군수가 지역계획 또는 도시·군계획에 지장이 있다고 인정하여 지정·공고한 구역은 제외)에서 건축하는 건축물 중 연면적이 200㎡ 이하인 창고 및 농막(「농지법」에 따른 농막을 말한다. 관계법3)과 연면적 400㎡ 이하인 축사, 작물재배사, 종묘배양시설, 화초 및 분재 등의 온실 ⑥ 신고대상 가설건축물로서 건축조례로 정하는 가설건축물

설계도서	• 공사용 도면	• 구조계산서	• 시방서
	• 건축설비 관계서류	• 토질 및 지질 관계서류	

■ 설계도서의 작성 - 설계자는 설계도서 작성의 경우
① 이 법 및 이 법의 규정에 의한 명령이나 처분, 그 밖의 관계법령에 맞고,
② 안전, 기능, 미관에 지장이 없도록 설계하여야 하며,
③ 건축물의 설계도서 작성기준(국토교통부고시 제2016-1025호, 2016.12.30.)에 따라, 설계도서를 작성하여야 한다.

예외 해당 건축물의 공법 등이 특수한 경우로서 건축위원회의 심의를 거친 경우 그렇지 않다.

■ 서명날인
설계도서를 작성한 설계자는 설계가 「건축법」과 「건축법」에 따른 명령이나 처분 및 그 밖의 관계법령에 맞게 작성되었는지를 확인한 후 설계도서에 서명날인하여야 한다.

■ 건축주와의 계약
건축관계자 상호간의 책임에 관한 내용 및 범위는 건축주와 설계자, 건축주와 공사시공자, 건축주와 공사감리자 사이의 계약으로 정함

관계법1 공동주택의 리모델링관련 규정(「주택법」 제66조 제1항, 제2항)

법 제66조【리모델링의 허가 등】① 공동주택(부대시설과 복리시설을 포함한다)의 입주자 · 사용자 또는 관리주체가 공동주택을 리모델링하려고 하는 경우에는 허가와 관련된 면적, 세대수 또는 입주자 등의 동의 비율에 관하여 대통령령으로 정하는 기준 및 절차 등에 따라 시장 · 군수 · 구청장의 허가를 받아야 한다.
② 제1항에도 불구하고 대통령령으로 정하는 기준 및 절차 등에 따라 리모델링 결의를 한 리모델링주택조합이나 소유자 전원의 동의를 받은 입주자대표회의(「공동주택관리법」 제2조제1항제8호에 따른 입주자대표회의를 말하며, 이하 "입주자대표회의"라 한다)가 시장 · 군수 · 구청장의 허가를 받아 리모델링을 할 수 있다. <개정 2020.1.23>

관계법2 표준설계도서·특수한 공법을 적용한 설계도서(「표준설계도서등의운영에관한규칙」 제1조의2)

규칙 제1조의2 【정의】

1. "표준설계도서"라 함은 국토교통부장관이 작성한 설계도서와 중앙행정기관의 장이 작성하거나 특별시장·광역시장 또는 도지사(이하 "시·도지사"라 한다)나 대한주택공사의 장이 작성한 설계도서로서 이 규칙이 정하는 바에 따라 국토교통부장관이 인정한 것을 말한다.
2. "특수한 공법을 적용한 설계도서"라 함은 다음 각목의 1에 해당하는 것으로서 국토교통부장관이 인정한 설계도서를 말한다.
   가. 건축물의구조기준등에관한규칙을 적용하기 곤란한 구조의 건축물(건축물의 일부를 포함한다)에 관한 것
   나. 조립식공법으로서 공사비의 절감, 공사기간의 단축 또는 대량건설에 기여할 수 있는 공법에 관한 것

【참고1】 농촌주택 표준설계도서의 예(국토교통부 공고 제2014-1548호, 2014.12.15)

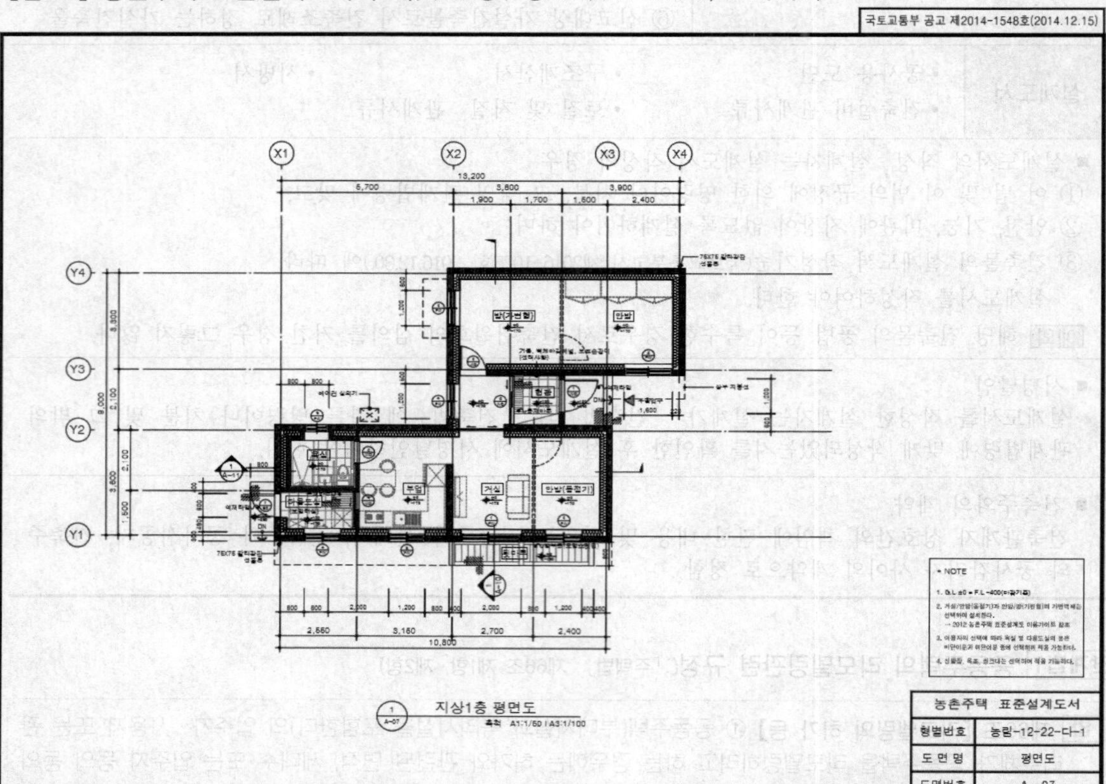

【참고2】 건축물의 설계도서 작성기준(국토교통부고시 제2016-1025호, 2016.12.30.)

1. 목적

이 기준은 「건축법」 제23조제2항에 따라 설계자가 건축물을 설계함에 있어 이에 필요한 설계도서의 작성기준 등을 정하여 양질의 건축물을 건축하도록 함을 목적으로 한다.

2. 용어의 정의

2.1. "설계도서" 라 함은 건축물의 건축 등에 관한 공사용의 도면과 구조계산서 및 시방서 기타 다음 각 호의 서류를 말한다.

가.건축설비계산 관계서류

나.토질 및 지질 관계서류

다.기타 공사에 필요한 서류

2.2. "설계" 라 함은 건축사가 자기책임하에(보조자의 조력을 받는 경우를 포함한다) 건축물의 건축 · 대수선, 용도변경, 리모델링, 건축설비의 설치 또는 공작물의 축조를 위한 설계도서를 작성하고 그 설계도서에서 의도한 바를 설명하며 지도 · 자문하는 행위를 말한다.

2.3."기획업무"라 함은 건축물의 규모검토, 현장조사, 설계지침 등 건축설계 발주에 필요하여 건축주가 사전에 요구하는 설계업무를 말한다.

2.4."건축설계업무"라 함은 건축주의 요구를 받아 수행하는 건축물의 계획(설계목표, 디자인 개념의 설정), 연관분야의 다각적 검토(인,허가 관련 사항 포함), 계약 및 공사에 필요한 도서의 작성 등의 업무를 말하며, "계획설계", "중간설계", "실시설계" 로 구분된다.

2.5."계획설계"라 함은 건축사가 건축주로부터 제공된 자료와 기획업무 내용을 참작하여 건축물의 규모, 예산, 기능, 질, 미관 및 경관적 측면에서 설계목표를 정하고 그에 대한 가능한 계획을 제시하는 단계로서, 디자인 개념의 설정 및 연관분야(구조, 기계, 전기, 토목, 조경 등을 말한다. 이하 같다)의 기본시스템이 검토된 계획안을 건축주에게 제안하여 승인을 받는 단계이다.

2.6. "중간설계(건축법 제8조제3항에 의한 기본설계도서를 포함한다. 이하 같다)" 라 함은 계획설계 내용을 구체화하여 발전된 안을 정하고, 실시설계 단계에서의 변경 가능성을 최소화하기 위해 다각적인 검토가 이루어지는 단계로서, 연관분야의 시스템 확정에 따른 각종 자재, 장비의 규모, 용량이 구체화된 설계도서를 작성하여 건축주로부터 승인을 받는 단계이다.

2.7. "실시설계" 라 함은 중간설계를 바탕으로 하여 입찰, 계약 및 공사에 필요한 설계도서를 작성하는 단계로서, 공사의 범위, 양, 질, 치수, 위치, 재질, 질감, 색상 등을 결정하여 설계도서를 작성하며, 시공 중 조정에 대해서는 사후설계관리업무 단계에서 수행방법 등을 명시한다.

2.8. "사후설계관리업무" 라 함은 건축설계가 완료된 후 공사시공 과정에서 건축사의 설계의도가 충분히 반영되도록 설계도서의 해석, 자문, 현장여건 변화 및 업체선정에 따른 자재와 장비의 치수 · 위치 · 재질 · 질감 · 색상 · 규격 등의 선정 및 변경에 대한 검토 · 보완 등을 위하여 수행하는 설계업무를 말한다.

2.9."설계자"란 자기의 책임(보조자의 도움을 받는 경우를 포함한다)으로 설계도서를 작성하고 그 설계도서에서 의도하는 바를 해설하며, 지도하고 자문에 응하는 자를 말한다.

3.0."건축주"란 건축물의 건축 · 대수선 · 용도변경, 건축설비의 설치 또는 공작물의 축조에 관한 공사를 발주하거나 현장 관리인을 두어 스스로 그 공사를 하는 자를 말한다.

3. 적용범위

3.1. 이 기준은 설계자가 건축주의 위탁을 받아 건축물에 관한 설계도서를 작성하는데 적용한다.

3.2. 공사계획의 변경으로 인하여 설계도서를 변경하는 경우에도 이 기준을 적용한다.

3.3.「주택법」 제15조제1항에 따라 사업승인을 받아 건설하는 주택을 설계하는 경우에는 동법에 따른다.

3.4. 공공건축물, 대규모산업시설 등 국토교통부장관이 별도로 정하여 설계도서 작성기준을 고시한 경우에는 그에 따른다.

4. 설계도서의 작성

설계도서는 [별표]에서 정하는 설계도서 작성방법에 의하여 작성하되, 「건축법」 제15조에 따른 설계자와 건축주간의 설계계약서에서 정하는 바에 따라 그 범위를 조정한다.

5. 설계도서의 제출

5.1. 「건축법」 제11조제3항의 규정에 의하여 건축물을 건축하거나 대수선하려는 자가 허가를 받고자 할 때에는 허가신청서에 중간설계 도서내용 중 「건축법 시행규칙」 제6조제1항 [별표2]에서 정하는 "허가신청에 필요한 설계도서"와 기타 관련 구비서류 등을 첨부하여 시장·군수·구청장에게 제출한다.

5.2. 「건축법」 제21조제1항에 따라 건축주가 착공신고를 할 때에는 착공신고서에 실시설계 도서내용 중 「건축법 시행규칙」 제14조제1항에 따른 설계도서와 건축주와 설계자, 건축주와 공사시공자 및 건축주와 공사감리자 상호간의 계약서 사본, 기타 관련 구비서류 등을 첨부하여 시장·군수·구청장에게 제출한다.

6. 흙막이 구조도면의 작성

지하 2층 이상의 지하층을 설치하는 경우 또는 지하 1층을 설치하는 경우로서 「건축법」 제27조에 따른 건축허가 현장조사·검사 또는 확인시 굴착으로 인하여 인접대지 석축 및 건축물 등에 영향이 있어 조치가 필요하다고 인정되는 경우에는 「건축법」에서 정하는 바에 의거 흙막이 구조도면을 작성하여 착공신고시에 제출한다.

7. 재료의 표기

7.1.건축물에 사용하는 건축재료는 성능 및 품명, 규격, 재질, 질감, 색상 등을 설계도면에 구체적으로 표기함을 원칙으로 한다.

7.2.설계도면에 표기할 수 없는 재료의 성능 및 재질 등에 관한 사항은 공사시방서에 표기한다.

8. 공사시방서의 작성

8.1.공사시방서에는 중간설계 및 실시설계도면에 구체적으로 표시할 수 없는 내용과 공사수행을 위한 시공 방법, 자재의 성능·규격 및 공법, 품질시험 및 검사 등 품질관리, 안전관리, 환경관리 등에 관한 사항을 기술한다.

8.2.공사시방서는 표준시방서 및 전문시방서를 기본으로 하여 작성하되, 공사의 특수성·지역여건·공사방법 등을 고려하여 작성한다.

9. 설계도서 해석의 우선순위

설계도서·법령해석·감리자의 지시 등이 서로 일치하지 아니하는 경우에 있어 계약으로 그 적용의 우선순위를 정하지 아니한 때에는 다음의 순서를 원칙으로 한다.

가. 공사시방서
나. 설계도면
다. 전문시방서
라. 표준시방서
마. 산출내역서
바. 승인된 상세시공도면
사. 관계법령의 유권해석
아. 감리자의 지시사항

10. 구조계산서의 작성

10.1.다음 각 호의 어느 하나에 해당하는 건축물을 건축하거나 대수선하는 경우에는 구조안전을 확인할 수 있도록 구조계산서(지진에 대한 안전을 포함한다)를 작성한다.

가. 층수가 3층(대지가 연약(軟弱)하여 건축물의 구조 안전을 확보할 필요가 있는 지역으로서 건축조례

로 정하는 지역에서는 2층) 이상인 건축물
나. 연면적이 500제곱미터 이상인 건축물(창고, 축사, 작물 재배사 및 표준설계도서에 따라 건축하는 건축물은 제외)
다. 높이가 13미터 이상인 건축물
라. 처마높이가 9미터 이상인 건축물
마. 기둥과 기둥 사이의 거리가 10미터 이상인 건축물
바.「건축물의 구조기준 등에 관한 규칙」 [별표10]에 따른 "지진구역 Ⅰ"의 지역에 건축하는 건축물로서 같은 규칙 [별표11]에 따른 중요도(특) 또는 중요도(1)에 해당하는 건축물
사. 국가적 문화유산으로 보존할 가치가 있는 건축물로서 박물관·기념관 그 밖에 이와 유사한 것으로서 연면적의 합계가 5천제곱미터 이상인 건축물
아.「건축법 시행령」 제2조제18호 가목 및 다목의 건축물

10.2. <삭 제>

10.3.구조내력의 기준 및 구조계산의 방법 등은 「건축물의 구조기준 등에 관한 규칙」이 정하는 바에 따르며, 이에 필요한 세부기준 등은 국토교통부장관이 작성 또는 승인한 기준이 정하는 바에 따른다.

11. 관계전문기술자의 협력

11.1.설계자는 「건축법 시행령」 제32조제1항에 따라 다음 각 호의 어느 하나에 해당하는 건축물에 대한 구조의 안전을 확인하는 경우에는 건축구조기술사의 협력을 받아야 하며, 구조 안전의 확인서류를 건축주에게 제출하여야 한다.
가. 6층 이상인 건축물
나.「건축법 시행령」 제2조제18의 특수구조 건축물
다.「건축법 시행령」 제2조제18의 다중이용 건축물
라.「건축법 시행령」 제2조제17조의2의 준다중이용 건축물
마.「건축법 시행령」 제32조제2항제6호에 해당하는 건축물 중 「건축물의 구조기준 등에 관한 규칙」 [별표10]에 따른 "지진구역Ⅰ"의 지역에 건축하는 건축물로서 같은 규칙 [별표11]에 따른 중요도(특)에 해당하는 건축물

11.2.「건축법 시행령」 제91조의3 제2항에 따라 연면적이 1만제곱미터 이상인 건축물(창고시설은 제외한다) 또는 에너지를 대량으로 소비하는 건축물로서 「건축물의 설비기준 등에 관한 규칙」 제2조의 규정에서 정하는 건축물은 다음 각 호의 구분에 따른 관계전문기술자의 협력을 받아야 한다.
가. 전기, 승강기(전기 분야만 해당한다) 및 피뢰침 : 「기술사법」에 따라 등록한 건축전기설비기술사 또는 발송배전기술사
나. 가스(제3호에 따른 가스설비는 제외한다)·급수·배수(配水)·배수(排水)·환기·난방·소화·배연·오물처리 설비 및 승강기(기계 분야만 해당한다) : 「기술사법」에 따라 등록한 건축기계설비기술사 또는 공조냉동기계기술사
다. 국토교통부령으로 정하는 범위 및 방법에 따라 바닥이나 벽 등에 매립 또는 매몰하여 설치하는 가스설비 : 「기술사법」에 따라 등록한 가스기술사

11.3.「건축법 시행령」 제91조의3 제3항에 따라 깊이 10미터이상의 토지굴착공사 또는 높이 5미터이상의 옹벽 등의 공사를 수반하는 건축물의 설계자는 토지 굴착 등에 관한 다음 각 호의 어느 하나에 해당하는 사항에 대하여 「기술사법」에 따라 등록한 토목분야 기술사 또는 국토개발분야 지질 및 기반 기술사의 협력을 받아야 한다.
가. 지질조사
나. 토공사의 설계 및 감리
다. 흙막이벽·옹벽설치 등에 관한 위해방지 및 기타 필요한 사항

12. 수량산출조서의 작성

설계도면을 작성·완료한 후에는 공종별로 재료의 수량산출내역서를 작성할 수 있다.

13. 건축제도 통칙의 적용
13.1. 이 기준에서 규정한 사항 이외에 설계도서의 작성에 필요한 사항은 한국산업규격 KS F 1501 건축제도 통칙이 정하는 바에 의한다.
13.2. BIM(Building Information Modeling)을 활용한 설계의 경우 이 기준과 한국산업규격 KS F 1501 건축제도 통칙에서 규정한 사항 이외에 설계도서의 작성에 필요한 사항은 국토교통부에서 별도로 정하여 공고하는 지침에 따라 작성할 수 있다.

14. 설계도서 작성자의 서명날인
설계도서를 작성하는데 참여한 자 및 협력한 관계전문기술자는 관계법령 및 그 규정에 의한 명령이나 처분 등에 적합하게 작성되었는지를 확인한 후 당해 도서에 서명 · 날인한다.

15. 적용의 예외
「건축법」 제23조제4항에 따라 「표준설계도서 등의 운영에 관한 규칙」에 의한 표준설계도서 또는 특수한 공법을 적용한 설계도서에 따라 건축물을 건축하는 경우에는 이 기준을 적용하지 아니한다.

16. 재검토 기한
국토교통부장관은 「훈령 · 예규 등의 발령 및 관리에 관한 규정」에 따라 이 고시에 대하여 2016년 7월 1일 기준으로 매3년이 되는 시점(매 3년째의 6월 30일까지를 말한다)마다 그 타당성을 검토하여 개선 등의 조치를 하여야 한다.

부칙 〈제2016-1025호, 2016.12.30〉
제1조 (시행일) 이 기준은 고시한 날부터 시행한다.

[별표] 설계도서 작성방법 ☞ 상세내용은 CD(1편) 참조
◇ 기획업무
① 계획설계의 도서내용
② 중간설계의 도서내용
가. 건축
나. 구조
다. 기계
라. 전기
마. 토목
바. 조경
③ 실시설계의 도서내용
가. 건축
나. 구조
다. 기계
라. 전기
마. 토목
바. 조경

관계법3 농막(「농지법 시행규칙」 제3조의2)

규칙 제3조의2【농막등의 범위】
1. 농막: 농작업에 직접 필요한 농자재 및 농기계 보관, 수확 농산물 간이 처리 또는 농작업 중 일시 휴식을 위하여 설치하는 시설(연면적 20제곱미터 이하이고, 주거 목적이 아닌 경우로 한정한다)
2., 3. "생략"

2 건축에 관한 입지 및 규모의 사전결정 (법 제10조)(규칙 제4조, 제5조)

법 제10조【건축 관련 입지와 규모의 사전결정】

① 제11조에 따른 건축허가 대상 건축물을 건축하려는 자는 건축허가를 신청하기 전에 허가권자에게 그 건축물의 건축에 관한 다음 각 호의 사항에 대한 사전결정을 신청할 수 있다. <개정 2015.5.18.>

1. 해당 대지에 건축하는 것이 이 법이나 관계 법령에서 허용되는지 여부
2. 이 법 또는 관계 법령에 따른 건축기준 및 건축제한, 그 완화에 관한 사항 등을 고려하여 해당 대지에 건축 가능한 건축물의 규모
3. 건축허가를 받기 위하여 신청자가 고려하여야 할 사항

② 제1항에 따른 사전결정을 신청하는 자(이하 "사전결정신청자"라 한다)는 건축위원회 심의와 「도시교통정비 촉진법」에 따른 교통영향평가서의 검토를 동시에 신청할 수 있다. <개정 2015.7.24.>

③ 허가권자는 제1항에 따라 사전결정이 신청된 건축물의 대지면적이 「환경영향평가법」 제43조에 따른 소규모 환경영향평가 대상사업인 경우 환경부장관이나 지방환경관서의 장과 소규모 환경영향평가에 관한 협의를 하여야 한다.

④ 허가권자는 제1항과 제2항에 따른 신청을 받으면 입지, 건축물의 규모, 용도 등을 사전결정한 후 사전결정 신청자에게 알려야 한다.

⑤ 제1항과 제2항에 따른 신청 절차, 신청 서류, 통지 등에 필요한 사항은 국토교통부령으로 정한다.

⑥ 제4항에 따른 사전결정 통지를 받은 경우에는 다음 각 호의 허가를 받거나 신고 또는 협의를 한 것으로 본다.

1. 「국토의 계획 및 이용에 관한 법률」 제56조에 따른 개발행위허가
2. 「산지관리법」 제14조와 제15조에 따른 산지전용허가와 산지전용신고, 같은 법 제15조의2에 따른 산지일시사용허가 · 신고. 다만, 보전산지인 경우에는 도시지역만 해당된다.
3. 「농지법」 제34조, 제35조 및 제43조에 따른 농지전용허가 · 신고 및 협의
4. 「하천법」 제33조에 따른 하천점용허가

⑦ 허가권자는 제6항 각 호의 어느 하나에 해당되는 내용이 포함된 사전결정을 하려면 미리 관계 행정기관의 장과 협의하여야 하며, 협의를 요청받은 관계 행정기관의 장은 요청받은 날부터 15일 이내에 의견을 제출하여야 한다.

⑧ 관계 행정기관의 장이 제7항에서 정한 기간(「민원 처리에 관한 법률」 제20조제2항에 따라 회신기간을 연장한 경우에는 그 연장된 기간을 말한다) 내에 의견을 제출하지 아니하면 협의가 이루어진 것으로 본다. <신설 2018.12.18.>

⑨ 사전결정신청자는 제4항에 따른 사전결정을 통지받은 날부터 2년 이내에 제11조에 따른 건축허가를 신청하여야 하며, 이 기간에 건축허가를 신청하지 아니하면 사전결정의 효력이 상실된다. <개정 2018.12.18.>

규칙 제4조【건축에 관한 입지 및 규모의 사전결정신청시 제출서류】

법 제10조제1항 및 제2항에 따른 사전결정을 신청하는 자는 별지 제1호의2서식의 사전결정 신청서에 다음 각 호의 도서를 첨부하여 법 제11조제1항에 따른 허가권자(이하 "허가권자"라 한다)에게 제출하여야 한다. <개정 2016.1.27.>

1. 영 제5조의5제6항제2호자목에 따라 제출되어야 하는 간략설계도서(법 제10조제2항에 따라 사전결정신청과 동시에 건축위원회의 심의를 신청하는 경우만 해당한다)
2. 「도시교통정비 촉진법」에 따른 교통영향평가서의 검토를 위하여 같은 법에서 제출하도록 한 서류(법 제10조제2항에 따라 사전결정신청과 동시에 교통영향평가서의 검토를 신청하는 경우만 해당한다)
3. 「환경정책기본법」에 따른 사전환경성검토를 위하여 같은 법에서 제출하도록 한 서류(법 제10조제1항에 따라 사전결정이 신청된 건축물의 대지면적 등이 「환경정책기본법」에 따른 사전환경성검토 협의대상인 경우만 해당한다)
4. 법 제10조제6항 각 호의 허가를 받거나 신고 또는 협의를 하기 위하여 해당법령에서 제출하도록 한 서류(해당사항이 있는 경우만 해당한다)
5. 별표 2 중 건축계획서(에너지절약계획서, 노인 및 장애인을 위한 편의시설 설치계획서는 제외한다) 및 배치도(조경계획은 제외한다)

규칙 제5조【건축에 관한 입지 및 규모의 사전결정서 등】
① 허가권자는 법 제7조제4항에 따라 사전결정을 한 후 별지 제1호의3서식의 사전결정서를 사전결정일부터 15일 이내에 사전결정을 신청한 자에게 송부하여야 한다. <개정 2014.11.28>
② 제1항에 따른 사전결정서에는 법·영 또는 해당지방자치단체의 건축에 관한 조례(이하 "건축조례"라 한다) 등(이하 "법령등"이라 한다)에의 적합 여부와 법 제10조제6항에 따른 관계법률의 허가·신고 또는 협의 여부를 표시하여야 한다.

해설 건축허가 대상 건축물을 건축하고자 하는 자는 건축허가 신청전에 허가권자에게 해당 건축물을 해당 대지에 건축하는 것이 허용되는 지의 여부에 대해 사전결정을 신청할 수 있게 함

【1】 사전결정의 신청

대 상	시 기	내 용	비 고
건축허가 대상 건축물	건축허가 신청전	① 해당 대지에 신청하는 것이 이 법이나 관계 법령에서 허용되는지의 여부 ② 이 법 또는 관계 법령에 따른 건축기준 및 건축제한, 그 완화에 관한 사항 등을 고려하여 해당 대지에 건축 가능한 건축물의 규모 ③ 건축허가를 받기 위하여 신청자가 고려하여야 할 사항	사전결정신청자는 -건축위원회심의와 -교통영향평가서의 검토를 동시에 신청할 수 있음

- 신청 건축물의 대지면적이 소규모 환경영향평가 대상사업(환경영향평가법 관계법)인 경우, 환경부장관 또는 지방환경관서의 장과 소규모 환경영향평가에 관한 협의를 하여야 함

관계법 소규모 환경영향평가 대상사업(「환경영향평가법」 제43조)

법 제43조【소규모 환경영향평가의 대상】 ① 다음 각 호 모두에 해당하는 개발사업(이하 "소규모 환경영향평가 대상사업"이라 한다)을 하려는 자(이하 이 장에서 "사업자"라 한다)는 소규모 환경영향평가를 실시하여야 한다.
1. 보전이 필요한 지역과 난개발이 우려되어 환경보전을 고려한 계획적 개발이 필요한 지역으로서 대통령령으로 정하는 지역(이하 "보전용도지역"이라 한다)에서 시행되는 개발사업

2. 환경영향평가 대상사업의 종류 및 범위에 해당하지 아니하는 개발사업으로서 대통령령으로 정하는 개발사업

② 제1항에도 불구하고 다음 각 호의 어느 하나에 해당하는 개발사업은 소규모 환경영향평가 대상에서 제외한다.

1. 「재난 및 안전관리 기본법」 제37조에 따른 응급조치를 위한 사업
2. 국방부장관이 군사상 고도의 기밀보호가 필요하거나 군사작전의 긴급한 수행을 위하여 필요하다고 인정하여 환경부장관과 협의한 개발사업
3. 국가정보원장이 국가안보를 위하여 고도의 기밀보호가 필요하다고 인정하여 환경부장관과 협의한 개발사업

【2】 신청서류

사전결정을 신청하는 자는 다음의 신청서 및 관련도서를 허가권자에게 제출하여야 함

1. 사전결정신청서(규칙 별지 제1호의2서식)
2. 간략설계도서(규칙 제2조의3)
   - 사전결정과 동시에 건축위원회의 심의를 신청하는 경우만 해당
3. 교통영향평가서의 검토를 위한 서류
   - 사전결정신청과 동시에 교통영향평가서의 검토를 신청하는 경우만 해당
4. 사전환경성검토를 위한 서류
   - 사전환경성검토 협의 대상인 경우만 해당
5. 허가를 받거나 신고 또는 협의를 하기 위하여 해당법령에서 제출하도록 한 서류
6. 건축계획서 및 배치도(규칙 별표 2 참조)

도서의 종류	내 용	
건축 계획서	1. 개요(위치·대지면적 등) 2. 지역·지구 및 도시계획사항 3. 건축물의 규모(건축면적·연면적·높이·층수 등)	4. 건축물의 용도별 면적 5. 주차장규모
배치도	1. 축척 및 방위 2. 대지에 접한 도로의 길이 및 너비 3. 대지의 종·횡단면도	4. 건축선 및 대지경계선으로부터 건축물까지의 거리 5. 주차동선 및 옥외주차계획 6. 공개공지

【3】 사전결정의 통지

① 허가권자는 입지, 건축물의 규모, 용도 등을 사전결정한 후 사전결정일부터 7일 이내에 신청자에게 사전결정서(별지 제1호의3서식)를 송부하여야 함

② 사전결정서에는 법 · 영 또는 해당지방자치단체의 건축조례 등에의 적합여부와 관계법률의 허가 · 신고 또는 협의 여부를 표시하여야 함

【4】 사전결정시 허가를 받거나 신고 또는 협의한 것으로 보는 법규정 및 의견 제출 기간

관 련 법 관계법	법 조 항	내 용
1. 국토의 계획 및 이용에 관한 법률	제56조	개발행위 허가
2. 산지관리법 (보전산지인 경우 도시지역만 해당)	제14조 제15조 제15조의2	산지전용허가 산지전용신고 산지일시사용허가 · 신고

3. 농지법	제34조 제35조 제43조	농지전용허가 · 협의 농지전용신고 농지전용허가의 특례
4. 하천법	제33조	하천점용허가 등

① 허가권자가 위 내용이 포함된 사전결정을 하려면 미리 관계 행정기관의 장과 협의하여야 하며, 관계 행정기관의 장은 요청받은 날부터 15일 이내에 의견을 제출하여야 한다.
② 관계 행정기관의 장이 위 ①에서 정한 기간*내에 의견을 제출하지 아니하면 협의가 이루어진 것으로 본다. (*「민원 처리에 관한 법률」 관계법 에 따라 회신기간을 연장한 경우 그 연장된 기간)

【5】 사전결정의 효력상실
사전결정신청자는 사전결정을 통지받은 날부터 2년 이내에 건축허가를 신청하지 아니하면 사전결정의 효력이 상실됨

관계법 앞 【4】에서 사전결정시 허가, 신고, 협의한 것으로 보는 관계법 규정 등

1. 국토의 계획 및 이용에 관한 법률

법 제56조【개발행위의 허가】① 다음 각 호의 어느 하나에 해당하는 행위로서 대통령령으로 정하는 행위(이하 "개발행위"라 한다)를 하려는 자는 특별시장 · 광역시장 · 특별자치시장 · 특별자치도지사 · 시장 또는 군수의 허가(이하 "개발행위허가"라 한다)를 받아야 한다. 다만, 도시 · 군계획사업(다른 법률에 따라 도시 · 군계획사업을 의제한 사업을 포함한다)에 의한 행위는 그러하지 아니하다. <개정 2018.8.14>
1. 건축물의 건축 또는 공작물의 설치
2. 토지의 형질 변경(경작을 위한 경우로서 대통령령으로 정하는 토지의 형질 변경은 제외한다)
3. 토석의 채취
4. 토지 분할(건축물이 있는 대지의 분할은 제외한다)
5. 녹지지역 · 관리지역 또는 자연환경보전지역에 물건을 1개월 이상 쌓아놓는 행위

② 개발행위허가를 받은 사항을 변경하는 경우에는 제1항을 준용한다. 다만, 대통령령으로 정하는 경미한 사항을 변경하는 경우에는 그러하지 아니하다.
③ 제1항에도 불구하고 제1항제2호 및 제3호의 개발행위 중 도시지역과 계획관리지역의 산림에서의 임도(林道) 설치와 사방사업에 관하여는 「산림자원의 조성 및 관리에 관한 법률」과 「사방사업법」에 따르고, 보전관리지역 · 생산관리지역 · 농림지역 및 자연환경보전지역의 산림에서의 제1항제2호(농업 · 임업 · 어업을 목적으로 하는 토지의 형질 변경만 해당한다) 및 제3호의 개발행위에 관하여는 「산지관리법」에 따른다.
④ 다음 각 호의 어느 하나에 해당하는 행위는 제1항에도 불구하고 개발행위허가를 받지 아니하고 할 수 있다. 다만, 제1호의 응급조치를 한 경우에는 1개월 이내에 특별시장 · 광역시장 · 특별자치시장 · 특별자치도지사 · 시장 또는 군수에게 신고하여야 한다.
1. 재해복구나 재난수습을 위한 응급조치
2. 「건축법」에 따라 신고하고 설치할 수 있는 건축물의 개축 · 증축 또는 재축과 이에 필요한 범위에서의 토지의 형질 변경(도시 · 군계획시설사업이 시행되지 아니하고 있는 도시 · 군계획시설의 부지인 경우만 가능하다)
3. 그 밖에 대통령령으로 정하는 경미한 행위

2. 산지관리법

법 제14조【산지전용허가】① 산지전용을 하려는 자는 그 용도를 정하여 대통령령으로 정하는 산지의 종류 및 면적 등의 구분에 따라 산림청장등의 허가를 받아야 하며, 허가받은 사항을 변경하려는 경우에도 같다. 다만, 농림축산식품부령으로 정하는 사항으로서 경미한 사항을 변경하려는 경우에는 산림청장등에

게 신고로 갈음할 수 있다.
② 산림청장등은 제1항 단서에 따른 변경신고를 받은 날부터 25일 이내에 신고수리 여부를 신고인에게 통지하여야 한다. <신설 2019.12.3.>
③ 산림청장등이 제2항에서 정한 기간 내에 신고수리 여부 또는 민원 처리 관련 법령에 따른 처리기간의 연장을 신고인에게 통지하지 아니하면 그 기간(민원 처리 관련 법령에 따라 처리기간이 연장 또는 재연장된 경우에는 해당 처리기간을 말한다)이 끝난 날의 다음 날에 신고를 수리한 것으로 본다. <신설 2019.12.3.>
④ 관계 행정기관의 장이 다른 법률에 따라 산지전용허가가 의제되는 행정처분을 하기 위하여 산림청장등에게 협의를 요청하는 경우에는 대통령령으로 정하는 바에 따라 제18조에 따른 산지전용허가기준에 맞는지를 검토하는 데에 필요한 서류를 산림청장등에게 제출하여야 한다. <개정 2019.12.3.>
⑤ 관계 행정기관의 장은 제4항에 따른 협의를 한 후 산지전용허가가 의제되는 행정처분을 하였을 때에는 지체 없이 산림청장등에게 통보하여야 한다. <개정 2019.12.3.>

법 제15조【산지전용신고】① 다음 각 호의 어느 하나에 해당하는 용도로 산지전용을 하려는 자는 제14조제1항에도 불구하고 국유림(「국유림의 경영 및 관리에 관한 법률」 제4조제1항에 따라 산림청장이 경영하고 관리하는 국유림을 말한다. 이하 같다)의 산지에 대하여는 산림청장에게, 국유림이 아닌 산림의 산지에 대하여는 시장·군수·구청장에게 신고하여야 한다. 신고한 사항 중 농림축산식품부령으로 정하는 사항을 변경하려는 경우에도 같다. <개정 2021.6.15>
1. 산림경영·산촌개발·임업시험연구를 위한 시설 및 수목원·산림생태원·자연휴양림·국가정원·지방정원 등 대통령령으로 정하는 산림공익시설과 그 부대시설의 설치
2. 농림어업인의 주택시설과 그 부대시설의 설치
3. 「건축법」에 따른 건축허가 또는 건축신고 대상이 되는 농림수산물의 창고·집하장·가공시설 등 대통령령으로 정하는 시설의 설치

② 제1항에 따른 산지전용신고의 절차, 신고대상 시설 및 행위의 범위, 설치지역, 설치조건 등에 관한 사항은 대통령령으로 정한다.
③ 제1항에 따른 산지전용신고 또는 변경신고를 받은 산림청장 또는 시장·군수·구청장은 그 신고내용이 제2항에 따른 신고대상 시설 및 행위의 범위, 설치지역, 설치조건 등을 충족하는 경우에는 농림축산식품부령으로 정하는 바에 따라 제1항에 따른 산지전용신고 또는 변경신고를 받은 날부터 10일 이내에 신고를 수리하여야 한다. <개정 2019.12.3.>
④ 산림청장 또는 시장·군수·구청장이 제3항에서 정한 기간 내에 신고수리 여부 또는 민원 처리 관련 법령에 따른 처리기간의 연장을 신고인에게 통지하지 아니하면 그 기간(민원 처리 관련 법령에 따라 처리기간이 연장 또는 재연장된 경우에는 해당 처리기간을 말한다)이 끝난 날의 다음 날에 신고를 수리한 것으로 본다. <신설 2019.12.3.>
⑤ 관계 행정기관의 장이 다른 법률에 따라 산지전용신고가 의제되는 행정처분을 하기 위한 산림청장 또는 시장·군수·구청장과의 협의 및 그 처분의 통보에 관하여는 제14조제4항 및 제5항을 준용한다. <개정 2019.12.3.>

법 제15조의2【산지일시사용허가·신고】①「광업법」에 따른 광물의 채굴,「광산피해의 방지 및 복구에 관한 법률」에 따른 광해방지사업, 「신에너지 및 재생에너지 개발·이용·보급 촉진법」 제2조제2호가목에 따른 태양에너지발전설비(이하 "산지태양광발전설비"라 한다)의 설치, 그 밖에 대통령령으로 정하는 용도로 산지일시사용을 하려는 자는 대통령령으로 정하는 산지의 종류 및 면적 등의 구분에 따라 산림청장등의 허가를 받아야 하며, 허가받은 사항을 변경하려는 경우에도 또한 같다. 다만, 농림축산식품부령으로 정하는 경미한 사항을 변경하려는 경우에는 산림청장등에게 신고로 갈음할 수 있다. <개정 2021.6.15>
② 산림청장등은 제1항 단서에 따른 변경신고를 받은 날부터 25일 이내에 신고수리 여부를 신고인에게 통지하여야 한다. <신설 2019.12.3.>
③ 산림청장등이 제2항에서 정한 기간 내에 신고수리 여부 또는 민원 처리 관련 법령에 따른 처리기간

건축법
1. 총 칙
2. 건 축
3. 유지관리
4. 대지도로
5. 구조재료
6. 지역지구
7. 건축설비
8. 특별건축구역
9. 보 칙
10. 벌 칙
건축법 관련기준

의 연장을 신고인에게 통지하지 아니하면 그 기간(민원 처리 관련 법령에 따라 처리기간이 연장 또는 재연장된 경우에는 해당 처리기간을 말한다)이 끝난 날의 다음 날에 신고를 수리한 것으로 본다. <신설 2019.12.3.>

④ 다음 각 호의 어느 하나에 해당하는 용도로 산지일시사용을 하려는 자는 국유림의 산지에 대하여는 산림청장에게, 국유림이 아닌 산림의 산지에 대하여는 시장·군수·구청장에게 신고하여야 한다. 신고한 사항 중 농림축산식품부령으로 정하는 사항을 변경하려는 경우에도 같다. <개정 2019.12.3, 2023.8.8./시행 2024.5.17>

1. 「건축법」에 따른 건축허가 또는 건축신고 대상이 아닌 간이 농림어업용 시설과 농림수산물 간이처리 시설의 설치
2. 석재·지하자원의 탐사시설 또는 시추시설의 설치(지질조사를 위한 시설의 설치를 포함한다)
3. 제10조제10호, 제12조제1항제14호 및 제12조제2항제6호에 따른 부대시설의 설치 및 물건의 적치
4. 산나물, 약초, 약용수종, 조경수·야생화 등 관상산림식물의 재배(성토 또는 절토 등을 통하여 지표면으로부터 높이 또는 깊이 50센티미터 이상 형질변경을 수반하는 경우에 한정한다)
5. 가축의 방목 및 해당 방목지에서 가축의 방목을 위하여 필요한 목초(牧草) 종자의 파종
6. 「매장문화재 보호 및 조사에 관한 법률」에 따른 매장문화재 지표조사(→ 「매장유산 보호 및 조사에 관한 법률」에 따른 매장유산 지표조사) <개정 2023.8.8./시행 2024.5.17>
7. 임도, 작업로, 임산물 운반로, 등산로·탐방로 등 숲길, 그 밖에 이와 유사한 산길의 조성
8. 「장사 등에 관한 법률」에 따른 수목장림의 설치
9. 「사방사업법」에 따른 사방시설의 설치
10. 산불의 예방 및 진화 등 대통령령으로 정하는 재해응급대책과 관련된 시설의 설치
11. 「전기통신사업법」 제2조제8호에 따른 전기통신사업자가 설치하는 대통령령으로 정하는 규모 이하의 무선전기통신 송수신시설
12. 그 밖에 농림축산식품부령으로 정하는 경미한 시설의 설치

⑤ 제1항 및 제4항에 따른 산지일시사용허가·신고의 절차, 기준, 조건, 기간·기간연장, 대상시설, 행위의 범위, 설치지역 및 설치조건 등에 필요한 사항은 대통령령으로 정한다. <개정 2019.12.3.>

⑥ 제4항에 따른 산지일시사용신고 또는 변경신고를 받은 산림청장 또는 시장·군수·구청장은 그 신고내용이 제5항에 따른 산지일시사용신고의 기준, 조건, 대상시설, 행위의 범위, 설치지역 등을 충족하는 경우에는 농림축산식품부령으로 정하는 바에 따라 제4항에 따른 산지일시사용신고 또는 변경신고를 받은 날부터 10일 이내에 신고를 수리하여야 한다. <개정 2019.12.3.>

⑦ 산림청장 또는 시장·군수·구청장이 제6항에서 정한 기간 내에 신고수리 여부 또는 민원 처리 관련 법령에 따른 처리기간의 연장을 신고인에게 통지하지 아니하면 그 기간(민원 처리 관련 법령에 따라 처리기간이 연장 또는 재연장된 경우에는 해당 처리기간을 말한다)이 끝난 날의 다음 날에 신고를 수리한 것으로 본다. <신설 2019.12.3.>

⑧ 관계 행정기관의 장이 다른 법률에 따라 산지일시사용허가·신고가 의제되는 행정처분을 하기 위한 산림청장등과의 협의 및 그 처분의 통보에 관하여는 제14조제4항 및 제5항을 준용한다. <개정 2019.12.3.>

⑨ 산지태양광발전설비를 설치하기 위하여 제1항에 따른 산지일시사용허가를 받으려는 자는 산림청장등에게 사면(斜面)에 대한 안정성 검토 결과를 포함한 재해위험성 검토의견서를 제출하여야 한다. 이 경우 재해위험성 검토의견서의 작성 및 제출 등에 필요한 사항은 농림축산식품부령으로 정한다. <신설 2021.6.15>

3. 농지법

법 제34조 【농지의 전용허가·협의】 ① 농지를 전용하려는 자는 다음 각 호의 어느 하나에 해당하는 경우 외에는 대통령령으로 정하는 바에 따라 농림축산식품부장관의 허가를 받아야 한다. 허가받은 농지의 면적 또는 경계 등 대통령령으로 정하는 중요 사항을 변경하려는 경우에도 또한 같다. <개정 2023.8.16., 2024.1.2>

1. 삭제 <2023.8.16>

1. 총 칙
2. 건 축
3. 유지관리
4. 대지도로
5. 구조재료
6. 지역지구
7. 건축설비
8. 특별건축구역
9. 보 칙
10. 벌 칙
건 축 법 관련기준

2.「국토의 계획 및 이용에 관한 법률」에 따른 도시지역 또는 계획관리지역에 있는 농지로서 제2항에 따른 협의를 거친 농지나 제2항제1호 단서에 따라 협의 대상에서 제외되는 농지를 전용하는 경우
3. 제35조에 따라 농지전용신고를 하고 농지를 전용하는 경우
4.「산지관리법」 제14조에 따른 산지전용허가를 받지 아니하거나 같은 법 제15조에 따른 산지전용신고를 하지 아니하고 불법으로 개간한 농지를 산림으로 복구하는 경우
5. 삭제 <2024.1.2.>

② 주무부장관이나 지방자치단체의 장은 다음 각 호의 어느 하나에 해당하면 대통령령으로 정하는 바에 따라 농림축산식품부장관과 미리 농지전용에 관한 협의를 하여야 한다. <개정 2024.1.2>

1.「국토의 계획 및 이용에 관한 법률」에 따른 도시지역에 주거지역·상업지역·공업지역을 지정하거나 같은 법에 따른 도시지역에 도시·군계획시설을 결정할 때에 해당 지역 예정지 또는 시설 예정지에 농지가 포함되어 있는 경우. 다만, 이미 지정된 주거지역·상업지역·공업지역을 다른 지역으로 변경하거나 이미 지정된 주거지역·상업지역·공업지역에 도시·군계획시설을 결정하는 경우는 제외한다.
1의2.「국토의 계획 및 이용에 관한 법률」에 따른 계획관리지역에 지구단위계획구역을 지정할 때에 해당 구역 예정지에 농지가 포함되어 있는 경우
2.「국토의 계획 및 이용에 관한 법률」에 따른 도시지역의 녹지지역 및 개발제한구역의 농지에 대하여 같은 법 제56조에 따라 개발행위를 허가하거나 「개발제한구역의 지정 및 관리에 관한 특별조치법」 제12조제1항 각 호 외의 부분 단서에 따라 토지의 형질변경허가를 하는 경우

법 **제35조【농지전용신고】** ① 농지를 다음 각 호의 어느 하나에 해당하는 시설의 부지로 전용하려는 자는 대통령령으로 정하는 바에 따라 시장·군수 또는 자치구구청장에게 신고하여야 한다. 신고한 사항을 변경하려는 경우에도 또한 같다.

1. 농업인 주택, 어업인 주택, 농축산업용 시설(제2조제1호나목에 따른 개량시설과 농축산물 생산시설은 제외한다), 농수산물 유통·가공 시설
2. 어린이놀이터·마을회관 등 농업인의 공동생활 편의 시설
3. 농수산 관련 연구 시설과 양어장·양식장 등 어업용 시설

② 시장·군수 또는 자치구구청장은 제1항에 따른 신고를 받은 경우 그 내용을 검토하여 이 법에 적합하면 신고를 수리하여야 한다. <신설 2020.2.11.>

③ 제1항에 따른 신고 대상 시설의 범위와 규모, 농업진흥지역에서의 설치 제한, 설치자의 범위 등에 관한 사항은 대통령령으로 정한다. <개정 2020.2.11.>

법 **제43조【농지전용허가의 특례】** 제34조제1항에 따른 농지전용허가를 받아야 하는 자가 제6조제2항제9호의2에 해당하는 농지를 전용하려면 제34조제1항 또는 제37조제1항에도 불구하고 대통령령으로 정하는 바에 따라 시장·군수 또는 자치구구청장에게 신고하고 농지를 전용할 수 있다.

4. 하천법

법 **제33조【하천의 점용허가 등】** ① 하천구역 안에서 다음 각 호의 어느 하나에 해당하는 행위를 하려는 자는 대통령령으로 정하는 바에 따라 하천관리청의 허가를 받아야 한다. 허가받은 사항 중 대통령령으로 정하는 중요한 사항을 변경하려는 경우에도 또한 같다.

1. 토지의 점용
2. 하천시설의 점용
3. 공작물의 신축·개축·변경
4. 토지의 굴착·성토·절토, 그 밖의 토지의 형질변경
5. 토석·모래·자갈의 채취
6. 그 밖에 하천의 보전·관리에 장애가 될 수 있는 행위로서 대통령령으로 정하는 행위

② 제1항에 따른 허가(이하 "하천점용 허가"라 한다)에는 하천의 오염으로 인한 공해, 그 밖의 보건위생상 위해를 방지함에 필요한 부관을 붙일 수 있다.

③ 하천관리청이 하천점용허가를 하고자 할 경우에는 다음 각 호의 사항을 고려하여야 한다. <개정 2017.1.17.>

1. 제13조에 따른 하천의 구조 · 시설 기준에의 적합 여부
2. 하천기본계획에의 적합 여부
3. 공작물의 설치로 인근 지대에 침수가 발생하지 아니하도록 하는 배수시설의 설치 여부
4. 하천수 사용 및 공작물 설치 등으로 하천시설에 미치는 영향

④ 하천관리청은 하천점용허가를 할 때 다음 각 호의 어느 하나에 해당하는 행위를 하기 위한 경우에는 이를 허가하여서는 아니 된다. <개정 2023.1.3.>

1. 대통령령으로 정하는 농약 또는 비료를 사용하여 농작물을 경작하는 행위
2. 대통령령으로 정하는 골재채취 등 하천 및 하천시설을 훼손하거나 훼손할 우려가 있는 행위
3. 가축을 방목하거나 사육하는 행위(「동물보호법」 제2조제8호에 따른 등록대상동물을 위한 운동 · 휴식 시설을 설치하는 경우는 제외한다)
4. 콘크리트 등의 재료를 사용하여 고정구조물을 설치하는 행위. 다만, 하천의 관리에 지장을 주지 아니하는 경우로서 대통령령으로 정하는 행위는 그러하지 아니하다.
5. 그 밖에 하천의 보전 및 관리에 지장을 주는 행위로서 대통령령으로 정하는 행위

⑤ 하천점용허가를 받은 자는 해당 허가를 받아 점용하고 있는 토지 또는 시설을 다른 사람에게 임대하거나 전대(轉貸)해서는 아니 된다. 다만, 국토교통부령으로 정하는 사유에 해당하는 경우에는 하천관리청의 승인을 받아 임대하거나 전대할 수 있다. <신설 2018.2.21.>

⑥ 제30조제10항은 제1항에 따른 허가사항이 제30조제1항 또는 제50조제1항에 따른 허가사항과 중복되거나 관련되는 경우에 준용한다. <개정 2020.12.22.>

⑦ 하천관리청은 하천점용허가를 한 때에는 대통령령으로 정하는 바에 따라 이를 고시하여야 한다. <개정 2018.2.21.>

⑧ 하천점용허가의 유효기간 및 세부적인 기준 등에 필요한 사항은 국토교통부령으로 정한다. <개정 2018.2.21.>

⑨ 제30조제3항은 하천점용허가에 관하여 준용하고, 제30조제5항부터 제9항까지의 규정은 제1항제3호(하천관리에 영향을 미치지 아니하는 경우로서 국토교통부령으로 정하는 경우는 제외한다) 또는 제4호에 따른 점용허가에 관하여 준용한다. <개정 2020.12.22.>

5. 민원처리에 관한 법률

법 제20조【관계 기관 · 부서 간의 협조】① 민원을 처리하는 주무부서는 민원을 처리할 때 관계 기관 · 부서의 협조가 필요한 경우에는 민원을 접수한 후 지체 없이 그 민원의 처리기간 내에서 회신기간을 정하여 협조를 요청하여야 하며, 요청받은 기관 · 부서는 그 회신기간 내에 이를 처리하여야 한다.

② 협조를 요청받은 기관 · 부서는 제1항에 따른 회신기간 내에 그 민원을 처리할 수 없는 특별한 사정이 있는 경우에는 그 회신기간의 범위에서 한 차례만 기간을 연장할 수 있다.

③ "생략"

3 건축허가(법 제11조)(영 제8조, 제9조, 제9조의2)(규칙 제6조, 제7조)

법 제11조【건축허가】

① 건축물을 건축하거나 대수선하려는 자는 특별자치시장 · 특별자치도지사 또는 시장 · 군수 · 구청장의 허가를 받아야 한다. 다만, 21층 이상의 건축물 등 대통령령으로 정하는 용도 및 규모의 건축물을 특별시나 광역시에 건축하려면 특별시장이나 광역시장의 허가를 받아야 한다. <개정 2014.1.14>

② 시장 · 군수는 제1항에 따라 다음 각 호의 어느 하나에 해당하는 건축물의 건축을 허가하려면 미리 건축계획서와 국토교통부령으로 정하는 건축물의 용도, 규모 및 형태가 표시된 기본설계도서를 첨부하여 도지사의 승인을 받아야 한다. <개정 2014.5.28>

1. 제1항 단서에 해당하는 건축물. 다만, 도시환경, 광역교통 등을 고려하여 해당 도의 조례로 정하는 건축물은 제외한다.
2. 자연환경이나 수질을 보호하기 위하여 도지사가 지정 · 공고한 구역에 건축하는 3층 이상 또는 연면적의 합계가 1천제곱미터 이상인 건축물로서 위락시설과 숙박시설 등 대통령령으로 정하는 용도에 해당하는 건축물
3. 주거환경이나 교육환경 등 주변 환경을 보호하기 위하여 필요하다고 인정하여 도지사가 지정 · 공고한 구역에 건축하는 위락시설 및 숙박시설에 해당하는 건축물

③ 제1항에 따라 허가를 받으려는 자는 허가신청서에 국토교통부령으로 정하는 설계도서와 제5항 각 호에 따른 허가 등을 받거나 신고를 하기 위하여 관계 법령에서 제출하도록 의무화하고 있는 신청서 및 구비서류를 첨부하여 허가권자에게 제출하여야 한다. 다만, 국토교통부장관이 관계 행정기관의 장과 협의하여 국토교통부령으로 정하는 신청서 및 구비서류는 제21조에 따른 착공신고 전까지 제출할 수 있다. <개정 2015.5.18.9>

④ 허가권자는 제1항에 따른 건축허가를 하고자 하는 때에 「건축기본법」 제25조에 따른 한국건축규정의 준수 여부를 확인하여야 한다. 다만, 다음 각 호의 어느 하나에 해당하는 경우에는 이 법이나 다른 법률에도 불구하고 건축위원회의 심의를 거쳐 건축허가를 하지 아니할 수 있다. <개정 2017.4.18., 2023.12.26./시행 2023.3.27.>

1. 위락시설이나 숙박시설에 해당하는 건축물의 건축을 허가하는 경우 해당 대지에 건축하려는 건축물의 용도 · 규모 또는 형태가 주거환경이나 교육환경 등 주변 환경을 고려할 때 부적합하다고 인정되는 경우
2. 「국토의 계획 및 이용에 관한 법률」 제37조제1항제4호에 따른 방재지구(이하 "방재지구"라 한다) 및 「자연재해대책법」 제12조제1항에 따른 자연재해위험개선지구 등 상습적으로 침수되거나 침수가 우려되는 지역(→대통령령으로 정하는 지역)에 건축하려는 건축물에 대하여 지하층 등 일부 공간을 주거용으로 사용하거나(→일부 공간에) 거실을 설치하는 것이 부적합하다고 인정되는 경우

⑤ 제1항에 따른 건축허가를 받으면 다음 각 호의 허가 등을 받거나 신고를 한 것으로 보며, 공장건축물의 경우에는 「산업집적활성화 및 공장설립에 관한 법률」 제13조의2와 제14조에 따라 관련 법률의 인 · 허가등이나 허가등을 받은 것으로 본다. <개정 2020.3.31.>

1. 제20조제3항에 따른 공사용 가설건축물의 축조신고
2. 제83조에 따른 공작물의 축조신고
3. 「국토의 계획 및 이용에 관한 법률」 제56조에 따른 개발행위허가
4. 「국토의 계획 및 이용에 관한 법률」 제86조제5항에 따른 시행자의 지정과 같은 법 제88조제2항에 따른 실시계획의 인가
5. 「산지관리법」 제14조와 제15조에 따른 산지전용허가와 산지전용신고, 같은 법 제15조

1. 총 칙
2. 건 축
3. 유지관리
4. 대지도로
5. 구조재료
6. 지역지구
7. 건축설비
8. 특별건축구역
9. 보 칙
10. 벌 칙
건 축 법 관련기준

의2에 따른 산지일시사용허가 · 신고. 다만, 보전산지인 경우에는 도시지역만 해당된다.

6. 「사도법」 제4조에 따른 사도(私道)개설허가
7. 「농지법」 제34조, 제35조 및 제43조에 따른 농지전용허가 · 신고 및 협의
8. 「「도로법」 제36조에 따른 도로관리청이 아닌 자에 대한 도로공사 시행의 허가, 같은 법 제52조제1항에 따른 도로와 다른 시설의 연결 허가
9. 「도로법」 제61조에 따른 도로의 점용 허가)
10. 「하천법」 제33조에 따른 하천점용 등의 허가
11. 「하수도법」 제27조에 따른 배수설비(配水設備)의 설치신고
12. 「하수도법」 제34조제2항에 따른 개인하수처리시설의 설치신고
13. 「수도법」 제38조에 따라 수도사업자가 지방자치단체인 경우 그 지방자치단체가 정한 조례에 따른 상수도 공급신청
14. 「전기안전관리법」 제8조에 따른 자가용전기설비 공사계획의 인가 또는 신고
15. 「물환경보전법」 제33조에 따른 수질오염물질 배출시설 설치의 허가나 신고
16. 「대기환경보전법」 제23조에 따른 대기오염물질 배출시설설치의 허가나 신고
17. 「소음 · 진동관리법」 제8조에 따른 소음 · 진동 배출시설 설치의 허가나 신고
18. 「가축분뇨의 관리 및 이용에 관한 법률」 제11조에 따른 배출시설 설치허가나 신고
19. 「자연공원법」 제23조에 따른 행위허가
20. 「도시공원 및 녹지 등에 관한 법률」 제24조에 따른 도시공원의 점용허가
21. 「토양환경보전법」 제12조에 따른 특정토양오염관리대상시설의 신고
22. 「수산자원관리법」 제52조제2항에 따른 행위의 허가
23. 「초지법」 제23조에 따른 초지전용의 허가 및 신고

⑥ 허가권자는 제5항 각 호의 어느 하나에 해당하는 사항이 다른 행정기관의 권한에 속하면 그 행정기관의 장과 미리 협의하여야 하며, 협의 요청을 받은 관계 행정기관의 장은 요청을 받은 날부터 15일 이내에 의견을 제출하여야 한다. 이 경우 관계 행정기관의 장은 제8항에 따른 처리기준이 아닌 사유를 이유로 협의를 거부할 수 없고, 협의 요청을 받은 날부터 15일 이내에 의견을 제출하지 아니하면 협의가 이루어진 것으로 본다. <개정 2017.1.17.>

⑦ 허가권자는 제1항에 따른 허가를 받은 자가 다음 각 호의 어느 하나에 해당하면 허가를 취소하여야 한다. 다만, 제1호에 해당하는 경우로서 정당한 사유가 있다고 인정되면 1년의 범위에서 공사의 착수기간을 연장할 수 있다. <개정 2020.6.9.>

1. 허가를 받은 날부터 2년(「산업집적활성화 및 공장설립에 관한 법률」 제13조에 따라 공장의 신설 · 증설 또는 업종변경의 승인을 받은 공장은 3년) 이내에 공사에 착수하지 아니한 경우
2. 제1호의 기간 이내에 공사에 착수하였으나 공사의 완료가 불가능하다고 인정되는 경우
3. 제21조에 따른 착공신고 전에 경매 또는 공매 등으로 건축주가 대지의 소유권을 상실한 때부터 6개월이 지난 이후 공사의 착수가 불가능하다고 판단되는 경우

⑧ 제5항 각 호의 어느 하나에 해당하는 사항과 제12조제1항의 관계 법령을 관장하는 중앙행정기관의 장은 그 처리기준을 국토교통부장관에게 통보하여야 한다. 처리기준을 변경한 경우에도 또한 같다.

⑨ 국토교통부장관은 제8항에 따라 처리기준을 통보받은 때에는 이를 통합하여 고시하여야 한다.

⑩ 제4조제1항에 따른 건축위원회의 심의를 받은 자가 심의 결과를 통지 받은 날부터 2년 이내에 건축허가를 신청하지 아니하면 건축위원회 심의의 효력이 상실된다.

⑪ 제1항에 따라 건축허가를 받으려는 자는 해당 대지의 소유권을 확보하여야 한다. 다만, 다음 각 호의 어느 하나에 해당하는 경우에는 그러하지 아니하다. <개정 2021.8.10>

1. 건축주가 대지의 소유권을 확보하지 못하였으나 그 대지를 사용할 수 있는 권원을 확보한 경우. 다만, 분양을 목적으로 하는 공동주택은 제외한다.
2. 건축주가 건축물의 노후화 또는 구조안전 문제 등 대통령령으로 정하는 사유로 건축물을 신축·개축·재축 및 리모델링을 하기 위하여 건축물 및 해당 대지의 공유자 수의 100분의 80 이상의 동의를 얻고 동의한 공유자의 지분 합계가 전체 지분의 100분의 80 이상인 경우
3. 건축주가 제1항에 따른 건축허가를 받아 주택과 주택 외의 시설을 동일 건축물로 건축하기 위하여 「주택법」 제21조를 준용한 대지 소유 등의 권리 관계를 증명한 경우. 다만, 「주택법」 제15조제1항 각 호 외의 부분 본문에 따른 대통령령으로 정하는 호수 이상으로 건설·공급하는 경우에 한정한다.
4. 건축하려는 대지에 포함된 국유지 또는 공유지에 대하여 허가권자가 해당 토지의 관리청이 해당 토지를 건축주에게 매각하거나 양여할 것을 확인한 경우
5. 건축주가 집합건물의 공용부분을 변경하기 위하여 「집합건물의 소유 및 관리에 관한 법률」 제15조제1항에 따른 결의가 있었음을 증명한 경우
6. 건축주가 집합건물을 재건축하기 위하여 「집합건물의 소유 및 관리에 관한 법률」 제47조에 따른 결의가 있었음을 증명한 경우 <신설 2021.8.10>

영 제8조【건축허가】

① 법 제11조제1항 단서에 따라 특별시장 또는 광역시장의 허가를 받아야 하는 건축물의 건축은 층수가 21층 이상이거나 연면적의 합계가 10만 제곱미터 이상인 건축물의 건축(연면적의 10분의 3 이상을 증축하여 층수가 21층 이상으로 되거나 연면적의 합계가 10만 제곱미터 이상으로 되는 경우를 포함한다)을 말한다. 다만, 다음 각 호의 어느 하나에 해당하는 건축물의 건축은 제외한다. <개정 2014.11.28>

1. 공장
2. 창고
3. 지방건축위원회의 심의를 거친 건축물(특별시 또는 광역시의 건축조례로 정하는 바에 따라 해당 지방건축위원회의 심의사항으로 할 수 있는 건축물에 한정하며, 초고층 건축물은 제외한다)

② 삭제 <2006.5.8>

③ 법 제11조제2항제2호에서 "위락시설과 숙박시설 등 대통령령으로 정하는 용도에 해당하는 건축물"이란 다음 각 호의 건축물을 말한다.

1. 공동주택
2. 제2종 근린생활시설(일반음식점만 해당한다)
3. 업무시설(일반업무시설만 해당한다)
4. 숙박시설
5. 위락시설

④, ⑤ 삭제 <2006.5.8>

⑥ 법 제11조제2항에 따른 승인신청에 필요한 신청서류 및 절차 등에 관하여 필요한 사항은 국토교통부령으로 정한다.

영 제9조【건축허가 등의 신청】

① 법 제11조제1항에 따라 건축물의 건축 또는 대수선의 허가를 받으려는 자는 국토교통부

건 축 법
1. 총 칙
2. 건 축
3. 유지관리
4. 대지도로
5. 구조재료
6. 지역지구
7. 건축설비
8. 특별건축구역
9. 보 칙
10. 벌 칙
건 축 법 관련기준

령으로 정하는 바에 따라 허가신청서에 관계 서류를 첨부하여 허가권자에게 제출하여야 한다. 다만, 「방위사업법」에 따른 방위산업시설의 건축 또는 대수선의 허가를 받으려는 경우에는 건축 관계 법령에 적합한지 여부에 관한 설계자의 확인으로 관계 서류를 갈음할 수 있다. <개정 2018.9.4.>

② 허가권자는 법 제11조제1항에 따라 허가를 하였으면 국토교통부령으로 정하는 바에 따라 허가서를 신청인에게 발급하여야 한다. <개정 2018.9.4.>

영 제9조의2【건축허가 신청 시 소유권 확보 예외 사유】

① 법 제11조제11항제2호에서 "건축물의 노후화 또는 구조안전 문제 등 대통령령으로 정하는 사유"란 건축물이 다음 각 호의 어느 하나에 해당하는 경우를 말한다.

1. 급수 · 배수 · 오수 설비 등의 설비 또는 지붕 · 벽 등의 노후화나 손상으로 그 기능 유지가 곤란할 것으로 우려되는 경우
2. 건축물의 노후화로 내구성에 영향을 주는 기능적 결함이나 구조적 결함이 있는 경우
3. 건축물이 훼손되거나 일부가 멸실되어 붕괴 등 그 밖의 안전사고가 우려되는 경우
4. 천재지변이나 그 밖의 재해로 붕괴되어 다시 신축하거나 재축하려는 경우

② 허가권자는 건축주가 제1항제1호부터 제3호까지의 어느 하나에 해당하는 사유로 법 제11조제11항제2호의 동의요건을 갖추어 같은 조 제1항에 따른 건축허가를 신청한 경우에는 그 사유 해당 여부를 확인하기 위하여 현지조사를 하여야 한다. 이 경우 필요한 경우에는 건축주에게 다음 각 호의 어느 하나에 해당하는 자로부터 안전진단을 받고 그 결과를 제출하도록 할 수 있다. <개정 2018.1.16.>

1. 건축사
2. 「기술사법」 제5조의7에 따라 등록한 건축구조기술사(이하 "건축구조기술사"라 한다)
3. 「시설물의 안전 및 유지관리에 관한 특별법」 제28조제1항에 따라 등록한 건축 분야 안전진단전문기관

[본조신설 2016.7.19.]

규칙 제6조【건축허가 등의 신청】

① 법 제11조제1항 · 제3항, 제20조제1항, 영 제9조제1항 및 제15조제8항에 따라 건축물의 건축 · 대수선 허가 또는 가설건축물의 건축허가를 받으려는 자는 별지 제1호의4서식의 건축 · 대수선 · 용도변경 (변경)허가 신청서에 다음 각 호의 서류를 첨부하여 허가권자에게 제출(전자문서로 제출하는 것을 포함한다)해야 한다. 이 경우 허가권자는 「전자정부법」 제36조제1항에 따른 행정정보의 공동이용(이하 "행정정보의 공동이용"이라 한다)을 통해 제1호의2의 서류 중 토지등기사항증명서를 확인해야 한다. <개정 2021.12.31., 2023.6.9.>

1. 건축할 대지에 관한 서류

1의2. 건축할 대지의 소유에 관한 권리를 증명하는 서류. 다만, 다음 각 목의 경우에는 그에 따른 서류로 갈음할 수 있다.

가. 건축할 대지에 포함된 국유지 또는 공유지에 대해서는 허가권자가 해당 토지의 관리청과 협의하여 그 관리청이 해당 토지를 건축주에게 매각하거나 양여할 것을 확인한 서류

나. 집합건물의 공용부분을 변경하는 경우에는 「집합건물의 소유 및 관리에 관한 법률」 제15조제1항에 따른 결의가 있었음을 증명하는 서류

다. 분양을 목적으로 하는 공동주택을 건축하는 경우에는 그 대지의 소유에 관한 권리를

증명하는 서류. 다만, 법 제11조에 따라 주택과 주택 외의 시설을 동일 건축물로 건축하는 건축허가를 받아 「주택법 시행령」 제15조제1항에 따른 호수 또는 세대수 이상으로 건설·공급하는 경우 대지의 소유권에 관한 사항은 「주택법」 제21조를 준용한다.

1의3. 법 제11조제11항제1호에 해당하는 경우에는 건축할 대지를 사용할 수 있는 권원을 확보하였음을 증명하는 서류

1의4. 법 제11조제11항제2호 및 영 제9조의2제1항 각 호의 사유에 해당하는 경우에는 다음 각 목의 서류

가. 건축물 및 해당 대지의 공유자 수의 100분의 80 이상의 서면동의서: 공유자가 자필로 서명하는 서면동의의 방법으로 하며, 주민등록증, 여권 등 신원을 확인할 수 있는 신분증명서의 사본을 첨부해야 한다. 다만, 공유자가 해외에 장기체류하거나 법인인 경우 등 불가피한 사유가 있다고 허가권자가 인정하는 경우에는 공유자가 인감도장을 날인하거나 서명한 서면동의서에 해당▯인감증명서나 「본인서명사실 확인 등에 관한 법률」 제2조제3호에 따른 본인서명사실확인서 또는 같은 법 제7조제7항에 따른 전자본인서명확인서의 발급증을 첨부하는 방법으로 할 수 있다.

나. 가목에 따라 동의한 공유자의 지분 합계가 전체 지분의 100분의 80 이상임을 증명하는 서류

다. 영 제9조의2제1항 각 호의 어느 하나에 해당함을 증명하는 서류

라. 해당 건축물의 개요

1의5. 제5조에 따른 사전결정서(법 제10조에 따라 건축에 관한 입지 및 규모의 사전결정서를 받은 경우만 해당한다)

2. 별표 2의 설계도서(법 제10조에 따른 사전결정을 받은 경우에는 건축계획서 및 배치도를 제외한다). 다만, 법 제23조제4항에 따른 표준설계도서에 따라 건축하는 경우에는 건축계획서 및 배치도만 해당한다.

3. 법 제11조제5항 각 호에 따른 허가등을 받거나 신고를 하기 위하여 해당 법령에서 제출하도록 의무화하고 있는 신청서 및 구비서류(해당 사항이 있는 경우로 한정한다)

4. 별지 제27호의12서식에 따른 결합건축협정서(해당 사항이 있는 경우로 한정한다)

② 법 제11조제3항 단서에서 "국토교통부령으로 정하는 신청서 및 구비서류"란 별표 2의 설계도서 중 구조도 및 구조계산서를 말한다. <신설 2021.6.25.>

③ 법 제16조제1항 및 영 제12조제1항에 따라 변경허가를 받으려는 자는 별지 제1호의4서식의 건축·대수선·용도변경 (변경)허가 신청서에 변경하려는 부분에 대한 변경 전·후의 설계도서와 제1항 각 호에서 정하는 관계 서류 중 변경이 있는 서류를 첨부하여 허가권자에게 제출(전자문서로 제출하는 것을 포함한다)해야 한다. 이 경우 허가권자는 행정정보의 공동이용을 통해 제1항제1호의2의 서류 중 토지등기사항증명서를 확인해야 한다. <개정 2021.6.25>

④ 삭제 <1999.5.11>

규칙 제7조【건축허가의 사전승인】

① 법 제11조제2항에 따라 건축허가사전승인 대상건축물의 건축허가에 관한 승인을 받으려는 시장·군수는 허가 신청일부터 15일 이내에 다음 각 호의 구분에 따른 도서를 도지사에게 제출(전자문서로 제출하는 것을 포함한다)하여야 한다. <개정 2016.7.20.>

1. 법 제11조제2항제1호의 경우 : 별표 3의 도서
2. 법 제11조제2항제2호 및 제3호의 경우 : 별표 3의2의 도서

② 제1항의 규정에 의하여 사전승인의 신청을 받은 도지사는 승인요청을 받은 날부터 50일

이내에 승인여부를 시장·군수에게 통보(전자문서에 의한 통보를 포함한다)하여야 한다. 다만, 건축물의 규모가 큰 경우등 불가피한 경우에는 30일의 범위내에서 그 기간을 연장할 수 있다. <개정 2007.12.13.>

규칙 제8조【건축허가서 등】

① 영 제9조제2항에 따른 건축허가서 및 영 제15조제9항에 따른 가설건축물 건축허가서는 별지 제2호서식과 같다.

② 제6조제3항에 따라 신청을 받은 허가권자가 법 제16조에 따라 변경허가를 한 경우에는 별지 제2호서식의 건축·대수선·용도변경 허가서를 신청인에게 발급해야 한다. <개정 2021.6.25>

③ 허가권자는 제1항 및 제2항에 따라 별지 제2호서식의 건축·대수선·용도변경 허가서를 교부하는 때에는 별지 제3호서식의 건축·대수선·용도변경(신고)대장을 건축물의 용도별 및 월별로 작성·관리해야 한다.

④ 별지 제3호서식의 건축·대수선·용도변경 허가(신고)대장은 전자적 처리가 불가능한 특별한 사유가 없으면 전자적 처리가 가능한 방법으로 작성·관리하여야 한다.

[전문개정 2018.11.29.]

해설 "허가"는 행정행위로서 법령에 의한 상대적 제한·금지를 특정한 경우에 해제하여 적법하게 그 사실행위 또는 법률행위를 할 수 있게 하는 것이다. 그러므로 「건축법」에 의한 건축허가를 받는 것은 건축행위에 있어서 가장 기본적이고, 중요한 절차이다. 여기에서는 건축허가(신고)에 관한 대상행위, 대상구역 및 절차에 관하여 정리하였다.

■ 허가진행 절차

내용	→	신청	→	처리
건축물의 건축, 대수선		건축주 – 허가권자		검토 및 심사 – 현장조사·검사 – 허가서의 교부

【1】 건축허가 대상 및 허가권자

① 대상 : 건축물의 건축 또는 대수선 행위

② 허가권자 : 특별시장·광역시장·특별자치시장·특별자치도지사 또는 시장·군수·구청장

【2】 대형건축물의 건축허가(1) – 특별시장·광역시장의 허가

대상구역	대상건축물	허가권자	예외
특별시·광역시	• 21층 이상 건축물 • 연면적의 합계가 10만㎡ 이상인 건축물 • 연면적의 3/10 이상 증축하여 – 층수가 21층 이상으로 되거나 – 연면적의 합계가 10만㎡ 이상으로 되는 건축물	특별시장·광역시장	• 공장 • 창고 • 지방건축위원회의 심의를 거친 건축물(특별시 및 광역시 지방건축위원회의 심의대상 건축물에 한정하며, 초고층건축물은 제외)

【3】 대형건축물의 건축허가(2) – 도지사의 사전승인

대상구역	대상건축물	허가권자
시·군의 구역	① 위【2】의 대상건축물(위【2】의 예외대상 건축물과 도시환경, 광역교통 등을 고려하여 해당 도의 조례로 정하는 건축물 제외)【참고1】 ② 자연환경이나 수질보호를 위하여 도지사가 지정·공고한 구역에 건축하는 3층 이상 또는 연면적의 합계가 1,000㎡ 이상인 건축물로서 다음에 해당하는 것【참고2】 1. 공동주택 2. 제2종 근린생활시설(일반음식점만 해당) 3. 업무시설(일반업무시설만 해당) 4. 숙박시설 5. 위락시설 ③ 주거환경이나 교육환경 등 주변환경을 보호하기 위해 필요하다고 인정하여 도지사가 지정·공고하는 구역에 건축하는 위락시설 및 숙박시설의 건축물【참고2】	시장·군수 (시장·군수는 미리 도지사의 승인1)2)을 얻어야 함)

1) 시장·군수는 허가신청일로부터 15일 이내에 건축계획서 및 기본설계도서를 도지사에게 제출하여야함
2) 승인권자는 승인요청을 받은 날부터 50일 이내에 승인여부를 시장·군수에게 통보하여야 함 (건축물의 규모가 큰 경우 등 불가피한 경우 30일 범위내에서 그 기간을 연장할 수 있음)

※【참고1】【참고2】는 사전승인신청시 필요한 서류에 대한 구분으로【6】의 관련 내용 참조

【4】 건축허가시의 확인 사항 및 허가의 거부 〈시행 2024.3.27〉

① 허가권자는 건축허가를 하고자 하는 때에 한국건축규정관계법의 준수 여부를 확인하여야 한다.

② 다음 경우에는 이 법이나 다른 법률에도 불구하고 건축위원회의 심의를 거쳐 건축허가를 하지 아니할 수 있다.

- 위락시설이나 숙박시설의 건축허가시 건축물의 용도·규모 또는 형태가 주거환경이나 교육환경 등 주변환경을 고려할 때 부적합하다고 인정되는 경우
- 방재지구, 자연재해위험개선지구 등 상습적 침수 또는 침수우려 지역(→대통령령으로 정하는 지역)에서 지하층 등에 주거용 사용이나(→일부 공간에) 거실 설치가 부적합하다고 인정되는 경우

관계법 한국건축규정(「건축기본법」 제25조, 「한국건축규정」)

법 제25조【한국건축규정의 공고 등】 ① 국토교통부장관은 건축물의 설계, 시공, 공사감리 및 유지·관리 등과 관련된 「건축법」 및 그 관계 법령, 행정규칙 및 조례 등의 규정(이하 이 조에서 "건축물 관련 규정"이라 한다)을 종합적으로 안내하고, 합리적으로 운용하기 위하여 건축물 관련 규정을 관장하는 중앙행정기관의 장 및 지방자치단체의 장과 협의하여 건축물 관련 규정을 통합한 한국건축규정(이하 "한국건축규정"이라 한다)을 공고할 수 있다. <개정 2021.7.27>

「한국건축규정」(국토교통부고시 제2023-144호, 2023.3.20) ☞ 2편 부록과 CD 참조

【5】 공동주택의 경우 건축허가 또는 사업계획승인

구 분	공동주택의 규모	복합용도건축물(상업지역, 준주거지역내)	기타지역의 복합용도건축물
「건축법」의 건축허가	30세대* 미만	• 지역 : 상업지역(유통상업지역제외), 준주거지역 • 세대수 : 300세대 미만 • 주택의 규모 : 세대당 297㎡이하(주거전용면적기준) • 건축물의 연면적에 대한 주택연면적 합계의 비율이 90%미만	30세대* 미만
「주택법」의 사업계획승인	30세대* 이상	• 300세대 이상 • 300세대 미만으로서 연면적에 대한 주택연면적 합계의 비율이 90%이상	30세대* 이상

* 1) 리모델링의 경우 증가하는 세대수가 30세대 이상
2) 다음 조건을 모두 갖춘 단지형 연립주택, 단지형 다세대주택은 50세대 이상
 - 세대별 주거전용면적이 30㎡ 이상일 것, 해당 주택단지 진입도로 폭이 6m 이상일 것
3) 주거환경개선사업 또는 주거환경관리사업을 시행하기 위한 정비구역에서 건설하는 공동주택은 50세대 이상

【6】 건축허가 및 변경허가 신청서의 제출(법 제11조제3항)

(1) 건축물의 건축 · 대수선 허가 또는 가설건축물의 건축허가를 받으려는 자는 건축 · 대수선 · 용도변경 (변경)허가신청서(별지 제1호의4서식)에 다음의 설계도서와 건축허가 의제 관계 법령에서 의무화하고 있는 신청서 및 구비서류를 첨부하여 허가권자(특별시장 · 광역시장 · 특별자치시장 · 특별자치도지사 또는 시장 · 군수 · 구청장)에게 제출(전자문서로 제출하는 것 포함)하여야 한다.

예외 국토교통부장관이 관계 행정기관의 장과 협의하여 구조도 및 구조계산서는 착공신고 전까지 제출 가능

(2) 변경허가를 받으려는 자는 위 (1)의 건축·대수선·용도변경 (변경)허가 신청서에 변경하려는 부분에 대한 변경 전·후의 설계도서와 아래(▪ 첨부도서)에서 정하는 관계 서류 중 변경이 있는 서류를 첨부하여 허가권자에게 제출(전자문서로 제출하는 것 포함)해야 한다.

(3) 위 (1), (2)의 경우 허가권자는 행정정보의 공동이용을 통해 건축할 대지의 소유에 관한 권리를 증명하는 서류(아래 ① 2.) 중 토지등기사항증명서를 확인해야 한다.

▪ 첨부도서

① 대지 관련 서류

1. 건축할 대지의 범위에 관한 서류
2. 건축할 대지의 소유에 관한 권리를 증명하는 서류

예외 다음의 경우 그에 따른 서류로 갈음할 수 있음

구 분	서 류
㉠ 건축할 대지에 포함된 국유지 또는 공유지	허가권자가 해당 토지의 관리청과 협의하여 그 관리청이 해당 토지를 건축주에게 매각하거나 양여할 것을 확인한 서류
㉡ 집합건물의 공용부분을 변경하는 경우	「집합건물의 소유 및 관리에 관한 법률」 에 따른 결의가 있었음을 증명하는 서류
㉢ 분양을 목적으로 하는 공동주택의 건축	대지의 소유에 관한 권리를 증명하는 서류(다만, 주택과 주택외의 시설을 동일 건축물로 건축하는 허가를 받아 30세대 이상으로 건설 · 공급하는 경우 대지의 소유권에 관한 사항은 「주택법」을 준용)

3. 건축주가 대지의 소유권을 미확보하였으나 사용할 수 있는 권원을 확보한 경우 이를 증명하는 서류
4. 건축주가 건축허가를 받아 주택과 주택 외의 시설을 동일 건축물로 건축하기 위하여 「주택법」 제21조(대지의 소유권확보 등)를 준용한 대지 소유 등의 권리 관계를 증명한 경우(「주택법」에 따른 사업계획승인 대상 호수 이상 건설하는 경우로 한정)
5. 건축하려는 대지에 포함된 국유지 또는 공유지에 대하여 허가권자가 해당 토지의 관리청이 해당 토지를 건축주에게 매각하거나 양여할 것을 확인한 경우
6. 건축주가 집합건물의 공용부분을 변경하기 위하여 「집합건물의 소유 및 관리에 관한 법률」에 따른 공용부분의 변경에 관한 결의가 있었음을 증명한 경우
7. 건축주가 집합건물을 재건축하기 위하여 「집합건물의 소유 및 관리에 관한 법률」에 따른 재건축 결의가 있었음을 증명한 경우
8. 건축주가 건축물의 노후화 또는 구조안전 문제 등 다음의 사유<1>로 건축물을 신축·개축·재축 및 리모델링을 하기 위하여 건축물 및 해당 대지의 공유자 수의 80/100 이상의 동의를 얻고 동의한 공유자의 지분 합계가 전체 지분의 80/100 이상인 경우 다음의 서류<2>

<1> 사유

㉠ 급수·배수·오수 설비 등의 설비 또는 지붕·벽 등의 노후화나 손상으로 그 기능 유지가 곤란할 것으로 우려되는 경우
㉡ 건축물의 노후화로 내구성에 영향을 주는 기능적 결함이나 구조적 결함이 있는 경우
㉢ 건축물이 훼손되거나 일부가 멸실되어 붕괴 등 그 밖의 안전사고가 우려되는 경우
㉣ 천재지변이나 그 밖의 재해로 붕괴되어 다시 신축하거나 재축하려는 경우

<2> 서류

㉠ 건축물 및 해당 대지 공유자 수의 80/100 이상 서면동의서	▪ 공유자가 자필로 서명하는 서면동의의 방법으로 하며, 주민등록증, 여권 등 신원을 확인할 수 있는 신분증명서의 사본을 첨부 ▪ 공유자가 해외에 장기체류하거나 법인인 경우 등 불가피한 사유가 있다고 허가권자가 인정하는 경우 공유자가 인감도장을 날인하거나 서명한 서면동의서에 해당 인감증명서나 본인서명사실확인서 또는 전자본인서명확인서의 발급증을 첨부하는 방법으로 가능
㉡ ㉠에 따라 동의한 공유자의 지분 합계가 전체 지분의 80/100 이상임을 증명하는 서류	
㉢ 위 <1>의 각 사유에 해당함을 증명하는 서류	
㉣ 해당 건축물의 개요	

※ 위 <1> 사유에 대한 현지조사

- 허가권자는 건축주가 공유자의 80/100 이상의 동의요건을 갖추어 건축허가 신청을 한 경우 위 <1> 사유 중 ㉠~㉢을 확인하기 위해 현지조사를 하여야 한다.
- 필요시 건축주에게 다음의 자로부터 안전진단을 받고 그 결과를 제출하도록 할 수 있다.
  - 건축사
  - 「기술사법」에 따라 등록한 건축구조기술사
  - 「시설물의 안전관리에 관한 특별법」에 따라 등록한 건축분야 안전진단전문기관

② 사전결정서

- 건축에 관한 입지 및 규모의 사전결정서를 받은 경우만 해당

③ 허가신청에 필요한 설계도서(규칙 별표2 중 다음의 서류)

<table>
<tr><th>도서의 종류</th><th>내 용</th><th>예외적용</th></tr>
<tr><td>건축
계획서</td><td>1. 개요(위치·대지면적 등)
2. 지역·지구 및 도시계획사항
3. 건축물의 규모(건축면적·연면적·높이·층수 등)
4. 건축물의 용도별 면적
5. 주차장규모
6. 에너지절약계획서(해당건축물에 한한다)
7. 노인 및 장애인 등을 위한 편의시설 설치계획서 (관계법령에 의하여 설치의무가 있는 경우에 한한다)</td><td rowspan="9">1. 사전결정(법 제10조)을 받은 경우 : 좌측의 표에서 건축계획서와 배치도 제외

2. 표준설계도서(법 제23조 제4항)에 따라 건축하는 경우 :건축계획서 및 배치도만 제출

3. 방위산업시설의 건축허가를 받고자 하는 경우: 건축 관계 법령에 적합한지 여부에 관한 설계자의 확인으로 관계서류를 갈음할 수 있다.

■ 설계도서의 도서의 축척은 임의로 한다.</td></tr>
<tr><td>배치도</td><td>1. 축척 및 방위
2. 대지에 접한 도로의 길이 및 너비
3. 대지의 종·횡단면도
4. 건축선 및 대지경계선으로부터 건축물까지의 거리
5. 주차동선 및 옥외주차계획
6. 공개공지 및 조경계획</td></tr>
<tr><td>평면도</td><td>1. 1층 및 기준층 평면도
2. 기둥·벽·창문 등의 위치
3. 방화구획 및 방화문의 위치
4. 복도 및 계단의 위치
5. 승강기의 위치</td></tr>
<tr><td>입면도</td><td>1. 2면 이상의 입면계획
2. 외부마감재료
3. 간판 및 건물번호판의 설치계획(크기·위치)</td></tr>
<tr><td>단면도</td><td>1. 종・횡 단면도
2. 건축물의 높이, 각층의 높이 및 반자높이</td></tr>
<tr><td>구조도
(구조안전 확인 또는 내진설계 대상건축물)</td><td>1. 구조내력상 주요한 부분의 평면 및 단면
2. 주요부분의 상세도면
3. 구조안전확인서</td></tr>
<tr><td>구조계산서
(구조안전 확인 또는 내진설계 대상 건축물)</td><td>1. 구조계산서 목록표(총괄표, 구조계획서, 설계하중, 주요 구조도, 배근도 등)
2. 구조내력상 주요한 부분의 응력 및 단면 산정 과정
3. 내진설계의 내용(지진에 대한 안전 여부 확인 대상 건축물)</td></tr>
<tr><td>소방설비도</td><td>「화재예방, 소방시설설치・유지 및 안전관리에 관한 법률」에 따라 소방관서의 장의 동의를 얻어야 하는 건축물의 해당소방 관련 설비</td></tr>
</table>

④ 허가 등을 받거나 신고를 하기 위하여 해당 법령(법 제11조제5항 각 호)에서 제출하도록 의무화하고 있는 신청서 및 구비서류(해당사항이 있는 경우로 한정)

⑤ 결합건축협정서(해당사항이 있는 경우로 한정)...별지 제27호의 서식

【참고1】 대형건축물의 건축허가 사전승인 신청 및 건축물 안전영향평가 의뢰시 제출도서의 종류
[시장·군수가 도지사에게 제출] (별표3/규칙 제7조제1항제1호, 제9조의2제1항 관련)

1. 건축계획서

분야	도서종류	표시하여야 할 사항
건축	설계설명서	1. 공사개요 : 위치·대지면적·공사기간·공사금액 등 2. 사전조사사항 : 지반고·기후·동결심도·수용인원·상하수와 주변지역을 포함한 지질 및 지형, 인구, 교통, 지역, 지구, 토지이용현황, 시설물현황 등 3. 건축계획 : 배치·평면·입면계획·동선계획·개략조경계획·주차계획 및 교통처리계획 등 4. 시공방법 5. 개략공정계획 6. 주요설비계획 7. 주요자재 사용계획 8. 기타 필요한 사항
	구조계획서	1. 설계근거기준 2. 구조재료의 성질 및 특성 3. 하중조건분석 적용 4. 구조의 형식선정계획 5. 각부 구조계획 6. 건축구조성능(단열·내화·차음·진동장애 등) 7. 구조안전검토
	지질조사서	1. 토질개황 2. 각종 토질시험내용 3. 지내력 산출근거 4. 지하수위면 5. 기초에 대한 의견
	시방서	• 시방내용(국토교통부장관이 작성한 표준시방서에 없는 공법인 경우에 한한다)

2. 기본설계도서

분야	도서종류	표시하여야 할 사항
건축	투시도 또는 투시도 사진	• 색채사용
	평면도(주요층, 기준층)	1. 각실의 용도 및 면적 2. 기둥·벽·창문 등의 위치 3. 방화구획 및 방화문의 위치 4. 복도·직통계단·피난계단 또는 특별피난계단의 위치 및 치수 5. 비상용승강기·승용승강기의 위치 및 치수 6. 가설건축물의 규모
	2면 이상의 입면도	1. 축척 2. 외벽의 마감재료
	2면 이상의 단면도	1. 축척 2. 건축물의 높이, 각층의 높이 및 반자높이
	내외 마감표	• 벽 및 반자의 마감재의 종류
	주차장 평면도	1. 축척 및 방위 2. 주차장 면적 3. 도로·통로 및 출입구의 위치
설비	건축설비도	1. 비상용승강기·승용승강기·에스컬레이터·난방설비·환기설비 기타 건축설비의 설비계획 2. 비상조명장치·통신설비·기타 전기설비설치계획

	소방설비도	옥내소화전설비 · 스프링클러설비 · 각종 소화설비 · 옥외소화전설비 · 동력소방펌프설비 · 자동 화재탐지설비 · 전기화재경보기 · 화재속보설비와 유도등 기타 유도표시소화용수의 위치 및 수량배연설비 · 연결살수설비 · 비상콘센트설비의 설치계획
	상 · 하수도 계통도	• 상 · 하수도의 연결관계, 수조의 위치, 급 · 배수 등

【참고2】 수질환경 등의 보호관련 건축허가 사전승인 신청시 제출도서의 종류 (규칙 제7조제1항, 별표3의2)
[시장·군수가 도지사에게 제출]

1. 건축계획서

분야	도서종류	표시하여야 할 사항
건축	설계설명서	• 공사개요 : 위치 · 대지면적 · 공사기간 · 착공예정일 • 사전조사사항 : 지역 · 지구, 지반높이, 상하수도, 토지이용현황, 주변현황 • 건축계획 : 배치 · 평면 · 입면 · 주차계획 • 개략공정계획 • 주요설비계획

2. 기본설계도서

분야	도서종류	표시하여야 할 사항
건축	투시도 또는 투시도 사진	색채사용
	평면도(주요층, 기준층)	1. 각실의 용도 및 면적 2. 기둥 · 벽 · 창문 등의 위치
	2면 이상의 입면도	1. 축척 2. 외벽의 마감재료
	2면 이상의 단면도	1. 축척 2. 건축물의 높이, 각층의 높이 및 반자높이
	내외마감표	벽 및 반자의 마감재의 종류
	주차장 평면도	1. 주차장 면적 2. 도로 · 통로 및 출입구의 위치
설비	건축설비도	1. 난방설비 · 환기설비 그 밖의 건축설비의 설비계획 2. 비상조명장치 · 통신설비설치계획
	상 · 하수도 계통도	상 · 하수도의 연결관계, 저수조의 위치, 급 · 배수 등

【7】 건축허가로서 관계법령 등의 허가를 받거나 신고를 한 것으로 보는 경우 관계법

관련법	조 항	내 용
1. 건축법	제20조제2항	공사용 가설건축물의 축조신고
	제83조	공작물의 축조신고
2. 국토의 계획 및 이용에 관한 법률	제56조	개발행위의 허가
	제86조제5항	도시계획시설사업의 시행자 지정
	제88조제2항	실시계획의 작성 및 인가

건 축 법
1. 총 칙
2. 건 축
3. 유지관리
4. 대지도로
5. 구조재료
6. 지역지구
7. 건축설비
8. 특별건축구역
9. 보 칙
10. 벌 칙
건 축 법 관련기준

3. 산지관리법	제14조	산지전용허가(보전산지인 경우 도시지역에 한함)
	제15조	산지전용신고(보전산지인 경우 도시지역에 한함)
	제15조의2	산지일시사용허가·신고(보전산지인 경우 도시지역에 한함)
4. 사도법	제4조	사도(私道)개설허가
5. 농지법	제34조	농지의 전용허가·협의
	제35조	농지전용신고
	제43조	농지전용허가의 특례
6. 도로법	제36조	도로관리청이 아닌 자에 대한 도로공사 시행의 허가
	제52조제1항	도로와 다른 시설의 연결 허가
	제61조	도로의 점용 허가
7. 하천법	제33조	하천점용 등의 허가
8. 하수도법	제27조	배수설비의 설치신고
	제34조제2항	개인하수처리시설의 설치신고
9. 수도법	제38조제1항	수도사업자가 지방자치단체인 경우 그 지방자치단체 조례에 따른 상수도 공급신청
10. 전기안전관리법	제8조	자가용전기설비 공사계획의 인가 또는 신고
11. 물환경보전법	제33조	수질오염물질 배출시설 설치의 허가나 신고
12. 대기환경보전법	제23조	대기오염물질 배출시설 설치의 허가나 신고
13. 소음·진동관리법	제8조	소음·진동 배출시설 설치의 허가나 신고
14. 가축분뇨의 관리 및 이용에 관한 법률	제11조	배출시설 설치의 허가나 신고
15. 자연공원법	제23조	공원구역에서의 행위허가
16. 도시공원 및 녹지 등에 관한 법률	제24조	도시공원의 점용허가
17. 토양환경보전법	제12조	특정토양 오염관리 대상시설의 신고
18. 수산자원관리법	제52조제2항	허가대상행위의 허가
19. 초지법	제23조	초지전용의 허가 및 신고

※ 공장의 경우 건축허가를 받으면「산업집적활성화 및 공장설립에 관한 법률」제13조의2(인·허가등의 의제) 및 제14조(공장의 건축허가)에 따라 관련 법률의 인·허가 등을 받은 것으로 봄.

■ 일괄처리절차

① 허가권자는 일괄처리에 해당하는 사항(앞 【7】)이 다른 행정기관의 권한에 속하면 그 행정기관의 장과 미리 협의하여야 한다.

② 협의를 요청받은 행정기관의 장은 요청받은 날로부터 15일 이내에 의견을 제출하여야 하며, 협의 요청일 부터 15일 이내에 의견 미제출시 협의가 이루어진 것으로 본다.

③ 의견제출시 관계행정기관의 장은 처리기준(법 제11조제8항)이 아닌 사유를 이유로 협의를 거부할 수 없다.

건 축 법
1. 총 칙
2. 건 축
3. 유지관리
4. 대지도로
5. 구조재료
6. 지역지구
7. 건축설비
8. 특별건축구역
9. 보 칙
10. 벌 칙
건 축 법 관련기준

【8】 건축허가서의 발급

① 허가권자는 허가 또는 변경허가를 하였으면 건축·대수선·용도변경 허가서(별지 제2호서식)를 신청인에게 발급하여야 한다.

② 허가권자는 건축·대수선·용도변경 허가서를 교부하는 때에는 건축·대수선·용도변경(신고)대장(별지 제3호서식)을 건축물의 용도별 및 월별로 작성·관리해야 한다.

③ ②의 대장은 전자적 처리가 불가능한 특별한 사유가 없으면 전자적 처리가 가능한 방법으로 작성·관리해야 한다.

【9】 확인대상법령 처리기준의 통보

① 건축허가시 확인대상법령(법 제8조제5항)과 일괄처리대상(법 제12조제1항)의 관계 법령을 관장하는 중앙행정기관의 장은 그 처리기준을 국토교통부장관에게 통보하여야 함

② 국토교통부장관은 관계 중앙행정기관의 장에게 그 처리기준을 통보 받았을 때에는 이를 통합하여 고시하여야 함 ☞ 한국건축규정한국건축규정(국토교통부고시 제2023-144호, 2023.3.20) 참조

【10】 건축허가 취소 및 심의 효력상실

사 유	허가의 취소 등	취소의 예외적용
1. 허가를 받은 자가 허가일로부터 2년* 이내에 공사에 착수하지 않는 경우 * 「산업집적활성화 및 공장설립에 관한 법률」 제13조에 따라 공장의 신설·증설 또는 업종변경의 승인을 받은 공장: 3년	허가권자가 허가를 취소하여야 함	정당한 사유가 인정되는 경우 1년의 범위에서 공사의 착수기간을 연장가능
2. 허가일로부터 위 1.의 기간 이내에 공사에 착수하였으나 공사의 완료가 불가능하다고 인정되는 경우	허가권자가 허가를 취소하여야 함	–
3. 착공신고 전에 경매 또는 공매 등으로 건축주가 대지의 소유권을 상실한 때부터 6개월이 지난 이후 공사의 착수가 불가능하다고 판단되는 경우	허가권자가 허가를 취소하여야 함	–
4. 건축위원회의 심의를 받은 자가 심의 결과를 통지 받은 날부터 2년 이내에 건축허가 미신청시	심의의 효력이 상실됨	–

관계법 앞 【7】의 건축허가로서 허가, 신고를 한 것으로 보는 관계법 규정

1. 건축법

법 제20조 【가설건축물】 ① 도시·군계획시설 및 도시·군계획시설예정지에서 가설건축물을 건축하려는 자는 특별자치시장·특별자치도지사 또는 시장·군수·구청장의 허가를 받아야 한다. <개정 2014.1.14.>

② 특별자치시장·특별자치도지사 또는 시장·군수·구청장은 해당 가설건축물의 건축이 다음 각 호의 어느 하나에 해당하는 경우가 아니면 제1항에 따른 허가를 하여야 한다. <신설 2014.1.14.>

1. 「국토의 계획 및 이용에 관한 법률」 제64조에 위배되는 경우
2. 4층 이상인 경우
3. 구조, 존치기간, 설치목적 및 다른 시설 설치 필요성 등에 관하여 대통령령으로 정하는 기준의 범위에서 조례로 정하는 바에 따르지 아니한 경우
4. 그 밖에 이 법 또는 다른 법령에 따른 제한규정을 위반하는 경우

③ 제1항에도 불구하고 재해복구, 흥행, 전람회, 공사용 가설건축물 등 대통령령으로 정하는 용도의 가

설건축물을 축조하려는 자는 대통령령으로 정하는 존치 기간, 설치 기준 및 절차에 따라 특별자치시장 · 특별자치도지사 또는 시장 · 군수 · 구청장에게 신고한 후 착공하여야 한다. <개정 2014.1.14.>

법 제83조【옹벽 등의 공작물에의 준용】① 대지를 조성하기 위한 옹벽, 굴뚝, 광고탑, 고가수조(高架水槽), 지하 대피호, 그 밖에 이와 유사한 것으로서 대통령령으로 정하는 공작물을 축조하려는 자는 대통령령으로 정하는 바에 따라 특별자치시장 · 특별자치도지사 또는 시장 · 군수 · 구청장에게 신고하여야 한다. <개정 2014.1.14>
② 삭제 <2019.4.30.>
③ 제14조, 제21조 제5항, 제29조, 제40조제4항, 제41조, 제47조, 제48조, 제55조, 제58조, 제60조, 제61조, 제79조, 제84조, 제85조, 제87조와 「국토의 계획 및 이용에 관한 법률」 제76조는 대통령령으로 정하는 바에 따라 제1항의 경우에 준용한다. <개정 2019.4.30.>

2. 국토의 계획 및 이용에 관한 법률

법 제56조【개발행위의 허가】 ➡ 416쪽 참조(② 건축에 관한 입지 및 규모의 사전결정 **관계법**)

법 제86조【도시 · 군계획시설사업의 시행자】① 특별시장 · 광역시장 · 특별자치시장 · 특별자치도지사 · 시장 또는 군수는 이 법 또는 다른 법률에 특별한 규정이 있는 경우 외에는 관할 구역의 도시 · 군계획시설사업을 시행한다.
② 도시계획시설사업이 둘 이상의 특별시 · 광역시 · 특별자치시 · 특별자치도 · 시 또는 군의 관할 구역에 걸쳐 시행되게 되는 경우에는 관계 특별시장 · 광역시장 · 특별자치시장 · 특별자치도지사 · 시장 또는 군수가 서로 협의하여 시행자를 정한다.
③ 제2항에 따른 협의가 성립되지 아니하는 경우 도시 · 군계획시설사업을 시행하려는 구역이 같은 도의 관할 구역에 속하는 경우에는 관할 도지사가 시행자를 지정하고, 둘 이상의 시 · 도의 관할 구역에 걸치는 경우에는 국토교통부장관이 시행자를 지정한다.
④ 제1항부터 제3항까지의 규정에도 불구하고 국토교통부장관은 국가계획과 관련되거나 그 밖에 특히 필요하다고 인정되는 경우에는 관계 특별시장 · 광역시장 · 특별자치시장 · 특별자치도지사 · 시장 또는 군수의 의견을 들어 직접 도시 · 군계획시설사업을 시행할 수 있으며, 도지사는 광역도시계획과 관련되거나 특히 필요하다고 인정되는 경우에는 관계 시장 또는 군수의 의견을 들어 직접 도시 · 군계획시설사업을 시행할 수 있다.
⑤ 제1항부터 제4항까지의 규정에 따라 시행자가 될 수 있는 자 외의 자는 대통령령으로 정하는 바에 따라 국토교통부장관, 시 · 도지사, 시장 또는 군수로부터 시행자로 지정을 받아 도시 · 군계획시설사업을 시행할 수 있다.
⑥ ~ ⑦ "생략"

법 제88조【실시계획의 작성 및 인가 등】① 도시 · 군계획시설사업의 시행자는 대통령령으로 정하는 바에 따라 그 도시 · 군계획시설사업에 관한 실시계획(이하 "실시계획"이라 한다)을 작성하여야 한다.
② 도시 · 군계획시설사업의 시행자(국토교통부장관, 시 · 도지사와 대도시 시장은 제외한다. 이하 제3항에서 같다)는 제1항에 따라 실시계획을 작성하면 대통령령으로 정하는 바에 따라 국토교통부장관, 시 · 도지사 또는 대도시 시장의 인가를 받아야 한다. 다만, 제98조에 따른 준공검사를 받은 후에 해당 도시 · 군계획시설사업에 대하여 국토교통부령으로 정하는 경미한 사항을 변경하기 위하여 실시계획을 작성하는 경우에는 국토교통부장관, 시 · 도지사 또는 대도시 시장의 인가를 받지 아니한다.
③ 이후 "생략"

3. 산지관리법

법 제14조【산지전용허가】 ➡ 416쪽 참조(② 건축에 관한 입지 및 규모의 사전결정 **관계법** 2.)

법 제15조【산지전용신고】 ➡ 417쪽 참조(② 건축에 관한 입지 및 규모의 사전결정 관계법 2.)

법 제15조의2【산지일시사용허가 · 신고】 ➡ 417쪽 참조(② 건축에 관한 입지 및 규모의 사전결정 관계법 2.)

4. 사도법

법 제4조【개설허가 등】 ① 사도를 개설 · 개축(改築) · 증축(增築) 또는 변경하려는 자는 특별자치시장, 특별자치도지사 또는 시장 · 군수 · 구청장(구청장은 자치구의 구청장을 말하며, 이하 "시장 · 군수 · 구청장"이라 한다)의 허가를 받아야 한다.
② 제1항에 따른 허가를 받으려는 자는 허가신청서에 국토교통부령으로 정하는 서류를 첨부하여 시장 · 군수 · 구청장에게 제출하여야 한다.
③ 이후 "생략"

5. 농지법

법 제34조【농지의 전용허가 · 협의】 ➡ 418쪽 참조(② 건축에 관한 입지 및 규모의 사전결정 관계법 3.)

법 제35조【농지전용신고】 ➡ 419쪽 참조(② 건축에 관한 입지 및 규모의 사전결정 관계법 3.)

법 제43조【농지전용허가의 특례】 ➡ 419쪽 참조(② 건축에 관한 입지 및 규모의 사전결정 관계법 3.)

6. 도로법

법 제36조【도로관리청이 아닌 자의 도로공사 등】 ① 도로관리청이 아닌 자는 도로공사를 시행하거나 도로의 유지 · 관리를 할 때에는 미리 대통령령으로 정하는 바에 따라 도로관리청의 허가를 받아야 한다. 다만, 다음 각 호의 어느 하나에 해당하는 경우 도로관리청이 아닌 자는 도로관리청의 허가를 받지 아니하고 도로공사를 시행하거나 도로의 유지 · 관리를 할 수 있다.
1. 제33조제1항에 따라 타공작물의 관리자가 도로공사를 시행하는 경우 또는 제35조제1항에 따라 타공사의 시행자나 타행위를 한 자가 도로공사를 시행하는 경우
2. 상급도로관리청이 상급도로의 공사를 시행할 때 상급도로와 접속되거나 연결되는 하급도로의 접속구간 또는 연결구간의 도로공사를 시행하는 경우. 이 경우 상급도로관리청은 대통령령으로 정하는 바에 따라 미리 해당 하급도로관리청과 협의하여야 한다.
3. 대통령령으로 정하는 경미한 도로의 유지 · 관리인 경우
② 제1항에 따라 도로관리청의 허가를 받은 자는 대통령령으로 정하는 바에 따라 공사착수 사실을 도로관리청에 신고하여야 하고, 공사를 준공하였을 때에는 도로관리청의 준공검사를 받아야 한다.

법 제52조【도로와 다른 시설의 연결】 ① 도로관리청이 아닌 자는 고속국도, 자동차전용도로, 그 밖에 대통령령으로 정하는 도로에 다른 도로나 통로, 그 밖의 시설을 연결시키려는 경우에는 미리 도로관리청의 허가를 받아야 하며, 허가받은 사항을 변경하려는 경우에도 또한 같다. 이 경우 고속국도나 자동차전용도로에는 도로, 「국토의 계획 및 이용에 관한 법률」 제60조제1항 각 호에 따른 개발행위로 설치하는 시설 또는 해당 시설을 연결하는 통로 외에는 연결시키지 못한다.
② 제1항에 따라 도로에 다른 도로, 통로나 그 밖의 시설을 연결시키려는 자는 도로에 연결시키려는 해당 시설을 소유하거나 임대하는 등의 방법으로 해당 시설을 사용할 수 있는 권원을 확보하여야 한다.
③ 제1항에 따른 허가(이하 "연결허가"라 한다)의 기준 · 절차 등 필요한 사항은 고속국도 및 일반국도(제23조제2항에 따라 시 · 도지사 또는 시장 · 군수 · 구청장이 도로관리청이 되는 일반국도는 제외한다)에 관하여는 국토교통부령으로 정하고, 그 밖의 도로에 관하여는 해당 도로관리청이 속해 있는 지방자치단체의 조례로 정한다.

④, ⑤ "생략"

법 제61조【도로의 점용 허가】① 공작물·물건, 그 밖의 시설을 신설·개축·변경 또는 제거하거나 그 밖의 사유로 도로(도로구역을 포함한다. 이하 이 장에서 같다)를 점용하려는 자는 도로관리청의 허가를 받아야 한다. 허가받은 기간을 연장하거나 허가받은 사항을 변경(허가받은 사항 외에 도로 구조나 교통안전에 위험이 되는 물건을 새로 설치하는 행위를 포함한다)하려는 때에도 같다.

② 이후 "생략"

7. 하천법

법 제33조【하천의 점용허가 등】 ➡ 419쪽 참조(2 건축에 관한 입지 및 규모의 사전결정 **관계법** 4.)

8. 하수도법

법 제27조【배수설비의 설치 등】① 공공하수도의 사용이 개시된 때에는 배수구역 안의 토지의 소유자·관리자(그 토지 위에 시설물이 있는 경우에는 그 시설물의 소유자 또는 관리자를 말한다) 또는 국·공유 시설물의 관리자는 그 배수구역의 하수를 공공하수도에 유입시켜야 하며, 이에 필요한 배수설비를 설치하여야 한다.

② 공공하수도관리청은 배수설비의 부실시공을 방지하기 위하여 필요한 경우에는 제1항의 규정에 따라 배수설비를 설치하여야 하는 자에게 그 배수설비의 시공을 대통령령으로 정하는 요건을 갖춘 자로 하여금 대행하게 하도록 명할 수 있다. 다만, 다음 각 호의 어느 하나에 해당하는 공사의 경우에는 그러하지 아니하다. <개정 2020.5.26.>

1. 옥내의 배수설비 공사
2. 배수설비의 준설·보수 등 공공하수도의 기능에 장애를 주지 아니하는 배수설비의 유지·관리 공사

③ 제1항의 규정에 따라 배수설비를 설치하고자 하는 자는 배수설비의 종류·규모 등 대통령령으로 정하는 사항을 공공하수도관리청에 신고하여야 한다. <개정 2020.5.26.>

④ 제1항의 규정에 따라 배수설비를 설치하여야 하는 자로서 대통령령으로 정하는 수질 또는 수량 이상의 하수를 공공하수도에 유입시키고자 하는 자는 해당 하수의 수질 또는 수량, 배수설비의 사용개시 예정일자 등에 관한 사항을 제3항의 규정에 따라 배수설비의 설치 신고를 하는 때에 함께 신고를 하여야 한다. 신고한 하수의 수질 또는 수량을 변경하고자 하는 경우에도 또한 같다. <개정 2020.5.26.>

⑤ 제1항의 규정에 따른 배수설비의 설치의무자가 그 설치공사를 완료한 때에는 지방자치단체의 조례로 정하는 바에 따라 공공하수도관리청의 준공검사를 받아야 한다. <개정 2020.5.26.>

⑥ 제5항에 따라 배수설비의 준공검사를 받은 자는 다음 각 호의 어느 하나에 해당하는 경우에는 지방자치단체의 조례로 정하는 바에 따라 공공하수도관리청에 신고하여야 한다. <신설 2021.1.5.>

1. 해당 배수설비의 사용을 중지하거나 폐쇄하려는 경우
2. 사용 중지 중인 배수설비를 다시 사용하려는 경우
3. 준공검사를 받은 배수설비의 구조를 변경하려는 경우
4. 그 밖에 공공하수도 관리를 위하여 필요한 경우로서 해당 지방자치단체의 조례로 정하는 경우

⑦ 공공하수도관리청은 제3항에 따른 설치신고, 제4항 전단에 따른 신고, 같은 항 후단에 따른 변경신고 또는 제6항에 따른 신고를 받은 날부터 5일 이내에 신고수리 여부를 신고인에게 통지하여야 한다. <신설 2021.1.5.>

⑧ 제1항의 규정에 따라 설치된 배수설비의 유지·관리는 해당 지방자치단체의 조례로 정하는 바에 따라 그 설치자가 하여야 한다. 다만, 그 토지의 경계로부터 공공하수도까지의 배수설비는 해당 지방자치단체의 조례가 정하는 바에 따라 공공하수도관리청이 유지·관리할 수 있다. <개정 2021.1.5.>

⑨ 배수설비의 설치 및 구조에 관하여는 「건축법」 그 밖의 다른 법령의 규정에 따르는 것을 제외하고는 환경부령으로 정하는 기준에 따라야 한다. <개정 2021.1.5.>

법 제34조【개인하수처리시설의 설치】① 오수를 배출하는 건물·시설 등(이하 "건물등"이라 한다)을 설

건 축 법
1. 총 칙
2. 건 축
3. 유지관리
4. 대지도로
5. 구조재료
6. 지역지구
7. 건축설비
8. 특별건축구역
9. 보 칙
10. 벌 칙
건 축 법 관련기준

치하는 자는 단독 또는 공동으로 개인하수처리시설을 설치하여야 한다. 다만, 다음 각 호의 어느 하나에 해당하는 경우에는 그러하지 아니하다. <개정 2020.5.26.>

1. 「물환경보전법」 제2조제17호에 따른 공공폐수처리시설로 오수를 유입시켜 처리하는 경우
2. 오수를 흐르도록 하기 위한 분류식하수관로로 배수설비를 연결하여 오수를 공공하수처리시설에 유입시켜 처리하는 경우
3. 공공하수도관리청이 환경부령으로 정하는 기준 · 절차에 따라 하수관로정비구역으로 공고한 지역에서 합류식하수관로로 배수설비를 연결하여 공공하수처리시설에 오수를 유입시켜 처리하는 경우
4. 그 밖에 환경부령으로 정하는 요건에 해당하는 경우

② 제1항에 따라 개인하수처리시설을 설치하거나 그 시설의 규모 · 처리방법 등 대통령령으로 정하는 중요한 사항을 변경하려는 자는 환경부령으로 정하는 바에 따라 미리 특별자치시장 · 특별자치도지사 · 시장 · 군수 · 구청장에게 신고하여야 한다. 개인하수처리시설을 폐쇄하려는 경우에도 또한 같다.

③, ④ "생략"

9. 수도법

법 제38조【공급규정】① 일반수도사업자는 대통령령으로 정하는 바에 따라 수돗물의 요금, 급수설비에 관한 공사의 비용부담, 그 밖에 수돗물의 공급 조건에 관한 규정을 정하여 수돗물의 공급을 시작하기 전까지 인가관청의 승인을 받아야 하고, 승인을 받은 사항을 변경하려는 경우에도 또한 같다. 다만, 수도사업자가 지방자치단체이면 그 지방자치단체의 조례로 정한다.

② 제1항 본문에 따른 일반수도사업자 및 인가관청은 수돗물의 공급 조건에 관한 규정을 정하거나 승인할 때에 그 수도의 설치에 든 비용을 전액 수돗물의 요금으로 회수할 수 있도록 하여야 한다.

③, ④ "생략"

10. 전기안전관리법

법 제8조【자가용전기설비의 공사계획의 인가 또는 신고】① 자가용전기설비의 설치공사 또는 변경공사로서 산업통상자원부령으로 정하는 공사를 하려는 자는 그 공사계획에 대하여 산업통상자원부장관의 인가를 받아야 한다. 인가받은 사항을 변경하려는 경우에도 또한 같다.

② 제1항에 따라 인가를 받아야 하는 공사 외의 자가용전기설비의 설치 또는 변경공사로서 산업통상자원부령으로 정하는 공사를 하려는 자는 공사를 시작하기 전에 시·도지사에게 신고하여야 한다. 신고한 사항을 변경하려는 경우에도 또한 같다.

③ 제2항 전단에도 불구하고 산업통상자원부령으로 정하는 저압(低壓)에 해당하는 자가용전기설비의 설치 또는 변경공사의 경우에는 제9조에 따른 사용전검사(使用前檢査) 신청으로 공사계획신고를 갈음할 수 있다.

④ 자가용전기설비의 소유자 또는 점유자는 전기설비가 사고·재해 또는 그 밖의 사유로 멸실·파손되거나 전시·사변 등 비상사태가 발생하여 부득이하게 공사를 하여야 하는 경우에는 제1항 및 제2항에도 불구하고 산업통상자원부령으로 정하는 바에 따라 공사를 시작한 후 지체 없이 그 사실을 산업통상자원부장관 또는 시·도지사에게 신고하여야 한다.

⑤ 제1항에 따른 인가 및 제2항·제4항에 따른 신고에 필요한 사항은 산업통상자원부령으로 정한다.

11. 물환경보전법

법 제33조【배출시설의 설치허가 및 신고】① 배출시설을 설치하려는 자는 대통령령으로 정하는 바에 따라 환경부장관의 허가를 받거나 환경부장관에게 신고하여야 한다. 다만, 제9항에 따라 폐수무방류배출시설을 설치하려는 자는 환경부장관의 허가를 받아야 한다. <개정 2018.10.16.>

② 제1항에 따라 허가를 받은 자가 허가받은 사항 중 대통령령으로 정하는 중요한 사항을 변경하려는 경우에는 변경허가를 받아야 한다. 다만, 그 밖의 사항 중 환경부령으로 정하는 사항을 변경하려는 경우 또는 환경부령으로 정하는 사항을 변경한 경우에는 변경신고를 하여야 한다.

③ 제1항에 따라 신고를 한 자가 신고한 사항 중 환경부령으로 정하는 사항을 변경하려는 경우 또는 환

경부령으로 정하는 사항을 변경한 경우에는 환경부령으로 정하는 바에 따라 변경신고를 하여야 한다.

④ 환경부장관은 제1항부터 제3항까지의 규정에 따른 신고 또는 변경신고를 받은 날부터 환경부령으로 정하는 기간 내에 신고수리 여부를 신고인에게 통지하여야 한다. <신설 2018.10.16.>

⑤ 환경부장관이 제4항에서 정한 기간 내에 신고수리 여부 또는 민원 처리 관련 법령에 따른 처리기간의 연장을 신고인에게 통지하지 아니하면 그 기간(민원 처리 관련 법령에 따라 처리기간이 연장 또는 재연장된 경우에는 해당 처리기간을 말한다)이 끝난 날의 다음 날에 신고를 수리한 것으로 본다. <신설 2018.10.16.>

⑥ 제1항부터 제3항까지의 규정에 따라 허가·변경허가를 받으려 하거나 신고·변경신고를 하려는 자가 제35조제1항 단서에 해당하는 경우와 같은 조 제4항에 따른 공동방지시설을 설치 또는 변경하려는 경우에는 환경부령으로 정하는 서류를 제출하여야 한다. <개정 2018.10.16.>

⑦ 환경부장관은 상수원보호구역의 상류지역, 특별대책지역 및 그 상류지역, 취수시설이 있는 지역 및 그 상류지역의 배출시설로부터 배출되는 수질오염물질로 인하여 환경기준을 유지하기 곤란하거나 주민의 건강·재산이나 동식물의 생육에 중대한 위해를 가져올 우려가 있다고 인정되는 경우에는 관할 시·도지사의 의견을 듣고 관계 중앙행정기관의 장과 협의하여 배출시설의 설치(변경을 포함한다)를 제한할 수 있다. <개정 2018.10.16.>

⑧ 제7항에 따라 배출시설의 설치를 제한할 수 있는 지역의 범위는 대통령령으로 정하고, 환경부장관은 지역별 제한대상 시설을 고시하여야 한다. <개정 2018.10.16.>

⑨ 제7항 및 제8항에도 불구하고 환경부령으로 정하는 특정수질유해물질을 배출하는 배출시설의 경우 배출시설의 설치제한지역에서 폐수무방류배출시설로 하여 이를 설치할 수 있다. <개정 2018.10.16.>

⑩ 제9항에 따라 배출시설의 설치제한지역에서 폐수무방류배출시설을 설치할 수 있는 지역 및 시설은 환경부장관이 정하여 고시한다. <개정 2018.10.16.>

⑪ 제1항 및 제2항에 따른 허가 또는 변경허가의 기준은 다음 각 호와 같다. <개정 2018.10.16.>

1. 배출시설에서 배출되는 오염물질을 제32조에 따른 배출허용기준 이하로 처리할 수 있을 것
2. 다른 법령에 따른 배출시설의 설치제한에 관한 규정에 위반되지 아니할 것
3. 폐수무방류배출시설을 설치하는 경우에는 폐수가 공공수역으로 유출·누출되지 아니하도록 대통령령으로 정하는 시설 전부를 대통령령으로 정하는 기준에 따라 설치할 것

12. 대기환경보전법

법 **제23조【배출시설의 설치 허가 및 신고】** ① 배출시설을 설치하려는 자는 대통령령으로 정하는 바에 따라 시·도지사의 허가를 받거나 시·도지사에게 신고하여야 한다. 다만, 시·도가 설치하는 배출시설, 관할 시·도가 다른 둘 이상의 시·군·구가 공동으로 설치하는 배출시설에 대해서는 환경부장관의 허가를 받거나 환경부장관에게 신고하여야 한다. <개정 2019.1.15.>

② 제1항에 따라 허가를 받은 자가 허가받은 사항 중 대통령령으로 정하는 중요한 사항을 변경하려면 변경허가를 받아야 하고, 그 밖의 사항을 변경하려면 변경신고를 하여야 한다.

③ 제1항에 따라 신고를 한 자가 신고한 사항을 변경하려면 환경부령으로 정하는 바에 따라 변경신고를 하여야 한다.

④ 제1항부터 제3항까지의 규정에 따라 허가·변경허가를 받거나 신고·변경신고를 하려는 자가 제26조제1항 단서, 제28조 단서, 제41조제3항 단서, 제42조 단서에 해당하는 경우와 제29조에 따른 공동방지시설을 설치하거나 변경하려는 경우에는 환경부령으로 정하는 서류를 제출하여야 한다.

⑤ 환경부장관 또는 시·도지사는 제1항부터 제3항까지의 규정에 따른 신고 또는 변경신고를 받은 날부터 환경부령으로 정하는 기간 내에 신고 또는 변경신고 수리 여부를 신고인에게 통지하여야 한다. <신설 2019.1.15.>

⑥ 환경부장관 또는 시·도지사가 제5항에서 정한 기간 내에 신고수리 여부 또는 민원 처리 관련 법령에 따른 처리기간의 연장 여부를 신고인에게 통지하지 아니하면 그 기간(민원 처리 관련 법령에 따라 처리기간이 연장 또는 재연장된 경우에는 해당 처리기간을 말한다)이 끝난 날의 다음 날에 신고를 수리한 것으로 본다. <신설 2019.1.15.>

⑦ 제1항과 제2항에 따른 허가 또는 변경허가의 기준은 다음 각 호와 같다. <개정 2019.1.15.>

1. 배출시설에서 배출되는 오염물질을 제16조나 제29조제3항에 따른 배출허용기준 이하로 처리할 수 있을 것
2. 다른 법률에 따른 배출시설 설치제한에 관한 규정을 위반하지 아니할 것

⑧ 환경부장관 또는 시·도지사는 배출시설로부터 나오는 특정대기유해물질이나 특별대책지역의 배출시설로부터 나오는 대기오염물질로 인하여 환경기준의 유지가 곤란하거나 주민의 건강·재산, 동식물의 생육에 심각한 위해를 끼칠 우려가 있다고 인정되면 대통령령으로 정하는 바에 따라 특정대기유해물질을 배출하는 배출시설의 설치 또는 특별대책지역에서의 배출시설 설치를 제한할 수 있다. <개정 2019.1.15.>

⑨ 환경부장관 또는 시·도지사는 제1항 및 제2항에 따른 허가 또는 변경허가를 하는 경우에는 대통령령으로 정하는 바에 따라 주민 건강이나 주변환경의 보호 및 배출시설의 적정관리 등을 위하여 필요한 조건(이하 "허가조건" 이라 한다)을 붙일 수 있다. 이 경우 허가조건은 허가 또는 변경허가의 시행에 필요한 최소한도의 것이어야 하며, 허가 또는 변경허가를 받는 자에게 부당한 의무를 부과하는 것이어서는 아니 된다. <신설 2021.4.13.>

13. 소음·진동관리법

법 **제8조 【배출시설의 설치 신고 및 허가 등】** ① 배출시설을 설치하려는 자는 대통령령으로 정하는 바에 따라 특별자치시장·특별자치도지사 또는 시장·군수·구청장(자치구의 구청장을 말한다. 이하 같다)에게 신고하여야 한다. 다만, 학교 또는 종합병원의 주변 등 대통령령으로 정하는 지역은 특별자치시장·특별자치도지사 또는 시장·군수·구청장의 허가를 받아야 한다.

② 제1항에 따른 신고를 한 자나 허가를 받은 자가 그 신고한 사항이나 허가를 받은 사항 중 환경부령으로 정하는 중요한 사항을 변경하려면 특별자치시장·특별자치도지사 또는 시장·군수·구청장에게 변경신고를 하여야 한다.

③ 제1항에도 불구하고 산업단지나 그 밖에 대통령령으로 정하는 지역에 위치한 공장에 배출시설을 설치하려는 자의 경우에는 신고 또는 허가 대상에서 제외한다. 이 경우 신고 또는 허가 대상에서 제외된 자는 제14조부터 제16조까지, 제17조(허가취소의 경우는 제외한다), 제47조제1항제1호를 적용할 때에 사업자로 본다.

④ 특별자치시장·특별자치도지사 또는 시장·군수·구청장은 제1항 본문에 따른 신고 또는 제2항에 따른 변경신고를 받은 경우 그 내용을 검토하여 이 법에 적합하면 신고를 수리하여야 한다. <신설 2021.1.5.>

14. 가축분뇨의 관리 및 이용에 관한 법률

법 **제11조 【배출시설에 대한 설치허가 등】** ① 대통령령으로 정하는 규모 이상의 배출시설을 설치하려고 하거나 설치·운영 중인 자는 대통령령으로 정하는 바에 따라 배출시설의 설치계획(가축분뇨처리 및 악취저감에 관한 사항을 포함한다)을 갖추어 시장·군수·구청장의 허가를 받아야 한다. <개정 2021.4.13.>

② 제1항의 규정에 따라 허가를 받은 자가 환경부령이 정하는 중요사항을 변경하고자 하는 때에는 변경허가를 받아야 하고, 그 밖의 사항을 변경하고자 하는 때에는 변경신고를 하여야 한다.

③ 제1항에 따른 허가대상에 해당하지 아니하는 배출시설 중 대통령령으로 정하는 규모 이상의 배출시설을 설치하려고 하거나 설치·운영 중인 자는 환경부령으로 정하는 바에 따라 시장·군수·구청장에게 신고하여야 한다. 신고한 사항 중 환경부령으로 정하는 사항을 변경하려는 때에도 또한 같다.

④ 누구든지 제1항부터 제3항까지의 규정에 따른 허가·변경허가 또는 신고·변경신고 없이 설치되거나 변경된 배출시설을 사용해서는 아니 되며, 그 시설을 사용하여 가축을 사육하는 자에게 가축 또는 사료 등을 제공하여 사육을 위탁(이하 "위탁사육" 이라 한다) 할 수 없다.

⑤ 시장·군수·구청장은 제2항에 따른 변경신고, 제3항 전단에 따른 신고 또는 같은 항 후단에 따른 변경신고를 받은 경우 그 내용을 검토하여 이 법에 적합하면 신고를 수리하여야 한다. <신설 2021.4.13.>

건축법
1. 총 칙
2. 건 축
3. 유지관리
4. 대지도로
5. 구조재료
6. 지역지구
7. 건축설비
8. 특별건축구역
9. 보 칙
10. 벌 칙
건 축 법 관련기준

15. 자연공원법

법 제23조【행위허가】① 공원구역에서 공원사업 외에 다음 각 호의 어느 하나에 해당하는 행위를 하려는 자는 대통령령으로 정하는 바에 따라 공원관리청의 허가를 받아야 한다. 다만, 대통령령으로 정하는 경미한 행위는 대통령령으로 정하는 바에 따라 공원관리청에 신고하고 하거나 허가 또는 신고 없이 할 수 있다.

1. 건축물이나 그 밖의 공작물을 신축·증축·개축·재축 또는 이축하는 행위
2. 광물을 채굴하거나 흙·돌·모래·자갈을 채취하는 행위
3. 개간이나 그 밖의 토지의 형질 변경(지하 굴착 및 해저의 형질 변경을 포함한다)을 하는 행위
4. 수면을 매립하거나 간척하는 행위
5. 하천 또는 호소(湖沼)의 물높이나 수량(水量)을 늘거나 줄게 하는 행위
6. 야생동물[해중동물(海中動物)을 포함한다. 이하 같다]을 잡는 행위
7. 나무를 베거나 야생식물(해중식물을 포함한다. 이하 같다)을 채취하는 행위
8. 가축을 놓아먹이는 행위
9. 물건을 쌓아 두거나 묶어 두는 행위
10. 경관을 해치거나 자연공원의 보전·관리에 지장을 줄 우려가 있는 건축물의 용도 변경과 그 밖의 행위로서 대통령령으로 정하는 행위

② 공원관리청은 제1항 각 호 외의 부분 단서에 따른 신고를 받은 경우 그 내용을 검토하여 이 법에 적합하면 신고를 수리하여야 한다. <신설 2022.12.13>

③ 공원관리청은 다음 각 호의 기준에 맞는 경우에만 제1항에 따른 허가를 할 수 있다. <개정 2022.12.13>

1. 제18조제2항에 따른 용도지구에서 허용되는 행위의 기준에 맞을 것
2. 공원사업의 시행에 지장을 주지 아니할 것
3. 보전이 필요한 자연 상태에 영향을 미치지 아니할 것
4. 일반인의 이용에 현저한 지장을 주지 아니할 것

④ 공원관리청은 제1항에 따른 허가를 하려는 경우에는 대통령령으로 정하는 바에 따라 관계 행정기관의 장과 협의하여야 한다. 이 경우 대통령령으로 정하는 규모 이상의 행위에 대하여는 추가로 해당 공원위원회의 심의를 거쳐야 한다. <개정 2022.12.13>

16. 도시공원 및 녹지 등에 관한 법률

법 제24조【도시공원의 점용허가】① 도시공원에서 다음 각 호의 어느 하나에 해당하는 행위를 하려는 자는 대통령령으로 정하는 바에 따라 그 도시공원을 관리하는 특별시장·광역시장·특별자치시장·특별자치도지사·시장 또는 군수의 점용허가를 받아야 한다. 다만, 산림의 솎아베기 등 대통령령으로 정하는 경미한 행위의 경우에는 그러하지 아니하다.

1. 공원시설 외의 시설·건축물 또는 공작물을 설치하는 행위
2. 토지의 형질변경
3. 죽목(竹木)을 베거나 심는 행위
4. 흙과 돌의 채취
5. 물건을 쌓아놓는 행위

② 특별시장·광역시장·특별자치시장·특별자치도지사·시장 또는 군수는 제1항에 따른 허가신청을 받으면 다음 각 호의 요건을 모두 갖춘 경우에만 그 허가를 할 수 있으며, 토지 소유자가 허가신청을 한 경우에는 다른 사람에 우선하여 허가하여야 한다.

1. 공원조성계획에 저촉되지 아니할 것(공원조성계획이 수립된 경우만 해당한다)
2. 불가피하게 점용하여야 하는 사유가 있을 것
3. 해당 점용으로 인하여 공중(公衆)의 이용에 지장을 주지 아니한다고 인정될 것

③ 제1항에 따른 점용허가를 받아 도시공원을 점용할 수 있는 대상 및 점용기준은 대통령령으로 정한다.

④ 점용허가받은 사항을 변경하려는 경우에는 제1항을 준용한다.

⑤ 「국토의 계획 및 이용에 관한 법률」 제47조제7항에 따라 같은 법 제56조에 따른 허가를 받아 건축물 또는 공작물을 설치하는 경우에는 제1항에 따른 점용허가를 생략할 수 있다. <개정 2016.5.29>

17. 토양환경보전법

법 제12조 【특정토양오염관리대상시설의 신고 등】 ① 특정토양오염관리대상시설을 설치하려는 자는 대통령령으로 정하는 바에 따라 그 시설의 내용과 제5항에 따른 토양오염방지시설의 설치계획을 관할 특별자치시장·특별자치도지사·시장·군수·구청장에게 신고하여야 한다. 신고한 사항 중 환경부령으로 정하는 내용을 변경(특정토양오염관리대상시설의 폐쇄를 포함한다)할 때에도 또한 같다. <개정 2022.12.13.>

② 특별자치시장·특별자치도지사·시장·군수·구청장은 제1항 전단에 따른 신고를 받은 날부터 10일 이내에, 같은 항 후단에 따른 변경신고를 받은 날부터 7일 이내에 신고수리 여부를 신고인에게 통지하여야 한다. <신설 2022.12.13>

③ 특별자치시장·특별자치도지사·시장·군수·구청장이 제2항에서 정한 기간 내에 신고수리 여부 또는 민원 처리 관련 법령에 따른 처리기간의 연장을 신고인에게 통지하지 아니하면 그 기간(민원 처리 관련 법령에 따라 처리기간이 연장 또는 재연장된 경우에는 해당 처리기간을 말한다)이 끝난 날의 다음 날에 신고를 수리한 것으로 본다. <신설 2022.12.13>

④ 「위험물안전관리법」 및 「화학물질관리법」과 그 밖에 환경부령으로 정하는 법령에 따라 특정토양오염관리대상시설의 설치에 관한 허가를 받거나 등록을 한 경우에는 제1항에 따른 신고를 한 것으로 본다. 이 경우 허가 또는 등록기관의 장은 환경부령으로 정하는 토양오염방지시설에 관한 서류를 첨부하여 그 사실을 그 특정토양오염관리대상시설이 설치된 지역을 관할하는 특별자치시장·특별자치도지사·시장·군수·구청장에게 통보하여야 한다. <개정 2022.12.13>

⑤ 특정토양오염관리대상시설의 설치자(그 시설을 운영하는 자를 포함한다. 이하 같다)는 대통령령으로 정하는 바에 따라 토양오염을 방지하기 위한 시설(이하 "토양오염방지시설"이라 한다)을 설치하고 적정하게 유지·관리하여야 한다. <개정 2022.12.13>

4 건축복합민원 일괄협의회(법 제12조)(영 제10조)

법 제12조 【건축복합민원 일괄협의회】

① 허가권자는 제11조에 따라 허가를 하려면 해당 용도·규모 또는 형태의 건축물을 건축하려는 대지에 건축하는 것이 「국토의 계획 및 이용에 관한 법률」 제54조, 제56조부터 제62조까지 및 제76조부터 제82조까지의 규정과 그 밖에 대통령령으로 정하는 관계 법령의 규정에 맞는지를 확인하고, 제10조제6항 각 호와 같은 조 제7항 또는 제11조제5항 각 호와 같은 조 제6항의 사항을 처리하기 위하여 대통령령으로 정하는 바에 따라 건축복합민원 일괄협의회를 개최하여야 한다.

② 제1항에 따라 확인이 요구되는 법령의 관계 행정기관의 장과 제10조제7항 및 제11조제6항에 따른 관계 행정기관의 장은 소속 공무원을 제1항에 따른 건축복합민원 일괄협의회에 참석하게 하여야 한다.

영 제10조 【건축복합민원 일괄협의회】

① 법 제12조제1항에서 "대통령령으로 정하는 관계 법령의 규정"이란 다음 각 호의 규정을 말한다. <개정 2021.5.4., 2022.11.29>

1. 「군사기지 및 군사시설보호법」 제13조

2.「자연공원법」 제23조
3.「수도권정비계획법」 제7조부터 제9조까지
4.「택지개발촉진법」 제6조
5.「도시공원 및 녹지 등에 관한 법률」 제24조 및 제38조
6.「공항시설법」 제34조
7.「교육환경 보호에 관한 법률」 제9조
8.「산지관리법」 제8조, 제10조, 제12조, 제14조 및 제18조
9.「산림자원의 조성 및 관리에 관한 법률」 제36조 및 「산림보호법」 제9조
10.「도로법」 제40조 및 제61조
11.「주차장법」 제19조, 제19조의2 및 제19조의4
12.「환경정책기본법」 제38조
13.「자연환경보전법」 제15조
14.「수도법」 제7조 및 제15조
15.「도시교통정비 촉진법」 제34조 및 제36조
16.「문화재보호법」 제35조
17.「전통사찰의 보존 및 지원에 관한 법률」 제10조
18.「개발제한구역의 지정 및 관리에 관한 특별조치법」 제12조제1항, 제13조 및 제15조
19.「농지법」 제32조 및 제34조
20.「고도 보존 및 육성에 관한 특별법」 제11조
21.「소방시설 설치 및 관리에 관한 법률」 제6조

② 허가권자는 법 제12조에 따른 건축복합민원 일괄협의회(이하 "협의회"라 한다)의 회의를 법 제10조제1항에 따른 사전결정 신청일 또는 법 제11조제1항에 따른 건축허가 신청일부터 10일 이내에 개최하여야 한다.

③ 허가권자는 협의회의 회의를 개최하기 3일 전까지 회의 개최 사실을 관계 행정기관 및 관계 부서에 통보하여야 한다.

④ 협의회의 회의에 참석하는 관계 공무원은 회의에서 관계 법령에 관한 의견을 발표하여야 한다.

⑤ 사전결정 또는 건축허가를 하는 관계 행정기관 및 관계 부서는 그 협의회의 회의를 개최한 날부터 5일 이내에 동의 또는 부동의 의견을 허가권자에게 제출하여야 한다.

⑥ 이 영에서 규정한 사항 외에 협의회의 운영 등에 필요한 사항은 건축조례로 정한다.

【1】 건축복합민원 일괄협의회의 개최

허가권자는 허가를 하고자 하는 경우 해당 용도·규모 또는 형태의 건축물을 건축하고자 하는 대지에 건축하는 것이 아래사항에 적합여부의 확인 및 처리하기 위하여 협의회를 개최하여야 함

1. 허가대상 건축물의 관계 법령의 적합한 지의 여부를 확인
2. 사전결정시의 허가·신고 또는 협의 사항의 처리(법 제10조제6항, 제7항)
3. 건축허가시 관련법령에 의한 인·허가등의 의제조항 처리(법 제11조제5항 각 호, 제6항)

【2】 개최시기

① 허가권자는 건축복합민원 일괄협의회의 회의를 사전결정 신청일 또는 건축허가 신청일부터 10

일 이내에 개최하여야 한다.

② 허가권자는 협의회의 회의 개최 3일 전까지 협의회의 회의 개최 사실을 관계행정기관 및 관계부서에 통보하여야 한다.

【3】 관계공무원의 참석

위 【1】 의 내용에 따라 확인이 요구되는 법령의 관계 행정기관의 장은 소속공무원을 건축복합민원 일괄협의회에 참석하게 하여야 한다.

【4】 의견제출

① 협의회의 회의에 참석하는 관계공무원은 협의회의 회의에서 관계법령에 관한 의견을 발표하여야 한다.

② 사전결정 또는 건축허가의 관계행정기관 및 관계부서는 그 협의회의 회의를 개최한 날부터 5일 이내에 동의 또는 부동의 의견을 허가권자에게 제출하여야 한다.

【5】 건축복합민원 일괄협의회의 관계법령규정 적합여부의 확인 관계법

관련법	조 항	내 용
1. 국토의 계획 및 이용에 관한 법률	제54조	지구단위계획구역에서의 건축 등
	제56조	개발행위의 허가
	제57조	개발행위허가의 절차
	제58조	개발행위허가의 기준
	제59조	개발행위에 대한 도시계획위원회의 심의
	제60조	개발행위허가의 이행보증 등
	제61조	관련 인·허가등의 의제
	제62조	준공검사
	제76조	용도지역 및 용도지구에서의 건축물의 건축 제한 등
	제77조	용도지역의 건폐율
	제78조	용도지역에서의 용적률
	제79조	용도지역 미지정 또는 미세분 지역에서의 행위 제한 등
	제80조	개발제한구역에서의 행위 제한 등
	제81조	시가화조정구역에서의 행위 제한 등
	제82조	기존 건축물에 대한 특례
2. 군사기지 및 군사시설보호법	제13조	행정기관의 처분에 관한 협의 등
3. 자연공원법	제23조	행위허가
4. 수도권정비계획법	제7조	과밀억제권역의 행위제한
	제8조	성장관리권역의 행위제한
	제9조	자연보전구역의 행위제한
5. 택지개발촉진법	제6조	행위제한 등

법률	조항	내용
6. 도시공원 및 녹지 등에 관한 법률	제24조	도시공원의 점용허가
	제38조	녹지의 점용허가 등
7. 공항시설법	제34조	장애물의 제한 등
8. 교육환경 보호에 관한 법률	제9조	교육환경보호구역에서의 금지행위 등
9. 산지관리법	제8조	산지에서의 구역 등의 지정 등
	제10조	산지전용·일시사용제한지역에서의 행위제한
	제12조	보전산지에서의 행위제한
	제14조	산지전용허가
	제18조	산지전용허가기준 등
10. 산림자원의 조성 및 관리에 관한 법률	제36조	입목벌채등의 허가 및 신고 등
11. 산림보호법	제9조	산림보호구역에서의 행위 제한
12. 도로법	제40조	접도구역의 지정 및 관리
	제61조	도로의 점용 허가
13. 주차장법	제19조	부설주차장의 설치
	제19조의2	부설주차장 설치계획서
	제19조의4	부설주차장의 용도변경 금지 등
14. 환경정책기본법	제38조	특별종합대책의 수립
15. 자연환경보전법	제15조	생태·경관보전지역에서의 행위제한 등
16. 수도법	제7조	상수원보호구역 지정 등
	제15조	절수설비 등의 설치
17. 도시교통정비 촉진법	제34조	자동차의 운행제한
	제36조	교통유발부담금의 부과·징수
18. 문화재보호법 →분화유산의 보존 및 활용에 관한 법률 〈시행 2024.5.17〉	제35조	허가사항
19. 전통사찰보존 및 지원에 관한 법률	제10조	전통사찰 역사문화보존구역의 지정
20. 개발제한구역의 지정 및 관리에 관한 특별조치법	제12조제1항	개발제한 구역에서의 행위제한
	제13조	존속 중인 건축물 등에 대한 특례
	제15조	취락지구에 대한 특례
21. 농지법	제32조	용도구역에서의 행위제한
	제34조	농지의 전용허가 · 협의
22. 고도 보존 및 육성에 관한 특별법	제11조	지정지구에서의 행위제한
23. 소방시설 설치 및 전관리에 관한 법률	제6조	건축허가등의 동의 등

관계법 앞【5】의 건축복합민원 일괄협의회의 관계법 규정

1. 국토의 계획 및 이용에 관한 법률 제54조, 제56조~제62조, 제76조~제82조 (☞ 제2권 해설 참조)

2. 군사기지 및 군사시설 보호법

법 제13조【행정기관의 처분에 관한 협의 등】① 관계 행정기관의 장은 보호구역 안에서 다음 각 호의 어느 하나에 해당하는 사항에 관한 허가나 그 밖의 처분(이하 "허가등"이라 한다)을 하려는 때에는 대통령령으로 정하는 협의절차와 국방부장관이 정하는 작전성 검토 등 협의기준에 따라 국방부장관 또는 관할부대장등과 협의하여야 한다. 국가기관 또는 지방자치단체가 다음 각 호에 해당하는 행위를 하려는 경우에도 이와 같다. 다만, 보호구역의 보호·관리 및 군사작전에 지장이 없는 범위 안에서 대통령령으로 정하는 사항은 그러하지 아니하다. <개정 2019.8.27.>

1. 주택의 신축·증축 또는 공작물의 설치
2. 도로·철도·교량·운하·터널·수로·매설물 등과 그 부속 공작물의 설치 또는 변경
3. 하천 또는 해면의 매립·준설(浚渫)과 항만의 축조 또는 변경
4. 광물·토석(土石) 또는 토사(土砂)의 채취
5. 해안의 굴착
6. 조림 또는 임목(林木)의 벌채
7. 토지의 개간 또는 지형의 변경
8. 해저시설물의 부설 또는 변경
9. 통신시설의 설치와 그 사용
10. 총포의 발사 또는 폭발물의 폭발
11. 해운의 영위
12. 어업권 또는 양식업권의 설정, 수산동식물의 포획 또는 채취
13. 부표(浮標)·입표(立標), 그 밖의 표지의 설치 또는 변경

② 관계 행정기관의 장이 다음 각 호의 어느 하나에 해당하는 사항에 관한 허가등을 하려는 때에도 제1항을 적용한다.

1. 비행안전구역 안에서 제10조제1항제2호·제4호 및 제2항에 저촉될 우려가 있는 건축물의 건축, 공작물·등화의 설치·변경 또는 식물의 재배
2. 대공방어협조구역 안에서 대통령령으로 정하는 일정 높이 이상의 건축물의 건축 및 공작물의 설치

③ 허가등을 받으려는 자(이하 이 조에서 "허가등의 신청인"이라 한다)는 허가등을 신청하기 전에 관할부대장등에게 제1항 각 호 또는 제2항 각 호의 어느 하나에 해당하는 사항이 보호구역의 보호·관리나 군사작전 등에 지장이 없는지 등에 관하여 대통령령으로 정하는 바에 따라 사전상담을 요청할 수 있다. 이 경우 관할부대장등은 요청을 받은 날부터 10일 이내에 사전상담 결과를 요청인에게 알려주어야 한다. <신설 2015.9.1>

④ 국방부장관 또는 관할부대장등은 제1항 또는 제2항에 따른 협의요청을 받은 경우 제15조에 따른 소관 군사기지 및 군사시설 보호 심의위원회의 심의를 거쳐 30일(제3항에 따른 사전상담 결과를 요청인에게 알려준 경우에는 20일) 이내에 그 의견을 관계 행정기관의 장에게 통보하여야 한다. 이 경우 그 의견에 대한 구체적인 사유를 명시하여야 한다. <개정 2015.9.1>

⑤~⑧ "생략"

3. 자연공원법

법 제23조【행위허가】 ➡ 441쪽 참조(② 건축에 관한 입지 및 규모의 사전결정 **관계법** 15.)

4. 수도권정비계획법

법 제7조【과밀억제권역의 행위 제한】① 관계 행정기관의 장은 과밀억제권역에서 다음 각 호의 행위나 그 허가·인가·승인 또는 협의 등(이하 "허가등"이라 한다)을 하여서는 아니 된다.

1. 대통령령으로 정하는 학교, 공공 청사, 연수 시설, 그 밖의 인구집중유발시설의 신설 또는 증설(용도 변경을 포함하며, 학교의 증설은 입학 정원의 증원을 말한다. 이하 같다)
2. 공업지역의 지정

② 관계 행정기관의 장은 국민경제의 발전과 공공복리의 증진을 위하여 필요하다고 인정하면 제1항에도 불구하고 다음 각 호의 행위나 그 허가등을 할 수 있다.

1. 대통령령으로 정하는 학교 또는 공공 청사의 신설 또는 증설
2. 서울특별시 · 광역시 · 도(이하 "시 · 도"라 한다)별 기존 공업지역의 총면적을 증가시키지 아니하는 범위에서의 공업지역 지정. 다만, 국토교통부장관이 수도권정비위원회의 심의를 거쳐 지정하거나 허가등을 하는 경우에만 해당한다.

법 제8조【성장관리권역의 행위 제한】① 관계 행정기관의 장은 성장관리권역이 적정하게 성장하도록 하되, 지나친 인구집중을 초래하지 않도록 대통령령으로 정하는 학교, 공공 청사, 연수 시설, 그 밖의 인구집중유발시설의 신설 · 증설이나 그 허가등을 하여서는 아니 된다.

② 관계 행정기관의 장은 성장관리권역에서 공업지역을 지정하려면 대통령령으로 정하는 범위에서 수도권정비계획으로 정하는 바에 따라야 한다.

법 제9조【자연보전권역의 행위 제한】관계 행정기관의 장은 자연보전권역에서는 다음 각 호의 행위나 그 허가등을 하여서는 아니 된다. 다만, 국민경제의 발전과 공공복리의 증진을 위하여 필요하다고 인정되는 경우로서 대통령령으로 정하는 경우에는 그러하지 아니하다.

1. 택지, 공업 용지, 관광지 등의 조성을 목적으로 하는 사업으로서 대통령령으로 정하는 종류 및 규모 이상의 개발사업
2. 대통령령으로 정하는 학교, 공공 청사, 업무용 건축물, 판매용 건축물, 연수 시설, 그 밖의 인구집중유발시설의 신설 또는 증설

5. 택지개발촉진법

법 제6조【행위제한 등】① 제3조의3에 따라 예정지구의 지정에 관한 주민 등의 의견청취를 위한 공고가 있는 지역 및 예정지구 안에서 건축물의 건축, 공작물의 설치, 토지의 형질변경, 토석의 채취, 토지분할, 물건을 쌓아놓는 행위 등 대통령령으로 정하는 행위를 하고자 하는 자는 특별자치도지사 · 시장 · 군수 또는 자치구의 구청장의 허가를 받아야 한다. 허가받은 사항을 변경하고자 하는 때에도 또한 같다.

② 다음 각 호의 어느 하나에 해당하는 행위는 제1항의 규정에 불구하고 허가를 받지 아니하고 이를 할 수 있다.

1. 재해복구 또는 재난수습에 필요한 응급조치를 위하여 하는 행위
2. 그 밖에 대통령령이 정하는 행위

③ 제1항의 규정에 따라 허가를 받아야 하는 행위로서 예정지구의 지정 및 고시 당시 이미 관계 법령에 따라 행위허가를 받았거나 허가를 받을 필요가 없는 행위에 관하여 그 공사 또는 사업에 착수한 자는 대통령령으로 정하는 바에 따라 특별자치도지사 · 시장 · 군수 또는 자치구의 구청장에게 신고한 후 이를 계속 시행할 수 있다.

④ 특별자치도지사 · 시장 · 군수 또는 자치구의 구청장은 제1항의 규정을 위반한 자에 대하여 원상회복을 명할 수 있다. 이 경우 명령을 받은 자가 그 의무를 이행하지 아니하는 때에는 특별자치도지사 · 시장 · 군수 또는 자치구의 구청장은 「행정대집행법」에 따라 이를 대집행할 수 있다.

⑤ 제1항의 규정에 따른 허가에 관하여 이 법에 규정한 것을 제외하고는 「국토의 계획 및 이용에 관한 법률」 제57조 내지 제60조 및 제62조의 규정을 준용한다.

⑥ 제1항의 규정에 따라 허가를 받은 경우에는 「국토의 계획 및 이용에 관한 법률」 제56조의 규정에 따라 허가를 받은 것으로 본다.

6. 도시공원 및 녹지 등에 관한 법률

법 제24조【도시공원의 점용허가】 ➡ 441쪽 참조(② 건축에 관한 입지 및 규모의 사전결정 관계법 16.)

법 제38조【녹지의 점용허가 등】 ① 녹지에서 다음 각 호의 어느 하나에 해당하는 행위를 하려는 자는 대통령령으로 정하는 바에 따라 그 녹지를 관리하는 특별시장 · 광역시장 · 특별자치시장 · 특별자치도지사 · 시장 또는 군수의 점용허가를 받아야 한다. 다만, 산림의 솎아베기 등 대통령령으로 정하는 경미한 행위의 경우에는 그러하지 아니하다.

1. 녹지의 조성에 필요한 시설 외의 시설 · 건축물 또는 공작물을 설치하는 행위
2. 토지의 형질변경
3. 죽목을 베거나 심는 행위
4. 흙과 돌의 채취
5. 물건을 쌓아놓는 행위

② 특별시장 · 광역시장 · 특별자치시장 · 특별자치도지사 · 시장 또는 군수는 제1항에 따른 허가신청을 받았을 때에는 그 점용이 녹지의 설치목적을 저해하지 아니하고, 그 조성 및 유지 · 관리에 지장을 주지 아니하는 범위에서 이를 허가할 수 있다.

③ 제1항에 따라 점용허가를 받아 녹지를 점용할 수 있는 대상 및 점용기준은 대통령령으로 정한다.

④ 점용허가를 받은 사항을 변경하려는 경우에는 제1항 및 제2항을 준용한다.

⑤ 녹지의 지목이 대인 토지에서의 건축물 또는 공작물의 설치에 관하여는 제24조제5항을 준용하며, 녹지의 원상회복에 관하여는 제25조를 준용한다.

7. 공항시설법

법 제34조【장애물의 제한 등】 ① 누구든지 제4조제5항에 따른 기본계획의 고시(변경 고시를 포함한다) 또는 제7조제6항에 따른 실시계획의 고시 이후에는 해당 고시에 따른 장애물 제한표면의 높이 이상의 건축물 · 구조물 · 식물 및 그 밖의 장애물을 설치 · 재배하거나 방치해서는 아니 된다. 다만, 다음 각 호에 해당하는 것은 설치 · 재배하거나 방치할 수 있다. <개정 2023.4.18.>

1. 존치장애물
2. 국토교통부령으로 정하는 장애물로서 관계 행정기관의 장이 국토교통부령으로 정하는 바에 따라 국토교통부장관 또는 사업시행자등과 협의하여 설치를 허가하는 장애물
3. 국토교통부장관 또는 사업시행자등이 설치하는 공항시설 또는 비행장시설로서 국토교통부령으로 정하는 바에 따라 항공기의 안전운항에 지장이 없다고 인정되는 시설
4. 공항 또는 비행장의 사용 개시 예정일 전에 제거할 예정인 가설물
5. 국토교통부령으로 정하는 항공학적 검토 기준 및 방법 등에 따른 항공학적 검토 결과에 대하여 제35조에 따른 항공학적 검토위원회의 의결로 국토교통부장관이 항공기의 비행안전을 특히 해치지 아니한다고 결정하는 장애물

② 제4조제6항에 따른 기본계획의 고시 전에 장애물 제한표면의 높이를 넘어선 장애물 중 존치장애물로 고시되지 아니한 장애물은 다음 각 호에서 정하는 기간 동안은 제1항을 위반하지 아니한 것으로 본다. <개정 2023.4.18.>

1. 제34조의2제1항에 따라 국토교통부장관 또는 사업시행자등이 해당 장애물의 제한이나 제거를 요구하여 같은 조 제2항에 따른 손실보상이나 같은 조 제4항에 따른 매수가 이루어지기 전까지의 기간
2. 제34조의2제5항에 따라 국토교통부장관이 장애물의 제한이나 제거를 명하여 같은 조 제6항에 따른 손실보상이 이루어지기 전까지의 기간

③ 사업시행자등은 항공기 안전운항에 지장이 없도록 장애물에 대한 정기적인 현황조사 등 국토교통부령으로 정하는 바에 따라 장애물을 관리하여야 한다. <개정 2023.4.18.>

④ 제1항제5호에 따른 결정을 받으려는 자는 국토교통부령으로 정하는 전문기관이 작성한 검토 결과보고서 등 국토교통부령으로 정하는 서류를 첨부하여 국토교통부령으로 정하는 바에 따라 국토교통부장관에게 신청하여야 한다. 이 경우 항공학적 검토에 드는 비용은 신청하는 자가 부담한다. <개정 2023.4.18.>

건 축 법
1. 총 칙
2. 건 축
3. 유지관리
4. 대지도로
5. 구조재료
6. 지역지구
7. 건축설비
8. 특별건축구역
9. 보 칙
10. 벌 칙
건 축 법 관련기준

8. 교육환경 보호에 관한 법률

법 제9조 【교육환경보호구역에서의 금지행위 등】 누구든지 학생의 보건·위생, 안전, 학습과 교육환경 보호를 위하여 교육환경보호구역에서는 다음 각 호의 어느 하나에 해당하는 행위 및 시설을 하여서는 아니 된다. 다만, 상대보호구역에서는 제14호부터 제27호까지 및 제29호에 규정된 행위 및 시설 중 교육감이나 교육감이 위임한 자가 지역위원회의 심의를 거쳐 학습과 교육환경에 나쁜 영향을 주지 아니한다고 인정하는 행위 및 시설은 제외한다. <개정 2021.9.24.>

1. 「대기환경보전법」 제16조제1항에 따른 배출허용기준을 초과하여 대기오염물질을 배출하는 시설
2. 「물환경보전법」 제32조제1항에 따른 배출허용기준을 초과하여 수질오염물질을 배출하는 시설과 제48조에 따른 폐수종말처리시설
3. 「가축분뇨의 관리 및 이용에 관한 법률」 제11조에 따른 배출시설, 제12조에 따른 처리시설 및 제24조에 따른 공공처리시설
4. 「하수도법」 제2조제11호에 따른 분뇨처리시설
5. 「악취방지법」 제7조에 따른 배출허용기준을 초과하여 악취를 배출하는 시설
6. 「소음·진동관리법」 제7조 및 제21조에 따른 배출허용기준을 초과하여 소음·진동을 배출하는 시설
7. 「폐기물관리법」 제2조제8호에 따른 폐기물처리시설(규모, 용도, 기간 및 학습과 학교보건위생에 대한 영향 등을 고려하여 대통령령으로 정하는 시설은 제외한다)
8. 「가축전염병 예방법」 제11조제1항·제20조제1항에 따른 가축 사체, 제23조제1항에 따른 오염물건 및 제33조제1항에 따른 수입금지 물건의 소각·매몰지
9. 「장사 등에 관한 법률」 제2조제8호에 따른 화장시설·제9호에 따른 봉안시설 및 제13호에 따른 자연장지(같은 법 제16조제1항제1호에 따른 개인·가족자연장지와 제2호에 따른 종중·문중자연장지는 제외한다)
10. 「축산물 위생관리법」 제21조제1항제1호에 따른 도축업 시설
11. 「축산법」 제34조제1항에 따른 가축시장
12. 「영화 및 비디오물의 진흥에 관한 법률」 제2조제11호의 제한상영관
13. 「청소년 보호법」 제2조제5호가목7)에 해당하는 업소와 같은 호 가목8), 가목9) 및 나목7)에 따라 여성가족부장관이 고시한 영업에 해당하는 업소
14. 「고압가스 안전관리법」 제2조에 따른 고압가스, 「도시가스사업법」 제2조제1호에 따른 도시가스 또는 「액화석유가스의 안전관리 및 사업법」 제2조제1호에 따른 액화석유가스의 제조, 충전 및 저장하는 시설(관계 법령에서 정한 허가 또는 신고 이하의 시설이라 하더라도 동일 건축물 내에 설치되는 각각의 시설용량의 총량이 허가 또는 신고 규모 이상이 되는 시설은 포함하되, 규모, 용도 및 학습과 학교보건위생에 대한 영향 등을 고려하여 대통령령으로 정하는 시설의 전부 또는 일부는 제외한다)
15. 「폐기물관리법」 제2조제1호에 따른 폐기물을 수집·보관·처분하는 장소(규모, 용도, 기간 및 학습과 학교보건위생에 대한 영향 등을 고려하여 대통령령으로 정하는 장소는 제외한다)
16. 「총포·도검·화약류 등의 안전관리에 관한 법률」 제2조에 따른 총포 또는 화약류의 제조소 및 저장소
17. 「감염병의 예방 및 관리에 관한 법률」 제37조제1항제2호에 따른 격리소·요양소 또는 진료소
18. 「담배사업법」에 의한 지정소매인, 그 밖에 담배를 판매하는 자가 설치하는 담배자동판매기(「유아교육법」 제2조제2호에 따른 유치원 및 「고등교육법」 제2조 각 호에 따른 학교의 교육환경보호구역은 제외한다)
19. 「게임산업진흥에 관한 법률」 제2조제6호, 제7호 또는 제8호에 따른 게임제공업, 인터넷컴퓨터게임시설제공업 및 복합유통게임제공업(「유아교육법」 제2조제2호에 따른 유치원 및 「고등교육법」 제2조 각 호에 따른 학교의 교육환경보호구역은 제외한다)
20. 「게임산업진흥에 관한 법률」 제2조제6호다목에 따라 제공되는 게임물 시설(「고등교육법」 제2조 각 호에 따른 학교의 교육환경보호구역은 제외한다)
21. 「체육시설의 설치·이용에 관한 법률」 제3조에 따른 체육시설 중 무도학원 및 무도장(「유아교육법」 제2조제2호에 따른 유치원, 「초·중등교육법」 제2조제1호에 따른 초등학교, 같은 법 제60조의3

에 따라 초등학교 과정만을 운영하는 대안학교 및 「고등교육법」 제2조 각 호에 따른 학교의 교육환경보호구역은 제외한다) <개정 2021.9.24.>
22. 「한국마사회법」 제4조에 따른 경마장 및 제6조제2항에 따른 장외발매소, 「경륜 · 경정법」 제5조에 따른 경주장 및 제9조제2항에 따른 장외매장
23. 「사행행위 등 규제 및 처벌 특례법」 제2조제1항제2호에 따른 사행행위영업
24. 「음악산업진흥에 관한 법률」 제2조제13호에 따른 노래연습장업(「유아교육법」 제2조제2호에 따른 유치원 및 「고등교육법」 제2조 각 호에 따른 학교의 교육환경보호구역은 제외한다)
25. 「영화 및 비디오물의 진흥에 관한 법률」 제2조제16호가목 및 라목에 해당하는 비디오물감상실업 및 복합영상물제공업의 시설(「유아교육법」 제2조제2호에 따른 유치원 및 「고등교육법」 제2조 각 호에 따른 학교의 교육환경보호구역은 제외한다)
26. 「식품위생법」 제36조제1항제3호에 따른 식품접객업 중 단란주점영업 및 유흥주점영업
27. 「공중위생관리법」 제2조제1항제2호에 따른 숙박업 및 「관광진흥법」 제3조제1항제2호에 따른 관광숙박업(「국제회의산업 육성에 관한 법률」 제2조제3호에 따른 국제회의시설에 부속된 숙박시설과 규모, 용도, 기간 및 학습과 학교보건위생에 대한 영향 등을 고려하여 대통령령으로 정하는 숙박업 또는 관광숙박업은 제외한다) <개정 2021.9.24.>
28. 삭제 <2021.9.24.>
29. 「화학물질관리법」 제39조에 따른 사고대비물질의 취급시설 중 대통령령으로 정하는 수량 이상으로 취급하는 시설

9. 산지관리법

법 제8조【산지에서의 구역 등의 지정 등】 ① 관계 행정기관의 장은 다른 법률에 따라 산지를 특정 용도로 이용하기 위하여 지역 · 지구 및 구역 등으로 지정하거나 결정하려면 대통령령으로 정하는 산지의 종류 및 면적 등의 구분에 따라 산림청장등과 미리 협의하여야 한다. 협의한 사항(대통령령으로 정하는 경미한 사항은 제외한다)을 변경하려는 경우에도 같다. <개정 2021.6.15>
② 산림청장등은 제1항에 따라 협의하는 경우에는 미리 대통령령으로 정하는 바에 따라 중앙산지관리위원회 또는 지방산지관리위원회의 심의를 거쳐야 한다.
③ 제1항에 따른 협의의 범위, 기준 및 절차 등에 관한 사항은 대통령령으로 정한다.
④ 국가나 지방자치단체는 불가피한 사유가 있는 경우가 아니면 산지를 산지의 보전과 관련되는 지역 · 지구 · 구역 등으로 중복하여 지정하거나 행위를 제한하여서는 아니 된다.

법 제10조【산지전용 · 일시사용제한지역에서의 행위제한】 산지전용 · 일시사용제한지역에서는 다음 각 호의 어느 하나에 해당하는 행위를 하기 위하여 산지전용 또는 산지일시사용을 하는 경우를 제외하고는 산지전용 또는 산지일시사용을 할 수 없다. <개정 2019.12.3.>
1. 국방 · 군사시설의 설치
2. 사방시설, 하천, 제방, 저수지, 그 밖에 이에 준하는 국토보전시설의 설치
3. 도로, 철도, 석유 및 가스의 공급시설, 그 밖에 대통령령으로 정하는 공용 · 공공용 시설의 설치
4. 산림보호, 산림자원의 보전 및 증식을 위한 시설로서 대통령령으로 정하는 시설의 설치
5. 임업시험연구를 위한 시설로서 대통령령으로 정하는 시설의 설치
6. 매장문화재의 발굴(지표조사를 포함한다), 문화재와 전통사찰의 복원 · 보수 · 이전 및 그 보존관리를 위한 시설의 설치, 문화재 · 전통사찰과 관련된 비석, 기념탑, 그 밖에 이와 유사한 시설의 설치
7. 다음 각 목의 어느 하나에 해당하는 시설 중 대통령령으로 정하는 시설의 설치
  가. 발전 · 송전시설 등 전력시설
  나. 「신에너지 및 재생에너지 개발 · 이용 · 보급 촉진법」 에 따른 신 · 재생에너지 설비. 다만, 태양에너지 설비는 제외한다.
8. 「광업법」 에 따른 광물의 탐사 · 시추시설의 설치 및 대통령령으로 정하는 갱내채굴
9. 「광산피해의 방지 및 복구에 관한 법률」 에 따른 광해방지시설의 설치

9의2. 공공의 안전을 방해하는 위험시설이나 물건의 제거
9의3. 「6 · 25 전사자유해의 발굴 등에 관한 법률」에 따른 전사자의 유해 등 대통령령으로 정하는 유해의 조사 · 발굴
10. 제1호부터 제9호까지, 제9호의2 및 제9호의3에 따른 행위를 하기 위하여 대통령령으로 정하는 기간 동안 임시로 설치하는 다음 각 목의 어느 하나에 해당하는 부대시설의 설치
가. 진입로
나. 현장사무소
다. 지질 · 토양의 조사 · 탐사시설
라. 그 밖에 주차장 등 농림축산식품부령으로 정하는 부대시설
11. 제1호부터 제9호까지, 제9호의2 및 제9호의3에 따라 설치되는 시설 중 「건축법」에 따른 건축물과 도로(「건축법」 제2조제1항제11호의 도로를 말한다)를 연결하기 위한 대통령령으로 정하는 규모 이하의 진입로의 설치

법 제12조 **【보전산지안에서의 행위제한】** ① 임업용산지에서는 다음 각 호의 어느 하나에 해당하는 행위를 하기 위하여 산지전용 또는 산지일시사용을 하는 경우를 제외하고는 산지전용 또는 산지일시사용을 할 수 없다. <개정 2021.6.15.>
1. 제10조제1호부터 제9호까지, 제9호의2 및 제9호의3에 따른 시설의 설치 등
2. 임도 · 산림경영관리사(山林經營管理舍) 등 산림경영과 관련된 시설 및 산촌산업개발시설 등 산촌개발사업과 관련된 시설로서 대통령령으로 정하는 시설의 설치
3. 수목원, 산림생태원, 자연휴양림, 수목장림(樹木葬林), 국가정원, 지방정원, 그 밖에 대통령령으로 정하는 산림공익시설의 설치
4. 농림어업인의 주택 및 그 부대시설로서 대통령령으로 정하는 주택 및 시설의 설치
5. 농림어업용 생산 · 이용 · 가공시설 및 농어촌휴양시설로서 대통령령으로 정하는 시설의 설치
6. 광물, 지하수, 그 밖에 대통령령으로 정하는 지하자원 또는 석재의 탐사 · 시추 및 개발과 이를 위한 시설의 설치
7. 산사태 예방을 위한 지질 · 토양의 조사와 이에 따른 시설의 설치
8. 석유비축 및 저장시설 · 방송통신설비, 그 밖에 대통령령으로 정하는 공용 · 공공용 시설의 설치
9. 「국립묘지의 설치 및 운영에 관한 법률」 제2조제12호에 따른 국립묘지시설 및 「장사 등에 관한 법률」에 따라 허가를 받거나 신고를 한 묘지 · 화장시설 · 봉안시설 · 자연장지 시설의 설치
10. 대통령령으로 정하는 종교시설의 설치
11. 병원, 사회복지시설, 청소년수련시설, 근로자복지시설, 공공직업훈련시설 등 공익시설로서 대통령령으로 정하는 시설의 설치
12. 교육 · 연구 및 기술개발과 관련된 시설로서 대통령령으로 정하는 시설의 설치
13. 제1호부터 제12호까지의 시설을 제외한 시설로서 대통령령으로 정하는 지역사회개발 및 산업발전에 필요한 시설의 설치
14. 제1호부터 제13호까지의 규정에 따른 시설을 설치하기 위하여 대통령령으로 정하는 기간 동안 임시로 설치하는 다음 각 목의 어느 하나에 해당하는 부대시설의 설치
가. 진입로
나. 현장사무소
다. 지질 · 토양의 조사 · 탐사시설
라. 그 밖에 주차장 등 농림축산식품부령으로 정하는 부대시설
15. 제1호부터 제13호까지의 시설 중 「건축법」에 따른 건축물과 도로(「건축법」 제2조제1항제11호의 도로를 말한다)를 연결하기 위한 대통령령으로 정하는 규모 이하의 진입로의 설치
16. 그 밖에 가축의 방목, 산나물 · 야생화 · 관상수의 재배(성토 또는 절토 등을 통하여 지표면으로부터 높이 또는 깊이 50센티미터 이상 형질변경을 수반하는 경우에 한정한다), 물건의 적치(積置), 농도(農道)의 설치 등 임업용산지의 목적 달성에 지장을 주지 아니하는 범위에서 대통령령으로 정하는 행위

② 공익용산지(산지전용 · 일시사용제한지역은 제외한다)에서는 다음 각 호의 어느 하나에 해당하는 행위를 하기 위하여 산지전용 또는 산지일시사용을 하는 경우를 제외하고는 산지전용 또는 산지일시사용을 할 수 없다. <개정 2016.12.2.>

1. 제10조제1호부터 제9호까지, 제9호의2 및 제9호의3에 따른 시설의 설치 등
2. 제1항제2호, 제3호, 제6호 및 제7호의 시설의 설치
3. 제1항제12호의 시설 중 대통령령으로 정하는 시설의 설치
4. 대통령령으로 정하는 규모 미만으로서 다음 각 목의 어느 하나에 해당하는 행위
   가. 농림어업인 주택의 신축, 증축 또는 개축. 다만, 신축의 경우에는 대통령령으로 정하는 주택 및 시설에 한정한다.
   나. 종교시설의 증축 또는 개축
   다. 제4조제1항제1호나목2)에 해당하는 사유로 공익용산지로 지정된 사찰림의 산지에서의 사찰 신축, 제1항제9호의 시설 중 봉안시설 설치 또는 제1항제11호에 따른 시설 중 병원, 사회복지시설, 청소년수련시설의 설치
5. 제1호부터 제4호까지의 시설을 제외한 시설로서 대통령령으로 정하는 공용 · 공공용 사업을 위하여 필요한 시설의 설치
6. 제1호부터 제5호까지에 따른 시설을 설치하기 위하여 대통령령으로 정하는 기간 동안 임시로 설치하는 다음 각 목의 어느 하나에 해당하는 부대시설의 설치
   가. 진입로
   나. 현장사무소
   다. 지질 · 토양의 조사 · 탐사시설
   라. 그 밖에 주차장 등 농림축산식품부령으로 정하는 부대시설
7. 제1호부터 제5호까지의 시설 중 「건축법」에 따른 건축물과 도로(「건축법」 제2조제1항제11호의 도로를 말한다)를 연결하기 위한 대통령령으로 정하는 규모 이하의 진입로의 설치
8. 그 밖에 산나물 · 야생화 · 관상수의 재배(성토 또는 절토 등을 통하여 지표면으로부터 높이 또는 깊이 50센티미터 이상 형질변경을 수반하는 경우에 한정한다), 농도의 설치 등 공익용산지의 목적 달성에 지장을 주지 아니하는 범위에서 대통령령으로 정하는 행위

③ 제2항에도 불구하고 공익용산지(산지전용 · 일시사용제한지역은 제외한다) 중 다음 각 호의 어느 하나에 해당하는 산지에서의 행위제한에 대하여는 해당 법률을 각각 적용한다.

1. 제4조제1항제1호나목4)부터 14)까지의 산지
2. 「국토의 계획 및 이용에 관한 법률」에 따라 지역 · 지구 및 구역 등으로 지정된 산지로서 대통령령으로 정하는 산지

법 제14조 【산지전용허가】 ➡ 416쪽 참조(② 건축에 관한 입지 및 규모의 사전결정 **관계법** 1.)

법 제18조 【산지전용허가기준 등】 ① 제14조에 따라 산지전용허가 신청을 받은 산림청장등은 그 신청내용이 다음 각 호의 기준에 맞는 경우에만 산지전용허가를 하여야 한다. <개정 2018.3.20.>

1. 제10조와 제12조에 따른 행위제한사항에 해당하지 아니할 것
2. 인근 산림의 경영 · 관리에 큰 지장을 주지 아니할 것
3. 집단적인 조림 성공지 등 우량한 산림이 많이 포함되지 아니할 것
4. 희귀 야생 동 · 식물의 보전 등 산림의 자연생태적 기능유지에 현저한 장애가 발생하지 아니할 것
5. 토사의 유출 · 붕괴 등 재해가 발생할 우려가 없을 것
6. 산림의 수원 함양 및 수질보전 기능을 크게 해치지 아니할 것
7. 산지의 형태 및 임목(林木)의 구성 등의 특성으로 인하여 보호할 가치가 있는 산림에 해당되지 아니할 것
8. 사업계획 및 산지전용면적이 적정하고 산지전용방법이 산지경관 및 산림 훼손을 최소화하며 산지전용 후의 복구에 지장을 줄 우려가 없을 것

② 제1항에도 불구하고 준보전산지의 경우 또는 다음 각 호의 요건을 모두 충족하는 경우에는 제1항제1호부터 제4호까지의 기준을 적용하지 아니한다.

1. 전용하려는 산지 중 임업용산지의 비율이 100분의 20 미만으로서 대통령령으로 정하는 비율 이내일 것
2. 전용하려는 산지에 대통령령으로 정하는 집단화된 임업용산지가 포함되지 아니할 것
3. 전용하려는 산지 중 제1호의 임업용산지를 제외한 나머지가 준보전산지일 것

③ 산림청장등은 제1항에 따라 산지전용허가를 할 때 산림기능의 유지, 재해 방지, 산지경관 보전 등을 위하여 필요할 때에는 재해방지시설의 설치 등 필요한 조건을 붙일 수 있다. <개정 2018.3.20>

④ 산림청장등은 제1항에 따른 산지전용허가 중 대통령령으로 정하는 면적 이상의 산지(보전산지가 대통령령으로 정하는 면적 이상으로 포함되는 경우로 한정한다)에 대한 산지전용허가를 할 때에는 미리 그 산지전용타당성에 관하여 중앙산지관리위원회 또는 지방산지관리위원회의 심의를 거쳐야 한다. 다만, 해당 산지에 대하여 제8조제2항에 따라 중앙산지관리위원회 또는 지방산지관리위원회의 심의를 거친 경우에는 그러하지 아니하다. <개정 2019.12.3.>

⑤ 제1항에 따른 산지전용허가기준의 적용 범위와 산지의 면적에 관한 허가기준, 그 밖의 사업별·규모별 세부 기준 등에 관한 사항은 대통령령으로 정한다. 다만, 지역여건상 산지의 이용 및 보전을 위하여 필요하다고 인정되면 대통령령으로 정하는 범위에서 산지의 면적에 관한 허가기준이나 그 밖의 사업별·규모별 세부 기준을 해당 지방자치단체의 조례로 정할 수 있다.

10. 산림자원의 조성 및 관리에 관한 법률

법 제36조【입목벌채등의 허가 및 신고 등】① 산림(제19조에 따른 채종림등과 「산림보호법」 제7조에 따른 산림보호구역은 제외한다. 이하 이 조에서 같다) 안에서 입목의 벌채, 임산물(「산지관리법」 제2조제4호·제5호에 따른 석재 및 토사는 제외한다. 이하 이 조에서 같다)의 굴취·채취(이하 "입목벌채등"이라 한다. 이하 같다)를 하려는 자는 농림축산식품부령으로 정하는 바에 따라 특별자치시장·특별자치도지사·시장·군수·구청장이나 지방산림청장의 허가를 받아야 한다. 허가받은 사항 중 대통령령으로 정하는 중요 사항을 변경하려는 경우에도 또한 같다. <개정 2017.10.31.>

② 특별자치시장·특별자치도지사·시장·군수·구청장이나 지방산림청장은 국토와 자연의 보전, 문화재와 국가 중요 시설의 보호, 그 밖의 공익을 위하여 산림의 보호가 필요한 지역으로서 대통령령으로 정하는 지역에서는 제1항에 따른 입목벌채등의 허가를 하여서는 아니 된다. 다만, 병해충의 예방·방제 등 대통령령으로 정하는 사유로 입목벌채등을 하려는 경우에는 이를 허가할 수 있다. <개정 2020.2.18.>

③ 특별자치시장·특별자치도지사·시장·군수·구청장이나 지방산림청장은 제1항에 따른 입목벌채등의 허가신청을 받은 경우 벌채 목적과 벌채 대상의 적정성 등 농림축산식품부령으로 정하는 사항을 고려하여 그 타당성이 인정되면 입목벌채등을 허가하여야 한다. <개정 2017.10.31.>

④ 특별자치시장·특별자치도지사·시장·군수·구청장이나 지방산림청장은 제3항에 따라 허가를 받고 생태·경관·재해위험을 최소화하여 벌채한 경우 벌채구역 내 남겨진 입목의 판매를 전제로 예상되는 수익금의 일부를 대통령령으로 정하는 바에 따라 예산의 범위에서 지원할 수 있다. <신설 2022.12.27.>

⑤ 병해충·산불 등 자연재해를 입은 임목(林木)의 제거 등 대통령령으로 정하는 사유로 입목벌채등을 하려는 자는 제1항 및 제2항 단서에도 불구하고 농림축산식품부령으로 정하는 바에 따라 특별자치시장·특별자치도지사·시장·군수·구청장이나 지방산림청장에게 신고하고 할 수 있다. <개정 2022.12.27.>

⑥ 특별자치시장·특별자치도지사·시장·군수·구청장 또는 지방산림청장은 제1항 및 제2항 단서에 따른 허가의 신청을 받은 경우와 제5항에 따른 신고를 받은 경우에는 신청 또는 신고를 받은 날부터 30일 이내에 허가 또는 신고수리 여부를 신청인에게 통지하여야 한다. 이 경우 제36조의4제2항에 따른 사전타당성조사 결과를 받은 때에는 그 결과를 받은 날부터 7일 이내에 허가 여부를 신청인에게 통지하여야 한다. <개정 2022.12.27.>

⑦ 특별자치시장·특별자치도지사·시장·군수·구청장 또는 지방산림청장이 제6항에서 정한 기간에 허

가 또는 신고수리 여부나 민원 처리 관련 법령에 따른 처리기간의 연장을 신청인에게 통지하지 아니하면 그 기간(민원 처리 관련 법령에 따라 처리기간이 연장 또는 재연장된 경우에는 해당 처리기간을 말한다)이 끝난 날의 다음 날에 허가 또는 신고수리를 한 것으로 본다. <개정 2022.12.27., 2023.10.31.>

⑧ 제1항, 제2항 단서 및 제5항에도 불구하고 풀베기, 가지치기 또는 어린나무 가꾸기를 위한 벌채 등 대통령령으로 정하는 입목벌채등은 허가나 신고 없이 할 수 있다. <개정 2022.12.27., 2023.10.31.>

⑨ "이후 생략"

11. 산림보호법

법 제9조【산림보호구역에서의 행위 제한】① 산림보호구역(「산림문화ㆍ휴양에 관한 법률」 제14조제1항 또는 제2항에 따른 자연휴양림조성계획을 작성하거나 승인받은 구역은 제외한다. 이하 이 조에서 같다) 안에서는 다음 각 호의 행위를 하지 못한다. <개정 2018.2.21.>

1. 입목(立木)ㆍ죽(竹)의 벌채
2. 임산물의 굴취(掘取)ㆍ채취

2의2. 입목ㆍ죽 또는 임산물을 손상하거나 말라 죽게 하는 행위

3. 가축의 방목
4. 그 밖에 대통령령으로 정하는 토지의 형질을 변경하는 행위

② 제1항에도 불구하고 농림축산식품부령으로 정하는 바에 따라 다음 각 호의 구분에 따른 행위를 할 수 있다. <개정 2014.6.3.>

1. 산림청장 또는 시ㆍ도지사의 허가를 받으면 할 수 있는 행위: 농림축산식품부령으로 정하는 산림보호시설의 설치, 산림병해충의 방제, 그 밖에 대통령령으로 정하는 행위를 하기 위하여 부수적으로 하는 제1항 각 호의 행위
2. 산림청장 또는 시ㆍ도지사에게 신고하면 할 수 있는 행위: 산림보호구역(산림유전자원보호구역은 제외한다)의 지정 목적에 위배되지 아니하는 범위에서 숲 가꾸기를 위한 벌채, 그 밖에 산림의 기능을 증진하기 위한 입목ㆍ죽의 벌채나 임산물의 굴취ㆍ채취 행위로서 대통령령으로 정하는 경우
3. 산림청장 또는 시ㆍ도지사의 허가나 신고 없이 할 수 있는 행위: 산림보호구역(산림유전자원보호구역은 제외한다)의 지정 목적에 위배되지 아니하는 범위에서 방화선(防火線)을 설치하기 위한 입목벌채 등 대통령령으로 정하는 경우

③ 산림청장 또는 시ㆍ도지사는 제2항제1호 또는 제2호에 따른 허가의 신청을 받거나 신고를 받은 날부터 15일 이내에 허가 또는 신고수리 여부를 신청인에게 통지하여야 한다. <신설 2018.3.20.>

④ 산림청장 또는 시ㆍ도지사가 제3항에서 정한 기간 내에 허가 또는 신고수리 여부나 민원 처리 관련 법령에 따른 처리기간의 연장을 신청인에게 통지하지 아니하면 그 기간(민원 처리 관련 법령에 따라 처리기간이 연장 또는 재연장된 경우에는 해당 처리기간을 말한다)이 끝난 날의 다음 날에 허가 또는 신고수리를 한 것으로 본다. <신설 2018.3.20.>

12. 도로법

법 제40조【접도구역의 지정 및 관리】① 도로관리청은 도로 구조의 파손 방지, 미관(美觀)의 훼손 또는 교통에 대한 위험 방지를 위하여 필요하면 소관 도로의 경계선에서 20미터(고속국도의 경우 50미터)를 초과하지 아니하는 범위에서 대통령령으로 정하는 바에 따라 접도구역(接道區域)을 지정할 수 있다.

② 도로관리청은 제1항에 따라 접도구역을 지정하면 지체 없이 이를 고시하고, 국토교통부령으로 정하는 바에 따라 그 접도구역을 관리하여야 한다.

③ 누구든지 접도구역에서는 다음 각 호의 행위를 하여서는 아니 된다. 다만, 도로 구조의 파손, 미관의 훼손 또는 교통에 대한 위험을 가져오지 아니하는 범위에서 하는 행위로서 대통령령으로 정하는 행위는 그러하지 아니하다.

1. 토지의 형질을 변경하는 행위
2. 건축물, 그 밖의 공작물을 신축ㆍ개축 또는 증축하는 행위

④ 도로관리청은 도로 구조나 교통안전에 대한 위험을 예방하기 위하여 필요하면 접도구역에 있는 토지,

나무, 시설, 건축물, 그 밖의 공작물(이하 "시설등"이라 한다)의 소유자나 점유자에게 상당한 기간을 정하여 다음 각 호의 조치를 하게 할 수 있다.

1. 시설등이 시야에 장애를 주는 경우에는 그 장애물을 제거할 것
2. 시설등이 붕괴하여 도로에 위해(危害)를 끼치거나 끼칠 우려가 있으면 그 위해를 제거하거나 위해 방지시설을 설치할 것
3. 도로에 토사 등이 쌓이거나 쌓일 우려가 있으면 그 토사 등을 제거하거나 토사가 쌓이는 것을 방지할 수 있는 시설을 설치할 것
4. 시설등으로 인하여 도로의 배수시설에 장애가 발생하거나 발생할 우려가 있으면 그 장애를 제거하거나 장애의 발생을 방지할 수 있는 시설을 설치할 것

법 제61조【도로의 점용 허가】① 공작물・물건, 그 밖의 시설을 신설・개축・변경 또는 제거하거나 그 밖의 사유로 도로(도로구역을 포함한다. 이하 이 장에서 같다)를 점용하려는 자는 도로관리청의 허가를 받아야 한다. 허가받은 기간을 연장하거나 허가받은 사항을 변경(허가받은 사항 외에 도로 구조나 교통안전에 위험이 되는 물건을 새로 설치하는 행위를 포함한다)하려는 때에도 같다.

② 도로관리청은 승차한 상태로 상품의 구매가 가능한 시설 등 대통령령으로 정하는 시설의 설치를 위한 도로의 점용 허가를 할 때 해당 시설이 「도로교통법」 제12조제1항에 따라 지정된 어린이 보호구역 안에 있는 경우에는 해당 어린이 보호구역 지정 대상 시설의 장 또는 대상 장소의 관리자와 협의하여야 한다. 이 경우 「도로교통법」 제12조제1항제1호・제2호 및 제4호에 따른 학교・유치원・어린이집의 장은 다음 각 호의 구분에 따라 해당 위원회의 의견을 들어야 한다. <신설 2023.4.18.>

1. 학교: 「초・중등교육법」 제31조에 따른 학교운영위원회
2. 유치원: 「유아교육법」 제19조의3에 따른 유치원운영위원회
3. 어린이집: 「영유아보육법」 제25조에 따른 어린이집운영위원회

③ 제1항에 따라 허가를 받아 도로를 점용할 수 있는 공작물・물건, 그 밖의 시설의 종류와 허가의 기준 등에 관하여 필요한 사항은 대통령령으로 정한다. <개정 2023.4.18.>

④ 도로관리청은 같은 도로(토지를 점용하는 경우로 한정하며, 입체적 도로구역을 포함한다)에 제1항에 따른 허가를 신청한 자가 둘 이상인 경우에는 일반경쟁에 부치는 방식으로 도로의 점용 허가를 받을 자를 선정할 수 있다. <개정 2023.4.18.>

⑤ 제4항에 따라 일반경쟁에 부치는 방식으로 도로점용허가를 받을 자를 선정할 수 있는 경우의 기준, 도로의 점용 허가를 받을 자의 선정 절차 등에 관하여 필요한 사항은 대통령령으로 정한다. <개정 2023.4.18.>

13. 주차장법

법 제19조【부설주차장의 설치·지정】①「국토의 계획 및 이용에 관한 법률」에 따른 도시지역, 같은 법 제53조제3항에 따른 지구단위계획구역 및 지방자치단체의 조례로 정하는 관리지역에서 건축물, 골프연습장, 그 밖에 주차수요를 유발하는 시설(이하 "시설물"이라 한다)을 건축하거나 설치하려는 자는 그 시설물의 내부 또는 그 부지에 부설주차장(화물의 하역과 그 밖의 사업 수행을 위한 주차장을 포함한다. 이하 같다)을 설치하여야 한다.

② 부설주차장은 해당 시설물의 이용자 또는 일반의 이용에 제공할 수 있다.

③ 제1항에 따른 시설물의 종류와 부설주차장의 설치기준은 대통령령으로 정한다.

④ 제1항의 경우에 부설주차장이 대통령령으로 정하는 규모 이하이면 같은 항에도 불구하고 시설물의 부지 인근에 단독 또는 공동으로 부설주차장을 설치할 수 있다. 이 경우 시설물의 부지 인근의 범위는 대통령령으로 정하는 범위에서 지방자치단체의 조례로 정한다.

⑤ 제1항의 경우에 시설물의 위치 · 용도 · 규모 및 부설주차장의 규모 등이 대통령령으로 정하는 기준에 해당할 때에는 해당 주차장의 설치에 드는 비용을 시장 · 군수 또는 구청장에게 납부하는 것으로 부설주차장의 설치를 갈음할 수 있다. 이 경우 부설주차장의 설치를 갈음하여 납부된 비용은 노외주차장의 설치 외의 목적으로 사용할 수 없다.

⑥ 시장 · 군수 또는 구청장은 제5항에 따라 주차장의 설치비용을 납부한 자에게 대통령령으로 정하는 바에 따라 납부한 설치비용에 상응하는 범위에서 노외주차장(특별시장 · 광역시장, 시장 · 군수 또는 구청장이 설치한 노외주차장만 해당한다)을 무상으로 사용할 수 있는 권리(이하 이 조에서 "노외주차장 무상사용권"이라 한다)를 주어야 한다. 다만, 시설물의 부지로부터 제4항 후단에 따른 범위에 노외주차장 무상사용권을 줄 수 있는 노외주차장이 없는 경우에는 그러하지 아니하다.

⑦ 시장 · 군수 또는 구청장은 제6항 단서에 따라 노외주차장 무상사용권을 줄 수 없는 경우에는 제5항에 따른 주차장 설치비용을 줄여 줄 수 있다.

⑧ 시설물의 소유자가 변경되는 경우에는 노외주차장 무상사용권은 새로운 소유자가 승계한다.

⑨ 제5항과 제7항에 따른 설치비용의 산정기준 및 감액기준 등에 관하여 필요한 사항은 해당 지방자치단체의 조례로 정한다.

⑩ 특별시장 · 광역시장 · 특별자치시장 · 특별자치도지사 또는 시장은 부설주차장을 설치하면 교통 혼잡이 가중될 우려가 있는 지역에 대하여는 제1항 및 제3항에도 불구하고 부설주차장의 설치를 제한할 수 있다. 이 경우 제한지역의 지정 및 설치 제한의 기준은 국토교통부령으로 정하는 바에 따라 해당 지방자치단체의 조례로 정한다. <개정 2018.12.18.>

⑪ 시장 · 군수 또는 구청장은 설치기준에 적합한 부설주차장이 제3항에 따른 부설주차장 설치기준의 개정으로 인하여 설치기준에 미달하게 된 기존 시설물 중 대통령령으로 정하는 시설물에 대하여는 그 소유자에게 개정된 설치기준에 맞게 부설주차장을 설치하도록 권고할 수 있다.

⑫ 시장 · 군수 또는 구청장은 제11항에 따라 부설주차장의 설치권고를 받은 자가 부설주차장을 설치하려는 경우 제21조의2제6항에 따라 부설주차장의 설치비용을 우선적으로 보조할 수 있다.

⑬시장 · 군수 또는 구청장은 주차난을 해소하기 위하여 필요한 경우 공공기관, 그 밖에 대통령령으로 정하는 시설물의 부설주차장을 일반이 이용할 수 있는 개방주차장(이하 "개방주차장" 이라 한다)으로 지정할 수 있다. <신설 2020.2.4.>

⑭ 시장 · 군수 또는 구청장은 개방주차장을 지정하기 위하여 그 시설물을 관리하는 자에게 협조를 요청할 수 있다. 이 경우 요청을 받은 자는 특별한 사정이 없으면 이에 따라야 한다. <신설 2020.2.4.>

⑮ 시장 · 군수 또는 구청장은 제13항에 따라 지정된 개방주차장의 위치, 개방시간 및 주차요금 등 국토교통부령으로 정하는 사항을 인터넷 홈페이지에 게재하는 등의 방법으로 홍보하여야 한다. <신설 2023.8.16.>

⑯ 개방주차장의 지정에 필요한 절차, 개방시간, 보조금의 지원, 시설물 관리 및 운영에 대한 손해배상책임 등에 관하여 필요한 사항은 해당 지방자치단체의 조례로 정한다. <신설 2020.2.4., 2023.8.16.>
[제목개정 2020.2.4.]

법 제19조의2 **【부설주차장 설치계획서】** 부설주차장을 설치하는 자는 시설물의 건축 또는 설치에 관한 허가를 신청하거나 신고를 할 때에는 국토교통부령으로 정하는 바에 따라 부설주차장 설치계획서를 제출하여야 한다. 다만, 시설물의 용도변경으로 인하여 부설주차장을 설치하여야 하는 경우에는 용도변경을 신고하는 때(용도변경 신고의 대상이 아닌 경우에는 그 용도변경을 하기 전을 말한다)에 부설주차장 설치계획서를 제출하여야 한다.

법 제19조의4 **【부설주차장의 용도변경금지 등】** ① 부설주차장은 주차장 외의 용도로 사용할 수 없다. 다만, 다음 각 호의 어느 하나에 해당하는 경우에는 그러하지 아니하다.
1. 시설물의 내부 또는 그 부지(제19조제4항에 따라 해당 시설물의 부지 인근에 부설주차장을 설치하는 경우에는 그 인근 부지를 말한다) 안에서 주차장의 위치를 변경하는 경우로서 시장 · 군수 또는 구청장이 주차장의 이용에 지장이 없다고 인정하는 경우
2. 시설물의 내부에 설치된 주차장을 추후 확보된 인근 부지로 위치를 변경하는 경우로서 시장 · 군수 또는 구청장이 주차장의 이용에 지장이 없다고 인정하는 경우
3. 그 밖에 대통령령으로 정하는 기준에 해당하는 경우

② 시설물의 소유자 또는 부설주차장의 관리책임이 있는 자는 해당 시설물의 이용자가 부설주차장을 이

용하는 데에 지장이 없도록 부설주차장 본래의 기능을 유지하여야 한다. 다만, 대통령령으로 정하는 기준에 해당하는 경우에는 그러하지 아니하다.

③ 시장·군수 또는 구청장은 제1항 또는 제2항을 위반하여 부설주차장을 다른 용도로 사용하거나 부설주차장 본래의 기능을 유지하지 아니하는 경우에는 해당 시설물의 소유자 또는 부설주차장의 관리책임이 있는 자에게 지체 없이 원상회복을 명하여야 한다. 이 경우 시설물의 소유자 또는 부설주차장의 관리책임이 있는 자가 그 명령에 따르지 아니할 때에는 「행정대집행법」에 따라 원상회복을 대집행(代執行)할 수 있다.

④ 제1항 및 제2항을 위반하여 부설주차장을 다른 용도로 사용하거나 부설주차장 본래의 기능을 유지하지 아니하는 경우에는 해당 시설물을 「건축법」 제79조제1항에 따른 위반 건축물로 보아 같은 조 제2항 본문을 적용한다.

14. 환경정책기본법

법 제38조【특별종합대책의 수립】① 환경부장관은 환경오염·환경훼손 또는 자연생태계의 변화가 현저하거나 현저하게 될 우려가 있는 지역과 환경기준을 자주 초과하는 지역을 관계 중앙행정기관의 장 및 시·도지사와 협의하여 환경보전을 위한 특별대책지역으로 지정·고시하고, 해당 지역의 환경보전을 위한 특별종합대책을 수립하여 관할 시·도지사에게 이를 시행하게 할 수 있다.

② 환경부장관은 제1항에 따른 특별대책지역의 환경개선을 위하여 특히 필요한 경우에는 대통령령으로 정하는 바에 따라 그 지역에서 토지 이용과 시설 설치를 제한할 수 있다.

15. 자연환경보전법

법 제15조【생태·경관보전지역에서의 행위제한 등】① 누구든지 생태·경관보전지역안에서는 다음 각호의 어느 하나에 해당하는 자연생태 또는 자연경관의 훼손행위를 하여서는 아니된다. 다만, 생태·경관보전지역안에 「자연공원법」에 따라 지정된 공원구역, 「자연유산의 보존 및 활용에 관한 법률」에 따른 자연유산(보호구역을 포함하다) 또는 「문화재보호법」에 따른 문화재(보호구역을 포함한다)가[→「문화유산의 보존 및 활용에 관한 법률」에 따른 문화유산(보호구역을 포함한다)이] 포함된 경우에는 「자연공원법」, 「자연유산의 보존 및 활용에 관한 법률」 또는 「문화재보호법」(→「문화유산의 보존 및 활용에 관한 법률」)에서 정하는 바에 따른다. <개정 2023.3.21./시행 2024.3.22., 2023.8.8./시행 2024.5.17.>

1. 핵심구역안에서 야생동·식물을 포획·채취·이식(移植)·훼손하거나 고사(枯死)시키는 행위 또는 포획하거나 고사시키기 위하여 화약류·덫·올무·그물·함정 등을 설치하거나 유독물·농약 등을 살포·주입(注入)하는 행위
2. 건축물 그 밖의 공작물(이하 "건축물등"이라 한다)의 신축·증축(생태·경관보전지역 지정 당시의 건축연면적의 2배 이상 증축하는 경우에 한정한다) 및 토지의 형질변경
3. 하천·호소 등의 구조를 변경하거나 수위 또는 수량에 증감을 가져오는 행위
4. 토석의 채취
5. 그 밖에 자연환경보전에 유해하다고 인정되는 행위로서 대통령령으로 정하는 행위

② 다음 각 호의 어느 하나에 해당하는 경우에는 제1항의 규정을 적용하지 아니한다. <개정 2020.5.26.>

1. 군사목적을 위하여 필요한 경우
2. 천재·지변 또는 이에 준하는 대통령령으로 정하는 재해가 발생하여 긴급한 조치가 필요한 경우
3. 생태·경관보전지역안에 거주하는 주민의 생활양식의 유지 또는 생활향상을 위하여 필요하거나 생태·경관보전지역 지정 당시에 실시하던 영농행위를 지속하기 위하여 필요한 행위 등 대통령령이 정하는 행위를 하는 경우
4. 환경부장관이 해당 지역의 보전에 지장이 없다고 인정하여 환경부령으로 정하는 바에 따라 허가하는 경우
5. 「농어촌정비법」 제2조에 따른 농업생산기반정비사업으로서 제14조에 따른 생태·경관보전지역관리기본계획에 포함된 사항을 시행하는 경우

건 축 법
1. 총 칙
2. 건 축
3. 유지관리
4. 대지도로
5. 구조재료
6. 지역지구
7. 건축설비
8. 특별건축구역
9. 보 칙
10. 벌 칙
건 축 법 관련기준

건 축 법
1. 총 칙
2. 건 축
3. 유지관리
4. 대지도로
5. 구조재료
6. 지역지구
7. 건축설비
8. 특별건축구역
9. 보 칙
10. 벌 칙
건 축 법 관련기준

6. 「산림자원의 조성 및 관리에 관한 법률」에 따른 산림경영계획 및 산림보호와 「산림보호법」에 따른 산림유전자원보호구역의 보전을 위하여 시행하는 사업으로서 나무를 베어내거나 토지의 형질변경을 수반하지 아니하는 경우
7. 관계행정기관의 장이 직접 실시하거나 관계행정기관의 장이 인가 · 허가 또는 승인 등(이하 "인 · 허가 등"이라 한다)을 하거나 다른 법률에 따라 관계 행정기관의 장이 직접 실시하는 경우. 이 경우 관계 행정기관의 장은 미리 환경부장관과 협의하여야 한다.
8. 환경부장관이 생태 · 경관보전지역을 보호 · 관리하기 위하여 대통령령으로 정하는 행위 및 필요한 시설을 설치하는 경우

③ 제1항에도 불구하고 완충구역안에서는 다음의 행위를 할 수 있다. <개정 2021.1.5.>
1. 「공간정보의 구축 및 관리 등에 관한 법률」에 따른 지목이 대지(생태 · 경관보전지역 지정 이전의 지목이 대지인 경우에 한정한다)인 토지에서 주거 · 생계 등을 위한 건축물등으로서 대통령령으로 정하는 건축물등의 설치
2. 생태탐방 · 생태학습 등을 위하여 대통령령으로 정하는 시설의 설치
3. 「산림자원의 조성 및 관리에 관한 법률」에 따른 산림경영계획과 산림보호 및 「산림보호법」에 따른 산림유전자원보호구역 등의 보전 · 관리를 위하여 시행하는 산림사업
4. 하천유량 및 지하수 관측시설, 배수로의 설치 또는 이와 유사한 농 · 임 · 수산업에 부수되는 건축물등의 설치
5. 「장사 등에 관한 법률」 제14조제1항제1호에 따른 개인묘지의 설치

④ 제1항에도 불구하고 전이구역안에서는 다음의 행위를 할 수 있다. <개정 2020.5.26.>
1. 제3항 각호의 행위
2. 전이구역안에 거주하는 주민의 생활양식의 유지 또는 생활향상 등을 위한 대통령령으로 정하는 건축물등의 설치
3. 생태 · 경관보전지역을 방문하는 사람을 위한 대통령령으로 정하는 음식 · 숙박 · 판매시설의 설치
4. 도로, 상 · 하수도 시설 등 지역주민 및 탐방객의 생활편의 등을 위하여 대통령령으로 정하는 공공용 시설 및 생활편의시설의 설치

⑤ 환경부장관은 취약한 자연생태 · 자연경관의 보전을 위하여 특히 필요한 경우에는 대통령령으로 정하는 개발사업을 제한하거나 제2항제3호에도 불구하고 영농행위를 제한할 수 있다. <개정 2020.5.26.>

16. 수도법

법 **제7조【상수원보호구역 지정 등】** ① 환경부장관은 상수원의 확보와 수질 보전을 위하여 필요하다고 인정되는 지역을 상수원 보호를 위한 구역(이하 "상수원보호구역"이라 한다)으로 지정하거나 변경할 수 있다.

② 환경부장관은 제1항에 따라 상수원보호구역을 지정하거나 변경하면 지체 없이 공고하여야 한다.

③ 제1항과 제2항에 따라 지정 · 공고된 상수원보호구역에서는 다음 각 호의 행위를 할 수 없다. <개정 2022.1.11>
1. 「물환경보전법」 제2조제7호 및 제8호에 따른 수질오염물질 · 특정수질유해물질, 「화학물질 관리법」 제2조제7호에 따른 유해화학물질, 「농약관리법」 제2조제1호에 따른 농약, 「폐기물관리법」 제2조제1호에 따른 폐기물, 「하수도법」 제2조제1호 · 제2호에 따른 오수 · 분뇨 또는 「가축분뇨의 관리 및 이용에 관한 법률」 제2조제2호에 따른 가축분뇨를 사용하거나 버리는 행위. 다만, 다음 각 목의 어느 하나에 해당하는 행위는 제외한다. <개정 2022.1.11.>
   가. 취수시설, 정수시설, 「물환경보전법」 제2조제17호에 따른 공공폐수처리시설, 「하수도법」 제2조제9호에 따른 공공하수처리시설 또는 국가 · 지방자치단체에 소속된 시험 · 분석 · 연구 기관에서 「화학물질관리법」 제2조제7호에 따른 유해화학물질을 수처리제(「먹는물관리법」 제3조제5호에 따른 수처리제를 말한다), 중화제, 소독제 또는 시약으로 사용하는 행위
   나. 법률 제10976호 수도법 일부개정법률의 시행일(2012년 1월 29일을 말한다), 「화학물질관리법」 제2조제7호에 따른 유해화학물질 고시일 또는 상수원보호구역 공고일 이전부터 「화학물질관리법」

제2조제7호에 따른 유해화학물질을 사용하고 있는 사업장에서 그 유해화학물질이나 대체 유해화학물질을 사용하는 행위

2. 그 밖에 상수원을 오염시킬 명백한 위험이 있는 행위로서 대통령령으로 정하는 금지행위

④ 제1항과 제2항에 따라 지정·공고된 상수원보호구역에서 다음 각 호의 어느 하나에 해당하는 행위를 하려는 자는 관할 특별자치시장·특별자치도지사·시장·군수·구청장의 허가를 받아야 한다. 다만, 대통령령으로 정하는 경미한 행위인 경우에는 신고하여야 한다.

1. 건축물, 그 밖의 공작물의 신축·증축·개축·재축(再築)·이전·용도변경 또는 제거
2. 입목(立木) 및 대나무의 재배 또는 벌채
3. 토지의 굴착·성토(盛土), 그 밖에 토지의 형질변경

⑤ 제1항부터 제4항까지의 규정에 따른 상수원보호구역의 지정절차, 허가의 기준에 필요한 사항은 대통령령으로 정한다.

법 제15조【절수설비 등의 설치】

① 건축주는 「건축법」 제2조제1항제2호에 따른 건축물이나 지방자치단체의 조례로 정하는 시설을 건축하려는 경우에 수돗물의 절약과 효율적 이용을 위하여 절수설비를 설치하여야 한다. <개정 2019.11.26.>

②「공중위생관리법」 제2조제1항제2호 및 제3호에 따른 숙박업(객실이 10실 이하인 경우는 제외한다) 및 목욕장업 또는 「체육시설의 설치·이용에 관한 법률」 제10조제1항에 따른 체육시설업을 영위하는 자 또는 「공중화장실 등에 관한 법률」 제2조제1호에 따른 공중화장실을 설치하는 자는 절수설비 및 절수기기를 설치하여야 한다.

③ 특별자치시장·특별자치도지사·시장·군수 또는 구청장은 제2항에 따른 숙박업 및 목욕장업 또는 체육시설업을 영위하는 자나 공중화장실을 설치하는 자가 절수설비 및 절수기기를 설치하지 아니하면 그 이행을 명할 수 있다.

④ 이후 "생략"

17. 도시교통정비 촉진법

법 제34조【자동차의 운행제한】① 시장은 도시교통정비지역 안의 일정한 지역에서 자동차의 운행을 억제하여야 할 필요가 있다고 인정되면 1회에 30일 이내의 기간을 정하여 자동차의 운행을 제한할 수 있다.

② 시장은 제1항에 따라 자동차의 운행을 제한하려면 미리 그 목적, 기간, 대상지역, 자동차의 종류·용도·사용목적, 그 밖에 필요한 사항을 고시하여야 한다.

법 제36조【교통유발부담금의 부과·징수】① 시장은 도시교통정비지역에서 교통혼잡의 원인이 되는 시설물의 소유자로부터 매년 교통유발부담금(이하 "부담금"이라 한다)을 부과·징수할 수 있다.

② 부담금의 부과대상은 제3조제1항제1호에 해당하는 지역에 있는 시설물로서 해당 시설물의 각 층 바닥면적을 합한 면적(제8항에 따라 부담금을 부과하지 아니하는 시설물에 해당하는 면적을 포함한다)이 대통령령으로 정하는 규모 이상의 것으로 한다.

③ 부담금의 부과대상자는 부담금의 부과기준일 당시 제2항에 따른 부담금의 부과대상 시설물(이하 "부과대상 시설물"이라 한다)의 소유자로 한다.

④ 부담금 부과기간 중에 부과대상 시설물의 철거·멸실(滅失) 등으로 부담금의 부과기준일 당시 부과대상자가 없는 경우에는 그 부과기간 중 최종 소유자를 부과대상자로 한다.

⑤ 부과대상 시설물을 공동으로 또는 분할하여 소유하고 있는 자에게는 각각 그 소유지분에 따라 부담금을 부과한다. 다만, 그 부과대상 시설물 중 소유지분의 면적의 기준은 대통령령으로 정하되, 기준 면적 미만인 경우에는 부담금을 부과하지 아니한다.

⑥ 이후 "생략"

건 축 법
1. 총 칙
2. 건 축
3. 유지관리
4. 대지도로
5. 구조재료
6. 지역지구
7. 건축설비
8. 특별건축구역
9. 보 칙
10. 벌 칙
건 축 법 관련기준

18. 문화재보호법 → 문화유산의 보존 및 활용에 관한 법률 〈시행 2024.5.17〉

법 제35조【허가사항】① 국가지정문화재(국가무형문화재는 제외한다. 이하 이 조에서 같다)(→국가지정문화유산)에 대하여 다음 각 호의 어느 하나에 해당하는 행위를 하려는 자는 대통령령으로 정하는 바에 따라 문화재청장의 허가를 받아야 하며, 허가사항을 변경하려는 경우에도 문화재청장의 허가를 받아야 한다. 다만, 국가지정문화재(→국가지정문화유산) 보호구역에 안내판 및 경고판을 설치하는 행위 등 대통령령으로 정하는 경미한 행위에 대해서는 특별자치시장, 특별자치도지사, 시장 · 군수 또는 구청장의 허가(변경허가를 포함한다)를 받아야 한다. <개정 2021.5.18., 2023.8.8./시행 2024.5.17.>

1. 국가지정문화재(→국가지정문화유산)(보호물 · 보호구역과 천연기념물 중 죽은 것 및 제41조제1항에 따라 수입 · 반입 신고된 것을 포함한다)의 현상을 변경하는 행위로서 대통령령으로 정하는 행위
2. 국가지정문화재(→국가지정문화유산)[동산에 속하는 문화재(→문화유산)는 제외한다]의 보존에 영향을 미칠 우려가 있는 행위로서 대통령령으로 정하는 행위
3. 국가지정문화재를(→국가지정문화유산을) 탁본 또는 (影印: 원본을 사진 등의 방법으로 복제하는 것)하거나 그 보존에 영향을 미칠 우려가 있는 촬영행위로서 대통령령으로 정하는 행위
4. 명승이나 천연기념물로 지정되거나 임시지정된 구역 또는 그 보호구역에서 동물, 식물, 광물을 포획(捕獲) · 채취(採取)하거나 이를 그 구역 밖으로 반출하는 행위

② 국가지정문화재와 시 · 도지정문화재(→국가지정문화유산과 시·도지정문화유산)의 역사문화환경 보존지역이 중복되는 지역에서 제1항제2호에 따라 문화재청장이나 특별자치시장, 특별자치도지사, 시장 · 군수 또는 구청장의 허가를 받은 경우에는 제74조제2항에 따른 시 · 도지사의 허가를 받은 것으로 본다. <개정 2023.8.8./시행 2024.5.17.>

③ 문화재청장은 제1항제2호에 따른 국가지정문화재(→국가지정문화유산)의 보존에 영향을 미칠 우려가 있는 행위에 관하여 허가한 사항 중 대통령령으로 정하는 경미한 사항의 변경허가에 관하여는 시 · 도지사에게 위임할 수 있다. <개정 2023.8.8./시행 2024.5.17.>

④ 문화재청장과 특별자치시장, 특별자치도지사, 시장 · 군수 또는 구청장은 제1항에 따른 허가 또는 변경허가의 신청을 받은 날부터 30일 이내에 허가 여부를 신청인에게 통지하여야 한다. <신설 2018.6.12.>

⑤ 문화재청장과 특별자치시장, 특별자치도지사, 시장 · 군수 또는 구청장이 제4항에서 정한 기간 내에 허가 또는 변경허가 여부나 민원 처리 관련 법령에 따른 처리기간의 연장을 신청인에게 통지하지 아니하면 그 기간(민원 처리 관련 법령에 따라 처리기간이 연장 또는 재연장된 경우에는 해당 처리기간을 말한다)이 끝난 날의 다음 날에 허가 또는 변경허가를 한 것으로 본다. <신설 2018.6.12.>

19. 전통사찰의 보존 및 지원에 관한 법률

법 제10조【전통사찰 역사문화보존구역의 지정 등】① 시 · 도지사는 직권에 의하거나 전통사찰 주지가 요청한 경우 전통사찰을 보존하기 위하여 필요하다고 인정되면 전통사찰보존지 주변 지역을 전통사찰 역사문화보존구역으로 지정할 수 있다.

② 시 · 도지사는 제1항에 따라 전통사찰 역사문화보존구역을 지정하려면 미리 전통사찰보존위원회의 심의와 관계 행정기관의 장과의 협의를 거쳐야 하며, 전통사찰 역사문화보존구역으로 지정한 경우에는 지체 없이 이를 고시하여야 한다.

③ 전통사찰 역사문화보존구역에서 도로나 철도의 건설 등 대통령령으로 정하는 사업을 하려는 자는 그 사업의 실시계획 등에 관하여 관계 법령에 따른 인 · 허가 등을 받기 전에 시 · 도지사에게 사업계획서를 제출하여야 하며, 시 · 도지사는 전통사찰 보존을 위하여 필요하다고 인정하면 사업계획에 대한 전통사찰보존위원회의 심의를 거쳐 사업계획의 조정이나 보완을 권고할 수 있다.

④ 「건축법」 제11조제1항의 허가권자는 전통사찰 역사문화보존구역에서의 건축을 허가하는 경우 그 건축물의 용도 · 규모 및 형태가 전통사찰 및 수행 환경의 보호와 풍치 보존을 위하여 적합하지 아니하다고 인정되면 전통사찰보존위원회의 심의를 거쳐 건축허가를 하지 아니할 수 있다.

⑤ 시 · 도지사는 전통사찰 역사문화보존구역이 천재 · 지변, 그 밖의 사유로 인하여 전통사찰 역사문화보존구역으로서의 가치를 상실하거나 보존할 필요가 없게 된 경우에는 그 구역을 변경 · 해제할 수 있다.

⑥ 전통사찰 역사문화보존구역의 지정 범위, 지정 절차, 그 밖에 지정·변경 및 해제에 필요한 사항은 대통령령으로 정한다.

20. 개발제한구역의 지정 및 관리에 관한 특별조치법

법 제12조【개발제한구역에서의 행위제한】① 개발제한구역에서는 건축물의 건축 및 용도변경, 공작물의 설치, 토지의 형질변경, 죽목(竹木)의 벌채, 토지의 분할, 물건을 쌓아놓는 행위 또는 「국토의 계획 및 이용에 관한 법률」 제2조제11호에 따른 도시계획사업(이하 "도시계획사업"이라 한다)의 시행을 할 수 없다. 다만, 다음 각 호의 어느 하나에 해당하는 행위를 하려는 자는 특별자치시장·특별자치도지사·시장·군수 또는 구청장(이하 "시장·군수·구청장"이라 한다)의 허가를 받아 그 행위를 할 수 있다. <개정 2019.8.20>

1. 다음 각 목의 어느 하나에 해당하는 건축물이나 공작물로서 대통령령으로 정하는 건축물의 건축 또는 공작물의 설치와 이에 따르는 토지의 형질변경
   가. 공원, 녹지, 실외체육시설, 시장·군수·구청장이 설치하는 노인의 여가활용을 위한 소규모 실내 생활체육시설 등 개발제한구역의 존치 및 보전관리에 도움이 될 수 있는 시설
   나. 도로, 철도 등 개발제한구역을 통과하는 선형(線形)시설과 이에 필수적으로 수반되는 시설
   다. 개발제한구역이 아닌 지역에 입지가 곤란하여 개발제한구역 내에 입지하여야만 그 기능과 목적이 달성되는 시설
   라. 국방·군사에 관한 시설 및 교정시설
   마. 개발제한구역 주민과 「공익사업을 위한 토지 등의 취득 및 보상에 관한 법률」 제4조에 따른 공익사업의 추진으로 인하여 개발제한구역이 해제된 지역 주민의 주거·생활편익·생업을 위한 시설

1의2. 도시공원, 물류창고 등 정비사업을 위하여 필요한 시설로서 대통령령으로 정하는 시설을 정비사업구역에 설치하는 행위와 이에 따르는 토지의 형질변경

2. 개발제한구역의 건축물로서 제15조에 따라 지정된 취락지구로의 이축(移築)
3. 「공익사업을 위한 토지 등의 취득 및 보상에 관한 법률」 제4조에 따른 공익사업(개발제한구역에서 시행하는 공익사업만 해당한다. 이하 이 항에서 같다)의 시행에 따라 철거된 건축물을 이축하기 위한 이주단지의 조성

3의2. 「공익사업을 위한 토지 등의 취득 및 보상에 관한 법률」 제4조에 따른 공익사업의 시행에 따라 철거되는 건축물 중 취락지구로 이축이 곤란한 건축물로서 개발제한구역 지정 당시부터 있던 주택, 공장 또는 종교시설을 취락지구가 아닌 지역으로 이축하는 행위

4. 건축물의 건축을 수반하지 아니하는 토지의 형질변경으로서 영농을 위한 경우 등 대통령령으로 정하는 토지의 형질변경
5. 벌채 면적 및 수량(樹量), 그 밖에 대통령령으로 정하는 규모 이상의 죽목(竹木) 벌채
6. 대통령령으로 정하는 범위의 토지 분할
7. 모래·자갈·토석 등 대통령령으로 정하는 물건을 대통령령으로 정하는 기간까지 쌓아 놓는 행위
8. 제1호 또는 제13조에 따른 건축물 중 대통령령으로 정하는 건축물을 근린생활시설 등 대통령령으로 정하는 용도로 용도변경하는 행위
9. 개발제한구역 지정 당시 지목(地目)이 대(垈)인 토지가 개발제한구역 지정 이후 지목이 변경된 경우로서 제1호마목의 시설 중 대통령령으로 정하는 건축물의 건축과 이에 따르는 토지의 형질변경

② 시장·군수·구청장은 제1항 단서에 따라 허가를 하는 경우 허가 대상 행위가 제11조에 따라 관리계획을 수립하여야만 할 수 있는 행위인 경우에는 미리 관리계획이 수립되어 있는 경우에만 그 행위를 허가할 수 있다.

③ 제1항 단서에도 불구하고 주택 및 근린생활시설의 대수선 등 대통령령으로 정하는 행위는 시장·군수·구청장에게 신고하고 할 수 있다.

④ 이후 "생략"

건 축 법
1. 총 칙
2. 건 축
3. 유지관리
4. 대지도로
5. 구조재료
6. 지역지구
7. 건축설비
8. 특별건축구역
9. 보 칙
10. 벌 칙
건 축 법 관련기준

법 제13조【존속 중인 건축물 등에 대한 특례】 시장 · 군수 · 구청장은 법령의 개정 · 폐지나 그 밖에 대통령령으로 정하는 사유로 인하여 그 사유가 발생할 당시에 이미 존재하고 있던 대지 · 건축물 또는 공작물이 이 법에 적합하지 아니하게 된 경우에는 대통령령으로 정하는 바에 따라 건축물의 건축이나 공작물의 설치와 이에 따르는 토지의 형질변경을 허가할 수 있다. <개정 2019.8.20>

법 제15조【취락지구에 대한 특례】 ① 시 · 도지사는 개발제한구역에서 주민이 집단적으로 거주하는 취락(제12조제1항제3호에 따른 이주단지를 포함한다)을 「국토의 계획 및 이용에 관한 법률」 제37조제1항제8호에 따른 취락지구(이하 "취락지구"라 한다)로 지정할 수 있다.
② 취락을 구성하는 주택의 수, 단위면적당 주택의 수, 취락지구의 경계설정 기준 등 취락지구의 지정기준 및 정비에 관한 사항은 대통령령으로 정한다.
③ 취락지구에서의 건축물의 용도 · 높이 · 연면적 및 건폐율에 관하여는 제12조제9항에도 불구하고 따로 대통령령으로 정한다. <개정 2018.12.18.>

21. 농지법

법 제32조【용도구역에서의 행위 제한】 ① 농업진흥구역에서는 농업 생산 또는 농지 개량과 직접적으로 관련된 행위로서 대통령령으로 정하는 행위 외의 토지이용행위를 할 수 없다. 다만, 다음 각 호의 토지이용행위는 그러하지 아니하다. <개정 2020.2.11., 2023.5.16./시행2024.5.16., 2023.8.8./시행2024.5.17.>

1. 대통령령으로 정하는 농수산물(농산물 · 임산물 · 축산물 · 수산물을 말한다. 이하 같다)의 가공 · 처리 시설의 설치 및 농수산업(농업 · 임업 · 축산업 · 수산업을 말한다. 이하 같다) 관련 시험 · 연구 시설의 설치
2. 어린이놀이터, 마을회관, 그 밖에 대통령령으로 정하는 농업인의 공동생활에 필요한 편의 시설 및 이용 시설의 설치
3. 대통령령으로 정하는 농업인 주택, 어업인 주택, 농업용 시설, 축산업용 시설 또는 어업용 시설의 설치
4. 국방 · 군사 시설의 설치
5. 하천, 제방, 그 밖에 이에 준하는 국토 보존 시설의 설치
6. 문화재의(→「국가유산기본법」 제3조에 따른 국가유산의) 보수 · 복원 · 이전, 매장 문화재(→매장유산)의 발굴, 비석이나 기념탑, 그 밖에 이와 비슷한 공작물의 설치
7. 도로, 철도, 그 밖에 대통령령으로 정하는 공공시설의 설치
8. 지하자원 개발을 위한 탐사 또는 지하광물 채광(採鑛)과 광석의 선별 및 적치(積置)를 위한 장소로 사용하는 행위
9. 농어촌 소득원 개발 등 농어촌 발전에 필요한 시설로서 대통령령으로 정하는 시설의 설치

② 농업보호구역에서는 다음 각 호 외의 토지이용행위를 할 수 없다. <개정 2020.2.11>

1. 제1항에 따라 허용되는 토지이용행위
2. 농업인 소득 증대에 필요한 시설로서 대통령령으로 정하는 건축물 · 공작물, 그 밖의 시설의 설치
3. 농업인의 생활 여건을 개선하기 위하여 필요한 시설로서 대통령령으로 정하는 건축물 · 공작물, 그 밖의 시설의 설치

③ 농업진흥지역 지정 당시 관계 법령에 따라 인가 · 허가 또는 승인 등을 받거나 신고하고 설치한 기존의 건축물 · 공작물과 그 밖의 시설에 대하여는 제1항과 제2항의 행위 제한 규정을 적용하지 아니한다.
④ 농업진흥지역 지정 당시 관계 법령에 따라 다음 각 호의 행위에 대하여 인가 · 허가 · 승인 등을 받거나 신고하고 공사 또는 사업을 시행 중인 자(관계 법령에 따라 인가 · 허가 · 승인 등을 받거나 신고할 필요가 없는 경우에는 시행 중인 공사 또는 사업에 착수한 자를 말한다)는 그 공사 또는 사업에 대하여만 제1항과 제2항의 행위 제한 규정을 적용하지 아니한다.

1. 건축물의 건축
2. 공작물이나 그 밖의 시설의 설치

3. 토지의 형질변경
4. 그 밖에 제1호부터 제3호까지의 행위에 준하는 행위

법 제34조【농지의 전용허가 · 협의】➡ 418쪽 참조(2 건축에 관한 입지 및 규모의 사전결정 관계법 3.)

22. 고도 보존 및 육성에 관한 특별법

법 제11조【지정지구에서의 행위제한】① 특별보존지구에서는 다음 각 호의 어느 하나에 해당하는 행위를 할 수 없다. 다만, 대통령령으로 정하는 바에 따라 중앙심의위원회의 심의를 거쳐 문화재청장의 허가를 받은 행위는 할 수 있다. <개정 2016.5.29>

1. 건축물이나 각종 시설물의 신축 · 개축 · 증축 · 이축 및 용도 변경
2. 택지의 조성, 토지의 개간 또는 토지의 형질 변경
3. 수목(樹木)을 심거나 벌채 또는 토석류(土石類)의 채취 · 적치(적치)
4. 도로의 신설 · 확장 및 포장
5. 그 밖에 고도의 역사문화환경의 보존에 영향을 미치거나 미칠 우려가 있는 행위로서 대통령령으로 정하는 행위

② 제1항 단서에도 불구하고 대통령령으로 정하는 경미한 행위와 제8항에 따라 대통령령으로 정하는 허가 기준에 부합하는 행위는 문화재청장이 중앙심의위원회의 심의를 거치지 아니하고 허가할 수 있다. <신설 2016.5.29>

③ 보존육성지구 안에서 다음 각 호의 어느 하나에 해당하는 행위를 하려는 자는 대통령령으로 정하는 바에 따라 지역심의위원회의 심의를 거쳐 해당 특별자치시장 · 특별자치도지사 또는 시장 · 군수 · 구청장의 허가를 받아야 한다. <개정 2016.5.29>

1. 건축물이나 각종 시설물의 신축 · 개축 · 증축 및 이축
2. 택지의 조성, 토지의 개간 또는 토지의 형질변경
3. 수목을 심거나 벌채 또는 토석류의 채취
4. 도로의 신설 · 확장
5. 그 밖에 역사적 문화환경의 보존에 영향을 미치는 행위로서 대통령령으로 정하는 행위

④ 제3항에도 불구하고 대통령령으로 정하는 경미한 행위와 제8항에 따라 대통령령으로 정하는 허가 기준에 부합하는 행위는 해당 특별자치시장 · 특별자치도지사 또는 시장 · 군수 · 구청장이 지역심의위원회의 심의를 거치지 아니하고 허가할 수 있다. <신설 2016.5.29>

⑤ 제3항에도 불구하고 건조물의 외부형태를 변경시키지 아니하는 내부시설의 개 · 보수 등 대통령령으로 정하는 행위는 특별자치시장 · 특별자치도지사 또는 시장 · 군수 · 구청장의 허가를 받지 아니하고 할 수 있다. <개정 2016.5.29>

⑥ 문화재청장, 특별자치시장 · 특별자치도지사 또는 시장 · 군수 · 구청장은 제1항 또는 제3항에 따른 허가신청을 받은 날부터 30일 이내에 허가 여부 또는 허가처리 지연 사유를 통지하여야 한다. 이 경우 그 기한 내에 허가 여부 또는 허가처리 지연 사유를 통지하지 아니하면 그 기한이 종료된 다음 날에 허가한 것으로 본다. <개정 2016.5.29>

⑦ 문화재청장, 특별자치시장 · 특별자치도지사 또는 시장 · 군수 · 구청장이 제6항에 따라 허가처리 지연 사유를 통지하는 경우에는 제6항에 따른 허가처리 기한을 15일 이내에서 연장할 수 있다. <개정 2016.5.29>

⑧ 문화재청장은 제1항 및 제3항의 각 호에 해당하는 행위에 대한 구체적인 허가 기준을 대통령령으로 정하여야 한다. 다만, 특별자치시장 · 특별자치도지사 또는 시장 · 군수 · 구청장은 지정지구의 특성에 따라 허가 기준을 다르게 정할 필요가 있으면 문화재청장과 협의한 후 대통령령으로 정하는 바에 따라 조례로 정할 수 있다. <개정 2016.5.29.>

⑨ 제1항 및 제3항에 따라 행위허가를 받은 자는 허가받은 사항의 착수 · 변경 또는 완료한 사실을 대통령령으로 정하는 바에 따라 허가권자에게 신고하여야 한다. <신설 2016.5.29>

1. 총 칙
2. 건 축
3. 유지관리
4. 대지도로
5. 구조재료
6. 지역지구
7. 건축설비
8. 특별건축구역
9. 보 칙
10. 벌 칙
건축법 관련기준

5 건축공사현장 안전관리예치금 등(법 제13조)(영 제10조의2)(규칙 제9조)

법 제13조【건축 공사현장 안전관리 예치금 등】

① 제11조에 따라 건축허가를 받은 자는 건축물의 건축공사를 중단하고 장기간 공사현장을 방치할 경우 공사현장의 미관 개선과 안전관리 등 필요한 조치를 하여야 한다.

② 허가권자는 연면적이 1천제곱미터 이상인 건축물(「주택도시기금법」에 따른 주택도시보증공사가 분양보증을 한 건축물, 「건축물의 분양에 관한 법률」 제4조제1항제1호에 따른 분양보증이나 신탁계약을 체결한 건축물은 제외한다)로서 해당 지방자치단체의 조례로 정하는 건축물에 대하여는 제21조에 따른 착공신고를 하는 건축주(「한국토지주택공사법」에 따른 한국토지주택공사 또는 「지방공기업법」에 따라 건축사업을 수행하기 위하여 설립된 지방공사는 제외한다)에게 장기간 건축물의 공사현장이 방치되는 것에 대비하여 미리 미관 개선과 안전관리에 필요한 비용(대통령령으로 정하는 보증서를 포함하며, 이하 "예치금"이라 한다)을 건축공사비의 1퍼센트의 범위에서 예치하게 할 수 있다. <개정 2015.1.6.>

③ 허가권자가 예치금을 반환할 때에는 대통령령으로 정하는 이율로 산정한 이자를 포함하여 반환하여야 한다. 다만, 보증서를 예치한 경우에는 그러하지 아니하다.

④ 제2항에 따른 예치금의 산정 · 예치 방법, 반환 등에 관하여 필요한 사항은 해당 지방자치단체의 조례로 정한다.

⑤ 허가권자는 공사현장이 방치되어 도시미관을 저해하고 안전을 위해한다고 판단되면 건축허가를 받은 자에게 건축물 공사현장의 미관과 안전관리를 위한 다음 각 호의 개선을 명할 수 있다. <개정 2020.6.9.>

1. 안전울타리 설치 등 안전조치
2. 공사재개 또는 해체 등 정비

⑥ 허가권자는 제5항에 따른 개선명령을 받은 자가 개선을 하지 아니하면 「행정대집행법」으로 정하는 바에 따라 대집행을 할 수 있다. 이 경우 제2항에 따라 건축주가 예치한 예치금을 행정대집행에 필요한 비용에 사용할 수 있으며, 행정대집행에 필요한 비용이 이미 납부한 예치금보다 많을 때에는 「행정대집행법」 제6조에 따라 그 차액을 추가로 징수할 수 있다.

⑦ 허가권자는 방치되는 공사현장의 안전관리를 위하여 긴급한 필요가 있다고 인정하는 경우에는 대통령령으로 정하는 바에 따라 건축주에게 고지한 후 제2항에 따라 건축주가 예치한 예치금을 사용하여 제5항제1호 중 대통령령으로 정하는 조치를 할 수 있다. <신설 2014.5.28>

영 제10조의2【건축 공사현장 안전관리 예치금】

① 법 제13조제2항에서 "대통령령으로 정하는 보증서"란 다음 각 호의 어느 하나에 해당하는 보증서를 말한다.

1. 「보험업법」에 따른 보험회사가 발행한 보증보험증권
2. 「은행법」에 따른 은행이 발행한 지급보증서
3. 「건설산업기본법」에 따른 공제조합이 발행한 채무액 등의 지급을 보증하는 보증서
4. 「자본시장과 금융투자업에 관한 법률 시행령」 제192조제2항에 따른 상장증권
5. 그 밖에 국토교통부령으로 정하는 보증서

② 법 제13조제3항 본문에서 "대통령령으로 정하는 이율"이란 법 제13조제2항에 따른 안전관리 예치금을 「국고금관리법 시행령」 제11조에서 정한 금융기관에 예치한 경우의 안전관리 예치금에 대하여 적용하는 이자율을 말한다.

③ 법 제13조제7항에 따라 허가권자는 착공신고 이후 건축 중에 공사가 중단된 건축물로서

공사 중단 기간이 2년을 경과한 경우에는 건축주에게 서면으로 고지한 후 법 제13조제2항에 따른 예치금을 사용하여 공사현장의 미관과 안전관리 개선을 위한 다음 각 호의 조치를 할 수 있다. <신설 2014.11.28., 2021.1.5.>

1. 공사현장 안전울타리의 설치
2. 대지 및 건축물의 붕괴 방지 조치
3. 공사현장의 미관 개선을 위한 조경 또는 시설물 등의 설치
4. 그 밖에 공사현장의 미관 개선 또는 대지 및 건축물에 대한 안전관리 개선 조치가 필요하여 건축조례로 정하는 사항

규칙 제9조【건축공사현장 안전관리예치금】

영 제10조의2제1항제5호에서 "국토교통부령으로 정하는 보증서"란 「주택도시기금법」 제16조에 따른 주택도시보증공사가 발행하는 보증서를 말한다. <개정 2015.7.1.>

해설 건축공사현장의 안전관리예치금

허가권자는 연면적 1천㎡ 이상인 건축물로서 건축조례로 정하는 건축물에 대하여 착공신고를 하는 건축주에게 장기간 건축공사현장이 방치되는 것에 대비하여 미리 미관개선 및 안전관리에 필요한 예치금을 건축공사비의 1% 범위에서 예치하게 할 수 있도록 규정하고 있음

【1】 안전관리 예치금 예치 대상

연면적 1,000㎡ 이상인 건축물(「주택도시기금법」에 따른 주택도시보증공사가 분양보증을 한 건축물, 「건축물의 분양에 관한 법률」에 따른 분양보증이나 신탁계약을 체결한 건축물 제외)로서 해당 지방자치단체의 조례로 정하는 건축물 **관계법**

【2】 예치금의 범위

공사현장이 장기간 방치되는 것에 대비한 미관개선과 안전관리에 필요한 비용

- 건축공사비의 1% 범위
- 보험회사의 보증보험증권, 은행이 발행한 지급보증서, 공제조합이 발행한 채무액 등의 지급 보증서, 상장증권, 주택도시보증공사 발행 보증서등도 인정

【3】 예치금의 사용

① 허가권자는 공사현장의 방치로 도시미관의 저해와 안전에 위해할 경우 건축허가를 받은 자에게 공사현장의 미관과 안전관리를 위하여 안전울타리 설치 등 안전조치, 공사재개 또는 해체 등 정비를 명할 수 있다.

② 개선명령을 받은 자가 개선을 하지 아니하면 예치금을 사용하여 대집행할 수 있다. 이때 이미 납부한 예치금보다 대집행 비용이 많을 경우 차액을 추가 징수할 수 있다.

【4】 예치금의 반환 등

① 허가권자가 예치금을 반환할 때에는 「국고금관리법 시행령」 **관계법** 에서 정한 금융기관에 예치한 경우의 이자율을 적용한 이자를 포함하여 반환하여야 한다.

② 보증서를 예치한 경우는 예외로 한다.

③ 예치금의 산정, 예치 방법, 반환 등에 관하여 필요한 사항은 건축조례로 정한다.

【5】 긴급시의 조치

허가권자는 공사 중단 기간이 2년을 경과한 경우등 방치되는 공사현장의 안전관리가 긴급할 경우 건축주에게 서면 고지한 후 예치금을 사용하여 다음의 조치를 할 수 있다.

① 공사현장 안전울타리의 설치
② 대지 및 건축물의 붕괴 방지 조치
③ 공사현장의 미관 개선을 위한 조경 또는 시설물 등의 설치
④ 그 밖에 공사현장의 미관 개선 또는 대지 및 건축물에 대한 안전관리 개선 조치가 필요하여 건축조례로 정하는 사항

관계법 「주택도시기금법」, 「건축물의 분양에 관한 법률」, 「국고금관리법 시행령」

1. 주택도시기금법

법 제16조 【설립】 이 법의 목적을 달성하기 위한 각종 보증업무 및 정책사업 수행과 기금의 효율적 운용·관리를 위하여 주택도시보증공사를 설립한다.

법 제26조 【업무】 ① 공사는 그 목적을 달성하기 위하여 다음 각 호의 업무를 수행한다. <개정 2017.8.9.>
1. 제10조제2항에 따른 기금의 운용·관리에 관한 사무
2. 분양보증, 임대보증금보증, 하자보수보증, 그 밖에 대통령령으로 정하는 보증업무
3. 제2호에 따른 보증을 이행하기 위한 주택의 건설 및 하자보수 등에 관한 업무와 구상권 행사를 위한 업무
4. 「자산유동화에 관한 법률」 제3조제1항에 따른 유동화전문회사등이 발행한 유동화증권에 대한 보증업무
5. 제4호에 따른 유동화전문회사등으로부터 「자산유동화에 관한 법률」 제10조제1항에 따라 위탁받은 유동화자산의 관리에 관한 업무
6. 부동산의 취득·관리·개량 및 처분의 수탁
7. 국가·지방자치단체·공공단체 등이 위탁하는 업무
8. 제1호부터 제7호까지의 업무와 관련된 조사 및 연구
9. 그 밖에 대통령령으로 정하는 업무

2. 건축물의 분양에 관한 법률

법 제4조 【분양 시기 등】 ① 분양사업자는 다음 각 호의 구분에 따라 건축물을 분양하여야 한다.
1. 「자본시장과 금융투자업에 관한 법률」에 따른 신탁업자와 신탁계약 및 대리사무계약을 체결한 경우 또는 금융기관 등으로부터 분양보증을 받는 경우: 「건축법」 제21조에 따른 착공신고 후
2. 해당 건축물의 사용승인에 대하여 다른 건설업자 둘 이상의 연대보증을 받아 공증받은 경우: 골조공사의 3분의 2 이상이 완료된 후

3. 국고금관리법 시행령

영 제11조 【금융회사 등의 범위】 ① 법 제12조제1항 단서에서 "대통령령으로 정하는 금융회사 등"이란 다음 각 호의 어느 하나에 해당하는 기관을 말한다. <개정 2016.6.30.>
1. 「은행법」 제2조제1항제2호 및 제5조에 따른 은행(이하 "은행"이라 한다)
2. 체신관서
3. 「신용협동조합법」에 따른 신용협동조합중앙회
4. 「새마을금고법」에 따른 새마을금고중앙회
5. 「상호저축은행법」에 따른 상호저축은행중앙회
6. 「산림조합법」에 따른 산림조합중앙회
7. 「자본시장과 금융투자업에 관한 법률」 제8조제1항에 따른 금융투자업자

② 법 제18조제3항에서 "대통령령으로 정하는 금융회사 등"이란 제1항에 따른 기관, 한국은행, 「국세징수법」 제12조제1항제3호에 따른 국세납부대행기관 및 국세 외 국고금납부대행기관(이하 "금융회사등"이라 한다)을 말한다. <개정 2021.2.17.>

6 건축물 안전영향평가(법 제13조의2)(영 제10조의3)(규칙 제9조의2)

법 제13조의2【건축물의 안전영향평가】

① 허가권자는 초고층 건축물 등 대통령령으로 정하는 주요 건축물에 대하여 제11조에 따른 건축허가를 하기 전에 건축물의 구조, 지반 및 풍환경(風環境) 등이 건축물의 구조안전과 인접 대지의 안전에 미치는 영향 등을 평가하는 건축물 안전영향평가(이하 "안전영향평가"라 한다)를 안전영향평가기관에 의뢰하여 실시하여야 한다. <개정 2021.3.16>

② 안전영향평가기관은 국토교통부장관이 「공공기관의 운영에 관한 법률」 제4조에 따른 공공기관으로서 건축 관련 업무를 수행하는 기관 중에서 지정하여 고시한다.

③ 안전영향평가 결과는 건축위원회의 심의를 거쳐 확정한다. 이 경우 제4조의2에 따라 건축위원회의 심의를 받아야 하는 건축물은 건축위원회 심의에 안전영향평가 결과를 포함하여 심의할 수 있다.

④ 안전영향평가 대상 건축물의 건축주는 건축허가 신청 시 제출하여야 하는 도서에 안전영향평가 결과를 반영하여야 하며, 건축물의 계획상 반영이 곤란하다고 판단되는 경우에는 그 근거 자료를 첨부하여 허가권자에게 건축위원회의 재심의를 요청할 수 있다.

⑤ 안전영향평가의 검토 항목과 건축주의 안전영향평가 의뢰, 평가 비용 납부 및 처리 절차 등 그 밖에 필요한 사항은 대통령령으로 정한다.

⑥ 허가권자는 제3항 및 제4항의 심의 결과 및 안전영향평가 내용을 국토교통부령으로 정하는 방법에 따라 즉시 공개하여야 한다.

⑦ 안전영향평가를 실시하여야 하는 건축물이 다른 법률에 따라 구조안전과 인접 대지의 안전에 미치는 영향 등을 평가 받은 경우에는 안전영향평가의 해당 항목을 평가 받은 것으로 본다.

[본조신설 2016.2.3.]

영 제10조의3【건축물 안전영향평가】

① 법 제13조의2제1항에서 "초고층 건축물 등 대통령령으로 정하는 주요 건축물"이란 다음 각 호의 어느 하나에 해당하는 건축물을 말한다. <개정 2017.10.24.>

1. 초고층 건축물
2. 다음 각 목의 요건을 모두 충족하는 건축물
   가. 연면적(하나의 대지에 둘 이상의 건축물을 건축하는 경우에는 각각의 건축물의 연면적을 말한다)이 10만 제곱미터 이상일 것
   나. 16층 이상일 것

② 제1항 각 호의 건축물을 건축하려는 자는 법 제11조에 따른 건축허가를 신청하기 전에 다음 각 호의 자료를 첨부하여 허가권자에게 법 제13조의2제1항에 따른 건축물 안전영향평가(이하 "안전영향평가"라 한다)를 의뢰하여야 한다.

1. 건축계획서 및 기본설계도서 등 국토교통부령으로 정하는 도서
2. 인접 대지에 설치된 상수도 · 하수도 등 국토교통부장관이 정하여 고시하는 지하시설물의 현황도
3. 그 밖에 국토교통부장관이 정하여 고시하는 자료

③ 법 제13조의2제1항에 따라 허가권자로부터 안전영향평가를 의뢰받은 기관(같은 조 제2항에 따라 지정 · 고시된 기관을 말하며, 이하 "안전영향평가기관"이라 한다)은 다음 각 호의 항목을 검토하여야 한다.

1. 해당 건축물에 적용된 설계 기준 및 하중의 적정성
2. 해당 건축물의 하중저항시스템의 해석 및 설계의 적정성
3. 지반조사 방법 및 지내력(地耐力) 산정결과의 적정성

4. 굴착공사에 따른 지하수위 변화 및 지반 안전성에 관한 사항
5. 그 밖에 건축물의 안전영향평가를 위하여 국토교통부장관이 필요하다고 인정하는 사항
④ 안전영향평가기관은 안전영향평가를 의뢰받은 날부터 30일 이내에 안전영향평가 결과를 허가권자에게 제출하여야 한다. 다만, 부득이한 경우에는 20일의 범위에서 그 기간을 한 차례만 연장할 수 있다.
⑤ 제2항에 따라 안전영향평가를 의뢰한 자가 보완하는 기간 및 공휴일·토요일은 제4항에 따른 기간의 산정에서 제외한다.
⑥ 허가권자는 제4항에 따라 안전영향평가 결과를 제출받은 경우에는 지체 없이 제2항에 따라 안전영향평가를 의뢰한 자에게 그 내용을 통보하여야 한다.
⑦ 안전영향평가에 드는 비용은 제2항에 따라 안전영향평가를 의뢰한 자가 부담한다.
⑧ 제1항부터 제7항까지에서 규정한 사항 외에 안전영향평가에 관하여 필요한 사항은 국토교통부장관이 정하여 고시한다.
[본조신설 2017.2.3]

규칙 제9조의2【건축물 안전영향평가】
① 영 제10조의3제2항제1호에서 "건축계획서 및 기본설계도서 등 국토교통부령으로 정하는 도서"란 별표 3의 도서를 말한다.
② 법 제13조의2제6항에서 "국토교통부령으로 정하는 방법"이란 해당 지방자치단체의 공보에 게시하는 방법을 말한다. 이 경우 게시 내용에 「개인정보 보호법」 제2조제1호에 따른 개인정보를 포함하여서는 아니된다.
[본조신설 2017.2.3]

해설 초고층 건축물 등 대통령령으로 정하는 건축물에 대하여 건축허가 전에 국토교통부장관이 지정한 공공기관에서 구조 및 인접 대지의 안전성에 대한 종합적인 검토 및 평가(건축물 안전영향평가)를 하도록 기준을 신설하고 평가결과를 공개하도록 하였다.(2016.2.3. 신설)

【1】 안전영향평가의 실시

(1) 실시자 : 허가권자

(2) 평가대상건축물

1. 초고층 건축물	-
2. 연면적*이 10만 ㎡ 이상이고, 16층 이상인 건축물	* 하나의 대지에 둘 이상의 건축물을 건축하는 경우 각각의 건축물의 연면적

(3) 평가시기 : 건축허가 전

(4) 평가 내용 : 건축물의 구조, 지반 및 풍환경(風環境) 등이 건축물의 구조안전과 인접 대지의 안전에 미치는 영향 등을 평가(이하 "안전영향평가")

【2】 안전영향평가의 의뢰

(1) 의뢰자 : 위 평가대상 건축물을 건축하려는 자

(2) 허가권자에게 의뢰시 제출 서류

1. 건축계획서 및 기본설계도서 등 국토교통부령으로 정하는 도서(시행규칙 별표 3* 참조)
2. 인접 대지에 설치된 상수도·하수도 등 국토교통부장관이 정하여 고시하는 지하시설물의 현황도
3. 그 밖에 국토교통부장관이 정하여 고시하는 자료

* [별표 3] 대형건축물의 건축허가 사전승인 신청 및 건축물 안전영향평가 의뢰시 제출도서의 종류 ➡ 1-431쪽 【참고1】 참조

【3】 안전영향평가기관

(1) 국토교통부장관이 공공기관**관계법**으로서 건축 관련 업무를 수행하는 기관 중에서 지정하여 고시한다.

【참고】 건축물 안전영향평가 세부기준[국토교통부고시 제2021-1382호, 2021.12.23.] 제2조

안전영향평가기관	근거 법령
1. 국토안전관리원	「국토안전관리원법」
2. 한국건설기술연구원	「과학기술분야 정부출연연구기관 등의 설립 · 운영 및 육성에 관한 법률」 제8조
3. 한국토지주택공사	「한국토지주택공사법」
4. 한국부동산원	「한국부동산원법」

관계법 공공기관(「공공기관의 운영에 관한 법률」 제4조)

법 제4조【공공기관】① 기획재정부장관은 국가·지방자치단체가 아닌 법인·단체 또는 기관(이하 "기관"이라 한다)으로서 다음 각 호의 어느 하나에 해당하는 기관을 공공기관으로 지정할 수 있다. <개정 2020.6.9>

1. 다른 법률에 따라 직접 설립되고 정부가 출연한 기관
2. 정부지원액(법령에 따라 직접 정부의 업무를 위탁받거나 독점적 사업권을 부여받은 기관의 경우에는 그 위탁업무나 독점적 사업으로 인한 수입액을 포함한다. 이하 같다)이 총수입액의 2분의 1을 초과하는 기관
3. 정부가 100분의 50 이상의 지분을 가지고 있거나 100분의 30 이상의 지분을 가지고 임원 임명권한 행사 등을 통하여 당해 기관의 정책 결정에 사실상 지배력을 확보하고 있는 기관
4. 정부와 제1호부터 제3호까지의 어느 하나에 해당하는 기관이 합하여 100분의 50 이상의 지분을 가지고 있거나 100분의 30 이상의 지분을 가지고 임원 임명권한 행사 등을 통하여 당해 기관의 정책 결정에 사실상 지배력을 확보하고 있는 기관
5. 제1호부터 제4호까지의 어느 하나에 해당하는 기관이 단독으로 또는 두개 이상의 기관이 합하여 100분의 50 이상의 지분을 가지고 있거나 100분의 30 이상의 지분을 가지고 임원 임명권한 행사 등을 통하여 당해 기관의 정책 결정에 사실상 지배력을 확보하고 있는 기관
6. 제1호부터 제4호까지의 어느 하나에 해당하는 기관이 설립하고, 정부 또는 설립 기관이 출연한 기관

(2) 안전영향평가기관이 검토해야할 항목

1. 해당 건축물에 적용된 설계 기준 및 하중의 적정성
2. 해당 건축물의 하중저항시스템의 해석 및 설계의 적정성
3. 지반조사 방법 및 지내력(地耐力) 산정결과의 적정성
4. 굴착공사에 따른 지하수위 변화 및 지반 안전성에 관한 사항
5. 그 밖에 건축물의 안전영향평가를 위하여 국토교통부장관이 필요하다고 인정하는 사항

※ 안전영향평가를 실시하여야 하는 건축물이 다른 법률에 따라 구조안전과 인접 대지의 안전에 미치는 영향 등을 평가받은 경우 안전영향평가의 해당 항목을 평가 받은 것으로 본다.

건 축 법
1. 총 칙
2. 건 축
3. 유지관리
4. 대지도로
5. 구조재료
6. 지역지구
7. 건축설비
8. 특별건축구역
9. 보 칙
10. 벌 칙
건 축 법 관련기준

【참고】 안전영향평가 검토항목[건축물 안전영향평가 세부기준(국토교통부고시 제2021-1382호, 2021.12.23.) 별표2]

1. 건축구조기준에서 규정하고 있는 사항

분야	검토항목	검토내용
구조	설계기준 및 하중의 적정성	○ 하중기준의 적정성 ○ 주요 부재 설계기준의 적정성 ○ 하중 산정의 적정성
	사용재료의 적정성	○ 재료의 특성 ○ 내진구조용 재료 적합성
	하중저항시스템의 해석 및 설계 적정성	○ 중력저항시스템의 적정성 ○ 횡력저항시스템의 적정성 ○ 기초 및 지하구조시스템의 적정성
	구조안전성	○ 구조해석 모델의 적정성 ○ 구조내력상 주요한 부분의 응력 및 단면 산정 과정의 적정성 ○ 구조도면의 적정성
	풍동실험의 적정성	○ 풍동실험기준의 적정성 ○ 주골조에 대한 풍력실험 결과 및 설계반영의 적정성 ○ 창호, 외벽패널 등 외장재에 대한 풍압실험 결과 및 설계반영의 적정성 ○ 주골조에 대한 공기력진동실험 결과 및 설계반영의 적정성 ○ 대상 건축물 대지 내의 풍환경실험 결과 및 설계반영의 적정성 ○ 대상 건축물 주변 지표부근의 풍환경실험 결과 및 설계반영의 적정성
지반	지반조사 및 지내력 산정결과의 적정성	○ 지반조사 방법 및 결과의 적합성 ○ 지내력 산정근거의 적정성 ○ 지하수위 산정의 적정성
	흙막이 설계의 적정성	○ 흙막이공법 선정 및 설계 과정의 적정성 ○ 흙막이 설치에 따른 지하수위 변동 분석 결과

2. 건축구조기준에서 규정하지 않은 사항

분야	검토항목	검토내용
구조	신재료 및 규격지정 외 재료의 강도	○ 건축구조기준에서 구체적으로 규정하지 않은 재료에 대한 강도 결정의 적합성
	특수한 공법의 안전성	○ 건축구조기준과 일치하지 않는 공법과 설계방법의 적정성 및 안전성
	규정되지 않은 횡력저항시스템의 설계	○ 규정되지 않은 횡력저항시스템의 선정 및 설계 과정의 적정성
지반	인접 대지 지반안전성	○ 지형 및 지질 현황조사의 적정성 ○ 지하수 변화에 의한 영향 검토 결과 ○ 굴착공사에 따른 지반안전성 영향 분석 결과 ○ 주변 시설물 안전성 영향 분석 결과

(3) 평가결과의 보고 등

① 안전영향평가기관은 안전영향평가를 의뢰받은 날부터 30일 이내에 안전영향평가 결과를 허가권자에게 제출하여야 한다. 예외 부득이한 경우 20일의 범위에서 그 기간을 한 차례만 연장가능

② 안전영향평가 의뢰자가 보완하는 기간 및 공휴일·토요일은 위 기간의 산정에서 제외한다.

③ 허가권자는 안전영향평가 결과를 제출받은 경우 지체 없이 의뢰자에게 그 내용을 통보하여야 한다.

【4】 평가결과의 건축위원회 심의 등

(1) 안전영향평가 결과는 건축위원회의 심의를 거쳐 확정한다. 이 경우 건축위원회의 심의를 받아야 하는 건축물은 건축위원회 심의에 안전영향평가 결과를 포함하여 심의할 수 있다.

(2) 안전영향평가 대상 건축물의 건축주는 건축허가 신청 시 제출하여야 하는 도서에 안전영향평가 결과를 반영하여야 하며, 건축물의 계획상 반영이 곤란하다고 판단되는 경우에는 그 근거 자료를 첨부하여 허가권자에게 건축위원회의 재심의를 요청할 수 있다.

(3) 허가권자는 위 (1), (2)의 심의 결과 및 안전영향평가 내용을 지방자치단체의 공보에 즉시 공개하여야 한다.

(4) 안전영향평가의 비용은 의뢰자가 부담한다.

(5) 위 규정 내용 외에 안전영향평가에 관하여 필요한 사항은 국토교통부장관이 정하여 고시한다.

【참고】 건축물 안전영향평가 세부기준 [국토교통부고시 제2021-1382호, 2021.12.23.]

제1조【목적】 이 기준은 「건축법」 제13조의2 및 「건축법 시행령」 제10조의3, 「건축법 시행규칙」 제9조의2 규정에 따른 건축물 안전영향평가 시 안전영향평가기관, 제출도서, 평가절차 및 검토항목 등 필요한 사항을 정하는 것을 목적으로 한다.

제2조【안전영향평가 기관】 ① 건축법 제13조의2제2항에 따른 안전영향평가기관(이하 "평가기관"이라 한다)은 다음 각 호와 같다.
1. 「국토안전관리원법」에 따른 국토안전관리원
2. 「과학기술분야 정부출연연구기관 등의 설립·운영 및 육성에 관한 법률」 제8조에 따른 한국건설기술연구원
3. 「한국토지주택공사법」에 따른 한국토지주택공사
4. 「한국부동산원법」에 따른 한국부동산원

② 제1항의 평가기관이 당해 안전영향평가 대상 건축물의 발주·설계·시공·감리 등 건설과정에 직·간접적으로 관계되는 경우에는 해당 건축물의 안전영향평가에 참여할 수 없다.

③ 제1항에 따른 평가기관은 효율적이고 일원화된 평가업무 수행을 위해 각각의 평가기관이 공동으로 참여하는 운영협의회를 운영할 수 있다.

④ 제3항에 따른 운영협의회는 안전영향평가 업무와 관련된 구체적인 방법이나 실시 요령, 평가 비용 등을 정할 수 있으며, 운영협의회에서 결정된 사항은 국토교통부장관에게 통보하여야 한다.

⑤ 국토교통부장관은 운영협의회에서 결정된 사항에 대해 시정조치를 요구할 수 있다.

제3조【제출서류】 건축법 시행규칙 제9조의2제1항에 따른 국토교통부장관이 정하여 고시하는 자료는 다음 각 호와 같다.
1. [별표 1]의 도서
2. 설계하중에 대해 주요 구조부재의 응력 및 변위를 산정한 구조해석 전산파일

제4조【검토항목】 건축법 시행규칙 제9조의2제2항에 따른 안전영향평가 검토항목에 대한 세부사항은 [별표 2]와 같다.

제5조【검토방법】 ① 평가기관은 허가권자가 안전영향평가 시 제출한 서류를 참고하여 [별표 2]의 항목에 대한 안전영향평가를 실시한다.

② 안전영향평가는 건축법령 및 관계법령에서 정하는 기준에 적합하게 실시되어야 한다. 다만 건축법령 및 관계법령에서 정하는 기준에서 정하고 있지 않은 사항에 대해서는 허가권자가 제출한 서류에서 제시한 관련 설계근거를 참고하여 검토를 실시한다.

제6조【관련 자료의 보완】① 평가기관은 다음 각 호의 어느 하나에 해당하는 경우 허가권자에게 안전영향평가에 필요한 자료의 보완을 요구할 수 있다.

1. 건축법 시행규칙 제9조의2제1항의 도서와 도서의 표시사항이 누락되었거나 현저히 결여되어 있는 경우
2. 제출된 서류에서 제5조의 검토항목에 대한 내용이 누락·결여되어 있는 경우
3. 그 밖에 보완이 되지 아니하면 평가결과를 제시할 수 없는 등 평가기관이 중요하다고 판단되는 사항이 있는 경우

② 제1항에 따라 보완을 요구받은 허가권자는 특별한 사유가 없으면 요구받은 자료를 제출하여야 한다.

제7조【전문가 자문】① 평가기관은 안전영향평가를 수행함에 있어 공정성과 전문성을 확보하기 위하여 자문단을 구성·운영할 수 있으며, 자문위원은 건축구조, 지반공학, 토질및기초기술 분야 등의 전문가로 학식과 경험이 풍부한 자를 포함하여 구성할 수 있다.

② 평가기관은 사업별 특성을 고려하여 전문가에게 자문을 요청하되, 특정 위원에게 자문요청이 편중되지 않도록 중립성과 공정성이 유지되도록 하여야 한다.

③ 자문단의 구성·운영에 대한 세부사항은 평가기관이 별도로 정한다.

[별표 1] 건축물 안전영향평가 제출서류(제3조제1호 관련) 〈개정 2021.12.23.〉

1. 대상 건축물

분야	도서종류	표시하여야 할 사항
구조	구조도	○ 구조내력상 주요한 부분의 평면 및 단면 ○ 주요한 부분의 상세도면
	구조계산서	○ 중력/횡력저항시스템 선정 및 검토내용 ○ 기초/지하구조시스템의 선정 및 검토내용 ○ 구조내력상 주요한 부분의 응력 및 단면 산정 과정 ○ 내진설계 및 내풍설계의 내용
	풍동실험보고서*	○ 주골조에 대한 풍력실험 결과 ○ 창호, 외벽패널 등 외장재에 대한 풍압실험 결과 ○ 주골조에 대한 공기력진동실험 결과 ○ 대상 건축물 대지 내의 풍환경실험 결과 ○ 대상 건축물 주변 지표부근의 풍환경실험 결과
	피난계획**	○ 대상 건축물의 피난유도계획 및 피난동선도
지반	지질조사서	○ 최소 2공 이상의 지반조사(전단파시험 포함) ○ 각종 토질시험내용 ○ 지내력 산출근거 ○ 지하수 흐름 분석결과 ○ 지하물리탐사(지하 20미터 이상 터파기 공사시) ○ 흙, 암반의 분류 및 물성치
	흙막이가시설계획서	○ 토지굴착계획 ○ 흙막이공법 선정사유 ○ 흙막이 구조 관련 설계도면 ○ 흙막이 구조계산 내역 ○ 지반굴착으로 인한 지반침하 영향 검토 ○ 흙막이 설치에 따른 지하수위 변화 분석

* 주골조에 대한 풍력실험과 공기력진동실험은 건축구조기준에 따른 특별풍하중 산정대상에 따르며,

그 외 외장재 풍압실험과 풍환경실험 결과는 필수 제출사항임

** 「초고층 및 지하연계 복합건축물 재난관리에 관한 특별법」에 따른 사전재난영향성검토협의를 받은 경우 해당 항목의 평가를 받은 것으로 보고 제출을 생략할 수 있음

2. 인접 대지

분야	도서종류	표시하여야 할 사항
인접 대지 건축물	건축계획서	건축법 시행규칙 [별표 2] 의 건축계획서
	배치도	건축법 시행규칙 [별표 2] 의 배치도
인접 대지 지반	지하시설물 현황도 및 영향 검토서	○ 지하시설물*의 현황도 ○ 굴착공사에 따른 지반안전성 영향분석 결과 ○ 주변 시설물의 안전성 분석 결과

* "지하시설물"이란 상수도, 하수도, 전력시설물, 전기통신설비, 가스공급시설, 공동구, 지하차도, 지하철 등 지하를 개발·이용하는 시설물을 말한다.

[별표 2] 건축물 안전영향평가 검토항목(제5조 관련) ➡ 1-470쪽 참조

7 건축신고(법 제14조)(영 제11조)(규칙 제12조)

법 제14조【건축신고】

① 제11조에 해당하는 허가 대상 건축물이라 하더라도 다음 각 호의 어느 하나에 해당하는 경우에는 미리 특별자치시장 · 특별자치도지사 또는 시장 · 군수 · 구청장에게 국토교통부령으로 정하는 바에 따라 신고를 하면 건축허가를 받은 것으로 본다. <개정 2014.5.28>

1. 바닥면적의 합계가 85제곱미터 이내의 증축 · 개축 또는 재축. 다만, 3층 이상 건축물인 경우에는 증축 · 개축 또는 재축하려는 부분의 바닥면적의 합계가 건축물 연면적의 10분의 1 이내인 경우로 한정한다.
2. 「국토의 계획 및 이용에 관한 법률」에 따른 관리지역, 농림지역 또는 자연환경보전지역에서 연면적이 200제곱미터 미만이고 3층 미만인 건축물의 건축. 다만, 다음 각 목의 어느 하나에 해당하는 구역에서의 건축은 제외한다.
   가. 지구단위계획구역
   나. 방재지구 등 재해취약지역으로서 대통령령으로 정하는 구역
3. 연면적이 200제곱미터 미만이고 3층 미만인 건축물의 대수선
4. 주요구조부의 해체가 없는 등 대통령령으로 정하는 대수선
5. 그 밖에 소규모 건축물로서 대통령령으로 정하는 건축물의 건축

② 제1항에 따른 건축신고에 관하여는 제11조제5항 및 제6항을 준용한다.

③ 특별자치시장 · 특별자치도지사 또는 시장 · 군수 · 구청장은 제1항에 따른 신고를 받은 날부터 5일 이내에 신고수리 여부 또는 민원 처리 관련 법령에 따른 처리기간의 연장 여부를 신고인에게 통지하여야 한다. 다만, 이 법 또는 다른 법령에 따라 심의, 동의, 협의, 확인 등이 필요한 경우에는 20일 이내에 통지하여야 한다. <신설 2017.4.18.>

④ 특별자치시장 · 특별자치도지사 또는 시장 · 군수 · 구청장은 제1항에 따른 신고가 제3항 단서에 해당하는 경우에는 신고를 받은 날부터 5일 이내에 신고인에게 그 내용을 통지하여야 한다. <신설 2017.4.18.>

⑤ 제1항에 따라 신고를 한 자가 신고일부터 1년 이내에 공사에 착수하지 아니하면 그 신고의 효력은 없어진다. 다만, 건축주의 요청에 따라 허가권자가 정당한 사유가 있다고 인정하면 1년의 범위에서 착수기한을 연장할 수 있다. <개정 2017.4.18>

영 제11조【건축신고】

① 법 제14조제1항제2호나목에서 "방재지구 등 재해취약지역으로서 대통령령으로 정하는 구역"이란 다음 각 호의 어느 하나에 해당하는 지구 또는 지역을 말한다.

1.「국토의 계획 및 이용에 관한 법률」 제37조에 따라 지정된 방재지구(防災地區)
2.「급경사지 재해예방에 관한 법률」 제6조에 따라 지정된 붕괴위험지역

② 법 제14조제1항제4호에서 "주요구조부의 해체가 없는 등 대통령령으로 정하는 대수선"이란 다음 각 호의 어느 하나에 해당하는 대수선을 말한다.

1. 내력벽의 면적을 30제곱미터 이상 수선하는 것
2. 기둥을 세 개 이상 수선하는 것
3. 보를 세 개 이상 수선하는 것
4. 지붕틀을 세 개 이상 수선하는 것
5. 방화벽 또는 방화구획을 위한 바닥 또는 벽을 수선하는 것
6. 주계단 · 피난계단 또는 특별피난계단을 수선하는 것

③ 법 제14조제1항제5호에서 "대통령령으로 정하는 건축물"이란 다음 각 호의 어느 하나에 해당하는 건축물을 말한다. <개정 2016.6.30.>

1. 연면적의 합계가 100제곱미터 이하인 건축물
2. 건축물의 높이를 3미터 이하의 범위에서 증축하는 건축물
3. 법 제23조제4항에 따른 표준설계도서(이하 "표준설계도서"라 한다)에 따라 건축하는 건축물로서 그 용도 및 규모가 주위환경이나 미관에 지장이 없다고 인정하여 건축조례로 정하는 건축물
4.「국토의 계획 및 이용에 관한 법률」 제36조제1항제1호다목에 따른 공업지역, 같은 법 제51조제3항에 따른 지구단위계획구역(같은 법 시행령 제48조제10호에 따른 산업 · 유통형만 해당한다) 및 「산업입지 및 개발에 관한 법률」에 따른 산업단지에서 건축하는 2층 이하인 건축물로서 연면적 합계 500제곱미터 이하인 공장(별표 1 제4호너목에 따른 제조업소 등 물품의 제조 · 가공을 위한 시설을 포함한다)
5. 농업이나 수산업을 경영하기 위하여 읍 · 면지역(특별자치도지사 · 시장 · 군수가 지역계획 또는 도시 · 군계획에 지장이 있다고 지정 · 공고한 구역은 제외한다)에서 건축하는 연면적 200제곱미터 이하의 창고 및 연면적 400제곱미터 이하의 축사, 작물재배사(作物栽培舍), 종묘배양시설, 화초 및 분재 등의 온실

④ 법 제14조에 따른 건축신고에 관하여는 제9조제1항을 준용한다. <개정 2014.10.14.>

규칙 제12조【건축신고】

① 법 제14조제1항 및 제16조제1항에 따라 건축물의 건축 · 대수선 또는 설계변경의 신고를 하려는 자는 별지 제6호서식의 건축 · 대수선 · 용도변경 (변경)신고서에 다음 각 호의 서류를 첨부하여 특별자치시장 · 특별자치도지사 또는 시장 · 군수 · 구청장에게 제출(전자문서로 제출하는 것을 포함한다)해야 한다. 다만, 제4호의 서류 중 토지 등기사항증명서는 제출하지 아니할 수 있으며, 이 경우 특별자치시장 · 특별자치도지사 또는 시장 · 군수 · 구청장은 「전자정부법」 제36조제1항에 따른 행정정보의 공동이용을 통하여 해당 토지 등기사항증명서를 확인하여야 한다. 이 경우 특별자치시장 · 특별자치도지사 또는 시장 · 군수 · 구청장은 행정정보의 공동이용을 통해 제4호의 서류 중 토지등기사항증명서를 확인해야 한다. <개정 2019.11.18.>

1. 별표 2 중 배치도 · 평면도(층별로 작성된 것만 해당한다) · 입면도 및 단면도. 다만, 다음 각 목의 경우에는 각 목의 구분에 따른 도서를 말한다.

가. 연면적의 합계가 100제곱미터를 초과하는 영 별표 1 제1호의 단독주택을 건축하는 경

건 축 법
1. 총 칙
2. 건 축
3. 유지관리
4. 대지도로
5. 구조재료
6. 지역지구
7. 건축설비
8. 특별건축구역
9. 보 칙
10. 벌 칙
건 축 법 관련기준

우 : 별표 2의 설계도서 중 건축계획서 · 배치도 · 평면도 · 입면도 · 단면도 및 구조도(구조내력상 주요한 부분의 평면 및 단면을 표시한 것만 해당한다)
나. 법 제23조제4항에 따른 표준설계도서에 따라 건축하는 경우 : 건축계획서 및 배치도
다. 법 제10조에 따른 사전결정을 받은 경우 : 평면도
2. 법 제11조제5항 각 호에 따른 허가 등을 받거나 신고를 하기 위하여 해당법령에서 제출하도록 의무화하고 있는 신청서 및 구비서류(해당사항이 있는 경우로 한정한다)
3. 건축할 대지의 범위에 관한 서류
4. 건축할 대지의 소유 또는 사용에 관한 권리를 증명하는 서류. 다만, 건축할 대지에 포함된 국유지 · 공유지에 대해서는 특별자치도지사 또는 시장 · 군수 · 구청장이 해당 토지의 관리청과 협의하여 그 관리청이 해당 토지를 건축주에게 매각하거나 양여할 것을 확인한 서류로 그 토지의 소유에 관한 권리를 증명하는 서류를 갈음할 수 있으며, 집합건물의 공용부분을 변경하는 경우에는 「집합건물의 소유 및 관리에 관한 법률」 제15조제1항에 따른 결의가 있었음을 증명하는 서류로 갈음할 수 있다.
5. 법 제48조제2항에 따라 구조안전을 확인해야 하는 건축 · 대수선의 경우: 별표 2에 따른 구조도 및 구조계산서. 다만, 「건축물의 구조기준 등에 관한 규칙」에 따른 소규모건축물로서 국토교통부장관이 고시하는 소규모건축구조기준에 따라 설계한 경우에는 구조도만 해당한다.

② 법 제14조제1항에 따른 신고를 받은 특별자치시장 · 특별자치도지사 또는 시장 · 군수 · 구청장은 해당 건축물을 건축하려는 대지에 재해의 위험이 있다고 인정하는 경우에는 지방건축위원회의 심의를 거쳐 별표 2의 서류 중 이미 제출된 서류를 제외한 나머지 서류를 추가로 제출하도록 요구할 수 있다.

③ 특별자치시장 · 특별자치도지사 또는 시장 · 군수 · 구청장은 제1항에 따른 건축 · 대수선 · 용도변경신고서를 받은 때에는 그 기재내용을 확인한 후 그 신고의 내용에 따라 별지 제7호서식의 건축 · 대수선 · 용도변경신고필증을 신고인에게 교부하여야 한다.

④ 제3항에 따라 건축 · 대수선 · 용도변경신고필증을 발급하는 경우에 관하여는 제8조제2항 및 제3항을 준용한다.

⑤ 특별자치시장 · 특별자치도지사 · 시장 · 군수 또는 구청장은 제1항에 따른 신고를 하려는 자에게 같은 항 각 호의 서류를 제출하는데 도움을 줄 수 있는 건축사사무소, 건축지도원 및 건축기술자 등에 대한 정보를 충분히 제공하여야 한다.

해설 소규모 증 · 개축, 소규모 건축물의 대수선 행위, 농 · 수산업을 영위하기 위하여 필요한 소규모 주택 · 축사 등은 건축신고로서 건축허가를 대신할 수 있도록 행정상의 절차를 간소화하였다. 또한 건축신고 대상 건축물의 경우 감리에 대한 제한규정도 규정하고 있지 않다.

대수선의 경우 건축신고 대상은 연면적 200㎡ 미만이고 3층 미만 건축물인 소형 건축물만을 대상으로 하였으나, 대형건축물에 있어서도 주요구조부의 해체가 수반되지 않는 대수선의 경우는 건축물의 규모와 관련없이 건축신고로 처리하도록 개정되었다.

【1】 건축신고 절차

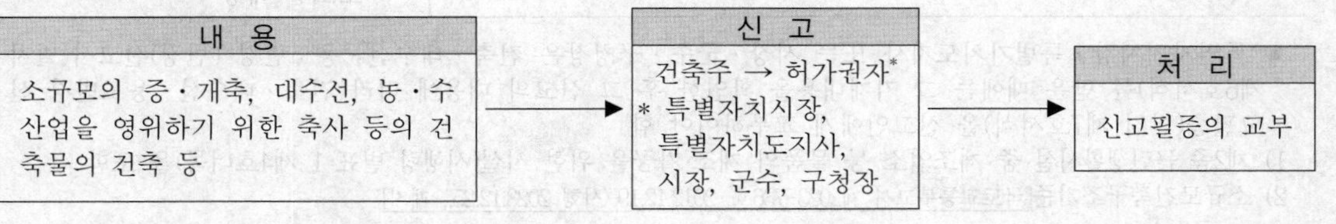

【2】 건축신고 대상

<table>
<tr><th>구분</th><th colspan="2">내 용</th><th>비 고</th></tr>
<tr><td rowspan="13">대상</td><td colspan="2">1. 바닥면적 85㎡ 이내의 증축·개축·재축</td><td>3층 이상 건축물인 경우 바닥면적의 합계가 건축물 연면적의 1/10 이내인 경우로 한정</td></tr>
<tr><td colspan="2">2. 관리지역·농림지역 또는 자연환경보존지역내의 연면적 200㎡ 미만이고 3층 미만인 건축물의 건축</td><td>지구단위계획구역, 방재재구, 붕괴위험지역에서의 건축 제외</td></tr>
<tr><td colspan="2">3. 대수선(연면적 200㎡ 미만이고 3층 미만인 건축물만 해당)</td><td>–</td></tr>
<tr><td colspan="2">4. 주요구조부의 해체가 없는 다음의 대수선
① 내력벽 면적 30㎡ 이상 수선
② 기둥·보·지붕틀 각각 3개 이상 수선
③ 방화벽 또는 방화구획을 위한 바닥 또는 벽의 수선
④ 주계단·피난계단·특별피난계단의 수선</td><td>–</td></tr>
<tr><td colspan="2">5. 연면적의 합계가 100㎡ 이하인 건축물</td><td>–</td></tr>
<tr><td colspan="2">6. 높이 3m이하의 범위에서의 증축하는 건축물</td><td>–</td></tr>
<tr><td colspan="2">7. 표준설계도서에 의하여 건축하는 건축물</td><td>건축조례로 정함</td></tr>
<tr><td rowspan="3">8. 공장[1](2층 이하로서 연면적 합계 500㎡ 이하)</td><td>공업지역</td><td rowspan="2">「국토의 계획 및 이용에 관한 법률」</td></tr>
<tr><td>지구단위계획구역(산업·유통형만 해당)</td></tr>
<tr><td>산업단지</td><td>「산업입지 및 개발에 관한 법률」</td></tr>
<tr><td rowspan="2">9. 읍·면지역의 건축물(농업·수산업을 경영하기 위한 것)</td><td>• 연면적 200㎡ 이하 - 창고</td><td rowspan="2">특별자치도지사 또는 시장·군수가 지역계획 또는 도시·군계획에 지장이 있다고 인정하여 지정·공고한 구역 제외</td></tr>
<tr><td>• 연면적 400㎡ 이하
- 축사, 작물재배사, 종묘배양시설, 화초 및 분재 등의 온실</td></tr>
<tr><td colspan="3"></td></tr>
<tr><td rowspan="6">관계서류</td><td colspan="2">1. 건축·대수선·용도변경 (변경)신고서</td><td>별지 제6호서식</td></tr>
<tr><td colspan="2">2. 배치도·층별 평면도·입면도·단면도
① 연면적의 합계가 100㎡를 초과하는 단독주택의 경우
(건축계획서·배치도·평면도·입면도·단면도·구조도*)
② 표준설계도서에 따라 건축하는 경우
(건축계획서·배치도)
③ 사전결정을 받은 경우
(평면도)</td><td>* 구조도(좌측 칸)의 경우 구조내력상 주요한 부분의 평면 및 단면을 표시한 것만 해당</td></tr>
<tr><td colspan="2">3. 허가나 신고를 위해 해당법령에서 제출하도록 의무화하고 있는 신청서 및 구비서류</td><td>해당사항이 있는 경우에 한함</td></tr>
<tr><td colspan="2">4. 건축할 대지의 범위에 관한 서류</td><td>–</td></tr>
<tr><td colspan="2">5. 건축할 대지의 소유 또는 그 사용에 관한 권리 증명 서류</td><td>건축허가의 경우와 동일(규칙 제6조제1항제1호의2 가목, 나목)</td></tr>
<tr><td colspan="2">6. 구조안전을 확인해야 하는 건축·대수선의 경우
(구조도·구조계산서)</td><td>* 소규모건축구조기준[2]에 따라 설계한 소규모건축물의 경우 구조도만 해당</td></tr>
</table>

■ 특별자치시장·특별자치도지사 또는 시장·군수·구청장은 건축·대수선·용도변경 (변경)신고서(별지 제6호서식)를 받은 때에는 그 기재내용을 확인한 후 그 신고의 내용에 따라 건축·대수선·용도변경 신고필증(별지 제7호서식)을 신고인에게 교부하여야 함

1) 제2종 근린생활시설 중 제조업소 등 물품의 제조·가공을 위한 시설(시행령 별표 1 제4호너목)을 포함
2) 소규모건축구조기준[국토교통부고시 제2023-786호, 2012.12.19./시행 2023.12.25., 폐지]

【3】 신고수리 여부 등의 통지

통지의무자가 건축신고 접수 등 다음의 통지 사유 발생시 민원인에게 통지하여야 함.

통지의무자	통지 기한		통지 내용
특별자치시장·특별자치도지사·시장·군수·구청장	1. 일반적인 건축신고의 경우	신고를 받은 날부터 5일 이내	· 신고수리 여부 · 민원 처리 관련 법령에 따른 처리기간의 연장 여부
	2. 이 법 또는 다른 법령에 따라 심의, 동의, 협의, 확인 등이 필요한 경우	신고를 받은 날부터 20일 이내	
		신고를 받은 날부터 5일 이내	2.의 내용과 통지기한

【4】 신고의 효력 상실 등

① 건축신고를 한 자가 신고일부터 1년 이내에 공사에 착수하지 아니하면 그 신고의 효력은 없어진다.

예외 건축주의 요청에 따라 허가권자가 정당한 사유가 있다고 인정하면 1년의 범위에서 착수기한 연장 가능

② 특별자치시장·특별자치도지사·시장·군수 또는 구청장은 신고를 하려는 자에게 서류를 제출하는데 도움을 줄 수 있는 건축사사무소, 건축지도원 및 건축기술자 등에 대한 정보를 충분히 제공하여야 한다.

8 가설건축물(법 제20조)(영 제15조)(규칙 제13조)

법 제20조【가설건축물】

① 도시·군계획시설 및 도시·군계획시설예정지에서 가설건축물을 건축하려는 자는 특별자치시장·특별자치도지사 또는 시장·군수·구청장의 허가를 받아야 한다.

② 특별자치시장·특별자치도지사 또는 시장·군수·구청장은 해당 가설건축물의 건축이 다음 각 호의 어느 하나에 해당하는 경우가 아니면 제1항에 따른 허가를 하여야 한다.

1. 「국토의 계획 및 이용에 관한 법률」 제64조에 위배되는 경우
2. 4층 이상인 경우
3. 구조, 존치기간, 설치목적 및 다른 시설 설치 필요성 등에 관하여 대통령령으로 정하는 기준의 범위에서 조례로 정하는 바에 따르지 아니한 경우
4. 그 밖에 이 법 또는 다른 법령에 따른 제한규정을 위반하는 경우

③ 제1항에도 불구하고 재해복구, 흥행, 전람회, 공사용 가설건축물 등 대통령령으로 정하는 용도의 가설건축물을 축조하려는 자는 대통령령으로 정하는 존치 기간, 설치 기준 및 절차에 따라 특별자치시장·특별자치도지사 또는 시장·군수·구청장에게 신고한 후 착공하여야 한다.

④ 제3항에 따른 신고에 관하여는 제14조제3항 및 제4항을 준용한다. <신설 2017.4.18>

⑤ 제1항과 제3항에 따른 가설건축물을 건축하거나 축조할 때에는 대통령령으로 정하는 바에 따라 제25조, 제38조부터 제42조까지, 제44조부터 제50조까지, 제50조의2, 제51조부터 제64조까지, 제67조, 제68조와 「녹색건축물 조성 지원법」 제15조 및 「국토의 계획 및 이용에 관한 법률」 제76조 중 일부 규정을 적용하지 아니한다. <개정 2017.4.18>

⑥ 특별자치시장·특별자치도지사 또는 시장·군수·구청장은 제1항부터 제3항까지의 규정에 따라 가설건축물의 건축을 허가하거나 축조신고를 받은 경우 국토교통부령으로 정하는 바에 따라 가설건축물대장에 이를 기재하여 관리하여야 한다. <개정 2017.4.18>

⑦ 제2항 또는 제3항에 따라 가설건축물의 건축허가 신청 또는 축조신고를 받은 때에는 다른 법령에 따른 제한 규정에 대하여 확인이 필요한 경우 관계 행정기관의 장과 미리 협의하

여야 하고, 협의 요청을 받은 관계 행정기관의 장은 요청을 받은 날부터 15일 이내에 의견을 제출하여야 한다. 이 경우 관계 행정기관의 장이 협의 요청을 받은 날부터 15일 이내에 의견을 제출하지 아니하면 협의가 이루어진 것으로 본다. <개정 2017.4.18>

건축법
1. 총 칙
2. 건 축
3. 유지관리
4. 대지도로
5. 구조재료
6. 지역지구
7. 건축설비
8. 특별건축구역
9. 보 칙
10. 벌 칙
건축법 관련기준

영 제15조【가설건축물】

① 법 제20조제2항제3호에서 "대통령령으로 정하는 기준"이란 다음 각 호의 기준을 말한다.

1. 철근콘크리트조 또는 철골철근콘크리트조가 아닐 것
2. 존치기간은 3년 이내일 것. 다만, 도시·군계획사업이 시행될 때까지 그 기간을 연장할 수 있다.
3. 전기 · 수도 · 가스 등 새로운 간선 공급설비의 설치를 필요로 하지 아니할 것
4. 공동주택 · 판매시설 · 운수시설 등으로서 분양을 목적으로 건축하는 건축물이 아닐 것

② 제1항에 따른 가설건축물에 대하여는 법 제38조를 적용하지 아니한다.

③ 제1항에 따른 가설건축물 중 시장의 공지 또는 도로에 설치하는 차양시설에 대하여는 법 제46조 및 법 제55조를 적용하지 아니한다.

④ 제1항에 따른 가설건축물을 도시·군계획 예정 도로에 건축하는 경우에는 법 제45조부터 제47조를 적용하지 아니한다.

⑤ 법 제20조제3항에서 "재해복구, 흥행, 전람회, 공사용 가설건축물 등 대통령령으로 정하는 용도의 가설건축물"이란 다음 각 호의 어느 하나에 해당하는 것을 말한다.

1. 재해가 발생한 구역 또는 그 인접구역으로서 특별자치시장 · 특별자치도지사 또는 시장 · 군수 · 구청장이 지정하는 구역에서 일시사용을 위하여 건축하는 것
2. 특별자치시장 · 특별자치도지사 또는 시장 · 군수 · 구청장이 도시미관이나 교통소통에 지장이 없다고 인정하는 가설흥행장, 가설전람회장, 농 · 수 · 축산물 직거래용 가설점포, 그 밖에 이와 비슷한 것
3. 공사에 필요한 규모의 공사용 가설건축물 및 공작물
4. 전시를 위한 견본주택이나 그 밖에 이와 비슷한 것
5. 특별자치시장 · 특별자치도지사 또는 시장 · 군수 · 구청장이 도로변 등의 미관정비를 위하여 지정 · 공고하는 구역에서 축조하는 가설점포(물건 등의 판매를 목적으로 하는 것을 말한다)로서 안전 · 방화 및 위생에 지장이 없는 것
6. 조립식 구조로 된 경비용으로 쓰는 가설건축물로서 연면적이 10제곱미터 이하인 것
7. 조립식 경량구조로 된 외벽이 없는 임시 자동차 차고
8. 컨테이너 또는 이와 비슷한 것으로 된 가설건축물로서 임시사무실 · 임시창고 또는 임시숙소로 사용되는 것(건축물의 옥상에 축조하는 것은 제외한다. 다만, 2009년 7월 1일부터 2015년 6월 30일까지 및 2016년 7월 1일부터 2019년 6월 30일까지 공장의 옥상에 축조하는 것은 포함한다)
9. 도시지역 중 주거지역 · 상업지역 또는 공업지역에 설치하는 농업 · 어업용 비닐하우스로서 연면적이 100제곱미터 이상인 것
10. 연면적이 100제곱미터 이상인 간이축사용, 가축분뇨처리용, 가축운동용, 가축의 비가림용 비닐하우스 또는 천막(벽 또는 지붕이 합성수지 재질로 된 것과 지붕 면적의 2분의 1 이하가 합성강판으로 된 것을 포함한다)구조 건축물
11. 농업 · 어업용 고정식 온실 및 간이작업장, 가축양육실
12. 물품저장용, 간이포장용, 간이수선작업용 등으로 쓰기 위하여 공장 또는 창고시설에 설치하거나 인접 대지에 설치하는 천막(벽 또는 지붕이 합성수지 재질로 된 것을 포함한다), 그 밖에 이와 비슷한 것

13. 유원지, 종합휴양업 사업지역 등에서 한시적인 관광·문화행사 등을 목적으로 천막 또는 경량구조로 설치하는 것
14. 야외전시시설 및 촬영시설
15. 야외흡연실 용도로 쓰는 가설건축물로서 연면적이 50제곱미터 이하인 것
16. 그 밖에 제1호부터 제14호까지의 규정에 해당하는 것과 비슷한 것으로서 건축조례로 정하는 건축물

⑥ 법 제20조제5항에 따라 가설건축물을 축조하는 경우에는 다음 각 호의 구분에 따라 관련 규정을 적용하지 않는다. <개정 2020.10.8., 2023.9.12.>

1. 제5항 각 호(제4호는 제외한다)의 가설건축물을 축조하는 경우에는 법 제25조, 제38조부터 제42조까지, 제44조부터 제47조까지, 제48조, 제48조의2, 제49조, 제50조, 제50조의2, 제51조, 제52조, 제52조의2, 제52조의4, 제53조, 제53조의2, 제54조부터 제58조까지, 제60조부터 제62조까지, 제64조, 제67조 및 제68조와 「국토의 계획 및 이용에 관한 법률」 제76조를 적용하지 않는다. 다만, 법 제48조, 제49조 및 제61조는 다음 각 목에 따른 경우에만 적용하지 않는다.
   가. 법 제48조 및 제49조를 적용하지 아니하는 경우: 다음의 어느 하나에 해당하는 경우
      1) 1층 또는 2층인 가설건축물(제5항제2호 및 제14호의 경우에는 1층인 가설건축물만 해당한다)을 건축하는 경우
      2) 3층 이상인 가설건축물(제5항제2호 및 제14호의 경우에는 2층 이상인 가설건축물을 말한다)을 건축하는 경우로서 지방건축위원회의 심의 결과 구조 및 피난에 관한 안전성이 인정된 경우. 다만, 구조 및 피난에 관한 안전성을 인정할 수 있는 서류로서 국토교통부령으로 정하는 서류를 특별자치시장·특별자치도지사 또는 시장·군수·구청장에게 제출하는 경우에는 지방건축위원회의 심의를 생략할 수 있다.
   나. 법 제61조를 적용하지 아니하는 경우: 정북방향으로 접하고 있는 대지의 소유자와 합의한 경우
2. 제5항제4호의 가설건축물을 축조하는 경우에는 법 제25조, 제38조, 제39조, 제42조, 제45조, 제50조의2, 제53조, 제54조부터 제57조까지, 제60조, 제61조 및 제68조와 「국토의 계획 및 이용에 관한 법률」 제76조만을 적용하지 아니한다.

⑦ 법 제20조제3항에 따라 신고해야 하는 가설건축물의 존치기간은 3년 이내로 하며, 존치기간의 연장이 필요한 경우에는 횟수별 3년의 범위에서 제5항 각 호의 가설건축물별로 건축조례로 정하는 횟수만큼 존치기간을 연장할 수 있다. 다만, 제5항제3호의 공사용 가설건축물 및 공작물의 경우에는 해당 공사의 완료일까지의 기간으로 한다. <개정 2021.11.2.>

⑧ 법 제20조제1항 또는 제3항에 따라 가설건축물의 건축허가를 받거나 축조신고를 하려는 자는 국토교통부령으로 정하는 가설건축물 건축허가신청서 또는 가설건축물 축조신고서에 관계 서류를 첨부하여 특별자치시장·특별자치도지사 또는 시장·군수·구청장에게 제출하여야 한다. 다만, 건축물의 건축허가를 신청할 때 건축물의 건축에 관한 사항과 함께 공사용 가설건축물의 건축에 관한 사항을 제출한 경우에는 가설건축물 축조신고서의 제출을 생략한다. <개정 2018.9.4.>

⑨ 제8항 본문에 따라 가설건축물 건축허가신청서 또는 가설건축물 축조신고서를 제출받은 특별자치시장·특별자치도지사 또는 시장·군수·구청장은 그 내용을 확인한 후 신청인 또는 신고인에게 국토교통부령으로 정하는 바에 따라 가설건축물 건축허가서 또는 가설건축물 축조신고필증을 주어야 한다. <개정 2018.9.4.>

⑩ 삭제 <2010.2.18.>

건 축 법
1. 총 칙
2. 건 축
3. 유지관리
4. 대지도로
5. 구조재료
6. 지역지구
7. 건축설비
8. 특별건축구역
9. 보 칙
10. 벌 칙
건 축 법 관련기준

영 제15조의2【가설건축물의 존치기간 연장】

① 특별자치시장·특별자치도지사 또는 시장·군수·구청장은 법 제20조에 따른 가설건축물의 존치기간 만료일 30일 전까지 해당 가설건축물의 건축주에게 다음 각 호의 사항을 알려야 한다. <개정 2016.6.30.>

1. 존치기간 만료일
2. 존치기간 연장 가능 여부
3. 제15조의3에 따라 존치기간이 연장될 수 있다는 사실(같은 조 제1호 각 목의 어느 하나에 해당하는 가설건축물에 한정한다)

② 존치기간을 연장하려는 가설건축물의 건축주는 다음 각 호의 구분에 따라 특별자치시장·특별자치도지사 또는 시장·군수·구청장에게 허가를 신청하거나 신고하여야 한다.

1. 허가 대상 가설건축물: 존치기간 만료일 14일 전까지 허가 신청
2. 신고 대상 가설건축물: 존치기간 만료일 7일 전까지 신고

③ 제2항에 따른 존치기간 연장허가신청 또는 존치기간 연장신고에 관하여는 제15조제8항 본문 및 같은 조 제9항을 준용한다. 이 경우 "건축허가"는 "존치기간 연장허가"로, "축조신고"는 "존치기간 연장신고"로 본다. <신설 2018.9.4.>

영 제15조의3【공장에 설치한 가설건축물 등의 존치기간 연장】

제15조의2제2항에도 불구하고 다음 각 호의 요건을 모두 충족하는 가설건축물로서 건축주가 같은 항의 구분에 따른 기간까지 특별자치시장·특별자치도지사 또는 시장·군수·구청장에게 그 존치기간의 연장을 원하지 않는다는 사실을 통지하지 않는 경우에는 기존 가설건축물과 동일한 기간(제1호다목의 경우에는 「국토의 계획 및 이용에 관한 법률」 제2조제10호의 도시·군계획시설사업이 시행되기 전까지의 기간으로 한정한다)으로 존치기간을 연장한 것으로 본다. <개정 2016.6.30., 2021.1.8.>

1. 다음 각 목의 어느 하나에 해당하는 가설건축물일 것
   가. 공장에 설치한 가설건축물
   나. 제15조제5항제11호에 따른 가설건축물(「국토의 계획 및 이용에 관한 법률」 제36조제1항제3호에 따른 농림지역에 설치한 것만 해당한다)
   다. 도시·군계획시설 예정지에 설치한 가설건축물 <신설 2021.1.8.>
2. 존치기간 연장이 가능한 가설건축물일 것

[제목개정 2016.6.30]

규칙 제13조【가설건축물】

① 법 제20조제3항에 따라 신고하여야 하는 가설건축물을 축조하려는 자는 영 제15조제8항에 따라 별지 제8호서식의 가설건축물 축조신고서(전자문서로 된 신고서를 포함한다)에 배치도·평면도 및 대지사용승낙서(다른 사람이 소유한 대지인 경우만 해당한다)를 첨부하여 특별자치시장·특별자치도지사 또는 시장·군수·구청장에게 제출하여야 한다. <개정 2018.11.29>

② 영 제15조제9항에 따른 가설건축물축조 신고필증은 별지 제9호서식에 따른다. <개정 2018.11.29>

③ 특별자치시장·특별자치도지사 또는 시장·군수·구청장은 법 제20조제1항 또는 제2항에 따라 가설건축물의 건축을 허가하거나 축조신고를 수리한 경우에는 별지 제10호서식의 가설건축물 관리대장에 이를 기재하고 관리하여야 한다. <개정 2018.11.29>

④ 가설건축물의 소유자나 가설건축물에 대한 이해관계자는 제3항에 따른 가설건축물 관리대장을 열람할 수 있다. <개정 2018.11.29>

⑤ 영 제15조제7항의 규정에 의하여 가설건축물의 존치기간을 연장하고자 하는 자는 별지 제11호서식의 가설건축물 존치기간 연장신고서(전자문서로 된 신고서를 포함한다)를 특별자치시장 · 특별자치도지사 또는 시장 · 군수 · 구청장에게 제출하여야 한다. <개정 2018.11.29>
⑥ 특별자치시장 · 특별자치도지사 또는 시장 · 군수 · 구청장은 제5항에 따른 가설건축물 존치기간 연장신고서를 받은 때에는 그 기재내용을 확인한 후 별지 제12호서식의 가설건축물 존치기간 연장 신고필증을 신고인에게 발급하여야 한다. <개정 2018.11.29>
⑦ 특별자치시장 · 특별자치도지사 또는 시장 · 군수 · 구청장은 가설건축물이 법령에 적합하지 아니하게 된 경우에는 제3항에 따른 가설건축물관리대장의 기타 사항란에 다음 각 호의 사항을 표시하고, 제2호의 위반내용이 시정된 경우에는 그 내용을 적어야 한다. <개정 2018.11.29>
1. 위반일자
2. 내용 및 원인
⑧ 영 제15조제6항제1호가목2) 단서에서 "국토교통부령으로 정하는 서류" 란 제1항에 따른 가설건축물 축조신고서에 추가로 첨부하여 제출하는 다음 각 호의 서류를 말한다. <신설 2023.11.1>
1. 가설건축물의 입면도 · 단면도 · 구조도 및 구조계산서
2. 「건축물의 구조기준 등에 관한 규칙」 별지 제2호서식의 구조안전 및 내진설계 확인서
3. 별지 제8호의2서식의 3층 이상인 가설건축물의 피난안전 확인서

해설 건축물은 일반적으로 장기간 존치되는 것으로 영구적인 건축물의 의미가 있다. 이에 반하여 가설건축물은 시간을 정하여 사용하는 일시적인 건축물이라 하겠다. 이러한 가설건축물을 도시 · 군계획시설 또는 도시 · 군계획시설예정지에 건축하는 경우 도시 · 군계획 시행상의 차질 및 불법적인 사례의 발생을 방지하기 위하여 구조, 존치기간 등이 제한되고, 반드시 허가를 받아야 한다. 그러나 특정목적을 가진 가설건축물[(예) 재해복구, 흥행, 전람회, 공사용 가설건축물 등]은 신고로서 축조할 수 있도록 하였다.
또한 가설건축물은 임시건축물이기 때문에 「건축법」 규정의 적용이 일부 제외된다. 가설건축물은 건축허가신청 또는 축조신고 접수시 가설건축물관리대장에 기재 · 관리하도록 하고 있다.

【1】 허가대상 가설건축물

① 대상 : 도시 · 군계획시설 또는 도시 · 군계획시설 예정지에서 건축하려는 가설건축물
② 허가기준
다음 사항에 적합하면 특별자치시장·특별자치도지사 또는 시장 · 군수 · 구청장은 가설건축물의 건축을 허가하여야 함

구 분	내 용
관계법	「국토의 계획 및 이용에 관한 법률」 제64조에 위배되지 않을 것 **관계법**
층 수	4층 이상이 아닐 것
구 조*	철근콘크리트조 또는 철골철근콘크리트조가 아닐 것
존치기간*	3년 이내일 것(단, 도시 · 군계획사업이 시행될 때까지 그 기간을 연장가능)
설 비*	전기 · 수도 · 가스 등 새로운 간선공급설비의 설치를 필요로 하지 아니할 것
용 도*	공동주택 · 판매시설 · 운수시설 등 분양을 목적으로 하는 건축하는 건축물이 아닐 것
기 타	그 밖에 이 법 또는 다른 법령에 따른 제한규정을 위반하지 아니할 것

* 이 기준의 범위에서 조례로 정하는 바를 따를 것

건 축 법
1. 총 칙
2. 건 축
3. 유지관리
4. 대지도로
5. 구조재료
6. 지역지구
7. 건축설비
8. 특별건축구역
9. 보 칙
10. 벌 칙
건 축 법 관련기준

관계법 「국토의 계획 및 이용에 관한 법률」 제64조

> **법** 제64조 【도시·군계획시설 부지에서의 개발행위】 ① 특별시장·광역시장·특별자치시장·특별자치도지사·시장 또는 군수는 도시·군계획시설의 설치 장소로 결정된 지상·수상·공중·수중 또는 지하는 그 도시·군계획시설이 아닌 건축물의 건축이나 공작물의 설치를 허가하여서는 아니 된다. 다만, 대통령령으로 정하는 경우에는 그러하지 아니하다.
>
> ② 특별시장·광역시장·특별자치시장·특별자치도지사·시장 또는 군수는 도시·군계획시설의 고시일부터 2년이 지날 때까지 그 시설의 설치에 관한 사업이 시행되지 아니한 도시·군계획시설 중 제85조에 따라 단계별 집행계획이 수립되지 아니하거나 단계별 집행계획에서 제1단계 집행계획(단계별 집행계획을 변경한 경우에는 최초의 단계별 집행계획을 말한다)에 포함되지 아니한 도시계획시설의 부지에 대하여는 제1항에도 불구하고 다음 각 호의 개발행위를 허가할 수 있다.
>
> 1. 가설건축물의 건축과 이에 필요한 범위에서의 토지의 형질 변경
> 2. 도시·군계획시설의 설치에 지장이 없는 공작물의 설치와 이에 필요한 범위에서의 토지의 형질 변경
> 3. 건축물의 개축 또는 재축과 이에 필요한 범위에서의 토지의 형질 변경(제56조제4항제2호에 해당하는 경우는 제외한다)
>
> ③ 특별시장·광역시장·특별자치시장·특별자치도지사·시장 또는 군수는 제2항제1호 또는 제2호에 따라 가설건축물의 건축이나 공작물의 설치를 허가한 토지에서 도시·군계획시설사업이 시행되는 경우에는 그 시행예정일 3개월 전까지 가설건축물이나 공작물 소유자의 부담으로 그 가설건축물이나 공작물의 철거 등 원상회복에 필요한 조치를 명하여야 한다. 다만, 원상회복이 필요하지 아니하다고 인정되는 경우에는 그러하지 아니하다.
>
> ④ 특별시장·광역시장·특별자치시장·특별자치도지사·시장 또는 군수는 제3항에 따른 원상회복의 명령을 받은 자가 원상회복을 하지 아니하면 「행정대집행법」에 따른 행정대집행에 따라 원상회복을 할 수 있다.

③ 가설건축물 관리대장의 기재·관리 : 특별자치시장·특별자치도지사 또는 시장·군수·구청장은 가설건축물의 건축을 허가한 경우 가설건축물 관리대장(별지 제10호서식)에 이를 기재하고 관리하여야 함

④ 건축법 적용제외

대 상		제외 내용	법조항
도시·군계획시설 또는 도시·군계획시설예정지에 건축하는 가설건축물	일반적인 경우	• 건축물대장	법 제38조
	시장의 공지 또는 도로에 설치하는 차양시설	• 건축선의 지정	법 제46조
		• 건축물의 건폐율	법 제55조
	도시계획 예정 도로에 건축하는 경우	• 도로의 지정·폐지 또는 변경	법 제45조
		• 건축선의 지정	법 제46조
		• 건축선에 따른 건축제한	법 제47조

⑤ 제출서류 : 건축물의 건축허가신청의 경우와 동일함 ⇨3 - 【6】 건축허가신청서의 제출 참조

【2】 신고대상 가설건축물

재해복구·흥행·전람회·공사용 가설건축물 등 다음의 가설건축물을 축조하고자 하는 자는 그 존치기간을 정하여 특별자치시장·특별자치도지사 또는 시장·군수·구청장에게 신고한 후 착공하여야 한다.

① 대상

1. 재해가 발생한 구역 또는 그 인접구역으로서 특별자치시장·특별자치도지사 또는 시장·군수·구

청장이 지정하는 구역에서 일시사용을 위하여 건축하는 것

2. 특별자치시장・특별자치도지사 또는 시장·군수·구청장이 도시미관이나 교통소통에 지장이 없다고 인정하는 가설전람회장, 농・수・축산물 직거래용 가설점포, 그 밖에 이와 비슷한 것
3. 공사에 필요한 규모의 공사용 가설건축물 및 공작물
4. 전시를 위한 견본주택이나 그 밖에 이와 비슷한 것
5. 특별자치시장・특별자치도지사 또는 시장·군수·구청장이 도로변 등의 미관정비를 위하여 지정·공고하는 구역에서 축조하는 가설점포(물건 등의 판매를 목적으로 하는 것)로서 안전·방화 및 위생에 지장이 없는 것
6. 조립식 구조로 된 경비용으로 쓰는 가설건축물로서 연면적이 10㎡ 이하인 것
7. 조립식 경량구조로 된 외벽이 없는 임시 자동차 차고
8. 컨테이너 또는 이와 비슷한 것으로 된 가설건축물로서 임시사무실·임시창고 또는 임시숙소로 사용되는 것(건축물의 옥상에 건축하는 것은 제외. 다만, 2009.7.1.~2015.6.30까지 및 2016.7.1.~2019.6.30.까지 공장 옥상에 축조하는 것 포함)
9. 도시지역 중 주거지역·상업지역 또는 공업지역에 설치하는 농업·어업용 비닐하우스로서 연면적이 100㎡ 이상인 것
10. 연면적이 100㎡ 이상인 간이축사용, 가축분뇨처리용, 가축운동용, 가축의 비가림용 비닐하우스 또는 천막(벽 또는 지붕이 합성수지 재질로 된 것과 지붕 면적의 1/2 이하가 합성강판으로 된 것을 포함)구조 건축물
11. 농업·어업용 고정식 온실 및 간이작업장, 가축양육실
12. 물품저장용, 간이포장용, 간이수선작업용 등으로 쓰기 위하여 공장에 설치하는 공장 또는 창고시설에 설치하거나 인접 대지에 설치하는 천막(벽 또는 지붕이 합성수지 재질로 된 것 포함), 그 밖에 이와 비슷한 것
13. 유원지, 종합휴양업 사업지역 등에서 한시적인 관광·문화행사 등을 목적으로 천막 또는 경량구조로 설치하는 것
14. 야외전시시설 및 촬영시설
15. 야외흡연실 용도로 쓰는 가설건축물로서 연면적이 50㎡ 이하인 것
16. 그 밖에 제1호부터 제14호까지의 규정에 해당하는 것과 비슷한 것으로서 건축조례로 정하는 건축물

② 가설건축물 신고수리 여부 등의 통지(건축신고시 신고수리 통지 의무규정을 준용함)
⇨ [7] - 【3】 참조

③ 신고대상 가설건축물[전시를 위한 견본주택 등(위 ①의 4호) 제외]의 건축법 적용제외

내 용	법조항	내 용	법조항
건축물의 공사감리	법 제25조	건축선에 따른 건축제한	법 제47조
건축물대장	법 제38조	구조내력 등	법 제48조[1]
등기촉탁	법 제39조	건축물 내진등급의 설정	법 제48조의2
대지의 안전 등	법 제40조	건축물의 피난시설 및 용도제한 등	법 제49조[2]
토지 굴착 부분에 대한 조치 등	법 제41조	건축물의 내화구조 및 방화벽	법 제50조
대지의 조경	법 제42조	고층건축물의 피난 및 안전관리	법 제50조의2
대지와 도로의 관계	법 제44조	방화지구 안의 건축물	법 제51조
도로의 지정・폐지 또는 변경	법 제45조	건축물의 내부 마감재료	법 제52조
건축선의 지정	법 제46조	실내건축	법 제52조의2

건축자재의 품질관리 등	법 제52조의4	건축물의 높이제한	법 제60조
지하층	법 제53조	일조 등의 확보를 위한 건축물의 높이제한	법 제61조[3)]
건축물의 범죄예방	법 제53조의2	건축설비기준 등	법 제62조
건축물의 대지가 지역·지구 또는 구역에 걸치는 경우의 조치	법 제54조	승강기	법 제64조
		관계전문기술자	법 제67조
건축물의 건폐율	법 제55조	기술적 기준	법 제68조
건축물의 용적률	법 제56조	용도지역 및 용도지구에서의 건축물의 건축 제한 등	국토의 계획 및 이용에 관한 법률 제76조
대지의 분할 제한	법 제57조		
대지 안의 공지	법 제58조		

※ 앞 표 1), 2), 3)의 규정은 다음의 경우에만 적용하지 않는다.

1), 2)의 규정을 적용하지 않는 경우

a. 1층 또는 2층인 가설건축물*을 건축하는 경우

* 위 ①의 2.와 14.의 경우에는 1층인 가설건축물만 해당

b. 3층(위 ①의 2.와 14.의 경우 2층) 이상인 가설건축물을 건축하는 경우로서 지방건축위원회의 심의 결과 구조 및 피난에 관한 안전성이 인정된 경우.

예외 구조 및 피난에 관한 안전성을 인정할 수 있는 다음 서류를 특별자치시장·특별자치도지사 또는 시장·군수·구청장에게 제출하는 경우 지방건축위원회의 심의 생략 가능

1. 가설건축물의 입면도·단면도·구조도 및 구조계산서
2. 「건축물의 구조기준 등에 관한 규칙」 별지 제2호서식의 구조안전 및 내진설계 확인서
3. 별지 제8호의2서식의 3층 이상인 가설건축물의 피난안전 확인서

3)의 규정을 적용하지 않는 경우

– 정북방향으로 접하고 있는 대지의 소유자와 합의한 경우

④ 신고대상 가설건축물 중 전시를 위한 견본주택 등(위 ①의 4호)의 건축법 적용제외

내 용	법조항	내 용	법조항
건축물의 공사감리	법 제25조	건축물의 건폐율	법 제55조
건축물대장	법 제38조	건축물의 용적률	법 제56조
등기촉탁	법 제39조	대지의 분할 제한	법 제57조
대지의 조경	법 제42조	건축물의 높이제한	법 제60조
도로의 지정·폐지 또는 변경	법 제45조	일조 등의 확보를 위한 건축물의 높이제한	법 제61조
고층건축물의 피난 및 안전관리	법 제50조의2	기술적 기준	법 제68조
건축물의 대지가 지역·지구 또는 구역에 걸치는 경우의 조치	법 제54조	용도지역 및 용도지구에서의 건축물의 건축 제한 등	국토의 계획 및 이용에 관한 법률 제76조

⑤ 가설건축물 건축허가를 받거나 축조신고를 하려는 자는 다음의 서류를 특별자치시장·특별자치도지사 또는 시장·군수·구청장에게 다음의 서류를 제출하여야 함

1. 가설건축물 건축허가신청서 또는 가설건축물 축조신고서*	* 건축물의 허가신청시 건축물의 건축에 관한 사항과 함께 공사용 가설건축물에 관한 사항을 제출한 경우 가설건축물 축조신고서의 제출은 생략함
2. 배치도	
3. 평면도	
4. 대지사용승낙서(다른 사람이 소유한 대지인 경우만 해당)	

⑥ 특별자치시장 · 특별자치도지사 또는 시장 · 군수 · 구청장은 가설건축물 건축허가신청서 또는 가설건축물 축조신고서를 받은 때에는 그 기재내용 확인 후 가설건축물 건축허가서 또는 가설건축물 축조신고필증(별지 제9호서식)을 신청인 또는 신고인에 주어야 함

⑦ 가설건축물 관리대장에 기재 · 관리 : 시장 · 군수 · 구청장은 가설건축물의 축조신고를 수리한 경우 가설건축물 관리대장(별지 제10호서식)에 이를 기재하고 관리하여야 함

⑧ 신고대상 가설건축물의 존치기간은 3년 이내로 함

(존치기간의 연장이 필요한 경우: 횟수별 3년의 범위에서 가설건축물별로 건축조례로 정하는 횟수만큼 존치기간 연장 가능)

예외 공사용 가설건축물 및 공작물의 경우 해당 공사의 완료일까지의 기간으로 함

【3】 가설건축물의 허가 및 신고 접수시 관계 행정기관장과의 사전 협의

① 가설건축물의 건축허가 신청 또는 축조신고를 받은 때 다른 법령에 따른 제한 규정의 확인 필요시 관계 행정기관의 장과 미리 협의하여야 함.

② 협의 요청을 받은 관계 행정기관의 장은 요청일부터 15일 이내에 의견을 제출하여야 함.

예외 협의 요청일부터 15일 이내에 의견 미제출시 협의된 것으로 인정

【4】 가설건축물의 존치기간 연장

① 특별자치시장 · 특별자치도지사 또는 시장 · 군수 · 구청장은 존치기간 만료일 30일 전까지 해당 가설건축물의 건축주에게 다음사항을 알려야 한다.

1. 존치기간 만료일	*공장에 설치된 가설건축물과 농림지역에 설치한 농업 · 어업용 고정식 온실 및 간이작업장, 가축양육실에 한정
2. 존치기간 연장 가능 여부	
3. 존치기간이 연장될 수 있다는 사실*	

② 존치기간을 연장하려는 건축주는 다음의 구분에 따라 특별자치시장·특별자치도지사 또는 시장·군수·구청장에게 가설건축물 존치기간 연장신고서(별지 제11호서식)를 제출하여야 함.

1. 허가 대상 가설건축물	▪ 존치기간 만료일 14일 전까지 허가 신청
2. 신고 대상 가설건축물	▪ 존치기간 만료일 7일 전까지 신고

※ 존치기간 연장허가신청 또는 존치기간 연장신고에 관하여는 가설건축물 건축허가, 축조신고에 관한 규정을 준용함.(건축허가→존치기간 연장허가, 축조신고→존치기간 연장신고로 봄)

③ 공장에 설치한 가설건축물 등의 존치기간 연장

다음 요건을 모두 충족하는 가설건축물의 건축주가 위 ②의 기간까지 허가권자에게 존치기간의 연장을 원하지 않는다는 사실을 통지하지 않은 경우 기존과 동일한 기간(아래 ㉢의 경우 도시 · 군계획시설사업 시행 전까지의 기간으로 한정)으로 연장한 것으로 인정함

1. 우측란 중 어느 하나에 해당하는 가설건축물일 것	㉠ 공장에 설치한 가설건축물 ㉡ 농림지역에 설치한 신고대상 가설건축물 중 농업·어업용 고정식 온실 및 간이작업장, 가축양육실 ㉢ 도시 · 군계획시설 예정지에 설치한 가설건축물
2. 존치기간 연장이 가능한 가설건축물일 것	

④ 특별자치시장 · 특별자치도지사 또는 시장 · 군수 · 구청장은 연장신청서를 받은 경우 그 기재내

용을 확인 후 가설건축물 존치기간 연장신고필증(별지 제12호서식)을 발급하여야 함

⑤ 특별자치시장·특별자치도지사 또는 시장·군수·구청장은 가설건축물이 법령에 부적합 경우 가설건축물관리대장에 위반일자와 위반 내용 및 원인을 적어야 함

【5】 가설건축물 비교(허가 및 신고 대상)

구 분	허가대상 가설건축물	신고대상 가설건축물
대 상	• 도시·군계획시설 또는 도시·군계획시설 예정지에 설치하는 건축물(도시·군계획 사업의 지장이 없는 범위 내)	• 재해복구·홍행, 전람회·공사용가설건축물 등 제한된 용도의 건축물
건축법적용 제외	• 법 적용시 일반건축물과 동일하게 준용 예외 • 일반: 법 제38조 • 차양시설: 법 제46조, 제55조 • 예정도로안의 건축물: 법 제45조, 제46조, 제47조	• 법 제25조, 제38조~제42조, 제44조~제47조, 제48조, 제48조의2, 제49조, 제50조, 제50조의2, 제51조, 제52조, 제52조의2, 제52조의4, 제53조, 제53조의2, 제54조~제58조, 제60조~제62조, 제64조, 제67조, 제68조, 「국토의 계획 및 이용에 관한 법률」 제76조
용 도	• 용도제한은 없음 지역·지구 건축제한에 적합하여야 함	• 법에서 정한 제한된 용도
신청서류 (제출도서)	1. 건축·대수선·용도변경 (변경)허가신청서 2. 대지 범위, 소유 및 사용권 증명서류 등 3. 건축계획서 7. 단면도 4. 배치도 8. 구조도 5. 평면도 9. 구조계산서 6. 입면도 10. 소방설비도	1. 가설건축물 축조신고서 2. 배치도 3. 평면도 4. 대지사용승낙서(타인소유대지인 경우) ※ 공사용 가설건축물의 경우 신고서 제출 생략 가능
존치기간의 연장	• 도시·군계획사업이 시행될 때까지 그 기간의 연장 가능 • 존치기간 만료일 14일 전까지 허가 신청 • 가설건축물 존치기간 연장신고서(전자문서로 된 신고서 포함) 제출	• 존치기간 만료일 7일 전까지 신고 • 가설건축물 존치기간 연장신고서(전자문서로 된 신고서 포함) 제출
기 타	• 특별자치시장·특별자치도지사 또는 시장·군수·구청장은 가설건축물의 건축허가신청, 축조신고를 접수한 경우 가설건축물관리대장에 기재·관리하여야 함 • 가설건축물 소유자나 이해관계자는 가설건축물 관리대장을 열람할 수 있음	

9 건축주와의 계약 등(법 제15조)

법 제15조【건축주와의 계약 등】

① 건축관계자는 건축물이 설계도서에 따라 이 법과 이 법에 따른 명령이나 처분, 그 밖의 관계 법령에 맞게 건축되도록 업무를 성실히 수행하여야 하며, 서로 위법하거나 부당한 일을 하도록 강요하거나 이와 관련하여 어떠한 불이익도 주어서는 아니 된다.

② 건축관계자 간의 책임에 관한 내용과 그 범위는 이 법에서 규정한 것 외에는 건축주와 설계자, 건축주와 공사시공자, 건축주와 공사감리자 간의 계약으로 정한다.

③ 국토교통부장관은 제2항에 따른 계약의 체결에 필요한 표준계약서를 작성하여 보급하고 활용하게 하거나 「건축사법」 제31조에 따른 건축사협회(이하 "건축사협회"라 한다), 「건설산업기본법」 제50조에 따른 건설사업자단체로 하여금 표준계약서를 작성하여 보급하고 활용하게 할 수 있다. <개정 2014.1.14., 2019.4.30.>

해설 건축물의 건축 등에 있어 건축관계자(건축주-설계자, 건축주-공사시공자, 건축주-공사감리자) 사이의 분쟁을 줄이며, 상호간 책임한계를 명확히 하기 위해 「건축법」 이외의 공사 및 감리에 관한 내용을 계약으로 정하고 건설업자단체가 작성한 표준계약서를 활용할 수 있도록 하였다.

【참고】 건축공사 표준계약서(국토교통부고시 제2016-193호, 2016.4.8.)
건축물의 설계 표준계약서(국토교통부고시 제2019-970호, 2019.12.31.)
건축물의 공사감리 표준계약서(국토교통부고시 제2019-971호, 2019.12.31.)
민간건설공사 표준도급계약서(국토교통부고시 제2021-1122호, 2021.9.30.)

10 허가·신고사항의 변경 등(법 제16조)(영 제12조)

법 제16조【허가와 신고사항의 변경】

① 건축주가 제11조나 제14조에 따라 허가를 받았거나 신고한 사항을 변경하려면 변경하기 전에 대통령령으로 정하는 바에 따라 허가권자의 허가를 받거나 특별자치시장·특별자치도지사 또는 시장·군수·구청장에게 신고하여야 한다. 다만, 대통령령으로 정하는 경미한 사항의 변경은 그러하지 아니하다. <개정 2014.1.14>

② 제1항 본문에 따른 허가나 신고사항 중 대통령령으로 정하는 사항의 변경은 제22조에 따른 사용승인을 신청할 때 허가권자에게 일괄하여 신고할 수 있다.

③ 제1항에 따른 허가 사항의 변경허가에 관하여는 제11조제5항 및 제6항을 준용한다. <개정 2017.4.18.>

④ 제1항에 따른 신고 사항의 변경신고에 관하여는 제11조제5항·제6항 및 제14조제3항·제4항을 준용한다.<신설 2017.4.18.>

영 제12조【허가·신고사항의 변경 등】

① 법 제16조제1항에 따라 허가를 받았거나 신고한 사항을 변경하려면 다음 각 호의 구분에 따라 허가권자의 허가를 받거나 특별자치시장·특별자치도지사 또는 시장·군수·구청장에게 신고하여야 한다. <개정 2018.9.4.>

1. 바닥면적의 합계가 85제곱미터를 초과하는 부분에 대한 신축·증축·개축에 해당하는 변경인 경우에는 허가를 받고, 그 밖의 경우에는 신고할 것

2. 법 제14조제1항제2호 또는 제5호에 따라 신고로써 허가를 갈음하는 건축물에 대하여는 변경 후 건축물의 연면적을 각각 신고로써 허가를 갈음할 수 있는 규모에서 변경하는 경우에는 제1호에도 불구하고 신고할 것
3. 건축주·설계자 · 공사시공자 또는 공사감리자(이하 "건축관계자" 라 한다)를 변경하는 경우에는 신고할 것

② 법 제16조제1항 단서에서 "대통령령으로 정하는 경미한 사항의 변경"이란 신축 · 증축 · 개축 · 재축 · 이전 · 대수선 또는 용도변경에 해당하지 아니하는 변경을 말한다.

③ 법 제16조제2항에서 "대통령령으로 정하는 사항"이란 다음 각 호의 어느 하나에 해당하는 사항을 말한다. <개정 2016.1.19.>

1. 건축물의 동수나 층수를 변경하지 아니하면서 변경되는 부분의 바닥면적의 합계가 50제곱미터 이하인 경우로서 다음 각 목의 요건을 모두 갖춘 경우
   가. 변경되는 부분의 높이가 1미터 이하이거나 전체 높이의 10분의 1 이하일 것
   나. 허가를 받거나 신고를 하고 건축 중인 부분의 위치 변경범위가 1미터 이내일 것
   다. 법 제14조제1항에 따라 신고를 하면 법 제11조에 따른 건축허가를 받은 것으로 보는 규모에서 건축허가를 받아야 하는 규모로의 변경이 아닐 것
2. 건축물의 동수나 층수를 변경하지 아니하면서 변경되는 부분이 연면적 합계의 10분의 1 이하인 경우(연면적이 5천 제곱미터 이상인 건축물은 각 층의 바닥면적이 50제곱미터 이하의 범위에서 변경되는 경우만 해당한다). 다만, 제4호 본문 및 제5호 본문에 따른 범위의 변경인 경우만 해당한다.
3. 대수선에 해당하는 경우
4. 건축물의 층수를 변경하지 아니하면서 변경되는 부분의 높이가 1미터 이하이거나 전체 높이의 10분의 1 이하인 경우. 다만, 변경되는 부분이 제1호 본문, 제2호 본문 및 제5호 본문에 따른 범위의 변경인 경우만 해당한다.
5. 허가를 받거나 신고를 하고 건축 중인 부분의 위치가 1미터 이내에서 변경되는 경우. 다만, 변경되는 부분이 제1호 본문, 제2호 본문 및 제4호 본문에 따른 범위의 변경인 경우만 해당한다.

④ 제1항에 따른 허가나 신고사항의 변경에 관하여는 제9조를 준용한다. <개정 2018.9.4.>

해설 허가나 신고사항의 변경은 허가 또는 신고를 한 건축물이 설계 및 시공조건의 변경 등 부득이한 경우, 변경허가(신고)를 받아 변경할 수 있도록 하고 있다. 원칙적으로 변경사항의 발생시 변경전 허가권자의 허가를 받거나 특별자치시장·특별자치도지사 또는 시장 · 군수 · 구청장에게 신고한 후 공사 등을 계속할 수 있으나, 경미한 사항의 경우 공사중단 등의 불편을 없애기 위해 사용승인시 일괄 신고할 수 있도록 하였다. 또한, 허가 또는 신고시 관계법의 허가, 신고 등의 사항은 건축허가시의 관계법 의제규정(법 제11조제5항, 6항)을 따르도록 하였다.(신설 2011.5.30.)

【1】 허가·신고사항의 변경

구 분	내 용		비 고
허가를 받아야 하는 경우	• 바닥면적의 합계가 85㎡를 초과하는 부분	신축, 증축, 개축에 해당하는 변경	신축·증축·개축·재축·이전·대수선 또는 용도변경에 해당하지 아니하는 사항은 예외
신고를 하여야 하는 경우	• 위 사항 이외의 경우	–	
	• 건축신고대상 건축물(법 제14조제1항제2호, 제5호)	변경후의 연면적이 신고대상 규모인 변경	
	• 건축주·설계자·공사시공자·공사감리자를 변경하는 경우	–	
사용승인 신청시 일괄신고	① 변경되는 부분의 바닥면적의 합계가 50㎡ 이하인 경우	건축물의 동수나 층수를 변경하지 않는 경우에 한함	④ 및 ⑤ 규정에 따른 범위의 변경 및 건축신고대상이 건축허가대상으로 되는 변경이 아닌 것에 한함
	② 변경되는 부분의 연면적의 합계가 1/10 이하인 경우	건축물의 동수나 층수를 변경하지 않는 경우(연면적이 5,000㎡ 이상인 건축물은 각 층의 바닥면적이 50㎡ 이하의 범위에서 변경되는 경우만 해당)에 한함	④ 및 ⑤ 규정에 따른 범위의 변경에 한함
	③ 대수선에 해당하는 경우	–	–
	④ 변경되는 부분의 높이가 1m 이하이거나, 전체높이의 1/10 이하인 경우	건축물의 층수를 변경하지 아니하는 경우에 한함	①, ② 및 ⑤규정에 따른 범위의 변경에 한함
	⑤ 변경되는 부분의 위치가 1m 이내에서 변경되는 경우	–	①, ② 및 ④규정에 따른 범위의 변경에 한함

【2】 변경허가 및 신고시 관련 규정의 준용

구 분	내 용	준용 규정
허가사항의 변경	• 건축허가를 받으면 관련 법령에 따른 허가, 신고 등을 받은 것으로 보는 것	건축법 제11조 제5항
	• 허가, 신고 등이 관련 법령에 따른 다른 행정기관의 권한에 속하는 경우 허가권자가 미리 협의하여야 하는 것 등	건축법 제11조 제6항
신고사항의 변경신고	• 건축신고시 관련법령에 따른 허가, 신고 등을 받은 것으로 보는 것 등	건축법 제11조 제5항, 제6항
	• 건축신고 접수시 신고수리 여부 등을 5일 이내에 통지하여야 하는 것 등	건축법 제14조 제3항, 제4항

건 축 법
1. 총 칙
2. 건 축
3. 유지관리
4. 대지도로
5. 구조재료
6. 지역지구
7. 건축설비
8. 특별건축구역
9. 보 칙
10. 벌 칙
건 축 법 관련기준

11 건축관계자 변경신고(규칙 제11조)

규칙 제11조【건축 관계자 변경신고 】

① 법 제11조 및 제14조에 따라 건축 또는 대수선에 관한 허가를 받거나 신고를 한 자가 다음 각 호의 어느 하나에 해당하게 된 경우에는 그 양수인·상속인 또는 합병후 존속하거나 합병에 의하여 설립되는 법인은 그 사실이 발생한 날부터 7일 이내에 별지 제4호서식의 건축관계자변경신고서에 변경 전 건축주의 명의변경동의서 또는 권리관계의 변경사실을 증명할 수 있는 서류를 첨부하여 허가권자에게 제출(전자문서로 제출하는 것을 포함한다)하여야 한다.

1. 허가를 받거나 신고를 한 건축주가 허가 또는 신고대상 건축물을 양도한 경우
2. 허가를 받거나 신고를 한 건축주가 사망한 경우
3. 허가를 받거나 신고를 한 법인이 다른 법인과 합병을 한 경우

② 건축주는 설계자, 공사시공자 또는 공사감리자를 변경한 때에는 그 변경한 날부터 7일 이내에 별지 제4호서식의 건축관계자변경신고서를 허가권자에게 제출(전자문서에 의한 제출을 포함한다)하여야 한다. <개정 2017.1.20.>

③ 허가권자는 제1항 및 제2항의 규정에 의한 건축관계자변경신고서를 받은 때에는 그 기재내용을 확인한 후 별지 제5호서식의 건축관계자변경신고필증을 신고인에게 교부하여야 한다.

해설 건축관계자의 변경 신고

내 용		신고자	기 타
1. 건축 또는 대수선에 관한 허가를 받거나 신고한 자의 변동사항	• 허가 또는 신고대상 건축물을 양도한 경우	양수인	• 신고자는 허가권자에게 그 사실이 발생한 날로부터 7일 이내에 건축관계자변경신고서(별지 제4호서식)를 제출(변경전 건축주의 명의변경동의서 또는 권리관계의 변경사실을 증명할 수 있는 서류 첨부) - 공사시공자 및 공사감리자의 변경은 변경한 날로부터 7일이내에 신고 • 허가권자는 신고내용검토 후 신고인에게 건축관계자 변경신고필증(별지 제5호서식)을 교부
	• 허가를 받거나 신고를 한 건축주가 사망한 경우	상속인	
	• 허가를 받거나 신고를 한 법인이 다른 법인과 합병을 한 경우	법인(합병 후 존속되거나, 합병에 의해 설립되는)	
2. 설계자, 공사시공자, 공사감리자의 변경		건축주	

12 건축허가 수수료(법 제17조)(규칙 제10조)

법 제17조【건축허가 등의 수수료】

① 제11조, 제14조, 제16조, 제19조, 제20조 및 제83조에 따라 허가를 신청하거나 신고를 하는 자는 허가권자나 신고수리자에게 수수료를 납부하여야 한다.

② 제1항에 따른 수수료는 국토교통부령으로 정하는 범위에서 해당 지방자치단체의 조례로 정한다.

규칙 제10조【건축허가 등의 수수료】

① 법 제11조 · 제14조 · 제16조 · 제19조 · 제20조 및 제83조에 따라 건축허가를 신청하거나 건축신고를 하는 자는 법 제17조제2항에 따라 별표 4에 따른 금액의 범위에서 건축조례로 정하는 수수료를 내야 한다. 다만, 재해복구를 위한 건축물의 건축 또는 대수선에 있어서는 그렇지 않다. <개정 2022.11.2>

② 제1항 본문에도 불구하고 건축물을 대수선하거나 바닥면적을 산정할 수 없는 공작물을 축조하기 위하여 허가 신청 또는 신고를 하는 경우의 수수료는 대수선의 범위 또는 공작물의 높이 등을 고려하여 건축조례로 따로 정한다.

③ 삭제 <2022.11.2.>

[별표4] 건축허가 수수료의 범위(규칙 제10조 관련)

연면적 합계		금 액	
		이 상	이 하
200㎡ 미만	단독주택	2천7백원	4천원
	기타	6천7백원	9천4백원
200㎡ 이상 1천㎡ 미만	단독주택	4천원	6천원
	기타	1만4천원	2만원
1천㎡ 이상 5천㎡ 미만		3만4천원	5만4천원
5천㎡ 이상 1만㎡ 미만		6만8천원	10만원
1만㎡ 이상 3만㎡ 미만		13만5천원	20만원
3만㎡ 이상 10만㎡ 미만		27만원	41만원
10만㎡ 이상 30만㎡ 미만		54만원	81만원
30만㎡ 이상		108만원	162만원

※ 설계변경의 경우에는 변경하는 부분의 면적에 따라 적용한다.

건 축 법
1. 총 칙
2. 건 축
3. 유지관리
4. 대지도로
5. 구조재료
6. 지역지구
7. 건축설비
8. 특별건축구역
9. 보 칙
10. 벌 칙
건 축 법 관련기준

13 공유지분의 매도청구 등(법 제17조의2,3)

법 제17조의2【매도청구 등】

① 제11조제11항제2호에 따라 건축허가를 받은 건축주는 해당 건축물 또는 대지의 공유자 중 동의하지 아니한 공유자에게 그 공유지분을 시가(市價)로 매도할 것을 청구할 수 있다. 이 경우 매도청구를 하기 전에 매도청구 대상이 되는 공유자와 3개월 이상 협의를 하여야 한다.

② 제1항에 따른 매도청구에 관하여는 「집합건물의 소유 및 관리에 관한 법률」 제48조를 준용한다. 이 경우 구분소유권 및 대지사용권은 매도청구의 대상이 되는 대지 또는 건축물의 공유지분으로 본다.

[본조신설 2016.1.19.]

법 제17조의3【소유자를 확인하기 곤란한 공유지분 등에 대한 처분】

① 제11조제11항제2호에 따라 건축허가를 받은 건축주는 해당 건축물 또는 대지의 공유자가 거주하는 곳을 확인하기가 현저히 곤란한 경우에는 전국적으로 배포되는 둘 이상의 일간신문에 두 차례 이상 공고하고, 공고한 날부터 30일 이상이 지났을 때에는 제17조의2에 따른 매도청구 대상이 되는 건축물 또는 대지로 본다.

② 건축주는 제1항에 따른 매도청구 대상 공유지분의 감정평가액에 해당하는 금액을 법원에 공탁(供託)하고 착공할 수 있다.

③ 제2항에 따른 공유지분의 감정평가액은 허가권자가 추천하는 「감정평가 및 감정평가사에 관한 법률」에 따른 감정평가법인등 2명 이상이 평가한 금액을 산술평균하여 산정한다. <개정 2020.4.7.>

[본조신설 2016.1.19.]

해설 공유지분자의 건축물을 신축·개축·재축 및 리모델링하는 경우 공유지분자의 수 및 공유지분의 80% 이상의 동의를 얻은 경우 대지 소유권을 인정하고 매도청구가 가능하도록 하는 등의 규정을 신설함(2016.1.19.)

【1】 건축허가 신청시 소유권 확보 예외 사유(법 제11조제11항제2호, 시행령 제9조의2)

① 건축허가를 받으려는 자는 해당 대지의 소유권을 확보하여야 하나 노후화 또는 구조안전 문제 등 다음의 사유로 건축물을 신축·개축·재축 및 리모델링을 하기 위하여 건축물 및 해당 대지의 공유자 수의 80/100 이상의 동의를 얻고 동의한 공유자의 지분 합계가 전체 지분의 80/100 이상인 경우 허가 신청이 가능함

1. 급수·배수·오수 설비 등의 설비 또는 지붕·벽 등의 노후화나 손상으로 그 기능 유지가 곤란할 것으로 우려되는 경우
2. 건축물의 노후화로 내구성에 영향을 주는 기능적 결함이나 구조적 결함이 있는 경우
3. 건축물이 훼손되거나 일부가 멸실되어 붕괴 등 그 밖의 안전사고가 우려되는 경우
4. 천재지변이나 그 밖의 재해로 붕괴되어 다시 신축하거나 재축하려는 경우

② 허가권자는 건축주가 위의 1.~3.에 해당하는 사유로 80% 동의요건을 갖춘 경우 그 사유 해당여부를 확인하기 위하여 현지조사를 하여야 함

③ 허가권자는 필요한 경우 건축주에게 다음에 해당하는 자로부터 안전진단을 받고 그 결과를 제출하도록 할 수 있음

1. 건축사
2. 「기술사법」에 따라 등록한 건축구조기술사(이하 "건축구조기술사")
3. 「시설물의 안전관리에 관한 특별법」 에 따라 등록한 건축 분야 안전진단전문기관

【2】 매도청구 등

① 공유지분자 중 동의하지 아니한 공유자에게 그 공유지분을 시가(市價)로 매도할 것을 청구할 수 있으며, 매도청구 전 3개월 이상 협의를 하여야 함

② 매도청구에 관하여는 「집합건물의 소유 및 관리에 관한 법률」 제48조를 준용한다. 이 경우 구분소유권 및 대지사용권은 매도청구의 대상이 되는 대지 또는 건축물의 공유지분으로 봄

관계법 「집합건물의 소유 및 관리에 관한 법률」 (제48조)

법 제48조【구분소유권 등의 매도청구 등】 ① 재건축의 결의가 있으면 집회를 소집한 자는 지체 없이 그 결의에 찬성하지 아니한 구분소유자(그의 승계인을 포함한다)에 대하여 그 결의 내용에 따른 재건축에 참가할 것인지 여부를 회답할 것을 서면으로 촉구하여야 한다.

② 제1항의 촉구를 받은 구분소유자는 촉구를 받은 날부터 2개월 이내에 회답하여야 한다.

③ 제2항의 기간 내에 회답하지 아니한 경우 그 구분소유자는 재건축에 참가하지 아니하겠다는 뜻을 회답한 것으로 본다.

④ 제2항의 기간이 지나면 재건축 결의에 찬성한 각 구분소유자, 재건축 결의 내용에 따른 재건축에 참가할 뜻을 회답한 각 구분소유자(그의 승계인을 포함한다) 또는 이들 전원의 합의에 따라 구분소유권과 대지사용권을 매수하도록 지정된 자(이하 "매수지정자"라 한다)는 제2항의 기간 만료일부터 2개월 이내에 재건축에 참가하지 아니하겠다는 뜻을 회답한 구분소유자(그의 승계인을 포함한다)에게 구분소유권과 대지사용권을 시가로 매도할 것을 청구할 수 있다. 재건축 결의가 있은 후에 이 구분소유자로부터 대지사용권만을 취득한 자의 대지사용권에 대하여도 또한 같다.

⑤ 제4항에 따른 청구가 있는 경우에 재건축에 참가하지 아니하겠다는 뜻을 회답한 구분소유자가 건물을 명도(明渡)하면 생활에 현저한 어려움을 겪을 우려가 있고 재건축의 수행에 큰 영향이 없을 때에는 법원은 그 구분소유자의 청구에 의하여 대금 지급일 또는 제공일부터 1년을 초과하지 아니하는 범위에서 건물 명도에 대하여 적당한 기간을 허락할 수 있다.

⑥ 재건축 결의일부터 2년 이내에 건물 철거공사가 착수되지 아니한 경우에는 제4항에 따라 구분소유권이나 대지사용권을 매도한 자는 이 기간이 만료된 날부터 6개월 이내에 매수인이 지급한 대금에 상당하는 금액을 그 구분소유권이나 대지사용권을 가지고 있는 자에게 제공하고 이들의 권리를 매도할 것을 청구할 수 있다. 다만, 건물 철거공사가 착수되지 아니한 타당한 이유가 있을 경우에는 그러하지 아니하다.

⑦ 제6항 단서에 따른 건물 철거공사가 착수되지 아니한 타당한 이유가 없어진 날부터 6개월 이내에 공사에 착수하지 아니하는 경우에는 제6항 본문을 준용한다. 이 경우 같은 항 본문 중 "이 기간이 만료된 날부터 6개월 이내에"는 "건물 철거공사가 착수되지 아니한 타당한 이유가 없어진 것을 안 날부터 6개월 또는 그 이유가 없어진 날부터 2년 중 빠른 날까지"로 본다.

【3】 소유자를 확인하기 곤란한 공유지분 등에 대한 처분

① 해당 건축물 또는 대지의 공유자가 거주하는 곳을 확인하기가 현저히 곤란한 경우 전국적으로 배포되는 둘 이상의 일간신문에 두 차례 이상 공고하고, 공고한 날부터 30일 이상이 지났을 때에는 매도청구 대상이 되는 건축물 또는 대지로 봄

② 건축주는 매도청구 대상 공유지분의 감정평가액에 해당하는 금액을 법원에 공탁(供託)하고 착공할 수 있음. 이 경우 허가권자가 추천하는 감정평가법인등 2명 이상이 평가한 금액을 산술평균하여 감정평가액을 산정함

14 건축허가의 제한 등(법 제18조)

법 제18조【건축허가 제한 등】

① 국토교통부장관은 국토관리를 위하여 특히 필요하다고 인정하거나 주무부장관이 국방, 문화재보존(→「국가유산기본법」 제3조에 따른 국가유산의 보존), 환경보전 또는 국민경제를 위하여 특히 필요하다고 인정하여 요청하면 허가권자의 건축허가나 허가를 받은 건축물의 착공을 제한할 수 있다. <개정 2023.5.16./시행 2024.5.17.>

② 특별시장 · 광역시장 · 도지사는 지역계획이나 도시 · 군계획에 특히 필요하다고 인정하면 시장 · 군수 · 구청장의 건축허가나 허가를 받은 건축물의 착공을 제한할 수 있다. <개정 2014.1.14.>

③ 국토교통부장관이나 시 · 도지사는 제1항이나 제2항에 따라 건축허가나 건축허가를 받은 건축물의 착공을 제한하려는 경우에는 「토지이용규제 기본법」 제8조에 따라 주민의견을 청취한 후 건축위원회의 심의를 거쳐야 한다. <신설 2014.5.28>

④ 제1항이나 제2항에 따라 건축허가나 건축물의 착공을 제한하는 경우 제한기간은 2년 이내로 한다. 다만, 1회에 한하여 1년 이내의 범위에서 제한기간을 연장할 수 있다. <개정 2014.5.28>

⑤ 국토교통부장관이나 특별시장 · 광역시장 · 도지사는 제1항이나 제2항에 따라 건축허가나 건축물의 착공을 제한하는 경우 제한 목적 · 기간, 대상 건축물의 용도와 대상 구역의 위치 · 면적 · 경계 등을 상세하게 정하여 허가권자에게 통보하여야 하며, 통보를 받은 허가권자는 지체 없이 이를 공고하여야 한다. <개정 2014.5.28>

⑥ 특별시장 · 광역시장 · 도지사는 제2항에 따라 시장 · 군수 · 구청장의 건축허가나 건축물의 착공을 제한한 경우 즉시 국토교통부장관에게 보고하여야 하며, 보고를 받은 국토교통부장관은 제한 내용이 지나치다고 인정하면 해제를 명할 수 있다. <개정 2014.5.28>

해설 건축허가의 제한규정은 민주주의와 경제체제의 기본이 되는 국민의 사유재산권을 제한하는 것이므로 불가피한 경우 극히, 제한적으로 행해져야 한다. 따라서 법규정에서는 제한권자의 제한 내용, 목적, 기간 등을 상세히 명시하도록 하였고, 시 · 도지사의 제한내용이 과도한 경우 허가제한을 해제할 수 있는 근거를 명시하고 있다.

■ 건축허가의 제한

제한권자	제한요인	제한내용	세부규정	기타
국토교통부장관	• 국토관리상 특히 필요하다고 인정하는 경우 • 주무장관이 국방, 문화재 보존[2] · 환경보전, 국민경제상 특히 필요하다고 인정한 경우	허가권자의 건축허가나 허가를 받은 건축물의 착공 제한[1]	• 제한의 목적을 상세히 할 것 • 제한기간은 2년 이내로 하되, 1회에 한하여 1년 이내의 범위에서 그 제한기간을 연장 할 수 있다. • 대상구역의 위치, 면적, 구역경계 등 상세하게 할 것 • 대상건축물의 용도를 상세하게 할 것	• 허가권자는 통보받은 제한내용을 지체없이 공고 • 과도한 제한조치의 경우 국토교통부장관은 특별시장·광역시장·도지사의 허가제한조치의 해제를 명할 수 있다.
특별시장 광역시장 도지사	• 지역계획, 도시 · 군계획상 특히 필요하다고 인정한 경우	시장 · 군수 · 구청장의 건축허가나 허가를 받은 건축물의 착공 제한[1]		

1) 건축허가나 건축허가를 받은 건축물의 착공을 제한하려는 경우 주민의견을 청취한 후 건축위원회의 심의를 거쳐야 한다.

2) 「국가유산기본법」 제3조에 따른 국가유산의 보존 <개정 2023.5.16./시행 2024.5.17>

2 건축시공 등(법 제21조)(규칙 제14조)

1 착공신고 등

법 제21조【착공신고 등】

① 제11조·제14조 또는 제20조제1항에 따라 허가를 받거나 신고를 한 건축물의 공사를 착수하려는 건축주는 국토교통부령으로 정하는 바에 따라 허가권자에게 공사계획을 신고하여야 한다. <개정 2021.7.27.>

② 제1항에 따라 공사계획을 신고하거나 변경신고를 하는 경우 해당 공사감리자(제25조제1항에 따른 공사감리자를 지정한 경우만 해당된다)와 공사시공자가 신고서에 함께 서명하여야 한다.

③ 허가권자는 제1항 본문에 따른 신고를 받은 날부터 3일 이내에 신고수리 여부 또는 민원 처리 관련 법령에 따른 처리기간의 연장 여부를 신고인에게 통지하여야 한다. <신설 2017.4.18.>

④ 허가권자가 제3항에서 정한 기간 내에 신고수리 여부 또는 민원 처리 관련 법령에 따른 처리기간의 연장 여부를 신고인에게 통지하지 아니하면 그 기간이 끝난 날의 다음 날에 신고를 수리한 것으로 본다. <신설 2017.4.18.>

⑤ 건축주는 「건설산업기본법」 제41조를 위반하여 건축물의 공사를 하거나 하게 할 수 없다. <개정 2017.4.18.>

⑥ 제11조에 따라 허가를 받은 건축물의 건축주는 제1항에 따른 신고를 할 때에는 제15조제2항에 따른 각 계약서의 사본을 첨부하여야 한다. <개정 2017.4.18.>

규칙 제14조【착공신고등】

① 법 제21조제1항에 따른 건축공사의 착공신고를 하려는 자는 별지 제13호서식의 착공신고서(전자문서로 된 신고서를 포함한다)에 다음 각 호의 서류 및 도서를 첨부하여 허가권자에게 제출해야 한다. <개정 2021.12.31>

1. 법 제15조에 따른 건축관계자 상호간의 계약서 사본(해당사항이 있는 경우로 한정한다)
2. 별표 4의2의 설계도서. 다만, 법 제11조 또는 제14조에 따라 건축허가 또는 신고를 할 때 제출한 경우에는 제출하지 않으며, 변경사항이 있는 경우에는 변경사항을 반영한 설계도서를 제출한다.
3. 법 제25조제11항에 따른 감리 계약서(해당 사항이 있는 경우로 한정한다)
4. 「건축사법 시행령」 제21조제2항에 따라 제출받은 보험증서 또는 공제증서의 사본 <신설 2021.12.31>

② 건축주는 법 제11조제7항 각 호 외의 부분 단서에 따라 공사착수시기를 연기하려는 경우에는 별지 제14호서식의 착공연기신청서(전자문서로 된 신청서를 포함한다)를 허가권자에게 제출하여야 한다.

③ 허가권자는 토지굴착공사를 수반하는 건축물로서 가스, 전기·통신, 상·하수도등 지하매설물에 영향을 줄 우려가 있는 건축물의 착공신고가 있는 경우에는 당해 지하매설물의 관리기관에 토지굴착공사에 관한 사항을 통보하여야 한다.

④ 허가권자는 제1항 및 제2항의 규정에 의한 착공신고서 또는 착공연기신청서를 받은 때에는 별지 제15호서식의 착공신고필증 또는 별지 제16호서식의 착공연기확인서를 신고인 또는 신청인에게 교부하여야 한다.

⑤ 삭제 <2020.10.28.>

⑥ 건축주는 법 제21조제1항에 따른 착공신고를 할 때에 해당 건축공사가 「산업안전보건법」 제73조제1항에 따른 건설재해예방전문지도기관의 지도대상에 해당하는 경우에는 제1항 각 호에 따른 서류 외에 같은 법 시행규칙 별지 제104호서식의 기술지도계약서 사본을 첨부해야 한다. <개정 2020.10.28.>

[별표 4의2] 〈개정 2021.8.27〉

착공신고에 필요한 설계도서(제14조제1항 관련)

분야	도서의 종류	내 용
1. 건축	가. 도면 목록표	공종 구분해서 분류 작성
	나. 안내도	방위, 도로, 대지주변 지물의 정보 수록
	다. 개요서	1) 개요(위치 · 대지면적 등) 2) 지역 · 지구 및 도시계획사항 3) 건축물의 규모(건축면적 · 연면적 · 높이 · 층수 등) 4) 건축물의 용도별 면적 5) 주차장 규모
	라. 구적도	대지면적에 대한 기술
	마. 마감재료표	바닥, 벽, 천정 등 실내 마감재료 및 외벽 마감재료(외벽에 설치하는 단열재를 포함한다)의 성능, 품명, 규격, 재질, 질감 및 색상 등의 구체적 표기
	바. 배치도	축척 및 방위, 건축선, 대지경계선 및 대지가 정하는 도로의 위치와 폭, 건축선 및 대지경계선으로부터 건축물까지의 거리, 신청 건물과 기존 건물과의 관계, 대지의 고저차, 부대시설물과의 관계
	사. 주차계획도	1) 법정 주차대수와 주차 확보대수의 대비표, 주차배치도 및 차량 동선도 차량진출입 관련 위치 및 구조 2) 옥외 및 지하 주차장 도면
	아. 각 층 및 지붕 평면도	1) 기둥 · 벽 · 창문 등의 위치 및 복도, 계단, 승강기 위치 2) 방화구획 계획(방화문, 자동방화셔터, 내화충전구조 및 방화댐퍼의 설치 계획을 포함한다)
	자. 입면도(2면 이상)	1) 주요 내외벽, 중심선 또는 마감선 치수, 외벽마감재료 2) 건축자재 성능 및 품명, 규격, 재질, 질감, 색상 등의 구체적 표기 3) 간판 및 건물번호판의 설치계획(크기 · 위치)
	차. 단면도(종 · 횡단면도)	1) 건축물 최고높이, 각 층의 높이, 반자높이 2) 천정 안 배관 공간, 계단 등의 관계를 표현 3) 방화구획 계획(방화문, 자동방화셔터, 내화충전구조 및 방화댐퍼의 설치 계획을 포함한다)
	카. 수직동선상세도	1) 코아(Core) 상세도(코아 안의 각종 설비관련 시설물의 위치) 2) 계단 평면 · 단면 상세도 3) 주차경사로 평면 · 단면 상세도
	타. 부분상세도	1) 지상층 외벽 평면 · 입면 · 단면도 2) 지하층 부분 단면 상세도
	파. 창호도(창문 도면)	창호 일람표, 창호 평면도, 창호 상세도, 창호 입면도
	하. 건축설비도	냉방 · 난방설비, 위생설비, 환경설비, 정화조, 승강설비 등 건축설비
	거. 방화구획 상세도	방화문, 자동방화셔터, 내화충전구조, 방화댐퍼 설치부분 상세도
	너. 외벽 마감재료의 단면 상세도	외벽의 마감재료(외벽에 설치하는 단열재를 포함한다)의 종류

		별 단면 상세도(법 제52조제2항에 따른 건축물만 해당한다)
2. 일반	가. 시방서	1) 시방내용(국토교통부장관이 작성한 표준시방서에 없는 공법인 경우만 해당한다) 2) 흙막이공법 및 도면
3. 구조	가. 도면 목록표	
	나. 기초 일람표	
	다. 구조 평면·입면·단면도(구조 안전 확인 대상 건축물)	1) 구조내력상 주요한 부분의 평면 및 단면 2) 주요부분의 상세도면(배근상세, 접합상세, 배근 시 주의사항 표기) 3) 구조안전확인서
	라. 구조가구도	골조의 단면 상태를 표현하는 도면으로 골조의 상호 연관관계를 표현
	마. 앵커(Anchor)배치도 및 베이스 플레이트(Base Plate) 설치도	
	바. 기둥 일람표	
	사. 보 일람표	
	아. 슬래브(Slab) 일람표	
	자. 옹벽 일람표	
	차. 계단배근 일람표	
	카. 주심도	
4. 기계	가. 도면 목록표	
	나. 장비일람표	규격, 수량을 상세히 기록
	다. 장비배치도	기계실, 공조실 등의 장비배치방안 계획
	라. 계통도	공조배관 설비, 덕트(Duct) 설비, 위생 설비 등 계통도
	마. 기준층 및 주요층 기구 평면도	공조배관 설비, 덕트 설비, 위생 설비 등 평면도
	바. 저수조 및 고가수조	저수조 및 고가수조의 설치기준을 표시
	사. 도시가스 인입 확인	도시가스 인입지역에 한해서 조사 및 확인
5. 전기	가. 도면 목록표	
	나. 배치도	옥외조명 설비 평면도
	다. 계통도	1) 전력 계통도
		2) 조명 계통도
	라. 평면도	조명 평면도
6. 통신	가. 도면 목록표	
	나. 배치도	옥외 CCTV설비와 옥외방송 평면도
	다. 계통도	1) 구내통신선로설비 계통도
		2) 방송공동수신설비 계통도
		3) 이동통신 구내선로설비 계통도
		4) CCTV설비 계통도
	라. 평면도	1) 구내통신선로설비 평면도
		2) 방송공동수신설비 평면도
		3) 이동통신 구내선로설비 평면도
		4) CCTV설비 평면도

7. 토목	가. 도면 목록표	
	나. 각종 평면도	주요시설물 계획
	다. 토지굴착 및 옹벽도	1) 지하매설구조물 현황 2) 흙막이 구조(지하 2층 이상의 지하층을 설치하는 경우 또는 지하 1층을 설치하는 경우로서 법 제27조에 따른 건축허가 현장조사·검사 또는 확인시 굴착으로 인하여 인접대지 석축 및 건축물 등에 영향이 있어 조치가 필요하다고 인정된 경우만 해당한다) 3) 단면상세 4) 옹벽구조
	라. 대지 종·횡단면도	
	마. 포장계획 평면·단면도	
	바. 우수·오수 배수처리 평면·종단면도	
	사. 상하수 계통도	우수·오수 배수처리 구조물 위치 및 상세도, 공공하수도와의 연결방법, 상수도 인입계획, 정화조의 위치
	아. 지반조사 보고서	시추조사 결과, 지반분류, 지반반력계수 등 구조설계를 위한 지반자료(주변 건축물의 지반조사 결과를 적용하여 별도의 지반조사가 필요 없는 경우, 「건축물의 구조기준 등에 관한 규칙」에 따른 소규모건축물로 지반을 최저 등급으로 가정한 경우, 지반조사를 할 수 없는 경우 등 허가권자가 인정하는 경우에는 지반조사 보고서를 제출하지 않을 수 있다.
8. 조경	가. 도면 목록표	
	나. 조경 배치도	법정 면적과 계획면적의 대비, 조경계획 및 식재 상세도
	다. 식재 평면도	
	라. 단면도	

비고 : 법 제21조에 따라 착공신고하려는 건축물의 공사와 관련 없는 설계도서는 제출하지 않는다.

해설 착공신고는 건축공사를 시작하기 위해 선행되어야 할 사항으로 건축주가 공사시공자와 공사감리자를 정하여, 착공신고서에 함께 서명하여 허가권자에게 신고하여야 한다. 또한 공사계약서, 감리계약서 사본도 함께 제출하여 분쟁시의 근거자료로 활용토록 하고 있다.

■ 착공신고 등

구 분	내 용	비 고
대상	1. 건축허가 대상(법 제11조) 2. 건축신고대상(법 제14조) 3. 가설건축물 축조허가 대상(법 제20조제1항)	• 신고대상 가설건축물, 용도변경의 경우 예외
의무자 및 시기	건축주가 공사착수 전 허가권자에게 공사계획을 신고	• 건축주는 착공신고를 할 때에 해당공사가 「산업안전보건법」에 따른 건설재해예방전문지도기관의 지도대상일 경우 기술지도계약서 사본을 첨부하여야 함 **관계법**
첨부서류 및 도서	건축공사의 착공신고는 별지 제13호서식의 착공신고서(전자문서로 된 신고서를 포함)에 다음의 서류 및 도서를 첨부하여야 함 1. 건축관계자 상호간의 계약서 사본(해당 사항이 있는 경우) 2. 첨부서류 및 도서: 앞 규칙 별표 4의2 (착공에 필요한 설계도서*) 참조 *건축허가 또는 신고를 할 때 제출한 경우 제출하지 않으며, 변경사항이 있는 경우 변경사항을 반영한 설계도서 제출 3. 감리 계약서(해당 사항이 있는 경우) 4. 「건축사법 시행령」 제21조제2항에 따라 제출받은 보험증서 또는 공제증서의 사본 **관계법**	

절차 등	1. 공사계획을 신고하거나 변경신고 하는 경우 해당 공사감리자 및 공사시공자가 신고서에 함께 서명 2. 건축주는 공사착수시기를 연기하고자 하는 경우 착공연기신청서(별지 제14호서식)를 허가권자에게 제출 3. 허가권자는 착공신고서 또는 착공연기신청서를 접수한 때에는 착공신고필증(별지 제15호서식), 착공연기확인서(별지 제16호서식)를 신고인이나 신청인에 교부 4. 허가권자는 신고를 받은 날부터 3일 이내에 신고수리 여부 또는 민원 처리 관련 법령에 따른 처리기간의 연장 여부를 신고인에게 통지하여야 한다.(3일 이내에 통지하지 아니하면 다음 날에 신고를 수리한 것으로 본다.) 5. 허가권자는 가스, 전기·통신, 상·하수도 등 지하매설물에 영향을 줄 우려가 있는 토지굴착공사를 수반하는 건축물의 착공신고가 있는 경우, 해당 지하매설물의 관리기관에 토지굴착공사에 관한 사항을 통보하여야 함
기타	시공자 규제(법 제21조제3항) - 「건설산업기본법」 제41조 관계법

관계법 「건축사법 시행령」, 「산업안전보건법」, 「 건설산업기본법」

1. 건축사법 시행령

영 제21조【건축사의 보험 또는 공제 가입】

② 건축사가 건축물의 설계 및 공사감리 계약을 체결할 때에는 보험증서 또는 공제증서를 건축주에게 제출하여야 한다.

2. 산업안전보건법

법 제73조【건설공사의 산업재해 예방 지도】 ① 대통령령으로 정하는 건설공사의 건설공사발주자 또는 건설공사도급인(건설공사발주자로부터 건설공사를 최초로 도급받은 수급인은 제외한다)은 해당 건설공사를 착공하려는 경우 제74조에 따라 지정받은 전문기관(이하 "건설재해예방전문지도기관"이라 한다)과 건설 산업재해 예방을 위한 지도계약을 체결하여야 한다. <개정 2021.8.17.>

② 건설재해예방전문지도기관은 건설공사도급인에게 산업재해 예방을 위한 지도를 실시하여야 하고, 건설공사도급인은 지도에 따라 적절한 조치를 하여야 한다. <신설 2021.8.17.>

③ 건설재해예방전문지도기관의 지도업무의 내용, 지도대상 분야, 지도의 수행방법, 그 밖에 필요한 사항은 대통령령으로 정한다. <개정 2021.8.17.>

영 제59조【기술지도계약 체결 대상 건설공사 및 체결 시기】 ① 법 제73조제1항에서 "대통령령으로 정하는 건설공사란 공사금액 1억원 이상 120억원(「건설산업기본법 시행령」 별표 1의 종합공사를 시공하는 업종의 건설업종란 제1호의 토목공사업에 속하는 공사는 150억원) 미만인 공사와 「건축법」 제11조에 따른 건축허가의 대상이 되는 공사를 말한다. 다만, 다음 각 호의 어느 하나에 해당하는 공사는 제외한다. <개정 2022.8.16>

1. 공사기간이 1개월 미만인 공사
2. 육지와 연결되지 않은 섬 지역(제주특별자치도는 제외한다)에서 이루어지는 공사
3. 사업주가 별표 4에 따른 안전관리자의 자격을 가진 사람을 선임(같은 광역지방자치단체의 구역 내에서 같은 사업주가 시공하는 셋 이하의 공사에 대하여 공동으로 안전관리자의 자격을 가진 사람 1명을 선임한 경우를 포함한다)하여 제18조제1항 각 호에 따른 안전관리자의 업무만을 전담하도록 하는 공사

4. 법 제42조제1항에 따라 유해위험방지계획서를 제출해야 하는 공사
② 제1항에 따른 건설공사의 건설공사발주자 또는 건설공사도급인(건설공사도급인은 건설공사발주자로부터 건설공사를 최초로 도급받은 수급인은 제외한다)은 법 제73조제1항의 건설 산업재해 예방을 위한 지도계약(이하 "기술지도계약"이라 한다)을 해당 건설공사 착공일의 전날까지 체결해야 한다. <신설 2022.8.16>
[제목개정 2022.8.16]

3. 건설산업기본법

법 제41조【건설공사 시공자의 제한】① 다음 각 호의 어느 하나에 해당하는 건축물의 건축 또는 대수선(大修繕)에 관한 건설공사(제9조제1항 단서에 따른 경미한 건설공사는 제외한다. 이하 이 조에서 같다)는 건설사업자가 하여야 한다. 다만, 다음 각 호 외의 건설공사와 농업용, 축산업용 건축물 등 대통령령으로 정하는 건축물의 건설공사는 건축주가 직접 시공하거나 건설사업자에게 도급하여야 한다. <개정 2019.4.30>
1. 연면적이 200제곱미터를 초과하는 건축물
2. 연면적이 200제곱미터 이하인 건축물로서 다음 각 목의 어느 하나에 해당하는 경우
가. 「건축법」에 따른 공동주택
나. 「건축법」에 따른 단독주택 중 다중주택, 다가구주택, 공관, 그 밖에 대통령령으로 정하는 경우
다. 주거용 외의 건축물로서 많은 사람이 이용하는 건축물 중학교, 병원 등 대통령령으로 정하는 건축물
3., 4. 삭제 <2017.12.26>
② 많은 사람이 이용하는 시설물로서 다음 각 호의 어느 하나에 해당하는 새로운 시설물의 설치에 관한 건설공사는 건설사업자가 시공하여야 한다. <개정 2019.4.30>
1. 「체육시설의 설치·이용에 관한 법률」에 따른 체육시설 중 대통령령으로 정하는 체육시설
2. 「도시공원 및 녹지 등에 관한 법률」에 따른 도시공원 또는 도시공원에 설치되는 공원시설로서 대통령령으로 정하는 시설물
3. 「자연공원법」에 따른 자연공원에 설치되는 공원시설 중 대통령령으로 정하는 시설물
4. 「관광진흥법」에 따른 유기시설 중 대통령령으로 정하는 시설물

영 제36조【시공자의 제한을 받는 건축물】
① 법 제41조제1항제2호나목에서 "대통령령으로 정하는 경우"란 「건축법 시행령」 별표 1 제1호가목의 단독주택의 형태를 갖춘 가정어린이집·공동생활가정·지역아동센터 및 노인복지시설(노인복지주택은 제외한다)을 말한다. <개정 2018.6.26.>
② 법 제41조제1항제2호다목에서 "대통령령으로 정하는 건축물"이란 건축물의 전부 또는 일부가 다음 각 호의 어느 하나에 해당하는 용도로 사용되는 건축물을 말한다. <개정 2018.6.26.>
1. 「초·중등교육법」, 「고등교육법」 또는 「사립학교법」에 의한 학교
1의2. 「영유아보육법」에 따른 어린이집
1의3. 유아교육법」에 따른 유치원
1의4. 「장애인 등에 대한 특수교육법」에 따른 특수교육기관 및 장애인평생교육시설
1의5. 평생교육법」에 따른 평생교육시설
2. 학원의 설립·운영 및 과외교습에 관한 법률」에 의한 학원
3. 「식품위생법」에 의한 식품접객업중 유흥주점
4. 「공중위생관리법」에 의한 숙박시설
5. 「의료법」에 의한 병원(종합병원·한방병원 및 요양병원을 포함한다)
6. 「관광진흥법」에 의한 관광숙박시설 또는 관광객 이용 시설중 전문휴양시설·종합휴양시설 및 관광공연장
7. 「건축법 시행령」 별표 1 제4호거목에 따른 다중생활시설

8. 「건축법 시행령」 별표 1 제14호에 따른 업무시설

영 제37조 【시공자의 제한을 받지 아니하는 건축물】 법 제41조제1항 각 호 외의 부분 단서에서 "대통령령으로 정하는 건축물"이란 다음 각 호의 어느 하나에 해당하는 건축물을 말한다. <개정 2016.8.11.>

1. 농업 · 임업 · 축산업 또는 어업용으로 설치하는 창고 · 저장고 · 작업장 · 퇴비사 · 축사 · 양어장 기타 이와 유사한 용도의 건축물
2. 삭제 <2012.2.2.>
3. 「주택법」 제4조에 따라 등록을 한 주택건설사업자가 같은 법 시행령 제17조제1항에 따른 자본금 · 기술능력 및 주택건설실적을 갖추고 같은 법 제15조에 따른 주택건설사업계획의 승인 또는 「건축법」 제11조에 따른 건축허가를 받아 건설하는 주거용건축물

영 제38조 【많은 사람이 이용하는 시설물】 ① 법 제41조제2항제1호에서 "대통령령으로 정하는 체육시설"이란 「체육시설의 설치 · 이용에 관한 법률 시행령」 별표 1에 따른 골프장(9홀 이상에 한정한다), 스키장 및 자동차경주장을 말한다.

② 법 제41조제2항제2호에서 "대통령령으로 정하는 시설물"이란 「도시공원 및 녹지 등에 관한 법률」 제2조에 따른 공원시설 중 다음 각 호의 어느 하나에 해당하는 시설물을 말한다.

1. 공연장(「공연법」 제9조에 따라 등록하여야 하는 공연장에 한정한다)
2. 봉안시설(면적이 10만 제곱미터 이상인 경우에 한정한다)
3. 묘지(면적이 10만 제곱미터 이상인 경우에 한정한다)

③ 법 제41조제2항제3호에서 "대통령령으로 정하는 시설물"이란 「자연공원법 시행령」 제2조에 따른 공원시설 중 다음 각 호의 어느 하나에 해당하는 시설물을 말한다.

1. 산지 또는 해안에 설치되는 사방시설(산지 또는 해안모래언덕의 면적이 1만 제곱미터 이상인 경우에 한정한다)
2. 길이가 1킬로미터 이상인 호안시설

④ 법 제41조제2항제4호에서 "대통령령으로 정하는 시설물"이란 「관광진흥법 시행령」 제2조에 따른 종합유원시설업에 이용되는 유기시설 중 미로를 말한다.

2 건축시공(법 제24조)(영 제18조의2)(규칙 제18조, 제18조의2)

법 제24조 【건축시공】

① 공사시공자는 제15조제2항에 따른 계약대로 성실하게 공사를 수행하여야 하며, 이 법과 이 법에 따른 명령이나 처분, 그 밖의 관계 법령에 맞게 건축물을 건축하여 건축주에게 인도하여야 한다.

② 공사시공자는 건축물(건축허가나 용도변경허가가 대상인 것만 해당된다)의 공사현장에 설계도서를 갖추어 두어야 한다.

③ 공사시공자는 설계도서가 이 법과 이 법에 따른 명령이나 처분, 그 밖의 관계 법령에 맞지 아니하거나 공사의 여건상 불합리하다고 인정되면 건축주와 공사감리자의 동의를 받아 서면으로 설계자에게 설계를 변경하도록 요청할 수 있다. 이 경우 설계자는 정당한 사유가 없으면 요청에 따라야 한다.

④ 공사시공자는 공사를 하는 데에 필요하다고 인정하거나 제25조제4항에 따라 공사감리자로부터 상세시공도면을 작성하도록 요청을 받으면 상세시공도면을 작성하여 공사감리자의 확인을 받아야 하며, 이에 따라 공사를 하여야 한다.

⑤ 공사시공자는 건축허가나 용도변경허가가 필요한 건축물의 건축공사를 착수한 경우에는

건 축 법
1. 총 칙
2. 건 축
3. 유지관리
4. 대지도로
5. 구조재료
6. 지역지구
7. 건축설비
8. 특별건축구역
9. 보 칙
10. 벌 칙
건 축 법 관련기준

해당 건축공사의 현장에 국토교통부령으로 정하는 바에 따라 건축허가 표지판을 설치하여야 한다.

⑥ 「건설산업기본법」 제41조제1항 각 호에 해당하지 아니하는 건축물의 건축주는 공사 현장의 공정 및 안전을 관리하기 위하여 같은 법 제2조제15호에 따른 건설기술인 1명을 현장관리인으로 지정하여야 한다. 이 경우 현장관리인은 국토교통부령으로 정하는 바에 따라 공정 및 안전 관리 업무를 수행하여야 하며, 건축주의 승낙을 받지 아니하고는 정당한 사유 없이 그 공사 현장을 이탈하여서는 아니 된다. <개정 2018.8.14.>

⑦ 공동주택, 종합병원, 관광숙박시설 등 대통령령으로 정하는 용도 및 규모의 건축물의 공사시공자는 건축주, 공사감리자 및 허가권자가 설계도서에 따라 적정하게 공사되었는지를 확인할 수 있도록 공사의 공정이 대통령령으로 정하는 진도에 다다른 때마다 사진 및 동영상을 촬영하고 보관하여야 한다. 이 경우 촬영 및 보관 등 그 밖에 필요한 사항은 국토교통부령으로 정한다. <신설 2016.2.3.>

영 제18조의2 【사진 및 동영상 촬영 대상 건축물 등】

① 법 제24조제7항 전단에서 "공동주택, 종합병원, 관광숙박시설 등 대통령령으로 정하는 용도 및 규모의 건축물"이란 다음 각 호의 어느 하나에 해당하는 건축물을 말한다. <개정 2018.12.4.>

1. 다중이용 건축물
2. 특수구조 건축물
3. 건축물의 하층부가 필로티나 그 밖에 이와 비슷한 구조(벽면적의 2분의 1 이상이 그 층의 바닥면에서 위층 바닥 아래면까지 공간으로 된 것만 해당한다)로서 상층부와 다른 구조형식으로 설계된 건축물(이하 "필로티형식 건축물"이라 한다) 중 3층 이상인 건축물

② 법 제24조제7항 전단에서 "대통령령으로 정하는 진도에 다다른 때"란 다음 각 호의 구분에 따른 단계에 다다른 경우를 말한다. <개정 2018.12.4.>

1. 다중이용 건축물: 제19조제3항 각 호의 구분에 따른 단계
2. 특수구조 건축물: 다음 각 목의 어느 하나에 해당하는 단계
   가. 매 층마다 상부 슬래브배근을 완료한 경우
   나. 매 층마다 주요구조부의 조립을 완료한 경우
3. 3층 이상의 필로티형식 건축물: 다음 각 목의 어느 하나에 해당하는 단계
   가. 기초공사 시 철근배치를 완료한 경우
   나. 건축물 상층부의 하중이 상층부와 다른 구조형식의 하층부로 전달되는 다음의 어느 하나에 해당하는 부재(部材)의 철근배치를 완료한 경우
      1) 기둥 또는 벽체 중 하나
      2) 보 또는 슬래브 중 하나

[본조신설 2017.2.3][종전 제18조의2는 제18조의3으로 이동]

규칙 제18조 【건축허가표지판】

법 제24조제5항에 따라 공사시공자는 건축물의 규모 · 용도 · 설계자 · 시공자 및 감리자 등을 표시한 건축허가표지판을 주민이 보기 쉽도록 해당건축공사 현장의 주요 출입구에 설치하여야 한다. <개정 2008.12.11.>

규칙 제18조의2【현장관리인의 업무】

현장관리인은 법 제24조제6항 후단에 따라 다음 각 호의 업무를 수행한다.

1. 건축물 및 대지가 이 법 또는 관계 법령에 적합하도록 건축주를 지원하는 업무
2. 건축물의 위치와 규격 등이 설계도서에 따라 적정하게 시공되는 지에 대한 확인 · 관리
3. 시공계획 및 설계 변경에 관한 사항 검토 등 공정관리에 관한 업무
4. 안전시설의 적정 설치 및 안전기준 준수 여부의 점검 · 관리
5. 그 밖에 건축주와 계약으로 정하는 업무

[본조신설 2020.10.28.][종전 제18조의2는 제18조의3으로 이동<2020.10.28.>]

규칙 제18조의3【사진 · 동영상 촬영 및 보관 등】

① 법 제24조제7항 전단에 따라 사진 및 동영상을 촬영 · 보관하여야 하는 공사시공자는 영 제18조의2제2항에서 정하는 진도에 다다른 때마다 촬영한 사진 및 동영상을 디지털파일 형태로 가공 · 처리하여 보관하여야 하며, 해당 사진 및 동영상을 디스크 등 전자저장매체 또는 정보통신망을 통하여 공사감리자에게 제출하여야 한다.

② 제1항에 따라 사진 및 동영상을 제출받은 공사감리자는 그 내용의 적정성을 검토한 후 법 제25조제6항에 따라 건축주에게 감리중간보고서 및 감리완료보고서를 제출할 때 해당 사진 및 동영상을 함께 제출하여야 한다.

③ 제2항에 따라 사진 및 동영상을 제출받은 건축주는 법 제25조제6항에 따라 허가권자에게 감리중간보고서 및 감리완료보고서를 제출할 때 해당 사진 및 동영상을 함께 제출하여야 한다.

④ 제1항부터 제3항까지에서 규정한 사항 외에 사진 및 동영상의 촬영 및 보관 등에 필요한 사항은 국토교통부장관이 정하여 고시한다.

[본조신설 2017.2.3][제18조의2에서 이동 <2020.10.28.>]

해설 시공이란 설계자에 의해 도면화된 건축물의 공사를 시행하는 것으로서, 각종 용도에 맞게 사용가능한 공간으로 형상화시키는 과정이라 하겠다. 시공자는 건축주와의 계약에 의하여 성실히 업무를 수행하여야 할 의무가 있으며, 이에 따라 공사착수부터 공사의 완료시까지 「건축법」과 기타 관계법령에 적합하게 건축물을 시공하여 건축주에게 인도되어야 한다. 이러한 점에서 건축물의 규모에 따른 시공자의 규제, 공사현장의 위해방지조치, 감리자의 요청시 상세시공도면의 작성의 무 등 양질의 건축물을 생산하기 위한 일련의 규정이 있다.

또한, 공사시공자가 공사의 공정을 촬영 · 보관하여야 하는 건축물을 다중이용 건축물, 특수구조 건축물 및 3층 이상의 필로티형식 건축물로 정하고, 대상 건축물별 일정 공정에 다다른 때마다 사진 및 동영상을 촬영 · 보관하도록 하는 등 관련 규정이 세분화되었다.(2018.12.4. 시행령 개정)

【1】 성실시공의무 등

① 공사시공자는 건축주와의 계약에 따라 성실하게 공사를 수행하여야 함

② 「건축법」 및 그 밖의 관계 법령에 맞게 건축하여 건축주에게 인도하여야 함

【2】 설계도서의 비치

공사시공자는 건축물(건축허가나 용도변경 허가 대상만 해당)의 공사현장에 설계도서를 갖추어야 함

건 축 법
1. 총 칙
2. 건 축
3. 유지관리
4. 대지도로
5. 구조재료
6. 지역지구
7. 건축설비
8. 특별건축구역
9. 보 칙
10. 벌 칙
건 축 법 관련기준

【3】 설계변경의 요청

공사시공자는 다음의 경우 건축주 및 공사감리자의 동의를 얻어 서면으로 설계자에게 설계변경요청 할 수 있다.

① 설계도서가 「건축법」 과 이 법에 따른 명령이나 처분, 그 밖의 관계 법령의 규정에 맞지 않은 경우
② 설계도서가 공사의 여건상 불합리하다고 인정되는 경우

【4】 상세시공도면의 작성

공사시공자는 다음의 경우 상세시공도면을 작성하여 공사를 하여야 한다. 이 경우 공사감리자의 확인을 받아야 한다.

① 공사시공자가 해당 공사를 함에 있어 필요하다고 인정하는 경우
② 공사감리자로부터 상세시공도면의 요청을 받은 경우

【5】 건축허가표지판의 설치

공사시공자는 건축허가나 용도변경의 허가가 필요한 건축물의 건축공사를 착수한 경우에는 공사현장에 건축허가표지판을 설치하여야 함

【6】 현장관리인의 지정 및 업무

(1) 현장관리인의 지정

1. 대상 건축물	「건설산업기본법」 에 따라 건설사업자가 건설공사를 하여야 하는 건축물에 해당하지 아니하는 건축물
2. 지정	건축주는 공사 현장의 공정 및 안전을 관리하기 위하여 건설기술인 1명을 현장관리인으로 지정할 것

(2) 현장관리인의 업무

1. 건축물 및 대지가 이 법 또는 관계 법령에 적합하도록 건축주를 지원하는 업무
2. 건축물의 위치와 규격 등이 설계도서에 따라 적정하게 시공되는 지에 대한 확인·관리
3. 시공계획 및 설계 변경에 관한 사항 검토 등 공정관리에 관한 업무
4. 안전시설의 적정 설치 및 안전기준 준수 여부의 점검·관리
5. 그 밖에 건축주와 계약으로 정하는 업무
6. 건축주의 승낙을 받지 아니하고는 정당한 사유 없이 그 공사 현장 이탈 금지

관계법 「건설산업기본법」 (제2조제15호, 제41조)

법 제2조 【정의】

15. "건설기술인"이란 관계 법령에 따라 건설공사에 관한 기술이나 기능을 가졌다고 인정된 사람을 말한다.

법 제41조 【건설공사 시공자의 제한】 ➡ 1-500쪽 ① 관계법 3. 참조

【7】 공사시공자의 공정 사진 및 동영상 촬영 의무

(1) 촬영 의무 대상 건축물

1. 다중이용 건축물	–
2. 특수구조 건축물	–
3. 건축물의 하층부가 필로티나 그 밖에 이와 비슷한 구조*로서 상층부와 다른 구조형식으로 설계된 건축물(이하 "필로티형식 건축물") 중 3층 이상인 건축물	* 벽면적의 1/2 이상이 그 층의 바닥면에서 위층 바닥 아래면까지 공간으로 된 것만 해당

(2) 촬영 시기 : 감리중간보고서의 제출 대상 공정

1) 다중이용 건축물

구 조	공 정
1. 철근콘크리트조·철골철근콘크리트조·조적조·보강콘크리트블럭조	① 기초공사 시 철근배치를 완료한 경우
	② 지붕슬래브배근을 완료한 경우
	③ 지상 5개 층마다 상부 슬래브배근을 완료한 경우
2. 철골조	① 기초공사 시 철근배치를 완료한 경우
	② 지붕철골 조립을 완료한 경우
	③ 지상 3개 층마다 또는 높이 20m마다 주요구조부의 조립을 완료한 경우
3. 위 1, 2 외의 구조	기초공사에서 거푸집 또는 주춧돌의 설치를 완료한 경우

2) 특수구조 건축물

1. 매 층마다 상부 슬래브배근을 완료한 경우
2. 매 층마다 주요구조부의 조립을 완료한 경우

3) 3층 이상의 필로티형식 건축물

1. 기초공사 시 철근배치를 완료한 경우	–
2. 건축물 상층부의 하중이 상층부와 다른 구조형식의 하층부로 전달되는 우측란 ①, ② 부재(部材)의 철근배치를 완료한 경우	① 기둥 또는 벽체 중 하나
	② 보 또는 슬래브 중 하나

(3) 촬영결과의 보관 및 제출

① 의무자 : 공사시공자

② 해당진도에 다다른 때마다 촬영한 사진 및 동영상을 디지털파일 형태로 가공·처리하여 보관

③ 해당 사진 및 동영상을 디스크 등 전자저장매체 또는 정보통신망을 통하여 공사감리자에게 제출

(4) 공사감리자 및 건축주의 조치 등

① 사진 및 동영상을 제출받은 공사감리자는 그 내용의 적정성을 검토한 후 건축주에게 감리중간보고서 및 감리완료보고서를 제출할 때 해당 사진 및 동영상을 함께 제출

② 사진 및 동영상을 제출받은 건축주는 허가권자에게 감리중간보고서 및 감리완료보고서를 제출할 때 해당 사진 및 동영상을 함께 제출

③ 위 규정내용 외에 필요한 사항은 국토교통부장관이 정하여 고시

【참고】 건축공사 감리세부기준(국토교통부고시 제2020-1011호, 2020.12.24)

【8】 건설기술자의 배치기준(「건설산업기본법 시행령」 제35조제2항)

영 제35조【건설기술자의 현장배치기준 등】
② 법 제40조제1항에 따른 건설기술인의 배치는 별표 5의 공사예정금액의 규모별 건설기술인 배치기준에 따라야 한다. 다만, 건설공사의 시공기술상 특성을 고려하여 도급계약당사자간의 합의에 따라 공사현장에 배치해야 할 건설기술인의 자격종목·등급 또는 인원수를 따로 정한 때에는 그에 따른다. <개정 2021.1.5>

[별표 5] 공사예정금액의 규모별 건설기술인 배치기준 〈개정 2020.10.8.〉

공사예정금액의 규모	건설기술인 배치기준
700억원 이상 (법 제93조제1항이 적용되는 시설물이 포함된 공사인 경우에 한정)	1. 기술사
500억원 이상	1. 기술사 또는 기능장 2.「건설기술 진흥법」에 따른 건설기술인 중 해당 직무분야의 특급기술인로서 해당 공사와 같은 종류의 공사현장에 배치되어 시공관리업무에 5년 이상 종사한 사람
300억원 이상	1. 기술사 또는 기능장 2. 기사 자격취득 후 해당 직무분야에 10년 이상 종사한 사람 3.「건설기술 진흥법」에 따른 건설기술인 중 해당 직무분야의 특급기술인로서 해당 공사와 같은 종류의 공사현장에 배치되어 시공관리업무에 3년 이상 종사한 사람
100억원 이상	1. 기술사 또는 기능장 2. 기사 자격취득 후 해당 직무분야에 5년 이상 종사한 사람 3.「건설기술 진흥법」에 따른 건설기술인 중 다음 각 목의 어느 하나에 해당하는 사람 가. 해당 직무분야의 특급기술인 나. 해당 직무분야의 고급기술인로서 해당 공사와 같은 종류의 공사현장에 배치되어 시공관리업무에 3년 이상 종사한 사람 4. 산업기사 자격취득 후 해당 직무분야에서 7년 이상 종사한 사람
30억원 이상	1. 기사 이상 자격취득자로서 해당 직무분야에 3년 이상 실무에 종사한 사람 2. 산업기사 자격취득 후 해당 직무분야에 5년 이상 종사한 사람 3.「건설기술 진흥법」에 따른 건설기술인 중 다음 각 목의 1에 해당하는 사람 가. 해당 직무분야의 고급기술인 이상인 사람 나. 해당 직무분야의 중급기술인로서 해당 공사와 같은 종류의 공사현장에 배치되어 시공관리업무에 3년 이상 종사한 사람
30억원 미만	1. 산업기사 이상 자격취득자로서 해당 직무분야에 3년 이상 실무에 종사한 사람 2.「건설기술 진흥법」에 따른 건설기술인 중 다음 각 목의 어느 하나에 해당하는 사람 가. 해당 직무분야의 중급기술인 이상인 사람 나. 해당 직무분야의 초급기술인로서 해당 공사와 같은 종류의 공사현장에 배치되어 시공관리업무에 3년 이상 종사한 사람

비고 1. 위 표에서 "해당 직무분야"란「국가기술자격법」 제2조제3호에 따른 국가기술자격의 직무분야 중 중직무분야 또는「건설기술 진흥법 시행령」 별표 1에 따른 직무분야를 말한다.
2. 위 표에서 "해당 공사와 같은 종류의 공사현장"이란 건설기술인를 배치하려는 해당 건설공사의 목적물과 종류가 같거나 비슷하고 시공기술상의 특성이 비슷한 공사를 말한다.
3. 위 표에서 "시공관리업무"란 건설공사의 현장에서 공사의 설계서 검토·조정, 시공, 공정 또는 품질의 관리, 검사·검측·감리, 기술지도 등 건설공사의 시공과 직접 관련되어 행하여지는 업무를 말한다.

건축법 1. 총 칙 2. 건 축 3. 유지관리 4. 대지도로 5. 구조재료 6. 지역지구 7. 건축설비 8. 특별건축구역 9. 보 칙 10. 벌 칙 건축법 관련기준

4. 위 표에서 "시공관리업무" 및 "실무"에 종사한 기간에는 기술자격취득 이전의 경력이 포함된다.
5. 전문공사를 시공하는 업종을 등록한 건설업자가 시공하는 1건 공사의 공사예정금액이 5억원 미만의 공사인 경우에는 해당 업종에 관한 별표 2에 따른 등록기준 중 기술능력에 해당하는 자로서 해당 직무분야에서 3년 이상 종사한 자를 배치할 수 있다.
6. 전문공사를 시공하는 업종을 등록한 건설업자가 전문공사를 시공하는 경우로서* 1건 공사의 공사예정금액이 1억원 미만의 공사인 경우에는 해당 업종에 관한 별표 2에 따른 등록기준 중 기술능력에 해당하는 사람를 배치할 수 있다.

【9】 공사현장의 위해방지조치(법 제28조)(영 제21조)

법 제28조 【공사현장의 위해 방지 등】

① 건축물의 공사시공자는 대통령령으로 정하는 바에 따라 공사현장의 위해를 방지하기 위하여 필요한 조치를 하여야 한다.

② 허가권자는 건축물의 공사와 관련하여 건축관계자간 분쟁상담 등의 필요한 조치를 하여야 한다.

영 제21조 【공사현장의 위해 방지】

건축물의 시공 또는 해체에 따른 유해 · 위험의 방지에 관한 사항은 산업안전보건에 관한 법령에서 정하는 바에 따른다. <개정 2020.4.28.>

【참고】 유해·위험예방조치에 관한 규정(「산업안전보건법」 제34조 내지 제124조)

제4장 유해·위험 방지 조치 제34조 (법령 요지 등의 게시 등)~ 제57조 (산업재해 발생 은폐 금지 및 보고 등) **제5장 도급 시 산업재해 예방** **제1절 도급의 제한** 제58조 (유해한 작업의 도급금지)~ 제61조 (적격 수급인 선정 의무) **제2절 도급인의 안전조치 및 보건조치** 제62조 (안전보건총괄책임자)~ 제66조 (도급인의 관계수급인에 대한 시정조치) **제3절 건설업 등의 산업재해 예방** 제67조 (건설공사발주자의 산업재해 예방 조치) 제68조 (안전보건조정자) 제69조 (공사기간 단축 및 공법변경 금지) 제70조 (건설공사 기간의 연장) 제71조 (설계변경의 요청) 제72조 (건설공사 등의 산업안전보건관리비 계상 등) 제73조 (건설공사의 산업재해 예방 지도) 제74조 (건설재해예방전문지도기관)	제75조 (안전 및 보건에 관한 협의체 등의 구성·운영에 관한 특례) 제76조 (기계·기구 등에 대한 건설공사도급인의 안전조치) **제4절 그 밖의 고용형태에서의 산업재해 예방** 제77조 (특수형태근로종사자에 대한 안전조치 및 보건조치 등) 제78조 (배달종사자에 대한 안전조치) 제79조 (가맹본부의 산업재해 예방 조치) **제6장 유해·위험 기계 등에 대한 조치** **제1절 유해하거나 위험한 기계 등에 대한 방호조치 등** 제80조 (유해하거나 위험한 기계·기구에 대한 방호조치) 제81조 (기계·기구 등의 대여자 등의 조치) 제82조 (타워크레인 설치·해체업의 등록 등) **제2절 안전인증** 제83조 (안전인증기준)~ 제88조 (안전인증기관)

제3절 자율안전확인의 신고 제89조 (자율안전확인의 신고)~ 제92조 (자율안전확인대상기계등의 제조 등의 금지 등) 제4절 안전검사 제93조 (안전검사)~ 제100조 (자율안전검사기관) 제5절 유해·위험기계등의 조사 및 지원 등 제101조 (성능시험 등) 제102조 (유해·위험기계등 제조사업 등의 지원) 제103조 (유해·위험기계등의 안전 관련 정보의 종합관리)	제7장 유해·위험물질에 대한 조치 제1절 유해·위험물질의 분류 및 관리 제104조 (유해인자의 분류기준)~ 제118조 (유해·위험물질의 제조 등 허가) 제2절 석면에 대한 조치 제119조 (석면조사) 제120조 (석면조사기관) 제121조 (석면해체·제거업의 등록 등) 제122조 (석면의 해체·제거) 제123조 (석면해체·제거 작업기준의 준수) 제124조 (석면농도기준의 준수)

【10】 허용오차(법 제26조)(규칙 제20조)

법 제26조【허용 오차】

대지의 측량(「공간정보의 구축 및 관리 등에 관한 법률」에 따른 측량은 제외한다)이나 건축물의 건축 과정에서 부득이하게 발생하는 오차는 이 법을 적용할 때 국토교통부령으로 정하는 범위에서 허용한다. <개정 2014.6.3.>

규칙 제20조【허용 오차】

법 제26조에 따른 허용오차의 범위는 별표 5와 같다. <개정 2008.12.11>

해설 허용오차는 대지의 측량과 건축물의 공사 중 의도되지 않게 부득이하게 발생하는 오차를 수용하기 위한 규정으로서, 공사시작부터 허용오차의 범위를 의도적으로 고려해서는 안된다.

또한, 대지와 관련된 허용오차와 건축물과 관련된 허용오차가 동시에 적용되는 경우, 모든 경우를 동시에 충족시켜야 적법하게 인정된다.

【참고】 건축허용오차(규칙 별표 5)

1. 대지관련 건축기준

항 목	허용되는 오차의 범위
건축선의 후퇴거리	3% 이내
인접대지 경계선과의 거리	3% 이내
인접건축물과의 거리	3% 이내
건폐율	0. 5% 이내(건축면적 5㎡를 초과할 수 없다)
용적률	1% 이내(연면적 30㎡를 초과할 수 없다)

2. 건축물관련 건축기준

항 목	허용되는 오차의 범위
건축물 높이	2% 이내(1m를 초과할 수 없다)
평면길이	2% 이내(건축물 전체길이는 1m를 초과할 수 없고, 벽으로 구획된 각실의 경우에는 10%를 초과할 수 없다)
출구너비	2% 이내
반자높이	2% 이내
벽체두께	3% 이내
바닥판두께	3% 이내

3 건축물의 공사감리(법 제25조)(영 제19조)(규칙 제19조)(규칙 제19조의2)(피난규칙 제7조의2)

법 제25조【건축물의 공사감리】

① 건축주는 대통령령으로 정하는 용도·규모 및 구조의 건축물을 건축하는 경우 건축사나 대통령령으로 정하는 자를 공사감리자(공사시공자 본인 및 「독점규제 및 공정거래에 관한 법률」 제2조에 따른 계열회사는 제외한다)로 지정하여 공사감리를 하게 하여야 한다. <개정 2016.2.3.>

② 제1항에도 불구하고 「건설산업기본법」 제41조제1항 각 호에 해당하지 아니하는 소규모 건축물로서 건축주가 직접 시공하는 건축물 및 주택으로 사용하는 건축물 중 대통령령으로 정하는 건축물의 경우에는 대통령령으로 정하는 바에 따라 허가권자가 해당 건축물의 설계에 참여하지 아니한 자 중에서 공사감리자를 지정하여야 한다. 다만, 다음 각 호의 어느 하나에 해당하는 건축물의 건축주가 국토교통부령으로 정하는 바에 따라 허가권자에게 신청하는 경우에는 해당 건축물을 설계한 자를 공사감리자로 지정할 수 있다. <개정 2018.8.14., 2020.4.7.>

1. 「건설기술 진흥법」 제14조에 따른 신기술 중 대통령령으로 정하는 신기술을 보유한 자가 그 신기술을 적용하여 설계한 건축물
2. 「건축서비스산업 진흥법」 제13조제4항에 따른 역량 있는 건축사로서 대통령령으로 정하는 건축사가 설계한 건축물
3. 설계공모를 통하여 설계한 건축물

③ 공사감리자는 공사감리를 할 때 이 법과 이 법에 따른 명령이나 처분, 그 밖의 관계 법령에 위반된 사항을 발견하거나 공사시공자가 설계도서대로 공사를 하지 아니하면 이를 건축주에게 알린 후 공사시공자에게 시정하거나 재시공하도록 요청하여야 하며, 공사시공자가 시정이나 재시공 요청에 따르지 아니하면 서면으로 그 건축공사를 중지하도록 요청할 수 있다. 이 경우 공사중지를 요청받은 공사시공자는 정당한 사유가 없으면 즉시 공사를 중지하여야 한다. <개정 2016.2.3.>

④ 공사감리자는 제3항에 따라 공사시공자가 시정이나 재시공 요청을 받은 후 이에 따르지 아니하거나 공사중지 요청을 받고도 공사를 계속하면 국토교통부령으로 정하는 바에 따라 이를 허가권자에게 보고하여야 한다. <개정 2016.2.3.>

⑤ 대통령령으로 정하는 용도 또는 규모의 공사의 공사감리자는 필요하다고 인정하면 공사시공자에게 상세시공도면을 작성하도록 요청할 수 있다. <개정 2016.2.3.>

⑥ 공사감리자는 국토교통부령으로 정하는 바에 따라 감리일지를 기록·유지하여야 하고, 공사의 공정(工程)이 대통령령으로 정하는 진도에 다다른 경우에는 감리중간보고서를, 공사를

완료한 경우에는 감리완료보고서를 국토교통부령으로 정하는 바에 따라 각각 작성하여 건축주에게 제출하여야 한다. 이 경우 건축주는 감리중간보고서는 제출받은 때, 감리완료보고서는 제22조에 따른 건축물의 사용승인을 신청할 때 허가권자에게 제출하여야 한다. <개정 2016.2.3., 2020.4.7.>

⑦ 건축주나 공사시공자는 제3항과 제4항에 따라 위반사항에 대한 시정이나 재시공을 요청하거나 위반사항을 허가권자에게 보고한 공사감리자에게 이를 이유로 공사감리자의 지정을 취소하거나 보수의 지급을 거부하거나 지연시키는 등 불이익을 주어서는 아니 된다. <개정 2016.2.3.>

⑧ 제1항에 따른 공사감리의 방법 및 범위 등은 건축물의 용도 · 규모 등에 따라 대통령령으로 정하되, 이에 따른 세부기준이 필요한 경우에는 국토교통부장관이 정하거나 건축사협회로 하여금 국토교통부장관의 승인을 받아 정하도록 할 수 있다. <개정 2016.2.3.>

⑨ 국토교통부장관은 제8항에 따라 세부기준을 정하거나 승인을 한 경우 이를 고시하여야 한다. <개정 2016.2.3.>

⑩ 「주택법」 제15조에 따른 사업계획 승인 대상과 「건설기술 진흥법」 제39조제2항에 따라 건설사업관리를 하게 하는 건축물의 공사감리는 제1항부터 제9항까지 및 제11항부터 제14항까지의 규정에도 불구하고 각각 해당 법령으로 정하는 바에 따른다. <개정 2018.8.14.>

⑪ 제1항에 따라 건축주가 공사감리자를 지정하거나 제2항에 따라 허가권자가 공사감리자를 지정하는 건축물의 건축주는 제21조에 따른 착공신고를 하는 때에 감리비용이 명시된 감리 계약서를 허가권자에게 제출하여야 하고, 제22조에 따른 사용승인을 신청하는 때에는 감리용역 계약내용에 따라 감리비용을 지급하여야 한다. 이 경우 허가권자는 감리 계약서에 따라 감리비용이 지급되었는지를 확인한 후 사용승인을 하여야 한다. <개정 2020.12.22., 2021.7.27>

⑫ 제2항에 따라 허가권자가 공사감리자를 지정하는 건축물의 건축주는 설계자의 설계의도가 구현되도록 해당 건축물의 설계자를 건축과정에 참여시켜야 한다. 이 경우 「건축서비스산업 진흥법」 제22조를 준용한다. <신설 2018.8.14.>

⑬ 제12항에 따라 설계자를 건축과정에 참여시켜야 하는 건축주는 제21조에 따른 착공신고를 하는 때에 해당 계약서 등 대통령령으로 정하는 서류를 허가권자에게 제출하여야 한다. <신설 2018.8.14.>

⑭ 허가권자는 제2항에 따라 허가권자가 공사감리자를 지정하는 경우의 감리비용에 관한 기준을 해당 지방자치단체의 조례로 정할 수 있다. <개정 2020.12.22.>

영 제19조【공사감리】

① 법 제25조제1항에 따라 공사감리자를 지정하여 공사감리를 하게 하는 경우에는 다음 각 호의 구분에 따른 자를 공사감리자로 지정하여야 한다. <개정 2020.1.7., 2021.9.14, 2021.12.28>

1. 다음 각 목의 어느 하나에 해당하는 경우: 건축사
   가. 법 제11조에 따라 건축허가를 받아야 하는 건축물(법 제14조에 따른 건축신고 대상 건축물은 제외한다)을 건축하는 경우
   나. 제6조제1항제6호에 따른 건축물을 리모델링하는 경우
2. 다중이용 건축물을 건축하는 경우: 「건설기술 진흥법」에 따른 건설엔지니어링사업자(공사시공자 본인이거나 「독점규제 및 공정거래에 관한 법률」 제2조제12호에 따른 계열회사인 건설엔지니어링사업자는 제외한다) 또는 건축사(「건설기술 진흥법 시행령」 제60조에 따라 건설사업관리기술인을 배치하는 경우만 해당한다)

② 제1항에 따라 다중이용 건축물의 공사감리자를 지정하는 경우 감리원의 배치기준 및 감리대가는 「건설기술 진흥법」에서 정하는 바에 따른다. <개정 2014.5.22>

③ 법 제25조제6항에서 "공사의 공정이 대통령령으로 정하는 진도에 다다른 경우"란 공사(하나의 대지에 둘 이상의 건축물을 건축하는 경우에는 각각의 건축물에 대한 공사를 말한다)의 공정이 다음 각 호의 구분에 따른 단계에 다다른 경우를 말한다. <개정 2019.8.6.>

1. 해당 건축물의 구조가 철근콘크리트조·철골철근콘크리트조·조적조 또는 보강콘크리트블럭조인 경우: 다음 각 목의 어느 하나에 해당하는 단계
   가. 기초공사 시 철근배치를 완료한 경우
   나. 지붕슬래브배근을 완료한 경우
   다. 지상 5개 층마다 상부 슬래브배근을 완료한 경우. 다만, 철골조 구조의 건축물의 경우에는 지상 3개 층마다 또는 높이 20미터마다 주요구조부의 조립을 완료한 경우로 한다.
2. 해당 건축물의 구조가 철골조인 경우: 다음 각 목의 어느 하나에 해당하는 단계
   가. 기초공사 시 철근배치를 완료한 경우
   나. 지붕철골 조립을 완료한 경우
   다. 지상 3개 층마다 또는 높이 20미터마다 주요구조부의 조립을 완료한 경우
3. 해당 건축물의 구조가 제1호 또는 제2호 외의 구조인 경우: 기초공사에서 거푸집 또는 주춧돌의 설치를 완료한 단계
4. 제1호부터 제3호까지에 해당하는 건축물이 3층 이상의 필로티형식 건축물인 경우: 다음 각 목의 어느 하나에 해당하는 단계 <신설 2019.8.6.>
   가. 해당 건축물의 구조에 따라 제1호부터 제3호까지의 어느 하나에 해당하는 경우
   나. 제18조의2제2항제3호나목에 해당하는 경우

④ 법 제25조제5항에서 "대통령령으로 정하는 용도 또는 규모의 공사"란 연면적의 합계가 5천 제곱미터 이상인 건축공사를 말한다. <개정 2017.2.3.>

⑤ 공사감리자는 수시로 또는 필요할 때 공사현장에서 감리업무를 수행해야 하며, 다음 각 호의 건축공사를 감리하는 경우에는 「건축사법」 제2조제2호에 따른 건축사보(「기술사법」 제6조에 따른 기술사사무소 또는 「건축사법」 제23조제9항 각 호의 건설엔지니어링사업자 등에 소속되어 있는 사람으로서 「국가기술자격법」에 따른 해당 분야 기술계 자격을 취득한 사람과 「건설기술 진흥법 시행령」 제4조에 따른 건설사업관리를 수행할 자격이 있는 사람을 포함한다. 이하 같다) 중 건축 분야의 건축사보 한 명 이상을 전체 공사기간 동안, 토목·전기 또는 기계 분야의 건축사보 한 명 이상을 각 분야별 해당 공사기간 동안 각각 공사현장에서 감리업무를 수행하게 해야 한다. 이 경우 건축사보는 해당 분야의 건축공사의 설계·시공·시험·검사·공사감독 또는 감리업무 등에 2년 이상 종사한 경력이 있는 사람이어야 한다. <개정 2020.1.7., 2020.4.21, 2021.9.14>

1. 바닥면적의 합계가 5천 제곱미터 이상인 건축공사. 다만, 축사 또는 작물 재배사의 건축공사는 제외한다.
2. 연속된 5개 층(지하층을 포함한다) 이상으로서 바닥면적의 합계가 3천 제곱미터 이상인 건축공사
3. 아파트 건축공사
4. 준다중이용 건축물 건축공사

⑥ 공사감리자는 제5항 각 호에 해당하지 않는 건축공사로서 깊이 10미터 이상의 토지 굴착공사 또는 높이 5미터 이상의 옹벽 등의 공사(「산업집적활성화 및 공장설립에 관한 법률」 제2조제14호에 따른 산업단지에서 바닥면적 합계가 2천제곱미터 이하인 공장을 건축하는 경우는 제외한다)를 감리하는 경우에는 건축사보 중 건축 또는 토목 분야의 건축사보 한 명

건축법
1. 총 칙
2. 건 축
3. 유지관리
4. 대지도로
5. 구조재료
6. 지역지구
7. 건축설비
8. 특별건축구역
9. 보 칙
10. 벌 칙
건축법 관련기준

건 축 법
1. 총 칙
2. 건 축
3. 유지관리
4. 대지도로
5. 구조재료
6. 지역지구
7. 건축설비
8. 특별건축구역
9. 보 칙
10. 벌 칙
건 축 법 관련기준

이상을 해당 공사기간 동안 공사현장에서 감리업무를 수행하게 해야 한다. 이 경우 건축사보는 건축공사의 시공·공사감독 또는 감리업무 등에 2년 이상 종사한 경력이 있는 사람이어야 한다. <신설 2020.4.21., 2021.8.10., 2023.9.12.>

⑦ 공사감리자는 제61조제1항제4호에 해당하는 건축물의 마감재료 설치공사를 감리하는 경우로서 국토교통부령으로 정하는 경우에는 건축 또는 안전관리 분야의 건축사보 한 명 이상이 마감재료 설치공사기간 동안 그 공사현장에서 감리업무를 수행하게 해야 한다. 이 경우 건축사보는 건축공사의 설계·시공·시험·검사·공사감독 또는 감리업무 등에 2년 이상 종사한 경력이 있는 사람이어야 한다. <신설 2021.8.10.>

⑧ 공사감리자는 제5항부터 제7항까지의 규정에 따라 건축사보로 하여금 감리업무를 수행하게 하는 경우 다른 공사현장이나 공정의 감리업무를 수행하고 있지 않는 건축사보가 감리업무를 수행하게 해야 한다. <신설 2021.8.10.>

⑨ 공사감리자가 수행하여야 하는 감리업무는 다음과 같다. <개정 2020.4.21., 2021.8.10.>

1. 공사시공자가 설계도서에 따라 적합하게 시공하는지 여부의 확인
2. 공사시공자가 사용하는 건축자재가 관계 법령에 따른 기준에 적합한 건축자재인지 여부의 확인
3. 그 밖에 공사감리에 관한 사항으로서 국토교통부령으로 정하는 사항

⑩ 제5항 및 제7항에 따라 공사현장에 건축사보를 두는 공사감리자는 다음 각 호의 구분에 따른 기간에 국토교통부령으로 정하는 바에 따라 건축사보의 배치현황을 허가권자에게 제출해야 한다. <개정 2020.4.21., 2021.8.10.>

1. 최초로 건축사보를 배치하는 경우에는 착공 예정일부터 7일
2. 건축사보의 배치가 변경된 경우에는 변경된 날부터 7일
3. 건축사보가 철수한 경우에는 철수한 날부터 7일

⑪ 허가권자는 제8항에 따라 공사감리자로부터 건축사보의 배치현황을 받으면 지체 없이 그 배치현황(→건축사보가 이중으로 배치되어 있는지 여부 등 국토교통부령으로 정하는 내용을 확인한 후 「전자정부법」 제37조에 따른 행정정보 공동이용센터를 통해 그 배치현황)을 「건축사법」 제31조에 따른 대한건축사협회에 보내야 한다. <개정 2020.4.21., 2021.8.10., 2022.7.26, 2023.9.12./시행 2024.3.13>

⑫ 제9항에 따라 건축사보의 배치현황을 받은 대한건축사협회는 이를 관리하여야 하며, 건축사보가 이중으로 배치된 사실 등을 발견(→확인)한 경우에는 지체 없이 그 사실 등을 관계 시·도지사(→관계 시·도지사, 허가권자 및 그 밖에 국토교통부령으로 정하는 자)에게 알려야 한다. <개정 2020.4.21., 2021.8.10., 2022.7.26, 2023.9.12./시행 2024.3.13.>

⑬ 제12항에서 규정한 사항 외에 건축사보의 배치현황 관리 등에 필요한 사항은 국토교통부령으로 정한다. <신설 2023.9.12./시행 2024.3.13>

규칙 제19조【감리보고서등】

① 법 제25조제3항에 따라 공사감리자는 건축공사기간중 발견한 위법사항에 관하여 시정·재시공 또는 공사중지의 요청을 하였음에도 불구하고 공사시공자가 이에 따르지 아니하는 경우에는 시정등을 요청할 때에 명시한 기간이 만료되는 날부터 7일 이내에 별지 제20호서식의 위법건축공사보고서를 허가권자에게 제출(전자문서로 제출하는 것을 포함한다)하여야 한다.

② 삭제 <1999.5.11>

③ 법 제25조제6항에 따른 공사감리일지는 각각 별지 제21호서식에 따른다. <개정 2018.11.29.>

④ 건축주는 법 제25조제6항에 따라 감리중간보고서·감리완료보고서를 제출할 때 별지 제22호서식에 다음 각 호의 서류를 첨부하여 허가권자에게 제출해야 한다. <신설 2018.11.29.>

1. 건축공사감리 점검표
2. 별지 제21호서식의 공사감리일지
3. 공사추진 실적 및 설계변경 종합
4. 품질시험성과 총괄표
5. 「산업표준화법」에 따른 산업표준인증을 받은 자재 및 국토교통부장관이 인정한 자재의 사용 총괄표
6. 공사현장 사진 및 동영상(법 제24조제7항에 따른 건축물만 해당한다)
7. 공사감리자가 제출한 의견 및 자료(제출한 의견 및 자료가 있는 경우만 해당한다)

⑤ 제4항에 따라 감리중간보고서·감리완료보고서를 제출받은 허가권자는 같은 항 제2호에 따른 공사감리일지에 서명·날인한 감리원과 영 제19조제10항에 따른 건축사보 배치현황이 일치하는지 여부를 확인해야 한다. <신설 2023.11.1.>

규칙 제19조의2【공사감리업무 등】

① 공사감리자는 영 제19조제9항3호에 따라 다음 각호의 업무를 수행한다. <개정 2020.10.28., 2021.12.31.>

1. 건축물 및 대지가 이 법 및 관계 법령에 적합하도록 공사시공자 및 건축주를 지도
2. 시공계획 및 공사관리의 적정여부의 확인

2의2. 건축공사의 하도급과 관련된 다음 각 목의 확인 <신설 2021.12.31.>
 가. 수급인(하수급인을 포함한다. 이하 이 호에서 같다)이 「건설산업기본법」 제16조에 따른 시공자격을 갖춘 건설사업자에게 건축공사를 하도급했는지에 대한 확인
 나. 수급인이 「건설산업기본법」 제40조제1항에 따라 공사현장에 건설기술인을 배치했는지에 대한 확인

3. 공사현장에서의 안전관리의 지도
4. 공정표의 검토
5. 상세시공도면의 검토·확인
6. 구조물의 위치와 규격의 적정여부의 검토·확인
7. 품질시험의 실시여부 및 시험성과의 검토·확인
8. 설계변경의 적정여부의 검토·확인
9. 기타 공사감리계약으로 정하는 사항

② 공사감리자는 영 제19조제10항에 따라 건축사보 배치현황을 제출(제22조의2에 따른 전자정보시스템을 통해 제출하는 것을 말한다)하는 경우에는 별지 제22호의2서식에 다음 각 호의 서류를 첨부(건축사보가 철수하는 경우는 제외한다)해야 한다. 이 경우 공사감리자는 공사현장에 배치되는 건축사보(배치기간을 변경하거나 철수하는 경우의 건축사보는 제외한다)로부터 배치기간 및 다른 공사현장이나 공정에 이중으로 배치되었는지 여부를 확인받은 후 해당 건축사보의 서명·날인을 받아야 한다. <개정 2023.11.1.>

1. 예정공정표(건축주의 확인을 받은 것을 말한다) 및 분야별 건축사보 배치계획
2. 건축사보의 경력, 자격 및 소속을 증명하는 서류

③ 영 제19조제11항에서 "건축사보가 이중으로 배치되어 있는지 여부 등 국토교통부령으로 정하는 내용"이란 다음 각 호의 사항을 말한다. <신설 2023.11.1./시행 2024.3.13.>

1. 제2항 각 호의 내용이 영 제19조제2항 및 제5항부터 제7항까지의 규정에 적합한지 여부
2. 건축사보가 영 제19조제2항 및 제5항부터 제7항까지의 규정에 따른 건축공사 현장에 이중으로 배치되어 있는지 여부

④ 영 제19조제12항에서 "국토교통부령으로 정하는 자"란 다음 각 호의 자를 말한다. <신설 2023.11.1./시행 2024.3.13.>

1. 「주택법」 제15조에 따른 주택건설사업 사업계획승인권자(이하 "주택건설사업계획승인권자"라 한다)
2. 「건설기술진흥법 시행규칙」 제25조제1항에 따른 건설엔지니어링 실적관리 수탁기관(이하 "건설엔지니어링 실적관리 수탁기관"이라 한다)

⑤ 「건축사법」 제31조에 따른 대한건축사협회(이하 "대한건축사협회"라 한다)는 영 제19조제11항에 따라 허가권자로부터 받은 건축사보 배치현황을 전자적 처리가 가능한 방식으로 관리한다. <신설 2023.11.1./시행 2024.3.13.>

⑥ 대한건축사협회는 다음 각 호의 자료를 활용하여 건축사보가 공사현장에 이중으로 배치되어 있는지 여부를 확인한다. <신설 2023.11.1./시행 2024.3.13.>

1. 제5항에 따른 건축사보 배치현황 자료
2. 국토교통부장관이 정하는 바에 따라 주택건설사업계획승인권자로부터 받은 감리원 배치자료
3. 국토교통부장관이 정하는 바에 따라 건설엔지니어링 실적관리 수탁기관으로부터 받은 건설엔지니어링 참여 기술인의 현황 자료

피난규칙 제7조의2 【건축사보 배치 대상 마감재료 설치공사】

영 제19조제7항 전단에서 "국토교통부령으로 정하는 경우"란 제24조제3항에 따라 불연재료·준불연재료 또는 난연재료가 아닌 단열재를 사용하는 경우로서 해당 단열재가 외기(外氣)에 노출되는 경우를 말한다. <신설 2021.9.3.>

해설 건축허가를 받은 건축물은 원칙적으로 계약에 의해 건축사를 공사감리자로 정하여야 할 의무가 있다. 이는 전문가인 건축사로 하여금 시공자의 시공과정을 감독·관리하게 함으로써 불법건축물을 방지하고 보다 양질의 건축물을 생산하게 하여 건축법의 목적인 공공복리증진에 기여할 수 있도록 하는 조치라 하겠다.

건축법상의 감리규정은 감리대상, 감리종류, 감리원의 자격과 감리업무내용 등의 규정이 있다.

1 공사감리 업무내용(영 제19조제7항)(규칙 제19조의2)

1. 공사시공자가 설계도서에 따라 적합하게 시공하는지 여부의 확인
2. 공사시공자가 사용하는 건축자재가 관계법령에 따른 기준에 적합한 건축자재인지 여부의 확인
3. 건축물 및 대지가 이 법 및 관계 법령에 적합하도록 공사시공자 및 건축주를 지도
4. 시공계획 및 공사관리의 적정여부 확인
5. 공사현장에서의 안전관리의 지도
6. 공정표의 검토

7. 상세시공도면의 검토·확인
8. 구조물의 위치와 규격의 적정여부의 검토·확인
9. 품질시험의 실시여부 및 시험성과의 검토·확인
10. 설계변경의 적정여부의 검토·확인
11. 건축공사의 하도급과 관련된 다음의 확인 ① 수급인(하수급인을 포함)이 시공자격을 갖춘 건설사업자에게 건축공사를 하도급했는지에 대한 확인 ② 수급인(하수급인을 포함)이 공사현장에 건설기술인을 배치했는지에 대한 확인
11. 기타 공사감리계약으로 정하는 사항

2 감리대상·감리자의 자격·감리시기 및 방법

【1】 공사감리 대상, 종류 및 감리자의 자격 등

건축주는 아래 표의 건축물을 건축하는 경우 건축사 등을 공사감리자로 지정하여 공사감리를 하게 하여야 한다.

감리 종류 및 대상	감리자 자격 【참고1】	감리자 배치 및 감리방법 등	관련법
1. 일반공사감리 ① 건축허가대상 건축물의 건축 ② 사용승인후 15년 이상된 건축물의 리모델링 ③ 리모델링 활성화 구역안 건축물의 리모델링	건축사	• 수시 및 필요한 때 공사현장에서 감리업무 수행 <공통내용> • 감리업무내용(※앞 해설 참조) • 건축주에게 감리내용을 보고 －감리중간보고 －감리완료보고	건축법 제11조 시행령 제6조제1항제6호 시행령 제19조
2. 상주공사감리 ① 바닥면적의 합계 5천㎡ 이상인 건축공사(축사 또는 작물 재배사의 건축공사는 제외) ② 연속된 5개 층(지하층 포함) 이상으로서 바닥면적의 합계가 3천㎡ 이상인 건축공사 ③ 아파트(30세대 미만) 건축공사 ④ 준다중이용 건축물 건축공사	건축사	• 건축분야의 건축사보 1인 이상을 전체 공사기간 동안 공사현장에 배치하여 감리업무수행 • 토목·전기·기계 분야 건축사보 1인 이상을 각 분야별 해당 공사기간 동안 공사현장에서 감리업무 수행 ▶ 【2】 <공통내용> 위와 같음	건축법 제25조 시행령 제19조제5항
3. 다중이용 건축물의 공사감리 ① 바닥면적의 합계가 5천㎡ 이상인 다음 용도의 건축물 • 문화 및 집회시설(전시장 및 동·식물원 제외) • 종교시설	• 「건설기술 진흥법」에 따른 건설엔지니어링사업자 • 건축사(「건설기술 진흥법」에 따른 건	• 건설엔지니어링사업자는 해당 공사의 규모 및 공종에 적합하다고 인정하는 건설기술인을 건설사업관리 업무에 배치 • 건설엔지니어링사업자는 시공단계의 건설사업관리기술인을	「건축법 시행령」 제19조제1항 「건설기술 진흥법」 제39조 「건설기술 진흥법 시행령」 제59조, 제60조

• 판매시설 • 운수시설 중 여객자동차터미널 • 의료시설 중 종합병원 • 숙박시설 중 관광숙박시설 ② 16층 이상인 건축물	설사업관리기술인 배치시)	상주기술인과 기술지원기술인로 구분하여 배치 <공통내용> 위와 같음. 다만, • 건설사업관리의 업무범위 및 업무내용은 「건설기술 진흥법」에 따름	「건설기술 진흥법 시행규칙」 제34조~제36조

• 건설사업관리기술인의 배치기준

총 공사비	기술인의 등급	건설사업관리 경력
500억 이상인 건설공사	특급기술인	총공사비 300억원 이상인 건설공사에 대한 시공 단계 건설사업관리 경력 1년 이상
300억 이상 500억 미만인 건설공사	특급기술인	총공사비 200억원 이상인 건설공사에 대한 시공 단계 건설사업관리 경력 1년 이상
100억 이상 300억 미만인 건설공사	고급기술인	총공사비 100억원 이상인 건설공사에 대한 시공 단계 건설사업관리 경력 1년 이상

【참고】 시공자 등 관련자의 공사감리자 자격 금지

공사시공자 본인이나 「독점규제 및 공정거래에 관한 법률」에 따른 계열회사는 공사감리자가 될 수 없다.

관계법 독점규제 및 공정거래에 관한 법률

법 제2조 【정의】

3. "계열회사"라 함은 2이상의 회사가 동일한 기업집단에 속하는 경우에 이들 회사는 서로 상대방의 계열회사라 한다.

【2】 건축사보의 자격 및 배치 등

(1) 상주공사감리 건축사보의 자격

자 격	관련 규정
① 건축사보(건축사 사무소에 소속되어 있는 사람)	「건축사법」 제2조제2호(건축사보의 정의)
② 기술사사무소 또는 건설엔지니어링사업자 등에 소속되어 있는 사람으로서 - 해당 분야 기술계 자격을 취득한 사람 - 건설사업관리를 수행할 자격이 있는 사람	「기술사법」 제6조 「건축사법」 제23조제9항 「국가기술자격법」 「건설기술 진흥법 시행령」 제4조

■ 건축사보는 해당 분야의 건축공사의 설계·시공·시험·검사·공사감독 또는 감리업무 등에 2년 이상 종사한 경력이 있는 사람이어야 함

(2) 토목공사 감리현장의 건축사보의 배치

① 대상	- 깊이 10m 이상의 토지 굴착공사 - 높이 5m 이상의 옹벽 등의 공사	산업단지*에서 바닥면적 합계가 2,000㎡ 이하인 공장을 건축하는 경우 제외
② 건축사보의 배치	건축 또는 토목 분야의 건축사보 1명 이상을 해당 공사기간 동안 공사현장에서 감리업무를 수행	

■ 건축사보는 건축공사의 시공·공사감독 또는 감리업무 등에 2년 이상 종사한 경력이 있는 사람이어야 함

*「산업집적활성화 및 공장설립에 관한 법률」 제2조제14호에 따른 산업단지

(3) 마감재료 설치공사 감리현장의 건축사보의 배치 〈신설 2021.8.10.〉

① 대상	다음 용도 건축물의 마감재료 설치공사* 감리 ㉠ 공장 ㉡ 창고시설 ㉢ 자동차관련 시설 ㉣ 위험물 저장 및 처리 시설(자가난방과 자가발전 등의 용도 포함)
② 건축사보의 배치	건축 또는 안전관리 분야의 건축사보 1명 이상이 마감재료 설치공사기간 동안 그 공사현장에서 감리업무를 수행

■ 건축사보는 건축공사의 설계·시공·시험·검사·공사감독 또는 감리업무 등에 2년 이상 종사한 경력이 있는 사람이어야 함

* 불연재료·준불연재료 또는 난연재료가 아닌 단열재를 사용하는 경우로서 해당 단열재가 외기(外氣)에 노출되는 공사

(4) 건축사보의 감리업무 수행

건축사보에게 감리업무[앞 (1)~(3)]를 수행하게 하는 경우 다른 공사현장이나 공정의 감리업무를 수행하고 있지 않는 건축사보가 감리업무를 수행하게 해야 한다.

(5) 건축사보 배치현황 제출 등

공사현장에 건축사보를 두는 공사감리자는 다음의 기간에 건축사보 배치현황을 허가권자에게 제출해야 한다.

1) 배치현황 제출 기한

구 분	내 용
① 최초로 건축사보를 배치하는 경우	착공 예정일부터 7일
② 건축사보의 배치가 변경된 경우	변경된 날부터 7일
③ 건축사보가 철수한 경우	철수한 날부터 7일

2) 배치현황 제출 서류(건축사보의 철수의 경우 ②, ③ 제외)

① 건축공사 건축사보 배치 현황 제출(별지 제22호의2서식)

② 예정공정표(건축주의 확인을 받은 것) 및 분야별 건축사보 배치계획

③ 건축사보의 경력, 자격 및 소속을 증명하는 서류

3) 건축사보의 이중 배치 여부의 확인

공사감리자는 공사현장에 배치되는 건축사보(배치기간을 변경하거나 철수하는 경우의 건축사보는 제외)로부터 배치기간 및 다른 공사현장이나 공정에 이중으로 배치되었는지 여부를 확인받은 후 해당 건축사보의 서명·날인을 받아야 한다.

(6) 건축사보 배치현황을 제출 받은 후의 조치〈시행 2024.3.13.〉

1) 허가권자는 공사감리자로부터 건축사보 배치현황을 받으면 지체 없이 그 배치현황(→건축사보가 이중으로 배치되어 있는지 여부 등 다음의 내용을 확인한 후 행정정보 공동이용센터를 통해 그 배치현황)을 대한건축사협회에 보내야 함

① (5) 2) ②, ③ 첨부서류의 내용이 영 제19조(공사감리) ②, ⑤, ⑥, ⑦의 규정에 적합한지 여부

② 건축사보가 영 제19조(공사감리) ②, ⑤, ⑥, ⑦의 규정에 따른 건축공사 현장에 이중으로 배치되어 있는지 여부

2) 대한건축사협회는 건축사보 배치현황을 관리하여야 하며, 이중배치 등을 발견(→확인)한 경우 지체 없이 그 사실 등을 관계 시·도지사(→시·도지사, 허가권자 및 그 밖에 다음의 자)에게 알려야 함

①「주택법」에 따른 주택건설사업 사업계획승인권자(이하 "주택건설사업계획승인권자")

②「건설기술진흥법 시행규칙」에 따른 건설엔지니어링 실적관리 수탁기관(이하 "건설엔지니어링 실적관리 수탁기관")

(7) 대한건축사협회의 건축사보 이중배치의 확인〈시행 2024.3.13.〉

대한건축사협회는 다음의 자료를 활용하여 건축사보가 공사현장에 이중으로 배치되어 있는지 여부를 확인한다.

① 건축사보 배치현황 자료
② 국토교통부장관이 정하는 바에 따라 주택건설사업계획승인권자로부터 받은 감리원 배치 자료
③ 국토교통부장관이 정하는 바에 따라 건설엔지니어링 실적관리 수탁기관으로부터 받은 건설엔지니어링 참여 기술인의 현황 자료

관계법 「건축사법」, 「기술사법」, 「건설기술 진흥법」, 「산업집적활성화 및 공장설립에 관한 법률」 등

1. 건축사법

법 제2조【정의】

2. "건축사보"란 제23조에 따른 건축사사무소에 소속되어 제19조에 따른 업무를 보조하는 사람 중 다음 각 목의 어느 하나에 해당하는 사람으로서 국토교통부장관에게 신고한 사람을 말한다.

가. 제13조에 따른 실무수련을 받고 있거나 받은 사람

나. 「국가기술자격법」에 따라 건설, 전기·전자, 기계, 화학, 재료, 정보통신, 환경·에너지, 안전관리, 그 밖에 대통령령으로 정하는 분야의 기사(技士) 또는 산업기사 자격을 취득한 사람

다. 4년제 이상 대학 건축 관련 학과 졸업 또는 이와 동등한 자격으로서 대통령령으로 정하는 학력 및 경력을 가진 사람

법 제23조【건축사사무소개설신고 등】

⑨ 다음 각 호의 어느 하나에 해당하는 업무를 수행하려는 건축사는 건축사사무소개설신고를 하거나 그 신고를 한 건축사사무소에 소속되지 아니하고도 업무를 수행할 수 있다. 다만, 제2호나 제4호의 경우에는 그 업무에 관한 사항을 미리 국토교통부령으로 정하는 바에 따라 국토교통부장관에게 신고하여야 한다. <개정 2020.12.29., 2021.3.16>

1. 「건설기술 진흥법」 제26조에 따른 건설엔지니어링사업자에게 소속된 건축사가 같은 법 제39조제2항에 따라 수행하는 건설사업관리

2. 「엔지니어링산업 진흥법」 제21조제1항에 따라 신고한 엔지니어링사업자에 소속된 건축사로서 국토교통부령으로 정하는 특수건축물 또는 특수구조물에 대하여 수행하는 설계 또는 공사감리

3. 국가, 지방자치단체, 「공공기관의 운영에 관한 법률」에 따른 공공기관 및 「지방공기업법」에 따른 지방공기업 등으로서 대통령령으로 정하는 기관의 건축 관련 부서에 소속된 건축사가 각각 해당기관이 시행하는 공사에 대하여 수행하는 설계 또는 공사감리

4. 「건설산업기본법」 제2조제7호에 따른 건설사업자에게 소속된 건축사가 그 건설사업자 또는 그 건설사업자의 계열회사(「독점규제 및 공정거래에 관한 법률」 제2조제13호에 따른 계열회사를 말한다)의 건축물로서 국토교통부령으로 정하는 건축물에 대하여 수행하는 설계

2. 기술사법

법 제6조【기술사사무소의 개설등록 등】① 기술사가 개업하기 위하여 사무소를 개설하려면 과학기술정보통신부장관에게 등록을 하여야 한다. 이 경우 2명 이상의 기술사가 합동기술사사무소(이하 "합동사무소"라 한다)를 개설할 수 있다. <개정 2017.7.26.>
② 제1항에 따라 기술사사무소(합동사무소를 포함한다. 이하 같다)의 등록이 된 경우에는 과학기술정보통신부장관은 그 등록사실을 「국가기술자격법」 제10조에 따른 해당 기술사의 관련 주무부장관(이하 "주무부장관" 이라 한다)에게 통보하여야 한다. <개정 2017.7.26.>
③ 기술사는 둘 이상의 기술사사무소를 개설할 수 없다.
④ 제1항에 따라 합동사무소를 개설할 때에는 다음 각 호의 요건을 모두 갖추어야 한다.
1. 「국가기술자격법」 제10조에 따라 국가기술자격을 취득한 기술사, 기사 등 대통령령으로 정하는 보조 인력을 3명 이상 확보할 것
2. 합동사무소의 운영에 관한 규약을 작성할 것
⑤ 기술사사무소의 등록절차, 제4항제2호에 따른 규약의 작성과 기재 사항, 그 밖에 합동사무소의 개설에 필요한 사항은 대통령령으로 정한다.

3. 건설기술 진흥법

법 제2조【정의】
8. "건설기술인"이란 「국가기술자격법」 등 관계 법률에 따른 건설공사 또는 건설엔지니어링에 관한 자격, 학력 또는 경력을 가진 사람으로서 대통령령으로 정하는 사람을 말한다.

영 제4조【건설기술인의 범위】법 제2조제8호에서 "대통령령으로 정하는 사람"이란 별표 1에서 정하는 사람을 말한다.

[별표1] 〈개정 2021.9.14.〉

건설기술인의 범위(제4조 관련)

1. 건설기술인의 인정범위
가. 「국가기술자격법」, 「건축사법」 등에 따른 건설 관련 국가자격을 취득한 사람으로서 국토교통부장관이 고시하는 사람
나. 다음의 어느 하나에 해당하는 학력 등을 갖춘 사람
1) 「초·중등교육법」 또는 「고등교육법」에 따른 학과의 과정으로서 국토교통부장관이 고시하는 학과의 과정을 이수하고 졸업한 사람
2) 그 밖의 관계 법령에 따라 국내 또는 외국에서 1)과 같은 수준 이상의 학력이 있다고 인정되는 사람
3) 국토교통부장관이 고시하는 교육기관에서 건설기술관련 교육과정을 6개월 이상 이수한 사람
다. 법 제60조제1항에 따른 국립·공립 시험기관 또는 품질검사를 대행하는 건설엔지니어링사업자에 소속되어 품질시험 또는 검사 업무를 수행한 사람

2. 건설기술인의 등급
가. 국토교통부장관은 건설공사의 적절한 시행과 품질을 높이고 안전을 확보하기 위하여 건설기술인의 경력, 학력 또는 자격을 다음의 구분에 따른 점수범위에서 종합평가한 결과(이하 "건설기술인 역량지수"라 한다)에 따라 등급을 산정해야 한다. 이 경우 별표 3에 따른 기본교육 및 전문교육을 이수하였을 경우에

건축법 1. 총칙 2. 건축 3. 유지관리 4. 대지도로 5. 구조재료 6. 지역지구 7. 건축설비 8. 특별건축구역 9. 보칙 10. 벌칙 건축법 관련기준

는 건설기술인 역량지수 산정 시 5점의 범위에서 가점할 수 있으며, 법 제2조제10호에 해당하는 건설사고가 발생하여 법 제24조제1항에 따른 업무정지처분 또는 법 제53조제1항에 따른 벌점을 받은 경우에는 3점의 범위에서 감점할 수 있다.

1) 경력: 40점 이내
2) 학력: 20점 이내
3) 자격: 40점 이내

나. 건설기술인의 등급은 건설기술인 역량지수에 따라 특급·고급·중급·초급으로 구분할 수 있다.

3. 건설기술인의 직무분야 및 전문분야

직무분야	전문분야
가. 기계	1) 공조냉동 및 설비 2) 건설기계 3) 용접 4) 승강기 5) 일반기계
나. 전기·전자	1) 철도신호 2) 건축전기설비 3) 산업계측제어
다. 토목	1) 토질·지질 2) 토목구조 3) 항만 및 해안 4) 도로 및 공항 5) 철도·삭도 6) 수자원개발 7) 상하수도 8) 농어업토목 9) 토목시공 10) 토목품질관리 11) 측량 및 지형공간정보 12) 지적
라. 건축	1) 건축구조 2) 건축기계설비 3) 건축시공 4) 실내건축 5) 건축품질관리 6) 건축계획·설계
마. 광업	1) 화약류관리 2) 광산보안
바. 도시·교통	1) 도시계획 2) 교통
사. 조경	1) 조경계획 2) 조경시공관리
	"이후 생략"

법 제39조【건설사업관리 등의 시행】① 발주청은 건설공사를 효율적으로 수행하기 위하여 필요한 경우에는 다음 각 호의 어느 하나에 해당하는 건설공사에 대하여 건설엔지니어링사업자로 하여금 건설사업관리를 하게 할 수 있다. <개정 2021.3.16.>

1. 설계·시공 관리의 난이도가 높아 특별한 관리가 필요한 건설공사
2. 발주청의 기술인력이 부족하여 원활한 공사 관리가 어려운 건설공사
3. 제1호 및 제2호 외의 건설공사로서 그 건설공사의 원활한 수행을 위하여 발주청이 필요하다고 인정하는 건설공사

② 발주청은 건설공사의 품질 확보 및 향상을 위하여 대통령령으로 정하는 건설공사에 대하여는 법인인 건설엔지니어링사업자로 하여금 건설사업관리(시공단계에서 품질 및 안전관리 실태의 확인, 설계변경에 관한 사항의 확인, 준공검사 등 발주청의 감독 권한대행 업무를 포함한다)를 하게 하여야 한다. <개정 2021.3.16.>

③ 발주청은 대통령령으로 정하는 설계용역에 대하여 건설엔지니어링사업자로 하여금 건설사업관리를 하게 하여야 한다. <개정 2021.3.16.>

④ 제1항부터 제3항까지의 규정에 따른 건설사업관리 업무를 수행한 건설엔지니어링사업자는 건설공사의 주요 구조부에 대한 시공, 검사 및 시험 등 세부적인 업무내용을 포함한 보고서를 국토교통부령으로 정하는 바에 따라 작성하여 발주청에 제출하여야 한다. 이 경우 건설사업관리보고서는 건설엔지니어링사업자의 소속 건설기술인 중 대통령령으로 정하는 건설기술인이 작성하여야 한다. <개정 2021.3.16.>

⑤ "생략"

⑥ 제2항에 따라 건설사업관리를 수행하는 건설엔지니어링사업자는 다음 각 호의 업무를 수행하여야 한다. 이 경우 건설엔지니어링사업자는 소속 건설기술인 중 대통령령으로 정하는 건설기술인에게 해당 업무의 수행을 지시하여야 한다. <개정 2021.3.16.>

1. 시공이 설계도면 및 시방서의 내용에 적합하게 이루어지고 있는지에 대한 확인
2. 제55조제2항에 따른 품질시험 및 검사를 하였는지 여부의 확인

3. 건설자재·부재의 적합성에 대한 확인

⑦ 건설사업관리의 세부 업무 내용 및 업무 범위 등 제1항부터 제3항까지의 규정에 따라 건설사업관리를 수행하는 데 필요한 사항은 대통령령으로 정한다. <개정 2018.12.31.>

☞ 관련 규정 및 하위 규정은 3권 건축법령집 수록 법을 참고

4. 산업집적활성화 및 공장설립에 관한 법률

법 제2조【정의】

14. "산업단지"란 「산업입지 및 개발에 관한 법률」 제6조·제7조·제7조의2 및 제8조에 따라 지정·개발된 국가산업단지, 일반산업단지, 도시첨단산업단지 및 농공단지를 말한다.

5. 산업입지 및 개발에 관한 법률

법 제2조【정의】

8. "산업단지"란 제7호의2에 따른 시설과 이와 관련된 교육·연구·업무·지원·정보처리·유통 시설 및 이들 시설의 기능 향상을 위하여 주거·문화·환경·공원녹지·의료·관광·체육·복지 시설 등을 집단적으로 설치하기 위하여 포괄적 계획에 따라 지정·개발되는 일단(一團)의 토지로서 다음 각 목의 것을 말한다.

가. 국가산업단지: 국가기간산업, 첨단과학기술산업 등을 육성하거나 개발 촉진이 필요한 낙후지역이나 둘 이상의 특별시·광역시·특별자치시 또는 도에 걸쳐 있는 지역을 산업단지로 개발하기 위하여 제6조에 따라 지정된 산업단지

나. 일반산업단지: 산업의 적정한 지방 분산을 촉진하고 지역경제의 활성화를 위하여 제7조에 따라 지정된 산업단지

다. 도시첨단산업단지: 지식산업·문화산업·정보통신산업, 그 밖의 첨단산업의 육성과 개발 촉진을 위하여 「국토의 계획 및 이용에 관한 법률」에 따른 도시지역에 제7조의2에 따라 지정된 산업단지

라. 농공단지(農工團地): 대통령령으로 정하는 농어촌지역에 농어민의 소득 증대를 위한 산업을 유치·육성하기 위하여 제8조에 따라 지정된 산업단지

【2】 「주택법」 적용 대상 공동주택의 감리 ☞ 2권 4편 주택법 해설 참조

감리 종류 및 대상		감리자 자격	감리자 배치 및 감리방법 등	관련법
■ 사업승인 대상건축물 1. 30세대 이상의 공동주택 2. 30호 이상의 단독주택	300세대 미만	• 「건축사법」에 따라 건축사사무소 개설신고를 한 자 • 「건설기술진흥법」에 따라 등록한 건설엔지니어링사업자	• 총괄감리원 1인을 주택건설공사의 전기간에 배치 • 공사분야별 감리원 : 해당공사의 기간 동안 배치 • 총괄감리원 배치기준 : [규모 / 자격] 300세대 미만 / 건축사, 건축사보 또는 특급 또는 고급기술인에 준하는 등급 해당자로서 기본 및 전문교육이수자 300세대이상~1천세대미만 / 특급기술인 또는 고급기술인 1천세대 이상 / 특급기술인 • 공사분야별 감리원 배치 [규모 / 자격] 300세대 미만 / 건축사, 건축사보 또는 초급 이상 건설기술인 등급 해당자로서 기본 및 전문교육이수자 300세대 이상 / 건설사업관리 업무를 수행하는 건설기술인	주택법시행령 제47조 시행규칙 제18조
	300세대 이상	「건설기술진흥법」에 따라 등록한 건설엔지니어링사업자		

건축법
1. 총 칙
2. 건 축
3. 유지관리
4. 대지도로
5. 구조재료
6. 지역지구
7. 건축설비
8. 특별건축구역
9. 보 칙
10. 벌 칙
건축법 관련기준

【3】「건설기술 진흥법」에 규정된 감리관련 용어(법 제2조) ☞ 3권 법령집 수록 내용 참조

용 어	정의 등
1. 감리	건설공사가 관계 법령이나 기준, 설계도서 또는 그 밖의 관계 서류 등에 따라 적정하게 시행될 수 있도록 관리하거나 시공관리·품질관리·안전관리 등에 대한 기술지도를 하는 건설사업관리 업무
2. 건설엔지니어링	다른 사람의 위탁을 받아 건설기술에 관한 업무를 수행하는 것. 다만, 건설공사의 시공 및 시설물의 보수·철거 업무는 제외
3. 건설엔지니어링사업자	건설엔지니어링을 영업의 수단으로 하려는 자로서 등록한 자 * 발주청이 발주하는 건설기술용역사업을 수행하려는 자는 전문분야별 요건을 갖추어 시·도지사에게 등록하여야 한다.(「건설기술 진흥법」 제26조)
4. 건설사업관리	「건설산업기본법」에 따른 건설사업관리* * 건설공사에 관한 기획, 타당성 조사, 분석, 설계, 조달, 계약, 시공관리, 감리, 평가 또는 사후관리 등에 관한 관리를 수행하는 것(「건설산업기본법」 제2조제8호)

【4】소방공사 감리의 종류, 방법 및 대상 (「소방시설공사업법 시행령」 별표3)

종 류	대 상	방 법
1. 상주공사감리	• 연면적 3만㎡ 이상의 특정소방대상물(아파트 제외)에 대한 소방시설의 공사 • 지하층을 포함한 층수가 16층 이상으로서 500세대 이상인 아파트에 대한 소방시설의 공사	① 감리원은 행정안전부령으로 정하는 기간 동안 공사 현장에 상주하여 감리업무를 수행하고 감리일지에 기록 예외 실내장식물의 불연화(不燃化)와 방염 물품의 적법성 검토에 대한 감리는 행정안전부령으로 정하는 기간 동안의 공사가 이루어지는 경우만 해당 ② 감리원이 행정안전부령으로 정하는 기간 중 부득이한 사유로 1일 이상 현장을 이탈하는 경우 감리일지 등에 기록하여 발주청 또는 발주자의 확인을 받을 것. 이 경우 감리업자는 책임감리원의 업무를 대행할 사람을 감리현장에 배치하여 감리업무에 지장이 없도록 해야 함 ③ 감리업자는 감리원이 행정안전부령으로 정하는 기간 중 법에 따른 교육이나 「민방위기본법」 또는 「예비군법」에 따른 교육을 받는 경우나 「근로기준법」에 따른 유급휴가로 현장을 이탈하게 되는 경우 감리업무에 지장이 없도록 감리원의 업무를 대행할 사람을 감리현장에 배치. 이 경우 감리원은 새로 배치되는 업무대행자에게 업무 인수·인계 등의 필요한 조치를 해야 함
2. 일반공사감리	• 상주공사감리에 해당하지 않는 소방시설의 공사	① 감리원은 공사 현장을 배치되어 감리업무를 수행 예외 실내장식물의 불연화(不燃化)와 방염 물품의 적법성 검토에 대한 감리는 행정안전부령으로 정하는 기간 동안의 공사가 이루어지는 경우만 해당 ② 감리원은 행정안전부령으로 정하는 기간 중에는 주 1회 이상 공사 현장을 배치되어 ①의 업무를 수행하고 감리일지에 기록 ③ 감리업자는 감리원이 부득이한 사유로 14일 이내의 범위에서 ②의 업무를 수행할 수 없는 경우 업무대행자를 지정하여 그 업무를 수행하게 해야 함 ④ ③에 따라 지정된 업무대행자는 주 2회 이상 공사 현장을 배치되어 ①의 업무를 수행하며, 그 업무수행 내용을 감리원에게 통보하고 감리일지에 기록

3 허가권자가 공사감리자를 지정하는 소규모 건축물(법 제25조제2항)(영 제19조의2)(규칙 제19조의3,4)

법 제25조【건축물의 공사감리】

① 건축주는 대통령령으로 정하는 용도·규모 및 구조의 건축물을 건축하는 경우 건축사나 대통령령으로 정하는 자를 공사감리자(공사시공자 본인 및 「독점규제 및 공정거래에 관한 법률」 제2조에 따른 계열회사는 제외한다)로 지정하여 공사감리를 하게 하여야 한다. <개정 2016.2.3.>

② 제1항에도 불구하고 「건설산업기본법」 제41조제1항 각 호에 해당하지 아니하는 소규모 건축물로서 건축주가 직접 시공하는 건축물 및 주택으로 사용하는 건축물 중 대통령령으로 정하는 건축물의 경우에는 대통령령으로 정하는 바에 따라 허가권자가 해당 건축물의 설계에 참여하지 아니한 자 중에서 공사감리자를 지정하여야 한다. 다만, 다음 각 호의 어느 하나에 해당하는 건축물의 건축주가 국토교통부령으로 정하는 바에 따라 허가권자에게 신청하는 경우에는 해당 건축물을 설계한 자를 공사감리자로 지정할 수 있다. <개정 2020.4.7.>

1. 「건설기술 진흥법」 제14조에 따른 신기술 중 대통령령으로 정하는 신기술을 보유한 자가 그 신기술을 적용하여 설계한 건축물
2. 「건축서비스산업 진흥법」 제13조제4항에 따른 역량 있는 건축사로서 대통령령으로 정하는 건축사가 설계한 건축물
3. 설계공모를 통하여 설계한 건축물

③~⑩ "생략"

⑪ 제1항에 따라 건축주가 공사감리자를 지정하거나 제2항에 따라 허가권자가 공사감리자를 지정하는 건축물의 건축주는 제21조에 따른 착공신고를 하는 때에 감리비용이 명시된 감리 계약서를 허가권자에게 제출하여야 하고, 제22조에 따른 사용승인을 신청하는 때에는 감리용역 계약내용에 따라 감리비용을 지급하여야 한다. 이 경우 허가권자는 감리 계약서에 따라 감리비용이 지급되었는지를 확인한 후 사용승인을 하여야 한다. <개정 2020.12.22., 2021.7.27>

⑫ 제2항에 따라 허가권자가 공사감리자를 지정하는 건축물의 건축주는 설계자의 설계의도가 구현되도록 해당 건축물의 설계자를 건축과정에 참여시켜야 한다. 이 경우 「건축서비스산업 진흥법」 제22조를 준용한다. <신설 2018.8.14.>

⑬ 제12항에 따라 설계자를 건축과정에 참여시켜야 하는 건축주는 제21조에 따른 착공신고를 하는 때에 해당 계약서 등 대통령령으로 정하는 서류를 허가권자에게 제출하여야 한다. <신설 2018.8.14.>

⑭ 허가권자는 제2항에 따라 허가권자가 공사감리자를 지정하는 경우의 감리비용에 관한 기준을 해당 지방자치단체의 조례로 정할 수 있다. <개정 2020.12.22.>

영 제19조의2【허가권자가 공사감리자를 지정하는 건축물 등】

① 법 제25조제2항 각 호 외의 부분 본문에서 "대통령령으로 정하는 건축물"이란 다음 각 호의 건축물을 말한다. <개정 2019.2.12.>

1. 「건설산업기본법」 제41조제1항 각 호에 해당하지 아니하는 건축물 중 다음 각 목의 어느 하나에 해당하지 아니하는 건축물
   가. 별표 1 제1호가목의 단독주택
   나. 농업·임업·축산업 또는 어업용으로 설치하는 창고·저장고·작업장·퇴비사·축사·양어장 및 그 밖에 이와 유사한 용도의 건축물
   다. 해당 건축물의 건설공사가 「건설산업기본법 시행령」 제8조제1항 각 호의 어느 하나

건 축 법
1. 총 칙
2. 건 축
3. 유지관리
4. 대지도로
5. 구조재료
6. 지역지구
7. 건축설비
8. 특별건축구역
9. 보 칙
10. 벌 칙
건 축 법 관련기준

에 해당하는 경미한 건설공사인 경우
2. 주택으로 사용하는 다음 각 목의 어느 하나에 해당하는 건축물(각 목에 해당하는 건축물과 그 외의 건축물이 하나의 건축물로 복합된 경우를 포함한다)
가. 아파트
나. 연립주택
다. 다세대주택
라. 다중주택 <신설 2019.2.12.>
마. 다가구주택 <신설 2019.2.12.>
3. 삭제 <2019.2.12.>
② 시·도지사는 법 제25조제2항 각 호 외의 부분 본문에 따라 공사감리자를 지정하기 위하여 다음 각 호의 구분에 따른 자를 대상으로 모집공고를 거쳐 공사감리자의 명부를 작성하고 관리해야 한다. 이 경우 시·도지사는 미리 관할 시장·군수·구청장과 협의해야 한다. <개정 2017.2.3., 2020.4.21., 2021.9.14>
1. 다중이용 건축물의 경우: 「건축사법」 제23조제1항에 따라 건축사사무소의 개설신고를 한 건축사 및 「건설기술 진흥법」에 따른 건설엔지니어링사업자
2. 그 밖의 경우: 「건축사법」 제23조제1항에 따라 건축사사무소의 개설신고를 한 건축사
③ 제1항 각 호의 어느 하나에 해당하는 건축물의 건축주는 법 제21조에 따른 착공신고를 하기 전에 국토교통부령으로 정하는 바에 따라 허가권자에게 공사감리자의 지정을 신청하여야 한다.
④ 허가권자는 제2항에 따른 명부에서 공사감리자를 지정하여야 한다.
⑤ 제3항 및 제4항에서 규정한 사항 외에 공사감리자 모집공고, 명부작성 방법 및 공사감리자 지정 방법 등에 관한 세부적인 사항은 시·도의 조례로 정한다.
⑥ 법 제25조제2항제1호에서 "대통령령으로 정하는 신기술"이란 건축물의 주요구조부 및 주요구조부에 사용하는 마감재료에 적용하는 신기술을 말한다. <신설 2020.10.8.>
⑦ 법 제25조제2항제2호에서 "대통령령으로 정하는 건축사"란 건축주가 같은 항 각 호 외의 부분 단서에 따라 허가권자에게 공사감리 지정을 신청한 날부터 최근 10년간 「건축서비스산업 진흥법 시행령」 제11조제1항 각 호의 어느 하나에 해당하는 설계공모 또는 대회에서 당선되거나 최우수 건축 작품으로 수상한 실적이 있는 건축사를 말한다. <신설 2020.10.8.>
⑧ 법 제25조제13항에서 "해당 계약서 등 대통령령으로 정하는 서류"란 다음 각 호의 서류를 말한다. <신설 2019.2.12., 2020.10.8.>
1. 설계자의 건축과정 참여에 관한 계획서
2. 건축주와 설계자와의 계약서
[본조신설 2016.7.19.]

규칙 제19조의3【공사감리자 지정 신청 등】
① 법 제25조제2항 각 호 외의 부분 본문에 따라 허가권자가 공사감리자를 지정하는 건축물의 건축주는 영 제19조의2제3항에 따라 별지 제22호의3서식의 지정신청서를 허가권자에게 제출하여야 한다.
② 허가권자는 제1항에 따른 신청서를 받은 날부터 7일 이내에 공사감리자를 지정한 후 별지 제22호의4서식의 지정통보서를 건축주에게 송부하여야 한다.
③ 건축주는 제2항에 따라 지정통보서를 받으면 해당 공사감리자와 감리 계약을 체결하여야 하며, 공사감리자의 귀책사유로 감리 계약이 체결되지 아니하는 경우를 제외하고는 지정된 공사감리자를 변경할 수 없다.
[본조신설 2016.7.20.]

건 축 법
1. 총 칙
2. 건 축
3. 유지관리
4. 대지도로
5. 구조재료
6. 지역지구
7. 건축설비
8. 특별건축구역
9. 보 칙
10. 벌 칙
건 축 법 관련기준

규칙 제19조의4【허가권자의 공사감리자 지정 제외 신청 절차 등】

① 법 제25조제2항 각 호 외의 부분 단서에 따라 해당 건축물을 설계한 자를 공사감리자로 지정하여 줄 것을 신청하려는 건축주는 별지 제22호의5서식의 신청서에 다음 각 호의 어느 하나에 해당하는 서류를 첨부하여 허가권자에게 제출해야 한다. <개정 2020.10.28.>

1. 영 제19조의2제6항에 따른 신기술을 보유한 자가 그 신기술을 적용하여 설계했음을 증명하는 서류
2. 영 제19조의2제7항에 따른 건축사임을 증명하는 서류
3. 설계공모를 통하여 설계한 건축물임을 증명하는 서류로서 다음 각 목의 내용이 포함된 서류
   가. 설계공모 방법
   나. 설계공모 등의 시행공고일 및 공고 매체
   다. 설계지침서
   라. 심사위원의 구성 및 운영
   마. 공모안 제출 설계자 명단 및 공모안별 설계 개요

② 허가권자는 제1항에 따라 신청서를 받으면 제출한 서류에 대하여 관계 기관에 사실을 조회할 수 있다.

③ 허가권자는 제2항에 따른 사실 조회 결과 제출서류가 거짓으로 판명된 경우에는 건축주에게 그 사실을 알려야 한다. 이 경우 건축주는 통보받은 날부터 3일 이내에 이의를 제기할 수 있다.

④ 허가권자는 제1항에 따른 신청서를 받은 날부터 7일 이내에 건축주에게 그 결과를 서면으로 알려야 한다.

[본조신설 2016.7.20.]

해설 1) 허가권자가 공사감리자를 지정하는 건축물을 「건설산업기본법」에 따라 건설업자의 의무시공대상 건축물 외의 건축물로서 단독주택을 제외한 건축물, 분양을 목적으로 하는 30세대 미만의 아파트, 연립주택 및 다세대주택 등으로 정하고,

2) 시·도지사는 모집공고를 거쳐 공사감리자로 지정될 수 있는 건축사의 명부를 작성·관리하며, 허가권자는 건축주가 착공신고 전에 공사감리자 지정을 신청하면 명부에 있는 건축사 중에서 공사감리자를 지정하도록 하고 있다.

【1】 허가권자가 공사감리자를 지정하는 소규모 건축물

허가권자는 다음 건축물의 공사감리자를 해당건축물의 설계에 참여하지 않은 자 중에서 지정한다.

(1) 건설사업자의 의무시공 대상 건축물[1)]에 해당하지 않는 소규모 건축물[2)]로서 건축주가 직접 시공하는 건축물

1) 건설사업자의 의무시공 대상 건축물(건축 또는 대수선 공사)

1. 연면적 200㎡ 초과 건축물		
	■ 주거용 건축물	■ 주거용 외의 건축물
2. 연면적 200㎡ 이하 건축물	- 공동주택 - 단독주택 중 다중주택, 다가구주택, 공관 - 단독주택의 형태를 갖춘 가정어린이집 · 공동생활가정 · 지역아동센터 및 노인복지시설 (노인복지주택은 제외)	- 학교, 어린이집, 유치원, - 특수교육기관 및 장애인평생교육시설 - 평생교육시설, 학원 - 유흥주점, 숙박시설, 다중생활시설 - 병원, 업무시설 - 관광숙박시설, 관광객 이용 시설중 전문휴양시설 · 종합휴양시설 및 관광공연장

2) 소규모 건축물 중 다음의 경우는 제외한다.
① 단독주택(별표1 제1호가목)
② 농업·임업·축산업 또는 어업용으로 설치하는 창고·저장고·작업장·퇴비사·축사·양어장 및 그 밖에 이와 유사한 용도의 건축물
③ 해당 건축물의 건설공사가 「건설산업기본법 시행령」에 따른 경미한 건설공사 【참고】인 경우

【참고】 경미한 건설공사(「건설산업기본법 시행령」 제8조제1항)

1. 종합공사를 시공하는 업종과 그 업종별 업무내용에 해당하는 건설공사	1건 공사의 공사예정금액이 5,000만원 미만
2. 전문공사를 시공하는 업종과 그 업종별 업무내용에 해당하는 건설공사	공사예정금액이 1,500만원 미만
3. 조립 · 해체하여 이동이 용이한 기계설비 등의 설치공사	당해 기계설비 등을 제작하거나 공급하는 자가 직접 설치하는 경우에 한함

(2) 주택으로 사용하는 다음의 건축물
① 아파트
② 연립주택
③ 다세대주택
④ 다중주택
⑤ 다가구주택
⑥ ①~⑤에 해당하는 건축물과 그 외의 건축물이 하나의 건축물로 복합된 건축물

【2】 공사감리자의 지정 절차 등

(1) 건축사 명부의 작성 및 관리
시·도지사는 공사감리자를 지정하기 위하여 다음의 자를 대상으로 모집공고를 거쳐 건축사 사무소의 개설신고를 한 건축사의 명부를 작성하고 관리하여야 한다.
이 경우 시·도지사는 미리 관할 시장·군수·구청장과 협의하여야 한다.

구 분	근거 규정	대 상
1. 다중이용 건축물	「건축사법」 제23조제1항	건축사사무소의 개설신고를 한 건축사
	「건설기술 진흥법」	건설엔지니어링사업자
2. 그 밖의 경우	「건축사법」 제23조제1항	건축사사무소의 개설신고를 한 건축사

관계법 건축사사무소의 개설신고(건축사법 제23조제1항)

법 제23조 【건축사사무소개설신고 등】
① 제18조에 따른 자격등록을 한 건축사가 건축사업을 하려면 대통령령으로 정하는 바에 따라 국토교통부장관에게 건축사사무소의 개설신고(이하 "건축사사무소개설신고"라 한다)를 하여야 한다.

(2) 공사감리자의 지정 신청
건축주는 착공신고를 하기 전에 허가권자에게 공사감리자 지정신청서(별지 제22호의3서식)를 허가권자에게 제출하여야 한다.

(3) 공사감리자의 지정 통보
허가권자는 신청서를 받은 날부터 7일 이내에 건축사 명부에서 공사감리자를 지정한 후 공사감리자 지정통보서(별지 제22호의4서식)를 건축주에게 송부하여야 한다.

(4) 감리계약의 체결

건축주는 지정통보서를 받으면 해당 공사감리자와 감리 계약을 체결하여야 하며, 공사감리자의 귀책사유로 감리 계약이 체결되지 아니하는 경우를 제외하고는 지정된 공사감리자를 변경할 수 없다.

(5) 감리비의 확인

① 건축주는 착공신고 시 감리비용이 명시된 감리 계약서를 허가권자에게 제출해야 한다.

② 건축주는 사용승인 신청 시 감리용역 계약내용에 따라 감리비용을 지급해야 하며, 허가권자는 감리 계약서에 따라 감리비용이 지급되었는지 확인 후 사용승인을 하여야 한다.

(6) 설계자의 건축과정 참여

① 건축주는 설계자의 설계의도가 구현되도록 해당 건축물 설계자를 건축과정에 참여시켜야 한다. 이 경우 「건축서비스산업 진흥법」 제22조(설계의도 구현) 규정을 준용한다.

② 건축주는 착공신고를 하는 때에 다음 서류를 허가권자에게 제출하여야 한다.

- 설계자의 건축과정 참여에 관한 계획서
- 건축주와 설계자와의 계약서

관계법 설계의도 구현 (「건축서비스산업 진흥법」 제22조)

법 제22조【설계의도 구현】① 공공기관이 대통령령으로 정하는 건축물등의 공사를 발주하는 경우 설계자의 설계의도가 구현되도록 대통령령으로 정하는 바에 따라 해당 건축물등의 설계자를 건축과정에 참여시켜야 한다.

② 건축물등의 설계자는 설계의도가 구현될 수 있도록 건축주·시공자·감리자 등에게 설계의 취지 및 건축물의 유지·관리에 필요한 사항을 제안할 수 있다.

③ 제1항에 따라 건축과정에 설계자의 적정한 참여가 이루어질 수 있도록 시공자 및 감리자는 이를 정당한 사유 없이 방해하여서는 아니 되며, 설계자의 참여에 관한 내용 및 책임범위 등 필요한 사항은 대통령령으로 정한다.

영 제19조【건축과정에의 설계자 참여 기준 등】① 법 제22조제1항에서 "대통령령으로 정하는 건축물등의 공사를 발주하는 경우"란 제17조제1항 각 호에 따른 건축물등의 공사를 발주하는 경우를 말한다.

② 법 제22조제1항에 따른 설계자의 참여에 관한 내용 및 책임범위는 다음 각 호와 같다. <개정 2020.9.22>

1. 설계도서의 해석 및 자문
2. 현장여건 변화 및 업체선정에 따른 자재와 장비의 치수·위치·재질·질감·색상 등의 선정 및 변경에 대한 검토·보완

③ 제2항에 따른 설계자의 참여에 관한 구체적인 내용 및 절차 등은 국토교통부장관이 정하여 고시한다. <신설 2020.9.22.>

☞ [참고] 공공건축 설계의도 구현 업무수행지침(국토교통부고시 제775호, 2020.11.4., 제정)

④ 법 제22조제1항에 따라 건축과정에 설계자를 참여시킨 경우 「건축법」 제22조에 따른 건축물의 사용승인 시 공사감리자는 감리완료보고서 또는 공사완료도서에 국토교통부령으로 정하는 참여설계자의 확인서를 함께 제출하여야 한다. <개정 2020.9.22>

(7) 세부사항과 감리비용 등의 지정

① 공사감리자 모집공고, 명부작성 방법 및 공사감리자 지정 방법 등에 관한 세부적인 사항은 시·도의 조례로 정한다.

② 감리비용에 관한 기준을 해당 지방자치단체의 조례로 정할 수 있다.

건 축 법
1. 총 칙
2. 건 축
3. 유지관리
4. 대지도로
5. 구조재료
6. 지역지구
7. 건축설비
8. 특별건축구역
9. 보 칙
10. 벌 칙
건 축 법 관련기준

【3】 건축물 설계자의 공사감리자 지정

① 건축주가 국토교통부령으로 정하는 바에 따라 허가권자에게 신청하는 경우 해당 건축물을 설계한 자를 공사감리자로 지정할 수 있다.

대 상	요 건	관련 규정
1. 신기술*을 적용하여 설계한 건축물	* 건축물의 주요구조부 및 주요구조부에 사용하는 마감재료에 적용하는 신기술을 적용하여 설계한 건축물	「건설기술 진흥법」 제14조 **관계법1**
2. 역량 있는 건축사*가 설계한 건축물	* 건축주가 허가권자에게 공사감리 지정을 신청한 날부터 최근 10년간 우측 규정에 해당하는 설계공모 또는 대회에서 당선되거나 최우수 건축 작품으로 수상한 실적이 있는 건축사	「건축서비스산업 진흥법」 제13조제4항, 「건축서비스산업 진흥법 시행령」 제11조제1항 **관계법2**
3. 설계공모를 통하여 설계한 건축물		

관계법1 신기술(「건설기술 진흥법」 제14조)

법 제14조 【신기술의 지정·활용 등】 ① 국토교통부장관은 국내에서 최초로 특정 건설기술을 개발하거나 기존 건설기술을 개량한 자의 신청을 받아 그 기술을 평가하여 신규성·진보성 및 현장 적용성이 있을 경우 그 기술을 새로운 건설기술(이하 "신기술"이라 한다)로 지정·고시할 수 있다.

관계법2 역량 있는 건축사(「건축서비스산업 진흥법」 제13조제4항)

법 제13조 【건축서비스 전문인력의 양성】 ④ 국가 및 지방자치단체는 건축서비스산업의 균형 있는 발전과 창의적인 디자인을 유도하기 위하여 역량 있는 건축사(「건축사법」에 따른 건축사를 말한다. 이하 이 조에서 같다)가 공공사업에 참여할 수 있도록 공모의 방법으로 설계자를 선정하는 경우 대통령령으로 정하는 자격요건을 구비한 건축사로 공모 대상을 제한할 수 있다.

영 제11조 【역량 있는 건축사에 대한 지원 등】 ① 법 제13조제4항에서 "대통령령으로 정하는 자격요건을 구비한 건축사"란 다음 각 호의 어느 하나에 해당하는 건축사(「건축사법」에 따른 건축사를 말한다. 이하 같다)를 말한다. <개정 2019.12.17.>

1. 최근 10년간 우리나라 정부, 지방자치단체 또는 외국 정부가 발주한 설계공모에서 입상한 실적이 있는 건축사
2. 국제건축가협회(UIA)에서 공인한 국제설계공모에서 입상한 실적이 있는 건축사
3. 최근 10년간 우리나라 정부가 주최한 대회에서 건축 작품으로 입상한 실적이 있는 건축사 <신설 2019.12.17.>

② 해당 건축물을 설계한 자를 공사감리자로 지정하여 줄 것을 신청하려는 건축주는 '허가권자가 지정하는 감리대상 건축물 제외 신청서(제22호의5서식)'에 다음 서류 중 어느 하나를 첨부하여 허가권자에게 제출해야 한다.

1. 신기술을 보유한 자가 신기술을 적용하여 설계하였음을 증명하는 서류(① 표1.)	
2. 역량있는 건축사임을 증명하는 서류(① 표2.)	
3. 설계공모를 통하여 설계한 건축물임을 증명하는 서류로서 우측 내용이 포함된 서류	· 설계공모 방법 · 설계공모 등의 시행공고일 및 공고 매체 · 설계지침서 · 심사위원의 구성 및 운영 · 공모안 제출 설계자 명단 및 공모안별 설계 개요

③ 허가권자는 신청서를 받으면 제출한 서류에 대하여 관계 기관에 사실을 조회할 수 있다.

④ 허가권자는 사실 조회 결과 제출서류가 거짓으로 판명된 경우 건축주에게 그 사실을 알려야 하며, 건축주는 통보받은 날부터 3일 이내에 이의를 제기할 수 있다.

⑤ 허가권자는 신청서를 받은 날부터 7일 이내에 건축주에게 그 결과를 서면으로 알려야 한다.

4 상세시공도면의 작성요청(법 제25조 제5항)

연면적의 합계가 5,000㎡ 이상의 건축공사에 있어 공사감리자가 필요하다고 인정하는 경우에는 공사시공자에게 상세시공도면을 작성하도록 요청할 수 있다.

5 감리보고서 등의 작성 등(법 제25조 제6항)

【1】 감리일지, 감리보고서 등의 작성 및 제출

작성자	구 분	내 용	제 출
감리자	감리일지 (별지 제21호서식)	감리기간동안 감리일지 기록·유지	–
	감리중간보고서 (별지 제22호서식)	공사의 공정이 다음에 다다른 경우(하나의 대지에 2 이상의 건축물을 건축하는 경우 각각의 건축물의 공사를 말함) 1. 철골철근콘크리트조·철근콘크리트조·조적조·보강콘크리트블럭조 (1) 기초공사 시 철근배치를 완료한 경우 (2) 지붕슬래브배근을 완료한 경우 (3) 지상 5개층 마다 상부 슬래브배근을 완료한 경우 2. 철골조 (1) 기초공사 시 철근배치를 완료한 경우 (2) 지붕철골 조립을 완료한 경우 (3) 지상 3개층마다 또는 높이 20m마다 주요구조부의 조립을 완료한 경우 3. 기타의 구조 - 기초공사시 거푸집 또는 주춧돌의 설치를 완료한 경우 4. 위 1.~3.의 건축물이 3층 이상의 필로티형식 건축물인 경우 (1) 해당 건축물의 구조에 따라 위 1.~3.에 해당되는 경우 (2) 건축물 상층부의 하중이 상층부와 다른 구조형식의 하층부로 전달되는 다음에 해당하는 부재(部材)의 철근배치를 완료한 경우 1) 기둥 또는 벽체 중 하나 2) 보 또는 슬래브 중 하나	• 감리자가 건축주에게 제출 • 건축주는 허가권자에게 제출 ① 감리중간보고서: 감리자에게 받은 때 ② 감리완료보고서: 사용승인 신청할 때 • 감리보고서 제출시 첨부서류*: 아래 참조
	감리완료보고서 (별지 제22호서식)	공사를 완료한 때 감리보고서를 작성제출	
	위법건축공사보고서 (별지 제20호서식)	건축공사기간 중 발견한 위법사항에 관하여 시정·재시공 또는 공사중지의 요청에 공사시공자가 따르지 아니하는 경우	감리자가 허가권자에게 제출

건축법
1. 총 칙
2. 건 축
3. 유지관리
4. 대지도로
5. 구조재료
6. 지역지구
7. 건축설비
8. 특별건축구역
9. 보 칙
10. 벌 칙
건축법 관련기준

* 공사감리보고서 제출시 첨부 서류

1. 건축공사감리 점검표
2. 공사감리일지(별지 제21호서식)
3. 공사추진 실적 및 설계변경 종합
4. 품질시험성과 총괄표
5. 산업표준인증을 받은 자재 및 국토교통부장관이 인정한 자재의 사용 총괄표
6. 공사현장 사진 및 동영상(대상 건축물만 해당)
7. 공사감리자가 제출한 의견 및 자료(제출한 의견 및 자료가 있는 경우만 해당)

【2】 감리원 일치 여부에 대한 허가권자의 확인

감리중간보고서·감리완료보고서를 제출받은 허가권자는 공사감리일지에 서명·날인한 감리원과 건축사보 배치현황이 일치하는지 여부를 확인해야 한다.

6 감리행위의 종료

【1】 적법하게 건축하는 경우

- 감리일지를 기록·유지하여야 하며
- 감리중간보고서, 감리완료보고서를 건축주에게 제출함으로서 감리 종료

【2】 위법사항의 발견시의 조치

공사감리시 「건축법」과 이 법에 따른 명령이나 처분 그 밖에 관계법령에 위반된 사항을 발견하거나, 공사시공자가 설계도서대로 공사를 하지 아니하는 경우

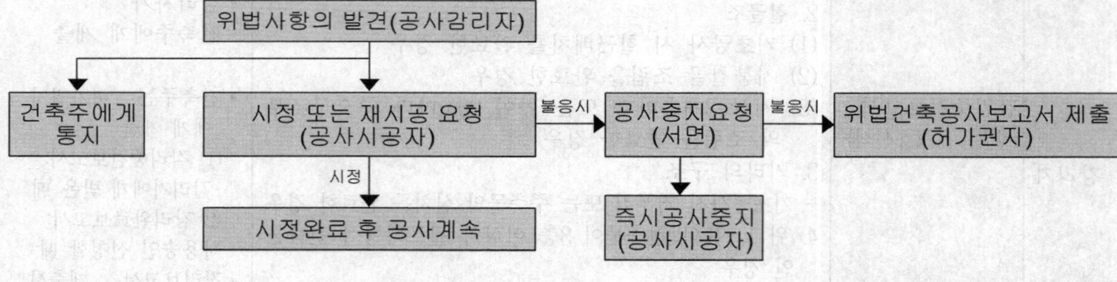

■ 위법사항 발견시에는

1. 공사시공자가 시공이나 재시공의 과정을 거쳐 적법하게 완료되는 경우
2. 시정이나 재시공 요청을 받은 후에 따르지 않는 경우
3. 공사중지 요청을 받은 후 공사를 계속하는 경우에 있어

※ 1의 경우는 감리중간보고서, 감리완료보고서를 건축주에게 제출 후 공사감리 종료
2, 3의 경우는 명시기간이 만료되는 날부터 7일 이내에 위법건축공사보고서를 허가권자에게 제출함으로서 공사감리를 종료

【참고】 건축공사감리 세부기준(국토교통부고시 제2020-1011호, 2020.12.24.)

번호	내 용	번호	내 용
제1장 일반사항		2.5.2	공정관리
1.1	목적	2.5.3	공사감리자의 시공지도 및 시공확인
1.2	적용범위	2.5.4	현장시공관리
1.3	용어의 정의	2.5.5	품질관리
1.4	건축주·공사감리자·설계자·시공자의 기본 책무 등	2.5.6	안전관리(해당 건축물에 한함)
1.5	공사감리대상 건축물	2.5.7	설계변경 적정여부의 검토확인
1.6	관계전문기술자의 협력	2.5.8	공사비 중간 기성공사 검토확인(해당건축물에 한함)
제2장 공사감리업무		2.6	공사완료 단계
2.1	공사감리의 일반적 업무	2.6.1	사용승인 등의 신청
2.2	공사감리자의 지정 등	2.6.2	공사비 최종 기성공사 검토확인(해당 건축물에 한함)
2.3	공사감리업무의 수행방법	2.6.3	건축물 시운전 및 유지관리 협력
2.4	공사 전 단계업무	제3장 공사감리업무의 보고기록 등	
2.4.1	감리업무 착수준비	3.1	공사감리중간보고서
2.4.2	설계도서 검토	3.2	공사감리완료보고서
2.4.3	공사계획서등의 검토·확인(해당 건축물에 한함)	3.3	공사감리일지의 작성
2.4.4	공사착공전 현장 조사	3.4	위법보고 등
2.4.5	상세시공도면의 작성 요청 및 검토·확인	3.5	기준의 해석
2.5	공사 단계	별표1	단계별 감리 체크리스트 대장
2.5.1	하도급 적정성 검토(해당 건축물에 한함)	별표2	사진 및 동영상 촬영, 보관, 제출 방법

4 건축관계자 등에 대한 업무제한(법 제25조의2)(영 제19조의3)(규칙 제19조의5)

법 제25조의2【건축관계자등에 대한 업무제한】

① 허가권자는 설계자, 공사시공자, 공사감리자 및 관계전문기술자(이하 "건축관계자등"이라 한다)가 대통령령으로 정하는 주요 건축물에 대하여 제21조에 따른 착공신고 시부터 「건설산업기본법」 제28조에 따른 하자담보책임 기간에 제40조, 제41조, 제48조, 제50조 및 제51조를 위반하거나 중대한 과실로 건축물의 기초 및 주요구조부에 중대한 손괴를 일으켜 사람을 사망하게 한 경우에는 1년 이내의 기간을 정하여 이 법에 의한 업무를 수행할 수 없도록 업무정지를 명할 수 있다.

② 허가권자는 건축관계자등이 제40조, 제41조, 제48조, 제49조, 제50조, 제50조의2, 제51조, 제52조 및 제52조의4를 위반하여 건축물의 기초 및 주요구조부에 중대한 손괴를 일으켜 대통령령으로 정하는 규모 이상의 재산상의 피해가 발생한 경우(제1항에 해당하는 위반행위는 제외한다)에는 다음 각 호에서 정하는 기간 이내의 범위에서 다중이용건축물 등 대통령령으로 정하는 주요 건축물에 대하여 이 법에 의한 업무를 수행할 수 없도록 업무정지를 명할 수 있다. <개정 2019.4.23.>

1. 최초로 위반행위가 발생한 경우: 업무정지일부터 6개월
2. 2년 이내에 동일한 현장에서 위반행위가 다시 발생한 경우: 다시 업무정지를 받는 날부터 1년

③ 허가권자는 건축관계자등이 제40조, 제41조, 제48조, 제49조, 제50조, 제50조의2, 제51조, 제52조 및 제52조의4를 위반한 경우(제1항 및 제2항에 해당하는 위반행위는 제외한다)와 제28조를 위반하여 가설시설물이 붕괴된 경우에는 기간을 정하여 시정을 명하거나 필요한 지시를 할 수 있다. <개정 2019.4.23.>

④ 허가권자는 제3항에 따른 시정명령 등에도 불구하고 특별한 이유 없이 이를 이행하지 아니한 경우에는 다음 각 호에서 정하는 기간 이내의 범위에서 이 법에 의한 업무를 수행할 수 없도록 업무정지를 명할 수 있다.

1. 최초의 위반행위가 발생하여 허가권자가 지정한 시정기간 동안 특별한 사유 없이 시정하지 아니하는 경우: 업무정지일부터 3개월
2. 2년 이내에 제3항에 따른 위반행위가 동일한 현장에서 2차례 발생한 경우: 업무정지일부터 3개월
3. 2년 이내에 제3항에 따른 위반행위가 동일한 현장에서 3차례 발생한 경우: 업무정지일부터 1년

⑤ 허가권자는 제4항에 따른 업무정지처분을 갈음하여 다음 각 호의 구분에 따라 건축관계자등에게 과징금을 부과할 수 있다.

1. 제4항제1호 또는 제2호에 해당하는 경우: 3억원 이하
2. 제4항제3호에 해당하는 경우: 10억원 이하

⑥ 건축관계자등은 제1항, 제2항 또는 제4항에 따른 업무정지처분에도 불구하고 그 처분을 받기 전에 계약을 체결하였거나 관계 법령에 따라 허가, 인가 등을 받아 착수한 업무는 제22조에 따른 사용승인을 받은 때까지 계속 수행할 수 있다.

⑦ 제1항부터 제5항까지에 해당하는 조치는 그 소속 법인 또는 단체에게도 동일하게 적용한다. 다만, 소속 법인 또는 단체가 위반행위를 방지하기 위하여 해당 업무에 관하여 상당한 주의와 감독을 게을리하지 아니한 경우에는 그러하지 아니하다.

⑧ 제1항부터 제5항까지의 조치는 관계 법률에 따라 건축허가를 의제하는 경우의 건축관계자등에게 동일하게 적용한다.

⑨ 허가권자는 제1항부터 제5항까지의 조치를 한 경우 그 내용을 국토교통부장관에게 통보하여야 한다.

⑩ 국토교통부장관은 제9항에 따라 통보된 사항을 종합관리하고, 허가권자가 해당 건축관계자등과 그 소속 법인 또는 단체를 알 수 있도록 국토교통부령으로 정하는 바에 따라 공개하여야 한다.

⑪ 건축관계자등, 소속 법인 또는 단체에 대한 업무정지처분을 하려는 경우에는 청문을 하여야 한다.

[본조신설 2016.2.3.]

영 제19조의3【업무제한 대상 건축물 등】

① 법 제25조의2제1항에서 "대통령령으로 정하는 주요 건축물"이란 다음 각 호의 건축물을 말한다.

1. 다중이용 건축물
2. 준다중이용 건축물

② 법 제25조의2제2항 각 호 외의 부분에서 "대통령령으로 정하는 규모 이상의 재산상의 피해"란 도급 또는 하도급받은 금액의 100분의 10 이상으로서 그 금액이 1억원 이상인 재산상의 피해를 말한다.

③ 법 제25조의2제2항 각 호 외의 부분에서 "다중이용건축물 등 대통령령으로 정하는 주요 건축물"이란 다음 각 호의 건축물을 말한다.

1. 다중이용 건축물
2. 준다중이용 건축물

[본조신설 2017.2.3.]

규칙 제19조의5【업무제한 대상 건축물 등의 공개】

국토교통부장관은 법 제25조의2제10항에 따라 같은 조 제9항에 따른 통보사항 중 다음 각 호의 사항을 국토교통부 홈페이지 또는 법 제32조제1항에 따른 전자정보처리 시스템에 게시하는 방법으로 공개하여야 한다.

1. 법 제25조의2제1항부터 제5항까지의 조치를 받은 설계자, 공사시공자, 공사감리자 및 관계전문기술자(같은 조 제7항에 따라 소속 법인 또는 단체에 동일한 조치를 한 경우에는 해당 법인 또는 단체를 포함하며, 이하 이 조에서 "조치대상자"라 한다)의 이름, 주소 및 자격번호(법인 또는 단체는 그 명칭, 사무소 또는 사업소의 소재지, 대표자의 이름 및 법인등록번호)
2. 조치대상자에 대한 조치의 사유
3. 조치대상자에 대한 조치 내용 및 일시
4. 그 밖에 국토교통부장관이 필요하다고 인정하는 사항

[본조신설 2017.2.3]

해설 건축관계자등에 대한 업무제한 제도 도입(2016.2.3 신설)

1) 대통령령으로 정하는 주요 건축물에 대하여 건축관계자등이 건축법 제40조, 제41조 등을 위반하거나 중대한 과실로 건축물의 기초 및 주요구조부에 중대한 손괴를 일으켜 사람을 사망하게 한 경우에 1년 이내에서 업무정지를, 대통령령으로 정하는 규모 이상의 재산상 피해가 발생한 경우에는 최초 적발 시 6개월 이내, 그로부터 2년이 지나기 전에 재차 적발 시 1년 이내의 업무정지를 명할 수 있도록 함.

2) 제40조, 제41조 등을 위반한(사망사고 및 재산상 피해 제외) 경우와 제28조를 위반하여 가설시설물이 붕괴한 경우에는 시정명령 후 시정조치 불이행시 3개월 이내, 2년 이내 재적발시 3개월 이내, 3차 적발시 1년 이내에서 업무정지를 명할 수 있도록 함.

【1】 업무제한

허가권자는 건축관계자등(설계자, 공사시공자, 공사감리자 및 관계전문기술자)이 대지안전 및 토지굴착 규정 등을 위반하거나 중대한 과실로 건축물의 기초 및 주요구조부에 중대한 손괴를 일으켜 사람을 사망하게 한 경우 등에는 이 법에 의한 업무를 수행할 수 없도록 업무정지 등을 명할 수 있다.

① 사망사고시의 업무제한

대상 건축물	위반 발생기간	위반 법규정	위반 및 피해내용	처분 내용
1. 다중이용 건축물 2. 준다중이용 건축물	착공신고 시부터 하자담보 책임기간	대지의 안전 등(법 제40조) 토지굴착부분에 대한 조치 (법 제41조) 구조내력 등(법 제48조) 건축물의 내화구조와 방화벽(법 제50조) 방화지구안의 건축물(법 제51조)	좌측규정을 위반하거나 중대한 과실로 건축물의 기초 및 주요구조부에 중대한 손괴를 일으켜 사람을 사망하게 한 경우	1년 이내 업무정지

② 재산상 피해 발생시의 업무제한

위반 법규정	위반 및 피해내용	처분내용
대지의 안전 등(법 제40조) 토지굴착부분에 대한 조치 (법 제41조) 구조내력 등(법 제48조) 건축물의 피난시설 및 용도제한 등(법 제49조) 건축물의 내화구조와 방화벽(법 제50조) 고층건축물의 피난 및 안전관리(법 제50조의2) 방화지구안의 건축물(법 제51조) 건축물의 마감재료(법 제52조) 건축자재의 품질관리 등(법 제52조의4)	좌측 규정을 위반하여 건축물의 기초 및 주요구조부에 중대한 손괴를 일으켜 대통령령으로 정하는 규모 이상의 재산상의 피해가 발생한 경우 ※ 위 ①에 해당하는 위반행위 제외	·최초발생시 : 업무정지일부터 6개월 ·2년이내 동일현장에서 재발생시: 다시 업무정지받은 날부터 1년 * 위 기간 이내의 범위에서 다중이용건축물, 준다중이용건축물에 대한 업무정지를 명할 수 있다.

③ 가설시설물 붕괴 등 피해 발생시의 업무제한

위반 법규정	위반 및 피해내용	처분내용
대지의 안전 등(법 제40조) 토지굴착부분에 대한 조치 (법 제41조) 구조내력 등(법 제48조) 건축물의 피난시설 및 용도제한 등(법 제49조) 건축물의 내화구조와 방화벽(법 제50조) 고층건축물의 피난 및 안전관리(법 제50조의2) 방화지구안의 건축물(법 제51조) 건축물의 마감재료(법 제52조) 건축자재의 품질관리 등(법 제52조의4)	좌측 규정을 위반하거나 공사현장의 위해 방지 등(법 제28조)을 위반하여 가설시설물이 붕괴된 경우 ※ 위 ①, ②에 해당하는 위반행위 제외	기간을 정하여 시정을 명하거나 필요한 지시를 할 수 있음

④ 위 ③의 처분내용 미 이행시의 조치

허가권자는 시정명령에도 특별한 이유 없이 이행하지 아니한 경우 다음의 기간 범위에서 업무를 수행할 수 없도록 업무정지를 명할 수 있다.

1. 최초의 위반행위가 발생하여 허가권자가 지정한 시정기간 동안 특별한 사유 없이 시정하지 아니하는 경우	업무정지일부터 3개월
2. 2년 이내에 ③의 위반행위가 동일한 현장에서 2차례 발생한 경우	업무정지일부터 3개월
3. 2년 이내에 ③의 위반행위가 동일한 현장에서 3차례 발생한 경우	업무정지일부터 1년

⑤ 과징금의 부과

허가권자는 위 ④의 업무정지처분을 갈음하여 다음의 구분에 따라 건축관계자등에게 과징금을 부과할 수 있다.

1. ④ 1., 2.에 해당하는 경우	3억원 이하
2. ④ 3.에 해당하는 경우	10억원 이하

【2】 처분 전 계약 또는 착수한 업무의 계속 수행 등

① 건축관계자등은 위 【1】의 ①, ②, ④의 업무정지처분 받기 전에 계약을 체결하였거나 관계법령에 따라 허가, 인가 등을 받아 착수한 업무는 사용승인을 받은 때까지 계속 수행할 수 있다.

② 위 조치들은 그 소속 법인 또는 단체에게도 동일하게 적용한다.

예외 소속 법인 또는 단체가 위반행위를 방지하기 위하여 해당 업무에 관하여 상당한 주의와 감독을 게을리하지 않은 경우

③ 위 조치는 관계 법률에 따라 건축허가를 의제하는 경우의 건축관계자등에게 동일하게 적용한다.

【3】 조치내용의 통보

① 위 조치를 한 경우 국토교통부장관에게 통보하여야 한다.

② 국토교통부장관은 통보된 사항을 종합관리하고, 허가권자가 해당 건축관계자등과 그 소속 법인 또는 단체를 알 수 있도록 다음의 사항을 전자정보처리 시스템에 게시하는 방법으로 공개하여야 한다.

1. 위 【1】의 조치를 받은 조치대상자[주1)]의 이름, 주소 및 자격번호[주2)] 주1) 설계자, 공사시공자, 공사감리자, 관계전문기술자(위 【2】에 따라 동일한 조치를 한 경우 법인 또는 단체를 포함) 주2) 법인 또는 단체는 그 명칭, 사무소 또는 사업소의 소재지, 대표자의 이름 및 법인 등록번호
2. 조치대상자에 대한 조치의 사유
3. 조치대상자에 대한 조치 내용 및 일시
4. 그 밖에 국토교통부장관이 필요하다고 인정하는 사항

【4】 청문
건축관계자등, 소속 법인 또는 단체에 대한 업무정지처분을 하려는 경우에는 청문을 하여야 한다.

5 사용승인 등(법 제22조)(영 제17조)(규칙 제16조, 제17조)

■ 건축물의 사용승인

법 제22조 【건축물의 사용승인】

① 건축주가 제11조·제14조 또는 제20조제1항에 따라 허가를 받았거나 신고를 한 건축물의 건축공사를 완료[하나의 대지에 둘 이상의 건축물을 건축하는 경우 동(棟)별 공사를 완료한 경우를 포함한다]한 후 그 건축물을 사용하려면 제25조제6항에 따라 공사감리자가 작성한 감리완료보고서(같은 조 제1항에 따른 공사감리자를 지정한 경우만 해당된다)와 국토교통부령으로 정하는 공사완료도서를 첨부하여 허가권자에게 사용승인을 신청하여야 한다. <개정 2016.2.3.>

② 허가권자는 제1항에 따른 사용승인신청을 받은 경우 국토교통부령으로 정하는 기간에 다음 각 호의 사항에 대한 검사를 실시하고, 검사에 합격된 건축물에 대하여는 사용승인서를 내주어야 한다. 다만, 해당 지방자치단체의 조례로 정하는 건축물은 사용승인을 위한 검사를 실시하지 아니하고 사용승인서를 내줄 수 있다.

1. 사용승인을 신청한 건축물이 이 법에 따라 허가 또는 신고한 설계도서대로 시공되었는지의 여부
2. 감리완료보고서, 공사완료도서 등의 서류 및 도서가 적합하게 작성되었는지의 여부

③ 건축주는 제2항에 따라 사용승인을 받은 후가 아니면 건축물을 사용하거나 사용하게 할 수 없다. 다만, 다음 각 호의 어느 하나에 해당하는 경우에는 그러하지 아니하다.

1. 허가권자가 제2항에 따른 기간 내에 사용승인서를 교부하지 아니한 경우
2. 사용승인서를 교부받기 전에 공사가 완료된 부분이 건폐율, 용적률, 설비, 피난·방화 등 국토교통부령으로 정하는 기준에 적합한 경우로서 기간을 정하여 대통령령으로 정하는 바에 따라 임시로 사용의 승인을 한 경우

④ 건축주가 제2항에 따른 사용승인을 받은 경우에는 다음 각 호에 따른 사용승인·준공검사 또는 등록신청 등을 받거나 한 것으로 보며, 공장건축물의 경우에는 「산업집적활성화 및 공장설립에 관한 법률」 제14조의2에 따라 관련 법률의 검사 등을 받은 것으로 본다. <개정 2020.3.31.>

1. 「하수도법」 제27조에 따른 배수설비(排水設備)의 준공검사 및 같은 법 제37조에 따른 개인하수처리시설의 준공검사
2. 「공간정보의 구축 및 관리 등에 관한 법률」 제64조에 따른 지적공부(地籍公簿)의 변동사

항 등록신청
3. 「승강기 안전관리법」 제28조에 따른 승강기 설치검사
4. 「에너지이용 합리화법」 제39조에 따른 보일러 설치검사
5. 「전기안전관리법」 제9조에 따른 전기설비의 사용전검사 <개정 2020.3.31.>
6. 「정보통신공사업법」 제36조에 따른 정보통신공사의 사용전검사
7. 「도로법」 제62조제2항에 따른 도로점용 공사의 준공확인
8. 「국토의 계획 및 이용에 관한 법률」 제62조에 따른 개발 행위의 준공검사
9. 「국토의 계획 및 이용에 관한 법률」 제98조에 따른 도시·군계획시설사업의 준공검사
10. 「물환경보전법」 제37조에 따른 수질오염물질 배출시설의 가동개시의 신고
11. 「대기환경보전법」 제30조에 따른 대기오염물질 배출시설의 가동개시의 신고
12. 삭제 <2009.6.9.>

⑤ 허가권자는 제2항에 따른 사용승인을 하는 경우 제4항 각 호의 어느 하나에 해당하는 내용이 포함되어 있으면 관계 행정기관의 장과 미리 협의하여야 한다.

⑥ 특별시장 또는 광역시장은 제2항에 따라 사용승인을 한 경우 지체 없이 그 사실을 군수 또는 구청장에게 알려서 건축물대장에 적게 하여야 한다. 이 경우 건축물대장에는 설계자, 대통령령으로 정하는 주요 공사의 시공자, 공사감리자를 적어야 한다.

영 제17조【건축물의 사용승인】

① 삭제 <2006.5.8>

② 건축주는 법 제22조제3항제2호에 따라 사용승인서를 받기 전에 공사가 완료된 부분에 대한 임시사용의 승인을 받으려는 경우에는 국토교통부령으로 정하는 바에 따라 임시사용승인신청서를 허가권자에게 제출(전자문서에 의한 제출을 포함한다)하여야 한다. <개정 2013.3.23>

③ 허가권자는 제2항의 신청서를 접수한 경우에는 공사가 완료된 부분이 법 제22조제3항제2호에 따른 기준에 적합한 경우에만 임시사용을 승인할 수 있으며, 식수 등 조경에 필요한 조치를 하기에 부적합한 시기에 건축공사가 완료된 건축물은 허가권자가 지정하는 시기까지 식수(植樹) 등 조경에 필요한 조치를 할 것을 조건으로 임시사용을 승인할 수 있다.

④ 임시사용승인의 기간은 2년 이내로 한다. 다만, 허가권자는 대형 건축물 또는 암반공사 등으로 인하여 공사기간이 긴 건축물에 대하여는 그 기간을 연장할 수 있다.

⑤ 법 제22조제6항 후단에서 "대통령령으로 정하는 주요 공사의 시공자"란 다음 각 호의 어느 하나에 해당하는 자를 말한다. <개정 2020.2.18., 2023.9.12.>

1. 「건설산업기본법」 제9조에 따라 종합공사 또는 전문공사를 시공하는 업종을 등록한 자로서 발주자로부터 건설공사를 도급받은 건설사업자
2. 「전기공사업법」·「소방시설공사업법」 또는 「정보통신공사업법」에 따라 공사를 수행하는 시공자

■ 사용승인의 신청

규칙 제16조【사용승인신청】

① 법 제22조제1항(법 제19조제5항에 따라 준용되는 경우를 포함한다)에 따라 건축물의 사용승인을 받으려는 자는 별지 제17호서식의 (임시)사용승인 신청서에 다음 각 호의 구분에 따른 도서를 첨부하여 허가권자에게 제출해야 한다. <개정 2021.12.31>

1. 법 제25조제1항에 따른 공사감리자를 지정한 경우 : 공사감리완료보고서
2. 법 제11조, 제14조 또는 제16조에 따라 허가·변경허가를 받았거나 신고·변경신고를 한 도서에 변경이 있는 경우 : 설계변경사항이 반영된 최종 공사완료도서
3. 법 제14조제1항에 따른 신고를 하여 건축한 건축물 : 배치 및 평면이 표시된 현황도면
4. 「액화석유가스의 안전관리 및 사업법」 제27조제2항 본문에 따라 액화석유가스의 사용시설에 대한 완성검사를 받아야 할 건축물인 경우 : 액화석유가스 완성검사 증명서
5. 법 제22조제4항 각 호에 따른 사용승인·준공검사 또는 등록신청 등을 받거나 하기 위하여 해당 법령에서 제출하도록 의무화하고 있는 신청서 및 첨부서류(해당 사항이 있는 경우로 한정한다)
6. 법 제25조제11항에 따라 감리비용을 지불하였음을 증명하는 서류(해당 사항이 있는 경우로 한정한다)
7. 법 제48조의3제1항에 따라 내진능력을 공개하여야 하는 건축물인 경우: 건축구조기술사가 날인한 근거자료(「건축물의 구조기준 등에 관한 규칙」 제60조의2제2항 후단에 해당하는 경우로 한정한다) <신설 2017.1.20.>
8. 사용승인을 신청할 건축물이 영 별표 1 제15호가목에 따른 생활숙박시설(30실 이상이거나 생활숙박시설 영업장의 면적이 해당 건축물 연면적의 3분의 1 이상인 것으로 한정한다)인 경우에는 「건축물의 분양에 관한 법률 시행령」 제9조제1항제9호의3에 따른 내용(분양받은 자가 서명 또는 날인한 「건축물의 분양에 관한 법률 시행규칙」 별지 제2호의2서식의 생활숙박시설 관련 확인서를 포함한다)의 사본 <신설 2021.12.31>

② 제1항에 따른 신청을 받은 허가권자는 해당 건축물이 「액화석유가스의 안전관리 및 사업법」 제44조제2항 본문에 따라 액화석유가스의 사용시설에 대한 완성검사를 받아야 할 건축물인 경우에는 행정정보의 공동이용을 통해 액화석유가스 완성검사 증명서를 확인해야 하며, 신청인이 확인에 동의하지 않은 경우에는 해당 서류를 제출하도록 해야 한다. <신설 2018.11.29.>

③ 허가권자는 제1항에 따른 사용승인신청을 받은 경우에는 법 제22조제2항에 따라 그 신청서를 받은 날부터 7일 이내에 사용승인을 위한 현장검사를 실시하여야 하며, 현장검사에 합격된 건축물에 대하여는 별지 제18호서식의 사용승인서를 신청인에게 발급하여야 한다. <개정 2018.11.29.>

■ 임시사용승인 신청 등

규칙 제17조【임시사용승인신청등】

① 영 제17조제2항의 규정에 의한 임시사용승인신청서는 별지 제17호서식에 의한다.

② 영 제17조제3항에 따라 허가권자는 건축물 및 대지의 일부가 법 제40조부터 제50조까지, 제50조의2, 제51조부터 제58조까지, 제60조부터 제62조까지, 제64조, 제67조, 제68조 및 제77조를 위반하여 건축된 경우에는 해당건축물의 임시사용을 승인하여서는 아니된다. <개정 2012.12.12>

③ 허가권자는 제1항의 규정에 의한 임시사용승인신청을 받은 경우에는 당해신청서를 받은 날부터 7일이내에 별지 제19호서식의 임시사용승인서를 신청인에게 교부하여야 한다.

해설 건축주가 공사완료 후 건축물을 사용하고자 하는 경우 사용승인을 받아야 한다.
사용승인 대상은 건축허가나 신고대상 건축물, 허가대상 가설건축물과 용도변경 허가 및 신고대상 건축물이다. 사용승인을 신청하는 경우 대상건축물은 모두 사용승인을 위한 검사를 받아야 하나, 조례로 정하는 건축물은 검사 없이 감리완료보고서를 첨부하여 사용승인을 받을 수 있다.
또한 임시사용승인 등의 조치를 받은 경우에도 사용승인 없이 일정기간 동안 건축물을 사용할 수 있다.

1 건축물의 사용승인

【1】 건축물의 사용승인

건축주가 허가권자에게 사용승인신청서(별지 제17호서식)에 다음 대상별 도서를 첨부하여 신청

대 상	사용승인 신청시 첨부서류	사용승인서의 교부
1. 공사감리자를 지정해야 하는 다음 건축물 - 건축허가대상 건축물 - 허가대상 가설건축물 - 사용승인을 얻은 후 15년 이상 경과된 리모델링 건축물 - 리모델링 활성화구역안의 건축물	공사감리완료보고서	신청서를 받은 날부터 7일 이내에 사용승인을 위한 현장검사를 실시후 교부
2. 건축허가, 신고 및 변경사항의 허가, 신고를 한 도서에 변경이 있는 경우	설계변경사항이 반영된 최종 공사완료도서	
3. 건축신고를 하여 건축한 건축물	배치 및 평면이 표시된 현황도면	
4. 「액화석유가스의 안전관리 및 사업법」에 따라 액화석유가스의 사용시설에 대한 완성검사를 받아야 할 건축물	액화석유가스 완성검사 증명서	
5. 내진능력을 공개하여야 하는 건축물	건축구조기술사가 날인한 근거자료	
6. 숙박시설 중 생활숙박시설(30실 이상이거나 영업장 면적이 해당 건축물 연면적의 1/3 이상인 것으로 한정)	관련규정 위반시 제재처분에 관한 사항을 확인했다고 서명 또는 날인한 생활숙박시설관련 확인서(「건축물의 분양에 관한 법률 시행규칙」 별지 제2호의2서식) 사본	
7. 사용승인·준공검사 또는 등록신청 등을 받거나 하기 위하여 해당 법령에서 제출하도록 의무화하고 있는 신청서 및 첨부서류(해당 사항이 있는 경우)		
8. 감리비용을 지불하였음을 증명하는 서류(해당 사항이 있는 경우)		

• 하나의 대지에 2이상의 건축물을 건축하는 경우, 동별공사를 완료한 경우를 포함
• 건축주는 원칙적으로 사용승인을 얻은 후에 그 건축물을 사용하거나 사용하게 할 수 있다.
(단, 기간내에 사용승인서를 교부하지 않거나, 임시사용승인의 경우 제외)
• 건축조례로 정하는 건축물은 사용승인을 위한 검사를 실시하지 아니하고 사용승인서를 교부할 수 있다.

【2】 사용승인을 위한 검사의 내용

1. 사용승인을 신청한 건축물이 「건축법」에 따라 허가 또는 신고한 설계도서대로 시공되었는지의 여부
2. 감리완료보고서, 공사완료도서 등의 서류 및 도서가 적합하게 작성되었는지의 여부

【3】 사용승인의 의제처리 관계법

건축주가 사용승인을 받은 경우 다음 규정에 따른 사용승인·준공검사 또는 등록신청 등을 받거나 한 것으로 보며 공장건축물의 경우 관련 법률의 검사 등을 받은 것으로 본다.

내 용	관 련 법 규
1. 배수설비의 준공검사	「하수도법」 제27조
2. 개인하수처리시설의 준공검사	「하수도법」 제37조
3. 지적공부의 변동사항 등록신청	「공간정보의 구축 및 관리 등에 관한 법률」 제64조
4. 승강기 설치검사	「승강기 안전관리법」 제28조
5. 보일러 설치검사	「에너지이용 합리화법」 제39조
6. 전기설비의 사용전검사	「전기안전관리법」 제9조
7. 정보통신공사의 사용전검사	「정보통신공사업법」 제36조
8. 도로점용 공사의 준공확인	「도로법」 제62조제2항
9. 개발 행위의 준공검사	「국토의 계획 및 이용에 관한 법률」 제62조
10. 도시·군계획시설사업의 준공검사	「국토의 계획 및 이용에 관한 법률」 제98조
11. 수질오염물질 배출시설의 가동개시의 신고	「물환경보전법」 제37조
12. 대기오염물질 배출시설의 가동개시의 신고	「대기환경보전법」 제30조

■ 허가권자는 위사항의 경우 관계행정기관의 장과 미리 협의하여야 함

【4】 건축물 대장 기재통지(법 제18조제6항)

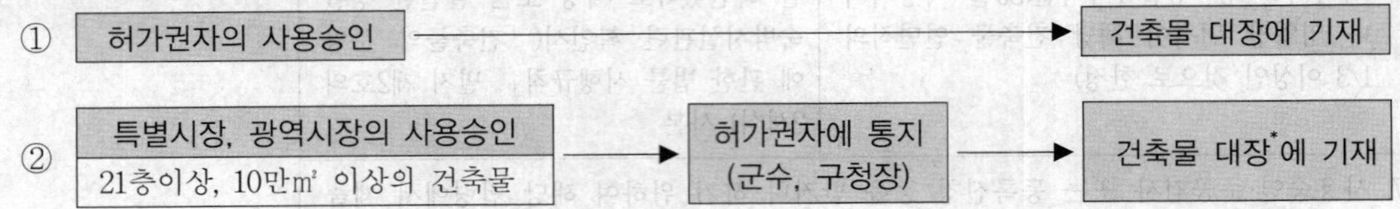

* 건축물대장에는 설계자, 주요 공사의 시공자【참고】, 공사감리자를 적어야 한다.

【참고】 주요 공사의 시공자

1. 「건설산업기본법」 제9조에 따라 종합공사 또는 전문공사를 시공하는 업종을 등록한 자로서 발주자로부터 건설공사를 도급받은 건설사업자
2. 「전기공사업법」·「소방시설공사업법」 또는 「정보통신공사업법」에 따라 공사를 수행하는 시공자

③ 허가(신고)대상 가설건축물은 가설건축물관리대장에 기재·관리한다.

【5】 임시사용승인

구 분	내 용			
대 상	• 사용승인서를 받기 전에 공사가 완료된 부분 • 식수 등 조경에 필요한 조치를 하기에 부적합한 시기에 건축공사가 완료된 건축물			
기 간	• 2년 이내(다만, 허가권자는 대형건축물 또는 암반공사 등으로 인하여 공사기간이 긴 건축물에 대하여는 그 기간을 연장할 수 있음)			
신 청	• 건축주가 임시사용승인신청서를 허가권자에게 제출			
적법여부의 확인	내 용	법규정	내 용	법규정
	대지의 안전등	법 제40조	복합자재의 품질관리 등	법 제52조의3
	토지 굴착 부분에 대한 조치 등	법 제41조	지하층	법 제53조
	대지안의 조경	법 제42조	건축물의 범죄예방	법 제53조의2
	공개 공지 등의 확보	법 제43조	건축물의 대지가 지역·지구 또는 구역에 걸치는 경우의 조치	법 제54조
	대지와 도로의 관계	법 제44조		
	도로의 지정·폐지 또는 변경	법 제45조	건축물의 건폐율	법 제55조
	건축선의 지정	법 제46조	건축물의 용적률	법 제56조
	건축선에 따른 건축제한	법 제47조	대지의 분할 제한	법 제57조
	구조내력 등	법 제48조	대지 안의 공지	법 제58조
	건축물 내진등급의 설정	법 제48조의2	건축물의 높이 제한	법 제60조
	건축물의 내진능력 공개	법 제48조의3	일조 등의 확보를 위한 건축물의 높이 제한	법 제61조
	부속건축물의 설치와 관리	법 제48조의4		
	건축물의 피난시설 및 용도제한 등	법 제49조	건축설비기준 등	법 제62조
	건축물의 내화구조와 방화벽	법 제50조	승강기	법 제64조
	고층건축물의 피난 및 안전관리	법 제50조의2	관계전문기술자	법 제67조
	방화지구 안의 건축물	법 제51조	기술적 기준	법 제68조
	건축물의 마감재료	법 제52조	특별건축구역 건축물의 검사 등	법 제77조
	실내건축	법 제52조의2		
승 인	• 신청받은 날부터 7일 이내에 임시사용승인서를 신청인에게 교부			

관계법 앞 【3】의 사용승인 의제 규정

1. 배수설비의 준공검사(「하수도법」)

법 제27조 【배수설비의 설치 등】 ① 공공하수도의 사용이 개시된 때에는 배수구역 안의 토지의 소유자·관리자(그 토지 위에 시설물이 있는 경우에는 그 시설물의 소유자 또는 관리자를 말한다) 또는 국·공유 시설물의 관리자는 그 배수구역의 하수를 공공하수도에 유입시켜야 하며, 이에 필요한 배수설비를 설치하여야 한다.

② 공공하수도관리청은 배수설비의 부실시공을 방지하기 위하여 필요한 경우에는 제1항의 규정에 따라 배수설비를 설치하여야 하는 자에게 그 배수설비의 시공을 대통령령으로 정하는 요건을 갖춘 자로 하여

건축법
1. 총칙
2. 건축
3. 유지관리
4. 대지도로
5. 구조재료
6. 지역지구
7. 건축설비
8. 특별건축구역
9. 보칙
10. 벌칙
건축법 관련기준

금 대행하게 하도록 명할 수 있다. 다만, 다음 각 호의 어느 하나에 해당하는 공사의 경우에는 그러하지 아니하다. <개정 2020.5.26.>

1. 옥내의 배수설비 공사
2. 배수설비의 준설·보수 등 공공하수도의 기능에 장애를 주지 아니하는 배수설비의 유지·관리 공사

③ 제1항의 규정에 따라 배수설비를 설치하고자 하는 자는 배수설비의 종류·규모 등 대통령령으로 정하는 사항을 공공하수도관리청에 신고하여야 한다. <개정 2020.5.26.>

④ 제1항에 따라 배수설비를 설치하여야 하는 자로서 대통령령으로 정하는 수질 또는 수량 이상의 하수를 공공하수도에 유입시키려는 자는 해당 하수의 수질 또는 수량, 배수설비의 사용개시 예정일자 등에 관한 사항을 제3항에 따라 배수설비의 설치 신고를 하는 때에 함께 신고를 하여야 한다. 신고한 하수의 수질 또는 수량을 환경부령으로 정하는 기준 이상으로 변경하려는 경우에도 또한 같다. <개정 2020.5.26., 2021.1.5.>

⑤ 제1항의 규정에 따른 배수설비의 설치의무자가 그 설치공사를 완료한 때에는 지방자치단체의 조례로 정하는 바에 따라 공공하수도관리청의 준공검사를 받아야 한다. <개정 2020.5.26.>

⑥ 제5항에 따라 배수설비의 준공검사를 받은 자는 다음 각 호의 어느 하나에 해당하는 경우에는 지방자치단체의 조례로 정하는 바에 따라 공공하수도관리청에 신고하여야 한다. <신설 2021.1.5>

1. 해당 배수설비의 사용을 중지하거나 폐쇄하려는 경우
2. 사용 중지 중인 배수설비를 다시 사용하려는 경우
3. 준공검사를 받은 배수설비의 구조를 변경하려는 경우
4. 그 밖에 공공하수도 관리를 위하여 필요한 경우로서 해당 지방자치단체의 조례로 정하는 경우

⑦ 공공하수도관리청은 제3항에 따른 설치신고, 제4항 전단에 따른 신고, 같은 항 후단에 따른 변경신고 또는 제6항에 따른 신고를 받은 날부터 5일 이내에 신고수리 여부를 신고인에게 통지하여야 한다. <신설 2021.1.5>

⑧ 공공하수도관리청이 제7항에서 정한 기간 내에 신고수리 여부 또는 민원 처리 관련 법령에 따른 처리기간의 연장을 신고인에게 통지하지 아니하면 그 기간(민원 처리 관련 법령에 따라 처리기간이 연장 또는 재연장된 경우에는 해당 처리기간을 말한다)이 끝난 날의 다음 날에 신고를 수리한 것으로 본다. <신설 2021.1.5>

⑨ 제1항의 규정에 따라 설치된 배수설비의 유지·관리는 해당 지방자치단체의 조례로 정하는 바에 따라 그 설치자가 하여야 한다. 다만, 그 토지의 경계로부터 공공하수도까지의 배수설비는 해당 지방자치단체의 조례로 정하는 바에 따라 공공하수도관리청이 유지·관리할 수 있다. <개정 2020.5.26., 2021.1.5.>

⑩ 배수설비의 설치 및 구조에 관하여는 「건축법」 그 밖의 다른 법령의 규정에 따르는 것을 제외하고는 환경부령으로 정하는 기준에 따라야 한다. <개정 2020.5.26., 2021.1.5.>

2. 개인하수처리시설의 준공검사(「하수도법」)

법 제37조 【개인하수처리시설의 준공검사 등】 ① 제34조 또는 제35조의 규정에 따라 개인하수처리시설을 설치 또는 변경하는 자가 그 설치 또는 변경공사를 완료한 때에는 특별자치시장·특별자치도지사·시장·군수·구청장의 준공검사를 받아야 한다.

② 특별자치시장·특별자치도지사·시장·군수·구청장은 개인하수처리시설에 대하여 방류수수질기준의 준수 여부를 확인하기 위하여 제1항의 규정에 따른 준공검사 후 방류수수질검사를 실시하여야 한다.

③제1항의 규정에 따른 준공검사의 신청 및 검사방법과 제2항의 규정에 따른 방류수수질검사의 대상·시기·방법 등에 관하여 필요한 사항은 환경부령으로 정한다.

3. 지적공부의 변동사항 등록신청(「공간정보의 구축 및 관리 등에 관한 법률」)

법 제64조 【토지의 조사·등록 등】 ① 국토교통부장관은 모든 토지에 대하여 필지별로 소재·지번·지목·면적·경계 또는 좌표 등을 조사·측량하여 지적공부에 등록하여야 한다.

② 지적공부에 등록하는 지번·지목·면적·경계 또는 좌표는 토지의 이동이 있을 때 토지소유자(법인이

아닌 사단이나 재단의 경우에는 그 대표자나 관리인을 말한다. 이하 같다)의 신청을 받아 지적소관청이 결정한다. 다만, 신청이 없으면 지적소관청이 직권으로 조사·측량하여 결정할 수 있다.

③ 제2항 단서에 따른 조사·측량의 절차 등에 필요한 사항은 국토교통부령으로 정한다.

4. 승강기 설치검사(「승강기 안전관리법」)

법 제28조【승강기의 설치검사】 ① 승강기의 제조·수입업자는 설치를 끝낸 승강기에 대하여 행정안전부령으로 정하는 바에 따라 행정안전부장관이 실시하는 설치검사(이하 "설치검사"라 한다)를 받아야 한다.

② 승강기의 제조·수입업자 또는 관리주체는 설치검사를 받지 아니하거나 설치검사에 불합격한 승강기를 운행하게 하거나 운행하여서는 아니 된다.

③ 제1항과 제2항에서 규정한 사항 외에 설치검사의 기준·항목 및 방법 등에 필요한 사항은 행정안전부장관이 정하여 고시한다.

※ 승강기 설치검사 및 안전검사에 관한 운영규정[행정안전부고시 제2023-17호, 2023.3.28.]

5. 보일러 설치검사(「에너지이용 합리화법」)

법 제39조【검사대상기기의 검사】 ① 특정열사용기자재 중 산업통상자원부령으로 정하는 검사대상기기(이하 "검사대상기기"라 한다)의 제조업자는 그 검사대상기기의 제조에 관하여 시·도지사의 검사를 받아야 한다.

② 다음 각 호의 어느 하나에 해당하는 자(이하 "검사대상기기설치자"라 한다)는 산업통상자원부령으로 정하는 바에 따라 시·도지사의 검사를 받아야 한다.

1. 검사대상기기를 설치하거나 개조하여 사용하려는 자
2. 검사대상기기의 설치장소를 변경하여 사용하려는 자
3. 검사대상기기를 사용중지한 후 재사용하려는 자

③ 시·도지사는 제1항이나 제2항에 따른 검사에 합격된 검사대상기기의 제조업자나 설치자에게는 지체 없이 그 검사의 유효기간을 명시한 검사증을 내주어야 한다.

④ 검사의 유효기간이 끝나는 검사대상기기를 계속 사용하려는 자는 산업통상자원부령으로 정하는 바에 따라 다시 시·도지사의 검사를 받아야 한다.

⑤ 제1항·제2항 또는 제4항에 따른 검사에 합격되지 아니한 검사대상기기는 사용할 수 없다. 다만, 시·도지사는 제4항에 따른 검사의 내용 중 산업통상자원부령으로 정하는 항목의 검사에 합격되지 아니한 검사대상기기에 대하여는 검사대상기기의 안전관리와 위해방지에 지장이 없는 범위에서 산업통상자원부령으로 정하는 기간 내에 그 검사에 합격할 것을 조건으로 계속 사용하게 할 수 있다.

⑥ 시·도지사는 제1항·제2항 및 제4항에 따른 검사에서 검사대상기기의 안전관리와 위해방지에 지장이 없는 범위에서 산업통상자원부령으로 정하는 바에 따라 그 검사의 전부 또는 일부를 면제할 수 있다.

⑦ 검사대상기기설치자는 다음 각 호의 어느 하나에 해당하면 산업통상자원부령으로 정하는 바에 따라 시·도지사에게 신고하여야 한다.

1. 검사대상기기를 폐기한 경우
2. 검사대상기기의 사용을 중지한 경우
3. 검사대상기기의 설치자가 변경된 경우
4. 제6항에 따라 검사의 전부 또는 일부가 면제된 검사대상기기 중 산업통상자원부령으로 정하는 검사대상기기를 설치한 경우

⑧ 검사대상기기에 대한 검사의 내용·기준, 그 밖에 필요한 사항은 산업통상자원부령으로 정한다.

6. 전기설비의 사용전검사(「전기안전관리법」)

법 제9조【사용전검사】 제8조에 따라 자가용전기설비의 설치공사 또는 변경공사를 한 자는 산업통상자원부령으로 정하는 바에 따라 산업통상자원부장관 또는 시·도지사가 실시하는 검사에 합격한 후에 이를 사용하여야 한다.

건 축 법
1. 총 칙
2. 건 축
3. 유지관리
4. 대지도로
5. 구조재료
6. 지역지구
7. 건축설비
8. 특별건축구역
9. 보 칙
10. 벌 칙
건 축 법 관련기준

7. 정보통신공사의 사용전검사(「정보통신공사업법」)

법 제36조【공사의 사용전검사 등】① 대통령령으로 정하는 공사를 발주한 자(자신의 공사를 스스로 시공한 공사업자 및 제3조제2호에 따라 자신의 공사를 스스로 시공한 자를 포함하며, 이하 이 조에서 "발주자등"이라 한다)는 해당 공사를 시작하기 전에 설계도를 특별자치시장 · 특별자치도지사 · 시장 · 군수 · 구청장(자치구의 구청장을 말한다. 이하 같다)에게 제출하여 제6조에 따른 기술기준에 적합한지를 확인받아야 하며, 그 공사를 끝냈을 때에는 특별자치도지사 · 시장 · 군수 · 구청장의 사용전검사를 받고 정보통신설비를 사용하여야 한다. <개정 2014.5.28.>

② 특별자치시장 · 특별자치도지사 · 시장 · 군수 · 구청장은 필요한 경우 발주자등, 용역업자, 그 밖에 정보통신공사 관계 기관에 제1항에 따른 착공 전 확인과 사용전검사에 관한 자료의 제출을 요구할 수 있다. <신설 2014.5.28.>

③ 제1항에 따른 착공 전 확인과 사용전검사의 절차 등은 대통령령으로 정한다. <개정 2014.5.28.>

8. 도로점용 공사의 준공확인(「도로법」)

법 제62조【도로점용에 따른 안전관리 등】① 대통령령으로 정하는 공작물이나 물건, 그 밖의 시설(차량의 진출입로를 포함한다)을 신설 · 개축 · 변경 또는 제거하거나 그 밖의 목적으로 도로를 점용하기 위하여 제61조제1항에 따른 허가(이하 "도로점용허가"라 한다)를 받은 자는 대통령령으로 정하는 바에 따라 안전시설(→안전요원을 배치하거나, 안전시설) 또는 안전표지를 설치하는 등 보행자 안전사고를 방지하기 위한 대책을 마련하여야 한다. <개정 2023.10.24./시행 2024.10.25.>

② 도로의 굴착이나 그 밖에 토지의 형질변경이 수반되는 공사를 목적으로 도로점용허가를 받은 자는 해당 공사를 마치면 국토교통부령으로 정하는 바에 따라 도로관리청의 준공확인을 받아야 한다. 이 경우 대통령령으로 정하는 주요 지하 매설물(이하 "주요지하매설물"이라 한다)을 설치하는 공사를 마친 경우에는 그 준공도면을 도로관리청에 제출하여야 하며, 도로관리청은 국토교통부령으로 정하는 바에 따라 이를 보관 · 관리하여야 한다.

③ 다른 법률에 따라 인가 · 허가 등을 받으면 주요지하매설물 설치에 관한 공사의 준공확인을 받은 것으로 보는 경우 다른 법률에 따라 인가 · 허가 등의 신청을 받은 소관 행정기관의 장은 해당 인가 · 허가 등을 하기 전에 미리 도로관리청과 협의할 때에 주요지하매설물에 관한 준공도면의 사본을 도로관리청에 보내야 한다.

④ 도로관리청은 주요지하매설물이 설치된 도로에 대하여 굴착공사가 따르는 도로점용허가를 하면 그 주요지하매설물의 관리자에게 이를 알려야 한다.

⑤ 도로점용허가를 받은 자가 주요지하매설물이 있는 도로에서 굴착공사를 하려면 그 주요지하매설물의 관리자를 참여시켜야 한다.

⑥ 도로관리청은 도로점용에 따른 안전관리 실태 또는 주요지하매설물의 현황을 조사하기 위하여 도로점용허가(다른 법률에 따라 도로점용허가를 받은 것으로 보는 경우를 포함한다)를 받은 자 또는 도로공사의 준공확인을 받은 자(주요지하매설물의 현황 조사를 위한 경우에 한정한다)에게 국토교통부령으로 정하는 바에 따라 필요한 자료 제출을 요구할 수 있으며, 자료 제출 요구를 받은 자는 정당한 사유가 없으면 이에 따라야 한다. <개정 2021.12.7.>

9. 개발 행위의 준공검사(「국토의 계획 및 이용에 관한 법률」)

법 제62조【준공검사】① 제56조제1항제1호부터 제3호까지의 행위에 대한 개발행위허가를 받은 자는 그 개발행위를 마치면 국토교통부령으로 정하는 바에 따라 특별시장 · 광역시장 · 특별자치시장 · 특별자치도지사 · 시장 또는 군수의 준공검사를 받아야 한다. 다만, 같은 항 제1호의 행위에 대하여 「건축법」 제22조에 따른 건축물의 사용승인을 받은 경우에는 그러하지 아니하다.

② 제1항에 따른 준공검사를 받은 경우에는 특별시장 · 광역시장 · 특별자치시장 · 특별자치도지사 · 시장 또는 군수가 제61조에 따라 의제되는 인 · 허가등에 따른 준공검사 · 준공인가 등에 관하여 제4항에 따라 관계 행정기관의 장과 협의한 사항에 대하여는 그 준공검사 · 준공인가 등을 받은 것으로 본다.

③ 제2항에 따른 준공검사 · 준공인가 등의 의제를 받으려는 자는 제1항에 따른 준공검사를 신청할 때에 해당 법률에서 정하는 관련 서류를 함께 제출하여야 한다.
④ 특별시장 · 광역시장 · 특별자치시장 · 특별자치도지사 · 시장 또는 군수는 제1항에 따른 준공검사를 할 때에 그 내용에 제61조에 따라 의제되는 인 · 허가등에 따른 준공검사 · 준공인가 등에 해당하는 사항이 있으면 미리 관계 행정기관의 장과 협의하여야 한다.
⑤ 국토교통부장관은 제2항에 따라 의제되는 준공검사 · 준공인가 등의 처리기준을 관계 중앙행정기관으로부터 제출받아 통합하여 고시하여야 한다.

10. 도시·군계획시설사업의 준공검사(「국토의 계획 및 이용에 관한 법률」)

법 제98조 【공사완료의 공고 등】
① 도시 · 군계획시설사업의 시행자(국토교통부장관, 시 · 도지사와 대도시 시장은 제외한다)는 도시 · 군계획시설사업의 공사를 마친 때에는 국토교통부령으로 정하는 바에 따라 공사완료보고서를 작성하여 시 · 도지사나 대도시 시장의 준공검사를 받아야 한다.
② 시 · 도지사나 대도시 시장은 제1항에 따른 공사완료보고서를 받으면 지체 없이 준공검사를 하여야 한다.
③ 시 · 도지사나 대도시 시장은 제2항에 따른 준공검사를 한 결과 실시계획대로 완료되었다고 인정되는 경우에는 도시 · 군계획시설사업의 시행자에게 준공검사증명서를 발급하고 공사완료 공고를 하여야 한다.
④ 국토교통부장관, 시 · 도지사 또는 대도시 시장인 도시 · 군계획시설사업의 시행자는 도시 · 군계획시설사업의 공사를 마친 때에는 공사완료 공고를 하여야 한다.
⑤ 제2항에 따라 준공검사를 하거나 제4항에 따라 공사완료 공고를 할 때에 국토교통부장관, 시 · 도지사 또는 대도시 시장이 제92조에 따라 의제되는 인 · 허가등에 따른 준공검사 · 준공인가 등에 관하여 제7항에 따라 관계 행정기관의 장과 협의한 사항에 대하여는 그 준공검사 · 준공인가 등을 받은 것으로 본다.
⑥ 도시 · 군계획시설사업의 시행자(국토교통부장관, 시 · 도지사와 대도시 시장은 제외한다)는 제5항에 따른 준공검사 · 준공인가 등의 의제를 받으려면 제1항에 따른 준공검사를 신청할 때에 해당 법률에서 정하는 관련 서류를 함께 제출하여야 한다.
⑦ 국토교통부장관, 시 · 도지사 또는 대도시 시장은 제2항에 따른 준공검사를 하거나 제4항에 따라 공사완료 공고를 할 때에 그 내용에 제92조에 따라 의제되는 인 · 허가등에 따른 준공검사 · 준공인가 등에 해당하는 사항이 있으면 미리 관계 행정기관의 장과 협의하여야 한다.
⑧ 국토교통부장관은 제5항에 따라 의제되는 준공검사 · 준공인가 등의 처리기준을 관계 중앙행정기관으로부터 받아 통합하여 고시하여야 한다.

11. 수질오염물질 배출시설의 가동개시의 신고(「물환경보전법」)

법 제37조 【배출시설 등의 가동시작 신고】 ① 사업자는 배출시설 또는 방지시설의 설치를 완료하거나 배출시설의 변경(변경신고를 하고 변경을 하는 경우에는 대통령령으로 정하는 변경의 경우로 한정한다)을 완료하여 그 배출시설 및 방지시설을 가동하려면 환경부령으로 정하는 바에 따라 미리 환경부장관에게 가동시작 신고를 하여야 한다. 신고한 가동시작일을 변경할 때에는 환경부령으로 정하는 바에 따라 변경신고를 하여야 한다.
② 제1항에 따른 가동시작 신고를 한 사업자는 환경부령으로 정하는 기간 이내에 배출시설(폐수무방류배출시설은 제외한다)에서 배출되는 수질오염물질이 제32조에 따른 배출허용기준 이하로 처리될 수 있도록 방지시설을 운영하여야 한다. 이 경우 환경부령으로 정하는 기간에는 제39조부터 제41조까지의 규정을 적용하지 아니한다.
③ 환경부장관은 제2항에 따른 기간이 지난 날부터 환경부령으로 정하는 기간 이내에 배출시설 및 방지시설의 가동상태를 점검하고 수질오염물질을 채취한 후 환경부령으로 정하는 검사기관으로 하여금 오염도검사를 하게 하여야 한다.
④ 환경부장관은 제1항에 따라 가동시작 신고를 한 폐수무방류배출시설에 대하여 신고일부터 10일 이내에 제33조제11항에 따른 허가 또는 변경허가의 기준에 맞는지를 조사하여야 한다. <개정 2018.10.16.>

12. 대기오염물질 배출시설의 가동개시의 신고(「대기환경보전법」)

법 제30조【배출시설 등의 가동개시 신고】① 사업자는 배출시설이나 방지시설의 설치를 완료하거나 배출시설의 변경(변경신고를 하고 변경을 하는 경우에는 대통령령으로 정하는 규모 이상의 변경만 해당한다)을 완료하여 그 배출시설이나 방지시설을 가동하려면 환경부령으로 정하는 바에 따라 미리 환경부장관 또는 시·도지사에게 가동개시 신고를 하여야 한다. <개정 2019.1.15.>

②제1항에 따라 신고한 배출시설이나 방지시설 중에서 발전소의 질소산화물 감소 시설 등 대통령령으로 정하는 시설인 경우에는 환경부령으로 정하는 기간에는 제33조부터 제35조까지의 규정을 적용하지 아니한다.

2 현장조사·검사 및 확인업무의 대행(법 제27조)(영 제20조)(규칙 제21조)

법 제27조【현장조사·검사 및 확인업무의 대행】

① 허가권자는 이 법에 따른 현장조사·검사 및 확인업무를 대통령령으로 정하는 바에 따라 「건축사법」 제23조에 따라 건축사사무소개설신고를 한 자에게 대행하게 할 수 있다. <개정 2014.5.28>

② 제1항에 따라 업무를 대행하는 자는 현장조사·검사 또는 확인결과를 국토교통부령으로 정하는 바에 따라 허가권자에게 서면으로 보고하여야 한다.

③ 허가권자는 제1항에 따른 자에게 업무를 대행하게 한 경우 국토교통부령으로 정하는 범위에서 해당 지방자치단체의 조례로 정하는 수수료를 지급하여야 한다.

영 제20조【현장조사·검사 및 확인업무의 대행】

① 허가권자는 법 제27조제1항에 따라 건축조례로 정하는 건축물의 건축허가, 건축신고, 사용승인 및 임시사용승인과 관련되는 현장조사·검사 및 확인업무를 건축사로 하여금 대행하게 할 수 있다. 이 경우 허가권자는 건축물의 사용승인 및 임시사용승인과 관련된 현장조사·검사 및 확인업무를 대행할 건축사를 다음 각 호의 기준에 따라 선정하여야 한다. <개정 2014.11.28.>

1. 해당 건축물의 설계자 또는 공사감리자가 아닐 것
2. 건축주의 추천을 받지 아니하고 직접 선정할 것

② 시·도지사는 법 제27조제1항에 따라 현장조사·검사 및 확인업무를 대행하게 하는 건축사(이하 이 조에서 "업무대행건축사"라 한다)의 명부를 모집공고를 거쳐 작성·관리해야 한다. 이 경우 시·도지사는 미리 관할 시장·군수·구청장과 협의해야 한다. <신설 2021.1.8.>

③ 허가권자는 제2항에 따른 명부에서 업무대행건축사를 지정해야 한다. <신설 2021.1.8.>

④ 제2항 및 제3항에 따른 업무대행건축사 모집공고, 명부 작성·관리 및 지정에 필요한 사항은 시·도의 조례로 정한다. <개정 2021.1.8.>

규칙 제21조【현장조사·검사업무의 대행】

① 법 제27조제2항에 따라 현장조사·검사 또는 확인업무를 대행하는 자는 허가권자에게 별지 제23호서식의 건축허가조사 및 검사조서 또는 별지 제24호서식의 사용승인조사 및 검사조서를 제출하여야 한다.

② 허가권자는 제1항에 따라 건축허가 또는 사용승인을 하는 것이 적합한 것으로 표시된 건축허가조사 및 검사조서 또는 사용승인조사 및 검사조서를 받은 때에는 지체 없이 건축허가

서 또는 사용승인서를 교부하여야 한다. 다만, 법 제11조제2항에 따라 건축허가를 할 때 도지사의 승인이 필요한 건축물인 경우에는 미리 도지사의 승인을 받아 건축허가서를 발급하여야 한다.

③ 허가권자는 법 제27조제3항에 따라 현장조사·검사 및 확인업무를 대행하는 자에게 「엔지니어링산업 진흥법」 제31조에 따라 산업통상자원부장관이 고시하는 엔지니어링사업 대가 기준에 따라 산정한 대가 이상의 범위에서 건축조례로 정하는 수수료를 지급하여야 한다. <개정 2014.10.15>

해설 건축물에 관한 조사·검사 및 확인업무는 공무원이 처리 및 확인하여야 할 사항이나, 이는 공무원의 업무과중을 경감시키는 측면과 주민의 편익증진의 측면에서 전문가인 건축사로 하여금 업무를 대행하게 하여 불법건축물을 방지하고 건축물의 질을 높이기 위함이다. 업무대행자의 업무범위와 업무대행절차 등은 지방자치단체의 조례로 정하며, 건축허가, 건축신고에 관한 조사·검사 및 확인업무를 제외한 사용승인 및 임시사용승인을 위한 조사·검사 및 확인업무는 해당 건축물의 설계·감리자 이외의 건축사로 하여금 업무를 대행하도록 하였다.

■ 업무의 대행

【1】 대상
- 건축조례로 정하는 건축물

【2】 대행업무의 내용
① 건축허가와 관련된 현장조사·검사 및 확인업무
② 건축신고와 관련된 현장조사·검사 및 확인업무
③ 사용승인과 관련된 현장조사·검사 및 확인업무
④ 임시사용승인과 관련된 현장조사·검사 및 확인업무

【3】 대행자의 선정
-위 ③, ④의 경우

1. 해당 건축물의 설계자 또는 공사감리자가 아닌 건축사일 것
2. 건축주의 추천을 받지 아니하고 허가권자가 직접 선정할 것

【4】 업무대행건축사의 명부 작성·관리 등
① 시·도지사는 업무대행건축사의 명부를 모집공고를 거쳐 작성·관리해야 한다.
  - 이 경우 시·도지사는 미리 관할 시장·군수·구청장과 협의해야 한다.
② 허가권자는 명부에서 업무대행 건축사를 지정해야 한다.
③ 업무대행건축사 모집공고, 명부 작성·관리 및 지정에 필요한 사항은 시·도의 조례로 정한다.

【5】 보고
업무대행자는 ① 건축허가조사 및 검사조서(별지 제23호 서식)
② 사용승인조사 및 검사조서(별지 제24호 서식)를 허가권자에 보고

【6】 건축허가서 또는 사용승인서의 교부
① 허가권자는 업무대행자가 적합한 것으로 작성한 건축허가조사 및 검사조서 또는 사용승인조사 및 검사조서를 받은 때에는 지체 없이 건축허가서 또는 사용승인서를 교부하여야 한다.

② 건축허가를 할 때 도지사의 승인이 필요한 건축물인 경우 미리 도지사의 승인을 받아 건축허가서를 발급하여야 한다.

【7】 수수료의 지급

허가권자는 현장조사·검사 및 확인업무를 대행하는 자에게 「엔지니어링기술 진흥법」에 따라 산업통산자원부장관이 고시하는 엔지니어링사업 대가기준의 범위에서 건축조례로 정하는 수수료를 지급하여야 함 관계법

관계법 엔지니어링사업의 대가기준(「엔지니어링산업 진흥법」 제31조)

법 제31조【엔지니어링사업의 대가 기준 등】

① 발주청은 엔지니어링사업자와 엔지니어링사업의 계약을 체결한 때에는 적정한 엔지니어링사업의 대가를 지급하여야 한다.

② 산업통상자원부장관은 제1항에 따른 엔지니어링사업의 대가를 산정하기 위하여 필요한 기준을 정하여 고시하여야 한다. 이 경우 산업통상자원부장관은 기획재정부장관, 국토교통부장관 등 관계 행정기관의 장과 미리 협의하여야 한다.

【참고】 엔지니어링사업대가의 기준[산업통상자원부고시 제2021-137호, 2021.7.29]

제2조【적용】

①「엔지니어링산업 진흥법」(이하 "법"이라 한다) 제2조제4호에 따른 엔지니어링사업자(이하 "엔지니어링사업자"라 한다)가 같은 법 제2조제7호 각 목 및 시행령 제5조의 각 호의 자(이하 "발주청"이라 한다)로부터 엔지니어링사업을 수탁할 경우에는 이 기준에 따라 엔지니어링사업대가(이하 "대가"라 한다)를 산출한다.

② 제1항에도 불구하고 엔지니어링사업자가 건설업자 또는 주택건설등록 업자로부터 위탁받아 작성하는 시공상세도의 경우에는 제21조 이하의 규정에 따라 대가를 산출한다.

3 용도변경(법 제19조)(영 제14조)(규칙 제12조의2)

법 제19조【용도변경】

① 건축물의 용도변경은 변경하려는 용도의 건축기준에 맞게 하여야 한다.

② 제22조에 따라 사용승인을 받은 건축물의 용도를 변경하려는 자는 다음 각 호의 구분에 따라 국토교통부령으로 정하는 바에 따라 특별자치시장·특별자치도지사 또는 시장·군수·구청장의 허가를 받거나 신고를 하여야 한다. <개정 2014.1.14>

1. 허가 대상: 제4항 각 호의 어느 하나에 해당하는 시설군(施設群)에 속하는 건축물의 용도를 상위군(제4항 각 호의 번호가 용도변경하려는 건축물이 속하는 시설군보다 작은 시설군을 말한다)에 해당하는 용도로 변경하는 경우
2. 신고 대상: 제4항 각 호의 어느 하나에 해당하는 시설군에 속하는 건축물의 용도를 하위군(제4항 각 호의 번호가 용도변경하려는 건축물이 속하는 시설군보다 큰 시설군을 말한다)에 해당하는 용도로 변경하는 경우

③ 제4항에 따른 시설군 중 같은 시설군 안에서 용도를 변경하려는 자는 국토교통부령으로 정하는 바에 따라 특별자치시장·특별자치도지사 또는 시장·군수·구청장에게 건축물대장 기재내용의 변경을 신청하여야 한다. 다만, 대통령령으로 정하는 변경의 경우에는 그러하지 아니하다. <개정 2014.1.14.>

④ 시설군은 다음 각 호와 같고 각 시설군에 속하는 건축물의 세부 용도는 대통령령으로 정한다.
1. 자동차 관련 시설군
2. 산업 등의 시설군
3. 전기통신시설군
4. 문화 및 집회시설군
5. 영업시설군
6. 교육 및 복지시설군
7. 근린생활시설군
8. 주거업무시설군
9. 그 밖의 시설군
⑤ 제2항에 따른 허가나 신고 대상인 경우로서 용도변경하려는 부분의 바닥면적의 합계가 100제곱미터 이상인 경우의 사용승인에 관하여는 제22조를 준용한다. 다만, 용도변경하려는 부분의 바닥면적의 합계가 500제곱미터 미만으로서 대수선에 해당되는 공사를 수반하지 아니하는 경우에는 그러하지 아니하다. <개정 2016.1.19.>
⑥ 제2항에 따른 허가 대상인 경우로서 용도변경하려는 부분의 바닥면적의 합계가 500제곱미터 이상인 용도변경(대통령령으로 정하는 경우는 제외한다)의 설계에 관하여는 제23조를 준용한다.
⑦ 제1항과 제2항에 따른 건축물의 용도변경에 관하여는 제3조, 제5조, 제6조, 제7조, 제11조제2항부터 제9항까지, 제12조, 제14조부터 제16조까지, 제18조, 제20조, 제27조, 제29조, 제38조, 제42조부터 제44조까지, 제48조부터 제50조까지, 제50조의2, 제51조부터 제56조까지, 제58조, 제60조부터 제64조까지, 제67조, 제68조, 제78조부터 제87조까지의 규정과 「녹색건축물 조성 지원법」 제15조 및 「국토의 계획 및 이용에 관한 법률」 제54조를 준용한다. <개정 2019.4.30.>

영 제14조【용도변경】
①, ② 삭제 <2006.5.8>
③ 국토교통부장관은 법 제19조제1항에 따른 용도변경을 할 때 적용되는 건축기준을 고시할 수 있다. 이 경우 다른 행정기관의 권한에 속하는 건축기준에 대하여는 미리 관계 행정기관의 장과 협의하여야 한다.
④ 법 제19조제3항 단서에서 "대통령령으로 정하는 변경"이란 다음 각 호의 어느 하나에 해당하는 건축물 상호 간의 용도변경을 말한다. 다만, 별표 1 제3호다목(목욕장만 해당한다)·라목, 같은 표 제4호가목·사목·카목·파목(골프연습장, 놀이형시설만 해당한다)·더목·러목, 같은 표 제7호다목2), 같은 표 제15호가목(생활숙박시설만 해당한다) 및 같은 표 제16호가목·나목에 해당하는 용도로 변경하는 경우는 제외한다. <개정 2021.11.2>
1. 별표 1의 같은 호에 속하는 건축물 상호 간의 용도변경
2. 「국토의 계획 및 이용에 관한 법률」이나 그 밖의 관계 법령에서 정하는 용도제한에 적합한 범위에서 제1종 근린생활시설과 제2종 근린생활시설 상호 간의 용도변경
⑤ 법 제19조제4항 각 호의 시설군에 속하는 건축물의 용도는 다음 각 호와 같다. <개정 2017.2.3.>

1. 자동차 관련 시설군
 자동차 관련 시설
2. 산업 등 시설군
 가. 운수시설
 나. 창고시설
 다. 공장
 라. 위험물저장 및 처리시설
 마. 자원순환 관련 시설
 바. 묘지 관련 시설
 사. 장례시설
3. 전기통신시설군
 가. 방송통신시설
 나. 발전시설
4. 문화집회시설군
 가. 문화 및 집회시설
 나. 종교시설
 다. 위락시설
 라. 관광휴게시설
5. 영업시설군
 가. 판매시설
 나. 운동시설
 다. 숙박시설
 라. 제2종 근린생활시설 중 다중생활시설
6. 교육 및 복지시설군
 가. 의료시설
 나. 교육연구시설
 다. 노유자시설(老幼者施設)
 라. 수련시설
 마. 야영장 시설
7. 근린생활시설군
 가. 제1종 근린생활시설
 나. 제2종 근린생활시설(다중생활시설은 제외한다)
8. 주거업무시설군
 가. 단독주택
 나. 공동주택
 다. 업무시설
 라. 교정시설
 마. 국방·군사시설
9. 그 밖의 시설군
 가. 동물 및 식물 관련 시설
 나. 삭제 <2010.12.13.>

⑥ 기존의 건축물 또는 대지가 법령의 제정 · 개정이나 제6조의2제1항 각 호의 사유로 법령 등에 부적합하게 된 경우에는 건축조례로 정하는 바에 따라 용도변경을 할 수 있다.

⑦ 법 제19조제6항에서 "대통령령으로 정하는 경우"란 1층인 축사를 공장으로 용도변경하는 경우로서 증축 · 개축 또는 대수선이 수반되지 아니하고 구조 안전이나 피난 등에 지장이 없는 경우를 말한다.

규칙 제12조의2【용도변경】

① 법 제19조제2항에 따라 용도변경의 허가를 받으려는 자는 별지 제1호의4서식의 건축 · 대수선 · 용도변경 (변경)허가 신청서에, 용도변경의 신고를 하려는 자는 별지 제6호서식의 건축 · 대수선 · 용도변경 (변경)허가 신청서에 다음 각 호의 서류를 첨부하여 특별자치시장 · 특별자치도지사 또는 시장 · 군수 · 구청장에게 제출(전자문서로 제출하는 것을 포함한다)하여야 한다. <개정 2018.11.29>

1. 용도를 변경하려는 층의 변경 후의 평면도(허가권자가 건축물대장이나 법 제32조제1항에 따른 전산자료를 통하여 평면도 확인이 가능한 경우에는 변경 전 평면도는 제외한다)
2. 용도변경에 따라 변경되는 내화 · 방화 · 피난 또는 건축설비에 관한 사항을 표시한 도서

② 허가권자는 제1항에 따른 신청을 받은 경우 용도를 변경하려는 층의 변경 전의 평면도를 확인하기 위해 행정정보의 공동이용을 통해 건축물대장을 확인하거나 법 제32조제1항에 따른 전산자료를 확인해야 한다. 다만, 행정정보의 공동이용 또는 전산자료를 통해 평면도를 확인할 수 없는 경우에는 해당 서류를 제출하도록 해야 한다. <개정 2019.11.18.>

③ 법 제16조 및 제19조제7항에 따라 용도변경의 변경허가를 받으려는 자는 별지 제1호의4서식의 건축 · 대수선 · 용도변경 (변경)허가 신청서에, 용도변경의 변경신고를 하려는 자는 별지 제6호서식의 건축 · 대수선 · 용도변경 (변경)신고서에 변경하려는 부분에 대한 변경 전 · 후의 설계도서를 첨부하여 특별자치시장 · 특별자치도지사 또는 시장 · 군수 · 구청장에게 제출(전자문서로 제출하는 것을 포함한다)해야 한다. <신설 2018.11.29.>

④ 특별자치시장 · 특별자치도지사 또는 시장 · 군수 · 구청장은 제1항 및 제3항에 따른 건축 · 대수선 · 용도변경 (변경)허가 신청서를 받은 경우에는 법 제12조제1항 및 영 제10조제1항에 따른 관계법령에 적합한지를 확인한 후 별지 제2호서식의 건축 · 대수선 · 용도변경 허가서를 용도변경의 허가 또는 변경허가를 신청한 자에게 발급하여야 한다. <개정 2018.11.29.>

⑤ 특별자치시장 · 특별자치도지사 또는 시장 · 군수 · 구청장은 제1항 또는 제3항에 따른 건축 · 대수선 · 용도변경 (변경)신고서를 받은 때에는 그 기재내용을 확인한 후 별지 제7호서식의 건축 · 대수선 · 용도변경 신고필증을 신고인에게 발급하여야 한다. <개정 2018.11.29.>

⑥ 제8조제3항 및 제4항은 제4항 및 제5항에 따라 건축 · 대수선 · 용도변경 허가서 또는 건축 · 대수선 · 용도변경 신고필증을 발급하는 경우에 준용한다. <개정 2018.11.29.>

해설 건축물의 용도변경은 건축물의 건축과는 달리, 사용승인을 받은 건축물의 사용용도를 변경하는 행위이다. 이에 종전의 「건축법」에서는 행정절차의 간소화 측면에서 신고제로 운용하여 왔으나, 현행법령에서는

① 허가대상
② 신고대상
③ 건축물대장 기재사항 변경 신청대상
④ 건축물대장 기재사항 변경 신청없이 용도변경이 가능한 대상

으로 구분하여 시행하고 있다.

【1】 건축물의 용도변경은 변경하려는 용도의 건축기준에 맞게 하여야 한다.

【2】 용도변경을 위한 9개시설군[상위군(1)으로부터 하위군(9)순으로 정렬]

용도변경시설군	각 시설군별 건축물의 용도
1. 자동차 관련 시설군	자동차 관련 시설
2. 산업 등 시설군	가. 운수시설 나. 창고시설 다. 공장 라. 위험물저장 및 처리시설 마. 자원순환 관련 시설 바. 묘지관련시설 사. 장례시설
3. 전기통신시설군	가. 방송통신시설 나. 발전시설
4. 문화집회시설군	가. 문화 및 집회시설 나. 종교시설 다. 위락시설 라. 관광휴게시설
5. 영업시설군	가. 판매시설 나. 운동시설 다. 숙박시설 라. 제2종근린생활시설 중 다중생활시설
6. 교육 및 복지시설군	가. 의료시설 나. 교육연구시설 다. 노유자시설 라. 수련시설 마. 야영장시설
7. 근린생활시설군	가. 제1종근린생활시설 나. 제2종근린생활시설(다중생활시설 제외)
8. 주거업무시설군	가. 단독주택 나. 공동주택 다. 업무시설 라. 교정시설 마. 국방 · 군사시설
9. 그 밖의 시설군	동물 및 식물관련시설

【3】 허가대상 용도변경

① 대상 : 건축물의 용도를 상위군 용도로 변경하는 경우

② 제출서류 : 1. 건축 · 대수선 · 용도변경 (변경)허가 신청서(별지 제1호의4서식)
2. 용도를 변경하려는 층의 변경 후의 평면도(변경 전의 평면도의 확인은 허가권자가 행정정보의 공동이용을 통해 건축물대장의 확인 등의 방법으로 확인)
3. 용도변경에 따라 변경되는 내화 · 방화 · 피난 또는 건축설비에 관한 사항을 표시한 도서

※ 용도변경의 변경허가를 받으려는 자는 건축·대수선·용도변경 (변경)허가 신청서에 변경 전·후의 설계도서를 첨부하여 특별자치시장·특별자치도지사 또는 시장·군수·구청장에게 제출해야 한다.

【4】 신고대상 용도변경

① 대상 : 건축물의 용도를 하위군 용도로 변경하는 경우

② 제출서류 : 1. 건축 · 대수선 · 용도변경 (변경)신고서(별지 제6호서식)
2. 용도를 변경하려는 층의 변경 후의 평면도(변경 전의 평면도의 확인은 허가권자가 행정정보의 공동이용을 통해 건축물대장의 확인 등의 방법으로 확인)
3. 용도변경에 따라 변경되는 내화 · 방화 · 피난 또는 건축설비에 관한 사항을 표시한 도서

※ 용도변경의 변경신고를 하려는 자는 건축·대수선·용도변경 (변경)신고서에 변경 전·후의 설계도서를 첨부하여 특별자치시장·특별자치도지사 또는 시장·군수·구청장에게 제출해야 한다.

【5】 건축물대장 기재내용의 변경신청 대상

- 같은 시설군내에서 용도를 변경하고자 하는 경우

【6】 건축물대장 기재내용의 변경신청 없이 용도변경이 가능한 대상

① 용도별 건축물의 종류(영 별표1)의 같은 호에 속하는 건축물 상호간의 용도변경

② 「국토의 계획 및 이용에 관한 법률」 등에서 정하는 용도제한에 적합한 범위에서 제1종 근린생활시설과 제2종 근린생활시설 상호 간의 용도변경

예외 다음 용도로의 변경은 위 【5】의 규정을 적용한다.

별표1의 호	목	세부용도
3. 제1종 근린생활시설	다.	목욕장
	라.	의원, 치과의원, 한의원, 침술원, 접골원(接骨院), 조산원, 안마원, 산후조리원 등 주민의 진료·치료 등을 위한 시설
4. 제2종 근린생활시설	가.	공연장(극장, 영화관, 연예장, 음악당, 서커스장, 비디오물감상실, 비디오물소극장 등)으로서 바닥면적의 합계가 500㎡ 미만인 것
	사.	소년게임제공업소, 복합유통게임제공업소, 인터넷컴퓨터게임시설제공업소 등 게임 관련 시설로서 바닥면적의 합계가 500㎡ 미만인 것
	카.	학원(자동차학원·무도학원 및 정보통신기술을 활용하여 원격으로 교습하는 것 제외), 교습소(자동차교습·무도교습 및 정보통신기술을 활용하여 원격으로 교습하는 것 제외), 직업훈련소(운전·정비 관련 직업훈련소는 제외)로서 바닥면적의 합계가 500㎡ 미만인 것
	파.	골프연습장, 놀이형시설

	더.	단란주점으로서 바닥면적의 합계가 150㎡ 미만인 것
	러.	안마시술소, 노래연습장
7. 판매시설	다.2)	청소년게임제공업의 시설, 일반게임제공업의 시설, 인터넷컴퓨터게임시설제공업의 시설 및 복합유통게임제공업의 시설로서 제2종 근린생활시설에 해당하지 아니하는 것
15. 숙박시설	가.	생활숙박시설
16. 위락시설	가.	단란주점으로서 제2종 근린생활시설에 해당하지 아니하는 것
	나.	유흥주점이나 그 밖에 이와 비슷한 것

【7】 용도변경면적에 따른 준용규정

용도변경 구분	용도변경부분 바닥면적의 합계	건축법 준용규정	예 외
허가 및 신고 대상	100㎡ 이상	(제22조) 건축물의 사용승인	용도변경 부분의 바닥면적 합계가 500㎡ 미만으로 대수선을 수반하지 아니하는 경우
허가 대상	500㎡ 이상	(제23조) 건축물의 건축사 설계	1층인 축사를 공장으로 용도변경하는 경우(증축·개축 또는 대수선이 수반되지 아니하고 구조안전·피난 등에 지장이 없는 경우)

【8】 허가서 등의 발급 등

① 특별자치시장·특별자치도지사 또는 시장·군수·구청장은 건축·대수선·용도변경 (변경)허가신청서를 받은 경우 관계법령에 적합한지 확인 후 건축·대수선·용도변경 허가서(별지 제2호서식)를 용도변경의 허가 또는 변경허가를 신청한 자에게 발급하여야 함

② 특별자치시장·특별자치도지사 또는 시장·군수·구청장은 건축·대수선·용도변경 (변경)신고서를 받은 때에는 그 기재내용 확인 후 건축·대수선·용도변경 신고필증(별지 제7호서식)을 신고인에게 발급하여야 함

③ 건축·대수선·용도변경 허가서 및 건축·대수선·용도변경 신고필증의 발급의 경우 규칙 제8조제3항(건축·대수선·용도변경 허가(신고)대장을 건축물의 용도별 및 월별로 작성·관리) 및 제4항(대장의 전자적 처리가 가능한 방법으로 작성·관리)의 규정을 준용함

④ 기존의 건축물의 대지가 법령의 제정·개정이나 기존 건축물의 특례(영 제6조의2제1항)의 사유로 인하여 법령 등에 부적합하게 된 경우 건축조례로 정하는 바에 따라 용도변경할 수 있음

【9】 용도변경시의 준용규정

법조항	내 용	법조항	내 용
제3조	적용 제외	제14조	건축신고
제5조	적용의 완화	제15조	건축주와의 계약 등
제6조	기존의 건축물 등에 관한 특례	제16조	허가와 신고사항의 변경
제7조	통일성을 유지하기 위한 도의 조례	제18조	건축허가 제한 등
제11조(②~⑨)	건축허가	제20조	가설건축물
제12조	건축복합민원 일괄협의회	제27조	현장조사·검사 및 확인업무의 대행

제29조	공용건축물에 대한 특례	제60조	건축물의 높이 제한
제38조	건축물대장	제61조	일조 등의 확보를 위한 건축물의 높이 제한
제42조	대지안의 조경	제62조	건축설비기준 등
제43조	공개 공지 등의 확보	제64조	승강기
제44조	대지와 도로의 관계	제67조	관계전문기술자
제48조	구조내력 등	제68조	기술적 기준
제48조의2	건축물 내진등급의 설정	제78조	감독
제48조의3	건축물의 내진능력 공개	제79조	위반 건축물 등에 대한 조치 등
제48조의4	부속구조물의 설치 및 관리	제80조	이행강제금
제49조	건축물의 피난시설 및 용도제한 등	제80조의2	이행강제금 부과에 관한 특례
제50조	건축물의 내화구조와 방화벽	제81조	기존의 건축물에 대한 안전점검 및 시정명령 등
제50조의2	고층건축물의 피난 및 안전관리	제81조의2	빈집 정비
제51조	방화지구 안의 건축물	제82조	권한의 위임과 위탁
제52조	건축물의 마감재료	제83조	옹벽 등의 공작물에의 준용
제52조의2	실내건축	제84조	면적 · 높이 및 층수의 산정
제53조	지하층	제85조	「행정대집행법」의 적용의 특례
제53조의2	건축물의 범죄예방	제86조	청문
제54조	대지가 지역·지구 또는 구역에 걸치는 경우의 조치	제87조	보고와 검사 등
제55조	건축물의 건폐율	녹색건축물 조성 지원법 제15조	건축물에 대한 효율적인 에너지 관리와 녹색건축물 건축의 활성화
제56조	건축물의 용적률	국토계획법* 제54조	지구단위계획구역에서의 건축 등 *국토의 계획 및 이용에 관한 법률
제58조	대지 안의 공지		

【10】 복수 용도의 인정(법 제19조의2, 규칙 제12조의3)

법 제19조의2【복수 용도의 인정】

① 건축주는 건축물의 용도를 복수로 하여 제11조에 따른 건축허가, 제14조에 따른 건축신고 및 제19조에 따른 용도변경 허가 · 신고 또는 건축물대장 기재내용의 변경 신청을 할 수 있다.

② 허가권자는 제1항에 따라 신청한 복수의 용도가 이 법 및 관계 법령에서 정한 건축기준과 입지기준 등에 모두 적합한 경우에 한정하여 국토교통부령으로 정하는 바에 따라 복수 용도를 허용할 수 있다. <개정 2020.6.9.>

[본조신설 2016.1.19.]

규칙 제12조의3【복수 용도의 인정】

① 법 제19조의2제2항에 따른 복수 용도는 영 제14조제5항 각 호의 같은 시설군 내에서 허용할 수 있다.

② 제1항에도 불구하고 허가권자는 지방건축위원회의 심의를 거쳐 다른 시설군의 용도간의 복수 용도를 허용할 수 있다.

[본조신설 2016.7.20.]

① 건축주는 건축물의 용도를 복수로 하여 건축허가, 건축신고 및 용도변경(허가·신고 또는 건축물대장 기재내용의 변경) 신청을 할 수 있다

② 이 법 및 관계 법령에 정한 건축기준과 입지기준 등에 모두 적합한 경우에 한정하여 복수 용도를 허용할 수 있다.

③ 복수 용도는 같은 시설군 내에서 허용할 수 있다.

④ 허가권자는 지방건축위원회의 심의를 거쳐 다른 시설군의 용도간의 복수 용도를 허용할 수 있다.

4 공용건축물에 대한 특례(법 제29조)(영 제22조)(규칙 제22조)

법 제29조【공용건축물에 대한 특례】

① 국가나 지방자치단체는 제11조, 제14조, 제19조, 제20조 및 제83조에 따른 건축물을 건축·대수선·용도변경하거나 가설건축물을 건축하거나 공작물을 축조하려는 경우에는 대통령령으로 정하는 바에 따라 미리 건축물의 소재지를 관할하는 허가권자와 협의하여야 한다.
② 국가나 지방자치단체가 제1항에 따라 건축물의 소재지를 관할하는 허가권자와 협의한 경우에는 제11조, 제14조, 제19조, 제20조 및 제83조에 따른 허가를 받았거나 신고한 것으로 본다.
③ 제1항에 따라 협의한 건축물에는 제22조제1항부터 제3항까지의 규정을 적용하지 아니한다. 다만, 건축물의 공사가 끝난 경우에는 지체 없이 허가권자에게 통보하여야 한다.
④ 국가나 지방자치단체가 소유한 대지의 지상 또는 지하 여유공간에 구분지상권을 설정하여 주민편의시설 등 대통령령으로 정하는 시설을 설치하고자 하는 경우 허가권자는 구분지상권자를 건축주로 보고 구분지상권이 설정된 부분을 제2조제1항제1호의 대지로 보아 건축허가를 할 수 있다. 이 경우 구분지상권 설정의 대상 및 범위, 기간 등은 「국유재산법」 및 「공유재산 및 물품 관리법」에 적합하여야 한다. <신설 2016.1.19.>

영 제22조【공용건축물에 대한 특례】

① 국가 또는 지방자치단체가 법 제29조에 따라 건축물을 건축하려면 해당 건축공사를 시행하는 행정기관의 장 또는 그 위임을 받은 자는 건축공사에 착수하기 전에 그 공사에 관한 설계도서와 국토교통부령으로 정하는 관계 서류를 허가권자에게 제출(전자문서에 의한 제출을 포함한다)하여야 한다. 다만, 국가안보상 중요하거나 국가기밀에 속하는 건축물을 건축하는 경우에는 설계도서의 제출을 생략할 수 있다.
② 허가권자는 제1항 본문에 따라 제출된 설계도서와 관계 서류를 심사한 후 그 결과를 해당 행정기관의 장 또는 그 위임을 받은 자에게 통지(해당 행정기관의 장 또는 그 위임을 받은 자가 원하거나 전자문서로 제1항에 따른 설계도서 등을 제출한 경우에는 전자문서로 알리는 것을 포함한다)하여야 한다.
③ 국가 또는 지방자치단체는 법 제29조제3항 단서에 따라 건축물의 공사가 완료되었음을 허가권자에게 통보하는 경우에는 국토교통부령으로 정하는 관계 서류를 첨부하여야 한다.
④ 법 제29조제4항 전단에서 "주민편의시설 등 대통령령으로 정하는 시설"이란 다음 각 호의 시설을 말한다. <신설 2016.7.19.>
1. 제1종 근린생활시설
2. 제2종 근린생활시설(총포판매소, 장의사, 다중생활시설, 제조업소, 단란주점, 안마시술소 및 노래연습장은 제외한다)
3. 문화 및 집회시설(공연장 및 전시장으로 한정한다)
4. 의료시설

5. 교육연구시설
6. 노유자시설
7. 운동시설
8. 업무시설(오피스텔은 제외한다)

규칙 제22조【공용건축물의 건축에 있어서의 제출서류】
① 영 제22조제1항에서 "국토교통부령으로 정하는 관계 서류"란 제6조 · 제12조 · 제12조의 2의 규정에 의한 관계도서 및 서류(전자문서를 포함한다)를 말한다.
② 영 제22조제3항에서 "국토교통부령으로 정하는 관계 서류"란 다음 각 호의 서류(전자문서를 포함한다)를 말한다.
1. 별지 제17호서식의 사용승인신청서. 이 경우 구비서류는 현황도면에 한한다.
2. 별지 제24호서식의 사용승인조사 및 검사조서

해설 국가 또는 지방자치단체가 건축물을 건축 · 대수선 · 용도변경 또는 가설건축물을 건축하거나 공작물을 축조하고자 하는 경우 미리 건축물의 소재지를 관할하는 허가권자와 협의로서 허가를 받거나 신고를 한 것으로 본다. 국가나 지방자치단체가 건축하는 것일지라도 건축물이므로 「건축법」의 모든 규정을 적용받아야 한다.

■ 공용건축물의 특례

【1】 대상
국가나 지방자치단체가 행하는 건축물의 건축 · 대수선 · 용도변경 또는 가설건축물의 건축 · 공작물의 축조

【2】 허가·신고
국가 또는 지방자치단체가 건축물 소재지 관할 허가권자와 협의로서 허가 · 신고에 준함

【3】 관계서류의 제출
건축공사를 시행하는 행정기관의 장 또는 그 위임을 받은 자가 공사착수전 설계도서와 관계서류를 허가권자에게 제출함(국가안보상 중요하거나, 국가기밀에 속하는 건축물을 건축하는 경우 설계도서의 제출을 생략할 수 있음)
−허가권자는 심사 후 결과를 통지(전자문서에 의한 통지 포함)하여야 함

【4】 공사완료
협의한 건축물의 공사가 완료된 경우 다음의 관계서류를 첨부하여 지체없이 허가권자에게 통보
1. 사용승인신청서(현황 도면 첨부) : 별지 제17호서식
2. 사용승인조사 및 검사조서 : 별지 제24호서식

【5】 특례규정 정리

법 조 항	내 용
법 제11조 또는 법 제14조	건축허가 및 신고
법 제22조제1항	사용승인 신청
법 제22조제2항	사용승인서 교부
법 제22조제3항	사용승인 미필시의 건축물 사용금지

【6】 구분지상권의 대지 인정

국가나 지방자치단체가 소유한 대지의 지상 또는 지하 여유공간에 구분지상권을 설정하여 주민편의시설 등 다음 시설을 설치하고자 하는 경우

시 설	비 고
1. 제1종 근린생활시설	-
2. 제2종 근린생활시설	총포판매소, 장의사, 다중생활시설, 제조업소, 단란주점, 안마시술소 및 노래연습장은 제외
3. 문화 및 집회시설	공연장 및 전시장으로 한정
4. 의료시설	-
5. 교육연구시설	-
6. 노유자시설	-
7. 운동시설	-
8. 업무시설	오피스텔은 제외

① 허가권자는 구분지상권자를 건축주로 보고 구분지상권이 설정된 부분을 건축법상의 대지로 보아 건축허가를 할 수 있다.

② 구분지상권 설정의 대상 및 범위, 기간 등은 「국유재산법」 및 「공유재산 및 물품 관리법」에 적합하여야 한다.

5 건축통계 등(법 제30조)

법 제30조【건축통계 등】

① 허가권자는 다음 각 호의 사항(이하 "건축통계"라 한다)을 국토교통부령으로 정하는 바에 따라 국토교통부장관이나 시 · 도지사에게 보고하여야 한다.

1. 제11조에 따른 건축허가 현황
2. 제14조에 따른 건축신고 현황
3. 제19조에 따른 용도변경허가 및 신고 현황
4. 제21조에 따른 착공신고 현황
5. 제22조에 따른 사용승인 현황
6. 그 밖에 대통령령으로 정하는 사항

② 건축통계의 작성 등에 필요한 사항은 국토교통부령으로 정한다.

해설 허가권자로 하여금 건축허가 · 건축신고 · 착공신고 · 용도변경 · 사용승인 현황 등을 국토교통부장관 또는 시 · 도지사에게 보고하도록 하며 건축관련 전반적인 현황을 통계 처리함으로서 건축행정의 효율적인 관리가 이루어질 수 있도록 함

6 건축행정 전산화(법 제31조)

법 제31조【건축행정 전산화】

① 국토교통부장관은 이 법에 따른 건축행정 관련 업무를 전산처리하기 위하여 종합적인 계획을 수립·시행할 수 있다.

② 허가권자는 제10조, 제11조, 제14조, 제16조, 제19조부터 제22조까지, 제25조, 제30조, 제36조, 제38조, 제83조 및 제92조에 따른 신청서, 신고서, 첨부서류, 통지, 보고 등을 디스켓, 디스크 또는 정보통신망 등으로 제출하게 할 수 있다. <개정 2019.4.30.>

해설 건축행정 관련 업무를 전산화함으로서 행정의 효율성을 높이고자 함

- 허가권자는 다음 사항에 대한 신청서·신고서·첨부서류·통지·보고 등을 디스켓·디스크 또는 정보통신망 등으로 제출하게 할 수 있음

법조항	내 용	법조항	내 용
법 제10조	건축관련 입지와 규모의 사전결정	법 제22조	건축물의 사용승인
법 제11조	건축허가	법 제25조	건축물의 공사감리
법 제14조	건축신고	법 제29조	공용건축물에 대한 특례
법 제16조	허가와 신고사항의 변경	법 제30조	건축통계 등
법 제19조	용도변경	법 제36조	건축물의 철거 등의 신고
법 제19조의2	복수 용도의 인정	법 제38조	건축물 대장
법 제20조	가설건축물	법 제83조	옹벽 등의 공작물에의 준용
법 제21조	착공신고 등	법 제92조	조정 등의 신청

7 건축허가 업무 등의 전산처리 등(법 제32조)(영 제22조의2)(규칙 제22조의2, 3)

법 제32조【건축허가 업무 등의 전산처리 등】

① 허가권자는 건축허가 업무 등의 효율적인 처리를 위하여 국토교통부령으로 정하는 바에 따라 전자정보처리 시스템을 이용하여 이 법에 규정된 업무를 처리할 수 있다.

② 제1항에 따른 전자정보처리 시스템에 따라 처리된 자료(이하 "전산자료"라 한다)를 이용하려는 자는 대통령령으로 정하는 바에 따라 관계 중앙행정기관의 장의 심사를 거쳐 다음 각 호의 구분에 따라 국토교통부장관, 시·도지사 또는 시장·군수·구청장의 승인을 받아야 한다. 다만, 지방자치단체의 장이 승인을 신청하는 경우에는 관계 중앙행정기관의 장의 심사를 받지 아니한다. <개정 2022.6.10>

1. 전국 단위의 전산자료: 국토교통부장관
2. 특별시·광역시·특별자치시·도·특별자치도(이하 "시·도"라 한다) 단위의 전산자료: 시·도지사
3. 시·군 또는 구(자치구를 말한다. 이하 같다) 단위의 전산자료: 시장·군수·구청장

③ 국토교통부장관, 시·도지사 또는 시장·군수·구청장이 제2항에 따른 승인신청을 받은 경우에는 건축허가 업무 등의 효율적인 처리에 지장이 없고 대통령령으로 정하는 건축주 등의 개인정보 보호기준을 위반하지 아니한다고 인정되는 경우에만 승인할 수 있다. 이 경우 용도를 한정하여 승인할 수 있다.

④ 제2항 및 제3항에도 불구하고 건축물의 소유자가 본인 소유의 건축물에 대한 소유 정보를 신청하거나 건축물의 소유자가 사망하여 그 상속인이 피상속인의 건축물에 대한 소유 정보를 신청하는 경우에는 승인 및 심사를 받지 아니할 수 있다. <신설 2017.10.24.>
⑤ 제2항에 따른 승인을 받아 전산자료를 이용하려는 자는 사용료를 내야 한다. <개정 2017.10.24.>
⑥ 제1항부터 제5항까지의 규정에 따른 전자정보처리 시스템의 운영에 관한 사항, 전산자료의 이용 대상 범위와 심사기준, 승인절차, 사용료 등에 관하여 필요한 사항은 대통령령으로 정한다. <개정 2017.10.24.>

영 제22조의2【건축 허가업무 등의 전산처리 등】

① 법 제32조제2항 각 호 외의 부분 본문에 따라 같은 조 제1항에 따른 전자정보처리 시스템으로 처리된 자료(이하 "전산자료"라 한다)를 이용하려는 자는 관계 중앙행정기관의 장의 심사를 받기 위하여 다음 각 호의 사항을 적은 신청서를 관계 중앙행정기관의 장에게 제출하여야 한다.
1. 전산자료의 이용 목적 및 근거
2. 전산자료의 범위 및 내용
3. 전산자료를 제공받는 방식
4. 전산자료의 보관방법 및 안전관리대책 등

② 제1항에 따라 전산자료를 이용하려는 자는 전산자료의 이용목적에 맞는 최소한의 범위에서 신청하여야 한다.

③ 제1항에 따른 신청을 받은 관계 중앙행정기관의 장은 다음 각 호의 사항을 심사한 후 신청받은 날부터 15일 이내에 그 심사결과를 신청인에게 알려야 한다.
1. 제1항 각 호의 사항에 대한 타당성 · 적합성 및 공익성
2. 법 제32조제3항에 따른 개인정보 보호기준에의 적합 여부
3. 전산자료의 이용목적 외 사용방지 대책의 수립 여부

④ 법 제32조제2항에 따라 전산자료 이용의 승인을 받으려는 자는 국토교통부령으로 정하는 건축행정 전산자료 이용승인 신청서에 제3항에 따른 심사결과를 첨부하여 국토교통부장관, 시 · 도지사 또는 시장 · 군수 · 구청장에게 제출하여야 한다. 다만, 중앙행정기관의 장 또는 지방자치단체의 장이 전산자료를 이용하려는 경우에는 전산자료 이용의 근거 · 목적 및 안전관리대책 등을 적은 문서로 승인을 신청할 수 있다.

⑤ 법 제32조제3항 전단에서 "대통령령으로 정하는 건축주 등의 개인정보 보호기준"이란 다음 각 호의 기준을 말한다.
1. 신청한 전산자료는 그 자료에 포함되어 있는 성명 · 주민등록번호 등의 사항에 따라 특정 개인임을 알 수 있는 정보(해당 정보만으로는 특정개인을 식별할 수 없더라도 다른 정보와 쉽게 결합하여 식별할 수 있는 정보를 포함한다), 그 밖에 개인의 사생활을 침해할 우려가 있는 정보가 아닐 것. 다만, 개인의 동의가 있거나 다른 법률에 근거가 있는 경우에는 이용하게 할 수 있다.
2. 제1호 단서에 따라 개인정보가 포함된 전산자료를 이용하는 경우에는 전산자료의 이용목적 외의 사용 또는 외부로의 누출 · 분실 · 도난 등을 방지할 수 있는 안전관리대책이 마련되어 있을 것

⑥ 국토교통부장관, 시 · 도지사 또는 시장 · 군수 · 구청장은 법 제32조제3항에 따라 전산자료의 이용을 승인하였으면 그 승인한 내용을 기록 · 관리하여야 한다.

규칙 제22조의2【전자정보처리시스템의 이용】
① 법 제32조제1항에 따라 허가권자는 정보통신망 이용환경의 미비, 전산장애 등 불가피한 경우를 제외하고는 전자정보시스템을 이용하여 건축허가 등의 업무를 처리하여야 한다.
② 제1항에 따른 전자정보처리시스템의 구축, 운영 및 관리에 관한 세부적인 사항은 국토교통부장관이 정한다.

규칙 제22조의3【건축 허가업무 등의 전산처리 등】
영 제22조의2제4항에 따라 전산자료 이용의 승인을 얻으려는 자는 별지 제24호의2서식의 건축행정전산자료 이용승인신청서를 국토교통부장관, 특별시장·광역시장·특별자치시장·도지사 또는 특별자치도지사(이하 "시·도지사"라 한다)나 시장·군수·구청장에게 제출하여야 한다.

해설 허가권자는 건축허가 업무 등의 효율적인 처리를 위하여 전자정보처리 시스템을 이용하여 이 법에 규정된 업무를 처리할 수 있다. 전자정보처리 시스템에 따라 처리된 자료를 이용하려는 자는 관계 중앙행정기관의 장의 심사를 거쳐 국토교통부장관, 시·도지사 또는 시장·군수·구청장의 승인을 받아야 한다.

【참고】 건축행정시스템 운영규정(국토교통부훈령 제1369호, 2021.2.18.)

8 전산자료의 이용자에 대한 지도·감독(법 제33조)(영 제22조의3)

법 제33조【전산자료의 이용자에 대한 지도·감독】
① 국토교통부장관, 시·도지사 또는 시장·군수·구청장은 개인정보의 보호 및 전산자료의 이용목적 외 사용 방지 등을 위하여 필요하다고 인정되면 전산자료의 보유 또는 관리 등에 관한 사항에 관하여 제32조에 따라 전산자료를 이용하는 자를 지도·감독할 수 있다. <개정 2019.8.20.>
② 제1항에 따른 지도·감독의 대상 및 절차 등에 관하여 필요한 사항은 대통령령으로 정한다.

영 제22조의3【전산자료의 이용자에 대한 지도·감독의 대상 등】
① 법 제33조제1항에 따라 전산자료를 이용하는 자에 대하여 그 보유 또는 관리 등에 관한 사항을 지도·감독하는 대상은 다음 각 호의 구분에 따른 전산자료(다른 법령에 따라 제공받은 전산자료를 포함한다)를 이용하는 자로 한다. 다만, 국가 및 지방자치단체는 제외한다.
1. 국토교통부장관: 연간 50만 건 이상 전국 단위의 전산자료를 이용하는 자
2. 시·도지사: 연간 10만 건 이상 시·도 단위의 전산자료를 이용하는 자
3. 시장·군수·구청장: 연간 5만 건 이상 시·군·구 단위의 전산자료를 이용하는 자

② 국토교통부장관, 시·도지사 또는 시장·군수·구청장은 법 제33조제1항에 따른 지도·감독을 위하여 필요한 경우에는 제1항에 따른 지도·감독 대상에 해당하는 자에 대하여 다음 각 호의 자료를 제출하도록 요구할 수 있다.
1. 전산자료의 이용실태에 관한 자료
2. 전산자료의 이용에 따른 안전관리대책에 관한 자료

③ 제2항에 따라 자료제출을 요구받은 자는 정당한 사유가 있는 경우를 제외하고는 15일 이내에 관련 자료를 제출하여야 한다.
④ 국토교통부장관, 시·도지사 또는 시장·군수·구청장은 법 제33조제1항에 따라 전산자료의 이용실태에 관한 현지조사를 하려면 조사대상자에게 조사 목적·내용, 조사자의 인적사항, 조사 일시 등을 7일 전까지 알려야 한다. <개정 2019.8.6.>

⑤ 국토교통부장관, 시 · 도지사 또는 시장 · 군수 · 구청장은 제4항에 따른 현지조사 결과를 조사대상자에게 알려야 하며, 조사 결과 필요한 경우에는 시정을 요구할 수 있다.

해설 국토교통부장관, 시·도지사 또는 시장·군수·구청장은 필요하다고 인정되면 개인정보의 보호 및 전산자료의 이용 목적 외 사용방지를 위하여 전산자료의 보유 또는 관리 등에 관한 사항에 관하여 전산자료를 이용하는 자를 지도·감독할 수 있다.

9 건축종합민원실의 설치(법 제34조)(영 제22조의4)

법 제34조【건축종합민원실의 설치】

특별자치시장 · 특별자치도지사 또는 시장 · 군수 · 구청장은 대통령령으로 정하는 바에 따라 건축허가, 건축신고, 사용승인 등 건축과 관련된 민원을 종합적으로 접수하여 처리할 수 있는 민원실을 설치 · 운영하여야 한다. <개정 2014.1.14>

영 제22조의4【건축에 관한 종합민원실】

① 법 제34조에 따라 특별자치시 · 특별자치도 또는 시 · 군 · 구에 설치하는 민원실은 다음 각 호의 업무를 처리한다. <개정 2014.10.14>

1. 법 제22조에 따른 사용승인에 관한 업무
2. 법 제27조제1항에 따라 건축사가 현장조사 · 검사 및 확인업무를 대행하는 건축물의 건축허가와 사용승인 및 임시사용승인에 관한 업무
3. 건축물대장의 작성 및 관리에 관한 업무
4. 복합민원의 처리에 관한 업무
5. 건축허가 · 건축신고 또는 용도변경에 관한 상담 업무
6. 건축관계자 사이의 분쟁에 대한 상담
7. 그 밖에 특별자치시장 · 특별자치도지사 또는 시장 · 군수 · 구청장이 주민의 편익을 위하여 필요하다고 인정하는 업무

② 제1항에 따른 민원실은 민원인의 이용에 편리한 곳에 설치하고, 그 조직 및 기능에 관하여는 특별자치시 · 특별자치도 또는 시 · 군 · 구의 규칙으로 정한다. <개정 2014.10.14>

해설 특별자치시장·특별자치도지사 또는 시장 · 군수 · 구청장은 건축허가 등과 관련하여 신속한 업무처리 등 주민의 편익을 위하여 건축에 관한 종합민원실을 설치 · 운영하도록 함

■ 건축종합민원실의 업무내용

1. 사용승인에 관한 업무(법 제22조)
2. 건축사가 현장조사 · 검사 및 확인업무를 대행하는 건축물의 건축허가 · 사용승인 및 임시사용승인에 관한 업무(법 제27조제1항)
3. 건축물대장의 작성 및 관리에 관한 업무
4. 복합민원의 처리에 관한 업무
5. 건축허가, 건축신고 또는 용도변경에 관한 상담 업무
6. 건축관계자 사이의 분쟁에 관한 상담
7. 그 밖에 특별자치도지사 또는 시장 · 군수 · 구청장이 주민의 편익을 위하여 필요하다고 인정하는 업무

6 질의회신 · 법령해석

■ 목차

1 설계

질의회신 개인건축사사무소를 개설한 자가 타 법인건축사사무소 이사 재직 여부

국토교통부 민원마당 FAQ 2019.5.24.

질의 개인건축사사무소를 개설한 자가 타 법인건축사사무소의 이사로 근무하는 경우 2이상의 건축사사무소 개설자로 볼 수 있는 지 여부?

회신 건축사가 건축사법 제19조의 규정에 의한 건축물의 설계 및 공사감리 등에 관한 업무를 수행하기 위해서는 동법 제23조 규정에 의거 건축사사무소를 개설하고 업무신고를 하도록 규정하고 있음. 질의의 경우와 같이 업무신고를 한 건축사가 타 사무소에 소속되어 비록 건축사의 업무(설계 및 공사감리 등)를 하지 않고 자문 등의 업무를 하는 것에 대하여 건축사는 건축사법 제2조에서 자기책임하에 설계 및 공사감리업무를 수행하면서 동법 제20조에 따라 건축물의 안전·기능 및 미관 등에 지장이 없도록 업무를 성실히 수행하여야 할 의무가 있으며, 동법 제24조 제5호에 의한 2이상의 건축사사무소를 개설하여 운영하지 못하도록 하는 등의 규정을 감안하면, 업무신고를 한 건축사는 타 건축사사무소에 소속되어 업무를 수행할 수 없을 것으로 사료됨

건 축 법
1. 총 칙
2. 건 축
3. 유지관리
4. 대지도로
5. 구조재료
6. 지역지구
7. 건축설비
8. 특별건축구역
9. 보 칙
10. 벌 칙
건 축 법 관련기준

질의회신 서명날인 효력

국토교통부 민원마당 FAQ 2019.5.24.

질의 가. 건축사가 건축물을 설계한 경우 당해 건축사가 설계도서에 서명날인 후 복사한 설계도서를 제출하여도 가능한지 아니면 다시 서명날인하여야 하는 지? 나. 건축사는 설계도면 각 장마다 반드시 서명날인 하여야 하는지 아니면 한권으로 철한 후 앞장표지와 측면날인 하여 제출하여도 가능한지 및 설계도면 각 장마다 서명날인 하여야 한다면 그 사유는 무엇인 지? 다. 만약, 건축사가 설계도서에 서명날인하지 않고 설계도서를 제출한 경우 건축사는 어떤 조치와 벌칙적용을 받는 지?

회신 가. "가","나"에 대하여 「건축법」 제19조 제3항에 따르면 설계도서를 작성한 설계자는 당해 설계가 건축법 및 건축법의 규정에 의한 명령이나 처분 기타 관계법령의 규정에 적합하게 작성되었는지를 확인한 후 그 설계도서에 서명날인 하여야 한다고 규정하고 있으며, 「건축사법」 제21조에 의하면 건축사는 건축물에 관한 설계를 한 때에는 그 설계도서에 서명날인 하여야 하고, 설계도서의 일부를 변경한 경우에도 또한 서명날인 하도록 규정하고 있음. 상기 규정에 의한 서명날인은 설계도서 작성자의 동일성을 표시하고 책임을 분명하게 하기 위한 것인 바, 설계도서를 작성한 건축사는 당해 설계도면(각 장마다)이 건축법 및 관계법령의 규정에 적합하게 작성되었는지를 확인한 후 서명날인 하여야 할 것이며, 건축허가 등 신청 시 허가권자에게 제출하는 설계도서는 설계도서 작성자가 서명날인한 설계도서를 제출하여야 하는 것으로 귀 질의와 같이 건축사가 서명날인한 설계도서를 복사하여 허가권자에게 제출하는 경우라면 인쇄(복사)한 설계도서가 원본과 동일함을 확인할 수 있는 경우 처리가 가능함. 나. "다"에 대하여 「건축사법」 제28조 제3항 제3호에 의하면 건축사가 건축사법 또는 건축사법에 의한 명령이나 건축법의 규정에 위반한 때에는 건설교통부장관은 건축사에게 시정명령 할 수 있으며, 시정명령에 불응한 때에는 동법 시행령 [별표 1] 2. 개별기준 제10호에 따라 행정조치를 할 수 있음. (법 제19조 ⇒ 제23조, 2008.3.21.)

질의회신 "건축물의 건축 등을 위한 설계" 에 해당하는지 여부

국토교통부 민원마당 FAQ 2022.6.20.

질의 건축물에 포함되는 폐쇄회로텔레비전(CCTV)·방송설비·구내통신·주배선반(MDF)·무선랜·주차관제 등의 설계가 「건축사법」 제4조제1항의 "건축물의 건축 등을 위한 설계"에 해당하는지 여부

회신 「건축사법」 제4조제1항에서는 「건축법」 제19조제1항의 규정에 의한 건축물의 건축 등을 위한 설계는 건축사가 할 수있도록 규정하고 있음. - 이와 관련하여 「건축법」 제2조제1항제3호에서는 건축물에 설치하는 전기·전화·초고속 정보통신·지능형 홈네트워크·가스·급수·배수(配水)·배수(排水)·환기·난방·소화·배연 및 오물처리의 설비와 굴뚝·승강기·피뢰침·국기게양대·공동시청안테나·유선방송수신시설·우편물수취함을 건축설비로 정의하고 있으며 이 경우 건축물에 설치되는 CCTV·방송설비·구내통신·MDF·무선랜·주차관제 등은 위 규정에 의하여 건축설비에 해당하는 것으로 보아야 함. - 또한, 동법 제2조제1항제12호에서 "건축물의 건축 등"에 해당하는 것을 건축물의 건축·대수선·용도변경, 건축설비의 설치 또는 공작물의 축조로 규정하고 있음. - 따라서, 건축물에 포함되는 CCTV·방송설비·구내통신·MDF·무선랜·주차관제 등의 설치를 위한 설계는 건축설비의 설치를 위한 설계로서 건축사법 제4조제1항의 "건축물의 건축 등을 위한 설계"에 해당하는 것으로 보아야 함

질의회신 건축사가 설계해야 하는지 여부

국토교통부 민원마당 FAQ 2023.6.15.

질의 어업창고를 17제곱미터 증축하는 경우 건축사가 설계해야 하는지 여부

회신 ○ 「건축법」 제23조제1항제1호에 따르면 바닥면적의 합계가 85제곱미터 미만인 증축은 건축사가 설계하지 아니할 수 있도록 규정하고 있으므로,

○ 어업창고를 17제곱미터 증축하는 경우에는 건축사가 설계하지 아니할 수 있을 것으로 사료됨

질의회신 설계도서상 표기가 다른 경우 우선 적용 순서

국토교통부 민원마당 FAQ 2023.6.15.

질의 설계도서 중 설계도면, 시방서, 계약내역서에 표시된 자재가 각각 다른 경우 어느 것을 우선하여 적용하는 지

회신 「건축법」 제23조 제2항의 규정에 의한 설계도서 작성기준(건설교통부 고시 제2003-11호 ; 2003.1.24) 제9호에 의하면 설계도서·법령해석·감리자의 지시 등이 서로 일치하지 아니하는 경우에 있어 계약으로 그 적용의 우선순위를 정하지 아니한 때에는 가. 공사시방서, 나. 설계도면, 다. 전문시방서, 라. 표준시방서, 마. 산출내역서, 바. 승인된 상세시공도면, 사. 관계법령의 유권해석, 아. 감리자의 지시사항 순서를 원칙으로 하는 것임

질의회신 공작물의 설계를 건축사가 하여야 하는 지

국토교통부 민원마당 FAQ 2023.6.15.

질의 높이 8m 이하의 기계식 주차장 및 철골조립식 주차장으로서 외벽이 없는 공작물에 대해
가. 건축사가 반드시 설계해야 하는 지
나. 「건축법」 제58조(대지안의 공지) 규정을 적용해야 하는 지

회신 가. 「건축법」 제23조에 건축허가, 건축신고 또는 리모델링을 하는 건축물의 건축을 위한 설계는 건축사가 아니면 할 수 없도록 규정하고 있고, 같은 법 제83조 제2항에 공작물이 「건축법」을 준용하도록 하는 규정에 제외되어 있는 바, 높이 8m 이하의 기계식 주차장 및 철골조립식 주차장으로서 외벽이 없는 공작물은 건축사가 반드시 설계해야 하는 대상은 아님

나. 「건축법」 제83조 제2항에 공작물이 준용하여야 하는 건축법상의 규정은 대통령령으로 정하는 바에 따르도록 하고 있고, 같은 법 시행령 제118조 제3항에 공작물이 준용하여야 하는 규정을 건축신고, 착공신고, 건축물의 높이제한 등 으로 명시하고 있으나, 건축법 제58조(대지안의 공지)는 포함되지 않습니다. 따라서, 높이 8m 이하의 기계식 주차장 및 철골조립식 주차장으로서 외벽이 없는 공작물은 「건축법」 제58조 규정을 적용하여야 하는 것은 아님

질의회신 건축사가 설계하여야 하는 건축물

건교부 건축과 -3545, 2005.6.24

질의 건축법시행령 제15조제5항제9호의 신고대상 가설건축물의 설계 및 감리를 건축사가 하여야 하는지 여부

회신 건축법시행령 제15조제5항에서 규정하고 있는 가설건축물은 "건축행위"가 아니라 "축조행위"에 해당하므로 법 제19조제1항제1호의 규정에 의한 "건축물의 건축등"에 해당하지 아니하므로 건축사가 설계하여야 하는 건축물 및 감리대상 건축물에 해당하지 아니함. (* 법 제19조 ⇒ 제23조, 2008.3.2.)

질의회신 건축사 변경 후 종전의 건축사가 작성한 설계도면을 근거로 설계변경 가능여부

건교부 건축 58070-245, 2003.2.7.

질의 건축사가 변경된 후 종전의 건축사가 작성한 설계도면을 근거로 설계변경을 하는 것이 가능한지 여부

회신 건축허가를 받은 건축물의 공사도중 설계자의 변경으로 인하여 기존 설계자가 작성한 설계도면을 근거로 설계변경을 신청하는 것은 건축법령상 별도로 제한하고 있지 아니하는 바, 이에 대한 사항은 건축주와 설계자간 계약 내용 및 저작권법 등에서 규정하는 바에 의하여야 할 것임.

2 건축허가

법령해석 「건축법」에 따른 건축허가 신청 시 그 신청서에 첨부하여 제출할 서류의 범위

「건축법」 제11조제3항 등 관련 법제처 법령해석 22-0920, 2023.4.14.

질의요지 「건축법」 제11조제1항에서는 건축물을 건축하려는 자는 특별자치시장 등의 허가(이하 "건축허가"라 함)를 받아야 한다고 규정하고 있고, 같은 조 제5항제3호에서는 건축허가를 받으면 그에 따라 의제되는 허가 및 신고 중 하나로 「국토의 계획 및 이용에 관한 법률」(이하 "국토계획법"이라 함) 제56조에 따른 개발행위허가를 규정하고 있으며, 「건축법 시행규칙」 제6조제1항제3호에서는 건축허가 신청서를 제출할 때 첨부할 서류 중 하나로 「건축법」 제11조제5항 각 호에 따른 허가등을 받거나 신고를 하기 위하여 해당 법령에서 제출하도록 의무화하고 있는 신청서 및 구비서류를 규정하고 있는 한편,

국토계획법 제56조제1항에서는 건축물의 건축(제1호) 또는 토지의 형질 변경(제2호) 등 같은 항 각 호의 어느 하나에 해당하는 행위로서 대통령령으로 정하는 행위(이하 "개발행위"라 함)를 하려는 자는 특별시장 등의 허가(이하 "개발행위허가"라 함)를 받아야 한다고 규정하고 있고, 같은 법 시행규칙 제9조제1항에서는 개발행위허가 신청서를 제출할 때 첨부할 서류를 규정하고 있는바,

건축물의 건축을 목적으로 하는 '토지의 형질변경'에 대한 개발행위허가(이하 "형질변경개발행위허가"라 함)를 받은 후, 「건축법」 제11조제5항제3호에 따라 '건축물의 건축'에 대한 개발행위허가(이하 "건축개발행위허가"라 함)가 수반하여 의제되는 건축허가를 받기 위하여 같은 조 제3항에 따른 건축허가 신청을 하려는 경우, 건축허가 신청서를 제출할 때 같은 법 시행규칙 제6조제1항제3호에 따라 국토계획법 시행규칙 제9조제1항에 따른 서류 중 건축개발행위허가에 필요한 서류를 다시 첨부해야 하는지?

회답 이 사안의 경우, 건축허가 신청서를 제출할 때 「건축법 시행규칙」 제6조제1항제3호에 따라 국토계획법 시행규칙 제9조제1항에 따른 서류 중 건축개발행위허가에 필요한 서류를 다시 첨부해야 합니다.

이유 "생략"

법령해석 허가권자는 건축주가 「건축법」 제11조제11항제1호 본문에 따른 건축허가의 요건인 "대지를 사용할 수 있는 권원"을 확보했는지를 판단할 때, 그 권원의 유효기간을 고려할 수 있는지 여부

「건축법」 제11조제7항제1호 등 관련 법제처 법령해석 22-0030, 2022.6.23./건축사협회 수정게시 2022.7.28.

질의요지 「건축법」 제11조제11항 본문에서는 건축허가를 받으려는 자는 해당 대지의 소유권을 확보해야 한다고 규정하면서, 같은 항 단서 및 제1호 본문에서 건축주가 대지 소유권을 확보하지 못하였으나 그 대지를 사용할 수 있는 권원을 확보한 경우 소유권을 확보하지 않아도 된다고 규정하고 있는 바, 건축주가 「건축법」 제11조제11항제1호 본문에 따른 건축허가의 요건인 "대지를 사용할 수 있는 권원"을 확보했는지 판단할 때, 허가권자는 그 권원의 유효기간을 고려할 수 있는지 여부

회답 허가권자는 그 권원의 유효기간을 고려할 수 있음

이유 「건축법」 제11조제11항제1호 본문에서는 건축주가 "대지의 소유권을 확보하지 못하였으나 그 대지를 사용할 수 있는 권원을 확보"한 경우 건축허가의 요건을 갖춘 것으로 규정하고 있는데, 같은 조의 내용이 건축물의 건축또는 대수선을 하려는 경우 받아야 하는 건축허가에 관한 것임에 비추어 보면, 여기서의 '대지 사용 권원'은 그 대지의 사용 목적에 해당하는 건축물의 "건축"이나 "대수선"을 충분히 가능하게 하는 권원을 의미(대법원 2020. 7. 23. 선고 2019두31839 판결례 참조)한다고 보는 것이 타당함.

만약 이와 달리 대지 사용 권원에 유효기간이 설정되어 있더라도 허가권자가 그 내용을 전혀 고려하지 않고 건축허가를 해야 하는 것으로 보면, 그 대지를 사용할 수 있는 기간이 매우 짧은 경우라도 허가권자는 일률적으로 건축허가를 해야 한다는 결론에 이르는데, 이 경우 공사가 완료되지 않은 상태에서 대지 사용 권원이 소멸되어 이에 따른 건축·대수선에 지장이 발생할 수 있고, 이후 건축주와 대지 권리자 간의 대지 사용을 둘러싼 갈등·분쟁이 발생할 수 있어 결과적으로 건축주에게 대지의 소유권 또는 사용권을 확보하여 건축과 대수선을

하도록 규정한 「건축법」 제11조제11항의 규정 취지에 부합하지 않게 됨

법령해석 **「건축법」 제16조제1항에 따라 변경허가를 받은 경우, 같은 법 제11조제7항제1호에 따른 "허가를 받은 날"의 의미를 "변경허가를 받은 날"로 볼 수 있는지 여부**

「건축법」 제11조제7항제1호 등 관련 법제처 법령해석 21-0454, 2021.9.1./건축사협회 수정게시 2022.7.28.

질의요지 「건축법」 제11조제1항에 따라 허가를 받은 자가 허가사항 중 설계에 관한 사항을 변경하기 위해 같은 법 제16조제1항에 따른 허가(이하 "변경허가"라 함)를 받은 경우, 같은 법 제11조제7항제1호에 따른 "허가를 받은 날"의 의미를 "최초 허가를 받은 날"로 보아야 하는지, 아니면 "변경허가를 받은 날"로 보아야 하는지 여부

회답 「건축법」 제11조제7항제1호에 따른 "허가를 받은 날"은 "최초 허가를 받은 날"로 보아야 함

이유 건축법령의 제반 규정에서는 최초 허가와 변경허가는 구분된다는 것을 전제로 "허가"와 "변경허가"라는 용어를 구분하여 규정하고 있는바, 같은 법 제11조제7항제1호에서의 "허가를 받은 날"에 "변경허가"가 포함된다고 보기 위해서는 건축법령에 명시적인 규정이 있거나 그러한 취지로 볼 수 있는 규정이 있어야 함

법령해석 **건축허가로 의제된 개발행위허가의 취소 가능 여부**

「건축법」 제11조 등 관련 법제처 법령해석 21-0002, 2021.5.4.

질의요지 토지의 형질변경 등 개발행위가 수반되는 건축물을 건축하기 위해 「건축법」 제11조제1항에 따른 건축허가를 받으면서 같은 조 제5항제3호에 따라 「국토의 계획 및 이용에 관한 법률」(이하 "국토계획법"이라 함) 제56조에 따른 개발행위허가를 의제받은 자가 개발행위허가의 범위를 벗어난 개발행위를 한 경우, 국토계획법 제133조제1항에 따라 의제된 개발행위허가를 취소할 수 있는지?

회답 이 사안의 경우 국토계획법 제133조제1항에 따라 의제된 개발행위허가를 취소할 수 있습니다.

이유 인・허가 의제제도는 주된 인・허가가 이루어지는 단계에서 행정절차를 일원화하여 관련 인・허가 등을 종합적 관점에서 검토함으로써 행정의 효율성을 높이고 국민의 편의를 증진하려는 취지에서 도입된 것으로,(각주: 법제처 2009. 11. 27. 회신 09-0353 해석례 참조) 이는 의제되는 인・허가를 위한 실체적 요건의 적용을 배제하거나 처분권한을 변경하는 효과를 가져오는 것이 아니므로, 의제되는 인・허가와 관련된 실체적 요건은 의제되는 인・허가를 규율하는 근거 법령에 따라 판단해야 합니다.

「건축법」 제11조제5항에서도 건축허가를 받으면 국토계획법 제56조에 따른 개발행위허가(제3호) 등을 받은 것으로 본다고 규정하고 있을 뿐, 해당 규정에 따라 의제되는 인・허가에 대해 건축허가권자가 사후에 관리・감독할 수 있도록 하거나 그 밖에 의제되는 인・허가의 근거 법률의 적용을 배제한다는 규정을 두고 있지 않은바,(각주: 법제처 2018. 11. 26. 회신 18-0350 해석례 참조) 이 사안과 같이 건축허가에 따라 개발행위허가가 의제된 경우 개발행위허가에 대한 사후의 법률관계는 의제되는 개발행위허가의 근거 법률인 국토계획법에 따라야 한다고 보는 것이 타당합니다.

그리고 「건축법」 제11조제3항에서는 같은 조 제1항에 따른 건축허가를 신청할 때 의제되는 인・허가를 받기 위해 관련 법령에서 제출하도록 의무화하고 있는 신청서 및 구비서류를 첨부해야 한다고 규정하고 있고, 같은 조 제6항에서는 인・허가 의제를 위해서는 해당 행정기관의 장과 미리 협의하도록 하고 있다는 점에 비추어 보더라도, 국토계획법에 따라 개발행위허가를 관리・감독함에 있어 해당 허가가 의제되는 경우와 국토계획법에 따라 개별적으로 개발행위허가를 받은 경우를 달리 볼 이유는 없습니다.

또한 2021년 3월 23일 법률 제17979호로 제정・공포되어 2023년 3월 24일 시행될 예정인 「행정기본법」(각주: 같은 법 부칙 제1조에 따라 인・허가의제에 관한 제24조부터 제26조까지는 공포 후 2년이 경과한 날부터 시행됨.) 제24조에서는 주된 인・허가 행정청은 관련 인・허가에 관하여 미리 관련 인・허가 행정청과 협의해야 하고, 협의를 요청받은 관련 인・허가 행정청은 해당 법령을 위반하여 협의에 응해서는 안 된다고 규정하고 있으며, 같은 법 제26조에서는 관련 인・허가 행정청은 관련 인・허가를 직접 한 것으로 보아 관계 법령에 따른 관리・감독 등 필요한 조치를 하도록 인・허가의제의 사후관리에 관하여 규정하고 있는바, 이에 따르면 의

제되는 관련 인·허가도 주된 인·허가와 별개로 독립된 처분의 성격을 가진다고 보는 것이 타당합니다.

따라서 이 사안의 경우 국토계획법 제133조제1항에 따라 의제된 개발행위허가를 취소할 수 있다고 보아야 합니다.

법령해석 건축허가 시 공사용 가설건축물 축조신고 의제

「건축법」 제11조제5항 등 관련 법제처 법령해석 19-0546, 2020.1.23.

질의요지 「건축법」 제11조제1항에 따른 건축허가 신청 시 공사용 가설건축물의 축조신고에 필요한 서류를 별도로 제출하지 않은 경우 건축허가를 받으면 같은 조 제5항제1호에 따라 공사용 가설건축물의 축조신고를 한 것으로 의제되는지?

회답 이 사안의 경우 건축허가를 받더라도 공사용 가설건축물의 축조신고를 한 것으로 의제되지 않습니다.

이유 "생략"

법령해석 둘 이상의 필지를 하나의 대지로 하여 건축허가를 받으려는 경우의 소유권 확보의 의미

「건축법」 제11조제11항 등 관련 법제처 법령해석 19-0480, 2019.12.5./건축사협회 수정게시 2022.9.16.

질의요지 「건축법」 제11조제11항제1호 단서에 따르면 분양을 목적으로 하는 공동주택의 건축허가를 받으려는 자는 해당 대지의 소유권을 확보해야 하는 바,

A필지는 甲이 단독으로 소유하고 있고 B필지는 乙이 단독으로 소유하고 있으면서 A필지와 B필지를 하나의 대지로 하여 甲과 乙이 공동으로 분양을 목적으로 하는 공동주택의 건축허가를 받으려는 경우 해당 대지의 소유권을 확보한 것으로 볼 수 있는지

회답 해당 대지의 소유권을 확보한 것으로 볼 수 없음.

이유 "건축허가를 받으려는 자"에 대해 별도로 제한하고 있지 않으므로 위 규정에 따른 "건축허가를 받으려는 자"에는 단독으로 건축허가를 받으려는 자 외에 공동으로 건축허가를 받으려는 둘 이상의 자도 포함 되는 바, 그렇다면 둘 이상이 공동으로 분양을 목적으로 하는 공동주택의 건축허가를 받으려는 경우에도 건축허가를 받으려는 둘 이상의 자 모두가 해당 대지의 소유권을 확보해야 한다고 보는 것이 문언에 부합하는 해석임.

건축허가를 받으려는 대지가 두 개의 필지로 구성되어 있다면 두 개의 필지를 공동으로 소유하는 것과 두 개의 필지를 각각 개별적으로 소유 하는 것은 법적 소유 관점에서 구별되는 것이므로, 이 사안과 같이 하나의 대지를 이루는 두 개의 필지를 甲과 乙이 각각 구분하여 소유한 경우라면 건축허가를 받으려는 甲과 乙이 공동으로 해당 대지를 소유한 것은 아니므로 甲과 乙 모두가 해당 대지의 소유권을 확보한 것으로 볼 수 없음.

법령해석 집합건축물의 재건축 시 대지 소유권 확보 여부에 적용되는 규정

「건축법」 제11조제11항 등 관련 법제처 법령해석 18-0644, 2018.12.20./건축사협회 수정게시 2022.9.16.

질의요지 「건축법 시행령」 제9조의2제1항 각 호의 어느 하나에 해당하는 사유로 재축 등을 하기 위해 집합건축물에 대하여 「집합건물의 소유 및 관리에 관한 법률」 제47조제1항 및 제2항에 따라 구분소유자의 5분의 4 이상 및 의결권의 5분의 4 이상의 결의로 재건축 결의를 한 경우, 건축허가 신청을 위한 대지 소유권 확보와 관련하여 「건축법」 제11조제11항제2호를 적용할 수 있는지

회답 「건축법」 제11조제11항제2호는 적용되지 않음

이유 「집합건물의 소유 및 관리에 관한 법률」(이하 "집합건물법"이라 함) 제1조에서는 1동의 건물 중 구조상 구분된 여러 개의 부분이 독립한 건물로서 사용될 수 있을 때에는 그 각 부분은 각각 소유권의 목적으로 할 수 있다고 규정하여 "구분소유"의 개념을 설명하고 있고,

「민법」 제262조에서는 물건이 지분에 의하여 수인의 소유로 된 때에는 공유로 하며 공유자의 지분은 균등한 것으로 추정한다고 규정하여 공유의 개념을 설명하여 법령에서 구분소유와 공유의 개념을 별개로 규정하고 있으며 개별 법령에서도 구분소유와 공유를 구별하여 규정하고 있는 점을 고려할 때,

법령상 구분소유와 공유는 명백하게 구분되는 개념이므로 명시적으로 공유자에 구분소유자를 포함한다고 규정하지 않은 이상 해석으로 공유자의 개념을 확대할 수는 없는데 「건축법」 제11조제11항제2호에서는 대지의 소유권을 확보하지 않아도 되는 경우로 건축물 및 해당 대지의 공유자 수의 100분의 80 이상의 동의를 얻고 동의한 공유자의 지분 합계가 전체 지분의 100분의 80 이상인 경우로 한정하여 규정하고 있음.

법령해석 30세대 이상의 주택과 주택 외의 시설을 동일 건축물로 건축하기 위하여 건축허가를 받으려는 경우에 「주택법」 제22조 및 제23조가 준용되는지 여부

「건축법 시행규칙」 제6조 등 관련 법제처 법령해석 17-0071, 2017.4.13.

질의요지 「건축법 시행규칙」 제6조제1항제1호의2다목 단서에서는 「건축법」 제11조에 따라 주택과 주택 외의 시설을 동일 건축물로 건축하는 건축허가를 받아 「주택법 시행령」 제27조제1항에 따른 호수 또는 세대수 이상으로 건설·공급하는 경우 대지의 소유권에 관한 사항은 「주택법」 제21조를 준용한다고 규정하고 있습니다. 한편, 「주택법」 제21조제1항에서는 같은 법 제15조제1항 또는 제3항에 따라 주택건설사업계획(이하 "사업계획"이라 함)의 승인을 받으려는 자는 해당 주택건설대지의 소유권을 확보하여야 한다고 규정하면서, 「국토의 계획 및 이용에 관한 법률」 제49조에 따른 지구단위계획의 결정이 필요한 주택건설사업의 해당 대지면적의 80퍼센트 이상을 사용할 수 있는 권원을 확보하고, 확보하지 못한 대지가 「주택법」 제22조 및 제23조에 따른 매도청구 대상이 되는 대지에 해당하는 경우(제1호) 등 같은 항 각 호의 어느 하나에 해당하는 경우에는 그러하지 아니하다고 규정하고 있는바,

「주택법 시행령」 제27조제1항에 따른 호수 또는 세대수 이상으로 주택과 주택 외의 시설을 동일 건축물로 건축하기 위하여 「건축법」 제11조에 따라 건축허가를 받으려는 경우, 「건축법 시행규칙」 제6조제1항제1호의2다목 단서 중 "「주택법」 제21조를 준용한다"는 규정을 근거로 같은 조에 따른 대지의 소유권 확보방법으로서 「주택법」 제22조 및 제23조에 따른 매도청구 관련 규정이 준용되는지?

<질의배경> ○ 민원인은 30세대 이상의 주상복합 건축물의 건축허가를 받는 경우에 「건축법 시행규칙」 제6조제1항제1호의2다목 단서에 따라 「주택법」 제22조 및 제23조에 따른 매도청구를 할 수 있는지에 대하여 국토교통부에 질의하였고, 국토교통부에서 「건축법 시행규칙」 제6조제1항제1호의2다목 단서의 규정은 「주택법」 제21조를 준용한다는 의미이고, 이에 따라 「주택법」 제22조 및 제23조까지 준용되는 것은 아니라고 회신하자, 이에 이견이 있어 법령해석을 요청함.

회답 「주택법 시행령」 제27조제1항에 따른 호수 또는 세대수 이상으로 주택과 주택 외의 시설을 동일 건축물로 건축하기 위하여 「건축법」 제11조에 따라 건축허가를 받으려는 경우, 「건축법 시행규칙」 제6조제1항제1호의2다목 단서 중 "「주택법」 제21조를 준용한다"는 규정을 근거로 같은 조에 따른 대지의 소유권 확보방법으로서 「주택법」 제22조 및 제23조에 따른 매도청구 관련 규정이 준용되는 것은 아닙니다. 이 사안의 경우 「건축법」 제11조제11항제2호는 적용되지 않습니다.

이유 "생략"

법령해석 건축허가의 요건인 "해당 대지의 소유권을 확보" 하는 것의 의미

「건축법」 제11조제11항 등 관련 법제처 법령해석 16-0509, 2016.11.21./건축사협회 수정게시 2022.9.16.

질의요지 건축법 제11조제1항에 따라 분양을 목적으로 하는 공동주택의 건축허가를 받은 후 건축주가 「신탁법」에 따라 신탁회사에 해당 건축 대지의 소유 명의를 이전하여 건축 대지를 담보신탁한 경우,

위탁자인 건축주가 해당 건축대지의 소유권을 확보하고 있는 것으로 보아 건축허가 요건을 충족한다고 할 수 있는지

회답 위탁자인 건축주가 해당 건축대지의 소유권을 확보하고 있는 것으로 볼 수 없으므로 건축허가 요건을 충족한다고 할 수 없음.

이유 「민법」 상 저당권은 담보물권의 일종으로 그 설정자가 대지를 사용하거나 처분하는 데 영향을 미치지

않으며 무엇보다도 등기상 소유명의 자는 여전히 저당권설정자로서 대지에 설정된 저당권의 담보가치를 훼손하지 않는 범위 내에서는 소유권을 행사하는데 제약이 없다고 할 것인 반면,

「신탁법」에 따른 담보신탁의 경우 소유권등기명의가 수탁자에게 이전됨에 따라 대내외적인 소유권은 물론 배타적인 관리·처분권한까지도 수탁자에게 이전되므로, 「민법」상 저당과 달리 위탁자에게 소유권이 남아있는 것으로 보기 어려워 「건축법」 제11조제11항의 "대지의 소유권 확보" 요건이 충족되지 않는다고 할 것임

이상과 같은 점을 종합해 볼 때, 「건축법」 제11조제1항에 따라 분양을 목적으로 하는 공동주택의 건축허가를 받은 후 건축주가 「신탁법」에 따라 신탁회사에 해당 건축대지의 소유명의를 이전하여 건축대지를 담보신탁한 경우, 위탁자인 건축주가 해당 건축대지의 소유권을 확보하고 있는 것으로 볼 수 없으므로 건축허가 요건을 충족한다고 할 수 없다 고 할 것임.

법령해석 건축허가 신청 시 대지의 소유에 관한 권리를 증명하는 서류

「건축법 시행규칙」 제6조 등 관련 법제처 법령해석 15-0037, 2015.2.10.

질의요지 「건축법 시행규칙」 제6조제1항제1호의2나목에 따라 분양을 목적으로 20세대 미만 공동주택의 건축허가 신청을 하려는 대지소유자가 대지의 소유에 관한 권리를 증명하는 서류를 제출할 경우, 그 대지에 근저당권과 지상권이 동시에 설정되어 있다면 그 근저당권 및 지상권을 말소해야 하는 것인지?

<질의배경> ○ 민원인은 공동주택대지의 지상권자의 동의를 얻어 A 구청에 공동주택의 건축허가를 신청했으나, A 구청은 대지에 근저당권 및 지상권이 설정되어 있음을 이유로 건축허가신청을 반려함.

○ 이에 민원인은 국토교통부에 질의하였고 국토교통부에서 지방자치단체의 재량이라는 취지의 답변을 하자, 대지의 소유에 관한 권리에 근저당권 및 지상권이 설정된 소유권도 포함된다고 주장하며 법제처에 법령해석을 요청함.

회답 「건축법 시행규칙」 제6조제1항제1호의2나목에 따라 분양을 목적으로 20세대 미만 공동주택의 건축허가 신청을 하려는 대지소유자가 대지의 소유에 관한 권리를 증명하는 서류를 제출할 경우, 그 대지에 근저당권과 지상권이 동시에 설정되어 있더라도 반드시 그 근저당권 및 지상권을 말소해야 하는 것은 아닙니다.

이유 "생략"

법령해석 「주택법」 제16조 및 제17조에 의한 주택건설사업계획승인으로 「건축법」 제11조의 건축허가 의제 시, 건축법에 따른 도지사의 사전승인을 생략할 수 있는지

「건축법」 제11조 등 관련 법제처 법령해석 14-0456, 2014.9.23.

질의요지 시·군 지역에서 면적이 10만 제곱미터 미만인 대지에 21층 이상인 공동주택을 건설하려는 자가 「주택법」 제16조제1항에 따라 주택건설사업계획승인을 받으면서 같은 법 제17조에 따라 「건축법」 제11조에 따른 건축허가의 의제를 받으려는 경우, 해당 주택건설사업계획 승인권자이면서 건축허가권자인 시장·군수는 건축허가에 관한 협의 시 「건축법」 제11조제2항에 따른 도지사의 사전승인 절차를 생략할 수 있는지?

<질의배경> ○ 민원인은 「주택법」 제16조 및 제17조에 따라 주택건설사업계획승인을 받으면서 「건축법」 제11조에 따른 건축허가의 의제를 받고자 강원도 및 속초시에 관련 절차를 문의하였고, 해당 건축물의 건축을 위해서는 「건축법」 제11조제2항에 따른 건축허가 관련 사전승인을 받아야 한다는 회신을 받자, 이에 이견이 있어 법제처에 질의를 요청함

회답 시·군 지역에서 면적이 10만 제곱미터 미만인 대지에 21층 이상인 공동주택을 건설하려는 자가 「주택법」 제16조제1항에 따라 주택건설사업계획승인을 받으면서 같은 법 제17조에 따라 「건축법」 제11조에 따른 건축허가의 의제를 받으려는 경우, 해당 주택건설사업계획 승인권자이면서 건축허가권자인 시장·군수는 건축허가에 관한 협의 시 「건축법」 제11조제2항에 따른 도지사의 사전승인 절차를 생략할 수 없다고 할 것입니다.

이유 "생략"

법령해석 21층 이상 대형건축물의 건축허가권자는?

법제처 법령해석 06-0207, 2006.9.13.

질의요지 1999년 2월 8일 「건축법」의 개정으로 특별시 또는 광역시의 경우 21층 이상 대형건축물의 건축허가권자가 구청장에서 특별시장 또는 광역시장으로 변경되었는바, 동법 개정 이전에 특별시장 또는 광역시장의 사전승인을 얻은 후 당해 특별시 또는 광역시의 구청장의 건축허가를 받은 대형 건축물의 건축주가 동법 개정 이후 허가대상 건축물의 설계변경허가를 신청하는 경우 특별시장 또는 광역시장과 구청장중 허가권자는 누구인지 여부

회답 「건축법」(1999.2.8 법률 제5895호로 개정되기 전의 것)의 규정에 의하여 특별시장 또는 광역시장의 사전승인을 얻은 후 당해 특별시 또는 광역시의 구청장의 건축허가를 받았으나, 동법의 개정으로 특별시장 또는 광역시장의 사전승인제도가 폐지되고, 건축허가권자가 구청장에서 특별시장 또는 광역시장으로 변경된 건축물에 대하여 동법의 개정 이후 설계변경의 허가를 신청하는 경우 허가권자는 특별시장 또는 광역시장입니다.

이유 "생략"

법령해석 분양을 목적으로 하는 20세대 미만 다세대주택의 건축허가시 건축할 대지에 설정된 저당권을 말소하여야 하는지 여부

「건축법」 제11조 등 관련 법제처 법령해석 11-0286, 2011.6.16./건축사협회 수정게시 2022.9.16.

질의요지 저당권이 설정된 대지의 소유자가 저당권이 말소되지 아니한 상태에서, 분양을 목적으로 하는 20세대 미만의 다세대주택을 신축하기 위하여 「건축법」 제11조에 따라 건축허가를 신청한 경우, 건축할 대지에 설정된 저당권이 말소되지 아니하였다는 이유로 이를 거부할 수 있는지

회답 건축할 대지에 설정된 저당권이 말소되지 않았다는 이유로 건축허가 신청을 거부할 수는 없음

이유 건축법령에서 건축할 대지에 설정된 저당권을 말소하도록 하는 규정을 별도로 두고 있지는 않고, 허가권자는 건축허가신청이 건축법 등 관계 법규에서 정하는 어떠한 제한에 배치되지 않는 이상 당연히 같은 법조에서 정하는 건축허가를 하여야 하고, 중대한 공익상의 필요가 없음에도 불구하고 요건을 갖춘 자에 대한 허가를 관계 법령에서 정하는 제한사유 이외의 사유를 들어 거부할 수는 없다고 할 것임

또한, 저당권은 경매절차에 있어서 실현되는 저당부동산의 교환가치로 부터 다른 채권자에 우선하여 피담보채권의 변제를 받는 것을 내용으로 하는 물권으로 부동산의 점유를 저당권자에게 이전하지 않고 설정 되는 것으로 저당권설정자가 저당부동산을 사용·수익함에 영향을 미치지 않는 것이 원칙이고, 저당권이 반드시 실행되는 것이 아님에도 불구하고 건축할 대지에 저당권이 설정되어 있다는 이유만으로 건축허가를 불허하는 것은 대지소유자의 재산권 행사에 대한 과도한 제한이라 할 것임.

법령해석 압류된 대지에 압류권자의 동의가 없다는 이유로 건축허가 신청을 반려할 수 있는지

「건축법」 제11조 등 관련 법제처 법령해석 10-0464, 2011.1.28./건축사협회 수정게시 2022.9.16.

질의요지 대지 소유자 채권자에 의해 해당 대지가 압류(「민사집행법」상의 강제 관리에 의하여 압류된 것은 아님)되었는데 대지의 소유자가 해당 대지에 건축법 제11조에 따른 건축허가 대상으로서 분양 목적이 아닌 건축물을 신축하기 위하여 같은 조에 따라 건축허가를 신청한 경우,

해당 건축물의 신축에 대한 압류권자의 동의가 없다는 이유로 해당 건축허가 신청을 반려할 수 있는지

회답 대지 소유자의 채권자에 의해 해당 대지가 압류(「민사집행법」상 강제 관리에 의하여 압류된 것은 아님)되었는데 대지의 소유자가 해당 대지에 「건축법」 제11조에 따른 건축허가 대상으로서 분양 목적이 아닌 건축물을 신축하기 위하여 같은 조에 따라 건축허가를 신청한 경우,

허가권자는 해당 건축물의 신축에 대한 압류권자의 동의가 없다는 이유로 해당 건축허가 신청을 반려할 수 없음.

이유 건축물에 대한 건축허가권자는 건축허가의 신청이 「건축법」, 「국토 계획법」 등 관계 법규에서 정하는 어떠한 제한에도 배치되지 않는 이상 당연히 「건축법」에서 정하는 건축허가를 하여야 하고, 중대한 공익상의 필요가 없음에도 불구하고, 요건을 갖춘 자에 대한 허가를 관계 법령에서 정하는 제한 사유 이외의 사유

를 들어 거부할 수는 없다 할 것인데(대법원 2006.11.9. 선고, 2006두1227 판결례 등 참조),
대지 소유자의 채권자에 의해 해당 대지가 압류되어 있다 할지라도 해당 대지의 소유자가 해당 대지에 건축행위를 하는데 있어서 건축법, 국세징수법, 민사집행법 등 관계 법령 어디에도 해당 건축물의 신축에 대한 압류권자의 동의를 받도록 하는 규정이 없는 바, 허가권자는 해당 건축물의 신축에 대한 압류권자의 동의가 없다는 이유만으로 해당 건축허가를 거부할 수는 없음.

법령해석 대지 지상권이 해제되지 않은 경우 20세대 미만 다세대주택 건축 허가신청을 반려할 수 있는지

「건축법」 제11조 등 관련 법제처 법령해석 10-0317. 2010.10.28./건축사협회 수정게시 2022.9.16.

질의요지 지상권이 설정된 대지의 소유자가 그 지상권자로부터 대지 사용에 대 한 동의를 얻은 후, 분양을 목적으로 하는 20세대 미만의 다세대주택을 신축하기 위하여 「건축법」 제11조, 같은 법 시행령 제9조 및 같은 법 시행규칙 제6조에 따라 건축허가를 신청한 경우,
허가권자가 그 건축할 대지에 설정된 지상권이 해제되지 않았다는 이유로 이를 반려할 수 있는지

회답 허가권자는 그 건축할 대지에 설정된 지상권이 해제되지 않았다는 이유로 이를 반려할 수 없음.

이유 건축법령에 따라 건축허가를 받으려는 20세대 미만의 다세대주택은 건축물분양법령이나 주택법령의 적용대상에 해당하지 않으므로 건축법령 만을 적용받는다고 할 수 있고, 건축허가권자는 관련 법령에서 정하는 제한 사유 이외의 사유를 들어 그 허가신청을 거부할 수는 없다고 할 것인데(대법원 2006.11.9. 선고 2006두1227 판결),
건축법 시행규칙 제6조제1항제1호에서는 분양목적 공동주택을 건축하는 경우 건축할 대지의 권리관계와 관련해서는 건축할 대지의 소유권을 증명하는 서류만 제출하도록 규정하고 있을 뿐,
그 대지에 설정된 지상권 등을 해제하거나 말소하도록 하는 내용의 규정을 별도로 두고 있지는 않으므로 이 사안에서의 허가권자는 분양을 목적으로 하는 20세대 미만의 다세대주택 건축허가 신청에 대하여 그 건축할 대지에 설정된 지상권이 해제되지 않았다는 이유로 해당 건축허가 신청을 반려할 수는 없다고 할 것임.

법령해석 의제 허가받은 사항의 변경시 산지전용허가를 별도로 받아야 하는지 여부

법제처 법령해석 08-0115, 2008.7.2.

질의요지 가.「장사 등에 관한 법률」 제14조제5항 본문은 시장등이 가족묘지, 종중·문중묘지 또는 법인묘지의 설치·관리를 허가한 때에는 「산지관리법」 제14조·제15조에 따른 산지전용허가·신고가 있는 것으로 보도록 하고 있으나, 「장사 등에 관한 법률」 제14조제5항 단서 및 같은 법 시행령 제14조는 면적이 80㎡ 이상의 묘지의 경우에는 그러하지 아니하도록 규정되어 있는 것과 관련하여,
(1) 종중묘지의 설치허가에 따른 산지전용허가의 민원이 「민원사무처리에 관한 법률」에 따른 복합민원에 해당하는지, 그리고 복합민원에 해당하는 경우 구비서류를 관계 법령에 따라 제출하여야 하는 모든 서류를 구비해야 하는지, 「민원사무처리기준표」에 적시되어 있는 서류만 구비해도 되는지?
(2) 80㎡ 이상의 면적에 대한 산지전용을 필요로 하는 종중묘지의 설치허가가 「산지관리법」 제14조제2항에 따른 "다른 법률에 의하여 산지전용허가가 의제되는 행정처분"에 해당하는지?
나.「건축법」 제11조제5항제5호에 따라 「산지관리법」 제14조에 따른 산지전용허가가 의제된 건축허가를 받은 경우로서 건축허가사항이 변경됨에 따라 산지전용허가사항을 변경해야 하는 경우 건축허가의 변경허가·신고와 별도로 「산지관리법」 제14조제1항에 따른 산지전용의 변경허가를 받거나 신고를 하여야 하는지 아니면 건축허가관청에서 「산지관리법」 제14조제2항에 따라 산지전용허가의 변경에 관한 협의절차를 거쳐 산지전용 변경허가·신고를 의제하여야 하는지?

회답 가. 질의 가의 (1)에 대하여
종중묘지의 설치허가에 따른 산지전용허가의 민원은 「민원사무처리에 관한 법률」에 따른 복합민원에 해당되나, 관계 법령에 따라 제출하여야 하는 모든 서류를 구비해야 함.

나. 질의 가의 (2)에 대하여
80제곱미터 이상의 면적에 대한 산지전용을 필요로 하는 종중묘지의 설치허가는 「산지관리법」 제14조제2항에 따른 "다른 법률에 의하여 산지전용허가가 의제되는 행정처분"에 해당되지 않음.
다. 질의 나에 대하여
「건축법」 제11조제5항에 따라 「산지관리법」 제14조에 따른 산지전용허가가 의제된 건축허가를 받은 경우라 하더라도 건축허가사항의 변경을 위해 산지전용변경허가·신고가 필요한 경우에는 「건축법」 제16조에 따른 변경허가·신고 대상인지의 여부와 상관없이 「산지관리법」 제14조제1항에 따른 산지전용의 변경허가를 받거나 변경신고를 하여야 함.
이유 "생략"

법령해석 건축허가의 효과로 산지전용허가가 의제되는 경우, 산림청장이 「산지관리법」에 따른 의무를 이행하지 않는 자에 대하여 산지전용허가를 취소할 수 있는지 여부

「건축법」 제11조제5항 및 「산지관리법」 제20조 관련 법제처 법령해석 10-0001, 2010.3.26.

질의요지 「건축법」에 따른 건축허가를 받음으로써 「산지관리법」상 산지전용허가가 의제되는 경우, 건축허가를 받은 자가 「산지관리법」상 대체산림자원조성비를 납부하지 아니하거나 복구비를 예치하지 아니하여 「산지관리법」에 따른 산지전용허가 취소사유가 발생한 때에 산림청장은 의제된 산지전용허가를 취소할 수 있는지?

회답 「건축법」에 따른 건축허가를 받음으로써 「산지관리법」상 산지전용허가가 의제되는 경우, 건축허가를 받은 자가 「산지관리법」상 대체산림자원조성비를 납부하지 아니하거나 복구비를 예치하지 아니하여 「산지관리법」에 따른 산지전용허가 취소사유가 발생한 때에 산림청장은 의제된 산지전용허가를 취소할 수 없습니다.

이유 "생략"

법령해석 건축허가 후 의제된 개발행위허가에 필요한 구비서류를 거짓으로 작성·제출한 사실이 밝혀진 경우 건축허가의 취소 가능 여부

「건축법」 제11조 등 관련 법제처 법령해석 11-0130, 2011.4.14.

질의요지 「건축법」 제11조제5항제3호에 따라 건축허가를 받음으로써 「국토의 계획 및 이용에 관한 법률」 제56조에 따른 개발행위허가가 의제되었으나, 건축허가를 받은 자가 개발행위허가에 필요한 구비서류를 거짓으로 작성하여 제출한 사실이 밝혀진 경우에는 건축허가를 취소할 수 있는지?

회답 「건축법」 제11조제5항제3호에 따라 건축허가를 받음으로써 「국토의 계획 및 이용에 관한 법률」 제56조에 따른 개발행위허가가 의제되었으나, 건축허가를 받은 자가 개발행위허가에 필요한 구비서류를 거짓으로 작성하여 제출한 사실이 밝혀진 경우, 「건축법」에 따라 개발행위허가의 의제효과가 포함된 건축허가의 실체적 요건이 충족되지 못한 상태에서 하자 있는 건축허가가 이루어진 것으로 보아 별도의 법적 근거가 없더라도 「건축법」에 따른 건축허가를 직권으로 취소할 수 있습니다.

이유 "생략"

법령해석 건축허가로 의제된 개발행위허가의 취소 가능 여부

「건축법」 제11조 등 관련 법제처 법령해석 10-0489, 2011.1.20.

질의요지 「건축법」 제11조제5항제3호에 따라 건축허가를 받음으로써 「국토의 계획 및 이용에 관한 법률」 제56조에 따른 개발행위허가가 의제되었으나, 건축허가를 받은 자가 개발행위허가에 필요한 구비서류를 거짓으로 작성하여 제출한 사실이 밝혀진 경우에는 의제된 개발행위허가에 대하여 「국토의 계획 및 이용에 관한 법률」 제133조제1항에 따라 개발행위허가를 취소하거나 공사의 중지를 명할 수 있는지?

회답 「건축법」 제11조제5항제3호에 따라 건축허가를 받음으로써 「국토의 계획 및 이용에 관한 법률」 제56조에 따른 개발행위허가가 의제되었으나, 건축허가를 받은 자가 개발행위허가에 필요한 구비서류를 거짓으로 작성하여 제출한 사실이 밝혀진 경우, 「건축법」에 따라 개발행위허가의 의제효과가 포함된 건축허가의 실체적 요건이 충족되지 못한 상태에서 하자 있는 건축허가가 이루어진 것으로 보아 「건축법」에 따른 건축허가의 취소나 공사중지 명령 여부를 결정하는 것은 별론으로 하고, 의제된 개발행위허가에 대하여 「국토의 계획 및 이용에 관한 법률」 제133조제1항에 따라 개발행위허가를 취소하거나 공사의 중지를 명할 수는 없다고 할 것입니다.

이유 "생략"

법령해석 「건축법」 제16조에 따른 건축허가 변경시 당초 건축허가를 받을 때 의제처리한 인허가의 변경도 의제되는지 여부

「건축법」 제11조 등 관련 법제처 법령해석 10-0205, 2010.8.23.

질의요지 「건축법」 제11조제5항제3호에 따라 건축허가시 「국토의 계획 및 이용에 관한 법률」 제56조에 따른 개발행위허가가 의제된 후, 바닥면적의 합계가 85제곱미터를 초과하는 부분에 대한 증축을 하기 위하여 건축허가 및 개발행위허가의 변경이 필요한 경우로서 「건축법」 제16조에서 건축허가의 변경만을 규정하고 있고 건축허가의 변경에 따른 관련 인·허가의 변경 의제를 규정하고 있지 아니한 경우, 건축허가의 변경만을 받는 경우에도 개발행위허가의 변경이 의제되는지?

회답 「건축법」 제11조제5항제3호에 따라 건축허가시 「국토의 계획 및 이용에 관한 법률」 제56조에 따른 개발행위허가가 의제된 후, 바닥면적의 합계가 85제곱미터를 초과하는 부분에 대한 증축을 하기 위하여 건축허가 및 개발행위허가의 변경이 필요한 경우로서 「건축법」 제16조에서 건축허가의 변경만을 규정하고 있고 건축허가의 변경에 따른 관련 인·허가 변경 의제를 규정하고 있지 아니한 경우 건축허가의 변경만을 받았다면 개발행위허가의 변경이 의제되지 않습니다.

이유 "생략"

질의회신 건축허가를 받아 건축된 다세대 및 연립주택이 주택건설기준등에관한규정을 적용 받는지 여부

국토교통부 민원마당 FAQ. 2019.5.24.

질의 건축허가를 받아 건축하는 다세대 및 연립주택은 「주택건설기준 등에 관한 규정」을 적용받는지

회신 「주택건설기준 등에 관한 규정」 제3조에 따르면 「주택법」 제2조제10호에 따른 사업주체가 법 제15조제1항에 따라 주택건설사업계획의 승인을 얻어 건설하는 주택, 부대시설 및 복리시설에 관하여 이를 적용하도록 하고 있음. 따라서, 건축허가를 받아 건축하는 다세대 및 연립주택은 동 규정 적용대상이 아님

질의회신 지구단위계획구역인에서 건축허가

국토교통부 민원마당 FAQ. 2019.5.24.

질의 지구단위계획에 합당하지 않는 건축행위를 하여도 허가받을 수 있는지 여부 및 사전에 이러한 사항을 다 인지하면서도 건축허가를 내줄 수 있는지 여부

회신 「국토의 계획 및 이용에 관한 법률」 제54조에 따르면 지구단위계획구역에서 건축물을 건축하거나 건축물의 용도를 변경하려면 그 지구단위계획에 맞게 건축하거나 용도를 변경하도록 되어 있음.

따라서, 해당지역이 지구단위계획이 수립된 지역이라면 동 지역에서의 건축허가는 위의 규정을 준수하여야 할 것으로 판단됨.

질의회신 도시계획시설로 지정되어 고시후 토지일부 미확보시 건축허가 여부

국토교통부 민원마당 FAQ. 2019.5.24.

질의 서울시 도시계획법상 도시계획시설로 지정되어 지적고시 및 실시계획인가 고시된 서울시내의 시설중, 해당 필지에 대한 일부소유권을 미확보한 경우(해당 관청에서 토지 소유권 이전 작업진행중)에도 건축허가가

가능한지 여부

회신 건축법령에서는 건축허가신청시에는 「건축법 시행규칙」 제6조에서 당해 대지의 소유 또는 그 사용에 관한 권리를 증명하는 서류를 제출하도록 정하고 있고, 국토계획법령에서 개발행위허가신청시에도 「국토의 계획 및 이용에 관한 법률 시행규칙」 제9조에서 건축법 시행규칙과 유사하게 규정하고 있음. 도시계획시설을 설치하고자 하는 경우에는 「국토의 계획 및 이용에 관한 법률」 제86조에 따라 시행자의 지정을 받은 경우에는 수용권이 부여되므로 소유권을 확보하지 아니한 토지에 대해서는 같은 법 시행규칙 제15조제3호에서 수용 또는 사용할 토지의 세목 등을 제출하도록 정하고 있음.

질의회신 공항소음대책지역안에서의 건축허가, 협의

국토교통부 민원마당 FAQ. 2019.5.24.

질의 공항소음대책지역안에서 건축법에 의한 건축물을 신축, 증축 또는 개축하고자 할 때에는 항공기 소음과 관련하여 공항관련기관과 별도로 협의해야 하는지?

회신 공항소음 방지 및 소음대책지역 지원에 관한 법률 제6조 및 같은법 시행규칙 제4조에 따라 시도지사가 공항소음피해 확산을 방지하기 위하여 시설물의 설치 또는 용도를 제한할 수 있도록 규정하고 있음.
따라서, 공항소음대책지역 안에서 건축물을 설치하고자 할 경우, 건축주가 공항관련 기관과 별도로 협의할 사항은 없으며, 건축 가능 여부는 건축허가 관청에 문의하면 될 것임.

질의회신 변전소 옥내화 관련 건축허가

국토교통부 민원마당 FAQ. 2019.5.24.

질의 기존에 도시계획시설로 결정되어 있는 변전시설을 옥내화하는 과정에 있어 도시계획시설사업 실시계획 변경인가를 하고 건축허가를 받아야 하는 것인지 아니면 도시계획시설이 아닌 것이 되어 건축허가만 받아도 되는 것인지?

회신 「도시계획시설의 결정·구조 및 설치기준에 관한 규칙」 제67조 규정에 의한 전기공급설비가 결정되어 있는 상태에서 변전시설을 옥내화할 경우에는 옥내에 설치하는 변전시설은 도시계획시설 결정대상이 아니므로 도시계획시설 변경(폐지)여부를 검토하거나, 기존 시설을 유지시는 실시계획을 변경하여야 할 것이며, 건축법 규정에 의한 실시계획인가가 의제되어 있을 경우 건축법 규정에 의하여 실시계획변경인가 협의를 거쳐야 할 것임.

질의회신 개발행위허가와 건축허가 관계

국토교통부 민원마당 FAQ. 2019.5.24.

질의 개발행위허가는 A가 허가를 득하여 부지조성을 하고 있는 부지에 건축(신축)허가를 득하여 건축하고자 할 경우 개발행위허가를 B로 허가자 변경을 하지 않고 A의 동의하에 건축허가를 B가 득할수 있는지

회신 「국토의 계획 및 이용에 관한 법률」(이하 국토계획법) 제56조에 따라 일단의 부지조성을 위한 형질변경에 대한 개발행위를 받은 자와 조성되는 부지에 건축물을 건축하는 자가 반드시 동일해야 한다고 볼만한 규정은 없다 할 것임. 다만, 이 경우 건축주는 국토계획법 제57조 제1항 단서에 따라 건축법에서 정하는 절차에 따라 신청서류를 제출하여야 할 것이며, 부지조성을 위한 개발행위(토지의 형질변경)가 건축물의 준공보다는 먼저 준공되거나, 같이 준공 되어야 할 것임.

질의회신 건축허가로 인해 대지내에 설치되는 보도의 무상귀속 여부

국토교통부 민원마당 FAQ. 2019.5.24.

질의 건축허가시 교통영향평가에 의해 기존 보도가 차도로 변경되고 없어지는 보도를 대지내에 설치할 때 이를 "국토의계획및이용에관한법률 제65조제2항에 개발행위허가를 받은 자가 행정청이 아닌 경우 개발행위허가를 받은 자가 새로이 설치한 공공시설은 그 시설을 관리할 관리청에 무상으로 귀속되고"라는 조항을 적용하여

무상귀속할 수 있는지 여부

회신 무상귀속 대상 공공시설은 누구나가 타인의 제한없이 자유롭게 이용할 수 있는 시설임과 아울러 유지·관리를 시장·군수 등 행정청이 하여야 할 필요가 있는 시설에 한하도록 하고 특정인이 이용하고 사인이 관리하는 개인소유시설은 무상귀속대상 공공시설에 포함하지 않아야 할 것임.

질의회신 건축허가를 받았으나 취소한 경우 도로점용허가도 같이 취소가 되는지

국토교통부 민원마당 FAQ. 2019.5.24.

질의 건축허가를 받았으나 이후 건축허가를 취소한 경우 도로점용허가도 같이 취소가 되는지

회신 건축법 제11조에 따르면 건축허가를 받은 경우 도로법 제38조에 따른 도로점용허가를 받은 것으로 의제처리 토록 하고 있어 건축허가 취소시에는 도로점용허가도 취소된 것으로 간주할 수 있을 것으로 판단됨

질의회신 건축허가 의제 처리 관련

국토교통부 민원마당 FAQ. 2019.5.24.

질의 가. 건축허가시 의제처리된 산지전용허가의 전용기간이 2년을 경과하여 연장허가를 받지 못하고, 현재 건축물이 공사중인 사항에 대해 주된 민원인 건축물의 착공신고서 제출로 산지전용허가의 기간연장이 되는지 여부
나. 기간연장 허가시 압류권자의 동의를 받아야 하는지 여부

회신 일반적으로 '의제처리'는 복합민원의 처리유형의 하나로서 어떤 인, 허가를 받기 위하여 근거법령이 서로 다른 인, 허가를 함께 받아야 할 경우에 그 관련 인, 허가가 주된 인, 허가와 중복되거나 유사하다면 주된 인, 허가만 받으면 관련 인, 허가도 함께 받은 것으로 간주하여 처리됨.
이 경우, 실제적으로 행정기관 내부에서는 개별적으로 접수되는 민원처리의 방법과 동일하다고 볼 수 있는 바, 의제처리 규정은 의제되는 각 개별법령의 적용을 배제하도록 한 규정으로 볼 수는 없음.
따라서, 별도의 개별법령에 따른 기간연장, 연장시 압류권자 동의여부 등에 대해서는 개별법령에서 정하고 있는 절차 등을 이행하여야 할 것으로 사료됨.

질의회신 건축허가시 의제처리 관련

국토교통부 민원마당 FAQ. 2019.5.24.

질의 건축허가를 받은 축사는 개발행위를 받지 않고 준공을 받았다고 하더라도 개발행위나 농지전용 허가 또는 신고한 것으로 볼 수 있는 지

회신 「건축법」 제11조제1항에 따른 건축허가를 받으면 같은 조 제5항 각 호의 허가 등을 받거나 신고를 한 것으로 보도록 하고 있는 바, 이는 건축허가 신청시 의제처리를 신청한 사항에 대해서만 처리된 것으로 보는 것이며, 의제처리를 신청하지 않는 사항은 개별법에 따라 별도로 허가·신고 또는 인가를 받아야 함
그러므로 귀하의 경우 건축허가 신청시 개발행위 또는 농지전용 허가·신고에 대한 의제처리를 신청하지 않고 건축허가를 득하였다면 개발행위 또는 농지전용 허가·신고를 한 것으로 볼 수 없을 것임을 알려드리니 구체적인 사항은 해당지역의 허가권자에게 문의 바람

질의회신 2건의 건축허가를 1건의 건축허가로 통합 할 수 있는 지

국토교통부 민원마당 FAQ. 2023.6.15.

질의 건축주가 연접하여 각각 2건의 건축허가를 받아 공사중 2건의 건축허가를 1건의 건축허가로 통합할 수 있는 지 여부

회신 문의의 경우 2건의 건축허가를 1건의 건축허가로 통합하고자 하는 건축물 및 대지가 건축법 및 관계법령에 적합한 경우라면 설계변경으로 가능할 것으로 사료되나, 이 경우 2건의 건축허가 중 1건에 대하여는 건축허가를 취소하고 1건의 건축허가를 대상으로 설계변경 절차를 거쳐 통합하여야 할 것으로 사료됨

질의회신 건축허가시 의제처리 관련 법률에 따른 효력 여부

국토교통부 민원마당 FAQ. 2019.5.24.

질의 가. 건축법 제8조 제6항의 규정에서 "다음 각 호의 허가 등을 받거나 신고를 한 것으로 보며"의 의미는 개발행위허가, 농지전용허가 등을 받았다는 것을 의미하는 지

나. 건축허가시 개발행위, 농지전용 등에 대한 허가서를 함께 받을 수 없는 지

다. 건축법 제3조 제2항의 규정에 의거 동법 제33조의 규정을 적용하지 아니하는 지역이나 국토의 계획 및 이용에 관한 법률에 의한 개발행위허가기준에 도로가 있어야 하는 경우 개발행위허가시 도로관련 사항을 검토하여야 하는 지

회신 가. 건축법 제8조 제6항의 규정에 의하면 동조 제1항의 규정에 의한 건축허가를 받는 경우에는 동 제6호 각 호의 허가 등을 받거나 신고를 한 것으로 보는(공장건축물의 경우에는 산업집적 활성화 및 공장설립에 관한 법률 제13조의2 및 제14조의 규정에 의하여 관련법률의 인·허가 등 또는 허가 등을 받은 것으로 봄) 것이나, 위 규정에 의하여 관계법률에 의한 허가 등의 의제를 받고자 하는 경우에는 동법 시행규칙 제6조 제1항 제3호의 규정에 의거 건축허가신청 시 동법 제8조제6항 각 호의 규정에 의한 허가등을 받거나 신고를 하기 위하여 당해 법령에서 제출하도록 의무화하고 있는 신청서 및 구비서류(해당 사항이 있는 것에 한함)를 첨부하여야 하고 동법 제8조 제6항 각 호의 1에 해당하는 사항이 다른 행정기관의 권한에 속하는 경우 허가권자가 동조 제7항의 규정에 의하여 당해 행정기관의 장과 협의하여야 하는 것임

나. 건축허가시 위 "가"에서 설명한 신청 및 협의 등을 거쳐 다른 법률에 의한 허가 등이 의제되었다면 건축법 시행령 제9조 제2항의 규정에 의한 건축허가서를 교부하는 때에 다른 법률에 의한 허가서를 따로 교부하지는 아니함

다. 개발행위허가를 건축법 제8조 제6항의 규정에 의하여 건축허가시 의제하는 경우라면 건축허가권자가 동조 제7항의 규정에 의하여 협의 등을 하여야 할 것이며, 의제하지 아니하고 개발행위허가를 별도로 처리하는 경우라면 당해 허가권자가 검토하여야 할 것으로 사료됨 (* 법 제8조, 제33조 ⇒ 제11조, 제44조, 2008.3.21. 개정)

질의회신 건축허가 취소시 의제 관련 사항의 취소 여부

국토교통부 민원마당 FAQ. 2019.5.24.

질의 「건축법」 제8조 제8항에 의하여 건축허가를 받은 후 당해 건축허가를 취소할 경우 건축허가 시 의제처리된 모든 사항이 동시에 취소되는 지 여부

회신 건축법 제8조의 규정에 의하여 의제처리된 사안의 경우 형식적인 허가는 '건축허가'로서 하나만 존재하는 것이고, 건축허가가 취소된 경우 다시 건축허가가 없었던 상태로 환원되는 것으로 당해 건축허가(의제처리된 사항 포함)의 효력은 소멸되는 것임 (* 법 제8조 ⇒ 제11조, 2008.3.21 개정)

질의회신 소유가 각각 다른 2필지에 걸쳐 건축한 다세대주택에 대한 공동건축주 인정여부

건교부 건축기획팀-797. 2007.2.14.

질의 A필지와 B필지의 토지소유자인 a와 b가 합필하지 않고 공동명의로 다세대주택 1개동을 2필지에 걸쳐 건축하여 분양하고자 할 때, 공동명의 건축주로 건축허가 신청이 가능한지 여부

회신 「건축법 시행규칙」 제6조제1항에 따르면 건축물의 건축허가를 받으려는 자는 분양을 목적으로 하는 공동주택을 건축하는 경우에 건축할 대지의 범위와 그 대지의 소유에 관한 권리를 증명하는 서류를 제출하도록 규정하고 있는 바, 상기 규정은 건축허가시 대지의 소유에 관한 권리를 확인하여 공동주택을 분양받은 사람들의 권리를 보호하고자 하는 것이 취지이므로 합필, 공동소유 등 향후 피분양자의 소유권행사 등 피해를 사전에 예방할 수 있는 조치를 검토하여야 할 것으로 판단됨.

질의회신 타법률을 위반한 경우 건축허가 추인 적용 여부

건교부 건축기획팀-2045. 2006.4.3.

질의 농지법과 국토의 계획 및 이용에 관한 법률 위반한 경우 건축허가 추인 적용 여부

건축법
1. 총칙
2. 건축
3. 유지관리
4. 대지도로
5. 구조재료
6. 지역지구
7. 건축설비
8. 특별건축구역
9. 보칙
10. 벌칙
건축법 관련기준

건축법
1. 총 칙
2. 건 축
3. 유지관리
4. 대지도로
5. 구조재료
6. 지역지구
7. 건축설비
8. 특별건축구역
9. 보 칙
10. 벌 칙
건축법 관련기준

회신 「건축법」 제8조제4항 규정에 의거 당해 용도·규모 또는 형태의 건축물을 그 건축하고자 하는 대지에 건축하는 것이 「농지법」 제34조·제36조와 「국토계획및이용에관한법률」 제54조·제56조 내지 제62조·제76조 내지 제82조 기타 관계법령에 적합해야 함.

"추인"이란 민법상 제도로서 불완전한 법률행위를 사후에 보충하여 확정적으로 유효하게 하는 일방적 의사표시로서 건축법령에는 추인제도를 별도로 마련해 두고 있지는 않으나, 건축물이 단순히 건축법령이 정하는 절차(허가 또는 신고)를 이행하지 아니하였으나 현행 건축법령에 적합한 경우로서 당해 건축물을 철거 후 다시 건축하는 실익보다 당해 불법 건축물을 추인하여 얻어지는 실익이 큰 경우라고 당해 허가권자가 판단하는 경우에 이를 적용하여야 하는 것임(* 법 제8조 ⇒ 제11조, 2008.3.21 개정)

질의회신 건축허가 유효기간의 산정기점(최초 허가일)

건교부건축기획팀-595, 2005.10.6.

질의 건축허가를 받고 1년이 경과하여 연장을 하려고 하는 바, 설계변경을 하면 변경허가를 받은 날부터 다시 착공기한이 연장될 수 있는지 여부

회신 건축법 제8조제8항의 규정에서 "허가를 받은 날"이라 함은 동법 제8조제1항의 규정에 의한 당초 허가일로서 동법 제10조의 변경허가일과는 관계가 없는 것임 (* 법 제8조 ⇒ 제11조, 2008.3.21 개정)

질의회신 건축허가시 의제허가로 받은 토지형질변경이 공사 중 취소된 경우의 조치

건교부 건축기획팀-1914, 2005.12.13.

질의 건축허가 시 개발행위허가(토질형질변경)를 의제 받아 건축공사를 진행하던 중 개발행위기간 연장신청을 하지 아니한 경우 행정청이 "공사를 할 의지가 있어 보이지 않는다"하여 허가를 취소할 수 있는지

회신 건축법 제8조제6항의 규정에 의하여 건축허가시 다른 법률에 의한 허가 등을 의제하고자 하는 경우 제6항 각호의 어느 하나에 해당하는 사항이 다른 행정기관의 권한에 속하는 경우에는 허가권자는 동조제7항의 규정에 의하여 미리 당해 행정기관의 장과 협의하도록 하고 있으므로 건축허가시 의제받은 허가 등을 취소하고자 하는 경우에도 당해 행정기관의 장과 협의하는 것이 타당할 것이며, 또한 건축법 제8조제8항의 규정에 의하여 허가권자는 건축허가를 받은 자가 허가를 받은 날부터 1년 이내에 공사에 착수하지 아니하거나, 공사를 착수하였으나 공사의 완료가 불가능하다고 인정하는 경우에는 그 허가를 취소하여야 하는 것인 바, 개별 건축공사의 완료가 불가능한지는 당해 허가권자가 공사여건 등을 검토하거나 행정절차법 제22조제1항의 규정에 의하여 당사자의 의견을 들어 판단하는 것이며 행정청의 처분이 부당하다고 판단되는 경우에는 처분의 취소 또는 변경을 구하는 행정심판 등을 제기할 수 있을 것으로 사료됨 (* 법 제8조 ⇒ 제11조, 2008.3.21 개정)(* 1년 ⇒ 2년, 2017.1.17 개정)

질의회신 동일건축물에 대하여 2개의 행정행위를 처리할 수 있는지

건교부 건축 58550-2009, 2003.11.1.

질의 동일한 건축주가 구청장에게 대수선 신고를 한 후 공사를 하던 중에 당해 건축물에 대하여 수직 및 수평으로 증축(특별시장의 허가사항)하고자 허가권자인 특별시장에게 증축허가를 신청하였는바, 동일 건축물에 대하여 2개의 행정행위를 처리할 수 있는지 여부

회신 귀 질의의 경우 구청장에게 이미 대수선 신고를 하여 공사가 진행중이라 하더라도 특별시장에게 신청된 증축허가의 처리는 가능하다 판단됨. 다만, 특별시장이 증축허가신청을 처리함에 있어 구청장에게 신고된 대수선의 내용에 대한 검토가 필요하다면 구청장으로부터 대수선관련 사항을 제출받아 검토하는 것이 타당할 것으로 생각됨

질의회신 복합민원으로 일괄처리 여부

건교부 건축 58070-739, 2003.4.25.

질의 건축물을 건축하기 위하여 산림형질변경허가, 농지전용허가, 건축허가를 별도로 신청한 경우 이를 복합민원으로 일괄처리할 수 있는지 여부

회신 건축법 제8조제6항의 규정에 의한 복합민원 처리는 본인이 복합민원으로 신청하여야 복합민원으로 처리되는 것이므로 이를 각각 별도의 허가로 신청하였다면 상기 규정이 적용되지 않는 것임
(* 법 제8조 ⇒ 제11조, 2008.3.21 개정)

질의회신 건축허가신청서 관련

건교부 건축 58550-1884, 2003.10.15.

질의 건축허가가 접수되어 건축허가 처리를 검토하는 과정에서 건축주 및 건축허가 신청 대지면적의 변경사항이 접수된 경우 당초 건축허가 신청서를 반려한 후 새로운 건축허가를 신청받아야 하는지 아니면 당초 신청된 건축허가 서류를 보완하면 되는지 여부

회신 질의의 경우는 건축법 제8조등 건축법령의 유권해석이 필요한 사항이라기 보다는 건축허가처리등 업무집행의 합리성등을 검토하여 처리할 사항으로 판단됨. 따라서, 동건은 당해 허가권자가 관계법령등에 저촉되지 아니한 범위안에서 행정의 합리성등을 감안하여 당초 접수된 건축허가 신청서류의 보완 등으로 처리가 가능할 것으로 판단됨 (* 법 제8조 ⇒ 제11조, 2008.3.21. 개정)

질의회신 착공신고를 한 후 사정상 공사가 중단된 경우 건축허가를 취소할 수 있는지 여부

건교부 건축 58070-676, 2003.4.16.

질의 건축법 제8조제8항의 규정에 의하여 건축허가를 받은 자가 허가를 받은 날부터 1년이내에 공사를 착수하지 아니하는 경우 그 허가를 취소하도록 하고 있는 바, 착공신고를 한 후 신고필증을 교부받은 후 사정상 공사가 중단된 경우 건축허가를 취소할 수 있는지 여부

회신 건축법제8조제8항의 규정에 의하여 건축공사에 착수하였으나 공사의 완료가 불가능한 경우에는 건축허가를 취소하여야 하는 것인바, 문의의 경우 완료가 불가능한지의 여부등 구체적인 사항은 당해 허가권자가 판단할 사항이니 허가권자에게 직접 문의하기 바람 (* 법 제8조 ⇒ 제11조, 2008.3.21 개정)(*1년 ⇒ 2년, 2017.1.17 개정)

질의회신 건축물 사전승인

국토교통부 민원마당 FAQ, 2019.5.24.

질의 연면적의 합계가 98천㎡의 건축물을 건축하여 사용승인을 받고 1차로 15천㎡를 증축하여 사용승인을 받은 후 2차로 25천㎡를 증축할 경우(증축면적 합계 40천㎡) 사전승인 대상인지 여부

회신 「건축법」 제11조제2항 및 같은 법 시행령 제8조제1항의 규정에 의하면, 시장, 군수는 연면적의 합계가 10만 제곱미터 이상인 건축물의 건축(연면적의 10분의 3 이상을 증축하여 연면적의 합계가 10만 제곱미터 이상으로 되는 경우를 포함한다)을 허가하려면 미리 건축계획서와 국토교통부령으로 정하는 기본설계도서를 첨부하여 도지사의 승인을 받아야 하는 바, 질의와 같이 1차, 2차 증축면적을 합한 면적이 연면적의 10분의 3 이상인 경우 상기 규정에 따라 도지사의 사전승인을 받아야 됨

질의회신 건축물 사전승인 관련

국토교통부 민원마당 FAQ, 2019.5.24.

질의 대학교 건축물(98,000㎡)을 사용중 도지사 사전승인 없이 허가를 득하여 부대시설을 기 증축(연면적 합계: 110,000㎡)하였는 바, 증축이 이루어진 후 추가로 별개의 동으로 부대시설을 다시 증축할 경우(최종 사용승인 연면적의 10분의 3이내) 도지사의 사전승인 없이 건축허가가 가능한지

회신 층수가 21층 이상이거나 연면적의 합계가 10만 제곱미터 이상인 건축물을 건축(연면적의 10분의 3 이상을 증축하여 층수가 21층 이상으로 되거나 연면적의 합계가 10만 제곱미터 이상으로 되는 경우 포함)하는 경우에는 「건축법」 제11조제2항에 따라 건축허가전 도지사의 승인을 받도록 하고 있는데, 이는 대형 건축물이 도시에 미치는 영향이 일반 건축물과 다르기 때문에 단순히 건축법적인 사항만 검토할 것이 아니라 지역계획, 도시계획, 문화재 보존 또는 환경보존 등 광역적인 검토를 건축허가 전에 상급기관에서 할 필요가 있기 때문임. 귀하의 경우는 상기 규정에 따라 도지사 사전승인을 받아야 할 것으로 사료됨을 회신하오니 구체적인 사항은 해당지역의 허가권자인 시장, 군수, 구청장에게 문의바람

질의회신 건축물 사전승인 관련

국토교통부 민원마당 FAQ. 2019.5.24.

질의 연면적 합계가 10만㎡ 이상으로서 기존에 도지사 사전승인을 받은 건축물을 기존 연면적 합계의 10분의 3 미만으로 증축하고자 하는 경우 사전승인을 다시 받아야 하는지

회신 「건축법」 제11조제2항제1호에 따라 시장・군수는 층수가 21층 이상이거나 연면적의 합계가 10만 제곱미터 이상인 건축물의 건축을 허가하려면 사전에 도지사의 승인을 받아야 하는 것이며, 같은 법 시행령 제8조제1항에 따르면 연면적의 10분의 3 이상을 증축하여 층수가 21층 이상으로 되거나 연면적의 합계가 10만 제곱미터 이상으로 되는 경우에도 도지사의 사전승인 대상에 해당되는 것인 바, 기존에 사전승인을 받은 건축물로서 그 증축되는 범위가 연면적의 10분의 3 미만인 경우에는 도지사의 사전승인 없이 해당 지역의 허가권자가 건축을 허가하는 것이 타당할 것으로 판단됨

질의회신 도지사의 사전승인 여부

국토교통부 민원마당 FAQ. 2019.5.24.

질의 주택법에 의한 주택건설 사업계획 승인시 건축법 제11조에 의한 도지사의 사전승인을 받지 않아도 되는지 여부

회신 「건축법」 제11조 제2항에 따라 21층 이상의 건축물이거나 연면적의 합계 10만제곱미터 이상인 건축물의 건축에 대하여 도지사의 사전승인을 얻도록 하고 있는 것은 동조 제1항에 따른 건축허가를 받아야 하는 경우 거쳐야 하는 절차이며, 주택법 제16조에 따라 사업계획승인을 받는 공동주택 및 주상복합건축물로서 같은 법 제17조에 따라 건축법 제11조의 건축허가를 의제토록 하는 경우 도지사의 사전승인 절차의 완화여부는 주택법에서 의제한 범위와 사업계획승인의 취지 등을 감안하여 주택법령이 정하는 바에 따라야 할 것임

질의회신 공용건축물의 사전승인 관련

국토교통부 민원마당 FAQ. 2019.5.24.

질의 국가나 지방자치단체가 건축물을 건축하고자 하는 경우 건축물이 제11조 제1항 단서 및 제2항에 따라 도지사의 사전승인을 받아야 하는 건축물인 경우에도 도지사의 사전승인을 받아야 하는지?

회신 가. 건축법 제11조제2항에 의하면 시장·군수는 일정 규모 이상 건축물의 건축을 허가하려면 미리 건축계획서와 국토교통부령으로 정하는 건축물의 용도, 규모 및 형태가 표시된 기본설계도서를 첨부하여 도지사의 승인을 받도록 규정하고 있으나,

나. 같은 법 제29조제1항에서 국가나 지방자치단체는 같은 법 제11조나 제14조에 따른 건축물을 건축하거나 대수선하려는 경우에는 대통령령으로 정하는 바에 따라 미리 건축물의 소재지를 관할하는 허가권자와 협의하여야 하며, 협의한 경우에는 건축법 제11조나 제14조에 따른 건축허가를 받았거나 신고한 것으로 보도록 규정하고 있을 뿐, 협의하는 경우 사전승인 절차를 생략하도록 따로 규정하고 있지 아니한 바, 건축법 제11조에 따라 사전승인을 받아야 함

건 축 법
1. 총 칙
2. 건 축
3. 유지관리
4. 대지도로
5. 구조재료
6. 지역지구
7. 건축설비
8. 특별건축구역
9. 보 칙
10. 벌 칙
건 축 법 관련기준

질의회신 도지사의 사전승인 후 설계변경시 사전승인 다시 받아야 하는지

건교부 건축 58070-242, 2003.2.6.

질의 건축법 제8조의 규정에 의하여 도지사의 사전승인(연면적 10만제곱미터 이상에 해당함) 및 허가권자의 건축허가를 받아 건축공사 중 건축물의 용도 및 층수의 변경없이 연면적이 감소(연면적은 10만제곱미터 이상임)하고, 일부 층의 층고의 변화로 인하여 건축물의 높이가 다소 증가하는 설계변경을 하고자하는 경우 다시 도지사의 사전승인을 받아야 하는지 여부

회신 건축법 제8조제2항제1호의 규정에 의하여 층수가 21층이상이거나 연면적의 합계가 10만제곱미터 이상인 건축물(공장 제외)은 도지사의 사전승인을 받아야 하는 것이나, 귀 문의의 경우와 같이 이미 도지사의 사전승인을 받은 후 설계변경으로 인하여 당해 건축물의 용도, 층수 등의 변경없이 일부 층의 층고 증가로 인하여 건축물의 전체 높이가 일부 증가하고, 또한 설계변경 후에도 건축법 등 관계법령에 적합한 경우라면 이를 별도로 도지사의 사전승인을 받지 않아도 될 것으로 판단되니 보다 구체적인 사항은 당해 허가권자에게 문의하기 바람

(* 법 제8조 ⇒ 제11조, 2008.3.21 개정)

질의회신 건축허가시 타인 소유의 대지에 대하여 대지사용승락서를 첨부하여야 하는 것인지

건교부 건축 58070-1426, 2003.8.4.

질의 상가 건축물의 건축중 대지의 일부가 경매를 통하여 타인의 소유가 된 경우 건축공사 완료 후 사용승인 신청 시 타인 소유의 대지에 대하여 대지사용승락서를 첨부하여야 하는 것인지 여부

회신 건축법시행규칙제6조제1항에1호의 규정에 의하여 분양을 목적으로 하는 공동주택의 경우를 제외한 상가등은 건축허가시 토지사용승락서를 첨부하여 건축허가가 가능하며, 동 상가등은 사용검사시 반드시 건축주와 대지소유자가 동일인이 되도록 의무화하고 있지 아니한바, 이에 대한 보다 구체적인 사항은 당해 허가권자에게 직접 문의하기 바람

질의회신 착공전까지 대지소유권을 취득하는 조건으로 건축허가가 가능한지

건교부 건축 58070-2331, 2003.12.16.

질의 복합건축물(사무소+아파트)을 건축함에 있어, 신청부지중 사유지에 대하여는 소유권을 취득하였으나 일부 국유지에 대하여는 용도폐지 후 국유지 매수신청까지 진행한 경우, 매수시점까지의 소요기간 등을 감안하여 착공전까지 소유권을 취득하는 조건으로 건축허가가 가능한지 여부

회신 건축법시행규칙 제6조제1항제1호의 규정에 의거 분양을 목적으로 하는 공동주택을 건축하는 경우에는 건축허가신청서에 건축할 대지의 범위와 그 대지의 소유에 관한 권리를 증명하는 서류를 첨부하여 허가권자에게 제출하여야 하는 것임.

다만, 귀 문의의 경우 착공전까지 소유권확보의 가능성여부 등을 당해 허가권자가 종합적으로 검토하여 조건부 허가여부를 판단·처리할 수 있을 것이니, 보다 구체적인 사항은 당해 허가권자에게 직접 문의하기 바람

질의회신 근저당권과 지상권 설정 대지의 건축허가여부

건교부 건축 58070-78, 2003.1.14.

질의 공동주택을 건축하고자하는 대지에 근저당권 및 지상권이 설정되어 있는 경우, 건축허가 신청시 근저당권과 지상권을 말소하여야 하는지 여부

회신 가. 건축법시행규칙 제6조제1항제1호의 규정에 의하여 분양을 목적으로 하는 공동주택은 건축허가 신청시 건축할 대지의 범위와 그 대지의 소유에 관한 권리를 증명하는 서류를 제출토록 하고 있으며,

나. 상기의 규정은 분양을 목적으로 건축하는 공동주택의 건축허가 신청시 건축주로 하여금 대지의 법적·실질적 소유권과 사용에 대한 권원을 확보하도록 함으로써 향후 발생할 수 있는 분양자의 피해를 예방하고, 분양자의 권리를 보호하기 위한 것인 바, 장래의 채권을 담보로 대지에 설정된 근저당권과 대지의 사용을 제한하는 지상권을 해제하는 것이 타당할 것임

질의회신 지상권자의 동의 여부

국토교통부 민원마당 FAQ. 2019.5.24.

질의 20세대 미만의 공동주택을 건축하고자 하는 대지에 지상권이 설정된 경우 건축허가신청 전에 지상권자에게서 동의를 얻어야 하는 지 여부

회신 가. 건축법 시행규칙 제6조 제1항 제1호의 규정에 의거 분양을 목적으로 하는 공동주택을 건축하는 경우에는 "건축할 대지의 범위와 그 대지의 소유에 관한 권리를 증명하는 서류"를 첨부토록 하고 있는 바, 상기의 규정은 분양을 목적으로 건축하는 공동주택의 건축허가 신청시 건축주로 하여금 대지의 법적·실질적 소유와 사용에 관한 권원을 확보함으로써 향후 발생할 수 있는 분양자의 피해를 예방하고 분양자의 권리를 보호하기 위한 것임. 나. 따라서, 분양을 목적으로 하는 공동주택의 경우 건축할 대지에 대한 소유나 사용권리를 제한하거나 영향을 주는 권리관계는 해제함이 타당할 것으로 사료됨

질의회신 일시적 공사중단이 공사의 완료가 불가능한 건축허가 취소사유가 되는지

건교부 건축 58070-348, 2003.2.24.

질의 2년전 건축허가를 받아 착공신고 후 기초공사를 하던 중 대지의 소유권 변동 등의 사유로 일시 공사를 중단하였으나, 6개월 전에 설계변경과 시공자 변경 후 건축공사를 위한 도로 포장 등을 하고 있는 시점에서 당해 허가권자가 건축법 제8조제8항의 규정에 의하여 공사의 완료가 불가능한 것으로 보아 건축허가를 취소할 수 있는지 여부

회신 귀 문의의 경우 소유권의 변동등으로 공사가 일시 중지되었다 하더라도 현재 설계변경 등을 거쳐 공사를 계속하기 위한 의사를 갖고 공사재개 준비등 하고 있다면 이는 건축법 제8조제8항의 규정에 의한 공사의 완료가 불가능한 사유에 해당하는 것으로 볼 수 없을 것으로 판단됨 (* 법 제8조 ⇒ 제11조, 2008.3.21 개정)

질의회신 기존대지와 인접대지가 고자차가 있어 건축허가를 받고자 하는 경우

건교부 건축 58070-1184, 2003.7.2.

질의 기존대지와 인접대지가 고저차가 있어 경사지게 성토를 하여 건축허가를 받고자 하는 경우 성토로 인한 토지형질변경허가를 별도로 받아야 하는지 여부와, 지하층의 산정을 위한 지표면 산정방법에 대한 질의

회신 건축법 제8조제6항의 규정에 의하면 동법 동조제1항의 규정에 의한 건축허가를 받는 경우에는 국토계획및이용에관한법률 제56조(개발행위의 허가) 및 동시행령 제51조제3호의 규정에 의한 토지형질변경허가를 받은 것으로 보고 있으며, 대지에 고저차가 있는 경우 지하층의 지표면 산정은 건축법시행령 제119조제1항제10호의 규정에 의하여 건축물*의 주위가 접하는 각 지표면 부분의 높이를 당해 지표면 부분의 수평거리에 따라 가중평균한 높이의 수평면을 지표면으로 보도록 하고 있으니, 이에 대한 보다 구체적인 사항은 당해 지역의 허가권자에게 문의하기 바람. (* 건축물 ⇒ 각 층, 2005.7.18 개정)

질의회신 인접대지 여건으로 착공기간을 2년 이상 연장할 수 있는지 여부

서울시 건지 58550-4677, 2001.9.18.

질의 신청대지에 건축허가를 득한 후 1년이 경과되어 관계규정에 의하여 착공기한을 1년 연장하였고, 연장기간의 만료가 다가오고 있지만, 인접대지의 현황을 살펴보면 지하5층, 지상19층으로 건축허가를 받고 토지굴착 후 지하3층 바닥까지만 구체공사를 완료한 상태에서 장기간 공사를 중지하고 있는 바, 신청대지에서 공사를 착공하여 토지굴착을 실시하면 신청대지 및 인접대지의 흙막이에 붕괴 등의 안전사고 위험이 높은 경우 추가로 착공기간 연장이 가능한지 여부

회신 건축법 제8조제8항의 규정에 의하면 허가권자는 건축허가를 받은 자가 허가를 받은 날부터 1년 이내에 공사를 착수하지 않은 경우에는 그 허가를 취소하여야 하는 것이고, 당해 허가권자가 정당한 이유가 있다고 인정하는 경우에는 1년의 범위안에서 그 공사의 착수기간을 연장할 수 있지만, 질의의 경우와 같이 건축허가를 받고 1년이 경과한 시점에서 1년간 착공연장 조치를 하고, 동 연장기간이 도래한 경우라면 현행 건축법령상 착

공 기간을 추가로 연장할 수 없는 것임 (* 법 제8조 ⇒ 제11조, 2008.3.21 개정)(* 1년 ⇒ 2년, 2017.1.17 개정)

질의회신 착공신고후 미착공 상태에서 건축주가 변경된 경우 건축허가의 취하 가능여부

서울시 건지 58550－1335, 2001.4.4.

질의 96년 10월에 건축허가를 득한 부지에 착공신고는 되었으나 공사를 전혀 진행하지 못하는 상태에서 건축주가 바뀌어 기존의 허가사항과 다르게 설계하여 시공하고자 할 경우 새로운 건축주가 건축허가를 취하할 수 있는지 여부

회신 가. 건축허가·공사진행여부 및 건축주명의변경의 처리 내용을 정확히 알 수 없고, 질의내용이 불분명하여 구체적인 답변은 곤란하지만, 건축법 제8조제8항의 규정에 의하면 건축허가를 받은 자가 허가를 받은 날부터 1년 이내에 공사를 착수하지 아니하거나 공사를 착수하였으나 공사의 완료가 불가능하다고 인정하는 경우에는 그 허가를 취소하도록 하고 있음

나. 따라서 질의의 경우가 건축법 제8조 규정에 의하여 건축허가를 득한 후 건축법시행규칙 제11조의 규정에 적합하게 건축주명의변경이 처리되었고, 착공신고는 되었으나 실질적인 공사 착수가 이루어지지 않은 상태인 경우라면 변경된 건축주의 건축허가 취소원에 의하여 당해 허가권자가 사실확인 후 건축허가의 취소 처리가 가능할 것으로 사료됨 (* 법 제8조 ⇒ 제11조, 2008.3.21. 개정)(* 1년 ⇒ 2년, 2017.1.17 개정)

질의회신 건축허가 취소 관련

국토교통부 민원마당 FAQ. 2023.6.15.

질의 건축허가를 받은 후 대지조성이 완료되었으나 개발행위허가가 취소된 경우 대지조성부분을 원상복구해야 건축허가를 취소할 수 있는지?

회신 「건축법」 제11조제7항에 따르면 허가권자는 허가를 받은 자가 허가를 받은 날부터 2년 이내에 공사에 착수하지 아니한 경우나 2년 이내 공사에 착수하였으나 공사의 완료가 불가능하다고 인정되는 경우에는 그 허가를 취소하도록 규정하고 있는바, 건축허가를 받아 건축을 위한 부지조성 등을 하였으나 허가권자가 판단할 때 공사의 완료가 불가능하다고 인정되는 경우라면 그 허가를 취소하여야 하는 것이며, 건축법령에서 건축허가 취소 전에 부지조성 등의 공사 진행 부분에 대하여 원상복구하도록 명시 규정은 없음을 알려드리오니, 허가 취소에 대한 보다 구체적인 사항은 취소 권한을 가진 해당 지역 허가권자(시장·군수·구청장등)에게 문의 바람

질의회신 건축허가 취소 관련

국토교통부 민원마당 FAQ. 2023.6.15.

질의 건축허가를 받고 공사 착수기간을 1년 연장한 이후, 연장일로부터 1년이 경과하였음에도 허가를 취소하지 않을 수 있는지 여부

회신 「건축법」 제11조제7항에 따르면 허가권자는 건축허가를 받은 자가 허가를 받은 날부터 2년 이내에 공사를 착수하지 아니한 경우나 허가를 받은 날부터 2년 이내에 공사에 착수하였으나 공사의 완료가 불가능하다고 인정되는 경우에는 그 허가를 취소하도록 규정하고 있음 다만, 허가권자는 정당한 이유가 있다고 인정되면 1년의 범위에서 공사의 착수기간을 연장할 수 있다고 규정하고 있는 바, 귀 질의의 경우가 이에 해당하는지 여부 등 건축허가 취소와 관련한 구체적인 사항은 해당 지역 허가권자가 건축허가 내용, 현지여건, 현황 등에 대한 종합적으로 검토, 확인이 필요한 사항임

질의회신 건축주와 토지 소유자가 다를 경우 건축허가 취소 관련

국토교통부 민원마당 FAQ. 2019.5.24.

질의 가. 토지가 경매로 인하여 소유권이 이전된 경우 건축주의 동의 없이 현 토지소유자가 건축허가 취소요청을 할 수 있는지 여부 나. 새로운 토지소유자가 건축부지에 대한 대지사용 승낙을 해주지 않는 경우 공사의 완료가 불가능하다고 인정하여 허가권자가 건축허가를 취소할 수 있는지 여부

회신 가. 건축허가의 취소는 건축허가를 받은 당해 건축주의 신청에 의하거나 「건축법」 제11조제7항 또는 제79조제1항의 규정에 해당하는 경우에 한하여 당해 건축허가권자가 할 수 있는 것임 나. 건축물의 대지가 매매 또는 경매에 의하여 토지소유권이 타인에게 이전된 경우 새로운 토지소유자의 동의를 받아야 하는지 여부 등은 경락내용 등 당해 토지에 대한 권리관계에 따라 판단하여야 할 사항이며, 이에 따라 건축주가 현재 토지소유자의 동의 없이는 사실상 공사의 완료가 불가능하다고 인정된다면 건축허가를 취소할 수 있을 것으로 판단되나, 이에 대하여는 당해 허가권자가 현지현황 및 경매내용, 민법 등 관계법령을 종합검토하여 판단하여야 할 것이니, 보다 구체적인 사항은 자세한 자료를 갖추어 해당 지역의 건축허가권자인 시장·군수·구청장에게 문의하시기 바람

질의회신 건축허가 취소 여부

국토교통부 민원마당 FAQ. 2019.5.24.

질의 가. 건축허가를 득하여 공사를 착수하였으나, 공사가 중단되어 완공이 어렵다고 판단되는 경우, 공사착수 이후 1년 이내에도 건축허가 취소가 가능한 지 여부

나. 건축허가권자가 공사착수 이후 공사완공이 어렵다고 판단하여 건축허가가 취소된 건축물의 잔재(기초나 골조)의 처리 주체

다. 건축허가시 의제처리된 산지전용허가가 산지관리법 규정에서 별도로 정한 허가기간이 만료되어 동 전용허가가 취소되었다면, 건축허가를 취소할 수 있는 지 여부

라. 건축법 제9조 제2항의 규정에 의거 건축신고 처리시 동법 제8조 제6항의 규정에 의한 의제처리는 준용한다고 되어 있으나, 동법 제8조 제8항에 대한 준용규정이 없음에도 불구하고 건축신고 처리후 착공신고를 이행하지 않거나, 착공신고를 하였어도 공사의 완료가 불가능하다고 인정하는 경우에 건축신고를 취소할 수 있는 지 여부

마. 건축신고시 의제처리가 준용된 산지전용허가가 산지관리법 규정에서 별도로 정한 허가기간이 만료되어 동 전용허가를 취소하였다면 건축신고를 취소할 수 있는지 여부

바. 건축법 제59조 제2항, 동법 시행령 제91조제1항 및 제2항, 건축물의 설비기준 등에 관한 규칙 제21조제1항 규정에 의거 건축물에 열손실방지 등의 에너지이용합리화를 위한 조치를 하여야 하는 바, 여기서 건축물이라 함은 동법시행령 제91조제1항 규정에 정한 건축물만 포함되는지 아니면, 건축물의 설비기준 등에 관한 규칙 제21조 규정에서 제외되는 건축물의 일부 용도이외에 모든 건축물에 열손실 방지 등의 조치를 하여야 하는 지 여부

사. 건축법 제30조 제4항, 동법 시행규칙 제25조, 별표 6(옹벽에 관한 기술적 기준)중 제3호에서 석축인 옹벽인 경우에 건축물의 외벽면으로부터 띄어야 하는 거리가 있는데, 동법 시행규칙 제25조제2호의 규정에 의거 옹벽이 콘크리트인 경우 별표6 제3호의 규정과 같이 이격거리를 두어야 하는지의 여부

회신 가. 건축법 제8조 제8항의 규정에 의거 건축허가를 받은 날로부터 1년이내에 공사에 착수하지 아니하거나 공사를 착수하였으나 공사의 완료가 불가능하다고 인정하는 경우에는 그 허가를 취소하여야 하는 것인 바 공사착수 이후 1년이내라도 공사의 완료가 불가능하다고 인정하는 경우에는 그 허가를 취소하여야 하는 것임.

나. 공사완공이 어렵다고 판단하여 건축허가가 취소된 경우 공사가 중단된 건축물의 잔재(기초나 골조)에 대해서는 허가권자가 건축법 제69조 제1항의 규정에 의하여 건축주 등에게 시정하도록 조치하여야 할 것임

다. 건축법 제8조 제6항에 의거 건축허가시 의제처리된 산지관리법 규정에 의한 산지전용허가가 취소되었다면, 그 경우에 건축공사의 완료가 적법하게 가능한지 여부를 판단하여야 할 것이므로 허가권자가 청문 등을 실시하거나 관계 행정기관의 장과 협의하여 공사의 완료가 불가능하다고 인정되는 경우에는 건축허가를 취소할 수 있을 것임.

라. 건축법 제9조 제1항의 규정에 의한 건축신고에 대해서는 동법 제8조제8항의 규정을 준용할 수 없는 바, 동 규정에 의하여 건축신고를 취소할 수 없으며, 동법 제69조 제1항의 규정에 의거 허가권자가 건축주 등에게 공사의 중지를 명하고 위반사항을 시정하게 하는 등 적절한 조치를 취하여야 할 것임.

마. "라"의 회신내용을 참조.

바. 건축법시행령 제91조 제2항의 규정에 의해 '건축물에는 건설교통부령이 정하는 기준에 따라 열의 손실을 방

지하기 위하여 단열재를 설치하는 등 필요한 조치를 취하여야 한다'고 하고 있으며, 동규정에서 '건축물'은 동법 제2조 제1항 제2호의 규정에 의한 건축물로서 특정한 건축물을 한정하는 것이 아니며 필요한 조치의 구체적인 사항은 건설교통부령(건축물의 설비기준 등에 관한 규칙)에 의하는 것임.

사. 건축법 시행규칙 별표6(옹벽에 관한 기술적 기준) 중 제3호의 기준은 석축인 옹벽에만 적용하는 것임
(법 제8조, 제9조, 제69조 ⇒ 제11조, 제14조, 제79조, 2008.3.21.)(* 1년 ⇒ 2년, 2017.1.17 개정)

질의회신 건축허가 취소 여부

국토교통부 민원마당 FAQ. 2019.5.24.

질의 건축물의 용도변경 허가신청 시 담당공무원의 착오에 의해 건축물 용도변경 허가를 받았는 바, 기초자치단체에서는 해당 행정행위가 잘못된 사실을 뒤늦게 발견하고 '허가취소' 할 수 있는 지 여부

회신 건축법 제19조 제2항에 따르면 제22조에 따라 사용승인을 받은 건축물의 용도를 변경하려는 자는 국토해양부령으로 정하는 바에 따라 특별자치도지사 또는 시장·군수·구처장의 허가를 받거나 신고를 하도록 규정되어 있으나, 용도변경 허가가 행정행위의 잘못으로 인하여 이루어진 경우에 해당 행정처분을 취소하도록 건축법령에 별도로 규정하고 있지는 않음

비록 하자 있는 건축허가라 할지라도 이를 취소함에 있어서는 일정한 한계가 있는 바, 대법원 판례에 의하면 '건축허가를 취소함에 있어서는 건축행정목적의 실현이라는 공익과 허가조건의 위반정도 등을 비교하여 개인적 이익의 희생이 부득이하다고 인정되는 경우가 아니면 임의로 그 허가를 취소할 수 없다.'[1] '허가를 취소함에 있어서는 수허가자가 입게될 불이익과 건축행정상의 공익 및 제3자의 이익과 허가조건의 위반정도를 비교, 교량하여 개인적 이익을 희생시켜도 부득이 하다고 인정되는 경우가 아니면 함부로 그 허가를 취소할 수 없는 것'[2]이라고 하였음

1) 대법 '82. 5. 11. 판결, 81누 232: 대법 '86. 12. 23. 판결, 86누 284
2) 대법 '92. 4. 10. 판결, 91누 5358

따라서, 질의와 관련해서는 관계법령 및 판례와 건축물의 현황 및 용도변경 신청 서류, 허가취소로 인한 용도변경 신청인의 피해와 공공의 이익 등을 고려하여 해당 허가권자가 종합적으로 검토해야 할 사안임
(* 법 제19조, 제22조 ⇒ 제23조, 제26조, 2008.3.21 개정)

질의회신 국토계획법 위반 사유로 건축허가 취소 가능 여부 관련

국토교통부 민원마당 FAQ. 2019.5.24.

질의 가. 국토의계획및이용에관한법률의 위반이 예상되는 사유로 건축법 제86조 청문과정을 거쳐 건축허가를 취소할 수 있는지? 나. 국토의계획및이용에관한법률의 위반이 예상되는 사유로 당해 법령에서 행정조치 없이 건축법 제11조 또는 제79조에 따른 허가취소 등의 조치를 할 수 있는지? 다. 의제 처리된 개별법령의 위반으로 그 법령에 따른 허가(신고) 등이 취소대상이 되는 경우 그 주된 건축허가를 취소해야 하는지?

회신 가. 질의요지 "가" 및 "나"에 대하여 건축법 제79조에 따르면 허가권자는 대지나 건축물이 건축법 또는 그에 따른 명령이나 처분에 위반되면 허가 또는 승인을 취소하거나 필요한 조치를 명할 수 있으며, 다만, 허가를 취소하는 경우에는 같은 법 제86조에 따른 청문절차를 거치도록 규정하고 있는바, 이 는 건축법령의 위반에 대하여 정한 행정처분이므로 건축법령의 위반이 아닌 국토의계획및이용에관한법률상의 위반이 예상되는 사유로 인한 행정처분 여부는 해당 법령에서 판단되어야 할 사항임

나. 질의요지 "다"에 대하여 주된 행정행위인 건축허가를 받음으로써 의제되는 관련법령의 인허가 처분에 대해 관계법령에서 취소가 가능한지 여부가 검토되어야 할 것이며, 건축허가 취소 여부는 「건축법」 제11조제7항에 따라 판단해야 할 것임 예컨대, 건축허가시 복합민원으로 의제처리된 경우 각 개별법령상의 처분기준에 위반되는 때에 각 개별법령에서 정하는 바에 따라 취소처분 등이 결정되어야 하고, 건축허가의 취소는 건축법령에서 정하고 있는 취소사유에 해당되는 경우 취소해야 할 것임

질의회신 공동주택 등의 건축허가 시 권원 확보 여부

국토교통부 민원마당 FAQ. 2023.6.15.

질의 건축법 제11조 규정에 따라 주택과 주택 외의 시설을 동일 건축물로 건축하는 건축허가 처리시 당해 대지를 사용할 수 있는 권원을 100% 모두를 확보하여야 하는 지 여부

회신 건축허가를 위해서는 원칙적으로 「건축법」 제11조제11항제1호에 따라 해당 대지의 소유권을 확보하거나 그 대지를 사용할 수 있는 권원(분양 목적 공동주택 제외)을 확보해야 하는 것이나, 같은 항 제3호에 따라 건축주가 건축허가를 받아 주택과 주택 외의 시설을 동일 건축물로 건축하기 위하여 「주택법」 제21조를 준용한 대지 소유 등의 권리 관계를 증명한 경우(다만, 「주택법」 제15조제1항 각 호 외의 부분 본문에 따른 대통령령으로 정하는 호수 이상으로 건설・공급하는 경우에 한정) 소유권 확보 예외를 일부 허용하고 있는 것임

질의회신 건축허가 사항 변경 후 재변경 여부

국토교통부 민원마당 FAQ. 2019.5.24.

질의 건축허가를 받은 후 종전보다 규모를 크게 하는 설계변경에 대해서 변경허가를 받았으나, 공사를 전혀 시행하지 아니한 상황에서 다시 건축주의 사정으로 최초 건축허가를 받은 사항대로 공사를 하고자 하는 경우 처리방법에 대한 질의

회신 건축법 제16조 제1항의 규정에 따라 건축주가 건축허가를 받았거나 신고한 사항을 변경하려면 변경을 하기 전에 대통령령으로 정하는 바에 따라 허가권자의 허가를 받거나 특별자치도지사 또는 시장·군수·구청장에게 신고하여야 하나, 동항 단서 및 동법 시행령 제12조 제2항에 의하여 신축・증축・개축・재축・이전 또는 대수선에 해당하지 아니하는 변경은 그러하지 아니하는 것으로,

질의와 같이 증축을 하기 위하여 받은 설계변경 허가를 별도의 증축행위 없이 당초 허가받은 대로 환원하고자 하는 경우에는 건축법시행령 제12조 제2항에 해당하는 것으로 보아 별도의 허가나 신고없이 설계변경의 철회로써 환원이 가능할 것으로 판단됨

질의회신 주민의견 청취기간중 다세대 주택의 건축허가 신청을 제한할 수 있는 지

국토교통부 민원마당 FAQ. 2019.5.24.

질의 재개발정비구역 지정전 건축허가 및 착공제한을 위한 주민의견 청취기간중 신청된 다세대 주택의 건축허가 신청건을 제한할 수 있는 지

회신 건축법 제18조 제2항에 따라 시·도지사(특별시장·광역시장·도지사·특별자치도지사)는 지역계획이나 도시계획에 특히 필요하다고 인정하면 시장·군수·구청장의 건축허가나 허가를 받은 건축물의 착공을 제한할 수 있으며, 동조 제4항에 따라 건축허가나 건축물의 착공을 제한하는 경우 제한목적·기간, 대상 건축물의 용도와 대상 구역의 위치·면적·경계 등을 상세하게 정하여 허가권자에게 통보하여야 하며, 통보를 받은 허가권자는 지체없이 이를 공고하도록 하고 있음

아울러, 수원지방법원에서는 시장·군수·구청장이 재정비추진사업을 위해 시·도에 건축허가 제한을 요청한 상태에서 건축허가신청을 반려한 조치는 위법이 아니라고 판결한 사례(2007.8.22 선고 2006구합10666)가 있음을 알려드리니 참고하시기 바람

질의회신 증축과 관련한 건축허가 및 집합건축물대장 생성 가능 여부

국토교통부 민원마당 FAQ. 2019.5.24.

질의 기존 단독주택이 있는 대지에 기존 건축물의 소유자가 아닌 자가 기존 건축물의 옆과 상부에 붙여 증축하고자 할 때 건축허가 및 집합건축물대장 생성이 가능한 지 여부

회신 기존 건축물에 붙여 증축하는 경우로서 증축하는 부분이 건축법과 기타 관계법령의 제 규정에 적합하고, 기존 건축물의 전유 및 공용부분의 변경이 없으며, 기존 건축물 소유자의 동의가 있는 경우에는 건축허가 및

집합건축물대장 생성이 가능할 것임

질의회신 대지사용승락자가 건축허가 이후 사망한 경우 토지 상속인으로부터 재동의 여부

건교부건축기획팀-390, 2005.9.23

질의 건축허가 신청 시 건축할 대지의 사용을 승낙한 토지 소유자가 사망한 경우 토지의 상속인으로부터 사용에 대한 승낙을 다시 얻어야 하는지

회신 건축법 제8조 및 시행규칙 제6조제1항의 규정에 의거 건축허가를 받고자 하는 자는 건축허가신청서에 건축할 대지의 범위와 그 대지의 소유 또는 사용에 관한 권리를 증명하는 서류(분양을 목적으로 하는 공동주택을 건축하는 경우에는 건축할 대지의 범위와 그 대지의 소유에 관한 권리를 증명하는 서류)를 첨부하여야 하는 것이나 질의의 경우가 건축법 제10조의 규정에 의한 허가사항의 변경이 아니라면 대지의 사용에 관한 권리를 다시 첨부하지 아니하여도 될 것으로 사료됨 (* 법 제8조, 제10 ⇒ 제11조, 제16조, 2008.3.21 개정)

질의회신 건축허가 유효기간 이후까지 취소하지 않은 경우의 착공신고 가능여부

건교부건축과-504, 2005.8.31.

질의 건축허가를 받은 후 기한 내에 착공을 하지 아니하였으나 허가권자가 허가를 취소하지 아니한 경우 착공신고를 할 수 있는지

회신 건축법 제8조제8항의 규정에 의하여 허가권자는 건축허가를 받은 자가 허가를 받은 날부터 1년 이내에 공사에 착수하지 아니하거나 공사를 착수하였으나 공사의 완료가 불가능하다고 인정하는 경우에는 그 허가를 취소하여야 하는 것으로, 동 규정에서 허가는 위와 같은 이유 때문에 자동으로 취소되는 것이 아니라 행정청이 취소의 행위를 하여야 하는 것으로 질의의 경우에서 허가권자가 취소행위를 하지 아니하였다면 동 건축허가는 취소된 것이 아니니 착공신고여부 등 보다 자세한 사항에 대하여는 당해 건축허가권자와 협의하시기 바람 (* 법 제8조 ⇒ 제11조, 2008.3.21 개정)(* 1년 ⇒ 2년, 2017.1.17 개정)

질의회신 "보차혼용통로"에만 접해 있을 경우 건축허가가 가능한 지 여부

국토교통부 민원마당 FAQ. 2019.5.24.

질의 수개의 필지가 지적상의 도로가 없고 수년간 사용해온 현황도로를 이용하여 출입하였으나, 현황도로를 「국토의 계획 및 이용에 관한 법률」에 의한 지구단위계획 수립시 "보차혼용통로 및 건축한계선"으로 결정·고시한 사항으로 대지가 건축법령에 따른 도로가 아닌 "보차혼용통로"에만 접해있을 경우 건축허가가 가능한 지 여부

회신 건축법령에서 대지와 도로와의 관계는 건축물 이용자의 통행상의 편의뿐만 아니라 유사시의 피난상, 소방상, 위생상 안정한 상태를 유지·보존하도록 하기위한 공익상의 측면을 고려하여 규정하고 있으며,

특히, 「건축법」 제33조 규정에 따르면 건축물의 대지는 2미터 이상을 건축법상 도로에 접하도록 하고 있어, 출입에 지장이 없다고 인정되거나 주변에 공지가 있는 경우 등 부득이하거나 특별한 경우 이외에는 이를 적용하여 법 제정의 취지를 살려야 할 것임

질의의 "보차혼용통로"에 접해있는 대지가 위와 같은 부득이하거나 특별한 경우에 해당하는지 여부에 관하여는 허가권자가 판단할 사항이므로 주변 여건, 법 취지 등을 면밀히 고려하여 적의 처리하기 바람

(* 법 제33조 ⇒ 제44조, 2008.3.21 개정)

질의회신 예정도로부지의 점용허가 후 건축허가 가능 여부

국토교통부 민원마당 FAQ. 2019.5.24.

질의 건축하고자 하는 대지가 도시계획예정도로이자 기존 도로에 접하여 있고 대지와 기존도로 사이 개설되지 아니한 예정도로 부분을 점용허가를 받아 대지의 통행로로 사용하고 있는 경우 건축할 수 있는 지

회신 건축법령의 제 규정을 적용할 때 도로는 동법 제2조 제1항 제11호에서 정의한 바와 같이 보행 및 자동차

통행이 가능한 너비 4미터 이상의 도로(지형적 조건으로 자동차통행이 불가능한 경우와 막다른도로인 경우에는 동법 시행령 제3조의3에서 정하는 구조 및 너비의 도로)로서 국토의 계획 및 이용에 관한 법률·도로법·사도법 기타 관계법령에 의하여 신설 또는 변경에 관한 고시가 된 도로와 건축허가 또는 신고 시 허가권자가 그 위치를 지정·공고한 도로를 말하는 것으로,
질의의 도시계획 예정도로가 국토의 계획 및 이용에 관한 법률에 의하여 고시된 도로라면 건축법에서도 도로로 보는 것으로 이에 접한 대지는 건축법 제33조에 적합한 것으로 사료되나 이의 구체적 사실판단은 허가권자가 판단하여야 할 것임 (* 법 제33조 ⇒ 제44조, 2008.3.21 개정)

질의회신 발코니 구조변경을 설계하여 건축허가 신청할 수 있는 지

국토교통부 민원마당 FAQ. 2019.5.24.

질의 주택의 발코니를 구조변경 하는 것을 설계하여 건축허가를 신청할 수 있는 지

회신 개정 건축법시행령(2005.12.2 ; 대통령령 제18951호) 및 "발코니 등의 구조변경절차 및 설치기준"(건설교통부 고시 제2005-400호 ; 2005.12.8) 제8조의 규정에 의하여 건축허가 시 제출하는 평면도에 발코니 부분을 명시하여 건축허가를 신청할 수 있으며,
발코니의 구조변경이 개정된 건축법 시행령(2005.12.2 ; 대통령령 제18951호) 및 "발코니 등의 구조변경절차 및 설치기준"에 적합한지 여부는 건축법 제19조 제3항 및 동법 제8조 제4항의 규정에 의하여 당해 건축물의 설계자와 건축허가권자가 확인하여야 할 것임 (*법 제8조, 제19조 ⇒ 제11조, 제23조, 2008.3.21. 개정)

3 건축신고

법령해석 건축신고를 한 건축주가 「건축법」 제21조제1항에 따라 착공신고를 하는 경우에도 같은 법 시행규칙 제14조제1항제1호에 따라 건축관계자 상호간의 계약서 사본을 첨부해야 하는지

「건축법」 제14조 등 관련 법제처 법령해석 23-0053, 2023.4.14.

질의요지 「건축법」 제21조제1항에서는 "제11조 · 제14조 또는 제20조제1항에 따라 허가를 받거나 신고를 한 건축물의 공사를 착수하려는 건축주는 국토교통부령으로 정하는 바에 따라 허가권자(각주: 「건축법」 제4조의4 제1항에 따른 허가권자를 말하며, 이하 같음.)에게 공사계획을 신고하여야 한다"고 규정하고 있고, 같은 법 제21조제1항의 위임에 따라 마련된 같은 법 시행규칙 제14조제1항제1호에서는 같은 법 제21조제1항에 따른 건축공사의 착공신고를 하려는 자가 같은 법 시행규칙 별지 제13호서식에 따른 착공신고서(이하 "착공신고서"라 함)에 첨부하여 제출할 서류 및 도서 중 하나로 "법 제15조에 따른 건축관계자(각주: 「건축법」 제5조제1항에 따른 건축주, 설계자, 공사시공자 또는 공사감리자를 말하며, 이하 같음.) 상호간의 계약서 사본(해당사항이 있는 경우로 한정한다)"을 규정하고 있는 한편,
「건축법」 제21조제6항에서는 "제11조에 따라 허가를 받은 건축물의 건축주는 제1항에 따른 신고를 할 때에는 제15조제2항에 따른 각 계약서의 사본을 첨부하여야 한다"고 규정하고 있는바,
「건축법」 제14조에 따라 건축신고를 한 건축주가 같은 법 제21조제1항에 따라 착공신고를 하려는 경우, 같은 법 시행규칙 제14조제1항에 따라 착공신고서에 첨부하여 제출할 서류 및 도서에 같은 항 제1호에 따른 건축관계자 상호간의 계약서 사본도 포함되는지(각주: 건축관계법령에 따라 건축관계자(건축주, 설계자, 공사시공자 또는 공사감리자) 상호간 계약 의무가 있는 경우를 전제함.)?

회답 「건축법」 제14조에 따라 건축신고를 한 건축주가 같은 법 제21조제1항에 따라 착공신고를 하려는 경우, 같은 법 시행규칙 제14조제1항에 따라 착공신고서에 첨부하여 제출할 서류 및 도서에는 같은 항 제1호에 따른 건축관계자 상호간의 계약서 사본이 포함됩니다.

이유 "생략"

법령해석 **하나의 대지에 여러 동의 건축물을 증축하려는 경우 「건축법」 제14조제1항제1호에 따른 건축신고 기준인 "바닥면적의 합계"의 의미**

「건축법」 제14조 등 관련 법제처 법령해석 20-0047, 2020.5.4.

질의요지 건축물이 있는 하나의 대지에 바닥면적이 30제곱미터인 단층 건축물 3동을 증축하려는 경우(각주: 「건축법」 제14조제1항제2호부터 제5호까지의 요건의 어느 하나에 해당하지 않는 경우를 전제함.) 「건축법」 제14조제1항제1호에 따른 건축신고 대상에 해당하는지 아니면 같은 법 제11조에 따른 건축허가 대상인지?

회답 이 사안의 경우 「건축법」 제11조에 따른 건축허가 대상입니다.

이유 「건축법」 제14조제1항제1호 본문에서는 "바닥면적의 합계"가 85제곱미터 이내의 증축·개축 또는 재축에 대해서는 특별자치시장·특별자치도지사 또는 시장·군수·구청장에게 신고를 하면 건축허가를 받은 것으로 본다고 규정하고 있고, 같은 법 시행령 제119조제1항제3호 본문에서는 "바닥면적"을 건축물의 각 층 또는 그 일부로서 벽, 기둥, 그 밖에 이와 비슷한 구획의 중심선으로 둘러싸인 부분의 수평투영면적으로 산정한다고 규정하여 "바닥면적"의 산정방법은 정하고 있으나, 건축신고 대상 기준에서의 "바닥면적의 합계"를 하나의 건축물을 기준으로 산정해야 하는지 아니면 건축물이 있는 하나의 대지를 기준으로 산정해야 하는지에 대해서는 규정하고 있지 않습니다.

그런데 「건축법 시행령」 제2조제2호에서는 기존 건축물이 있는 대지에서 건축물의 건축면적, 연면적, 층수 또는 높이를 늘리는 것을 "증축"이라고 정의하여 대지를 기준으로 증축 여부를 판단하도록 하고 있고, 「건축법」 제55조 및 제56조에서는 대지면적에 대한 건축면적의 비율과 대지면적에 대한 연면적의 비율을 각각 건폐율과 용적률이라고 하면서 대지에 건축물이 둘 이상 있는 경우에는 이들 건축면적의 합계를 건축면적으로, 이들 연면적의 합계를 연면적으로 한다고 규정하고 있는바, 하나의 대지에 건축물이 둘 이상이 있는 경우에는 증축하는 바닥면적의 합계를 대지를 기준으로 산정한다고 보는 것이 건축법령의 체계에 부합하는 해석입니다.

또한 「건축법」은 건축물의 안전·기능·환경 및 미관을 향상시킴으로써 공공복리의 증진에 이바지하는 것을 목적(제1조)으로 하는 법률로서 건축물을 건축하려면 원칙적으로 허가(제11조)를 받아야 하지만 소규모 증축 등의 경우에는 건축물의 안전·기능 등에 미치는 영향이 상대적으로 적다는 점을 고려하여 신고만으로 건축할 수 있도록(제14조) 규제를 완화한 것인데, 만약 「건축법」 제14조제1항제1호의 "바닥면적의 합계"를 개별 건축물을 기준으로 산정한다고 본다면 대지를 기준으로 85제곱미터를 아무리 초과하는 증축이더라도 동일 대지 내에 여러 건축물로 쪼개어 증축하는 경우에는 건축신고만으로 건축할 수 있게 되어 건축물의 안전과 기능 등을 향상시키려는 건축법령의 목적에도 반하게 됩니다.

따라서 이 사안과 같이 하나의 대지에 바닥면적이 30제곱미터인 단층 건축물 3동을 증축하려는 경우 증축되는 바닥면적의 합계는 대지를 기준으로 90제곱미터이고, 「건축법」 제14조제1항제1호에 따른 건축신고 기준인 85제곱미터를 초과하므로 건축신고 대상이 아니라 같은 법 제11조에 따른 건축허가 대상에 해당합니다.

법령해석 **「건축법」 제14조제1항제1호의 규모를 초과하는 증축이지만 같은 항 제2호에 해당하는 경우 건축신고 대상인지 여부**

「건축법」 제14조제1항 등 관련 법제처 법령해석 20-0121, 2020.4.27.

질의요지 건축물이 있는 하나의 대지에 바닥면적이 30제곱미터인 단층 건축물 3동을 증축하려는 경우(각주: 「건축법」 제14조제1항제2호부터 제5호까지의 요건의 어느 하나에 해당하지 않는 경우를 전제함.) 「건축법」 제14조제1항제1호에 따른 건축신고 대상에 해당하는지 아니면 같은 법 제11조에 따른 건축허가 대상인지?

회답 이 사안의 경우 「건축법」 제14조제1항에 따른 신고대상입니다.

이유 「건축법」 제14조제1항 각 호 외의 부분에서는 같은 법 제11조에 해당하는 건축허가 대상 건축물이라 하더라도 각 호의 어느 하나에 해당하는 경우에는 특별자치시장·특별자치도지사 또는 시장·군수·구청장에게 신고를 하면 건축허가를 받은 것으로 본다고 규정하여 원칙적으로 허가 대상 건축물임에도 불구하고 소규모의 건축이나 대수선의 경우에는 신고로 해당 행위를 허용하고 있습니다.

이와 같이 「건축법」 제14조제1항에서 건축신고를 규정한 취지는 건축물의 건축 또는 대수선에 관하여 원칙적으로 허가제로 규율하면서도 일정 규모 이내의 건축물에 관하여는 신고제를 채택함으로써 건축행위에 대한 규제를 완화하여 국민의 자유의 영역을 넓히는 한편, 행정목적상 필요한 정보를 파악·관리하기 위하여 국민으로 하여금 행정청에 미리 일정한 사항을 알리도록 하는 최소한의 규제를 하려는 것(각주: 대법원 2011. 1. 20. 선고 2010두14954 판결례 참조)입니다.

그런데 「건축법」 제14조제1항제1호에서는 바닥면적의 합계가 85제곱미터 이내의 증축·개축 또는 재축을, 같은 항 제2호에서는 「국토의 계획 및 이용에 관한 법률」에 따른 관리지역, 농림지역 또는 자연환경보전지역에서 연면적이 200제곱미터 미만이고 3층 미만인 건축물의 건축(각주: 건축물을 신축·증축·개축·재축(再築)하거나 건축물을 이전하는 것을 말함(「건축법」 제2조제1항제8호).)을 각각 신고대상으로 규정하고 있는바, 이는 도시지역 외의 용도지역은 인구와 산업이 밀집되어 있거나 밀집이 예상되는 도시지역과는 토지의 이용실태 및 특성 등이 다르다(각주: 국토는 토지의 이용실태 및 특성, 장래의 토지 이용 방향, 지역 간 균형발전 등을 고려하여 도시지역, 관리지역, 농림지역 및 자연환경보전지역의 용도지역으로 구분됨(「국토의 계획 및 이용에 관한 법률」 제6조 참고).)는 점을 고려하여 별도로 규율(각주: 2005. 11. 8. 법률 제7696호로 일부개정된 「건축법」 개정이유 및 주요내용 참조)한 것이므로 관리지역, 농림지역 또는 자연환경보전지역에서는 바닥면적의 합계가 85제곱미터를 초과하는 증축·개축 또는 재축에 해당하더라도 연면적이 200제곱미터 미만이고 3층 미만인 건축물의 건축이라면 신고대상이라고 보는 것이 「건축법」 제14조의 입법취지에 부합하는 해석입니다.

또한 「건축법 시행령」 제12조제1항에서는 「건축법」 제11조 및 제14조에 따른 허가 또는 신고사항의 변경에 대해 허가와 신고 대상으로 구분하면서 바닥면적의 합계가 85제곱미터를 초과하는 부분에 대한 증축에 해당하는 변경인 경우에는 허가(제1호)를 받도록 하고, 같은 법 제14조제1항제2호에 따라 신고로써 허가를 갈음하는 건축물에 대하여는 변경 후 건축물의 연면적을 각각 신고로써 허가를 갈음할 수 있는 규모에서 변경하는 경우에는 제1호에도 불구하고 신고(제2호)하도록 규정하여, 같은 법 제14조제1항제2호에 따라 신고한 건축물은 변경 후 건축물의 연면적이 200제곱미터 미만이고 3층 미만일 경우에는 변경으로 증가하는 면적이 85제곱미터를 초과하더라도 허가가 아닌 신고대상으로 규율하고 있다는 점도 고려해야 합니다.

법령해석 건축허가권자가 「자연공원법」에 따른 공원구역 안에서 「건축법」 제14조에 따라 건축신고 대상에 해당하는 행위에 대하여 건축신고를 수리하는 경우 협의대상기관의 범위

「건축법」 제14조 등 관련 법제처 법령해석 12-0060, 2012.3.2.

질의요지 「건축법」 제14조제2항 및 제11조제5항에 따라 건축허가권자의 건축신고수리에 의하여 「국토의 계획 및 이용에 관한 법률」 제56조제1항에 따른 개발행위허가와 「자연공원법」 제23조에 따른 행위허가가 각각 의제되는 경우, 건축허가권자는 「건축법」 제11조제6항에 따라 개발행위허가권자 및 공원관리청과 각각 협의를 하여야 하는 것인지 아니면 공원관리청과의 사이에서만 협의를 하면 되는 것인지?

회답 「건축법」 제14조제2항 및 제11조제5항에 따라 건축허가권자의 건축신고수리에 의하여 「국토의 계획 및 이용에 관한 법률」 제56조제1항에 따른 개발행위허가와 「자연공원법」 제23조에 따른 행위허가가 각각 의제되는 경우, 건축허가권자는 「건축법」 제11조제6항에 따라 개발행위허가권자 및 공원관리청과 각각 협의를 하여야 할 것입니다.

이유 "생략"

법령해석 「건축법 시행령」 제11조제2항제4호의 '연면적 합계'의 의미

「건축법」 제14조 등 관련 법제처 법령해석 11-0459, 2011.9.29./건축사협회 수정게시 2022.9.19.

질의요지 '연면적 합계'란 건축하려는 공장의 연면적과 하나의 대지에 있는 '기존 공장'의 연면적을 합한 것을 의미하는 것인지?

회답 여기서 '연면적 합계'란 건축하려는 공장의 연면적과 하나의 대지에 있는 '기존 공장'의 연면적을 합한 것을 의미한다고 할 것임.

건 축 법
1. 총 칙
2. 건 축
3. 유지관리
4. 대지도로
5. 구조재료
6. 지역지구
7. 건축설비
8. 특별건축구역
9. 보 칙
10. 벌 칙
건 축 법 관련기준

이유 「건축법 시행령」 제119조제1항제4호는 '연면적'을 하나의 건축물 각 층의 바닥면적의 합계로 정의하고 있고, 건축법령에서는 '연면적'과 별도로 구분하여 '연면적 합계'라는 용어를 사용하고 있다는 점을 볼 때, 「건축법 시행령」 제11조제2항제4호에서의 '연면적 합계'란 '연면적'과는 달리 하나의 대지에 둘 이상의 건축물이 있는 경우 그 건축물 모두의 연면적을 합한 것을 의미한다고 보는 것이 타당함.

「건축법」은 건축물의 안전·기능·환경 및 미관을 향상시킴으로써 공공복리의 증진에 이바지하는 것을 목적으로 하고 있고(제1조), 건축행위를 하기 위해서는 원칙적으로 「건축법」 제11조에 따라 허가를 받아 야 하지만 예외적으로 같은 법 제14조 및 같은 법 시행령 제11조에 따 른 경우에 건축신고만으로 건축행위를 허용하는 것이므로, 이러한 경우에 해당하는지의 여부는 제한적으로 해석되어야 하고, 「건축법 시행령」 제11조제2항제4호가 소규모 공장에 해당하기만 하면 하나의 대지 안에 있는 기존 공장의 연면적과 상관없이 무한정 건축 신고 대상을 확대하려는 것은 아니라고 할 것이므로, 해당 규정을 새로 건축하고자 하는 공장의 연면적만을 의미한다고 보기는 어려움.

법령해석 「건축법」 제11조제5항의 규정에 따라 의제되는 인·허가를 위한 각종 실체적 요건 충족에 대한 판단 등이 없이, 건축신고만으로 건축행위가 가능한지 여부

법제처 법령해석 11-0101. 2011.4.7.

질의요지 「건축법」 제14조에 따른 건축신고의 경우 같은 법 제11조제5항이 준용되는바, 「건축법」 제11조제5항의 규정에 따라 의제되는 인·허가를 위한 실체적 요건 충족 및 그 판단을 위하여 필요한 경우에 행하는 관련 행정기관과의 협의 없이, 건축신고만으로 건축행위가 가능한지?

회답 「건축법」 제11조제5항의 규정에 따라 의제되는 인·허가를 위한 실체적 요건 충족 및 그 판단을 위하여 필요한 경우에 행하는 관련 행정기관과의 협의 없이, 건축신고만으로 건축행위가 가능하지는 않습니다.

이유 "생략"

질의회신 표준설계도서 인정 절차를 별도로 거쳐야 하는 지 여부

국토교통부 민원마당 FAQ 2019.5.24.

질의 '99년 공고된 가축분뇨 자원화시설 표준설계도서(국토해양부 공고 제1999-120호, '99.4.9.)와 비교하여 건축물의 폭과 길이, 면적, 구조 등과 관련된 설계변경 없이, 가축분뇨 처리시스템 공정 등 설비 등의 개선이 이루어지는 경우 '표준설계도서의 운영에 관한 규칙' 제2조의 규정에 의하여 표준설계도서 인정 절차를 별도로 거쳐야 하는 지 여부

회신 표준설계도서 등의 운영에 관한 규칙 제2조 제2항에 의하면 표준설계도서등의 인정을 받고자 하는 자는 별지 제1호 서식에 의한 인정신청서에 기본설계도서 등을 첨부하여 국토해양부장관에게 제출하도록 규정하고 있으나, 질의의 경우와 같이, 이미 인정받아 공고된 표준설계도서(가축분뇨 자원화시설)의 건축 규모·구조·재료 등 건축부분에 대한 설계변경이 없는 경우에는 표준설계도서의 건축부분의 개정과 관련된 별도의 인정 절차가 필요하지 않을 것으로 판단되는 바, 기존의 공고번호를 그대로 사용할 수 있을 것임

질의회신 대수선 해당 여부의 건축물 규모 판단은?

국토교통부 민원마당 FAQ 2019.5.24.

질의 건축법 제9조 제1항 제3호 규정에 의한 "대수선 행위시 허가 및 신고범위"와 관련하여 그 신고의 범위가 수선하고자하는 규모(예 : 대수선하는 부분이 10층 건물 중 9층의 일부분으로 연면적 150㎡인 경우)를 기준으로 하는 것인지 또는 수선하고자 하는 규모와는 상관없이 단순히 기존 건축물의 전체규모(연면적 200㎡ 미만이고 3층 미만인 건축물)에 의하여 정해지는 지 여부

회신 건축법 제9조 제1항 제3호의 규정에 따라 건축신고로써 건축허가를 받은 것으로 볼 수 있는 대수선의 범위는, 변경하고자 하는 부분에 대한 기준이 아닌 기존건축물의 전체규모에 따른 것으로서, 기존건축물의 연면적이 200㎡ 미만이고 3층 미만인 건축물에서의 대수선에 한하는 것임. (*법 제9조 ⇒ 제14조, 2008.3.21.)

질의회신 발코니 확장시 신고 여부

국토교통부 민원마당 FAQ 2019.5.24.

질의 2003.1.8. 건축허가를 득한 후 2003.7.5. 사용승인을 얻은 건축물의 발코니를 구조변경(확장)하고자 하는 경우 소유자가 건축사의 확인을 받아 허가권자에게 신고하여야 하는 지

회신 건축주는 발코니를 구조변경 하고자 하는 경우에는 "발코니 등의 구조변경절차 및 설치기준"(건설교통부 고시 제2005-400, 2005.12.8) 제12조 제1항의 규정에 따라 동 설치기준 제2조 및 제8조의 규정에 대하여 건축사의 확인을 받아 허가권자에게 신고하여야 함

질의회신 기존 표준설계도서에 따른 건축신고 등

국토교통부 민원마당 FAQ 2019.5.24.

질의 기존표준설계도서(주택, 축사)를 원안내용 변동없이 도면의 CAD 작업후 CD와 책자로 편집 사용하고자 하는 경우

가. 다시 건교부 장관의 승인을 받아야 하는 지 여부

나. 건축법 제19조 제4항의 규정에 의한 건축신고서 제출시 배치도 및 표준설계도서의 평면도만으로 건축신고 수리가능 여부

다. 사용승인신청시 건축물 현황도 제출 여부

회신 가. 원안내용 변동 없이 도면의 CAD 작업후 CD와 책자로 편집 사용하고자 하는 경우 국토부장관의 재승인을 받아야 하는 것으로 별도 규정하고 있지 않음.

나. 건축법시행규칙 제12조 제1항 제1호 나목에 의거 표준설계도서에 따라 건축하는 경우 건축신고시 건축계획서 및 배치도를 제출받아야 함.

다. 건축법시행규칙 제16조 제1항 제3호에 의거 배치 및 평면이 표시된 현황도면을 제출하여야 함.

질의회신 건축신고와 공작물축조신고 사항도 건축허가제한이 가능 한 지

국토교통부 민원마당 FAQ 2019.5.24.

질의 건축허가 제한 등의 대상에 건축허가 외에 건축신고와 공작물축조신고 기타 허가나 신고를 요하지 않는 담장축조, 지하수굴착 등도 포함되는 지

회신 건축법 제18조 제1항에서 국토해양부장관은 국토관리를 위하여 특히 필요하다고 인정하거나 주무부장관이 국방, 문화재보존, 환경보전 또는 국민경제를 위하여 특히 필요하다고 인정하여 요청하면 허가권자의 건축허가나 허가를 받은 건축물의 착공을 제한할 수 있다고 규정하고 있으며, 동법 제14조 제1항에서 허가 대상 건축물이라 하더라도 다음 각 호의 어느 하나에 해당하는 경우에는 미리 특별자치도지사 또는 시장·군수·구청장에게 국토해양부령으로 정하는 바에 따라 신고를 하면 건축허가를 받은 것으로 본다고 규정하고 있는 바, 건축신고는 건축허가에 포함되어 동법 제18조제1항의 적용을 받음. 아울러, 동법 제83조 제1항에 따라 특별자치도지사 또는 시장·군수·구청장에게 공작물축조신고 하는 경우 동조 제2항에 따라 법 제18조는 준용하지 아니하므로 공작물축조신고는 건축허가 제한 등의 대상에 포함되지 아니함.

질의회신 건축신고 관련

국토교통부 민원마당 FAQ 2019.5.24.

질의 가. 2004년도에 건축신고를 한 건축물의 경우 「건축법」 제14조제3항의 적용이 가능한지 아니면 건축신고를 취소하여야만 신고의 효력이 없어지는 지 여부

나. 허가권자가 건축신고를 직권으로 취소가 가능한지와 이 경우 청문절차를 거쳐야 하는 지 여부

회신 가. 「건축법」 제14조제3항의 개정(법률제8219호,개정일 2007.1.3, 시행일 2007.7.4)에 따라 건축신고를 한 자가 신고 일부터 1년 이내에 공사에 착수하지 아니하면 그 신고의 효력은 없어지도록 규정하고 있음 부칙 제3항(건축신고에 관한 경과조치)에 따라 이 법 시행 당시 건축신고를 한 건축물에 대하여는 개정규정에

불구하고 종전의 규정에 따르도록 규정하고 있음에 따라 현재 개정규정의 적용은 곤란할 것으로 사료되며, 건축신고를 취소하여야만 신고의 효력이 없어질 것으로 사료됨
나. 건축법령에서 허가권자의 건축신고 사항에 대한 취소 및 청문절차 등에 대하여는 별도로 규정하고 있지 않음

질의회신 건축신고 시 연면적의 산정

국토교통부 민원마당 FAQ 2019.5.24.

질의 가. 동일 필지 내에 개별 건축물의 면적이 200㎡미만인 건축물을 여러 동 건축할 경우, 건축허가 등의 기준이 되는 연면적이란 동일 필지내 개별 건축물의 연면적 합계인지 아니면 개별 건축물 1동당 연면적인지 여부
나. 현행 건축법 개정 전 도시지역이외 지역(비도시지역)에서 연면적 200㎡ 미만이거나 3층 미만의 건축물에 대해 허가나 신고가 필요 없었던 기간('99.5.9~2006.5.8)동안 건축된 건축물이나 현재까지 건축물대장에 등재되지 아니한 건축물은 허가건축물인지 아니면 무허가건축물인지 여부
※ "공익사업을 위한 토지 등의 취득 및 보상에 관한 법률 시행규칙" 제24조 "무허가건축물 등" : "건축법" 등 관계법령에 의하여 허가를 받거나 신고를 하고 건축을 하여야 하는 건축물을 허가를 받지 아니하거나 신고를 하지 아니하고 건축한 건축물

회신 가. 「건축법시행령」 제119조 제1항 제4호에서 연면적은 하나의 건축물의 각 층의 바닥면적의 합계로 산정한다고 규정하고 있는 바, 연면적에 대해서 건축법령을 적용하는 경우에는 하나의 건축물을 단위로 적용하여야 할 것임.
나. 건축법령에서는 무허가건축물 등에 대해서 따로 정의하거나 규정하고 있지 아니한 바, 개별 법령에서 규정하고 있다면 당해 법령이 정하고 있는 바에 따라 판단하여야 할 것임

질의회신 축사 설치 시 건축신고 대상 여부 관련

국토교통부 민원마당 FAQ 2019.5.24.

질의 「건축법 시행령」 제11조제2항제5호에 따라 연면적 400제곱미터 이하로 여러 동의 축사를 건축할 때 건축신고 대상으로 볼 수 있는지

회신 「건축법 시행령」 제11조 제2항제5호에 의하면 '농업이나 수산업을 경영하기 위하여 읍·면지역(특별자치도지사·시장·군수가 지역계획 또는 도시계획에 지장이 있다고 지정·공고한 구역은 제외)에서 건축하는 연면적 200제곱미터 이하의 창고 및 연면적 400제곱미터 이하의 축사·작물재배사는 건축신고로 건축할 수 있도록 규정하고 있으며, 여기서, '연면적'이라 함은 같은 법 시행령 제119조제1항제4호에 따라 하나의 건축물 각 층의 바닥면적의 합계로 산정하는 것이므로, 질의의 경우 축사 등을 제한면적이하로 여러 동을 건축하는 경우에도 건축신고 대상으로 볼 수 있음

질의회신 건축신고 시에도 관련 법령의 해당기관과 협의하여야 하는 지

국토교통부 민원마당 FAQ 2019.5.24.

질의 가. 군사시설보호법 제10조에 따라 군사시설보호구역안에서 주택을 신축 또는 증축 할 때에 국방부장관 또는 관할 부대장 등과 협의하도록 하고 있는 바, 건축법에 의한 건축신고시에도 국방부장관 또는 관할 부대장 등과 협의를 하여야 하는 지 나. 건축신고시 군사시설보호법 제10조에 대한 협의와 관련하여 국토해양부와 법제처의 법령유권해석이 상반되는데, 이에 대한 국토교통부의 의견

회신 가. 건축법 제11조 제5항에 따르면 같은 조 제1항에 따른 건축허가를 받으면 제5항 각 호의 허가 등을 받거나 신고를 한 것으로 보도록 규정하고 있으며, 같은 조 제6항에 따라 허가권자는 제5항 각 호에 해당하는 행정기관의 장과 미리 협의하도록 하고 있는 바, 이는 건축주가 개별법령에 규정된 사항에 대하여 일일이 허가나 신고를 받도록 한 것을 행정기관 간에 협의를 통하여 일괄적으로 처리토록 함으로써 건축주(민원인)에게 편의를 제공하기 위한 것으로 사료됨 나. 이와 관련, 건축법 제14조에 따른 건축신고는 같은 법 제11조에 해당하는 허가 대상 건축물이라 하더라도 미리 신고를 하면 건축허가를 받은 것으로 보는 것이며, 같은법 제14조 제2

항에 따르면 건축신고에 관하여는 제11조 제5항을 준용하도록 하고 있는 바, 건축신고 대상 건축물이라도 관계법령에 적합하지 아니하면 건축할 수 없는 것으로써 만일 건축신고 시에 행정기관 간에 협의를 하지 아니할 경우 건축주는 관계법령에 규정된 허가나 신고절차를 일일이 거쳐야 할 것이므로 오히려 건축주에게 많은 불편을 초래하게 될 것임 다. 따라서, 건축신고 대상이 건축허가 시에 협의하여야 하는 대상에 해당되지 않는다는 법제처의 판단은 단순 법리적 측면의 해석으로 판단되며, 건축신고 시에도 개별법령에 의한 허가나 신고를 하여야 할 사항이 있는 경우라면 이는 협의로써 처리하는 것이 타당할 것으로 판단됨

질의회신 상수도 미설치를 이유로 한 건축신고건의 반려가 적합한지 여부

건교부 고객만족센터, 2008.6.24.

질의 건축신고시 상수도 미설치를 이유로 국토의 계획 및 이용에 관한 법률에 의한 개발행위 허가기준에 부적합하다고 건축신고 반려가 가능한 지와 준공허가(사용승인)시까지 수돗물 개통 등의 조건 등 부관을 붙여서 건축신고를 수리할 수 있는 지 여부?

회신 「건축법」 제11조제5항에 건축허가를 받으면 「국토의 계획 및 이용에 관한 법률」에 따른 개발행위허가 등 현행 법률의 인·허가 등을 받은 것으로 보도록 규정하고 있고, 건축신고에 관하여는 「건축법」 제14조제2항에 따라 같은 법 제11조제5항을 준용하도록 하고 있는 바, 건축신고시 관계법령에 부적합한 경우 건축신고를 반려할 수 있는 것이며, 수돗물 개통 등은 「수도법」 제23조 등 의제처리 할 수 있는 해당법령에 적합할 경우 건축신고를 수리할 수 있을 것으로 사료됨 (* 법 제11조, 제14조 ⇒ 제17조, 제19조, 2008.3.21 개정)

질의회신 대수선신고시 대지사용승락서를 받아야 하는 것인지

건교부 건축 58070-1087, 2003.6.18

질의 6명의 소유인 공유지분 토지에서 건축물의 대수선신고시 이미 사망한 2명의 공유지분자를 포함한 대지사용승락서를 받아야 하는 것인지 여부

회신 건축법 제9조제1항 및 건축법 시행규칙 제12조제1항제3호의 규정에 의하여 대수선 신고시에는 건축할 대지의 범위와 그 대지의 소유 또는 사용에 관한 권리를 증명하는 서류를 제출토록 하고 있는 바, 귀 문의의 경우에는 전체소유자의 동의(사망자의 상속권자 포함)가 있어야 하는 것이니, 보다 구체적인 사항은 자세한 자료를 갖추어 당해 지역의 건축허가권자인 시장·군수·구청장에게 문의하기 바람
(* 법 제9조 ⇒ 제14조, 2008.3.21 개정)

질의회신 엘리베이터 추가설치시 신고대상여부

건교부 건축 58070-1843, 1999.5.21.

질의 5층 상가주택에 엘리베이터 설치시 신고여부

회신 엘리베이터의 설치로 인하여 건축물 면적이 증가하는 경우라면 증축에 해당하여 그 면적에 따라 건축허가(신고) 후 증축해야 하는 것이며, 기존 건축물의 범위 안에서 설치하는 경우라면 주요구조부의 변경인 대수선에 해당하는 것으로서 건축법 제9조제1항제3호의 규정에 의하여 신고하여야 하는 것인 바, 신고를 하지 아니하고 건축(대수선)한 경우는 건축법 제80조의 규정에 의하여 처벌되는 것임
(* 법 제9조, 제80조 ⇒ 제14조, 제111조, 2008.3.21 개정)

4 가설건축물

법령해석 도시·군계획시설 및 도시·군계획시설예정지가 아닌 지역에서의 가설건축물 축조 기준

「건축법」 제20조 등 관련 　　법제처 법령해석 19-0416, 2019.12.12.

질의요지 도시·군계획시설 및 도시·군계획시설예정지가 아닌 지역에서 가설건축물인 창고를 축조하려는 경우 「건축법」 제20조제3항 및 같은 법 시행령 제15조제5항에서 정하는 존치 기간, 설치 기준 및 절차에 따라

야 하는지?

회답 이 사안의 경우 「건축법」 제20조제3항 및 같은 법 시행령 제15조제5항에서 정하는 존치 기간, 설치 기준 및 절차에 따라야 합니다.

이유 「건축법」 제20조제1항 및 제3항에서는 "가설건축물"이라는 동일한 용어로 표현된 대상에 대해 각각 허가 및 신고 의무를 규정하고 있으나, 「건축법」 제20조제1항에서는 도시·군계획시설 및 도시·군계획시설예정지에서 가설건축물을 "건축"하려는 자는 허가를 받도록 규정하면서 같은 조 제2항에서는 특별자치시장·특별자치도지사 또는 시장·군수·구청장은 가설건축물의 건축이 4층 이상인 경우(제2호) 등 각 호에서 정한 경우에 해당하지 않는 한 제1항에 따른 허가를 하여야 한다고 규정하고 있고, 허가 대상 가설건축물에 대해서는 건폐율, 용적률 등 건축법령상의 건축기준 적용과 관련된 예외 규정을 두지 않아(각주: 「건축법」 제20조제5항 및 같은 법 시행령 제15조제3항·제4항에 따르면 허가 대상 가설건축물 중 시장의 공지 또는 도로에 설치하는 차양시설에 대하여는 「건축법」 제46조(건축선의 지정) 및 제55조(건축물의 건폐율)를 적용하지 않고, 도시·군계획 예정 도로에 건축하는 경우에는 「건축법」 제45조부터 제47조까지(도로의 지정·폐지 또는 변경, 건축선의 지정, 건축선에 따른 건축제한)를 적용하지 않으나 그 외의 경우에는 별도의 규정을 두고 있지 않음.) 건축기준을 일반건축물과 동일하게 적용하고 있습니다.

반면 「건축법」 제20조제3항에서는 가설건축물을 "축조"하려는 자는 신고하도록 규정하면서 신고 대상 가설건축물은 「건축법 시행령」 제15조제5항 각 호에 따른 가설건축물의 용도별 구조, 재질, 면적 등의 제한에 따라 축조하도록 하고 있고, 같은 영 제15조제6항에서는 신고 대상 가설건축물에 대해 「건축법」 제25조, 제42조, 제55조, 제56조 및 제60조 등에 따른 건축물의 공사감리, 대지의 조경, 건폐율, 용적률 및 건축물의 높이제한 등을 적용하지 않도록 규정하고 있습니다.

이러한 건축법령상의 관련 규정을 고려하면 「건축법」 제20조제1항에 따른 가설건축물은 도시·군계획시설 및 도시·군계획시설예정지의 가설건축물로서 그 실질은 일반건축물과 유사하지만 도시·군계획시설 및 도시·군계획시설예정지의 특성상 존치 기간의 제한 없는 건축물을 건축할 수 없으므로 도시·군계획시설이 설치될 때까지만 존치할 수 있다는 의미에서의 가설건축물인 반면, 같은 조 제3항에 따른 가설건축물은 재해복구, 흥행, 전람회, 공사용 가설건축물 등 해당 건축물 용도의 특성상 임시적 성질을 띠는 가설건축물을 의미하는 것으로 보아야 합니다.

따라서 건축법령에서 「건축법」 제20조제1항에 따른 도시·군계획시설 및 도시·군계획시설예정지에 건축하는 가설건축물과 그 밖에 같은 조 제3항 및 「건축법 시행령」 제15조제5항 각 호에 따른 가설건축물을 구분하고 있는 이상, 이 사안과 같이 도시·군계획시설 및 도시·군계획시설예정지가 아닌 지역에서 가설건축물인 창고를 축조하려는 경우에는 「건축법」 제20조제3항 및 같은 법 시행령 제15조제5항에서 정하는 존치 기간, 설치 기준 및 절차에 따라야 합니다.

질의회신 도시계획시설예정지 내 가설건축물 관련

국토교통부 민원마당 FAQ 2022.6.28.

질의 도시계획시설예정지 내 가설건축물에 약국을 등록.개설할 수 있는 지 여부

회신 가설건축물은 임시적, 한시적으로 사용하기 위한 건축물이며 존치기간이 만료되면 철거하여야 하는 것으로써 「건축법」 제20조제1항에 따라 도시계획시설 또는 도시계획시설예정지에 가설건축물을 건축하는 경우에는 「국토의 계획 및 이용에 관한 법률」 제64조에 적합하여야 하고, 3층 이하로서 같은 법 시행령 제15조제1항 각호의 기준의 범위에서 조례로 정하는 바에 따라 특별자치도지사 또는 시장·군수·구청장의 허가를 받아야 함 다만, 건축법령에서는 영업허가 등에 대하여 별도로 규정하고 있지 아니한 바, 질의의 시설이 가설건축물에 해당하는 지 여부는 상기규정에 따른 법령취지나 조례 등으로 규정하고 있는 사항, 구조, 규모, 관계법령 등을 종합.검토하여 허가권자가 판단하여야 할 것으로 사료됨

질의회신 지구단위계획구역내 가설건축물의 설치

국토교통부 민원마당 FAQ 2019.5.24.

질의 지구단위계획이 수립된 지역에서 임시적으로 사용코자 가설건축물을 설치하는 경우에도 국토계획법 제54조의 규정을 적용하여 지구단위계획의 내용(건축용도 등)에 적합하여야 하는지 여부

회신 지구단위계획은 해당지역을 체계적·계획적으로 관리하기 위해 수립하는 법정계획으로「국토의 계획 및 이용에 관한 법률」 제54조에 따르면 지구단위계획구역 안에서 건축물을 건축하거나 건축물의 용도를 변경하고자 하는 경우에는 그 지구단위계획에 적합하게 건축하거나 용도를 변경하도록 정하고 있음. 다만 가설건축물은 이에 포함되지 않음.(법제처 법령해석총괄과-3492, '18.10.10)

질의회신 철거되어야 할 가설건축물에 대한 행정대집행 가부 결정

국토교통부 민원마당 FAQ 2019.5.24.

질의 도시계획시설부지에 가설건축물 건축허가를 받아 설치된 가설건축물(존치기간이 만료)을 도시계획시설사업을 시행하기 위하여 자진철거이행을 통보하였으나 자진철거를 하지 않는 경우 가설건축물이 건축된 토지를 미취득한 상태에서 행정대집행이 가능한지?

회신 국토의계획및이용에관한법률 제64조 제2항의 규정에 의하여 허가된 가설건축물은 동조 제3항의 규정에 의하여 원상회복에 필요한 조치를 명할 수 있으며, 제3항의 규정에 의한 원상회복명령을 받은 자가 원상회복을 하지 않는 경우에는 동조 제4항의 규정에 의하여 행정대집행법에 의한 행정대집행으로 원상회복을 할 수 있음. 이 경우 가설건축물이 건축된 토지의 취득여부에 따라 행정대집행 가부가 결정되는 것은 아님.

질의회신 가설건축물 조항 중 컨테이너 또는 이와 비슷한 것이란

국토교통부 민원마당 FAQ 2023.6.15.

질의 건축법 시행령 제15조제5항제8호에서 '컨테이너 또는 이와 비슷한 것으로 된 가설건축물로서 임시사무실·임시창고 또는 임시숙소로 사용되는 것'으로 규정하고 있는바, 여기서 철골구조 또는 경량철골구조 등으로 된 경우 '컨테이너 또는 이와 비슷한 것' 으로 볼 수 있는지?

회신 「건축법 시행령」 제15조제5항제8호에서 '컨테이너 또는 이와 비슷한 것"이라 함은 공장에서 제작된 컨테이너 또는 조립식 판넬구조로, 질의의 경우가 상기와 달리 일반 건축물 형태와 같은 기둥.보 형식의 철골구조 형태라면 상기 컨테이너 가설건축물과 비슷하다고 보기는 어려울 것으로 판단되나 ,정확한 사항은 허가권자가 동 법령의 취지, 가설건축물 현황, 관련자료 등을 면밀히 검토하여 판단해야 할 것임

질의회신 도시미관정비를 위해 지정한 구역의 가설건축물 축조(가설점포) 여부

국토교통부 민원마당 FAQ 2023.6.15.

질의 철도, 광장 등 도시계획시설(일반건축물 불가)에 있는 리어카 등 불법 노점상들이 가설점포 설치를 위해 「건축법 시행령」 제15조제5항제5호에 따른 미관정비 구역 지정을 요청할 경우 적용가능 여부

회신 건축법상 가설건축물은 임시적?한시적으로 사용되는 건축물로서 건축하고자 하는 지역의 도시계획내용, 건축물의 구조 및 용도 등이 「건축법」 제20조, 같은 법 시행령 제15조 및 해당 지방자치단체의 조례에서 규정한 기준에 적합한 경우 가설건축물로 허가 또는 신고로 건축이 가능함.

이와 관련, 도로변 등의 미관정비를 위하여 특별자치도지사 또는 시장·군수·구청장이 지정·공고하는 구역에서 건축하는 가설점포(물건 등의 판매를 목적으로 하는 것을 말함)로서 안전·방화 및 위생에 지장이 없는 것은 같은 법 시행령 제15조제5항제5호에 따라 신고로서 축조할 수 있도록 하고 있는 바, 질의의 도시계획시설부지에서의 미관정비구역 지정 등에 대하여는 「국토의 계획 및 이용에 관한 법률」 등 관계법령 및 현지현황을 종합검토하여 허가권자가 판단할 사항임

질의회신 지목에 따른 가설건축물 축조가능 여부 등

국토교통부 민원마당 FAQ 2023.6.15.

질의 가. 지목이 도로인 토지에 건축물을 축조할 수 있는지 여부
나. 공공기관에서 가설건축물 축조시 허가를 득하여야 하는지 여부

회신 가. 건축법령에 의한 건축허가를 할 경우, 「측량·수로조사 및 지적에 관한 법률」※에 따른 지목에 따라 건축허가 여부를 결정하는 것이 아니라, 해당 토지에 대하여 건축을 금지 또는 제한하는 법령에서 정하는 사항에 따라, 건축 가능 여부를 판단하여야 할 것임(※ 「공간정보의 구축 및 관리 등에 관한 법률」, 2015.6.4. 로 제명 변경)
나. 공공기관에서 가설건축물을 건축하는 경우에는 「건축법」 제20조의 규정에 따라 해당 지역의 시장·군수·구청장에게 가설건축물 허가나 축조신고를 받도록 규정하고 있음

질의회신 공사용 가설건축물의 근로자 식당 포함 여부

국토교통부 민원마당 FAQ 2023.6.15.

질의 「건축법 시행령」 제15조제5항제3호에 따른 "공사에 필요한 규모의 공사용 가설건축물 및 공작물"에 공사현장에서 근무하는 직원 및 근로자를 위한 식당이 포함되는지 여부

회신 건축공사는 인력·자재 및 장비가 투입되어 건축물을 시공하는 것으로서, 해당 공사와 관련되어 한시적으로 설치하는 현장사무소, 자재창고, 현장 직원 및 근로자용 식당 등은 「건축법 시행령」 제15조제5항제3호에 따른 "공사에 필요한 규모의 공사용 가설건축물 및 공작물"에 볼 수 있을 것임

질의회신 가설건축물 철거주체

국토교통부 민원마당 FAQ 2022.6.28.

질의 도시계획시설 사업지구내 존치기간이 지난 가설건축물의 철거 주체

회신 「건축법」 제20조 및 같은 법 시행령 제15조제1항에 따라 도시계획시설 또는 도시계획시설예정지에서 가설건축물을 축조하는 경우에는 「국토의 계획 및 이용에 관한 법률」 제64조에 적합하여야 하고, 3층 이하로서 대통령령으로 정하는 기준의 범위에서 조례로 정하는 바에 따라 특별자치도지사 또는 시장, 군수, 구청장의 허가를 받도록 규정하고 있음
이와 관련, "가설건축물"이란 설치, 이동, 해체가 용이하고 임시적, 한시적, 계절적으로 사용하기 위한 건축물로서 존치기간이 만료되면 철거하여야 하는 것을 말함. 아울러, 「건축법」 제79조제1항에 따라 허가권자는 대지나 건축물이 건축법령에 위반되면 건축법에 따른 허가 또는 승인을 취소하거나 그 건축물의 건축주등에게 상당한 기간을 정하여 시정명령(철거 등)을 하고 있으며, 시정기한 내 시정명령을 이행하지 아니한 경우 같은 법 제80조에 따라 이행강제금을 부과하고 있음
따라서, 존치기간이 만료된 가설건축물을 철거하지 아니한 경우 허가권자는 해당 가설건축물의 건축주에게 시정명령을 하고 시정기한 내 시정명령을 이행하지 아니한 경우 이행강제금을 부과하는 것임

질의회신 가설건축물 간선공급설비 및 허가대상 가설건축물관련 사항

국토교통부 민원마당 FAQ 2023.6.15.

질의 ○ 전기, 수도, 가스 등 새로운 간선공급설비의 설치를 할 경우 가설건축물로 볼 수 있는 지 여부. ○ 허가 대상인 가설건축물일 경우 구조, 용도, 설비 등 각종 건축기준을 일반건축물과 동일하게 적용하여야 하는 지 여부. ○ 관계법령에 의한 영업허가 또는 신고가 필요한 판매시설을 「건축법 시행령」 제15조제5항제5호에 따른 가설건축물로 인정받을 수 있는 지 여부.

회신 「건축법 시행령」 제15조제1항제3호에서 가설건축물의 기준으로 전기·수도·가스 등 새로운 간선 공급설비의 설치를 필요로 하지 아니할 것 등을 정하고 있으며, "새로운 간선공급설비"의 설치를 필요로 하지 아니할 것이라 함은, 일반적으로 전기·수도·가스 등의 공급을 받기 위하여 기존의 간선공급설비 이외에 특정

지역과 지역단위로 전신주·배관 등을 추가적으로 설치하는 등의 새로운 간선공급설비(사용자에게 직접 공급하는 지선설비 제외)를 설치하지 아니하는 경우를 말하는 것임

「건축법」 제20조제1항에서 "도시·군계획시설 및 도시·군계획시설예정지에서 가설건축물을 건축하려는 자는 특별자치시장·특별자치도지사 또는 시장·군수·구청장의 허가를 받아야 한다."라고 정하고 있고, 같은 조 제2항제1호에 따르면, 특별자치시장·특별자치도지사 또는 시장·군수·구청장은 해당 가설건축물의 건축이 「국토의 계획 및 이용에 관한 법률」 제64조에 위배되는 경우이거나, 4층 이상인 경우, 구조, 존치기간, 설치목적 및 다른 시설 설치 필요성 등에 관하여 대통령령으로 정하는 기준의 범위에서 조례로 정하는 바에 따르지 아니한 경우에는 허가를 하지 아니하여야 하며, 같은 법 시행령 제15조제1항제2호에서 존치기간은 3년 이내일 것으로, 도시·군계획사업이 시행될 때까지 그 기간을 연장할 수 있다고 정하고 있음. 「건축법」 제20조제1항에 따른 허가를 받아야 하는 가설건축물은 「건축법」 제21조에 따른 착공신고, 제22조에 따른 건축물의 사용승인을 받아야 되는 등 해당 건축기준 및 관계법령 등에 적합하여야 할 것으로 사료됨

「건축법 시행령」 제15조제5항제5호에 따라 특별자치도지사 또는 시장·군수·구청장이 도로변 등의 미관정비를 위하여 지정·공고하는 구역에서 건축하는 가설점포(물건 등의 판매를 목적으로 하는 것을 말한다)로서 안전·방화 및 위생에 지장이 없는 것은 특별자치도지사 또는 시장·군수·구청장에게 신고한 후 판매를 할 수 있으나, 그 외의 가설건축물에 대한 판매 및 영업행위에 대하여는 별도로 규정한 사항이 없는바, 가설건축물에 대한 별도의 판매 및 영업행위에 대한 사항은 관련 개별법령에 따라 판단할 사항으로 사료됨

질의회신 가구 전시를 위한 가설건축물 축조가능 여부

국토교통부 민원마당 FAQ 2023.6.15.

질의 가구의 전시를 위한 전시장의 용도로 가설건축물의 축조가 가능한지?

회신 ○ 가설건축물은 임시적, 한시적으로 사용하기 위한 건축물로서 존치기간이 만료되면 철거(존치기간 연장 가능)하여야 하는 건축물로서 쉽게 설치, 이동 또는 해체가 가능한 구조로서 가설건축물 축조 신고 대상인 경우 건축법 제20조 및 시행령 제15조제5항 및 조례에서 정하는 용도, 구조, 규모 등에 적합하여야 하는 것임

○ 또한 건축법 시행령 제15조제5항에 따른 가설건축물은 절차 간소화 및 건축기준의 완화를 통한 국민편의를 도모하기 위하여 신고로서 처리하도록 하고 있는 것으로, 동 항의 어느 호에 해당하는 가설건축물의 용도 및 재질 등을 구체적으로 정하고 있는 경우에는 그에 적합하게 설치되어야 할 것임

○ 따라서 「건축법」 제20조제3항 및 같은법 시행령 제15조제5항에 따라 가설건축물을 축조하려는 자는 존치기간, 설치기준, 절차에 따라 허가권자에게 신고한 후 착공해야 하므로 질의의 경우도 상기 요건에 모두 맞는지 여부가 검토되어야 함

질의회신 가설건축물은 존치기간이 경과되면 가설건축으로서의 효력이 상실되어 무허가 가설건축물로 보아 처벌이 가능한 지

국토해양부 민원마당 FAQ 2010.11.30.

질의 가설건축물은 존치기간이 경과되면 가설건축으로서의 효력이 상실되어 무허가 가설건축물로 보아 처벌이 가능한 지(사법기관에서는 처벌규정이 없다는 이유로 혐의없음으로 처리됨)

회신 존치기간이 만료된 가설건축물을 철거하지 아니한 경우에는 허가권자가 건축법 제79조의 규정에 의한 시정명령과 동법 제80조의 규정에 의한 이행강제금을 부과할 수 있는 것임

질의회신 도시계획시설내 공사용 가설건축물 설치시 신고 및 허가대상 여부

건교부 고객만족센터, 2007.10.16.

질의 도시계획시설 내의 공사용 가설건축물(대통령령이 정하는 용도의 가설건축물)은 허가가 아닌 신고로 처리가 가능한 것인지

건 축 법
1. 총 칙
2. 건 축
3. 유지관리
4. 대지도로
5. 구조재료
6. 지역지구
7. 건축설비
8. 특별건축구역
9. 보 칙
10. 벌 칙
건 축 법 관련기준

회신 건축법 제15조 제1항에 의한 건축허가 대상임. 참고로, 당해 규정에 대한 취지는 도시계획시설 또는 도시계획시설예정지에 대하여는 "허가"로서 엄격히 관리하고자 하는 것이며, 건축법 제15조 제2항의 규정은 동조 제1항의 규정(도시계획시설 또는 도시계획시설예정지)을 제외한 사항임 (* 법 제15조 ⇒ 제20조, 2008.3.21. 개정)

질의회신 새로운 간선공급설비의 설치를 요하지 아니할 것의 의미

건교부 건축 58550-941, 2003.5.27.

질의 건축법시행령 제15조제1항제4호의 가설건축물 규정중 전기·수도·가스등 새로운 간선공급설비의 설치를 요하지 아니할 것이라 함은 무엇을 말하는 지 여부

회신 건축법시행령 제15조제1항제4호의 가설건축물 규정중 전기·수도·가스등 새로운 간선공급설비의 설치를 요하지 아니할 것이라 함은 기존의 간선공급설비 이외에 동설비(지선은 제외)의 추가설치를 요하지 아니하는 경우를 말하는 것으로서, 지선연결, 자가발전등을 이용한 간이용 세면장·화장실등은 이에 해당하지 아니함

질의회신 경량철골 및 판넬구조의 가설건축물 전면에 대리석을 부착한 행위가 위법인지 여부

건교부 건축기획팀-1190, 2007.8.16.

질의 가설건축물 축조 신고시 그 구조를 "경량철골 및 판넬""이라고 기재한 것과 관련하여, 건물 전면부에 대리석을 부착한 행위가 건축법 시행령 제15조 제1항 1호의 규정을 위반한 것인지 여부

회신 「건축법 시행령」 제15조 제1항 제1호의 규정은 동법 제15조 제1항의 규정에 의한 가설건축물이 도시계획사업의 시행에 지장이 없게 철거 등이 용이하도록 그 주요구조부(동법 제2조 제1항 제6호의 주요구조부임)를 철근콘크리트조 또는 철골철근콘크리트조로 하지 아니하도록 되어 있으므로 이에 해당하는 지 여부는 법 및 조례규정의 취지와 현지구조물의 사실판단에 의하여야 할 것임 (* 법 제15조 ⇒ 제20조, 2008.3.21 개정)

질의회신 주차수요를 유발하는 가설건축물의 건축시 주차장 설치여부

건교부 건축기획팀-1190, 2007.7.19.

질의 가설건축물의 허가 또는 축조 신고시 주차장을 설치해야 하는지 여부

회신 「주차장법」 제19조제1항에서 국토의 계획 및 이용에 관한 법률의 규정에 의한 도시지역, 제2종지구단위계획구역 및 지방자치단체의 조례가 정하는 관리지역 안에서 건축물·골프연습장 기타 주차수요를 유발하는 시설을 건축 또는 설치하고자 하는 자는 당해 시설물의 내부 또는 그 부지 안에 부설주차장을 설치하여야 한다고 규정하고 있음, 따라서, 동 가설건축물이 주차수요를 유발하는 경우에는 가설건축물이 존속하는 한 부설주차장을 설치하여야 할 것으로 판단되고, 건축법령이 정하는 가설건축물의 용도에 따라 주차대수를 산정함이 가능할 것임

질의회신 가설건축물에 중개사사무소의 개설가능여부

건교부 건축기획팀-1190, 2007.3.6.

질의 가설건축물에 부동산중개업소 개설등록이 가능한지 여부

회신 「공인중개사의 업무 및 부동산 거래신고에 관한 법률 시행령」 제13조의 규정에 따르면 중개사무소의 개설등록 기준으로 '건축물대장에 기재된 건물에 중개사무소를 확보'(소유.전세.임대차 또는 사용대차 등의 방법에 의하여 사용권을 확보하여야 한다)할 것으로 되어 있음.

여기서 "건축물대장"은 건축법 제29조에 규정된 것을 말하므로 건축법 제15조의 가설건축물은 건축물대장에 기재된 건물에 해당되지 않음. 따라서 가설건축물에는 중개사무소의 용도로 사용이 불가함. 또한, 중개사무소는 건축물대장에 "제2종 근린생활시설"로 기재되어 있는 등 관계법령에 따라 중개사무소로 사용하기에 적합한 경우에 개설 가능함

질의회신 공사용가설건축물의 가설건축물관리대장상 용도표시

건교부 건축기획팀-2896, 2006.5.9.

질의 건축법 제15조제2항 및 동법 시행령 제15조제5항제3호의 규정에 의한 「공사용가설건축물」의 가설건축물관리대장상 용도표시는?

회신 건축법 시행령 제15조제5항제3호의 규정에 의한 공사용가설건축물이란 당해 공사와 관련된 공정, 자재, 노무, 품질관리 등에 해당하는 과정을 시행하기 위하여 한시적으로 설치하는 현장사무소, 자재창고, 현장직원 및 근로자용 식당·숙소 등을 말하는 것으로 이에 대한 구체적인 용도표기 방법은 건축법에서 규정한 바가 없으므로 동법 시행령 제15조제5항제3호의 규정에 의한 목적 및 용도 등을 벗어나지 않는 범위 내에서 표시하면 가능할 것으로 판단됨 (* 법 제15조 ⇒ 제20조, 2008.3.21 개정)

질의회신 샌드위치패널구조인 임시사무실 및 임시창고(2층) 가설건축물 가능여부

건교부 건축기획팀-1803, 2006.3.23.

질의 현장에서 조립하는 샌드위치패널구조로 임시사무실 및 임시창고(2층)를 건축하고자 하는 경우 가설건축물로 신고하여 축조할 수 있는지

회신 건축법 시행령 제15조제5항제8호의 규정에 의하여 컨테이너 또는 폐차량 그밖에 이와 유사한 것으로 된 임시사무실·임시창고 또는 임시숙소로 사용되는 것(건축물의 옥상에 건축하는 것을 제외)은 가설건축물에 해당하는 것으로 귀 질의의 경우 이에 해당하는 것으로 볼 수 있을 것으로 판단됨.
다만, 가설건축물은 건축법 제15조 및 동법 시행령 제15조의 제한규정에 적합하여야 하며 토지에 견고하게 정착하지 아니하고, 설치·이동·해체가 용이하며 임시적·한시적으로 사용하는 것인 바, 문의의 건축물도 이러한 가설건축물의 요건에 적합하여야 할 것임 (* 법 제15조 ⇒ 제20조, 2008.3.21 개정)

질의회신 축조신고한 가설건축물의 용도변경 여부

국토교통부 민원마당 FAQ 2023.6.15.

질의 가설건축물 축조신고한 임시창고를 같은 가설건축물 대상인 임시사무실로 사용할 수 있는지

회신 가설건축물은 건축법 제20조 및 시행령 제15조에서 정하는 용도, 구조, 규모 등에 적합하여야 하고, 임시적·한시적으로 사용하기 위한 건축물로서 건축법령에서 신고하여 축조한 가설건축물에 대하여 별도의 용도변경 등의 절차를 두고 있지 아니하며, 변경사항이 발생되는 경우에는 다시 가설건축물 축조신고를 하는 등의 절차를 거쳐 변경할 수 있을 것으로 사료되나, 적용 여부 등 보다 자세한 사항은 허가권자가 현황 및 관계법령 등을 종합적으로 검토하여 사실판단할 사항으로 구체적인 자료를 구비하여어 해당지역 시장, 군수, 구청장 등 허가권자에게 문의 바람

질의회신 가설건축물축조 신고필증 없이 축조가 가능한지 여부

국토교통부 민원마당 FAQ 2023.6.15.

질의 가설건축물축조신고 후 신고필증 없이 축조가 가능한지 여부와 주변 민원을 이유로 신고필증을 교부하지 않을 경우 대응방법은 ?

회신 「건축법」 제22조제2항에 따라 가설건축물을 축조하려는 자는 「건축법 시행령」 제15조에 따른 존치기간, 설치 기준 및 절차에 따라 허가권자에게 신고한 후 착공하도록 규정하고 있습니다. 같은 법 시행령 제15조제9항에 따르면 허가권자는 가설건축물 축조신고서를 제출받았으면 그 내용을 확인한 후 가설건축물 축조신고증명서를 신고인에게 발급하도록 하고 있음
따라서, 가설건축물을 축조하고자 하는 경우에는 가설건축물 축조신고증명서를 발급 받은 후 축조하는 것이 타당할 것으로 사료됨

질의회신 농막의 건축법 적용 여부

국토교통부 민원마당 FAQ 2023.6.15.

질의 농막의 건축법 적용 여부

회신 ○ 농막에 대해 건축법령에서는 별도로 규정하고 있지 아니한 것으로, 농지법에서 농막이란 농작업에 직접 필요한 농자재 및 농기계 보관, 수확 농산물 간이 처리 또는 농작업 중 일시 휴식을 위하여 설치하는 시설로서 연면적 20제곱미터 이하이고 주거 목적이 아닌 경우로 한정하는 것으로 규정하고 있습니다. ○ 이와 관련, 농막 등 건축물을 건축하고자 하는 경우에는 건축법 제11조에 따른 건축허가 또는 제14조에 따른 건축신고의 절차를 거쳐야 하며, 같은 법 시행령 제15조제5항 및 조례에서 정하는 가설건축물에 해당하는 경우에는 건축법령 등 관계법령에 적합한 경우에 한하여 간소화된 가설건축물 축조신고 절차를 거쳐 축조할 수 있는 것으로, ○ 가설건축물은 임시적, 한시적으로 사용하기 위한 건축물로서 존치기간이 만료되면 원칙적으로 철거하여야 하는 것이며, 쉽게 설치·이동·해체가 가능한 구조로서 건축법 제20조 및 같은 법 시행령 제15조에서 정하는 용도·구조·규모 등에 적합하여야 하는 것이며 개별법령에서 별도로 정하는 바가 있는 경우 이에도 적합하여야 하는 것인 바, ○ 농막이 건축법, 농지법 등 관계법령에 적합한 경우에 가설건축물 축조신고가 가능할 것(세움터 신청 포함)으로 사료되니, 이에 적합한지 여부는 해당 시설의 구조, 이용형태, 설치목적 등 현지 현황과 관계법령을 종합적으로 검토하여 당해 허가권자의 사실판단이 필요한 사항이니, 보다 구체적인 사항은 관련 자료를 구비하여 해당지역 시장, 군수, 구청장 등 허가권자에게 문의 바람

질의회신 농막용 컨테이너박스 설치

건교부 건축기획팀-2132, 2006.4.6.

질의 '농막용 컨테이너박스' 설치시 건축법령 상 행정절차를 이행하여야 하는 지

회신 건축법 시행령 제3조의4[별표1]에 의하면, 건축법령을 적용하는 용도별 건축물의 종류가 규정되고 있으며, 건축법 제8조 및 제9조에서는 건축허가 및 신고절차 등을, 그리고 동법 제15조 및 시행령 제15조에서는 가설건축물허가 및 축조신고에 대한 전반적인 사항을 정하고 있음

따라서 질의의 내용만으로 판단한다면 컨테이너로 된 임시사무실 또는 임시숙소는 가설건축물축조신고 대상으로 사료되나, 관할 지자체의 건축조례 및 농지법 등 관련법규에서 달리 정하는 바가 있으면 그에 따라야 할 것임 (* 법 제8조, 제9조, 제15조 ⇒ 제11조, 제14조, 제20조, 2008.3.21. 개정)

질의회신 농산물 저온저장고로 사용하는 이동형 컨테이너의 가설건축물 여부

건교부 건축기획팀-2992, 2006.5.12.

질의 농산물 저온저장고로 사용하는 이동형 컨테이너가 건축물인지 여부 등

회신 건축법 제2조제1항제2호에서 정의한 바와 같이 건축물은 토지에 정착하는 공작물 중 지붕과 기둥 또는 벽이 있거나 이에 부수되는 시설물로서 토지에 정착하지 아니하는 것은 건축물에 해당하지 아니하며, 토지에 정착한다 하더라도 컨테이너로 된 임시창고는 건축법 제15조제2항 및 동법 시행령 제15조제5항제8호의 규정에 의한 가설건축물로서 동 가설건축물은 시장·군수·구청장에게 신고함으로써 축조할 수 있음
(* 법 제15조 ⇒ 제20조, 2008.3.21. 개정)

질의회신 임시사무실 등의 가설건축물을 조립식 구조로 축조가 가능한지 여부

건교부 건축 58070-2373, 2003.12.24.

질의 건축법시행령 제15조제5항제8호의 규정에 의한 임시사무실, 임시창고 또는 임시숙소 등의 가설건축물을 조립식 구조로 축조가 가능한지 여부

회신 건축법시행령 제15조제5항제8호의 규정에 의하여 컨테이너 또는 폐차량 그밖에 이와 유사한 구조로 된 "임시사무실, 임시창고 또는 임시숙소"는 가설건축물로 건축이 가능한 바, 귀 문의의 조립식 구조가 공장에서 제작된 조립식 판넬구조라면 "그 밖에 이와 유사한 구조"에 해당할 수 있는 것이니 보다 자세한 사항은 당해

허가권자에게 문의하기 바람

질의회신 관공서 부지내 컨테이너를 이용한 임시사무실의 가설건축물 축조 여부

국토교통부 민원마당 FAQ 2019.5.24.

질의 관공서(경찰서) 부지내에 건축법 제20조 제2항 및 동법시행령 제15조 제5항 제8호의 규정에 따라 컨테이너를 이용하여 임시적인 사무실 용도의 가설건축물 축조가 가능한 지 여부

회신 건축법 제20조 제2항의 규정에 따르면 도시계획시설 또는 도시계획시설예정지의 가설건축물외에 재해복구, 흥행, 전람회, 공사용 가설건축물 등 대통령령이 정하는 가설건축물을 축조하고자 하는 경우에는 신고 후 착공하도록 되어 있는 바, 가설건축물은 한시적으로 사용하기 위한 건축물로서 사용목적이 해소되거나 존치기간 등이 만료되면 철거하는 것이 원칙인 것인 바, 이는 한시적으로 사용하고자 하는 건축물을 정식 건축물로 허가하여 철거함으로써 발생하는 과다한 경제적 비용 및 자원 낭비 등을 예방하고자 한 취지인 것임
따라서, 관공서 부지 등에 허가(협의 포함)를 득하여 사용하고 있는 건축물의 공간이 부족하다 하여 임시적으로 컨테이너 등을 이용하여 사무실 용도 등으로 사용하는 경우라면 동 법률의 취지에 적합한 것으로 볼 수 없을 것으로 판단됨

질의회신 콘테이너 또는 폐객차를 임시사무실용 가설건축물로 신고하고, 카센타를 할 수 있는 지

국토교통부 민원마당 FAQ 2022.6.28.

질의 콘테이너 또는 폐객차를 임시사무실용 가설건축물로 신고하고, 카센타를 할 수 있는 지

회신 가설건축물은 한시적으로 사용하기 위하여 축조하는 것으로서 영구적으로 카센타로 사용하고자 하는 경우에는 정식허가 등의 절차를 거쳐 일반건축물로 건축하여야 할 것임

질의회신 컨테이너에 바퀴설치시 가설건축물 축조신고 여부

건교부 건축 58070-596, 2003.4.4.

질의 컨테이너에 이동이 가능하도록 바퀴를 설치한 경우 이를 건축법시행령 제15조제5항제8호의 규정에 의한 가설건축물로 보아 당해 허가권자에게 축조 신고를 하여야 하는지 여부

회신 건축법시행령 제15조제5항제8호의 규정에 의하여 컨테이너 또는 폐차량 그밖에 이와 유사한 것으로 된 가설건축물로서 임시사무실 · 임시창고 또는 임시숙소로 사용되는 것(건축물의 옥상에 건축하는 것 제외)은 당해 허가권자에게 가설건축물 신고한 후 축조토록 하고 있는 바, 귀 문의의 경우가 상기 규정에 해당한다면 컨테이너에 바퀴가 설치되어 일부 이동이 가능하다 하더라도 실질적인 이동의 실익이 없어서 상당기간 동안 현저한 이동이 추정되지 아니하는 경우에는 당해 허가권자에게 가설건축물 축조 신고 후 축조하여야 할 것이니, 보다 구체적인 사항은 당해 허가권자에게 문의하기 바람

질의회신 축사시설(비닐하우스)이 가설건축물인지 여부

건교부 건축기획팀-2374, 2006.4.14.

질의 축사시설(비닐하우스)이 가설건축물인지 여부

회신 건축법 시행령 제15조제5항제10호에서는 '연면적이 100㎡ 이상인 간이축사용·가축운동용·가축의 비가림용 비닐하우스 또는 천막구조의 건축물'인 경우에는 가설건축물에 해당하는 것으로 규정하고 있음
(* 법 제15조 ⇒ 제20조, 2008.3.21 개정)

질의회신 비신고 비닐하우스를 신고해야 하는 가축의 비가림용 비닐하우스로 사용할 수 있는지 여부

건교부 건축기획팀-2011, 2006.3.31.

질의 건축법에 의하여 허가를 받거나 신고를 하지 아니하고 건축할 수 있는 비닐하우스를 건축하여 사용하고 있었으나 축조신고를 하여야 하는 가설건축물(가축의 비가림용 비닐하우스)로 그 용도를 변경하여 사용하고자

건축법
1. 총칙
2. 건축
3. 유지관리
4. 대지도로
5. 구조재료
6. 지역지구
7. 건축설비
8. 특별건축구역
9. 보칙
10. 벌칙
건축법 관련기준

하는 경우 철거를 하고 새로이 축조하여야 하는지 아니면 축조신고를 한 후에 사용할 수 있는지

회신 비닐하우스가 건축법 제15조제5항제10호의 규정에 의한 가설건축물로서 건축법 및 관계 법률에 적합하나 사용목적이 변경되어 인하여 동법 제15조제2항의 규정에 의한 절차만을 결여한 경우라면 축조신고 절차를 보완함으로써 사용이 가능할 것임 (* 법 제15조 ⇒ 제20조, 2008.3.21 개정)

질의회신 가설건축물의 건축주(소유자) 명의변경이 가능한지 여부

건교부 건축기획팀-1908, 2006.3.28.

질의 축조신고를 한 가설건축물의 건축주(소유자) 명의변경이 가능한지

회신 건축법 제15조제2항의 규정에 의한 가설건축물은 한시적으로 설치하는 것이기 때문에 이를 일반건축물과 동일하게 취급하고 있지 아니하며, 일반건축물의 경우 등기에 의해 소유권이 변경되지 아니하는 한 건축물대장상의 소유권 변경이 불가하나 등기가 작성되지 아니하는 가설건축물을 대장만으로 소유권을 변경할 수는 없음. 따라서 가설건축물은 한시적, 임시적으로 설치하는 것이기 때문에 그 특성상 소유자 변경절차를 별도로 두기 곤란한 것이며 꼭 필요하다면 가설건축물 축조신고를 다시 하는 방법으로 변경할 수 있는 것임 (* 법 제15조 ⇒ 제20조, 2008.3.21. 개정)

질의회신 건폐율 초과 가설건축물의 건축

건교부 건축기획팀-882, 2006.2.12.

질의 도시계획시설 내 건폐율을 초과한 가설건축물을 건축하고자 하는 경우 「국토계획 및 이용에 관한 법률」에서는 건폐율을 제한하고 있으나, 「건축법」에서는 건폐율 적용을 배제하고 있는 것과 관련하여 가설건축물의 건폐율 초과건립이 가능한지 여부와 도시계획시설인 재래시장 내의 도로(기존 상가건축물 사이의 도로)에 가설건축물로 '비가림 차양시설'(아케이트)을 설치함에 있어 지붕부분이 인접대지경계선(도로경계선 : 건축선)을 넘어가는 경우 설치가 가능한지 여부

회신 「건축법」 제15조제2항 및 동법 시행령 제15조제5항에 의한 가설건축물은 동법 제15조제3항 및 동법시행령 제15조제6항의 규정에 의거 동법 제47조의 규정에 의한 건폐율을 적용하지 아니함. 또한 「건축법시행령」 제15조 규정에 의하여 시장의 공지 또는 도로에 설치하는 차양시설의 경우에는 「건축법」 제36조(건축선의 지정)의 적용을 하지 않고 설치가 가능하도록 규정하고 있으므로 인접대지 이해당사자의 동의 및 민법 등 관계법령에 저촉사항이 없다면, 건축이 가능할 것으로 사료됨. (* 법 제15조, 제36조, 제47조 ⇒ 제20조, 제46조, 제55조, 2008.3.21 개정)

질의회신 가설건축물 존치기간 연장신고서 제출시 대지사용승락서 첨부 여부

건교부 건축기획팀-437, 2006.1.23.

질의 가설건축물존치기간 연장신고서 제출시 대지사용승락서 첨부 여부 및 음식점 용도의 연장수리가 가능한지

회신 건축법 시행규칙 제13조 제5항, 제6항의 규정에 따라 가설건축물의 존치기간을 연장하고자 하는 자는 시장·군수·구청장에게 연장신고서를 제출하도록 하고 시장·군수·구청장은 신고서를 받은 때에는 그 기재내용을 확인한 후 가설건축물존치기간 연장신고필증을 신고인에게 교부하도록 규정하고 있으며 대지사용승락서, 용도 등에 대하여는 별도로 규정하고 있지 않으므로, 가설건축물의 계속 존치를 위한 대지사용권한의 유무 등은 귀 시 소유의 대지에 대한 대부계약 및 이에 관한 관계규정 등이 정하는 바에 따라 처리함이 바람직한 것으로 사료됨

질의회신 가설건축물 축조가 가능한지 여부

건교부 건축 58070-319, 2003.2.18.

질의 건축허가를 받아 지하층 공사만 완공된 건축물을 인수한 후 설계변경을 통하여 근린생활시설 및 오피스텔 건축물을 건축하고자하는 경우로서 동 건축물의 이미 공사된 지하층 상부에 견본주택을 공사재개 이전까지

만 존치(4개월)한다는 조건으로 가설건축물 축조가 가능한지 여부

회신 가설건축물이라 함은 임시적, 한시적, 계절적으로 사용하기 위한 건축물로서 귀 문의의 경우가 건축법시행령 제15조제5항제4호의 견본주택으로서 기존 건축물의 재착공 이전에 철거하고, 기존의 지하부분을 장기간 방치하였다면 구조적 안전성을 검토한 후 가설건축물의 축조신고가 가능할 것으로 판단되니 보다 구체적인 사항은 당해 허가권자에게 문의하기 바람

질의회신 도로의 하부공간에 가설건축물의 허가 가능여부

건교부 건축 58550-372, 2003.2.26.

질의 도시계획시설로 결정되어 설치된 도로(인천시 외곽 순환도로)의 하부공간에 자동차매매장을 위한 가설건축물의 허가가 가능한지 여부

회신 건축법 제15조제1항의 규정에 의하여 도시계획시설에 설치하는 가설건축물은 동법시행령 제15조제1항의 각호의 기준에 적합하게 설치하는 경우 시장·군수·구청장의 허가를 받아 설치가 가능할 것이며, 참고로, 동 가설건축물을 이용하여 자동차 매매업의 등록이 가능한지 여부는 동 가설건축물이 일시적·한시적(3년이내)으로 존재하는 가설건축물은 존치기간에 대한 소비자의 예측이 어렵기 때문에 소비자 보호차원에서 가설건축물로 자동차매매업의 등록은 적합하지 아니하나, 다만, 가설건축물이라 하더라도 허가의 연장등에 의하여 그 존치기간이 일시적·한시적이 아닌 반영구적이라면 자동차매매업의 등록이 가능하다고 보는 것이 합리적일 것임 (* 법 제15조 ⇒ 제20조, 2008.3.21 개정)

질의회신 도시계획시설인 시장내에 가설건축물을 설치시 신고 및 허가대상 여부

건교부 건축 58550-196, 2003.1.28.

질의 도시계획시설인 시장(농수산물 도매시장)내에 신고대상인 가설건축물을 설치하고자 하는 경우 허가대상인지 아니면 신고대상인지 여부

회신 도시계획시설내에서 건축법 제15조제2항 및 동법시행령제15조제5항의 규정에 의한 가설건축물을 축조하는 경우에는 축조신고로서 건축이 가능함 (* 법 제15조 ⇒ 제20조, 2008.3.21 개정)

질의회신 구거 및 하천부지 점용허가를 득한 토지에 신고대상 가설건축물의 축조가능여부

건교부 건축 58070-349, 2003.2.24.

질의 구거 및 하천부지 점용허가를 득한 토지에 신고대상 가설건축물의 축조가 가능한지 여부

회신 건축법시행령 제15조제5항에서 규정한 구조, 용도, 규모의 가설건축물은 당해 허가권자에게 신고함으로써 축조가 가능한 것이며, 또한 구거 및 하천부지에 가설건축물 축조 가능여부는 점용허가의 목적, 기간 등 구체적인 내용에 따라 판단하여야 할 것이니 보다 구체적인 사항은 관련 내용을 상세히 알고 있는 당해 허가권자에게 직접 문의하기 바람

질의회신 일반건축물 + 가설건축물 가능여부

건교부 건축 58070-2023, 1999.6.2.

질의 건축법시행령 제15조제4항제8호의 규정에 의한 컨테이너형의 임시사무실·창고·숙소용 가설건축물은 일반건축물이 있는 부지 내에도 축조 가능한지

회신 한시성이 있는 임시창고·임시사무실 또는 임시숙소의 취지에 적합하다면 건축물의 유무에 관계없음

질의회신 가설점포의 구체적인 용도

건교부 건축 58070-1976, 1999.5.31.

질의 건축법시행령 제15조제4항제5호의 가설점포의 용도는 근린생활시설에 해당하는지 및 동 규정은 미관정비를 위한 구역을 지정하여 운용해야 하는지

건 축 법
1. 총 칙
2. 건 축
3. 유지관리
4. 대지도로
5. 구조재료
6. 지역지구
7. 건축설비
8. 특별건축구역
9. 보 칙
10. 벌 칙
건 축 법 관련기준

회신 건축법 제15조제2항 및 동법시행령 제15조제4항제5호의 규정에 의한 가설점포는 시장·군수·구청장이 도로변 등의 미관정비를 위하여 필요하다고 인정하는 것으로서 안전·방화 및 위생에 지장이 없는 신고대상 가설건축물로서, 공공의 필요에 의하여 도로변에 설치하는 버스매표소·가판대 등을 말하는 것이며, 이와 관련 그 축조 가능한 구역지정의 의무를 두고 있지 아니함 (* 법 제15조 ⇒ 제20조, 2008.3.21 개정)

질의회신 가설건축물을 일반건축물로 전환하여 등기를 작성하여 영업 등을 하고자 하는 경우 가능한 지

국토교통부 민원마당 FAQ 2022.6.28.

질의 가설건축물을 일반건축물로 전환하여 등기를 작성하여 영업 등을 하고자 하는 경우 가능한 지

회신 가설건축물이 일반건축물과 같은 조건으로 건축되고, 건축법과 관련법령에 저촉되는 것이 없다면 신축시와 동일한 절차(추인)를 거쳐 일반건축물로도 사용할 수 있는 것임

5 허가·신고사항의 변경 등

법령해석 「건축법 시행령」 제12조제3항제1호에 따른 ' 변경되는 부분의 바닥면적의 합계 '에 변경되는 다락의 면적이 산입되는지 여부

「건축법 시행령」 제12조제3항제1호 등 관련 법제처 법령해석 23-0751, 2024.1.22.

질의요지 「건축법」 제16조제1항 본문에서는 건축주가 같은 법 제11조나 제14조에 따라 허가를 받았거나 신고한 사항을 변경하려면 변경하기 전에 허가권자(각주: 특별시장·광역시장·특별자치시장·특별자치도지사 또는 시장·군수·구청장을 말하며, 이하 같음.)의 허가를 받거나 특별자치시장·특별자치도지사 또는 시장·군수·구청장에게 신고해야 한다고 규정하고 있고, 같은 조 제2항에서는 같은 조 제1항 본문에 따른 허가나 신고사항 중 대통령령으로 정하는 사항의 변경은 같은 법 제22조에 따른 사용승인을 신청할 때 허가권자에게 일괄하여 신고(이하 "일괄신고"라고 함)할 수 있다고 규정하고 있으며, 그 위임에 따라 마련된 같은 법 시행령 제12조제3항제1호 각 목 외의 부분에서는 일괄신고 대상의 하나로 건축물의 동수나 층수를 변경하지 아니하면서 '변경되는 부분의 바닥면적의 합계'가 50제곱미터 이하인 경우로서 같은 호 각 목의 요건을 모두 갖춘 경우를 규정하고 있는 한편,

「건축법」 제84조의 위임에 따라 건축물의 바닥면적 산정방법을 규정하고 있는 같은 법 시행령 제119조제1항제3호라목에서는 다락(각주: 층고가 1.5미터(경사진 형태의 지붕인 경우에는 1.8미터) 이하인 것만 해당하며, 이하 같음.) 등은 바닥면적에 산입하지 아니한다고 규정하고 있는바,

건축주가 「건축법」 제11조나 제14조에 따라 허가를 받았거나 신고한 사항을 변경하는 경우로서 다락의 면적이 변경되는 경우, 그 '변경되는 다락의 면적'이 같은 법 시행령 제12조제3항제1호 각 목 외의 부분에 따른 '변경되는 부분의 바닥면적의 합계'에 산입되는지?

회답 건축주가 「건축법」 제11조나 제14조에 따라 허가를 받았거나 신고한 사항을 변경하는 경우로서 다락의 면적이 변경되는 경우, 그 '변경되는 다락의 면적'은 같은 법 시행령 제12조제3항제1호 각 목 외의 부분에 따른 '변경되는 부분의 바닥면적의 합계'에 산입되지 않습니다.

이유 법령의 문언 자체가 비교적 명확한 개념으로 구성되어 있다면 원칙적으로 더 이상 다른 해석방법은 활용할 필요가 없거나 제한될 수밖에 없다고 할 것인데(각주: 대법원 2009. 4. 23. 선고 2006다81035 판결례 참조), 「건축법」 제84조에서는 '건축물의 바닥면적'의 산정방법을 대통령령으로 정하도록 규정하고 있고, 그 위임에 따라 마련된 같은 법 시행령 제119조제1항제3호라목에서 '다락'은 바닥면적에 산입하지 않는다고 규정하고 있으므로, 건축법령에 따라 '건축물의 바닥면적'을 산정하는 경우 개별 규정에서 달리 정하지 않은 이상 '다락'의 면적은 바닥면적에 산입하지 않는다 할 것인바, 같은 영 제12조제3항제1호 각 목 외의 부분에서 건축허가를 받았거나 신고한 사항의 변경이 일괄신고 대상에 해당하기 위한 요건의 하나로 규정하고 있는 '변경되는 부분의

바닥면적의 합계가 50제곱미터 이하인 경우'에 대해서도 건축물의 변경되는 부분의 '바닥면적'의 합계에 변경되는 '다락의 면적'은 산입되지 않는다는 점은 문언상 명확합니다.

그리고 '건축물의 바닥면적'을 산정하는 방법에 따라 건축법상 건축허가·신고의 대상(각주: 「건축법」 제14조제1항 참조), 건축물의 용도(각주: 「건축법 시행령」 별표 1 참조) 등의 구분과 건축물의 안전·위생·방화에 필요한 용도 및 구조의 제한 등 각종 규제(각주: 「건축법 시행령」 제27조의2, 제34조부터 제36조까지, 제37조부터 제41조까지, 제46조, 제51조, 제56조, 제57조,제61조, 제86조, 제87조, 제89조부터 제91조까지 등)의 적용 여부·기준 등이 달라질 수 있는데, 「건축법 시행령」 제119조제1항제3호라목에서 예외적으로 다락 등을 바닥면적 산입대상에서 제외하도록 규정한 것은 다락 등은 일상적인 주거활동 등에 제공되어 사용되는 공간이 아니라 기능상 부수적인 부분이므로 이를 바닥면적 산입 대상에서 제외하여 건축주 등에 대한 건축법령상 규제를 완화하기 위한 것이고(각주: 법제처 2023. 4. 28. 회신 23-0160 해석례 참조), 「건축법」 제16조제2항에 따른 일괄신고는 같은 법 제22조에 따른 건축물의 사용승인 신청 시 변경사항을 일괄하여 신고할 수 있도록 하여 건축주의 부담을 완화하여 주는 규정인바, 같은 영 제12조제3항제1호 각 목 외의 부분에 따라 '변경되는 부분의 바닥면적의 합계'를 산정하는 경우에는 변경되는 다락의 면적을 산입하지 않는 것이 건축 관련 법령의 규정 체계 및 취지에도 부합하는 해석이라 할 것입니다.

따라서 건축주가 「건축법」 제11조나 제14조에 따라 허가를 받았거나 신고한 사항을 변경하는 경우로서 다락의 면적이 변경되는 경우, 그 '변경되는 다락의 면적'은 같은 법 시행령 제12조제3항제1호 각 목 외의 부분에 따른 '변경되는 부분의 바닥면적의 합계'에 산입되지 않습니다.

법령해석 건축관계자변경신고시 제출해야 하는 서류

「건축법 시행규칙」 제6조 등 관련 법제처 법령해석 10-0265, 2010.9.13.

질의요지 건축 중인 건축물을 양수함에 따라 건축허가·신고사항 중 건축주의 변경을 신고하는 경우, 양수인은 허가권자에게 「건축법 시행규칙」 제6조에 따라 건축할 대지의 범위와 그 대지의 소유 또는 그 사용에 관한 권리를 증명하는 서류를 제출해야 하는지?

회답 건축 중인 건축물을 양수함에 따라 건축허가·신고사항 중 건축주의 변경을 신고하는 경우, 양수인은 허가권자에게 「건축법 시행규칙」 제6조에 따라 건축할 대지의 범위와 그 대지의 소유 또는 그 사용에 관한 권리를 증명하는 서류를 제출하지 않아도 됩니다.

이유 "생략"

질의회신 기존건축물이 있는 대지를 변경할 경우 설계변경

국토교통부 민원마당 FAQ 2019.5.24.

질의 가. 사용승인을 득한 건축물이 있는 대지의 면적이 축소된 경우 설계변경하여야 하는 지 아니면 건축물대장에서 대지면적 기재사항 변경만 하면 되는 지

나. 대지면적 축소에 따라 법정 허용 건폐율을 초과하는 경우 초과한 건축물의 일부를 철거해야 하는 경우 설계변경 등 절차가 필요한지

다. 개발행위허가시 인접한 건축물이 있는 부지의 일부를 포함하여 허가를 받을 수 있는지(이 경우 기존건축물은 건폐율·용적률 초과로 건물일부를 철거해야 함)

라. 기 허가받은 대지는 허가받을 당시 사전환경성 검토 대상이 아니었으나, 건폐율 초과로 건축물 일부가 철거가 필요한 설계변경을 한 경우 사전환경성 검토를 받아야 하는 지 여부

회신 ○ 질의 "가","나"에 대하여 「건축법」 제16조제1항의 규정에 의하면, 건축주가 같은 법 제11조나 제14조 따라 허가를 받았거나 신고한 사항을 변경하려면 변경하기 전에 대통령령으로 정하는 바에 따라 허가권자의 허가를 받거나 신고하여야 하며, 같은 법 제35조제1항에서 건축물의 소유자나 관리자는 건축물, 대지 및 건축설비를 같은 법 제40조부터 제58조까지, 제60조부터 제64조까지 및 제66조부터 제68조까지의 규정에 적합하

도록 유지·관리하도록 규정하고 있으며, 또한, 같은 법 제57조에서 건축물이 있는 대지는 「건축법 시행령」 제80조의 범위에서 해당 지방자치단체의 조례로 정하는 면적에 못 미치게 분할할 수 없으며, 같은 법 제44조, 제55조, 제56조, 제58조, 제60조 및 제61조에 따른 기준에 못 미치게 분할할 수 없도록 하고 있음. 사용승인된 건축물의 대지를 변경하는 것은 허가와 신고사항의 변경에 해당하지 아니하며, 건축물대장 변경은 「건축물대장의 기재 및 관리 등에 관한 규칙」 제13조제2항에 따라 관계 법령에 적합한 경우에만 할 수 있음.
따라서, 질의의 건축물 및 대지가 상기 규정의 유지·관리기준 및 대지의 분할 제한 규정 등에 적합 여부는 건축법령(지방자치단체 조례 포함) 및 관계법령을 종합적으로 검토하여 판단하여야 할 것이니 구체적인 사실확인은 관련도면 등 자세한 자료를 갖추어 관할 소재지의 시장·군수·구청장에게 문의바람.
○ 질의 "다"에 대하여 「국토의 계획 및 이용에 관한 법률」 제56조에 의한 개발행위허가는 「건축법」 등 다른 법률에도 적합해야 하는 것이므로, 기존 건축물이 있는 대지를 신규 개발행위허가 대상지에 포함할 경우 기존 건축물이 불법 건축물이 되므로 원칙적으로는 개발행위허가를 할 수 없으나, 신규로 허가받은 개발행위에 대하여 착공전에 기존 건축물을 철거하고 이를 이행하지 아니할 경우 개발행위허가내용 위반으로 허가를 취소하는 조건을 부과하는 내용으로 개발행위허가를 할 수 있다고 판단됨.
○ 질의 "라"에 대하여 사전환경성과 관련한 유권해석은 소관법령을 운용하고 있는 환경부에 직접 문의바람

질의회신 하수도법에 따른 배수설비 설치계획 변경시 건축법상의 설계변경허가를 받아야 하는지 여부

건교부 고객만족센타 2008.1.17.

질의 1. 하수도법에 의한 배수설비를 의제받은 건축허가 또는 신고사항 중 배수설비의 설치계획이 변경된 경우 건축법에 의해 설계변경허가를 받아야 하는 지, 아니면 건축허가 받은 사항에는 변경이 없고 배수설비설치신고한 사항에만 변경이 있으므로 배수설비(변경)설치신고를 단독으로 별도로 접수하여도 되는 것인지 여부
2. 건축물 사용승인 신청 시 반드시 배수설비의 준공검사를 같이 신청하여 의제처리 받아야 하는 것인지, 아니면 건축공사는 진행 중이더라도 배수설비의 설치가 먼저 완료된 경우 하수도법에 의한 배수설비의 준공검사를 별도로 허가권자에게 먼저 신청하여 준공받은 후에 건축물 사용승인 신청 시 배수설비 준공받은 사항을 첨부하여 제출하여도 되는 것인지 여부

회신 1. 건축법 제10조 규정에 의하여 건축허가 받은 사항 또는 신고한 사항을 변경하고자 하는 경우 변경하기 전에 허가권자에게 허가를 받거나 신고하도록 되어있음. 이 경우 건축법에 의한 건축물이나 대지에는 변경사항이 없고 의제처리 받은 배수설비(하수도법)만 변경이 있는 경우 배수설비의 설치계획이 변경된 것도 건축법에 의해 건축허가 받은 사항에 변경이 있는 것으로 보아 건축법 제10조 규정에 의해 건축허가·신고사항 변경신청서에 배수설비변경신청서를 첨부하여 허가권자에게 복합으로 신청하여야 하는 것임.
2. 건축법 제18조 규정에 의한 건축물 사용승인신청 시는 건축허가신청시와 같은 절차(의제)에 의하는 것이 타당하나 건축법에서 정하지 아니한 사항이나 큰 틀에서 보는 민원처리는 민원법률에 의하여야 하므로 행정자치부의 판단이 필요함. 이 경우 "민원사무처리에 관한 법률"에 반하지 아니하는 범위에서 건축공사는 진행 중이더라도 배수설비의 설치가 먼저 완료된 경우 하수도법에 의한 배수설비의 준공검사를 별도로 허가권자에게 선신청하여 준공 받은 후에 건축물 사용승인신청 시 배수설비 준공받은 사항을 첨부하여 제출하여도 가능할 것으로 사료됨. (* 법 제10조, 제18조 ⇒ 제16조, 제22조 2008.3.21 개정)

질의회신 설계변경시 면적산정은 증·감부분의 면적을 합산하는 지

국토교통부 민원마당 FAQ 2019.5.24.

질의 건축허가를 받은 건축물의 주계단을 변경(위치이동)하는 경우가 사용승인시 일괄신고 변경사항에 해당하는 지의 여부와 이에 해당하는 바닥면적의 합계 50제곱미터이하는 변경되는 증·감부분 면적의 합산결과를 말하는 것인 지

회신 질의의 주계단 변경이 건축법시행령 제3조의2 규정에 의한 대수선에 해당하면 동법시행령 제12조 제3항의 규정에 의하여 사용승인 신청시 일괄신고대상에 해당하는 것이며, 동규정에서 변경되는 부분의 바닥면적의

합계 50제곱미터이하란 변경되는 증·감부분 면적의 합산결과를 말하는 것임

질의회신 허가사항 변경 시 "당초 허가받은 건축규모"의 의미

국토교통부 민원마당 FAQ 2019.5.24.

질의 설계변경시 당초 허가받은 건축규모 내에서는 종전의 규정에 따라 설계변경이 가능하다고 국토해양부에서 유권해석한 바, "당초 허가받은 건축규모"의 의미

회신 당초 허가 받은 건축규모라 함은 연면적, 건폐율, 용적률, 높이, 층수 등을 의미함

질의회신 허가사항 변경 관련 문의

국토교통부 민원마당 FAQ 2019.5.24.

질의 가. 건축허가 받은 건축물(4층)의 기초 바닥 콘크리트 두께가 변경(60cm→약50cm)되고, 각 층의 내력벽 철근 배근이 변경된 경우 사용승인 시 일괄신고 가능한지?

나. 허가를 받아 공사 중인 건축물을 철거하는 경우 「건축법」 제36조에 의한 철거신고 대상인지?

회신 가. 질의요지 '가'에 대하여

「건축법」 제16조 및 「건축법 시행령」 제12조에 의하면 건축허가나 신고사항 중 대수선에 해당하는 변경의 경우 사용승인을 신청할 때 허가권자에게 일괄하여 신고할 수 있는바,

당해 내력벽 철근배근의 변경이 「건축법 시행령」 제3조의2에 따른 대수선 범위 내(내력벽 면적 30제곱미터 이상 변경 등)의 변경인 경우에는 사용승인 신청 시 일괄신고 할 수 있으나,

건축공사 중 건축물의 면적 또는 위치 등이 변경되지 아니하더라도 그 전체 구조를 변경하는 것은 개축에 해당되어 사전에 허가변경절차를 거쳐야 함을 알려드리오니, 질의의 변경사항에 대하여 허가권자가 관계 허가서류와 변경내용을 비교, 확인하여 사실판단할 사항임

나. 질의요지 '나'에 대하여

「건축법」 제36조제1항에서 건축물의 소유자나 관리자는 건축물을 철거하려면 철거를 하기 전에 특별자치도지사 또는 시장·군수·구청장에게 신고하도록 규정하고 있으나, 허가를 받아 공사 중인 건축물에 대하여는 그 적용대상이 아님

질의회신 경량철골조를 철골조로 변경시 사용승인 신청시 일괄 신고 가능여부

건교부 건축기획팀-882, 2006.2.12.

질의 건축허가 후 시공과정에서 건축물의 위치나 규모는 변경이 없으나, 대지면적의 변경이 있는 경우 건축법령상 사용승인 신청 시 일괄신고로 조치가 가능한지 여부와 건축허가 후 시공과정에서 건축물 구조를 당초 경량철골구조에서 일반철골조로 변경되는 경우 건축법령상 사용승인 신청 시 일괄신고로 조치가 가능한지 여부

회신 공사 중 대지의 분할로 인하여 건폐율, 용적률 등이 변경되고 건축법령 등에 적합한지에 대한 종합적인 검토가 있어야할 것인바, 대지 분할 전 건축법 제10조제1항의 규정에 의한 허가사항 변경허가를 받은 후 공사를 시행함이 타당할 것임. 또한 경량철골조와 철골조는 구조개념 자체가 다르므로 「건축법」 제10조제1항의 규정에 의한 허가사항 변경허가 등의 절차를 이행하여야 할 것임. (* 법 제10조 ⇒ 제16조, 2008.3.21 개정)

질의회신 허가사항과 다르게 지중보, 기둥, 바닥 등을 시공한 경우의 위법조치

건교부 건축기획팀-709, 2006.2.5.

질의 허가를 받은 사항과 다르게 지중보, 기둥, 바닥 등을 시공한 경우 건축법 제10조의 규정을 위반한 것이 아닌지

회신 기존건축물의 전부 또는 일부(내력벽, 기둥, 보, 지붕틀 중 3 이상이 포함되는 경우를 말함)를 철거하고 그 대지 안에 종전과 동일한 규모의 범위 안에서 건축물을 다시 축조하는 것은 건축법 시행령 제2조제1항제3호

의 규정에 의하여 "개축"인 것이며, 허가를 받은 사항 중 개축에 해당하는 변경을 하고자 하는 경우 건축주는 동법 제10조의 규정에 의하여 허가를 받거나 신고를 하여야 하는 것이나 이를 위반한 경우에는 동법 제79조제2호의 규정에 의한 처벌을 받게 되고, 건축공사를 함에 있어 공사감리자와 공사시공자의 의무에 대해서는 각각 건축법 제21조 및 제19조의2에서 규정하고 있고 이를 위반한 경우 사안별로 건축법에 의한 처벌을 받거나 동법 제9조의2제2항의 규정에 의하여 계약에서 정한 바에 의하여 조치될 것임

(* 법 제10조, 제19조의2, 제21조, 제79조 ⇒ 제16조, 제24조, 제25조 제110조, 2008.3.21. 개정)

질의회신 철골철근콘크리트구조를 철근콘크리트 벽식구조로 변경시 사용승인 일괄신고 가능여부

건교부 건축 58070-8, 2003.1.2.

질의 지방건축위원회 심의을 받아 건축중인 관광숙박시설(관광호텔)을 철골철근콘크리트구조에서 철근콘크리트 벽식구조로 변경하고자하는 경우 사용승인을 신청하는 때에 허가권자에게 일괄하여 신고할 수 있는지 여부

회신 건축법시행령 제12조제3항각호에 해당하는 경우에는 같은법 제18조의 규정에 의한 사용승인을 신청하는 때에 허가권자에게 일괄하여 신고할 수 있는 것이나, 귀 문의의 구조 변경의 경우에는 상기 규정에 의한 일괄신고 대상에 해당하지 아니하는 것으로 판단되나, 이에 대한 보다 구체적인 적용 여부는 당해 허가권자(심의권자)가 변경 전후의 설계도서 등을 검토하여 적의 판단하여야 할 것으로 사료됨

질의회신 건축허가사항 변경

국토교통부 민원마당 FAQ 2019.5.24.

질의 건축물 지하부분(6,000㎡)의 구조를 철근콘크리트조에서 철골철근콘크리트조로 변경하고, 토목 흙막이 가시설을 순타공법(OPEN STRUT)에서 탑다운공법(TOP-DOWN)으로 변경하는 경우 사용승인 신청시 일괄신고할 수 있는 지

회신 건축허가를 받아 공사 중 면적 또는 위치 등이 변경되지 않는 경우라도 질의와 같이 건축물 지하부분 구조를 변경하는 것은 개축 또는 대수선에 해당하는 변경으로 보아야 할 것이며, 이와 같이 구조를 변경하기 위해서는 변경하기 전에 「건축법」 제16조 및 같은 법 시행령 제12조의 규정에 의하여 규모에 따라 허가를 받거나 신고하여야 할 것임. 허가사항 변경과 관련한 구체적인 사항은 해당 지역의 허가권자인 시장, 군수, 구청장에게 문의바람.

질의회신 설계변경에 대한 건축허가 변경시기에 대한 질의

국토교통부 민원마당 FAQ 2019.5.24.

질의 건축허가를 받아 흙막이 공사중 지하구조물 기둥 구조를 변경(철근콘크리트 → 철골철근콘크리트, 철골철근콘크리트 → 철근콘크리트)하여 시공하려는 경우 「건축법」 제16조 제2항에 따라 사용승인 신청시 일괄신고 가능 여부

회신 「건축법 시행령」 제3조의2 제2호에 따르면 기둥을 세 개 이상 변경하는 것은 대수선에 해당하며, 건축허가를 득하여 건축 중인 건축물에 대수선에 해당하는 사항이 발생하는 경우에는 같은법 시행령 제12조 제3항 제3호에 따라 사용승인 신청시에 일괄신고가 가능한 것이나, 이에 해당하는지 여부는 허가권자가 설계도서 및 건축법령 등을 종합적으로 검토하여 판단할 사항임

질의회신 건축공사 설계변경 관련

국토교통부 민원마당 FAQ 2019.5.24.

질의 전체 Span이 64m, 기둥간격이 7m로 PEB공법을 적용한 건축물(지상1층)로서 구조기술사의 구조안전을 검토하여 건축허가를 득한 이후, Web의 철판두께를 변경(20㎜⇒10㎜) 할 경우, 사용승인시 일괄신고할 수 있는지 여부

회신 건축법」 제11조나 제14조에 따라 허가를 받았거나 신고한 사항을 변경하는 경우로서, 같은법 시행령 제

12조제1항제1호에 따라 바닥면적의 합계가 85제곱미터를 초과하는 부분에 대한 증축·개축에 해당하는 경우에는 허가를 받고 그 밖의 경우에는 신고토록 하고 있으며, 같은 조제3항 각 호의 어느 하나에 해당하는 경우에는 사용승인을 신청할 때 허가권자에게 일괄하여 신고할 수 있도록 하고 있음. 이와 관련, 변경되는 내용이 건축물의 전부 또는 일부(내력벽·기둥·보·지붕틀 중 셋 이상이 포함되는 경우를 말함)를 철거하고 종전과 같은 규모의 범위에서 다시 축조하는 행위에 해당하는 경우에는 이를 "개축"으로 보는 것임. 질의의 변경내용이 개축 또는 대수선에 해당하는지 여부 등 이에 대한 구체적인 기준의 적용은 자세한 자료를 갖추어 해당 지역의 허가권자와 직접 협의하여 처리하는 것이 귀하의 민원의 신속한 해결에 도움이 될 수 있을 것이라 판단됨

질의회신 파일기초를 온통기초로 변경한 경우의 설계변경

건교부 건축 58550-2634, 2002.11.21.

질의 건축물의 기초를 파일기초로 하여 건축허가를 받았으나, 이를 온통기초로 변경하고자 하는 경우 건축법 시행령 제12조제3항의 규정에 의한 사용승인시 일괄신고 사항에 해당하는지 여부

회신 건축법 제8조 또는 제9조의 규정에 의하여 건축허가(신고)를 받아 건축중 허가사항을 변경하고자 하는 경우에는 같은법 제10조의 규정에 의하여 변경하고자 하는 사항에 따라 허가권자에게 사전에 변경허가(신고)를 받거나 사용승인을 신청할 때 일괄하여 신고가 가능한 바, 질의의 경우 기초의 형식이 완전히 변경되는 경우는 허가권자에게 사전에 변경허가(신고)를 받아야 할 것이나, 같은 공법의 내에서 변경하는 경우라면 이는 같은법 시행령 제12조제3항의 규정에 따라 사용승인시 일괄신고로 가능할 것임

(* 법 제8조, 제9조, 제10조 ⇒ 제11조, 제14조, 제16조, 2008.3.21. 개정)

질의회신 지붕슬래브 변경시 신고여부

건교부 건축 58070-1775, 1999.5.17.

질의 신고대상 건축물을 증축하는 과정에서 기존 조립식건축물의 지붕 일부를 슬래브로 고치게 된 경우 동 부분에 대한 별도의 신고 또는 허가를 받아야 하는지

회신 질의의 기존 건축물의 지붕을 슬래브로 변경한 사항이 건축법상 대수선인지 또는 증축·개축에 해당하는지 여부는 당해 허가권자가 검토·판단할 사항이나, 신고로서 증축하던 도중에 기존 건축물의 대수선에 해당하는 변경은 건축법 제10조제2항 및 동법시행령 제12조제3항의 규정에 의거 사용승인시 일괄하여 신고할 수 있는 것이며, 대수선이 아닌 개축·증축으로서 신고된 부분을 포함하여 바닥면적의 합계가 85㎡를 초과하는 경우에는 동법 제10조 제1항의 규정에 의하여 변경 전에 허가를 받아야 하는 것임

(* 법 제10조 ⇒ 제16조, 2008.3.21 개정)

질의회신 건축 중 건축물의 구조변경시 설계변경

건교부 건축 58070-668, 1999.2.22.

질의 건축허가 후 도시계획 예정도로가 결정되어, 기존 허가받은 내용 중 면적이나 위치의 변동이 없이 구조만 철골철근콘크리트조·경량철골조에서 철근콘크리트조로 변경시 도로예정선에 저촉되지 않게 설계변경하여 허가를 받아야 하는지

회신 건축허가를 받아 건축공사 도중 면적 또는 위치 등이 변경되지 않더라도 그 전체 구조를 변경하는 것은 개축에 해당하는 변경으로서, 이를 변경하고자 하는 경우에는 변경하기 전에 건축법 제10조의 규정에 의하여 그 규모에 따라 허가(신고)를 받아야 하는 것임 (* 법 제10조 ⇒ 제16조, 2008.3.21 개정)

질의회신 대지면적이 측량으로 인하여 당초보다 약간 증가한 경우 일괄신고 가능여부

교부 고객만족센터-1218, 2007.2.12.

질의 건축물 사용승인신청 시점에서 대지의 측량 결과 당초 건축허가 시의 대지면적과 상이(10㎡ 증가)한 경

건 축 법
1. 총 칙
2. 건 축
3. 유지관리
4. 대지도로
5. 구조재료
6. 지역지구
7. 건축설비
8. 특별건축구역
9. 보 칙
10. 벌 칙
건 축 법 관련기준

우, 사용승인을 신청하는 때에 일괄하여 신고할 수 있는 지 여부

회신 「건축법」 제10조의 단서 및 동법 시행령 제12조제2항의 규정을 충족하고 건축법 및 관계법령에서 정한 사항에 적합한 경우라면 당초 건축허가를 받은 사항에 대하여 이를 변경하기 전에 허가권자의 건축허가를 받아야 할 의무는 없는 것이며, 이 경우 이 법 제10조제2항의 규정(일괄신고)을 준용할 수 있을 것으로 사료됨 (* 법 제10조 ⇒ 제16조, 2008.3.21 개정)

질의회신 산지전용허가를 득하여 건축허가된 공작물의 변경시 일괄신고 가능여부

건교부 고객만족센터-287, 2007.1.11.

질의 산지전용허가를 득하여 건축허가된 공작물을 변경(콘크리트구조 옹벽을 보강토 옹벽으로 변경)하는 경우, 산지전용변경허가 및 준공을 받아 건축물사용승인을 신청하는 때에 일괄하여 신고할 수 있는 지 여부

회신 「건축법」 제10조의 단서규정 및 「건축법 시행령」 제12조제2항의 규정을 충족하고, 건축법 및 관계법령(산지관리법 등)에서 정한 사항에 적합한 경우라면 당초 건축허가를 받은 사항에 대하여 이를 변경하기 전에 허가권자의 건축허가를 받아야 할 의무는 없는 것이며, 이 경우 이 법 제10조제2항의 규정(일괄신고)을 준용할 수 있을 것으로 사료됨 (* 법 제10조 ⇒ 제16조, 2008.3.21 개정)

질의회신 위치변경에 따른 경미한 변경

건교부 건축기획팀-2422, 2006.4.18.

질의 2002년도에 건축허가를 받아 공사중인 건축물에 연면적의 합계의 1/10 이하의 범위 내에서 바닥면적이 변경되면서 변경되는 부분의 어느 한 변이 1m를 넘는(건물전체의 이동은 없음) 경우 사용승인 시 일괄하여 신고할 수 있는지 여부

회신 2005.7.18 개정 전의 「건축법 시행령」 제12조제3항제1의2호 규정에 의하면 변경되는 부분의 연면적의 합계의 1/10 이하인 경우(건축물의 동수나 층수를 변경하지 아니하는 경우에 한함)에는 사용승인 시 일괄하여 신고할 수 있는 것이며, 동항 제4호에서 변경되는 부분의 위치가 1m 이하인 경우라 함은 대지에 대한 건축물 자체의 위치가 변경되는 경우와 건축물 MASS의 위치가 변경되는 경우를 말하는 것임. 따라서 2002년도에 건축허가를 받아 현행규정 시행(2005.7.18) 이전에 연면적 합계 1/10 이하의 범위 내에서 바닥면적이 변경되면서 변경되는 부분의 어느 한 변이 1m를 넘는 경우라 하더라도 건물전체의 이동에 해당하지 않는다면 동 시행령 부칙 제2항제1호의 규정에 의거 사용승인 시 일괄하여 신고할 수 있는 것임

질의회신 일괄신고가 가능한 대수선의 범위

건교부 건축기획팀-3175, 2006.5.22.

질의 건축주가 허가권자에게 사용승인을 신청하는 때에 일괄하여 신고를 할 수 있는 "대수선의 범위"

회신 건축법 시행령 제12조제3항제2호의 규정에 의거 건축허가사항이 '대수선에 해당하는 경우'에는 사용승인 신청 시 일괄하여 신고를 할 수 있도록 되어 있음.
따라서 질의의 건축허가사항(면적·평면 및 입면)을 변경하고자 하는 경우라면 건축법 시행령 제3조의2에서 정한 '대수선의 범위'를 적용·판단이 가능할 것임

질의회신 대수선 신고 후 전체를 철거하고 다시 건축하는 것에 대한 위법 여부

건교부 건축기획팀-2059, 2006.4.3.

질의 대수선 신고를 한 후 건축물 전체를 철거하고 다시 건축하는 것이 위법인지

회신 건축법 제10조제1항의 규정에 의하여 건축주는 제8조 또는 제9조의 규정에 의하여 허가를 받았거나 신고를 한 사항을 변경하고자 하는 경우 대통령령이 정하는 바에 의하여 이를 변경하기 전에 허가권자의 허가를 받거나 시장·군수·구청장에게 신고를 하여야 하며(동법 시행령 제12조제2항에서 정하는 경미한 사항의 변경에

대하여는 그러하지 아니함).
허가를 받거나 신고를 하여야 하는지는 변경되는 사항의 규모를 확인하여 판단할 것이나 이를 위반한 경우에는 동법 제79조제1호의 규정에 의한 처벌을 받게 됨
(* 법 제8조, 제9조, 제10조, 제79조 ⇒ 제11조, 제14조, 제16조, 제110조, 2008.3.21 개정)

질의회신 사용승인신청시 주택의 발코니부분 건축면적 산입여부

건교부 건축기획팀-2050, 2006.4.3.

질의 건축법 시행령 제119조제1항제2호의 개정규정 시행 후 사용승인을 신청하는 때에 일괄하여 신고할 수 있는 범위의 설계변경을 하는 경우 주택의 발코니부분을 건축면적에 산입하여야 하는지

회신 당초 건축허가를 받거나 건축허가를 신청한 당시의 면적과 높이 등 규모를 초과하지 않는 범위 내에서 변경하는 경우라면 종전 법령에 의하여 건축면적을 산정할 수 있을 것으로 판단됨

질의회신 지표면 변경으로 층수가 변경된 경우의 일괄신고 대상인지 여부

건교부 건축기획팀-1470, 2005.11.21.

질의 건축허가를 받아 골조공사가 완료된 상태에서 지표면을 변경하여 건축물의 층수가 변경(지상2층/지하1층 → 지상3층)된 경우 조치는?

회신 질의의 변경은 증축에 해당하는 변경이며 또한 건축물의 층수가 변경되는 것은 건축법 시행령 제12조제3항의 규정에 의한 일괄신고 대상이 아니므로 동법 제10조제1항의 규정에 의하여 변경하기 전에 허가를 받거나 신고를 하여야 할 것으로 사료됨 (* 법 제10조 ⇒ 제16조, 2008.3.21 개정)

질의회신 건축허가 후에 옹벽을 축조하고자 하는 경우의 설계변경 여부

건교부 건축기획팀-1533, 2005.11.24.

질의 건축허가를 받은 대지 주변이 경사지로서 붕괴 등이 우려되는 경우 조치

회신 손궤의 우려가 있는 토지에 대지를 조성하고자 하는 경우에는 건축법 제30조제4항의 규정에 의거 동법 시행규칙 제25조의 규정에 의하여 옹벽을 설치하거나 기타 필요한 조치를 하여야 하는 것이며 또한 건축허가를 받은 후에 옹벽을 축조하고자 하는 경우에는 법 제10조의 규정에 의하여 축조하기 전에 신고를 하여야 할 것임 (* 법 제10조 제30조 ⇒ 제16조, 제40조, 2008.3.21 개정)

질의회신 건축허가 사항 변경 후 재변경 여부

국토교통부 민원마당 FAQ 2019.5.24.

질의 건축허가를 받은 후 종전보다 규모를 크게 하는 설계변경에 대해서 변경허가를 받았으나, 공사를 전혀 시행하지 아니한 상황에서 다시 건축주의 사정으로 최초 건축허가를 받은 사항대로 공사를 하고자 하는 경우 처리방법에 대한 질의

회신 건축법 제16조 제1항의 규정에 따라 건축주가 건축허가를 받았거나 신고한 사항을 변경하려면 변경을 하기 전에 대통령령으로 정하는 바에 따라 허가권자의 허가를 받거나 특별자치도지사 또는 시장·군수·구청장에게 신고하여야 하나, 동항 단서 및 동법 시행령 제12조 제2항에 의하여 신축・증축・개축・재축・이전 또는 대수선에 해당하지 아니하는 변경은 그러하지 아니하는 것으로,
질의와 같이 증축을 하기 위하여 받은 설계변경 허가를 별도의 증축행위 없이 당초 허가받은 대로 환원하고자 하는 경우에는 건축법시행령 제12조 제2항에 해당하는 것으로 보아 별도의 허가나 신고없이 설계변경의 철회로써 환원이 가능할 것임.

질의회신 임시사용 중에 하는 건축물의 용도변경을 위한 설계변경

건교부 건축과-4765, 2005.8.18.

질의 임시사용승인을 얻어 사용한 건축물의 용도를 변경하고자 하는 경우 건축법 제10조와 제14조 중 어느 규정에 따라 변경하여야 하는지

회신 건축법 제18조제3항 단서의 규정에 의하여 임시사용승인을 얻은 것은 동조제2항의 규정에 의하여 사용승인을 얻은 것이 아니므로 임시사용승인을 얻어 사용하던 중에 용도를 변경하고자 하는 경우에는 동법 제10조의 규정에 따라야 하는 것임 (* 법 제10조, 제18조 ⇒ 제16조, 제22조, 2008.3.21 개정)

질의회신 가설건축물을 일반건축물로 변경사용 여부 및 변경절차

건교부 건축 58070-959, 2003.5.29.

질의 가설건축물을 일반건축물로 변경하여 사용할 수 있는지 여부 및 변경절차는

회신 가설건축물을 일반건축물로 변경하기 위해서는 당해 건축물이 건축법등 관계법령에 적합해야 할 것이므로 건축법령에 의하여 건축허가(신고) 절차가 선행되어야 할 것임을 알려드리니 절차등 보다 자세한 사항에 대하여는 당해 허가권자에게 문의하기 바람

질의회신 설계변경 관련

국토교통부 민원마당 FAQ 2019.5.24.

질의 개정법령 시행전 건축허가(도시 및 주거환경정비법에 따른 사업시행인가시 의제)를 득한 건축물에 대하여 법령 개정 후에 당초 허가규모* 이내로 설계변경하고자 할 경우, 개정전 법령으로 설계변경 할 수 있는지 여부 * 용적률, 건폐율, 연면적, 최고높이는 당초 허가이내이나 일부 동 층수 증가 및 세대수 증가됨.

회신 건축허가를 받아 공사 중인 건축물이 법령의 개정 등의 사유로 인해 현행 법, 영 또는 건축조례에 적합하지 아니하게 된 경우에 건축허가를 받은 사항을 변경하고자 할 때에는 당초 허가를 받은 규모(용적률, 건폐율, 높이 등)의 범위내에서 변경하는 것이며, 해당 건축물의 층수 등 그 변경하고자 하는 부분이 그 변경으로 인하여 법령 등의 규정에 부적합한 정도가 종전보다 더 심화되지 아니하는 범위 내에서 변경하는 경우라면 종전규정에 따른 변경이 가능함

질의회신 종전 법령으로 허가 받아 건축중인 건축물의 허가사항 변경시 현행규정에 적합해야 하는지

건교부 건축 58070-2032, 2003.11.4.

질의 종전의 건축법령에 의하여 허가를 받아 건축중인 건축물에 허가사항을 변경하여 공사를 진행하고자 하는 경우 현행규정에 적합하여야 하는 것인지 여부

회신 건축물의 건축(건축법 제10조의 규정에 의한 허가·신고사항의 변경 포함)은 현행규정에 적합하도록 하여야 하는 것이니, 이에 대한 구체적인 사항은 자세한 자료를 갖추어 당해 허가권자에게 직접 문의하기 바람 (* 법 제10조 ⇒ 제16조, 2008.3.21 개정)

질의회신 건축허가 득한 설계도서 변경시 당초설계자 동의 필요여부

건교부 건축 58070-392, 2003.3.3.

질의 건축허가를 득한 건축물의 설계도서를 변경하고자 하는 경우 당초설계자의 동의를 득하여야 하는지의 여부

회신 건축허가를 득한 건축물의 설계변경을 위한 설계도서 작성시 허가당시의 설계도서를 작성한 설계자의 동의여부에 대하여는 건축법령상 별도로 규정하고 있지 않음

질의회신 임시사용승인으로 사용중인 두동의 건축물사이에 연결통로 설치시 사용승인 일괄신고 가능여부

건교부 건축 58070-634, 2003.4.10.

질의 기존 건축물 한 동이 있는 대지에 별개의 동을 증축하여 임시사용승인후 사용 중 두 동의 건축물을 연결

하는 연결통로(복도)를 설치하고자하는 경우 사용승인신청시 일괄하여 신고할 수 있는지 여부

회신 귀 문의의 경우는 이에 따른 건축허가 또는 신고 후 연결통로(복도)를 설치하여야 할 것으로 판단되니, 이에 대한 보다 구체적인 사항은 당해 허가권자에게 문의하기 바람

질의회신 허가 및 신고사항 변경시공 후 사용승인 신청시 일괄신고 가능여부

건교부 건축 58070-1957, 2003.10.28.

질의 근린상가 신축시 법면 및 조경부지에 자연석 쌓기로 시공하게 된 부분을 침목을 이용하여 변경시공 한 후 사용승인 신청 시 일괄하여 신고할 수 있는 것 인지의 여부

회신 건축법 제10조제1항의 규정에 의하여 건축주는 허가를 받았거나 신고를 한 사항을 변경하고자 하는 경우에는 이를 변경하기 전에 허가권자의 허가를 받거나 신고하여야 하는 것으로 사용승인 신청시 일괄하여 신고할 수 있는 사항은 동조 제2항 및 동법 시행령 제12조제3항의 규정에 의하는 것으로서 법면 및 조경부지내 시공재료의 변경(자연석을 침목)은 사용승인시 일괄하여 신고가 가능할 것으로 사료되니 보다 구체적인 사항은 자세한 자료를 갖추어 당해 건축허가권자에게 직접 문의하기 바람 (* 법 제10조 ⇒ 제16조, 2008.3.21 개정)

질의회신 2개동으로 분리된 하나의 건축물의 1개동을 이동시 사용승인 일괄신고 가능여부

건교부 건축 58070-1424, 2003.8.4.

질의 4층 이상에서 2개의 동으로 분리되어 있는 하나의 건축물의 2개동 중 1개동의 위치를 동일 건축물 내에서 4미터 이동하는 경우 사용승인 신청시 일괄하여 신고할 수 있는 것인지 여부

회신 건축허가를 받았거나 신고를 한 사항을 변경하고자 하는 경우에는 건축법 제10조의 규정에 의하여 이를 변경하기전에 허가권자의 허가를 받거나 신고를 하여야 하는 것이며, 사용승인신청시 일괄하여 신고할 수 있는 것은 동법시행령 제12조제3항의 규정에 의하는 사항으로 귀 질의의 경우는 이에 해당하는 것으로 볼 수 없을 것으로 사료되니 보다 구체적인 사항은 자세한 자료를 갖추어 당해 건축허가권자에게 직접 문의하기 바람 (* 법 제10조 ⇒ 제16조, 2008.3.21. 개정)

질의회신 다세대주택 건축중 세대수만을 감소하고자 하는 경우 사용승인 일괄신고 가능여부

건교부 건축 58070-409, 2003.3.5.

질의 다세대주택의 건축허가를 받아 건축공사 중 면적, 층수, 높이 등의 변경없이 세대수만을 감소(12세대→10세대)하고자하는 경우 사용승인신청시 일괄하여 신고할 수 있는지 여부

회신 건축법시행령 제3조의2제8호의 규정에 의하여 다가구주택 및 다세대주택의 가구 및 세대간 주요구조부인 경계벽의 수선 또는 변경은 대수선에 해당하는 것이며, 또한 같은법 제10조제2항 및 같은법시행령 제12조제3항제2호의 규정에 의하여 대수선에 해당하는 변경은 사용승인을 신청하는 때에 허가권자에게 일괄하여 신고할 수 있는 것인 바, 이에 대한 구체적인 사항은 당해 허가권자에게 문의하기 바람
(* 법 제10조 ⇒ 제16조, 2008.3.21 개정)

질의회신 대지분할에 의한 새로운 건축허가시 건폐율 및 용적률의 적용

건교부 건축 58070-1563, 2003.8.27.

질의 일단의 대지에 건폐율 60%, 용적률 300%로 2개 동의 건축물의 건축허가를 받아 착공신고를 필한 후 각각 1개 동의 건축물로 대지를 분할하고자 하는 경우 건폐율 및 용적률은 변경된 현행 기준(건폐율 50%, 용적률 150%)을 적용하여야 하는 것인지 여부

회신 건축허가를 득한 후 건폐율・용적률이 하향 조정된 경우의 설계변경은 종전 허용건폐율・용적률이내에서 허가를 득한 범위이내에서의 설계변경이 가능한 것이나, 귀 질의의 경우와 같이 대지의 분할로 인하여 새로운 건축허가를 요하게 되는 건축물의 건축은 현행 기준에 적합하도록 하여야 하는 것이니, 이에 대한 보다 구체적인 사항은 당해 건축허가권자에게 문의하기 바람

질의회신 대지면적이 축소된 설계변경시 종전 허가시 용적률 적용여부

건교부 건축 58070-158, 2002.1.22.

질의 당초 건축허가 받은 대지의 일부가 경매등으로 타인소유가 되어 대지범위에서 제외하기 위하여 설계변경을 하고자 하는 경우, 변경된 대지에 대하여 적용하는 용적률은 허가당시의 용적률을 기준으로 하는지 또는 용적률 기준이 개정되어 변경되었다면 변경된 기준을 적용하여야 하는지 여부

회신 개정된 용적률 기준이 종전 규정에 비하여 불리하다면 건축허가 등을 득한 후 대지가 분할 등으로 축소되어 설계변경하고자 하는 경우라도 허가당시의 용적률 기준을 적용하되 기 건축허가를 받은 용적률 범위내에서 설계변경이 가능할 것임

질의회신 공사 중 조경, 건축설비 변경시 일괄 신고

건교부 건축 58070-2192, 1999.6.12.

질의 공사 중 조경 및 건축설비 등의 변경시 일괄 신고여부

회신 건축법 제10조제1항의 규정에 의한 변경허가(신고) 대상이 아니므로, 사용승인시 변경한 설계도서를 제출하면 되는 것임 (* 법 제10조 ⇒ 제16조, 2008.3.21 개정)

질의회신 50㎡미만의 별동 추가시 일괄 신고여부

건교부 건축 58070-1989, 1999.6.1.

질의 1층 100.54㎡, 2층 46.81㎡의 주택을 건축허가를 받아 공사완료 무렵에 별동의 조립식 주차장 및 창고 22.5㎡를 지은 경우 부속용도로 보아도 되는지 및 제반 건축기준에 적합하면 일괄 처리 대상인지

회신 주택의 필수적인 주차장 및 창고는 부속용도에 해당하는 것이나, 건축법 제10조제2항 및 동법시행령 제12조제3항의 규정에 의하여 사용승인시 일괄 신고할 수 있는 대상은 50㎡ 이하이고 부속용도에 해당하더라도 동수가 변경되면 일괄신고 대상에 해당하지 아니하는 것임 (* 법 제10조 ⇒ 제16조, 2008.3.21 개정)

질의회신 공사중 면적을 증가 시공한 건축물의 사용승인시 일괄처리 가능 여부

건교부 건축 58070-683, 1999.2.24.

질의 건축허가를 받아 공사도중 지하층부터 4층까지 각각 4.68㎡를 증가시켜 전체 23.4㎡를 증가하여 변경할 경우 사용승인시 일괄처리가 가능한지

회신 건축법 제10조제2항 및 동법시행령 제12조제3항제1호의규정에 의하여 동수나 층수의 변경없이 연면적의 합계가 50㎡ 이하인 변경은 사용승인시 일괄하여 신고할 수 있는 것임 (* 법 제10조 ⇒ 제16조, 2008.3.21 개정)

질의회신 건축물의 높이증가시 설계변경여부

건교부 건축 58070-269, 1999.1.21.

질의 허가도면 부실로 착공신고시 보완한 경우로서 허가면적 2,419.54㎡에서 25㎡를 수정하여 실내로 표기하고, 승강기 기계실 30㎡를 추가 설치하는 과정에서 당초 증축허가된 높이 8.9m보다 3.9m가 높아진 경우 설계변경을 추가로 거쳐야 하는지

회신 건축법 제10조제2항 및 동법시행령 제12조제3항제1호의 규정에 의하여 연면적 합계의 10분의 1이하인 변경은 사용승인시 일괄하여 신고할 수 있는 것이나, 변경 부분의 높이가 1m를 넘고 허가를 받은 전체높이의 10분의 1을 초과하는 경우에는 이를 변경하기 전에 허가를 받거나 신고하여야 하는 것임
(* 법 제10조 ⇒ 제16조, 2008.3.21 개정)

질의회신 건축물 사용승인시 일괄신고 관련

국토교통부 민원마당 FAQ 2019.5.24.

질의 건축허가를 받은 전체 2층 건축물 중 1층은 위치변경이 없으며, 2층 부분이 전체적인 이동없이 한쪽 일

부가 연면적 1/10 이내의 면적증감으로 위치변경이 있을 경우, 사용승인시 일괄하여 신고할 수 있는지 여부

회신 「건축법 시행령」 제12조제3항제5호의 규정에 따르면 허가를 받거나 신고를 하고 건축 중인 부분의 위치가 1미터 이내에서 변경되는 경우에는 경미한 변경으로 보아 사용승인때 일괄하여 처리할 수 있도록 하고 있으며, 다만, 변경되는 부분이 제1호 본문, 제2호 본문 및 제4호 본문에 따른 범위의 변경인 경우만 해당토록 하고 있으며, 여기서, 변경되는 부분의 위치가 1미터 이내인 경우라 함은 대지에 대한 건축물 자체의 위치가 변경되는 경우와 건축물 주요부의 위치가 변경되는 경우를 말하는 것임.

질의의 경우가 같은조같은항제5호 단서규정에 해당하면서 2층의 일부분이 1미터를 초과하여 변경하더라도 건물전체의 이동과 주요부의 위치변경에 해당하지 않는다면 사용승인을 신청할 때 허가권자에게 일괄하여 신고할 수 있을 것으로 판단됨.

질의회신 사용승인 일괄신고 시 높이 산정

국토교통부 민원마당 FAQ 2019.5.24.

질의 사용승인시 일괄하여 신고할 수 있는 허가·신고사항 변경과 관련하여 「건축법시행령」 제12조 제3항 제3호 규정 중 "전체높이의 10분의 1이하인 경우"라 함은 건축물의 지상부분의 높이만을 말하는 것인지 아니면 지하 및 지상부분 전체의 높이를 말하는 것인 지?

회신 「건축법시행령」 제12조 제3항 제3호에 의하여 변경되는 부분의 높이가 1미터이하이거나 전체높이의 10분의 1이하인 경우(건축물의 층수를 변경하지 아니하는 경우에 한함) 사용승인시 일괄하여 신고할 수 있는 것으로, 동 규정에서 전체높이라 함은 지상 또는 지하에 관계없이 변경되는 모든 전체 높이의 합계를 말하는 것으로 보아야 할 것임

질의회신 일괄신고 처리 여부

국토교통부 민원마당 FAQ 2019.5.24.

질의 건축물 사용승인신청 시점에서 대지의 측량 결과 당초 건축허가 시의 대지면적과 상이(10제곱미터 증가)한 경우, 사용승인을 신청하는 때에 일괄하여 신고할 수 있는 지 여부

회신 「건축법」 제10조 및 동법 시행령 제12조 제2항의 규정에 의하면 건축허가를 받은 사항을 변경하고자 하는 경우 이를 변경하기 전에 허가권자의 허가를 받도록 하고 있으나, 신축·증축·개축·재축·이전 또는 대수선에 해당하지 아니하는 "경미한 사항의 변경"에 대하여는 그러하지 아니하도록 규정하고 있음따라서, 질의의 경우가 「건축법」 제10조의 단서 및 동법 시행령 제12조제2항의 규정을 충족하고 건축법 및 관계법령에서 정한 사항에 적합한 경우라면 당초 건축허가를 받은 사항에 대하여 이를 변경하기 전에 허가권자의 건축허가를 받아야 할 의무는 없는 것이며, 이 경우 이 법 제10조 제2항의 규정(일괄신고)을 준용할 수 있을 것으로 사료됨
(*법 제10조 ⇒ 제16조, 2008.3.21.)

질의회신 건축물의 위치 변경에 대한 행정조치

건교부 건축 58070-26, 1999.1.5.

질의 건축허가를 받아 공사를 완료하고 사용승인을 신청하였으나, 건축물이 1m 이상 위치가 변경되어 고발 후 설계변경을 하여야 한다는데, 처벌보다는 사용승인을 취하하고 다시 설계변경을 하도록 시정 등 행정조치를 유도함이 타당한 것 아닌지

회신 건축허가를 받아 공사중 변경되는 부분의 위치가 1m 이하인 경우에는 건축법 제10조제2항 및 동법시행령 제12조 제3항제4호의 규정에 의하여 사용승인시 일괄신고 할 수 있는 것임. 그러나, 이를 초과하는 경우에는 변경하기 전에 동법 제10조제1항 및 동법시행령 제12조제1항의 규정에 의하여 변경허가(신고)를 받아야 하는 것으로서, 이를 위반한 경우에는 동법 제79조제2호의 규정에 의하여 처벌하도록 하고 있음
(*법 제10조, 제79조 ⇒ 제16조, 제110조, 2008.3.21 개정)

질의회신 대지면적이 당초 허가면적과 다른 경우의 행정처리는?

국토교통부 민원마당 FAQ 2019.5.24.

질의 농지전용허가·토지형질변경허가·공유수면 점용허가 면적은 지적분할이 선행되지 아니하므로 전용허가면적으로 허가를 하고 있는데, 건축물을 준공 후 사용승인 전에 토지를 분할해 본 결과 대지면적이 당초 허가면적과 다른 경우의 행정처리는?

회신 대지면적이 다른 경우에는 법 제16조에 따라 변경하기 전에 변경허가를 받아야 하는 것이나, 변경시점이 사용승인 신청 전에 분할로 인하여 변경된 것이기 때문에 사용승인 신청시 일괄하여 변경허가 신청하면 가능할 것이나, 다만, 분할된 대지면적이 건폐율·용적률 등 건축기준에 미달된 경우에는 사용승인 불가

6 건축허가 수수료

질의회신 허가면적보다 감소된 설계 변경시 허가 수수료 납부여부

건교부 건축 58550－573, 1994.3.2.

질의 당초 허가면적보다 감소하여 설계변경을 하는 경우 건축법 제11조의 규정에 의한 허가수수료를 납부하여야 하는지

회신 건축법시행규칙 제10조제1항의 규정에 의하여 허가 받은 사항을 변경하는 경우 수수료의 납부대상은 그 변경으로 인하여 면적이 증가되는 경우에 한하는 것임 (* 법 제11조 ⇒ 제17조, 2008.3.21 개정)

질의회신 면적증감에 따른 수수료 적용여부

건교부 건축 58550－2164, 1993.6.11.

질의 건축법시행규칙 제10조의 규정에 의한 건축허가시 납부하는 수수료의 산정에 관하여 면적증감에 따른 수수료의 적용여부

회신 면적증감이 있는 설계변경 또는 용도변경은 증감의 면적을 기준으로 산정한 수수료를 납부하여야 하는 것이며, 면적증감이 없는 설계변경인 경우에는 수수료를 납부하지 않아도 됨

질의회신 수수료 부과 기준

국토교통부 민원마당 FAQ 2019.5.24.

질의 건축허가 수수료의 인상(2005.10.20. 개정) 및 수수료 부과범위의 확대(2006.5.9. 개정)에도 불구하고 조례가 제정 또는 개정되지 않았을 경우

가. 건축허가·신고, 용도변경 허가·신고, 건축물대장 기재사항 변경, 가설건축물 허가·신고, 존치기간 연장에 따른 수수료 부과기준

나. 조례로 수수료를 결정함에 있어 행위면적을 명확히 산정할 수 없는 대수선 및 공작물축조의 수수료 부과기준

회신 가. 건축허가의 경우 건축법 시행규칙 부칙(제475호, '05.10.20.) 제3조 규정에 따라 이 규칙 시행일부터 1년의 범위 내에서 건축조례가 개정될 때까지는 별표 4의 개정규정에 불구하고 이 규칙 시행 당시 건축조례에서 정한 건축허가 수수료를 부과하여야 하며, '06.5.9. 법 개정에 따라 새롭게 수수료 부과대상이 된 건축신고 등의 경우에는 시행규칙 별표 4에 정한 범위내에서 건축주 등에게 유리한 쪽으로 적용하는 것이 타당할 것임 (건교부 건축기획팀-2,056호, '06.4.3. 참조)

다만, 건축물대장 기재사항 변경의 경우 용도변경 허가 및 신고사항이 아니므로 수수료를 부과할 수 없으며, 가설건축물 존치기간 연장의 경우 가설건축물 허가나 신고절차와 동일한 것으로 보아 수수료를 부과하는 것이 타당함.

나. 행위면적을 명확히 산정할 수 없는 대수선 및 공작물축조의 경우 별표 4에서 규정한 면적별 수수료 차등적

용에 준하는 합리적인 기준을 조례로 마련하여 법령에서 정한 수수료의 범위(최소액수와 최대액수 내의 범위) 내에서 수수료를 결정할 수 있을 것임. 다만, 조례가 제정 또는 개정되지 않은 경우 법령에서 정한 수수료의 범위 내에서 건축주 등에게 유리한 쪽으로 적용하는 것이 타당할 것임

7 건축주 명의변경신고

법령해석 신탁계약에 따라 경매 또는 공개입찰 방식으로 건축물을 매각한 경우 건축 관계자 변경신고 가능 여부

「건축법」 제11조제1항 등 관련 법제처 법령해석 18-0716, 2019.4.3.

질의요지 「신탁법」 상의 신탁 계약에 따라 수탁 재산인 토지와 그 지상에 건축 중인 건축물이 공개입찰 또는 경매의 방식으로 매각된 것이 「건축법 시행규칙」 제11조제1항제1호의 "건축물을 양도한 경우"에 해당하여 건축관계자(각주: 건축주・설계자・공사시공자 또는 공사감리자를 말하며(「건축법 시행령」 제12조제1항제3호 참조), 이하 같음.) 변경신고의 대상이 되는지?

<질의 배경> 전라남도 해남군은 「신탁법」 상의 신탁회사가 수탁 재산인 토지와 건축물을 공개입찰 또는 경매의 방식으로 매각함에 따라 그 소유자가 변경된 경우에도 건축관계자 변경신고가 가능한지 국토교통부에 질의하였고, 가능하다는 답변을 받자 그러한 의견이 타당한지 확인하고자 법제처에 법령해석을 요청함.

회답 이 사안의 경우 건축관계자 변경신고의 대상이 됩니다.

이유 「건축법」 제16조제1항에서는 건축주가 같은 법 제11조나 제14조에 따라 허가를 받았거나 신고한 사항을 변경하려면 변경하기 전에 허가권자의 허가를 받거나 특별자치시장・특별자치도지사 또는 시장・군수・구청장에게 신고하도록 하면서 그 위임에 따른 같은 법 시행령 제12조제1항제3호에서는 변경신고를 해야 하는 경우로 건축관계자를 변경하는 경우를 규정하고 있고, 같은 법 시행규칙 제11조제1항제1호에서는 허가를 받거나 신고를 한 건축주가 허가 또는 신고 대상 건축물을 양도한 경우 양수인이 건축관계자변경신고서 등을 제출하도록 하고 있습니다.

그런데 「건축법」 제16조제1항, 같은 법 시행령 제12조제1항제3호 및 같은 법 시행규칙 제11조제1항제1호에서는 허가를 받거나 신고를 한 건축주가 허가 또는 신고 대상 건축물을 양도한 경우 양수인이 건축관계자 변경신고를 하도록 하면서 양도의 방식을 제한하는 규정을 두고 있지 않습니다.

그리고 「신탁법」 상 신탁계약에 따라 신탁재산인 토지와 건축물을 공개입찰 또는 경매의 방식으로 매각하는 경우 역시 건축물의 소유권을 타인에게 이전하는 것으로 '건축물을 양도한 경우'에 해당합니다.

따라서 「신탁법」 상 신탁계약에 따라 신탁재산인 토지와 건축물을 공개입찰 또는 경매의 방식으로 매각하는 경우도 「건축법 시행규칙」 제11조제1항제1호에 따른 건축관계자 변경신고의 대상에 해당한다고 보아야 합니다.

질의회신 공용건축물 건축 시 협의 후 일반인으로 건축주 변경시 건축허가 여부

국토교통부 민원마당 FAQ 2023.6.15.

질의 공공청사부지(도시.군계획시설)로 결정된 대지에 공용건축물을 건축하고자 경찰서장 명의로 건축협의를 받은 후에 건축주 명의를 개인으로 변경하는 경우 기협의를 받은 사항을 취소(취하)하고 별도의 건축허가를 받아야 하는 지 여부

회신 건축협의를 받은 후에 건축주 명의를 개인으로 변경하는 경우 기협의를 받은 사항을 취소(취하)하고 별도의 건축허가를 받아야 할 것으로 판단되며, 질의의 경우는 「국토의 계획 및 이용에 관한 법률」 에 따른 도시.군계획시설 사업시행자로서의 권리 관계나 관계법령에 의한 사업주체의 변경요건 등에 적합한 지 여부 등이 추가 검토되어야 할 것임

질의회신 건축주 명의변경

국토교통부 민원마당 FAQ 2019.5.24.

질의 건축허가를 받아 공사 중에 있는 A업체가 부도처리되어 토지소유권과 시공 중에 있는 골조물이 B업체에게 경매낙찰 및 소유권이 이전된 상태에서 A업체와 채권채무 관계에 있는 C가 B업체에게 건축주명의변경 가처분을 걸었을 경우,

가. 토지를 경락받아 공사를 하고자 하는 경우 기 시공된 부분의 소유자 동의를 받아야 하는지

나. 토지 및 기 시공된 골조 등을 유체동산으로 하여 법원에서 경락을 받은 경우 건축주명의변경신고서 제출 시 A업체의 인감날인 및 인감증명서를 첨부하여야 하는지

다. 법원의 건축주 명의변경금지 가처분이 소관청의 행정행위까지 구속력을 가진 것인지

회신 「건축법 시행규칙」 제11조제1항 각호에 해당하는 경우로서 그 양수인·상속인 등이 「건축법」 제11조 및 제14조에 따라 건축 또는 대수선에 관한 허가를 받거나 신고를 한 자의 건축주 명의를 변경하고자 할 때에는 '건축관계자변경신고서'에 변경 전 건축주의 명의변경동의서 또는 권리관계의 변동사실을 증명할 수 있는 서류를 첨부하여 제출하도록 하고 있음.

이와 관련, 당초 건축허가를 받은 자가 아닌 자로서 대지 등을 경락받아 해당 건축공사를 하고자 하는 경우 상기 규정에 따른 건축주 명의변경 후 건축공사를 하여야 할 것이나, 건축법상 건축관계자 변경신고 시 변경 전 건축주의 인감날인 및 인감증명서를 첨부토록 별도 규정은 없음.

아울러, 귀 질의 "다"에 대하여도 건축법령에서는 별도 정하고 있지 아니한 것이니 이에 대하여는 대법원 판례를 참고하거나 변호사 등 법률전문가의 자문을 받아 종합행정업무를 처리하고 있는 해당 지역의 허가권자에게 문의바람.

질의회신 건축주 변경 관련

국토교통부 민원마당 FAQ 2019.5.24.

질의 건축물의 사용승인 전에 건축물과 대지의 소유권이 법원의 경매로 변경된 경우 이를 '권리관계의 변경사실을 증명할 수 있는 서류'로 보아 건축주 명의변경이 가능한 지?

회신 「건축법 시행규칙」 제11조제1항에 따라 건축주의 명의를 변경하고자 하는 경우에는 변경전 건축주의 명의변경동의서 또는 권리관계의 변경사실을 증명할 수 있는 서류를 제출해야 하는바,

이 경우 단순히 법원의 경매가 있었다는 사실만으로 건축허가에 대한 권리관계가 변경되었다고 단정하기는 어려울 것이며, 경매내용과 민법등 관계법령에 의한 권리변동 관계를 면밀히 검토하여 사안별로 판단해야 할 사항 임

질의회신 건축주 변경 관련

국토교통부 민원마당 FAQ 2019.5.24.

질의 건축주 변경을 신청하는데 있어 구건축주의 건축주 명의변경동의서나 권리관계 변동사실을 증명할 수 있는 서면서류의 제출 외에 별도로 새로운 건축주가 당해 대지에 대한 소유 또는 사용에 관한 권리를 확보하였는지 여부에 대하여 확인하여야 하는지.

회신 「건축법 시행령」 제12조제4항에 따르면 제1항에 따라 허가를 받았거나 신고한 사항을 변경하는 경우에는 같은 령 제9조제1항을 준용하도록 하고 있으며, 건축주를 변경하는 경우에는 같은 법 시행규칙 제11조에 따라 변경 전 건축주의 명의변경동의서 또는 권리관계의 변경사실을 증명할 수 있는 서류를 첨부하여 허가권자에게 제출하도록 하고 있음

이 경우 변경 전 건축주의 당해 토지 및 건축허가 등에 대한 권리의 위임이 정당한지, 건축주가 대지의 소유 또는 사용에 관한 권한을 확보하고 있는지의 여부 등은 허가권자가 「건축법」 및 「민법」 등 관계법령을 종합적으로 검토하여 판단할 사항이니, 이에 대한 자세한 내용은 관련 자료를 갖추어 해당 지역의 건축 허가권자인 시장, 군수, 구청장에게 문의하시기 바람

건 축 법
1. 총 칙
2. 건 축
3. 유지관리
4. 대지도로
5. 구조재료
6. 지역지구
7. 건축설비
8. 특별건축구역
9. 보 칙
10. 벌 칙
건 축 법 관련기준

질의회신 건축주 변경신고 관련

국토교통부 민원마당 FAQ 2019.5.24.

질의 「건축법」 제11조제5항에 따라 건축허가와 개발행위허가를 복합민원으로 처리한 경우와 개발행위허가 후 건축허가를 받은 경우, 건축주를 변경하고자 할 때 「건축법」에 따른 변경신고만 하면 되는 지 여부

회신 건축허가와 개발행위허가를 복합민원으로 처리한 경우와 각각의 허가를 받은 경우에는 개별법령에 따른 건축주 변경신고를 각각 하여야 할 것으로 사료됨

질의회신 공공건축물 건축 시 협의 후 사인으로 건축주변경시 건축허가 여부

국토교통부 민원마당 FAQ 2019.5.24.

질의 공공청사부지(도시계획시설)로 결정된 대지에 건축물을 건축하고자 경찰서장 명의로 건축협의를 받은 후에 건축주 명의를 개인으로 변경하는 경우 기협의를 받은 사항을 취소(취하)하고 별도의 건축허가를 받아야 하는 지 여부

회신 건축협의를 받은 후에 건축주 명의를 개인으로 변경하는 경우 기협의를 받은 사항을 취소(취하)하고 별도의 건축허가를 받아야 할 것으로 판단되며, 질의의 경우는 「국토의 계획 및 이용에 관한 법률」에 의한 도시계획시설 사업시행자로서의 권리관계나 관계법령에 의한 사업주체의 변경요건 등에 적합한 지 여부 등이 검토되어야 할 것임

질의회신 공동명의 건축주의 명의변경시 전원 동의여부

건교부 건축기획팀-3265, 2006.5.24.

질의 건축주가 공동명의로 건축허가를 받아 건축 중 건축주의 명의를 변경하고자 하는 경우 공동명의자 모두에게 동의를 받아야 하는지?

회신 건축법시행규칙 제11조제1항의 규정에 의한 건축관계자변경신고시 건축주 변경인 경우에는 변경 전 건축주의 명의변경동의서 또는 권리관계의 변동사실을 증명할 수 있는 서류를 첨부하여야 함.
질의의 경우 변경 전 건축주가 2인 이상 공동명인 경우로 건축주명의를 변경하고자 하는 때에는 변경 전 건축주(2인 이상 공동명의)에 대하여 모두동의서를 받아야 할 것으로 사료됨

질의회신 건축주명의변경 및 소유권보존등기 가능여부

건교부 건축기획팀-775, 2006.2.7.

질의 건축 중에 건축주가 변경된 경우의 건축주명의변경 및 소유권보존등기 가능한지

회신 건축법 제8조 및 제9조의 규정에 의하여 건축 또는 대수선에 관한 허가를 받거나 신고를 한 자로부터 건축 또는 대수선중인 건축물을 양수한 경우에는 같은법시행규칙 제11조제1항제1호의 규정에 의하여 그 양수인은 구 건축주의 명의변경동의서 또는 권리관계의 변경사실을 증명할 수 있는 서류를 첨부하여 건축관계자 변경신고를 하여야 함.
건축법 제18조제2항의 규정에 의한 사용승인 신청서의 소유권표시에 따라 건축물대장이 작성되는 것이며 당해 건축물대장에 의하여 부동산등기법 제131조의 규정에 따라 건물의 보존등기가 이루어지는 것임
(* 법 제8조, 제9조, 제18조 ⇒ 제11조, 제14조, 제22조, 2008.3.21. 개정)

질의회신 건축허가만 받고 착공신고 하지 않은 경우 건축관계자 변경신고 여부

건교부 건축 58070-1484, 2003.8.13.

질의 "건축 또는 대수선중인 건축물을 양수한 경우" 건축관계자변경신고를 하여야 하는 바, 건축허가만 받고 착공신고를 하지 않은 경우도 건축 또는 대수선중인 건축물로 보아 건축관계자변경신고를 하여야 하는지 여부

회신 건축법시행규칙 제11조제1항제1호의 규정에서 "건축 또는 대수선중"이라 함은 건축허가에서 사용승인까지를 말하는 것인 바, 귀 질의의 건축물이 건축법 제8조의 규정에 의한 건축허가를 받은 경우라면 착공신고를 하지 않았더라도 건축관계자변경신고를 하는 것임 (* 법 제8조 ⇒ 제11조, 2008.3.21 개정)

질의회신 착공 전 공시사공자 변경시 기존 시공자동의 여부

건교부 건축 58070-2047, 2003.11.6.

질의 건축허가를 받은 후 착공 전 공사시공자를 변경하고자 하는 경우 기존 공사시공자의 동의를 받아야 하는 것인지

회신 건축법령상 시공자를 변경함에 있어 기존 공사시공자의 동의를 받도록 규정하고 있지는 아니하며, 건축법 제9조의2제2항 규정에 의하면 건축주와 공사시공자간의 상호책임에 관한 내용 및 범위는 건축법에서 규정한 것을 제외하고는 상호계약으로 정하도록 규정하고 있음을 참고하시기 바라며, 보다 자세한 사항에 대하여는 종합행정을 담당하는 당해 시장・군수・구청장에게 직접 문의하기 바람
(* 법 제9조의2 ⇒ 제15조, 2008.3.21 개정)

질의회신 건축주가 사망한 경우의 명의변경신청 여부

서울시 건지 58550-1714, 2002.5.2.

질의 건축허가 받고 건축공사 중 건축주(A)의 사망으로 인하여 대지소유권이 부인(B)에게 상속 이전된 후 다시 제3자(C)에게 매매로 토지소유권이 이전된 상태에서 건축주 명의를 A에서 C로 변경을 하고자 하는 경우 토지 등기부와 부인인 "B"의 건축주명의변경동의서만 첨부하면 가능한지 여부

회신 건축법시행규칙 제11조의 규정에 의하면 건축주의 명의를 변경하고자 하는 경우에는 동 규칙 별지 제4호서식에 의하여 건축관계인변경신고서를 허가권자에게 제출하여야 하는 것이며, 이 경우 구건축주의 명의변경동의서 또는 권리관계의 변동사실을 증명할 수 있는 서류를 첨부하도록 하고 있으므로 질의와 같이 건축주 명의를 변경하는 경우라면 건축주(A)의 부인(B)뿐만 아니라 건축주(A)의 법정 상속자 전원의 동의서를 첨부하거나 건축허가에 대한 권리관계의 변동사실을 증명할 수 있는 서류를 첨부하는 것이 타당한 것으로 사료됨

질의회신 건축물대장 작성 후 건축주 명의변경이 가능한 지?

국토교통부 민원마당 FAQ 2019.5.24.

질의 건축물대장이 작성된 상태에서 건축주 명의변경이 가능한 지?

회신 가. 건축법 제8조 및 제9조의 규정에 의하여 건축 또는 대수선에 관한 허가를 받거나 신고를 한 자로부터 건축 또는 대수선중인 건축물을 양수한 경우에는 같은법시행규칙 제11조 제1항 제1호의 규정에 의하여 그 양수인은 구 건축주의 명의변경동의서 또는 권리관계의 변경사실을 증명할 수 있는 서류를 첨부하여 건축관계자 변경신고를 하여야 함
나. 건축법 제29조 제1항 제1호의 규정에 의하여 시장·군수·구청장은 제18조 제2항의 규정에 의하여 사용승인서를 교부한 경우에는 그 건축물의 건축물대장을 작성함
다. 건축물대장이 작성된 이후에 당해 건축물에 대한 소유권이 변경된 경우에는 건축물대장의 기재 및 관리 등에 관한 규칙 제7조 제3항의 규정에 의하여 신청인(건축주 또는 소유자)은 당해 건축물의 등기필증을 제시하거나 신청서에 당해 건축물의 등기부등본을 첨부하여 건축물대장의 기재사항을 변경하여야 하는 것임
라. 따라서 건축물대장이 작성된 이후에 당해 건축물의 소유권이 변동된 사항은 회신내용 "다"에 따라 처리하여야 하는 것임 (* 법 제8조, 제9조, 제18조, 제29조 ⇒ 제11조, 제14조, 제22조, 제38조, 2008.3.21. 개정)

질의회신 압류된 경우 건축주 명의변경시 압류권자의 동의를 받아야 하는 지

국토교통부 민원마당 FAQ 2019.5.24.

질의 건축허가를 득한 후 토지가 압류된 경우 건축주 명의변경시 압류권자의 동의서를 받아야 하는지 여부

회신 가.「건축법」제8조 및 제9조의 규정에 의해 건축허가(신고)를 받아 건축도중에 건축주의 명의를 변경하고자 하는 때에는 동법시행규칙 제11조의 규정에 의하여 건축관계자변경신고서에 구 건축주의 명의변경동의서 또는 권리관계의 변경사실을 증명할 수 있는 서류를 첨부하여야 하며,

나. 이 경우 허가권자는 건축주가 당해 토지 및 건축허가 등에 대한 권리의 위임이 정당한지 여부에 대하여 「건축법」과 「민법」 및 관계법령을 종합적으로 검토하여 결정하여야 할 사항임
(* 법 제8조, 제9조 ⇒ 제11조, 제14조, 2008.3.21 개정)

8 건축허가의 제한 등

질의회신 기존건축물 용도변경 시 건축허가 제한 관련

국토교통부 민원마당 FAQ 2019.5.24.

질의 「건축법」 제18조 규정에 따른 건축허가 제한이 된 경우, 기존건축물의 용도를 변경(단독주택→다가구주택)하고자 하는 경우 허가제한 대상인지 여부

회신 「건축법」 제18조에 따라 시, 도지사는 지역계획이나 도시계획에 특히 필요하다고 인정하면 건축허가나 허가를 받은 건축물의 착공을 제한할 수 있음
또한, 동법 제19조에서 제18조를 준용하고 있음에 따라 상기 사유에 해당하는 경우라면 용도변경의 제한도 가능할 것으로 생각되며, 구체적인 허가제한내용 등에 관하여는 시, 도지사에게 문의 바람

질의회신 건축허가 제한 관련

국토교통부 민원마당 FAQ 2019.5.24.

질의 도시재정비 촉진사업 추진에 따라 「건축법」 제18조에 따라 건축허가 제한(3년)과 「도시재정비 촉진을 위한 특별법」 제8조에 따른 개발행위허가 제한을 하였으나, 지구지정이 실효된 경우, 동일한 지구에 동일사업을 다시 추진하기 위하여 「건축법」 제18조에 따른 건축허가 제한이 가능한 지 여부

회신 「건축법」 제18조제2항 및 제3항에 따라 시·도지사는 지역계획이나 도시계획에 특히 필요하다고 인정하면 시장·군수·구청장의 건축허가나 허가를 받은 건축물의 착공을 제한할 수 있도록 하고 있고, 건축허가나 건축물의 착공을 제한하는 경우 제한기간은 2년 이내로 하도록 하고 있으며, 1회에 한하여 1년 이내의 범위에서 제한기간을 연장할 수 있도록 하고 있음

질의회신 특정용도에 대한 허가제한 가능 여부

국토교통부 민원마당 FAQ 2019.5.24.

질의 지식경제부 산업특구(포항구룡포과메기특구)로 지정된 부지에 대해서 건축허가 제한 가능여부와 특정용도(공장시설 중 수산동물건조, 염장품제조업)에 대해서 허가제한이 가능한 지 여부
가. 갑설 : 지역특화발전을 제도적으로 뒷받침하고 지역경제 활성화와 국민경제발전을 도모하는 법 목적상으로 보아 개별법인 건축법에 따른 건축허가제한은 가능한 것으로 판단되며, 이 경우 특정용도(공장시설중 수산동물건조 및 염장품제조업)에 대해서만 건축허가제한을 하는 것도 가능하다는 의견
나. 을설 : 건축법에 따른 건축허가제한은 도지사는 지역계획·도시계획상 필요한 경우 제한 할 수 있어 건축법에 의한 제한사유로는 적합하지 않은 것으로 판단되며, 또한 특구로 지정된 부지에 특정용도만 건축허가를 제한하는 것은 타당하지 않다는 의견

회신 「건축법」 제18조 제2항에 따르면 시·도지사는 지역계획이나 도시계획에 특히 필요하다고 인정하면 시장·군수·구청장의 건축허가나 허가를 받은 건축물의 착공을 제한할 수 있고, 같은 조 제4항에서는 "시·도지사는 제2항에 따라 건축허가나 건축물의 착공을 제한하는 경우 제한 목적·기간, 대상 건축물의 용도와 대상구역의 위치·면적·경계 등을 상세하게 정하여 허가권자에게 통보하여야 하며, 통보를 받은 허가권자는 지체 없이 이를 공고하여야 한다." 라고 규정하고 있는 바,
귀 도의 "포항구룡포과메기특구"가 상기법령에 의한 지역계획 및 도시계획에 특히 필요하다고 인정되는지 여

부 등의 검토는 시·도지사가 판단하여야 하는 사항으로써 귀 도 검토의견과 같이 지역계획·도시계획상 필요한 것이 아니라고 판단한다면 "을설"과 같이 건축허가를 제한하는 것은 타당하지 않다고 사료됨

질의회신 가설건축물의 건축허가 제한 적용 여부

국토교통부 민원마당 FAQ 2022.6.28.

질의 가. 건축법에 의하여 건축허가 등이 제한된 지역에서 가설건축물의 건축도 제한되는 지
나. 건축허가를 받아 공사를 하던 중 건축허가 등의 제한이 된 경우 당초 허가를 받은 사항을 변경할 수 있는지 여부

회신 가. 건축법 제20조제3항에서 동조 제1항과 제2항에 따른 가설건축물을 건축하거나 축조할 때에는 대통령령으로 정하는 바에 따라 제25조, 제38조부터 제42조까지, 제44조부터 제64조까지, 제66조부터 제68조까지의 규정과 국토의 계획 및 이용에 관한 법률 제76조 중 일부 규정을 적용하지 아니한다고 규정하고 있는 바, 건축허가 제한 등을 규정하고 있는 동법 제18조의 규정은 가설건축의 건축이나 축조에도 적용되는 것이며 개별지역에서 허가제한 등의 대상에 가설건축의 건축이나 축조가 포함되었는 지 여부에 대해서는 관할 행정청에 확인하기 바람

나. 건축법 제18조 제1항에서 국토해양부장관은 국토관리를 위하여 특히 필요하다고 인정하거나 주무부장관이 국방, 문화재보존, 환경보전 또는 국민경제를 위하여 특히 필요하다고 인정하여 요청하면 허가권자의 건축허가나 허가를 받은 건축물의 착공을 제한할 수 있으며, 동법 제16조 제1항에서 건축주가 동법 제11조나 제14조에 따라 허가를 받았거나 신고한 사항을 변경하려면 변경하기 전에 대통령령으로 정하는 바에 따라 허가권자의 허가를 받거나 특별자치도지사 또는 시장·군수·구청장에게 신고하여야 한다고 규정하고 있는 바, 건축허가를 받았거나 신고를 한 사항의 변경에 관한 허가나 신고에 대해서도 건축법 제18조의 규정이 적용되는 것이며 개별지역에서 허가제한 등의 대상에 변경에 관한 허가나 신고가 포함되었는 지 여부에 대해서는 관할 행정청에 문의하기 바람

질의회신 허가제한 공고일 이전에 허가를 득한 후 다가구주택에서 다세대주택으로 변경 시 대상 여부

국토교통부 민원마당 FAQ 2019.5.24.

질의 「건축법」 제12조의 규정에 의하여 건축허가 제한조치 관련, 허가제한 공고일 이전에 허가를 득하여 이후 이를 변경(다가구주택에서 공동주택인 다세대주택으로 변경)하고자 하는 경우 허가제한 대상인 지 여부

회신 「건축법」 제10조의 규정에 따라 건축주는 같은법 제8조 또는 제9조의 규정에 의한 허가를 받았거나 신고를 한 사항을 변경하고자 하는 경우에는 그 변경내용에 따라 다세대 주택의 요건 등 관련법령규정의 적정여부를 사전에 검토하여야 하며. 또한 건축제한조치와 관련하여는 건축허가제한의 목적이나 취지등과 현지여건을 종합 검토하여 판단해야 할 것임 (*법 제8조, 제9조, 제10조, 제12조 ⇒ 제11조, 제14조, 제16조, 제18조, 2008.3.21 개정)

질의회신 주민의견 청취기간중 다세대 주택의 건축허가 신청을 제한할 수 있는 지

국토교통부 민원마당 FAQ 2019.5.24.

질의 재개발정비구역 지정전 건축허가 및 착공제한을 위한 주민의견 청취기간중 신청된 다세대 주택의 건축허가 신청건을 제한할 수 있는 지

회신 건축법 제18조 제2항에 따라 시·도지사(특별시장·광역시장·도지사·특별자치도지사)는 지역계획이나 도시계획에 특히 필요하다고 인정하면 시장·군수·구청장의 건축허가나 허가를 받은 건축물의 착공을 제한할 수 있으며, 동조 제4항에 따라 건축허가나 건축물의 착공을 제한하는 경우 제한목적·기간, 대상 건축물의 용도와 대상 구역의 위치·면적·경계 등을 상세하게 정하여 허가권자에게 통보하여야 하며, 통보를 받은 허가권자는 지체없이 이를 공고하도록 하고 있음. 아울러, 수원지방법원에서는 시장·군수·구청장이 재정비추진사업을 위해 시·

도에 건축허가 제한을 요청한 상태에서 건축허가신청을 반려한 조치는 위법이 아니라고 판결한 사례(2007.8.22 선고 2006구합10666)가 있음을 알려드리니 참고하시기 바람

질의회신 건축신고와 공작물축조신고 사항도 건축허가제한이 가능한 지

국토교통부 민원마당 FAQ 2019.5.24.

질의 건축허가 제한 등의 대상에 건축허가 외에 건축신고와 공작물축조신고 기타 허가나 신고를 요하지 않는 담장축조, 지하수굴착 등도 포함되는지?

회신 건축법 제18조제1항에서 국토해양부장관은 국토관리를 위하여 특히 필요하다고 인정하거나 주무부장관이 국방, 문화재보존, 환경보전 또는 국민경제를 위하여 특히 필요하다고 인정하여 요청하면 허가권자의 건축허가나 허가를 받은 건축물의 착공을 제한할 수 있다고 규정하고 있으며,
동법 제14조제1항에서 허가 대상 건축물이라 하더라도 다음 각 호의 어느 하나에 해당하는 경우에는 미리 특별자치도지사 또는 시장·군수·구청장에게 국토해양부령으로 정하는 바에 따라 신고를 하면 건축허가를 받은 것으로 본다고 규정하고 있는 바, 건축신고는 건축허가에 포함되어 동법 제18조제1항의 적용을 받음.
아울러, 동법 제83조제1항에 따라 특별자치도지사 또는 시장·군수·구청장에게 공작물축조신고하는 경우 동조제2항에 따라 법 제18조는 준용하지 아니하므로 공작물축조신고는 건축허가 제한 등의 대상에 포함되지 아니함.
(* 법 제14조, 제18조, 제83조 ⇒ 제19조, 제22조, 제80조, 2008.3.21 개정)

질의회신 특정사업 추진을 위한 법률(안)이 제출된 상황에서 건축허가 제한 가능 여부

건교부 건축과-755, 2005.2.15.

질의 건축법상 시·도지사는 지역계획 또는 도시계획상 필요하다고 인정하는 경우 건축허가를 제한할 수 있도록 규정하고 있는 바, 특정 사업을 위한 대책마련을 위하여 건설예정지역, 보상착수시기 등에 대한 계획이 수립중이며 또한 사업추진을 위한 법률(안)이 제출된 상황에서 상기 규정에 근거하여 시·도지사가 건축허가를 제한할 수 있는지 여부

회신 건축법 제12조제2항에 의하면 시·도지사는 지역계획 또는 도시계획상 특히 필요하다고 인정하는 경우에는 시장·군수·구청장의 건축허가를 제한할 수 있도록 하고 있는 바, 질의의 경우 후속대책은 연기, 공주 지역을 사업예정지역으로 하고 있어 지역계획으로 볼 수 있고 도시계획을 예정하고 있는 관계 법률이 입법중인 것 등을 감안할 때 시·도지사가 건축허가를 제한할 수 있을 것으로 판단됨 (※ 법 제12조 ⇒ 제18조, 2008.3.21 개정)

질의회신 국도개설구간 건축허가제한 가능여부

건교부 건축 58550-2101, 1999.6.7.

질의 국도 확·포장에 따른 설계용역 중(도로구역의 결정·고시 전)에 있다는 이유로 건축허가를 제한할 수 있는지

회신 건축허가의 제한은 건축법 제12조 또는 도로법 등 관계법에 의한 근거가 있어야 하는 것임.
따라서, 도로사업에 편입될 것이 예상된다는 사실만을 가지고 일정지역의 토지에 대한 건축허가를 제한할 수 없는 것임
(* 법 제12조 ⇒ 제18조, 2008.3.21 개정)

건 축 법
1. 총 칙
2. 건 축
3. 유지관리
4. 대지도로
5. 구조재료
6. 지역지구
7. 건축설비
8. 특별건축구역
9. 보 칙
10. 벌 칙
건 축 법 관련기준

9 착공신고, 안전관리예치금 등

법령해석 안전관리예치금의 예치 대상에서 제외되는 건축물의 범위

「건축법」 제13조제2항 등 관련 법제처 법령해석 22-0476, 2022.8.29.

질의요지 「건축법」 제13조제2항에서는 허가권자(각주: 특별시장·광역시장·특별자치시장·특별자치도지사 또는 시장·군수·구청장을 말하며, 이하 같음)는 연면적이 1천제곱미터 이상인 건축물로서 해당 지방자치단체의 조례로 정하는 건축물에 대하여는 같은 법 제21조에 따른 착공신고를 하는 건축주에게 장기간 건축물의 공사현장이 방치되는 것에 대비하여 미리 미관 개선과 안전관리에 필요한 비용(이하 "예치금"이라 함)을 예치하게 할 수 있다고 규정하면서 「건축물의 분양에 관한 법률」(이하 "건축물분양법"이라 함) 제4조제1항제1호에 따른 분양보증이나 신탁계약을 체결한 건축물 등의 경우 예치금의 예치 대상에서 제외한다고 규정하고 있고, 건축물분양법 제4조제1항제1호에서는 「자본시장과 금융투자업에 관한 법률」(이하 "자본시장법"이라 함)에 따른 신탁업자와 신탁계약 및 대리사무계약을 체결한 경우 또는 금융기관 등으로부터 분양보증을 받는 경우의 건축물 분양에 관한 사항을 규정하고 있는 한편, 건축물분양법 제3조제1항에서는 같은 법은 「건축법」 제11조에 따른 건축허가를 받아 건축하여야 하는 일정 규모 이상의 건축물 등으로서 사용승인(각주: 「건축법」 제22조에 따른 사용승인서의 교부를 말하며, 이하 같음) 전에 분양하는 건축물에 대하여 적용한다고 규정하고 있는바, 자본시장법에 따른 신탁업자와 신탁계약을 체결한 건축물이 사용승인 전에 분양하지 않는 건축물로서 건축물분양법 제3조제1항에 따른 건축물에 해당하지 않는 경우(각주: 연면적 1천제곱미터 이상인 건축물로서 해당 지방자치단체의 조례로 정하는 건축물에 해당하면서 「주택도시기금법」에 따른 주택도시보증공사가 분양보증을 한 건축물에 해당하지 않는 경우를 전제함) 해당 건축물은 「건축법」 제13조제2항에 따른 예치금의 예치 대상에 해당하는지?

회답 이 사안의 경우 사용승인 전에 분양하지 않는 건축물로서 건축물분양법 제3조제1항에 따른 건축물에 해당하지 않는 건축물은 「건축법」 제13조제2항에 따른 예치금의 예치 대상에 해당합니다.

이유 "생략"

질의회신 건축허가 후 관계기술자 협력 문의

국토교통부 민원마당 FAQ 2019.5.24.

질의 구조 및 건축설비의 설치 등을 위한 설계에 대한 관계전문기술자와의 협력을 거쳐 건축허가를 득하고 설계자와는 별도로 공사감리자를 계약한 경우 착공신고시 기재하는 관계전문기술자란의 날인은 최초 협력한 관계전문기술자만 가능한 지 제3자의 관계전문기술자도 가능한 지 여부

회신 「건축법 시행령」 제91조의3 제5항의 규정에 의하면, 설계자 또는 공사감리자에게 협력한 관계전문기술자는 그가 작성한 설계도서 또는 감리중간보고서 및 감리완료보고서에 설계자 또는 공사감리자와 함께 서명날인하여야 함.

따라서, 설계자에게 협력한 관계전문기술자와 공사감리자에게 협력한 관계전문기술자가 상이할 경우 모든 관계전문기술자의 서명을 날인하여 착공신고서를 제출하여야 함

질의회신 착공 신고시 해체가 없는 증축공사를 하는 경우 석면조사결과서 사본을 제출하여야 하는 지

국토교통부 민원마당 FAQ 2019.5.24.

질의 착공 신고시 해체가 없는 별도 증축공사를 하는 경우 석면조사결과서 사본을 제출하여야 하는 지

회신 건축물의 해체가 이루어지지 않는 증축 대수선의 경우 석면조사 의무대상이 아님.

질의회신 착공신고 반려처분에 따른 처벌 여부

국토교통부 민원마당 FAQ 2019.5.24.

질의 건축법 제21조 제1항에 따라 착공신고를 하고 동시에 공사에 착수하였으나 허가권자가 신고를 반려한

경우 착공신고를 하지 아니한 것으로 보아 동법 제111조 제1호에 따라 처벌할 수 있는 지

회신 착공신고가 건축법 제21조 제1항 및 동법 시행규칙 제14조 제1항에 적법하게 이루어진 경우에는 허가권자가 착공신고를 반려할 수 없으며 적법한 착공신고에 대해서는 허가권자가 이를 반려하였다 하여 신고를 하지 아니한 것으로 볼 수는 없을 것으로 판단됨

10 건축시공

법령해석 「건축법」 제24조제6항에 따라 현장관리인을 지정하는 경우 그 건설기술인의 직무분야가 「건설기술 진흥법 시행령」 별표 1 제3호라목의 건축분야로 한정되는지

「건축법」 제24조제6항 관련 법제처 법령해석 22-0648, 2022.12.19.

질의요지 「건축법」 제24조제6항에서는 「건설산업기본법」 제41조제1항 각 호에 해당하지 아니하는 건축물의 건축주(이하 "건축주"라 함)는 공사 현장의 공정 및 안전을 관리하기 위하여 같은 법 제2조제15호에 따른 건설기술인 1명을 현장관리인으로 지정하여야 한다고 규정하고 있고, 「건설산업기본법」 제2조제15호에서는 "건설기술인"이란 관계 법령에 따라 건설공사에 관한 기술이나 기능을 가졌다고 인정된 사람이라고 규정하고 있으며, 「건설기술 진흥법」 제2조제8호에서는 "건설기술인"을 「국가기술자격법」 등 관계 법률에 따른 건설공사 또는 건설엔지니어링에 관한 자격, 학력, 또는 경력을 가진 사람으로서 대통령령으로 정하는 사람이라고 규정하고 있고, 그 위임에 따라 마련된 「건설기술 진흥법 시행령」 제4조 및 별표 1 제3호에서는 건설기술인의 직무분야를 기계(가목), 전기·전자(나목), 토목(다목), 건축(라목) 등으로 구분하여 규정하고 있는바,

건축주가 「건축법」 제24조제6항에 따라 건설기술인을 현장관리인으로 지정하는 경우, 그 건설기술인의 직무분야는 「건설기술 진흥법 시행령」 별표 1 제3호라목의 건축분야로 한정되는지(각주: 「건설산업기본법」 제2조제15호의 "관계 법령"에는 「건설기술 진흥법」, 「국가기술자격법」 등이 포함되나, 이 사안에서는 "관계 법령" 중 하나인 「건설기술 진흥법」에 따라 인정되는 건설기술인을 현장관리인으로 지정하는 경우를 전제함)?

회답 건축주가 「건축법」 제24조제6항에 따라 건설기술인을 현장관리인으로 지정하는 경우, 그 건설기술인의 직무분야는 「건설기술 진흥법 시행령」 별표 1 제3호라목의 건축분야로 한정됩니다.

이유 "생략"

법령해석 건축물 허용 오차의 적용 범위

「건축법」 제26조 관련 법제처 법령해석 19-0287, 2019.8.7./건축사협회 수정게시 2022.9.19.

질의요지 허가 당시 설계도서 수치와 실제 건축물의 수치에 차이가 발생한 경우 그 차이가 같은 법 시행규칙 별표 5에 따른 항목의 오차 범위 이내이면 해당 항목과 관련하여 「건축법」 에서 정하고 있는 기준을 벗어났다고 하더라도 같은 법을 적용할 때 허용할 수 있는지 여부

회답 허가 당시 설계도서의 수치와 실제 건축물의 수치와의 차이가 허용 오차 범위 이내이면 해당 항목과 관련하여 건축기준을 벗어났다고 하더라도 「건축법」을 적용할 때 허용할 수 있음

이유 「건축법」에서는 허가권자가 허가 또는 신고한 설계도서대로 시공되었는지 여부 등에 대한 검사에 합격한 건축물에 대해서만 사용승인서를 내주도록 규정(제22조제2항제1호) 하고 있는 등 건축물을 시공하는 경우 개별 건축물별로 허가 또는 신고 당시의 설계도서를 기준으로 건축을 하도록 규정하고 있는 점을 볼 때 「건축법」 제26조의 허용 오차는 허가 또는 신고 당시 설계도서의 값과 완공된 건축물의 측정값 사이의 차이에 대하여 허용할 수 있는 범위를 정한 것으로 보아야 함.

또한 「건축법」 제26조에 따른 허용 오차 규정은 1991.5.31.(법률 제4381 호)로 전부개정되어 1992.6.1. 시행된 「건축법」에서 측량과정과 건축물의 시공기술상 불가피하게 발생되는 오차를 일정 범위 안에서 제도적으로

수용해 주기 위해 신설된 것임(1991.2.12. 의안번호 제131185호로 발의된 건축법 개정법률안 국회 건설위원회 심사보고서 참조).
「건축법」 제26조에 따른 허용 오차 규정은 건축기준에 맞지 않는 상황이 있음을 전제로 허가 또는 신고 당시 설계도서의 값과 완공된 건축물의 측정값 사이에 차이가 발생하여 건축기준을 부득이하게 벗어났다고 하더라도 일정 범위의 오차에 대해서는 「건축법」에서 정한 규정을 적용할 때 허용한다는 의미의 규정으로 보는 것이 관련 규정 체계 및 취지에 부합하는 해석임.

법령해석 건설업등록을 하지 아니한 자가 소규모 건설공사를 시공할 수 있는지 여부

법제처 법령해석 06-0276, 2006.10.20.

질의요지 「건설산업기본법」 제9조에 의한 건설업등록을 하지 아니하고 건설업을 영위하는 자가 타인으로부터 도급을 받아 「건설산업기본법」 제41조 단서 및 동법 시행령 제37조에서 규정하고 있는 건축물에 관한 건설공사를 제한없이 시공할 수 있는지 여부

회답 「건설산업기본법」 제9조제1항 단서의 규정에 따라 건설업등록을 하지 아니하고 건설업을 영위하는 자가 타인으로부터 도급을 받아 시공할 수 있는 건설공사는 「건설산업기본법」 제41조 단서 및 동법 시행령 제37조에서 규정하고 있는 건축물의 건축 또는 대수선에 관한 건설공사라 하더라도 그러한 시공이 「건설산업기본법」 제9조제1항 단서 및 「건설산업기본법 시행령」 제8조에서 규정하고 있는 경미한 공사에 해당하는 경우에 한정된다 할 것입니다.

이유 "생략"

법령해석 허용오차

「건축법」 제22조 관련 법제처 법령해석 06-0143, 2006.8.22./건축사협회 수정게시 2022.9.19.

질의요지 「건축법」 제22조가 신설되기 이전에 건축이 완료된 건축물에 대하여 동조가 적용되는지 여부

회답 「건축법」 제22조는 동조가 신설되기 이전에 건축이 완료된 건축물에 대하여 적용될 수 있음.

이유 「건축법」 제22조는 측량과정과 건축물의 시공기술상 불가피하게 발생 되는 오차를 일정 범위 안에서 제도적으로 허용하여 주기 위한 규정으로서, 동조가 신설되기 이전부터 측량과정과 건축물의 시공기술상 불가피하게 발생되어 사실상 허용되어 왔던 오차를 법규정에 명문화하여 인정 한 것에 불과하고, 건축기준을 신설 또는 강화하는 규정과는 달리 허용오차 규정을 소급하여 적용하는 것이 건축주의 이익을 침해하는 것도 아니라 할 것이므로, 동 조가 신설되기 이전에 건축이 완료된 건축물이라 하더라도 동 조를 적용할 수 있다고 할 것임.
더구나, 「건축법」 제22조는 건폐율·용적률 등 건축기준 가운데 일부 에 대하여 오차를 허용하는 것에 불과하고 인접대지 소유자 등의 사법상 권리에 대한 침해를 정당화하는 것이 아니므로 동조가 신설되기 이전에 건축이 완료된 건축물에 대하여 동조를 적용하더라도 인접대지 소유자 등의 사법상 권리가 침해되지 아니함.

질의회신 허용오차 이내의 건축물 높이제한 적용 시 적법 여부

국토교통부 민원마당 FAQ 2019.5.24.

질의 「건축법」 제22조 및 동법 시행규칙 제20조 관련 [별표 5]에 의한 '건축물의 높이기준 허용오차' 규정을 "건축물의 높이제한 및 일조 등의 확보를 위한 건축물의 높이제한" 규정에 적용할 수 있는 지 여부

회신 「건축법」 제22조에 의하면, 대지의 측량(「지적법」에 의한 측량을 제외한다)과정과 건축물의 건축에 있어 부득이하게 발생하는 오차는 동법 시행규칙 제22조 [별표 5]에 의하여 "건축물 높이기준 허용오차의 범위를 2퍼센트(1미터 초과할 수 없음)"로 규정하고 있음
따라서, 질의의 경우가 건축물의 건축에 있어 부득이하게 발생하는 오차로서 「건축법시행규칙」 제22조 [별표 5]에서 정한 건축물 높이기준의 허용오차 범위인 2퍼센트(1미터를 초과할 수 없음)를 초과하지 아니하는 경우

라면 당해 규정을 적용할 수 있을 것임 (* 법 제22조 ⇒ 제26조, 2008.3.21 개정)

질의회신 대수선 허가 관련 착공계 제출시 시공자 선정 기준

건교부 고객만족센터-2007.12.14.

질의 5,000㎡가 넘는 대형 백화점(층수:지하5층~지상12층)의 지하1층과 지하2층에 5개소의 대수선을 하고자 할 경우 허가 후에 착공계 제출시 시공자는 전문건설업등록자(시설물유지 관리업)또는 일반건설업(건축공사업) 등록자가 시공 하여야 하는지? 아니면 전문건설업 또는 일반건설업등록자가 시공시 전기,설비,소방등 공사 시공자도 건축주가 공종별 발주가 가능한지?

회신 건설산업기본법 시행령 별표 1의 규정에 의거 시설물유지관리업자는 시설물의 완공이후 그 기능을 보전하고 이용자의 편의와 안전을 높이기 위하여 시설물에 대하여 일상적으로 점검.정비하고 개량.보수.보강하는 공사를 도급받을 수 있으나, 건축물의 경우에 증축.개축.재축 및 대수선공사, 건축물을 제외한 그 밖의 시설물의 경우 증설.확장공사 및 주요구조부를 해체한 후 보수.보강 및 변경하는 공사, 전문건설업종중 1개 업종의 업무내용만으로 행하여지는 건축물의 개량.보수.보강공사 등은 도급받을 수 없음. 건축공사업자는 종합적인 계획.관리 및 조정하에 토지에 정착하는 공작물중 지붕과 기둥(또는 벽)이 있는 것과 이에 부수되는 시설물을 건설하는 공사를 도급받을 수 있음. 그리고, 동법 제16조제2항 및 제3항제2호, 동법시행령 제21조의 규정에 의거하여 2개업종 이상의 전문공사가 복합되어 있는 경우라면 일반건설업자가 도급받아 시공할 수 있을 것이므로 질의의 R/N공사가 건축법령에 의한 대수선에 해당되며 대수선의 경우 연면적의 계산은 대수선하는 부분의 각층 바닥면적의 합계를 의미하므로 질의의 경우와 같이 대수선 부분의 각층 바닥면적 합계가 495㎡를 초과한다면 건축공사업자가 시공함이 타당할 것이나 구체적인 여부는 당해 공사의 설계내용, 시공기술상의 특성 및 작업방법, 현지여건 등을 감안하여 발주자 등이 사실 판단할 사항임.

동법 제2조제4 단서규정에 의거 전기,설비,소방공사는 건설산업기본법령상의 건설공사에 포함되지 아니하며, 해당 공사는 각 개별법령에 따라 건축주가 분리 발주할 수 있을 것으로 생각함.

질의회신 건축물의 용도변경에 따른 시공자제한 해당 여부

국토교통부 민원마당 FAQ 2019.5.24.

질의 2006. 2. 4. 근린생활시설(규모:약390㎡-지상3층)로 건축허가를 받았으나, 2006. 2. 9. 이후 다세대주택(규모:지상4층 연면적:658㎡)으로 변경하여 변경승인을 받고 건축하고자 하는 경우 시공자제한에 해당되는지 여부

회신 「건설산업기본법」 제41조제1항제2호에서 연면적이 200제곱미터 이하인 주거용 건축물로서 「건축법」에 따른 공동주택의 경우는 건설업자가 시공하여야 한다고 규정하고 있으므로 다세대주택으로 변경하여 증축하고자 하는 경우 해당 건설업에 등록된 자가 시공하여야 함

질의회신 건축물의 높이 등이 허용오차의 범위이내에서 높이제한 기준에 미달하는 경우 사용승인 가능여부

건교부 건축기획팀- 385, 2005.9.23.

질의 사용승인 신청 전 건축물을 실측한 결과 높이 및 인접대지 경계선으로부터의 거리가 허용오차 이내의 범위에서 건축법 시행령 제86조제1항의 기준에 미달하는 경우 사용승인이 가능한지

회신 건축법 제22조의 규정에 의한 허용오차는 건축물의 건축에 있어 부득이하게 발생하는 오차에 대하여 일정 부분 이를 허용한 것인 바, 질의의 사용승인을 받고자 하는 건축물의 높이나 위치 등이 건축과정에서 부득이하게 법령의 기준에 미달하거나 초과된 경우라 하더라도 그 규모가 건축법 시행규칙 제20조 별표5에서 정한 허용오차의 범위 이내라면 사용승인이 가능할 것으로 사료됨(* 법 제22조⇒ 제26조, 2008.3.21 개정)

질의회신 지적확정 측량으로 지적감소에 따른 허용오차 인정여부

건교부 건축과-4425, 2005.8.2.

질의 사용승인 신청시 대지에 대한 확정측량결과 면적이 감소하여 용적률이 규정상 최대한계(250%)를 초과하는 경우 허용오차의 적용과 신청서에 기재할 사항은?

회신 대지의 측량(지적법에 의한 측량을 제외)과정과 건축물의 건축에 있어 부득이하게 발생하는 오차는 건축법 제22조 및 동법 시행규칙 제20조, 규칙 별표5에서 규정한 바에 따라 이를 허용하는 바, 질의의 경우 별표5에서 정한 용적률의 허용오차(1%)를 포함하면 당해 건축물에 허용되는 용적률의 최대한계는 252.5%이고, 대지의 측량과정으로 인하여 당해 건축물의 용적률이 규정상 한계를 초과하더라도 허용오차 범위 이내인 경우에는 사용승인신청서 및 건축물대장에 건축물의 실제 규모 및 용적률을 기재하여야 할 것이며, 아울러 "지적법에 의한 측량을 제외"의 의미는 측량과정에서 발생하는 지적법에서 둔 오차를 말하는 것으로 동 용적률에 대한 허용오차와는 무관한 것임 (* 법 제22조 ⇒ 제26조, 2008.3.21 개정)

질의회신 일조거리 미확보에 따른 허용오차 인정여부

서울시 건축과-6851, 2005.5.10.

질의 건축물 신축공사시 일조기준에 의한 인접대지 경계선까지 이격거리를 당초 허가된 이격거리보다 미달되게 이격하여 공사를 할 경우 허용오차 인정여부

회신 건축법 제22조 및 동법시행규칙 제20조의 규정에 의하여 허용오차는 대지의 측량과정과 건축물의 건축에 있어 공사 중 부득이하게 발생하는 오차에 대한 허용범위로서 동법시행규칙 별표5의 건축허용오차 범위안에서 이를 허용하고 있음

상기 규정에 의하여 건축물의 일조기준과 관계있는 인접건축물과의 이격거리 및 건축물의 높이에 대한 허용오차의 범위는 인접건축물과의 거리는 3%이내, 건축물 높이는 1m를 초과하지 않는 범위안에서 2%이내의 오차를 허용하고 있음 (* 법 제22조 ⇒ 제26조, 2008.3.21 개정)

질의회신 용적률이 증가된 경우 변경신고를 하여야 하는지

건교부 건축 58070-1930, 2003.10.22.

질의 허용오차 범위 이내로 건축물의 용적률이 0.02%(연면적 1.39㎡) 증가된 경우 증가된 부분에 대하여 변경신고를 하여야 하는지 여부

회신 건축법 제22조 및 동법시행규칙 제20조 별표5의 규정에 의하여 허용오차는 대지의 측량과정과 건축물의 건축에 있어 공사 중 부득이하게 발생하는 오차에 대한 허용범위로서, 용적률은 1%이내(연면적 30㎡를 초과금지)에 허용오차로 인정하고 있는바, 동 허용오차의 범위내에서는 건축허가시의 내용을 변경하지 아니하여도 되는 것임 (* 법 제22조 ⇒ 제26조, 2008.3.21 개정)

질의회신 건물평면길이가 증가되어 연면적이 초과한 경우 허용오차기준 적용가능여부

건교부 건축 58070-238, 2003.2.5.

질의 건축허가외의 지역에서 연면적 200제곱미터 미만의 건축물을 건축 중 건물평면길이가 7cm가 증가되어 연면적이 200제곱미터를 초과한 경우 건축법상 평면길이의 허용오차기준을 적용할 수 있는지 여부

회신 건축법 제22조의 규정에 의하여 대지의 측량(지적법에 의한 측량을 제외)과정과 건축물의 건축에 있어 부득이하게 발생하는 오차는 건축법을 적용함에 있어서는 같은법 시행규칙 별표5의 건축허용오차 범위안에서 이를 허용하는 것인 바, 귀 문의의 경우가 상기 규정에 적합하다면 건축허가(신고)없이 건축이 가능할 것이나 이에 해당하는지 여부 등 보다 구체적인 사항은 당해 대지 및 건축물의 현황을 상세히 알고 있는 당해 허가권자에게 직접 문의하기 바람 (* 법 제22조 ⇒ 제26조, 2008.3.21 개정)

질의회신 최고고도지구내 최고높이를 초과한 경우 허용오차의 적용범위

건교부 건축 58070-1726, 1999.5.13.

질의 최고고도지구 안에서 건축을 하던중 시공상 부득이 최고높이를 초과한 경우 허용오차의 범위를 적용 받을 수 있는지

회신 건축법 제22조 및 동법시행규칙 제20조 별표5의 규정에 의한 허용오차는 대지의 측량과정과 건축물의 건축에 있어 공사도중 부득이하게 발생한 오차(건축물의 높이는 2%이내, 1m를 초과할 수 없음)로서, 이에 해당하는 경우라면 건축법령에 적합한 것임 (* 법 제22조 ⇒ 제26조, 2008.3.21 개정)

질의회신 높이위반 건축물의 현행 허용오차 규정 적용여부

건교부 건축 58550-2767, 1999.7.15.

질의 현재 건축법령에는 건축물의 높이가 허용오차 범위 내에 해당되어 적합하나, 사용승인 당시 건축법 제22조(허용오차)가 신설('92.6.1)되기 전으로 건축법 제53조의 규정에 위반된 경우 현재의 허용오차 규정을 적용하여 적법 건축물이 되는 것인지

회신 건축법 제22조의 규정에 의하면 대지의 측량과정과 건축물의 건축에 있어 부득이하게 발생하는 오차로서 건축법시행규칙 제20조 및 별표5의 범위 안의 오차에 대하여는 건축법을 적용함에 있어 이를 허용하고 있는 바, 동 규정이 신설되기 전에 위반된 건축물의 경우에도 건축 과정에서 부득이 하게 발생한 오차라면 동 규정을 적용할 수 있는 것임 (* 법 제22조 ⇒ 제26조, 2008.3.21 개정)

질의회신 평면길이와 높이의 허용오차 동시 적용여부

건교부 건축 58070-849, 1999.3.9.

질의 평면길이의 허용오차 범위내 부분과 높이의 허용오차 범위 내 부분이 일조권 높이기준에 저촉되는 경우 건축법령상 적합여부

회신 건축법 제22조 및 동법시행규칙 제20조 별표5의 규정에 의한 허용오차는 대지의 측량과정과 건축물의 건축에 있어 공사중 부득이하게 발생하는 오차에 대한 허용범위로서, 이에 해당하는 허용오차의 범위에 각각 적합한 경우라면 이를 변경하거나 정정을 요하는 것이 아니며, 일조 등의 확보를 위한 높이제한 등 건축법령의 기준적용에 있어 저촉된다 할 수 없는 것임 (* 법 제22조 ⇒ 제26조, 2008.3.21 개정)

질의회신 허용오차 범위

건교부 건축 58501-2418, 1993.6.22.

질의 건축법 제22조 및 동법시행규칙 제20조관련 [별표 5] 에서의 건폐율 및 용적률의 허용오차 범위가 각각 건폐율 0.5%, 용적률 1%로 규정되는 바, 여기에서 0.5%, 1%가 의미하는 것은

회신 이 경우 당해 건폐율·용적률에 대한 0.5%·1%를 의미함. 예를 들면 일반주거지역에서 건축법상 건폐율 60%, 용적률 400%이므로 최대 허용 범위는 건폐율 60.3%, 용적률 404%까지 되는 것임
(* 법 제22조 ⇒ 제26조, 2008.3.21 개정)

11 공사감리

법령해석 건축공사가 완료되어 건축사보가 철수한 경우 공사감리자에게 건축사보 배치현황 제출 의무가 있는지 여부

「건축법 시행령」 제19조제10항 관련 법제처 법령해석 22-0670, 2022.12.28.

질의요지 「건축법」 제25조제1항에서는 건축주(각주: 「건축법」 제2조제1항제12호에 따른 건축주를 말함.)가 일정 용도·규모 및 구조의 건축물을 건축하는 경우에는 공사감리자(각주: 「건축법」 제2조제1항제15호에 따른 공사감리자를 말하며, 이하 같음.)를 지정하여 공사감리를 하게 하여야 한다고 규정하고 있고, 같은 조 제8항의 위임에 따라 공사감리의 방법 등에 관하여 정한 「건축법 시행령」 제19조제5항부터 제7항까지에서는 공사감리자가 아파트 건축공사 등을 감리하는 경우에는 건축사보(각주: 「건축사법」 제2조제2호에 따른 건축사보(「기술사법」 제6조에 따른 기술사사무소 또는 「건축사법」 제23조제9항 각 호의 건설엔지니어링사업자 등에 소속되어 있는 사람으로서 「국가기술자격법」에 따른 해당 분야 기술계 자격을 취득한 사람과 「건설기술 진흥법 시행령」 제4조에 따른 건설사업관리를 수행할 자격이 있는 사람을 포함한다)를 말하며, 이하 같음.)로 하여금 공사현장에서 감리업무를 수행하게 해야 한다고 규정하고 있으며, 같은 조 제10항제3호에서는 공사현장에 건축사보를 두어 감리업무를 수행하게 하는 공사감리자는 건축사보가 철수한 경우 철수한 날부터 7일 이내에 건축사보의 배치현황을 허가권자(각주: 특별시장·광역시장·특별자치시장·특별자치도지사 또는 시장·군수·구청장을 말하며, 이하 같음.)에게 제출해야 한다고 규정하고 있는바,

공사가 완료되어 건축사보가 철수한 경우가 「건축법 시행령」 제19조제10항제3호에 따른 "건축사보가 철수한 경우"에 해당하는지?

회답 공사가 완료되어 건축사보가 철수한 경우는 「건축법 시행령」 제19조제10항제3호에 따른 "건축사보가 철수한 경우"에 해당합니다.

이유 "생략"

법령해석 「건축법」 제25조제1항에 따라 건축주가 공사감리자로 지정한 건축사가 「부정청탁 및 금품 등 수수의 금지에 관한 법률」 제11조제1항제4호의 공무수행사인에 해당하는지 여부

「부정청탁 및 금품등 수수의 금지에 관한 법률」 제11조 등 관련 법제처 법령해석 19-0481, 2019.12.24.

질의요지 「건축법」 제25조제1항 및 같은 법 시행령 제19조제1항제1호에 따라 사인(私人)인 건축주가 공사감리자로 지정한 건축사가 건축법령에 따른 감리업무를 수행하는 경우, 해당 공사감리자는 「부정청탁 및 금품등 수수의 금지에 관한 법률」(이하 "청탁금지법"이라 함) 제11조제1항제4호의 공무수행사인에 해당하는지?

<질의배경> 민원인은 위 질의요지에 대해 국민권익위원회에 문의하였고 사인인 건축주가 공사감리자로 지정한 건축사도 공무수행사인에 해당한다는 회신을 받자 이에 이견이 있어 법제처에 법령해석을 요청함.

회답 이 사안의 경우 공사감리자는 청탁금지법 제11조제1항제4호의 공무수행사인에 해당하지 않습니다.

이유 "생략"

법령해석 건축공사의 공사감리자 지정 주체

「건축법」 제25조제2항 등 관련 법제처 법령해석 17-0495, 2017.12.18./건축사협회 수정게시 2022.9.19.

질의요지 건축주가 「건축법」 제25조제1항에 따라 공사감리자를 지정하고 착공 신고를 한 후, 그 건축공사의 내용이 변경되어 같은법 제25조제2항에 따라 허가권자가 공사감리자를 지정해야 하는 건축물에 해당하게 된 경우, 건축주가 이미 지정한 공사감리자가 있음에도 허가권자가 새로 공사감리자를 지정해야 하는지 여부

회답 건축주가 이미 지정한 공사감리자가 있어도 허가권자는 새로 공사 감리자를 지정해야 함.

이유 2016.2.3. 법률 제14016호로 일부개정되어 2017.2.4. 시행되기 전의 「건축법」 제25조에서는 공사감리자의 지정 주체를 건축주로만 규정하고 있었으나, 건축물 건축과정에서의 부실 설계·시공 등으로 인한 안전 사

고가 빈발하자 이러한 불법행위를 근절하기 위하여 원칙적으로 건축주가 공사감리자를 지정하되 감리에 취약할 수 있는 소규모 건축물로서 건축주가 직접 시공하는 건축물 및 분양목적 건축물 등에 대하여는 허가권자가 직접 공사감리자를 지정하도록 하는 예외 규정을 신설하게 된 것인바, 이러한 입법 취지에 비추어 볼 때 당초 「건축법」 제25조제1항에 따라 건축주가 공사감리자를 지정하였더라도, 그 후 그 건축물이 같은 조 제2항의 적용을 받게 된다면 같은 규정에 따라 허가권자가 직접 공사감리자를 지정해야 한다고 할 것임.

「건축법 시행규칙」 제11조제2항에 따르면 공사감리자를 변경한 경우 일정 기간 내에 건축관계자 변경신고를 해야 하는 점에 비추어 볼 때, 건축법령상 착공신고 이후에도 공사감리자를 변경하는 것이 가능하다 고 할 것이므로, 이미 공사감리자를 지정하여 착공신고를 했다는 사정만으로 그 이후 공사감리자를 변경할 수 없는 것은 아니라고 할 것임.

법령해석 건축사보의 상주감리를 요하는 "연속된 5개 층 이상으로서 바닥면적의 합계가 3천 제곱미터 이상인 건축공사"의 의미

「건축법 시행령」 제19조제5항제2호 등 관련　　법제처 법령해석 16-0705, 2017.5.2./건축사협회 수정게시 2022.9.19.

질의요지 건축허가를 받은 모든 건축물의 바닥면적을 기준으로 판단하여야 하는지, 아니면 건축허가를 받은 건축물 중 연속된 5개 층 이상으로 공사 할 각 건축물의 바닥면적을 기준으로 판단하여야 하는지 여부

회답 건축허가를 받은 건축물 중 연속된 5개 층 이상으로 공사할 각 건축물의 바닥면적을 기준으로 판단하여야 함

이유 「건축법 시행령」 제19조제5항제2호에서 사용하고 있는 "~로서"라는 문언은 지위나 신분 또는 자격을 나타내는 격조사이므로, 이를 달리 해석해야 할 특별한 사정이 없다면 "연속된 5개 층 이상으로서 바닥면적의 합계가 3,000㎡ 이상인 건축 공사"는 연속된 5개 층 이상인 건축물 중 하나의 건축물의 바닥면적의 합계가 3,000㎡ 이상인 경우를 의미한다고 보는 것이 그 문언의 통상적인 의미에 맞는 해석이라고 할 것임.

여러 동을 건축하는 내용의 건축허가를 받아 건축물을 건축하는 경우, 「건축법 시행령」 제19조제5항제2호에 따른 "연속된 5개 층 이상으로서 바닥면적의 합계가 3,000㎡ 이상인 건축공사"에 해당하는지 여부는 건축허가를 받은 모든 건축물의 바닥면적을 기준으로 판단하여야 한다는 의견이 있을 수 있으나, 건축법 시행령」 제19조제5항제2호에서는 "연속된 5개 층 이상으로서"라고 규정하여 연속된 5개 층 이상으로 건축되는 건축물로 그 범위를 한정하고 있으므로 그와 같은 의견은 타당하지 않다고 할 것임

법령해석 상주감리대상 건축물의 건축사보 배치기준으로서 "토목·전기 또는 기계 분야의 건축사보 한 명 이상"의 의미

「건축법 시행령」 제19조제5항 등 관련　　법제처 법령해석 16-0523, 2016.10.13../건축사협회 수정게시 2022.9.19.

질의요지 「건축법 시행령」 제19조제5항에 따른 "토목·전기 또는 기계 분야의 건축사보 한 명 이상의 의미가 토목, 전기 또는 기계의 3개 분야에서 각각 건축사보 한 명 이상인지, 아니면 토목 1개 분야, 전기 또는 기계 중 1개 분야 즉, 2개 분야에서 각각 건축사보 한 명 이상인지 여부

회답 토목, 전기 또는 기계의 3개 분야에서 각각 건축사보 한 명 이상을 의미함

이유 가운뎃점(·)이란 열거한 어구 들을 일정한 기준으로 묶어서 나타낼 때 쓰거나, 짝을 이루는 어구들 사이에 공통 성분을 줄여서 하나의 어구로 묶을 때 쓰는 문장부호라고 할 것인 바, 「건축법 시행령」 제19조제5항에 따른 "토목·전기 또는 기계 분야에서 각각 건축사보 한 명 이상"은 짝을 이루는 어구들인 "토목 분야에서 건축사보 한 명 이상", "전기 분야에서 건축사보 한 명 이상" 또는 "기계 분야에서 건축사보 한 명 이상"의 공통 성분인 "OO 분야에서 건축사보 한 명 이상"을 줄여서 하나의 어구로 묶어 쓴 문장이라고 할 것이므로, 해당 문장에서 지칭하는 분야는 "토목, 전기, 기계"의 3개 분야라고 할 것임

또한, 「건축법 시행령」 제19조제7항에서는 같은 조 제5항에 따라 공사 현장에 건축사보를 두는 공사감리자는 국토교통부령으로 정하는 바에 따라 건축사보의 배치현황을 허가권자에게 제출하여야 한다고 규정하고 있는

데, 「건축법 시행규칙」 제19조의2 및 별지 제22호의2 서식에 따르면 토목, 전기, 기계 각각의 분야별로 해당 건축사보의 성명, 생년월일, 배치 기간, 자격구분, 경력 적합 여부 등을 구분하여 기재하도록 하고 있다는 점도 이 사안을 해석하는 데에 고려되어야 할 것임

법령해석 건축사보의 상주감리를 요하는 "바닥면적의 합계가 5천 제곱미터 이상인 건축공사"의 의미

「건축법 시행령」 제19조제5항제1호 등 관련 법제처 법령해석 15-0712, 2015.12.24../건축사협회 수정게시 2022.9.19.

질의요지 「건축법 시행령」 제19조제5항제1호에서 "바닥면적의 합계가 5,000㎡이상인 건축공사"란 건축물 1개 동의 바닥면적의 합계가 5,000㎡이상인 경우를 의미하는지, 아니면 하나의 대지 안에서 건축허가를 받은 전체 바닥면적의 합계가 5,000㎡ 이상인 경우를 의미하는지 여부

회답 「건축법 시행령」 제19조제5항제1호에서 "바닥면적의 합계가 5,000㎡이상인 건축공사"는 하나의 대지 안에서 건축허가를 받은 전체 바닥면적의 합계가 5,000㎡ 이상인 경우를 의미함

이유 「건축법 시행령」 제19조제3항에서는 "공사"라는 문언을 사용하면서, 괄호 부분에서 "하나의 대지에 둘 이상의 건축물을 건축하는 경우에는 각각의 건축물에 대한 공사를 말한다"는 내용을 규정하고 있으며, 이에 대한 반대 해석상, 법령에서 "공사"라는 문언을 사용하면서 그 범위를 한정하는 규정을 특별히 두지 아니하였다면, 이는 하나의 대지에서 둘 이상의 건축물이 건축되는 경우 그러한 건축물 전체에 대한 공사를 뜻한다고 보아야 할 것임

그리고, 「건축법」 제25조제1항에서는 공사감리의 의무를 건축주에게 부과하고 있고, 같은 법 시행령 제19조제5항제1호에서는 바닥면적의 합계가 5,000㎡ 이상인 "건축공사"라 하여 개별 건축물이 아닌 건축 공사를 단위로 공사감리를 위해 건축사보가 공사현장에 상주하여야 하는 대상을 판단하도록 규정하고 있으며, 그 공사의 범위를 한정하는 규정을 두지도 아니하였는바, 이 규정에서의 바닥면적의 합계는 건축물 1개 동에 대한 것으로 한정 된다고 볼 수 없고, 해당 대지 안에서 건축허가를 받아 시행하는 전체 건축공사에 대한 것이라 보는 것이 타당함

질의회신 건축법령에 따른 공사감리 규정

국토교통부 민원마당 FAQ 2023.6.15.

질의 가. 1991.5.31. 전문개정 이전 공공 건축공사의 감리에 대한 「건축법」의 규정

나. 1984년 이후 책임감리대상이 아닌 공공 건축공사에 대하여 「건축법」에 의하여 공사감리를 시행하여야 하였는 지

다. 「건설기술관리법 시행령」 제50조 제2항 각 호의 어느 하나에 해당하는 공사에 대하여는 동법 제27조 제1항 단서의 규정에 의하여 책임감리를 하지 아니함에도 불구하고 「건축법」 제21조 제1항의 규정에 의한 공사감리를 시행하여야 하는 지

라. 「건축법」 제21조 제1항의 규정에 의한 공사감리대상이 되는 공공 건축공사에 대하여 「건설기술관리법」에 의한 발주청이 시공감리를 하지 아니하고 또한 건축사를 공사감리자로 지정하지 아니하고 직접 감독한 경우 위법이 되는 지

회신 가. 질의 "가" 및 "나"에 대하여 1982.4.3. 개정 「건축법」(법률 제3,558호) 제6조 제2항에서 "건축주는 이 법에 의하여 허가를 받아야 할 건축물 중 대통령령으로 정하는 규모이상의 건축, 또는 대수선의 공사를 하고자 할 때에는 건축사법에 의한 건축사를 공사감리자로 정하여야 한다."고 규정하고 있었고, 동법 제8조에서 공공 건축공사에 대하여는 "허가"와 달리 "협의" 또는 "승인"을 얻도록 규정하고 있었던 바, 1982.4.3. 개정 이후부터 1991.5.31. 전문개정 이전까지 공공 건축공사에 대하여 「건축법」에는 건축사를 공사감리자로 정하도록 하는 규정이 없었으며, 일정 공공공사에 대하여는 건설공사시공감리규정, 건설기술관리법등에 따라 감리를 하였음

나. 질의 "다"에 대하여 현행 「건축법」 제21조 제9항에서 "주택법 제16조의 규정에 의한 사업계획승인대상 및 건설기술관리법 제27조의 규정에 의한 책임감리 대상건축물의 공사감리에 대하여는 제1항 내지 제8항의 규정에

불구하고 각각 당해 법령이 정하는 바에 의한다"고 규정하고 있으며, 「건설기술관리법 시행령」 제50조 제2항 각 호의 어느 하나에 해당하는 공사에 대하여는 책임감리대상임에도 당해 법령에서 그러하지 아니한다고 정하고 있으므로 그 건축공사들에 대하여는 건축법 제21조 제1항 내지 제8항의 규정을 적용할 수 없다고 보는 것이 타당할 것임

다. 질의 요지 "라"에 대하여 「건축법」 제21조 제1항 및 동법 시행령 제19조 제1항에 해당하는 건축공사에 대하여 다른 법률에서 「건축법」 제21조에 대하여 특별히 규정하고 있지 아니한 경우에는 건축법 제21조 제1항의 규정에 의하여 건축사 등을 공사감리자를 지정하여 공사감리를 하게 하는 것이 타당할 것으로 사료됨

질의회신 건축법 관련 질의

국토부 민원마당 서면민원처리공개 2018.5.4.

질의 건축주가 건축사보로서 소속되어 있는 건축사사무소에서 공사감리를 할 수 있는지, 가능하다면 건축주가 상주감리 건축사보로 배치될 수 있는지

회신 건축법 제25조제1항에 따르면 공사감리자는 공사시공자 본인이거나 계열회사면 안되도록 규정하고 있음. 따라서, 건축주가 공사시공자 본인이거나 계열회사에 해당되는 경우에는 공사감리 업무를 수행할 수 없을 것이나, 그러하지 아니한 경우에는 건축법령에서 건축주와 공사감리자의 관계를 규정하고 있지 않은 바, 자격 등이 적합한 경우에는 감리업무를 수행할 수 있을 것임

질의회신 건축물 동별로 설계자, 공사감리자를 지정할 수 있는 지

국토교통부 민원마당 FAQ 2023.6.15.

질의 건축허가를 받아 건축하고자 하는 경우 설계자 및 공사감리자를 건축물의 동별로 지정할 수 있는지 여부.

회신 건축법령에서는 일정기준에 해당하는 건축물을 건축하고자 하는 경우 설계자 및 공사감리자를 지정하도록 하고 있으나, 설계자 및 공사감리자의 수를 제한하는 명문규정은 없음

질의회신 붙어 있는 인접지에 동일 상주감리원 배치

국토부 민원마당 전자민원처리공개 2021.10.5.

질의 붙어있는 인접지에 동일 건축주, 동일규모(시공사 동일), 동일용도(노유자시설:요양원)의 건축물 2건을 착공하려고 하는데 상주감리원 배치를 1인만 하여 2건의 업무를 해도 되는지 아니면 각 각 건별로 1인씩 배치해야 하는지

회신 인접지 공사현장 허가건을 별도로 받은 경우라면, 공사감리자 및 건축사보를 각 건마다 선정하여 배치하여야 함

질의회신 공사감리 업무의 수행 및 감리원 배치

국토교통부 민원마당 FAQ 2023.6.15.

질의 건축허가를 각각 받은 2건의 건축공사로 공사내용이 「건축법 시행령」 제19조제5항의 규정에 해당할 경우, 2개의 건축공사를 통합하여 감리원을 배치할 수 있는 지 여부

회신 「건축법 시행령」 제19조제5항의 규정에 의하면, 공사감리자는 수시로 또는 필요할 때 공사현장에서 감리업무를 수행하여야 하며, 바닥면적의 합계가 5천제곱미터 이상인 건축공사를 감리하는 경우 「건축사법」 제2조제2호에 따른 건축사보(「기술사법」 제6조에 따른 기술사사무소 또는 「건축사법」 제23조제9항 각 호의 건설엔지니어링사업자 등에 소속되어 있는 사람으로서 「국가기술자격법」에 따른 해당 분야 기술계 자격을 취득한 사람과 「건설기술 진흥법 시행령」 제4조에 따른 건설사업관리를 수행할 자격이 있는 사람을 포함한다. 이하 같다) 중 건축분야의 건축사보 한 명 이상을 전체 공사기간동안, 토목·전기 또는 기계 분야의 건축사보 한 명 이상을 각 분야별 해당 공사기간 동안 각각 공사현장에서 감리업무를 수행하게 하여야 합니다. 따라서, 질의

의 경우 개별적으로 건축허가를 받은 2개의 건축공사 현장에 1인의 감리원이 동시에 감리할 수 없으며, 각각의 건축공사에 대하여 건축법령에 적합한 감리원을 배치하여 공사감리를 수행하여야 할 것이니 보다 구체적인 사항은 현지 여건을 잘 알고 있는 관할 소재지의 시장·군수·구청장에게 문의 바람

질의회신 건축물 공사감리자 지정

국토교통부 민원마당 FAQ 2023.6.15.

질의 건축주가 민간인인 건축물에 대하여도 건설기술진흥법령에 따른 건설엔지니어링사업자를 공사감리자로 지정할 수 있는 지 여부

회신 「건축법」 제25조제1항 및 같은 법 시행령 제19조제1항제2호에 따라 건축주가 다중이용 건축물을 건축하는 경우에는 「건설기술진흥법」에 따른 건설엔지니어링사업자(공사시공자 본인이거나 「독점규제 및 공정거래에 관한 법률」 제2조제12호에 따른 계열회사인 건설엔지니어링사업자는 제외한다) 또는 건축사(「건설기술관리법 시행령」 제52조에 따라 감리원을 배치하는 경우만 해당한다)를 공사감리자로 지정하도록 하고 있음

질의회신 대표건축사가 건축사보로 배치될 수 있는지

국토교통부 민원마당 FAQ 2023.6.15.

질의 건축사사무소를 개설한 대표건축사가 건축사사무소 업무를 계속하면서 「건축법 시행령」 제19조제5항에 따른 건축사보로 배치되어 업무를 수행할 수 있는 지 여부

회신 「건축법 시행령」 제19조제5항에 따라 공사감리자는 수시 또는 필요할 때 공사현장에서 감리업무를 수행할 수 있으나, 건축사보의 경우는 건축분야의 건축사보 는 1명 이상을 전체 공사기간동안, 토목.전기 또는 기계분야의 건축사보는 한명 이상을 각 분야별 해당 공사기간 동안 각각 공사현장에서 감리업무를 수행해야 함 따라서, 건축사사무소를 개설한 대표 건축사는 공사감리자 업무와 건축사보로 배치되어 감리업무를 수행하는 것을 겸하는 것을 금지하고 있음

질의회신 감리지정권자

국토교통부 민원마당 FAQ 2023.6.15.

질의 건축법상 건축허가 대상인 건축물의 공사감리 지정권자는 누구인지.

회신 「건축법」 제25조제1항 및 같은법 시행령 제19조의 규정에 의하여 건축허가를 받아야 하는 건축물의 공사감리자는 건축주가 지정하도록 규정하고 있으나, 「건축법」 제25조제2항에 따라 「건설산업기본법」 제41조제1항 각 호에 해당하지 아니하는 소규모 건축물로서 건축주가 직접 시공하는 건축물 및 주택으로 사용하는 건축물 중 대통령령으로 정하는 건축물의 경우에는 허가권자가 해당 건축물의 설계에 참여하지 아니한 자 중에서 공사감리자를 지정함

질의회신 공사감리업무 관련

국토교통부 민원마당 FAQ 2023.6.15.

질의 건축허가를 받아 건축법상 공사감리 대상인 건축물의 감리업무를 해당 부대소속의 공병장교가 감독업무로 가능한 지 여부와 공사감리자의 자격요건은?

회신 「건축법」 제25조제1항에 따라 건축주는 대통령령으로 정하는 용도·규모 및 구조의 건축물을 건축하는 경우 건축사나 대통령령으로 정하는 자를 공사감리자로 지정하여 공사감리를 하게 하여야 하도록 하고 있음에 따라 공사감리자를 지정할 경우에는 건축법 시행령 제19조제1항에 적합한 자격을 갖춘 공사감리자를 지정하여야 하고,

「건축사법」 제23조제9항제3호에 따라 국가, 지방자치단체, 「공공기관의 운영에 관한 법률」에 따른 공공기관 및 「지방공기업법」에 따른 지방공기업 등으로서 대통령령으로 정하는 기관의 건축 관련 부서에 소속된 건축

사가 각각 해당기관이 시행하는 공사에 대하여 수행하는 설계 또는 공사감리를 하는 경우에는 건축사업무신고를 하지 아니하고 할 수 있도록 하고 있음에 따라 해당 부대의 공병장교가 동 규정에 적합한 자격을 갖춘 경우에는 감리업무를 수행할 수 있을 것으로 사료됨.

질의회신 공사감리 관련

국토교통부 민원마당 FAQ 2023.6.15.

질의 공사지연 시 건축분야 상주감리원을 계속하여 현장에 상주시켜야 하는 지 여부

회신 「건축법 시행령」 제19조제5항에 따라 상주감리 대상인 경우에는 건축분야의 건축사보 한 명 이상을 전체 공사기간 동안, 토목, 전기 또는 기계 분야 건축사보 한 명 이상을 해당 공사기간 동안 공사현장에서 감리업무를 수행하도록 하고 있음 따라서, 위 규정에 따라 배치되는 건축사보는 공사가 완료될 때까지 현장에서 감리업무를 수행하여야 할 것으로 사료되나, 건축공사 감리 계약 내용 및 현장 상황을 감안하여 공사중단 시 공사감리자는 허가권자에게 건축사보 철수 신고를 할 수 있으며 허가권자 판단 하에 철수 신고를 받아줄 수 있을 것임

질의회신 무허가 건축물을 추인하는 경우 공사감리자 지정 여부

국토교통부 민원마당 FAQ 2023.6.15.

질의 무허가 건축물을 추인하는 경우 공사감리자 지정 여부

회신 추인이란 민법상 제도로서, 건축법령에는 추인제도를 별도로 마련해 두고 있지 않으나, 건축물이 단순히 건축법령이 정하는 절차(허가 또는 신고)를 이행하지 아니한 경우로서 현행 건축법령에 적합한 경우 이행강제금 부과 등 행정조치를 선행한 후 양성화 시켜주도록 한 사항으로 해당 건축공사가 완료된 상태에서 공사감리자 지정은 감리자로서의 역할등을 고려할 때 실익이 없을 것으로 보여지나, 질의의 보다 자세한 사항은 해당지역 허가권자와 협의 바람

질의회신 국가에 소속된 기술계 자격을 취득한 자의 상주감리 여부

국토교통부 민원마당 FAQ 2023.6.15.

질의 국가가 시행하는 건축공사에 대하여 국가에 소속된 기술계 자격을 취득한 자가 상주감리를 할 수 있는지 여부

회신 건축법 제25조 규정에 따르면 대통령령이 정하는 용도,규모 및 구조의 건축물을 건축하는 경우에는 건축사 또는 대통령령이 정하는 자를 공사감리자로 지정하여 공사감리를 하게 하여야 하며, 건축법 시행령 제19조제5항 규정에 따르면 바닥면적의 합계가 5천제곱 미터 이상인 건축물 등의 건축공사의 감리에 있어서는 「건축사법」 제2조제2호에 따른 건축사보(「기술사법」 제6조에 따른 기술사사무소 또는 「건축사법」 제23조제9항 각 호의 건설엔지니어링사업자 등에 소속되어 있는 사람으로서 「국가기술자격법」에 따른 해당 분야 기술계 자격을 취득한 사람과 「건설기술 진흥법 시행령」 제4조에 따른 건설사업관리를 수행할 자격이 있는 사람을 포함한다. 이하 같다)를 각 분야별 해당 공사기간동안 각각 공사현장에서 감리업무를 수행하게 하여야 함. 이 경우 건축사보는 해당 분야의 건축공사의 설계·시공·시험·검사·공사감독·감리업무 등에 2년 이상 종사한 경력이 있어야 함

질의회신 공공기관 소속 공무원의 감리 가능여부

건교부 건축기획팀-654, 2006.2.2.

질의 건설기술관리법령 등에 의한 책임감리대상이 아닌 공공건설공사에 대하여 감리·감독을 하는 경우 당해 발주기관의 공무원이면 가능한 것인지 또는 기술직 공무원(시공분야 자격증)으로 한정되어야 하는 것인지 여부

회신 건축법 제21조의 규정에 의하면 일정용도·규모이상의 건축물을 건축하는 경우에는 건축사 또는 건설기술관리법에 의한 감리전문회사를 공사감리자로 지정하도록 하고 있으며, 건축사법 제23조제8항제3호에 의하면 국가·지방자치단체 및 정부투자기관의 건축관련부서에 소속된 건축사는 당해 기관이 시행하는 공사의 설계 또

는 공사감리를 할 수 있도록 규정하고 있으나, 건축법 및 건축사법령에서 건설기술관리법에 의한 책임감리대상이 아닌 공공건설공사의 감리·감독등의 자격과 관련하여 별도로 규정하고 있는 사항이 없음
(* 법 제21조 ⇒ 제25조, 2008.3.21. 개정)

질의회신 계열사의 공사감리자로 볼 수 있는 지 여부

국토교통부 민원마당 FAQ 2023.6.15.

질의 건축법 제25조 제1항 단서에 따라 시공에 관한 감리에 대하여 건축사를 공사감리자로 지정하는 때에는 공사시공자 본인 및 「독점규제 및 공정거래에 관한 법률」 제2조에 따른 계열회사를 공사감리자로 지정하여서는 아니되는 바, 건축물의 설계자와 공사감리자가 다른 건축사이어야 하는 지

회신 건축법 제25조 제1항 단서에 따라 공사시공자 본인 및 「독점규제 및 공정거래에 관한 법률」 제2조에 따른 계열회사를 공사감리자로 지정할 수 없는 바, 공사감리자는 공사시공자 본인 및 공사시공자의 계열회사이어서는 아니되는 것이며, 건축법 제25조 제2항에 따라 「건설산업기본법」 제41조제1항 각 호에 해당하지 아니하는 소규모 건축물로서 건축주가 직접 시공하는 건축물 및 주택으로 사용하는 건축물 중 대통령령으로 정하는 건축물의 경우 공사감리자는 허가권자가 해당 건축물의 설계자가 아닌 건축사 중에서 지정하여야 함

질의회신 허가권자가 지정하는 공사감리자 관련

국토교통부 민원마당 FAQ 2023.6.15.

질의 허가권자가 지정하는 공사감리자 관련

회신 건축법 제25조제2항 및 시행령 제19조의2제1항에 따라 분양을 목적으로 하는 30세대 미만의 공동주택은 허가권자가 공사감리자를 지정하도록 하고 있으므로 분양을 목적으로 하지 않는 경우에는 동 기준을 적용하지 않으나, 이에 대해서는 당해지역 허가권자의 확인이 필요한 사항이므로 협의 바람

질의회신 감리완료보고서 제출 관련

국토교통부 민원마당 FAQ 2023.6.15.

질의 공사 진행 중 부도로 인하여 경매로 낙찰 받은 건축주가 전 감리자가 작성한 중간감리보고서 없이 구조안전진단 결과와 새로운 감리자가 작성한 감리완료보고서를 제출하여 사용승인 가능한 지 여부와 관련 법령에 위반되는 지 여부

회신 건축법 제25조제5항에 따라 공사감리자는 국토교통부령으로 정하는 바에 따라 감리일지를 기록·유지하여야 하고, 공사의 공정(工程)이 대통령령으로 정하는 진도에 다다른 경우에는 감리중간보고서를, 공사를 완료한 경우에는 감리완료보고서를 국토해양부령으로 정하는 바에 따라 각각 작성하여 건축주에게 제출하여야 하며, 건축주는 제22조에 따른 건축물의 사용승인을 신청할 때 중간감리보고서와 감리완료보고서를 첨부하여 허가권자에게 제출하도록 하고 있음. 따라서, 건축주가 건축물의 사용승인을 신청할 때에는 종전의 감리자로부터 감리중간보고서를 받아 제출하여야 하나, 종전의 감리자가 보고서 제출을 거부하는 등 불가피하게 중간감리보고서의 작성 및 제출이 불가능한 경우에는 건축사 등 관계전문가를 통하여 감리보고서에 작성(포함)되어야 할 부분이 구조적으로 안전한 지, 설계도면대로 시공되었는 지, 건축물의 사용에 지장이 없는 지, 관계 법령에 적합한 지 등을 종합적으로 검토 및 확인한 결과에 따라 사용승인권자가 최종 승인여부를 결정하여야 할 것으로 사료됨

질의회신 공사감리자가 건축주에게 감리완료보고서를 제출하지 아니한 상태로 사용승인 신청을 할 수 있는 지

국토교통부 민원마당 FAQ 2023.6.15.

질의 건축공사는 완료되었으나 건축주와 공사감리자간 금전적 다툼으로 공사감리자가 건축주에게 감리완료보고서를 제출하지 아니하여 사용승인 신청을 할 수 없는 경우, 건축주가 공사감리자를 변경하여 작성·제출한 서류 등을 근거로 사용승인을 할 수 있는 지 여부

회신 가. 건축법령상의 사용승인이라 함은 건축허가를 받은 사항이 건축법령 등의 규정 등에 적합하게 시공되었는 지의 여부를 확인하고 건축물의 사용에 지장이 없는 지를 확인하는 절차를 말하는 것으로,
나. 건축물의 사용승인신청 시 감리업무를 수행한 공사감리자가 확인·작성한 중간감리보고서 및 감리완료보고서를 제출하도록 하고 있으나, 정당한 사유로 감리보고서를 작성·제출이 불가능할 경우(화재로 인한 자료의 소실, 사고로 인하여 감리보고서를 작성하기 곤란한 경우 등)와 질의의 경우와 같이 기존 공사감리자가 자료제출을 거부하는 경우 등에는 건축사 등 관계전문가를 통해 감리보고서에 작성(포함)되어야 할 부분이 구조적으로 안전한 지, 설계도면대로 시공되었는 지, 건축물의 사용에 지장이 없는 지, 관계법령에 적합한 지 등을 종합적으로 검토·확인하여 그 결과에 따라 사용승인권자가 승인여부를 결정하면 될 것임

질의회신 하나의 건축허가 건에 대하여 감리자가 2인인 경우 공사감리완료보고서 제출방법

건교부 고객만족센터-437, 2007.1.16

질의 하나의 건축허가 건에 대하여 감리자가 2인인 경우 공사감리완료보고서 제출방법

회신 「건축법」 제21조제1항에 의하여 지정되어 감리를 수행한 경우라면 전임 또는 후임의 구분 없이 당해 감리자가 수행한 감리사항에 대하여 각각 또는 공동으로 현장조사내용 기재 및 확인 등이 필요할 것임
(* 법 제21조 ⇒ 제25조, 2008.3.21 개정)

질의회신 건축사보 배치신고 여부

국토교통부 민원마당 FAQ 2023.6.15.

질의 가. 건축법 시행령 제19조 제7항의 규정에 의하여 건축사보의 배치신고를 하는 경우에 있어 착공신고를 하는 때에 건축분야와 토목분야의 건축사보 배치신고를 하고 기계분야와 전기분야 건축사보는 추후 해당공사 착수 전에 배치신고를 할 수 있는 지
나. 건축법 시행령 제19조 제5항의 규정에 의하여 건축사보의 전체배치현황을 제출한 후 현장에 배치하기 전에 건축사보를 교체한다면 교체건수로 산정되는 지

회신 가. 건축법 시행령 제19조 제7항 제1호의 규정에 의하여 동조 제5항의 규정에 의하여 공사현장에 건축사보를 두는 공사감리자는 최초로 건축사보를 배치하는 경우에는 착공예정일부터 7일 이내에 건축사보의 배치현황을 허가권자에게 제출하여야 함
나. 건축사보 교체건수 산정에 대하여 건축법령에서는 특별히 규정하고 있지 아니하며, 건축법 시행령 제19조 제7항 및 동법 시행규칙 제19조 제2항, 규칙 별지 제22호의2 서식에 의하여 건축사보의 배치현황을 제출함에 있어 건축사보가 배치계획에 의한 계획공정 완료시점까지 근무하지 아니하고 철수한 때에는 철수사유를 "교체"로 기재하여야 함

질의회신 건축사보 배치 여부

국토교통부 민원마당 FAQ 2023.6.15.

질의 갑(건축주)과 을(공사감리자)이 상주감리 대상공사에 대한 공사감리계약을 체결하고 착공신고를 하였으나, 해당 공사가 지연되어 실제 착수되지 않은 상태에서 갑은 을에게 감리계약의 해지를 통보하였으나 허가권자에게는 공사감리자 변경신고를 하지 않은 사항과 관련하여,
가. 갑의 착공신고 제출 후 실제로 공사가 진행되지 않은 경우 건축사보를 배치하지 않아도 되는지 혹은 건축사보가 배치되지 않은 것으로 볼 수 있는지 여부?
나. 을의 건축사보 현장 배치기간의 산정은?

회신 가. 「건축법」 제21조에 따라 건축물의 공사를 착수하고자 하는 건축주는 허가권자에게 그 착공계획을 신고하여야 하며, 건축주는 제25조에 따라 공사감리자를 지정하여야 함 또한, 「건축법 시행령」 제19조 제5항에 따라 상주감리 대상 건축물의 감리는 건축분야 건축사보 1인 이상을 전체 공사기간 동안, 토목·전기 또는 기계분야의 건축사보 1인 이상을 각 분야별 해당 공사기간 동안 각각 공사현장에서 감리업무를 수행하게 하여야

하는 바, 착공신고서 제출 후 착공예정일 이후에는 건축분야 건축사보를 공사현장에 배치하여야 할 것이며, 건축주의 사정 등으로 인해 착공이 불가피한 경우에는 「건축법 시행규칙」 제14조 제2항에 따라 착공연기신청서를 허가권자에게 제출하여야 함
나. 공사감리 해약이 된 경우, 건축분야 건축사보의 배치기간은 착공예정일 이후부터 공사감리 해약이 된 시점까지 보아야 할 것임. 참고로, 건축주는 「건축법 시행규칙」 제11조 제2항에 의해 공사감리자를 변경한 때에는 그 변경한 날부터 7일 이내에 '건축관계자변경신고서'를 허가권자에게 제출하도록 되어 있음. 이와 관련하여 구체적인 사항은 해당 허가권자가 관련 감리계약 내용 등을 고려하여 판단해야 할 것임

질의회신 상주감리대상 규모인 기존건축물에 일부 증축시 상주감리대상인지 여부

건교부건축과-321, 2005.1.18

질의 가. 연면적 5천㎡ 이상인 기존건축물의 2층에 300㎡를 증축할 경우 상주감리대상인지 여부.
나. "생략"

회신 가. 건축법 시행령 제19조제5항제1호의 규정은 건축공사의 규모가 바닥면적의 합계가 5천㎡ 이상인 건축공사를 말하는 것으로서, 질의의 경우에는 이에 해당되지 않을 것이며,
나. "생략"

질의회신 상주감리시 토목·전기·기계분야의 감리원 자격

건교부 건축 58070-1275, 2003.7.15

질의 민간건축공사현장 상주감리시 토목 · 전기 · 기계분야의 감리원이 건축사사무소에 등록된 건축사보이어야하는지 여부

회신 건축법시행령 제19조제5항에 의하면 간축사법 제2조제2호의 규정에 의한 건축사보(건설기술관리법시행령 제51조의2의 규정에 의한 토목 · 전기 또는 기계분야의 감리원자격이 있는 자를 포함한다)중 건축분야의 건축사보 1인이상을 전체공사기간동안, 토목 · 전기 또는 기계분야의 건축사보 1인이상을 각 분야별 해당 공사기간동안 각각 공사현장에서 감리업무를 수행토록 규정하고 있으므로 상기규정에 의한 자격을 갖춘자이면 당해 건축사사무소 소속여부에 관계없이 감리업무를 수행하도록 할 수 있는 것이니, 기타 구체적인 사항에 대하여는 당해 허가권자에게 문의하기 바람

질의회신 다중이용건축물 상주감리시 건설사업관리기술인 배치 여부

국토부 민원마당 전자민원처리공개 2021.8.9.

질의 다중이용건축물로서 상주감리 대상에 해당하여 건축사사무소에서 감리를 진행할경우
건축법시행령 제19조 1항 2호에 의하면... 건축사(「건설기술 진흥법 시행령」 제60조에 따라 건설사업관리기술인을 배치하는 경우만 해당한다)...라는 문구에서
질의1] 건설사업관리기술인 이라하면 건축,토목,기계,전기에 해당하는 건축사보 모두를 뜻하는 것인지 아님 건축분야 건축사보만 해당하는것인지?
질의2]해당분야 건축사보(건축,토목,기계,전기) 모두가 건축사사무소 소속으로 구성되어야 하는지?

회신 ○건축법 제25조 및 동법 시행령 제19조에 따라 다중이용건축물을 건축하는 경우 건설기술진흥법에 따른 건설기술용역사업자(공사시공자 본인이거나 독검규제 및 공정거래에 관한 법률 제2조에 따른 계열회사의 건설기술용역사업자는 제외) 또는 건축사(건설기술진흥법 시행령 제60조에 따라 건설사업관리기술인을 배치하는 경우만 해당)를 공사감리자로 지정하여야 합니다.
○상기규정에 따라 다중이용건축물을 건축하는 경우 건설기술용역사업자 또는 건설사업관리기술인을 배치하는 경우 건축사가 공사감리자로 지정될 수 있다는 의미이며,
- 건축사보에 대한 자격조건을 뜻하는 것은 아니며, 건축법시행령 제19조제2항에 따라 다중이용건축물을 건축

하는 경우 감리원의 배치기준 및 감리대가는 건설기술진흥법에서 정하는 것임을 알려드립니다.

질의회신 건축법에 의한 공사감리 각 분야별 해당 공사기간동안 각각 공사현장에서 감리업무 수행

국토부 민원마당 전자민원처리공개 2021.7.28.

질의 <관련법규>
○ 건축법 제25조 및 및 동법시행령 제19조 규정에 의거 공사감리자를 지정하여 공사감리를 하게 하는 경우에는 공사감리자는 수시로 또는 필요할 때 공사현장에서 감리업무를 수행하여야 하며
○ 건축공사를 감리하는 경우에는 건축사보중 건축분야의 건축사보 한명이상을 전체공사기간동안, 토목·전기 또는 기계분야의 건축사보 한명 이상을 각 분야별 해당 공사기간동안 각각 공사현장에서 감리업무를 수행하여야 함
< 질의사항>
○ 건축공사를 감리하는 경우 건축분야는 전체공사기간동안, 토목·전기 또는 기계분야의 건축사보는 각 분야별 해당공사기간 각각 공사현장에서 감리업무를 수행하여야 하는바 건축공사시 기계분야의 감리원은 규모가 큰 건물은 착공 후7~10개월 후 공사현장에 투입되는데 착공계 제출 후 대기기간이 많아 많은 부작용이 발생하고 있는 바
○ 착공계 제출시 건축 및 토목분야는 건축사보를 제출하고 기계분야는 등급만 제출 후 해당공사 개시 전 동등이상 등급에 해당하는 건축사보를 배치하여 공사감리업무에 지장에 없도록 배치하면 가능한지요?

회신 ○ 건축법시행령 제19조제8항에 따라 최초로 건축사보를 배치하는 경우 착공예정일로부터 7일이내에 공사감리자는 건축사보의 배치현황을 허가권자에게 제출하도록 되어있습니다.
○ 이 때 착공과 동시에 배치되지 않는 분야라 할지라도 [별지 제22호의2서식] 건축공사 건축사보 배치 현황 제출 서식에 배치예정일을 기재하여 신고하여야 하며,
- 그 기재일과 다른 기간으로 변경되는 경우라면 변경된 날로부터 7일이내에 그 현황을 제출하면 될 것입니다.
○ 보다 자세한 사항에 대하여는 건축사보 배치현황을 신고받는 주체인 허가권자가 건축물의 용도, 규모 및 관련 법령 등을 종합적으로 검토하여 판단할 사항으로 허가권자에게 문의 바람

12 건축물의 사용승인

법령해석 공동건축주중 일부가 건축물 사용승인신청을 할 수 있는지 여부

법제처 법령해석 05-0107, 2005.12.30.

질의요지 다수인이 공동으로 건축허가를 받은 건축물에 대하여 공동건축주 전부가 아닌 공동건축주 중 일부가 「건축법 제18조」의 건축물 사용승인신청을 할 수 있는지 여부

회신 「건축법 제18조」의 건축물 사용승인을 신청하는 행위는 공유물인 건축물을 그 용도에 따라 사용할 수 있도록 하는 관리행위로서 공동건축주 지분의 과반수가 되는 건축주의 동의가 있으면, 건축물의 사용승인 신청을 할 수 있다고 할 것입니다.

이유 “생략”

법령해석 대지소유권이 제3자에게 이전되어 대지소유권이 없는 경우 사용승인서 교부 가능 여부

법제처 법령해석 08-0067, 2008.5.15.

질의요지 관광숙박시설(휴양 콘도미니엄) 사업계획승인을 얻어 공사 중 경매로 대지의 소유권이 제3자에게 이전되어 대지의 소유권이 없는 경우 대지의 소유 또는 그 사용에 관한 권리를 증명하는 서류를 제출하지 않아도 「건축법」 제22조에 따라 사용승인서의 교부가 가능한 지?

회답 관광숙박시설(휴양 콘도미니엄) 사업계획승인을 얻어 공사 중 경매로 대지의 소유권이 제3자에게 이전

건 축 법
1. 총 칙
2. 건 축
3. 유지관리
4. 대지도로
5. 구조재료
6. 지역지구
7. 건축설비
8. 특별건축구역
9. 보 칙
10. 벌 칙
건 축 법 관련기준

되어 대지의 소유권이 없는 경우에 대지의 소유 또는 그 사용에 관한 권리를 증명하는 서류를 제출하지 않아도 「건축법」 제22조에 따라 사용승인서의 교부가 가능합니다.

이유 "생략"

질의회신 공동주택 사용승인시 대지소유권 관련

국토교통부 민원마당 FAQ 2019.5.24.

질의 사용승인 전에 해당 토지에 대한 신탁을 해제하는 것을 조건으로 공동주택의 건축을 허가하였으나, 사용승인신청 시 신탁해제 어려운 경우 신탁을 해제하지 아니하고 사용승인이 가능한 지

회신 분양을 목적으로 하는 공동주택을 건축하는 경우에는 「건축법 시행규칙」 제6조제1항제1호에 따라 건축할 대지의 범위와 그 대지의 소유에 관한 권리를 증명하는 서류를 건축허가 신청 시 허가권자에게 제출하도록 하고 있으나, 「건축법」 제22조에 따른 건축물 사용승인신청 시에 건축주로 하여금 대지의 소유에 관한 권리를 증명하는 서류를 허가권자에게 제출하도록 하는 규정을 별도로 두고 있지 아니함. 아울러, 사용승인 신청을 받은 허가권자는 사용승인을 신청한 건축물이 이 법에 따라 허가 또는 신고한 설계도서대로 시공되었는지의 여부 등에 대한 검사를 실시하고, 검사에 합격된 건축물에 대하여는 사용승인서를 내주어야 하는 것이나, 귀하의 질의와 관련해서는 허가권자가 건축법령에의 적합여부 및 허가조건을 부여한 취지 등을 검토하여 판단해야 할 것임

질의회신 사용승인 가능 여부

국토교통부 민원마당 FAQ 2019.5.24.

질의 구조물 일부와 마감공사, 전기 및 설비 시설 등이 시공되지 않은 상태에서 사용승인이 가능한 지 여부

회신 「건축법」 제22조제2항에 따르면 허가권자는 사용승인을 신청한 건축물이 이 법에 따라 허가 또는 신고한 설계도서대로 시공되었는지 여부, 감리완료보고서, 공사완료도서 등의 서류 및 도서가 적합하게 작성되었는지의 여부에 대한 검사를 실시하고 검사에 합격된 경우 사용승인서를 내주도록 하고 있음 따라서, 설계도서에 포함된 구조물과 마감재 등이 미시공된 상태에서 사용승인을 받는 것은 곤란할 것으로 판단되나, 보다 구체적인 사항은 허가내용 등을 종합적으로 검토하여 판단하여야 할 것으로 사료됨

질의회신 공사감리자가 건축주에게 감리완료보고서를 제출하지 아니한 상태로 사용승인 신청을 할 수 있는 지

국토교통부 민원마당 FAQ 2023.6.15.

질의 건축공사는 완료되었으나 건축주와 공사감리자간 금전적 다툼으로 공사감리자가 건축주에게 감리완료보고서를 제출하지 아니하여 사용승인 신청을 할 수 없는 경우, 건축주가 공사감리자를 변경하여 작성·제출한 서류 등을 근거로 사용승인을 할 수 있는 지 여부

회신 가. 건축법령상의 사용승인이라 함은 건축허가를 받은 사항이 건축법령 등의 규정 등에 적합하게 시공되었는 지의 여부를 확인하고 건축물의 사용에 지장이 없는 지를 확인하는 절차를 말하는 것으로,
나. 건축물의 사용승인신청 시 감리업무를 수행한 공사감리자가 확인·작성한 중간감리보고서 및 감리완료보고서를 제출하도록 하고 있으나, 정당한 사유로 감리보고서를 작성·제출이 불가능할 경우(화재로 인한 자료의 소실, 사고로 인하여 감리보고서를 작성하기 곤란한 경우 등)와 질의의 경우와 같이 기존 공사감리자가 자료제출을 거부하는 경우 등에는 건축사 등 관계전문가를 통해 감리보고서에 작성(포함)되어야 할 부분이 구조적으로 안전한 지, 설계도면대로 시공되었는 지, 건축물의 사용에 지장이 없는 지, 관계법령에 적합한 지 등을 종합적으로 검토·확인하여 그 결과에 따라 사용승인권자가 승인여부를 결정하면 될 것임

질의회신 건축물 평면도와 시공이 다른 경우 사용승인 가능 여부 관련

국토교통부 민원마당 FAQ 2019.5.24.

질의 지상1층 평면도에 제연덕트 표시가 없었으나 설치가 된 경우 건축법 위반 및 사용승인 가능 여부와 허가

나 감독상 문제가 있는 지 여부.

회신 건축법령상 제연덕트 설치 기준에 대해 별도로 규정하고 있지 아니함. 참고로, 「건축법」 제22조제2항의 규정에 의하면, 허가권자는 사용승인을 신청한 건축물이 건축법령에 따라 허가 또는 신고한 설계도서대로 시공되었는 지 여부, 감리완료보고서, 공사완료도서 등의 서류 및 도서가 적합하게 작성되었는 지 여부에 대한 검사를 실시하고 검사에 합격된 건축물에 대하여는 사용승인서 발급하도록 규정하고 있음

질의회신 동별 사용승인 관련

국토교통부 민원마당 FAQ 2023.6.15.

질의 지상층 부분은 완전히 독립(3개동)되어 있으나 지하층이 서로 공유되어 있는 건축물로, 1개동의 지상층과 이에 따른 지하층 부분이 완료(집합건축물로 지하층의 잔여 공사를 위한 출입구는 별도 확보)된 건축물의 동별 사용승인 및 건축물대장 작성이 가능한지 여부

회신 「건축법」 제22조제1항에 따라 하나의 대지에 둘 이상의 건축물을 건축하는 경우 동별 건축공사가 완료된 때에는 동별로도 사용승인이 가능한 것이며, 허가권자는 사용승인서를 발급한 경우 같은 법 제38조제1항제1호에 따라 건축물대장에 건축물과 그 대지의 현황을 적어 보관하여야 함

이와 관련, 귀 질의의 건축물이 독립되어 있는 지상층 부분과 이에 따른 지하층 부분이 완료된 경우로서 지하층의 공사 중인 부분이 완료된 부분의 사용에 직접적인 지장을 주지 않으며,

「건축법」에서 규정하고 있는 피난, 구조 등 안전기준 등과 관계법령에 적합한 경우라면 독립된 지상층 부분(이에 따른 지하층 부분 포함)에 대하여 동별 사용승인이 가능할 것으로 사료되고 그에 따라 건축물대장의 작성도 가능할 것으로 판단되나,

이에 대하여는 해당 허가권자가 건축물의 구조, 기능 및 관계법령을 종합 검토하여 판단하여야 할 것이니, 보다 자세한 내용은 관련 자료를 갖추어 해당 지역의 허가권자에게 문의 바람

질의회신 건축물 사용승인 이전에 입주한 경우 공사시공자 처벌 가능 여부

건교부 건축기획팀-1333, 2006.3.3.

질의 건축물 사용승인 이전에 입주한 경우 공사시공자 처벌 가능 여부

회신 건축법 제18조제3항의 규정에 의하면 건축주는 사용승인을 얻은 후가 아니면 그 건축물을 사용하거나 사용하게 할 수 없도록 하고 있으며, 동법 제19조의2에 의하면 공사시공자는 건축법 및 건축법의 규정에 의한 명령이나 처분 기타 관계법령의 규정에 적합하게 건축물을 건축하여 건축주에게 이를 인도하도록 하고 있음. 아울러, 건축주등에 대한 벌칙과 관련하여 건축법 제79조제2호에서는 건축법 제18조제3항의 규정에 위반한 건축주 및 공사시공자는 2년 이하의 징역 또는 1천만원이하의 벌금에 처하도록 하고 있는 바, 건축물 사용승인 이전에 공사시공자가 사전입주에 대한 별도의 조치를 취하지 아니하거나 사전 입주한 상태에서 공사를 진행한 경우 등에는 동 규정에 의거 조치가 가능할 것으로 판단됨

(* 법 제18조, 제79조 ⇒ 제22조, 제110조, 2008.3.21 개정)(* 1천만원 이하 ⇒ 1억원 이하, 2016.2.3 개정)

질의회신 도로조건 등이 미비한 채 임시사용승인 가능 여부

국토교통부 민원마당 FAQ 2019.5.24.

질의 건축물사용승인신청 시 「건축법」 제33조의 규정에 근거한 도시계획예정도로가 개설되어 사실상 너비 6미터 이상의 도로에 4미터 이상을 접하는 조건을 부하여 건축허가를 하였으나 이와 같은 건축허가조건이 이행되지 아니한 상태에서 임시사용승인신청이 가능한 지 여부

회신 「건축법시행규칙」 제17조 제2항의 규정에 의하여 허가권자는 건축물 및 대지의 일부가 「건축법」 제33조 등의 규정에 위반하여 건축된 경우에는 당해 건축물의 임시사용을 승인하여서는 아니된다고 규정하고 있음 따라서, 질의가 사용승인신청시 건축허가조건이 이행되는 것을 전제로 한 점, 건축법 상 도로의 의미가 사용승

인과 임시사용승인이 서로 다른 것으로 명문의 규정을 두지 아니한 점을 고려하는 경우 건축법 제18조의 규정에 의한 임시사용승인의 신청은 어려울 것임(* 법 제18조, 제33조 ⇒ 제22조, 제44조, 2008. 3. 21 개정)

질의회신 건축물 임시사용승인 후 허가사항 변경 관련

국토교통부 민원마당 FAQ 2019.5.24.

질의 건축물 임시사용승인 후 허가사항 변경이 가능한 지 여부

회신 「건축법」 제22조제3항제2호에 따라 사용승인서를 교부받기 전에 공사가 완료된 부분이 건폐율, 용적률, 설비, 피난·방화 등 국토교통부령으로 정하는 기준에 적합한 경우에는 임시사용 승인이 가능함 같은 법 제16조제1항에 따라 건축주가 제11조나 제14조에 따라 허가를 받았거나 신고한 사항을 변경하려면 허가권자의 허가를 받거나 신고하도록 하고 있음 따라서, 변경내용이 건축법 및 관계 법령과 임시사용 승인기준에 적합한 지 여부 등을 검토하여 판단해야 할 것으로 사료됨

질의회신 조경 부적합시기에 완료된 건축물의 임시사용승인 가능 여부

국토교통부 민원마당 FAQ 2013.12.10.

질의 건축공사가 식수(植樹) 등 조경을 하기에 부적합한 시기에 완료된 경우 건축공사가 완료된 건축물에 대한 임시사용승인이 가능한지 여부

회신 「건축법」 제22조제3항제2호 및 같은 법 시행령 제17조제2항에 따르면 건축주는 사용승인서를 받기 전에 공사가 완료된 부분에 대한 임시사용의 승인을 받으려는 경우에는 임시사용승인신청서를 허가권자에게 제출하여야 하는 것이며,

같은 법 시행령 제17조제3항에 따라 허가권자는 임시사용승인신청서를 접수한 경우에는 공사가 완료된 부분이 법 제22조제3항제2호에 따른 기준에 적합한 경우에만 임시사용을 승인할 수 있으며,

식수 등 조경에 필요한 조치를 하기에 부적합한 시기에 건축공사가 완료된 건축물은 허가권자가 지정하는 시기까지 식수(植樹) 등 조경에 필요한 조치를 할 것을 조건으로 임시사용을 승인할 수 있는 바, 귀 질의가 이에 해당하는 경우 임시사용승인이 가능할 것임

질의회신 동일 대지에 별도의 건물 2동 중 1동 완공시 임시사용승인 가능여부

건교부 건축 58070-486, 2003.3.19.

질의 동일한 대지에 별도의 건물 2동을 개발행위허가와 건축허가를 동시에 받아 공사중 1개동의 건축물이 완공되었을 경우 임시사용승인이 가능한지 여부

회신 건축법 제18조제3항단서 및 동법시행령 제17조제3항 · 제4항, 동법시행규칙 제17조제2항의 규정에 위반되지 않고 당해 건축물의 사용에 지장이 없는 경우에 한하여 2년의 범위안에서 임시사용승인이 가능한 것이니, 구체적인 사항은 당해지역의 허가권자인 시장 · 군수 · 구청장에게 문의하기 바람
(* 법 제18조 ⇒ 제22조, 2008.3.21 개정)

질의회신 임시사용승인기간 연장가능여부

건교부 건축 58070-1178, 2003.7.2.

질의 임시사용승인을 득하여 당해 건축물을 사용하던 중 임시사용승인기간(14개월)이 종료되었으나, 필요에 의하여 이를 연장 하고자 하는바 가능여부

회신 건축법시행규칙 제17조제2항의 규정에 위반된 건축물은 임시사용승인을 할 수 없으며 같은법시행령 제17조제4항의 규정에 의하여 임시사용승인의 기간은 2년 이내로 하도록 규정되어 있는바, 2년이 경과되지 않았다면 2년까지 임시사용승인을 받을수 있는 것이니 절차등 구체적인 사항은 당해허가권자에게 직접 문의하여 주기 바람

질의회신 임시사용중에 설계변경 가능여부

서울시 건지 58550-4842, 2001.9.24.

질의 기존 병원건축물에 증축 및 대수선허가를 받아 증축 부분의 공사가 완료되어 증축부분만 임시사용승인을 받고, 기존 병동에서 증축된 부분으로 이전하고 기존 병동부분의 대수선 공사 중에 있는 경우 기존 병동부분의 증축을 위한 설계변경이 가능한지 여부

회신 건축법시행령 제17조제2항의 규정에 의한 임시사용승인중이라도 건축법 제10조의 규정에 의한 허가·신고사항의 변경을 제한하고 있지 않으므로 설계변경 하고자 하는 사항이 건축법 등 관계법령의 제반 건축기준에 적합한 경우라면 가능한 것으로 사료됨

질의회신 임시사용승인 후 감리자 철수(감리원 배치)관련

국토교통부 민원마당 FAQ 2019.5.24.

질의 임시사용검사후 감리자 철수 가능 여부

회신 임시사용승인은 일부 잔여공사가 있거나 도로개설 등 사업승인조건의 일부가 미이행된 경우에 행정기관에서 취하는 행정처분사항으로서 잔여공사 또는 사업승인조건의 미이행 사항이 감리용역에 해당되는 경우 감리자는 현장에서 철수할 수 없음. 다만, 임시사용승인을 받은 경우로서 감리용역에 해당되는 모든 분야별 감리원의 공정(업무)이 만료되었다고 사업주체 및 감리지정권자가 인정하는 경우 감리자는 당해 현장에서 철수 가능할 것임

질의회신 위반건축물 사용승인 여부

국토교통부 민원마당 FAQ 2019.5.24.

질의 건폐율이 초과되어 건축허가 불허대상건축물임에도, 해당 구청의 담당자가 소홀히 검토하여 건축허가를 득하였고, 이후 건축주가 사용승인을 신청하자 해당 구청은 건축법상 위반건축물에 해당하지만 기 건축허가된 사항대로 건축되었다는 이유만으로 사용승인을 처리해 주는 것이 적법한 지 여부

회신 「건축법」 제22조제2항의 규정에 의하면, 허가권자는 같은법 제22조제1항에 따른 사용승인 신청을 받은 경우 사용승인을 신청한 건축물이 같은법에 따라 허가 또는 신고한 설계도서대로 시공되었는지 여부, 감리완료보고서·공사완료보고서 등의 서류 및 도서가 적합하게 작성되었는지 여부를 검사하여 검사에 합격된 건축물에 대하여 사용승인서를 발급하도록 하고 있으며,

같은항 제3항에서 건축주는 사용승인을 받은 후가 아니면 건축물을 사용하거나 사용할 수 없도록 하고 있는데, 예외적으로 사용승인서를 교부받기 전에 공사 완료된 부분이 건폐율, 용적률, 설비, 피난·방화 등 국토해양부령으로 정하는 기준에 적합한 경우 임시로 사용승인을 한 경우 당해 건축물을 사용하도록 하고 있는 점을 고려할 때, 사용승인 전에 건폐율이 위반된 것을 알았다면 이를 시정한 후 사용승인서를 교부함이 타당할 것임

질의회신 위반건축물의 사용승인

국토교통부 민원마당 FAQ 2013.12.9.

질의 상가용 집합건축물의 A점포 소유자(갑)가 용도변경 허가를 받아 공사를 진행 중에 B점포 소유자(을)가 집합건축물의 주차장 일부를 무단으로 용도변경한 행위에 대하여 시정지시를 하였으나 시정조치가 되지 않은 상태인 경우, 갑이 신청한 용도변경에 대하여 사용 승인을 할 수 있는 지 여부

회신 「건축법」 제79조제1항에 따라 허가권자는 대지나 건축물이 이 법 또는 이 법에 따른 명령이나 처분에 위반되면 이 법에 따른 허가 또는 승인을 취소하거나 그 건축물의 건축주·공사시공자·현장관리인·소유자·관리자 또는 점유자(이하 "건축주등"이라 한다)에게 공사의 중지를 명하거나 상당한 기간을 정하여 그 건축물의 철거·개축·증축·수선·용도변경·사용금지·사용제한, 그 밖에 필요한 조치를 명할 수 있도록 하고 있으며,

- 같은 조 제2항에 따라 허가권자는 제1항에 따라 허가나 승인이 취소된 건축물 또는 제1항에 따른 시정명령을

받고 이행하지 아니한 건축물에 대하여는 다른 법령에 따른 영업이나 그 밖의 행위를 허가하지 아니하도록 요청할 수 있도록 하고 있음

또한, 「주차장법」 제19조의4 제4항에 따라 부설주차장을 다른 용도로 사용하거나 부설주차장 본래의 기능을 유지하지 아니하는 경우에는 해당 시설물을 「건축법」 제79조제1항에 따른 위반 건축물로 보아 같은 조 제2항 본문을 적용하도록 하고 있음

따라서, 부설주차장의 불법용도 변경에 따른 행위제한에 대하여는 건축법령에서 정하고 있지 않음에 따라, 「주차장법」 위반여부 등을 검토하여 해당 건축허가권자가 판단할 사항으로 사료됨

질의회신 잘못 허가된 건축물의 사용승인 거부여부

서울시 건지 58550-35, 2002.1.4.

질의 건축물의 부설주차 28대중 옥외 직각주차장(6대분)에 대한 전면 차로가 주차장법령의 규정에 저촉되게 1991.1.26 건축허가를 받고 착공 후 공사가 완료한 경우 허가 자체의 하자를 사유로 당해 허가권자가 사용승인을 거부하는 것이 정당한 것인지

회신 건축물의 준공검사처분의 법적 성질 및 건축허가 자체에 하자가 있는 경우 준공을 거부할 수 있는지 여부에 대한 대법원 판례('92.4.10)는 아래와 같음.

준공검사 처분은 건축허가를 받아 건축한 건물이 건축허가사항대로 건축행정목적에 적합한가의 여부를 확인하고, 준공검사필증을 교부하여 줌으로써 허가받은 자로 하여금 건축한 건물을 사용, 수익할 수 있게 하는 법률효과를 발생시키는 것이므로 허가관청은 특단의 사정이 없는 한 건축허가내용대로 완공된 건축물의 준공을 거부할 수 없다고 하겠으나, 만약 건축허가자체가 건축관계법령에 위반되는 하자가 있는 경우에는 비록 건축허가내용대로 완공된 건축물이라 하더라도 위법한 건축물이 되는 것으로서 그 하자의 정도에 따라 건축허가를 취소할 수 있음은 물론 그 준공도 거부할 수 있다고 하여야 할 것이나 건축허가를 받게되면 그 허가를 기초로 하여 일정한 사실관계와 법률관계를 형성하게 되므로 그 허가를 취소함에 있어서는 수허가자가 입게 될 불이익과 건축행정상의 공익 및 제3자의 이익과 허가조건위반의 정도를 비교 교량하여 개인적 이익을 희생시켜도 부득이하다고 인정되는 경우가 아니면 함부로 그 허가를 취소할 수 없는 것이므로 건축주가 건축허가 내용내로 완공하였으나 건축허가 자체에 하자가 있어서 위법한 건축물이라는 이유로 허가관청이 준공을 거부하려면 건축허가의 취소에 있어서와 같이 조리상의 제약이 따른다고 할 것이고, 만약 당해 건축허가를 취소할 수 없는 특별한 사정이 있는 경우라면 그 준공도 거부할 수 없다고 할 것이다.

따라서 질의의 경우와 같이 건축허가를 받고 공사를 완료하였으나 허가자체에 하자가 있는 경우 그 사용승인을 거부할 수 있는지에 대하여는 당해 허가권자가 사안별로 건축허가내용·하자내용 및 상기 판례 등을 종합적으로 조사·검토하여 판단 처리함이 타당한 것으로 사료됨

질의회신 1동의 건물 중 일부만 사용승인가능여부

서울시 건지 58550-2813, 2001.6.20.

질의 지하2층, 지상8층인 근린생활시설 및 연립주택으로 하나의 건축물로 건축허가되어 건축공사 중 건축주 사정에 의거 근린생활시설 부분만 임시사용승인을 받고자 하는 경우 가능 여부

회신 건축법 제18조제3항 단서 및 동법시행령 제17조제2항·제3항의 규정에 의하면 사용승인서를 교부받기 전에 공사가 완료된 부분에 대한 임시사용승인을 얻고자하는 경우에는 임시사용승인서를 제출하여야 하며, 이 경우 시장·군수·구청장은 건축물 및 대지의 일부가 건축법시행규칙 제17조제2항의 규정에 위반하지 아니한 경우에 한하여 임시사용을 승인할 수 있도록 하면서 법령상 부분 임시사용승인을 제한하고 있지 않으므로, 건축허가 받아 건축한 건축물 중 공사가 완료된 부분을 사용하기 위하여는 임시사용승인을 득해야 하는 것이며, 임시사용승인을 받고자하는 부분과 기타 부분이 방화벽 등으로 완전 구획되어 출입 등이 구분되어 사람의 통행이나 안전에 지장을 초래하지 않아야 되고, 임시사용승인 부분이 건축법시행규칙 제17조제2항과 소방법·주

차장법 등 관계법령의 건축기준에 적합한 경우라면 임시사용승인이 가능한 것으로 사료되나, 임시사용승인 하고자 하는 부분이 상기 규정에 적합 여부 등 보다 구체적인 사항은 당해 허가권자와 상의하시기 바람
(* 법 제18조 ⇒ 제22조, 2008.3.21 개정)

질의회신 기존건축물의 증축신고대상인 건축물의 사용승인 시 건축물대장(현황도) 작성은?

국토해양부 민원마당 FAQ 2019.5.24.

질의 건축법 제9조에 따라 기존건축물에 증축신고대상에 대한 건축물의 사용승인을 하는 경우 건축물대장(현황도) 작성은?

회신 가. 건축법 제29조 제1항의 규정에 의하면 동법 제18조 제2항의 규정에 의하여 사용승인을 교부한 경우에는 건축물대장에 건축물 및 그 대지에 관한 현황을 기재하고 관리하도록 규정하고 있으며,
나. 또한, 건축물대장의 기재 및 관리 등에 관한 규칙 제12조 제1항의 규정에 의하면 시장·군수·구청장은 법 제18조 제2항 등에 의거 사용승인을 하는 때에는 그 내용에 따라 건축물대장을 생성하도록 되어 있음
다. 따라서, 건축법 제9조에 의하여 건축신고대상 건축물의 경우에는 사용승인시 첨부된 공사완료도서 즉, "입면, 배치 및 평면도 등에 표시된 현황도면"등을 이용하여 건축물대장을 생성하면 될 것임
(* 법 제9조, 제18조, 제27조 ⇒ 제14조, 제22조, 제36조, 2008.3.21. 개정)

질의회신 분양목적이 아닌 건축물의 사용승인 시 토지소유권을 확보하여야 만 가능한 지

국토교통부 민원마당 FAQ 2019.5.24.

질의 대지의 일부를 다른 토지소유자로부터 토지사용승락서를 받아 건축허가를 신청하여 건축을 완료(분양을 목적으로 하는 공동주택이 아님)한 경우 토지소유권을 확보하여야만 사용승인이 가능한 지

회신 건축법 제18조의 규정에 의한 건축물의 사용승인이라 함은 동법 제8조의 규정에 의한 허가를 받은 사항이 건축법령 등의 규정에 적합하게 시공되었는지의 여부를 확인하고 건축물의 사용에 지장이 없는지를 확인하는 절차인 바, 건축허가신청시 대지의 일부에 대하여 토지소유자로부터 사용승낙을 기 득하였고 건축물의 용도가 분양을 목적으로 하는 공동주택이 아닌 경우라면 사용승인을 하기 위하여 해당 토지에 대한 토지소유권을 반드시 확보할 필요는 없을 것으로 사료됨 (* 법 제8조, 제18조 ⇒ 제11조, 제22조, 2008.3.21. 개정)

질의회신 도로개설을 하여야 사용승인이 가능한 지

국토교통부 민원마당 FAQ 2019.5.24.

질의 대지에 접한 도로의 개설이 완료된 후에 사용승인이 가능한 지

회신 건축법령상 도로는 동법 제2조 제1항 제11호의 규정에 적합하여야 하고 건축물의 대지는 동법 제33조의 규정에 적합하여야 동법 제18조의 규정에 의한 사용승인이 가능한 것임
(* 법 제18조, 제33조 ⇒ 제22조, 제44조, 2008.3.21.)

질의회신 주상복합건축물의 사용승인 신청 관련

국토교통부 민원마당 FAQ 2019.5.24.

질의 주상복합건축물의 사용승인 신청시 대지의 소유 또는 그 사용에 관한 권리를 증명하는 서류를 제출하여야 하는지 여부

회신 「건축법 시행규칙」 제6조제1항제1호의 규정에 따르면 건축허가를 받으려는 자는 허가신청서에 건축할 대지의 범위와 그 대지의 소유 또는 그 사용에 관한 권리를 증명하는 서류(분양을 목적으로 하는 공동주택을 건축하는 경우에는 건축할 대지의 범위와 그 대지의 소유에 관한 권리를 증명하는 서류)를 첨부하여 제출하도록 하고 있음.
그러나, 같은 법 제22조에 따른 건축물 사용승인 신청시에 건축주로 하여금 대지의 소유 또는 그 사용에 관한 권리를 증명하는 서류를 허가권자에게 제출하도록 별도로 규정하고 있지 아니함.

질의회신 대지의 소유권이 없는 경우 사용승인서 교부 여부

국토교통부 민원마당 FAQ 2019.5.24.

질의 관광숙박시설(휴양콘도미니엄) 사업계획승인을 얻어 건축공사를 하던 중 경매로 대지의 소유권이 제3자에게 이전되어 건축주에게 대지의 소유권이 없는 경우 사용승인서를 교부할 수 있는 지

회신 관광숙박시설(휴양 콘도미니엄) 사업계획승인을 얻어 공사 중 경매로 대지의 소유권이 제3자에게 이전되어 대지의 소유권이 없는 경우에 대지의 소유 또는 그 사용에 관한 권리를 증명하는 서류를 제출하지 않아도 「건축법」 제22조에 따라 사용승인서의 교부가 가능한 것임

13 현장조사·검사 및 확인업무의 대행

법령해석 「건축법」 제27조제1항에 따른 현장조사·검사 및 확인업무 대행을 위한 업무협약이 「건축사법」 제22조의2제1항에 따른 계약에 포함되는지 여부

「건축법」 제27조, 건축사법」 제22조의2 등 관련 법제처 법령해석 17-0217, 2017.7.19.

질의요지 「건축사법」 제19조제2항제2호에서는 건축사가 「건축법」 제27조에 따른 건축물에 대한 현장조사, 검사 및 확인에 관한 업무를 수행할 수 있다고 규정하고 있고, 「건축사법」 제22조의2제1항 각 호 외의 부분 전단에서는 같은 법 제11조에 따른 자격취소(제1호), 같은 법 제18조의3에 따른 자격등록의 취소(제2호), 같은 법 제28조에 따른 건축사사무소개설신고의 효력상실 또는 업무정지(제3호), 같은 법 제30조의3제2항제2호에 따른 업무정지(제4호) 중 어느 하나에 해당하는 처분 또는 명령을 받은 건축사는 그 처분 또는 명령을 받기 전에 계약을 체결한 업무는 계속하여 수행할 수 있다고 규정하고 있습니다.

한편, 「건축법」 제27조제1항에서는 특별시장·광역시장·특별자치시장·특별자치도지사 또는 시장·군수·구청장(이하 "허가권자"라 함)가 같은 법에 따른 현장조사·검사 및 확인업무를 대통령령으로 정하는 바에 따라 「건축사법」 제23조에 따라 건축사사무소개설신고를 한 자에게 대행하게 할 수 있다고 규정하고 있는바, 「건축법」 제27조제1항에 따른 현장조사·검사 및 확인업무 대행을 위한 계약이 「건축사법」 제22조의2제1항에 따른 계약에 포함되는지?

<질의 배경> ○ 감사원은 충청남도를 감사하는 과정에서 업무정지 처분 중에 현장조사·검사 및 확인 대행 업무를 수행한 건축사에 대하여 국토교통부에 자격등록 취소를 할 것을 요청하였으나, 해당 건축사가 본인은 업무정지 처분 전에 충청남도 홍성군과 충청남도건축사회 간 체결한 현장조사·검사 및 확인업무 대행을 위한 업무협약에 따라 대행 업무를 수행한 것으로 그 업무협약도 「건축사법」 제22조의2제1항에 따른 계약에 해당하므로, 업무정지 처분 후에도 현장조사·검사 및 확인 대행 업무는 계속하여 수행할 수 있다고 주장하자, 국토교통부는 그 집행기준을 명확히 하고자 법제처에 법령해석을 요청함.

회답 「건축법」 제27조제1항에 따른 현장조사·검사 및 확인업무 대행을 위한 계약은 「건축사법」 제22조의2제1항에 따른 계약에 포함됩니다.

이유 "생략"

질의회신 건축사 행정처분 관련

국토교통부 민원마당 FAQ 2019.5.24.

질의 설계.감리자인 건축사가 임의로 사용검사 대행자 지정서를 허위로 작성하고, 또한 조사.검사조서를 허위로 작성하여 행정기관에 제출하여 사용승인을 받게 한 경우 해당 건축사에 대한 행정처분기준은?

회신 1) 건축법 제27조 및 동 법 시행령 제20조에 의하면 사용승인과 관련된 현장조사.검사 및 확인업무는 허가권자가 건축사로 하여금 대행하게 할 수 있도록 하고, 그 업무대행자는 현장조사.검사 또한 확인결과를 허가권자에게 보고하도록 규정하고 있는바, 허위보고 등 이를 위반하여 업무를 수행한 경우라면 동 규정에 위반된

것으로 볼 수 있음.

2) 그러나, 질의의 경우 건축사가 문서를 허위 작성하는 방법 등으로 위법행위를 한 것으로, 동 행위자가 건축사로서의 업무범위를 위반하여 그 업무를 수행했다고만 단정하기 어려우므로 당해 위반사항이 건축사가 그 업무범위를 위반하여 업무를 수행한 것인지, 지정권자가 그 지정업무를 소홀한 것인지 등에 대하여 그 처분권자가 제반사항을 종합적으로 검토하여 최종판단하여야 할 사항으로 사료됨

질의회신 건축물 임시사용승인 업무대행자 지정 관련

국토교통부 민원마당 FAQ 2019.5.24.

질의 건축물의 사용승인 및 임시사용승인과 관련된 업무대행자를 허가권자가 직접 선정하여야 하는지 아니면 건축조례로 정하는 바에 따라 건축사협회에서도 직접 선정할 수 있는지 여부

회신 2005.7.18 개정된 「건축법 시행령」 제20조에 따르면, 현장조사 · 검사 및 확인업무를 대행할 건축사는 해당 건축물의 설계자 또는 공사감리자가 아닌 자로서 건축주의 추천을 받지 아니하고 허가권자가 직접 선정토록 하고 있으며,

업무대행자의 업무범위와 업무대행절차 등(허가권자가 건축사법에 따른 건축사협회와 별도 협의하여 대행자 지정 가능 등)에 관하여 필요한 사항은 건축조례로 정하도록 하고 있는 것임

질의회신 용도변경허가 시 건축사가 "건축허가조사 및 검사조서"를 첨부 하여야 하는 지

국토교통부 민원마당 FAQ 2019.5.24.

질의 연면적이 500제곱미터 이상의 용도변경허가 시 건축사의 "건축허가조사 및 검사조서"를 첨부하여야 하는 지 여부?

회신 「건축법」 제14조 제7항에 의하여 동조 제1항 및 제2항의 규정에 의한 건축물의 용도변경에 관하여는 이 법 제23조(현장조사·검사 및 확인업무의 대행)의 규정을 준용하도록 규정하고 있음. 이와 관련,「건축법」 제23조 및 동법 시행령 제20조에 의하여 허가권자는 허가대상 건축물 중 건축조례가 정하는 건축물의 건축허가와 관련되는 현장조사·검사업무를 건축사로 하여금 대행하게 하고자 하는 경우 업무대행자의 업무범위·업무대행절차 등에 관하여 필요한 사항은 건축조례로 정하도록 명시하고 있음

따라서. 용도변경허가 시 건축사의 업무대행자의 업무범위·업무대행절차 등에 관하여 필요한 사항을 정한 당해 지방자치단체의 건축조례에 따르면 되는 것임 (* 법 제14조, 제23조 ⇒ 제19조, 제27조, 2008.3.21.)

질의회신 건축사의 지하 지장물에 대한 현장조사 검사의 범위

서울시 건지 58550-5306, 2003.12.10.

질의 건축법 제23조 및 시행규칙 제21조 규정에 의한 건축허가 조사 및 검사조서의 현장조사 내용 중 지하지장물의 조사 깊이의 범위는

회신 건축법 제23조제2항 및 동법시행규칙 제21조의 규정에 의한 『건축허가조사 및 검사조서』 내용 중 지하지장물의 유.무에 대한 조사는 매설 깊이에 관계없이 지하 지장물(도시가스, 상하수도, 전기, 통신 등 공동구)이 설치된 관련자료 및 현장조사를 통하여 실질적으로 매설되어 있는 지 또는 없는 지를 사실조사, 확인하여야 할 것으로 사료됨 (* 법 제23조 ⇒ 제27조, 2008.3.21 개정)

질의회신 현장조사 검사 및 확인업무 시 지역분회에 소속된 건축사만 가능한 지

국토교통부 민원마당 FAQ 2023.6.15.

질의 건축법 제27조 제1항에 따라 허가권자는 현장조사 검사 및 확인업무를 건축사 업무신고를 한 자에게 대행하게 할 수 있도록 되어 있는 바, 지자체에서 지역 건축사협회 지역분회와 협약하여 지역분회에 소속된 건축사에 한하여 현장조사 검사 및 확인업무를 하도록 할 수 있는 것인지에 대한 질의

회신 귀 질의의 현장조사·검사 및 확인(이하 "조사 등" 이라함) 업무는 허가권자가 건축물이 적법하게 건축되

고 있는 지 또는 건축되었는 지 등에 대하여 조사 등을 하는 것으로 건축물의 허가 단계에서부터 사용승인까지의 모든 과정을 확인하는 건축에 대한 전문적인 지식을 필요로 하는 건축행정업무임

이와 관련, 「건축법」 제27조 제1항의 규정에 따르면 허가권자는 이 법에 따른 조사 등의 업무를 건축사 업무신고를 한 자에게 대행하게 할 수 있으며, 같은 법 시행령 제20조 제2항에서는 업무대행자의 업무범위·업무대행 절차 등에 관하여 필요한 사항은 건축조례로 정하도록 규정하고 있으므로, 허가권자가 조사 등을 위한 건축행정업무 대행자를 건축조례로 정하여 선정하는 것이 타당하다고 판단됨

질의회신 건축물 현장조사 검사 등 대행수수료 관련

국토교통부 민원마당 FAQ 2023.6.15.

질의 건축법 제27조의 규정에 따라 현장조사 검사 및 확인업무를 대행하게 할 경우, 업무 대행자에게 수수료를 지급토록 하고 있는 바, 동 수수료의 지급주체는 누구인지 여부

회신 「건축법」 제27조제1항에 따르면 허가권자는 이 법에 따른 현장조사·검사 및 확인업무(신고 대상 건축물에 대한 현장조사·검사 및 확인업무는 제외)를 대통령령으로 정하는 바에 따라 건축사법에 따라 건축사 업무신고를 한 자에게 대행하게 할 수 있으며, 동조제3항을 보면 허가권자는 제1항에 따른 자에게 업무를 대행하게 한 경우 국토교통부령으로 정하는 범위에서 해당 지방자치단체의 조례로 정하는 수수료를 지급하도록 하고 있음

따라서, 상기규정에 따라 현장조사·검사 및 확인업무를 대행하게 한 경우 수수료 지급주체는 허가권자로 사료됨

14 용도변경

법령해석 「건축법 시행령」 제14조제4항 단서에 나열된 각 목 내의 변경이 건축물대장 기재내용의 변경 신청 대상인지 여부

「건축법 시행령」 제14조제4항 단서 등 관련 법제처 법령해석 21-0040, 2021.4.6.

질의요지 「건축법 시행령」 제14조제4항 단서에서는 같은 영 별표 1 제4호가목·사목 및 카목 등에 해당하는 용도로 변경하는 경우는 「건축법」 제19조제3항 단서에 따라 건축물대장 기재내용의 변경을 신청하지 않아도 되는 대상에서 제외한다고 규정하고 있는바, 같은 영 별표 1 제4호카목 내의 "학원"에서 "교습소"로 건축물을 변경하려는 경우 같은 영 제14조제4항 단서에 해당하는 것으로 보아 건축물대장 기재내용의 변경을 신청해야 하는지?

회답 이 사안의 경우 「건축법 시행령」 제14조제4항 단서에 해당하므로 건축물대장 기재내용의 변경을 신청해야 합니다.

이유 "생략"

법령해석 사용승인을 받지 않는 신고 대상 용도변경의 경우, 용도변경에 따라 건축물대장의 기재사항을 변경하기 위해서는 건축물 소유자가 별도로 건축물대장 기재사항 변경을 신청해야 하는지 여부

「건축법」 제19조 등 관련 법제처 법령해석 18-0076, 2018.5.15.

질의요지 건축물의 소유자가 「건축법」 제19조제5항 단서에 따라 사용승인을 받지 않아도 되는 건축물 용도변경의 신고를 한 후 그 용도변경에 따라 건축물대장의 표시사항을 변경하기 위해서는 「건축물대장의 기재 및 관리 등에 관한 규칙」 제18조제1항 본문에 따라 건축물대장의 표시사항 변경 신청을 해야 하는지, 아니면 용도변경 신고를 수리한 행정청이 직권으로 건축물대장의 표시사항을 변경해야 하는지?

<질의배경> 민원인은 경미한 사항에 해당하여 사용승인을 받지 않는 용도변경의 경우에도 사용승인을 받는 용도변경의 경우와 마찬가지로 행정청이 직권으로 용도변경에 따른 건축물대장의 표시사항을 변경해야 하는 것이 아닌지 의문이 있어 국토교통부 질의를 거쳐 법제처에 법령해석을 요청함.

회답 건축물의 소유자가 「건축법」 제19조제5항 단서에 따라 사용승인을 받지 않아도 되는 건축물 용도변경의 신고를 한 후 그 용도변경에 따라 건축물대장의 표시사항을 변경하기 위해서는 「건축물대장의 기재 및 관리 등에 관한 규칙」 제18조제1항 본문에 따라 건축물대장의 표시사항 변경 신청을 해야 합니다.

이유 "생략"

법령해석 건축물의 용도변경시 "용도변경에 따라 변경되는 내화 · 방화 · 피난 또는 건축설비에 관한 사항을 표시한 도서"를 첨부하여야 하는데, 내화 · 방화 · 피난에 관한 사항과 건축설비에 관한 사항이 모두 변경되는 경우에 변경되는 내화 · 방화 · 피난에 관한 사항과 변경되는 건축설비에 관한 사항을 모두 표시한 도서를 제출하여야 하는지 여부

「건축법 시행규칙」 제12조의2제1항제2호 관련 법제처 법령해석 12-0226, 2012.4.27.

질의요지 「건축법 시행규칙」 제12조의2제1항제2호에서는 용도변경의 허가를 받거나 신고를 하려는 자에게 "용도변경에 따라 변경되는 내화·방화·피난 또는 건축설비에 관한 사항을 표시한 도서"를 첨부서류로 제출하도록 하고 있는데, 내화·방화·피난에 관한 사항과 건축설비에 관한 사항이 모두 변경되는 경우에 변경되는 내화·방화·피난에 관한 사항과 변경되는 건축설비에 관한 사항을 모두 표시한 도서를 제출하여야 하는지?

회답 용도변경에 따라 내화·방화·피난에 관한 사항과 건축설비에 관한 사항이 모두 변경되는 경우에는 변경되는 내화·방화·피난에 관한 사항과 변경되는 건축설비에 관한 사항을 모두 표시한 도서를 제출하여야 한다고 할 것입니다.

이유 "생략"

법령해석 「건축법」 제19조제3항에 따라 건축물의 용도변경을 하는 경우 같은 조 제7항을 적용받는지 여부

「건축법」 제19조 등 관련 법제처 법령해석 12-0112, 2012.3.22.

질의요지 「건축법」 제19조제7항에 따르면 제1항과 제2항에 따른 건축물의 용도변경에 관하여는 같은 법 제3조, 제5조 등의 규정과 「국토의 계획 및 이용에 관한 법률」 제54조를 준용한다고 규정하고 있는데, 「건축법」 제19조제3항에 따라 제4항에 따른 시설군 중 같은 시설군 안에서 건축물의 용도를 변경하려고 건축물대장 기재내용 변경을 신청하는 경우, 같은 조 제7항에 따라 같은 법 제3조, 제5조 등의 규정과 「국토의 계획 및 이용에 관한 법률」 제54조를 준용하는지?

회답 「건축법」 제19조제3항에 따라 제4항에 따른 시설군 중 같은 시설군 안에서 건축물의 용도를 변경하려고 건축물대장 기재내용 변경을 신청하는 경우, 같은 조 제7항에 따라 같은 법 제3조, 제5조 등의 규정과 「국토의 계획 및 이용에 관한 법률」 제54조를 준용한다고 할 것입니다.

이유 "생략"

법령해석 같은 법을 위반한 건축물의 경우 건축물대장 기재내용의 변경이 가능한지 여부 등

법제처 법령해석 08-0209, 2008.9.16.

질의요지 2007.12.21 법률 제8739호로 개정되기 전의 「게임산업진흥에 관한 법률」(이하 "종전 게임법"이라 함)에서 인터넷컴퓨터게임시설제공업(이하 "PC방업"이라 함)이 자유업에서 등록업으로 변경되어 종전 게임법 시행 당시 PC방업을 영위하는 자는 종전 게임법 부칙 제2조제4항에 따라 2007.10.18 까지 시장·군수·구청장(이하 "시장등"이라 함)에게 그 기준을 갖추어 등록을 하여야 했으나, 2007.12.21 법률 제8739호로 개정된 「게임산업진흥에 관한 법률」(이하 "구 게임법"이라 함) 부칙 제2조제2항에 따라 종전 게임법 부칙 제2조제4항에 불구하고 2008.5.17 까지 그 기준을 갖추어 등록할 수 있게 되었는바,

가. 건축물(「집합건물의 소유 및 관리에 관한 법률」에 따른 구분소유가 되어 있지 않은 건축물을 말함. 이하 같음)의 일부가 불법 증축(1층) 및 무단 용도변경(3층)이 되어 있는 경우, 무단 용도변경이 되어 있는 3층에서 PC방업을 자유업으로 영위하던 자가 PC방업을 등록하기 위하여 위 건축물의 건축물대장 기재사항 중 3층의

건축법
1. 총 칙
2. 건 축
3. 유지관리
4. 대지도로
5. 구조재료
6. 지역지구
7. 건축설비
8. 특별건축구역
9. 보 칙
10. 벌 칙
건 축 법 관련기준

용도를 제1종 근린생활시설에서 제2종 근린생활시설로 변경신청한 경우에 시장등이 이를 변경해야 하는지 또는 변경신청을 거부할 수 있는지?

나.2008.3.21 개정 법률 제8974호로 개정되기 전의 「건축법」(이하 "구 건축법"이라 함) 제69조제2항에 따르면 허가권자(구 건축법 제5조제1항에 따른 특별시장·광역시장 또는 시장·군수·구청장을 말함. 이하 같음)는 같은 법 등을 위반하여 시정명령을 받고도 이를 이행하지 않은 건축물(이하 "위반건축물"이라 함)에 대하여는 해당 건축물을 사용하여 행할 "다른 법령에 의한 영업 기타 행위의 허가"를 하지 아니하도록 요청할 수 있게 되어 있고 구 건축법 제69조제3항에 따르면 요청을 받은 자는 특별한 이유가 없는 한 그 요청에 따라야 한다고 규정하고 있는바, 4층 건축물의 일부에 불법 증축(1층) 및 무단 용도변경(2층)으로 위반건축물이 되었는데 위반사항이 없는 3층에서 임차인이 자유업으로 운영하던 PC방업을 등록하려는 경우, 건축법령상 허가권자가 구 건축법 제69조제2항을 적용하여 PC방업의 등록거부를 요청할 수 있는지, 그리고 그 요청을 받은 행정청은 PC방업의 등록을 거부할 수 있는지?

회답 가. 질의 가에 대하여

건축물의 일부가 불법 증축(1층) 및 무단 용도변경(3층)이 되어 있는 경우, 무단 용도변경이 되어 있는 3층에서 PC방업을 자유업으로 운영하던 자가 PC방업을 등록하기 위하여 위 건축물의 건축물대장 기재사항 중 3층의 용도를 제1종 근린생활시설에서 제2종 근린생활시설로 변경신청한 경우에 시장등은 이를 변경해야 합니다.

나. 질의 나에 대하여

4층 건축물의 일부에 불법 증축(1층) 및 무단 용도변경(2층)으로 위반건축물이 되어 있는데 위법사항이 없는 3층에서 임차인이 자유업으로 운영하던 PC방업을 등록하려는 경우, 건축법령상 허가권자는 구 건축법 제69조제2항을 적용하여 PC방업의 등록거부를 요청할 수 있고, 그 요청을 받은 행정청은 PC방업의 등록을 거부할 수 있습니다.

이유 "생략"

법령해석 공동주택단지 내 상가 창고를 개인 사우나 물탱크실 용도변경 행위신고 여부

법제처 법령해석 08-0099, 2008.8.22.

질의요지 구 「도시재개발법」의 주택재개발사업에 따라 건설된 공동주택 단지의 복리시설인 근린생활시설(집합건물) 중 설계도면상 창고 부분(건축물대장상 지하주차장의 일부로서 전체 공용부분)을 해당 건물의 구분소유자 중 1인이 집합건물 관리단 집회의 동의 없이 개인의 영업목적을 위하여 100㎡를 초과하여 계속 사용(목욕장을 위한 물탱크, 보일러 설치)하고 있는 경우,

가.「주택법」 제42조제2항제1호에 따른 사업계획에 따른 용도 외의 용도에 사용하는 행위로 보아 시장 등의 허가를 받거나 신고를 하여야 하는지?

나. 이러한 용도변경에 「건축법」 제19조 용도변경에 따른 허가, 신고 또는 건축물대장 기재내용 변경이나 같은 법 제22조의 사용승인이 필요한지?

회답 구 「도시재개발법」의 주택재개발사업에 따라 건설된 공동주택 단지의 복리시설인 근린생활시설(집합건물) 중 설계도면상 창고 부분(건축물대장상 지하주차장의 일부로서 전체 공용부분)을 해당 건물의 구분소유자 중 1인이 집합건물 관리단집회의 동의 없이 개인의 영업목적을 위하여 100㎡를 초과하여 계속 사용(목욕장을 위한 물탱크, 보일러 설치)하고 있는 경우,

가.「주택법」제42조제2항제1호에 따른 사업계획에 따른 용도 외의 용도에 사용하는 행위로 볼 수 없고,

나.「건축법」 제19조 용도변경에 따른 허가, 신고 또는 건축물대장 기재내용 변경이나 같은 법 제22조의 사용승인이 필요하지 아니함.

이유 "생략" (* 법 제19조, 제22조 ⇒ 제23조, 제26조, 2008.3.21 개정)

법령해석 **건축물 용도변경허가 신청자의 범위**

「건축법」 제14조 관련 법제처 법령해석 07-0109, 2007.5.11.

질의요지 집합건축물에 제2종 근린생활시설인 학원(499㎡)이 있는 상태에서 그것과 다른 부분의 구분소유자가 제2종 근린생활시설로 되어 있는 부분을 교육연구시설(학원)로 용도변경하고자 할 경우, 기존 제2종 근린생활시설인 학원의 소유자도 함께 용도변경을 신청하여야 하는지?

회답 집합건축물에 제2종 근린생활시설인 학원(499㎡)이 있는 상태에서 그것과 다른 부분의 구분소유자가 제2종 근린생활시설로 되어 있는 부분을 교육연구시설(학원)로 용도변경하고자 할 경우, 기존 제2종 근린생활시설인 학원 소유자의 용도변경 신청 없이도 용도변경할 수 있습니다.

이유 "생략"

질의회신 **공장을 일반음식점으로 용도변경 가능한지 여부**

국토교통부 민원마당 FAQ 2023.6.15.

질의 공장을 제2종근린생활시설(일반음식점)로 용도변경 가능한지 여부.

회신 건축법 제19조제1항에 따라 건축물의 용도변경은 변경하려는 용도의 건축법령 및 관계법령에 따른 건축기준에 적합하여야 하는 것임. 건축법 제19조제2항에 따르면, 제22조에 따라 사용승인을 받은 건축물의 용도를 변경하려는 자는 다음 각 호의 구분에 따라 국토교통부령으로 정하는 바에 따라 특별자치시장·특별자치도지사 또는 시장·군수·구청장의 허가를 받거나 신고를 하여야 함

1. 허가 대상: 제4항 각 호의 어느 하나에 해당하는 시설군(施設群)에 속하는 건축물의 용도를 상위군(제4항 각 호의 번호가 용도변경하려는 건축물이 속하는 시설군보다 작은 시설군을 말한다)에 해당하는 용도로 변경하는 경우

2. 신고 대상: 제4항 각 호의 어느 하나에 해당하는 시설군에 속하는 건축물의 용도를 하위군(제4항 각 호의 번호가 용도변경하려는 건축물이 속하는 시설군보다 큰 시설군을 말한다)에 해당하는 용도로 변경하는 경우

따라서 건축법 제19조 제4항 제2호에 따른 산업 등의 시설군(창고시설)을 제7호에 따른 근린생활시설군으로 용도변경하는 경우라면 상기규정에 따라 신고대상이나, 용도변경 가능여부는 건축법령 등 관계법령을 종합적으로 검토하여 허가권자가 판단할 사항이오니 관련 자료를 구비하여 해당지역 시장, 군수, 구청장 등 허가권자에게 문의 바람

질의회신 **도시계획시설 부지에서 건축물의 용도변경 제한 여부**

국토교통부 민원마당 FAQ 2019.5.24.

질의 도시계획시설 부지에 편입된 기존 건축물의 용도변경이 국토의 계획 및 이용에 관한 법률 제64조제1항에 따라 제한되는지?

회신 「국토의 계획 및 이용에 관한 법률」 제64조제1항에 따라 특별시장·광역시장·특별자치시장·특별자치도지사·시장 또는 군수는 도시·군계획시설의 설치 장소로 결정된 지상·수상·공중·수중 또는 지하는 그 도시·군계획시설이 아닌 건축물의 건축이나 공작물의 설치를 허가하지 아니하여야 하나, 위 규정에 따라 기존 건축물의 용도변경까지 제한되는 것은 아님.

질의회신 **위락시설 여부**

국토교통부 민원마당 FAQ 2019.5.24.

질의 지하 1층, 지상 5층인 건축물로서 2층만이 그 용도가 위락시설로 되어 있어 2층을 카지노업소의 영업장으로 사용하고 그 용도가 위락시설이 아닌 나머지 층들은 카지노영업을 위한 창고, 사무실, 안내실, 직원교육장, 전산실 등으로 사용하는 경우 위락시설로 변경하여야 하는 것이 아닌 지

회신 건축법에서 건축물의 용도는 건축법 제2조 제2항 및 같은 법 시행령 제3조의4 및 별표 1에 따라 분류하며 또한 같은 법 시행령 제2조 제1항 제14호에 따라 건축물의 주된 용도의 기능에 필수적인 용도로서 건축물의

설비·대피 및 위생, 사무·작업·집회·물품저장·주차, 구내식당·구내탁아소·구내운동시설등 종업원후생복리시설 및 구내소각시설 기타 이와 유사한 시설이나 관계법령에서 주된 용도의 부수시설로 설치할 수 있도록 규정하고 있는 시설의 용도는 부속용도로서 부속용도는 용도를 따로 분류하지 아니하고 그 주된 용도로 분류하여 건축법령을 적용하는 바,
질의의 건축물에서 2층을 제외한 나머지 층들의 용도는 위 규정에 따른 위락시설 (카지노업소)의 부속용도에 해당된다면 그 용도는 위락시설로 분류되므로 위락시설로 사용하기 위해서는 건축법 제19조에 따라 용도변경 하여야 할 것으로 판단됨

건 축 법
1. 총 칙
2. 건 축
3. 유지관리
4. 대지도로
5. 구조재료
6. 지역지구
7. 건축설비
8. 특별건축구역
9. 보 칙
10. 벌 칙
건 축 법 관련기준

질의회신 기 허가받은 건축물의 용도를 변경할 경우

국토교통부 민원마당 FAQ 2019.5.24.

질의 기 허가받아 준공된 건축물의 용도를 변경하는 경우에도 기반시설부담금 부과대상에 해당되는지 여부

회신 기반시설부담금의 부과대상이 되는 건축행위는 건축법 제2조제1항제2호에 따른 건축물의 신축.증축에 한하므로 건축물의 신축, 증축행위가 발생되지 않고 단순히 기존 건축물의 용도만을 변경하는 경우에는 부과대상에서 제외됨.
다만, 건축 준공이 되지 않는 상태에서 용도변경이 포함된 건축허가 사항을 변경하는 경우에는 용도변경 전후의 부담금액 차이를 비교하여 부담금 부과여부를 판단하여야 할 것임.

질의회신 중개사무소이었던 건물에 새로운 중개사무소가 영업허가.신고 받는 경우 건축물 용도변경 대상 여부

국토교통부 민원마당 FAQ 2023.6.15.

질의 지하 1층, 지상 5층인 건축물로서 2층만이 그 용도가 위락시설로 되어 있어 2층을 카지노업소의 영업장으로 사용하고 그 용도가 위락시설이 아닌 나머지 층들은 카지노영업을 위한 창고, 사무실, 안내실, 직원교육장, 전산실 등으로 사용하는 경우 위락시설로 변경하여야 하는 것이 아닌 지

회신 건축물의 실질적 용도의 변경없이 같은 장소에 동일 업종의 영업허가.신고 행위를 다시 하는 경우는 건축법 제19조제3항에 따라 별표 1의 같은 호에 속하는 건축물 상호 간의 용도변경인 경우 건축물대장 기재내용의 변경을 하지 아니하고 사용 가능하도록 규정하고 있음

질의회신 건축물 용도변경 시 에너지절약 완화 가능 여부

국토교통부 민원마당 FAQ 2023.6.15.

질의 기존 용도가 슈퍼마켓인 건축물을 에너지절약계획서 작성대상(바닥면적 500㎡ 이상)인 목욕장으로 변경시 에너지절약에 대한 기준을 완화하여 용도변경이 가능한지 여부

회신 「건축법」 제19조에 의거 용도변경은 변경하려는 용도의 건축기준에 맞게 하여야 하는 것이며, 같은 조 제7항에 의거 용도변경에 관하여는 동법 제66조부터 제68조까지(건축물의 에너지 이용과 폐자재 활용 등)를 준용하도록 하고 에너지절약설계기준 적용에 대한 별도의 완화규정은 두고 있지 아니함

질의회신 제1종 및 제2종 근린생활시설 간 상호간의 용도변경 가능여부

국토교통부 민원마당 FAQ 2023.6.15.

질의 「국토의 계획 및 이용에 관한 법률」에 의하여 제2종 근린생활시설의 개발행위 허가가 제한되는 경우 제1종 및 제2종 근린생활시설 간 상호간의 용도변경이 가능한지 여부

회신 「건축법」 제19조제3항 및 「건축법 시행령」 제14조제4항제2호의 규정에 따르면 「국토의 계획 및 이용에 관한 법률」이나 그 밖의 관계 법령에서 정하는 용도제한에 적합한 범위에서 제1종 근린생활시설과 제2종 근린생활시설 상호간의 용도변경이 가능함
따라서 질의와 같이 「국토의 계획 및 이용에 관한 법률」에 의하여 제2종 근린생활시설의 개발행위 허가가 제한되는 경우 제1종 근린생활시설을 제2종 근린생활시설로 용도변경 할 수 없는 것으로 사료되나 보다 자세한

사항은 현지 현황을 잘 알고 있는 허가권자와 협의하시기 바람

질의회신 건축허가대상이 아닌 건축물의 용도변경 관련

국토교통부 민원마당 FAQ 2019.5.24.

질의 '06.5.8 이전 건축된 건축물*을 용도변경할 경우 건축법 제19조제2항에 따라 용도변경허가 또는 신고절차를 거쳐야 하는지

* '06.5.8 이전 건축법 제8조제1항에 따라 허가(신고) 없이 건축이 가능한 건축물(비도시지역 내 연면적 200㎡ 미만이고 2층 이하인 건축물)로서 '03.12.22. 건축물대장생성신청에 따라 건축물대장에 등재됨

회신 「건축법」 제19조제2항에 따르면 동법 제22조에 따라 사용승인을 받은 건축물의 용도를 변경하려는 자는 일정 구분에 따라 허가권자의 허가를 받거나 신고를 하도록 규정하고 있고

「건축법」 부칙<2005.11.8, 법률 제7696호> 제3조에 따르면 이 법 시행 당시 종전의 규정에 의하여 시장, 군수, 구청장에게 건축허가 또는 건축신고 없이 건축이 가능한 건축물을 건축 중인 경우에는 제8조제1항 또는 제9조제1항의 개정규정에 의하여 건축허가를 받거나 건축신고를 한 것으로 보도록 하고 있음을 감안할 때 동법 제19조제2항 규정의 "제22조에 따라 사용승인을 받은 건축물"은 건축법령에 따라 적합하게 지어진 건축물을 의미한다고 할 것임

따라서, 질의의 건축물이 '06.5.8 이전의 허가나 신고대상 건축물이 아니었다 하더라도 현행 건축법령상 사용승인 대상 건축물인 경우에는 용도변경을 위해서는 「건축법」 제19조에 따라 용도변경허가 또는 신고절차를 거쳐야 할 것으로 사료됨

질의회신 직통계단 2개소 이상 되는 용도로 변경시 직통계단 추가설치

건교부 고객만족센터, 2008.6.3.

질의 1997. 10. 신축할 당시 근린생활시설 학원이었던 6~8층이 현재 건축물 대장상 업무시설로 되어 있는 경우로서 당해 업무시설을 교육연구시설 중 학원으로 용도변경하고자 할 경우 직통계단 1개소를 추가로 설치하여야 하는 지

회신 「건축법 시행령」 제34조제2항제2호의 규정에 의하면 피난층 외의 층이 교육연구시설 중 학원의 용도에 쓰이는 3층 이상의 층으로서 그 층의 당해 용도에 쓰이는 거실의 바닥면적의 합계가 200㎡ 이상인 건축물에는 건설교통부령이 정하는 기준에 따라 피난층 또는 지상으로 통하는 직통계단을 2개소이상 설치하여야 하며, 동법 시행령 제14조제6항의 규정에 의하면 기존의 건축물 또는 대지가 법령의 제정·개정이나 동법 시행령 제6조의2제1항 각호의 사유로 인하여 법령 등의 규정에 부적합하게 된 경우에는 당해 지방자치단체의 조례로 정하는 바에 의하여 용도변경 하고자 하는 부분이 법령 등의 규정에 적합한 범위 안에서 용도변경을 할 수 있으므로, 고객님의 경우 상기 규정에 의하여 직통계단을 2개소이상 설치하여야 할 것으로 사료됨

질의회신 직통계단이 1개인 기존3층 건축물의 용도변경 가능 여부

국토교통부 민원마당 FAQ 2022.6.20.

질의 3층 이상인 기존 건축물에 직통계단이 1개만 있어도 바닥면적 합계가 200제곱미터 이상인 독서실로 용도변경이 가능한 지 여부

회신 건축법 시행령 제34조제2항제2호의 규정에 의하여 제2종근린생활시설중 학원,독서실 및 교육연구시설중 학원 등의 용도에 쓰이는 3층 이상의 층으로서 그 층의 당해 용도에 쓰이는 거실의 바닥면적의 합계가 200제곱미터 이상인 경우에는 직통계단 2개소 이상을 설치해야 하며, 동법 제19조의 규정에 의하여 건축물의 용도변경은 변경하고자 하는 용도의 건축기준에 적합해야 하므로 질의의 용도변경시에 상기 직통계단 설치기준에 적합해야 함

질의회신 의료시설(병원)일부를 근린생활시설(의원)으로 용도변경 가능여부

건교부 고객만족센터, 2007.12.4.

질의 지층~4층 건물이 건축물관리대장에 의료시설(병원)으로 되어 있어, 현재 한방병원으로 영업하고 있는바 한방병원 일부에 정형외과를 추가로 개설하고자 할 때에 정형외과부분을 제1종근린생활시설(의원)로 용도변경을 하여야 하는지

회신 건축법 시행령 별표1에서 건축물의 용도를 의원과 병원을 각각 구분하고 있으므로, 이 경우 하나의 주된 용도에 부속된 용도가 아닌 경우라면 동 별표1 제9호의 의료시설(병원)에서 제1종근린생활시설(의원)로 용도변경하여야 할 사항임

질의회신 용도변경 100㎡ 이상 500㎡ 미만인 건축물의 건축허가 조사 및 검사조서 작성

건교부 고객만족센터, 2007.7.3.

질의 건축법 제14조 2항 1호에 의한 용도변경 허가 대상 중 용도변경 바닥면적합계가 100㎡ 이상 500㎡ 미만인 건축물(설계자는 없으나 사용승인 대상임)에 대하여 건축용도변경 허가시 건축허가 조사 및 검사조서 작성은 누가 하여야 하는지 여부

회신 건축법 제14조제7항의 규정에 의하면 동 법 제23조의 규정을 준용하고 있는바, 동 법 제23조의 규정에 의하여 당해 허가권자가 대행여부를 결정하여야 할 사항이며, 따라서 허가권자로부터 대행업무를 받은 대행자가 작성하여야 하는 것임. (* 법 제14조, 제23조 ⇒ 제19조, 제27조, 2008.3.21 개정)

질의회신 건축물대장의 기재내용을 변경신청하도록 하였는 바, 기재내용을 신청하지 아니하고 사용한 경우 처벌은?

국토교통부 민원마당 FAQ 2019.5.24.

질의 건축물대장의 기재내용을 변경신청하도록 하였는 바, 기재내용을 신청하지 아니하고 사용한 경우 처벌은?

회신 건축물대장 기재사항의 변경을 이행하지 아니한 건축주는 건축법 제108조 및 제110조의 규정에 의하여 처벌이 가능하며, 동법 제79조의 규정에 의한 시정명령 및 동법 제80조의 규정에 의한 이행강제금을 부과할 수 있는 것임.

질의회신 적법하게 사용승인된 공장을 형질변경 행위 없이 용도변경시 가능여부

건교부 건축기획팀-1061, 2007.2.28.

질의 건축법령에 적법하게 건축허가를 득하고 사용승인되어 건축물대장에 등재된 건축물(공장 및 주택)이 있는 대지에 새로운 대지의 조성이나 형질변경 행위 없이 공장의 용도변경 허가를 득하고자 할 경우, 인근 하천의 계획 홍수위 이상으로 대지를 조성하여야 하는지 여부

회신 건축법령에 적합하여 사용승인된 건축물의 용도를 변경하고자 하는 경우에는 새로운 대지 조성이나 형질변경이 없이도 건축법령 등 제반 규정에 적합하면 용도변경이 가능할 것임

질의회신 제2종 근린생활시설(학원)로 변경과 건축물대장 기재사항 변경신청

건교부 건축기획팀-3229, 2006.5.23.

질의 집합건축물 일부분의 용도를 제2종 근린생활시설인 학원으로 변경하고자 하는 경우 건축물대장 기재사항의 변경을 신청하여야 하는지와 일반건축물 일부분의 용도를 제2종 근린생활시설인 학원으로 변경하고자 하는 경우 건축물대장 기재사항의 변경을 신청하여야 하는지

회신 건축법에서는 건축물을 용도변경 하는 경우에 있어서 집합건축물과 일반건축물을 구분하여 그 적용을 달리 하지 아니함. 개정 건축법령(2006.5.9부터 시행)에 의하여 건축물의 용도를 변경하고자 하는 경우에는 허가를 받거나 신고를 하거나 또는 건축물대장의 기재내용을 변경하여야 하는 바, 건축법 제14조제4항 제1호 내지 제6호의 시설군에 해당하는 용도에서 제7호의 근린생활시설군에 해당하는 용도로 변경하고자 하는 경우에

는 신고를 하여야 하고(동법 제14조제2항제1호), 제8호 내지 제9호의 시설군에 해당하는 용도에서 제7호의 근린생활시설군에 해당하는 용도로 변경하고자 하는 경우에는 허가를 받아야 함(동법 제14조제2항제2호).
또한 동법 제14조제4항제7호의 근린생활시설군 내에서 용도를 변경하고자 하는 경우에는 동조제3항의 규정에 의거 건설교통부령(「건축물대장의 기재 및 관리 등에 관한 규칙」)이 정하는 바에 의하여 시장·군수·구청장에게 건축물대장 기재사항의 변경을 신청하여야 하며, 다만, 건축법 시행령 별표 1의 동일한 호에 속하는 건축물 상호간의 용도변경의 경우에는 동법 제14조제3항 단서 및 동법 시행령 제14조제4항에 의거 그러하지 아니함 (* 법 제14조 ⇒ 제19조, 2008.3.21 개정)

질의회신 공장의 부속건축물중 일부를 일반음식점으로 용도변경 가능여부

건교부 건축기획팀-2994, 2006.5.12.

질의 공장의 부속건축물중 일부를 일반음식점으로 용도변경 가능여부

회신 용도별 건축물의 종류는「건축법 시행령」제3조의4 별표1에 의하는 것이며, 부속용도라 함은 건축물의 주된 용도의 기능에 필수적인 용도로서 「건축법 시행령」제2조제1항 제14호에 적합한 시설로 볼 수 있으나 질의의 시설이 영업형태로 운영되는 일반음식점인 경우 부속용도로 볼 수 없을 것으로 사료되고, 또한 부속용도간 용도변경도 동 법에 의한 용도변경 절차를 따라야 할 것으로 사료되는 바, 질의의 시설이 관계법령에 의하여 주용도인 공장의 부속용도로 분류할 것인지 아니면 동 별표1에 의한 개별용도로 분류할 것인지에 대하여는 허가권자가 공장설립에 관한 서류 및 건축법 등 관계법령과 당해 시설의 구조·기능·규모·이용형태 등을 종합적으로 검토·판단할 사항임

질의회신 불법 용도변경된 건축물의 승계인에 대한 책임

건교부 건축과-4859, 2005.8.23.

질의 건축법 제14조(용도변경)의 규정에 위반한 건축물의 현재 소유자에게 시정지시 등 행정명령 후, 소유주를 건축법 제78조(벌칙)의 규정에 의한 처벌대상자인 건축주로 보아 고발가능 여부

회신 건축물의 용도변경은 건축법 제14조 및 같은법 시행령 제3조의4 별표1의 각항, 각호에서 정한 용도에서 다른 용도로 사용하는 행위까지도 포함되는 것이고, 승계인이 그 변경된 용도로 계속 사용하는 것도 용도변경 행위에 해당하는 것으로 사료되므로, 공무원은 그 직무를 행함에 있어 형사소송법 및 건축법에서 정하는 바에 따라 사법기관에 적의 고발하여야 할 것임

질의회신 도시계획의 결정, 변경으로 인한 건축물의 용도변경

건교부 건축 58070-193, 2003.1.28.

질의 적법하게 사용승인된 기존건축물이 도시계획의 결정, 변경으로 인하여 현행 건폐율기준에 부적합하게 된 경우, 현행 용도제한에 적합한 건축물로의 용도변경 가능여부

회신 건축법시행령 제14조제6항의 규정에 의하면 기존 건축물 또는 대지가 법령의 제정, 개정이나 동법시행령 제6조의2제1항 각호의 사유로 인하여 법령 등의 규정에 부적합하게 된 경우에는 당해 지방자치단체의 조례로 정하는 바에 의하여 용도변경하고자 하는 부분이 법령 등의 규정에 적합한 범위 안에서 용도변경을 할 수 있도록 규정하고 있는 바, 귀 질의의 경우 건축물의 건폐율이 법령 등의 규정에 부적합하더라도 용도변경 하고자 하는 부분이 현행법령 등의 규정(용도지역안에서 건축물의 건축금지 및 제한규정, 피난, 방화 및 내화기준 등)에 적합한 경우 조례가 정하는 바에 의하여 용도변경이 가능한 것이니, 이에 대한 보다 구체적인 사항은 당해 지역의 조례권자인 시장, 군수, 구청장에게 문의하시기 바람(* 법 제14조 ⇒ 제19조, 2008.3.21 개정)

질의회신 집합건축물 중 타인소유 일부 층에 위법사항이 있는 경우 분할 등기된 층의 용도변경 가능여부

건교부 건축 58070-2871, 2002.12.18.

질의 집합건축물(지하4층, 지상6층) 중 타인소유의 지상1층·3층·5층에 위법사항이 있는 경우, 분할 등기된 지상4층에 대하여 용도변경이 가능한지 여부

건축법
1. 총 칙
2. 건 축
3. 유지관리
4. 대지도로
5. 구조재료
6. 지역지구
7. 건축설비
8. 특별건축구역
9. 보 칙
10. 벌 칙
건축법 관련기준

회신 건축물의 용도변경은 건축법 제14조 및 동법시행령 제14조의 규정에 의하여 기존건축물의 용도변경을 하고자 하는 경우에는 변경하고자 하는 용도의 건축기준에 적합하게 하여야 하는 것이며, 용도변경하고자 하는 부분이 분할 등기된 집합건축물로서 건축법령 및 관계법령에 적합한 상태라면 타인 소유로 분할 등기된 부분이 부적합한 경우라도 용도변경이 가능한 것임

질의회신 오피스텔 중간층의 근생으로의 용도변경 가능여부

서울시 건지 58550-3947, 2002.9.23.

질의 오피스텔 부분의 동일한 층에서 오피스텔의 일부분을 근린생활시설로 용도변경 처리가 가능한지 여부

회신 건교부 고시(1998-161, 1998.6.8) 오피스텔 건축기준 라목에 의하면 타용도와의 복합용도인 경우 오피스텔의 전용출입구를 별도로 설치하도록 하고 있으며, 이에 대한 건설교통부 유권해석에 의하면 복합건축물인 경우 지하주차장, 계단실 및 승강기 등 모든 수직동선 체계를 각각 따로 갖추어야 한다는 것이 아닌 것으로서 같은 지하주차장, 계단실 및 승강기를 이용하더라도 오피스텔 부분과 타 용도를 사용하는 부분을 층을 달리하여 배치하는 등 각기 독립된 공간으로서 프라이버시가 유지될 수 있도록 동선체계를 갖춘다면 건축이 가능한 것으로 하고 있는 바, 오피스텔을 타용도와 복합하는 경우 오피스텔과 타 용도가 건교부 고시 및 상기의 건교부 유권해석에 위배되지 않을 경우라면 용도변경이 가능한 것으로 사료됨

질의회신 20층인 업무시설의 일부를 다가구주택으로 용도변경 가능한 지

국토교통부 민원마당 FAQ 2019.5.24.

질의 20층인 업무시설의 일부를 다가구주택으로 용도변경 가능한 지

회신 다가구주택의 규모(3개층 이하, 660㎡ 미만, 19세대 이하)로서 건축기준에 적합한 경우에는 그 일부를 다가구주택으로 용도변경이 가능함

질의회신 다가구주택의 일부를 다중주택으로 용도변경이 가능한지 여부

서울시 건지 58550－218, 2002.1.18.

질의 '93년 신축한 지하1층 지상3층, 연면적 330㎡이하의 다가구주택으로 사용되는 건축물이며, 지하층 2가구, 1층 1가구, 2층 1가구, 3층 3가구 총 7가구중, 지하층 2가구를 학생 하숙집(공동화장실 사용하며, 취사공간이 없을 경우)으로 변경하고자 하는 경우 지하층을 다중주택으로 볼 수 있는지 여부 및 동 건축물의 세부용도를 지하층은 다중주택, 지상 1, 2, 3층을 다가구주택으로 사용할 수 있는지 여부

회신 가. '다중주택' 은 학생 또는 직장인 등 다수인이 장기간 거주할 수 있는 구조로 서 독립된 주거의 형태가 아니면서 연면적이 330㎡이하이고, 층수가 3층 이하인 주택을 말하고, '다가구주택' 이라 함은 주택으로 쓰이는 층수가 3개층 이하이고, 주택으로 쓰이는 바닥면적의 합계가 660㎡이하이고, 19세대 이하인 주택으로 구분하고 있는 바,

나. 건축법상 다중주택과 다가구주택을 하나의 건축물에 복합되는 경우에 대하여 제한하는 사항은 없으므로 다중주택 및 다가구주택의 각 건축기준에 적합하다면 가능할 것으로 사료됨

질의회신 집합건축물인 동일건축물 내 용도변경 시 기존의 (동일) 용도도 변경하여야 하는 지 여부

국토교통부 민원마당 FAQ 2019.5.24.

질의 집합건축물에 제2종 근린생활시설인 학원(500㎡ 미만)이 있는 상태에서 동일한 건축물 안에 그것과 다른 부분의 구분소유자가 학원으로 용도변경하여 전체 학원의 바닥면적의 합계가 500㎡ 이상이 될 경우, 기존 제2종 근린생활시설인 학원부분의 구분소유자도 함께 용도변경을 신청하여야 하는 지?

회신 집합건축물에 제2종 근린생활시설인 학원(499㎡)이 있는 상태에서 그것과 다른 부분의 구분소유자가 제2종 근린생활시설로 되어 있는 부분을 교육연구시설(학원)로 용도변경하고자 할 경우 기존 제2종 근린생활시설인 학원 소유자의 용도변경 신청 없이도 용도변경할 수 있음

질의회신 집합건축물의 용도변경 관련

국토교통부 민원마당 FAQ 2023.6.15.

질의 집합건축물로서 기존 건물용도로는 업무시설, 판매시설, 근린생활시설 등이 혼재되어 있음 가. 이 시설물 용도중 제2종 근린생활시설에서 업무시설로 용도변경이 가능한지 나. 업무시설로 용도가 변경되어 내부 칸막이를 할 경우 최소 면적규정이 있는지

회신 건축물의 용도분류는 「건축법 시행령」 별표1에서 정하고 있으며, 동 별표에서 정하고 있는 제2종 근린생활시설을 업무시설로 변경하는 경우에는 「건축법」 제19조제2항제2호에 따라 용도변경 신고 대상에 해당하며, 건축물의 용도변경은 변경하려는 용도의 시설기준(피난, 방화기준, 구조안전기준 등) 및 관계법령(주차장법, 국토계획법, 집합건물법 등)에 맞게 하여야 하는 것임

업무시설의 실별 최소 면적에 대하여 건축법에서 별도 규정하고 있지는 아니하나 업무시설로서 갖추어야 하는 시설기준에 적합한 범위 내에서 설치하여야 할 것임

질의회신 집합건축물에 위반부분이 있는 경우 용도변경 등

국토교통부 민원마당 FAQ 2013.12.6.

질의 가. 집합건축물(지하 3층, 지상 7층) 중 타인 소유의 지상 7층에 위법사항이 있는 경우, 분할 등기된 지하 1, 2, 3층에 대하여 용도변경(건축물대장기재사항 변경 포함)이 가능한 지 여부

나. 기존 집합건축물의 소유자가 아닌 자가 집합건축물에 붙여서 증축(기존건축물의 전유 및 공용부분의 변경이 없는 경우)하는 경우 기존건축물 소유자의 동의를 받아야 하는 지 여부

회신 가. 건축물의 용도변경은 건축법 제14조 및 동법시행령 제14조의 규정에 의하여 기존건축물의 용도변경을 하고자 하는 경우에는 변경하고자 하는 용도의 건축기준에 적합하게 하여야 하는 것이며, 용도변경 하고자 하는 부분이 분할 등기된 집합건축물로서 건축법령 및 관계법령에 적합한 상태라면 타인 소유로 분할 등기된 부분이 부적합한 경우라도 용도변경이 가능할 것이나,

나. 기존 집합건축물의 소유자가 아닌 자가 집합건축물에 붙여서 증축(기존건축물의 전유 및 공용부분의 변경이 없는 경우)하고자 하는 경우에는 기존건축물 소유자의 동의를 받아야 하는 것임

(* 법 제14조 ⇒ 제19조, 2008.3.21 개정)

질의회신 용도변경으로서 다중이용건축물이 되는 경우 건축위원회 심의 여부

국토교통부 민원마당 FAQ 2019.5.24.

질의 다중이용시설물이 아닌 기존건축물을 용도변경함으로서 다중이용건축물이 되는 경우 건축위원회의 심의를 받아야 하는 지 여부

회신 「건축법시행령」 제5조 제4항 제3호 규정에 의해 문화 및 집회시설(전시장 및 동·식물원을 제외)의 용도에 쓰이는 바닥면적의 합계가 5천제곱미터이상인 건축물은 "다중이용건축물"에 해당하여 건축에 관한 사항에 대하여 지방건축위원회의 심의를 받아야 함

상기 규정은 불특정다수인이 이용하는 다중이용건축물에 대하여 구조·피난 및 소방사항을 검토함으로서 건축물의 안전과 기능을 향상시키고 이용자에게 유해·위험이 없도록 하여 공공복리를 증진코자 한 것인 바, 다중이용건축물이 아닌 기존건축물을 용도변경함으로서 다중이용건축물이 되는 경우에는 동 규정에 의한 심의를 받아야 하는 것임

질의회신 구 건축법에 따른 건축물의 용도변경 등

국토교통부 민원마당 FAQ 2019.5.24.

질의 건축법을 적용하여 공동주택(아파트 52세대)으로 주택건설촉진법 제정 이전인 1969.12.25 사용승인 된 건축물이며, 당시 지층은 주용도인 아파트의 부속용도(대피소 등)의 개념으로 사용승인 된 사항임 (당시 건축법

건 축 법
1. 총 칙
2. 건 축
3. 유지관리
4. 대지도로
5. 구조재료
6. 지역지구
7. 건축설비
8. 특별건축구역
9. 보 칙
10. 벌 칙
건 축 법 관련기준

제19조에서 "주택의 거실은 지층에 설치하여서는 아니된다"라고 규정하고 있음, 1970.1.1)
가. 용도변경 등의 행정절차 이행 시 적용하여야 할 법령은 무엇인 지?
나. 주거외의 용도로 사용승인된 지하층을 주거 또는 근린생활시설 등 타 용도로 용도변경 시 집합건물 소유 및 관리에 관한 법률 제5조에 의한 구분소유자의 공동의 이익에 반하는 행위로 볼 수 있는 지?
다. 상기 "가"의 경우 건축법을 적용한다면 1969.12.25 사용승인 이후 건축법 적용을 받아 지하층을 주택으로 사용할 수 있는 지?

회신 가. 주택법 제42조 및 동법시행령 제46조에 따라 공동주택의 관리에 관한 사항은 주택법 제16조에 따른 사업계획승인을 얻어 건설한 공동주택에 대하여 적용하고, 「건축법」 제8조에 따라 건축허가를 받아 분양을 목적으로 건설한 공동주택의 행위허가 등은 리모델링 행위허가에 한하여 적용하도록 규정하고 있는 바, 질의의 용도변경은 주택법에 따른 행위허가에 해당되지 아니하므로 건축법에 따른 용도변경을 하여야 할 것으로 판단됨
나. 집합건물 소유 및 관리에 관한 법률의 저촉 여부에 대해서는 법률 소관 중앙행정기관인 법무부로부터 답변을 들으시기 바람
다. 현행 건축법에서는 아파트의 지하층을 주택으로 사용하는 것을 명문으로 제한하고 있지 아니하나 아파트의 규모, 소재지 등에 따라 주택에 적용되는 건축기준에는 적합하여야 할 것임(* 법 제8조 ⇒ 제11조, 2008.3.21. 개정)

질의회신 용도변경 행위 시점에 따른 위반 여부

국토교통부 민원마당 FAQ 2019.5.24.

질의 「건축법 시행령(제19466호, 2006.5.8)」 개정 이전에 제2종 근린생활시설에 해당되던 150제곱미터 이상인 멀티미디어 문화컨텐츠설비 제공업소(PC방)를 폐업(2006.4.4)한 후에, 시행령 개정시행 이후인 2006.6.2 다시 동업종을 운영하고자 건축물 내부공사를 시행한 경우 이 법에 의한 용도변경 위반 여부

회신 「건축법시행령(제19466호, 2006.5.8)」 부칙 제4조(기존 건축물의 용도분류에 대한 경과조치) 규정에 의하면 이 영 시행 당시의 건축물 중 제2종 근린생활시설 중 멀티미디어 문화컨텐츠설비 제공업소로서 동일한 건축물 안에서 그 용도에 쓰이는 바닥면적의 합계가 150제곱미터 이상에서 500제곱미터 미만인 것은 판매시설 용도에 해당하는 것으로 본다고 규정하고 있음
이와 관련, 입법기술 상 경과조치는 규제의 내용을 변경하는 경우에 기득권 보호를 위한 것이고, '본다'의 의미는 본질이 다른 것을 일정한 법률적 취급에 있어 동일한 효과를 부여하는 것임
따라서, 질의의 경우에는 "보호할 기득권이 있는지 여부"와 건축물 내부공사(인테리어) 현황 등에 대한 확인이 필요할 것이나, 건축물의 변경 전·후의 구조·이용목적 및 형태가 유사한 경우라도 "이 영 시행 당시 보호할 기득권"이 존재하지 아니하는 경우 건축물의 용도는 '제2종 근린생활시설'로 사료되니, 용도변경 위반여부 및 적용 벌칙 규정에 대하여는 구체적인 사실관계 확인이 가능한 허가권자가 판단하는 것이 타당할 것임

질의회신 용도변경 시 형질변경 조건 등 부여 여부

국토교통부 민원마당 FAQ 2019.5.24.

질의 건축법령에 적법하게 건축허가를 득하고 사용승인되어 건축물대장에 등재된 건축물(공장 및 주택)이 있는 대지에 새로운 대지의 조성이나 형질변경 행위 없이 공장의 용도변경 허가를 득하고자 할 경우, 인근 하천의 계획 홍수위 이상으로 대지를 조성하여야 하는 지 여부

회신 건축법령에 적합하여 사용승인된 건축물의 용도를 변경하고자 하는 경우에는 새로운 대지 조성이나 형질변경이 없이도 건축법령 등 제반 규정에 적합하면 용도변경이 가능할 것임

질의회신 허가를 받은 가설건축물의 용도변경 가능 여부

국토교통부 민원마당 FAQ 2023.6.15.

질의 허가 및 사용승인을 얻은 가설건축물의 용도를 변경(제2종 근린생활시설에서 제1종 근린생활시설로 변

건 축 법
1. 총 칙
2. 건 축
3. 유지관리
4. 대지도로
5. 구조재료
6. 지역지구
7. 건축설비
8. 특별건축구역
9. 보 칙
10. 벌 칙
건 축 법 관련기준

경)하는 것이 가능한 지 여부 및 가능한 경우 어떠한 절차를 따라야 하는 지

회신 건축법 제20조 제1항에 의한 가설건축물의 용도변경을 하는 경우에도 같은 법 제19조 제2항에 따라 허가를 받거나 신고를 하여야 하며 같은 법 제19조 제3항에 따라 동조 제4항에 따른 시설군 중 같은 시설군 안에서 용도를 변경하려는 자는 국토해양부령으로 정하는 바에 따라 특별자치도지사 또는 시장·군수·구청장에게 건축물대장 기재내용의 변경을 신청하여야 하나,

같은 법 제20조 제3항 및 제4항과 같은 법 시행령 제15조 제2항에 따라 법 제20조 제1항에 의한 가설건축물에 대해서는 같은 법 제38조에 따른 건축물대장을 작성하지 아니하고 별도로 가설건축물대장에 적어 관리하므로 가설건축물관리대장의 기재사항의 변경을 신청하면 될 것이며, 신청서 및 구비서류 등에 대해서는 건축법령에서 별도로 정하고 있지 아니하니 구체적인 사항은 당해 건축허가권자와 상의하시기 바람

질의회신 고시원 건축물 용도변경

국토교통부 민원마당 FAQ 2023.6.15.

질의 제2종근린생활시설인 의료기 판매시설을 고시원으로 용도변경하여 실별로 구분등기가 가능한지 여부

회신 건축법령상 다중생활시설은 「다중이용업소의 안전관리에 관한 특별법」에 따른 다중이용업 중 고시원업의 시설로서 독립된 주거의 형태를 갖추지 아니한 것을 말하며, 동 특별법에 따르면 고시원업은 영업장 내부의 벽 또는 칸막이 등으로 구획된 실을 숙박 또는 숙식을 할 수 있도록 이용객에게 제공하는 형태의 영업을 말하는 것으로 안전시설등의 설치 · 유지에 대한 사항을 구획된 실이 아닌 영업장 전체를 대상으로 하고 있으며, 건축법령에서는 고시원 영업장 내부에 여러개로 구획된 개별실 하나만을 별도의 영업장으로 보지 않음에 따라 고시원의 실별로 독립된 주거의 형태를 갖추지 아니하도록 규정하고 있음

따라서, 고시원업이 영업장 내부에 구획된 실이 아닌 영업장 전체를 대상으로 한다는 점과 고시원 영업장 내부에 구획된 수개의 개별실을 별도의 고시원으로 보지 않는 점을 고려할 때, 고시원업이 영업장 내부에 구획되어 있는 개별 실을 대상으로 집합건축물 대장을 생성하기는 어려울 것으로 사료됨.

질의회신 판매시설을 일반음식점으로 용도변경

국토교통부 민원마당 FAQ 2019.5.24.

질의 판매시설인 건축물을 일반음식점으로 사용할 수 있는지 여부

회신 「건축법시행령」 별표 1. 제7호의 규정에 의하여 판매시설 안에 있는 근린생활시설은 판매시설로 분류하는 것으로, 판매시설인 건축물을 제2종 근린생활시설인 일반음식점으로 용도를 변경하여 사용하고자 하는 경우에는 건축물대장의 용도를 변경하지 아니하고 사용할 수 있는 것으로 판단되니 더 자세한 사항은 관련 자료를 갖추어 허가권자와 협의바람

15 공용건축물에 대한 특례

법령해석 지방자치단체가 건축주이고 건축 허가권자가 그 지방자치단체의 장인 경우에도 「건축법」 제29조에 따른 건축협의를 해야 하는지 여부 등

「건축법」 제29조제1항 등 관련 법제처 법령해석 22-0851, 2022.12.19.

질의요지 가. 「건축법」 제29조제1항에서는 국가나 지방자치단체가 건축물을 건축 · 대수선 · 용도변경하려는 경우 등에는 미리 건축물의 소재지를 관할하는 허가권자(각주: 특별시장 · 광역시장 · 특별자치시장 · 특별자치도지사 또는 시장 · 군수 · 구청장을 말하며(「건축법」 제4조의4제1항 참조), 이하 같음.)와 협의하도록 하고 있고, 같은 조 제2항에서는 허가권자와 협의한 경우에는 같은 법 제11조, 제14조, 제19조, 제20조 및 제83조에 따른 건축허가를 받았거나 건축신고를 한 것으로 본다고 규정하고 있는바, 지방자치단체가 건축물을 건축하려는 건축주이고 허가권자가 그 지방자치단체의 장인 경우에도 같은 조 제1항에 따라 협의를 해야 하는지?

「건축법」 제79조제1항에서는 허가권자는 같은 법 또는 같은 법에 따른 명령이나 처분에 위반되는 대지나 건축물(이하 "위반건축물등"이라 함)에 대하여 허가 또는 승인을 취소하거나 건축주등(각주: 건축주 · 공사시공자 · 현장관리인 · 소유자 · 관리자 또는 점유자를 말하며(「건축법」 제79조제1항 참조), 이하 같음.)에게 시정명령(각주: 공사 중지 명령 또는 상당한 기간을 정하여 그 건축물의 해체 · 개축 · 증축 · 수선 · 용도변경 · 사용금지 · 사용제한, 그 밖에 필요한 조치를 명하는 것을 말하며(「건축법」 제79조제1항 참조), 이하 같음.)을 할 수 있다고 규정하면서, 같은 법 제80조제1항에서는 허가권자는 시정명령을 받은 후 시정기간 내에 시정명령을 이행하지 아니한 건축주등에 대해서는 이행강제금을 부과한다고 규정하고 있는바, 지방자치단체가 위반건축물등을 건축한 건축주이고 허가권자가 그 지방자치단체의 장인 경우, 허가권자가 건축주인 지방자치단체에 대하여 ① 같은 법 제79조제1항에 따른 시정명령을 하거나, ② 같은 법 제80조제1항에 따른 이행강제금을 부과할 수 있는지?

회답 가. 질의 가에 대해
이 사안의 경우, 「건축법」 제29조에 따라 협의를 해야 합니다.
나. 질의 나에 대해
이 사안의 경우, 허가권자는 건축주인 지방자치단체에 대하여 「건축법」 제79조제1항에 따른 시정명령을 할 수 없고, 같은 법 제80조제1항에 따른 이행강제금 부과도 할 수 없습니다.

이유 "생략"

법령해석 공용건축물의 건축에 대하여 협의요청한 경우 허가권자가 허가요건 이외의 사유로 거부할 수 있는지

「건축법」 제29조제1항 등 관련 법제처 법령해석 09-0419, 2010.2.22.

질의요지 국가가 「건축법」 제11조에 따른 건축허가 대상 건축물을 건축하려고 같은 법 제29조제1항에 따라 허가권자에게 협의 요청을 한 경우 허가권자가 해당 건축에 대하여 범시민정서에의 불부합, 민원제기의 우려 등 「건축법」 및 관계 법령에서 정하지 아니한 사유로 협의를 거부할 수 있는지?

회답 국가가 「건축법」 제11조에 따른 건축허가 대상 건축물을 건축하려고 같은 법 제29조제1항에 따라 허가권자에게 협의 요청을 한 경우 허가권자가 해당 건축에 대하여 범시민정서에의 불부합, 민원제기의 우려 등 「건축법」 및 관계 법령에서 정하지 아니한 사유로 협의를 거부할 수 없습니다.

이유 "생략"

법령해석 행정기관의 처분을 위한 협의의 범위

법제처 법령해석 08-0389, 2008.12.30.

질의요지 군사기지 및 군사시설 보호구역(이하 "보호구역"이라 함) 안에서 토지의 형질변경이 수반되는 건축신고를 받은 행정기관의 장은 「군사기지 및 군사시설 보호법」 제13조제1항제7호에 따라 국방부장관 또는 관할부대장 등과 협의를 해야 하는지?

회답 보호구역 안에서 토지의 형질변경이 수반되는 건축신고를 받은 행정기관의 장은 「군사기지 및 군사시설 보호법」 제13조제1항 단서 및 같은 법 시행령 제13조제3항에 따라 국방부장관 또는 관할부대장 등과 협의를 하지 않아도 됩니다.

이유 "생략"

질의회신 공용건축물 협의 관련

국토교통부 민원마당 FAQ 2019.5.24.

질의 가. 공용건축물의 특례규정에서 정하고 있는 "협의"가 허가권자의 승인을 의미하는 것인지 및 허가권자가 부동의한 경우에도 협의가 있는 것으로 보아 건축을 할 수 있는지 여부

나. 허가권자가 허가요건 이외의 사유를 들어 협의를 거부하거나 부동의 할 수 있는지 여부

회신 건축물의 건축은 「건축법」 제11조 및 제14조에서 정하고 있는 바에 따라 허가권자에게 허가를 받거나 신고한 후 건축할 수 있는 것이나,

「건축법」 제29조 및 같은 법 시행령 제22조에 따라 국가 등이 건축하는 경우에는 상기 규정에 따른 절차의 이행 없이도 건축공사 착수 전에 허가권자와 "협의한 경우" 허가를 받거나 신고를 한 것으로 보고 있음.

이와 관련, 상기 규정에 따른 "협의한 경우"란 허가권자가 건축법 등 관계법령을 검토하여 국가 등으로부터 제출받은 관련 서류를 심사한 후 해당 건축물을 건축할 수 있다는 통지를 한 경우를 말하는 것으로 보아야 하는 것으로, 상기의 협의와 관련한 규정은 국가 등이 건축물을 건축하는 경우 신속하고 원활한 사업수행을 위해 허가나 신고와 관련된 행정절차상의 특례를 인정하고 있는 것일 뿐, 건축법령에서 정하고 있는 모든 사항에 대하여 특례를 인정하고 있는 것은 아님.

따라서, 허가권자는 국가 등과 협의 시 건축법령에서 정하고 있는 기타 규정을 검토하여 그 적합여부를 통지하여야 하는 것이며, 협의가 진행 중에 있거나 허가권자의 통지결과가 부정적인 경우에는 단지 협의를 요청한 것만으로 건축물을 건축할 수 있는 "협의한 경우"로 볼 수는 없을 것임.

아울러, 허가권자는 건축법 등 관계법령에 따라 심사결과를 통지해야 하는 것이며 허가요건 이외의 사유를 들어 협의를 거부하거나 부동의 할 수 있도록 건축법령에서 따로 규정되어 있지 않음.

질의회신 공용건축물 사전승인 관련

국토교통부 민원마당 FAQ 2013.12.10.

질의 국가나 지방자치단체가 건축물을 건축하고자 하는 경우 건축물이 제11조 제1항 단서 및 제2항에 따라 도지사의 사전승인을 받아야 하는 건축물인 경우에도 도지사의 사전승인을 받아야 하는지?

회신 가. 건축법 제11조제2항에 의하면 시장·군수는 일정 규모 이상 건축물의 건축을 허가하려면 미리 건축계획서와 국토해양부령으로 정하는 건축물의 용도, 규모 및 형태가 표시된 기본설계도서를 첨부하여 도지사의 승인을 받도록 규정하고 있으나,

나. 같은 법 제29조제1항에서 국가나 지방자치단체는 같은 법 제11조나 제14조에 따른 건축물을 건축하거나 대수선하려는 경우에는 대통령령으로 정하는 바에 따라 미리 건축물의 소재지를 관할하는 허가권자와 협의하여야 하며, 협의한 경우에는 건축법 제11조나 제14조에 따른 건축허가를 받았거나 신고한 것으로 보도록 규정하고 있을 뿐, 협의하는 경우 사전승인 절차를 생략하도록 따로 규정하고 있지 아니한 바, 건축법 제11조에 따라 사전승인을 받아야 함

질의회신 건축신고 시에도 관련 법령의 해당기관과 협의하여야 하는 지

국토교통부 민원마당 FAQ 2019.5.24.

질의 가. 군사시설보호법 제10조에 따라 군사시설보호구역안에서 주택을 신축 또는 증축 할 때에 국방부장관 또는 관할 부대장 등과 협의하도록 하고 있는 바, 건축법에 의한 건축신고시에도 국방부장관 또는 관할 부대장 등과 협의를 하여야 하는 지

나. 건축신고시 군사시설보호법 제10조에 대한 협의와 관련하여 국토해양부와 법제처의 법령유권해석이 상반되는데, 이에 대한 국토해양부의 의견

회신 가. 건축법 제11조 제5항에 따르면 같은 조 제1항에 따른 건축허가를 받으면 제5항 각 호의 허가 등을 받거나 신고를 한 것으로 보도록 규정하고 있으며, 같은 조 제6항에 따라 허가권자는 제5항 각 호에 해당하는 행정기관의 장과 미리 협의하도록 하고 있는 바, 이는 건축주가 개별법령에 규정된 사항에 대하여 일일이 허가나 신고를 받도록 한 것을 행정기관 간에 협의를 통하여 일괄적으로 처리토록 함으로써 건축주(민원인)에게 편의를 제공하기 위한 것으로 사료됨

나. 이와 관련, 건축법 제14조에 따른 건축신고는 같은 법 제11조에 해당하는 허가 대상 건축물이라 하더라도

건 축 법
1. 총 칙
2. 건 축
3. 유지관리
4. 대지도로
5. 구조재료
6. 지역지구
7. 건축설비
8. 특별건축구역
9. 보 칙
10. 벌 칙
건 축 법 관련기준

미리 신고를 하면 건축허가를 받은 것으로 보는 것이며, 같은법 제14조 제2항에 따르면 건축신고에 관하여는 제11조 제5항을 준용하도록 하고 있는 바,
건축신고 대상 건축물이라도 관계법령에 적합하지 아니하면 건축할 수 없는 것으로써 만일 건축신고 시에 행정기관 간에 협의를 하지 아니할 경우 건축주는 관계법령에 규정된 허가나 신고절차를 일일이 거쳐야 할 것이므로 오히려 건축주에게 많은 불편을 초래하게 될 것임
다. 따라서, 건축신고 대상이 건축허가 시에 협의하여야 하는 대상에 해당되지 않는다는 법제처의 판단은 단순 법리적 측면의 해석으로 판단되며, 건축신고 시에도 개별법령에 의한 허가나 신고를 하여야 할 사항이 있는 경우라면 이는 협의로써 처리하는 것이 타당할 것으로 판단됨

질의회신 공용건축물에 대한 특례 규정에 따라 협의 시 용도가 한정되는 지

국토교통부 민원마당 FAQ 2019.5.24.

질의 국가(재정경제부)로부터 위임받은 자(대리인, 한국자산관리공사)가 공공 용도가 아닌 일반 용도의 건축물(사무소 및 일반음식점)을 건축하고자 하는 경우에 「건축법」 제8조 규정에 따라 건축허가를 받아야 하는지 또는 「건축법」 제25조의 공용건축물에 대한 특례 규정에 따라 협의로 처리할 수 있는지 여부

회신 건축법 제25조 규정에 따르면 국가 또는 지방자치단체가 건축물을 건축하고자 하는 경우에는 건축물의 소재지를 관할하는 허가권자와 협의하도록 규정하고, 협의를 한 경우에는 건축허가를 받았거나 신고를 한 것으로 간주하고 있으며, 이 경우 국가 또는 지방자치단체가 건축하는 건축물의 용도에 대하여는 따로 규정하고 있지 않음
따라서, 국가 또는 지방자치단체가 건축하는 건축물의 경우 그 용도와 상관없이 「건축법」 제25조 규정에 따라 협의로 처리할 수 있을 것임 (* 법 제8조, 제25조 ⇒ 제11조, 제29조, 2008.3.21 개정)

질의회신 국가 또는 지방자치단체가 도시계획시설내 가설건축물 건축시 허가절차

건교부 건축 58550-2006, 2003.10.31.

질의 국가 또는 지방자치단체에서 도시계획시설내에 가설건축물을 건축하기 위하여 허가를 받고자 하는 경우 건축법 제25조의 규정에 의하여 허가권자와 협의로 처리가 가능한지 여부

회신 건축법 제25조제1항의 규정에 의하면 국가 또는 지방자치단체가 같은법 제8조 또는 제9조의 규정에 의한 건축물을 건축 또는 대수선하고자 하는 경우 미리 건축물의 소재지를 관할하는 허가권자와 협의하도록 규정하고 있는바, 가설건축물의 건축허가(신고 포함)도 상기 규정에 따라 허가권자와 협의로 처리가 가능할 것임 (* 법 제8조, 제9조, 제25조 ⇒ 제11조, 제14조, 제29조, 2008.3.21 개정)

7 판례

대법원판례 건축신고수리처분취소

대법원 2023.9.21. 선고 2022두31143 판결

판시사항 [1] 국토의 계획 및 이용에 관한 법률 제56조 제4항 제3호, 국토의 계획 및 이용에 관한 법률 시행령 제53조 제3호 (다)목에 따라 개발행위허가가 면제되는 토지형질변경의 의미 및 여기에 건축물의 건축을 위해 별도의 절토, 성토, 정지작업 등이 필요한 경우가 포함되는지 여부(소극)

[2] 조성이 완료된 기존 대지에 건축물을 설치하기 위하여 절토나 성토를 한 결과 최종적으로 지반의 높이가 50cm를 초과하여 변경되는 경우, 토지형질변경에 대한 별도의 개발행위허가를 받아야 하는지 여부(적극)

[3] 어떤 개발사업의 시행과 관련하여 인허가의 근거 법령에서 절차간소화를 위하여 관련 인허가를 의제 처리할 수 있는 근거 규정을 둔 경우, 사업시행자가 인허가를 신청하면서 반드시 관련 인허가 의제 처리를 신청할 의무가 있는지 여부(소극)

[4] 건축물의 건축이 허용되기 위한 요건인 '부지 확보'의 의미 / 건축신고 수리처분 당시 건축주가 장래에도 토지형질변경허가를 받지 않거나 받지 못할 것이 명백하였음에도 '부지 확보' 요건을 완비하지 못한 상태에서 건축신고 수리처분이 이루어진 경우, 건축신고 수리처분이 적법한지 여부(소극)

판결요지 [1] 국토의 계획 및 이용에 관한 법률 제56조 제1항 제2호, 제4항 제3호, 국토의 계획 및 이용에 관한 법률 시행령 제53조 제3호 (다)목에 따라 개발행위허가가 면제되는 토지형질변경이란, 토지의 형질을 외형상으로 사실상 변경시킴이 없이 건축 부분에 대한 허가만을 받아 그 설치를 위한 토지의 굴착만으로 건설이 가능한 경우를 가리키고, 그 외형을 유지하면서는 원하는 건축물을 건축할 수 없고 그 밖에 건축을 위하여 별도의 절토, 성토, 정지작업 등이 필요한 경우는 포함되지 않는다.

[2] 국토의 계획 및 이용에 관한 법률 제56조 제1항 제2호, 제4항 제3호, 제58조 제3항, 국토의 계획 및 이용에 관한 법률 시행령(이하 '국토계획법 시행령'이라 한다) 제53조 제3호 (가)목, (다)목, 제56조 제1항 [별표 1의2] 제2호 (가)목, (나)목의 규정을 종합해 볼 때, 조성이 완료된 기존 대지에 건축물을 설치하기 위한 경우라 하더라도 절토나 성토를 한 결과 최종적으로 지반의 높이가 50cm를 초과하여 변경되는 경우에는 비탈면 또는 절개면이 발생하는 등 그 토지의 외형이 실질적으로 변경되므로, 토지형질변경에 대한 별도의 개발행위허가를 받아야 하고, 그 절토 및 성토가 단순히 건축물을 설치하기 위한 토지의 형질변경이라는 이유만으로 국토계획법 시행령 제53조 제3호 (다)목에 따라 개발행위허가를 받지 않아도 되는 경미한 행위라고 볼 수 없다.

[3] 건축법 제14조 제2항, 제11조 제5항 제3호에 따르면, 건축신고 수리처분이 이루어지는 경우 국토의 계획 및 이용에 관한 법률 제56조에 따른 개발행위(토지형질변경)의 허가가 있는 것으로 본다. 이처럼 어떤 개발사업의 시행과 관련하여 여러 개별 법령에서 각각 고유한 목적과 취지를 가지고 그 요건과 효과를 달리하는 인허가 제도를 각각 규정하고 있다면, 그 개발사업을 시행하기 위해서는 개별 법령에 따른 여러 인허가 절차를 각각 거치는 것이 원칙이다. 다만 어떤 인허가의 근거 법령에서 절차간소화를 위하여 관련 인허가를 의제 처리할 수 있는 근거 규정을 둔 경우에는, 사업시행자가 인허가를 신청하면서 하나의 절차 내에서 관련 인허가를 의제 처리해 줄 것을 신청할 수 있다. 관련 인허가 의제 제도는 사업시행자의 이익을 위하여 만들어진 것이므로, 사업시행자가 반드시 관련 인허가 의제 처리를 신청할 의무가 있는 것은 아니다.

[4] 건축물의 건축은 건축주가 그 부지를 적법하게 확보한 경우에만 허용될 수 있다. 여기에서 '부지 확보'란 건축주가 건축물을 건축할 토지의 소유권이나 그 밖의 사용권원을 확보하여야 한다는 점 외에도 해당 토지가 건축물의 건축에 적합한 상태로 적법하게 형질변경이 되어 있는 등 건축물의 건축이 허용되는 법적 성질을 지니고 있어야 한다는 점을 포함한다.

이에 수평면에 건축할 것으로 예정된 건물을 경사가 있는 토지 위에 건축하고자 건축신고를 하면서, 그 경사 있는 토지를 수평으로 만들기 위한 절토나 성토에 대한 토지형질변경허가를 받지 못한 경우에는 건축법에서 정한 '부지 확보' 요건을 완비하지 못한 것이 된다.

따라서 건축행정청이 추후 별도로 국토의 계획 및 이용에 관한 법률상 개발행위(토지형질변경)허가를 받을 것을 명시적 조건으로 하거나 또는 묵시적인 전제로 하여 건축주에 대하여 건축법상 건축신고 수리처분을 한다면, 이는 가까운 장래에 '부지 확보' 요건을 갖출 것을 전제로 한 경우이므로 그 건축신고 수리처분이 위법하다고 볼 수는 없지만, '부지 확보' 요건을 완비하지 못한 상태에서 건축신고 수리처분이 이루어졌음에도 그 처분 당시 건축주가 장래에도 토지형질변경허가를 받지 않거나 받지 못할 것이 명백하였다면, 그 건축신고 수리처분은 '부지 확보'라는 수리요건이 갖추어지지 않았음이 확정된 상태에서 이루어진 처분으로서 적법하다고 볼 수 없다.

대법원판례 건축관계자변경신고반려처분취소

대법원 2022.6.30., 선고, 2021두57124, 판결

판시사항 농지전용허가가 의제되는 건축허가를 받은 토지와 그 지상에 건축 중인 건축물의 소유권을 경매절차에서 양수한 자가 건축관계자 변경신고를 하는 경우, 행정청이 '농지보전부담금의 권리승계를 증명할 수 있는 서류'가 제출되지 않았다는 이유로 신고를 반려할 수 있는지 여부(소극)

판결요지 농지전용허가가 의제되는 건축허가를 받은 토지와 그 지상에 건축 중인 건축물의 소유권을 경매절차에서 양수한 자가 건축관계자 변경신고를 하는 경우 행정청은 '농지보전부담금의 권리승계를 증명할 수 있는 서류'가 제출되지 않았다는 이유로 그 신고를 반려할 수 없다. 구체적인 이유는 다음과 같다.

① 농지법상 농지보전부담금 부과처분은 농지전용허가에 수반하여 이루어지는 것이므로 농지보전부담금의 납부의무도 농지전용허가 명의자에게 있는 것인데, 당초 농지전용허가가 의제되는 건축허가를 받은 사람이 농지보전부담금을 납부한 상황에서 경매절차를 통해 건축허가대상 건축물에 관한 권리가 변동됨에 따라 건축주가 변경되고, 그에 따라 법률로써 농지전용허가 명의자가 변경된 것으로 의제되면, 종전에 납부된 농지보전부담금은 농지전용허가 명의를 이전받은 자의 의무이행을 위해 납입되어 있는 것으로 보는 것이 타당하다.

② 또한 농지전용허가 명의자의 변경허가는 종전 농지전용허가의 효력이 유지됨을 전제로 단지 그 허가 명의만이 변경되는 것으로 해석하여야 한다. 이러한 관점에서 보아도 기존 농지전용허가 명의자에 대한 허가 및 그가 납부한 농지보전부담금의 효력은 경매절차에서 농지를 양수한 자에게 그대로 승계되었다고 해석하는 것이 타당하다.

③ 한편 농지보전부담금을 납부한 후 농지전용허가를 받은 자의 명의가 변경되어 그 변경허가 신청을 하는 경우에는 농지보전부담금의 권리 승계를 증명할 수 있는 서류를 제출하여야 한다(농지법 시행규칙 제26조 제2항 제6호). 앞서 살펴본 바와 같이 농지전용허가 명의가 이전됨에 따라 농지보전부담금에 관한 권리관계도 함께 이전된다고 보는 이상, 농지전용허가가 있는 농지에 대한 경매절차상의 확정된 매각허가결정서 및 그에 따른 매각대금 완납서류 등 경매로 인한 권리 취득 관계 서류도 농지법 시행규칙 제26조 제2항 제6호에서 정하는 '농지보전부담금의 권리승계를 증명할 수 있는 서류'에 해당한다고 보는 것이 타당하다.

대법원판례 시정명령취소청구

대법원 2020.3.26., 선고, 2019두38830

판시사항 [1] "생략"
[2] 식품위생법상 일반음식점영업을 하려는 자가 건축법상 건축물의 용도를 제2종 근린생활시설로 변경하는 절차를 거치지 않은 채 단독주택에서 일반음식점영업을 할 수 있는지 여부(소극)

판결요지 [1] "생략"
[2] 건축법 제2조 제2항, 제19조 제2항 제1호, 건축법 시행령 제3조의5 및 [별표 1] 제4호 (자)목, 제14조 제5항에 따르면, 일반음식점은 건축물의 용도가 제2종 근린생활시설이어야 하고, 단독주택(주거업무시설군)에 속하는 건축물의 용도를 제2종 근린생활시설(근린생활시설군)로 변경하려면 시장 등의 허가를 받아야 한다. 따라서 일반음식점영업을 하려는 자는 용도가 제2종 근린생활시설인 건축물에 영업장을 마련하거나, 제2종 근린생활

시설이 아닌 건축물의 경우 그 건축물의 용도를 제2종 근린생활시설로 변경하는 절차를 거쳐야 한다. 미리 이러한 건축물 용도변경절차를 거치지 않은 채 단독주택에서 일반음식점영업을 하는 것은 현행 식품위생법과 건축법하에서는 허용될 수 없다.

대법원판례 **건축신고반려처분취소**

대법원 2019.10.31., 선고, 2017두74320

판시사항 [1] 법률이 전부 개정된 경우, 종전 법률의 본문 및 부칙 규정 외에 종전 법률 부칙의 경과규정도 실효되는지 여부(원칙적 적극) / 예외적으로 그 효력이 상실되지 않는 '특별한 사정'이 있는 경우 및 이때 '특별한 사정'이 있는지 판단하는 방법

[2] 구 건축법 부칙(1975.12.31.) 제2항이 1991.5.31. 법률 제4381호로 전부 개정된 건축법 시행에도 실효되지 않았다고 보아야 할 예외적인 '특별한 사정'이 있는지 여부(적극)

[3] 건축신고가 건축법 등 관계 법령에서 정하는 명시적인 제한에 배치되지 않지만, 건축을 허용하지 않아야 할 중대한 공익상 필요가 있는 경우, 건축허가권자가 건축신고의 수리를 거부할 수 있는지 여부(적극)

[4] 甲이 '사실상의 도로'로서 인근 주민들의 통행로로 이용되고 있는 토지를 매수한 다음 2층 규모의 주택을 신축하겠다는 내용의 건축신고서를 제출하였으나, 구청장이 '위 토지가 건축법상 도로에 해당하여 건축을 허용할 수 없다'는 사유로 건축신고수리 거부처분을 하자 甲이 처분의 취소를 구하는 소송을 제기하였는데, 1심법원이 위 토지가 건축법상 도로에 해당하지 않는다는 이유로 甲의 청구를 인용하는 판결을 선고하자 구청장이 항소하여 '위 토지가 인근 주민들의 통행에 제공된 사실상의 도로인데, 주택을 건축하여 주민들의 통행을 막는 것은 사회공동체와 인근 주민들의 이익에 반하므로 甲의 주택 건축을 허용할 수 없다'는 주장을 추가한 사안에서, 구청장이 원심에서 추가한 처분사유는 당초 처분사유와 기본적 사실관계가 동일하고, 정당하여 결과적으로 위 처분이 적법한 것으로 볼 여지가 있다고 한 사례

판결요지 [1] 개정 법률이 전부 개정인 경우에는 기존 법률을 폐지하고 새로운 법률을 제정하는 것과 마찬가지여서 원칙적으로 종전 법률의 본문 규정은 물론 부칙 규정도 모두 효력이 소멸되는 것으로 보아야 하므로 종전 법률 부칙의 경과규정도 실효되지만, 특별한 사정이 있는 경우에는 효력이 상실되지 않는다. 여기에서 말하는 '특별한 사정'은 전부 개정된 법률에서 종전 법률 부칙의 경과규정에 관하여 계속 적용한다는 별도의 규정을 둔 경우뿐만 아니라, 그러한 규정을 두지 않았다고 하더라도 종전의 경과규정이 실효되지 않고 계속 적용된다고 보아야 할 만한 예외적인 사정이 있는 경우도 포함한다. 이 경우 예외적인 '특별한 사정'이 있는지는 종전 경과규정의 입법 경위·취지, 전부 개정된 법령의 입법 취지 및 전반적 체계, 종전 경과규정이 실효된다고 볼 경우 법률상 공백상태가 발생하는지 여부, 기타 제반 사정 등을 종합적으로 고려하여 개별적·구체적으로 판단하여야 한다.

[2] 건축법이 1991.5.31. 법률 제4381호로 전부 개정되면서 구 건축법 부칙(1975.12.31.) 제2항(이하 '종전 부칙 제2항'이라 한다)과 같은 경과규정을 두지 않은 것은 당시 대부분의 도로가 시장·군수 등의 도로 지정을 받게 됨으로써 종전 부칙 제2항과 같은 경과규정을 존치시킬 필요성이 줄어든 상황을 반영한 것일 뿐, 이미 건축법상의 도로가 된 사실상의 도로를 다시 건축법상의 도로가 아닌 것으로 변경하려고 한 취지는 아닌 점, 종전 부칙 제2항이 효력을 상실한다고 보면 같은 규정에 의하여 이미 확정적으로 건축법상의 도로가 된 사실상의 도로들에 관하여 법률상 공백 상태가 발생하게 되고 그 도로의 이해관계인들, 특히 그 도로를 통행로로 이용하는 인근 토지 및 건축물 소유자의 신뢰보호 및 법적 안정성 측면에도 문제가 생기는 점 등의 제반 사정을 종합해 볼 때, 종전 부칙 제2항은 1991.5.31. 법률 제4381호로 전부 개정된 건축법의 시행에도, 여전히 실효되지 않았다고 볼 '특별한 사정'이 있다.

[3] 건축허가권자는 건축신고가 건축법, 국토의 계획 및 이용에 관한 법률 등 관계 법령에서 정하는 명시적인 제한에 배치되지 않는 경우에도 건축을 허용하지 않아야 할 중대한 공익상 필요가 있는 경우에는 건축신고의 수리를 거부할 수 있다.

[4] 甲이 '사실상의 도로'로서 인근 주민들의 통행로로 이용되고 있는 토지를 매수한 다음 2층 규모의 주택을 신축하겠다는 내용의 건축신고서를 제출하였으나, 구청장이 '위 토지가 건축법상 도로에 해당하여 건축을 허용할 수 없다'는 사유로 건축신고수리 거부처분을 하자 甲이 처분에 대한 취소를 구하는 소송을 제기하였는데, 1심법원이 위 토지가 건축법상 도로에 해당하지 않는다는 이유로 甲의 청구를 인용하는 판결을 선고하자 구청장이 항소하여 '위 토지가 인근 주민들의 통행에 제공된 사실상의 도로인데, 주택을 건축하여 주민들의 통행을 막는 것은 사회공동체와 인근 주민들의 이익에 반하므로 甲의 주택 건축을 허용할 수 없다'는 주장을 추가한 사안에서, 당초 처분사유와 구청장이 원심에서 추가로 주장한 처분사유는 위 토지상의 사실상 도로의 법적 성질에 관한 평가를 다소 달리하는 것일 뿐, 모두 토지의 이용현황이 '도로'이므로 거기에 주택을 신축하는 것은 허용될 수 없다는 것이므로 기본적 사실관계의 동일성이 인정되고, 위 토지에 건물이 신축됨으로써 인근 주민들의 통행을 막지 않도록 하여야 할 중대한 공익상 필요가 인정되고 이러한 공익적 요청이 甲의 재산권 행사보다 훨씬 중요하므로, 구청장이 원심에서 추가한 처분사유는 정당하여 결과적으로 위 처분이 적법한 것으로 볼 여지가 있음에도 이와 달리 본 원심판단에 법리를 오해한 잘못이 있다고 한 사례.

대법원판례 건축법위반

대법원 2018.10.25., 선고, 2017도7377

판시사항 구 건축법상 감리보고서에 기재가 요구되는 의견의 범위에 건축물이 설계도서대로 적법하게 시공되었는지를 확인한 내용이 포함되는지 여부(적극) 및 이때 감리보고서 서식에서 각 항목별 보고를 요구하는 부분이나 건물의 배근, 보 등 건물의 안전과 관련된 부분 등의 변경시공에 관하여는 공사감리자의 의견 기재가 요구되는지 여부(적극)

주 문 원심판결을 파기하고, 사건을 광주지방법원에 환송한다.

이 유 상고이유를 판단한다.

1. 가. 이 사건 공소사실의 요지는, 피고인들이 이 사건 다가구주택 옥상과 벽체의 철근 배근, 단열재, 복도 창문이 건축허가 당시의 설계도서대로 시공되지 않았음에도 불구하고 공사감리자인 피고인 2가 2012.1.10. 위 주택이 건축설계 및 관계 법령에 적합하다는 내용으로 감리중간보고서를, 2012.3.23. 동일한 내용의 감리완료보고서를 각 작성한 후 건축주 피고인 1 명의로 광주서구청장에게 제출함으로써, 피고인들이 공모하여 감리중간보고서 및 감리완료보고서를 거짓으로 작성·제출하였다는 것이다.

나. 이에 대하여 원심은, 건축법 시행규칙의 감리보고서 서식에 관계 법령에 적합 여부에 관하여 기재하도록 되어 있을 뿐 설계도서대로 시공되었는지 여부에 관한 의견까지 기재하도록 되어 있지 아니한 점 등에 비추어 감리보고서에 기재가 요구되는 의견의 범위에 설계도서대로 시공되었는지 여부에 관한 내용이 포함되지 아니함을 전제로, 이 사건 다가구주택이 설계도서대로 시공되지 않았다는 것만으로 이 사건 감리보고서의 내용이 거짓이라고 단정할 수 없고, 검사 제출 증거만으로 피고인들이 어떠한 특정 관련 법령의 기준에 부적합하다는 것을 알면서 이 사건 감리보고서를 거짓으로 작성하였다는 점을 인정하기 어렵다는 이유로, 피고인들에게 건축법 위반죄가 성립할 수 없다고 판단하였다.

2. 그러나 원심의 이러한 판단은 다음과 같은 이유로 수긍하기 어렵다.

가. 건축법상 공사감리자의 주된 업무는 공사시공자가 건축물을 설계도서에 적합하게 시공하고 있는지 여부를 확인하는 것인 점, 감리보고서는 건축물이 설계도서대로 적합하게 시공되었는지 여부를 조사하는 중간검사제도와 사용검사제도를 대체하여 도입된 점 등에 비추어 감리보고서에 기재가 요구되는 의견의 범위에는 당해 건축물이 설계도서대로 적법하게 시공되었는지를 확인한 내용도 포함된다(대법원 2004.8.16. 선고 2004도1341 판결 참조).

다만 건물의 시공 부분이 당초 설계도서대로 되지 않았다고 해서 공사감리자에게 모든 사항에 대하여 보고의무를 부과할 수 없을 것이나, 감리보고서 서식에서 각 항목별 보고를 요구하는 부분이나 건물의 배근, 보 등 건물의 안전과 관련된 부분 등의 변경시공에 관하여는 기재가 요구되고, 건축법 제16조 단서에 따라 허가 또는 신고가 필요치 않은 경미한 사항이라거나 구조상 안전에 문제가 없다는 이유만으로 그 의견을 기재할 필요가 없다고 볼 수 없다.

나. (1) 제1심과 원심이 적법하게 채택한 증거들에 의하면, 다음과 같은 사실 또는 사정을 알 수 있다.

① 이 사건 다가구주택에 시공된 옥상과 벽체의 배근간격은 허가받은 설계도서의 배근간격을 크게 초과하여 단순 시공상의 오차라고 보기 어렵고, 건물의 안전과 직접적인 관련이 있는 부분이며, 실제 준공 이후 2년 만에 위 주택의 벽 등에 균열이 발생하였다.

② 단열재 두께와 창문의 열관류율은 구 건축법 제66조(현행 「녹색건축물 조성 지원법」 제15조)에 따른 「건축물의 에너지절약 설계기준」에서 정한 기준에 따라야 하고, 이는 감리보고서의 '열손실방지 조치'란에 해당하는 부분이다(이 사건 다가구주택에 시공된 단열재와 복도 창문은 일응 위 기준에 미달하고, 변경시공에도 불구하고 감리보고서 작성 당시 위 기준 충족 여부에 관한 별도의 검토도 없었던 것으로 보인다).

③ 피고인 1은 시공자 겸 건축주였고, 피고인 2는 설계자 겸 공사감리자로서 위 사정을 잘 알면서 이 사건 감리보고서에 설계도서대로 적법하게 시공되었는지 여부를 기재하지 아니하였고, 오히려 공사감리자 확인란과 종합의견란에 '적합'으로 기재하였다.

(2) 위와 같은 사정을 앞서 본 법리에 비추어 살펴보면, 당초 허가받은 설계도서와 달리 배근간격, 단열재, 창문이 시공되었다면 피고인 2는 이 사건 감리보고서에 위 부분이 설계도서대로 적법하게 시공되었는지 여부에 관한 의견을 기재하였어야 한다. 그럼에도 원심이 그 판시와 같은 이유만으로 감리보고서에 설계도서대로 시공되었는지 여부에 관한 의견을 기재할 의무가 없음을 전제로 피고인들이 거짓으로 이 사건 감리보고서를 작성한 것으로 볼 수 없다고 단정한 것은, 건축법상 감리보고서의 기재사항에 관한 법리를 오해하여 판결에 영향을 미친 위법이 있다. 이 점을 지적하는 상고이유 주장은 이유 있다.

3. 그러므로 원심판결을 파기하고, 사건을 다시 심리·판단하도록 원심법원에 환송하기로 하여, 관여 대법관의 일치된 의견으로 주문과 같이 판결한다.

대법원판례 학원등록거부처분등취소(제2종 근린생활시설에서 국제표준무도를 교습하는 댄스학원을 운영한 것이 건축물의 불법 용도변경에 해당하는지가 다투어진 사건)

대법원 2018.6.28., 선고, 2013두15774

판시사항 [1] 국제표준무도를 교습하는 학원을 설립·운영하려는 사람이 학원의 설립·운영 및 과외교습에 관한 법률상 학교교과교습학원으로 등록하려고 할 때, 관할 행정청이 위 법률에 따른 등록 요건을 갖춘 학원의 등록 수리를 거부할 수 있는지 여부(소극)

[2] 학원의 설립·운영 및 과외교습에 관한 법률상 학교교과교습학원의 등록 요건을 갖춘 댄스스포츠학원이 건축법상 위락시설의 일종인 무도학원에 해당하는지 여부(소극)

판결요지 [1] '무용'이나 '댄스스포츠'를 교습하는 학원이 학원의 설립·운영 및 과외교습에 관한 법률(이하 '학원법'이라 한다)에서 규율하는 학원에 해당함은 분명하다. 초·중등교육법 제23조에 따른 학교교육과정에 포함되어 있는 '무용'이나 '댄스스포츠'를 교습하는 학원은 학원법상 학교교과교습학원으로서 예능 분야 내 예능 계열에서 무용을 교습하는 학원에 해당한다. 학교교과교습학원 외에 평생교육이나 직업교육을 목적으로 '무용'이나 '댄스스포츠'를 교습하는 학원은 학원법상 기예 분야 내 기예 계열의 평생직업교육학원에 해당한다.

학원의 설립·운영 및 과외교습에 관한 법률 시행령 제3조의3 제1항 [별표 2] 학원의 종류별 교습과정 중 평생직업교육학원의 교습과정에 속하는 댄스에 관하여 '체육시설의 설치·이용에 관한 법률에 따른 무도학원업 제외'라는 단서 규정은 그 규정의 체계와 위치를 고려하면, 댄스를 교습하는 평생직업교육학원의 범위만을 제한하고 있을 뿐이고 무용을 교습하는 학교교과교습학원의 범위는 제한하지 않고 있다고 볼 수 있다. 따라서 국제표준무도를 교습하는 학원을 설립·운영하려는 자가 학원법상 학교교과교습학원으로 등록하려고 할 때에, 관할 행정청은 그 학원이 학원법에 따른 학교교과교습학원의 등록 요건을 갖춘 이상 등록의 수리를 거부할 수 없다고 보아야 한다.

[2] 건축물 용도 규정을 비롯한 관련 규정의 내용, 체계, 취지를 고려하면 건축법이 무도학원을 다른 학원과 별도로 위락시설로 분류하는 취지는 무도학원이 선량한 풍속을 해칠 우려가 크다는 점을 중요하게 고려하고 있는 것으로 볼 수 있다. 따라서 건축법상 위락시설의 일종인 무도학원은 원칙적으로 유료로 무도(춤)의 교습이 이루어지는 시설을 지칭한다고 볼 수 있다. 다만 교습 대상과 내용, 교습 시설의 설립·운영에 대한 관련 법령의 규정 내용과 취지, 풍속 관련 법령의 규제 대상 등을 종합적으로 살펴볼 때 선량한 풍속을 해칠 우려가 없다고 인정되는 경우에는 예외적으로 건축법상 위락시설의 일종인 무도학원에 해당하지 않는다고 봄이 타당하다. 학원의 설립·운영 및 과외교습에 관한 법률(이하 '학원법'이라 한다) 제5조는 학원설립·운영자에게 학원의 교육환경을 깨끗하게 유지·관리할 의무를 부과하고, 동일한 건축물 안에서 '학교교과교습학원'과 유해업소[원칙적으로 구 학교보건법(2016.2.3. 법률 제13946호로 개정되기 전의 것, 이하 같다)에 정한 학교환경위생 정화구역에서 금지되는 행위를 하거나 시설을 갖춘 영업소를 말한다]의 혼재를 금지하거나 제한하고 있다. 또한 학원법에 의한 학원은 풍속영업의 규제에 관한 법률, 청소년 보호법, 구 학교보건법 등 풍속 관련 법령의 규제 대상에서 제외되어 있다. 이러한 관계 법령의 규정 내용과 체계를 종합하면, 학원법상 학교교과교습학원에서는 초·중등교육법에 따른 학교교육과정에 포함되어 있거나 그 밖에 선량한 풍속을 침해할 우려가 없는 댄스 과목만을 교습할 수 있고, 학원법상 학원에서는 청소년을 대상으로 선량한 풍속을 해칠 우려가 있는 댄스 과목을 교습할 수 없다고 보아야 한다. 따라서 적어도 학원법상 학교교과교습학원의 등록 요건에 해당하면 건축법상 위락시설의 일종인 무도학원에는 해당하지 않는다.

대법원판례 가설건축물존치기간연장신고반려처분취소등

대법원 2018.1.25., 선고, 2015두35116

판시사항 [1] 가설건축물 존치기간을 연장하려는 건축주 등이 법령에 규정되어 있는 제반 서류와 요건을 갖추어 행정청에 연장신고를 한 경우, 행정청이 법령에서 요구하지 않은 '대지사용승낙서' 등의 서류가 제출되지 아니하였거나, 대지소유권자의 사용승낙이 없다는 등의 사유를 들어 연장신고의 수리를 거부할 수 있는지 여부(소극)

[2] 건축법상 이행강제금의 법적 성격(=행정상 간접강제) 및 시정명령을 받은 의무자가 시정명령에서 정한 기간이 지났으나 이행강제금이 부과되기 전에 의무를 이행한 경우, 이행강제금을 부과할 수 있는지 여부(소극) / 시정명령을 받은 의무자가 시정명령의 취지에 부합하는 의무를 이행하기 위한 정당한 방법으로 행정청에 신청 또는 신고를 하였으나 행정청이 위법하게 이를 거부 또는 반려함으로써 그 처분이 취소된 경우, 시정명령의 불이행을 이유로 이행강제금을 부과할 수 있는지 여부(원칙적 소극)

판결요지 [1] 가설건축물은 건축법상 '건축물'이 아니므로 건축허가나 건축신고 없이 설치할 수 있는 것이 원칙이지만 일정한 가설건축물에 대하여는 건축물에 준하여 위험을 통제하여야 할 필요가 있으므로 신고 대상으로 규율하고 있다. 이러한 신고제도의 취지에 비추어 보면, 가설건축물 존치기간을 연장하려는 건축주 등이 법령에 규정되어 있는 제반 서류와 요건을 갖추어 행정청에 연장신고를 한 때에는 행정청은 원칙적으로 이를 수리하여 신고필증을 교부하여야 하고, 법령에서 정한 요건 이외의 사유를 들어 수리를 거부할 수는 없다. 따라서 행정청으로서는 법령에서 요구하고 있지도 아니한 '대지사용승낙서' 등의 서류가 제출되지 아니하였거나, 대지소유권자의 사용승낙이 없다는 등의 사유를 들어 가설건축물 존치기간 연장신고의 수리를 거부하여서는 아니된다.

[2] 건축법상의 이행강제금은 시정명령의 불이행이라는 과거의 위반행위에 대한 제재가 아니라, 의무자에게 시정명령을 받은 의무의 이행을 명하고 그 이행기간 안에 의무를 이행하지 않으면 이행강제금이 부과된다는 사실을 고지함으로써 의무자에게 심리적 압박을 주어 의무의 이행을 간접적으로 강제하는 행정상의 간접강제 수단에 해당한다. 이러한 이행강제금의 본질상 시정명령을 받은 의무자가 이행강제금이 부과되기 전에 그 의무를 이행한 경우에는 비록 시정명령에서 정한 기간을 지나서 이행한 경우라도 이행강제금을 부과할 수 없다. 나아가 시정명령을 받은 의무자가 그 시정명령의 취지에 부합하는 의무를 이행하기 위한 정당한 방법으로 행정청에 신청 또는 신고를 하였으나 행정청이 위법하게 이를 거부 또는 반려함으로써 결국 그 처분이 취소되기

에 이르렀다면, 특별한 사정이 없는 한 그 시정명령의 불이행을 이유로 이행강제금을 부과할 수는 없다고 보는 것이 위와 같은 이행강제금 제도의 취지에 부합한다.

대법원판례 손해배상(기)

대법원 2017.12.28., 선고, 2014다229023

판시사항 [1] 공사감리자는 감리계약을 체결한 건축주에 대하여 공사시공자가 설계도서대로 시공하는지 여부를 확인하고 그 과정에서 공사시공자가 설계도서대로 시공 자체를 하지 아니한 하자 또는 임의로 설계도서의 내용을 변경하여 시공한 하자를 발견한 경우, 건축주가 그러한 하자로 인하여 손해를 입지 않도록 건축주에게 이를 통지하고 공사시공자에게 시정 또는 재시공을 요청하여야 할 채무를 부담하는지 여부(적극) 및 공사감리자가 위와 같은 감리계약상의 채무를 이행하지 아니하였는지 판단하는 기준 / 동일한 공사에서 공사감리자의 감리계약에 따른 채무불이행으로 인한 손해배상채무와 공사시공자의 도급계약에 따른 채무불이행으로 인한 손해배상채무 중 서로 중첩되는 부분의 관계(=부진정연대채무)

[2] “생략”

판결요지 [1] 구 건축법(2008.2.29. 법률 제8852호로 개정되기 전의 것, 이하 같다) 제21조 제7항, 구 건축법 시행령(2008.2.29. 대통령령 제20722호로 개정되기 전의 것) 제19조 제6항 제1호에 의하면, 공사감리자가 수행하여야 할 감리업무에는 ‘공사시공자가 설계도서에 따라 적합하게 시공하는지 여부의 확인’이 포함되어 있다. 그리고 구 건축법 제21조 제2항은, 공사감리자는 공사시공자가 설계도서대로 공사를 하지 아니하는 경우 이를 건축주에게 통지한 후 공사시공자로 하여금 시정 또는 재시공하도록 요청하여야 한다고 규정하고 있다. 이러한 규정의 내용에 비추어 보면, 공사감리자는 감리계약을 체결한 건축주에 대하여 공사시공자가 설계도서대로 시공하는지 여부를 확인하고 그 과정에서 공사시공자가 설계도서대로 시공 자체를 하지 아니한 하자(이하 ‘미시공 하자’라고 한다) 또는 임의로 설계도서의 내용을 변경하여 시공한 하자(이하 ‘변경시공 하자’라고 한다)를 발견한 경우 건축주가 그러한 하자로 인하여 손해를 입지 않도록 건축주에게 이를 통지하고 공사시공자에게 시정 또는 재시공을 요청하여야 할 채무를 부담한다. 공사감리자가 위와 같은 감리계약상의 채무를 이행하지 아니하였는지는 당시 일반적인 공사감리자의 기술수준과 경험, 미시공 또는 변경시공 하자의 위치와 내용, 공사의 규모 등에 비추어 그러한 하자의 발견을 기대할 수 있었는지 여부에 따라 판단하여야 한다. 한편 동일한 공사에서 공사감리자의 감리계약에 따른 채무불이행으로 인한 손해배상채무와 공사시공자의 도급계약에 따른 채무불이행으로 인한 손해배상채무는 서로 별개의 원인으로 발생한 독립된 채무이나 동일한 경제적 목적을 가진 채무이므로 서로 중첩되는 부분에 관하여 부진정연대채무의 관계에 있다.

[2] “생략”

대법원판례 이행강제금부과처분취소

대법원 2017.8.23., 선고, 2017두42453

판시사항 건축법 제19조 제2항에 따라 관할 행정청의 허가를 받거나 신고해야 하는 용도변경에서 국토의 계획 및 이용에 관한 법률 제54조를 위반한 경우, 시정명령과 그 불이행에 따른 이행강제금 부과처분을 할 수 있는지 여부(적극) 및 건축법 제19조 제3항에 따라 건축물대장 기재 내용의 변경을 신청해야 하거나 임의로 용도변경을 할 수 있는 경우, ‘국토의 계획 및 이용에 관한 법률상 지구단위계획에 맞지 아니한 용도변경’이라는 이유로 시정명령과 그 불이행에 따른 이행강제금 부과처분을 할 수 있는지 여부(소극)

판결요지 건축법 제19조 제2항, 제3항, 제4항, 제7항, 제79조 제1항, 제80조 제1항, 건축법 시행령 제14조 제4항, 국토의 계획 및 이용에 관한 법률(이하 ‘국토계획법’이라 한다) 제54조의 내용과 체계 및 취지를 종합하면, 건축법 제19조 제7항에 따라 국토계획법 제54조가 준용되는 용도변경 즉, 건축법 제19조 제2항에 따라 관할 행정청의 허가를 받거나 신고하여야 하는 용도변경의 경우에는 국토계획법 제54조를 위반한 행위가 곧 건축법 제19조 제7항을 위반한 행위가 되므로, 이에 대하여 건축법 제79조, 제80조에 근거하여 시정명령과 그 불이행에 따

건 축 법
1. 총 칙
2. 건 축
3. 유지관리
4. 대지도로
5. 구조재료
6. 지역지구
7. 건축설비
8. 특별건축구역
9. 보 칙
10. 벌 칙
건 축 법 관련기준

른 이행강제금 부과처분을 할 수 있다. 그러나 국토계획법 제54조가 준용되지 않는 용도변경 즉, 건축법 제19조 제3항에 따라 건축물대장 기재 내용의 변경을 신청하여야 하는 경우나 임의로 용도변경을 할 수 있는 경우에는 국토계획법 제54조를 위반한 행위가 건축법 제19조 제7항을 위반한 행위가 된다고 볼 수는 없으므로 '국토계획법상 지구단위계획에 맞지 아니한 용도변경'이라는 이유만으로 건축법 제79조, 제80조에 근거한 시정명령과 그 불이행에 따른 이행강제금 부과처분을 할 수는 없다.

대법원판례 건축허가취소처분취소

대법원 2017.7.11, 선고, 2012두22973

판시사항 [1] 건축허가를 받은 자가 건축허가가 취소되기 전에 공사에 착수한 경우, 착수기간이 지났다는 이유로 허가권자가 구 건축법 제11조 제7항에 따라 건축허가를 취소할 수 있는지 여부(원칙적 소극) 및 이는 건축허가를 받은 자가 건축허가가 취소되기 전에 공사에 착수하려 하였으나 허가권자의 위법한 공사중단명령으로 공사에 착수하지 못한 경우에도 마찬가지인지 여부(적극)

[2] 기존 건물이나 시설 등의 철거, 벌목이나 수목 식재, 신축 건물의 부지 조성, 울타리 가설이나 진입로 개설 등 건물 신축을 위한 준비행위에 해당하는 작업이나 공사를 개시한 것만으로 건물의 신축 공사에 착수하였다고 볼 수 있는지 여부(소극)

판결요지 [1] 구 건축법(2014.1.14. 법률 제12246호로 개정되기 전의 것) 제11조 제7항은 건축허가를 받은 자가 허가를 받은 날부터 1년 이내에 공사에 착수하지 아니한 경우에 허가권자는 허가를 취소하여야 한다고 규정하면서도, 정당한 사유가 있다고 인정되면 1년의 범위에서 공사의 착수기간을 연장할 수 있다고 규정하고 있을 뿐이며, 건축허가를 받은 자가 착수기간이 지난 후 공사에 착수하는 것 자체를 금지하고 있지 아니하다.

이러한 법 규정에는 건축허가의 행정목적이 신속하게 달성될 것을 추구하면서도 건축허가를 받은 자의 이익을 함께 보호하려는 취지가 포함되어 있으므로, 건축허가를 받은 자가 건축허가가 취소되기 전에 공사에 착수하였다면 허가권자는 그 착수기간이 지났다고 하더라도 건축허가를 취소하여야 할 특별한 공익상 필요가 인정되지 않는 한 건축허가를 취소할 수 없다. 이는 건축허가를 받은 자가 건축허가가 취소되기 전에 공사에 착수하려 하였으나 허가권자의 위법한 공사중단명령으로 공사에 착수하지 못한 경우에도 마찬가지이다.

[2] 건물의 신축 공사에 착수하였다고 보려면 특별한 사정이 없는 한 신축하려는 건물 부지의 굴착이나 건물의 축조와 같은 공사를 개시하여야 하므로, 기존 건물이나 시설 등의 철거, 벌목이나 수목 식재, 신축 건물의 부지 조성, 울타리 가설이나 진입로 개설 등 건물 신축을 위한 준비행위에 해당하는 작업이나 공사를 개시한 것만으로는 공사 착수가 있었다고 할 수 없다.

대법원판례 건축허가신청반려처분취소

대법원 2017.3.15., 선고, 2016두55490

판시사항 [1] 국토의 계획 및 이용에 관한 법률이 정한 용도지역 안에서의 건축허가 요건에 해당하는지 여부가 행정청의 재량판단의 영역에 속하는지 여부(적극) 및 그에 대한 사법심사의 대상과 판단 기준

[2] 환경의 훼손이나 오염을 발생시킬 우려가 있는 개발행위에 대한 행정청의 허가와 관련하여 재량권의 일탈·남용 여부를 심사하는 방법 / 그 심사 및 판단에서 고려해야 할 사항 / 이때 행정청의 당초 예측이나 평가와 일부 다른 내용의 감정의견이 제시되었다는 사정만으로 행정청의 판단을 위법하다고 할 수 있는지 여부(소극)

판결요지 [1] 건축법 제11조 제1항, 제5항 제3호, 국토의 계획 및 이용에 관한 법률(이하 '국토계획법'이라 한다) 제56조 제1항 제1호, 제2호, 제58조 제1항 제4호, 제3항, 국토의 계획 및 이용에 관한 법률 시행령 제56조 제1항 [별표 1의2] '개발행위허가기준' 제1호 (라)목 (2)를 종합하면, 국토계획법이 정한 용도지역 안에서의 건축허가는 건축법 제11조 제1항에 의한 건축허가와 국토계획법 제56조 제1항의 개발행위허가의 성질을 아울러 갖는데, 개발행위허가는 허가기준 및 금지요건이 불확정개념으로 규정된 부분이 많아 그 요건에 해당하는지 여부는 행정청의 재량판단의 영역에 속한다. 그러므로 그에 대한 사법심사는 행정청의 공익판단에 관한 재량의

건 축 법
1. 총 칙
2. 건 축
3. 유지관리
4. 대지도로
5. 구조재료
6. 지역지구
7. 건축설비
8. 특별건축구역
9. 보 칙
10. 벌 칙
건 축 법 관련기준

여지를 감안하여 원칙적으로 재량권의 일탈이나 남용이 있는지 여부만을 대상으로 하고, 사실오인과 비례·평등의 원칙 위반 여부 등이 그 판단 기준이 된다.

[2] 환경의 훼손이나 오염을 발생시킬 우려가 있는 개발행위에 대한 행정청의 허가와 관련하여 재량권의 일탈·남용 여부를 심사할 때에는, 해당지역 주민들의 토지이용실태와 생활환경 등 구체적 지역 상황과 상반되는 이익을 가진 이해관계자들 사이의 권익 균형 및 환경권의 보호에 관한 각종 규정의 입법 취지 등을 종합하여 신중하게 판단하여야 한다. 그러므로 그 심사 및 판단에는, 우리 헌법이 "모든 국민은 건강하고 쾌적한 환경에서 생활할 권리를 가지며, 국가와 국민은 환경보전을 위하여 노력하여야 한다."라고 규정하여(제35조 제1항) 환경권을 헌법상 기본권으로 명시함과 동시에 국가와 국민에게 환경보전을 위하여 노력할 의무를 부과하고 있는 점, 환경정책기본법은 환경권에 관한 헌법이념에 근거하여, 환경보전을 위하여 노력하여야 할 국민의 권리·의무와 국가 및 지방자치단체, 사업자의 책무를 구체적으로 정하는 한편(제1조, 제4조, 제5조, 제6조), 국가·지방자치단체·사업자 및 국민은 환경을 이용하는 모든 행위를 할 때에는 환경보전을 우선적으로 고려하여야 한다고 규정하고 있는 점(제2조), '환경오염 발생 우려'와 같이 장래에 발생할 불확실한 상황과 파급효과에 대한 예측이 필요한 요건에 관한 행정청의 재량적 판단은 내용이 현저히 합리성을 결여하였다거나 상반되는 이익이나 가치를 대비해 볼 때 형평이나 비례의 원칙에 뚜렷하게 배치되는 등의 사정이 없는 한 폭넓게 존중될 필요가 있는 점 등을 함께 고려하여야 한다. 이 경우 행정청의 당초 예측이나 평가와 일부 다른 내용의 감정의견이 제시되었다는 등의 사정만으로 쉽게 행정청의 판단이 위법하다고 단정할 것은 아니다.

대법원판례 건축허가철회신청거부처분취소의소

대법원 2017.3.15., 선고, 2014두41190

판시사항 [1] 건축주가 토지 소유자로부터 토지사용승낙서를 받아 토지 위에 건축물을 건축하는 대물적(對物的) 성질의 건축허가를 받았다가 착공에 앞서 건축주의 귀책사유로 해당 토지를 사용할 권리를 상실한 경우, 토지 소유자가 건축허가의 철회를 신청할 수 있는지 여부(적극) 및 토지 소유자의 신청을 거부한 행위가 항고소송의 대상이 되는지 여부(적극)

[2] 행정처분 당시 하자가 없었고, 처분 후 이를 철회할 별도의 법적 근거가 없지만 처분을 존속시킬 필요가 없게 된 사정변경이 생겼거나 중대한 공익상 필요가 발생한 경우, 행정행위를 한 처분청이 그 효력을 상실케 하는 별개의 행정행위로 이를 철회할 수 있는지 여부(적극) / 수익적 행정행위를 취소 또는 철회하거나 중지시키는 것이 허용되는 경우

판결요지 [1] 건축허가는 대물적 성질을 갖는 것이어서 행정청으로서는 허가를 할 때에 건축주 또는 토지 소유자가 누구인지 등 인적 요소에 관하여는 형식적 심사만 한다. 건축주가 토지 소유자로부터 토지사용승낙서를 받아 그 토지 위에 건축물을 건축하는 대물적(對物的) 성질의 건축허가를 받았다가 착공에 앞서 건축주의 귀책사유로 해당 토지를 사용할 권리를 상실한 경우, 건축허가의 존재로 말미암아 토지에 대한 소유권 행사에 지장을 받을 수 있는 토지 소유자로서는 건축허가의 철회를 신청할 수 있다고 보아야 한다. 따라서 토지 소유자의 위와 같은 신청을 거부한 행위는 항고소송의 대상이 된다.

[2] 행정행위를 한 처분청은 비록 처분 당시에 별다른 하자가 없었고, 처분 후에 이를 철회할 별도의 법적 근거가 없더라도 원래의 처분을 존속시킬 필요가 없게 된 사정변경이 생겼거나 중대한 공익상 필요가 발생한 경우에는 그 효력을 상실케 하는 별개의 행정행위로 이를 철회할 수 있다. 다만 수익적 행정행위를 취소 또는 철회하거나 중지시키는 경우에는 이미 부여된 국민의 기득권을 침해하는 것이 되므로, 비록 취소 등의 사유가 있다고 하더라도 그 취소권 등의 행사는 기득권의 침해를 정당화할 만한 중대한 공익상의 필요 또는 제3자의 이익을 보호할 필요가 있고, 이를 상대방이 받는 불이익과 비교·교량하여 볼 때 공익상의 필요 등이 상대방이 입을 불이익을 정당화할 만큼 강한 경우에 한하여 허용될 수 있다.

대법원판례 설계변경불허가처분취소

대법원 2016.8.24, 선고, 2016두35762

판시사항 국토의 계획 및 이용에 관한 법률상 건축물의 건축에 관한 개발행위허가가 의제되는 건축허가신청이 국토의 계획 및 이용에 관한 법령이 정한 개발행위허가기준에 부합하지 아니하는 경우, 허가권자가 이를 거부할 수 있는지 여부(적극) 및 이는 건축법 제16조 제3항에 의하여 개발행위허가의 변경이 의제되는 건축허가사항의 변경허가에서도 마찬가지인지 여부(적극)

판결요지 국토의 계획 및 이용에 관한 법률(이하 '국토계획법'이라고 한다) 제56조 제1항, 제57조 제1항, 제58조 제1항 제4호, 국토의 계획 및 이용에 관한 법률 시행령(이하 '국토계획법 시행령'이라고 한다) 제51조 제1항 제1호, 제56조 제1항 [별표 1의2] 제1호 (라)목, 제2호 (가)목, 건축법 제11조 제1항, 제5항 제3호, 제12조 제1항의 규정 체제 및 내용 등을 종합해 보면, 건축물의 건축이 국토계획법상 개발행위에 해당할 경우 그에 대한 건축허가를 하는 허가권자는 건축허가에 배치·저촉되는 관계 법령상 제한 사유의 하나로 국토계획법령의 개발행위허가기준을 확인하여야 하므로, 국토계획법상 건축물의 건축에 관한 개발행위허가가 의제되는 건축허가신청이 국토계획법령이 정한 개발행위허가기준에 부합하지 아니하면 허가권자로서는 이를 거부할 수 있고, 이는 건축법 제16조 제3항에 의하여 개발행위허가의 변경이 의제되는 건축허가사항의 변경허가에서도 마찬가지이다.

대법원판례 건축관계자변경신고서반려처분취소

대법원 2015.10.29., 선고, 2013두11475

판시사항 건축허가를 받은 건축물의 양수인이 건축주 명의변경을 위하여 건축관계자 변경신고서에 첨부하여야 하는 구 건축법 시행규칙 제11조 제1항에서 정한 '권리관계의 변경사실을 증명할 수 있는 서류'의 의미 / 그 서류를 첨부한 경우 구 건축법 시행규칙에 규정된 건축주 명의변경신고의 형식적 요건을 갖춘 것인지 여부(적극) 및 허가권자가 양수인에게 '건축할 대지의 소유 또는 사용에 관한 권리를 증명하는 서류'의 제출을 요구하거나, 양수인에게 이러한 권리가 없다는 실체적인 이유를 들어 신고 수리를 거부할 수 있는지 여부(소극)

판결요지 건축에 관한 허가·신고 및 변경에 관한 구 건축법(2011.5.30. 법률 제10755호로 개정되기 전의 것) 제16조 제1항, 구 건축법 시행령(2012.12.12. 대통령령 제24229호로 개정되기 전의 것) 제12조 제1항 제3호, 제4항, 구 건축법 시행규칙(2012.12.12. 국토해양부령 제552호로 개정되기 전의 것, 이하 같다) 제11조 제1항 제1호, 제3항의 문언 내용 및 체계 등과 아울러 관련 법리들을 종합하면, 건축허가를 받은 건축물의 양수인이 건축주 명의변경을 위하여 건축관계자 변경신고서에 첨부하여야 하는 구 건축법 시행규칙 제11조 제1항에서 정한 '권리관계의 변경사실을 증명할 수 있는 서류'란 건축할 대지가 아니라 허가대상 건축물에 관한 권리관계의 변경사실을 증명할 수 있는 서류를 의미하고, 그 서류를 첨부하였다면 이로써 구 건축법 시행규칙에 규정된 건축주 명의변경신고의 형식적 요건을 갖추었으며, 허가권자는 양수인에 대하여 구 건축법 시행규칙 제11조 제1항에서 정한 서류에 포함되지 아니하는 '건축할 대지의 소유 또는 사용에 관한 권리를 증명하는 서류'의 제출을 요구하거나, 양수인에게 이러한 권리가 없다는 실체적인 이유를 들어 신고의 수리를 거부하여서는 아니 된다.

대법원판례 건축주 명의변경 절차이행

대법원 2015.9.10., 선고 2012다23863

판시사항 건축 중인 건물을 양도한 사람이 건축주 명의변경에 동의하지 아니한 경우, 양수인이 의사표시에 갈음하는 판결을 받을 필요가 있는지 여부(적극) / 건축허가 또는 신고에 관한 건축주 명의가 수인으로 되어 있을 경우, 공동건축주 명의변경에 대하여 변경 전 건축주 전원에게서 동의를 얻어야 하는지 여부(적극) 및 부동의하는 건축주별로 피고로 삼아 동의의 의사표시에 갈음하는 판결을 받을 수 있는지 여부(적극)

판결요지 행정관청으로부터 허가를 받거나 행정관청에 신고(이하 이러한 허가와 신고를 합하여 '허가 등'이라 한다)를 하고 건축이 이루어지는 경우에, 건축 중인 건물의 양수인은 진행 중인 건축공사를 계속하기 위해 허가 등에 관한 건축주 명의를 변경할 필요가 있고, 준공검사 후 건축물관리대장에 소유자로 등록하여 양수인 명의로 소유권보존등기를 신청하기 위해서도 건축주 명의를 변경할 필요가 있는데, 이를 위해서 양수인은 건축법 시행규칙 제11조 제1항 등 건축 관계 법령에 따라 건축관계자변경신고서에 변경 전 건축주의 명의변경동의서 등을 첨부하여 제출하여야 하므로, 건축 중인 건물을 양도한 자가 건축주 명의변경에 동의하지 아니한 경우에 양수인으로서는 의사표시에 갈음하는 판결을 받을 필요가 있다.

그리고 허가 등에 관한 건축주 명의가 수인으로 되어 있을 경우에, 허가 등은 해당 건축물의 건축이라는 단일한 목적을 달성하기 위하여 이루어지고 허가 등을 받은 지위의 분할청구는 불가능하다는 법률적 성격 등에 비추어 보면, 공동건축주 명의변경에 대하여는 변경 전 건축주 전원에게서 동의를 얻어야 한다. 다만 명의변경에 관한 동의의 표시는 변경 전 건축주 전원이 참여한 단일한 절차나 서면에 의하여 표시될 필요는 없고 변경 전 건축주별로 동의의 의사를 표시하는 방식도 허용되므로, 동의의 의사표시에 갈음하는 판결도 반드시 변경 전 건축주 전원을 공동피고로 하여 받을 필요는 없으며 부동의하는 건축주별로 피고로 삼아 판결을 받을 수 있다.

대법원판례 건축신고취소처분취소

대법원 2015.2.12, 선고, 2013두10533

판시사항 건축법 제14조 제3항에서 정한 '공사 착수'로 보기 위한 요건 및 건물 신축의 준비행위에 해당하는 작업이나 공사를 개시한 것을 건축법 제14조 제3항에서 정한 '공사 착수'로 볼 수 있는지 여부(원칙적 소극)

주 문 원심판결을 파기하고, 사건을 부산고등법원에 환송한다.

주문이유 상고이유에 대하여 판단한다.

1. 원심은 채택 증거에 의하여, 원고는 2007.10.4. 이 사건 주택에 관한 건축신고를 하였고 피고가 이를 2007.11.20. 수리한 사실, 그 후 피고는 원고가 건축신고일부터 1년 이내에 공사에 착수하지 아니하였다는 이유로 2011.1.20. 위 건축신고를 취소하는 처분을 한 사실, 그런데 원고는 2008.5.20. 이 사건 주택 신축을 위한 부지 정지공사에 착수하여 2009.6.20. 공사를 대부분 완료하고, 2009.10.15.에는 이 사건 주택을 위한 정화조 설치공사를 마친 사실 등을 인정한 다음, 비록 원고가 이 사건 주택의 기초부분과 접하는 토지에 대한 터파기 공사는 하지 않았지만 건축신고일부터 1년 이내인 2008.5.20. 부지 정지공사를 시작하고 뒤이어 정화조 설치공사까지 시행함으로써 공사에 착수하였다고 할 것이므로, 위 취소 처분은 위법하다고 판단하였다.

2. 그러나 원심의 이러한 판단은 다음과 같은 이유에서 그대로 수긍하기 어렵다.

건축법 제14조 제3항은 '제1항에 따라 신고를 한 자가 신고일부터 1년 이내에 공사에 착수하지 아니하면 그 신고의 효력은 없어진다'라고 규정하고 있는바, 여기서 건물의 신축 공사에 착수하였다고 보려면 특별한 사정이 없는 한 신축하려는 건물에 관한 굴착이나 축조 등의 공사를 개시하여야 하므로, 기존 건물이나 시설 등의 철거, 벌목이나 수목 식재, 신축 건물의 부지 조성, 울타리 가설이나 진입로 개설 등 건물 신축의 준비행위에 해당하는 작업이나 공사를 개시한 것만으로는 공사 착수가 있었다고 할 수 없다고 할 것이다(대법원 1994.12.2. 선고 94누7058 판결 등 참조).

따라서 부지 정지공사나 정화조 설치공사를 하였다고 하더라도 곧이어 신축하려는 건물 자체에 관한 굴착 공사나 축조 공사 등을 시행하였다는 등 특별한 사정이 없는 한, 그러한 부지 정지공사나 정화조 설치공사만으로는 위 조항에서 정한 공사 착수가 있었다고 할 수 없다.

원심판결 이유와 기록에 의하면 원고는 2007.10.4. 건축신고를 하고도 2009.10.15.경까지 부지 정지공사와 정화조 설치공사만을 하였을 뿐, 2011.1.경 피고가 이 사건 처분을 할 때까지 신축하려는 이 사건 주택 자체에 관한 굴착 공사나 축조 공사를 시행하지 아니하였음을 알 수 있으므로, 앞서 본 법리에 비추어 보면 원고가 건축신고일부터 1년 이내에 공사에 착수하였다고 볼 수는 없다.

그럼에도 원심은 그 판시와 같은 이유만을 들어 원고가 이 사건 주택에 관하여 건축신고일부터 1년 이내에 공사에 착수하였다고 판단하였으므로, 이러한 원심의 판단에는 건축법 제14조 제3항에서의 '공사 착수'에 관한 법리를 오해하여 판결에 영향을 미친 잘못이 있고, 이를 지적하는 상고이유의 주장에는 정당한 이유가 있다.

3. 그러므로 원심판결을 파기하고 사건을 다시 심리·판단하도록 원심법원에 환송하기로 하여, 관여 대법관의

일치된 의견으로 주문과 같이 판결한다.

대법원판례 건축허가신청 반려처분 취소

대법원 2014두37658, 2014.10.15

판시사항 허가대상 건축물의 양수인이 구 건축법 시행규칙에 규정되어 있는 형식적 요건을 갖추어 시장·군수 등 행정관청에 적법하게 건축주의 명의변경을 신고한 경우, 행정관청이 실체적인 이유를 내세워 신고 수리를 거부할 수 있는지 여부(소극)

판결요지 구 건축법(2014.1.14. 법률 제12246호로 개정되기 전의 것) 제16조 제1항 본문과 구 건축법 시행령(2012.12.12. 대통령령 제24229호로 개정되기 전의 것) 제12조 제1항 제3호, 제4항 및 구 건축법 시행규칙(2012.12.12. 국토해양부령 제522호로 개정되기 전의 것, 이하 같다) 제11조 제1항, 제3항의 내용에 비추어 보면, 구 건축법 시행규칙 제11조의 규정은

단순히 행정관청의 사무집행의 편의를 위한 것이 아니라, 허가대상 건축물의 양수인에게 건축주의 명의변경을 신고할 수 있는 공법상의 권리를 인정함과 아울러 행정관청에게는 그 신고를 수리할 의무를 지게 한 것으로 봄이 타당하므로, 허가대상 건축물의 양수인이 구 건축법 시행규칙에 규정되어 있는 형식적 요건을 갖추어 시장·군수 등 행정관청에 적법하게 건축주의 명의변경을 신고한 때에는 행정관청은 그 신고를 수리하여야지 실체적인 이유를 내세워 신고의 수리를 거부할 수는 없다.

대법원판례 건축협의 취소처분 취소

대법원 2012두22980, 2014.2.27

판시사항 [1] 구 건축법 제29조 제1항에서 정한 건축협의의 취소가 처분에 해당하는지 여부(적극) 및 지방자치단체 등이 건축물 소재지 관할 허가권자인 지방자치단체의 장을 상대로 건축협의취소의 취소를 구할 수 있는지 여부(적극)

[2] 구 자연공원법 시행령 제2조 제7호에서 말하는 '숙박시설'의 의미

판결요지 [1] 구 건축법(2011.5.30. 법률 제10755호로 개정되기 전의 것) 제29조 제1항, 제2항, 제11조 제1항 등의 규정 내용에 의하면, 건축협의의 실질은 지방자치단체 등에 대한 건축허가와 다르지 않으므로, 지방자치단체 등이 건축물을 건축하려는 경우 등에는 미리 건축물의 소재지를 관할하는 허가권자인 지방자치단체의 장과 건축협의를 하지 않으면, 지방자치단체라 하더라도 건축물을 건축할 수 없다. 그리고 구 지방자치법 등 관련 법령을 살펴보아도 지방자치단체의 장이 다른 지방자치단체를 상대로 한 건축협의 취소에 관하여 다툼이 있는 경우에 법적 분쟁을 실효적으로 해결할 구제수단을 찾기도 어렵다.

따라서 건축협의 취소는 상대방이 다른 지방자치단체 등 행정주체라 하더라도 '행정청이 행하는 구체적 사실에 관한 법집행으로서의 공권력 행사'(행정소송법 제2조 제1항 제1호)로서 처분에 해당한다고 볼 수 있고, 지방자치단체인 원고가 이를 다툴 실효적 해결 수단이 없는 이상, 원고는 건축물 소재지 관할 허가권자인 지방자치단체의 장을 상대로 항고소송을 통해 건축협의 취소의 취소를 구할 수 있다.

[2] 구 자연공원법(2011.4.5. 법률 제10548호로 개정되기 전의 것, 이하 같다) 제2조 제10호, 제18조 제2항 제5호 (가)목, 제20조 제1항, 구 자연공원법 시행령(2011.9.30. 대통령령 제23194호로 개정되기 전의 것, 이하 같다) 제2조 제7호, 제15조 제1항 제3호에서 정한 공원시설에 관한 규정 형식, 내용 및 입법 취지와 구 건축법(2011. 5. 30. 법률 제10755호로 개정되기 전의 것) 제2조 제2항 제15호, 구 건축법 시행령(2011.12.8. 대통령령 제23356호로 개정되기 전의 것, 이하 같다) 제3조의4 [별표 1] 제15호의 규정 내용을 종합하면, 구 자연공원법 시행령 제2조 제7호에서 말하는 '숙박시설'은 구 건축법 시행령 제3조의4 [별표 1] 제15호에서 정한 '숙박시설'로서 구 자연공원법의 입법 취지에 부합하는 시설을 의미한다.

건 축 법
1. 총 칙
2. 건 축
3. 유지관리
4. 대지도로
5. 구조재료
6. 지역지구
7. 건축설비
8. 특별건축구역
9. 보 칙
10. 벌 칙
건 축 법 관련기준

대법원판례 건축허가 신청반려처분 취소

대법원 2010두4957, 2012.7.12

판시사항 [1] 서울특별시의 구청장이 구 도시 및 주거환경정비법에 의하여 정비구역에서 시행되는 주택재개발사업, 주택재건축사업에 관한 계획 및 구 도시재정비 촉진을 위한 특별법에 의하여 재정비촉진구역에서 시행되는 주택재개발사업, 주택재건축사업에 관한 재정비촉진계획들이 수립되고 있는 지역에서 구 국토의 계획 및 이용에 관한 법률 제63조 제1항 제3호에 따라 개발행위허가를 제한할 수 있는지 여부(적극)

[2] 서울특별시의 구청장이 토지 소유자 甲의 건축신고에 대하여 뉴타운식 광역개발이 예정된 지역이어서 건물이 신축될 경우 개발요건인 노후도 산정에 영향을 줄 수 있다는 구 도시계획위원회의 심의 결과에 따라 건축신고를 반려하는 처분을 한 사안에서, 위 처분이 위법하다고 본 원심판결에 법리를 오해한 위법이 있다고 한 사례

판결요지 [1] 구 도시 및 주거환경정비법(2009.2.6. 법률 제9444호로 개정되기 전의 것)에 의하여 정비구역에서 시행되는 주택재개발사업, 주택재건축사업에 관한 계획 및 구 도시재정비 촉진을 위한 특별법(2009.12.29. 법률 제9876호로 개정되기 전의 것)에 의하여 재정비촉진구역에서 시행되는 주택재개발사업, 주택재건축사업에 관한 재정비촉진계획은 구 국토의 계획 및 이용에 관한 법률(2008.2.29. 법률 제8852호로 개정되기 전의 것) 제63조 제1항 제3호가 적용되는 도시관리계획에 해당하며, 서울특별시의 구청장은 위 계획들이 수립되고 있는 지역에서 위 구 국토의 계획 및 이용에 관한 법률 규정에 따라 개발행위허가를 제한할 수 있다.

[2] 서울특별시의 구청장이 토지 소유자 甲의 건축신고에 대하여 뉴타운식 광역개발이 예정된 지역이어서 건물이 신축될 경우 개발요건인 노후도 산정에 영향을 줄 수 있다는 구 도시계획위원회의 심의결과에 따라 건축신고를 반려하는 처분을 한 사안에서, 甲의 토지가 위치한 지역은 구청장이 구 국토의 계획 및 이용에 관한 법률(2008.2.29. 법률 제8852호로 개정되기 전의 것, 이하 '국토계획법'이라 한다) 제63조 제1항 제3호가 정하는 도시관리계획을 수립하고 있는 지역으로서 도시관리계획이 결정될 경우 용도지역·용도지구 또는 용도구역의 변경이 예상되고 그에 따라 개발행위허가의 기준이 크게 달라질 것으로 예상되는 지역이라고 보는 것이 타당하므로, 그 지역에 구 도시계획위원회의 심의를 거쳐 건축신고 허용 여부를 결정하도록 한 구청장의 개발행위허가 제한 고시는 국토계획법 제63조 제1항 제3호에 근거한 것으로서 다른 특별한 흠이 없다면 유효하고, 고시에 근거한 위 처분 역시 심의과정에서 재량권을 일탈·남용하지 않았다면 적법하다는 이유로, 이와 달리 고시가 국토계획법 제63조 제1항 제3호의 요건을 갖추지 못하였다는 전제하에 위 처분이 위법하다고 본 원심판결에 법리를 오해한 위법이 있다고 한 사례.

대법원판례 건축(신축)신고불가취소

대법원 2010두14954, 2011.1.20 (전원합의체 판결)

판시사항 [1] 건축법 제14조 제2항에 의한 인·허가의제 효과를 수반하는 건축신고가, 행정청이 그 실체적 요건에 관한 심사를 한 후 수리하여야 하는 이른바 '수리를 요하는 신고'인지 여부(적극)

[2] 국토의 계획 및 이용에 관한 법률상의 개발행위허가로 의제되는 건축신고가 개발행위허가의 기준을 갖추지 못한 경우, 행정청이 수리를 거부할 수 있는지 여부(적극)

판결요지 [1] [다수의견] 건축법에서 인·허가의제 제도를 둔 취지는, 인·허가의제사항과 관련하여 건축허가 또는 건축신고의 관할 행정청으로 그 창구를 단일화하고 절차를 간소화하며 비용과 시간을 절감함으로써 국민의 권익을 보호하려는 것이지, 인·허가의제사항 관련 법률에 따른 각각의 인·허가 요건에 관한 일체의 심사를 배제하려는 것으로 보기는 어렵다. 왜냐하면, 건축법과 인·허가의제사항 관련 법률은 각기 고유한 목적이 있고, 건축신고와 인·허가의제사항도 각각 별개의 제도적 취지가 있으며 그 요건 또한 달리하기 때문이다. 나아가 인·허가의제사항 관련 법률에 규정된 요건 중 상당수는 공익에 관한 것으로서 행정청의 전문적이고 종합적인 심사가 요구되는데, 만약 건축신고만으로 인·허가의제사항에 관한 일체의 요건 심사가 배제된다고 한다면, 중대한 공익상의 침해나 이해관계인의 피해를 야기하고 관련 법률에서 인·허가 제도를 통하여 사인의 행위를 사전에 감독하고자 하는 규율체계 전반을 무너뜨릴 우려가 있다. 또한 무엇보다도 건축신고를 하려는 자는 인·허가

건 축 법
1. 총 칙
2. 건 축
3. 유지관리
4. 대지도로
5. 구조재료
6. 지역지구
7. 건축설비
8. 특별건축구역
9. 보 칙
10. 벌 칙
건 축 법 관련기준

의제사항 관련 법령에서 제출하도록 의무화하고 있는 신청서와 구비서류를 제출하여야 하는데, 이는 건축신고를 수리하는 행정청으로 하여금 인·허가의제사항 관련 법률에 규정된 요건에 관하여도 심사를 하도록 하기 위한 것으로 볼 수밖에 없다. 따라서 인·허가의제 효과를 수반하는 건축신고는 일반적인 건축신고와는 달리, 특별한 사정이 없는 한 행정청이 그 실체적 요건에 관한 심사를 한 후 수리하여야 하는 이른바 '수리를 요하는 신고'로 보는 것이 옳다.

[대법관 박시환, 대법관 이홍훈의 반대의견] 다수의견과 같은 해석론을 택할 경우 헌법상 기본권 중 하나인 국민의 자유권 보장에 문제는 없는지, 구체적으로 어떠한 경우에 수리가 있어야만 적법한 신고가 되는지 여부에 관한 예측 가능성 등이 충분히 담보될 수 있는지, 형사처벌의 대상이 불필요하게 확대됨에 따른 죄형법정주의 등의 훼손 가능성은 없는지, 국민의 자유와 권리를 제한하거나 의무를 부과하려고 하는 때에는 법률에 의하여야 한다는 법치행정의 원칙에 비추어 그 원칙이 손상되는 문제는 없는지, 신고제의 본질과 취지에 어긋나는 해석론을 통하여 여러 개별법에 산재한 각종 신고 제도에 관한 행정법 이론 구성에 난맥상을 초래할 우려는 없는지의 측면 등에서 심도 있는 검토가 필요한 문제로 보인다. 그런데 다수의견의 입장을 따르기에는 그와 관련하여 해소하기 어려운 여러 근본적인 의문이 제기된다. 여러 기본적인 법원칙의 근간 및 신고제의 본질과 취지를 훼손하지 아니하는 한도 내에서

건축법 제14조 제2항에 의하여 인·허가가 의제되는 건축신고의 범위 등을 합리적인 내용으로 개정하는 입법적 해결책을 통하여 현행 건축법에 규정된 건축신고 제도의 문제점 및 부작용을 해소하는 것은 별론으로 하더라도, '건축법상 신고사항에 관하여 건축을 하고자 하는 자가 적법한 요건을 갖춘 신고만 하면 건축을 할 수 있고, 행정청의 수리 등 별단의 조처를 기다릴 필요는 없다'는 대법원의 종래 견해(

대법원 1968.4.30. 선고 68누12 판결,

대법원 1990.6.12. 선고 90누2468 판결,

대법원 1999.4.27. 선고 97누6780 판결,

대법원 2004.9.3. 선고 2004도3908 판결 등 참조)를 인·허가가 의제되는 건축신고의 경우에도 그대로 유지하는 편이 보다 합리적인 선택이라고 여겨진다.

[2] [다수의견] 일정한 건축물에 관한 건축신고는

건축법 제14조 제2항,

제11조 제5항 제3호에 의하여

국토의 계획 및 이용에 관한 법률 제56조에 따른 개발행위허가를 받은 것으로 의제되는데,

국토의 계획 및 이용에 관한 법률 제58조 제1항 제4호에서는 개발행위허가의 기준으로 주변 지역의 토지이용실태 또는 토지이용계획, 건축물의 높이, 토지의 경사도, 수목의 상태, 물의 배수, 하천·호소·습지의 배수 등 주변 환경이나 경관과 조화를 이룰 것을 규정하고 있으므로, 국토의 계획 및 이용에 관한 법률상의 개발행위허가로 의제되는 건축신고가 위와 같은 기준을 갖추지 못한 경우 행정청으로서는 이를 이유로 그 수리를 거부할 수 있다고 보아야 한다.

[대법관 박시환, 대법관 이홍훈의 반대의견] 수리란 타인의 행위를 유효한 행위로 받아들이는 수동적 의사행위를 말하는 것이고, 이는 허가와 명확히 구별되는 것이다. 그런데 다수의견에 의하면, 행정청이 인·허가의제조항에 따른 국토의 계획 및 이용에 관한 법률상 개발행위허가 요건 등을 갖추었는지 여부에 관하여 심사를 한 다음, 그 허가 요건을 갖추지 못하였음을 이유로 들어 형식상으로만 수리거부를 하는 것이 되고, 사실상으로는 허가와 아무런 차이가 없게 된다는 비판을 피할 수 없다. 이러한 결과에 따르면 인·허가의제조항을 특별히 규정하고 있는 입법 취지가 몰각됨은 물론, 신고와 허가의 본질에 기초하여 건축신고와 건축허가 제도를 따로 규정하고 있는 제도적 의미 및 신고제와 허가제 전반에 관한 이론적 틀이 형해화 될 가능성이 있다.

대법원판례 건축관계자 변경신고 수리처분 취소

대법원 2010두2296, 2010.5.13.

판시사항 토지와 그 토지에 건축 중인 건축물에 대한 경매절차상의 확정된 매각허가결정서 및 그에 따른 매각대금 완납서류 등이, 건축 관계자 변경신고에 관한 구 건축법 시행규칙 제11조 제1항 제1호에 규정한 '권리관계의 변경사실을 증명할 수 있는 서류'에 해당하는지 여부(적극)

판결요지 구 건축법(2008.3.21. 법률 제8974호로 전부 개정되기 전의 것) 제10조 제1항 및 구 건축법 시행령(2008.10.29. 대통령령 제21098호로 개정되기 전의 것) 제12조 제1항 제3호 각 규정의 문언내용 및 형식, 건축허가는 대물적 성질을 갖는 것이어서 행정청으로서는 그 허가를 할 때에 건축주가 누구인가 등 인적 요소에 관하여는 형식적 심사만 하는 점, 건축허가는 허가대상 건축물에 대한 권리변동에 수반하여 자유로이 양도할 수 있는 것이고, 그에 따라 건축허가의 효과는 허가대상 건축물에 대한 권리변동에 수반하여 이전되며 별도의 승인처분에 의하여 이전되는 것이 아닌 점, 민사집행법에 따른 경매절차에서 매수인은 매각대금을 다 낸 때에 매각의 목적인 권리를 취득하는 점 등의 사정을 종합하면, 토지와 그 토지에 건축 중인 건축물에 대한 경매절차상의 확정된 매각허가결정서 및 그에 따른 매각대금 완납서류 등은 건축 관계자 변경신고에 관한 구 건축법 시행규칙(2007.12.13. 건설교통부령 제594호로 개정되기 전의 것) 제11조 제1항 제1호에 규정한 '권리관계의 변경사실을 증명할 수 있는 서류'에 해당한다고 봄이 상당하다.

대법원판례 건축신고불허(또는 반려)처분취소

대법원 2008두167, 2010.11.18.

판시사항 [1] 행정청의 행위가 항고소송의 대상이 되는지 여부의 판단 기준

[2] 행정청의 건축신고 반려행위 또는 수리거부행위가 항고소송의 대상이 되는지 여부(적극)

판결요지 [1] 행정청의 어떤 행위가 항고소송의 대상이 될 수 있는지의 문제는 추상적·일반적으로 결정할 수 없고, 구체적인 경우 행정처분은 행정청이 공권력의 주체로서 행하는 구체적 사실에 관한 법집행으로서 국민의 권리의무에 직접적으로 영향을 미치는 행위라는 점을 염두에 두고, 관련 법령의 내용과 취지, 그 행위의 주체·내용·형식·절차, 그 행위와 상대방 등 이해관계인이 입는 불이익과의 실질적 견련성, 그리고 법치행정의 원리와 당해 행위에 관련한 행정청 및 이해관계인의 태도 등을 참작하여 개별적으로 결정하여야 한다.

[2] 구 건축법(2008.3.21. 법률 제8974호로 전부 개정되기 전의 것) 관련 규정의 내용 및 취지에 의하면, 행정청은 건축신고로써 건축허가가 의제되는 건축물의 경우에도 그 신고 없이 건축이 개시될 경우 건축주 등에 대하여 공사 중지·철거·사용금지 등의 시정명령을 할 수 있고(제69조 제1항), 그 시정명령을 받고 이행하지 않은 건축물에 대하여는 당해 건축물을 사용하여 행할 다른 법령에 의한 영업 기타 행위의 허가를 하지 않도록 요청할 수 있으며(제69조 제2항), 그 요청을 받은 자는 특별한 이유가 없는 한 이에 응하여야 하고(제69조 제3항), 나아가 행정청은 그 시정명령의 이행을 하지 아니한 건축주 등에 대하여는 이행강제금을 부과할 수 있으며(제69조의2 제1항 제1호), 또한 건축신고를 하지 않은 자는 200만 원 이하의 벌금에 처해질 수 있다(제80조 제1호, 제9조). 이와 같이 건축주 등은 신고제하에서도 건축신고가 반려될 경우 당해 건축물의 건축을 개시하면 시정명령, 이행강제금, 벌금의 대상이 되거나 당해 건축물을 사용하여 행할 행위의 허가가 거부될 우려가 있어 불안정한 지위에 놓이게 된다. 따라서 건축신고 반려행위가 이루어진 단계에서 당사자로 하여금 반려행위의 적법성을 다투어 그 법적 불안을 해소한 다음 건축행위에 나아가도록 함으로써 장차 있을지도 모르는 위험에서 미리 벗어날 수 있도록 길을 열어 주고, 위법한 건축물의 양산과 그 철거를 둘러싼 분쟁을 조기에 근본적으로 해결할 수 있게 하는 것이 법치행정의 원리에 부합한다. 그러므로 건축신고 반려행위는 항고소송의 대상이 된다고 보는 것이 옳다.

1. 총 칙
2. 건 축
3. 유지관리
4. 대지도로
5. 구조재료
6. 지역지구
7. 건축설비
8. 특별건축구역
9. 보 칙
10. 벌 칙
건 축 법 관련기준

대법원판례 건축허가 거부처분 취소

대법원 2009두8946, 2009.9.24.

판시사항 [1] 건축허가권자가 관계 법령에서 정하는 제한사유 이외의 사유를 들어 건축허가를 거부할 수 있는지 여부(원칙적 소극)

[2] 건축허가신청이 시장이 수립하고 있는 도시·주거환경정비 기본계획에 배치될 가능성이 높다고 하여 바로 건축허가신청을 반려할 중대한 공익상의 필요가 있다고 보기 어렵다고 한 사례

판결요지 [1] 건축허가권자는 건축허가신청이 건축법 등 관계 법규에서 정하는 어떠한 제한에 배치되지 않는 이상 당연히 같은 법조에서 정하는 건축허가를 하여야 하고, 중대한 공익상의 필요가 없는데도 관계 법령에서 정하는 제한사유 이외의 사유를 들어 요건을 갖춘 자에 대한 허가를 거부할 수는 없다.

[2] 구 국토의 계획 및 이용에 관한 법률(2009.2.6 법률 제9442호로 개정되기 전의 것) 제63조가 도시기본계획 등을 수립하고 있는 지역으로 특히 필요하다고 인정되는 지역에 대하여 개발행위를 제한하고자 하는 때에는 '제한지역·제한사유·제한대상 및 제한기간을 미리 고시'하도록 규정한 취지를 고려할 때, 건축허가신청이 시장이 수립하고 있는 도시·주거환경정비 기본계획에 배치될 가능성이 높다고 하여 바로 건축허가신청을 반려할 중대한 공익상의 필요가 있다고 보기 어렵다고 한 사례.

대법원판례 건축주 명의변경

대법원 2008다72844, 2009.2.12.

판시사항 소유권보존등기는 이루어졌으나 그 적법한 사용을 위해 필요한 건축법상의 각종 신고나 신청 등의 모든 절차를 마치지 않은 건물에 대하여, 건축주 명의변경 절차의 이행을 구할 소의 이익이 있는지 여부(적극)

판결요지 건축공사가 완료되어 건축법상 최종적인 절차로서 건축허가상 건축주 명의로 사용검사승인까지 받아 소유권보존등기가 마쳐진 경우와는 달리, 비록 건축공사 자체는 독립한 건물로 볼 수 있을 만큼 완성되었으나 그 적법한 사용에 이르기까지 필요한 건축법상의 각종 신고나 신청 등의 모든 절차를 마치지 않은 채 소유권보존등기가 이루어진 경우에는, 그 건물의 원시취득자는 자신 앞으로 건축주 명의를 변경하여 그 명의로 건축법상 남아 있는 각종 신고나 신청 등의 절차를 이행함으로써 건축법상 허가된 내용에 따른 건축을 완료할 수 있을 것이므로, 이러한 경우 그 건물의 정당한 원시취득자임을 주장하여 건축주 명의변경 절차의 이행을 구하는 소는 그 소의 이익을 부정할 수 없다.

대법원판례 건축물표시변경 신청불가처분 취소

대법원 2007두7277, 2009.1.30.

판시사항 행정청이 건축물대장의 용도변경신청을 거부한 행위가 행정처분에 해당하는지 여부(적극)

판결요지 구 건축법(2005.11.8 법률 제7696호로 개정되기 전의 것) 제14조 제4항의 규정은 건축물의 소유자에게 건축물대장의 용도변경신청권을 부여한 것이고, 한편 건축물의 용도는 토지의 지목에 대응하는 것으로서 건물의 이용에 대한 공법상의 규제, 건축법상의 시정명령, 지방세 등의 과세대상 등 공법상 법률관계에 영향을 미치고, 건물소유자는 용도를 토대로 건물의 사용·수익·처분에 일정한 영향을 받게 된다. 이러한 점 등을 고려해 보면, 건축물대장의 용도는 건축물의 소유권을 제대로 행사하기 위한 전제요건으로서 건축물 소유자의 실체적 권리관계에 밀접하게 관련되어 있으므로, 건축물대장 소관청의 용도변경신청 거부행위는 국민의 권리관계에 영향을 미치는 것으로서 항고소송의 대상이 되는 행정처분에 해당한다.

대법원판례 건축허가 취소

대법원 2006두18409, 2007.4.26.

판시사항 [1] 건축허가를 받아 건축공사를 완료한 경우 그 허가처분의 취소를 구할 이익이 있는지 여부(소극) 및 소제기 후 사실심 변론종결일 전에 건축공사를 완료한 경우도 마찬가지인지 여부(적극)

[2] 건물건축 과정에서 피해를 입은 인접주택 소유자가 신축건물에 대한 사용검사처분의 취소를 구할 법률상 이익이 있는지 여부(소극)

판결요지 가. 위법한 행정처분의 취소를 구하는 소는 위법한 처분에 의하여 발생한 위법상태를 배제하여 원상으로 회복시키고 그 처분으로 침해되거나 방해받은 권리와 이익을 보호·구제하고자 하는 소송이므로 비록 그 위법한 처분을 취소한다 하더라도 원상회복이 불가능한 경우에는 그 취소를 구할 이익이 없다 할 것인바, 건축허가에 기하여 이미 건축공사를 완료하였다면 그 건축허가처분의 취소를 구할 이익이 없다 할 것이고(대법원 1996.11.29. 선고 96누9768 판결 참조), 이와 같이 건축허가처분의 취소를 구할 이익이 없게 되는 것은 건축허가처분의 취소를 구하는 소를 제기하기 전에 건축공사가 완료된 경우(대법원 1994.1.14. 선고 93누20481 판결 참조) 뿐 아니라 소를 제기한 후 사실심 변론종결일 전에 건축공사가 완료된 경우(대법원 1987.5.12. 선고 87누98 판결 참조)에도 마찬가지이다.

나. 건물 사용승인처분은 건축허가를 받아 건축된 건물이 건축허가 사항대로 건축행정 목적에 적합한가 여부를 확인하고 사용승인서를 교부하여 줌으로써 허가받은 자로 하여금 건축한 건물을 사용 · 수익할 수 있게 하는 법률효과를 발생시키는 것에 불과하고, 건축한 건물이 인접주택 소유자의 권리를 침해하는 경우 사용승인처분이 그러한 침해까지 정당화하는 것은 아닐 뿐만 아니라, 해당 건축물을 건축하는 과정에서 인접주택 소유자가 자신의 주택에 대하여 손해를 입었다 하더라도 그러한 손해는 금전적인 배상으로 회복될 수 있고, 일조권의 침해 등 생활환경상 이익침해는 실제로 위 건물의 전부 또는 일부가 철거됨으로써 회복되거나 보호받을 수 있는 것인데, 위 건물에 대한 사용승인처분의 취소를 받는다 하더라도 그로 인하여 건축주는 위 건물을 적법하게 사용할 수 없게 되어 사용승인 이전의 상태로 돌아가게 되는 것에 그칠 뿐이고, 위반건물에 대한 시정명령을 할 것인지 여부, 그 시기 및 명령의 내용 등은 행정청의 합리적 판단에 의하여 결정되는 것이므로, 건물이 이격거리를 유지하지 못하고 있고, 건축 과정에서 인접주택 소유자에게 피해를 입혔다 하더라도 인접주택의 소유자로서는 위 건물에 대한 사용승인처분의 취소를 구할 법률상 이익이 있다고 볼 수 없다(대법원 1996.11.29. 선고 96누9768 판결 등 참조).

대법원판례 건축허가 반려처분 취소

대법원 2006두1227, 2006.11.9.

판시사항 [1] 건축허가권자가 관계 법령에서 정하는 제한사유 이외의 사유를 들어 그 허가신청을 거부할 수 있는지 여부(소극)

[2] 지구단위계획구역 안에서의 건축이 그 지구단위계획에 적합하지 아니한 경우 그 건축허가를 거부할 수 있는지 여부(적극)

[3] 지구단위계획에 의해 지적의 경계와 용도구분에 의한 경계가 달라지게 된 경우, 지구단위계획에 의해 타인 소유 토지의 취득이나 자기 소유 토지의 처분을 강제할 수 있는지 여부(소극)

[4] 건축허가신청 반려처분이 토지소유자에게 다른 소유자의 연접한 토지에 대한 소유권이나 사용권의 취득을 사실상 강제하는 것이어서 지구단위계획의 내용이나 취지에 어긋나 위법하다고 한 사례

판결요지 [1] 건축허가권자는 건축허가신청이 건축법 등 관계 법규에서 정하는 어떠한 제한에 배치되지 않는 이상 당연히 같은 법조에서 정하는 건축허가를 하여야 하고, 중대한 공익상의 필요가 없음에도 불구하고, 요건을 갖춘 자에 대한 허가를 관계 법령에서 정하는 제한사유 이외의 사유를 들어 거부할 수는 없다.

[2] 국토의 계획 및 이용에 관한 법률 제54조, 건축법 제8조 제4항에 의하면 지구단위계획구역 안에서 건축물을 건축하거나 건축물의 용도를 변경하고자 하는 경우에는 그 지구단위계획에 적합하게 건축하거나 용도를 변경하여야 하며, 건축허가권자는 당해 용도·규모 또는 형태의 건축물을 그 건축하고자 하는 대지에 건축하는 것이 지구단위계획구역에 적합한지의 여부를 확인하도록 하고 있으므로, 건축허가권자는 지구단위계획구역 안에서의 건축이 그 지구단위계획에 적합하지 아니한 경우 그 건축허가를 거부할 수 있다.

[3] 지구단위계획에 의해 타인 소유 토지의 취득이나 자기 소유 토지의 처분을 강제할 수는 없으므로 지구단위

계획에 의해 지적의 경계와 용도구분에 의한 경계가 달라지게 되었다 하더라도 그 지구단위계획의 내용이나 취지가, 각 지정된 용도에 맞추어 건축물을 건축하거나 건축물의 용도를 변경하라는 범위를 넘어서, 토지소유자에게 부정형으로 되어 있는 지적 경계를 지구단위계획에서 정한 장방형의 용도구분의 경계와 일치시켜야 한다거나 기타 사용권의 취득을 강제하는 것이라고 볼 수는 없다.
[4] 건축허가신청 반려처분이 토지소유자에게 연접한 다른 소유자의 토지에 대한 소유권이나 사용권 취득을 사실상 강제하는 것이어서 지구단위계획의 내용이나 취지에 어긋나 위법하다고 한 사례.

대법원판례 국토의계획및이용에관한법률 위반

대법원 2005도4592, 2005.9.29.

판시사항 [1] 장례식장이 건축법령에서 말하는 종합병원의 부속용도에 해당하는지 여부(소극)
[2] 법률의 착오에 관한 형법 제16조의 규정 취지
[3] 건축법상 처벌의 대상이 되는 건축물의 용도변경행위의 범위
[4] 병원에 설치된 장례의식에 필요한 각종 부대시설을 임차한 후 실제 장례식장으로 사용하여 영업을 하였다면 법률상 제한된 용도인 장례식장을 운영하는 방법으로 건축물의 용도를 변경한 것으로 보아야 한다고 한 사례

판결요지 [1] 의료법 제3조, 제32조, 의료법 시행규칙 제28조의2 [별표 2]의 규정에 의하면, 종합병원의 경우 시체실의 설치가 의무화되어 있고, 건축법 시행령 제2조 제1항에 의하면, 관계 법령에서 주된 용도의 부수시설로 그 설치를 의무화하고 있는 시설의 용도는 건축물의 주된 용도의 기능에 필수적인 용도로서 '부속용도'에 해당하므로, 종합병원의 의무적 설치 시설인 시체실의 용도는 종합병원의 부속용도에 해당한다고 할 것이나, 구 건축법(2002.2.4 법률 제6655호로 개정되기 전의 것) 제2조, 구 건축법 시행령(2003.2.24 대통령령 제17926호로 개정되기 전의 것) 제3조의4 [별표 1]의 규정에 의하면 '건축물의 용도'라 함은 건축물의 종류를 유사한 구조·이용목적 및 형태별로 묶어 분류한 것을 말하고, 건축물의 종류를 분류함에 있어 의료시설은 병원(종합병원·병원·치과병원·한방병원·정신병원 및 요양소를 말한다.), 격리병원(전염병원·마약진료소 기타 이와 유사한 것을 말한다.), 장례식장으로 그 건축물의 용도가 명확히 구분되어 있으므로, 종합병원이라 하더라도 의무적 설치 시설인 시체실에 더하여 장례의식에 필요한 각종 부대시설(예식실, 분향소, 식당 등) 등을 추가하는 등으로 이를 장례식장의 용도로 변경·사용하는 경우에는 더 이상 종합병원의 부속용도에 해당한다고 볼 수 없어, 종합병원이 아닌 경우와 마찬가지로 관련 법령에 따른 용도변경의 제한을 받게 된다고 할 것이고, 따라서 구 도시계획법 시행령(2001.1.27 대통령령 제17111호로 개정되기 이전의 것) [별표 18] 및 국토의 계획 및 이용에 관한 법률 시행령 [별표 5]의 규정에 의하여 개인병원 운영자가 종합병원 운영자에 비하여 합리적 이유 없이 차별을 받는다고 할 수는 없다.
[2] 형법 제16조에서 "자기가 행한 행위가 법령에 의하여 죄가 되지 아니한 것으로 오인한 행위는 그 오인에 정당한 이유가 있는 때에 한하여 벌하지 아니한다."라고 규정하고 있는 것은 단순한 법률의 부지를 말하는 것이 아니고 일반적으로 범죄가 되는 경우이지만 자기의 특수한 경우에는 법령에 의하여 허용된 행위로서 죄가 되지 아니한다고 그릇 인식하고 그와 같이 그릇 인식함에 정당한 이유가 있는 경우에는 벌하지 않는다는 취지이다.
[3] 건축법상 건축물의 건축으로 보는 용도변경 행위에는 건축법 시행령 [별표 1]의 각 항 각 호에 정하여진 용도에서 타용도로 변경하는 행위 자체뿐만 아니라, 타용도로 변경된 건축물을 사용하는 행위까지도 포함되는 것이고, 그 변경에 반드시 유형적인 변경이 수반되어야 하는 것은 아니다.
[4] 병원에 설치된 장례의식에 필요한 각종 부대시설을 임차한 후 실제 장례식장으로 사용하여 영업을 하였다면 법률상 제한된 용도인 장례식장을 운영하는 방법으로 건축물의 용도를 변경한 것으로 보아야 한다고 한 사례.

대법원판례 부당이득금 반환

대법원 2004다19715, 2004.7.22.

판시사항 [1] 주된 인·허가에 관한 사항을 규정하고 있는 甲 법률에서 주된 인·허가가 있으면 乙법률에 의한

인·허가를 받은 것으로 의제한다는 규정을 둔 경우, 주된 인·허가가 있으면 乙 법률에 의하여 인·허가를 받았음을 전제로 한 乙 법률의 모든 규정들까지 적용된다고 볼 수 있는지 여부(소극)
[2] 구 건축법 제8조 제4항에 따른 건축허가를 받아 새로이 공공시설을 설치하였다고 하더라도 그 공공시설의 귀속에 관하여 구 도시계획법 제83조 제2항이 적용되지는 않는다고 한 사례

판결요지 [1] 주된 인·허가에 관한 사항을 규정하고 있는 甲 법률에서 주된 인·허가가 있으면 乙 법률에 의한 인·허가를 받은 것으로 의제한다는 규정을 둔 경우에는, 주된 인·허가가 있으면 乙 법률에 의한 인·허가가 있는 것으로 보는데 그치는 것이고, 그에서 더 나아가 乙 법률에 의하여 인·허가를 받았음을 전제로 한 乙 법률의 모든 규정들까지 적용되는 것은 아니다.
[2] 구 건축법(1995.1.5 법률 제4919호로 개정되기 전의 것) 제8조 제4항은 건축허가를 받은 경우, 구 도시계획법(1999.2.8 법률 제5898호로 개정되기 전의 것) 제25조의 규정에 의한 도시계획사업 실시계획의 인가를 받은 것으로 본다는 인가의제규정만을 두고 있을 뿐, 구 건축법 자체에서 새로이 설치한 공공시설의 귀속에 관한 구 도시계획법 제83조 제2항을 준용한다는 규정을 두고 있지 아니하므로, 구 건축법 제8조 제4항에 따른 건축허가를 받아 새로이 공공시설을 설치한 경우, 그 공공시설의 귀속에 관하여는 구 도시계획법 제83조 제2항이 적용되지 않는다고 한 사례.

대법원판례 건축법 위반

대법원 2002도5396, 2002.12.24.

판시사항 건축법상 용도변경행위는 반드시 유형적인 변경을 수반하여야 하는지 여부(소극) 및 무신고용도변경죄의 기수 시기

판결요지 건축법 제14조 제2항, 건축법시행령 제14조에 규정한 용도변경행위는 같은법시행령 [별표 1] 의 각 항에 규정된 용도에서 타용도로 변경하는 행위뿐만 아니라 타용도로 사용하는 행위도 포함되므로 그 변경에는 반드시 유형적인 변경을 수반하여야 하는 것은 아니라고 할 것이나, 유형적인 변경을 수반하는 용도변경의 경우에는 신고를 하지 아니한 채 유형적인 변경행위에 나아간 때에 무신고용도변경죄의 기수에 이르게 된다.

대법원판례 타법령에 의한 이유로 반려한 건축허가에 대한 타법령에 대한 다툼

대법원 99두10988, 2001.1.16.

판시사항 건축불허가처분을 하면서 건축불허가 사유 외에 형질변경불허가 사유나 농지전용불허가 사유를 들고 있는 경우, 그 건축불허가처분에 관한 쟁송에서 형질변경불허가 사유나 농지전용불허가 사유에 관하여도 다툴 수 있는지 여부(적극) 및 별개의 형질변경 불허가처분이나 농지전용 불허가처분에 관한 쟁송을 제기하지 아니하였을 때 형질변경불허가 사유나 농지전용불허가 사유에 관하여 불가쟁력이 발생하는지 여부(소극)

판결요지 구 건축법(1999.2.8. 법률 제5895호로 개정되기 전의 것) 제8조 제1항, 제3항, 제5항에 의하면, 건축허가를 받은 경우에는 구 도시계획법(2000.1.28. 법률 제6243호로 전문 개정되기 전의 것) 제4조에 의한 토지의 형질변경허가나 농지법 제36조에 의한 농지전용허가 등을 받은 것으로 보며, 한편 건축허가권자가 건축허가를 하고자 하는 경우 당해 용도·규모 또는 형태의 건축물을 그 건축하고자 하는 대지에 건축하는 것이 건축법 관련 규정이나 같은 도시계획법 제4조, 농지법 제36조 등 관계 법령의 규정에 적합한지의 여부를 검토하여야 하는 것일 뿐, 건축불허가처분을 하면서 그 처분사유로 건축불허가 사유뿐만 아니라 형질변경불허가 사유나 농지전용불허가 사유를 들고 있다고 하여 그 건축불허가처분 외에 별개로 형질변경불허가처분이나 농지전용불허가처분이 존재하는 것이 아니므로, 그 건축불허가처분을 받은 사람은 그 건축불허가처분에 관한 쟁송에서 건축법상의 건축불허가 사유뿐만 아니라 같은 도시계획법상의 형질변경불허가 사유나 농지법상의 농지전용불허가 사유에 관하여도 다툴 수 있는 것이지, 그 건축불허가처분에 관한 쟁송과는 별개로 형질변경불허가처분이나 농지전용불허가처분에 관한 쟁송을 제기하여 이를 다투어야 하는 것은 아니며, 그러한 쟁송을 제기하지 아니하였어도 형질변경불허가 사유나 농지전용불허가 사유에 관하여 불가쟁력이 생기지 아니한다.(* 법 제8조 ⇒ 제11조, 2008.3.21 개정)

대법원판례 손해배상(기)

대법원 98다29797, 1999.12.21.

판시사항 [3] 설계변경 승인이 설계도서 등과 다른 위법 시공을 한 후 사후적으로 이루어졌다는 이유만으로 위법한지 여부(소극)
[4] 허가관청이 건축허가사항대로 시공된 건축물의 준공을 거부할 수 있는지 여부(소극)
[5] 삼풍백화점 붕괴사고와 서초구청 소속 공무원들의 직무의무 위반행위 사이에 상당인과관계가 없다고 한 사례

판결요지 [3] 설계도서 등과 다른 위법 시공을 하였다 하더라도 그 건축이 건축관계 실체법규에 저촉되지 않는 경우라면 그에 맞추어 설계변경허가를 받음으로써 설계도서와 시공상태가 불일치하는 위법상태를 시정할 수 있으므로 그와 같은 설계변경허가신청이 있을 경우 행정청으로서는 위법 시공 후의 사후 신청이라는 이유만으로 이를 거부할 수 없으므로, 설계변경 승인이 사후에 이루어졌다는 이유만으로 위법하다고 할 수 없다.
[4] 준공검사는 건축허가를 받아 건축한 건물이 건축허가사항대로 건축행정목적에 적합한가의 여부를 확인하고 준공검사필증을 교부하여 주는 것이므로 허가관청으로서는 건축허가사항대로 시공되었다면 준공을 거부할 수 없다.
[5] 삼풍백화점 붕괴사고와 서초구청 소속 공무원들의 직무의무 위반행위 사이에 상당인과관계가 없다고 한 사례

대법원판례 건축법 위반

대법원 2000도1365, 2000.11.24.

판시사항 공사감리자가 작성·제출하는 공사감리보고서의 허위작성 여부에 관한 판단기준

판결요지 구 건축법(1999.2.8 법률 제5895호로 개정되기 전의 것) 제21조 제5항에 의하여 공사감리자가 작성·제출하는 감리중간보고서와 감리완료보고서에는 시공자를 기재하도록 요구되어 있지 않고, 위 각 보고서의 "법령에의 적합 여부" 또는 "감리의견"란에는 같은 법 제2조 제1항 제15호, 같은법시행령(1999.4.30대통령령 제16284호로 개정되기 전의 것) 제19조 제6항 제3호, 같은법시행규칙(1999.5.11.건설교통부령 제189호로 개정되기 전의 것) 제19조의2에 규정된 본래적인 공사감리업무 수행의 결과로서의 공사감리자의 의견이나 판단을 기재하면 되는 것이고, 공사감리자가 당해 공사를 감리함에 있어서 발견한 일체의 건축법 기타 관계 법령 위반행위의 유무에 관한 공사감리자의 판단과 의견까지 기재하여야 하는 것은 아니다.
(* 법 제21조 ⇒ 제25조, 2008.3.21 개정)

대법원판례 건축법 위반

대법원 2001도3990, 2001.9.25.

판시사항 [1] 건축법상 처벌의 대상이 되는 건축물의 용도변경행위의 범위 및 무단으로 건축물을 다른 용도로 계속 사용하는 경우, 그 용도변경의 건축법위반죄의 공소시효 진행 여부(소극)
[2] 계속범에 있어서 그 적용 법률이 개정되면서 경과규정을 두고 있는 경우, 그 범죄행위에 대한 시기별 적용 법률
[3] 계속범의 성질을 갖는 건축법상 무단 용도변경 및 사용의 공소사실을, 그 행위기간 사이의 건축법에 대한 위헌결정 및 건축법 개정에 기인한 처벌규정의 효력상실과 경과규정 등으로 인하여, 시기별로 각각의 독립된 행위로 평가하여 적용 법률을 특정하고 그에 따라 유·무죄의 판단을 달리하여야 한다고 본 사례

판결요지 [1] 건축법상 허가를 받지 아니하거나 또는 신고를 하지 아니한 경우 처벌의 대상이 되는 건축물의 용도변경행위(1999.2.8 법률 제5895호로 건축법이 개정되면서 건축물의 용도변경에 관하여 허가제에서 신고제로 전환되었다)는 유형적으로 용도를 변경하는 행위뿐만 아니라 다른 용도로 사용하는 것까지를 포함하며, 이와 같이 허가를 받지 아니하거나 신고를 하지 아니한 채 건축물을 다른 용도로 사용하는 행위는 계속범의 성질을 가지는 것이어서 허가 또는 신고 없이 다른 용도로 계속 사용하는 한 가벌적 위법상태는 계속 존재하고 있다고 할 것이므로, 그러한 용도변경행위에 대하여는 공소시효가 진행하지 아니하는 것으로 보아야 한다.
[2] 일반적으로 계속범의 경우 실행행위가 종료되는 시점에서의 법률이 적용되어야 할 것이나, 법률이 개정되면서 그 부칙에서 '개정된 법 시행 전의 행위에 대한 벌칙의 적용에 있어서는 종전의 규정에 의한다' 는 경과

규정을 두고 있는 경우 개정된 법이 시행되기 전의 행위에 대해서는 개정 전의 법을, 그 이후의 행위에 대해서는 개정된 법을 각각 적용하여야 한다.
[3] 계속범의 성질을 갖는 건축법상 무단 용도변경 및 사용의 공소사실을, 그 행위기간 사이의 건축법에 대한 위헌결정 및 건축법 개정에 기인한 처벌규정의 효력상실과 경과규정 등으로 인하여, 시기별로 각각의 독립된 행위로 평가하여 적용 법률을 특정하고 그에 따라 유·무죄의 판단을 달리하여야 한다고 본 사례.
(* 법 제8조, 제14조, 제78조 ⇒ 제11조, 제19조, 제98조, 2008.3.21 개정)

대법원판례 건축법 위반

대법원 2000도2530, 2001.6.29.

판시사항 1999.2.8 법률 제5895호로 개정된 건축법의 시행 전후에 걸쳐 판매시설로 사용승인을 얻은 바닥면적 179.58㎡의 건축물을 유흥주점용도로 계속하여사용한 경우, 건축법위반죄의 성립 여부(소극)

판결요지 1999.2.8 법률 제5895호로 개정된 건축법의 시행 전후에 걸쳐 판매시설로 사용승인을 얻은 바닥면적 179.58㎡의 건축물을 유흥주점용도로 계속하여 사용한 경우, 1999.2.8 법률 제5895호로 개정되기 전의 건축법 제14조 제1항 제3호, 제3항, 같은법시행령(1999.4.30 대통령령 제16284호로 개정되기 전의 것) 제14조 제4항 [별표 16] 제3호 (라)목, 제2항의 각 규정에 의하면, 판매시설로 사용승인을 받은 건축물의 용도를 유흥주점 용도로 변경하고자 하는 경우, 당해 용도에 쓰이는 바닥면적의 합계가 200㎡이상인 경우에 한하여 구청장 등의 허가를 필요로 하는 것이고, 바닥면적의 합계가 179.58㎡인 경우에는 허가는 물론 신고 없이도 자유로이 용도를 변경할 수 있었고, 1999.2.8 법률 제5895호로 개정된 건축법 제14조 제2항, 제3항 제1호, 같은법시행령(1999.4.30. 대통령령 제16284호로 개정된 것) 제14조 제4항 제1호, 제3조의4 [별표 1] 및 부칙 제3항의 규정에 의하더라도, 유흥주점과 판매시설은 구청장 등에게 신고할 필요 없이 그 사이의 용도를 변경하여 사용할 수 있으므로, 판매시설로 사용승인을 얻은 바닥면적 179.58㎡의 건축물을 위 개정된 건축법 시행 전후에 걸쳐 유흥주점용도로 계속하여 사용한 행위는 위 개정 전 건축법은 물론 개정된 건축법에 의하더라도 범죄를 구성하지 않는다.
(* 법 제14조 ⇒ 제19조, 2008.3.21 개정)

대법원판례 건축선 위반건축물 시정지시 취소

대법원 2001두1512, 2002.11.8.

판시사항 [1] 행정청의 행위에 대한 신뢰보호 원칙의 적용요건으로서 '행정청의 견해표명이 정당하다고 신뢰한 데에 대하여 그 개인에게 귀책사유가 없어야한다'는 것의 의미와 그 판단 기준
[2] 건축주와 그로부터 건축설계를 위임받은 건축사가 상세계획지침에 의한 건축한계선의 제한이 있다는 사실을 간과한 채 건축설계를 하고 이를 토대로 건축물의 신축 및 증축허가를 받은 경우, 그 신축 및 증축허가가 정당하다고 신뢰한 데에 귀책사유가 있다고 한 사례
[3] 건축허가 내용대로 상당한 정도로 공사가 진행된 상태에서 건축법이나 도시계획법에 위반되는 하자가 발견되었다는 이유로 건축물의 일부분의 철거를 명할 수 있는 경우

판결요지 [1] 일반적으로 행정상의 법률관계에 있어서 행정청의 행위에 대하여 신뢰보호의 원칙이 적용되기 위하여는, 첫째 행정청이 개인에 대하여 신뢰의 대상이 되는 공적인 견해표명을 하여야 하고, 둘째 행정청의 견해표명이 정당하다고 신뢰한 데에 대하여 그 개인에게 귀책사유가 없어야 하며, 셋째 그 개인이 그 견해표명을 신뢰하고 이에 상응하는 어떠한 행위를 하였어야 하고, 넷째 행정청이 그 견해표명에 반하는 처분을 함으로써 그 견해표명을 신뢰한 개인의 이익이 침해되는 결과가 초래되어야 하며, 마지막으로 위 견해표명에 따른 행정처분을 할 경우 이로 인하여 공익 또는 제3자의 정당한 이익을 현저히 해할 우려가 있는 경우가 아니어야 하는 바, 둘째 요건에서 말하는 귀책사유라 함은 행정청의 견해표명의 하자가 상대방 등 관계자의 사실은폐나 기타 사위의 방법에 의한 신청행위 등 부정행위에 기인한 것이거나 그러한 부정행위가 없다고 하더라도 하자가 있음을 알았거나 중대한 과실로 알지 못한 경우 등을 의미한다고 해석함이 상당하고, 귀책사유의 유무는 상대방과 그로부터 신청행위를 위임받은 수임인 등 관계자 모두를 기준으로 판단하여야 한다.

[2] 건축주와 그로부터 건축설계를 위임받은 건축사가 상세계획지침에 의한 건축한계선의 제한이 있다는 사실을 간과한 채 건축설계를 하고 이를 토대로 건축물의 신축 및 증축허가를 받은 경우, 그 신축 및 증축허가가 정당하다고 신뢰한 데에 귀책사유가 있다고 한 사례.

[3] 건축주가 건축허가 내용대로 공사를 상당한 정도로 진행하였는데, 나중에 건축법이나 도시계획법에 위반되는 하자가 발견되었다는 이유로 그 일부분의 철거를 명할 수 있기 위하여는 그 건축허가를 기초로 하여 형성된 사실관계 및 법률관계를 고려하여 건축주가 입게 될 불이익과 건축행정이나 도시계획행정상의 공익, 제3자의 이익, 건축법이나 도시계획법 위반의 정도를 비교·교량하여 건축주의 이익을 희생시켜도 부득이하다고 인정되는 경우라야 한다. (* 법 제69조 ⇒ 제79조, 2008.3.21 개정)

3

건축물의 유지와 관리
(「건축물관리법」 관련 내용※ 발췌 해설)

1 건축물의 유지·관리(법 제35조)(영 제23조~제23조의7)(규칙 제23조)

법 제35조【건축물의 유지·관리】
삭제<2019.4.30./시행 2020.5.1.>
※ 「건축물관리법」 제정으로 삭제됨
▶ 건축법 제35조의 관련내용은 「건축물관리법」
제12조(건축물의 유지·관리), 제13조(정기점검의 실시), 제14조(긴급점검의 실시), 제15조(소규모 노후 건축물등 점검의 실시), 제16조(안전진단의 실시), 제17조(건축물관리점검지침), 제18조(건축물관리점검기관의 지정 등), 제19조(건축물관리점검의 통보), 제20조(건축물관리점검 결과의 보고), 제21조(사용제한 등), 제22조(점검결과의 이행 등), 제23조(조치결과의 보고)로 이동하여 보완 제정됨
※ 여기서는 「건축법」에 있던 해당 규정에 대한 「건축물관리법」의 규정 내용을 해설함.

건축물관리법의 제정〈2019.4.30./시행 2020.5.1.〉
【제정이유】
실태조사, 건축물 생애이력 정보체계 구축 등 건축물관리 기반 구축에 필요한 사항을 정하고, 정기점검, 긴급점검 등의 대상, 방법, 절차 등 건축물관리점검 및 조치를 위하여 필요한 사항을 정하며, 그 밖에 건축물 해체 시 허가 절차와 건축물관리 지원, 빈 건축물 정비, 공공건축물 재난예방 등 건축물의 안전을 확보하고 그 사용가치를 유지·향상하기 위하여 필요한 사항을 정하여 건축물을 과학적이고 체계적으로 관리함으로써 국민의 안전과 복리증진에 이바지하려는 것임.

1 건축물의 유지·관리(건관법 제12조)(영 제7조)

▶「건축물관리법」
법 제12조【건축물의 유지·관리】
① 관리자는 건축물, 대지 및 건축설비를 「건축법」 제40조부터 제48조까지, 제48조의4, 제49조, 제50조, 제50조의2, 제51조, 제52조, 제52조의2, 제53조, 제53조의2, 제54조부터 제58조까지, 제60조부터 제62조까지, 제64조, 제65조의2, 제67조 및 제68조와 「녹색건축

건축법
1. 총 칙
2. 건 축
3. 유지관리
4. 대지도로
5. 구조재료
6. 지역지구
7. 건축설비
8. 특별건축구역
9. 보 칙
10. 벌 칙
건축법 관련기준

물 조성 지원법」 제15조, 제15조의2, 제16조 및 제17조에 적합하도록 관리하여야 한다. 이 경우 「건축법」 제65조의2 및 「녹색건축물 조성 지원법」 제16조·제17조는 인증을 받은 경우로 한정한다.

② 건축물의 구조, 재료, 형식, 공법 등이 특수한 건축물 중 대통령령으로 정하는 건축물은 제1항 또는 제13조부터 제15조까지의 규정을 적용할 때 대통령령으로 정하는 바에 따라 건축물관리 방법·절차 및 점검기준을 강화 또는 변경하여 적용할 수 있다.

영 제7조【특수한 건축물의 구조안전 확인】

① 법 제12조제2항에서 "대통령령으로 정하는 건축물"이란 다음 각 호의 건축물을 말한다.

1. 「건축법 시행령」 제2조제18호에 따른 특수구조 건축물
2. 무량판 구조(보가 없이 바닥판·기둥으로 구성된 구조를 말한다)를 가진 건축물

② 제1항에 따른 건축물은 법 제12조제2항에 따라 다음 각 호의 기준을 적용하여 점검한다.

1. 해당 건축물의 구조안전에 대한 경험과 지식을 갖춘 사람이 외관조사를 실시할 것
2. 법 제18조제3항에 따른 점검책임자는 건축물의 특수 구조 및 구조 변경에 관한 정보 등을 사전검토하고, 점검계획을 수립할 것
3. 「건축법 시행령」 제2조제18호가목 또는 나목에 해당하는 건축물은 부재의 균열 및 손상 등을 관찰할 것

③ 제2항에서 규정한 사항 외에 해당 건축물 점검기준의 강화 또는 변경과 관련된 사항은 국토교통부장관이 법 제17조에 따른 건축물관리점검지침(이하 "건축물관리점검지침"이라 한다)으로 정하여 고시한다.

해설 건축물은 설계·시공·사용승인의 단계를 거쳐 사용가능한 공간으로 형성된다. 건축물을 건축한 이후 건축물의 관리자는 건축물의 대지·구조·용도 등을 적법하게 유지하여야 할 의무가 있으며, 이에 대해 법규정에서도 개조나 변경을 엄격히 제한하고 있다. 이러한 규정은 개조 등의 불법 행위의 방지 및 건축물의 안전과 수명연장의 관점에서 운용된다.

건축물의 관리자는 유지·관리기준에 맞게 유지·관리의 의무가 주어지고, 특수한 건축물의 점검대상 및 기준에 대해서 별도 규정하고 있다.

【1】 건축물의 유지·관리 기준

구 분	내 용			
의무자	■ 건축물의 관리자 - 관리자*: ① 관계 법령에 따라 해당 건축물의 관리자로 규정된 자 ② 해당 건축물의 소유자 ③ 해당 건축물의 소유자와의 관리계약 등에 따라 건축물의 관리책임을 진 자 * 건축물관리법 제2조(정의)			
대 상	건축물, 대지 및 건축설비			
적합하게 관리해야 할 법규정	건축법	내 용	건축법	내 용
	제40조	대지의 안전 등	제44조	대지와 도로의 관계
	제41조	토지 굴착 부분에 대한 조치 등	제45조	도로의 지정·폐지 또는 변경
	제42조	대지의 조경	제46조	건축선의 지정
	제43조	공개 공지 등의 확보	제47조	건축선에 따른 건축제한

	제48조	구조내력 등	제57조	대지의 분할 제한
	제48조의4	부속구조물의 설치 및 관리	제58조	대지 안의 공지
	제49조	건축물의 피난시설 및 용도제한 등	제60조	건축물의 높이 제한
	제50조	건축물의 내화구조와 방화벽	제61조	일조 등의 확보를 위한 건축물의 높이 제한
	제50조의2	고층건축물의 피난 및 안전관리		
	제51조	방화지구 안의 건축물	제62조	건축설비기준 등
	제52조	건축물의 마감재료	제64조	승강기
	제52조의2	실내건축	제65조의2	지능형건축물의 인증[1)]
	제53조	지하층	제67조	관계전문기술자
	제53조의2	건축물의 범죄예방	제68조	기술적 기준
	제54조	건축물의 대지가 지역·지구 또는 구역에 걸치는 경우의 조치	녹색건축물 조성 지원법	내 용
	제55조	건축물의 건폐율	제16조	녹색건축의 인증[2)]
	제56조	건축물의 용적률	제17조	건축물의 에너지효율등급 인증[3)]
미이행시의 조치(벌칙)	10년 이하의 징역 또는 1억원 이하의 벌금에 처함<건축물관리법 제51조(벌칙)>			

* 1) 2) 3) 인증을 받은 경우로 한정함

【2】 특수한 건축물 건축물의 구조안전 확인

건축물의 구조, 재료, 형식, 공법 등이 특수한 건축물 중 다음의 건축물은 위 【1】의 규정 또는 정기점검, 긴급점검 및 소규모 노후 건축물등 규정을 적용할 때 건축물관리 방법·절차 및 점검기준을 강화 또는 변경하여 적용할 수 있다.

① 대상 건축물

대상 건축물	관련 규정
1. 한쪽 끝은 고정되고 다른 끝은 지지되지 아니한 구조로 된 보·차양 등이 외벽*의 중심선으로부터 3m 이상 돌출된 건축물 * 외벽이 없는 경우 외곽 기둥	건축법 시행령 제18호
2. 기둥과 기둥 사이의 거리*가 20m 이상인 건축물 * 기둥의 중심선 사이의 거리, 기둥이 없는 경우 내력벽과 내력벽의 중심선 사이의 거리	
3. 특수한 설계·시공·공법 등이 필요한 건축물로서 국토교통부장관이 정하여 고시하는 구조로 된 건축물*	* 특수구조 건축물 대상기준(국토교통부고시 제2018-777호, 2018.12.7.)
4. 무량판 구조(보가 없이 바닥판·기둥으로 구성된 구조)를 가진 건축물	건축물관리법 시행령 제7조

② 점검 기준

1. 해당 건축물의 구조안전에 대한 경험과 지식을 갖춘 사람이 외관조사를 실시할 것
2. 건축물관리점검기관이 임명한 점검책임자*는 건축물의 특수 구조 및 구조 변경에 관한 정보 등을 사전검토하고, 점검계획을 수립할 것 (* 「건축물관리법」 제18조제3항)
3. 위 표 ① 1, 2에 해당하는 건축물은 부재의 균열 및 손상 등을 관찰할 것
4. 위 1.~3.에서 규정한 사항 외에 해당 건축물 점검기준의 강화 또는 변경과 관련된 사항은 국토교통부장관이 건축물관리점검지침*으로 정하여 고시한다. * 건축물관리점검지침(국토교통부고시 제2022-332호, 2022.6.20)

2 건축물의 정기점검의 실시(건관법 제13조)(영 제8조)

▶ 「건축물관리법」

법 제13조【정기점검의 실시】

① 다중이용 건축물 등 대통령령으로 정하는 건축물의 관리자는 건축물의 안전과 기능을 유지하기 위하여 정기점검을 실시하여야 한다.

② 정기점검은 대지, 높이 및 형태, 구조안전, 화재안전, 건축설비, 에너지 및 친환경 관리, 범죄예방, 건축물관리계획의 수립 및 이행 여부 등 대통령령으로 정하는 항목에 대하여 실시한다. 다만, 해당 연도에 「도시 및 주거환경정비법」, 「공동주택관리법」 또는 「시설물의 안전 및 유지관리에 관한 특별법」에 따른 안전점검 또는 안전진단이 실시된 경우에는 정기점검 중 구조안전에 관한 사항을 생략할 수 있다.

③ 제1항에 따른 정기점검은 해당 건축물의 사용승인일부터 5년 이내에 최초로 실시하고, 점검을 시작한 날을 기준으로 3년(매 3년이 되는 해의 기준일과 같은 날 전날까지를 말한다)마다 실시하여야 한다.

④ 정기점검의 실시 절차 및 방법 등 필요한 사항은 대통령령으로 정한다.

영 제8조【정기점검 대상 건축물 등】

① 법 제13조제1항에서 "다중이용 건축물 등 대통령령으로 정하는 건축물"이란 다음 각 호의 건축물을 말한다. 다만, 「학교안전사고 예방 및 보상에 관한 법률」 제2조제1호에 따른 학교, 「공동주택관리법」 제2조제1항제2호에 따른 의무관리대상 공동주택, 「유통산업발전법」 제2조제3호·제4호에 따른 대규모점포·준대규모점포 및 정기점검을 실시해야 하는 날부터 3년 이내에 「공동주택관리법」 제34조제2호에 따라 소규모 공동주택 안전관리를 실시한 공동주택은 제외한다.

1. 「다중이용업소의 안전관리에 관한 특별법」에 따른 다중이용업소가 있는 건축물로서 특별자치시·특별자치도·시·군·구(자치구를 말한다)의 조례(이하 "시·군·구 조례"라 한다)로 정하는 건축물
2. 「집합건물의 소유 및 관리에 관한 법률」을 적용받는 건축물로서 연면적 3천제곱미터 이상인 건축물
3. 「건축법 시행령」 제2조제17호에 따른 다중이용 건축물
4. 「건축법 시행령」 제2조제17호의2에 따른 준다중이용 건축물로서 같은 조 제18호에 따른 특수구조 건축물에 해당하는 건축물

② 법 제13조제1항에 따른 정기점검(이하 "정기점검"이라 한다)을 실시해야 하는 건축물의 관리자는 법 제18조제1항에 따라 지정을 통지받은 건축물관리점검기관에 점검을 의뢰해야 한다.

③ 법 제13조제2항 본문에서 "대지, 높이 및 형태, 구조안전, 화재안전, 건축설비, 에너지 및 친환경 관리, 범죄예방, 건축물관리계획의 수립 및 이행 여부 등 대통령령으로 정하는 항목"이란 다음 각 호의 구분에 따른 항목을 말한다.

1. 대지: 「건축법」 제40조, 제42조부터 제44조까지 및 제47조에 적합한지 여부
2. 높이 및 형태: 「건축법」 제55조, 제56조, 제58조, 제60조 및 제61조에 적합한지 여부
3. 구조안전

가. 「건축법」 제48조에 적합한지 여부

나. 건축물의 외관 및 주요구조부의 상태 등 건축물관리점검지침에서 정하는 사항에 적합한지 여부(「건축법」 제22조에 따른 사용승인을 받은 날부터 20년이 지난 후에 처음

건 축 법
1. 총 칙
2. 건 축
3. 유지관리
4. 대지도로
5. 구조재료
6. 지역지구
7. 건축설비
8. 특별건축구역
9. 보 칙
10. 벌 칙
건 축 법 관련기준

실시하는 정기점검만 해당한다)
4. 화재안전: 「건축법」 제49조, 제50조, 제50조의2, 제51조, 제52조, 제52조의2 및 제53조에 적합한지 여부
5. 건축설비: 「건축법」 제62조 및 제64조에 적합한지 여부
6. 에너지 및 친환경 관리: 「건축법」 제65조의2와 「녹색건축물 조성 지원법」 제15조, 제15조의2, 제16조 및 제17조에 적합한지 여부
7. 범죄예방: 「건축법」 제53조의2에 적합한지 여부
8. 건축물관리계획: 수립 및 이행이 적합한지 여부
9. 그 밖의 항목
가. 법 제20조제2항 각 호의 사항을 이행했는지 여부
나. 「건축법」 제22조에 따른 사용승인을 신청할 때 제출된 설계도서의 내용대로 유지·관리되는지 여부
다. 건축물의 안전을 강화하고 에너지 절감을 위하여 보완해야 할 사항이 있는지 여부

해설 다중이용 건축물 등의 관리자는 건축물의 안전과 기능을 유지하기 위하여 대지, 높이 및 형태, 구조안전, 화재안전 등의 항목에 대한 정기점검을 실시하도록 규정하고 있다.

【1】 정기점검 대상 건축물

대상 건축물	근거규정 관계법
1. 다중이용업소가 있는 건축물로서 특별자치시·특별자치도·시·군·구(자치구)의 조례(이하 "시·군·구 조례")로 정하는 건축물	「다중이용업소의 안전관리에 관한 특별법」
2. 집합건물로서 연면적 3천㎡ 이상인 건축물	「집합건물의 소유 및 관리에 관한 법률」
3. 다중이용 건축물	「건축법 시행령」 제2조제17호
4. 준다중이용 건축물로서 특수구조 건축물에 해당하는 건축물	「건축법 시행령」 제2조 제17호의2, 제18호

예외 다음 용도의 경우에는 대상에서 제외한다.

제외 대상 건축물	근거규정 관계법
1. 학교	「학교안전사고 예방 및 보상에 관한 법률」 제2조제1호
2. 대규모점포·준대규모점포	「유통산업발전법」 제2조제3호·제4호
3. 의무관리대상 공동주택	「공동주택관리법」 제2조제1항제2호
4. 정기점검을 실시해야 하는 날부터 3년 이내에 소규모 공동주택 안전관리를 실시한 공동주택	「공동주택관리법」 제34조제2호

【2】 정기점검의 시기

건축물의 관리자는 해당 건축물의 사용승인일부터 5년 이내에 최초로 실시하고, 점검 시작일을 기준으로 3년(매 3년이 되는 해의 기준일과 같은 날 전날까지)마다 실시하여야 한다.

건 축 법
1. 총 칙
2. 건 축
3. 유지관리
4. 대지도로
5. 구조재료
6. 지역지구
7. 건축설비
8. 특별건축구역
9. 보 칙
10. 벌 칙
건 축 법 관련기준

【3】 정기점검 항목

정기점검은 대지, 높이 및 형태, 구조안전, 화재안전, 건축설비, 에너지 및 친환경 관리, 범죄예방, 건축물관리계획의 수립 및 이행 여부 등 다음의 항목에 대하여 실시한다.

예외 해당 연도에 「도시 및 주거환경정비법」, 「공동주택관리법」 또는 「시설물의 안전 및 유지관리에 관한 특별법」에 따른 안전점검 또는 안전진단이 실시된 경우 정기점검 중 구조안전에 관한 사항을 생략할 수 있다.

항 목	점검 내용(적합여부 확인 대상 규정)
1. 대지	건축법 제40조(대지의 안전 등), 제42조(대지의 조경), 제43조(공개 공지 등의 확보), 제44조(대지와 도로의 관계), 제47조(건축선에 따른 건축제한)
2. 높이 및 형태	건축법 제55조(건축물의 건폐율), 제56조(건축물의 용적률), 제58조(대지 안의 공지), 제60조(건축물의 높이 제한), 제61조(일조 등의 확보를 위한 건축물의 높이 제한)
3. 구조안전	건축법 제48조(구조내력 등) 건축물의 외관 및 주요구조부의 상태 등 건축물관리점검지침에서 정하는 사항* *사용승인을 받은 날부터 20년이 지난 후에 처음 실시하는 정기점검만 해당
4. 화재안전	건축법 제49조(건축물의 피난시설 및 용도제한 등), 제50조(건축물의 내화구조와 방화벽), 제50조의2(고층건축물의 피난 및 안전관리), 제51조(방화지구 안의 건축물), 제52조(건축물의 마감재료), 제52조의2(실내건축), 제53조(지하층)
5. 건축설비	건축법 제62조(건축설비기준 등), 제64조(승강기)
6. 에너지 및 친환경 관리	건축법 제65조의2(지능형건축물의 인증)
	녹색건축물 조성 지원법 제15조(건축물에 대한 효율적인 에너지 관리와 녹색건축물 조성의 활성화), 제15조의2(녹색건축물의 유지·관리), 제16조(녹색건축의 인증), 제17조(건축물의 에너지효율등급 인증 및 제로에너지건축물 인증)
7. 범죄예방	건축법 제53조의2(건축물의 범죄예방)
8. 건축물관리계획	수립 및 이행이 적합한지 여부
9. 그 밖의 항목	건축물관리법 제20조제2항(건축물관리점검기관의 점검결과 보고시 이행 여부 확인사항) 각 호 사항 이행 여부
	건축법 제22조(사용승인) 사용승인을 신청할 때 제출된 설계도서의 내용대로 유지·관리되는지 여부
	건축물의 안전을 강화하고 에너지 절감을 위하여 보완해야 할 사항이 있는지 여부

【4】 정기점검의 방법

정기점검을 실시해야 하는 건축물의 관리자는 특별자치시장·특별자치도지사 또는 시장·군수·구청장에게 지정을 통지받은 건축물관리점검기관에 점검을 의뢰해야 한다.

【참고】 건축물관리점검지침(국토교통부고시 제2022-332호, 2022.6.20)

제9조 【정기점검】 정기점검은 법 제13조에 따라 건축물의 안전과 기능 유지 등을 위하여 건축물이 사용승인시의 설계도서 등에 적합하게 유지·관리되고 있는지를 확인하는 점검을 말한다.

제11조 【정기점검 및 긴급점검의 수행방법】 정기점검과 긴급점검은 제15조와 제16조의 내용을 수행할 수 있는 경험과 기술을 갖춘 사람이 항목별 점검업무를 충실하게 수행하여야 한다.

제12조【정기점검 및 긴급점검 실시자의 자격】 정기점검 및 긴급점검의 점검자는 영 별표 2에 따른 자격기준을 갖추고 영 별표 3에 따른 교육을 이수하여야 한다.

제13조【정기점검 및 긴급점검 실시 과정의 안전관리】 ① 점검책임자는 점검자의 안전은 물론 공공의 안전을 위하여 측정장비 및 기기 등을 안전하게 운용하고 작업을 안전하게 수행하도록 계획을 수립하여야 한다.

② 점검자는 안전모, 작업복, 작업화와 필요한 경우 청각, 시각 및 안면보호장비 등을 포함한 개인용 보호장구를 항시 착용하여야 하며 측정장비 및 기기를 항상 최적의 상태로 정비하여야 한다. 또한 밀폐된 공간에서의 작업이 필요할 경우에는 유해물질, 가스 및 산소결핍 등에 대한 조사와 대책을 사전에 마련하여야 한다.

③ 건축물의 관리자는 필요한 경우 점검실시 기간 동안 공공의 안전을 위해 교통통제와 작업공간 확보 등 적절한 계획을 수립하여 시행하여야 한다.

제14조【정기점검 및 긴급점검의 계획수립】 ① 점검책임자는 정기점검 및 긴급점검에 사용하기 위하여 관리자에게 설계도서 등 다음 각 호에 해당하는 자료를 제공받을 수 있다.

1. 사용승인 설계도서 및 각종인증자료
- 사용승인 이후 변경(허가 또는 신고)된 사항에 대한 자료(설계도서) 포함
2. 건축물 생애관리대장, 건축물관리계획
3. 건축설비 점검문서, 내·외장재료 등의 시험성적서 또는 인증서
4. 과거 건축물관리점검 보고서 등

② 특별자치시장·특별자치도지사 또는 시장·군수·구청장은 정기점검에 필요한 설계도서 등이 존재하지 않을 경우에는 관리자에게 점검기간 내에 현황도서(건축 기본설계도서: 배치도, 평면도 등)을 준비하도록 권고할 수 있으며, 이 경우 관리자에게 상세한 안내 및 준비에 필요한 충분한 기간을 두도록 하여야 한다.

③ 점검책임자는 점검대상 건축물의 충실한 점검을 위해 관리자가 제공한 설계도서 및 관련 자료를 이용하여 점검범위를 정하고, 다음의 사항을 포함한 점검계획을 수립하여야 한다.

1. 점검책임자 및 점검자 인적사항
2. 건축물 개요 및 소유 형태 파악(구분소유자 등)
3. 건물유형(용도/규모/형태 등)별 조사범위 선정

제15조【정기점검 내용】 ① 점검자는 다음 각 호에 따라 대상 건축물에 대한 정기점검을 수행하여야 하며, 점검결과를 별지 제1호 및 제2호 서식에 따라 작성하여야 한다.

1. 대지 : 조경 및 공개공지, 건축선 및 대지와 도로와의 관계 등이 사용승인 설계도서에 적합한 상태로 유지되고 있는지 여부를 점검한다. 또한, 옹벽 및 석축 등의 붕괴와 지반침하 가능성 및 대지내의 빗물 배출 및 배수불량으로 인한 대지의 위험요인에 대해 점검한다.
2. 높이 및 형태 : 「국토의 계획 및 이용에 관한 법률」에 따른 건폐율 및 용적률 등이 적합한지 여부, 대지안의 공지 유지 여부 및 구역별·일조확보 등을 위한 건축물의 높이제한 등이 사용승인 설계도서에 적합한 상태로 유지되고 있는지 여부를 점검한다.
3. 구조안전 : 주요구조부의 균열발생이나 손상여부 및 그 결함위치 등 구조부재와 마감재의 노후화 현상을 점검하고, 관리자 등과의 청문을 통한 이상 징후 여부 등을 점검한다. 또한, 건축물의 수선 및 용도변경 등에 따른 건축물 하중의 변화여부와 구조변경 여부 및 그 현황자료를 점검한다. 아울러 지진하중에 대한 안전확인을 위하여 건축물의 내진설계 여부 등을 점검한다.
4. 화재안전 : 화재 등 재난 및 재해로부터 재실자의 안전한 피난과 인명피해를 감소시킬 수 있는 적합한 피난설비의 설치여부와 계단·복도·출구, 옥상광장 등의 피난통로상 적재물 등 통행을 방해하는 요소가 존재하는지를 점검한다. 또한 방화구획, 경계벽·칸막이벽, 내화구조, 내부마감재료, 지하층 등이 당초 설계기준대로 유지되어 화재확산을 방지하고, 인명의 피해를 최소화 할 수 있는 구조와 재료로 유지되고 있는 지를 점검한다.

5. 건축설비 : 급수, 배수, 냉난방, 환기, 피뢰, 방송수신, 전기, 승강기 등 각종 설비가 사용승인 설계도서 등에 적합하게 유지·관리되고 있는지와 각종 설비의 종류 및 성능에 따른 기능유지 상태에 대한 제반 사항을 점검한다.
6. 에너지 및 친환경 관리 등 : 건축물의 노후화, 균열 및 창호의 재료열화 등에 따른 열손실로 에너지가 새어나가거나, 에너지 사용효율이 현저히 떨어질 것으로 우려되는 부위가 존재하는지 점검하고, 녹색건축 인증 등 점검대상 건축물의 인증유지여부 및 에너지 효율 개선 필요성을 제시하여야 한다.
7. 범죄예방 : 범죄예방과 관련하여 접근통제, 영역성 확보, 조경·조명기준 및 범죄예방기준 등이 사용승인 설계도서 등에 적합하게 유지·관리되고 있는지와 현행기준과의 비교·검토를 통한 개선사항 등의 제안을 점검한다.
8. 건축물관리계획의 수립 및 이행이 적합한지 여부를 점검한다.
9. 기타 : 법 제20조제2항 각 호의 사항에 대한 이행 여부 및 「건축법」 제22조에 따른 사용승인시 제출된 설계도서의 내용대로 유지·관리되는 지 여부를 점검한다.
10. 개선의견 제시 : 건축물의 안전 강화 및 에너지 절감 방안 등에 관한 의견을 제시한다.
11. 종합의견 : 점검항목별 점검결과 전문적인 식견을 반영한 종합의견을 제시한다.

② 영 제8조제3항제3호나목에 따라 사용승인일로부터 20년이 경과한 건축물에 대한 최초의 정기점검 시 제1항제3호의 구조안전에 대해 각 호의 항목을 추가적으로 실시하여야 한다.
1. 주요구조부 : 일반적인 육안조사로 점검이 어려운 주요구조부는 마감재 일부를 해체하거나 전자내시경 등을 활용하여 점검하여야 한다. 층별, 부재별, 조사부위별 등을 고려하여 16개소 이상을 점검한다.
2. 건물기울기 : 측정이 가능한 건축물 외벽모서리 전체로 한다.
3. 부동침하기울기 : 최저층 바닥 또는 천장슬래브에서 건물의 장변방향과 단변방향으로 각각 2개소 이상으로 한다.
4. 부재변형 : 건축물의 전체에 대한 외관조사를 실시한 결과, 균열 및 손상(처짐 등)이 발생하였거나, 발생가능이 있는 주요 부위로 한다.
5. 콘크리트 비파괴강도 : 반발경도시험을 위주로 하며, 점검책임자의 판단에 따라 다른 비파괴 검사법을 사용할 수 있다. 층별, 부재별, 조사부위별 등을 고려하여 8개소 이상을 점검한다.

③ 제2항제2호 및 제3호의 건물기울기와 부동침하기울기 조사는 동일 목적으로 실시하는 조사항목으로 점검책임자의 판단에 의해 2개 항목 중 1개만 실시할 수 있으며, 그 사유를 명기하여야 한다.
④ 점검자가 점검 대상 건축물에 딸린 공작물의 점검을 실시할 경우 점검결과를 별지 제3호 서식에 따라 작성하여야 한다.

제17조【정기점검 및 긴급점검 실시요령】 본 지침에서 규정하지 아니하는 건축물의 정기점검 및 긴급점검 실시방법·절차 등 구체적인 사항에 대해서는 「건축물 정기점검 매뉴얼」에 따른다.

관계법 2 【1】 건축물의 정기점검 대상 건축물 관련 근거 법령

1. 「다중이용업소의 안전관리에 관한 특별법」

법 제2조【정의】
1. "다중이용업"이란 불특정 다수인이 이용하는 영업 중 화재 등 재난 발생 시 생명·신체·재산상의 피해가 발생할 우려가 높은 것으로서 대통령령으로 정하는 영업을 말한다.
4. "화재위험평가"란 다중이용업의 영업소(이하 "다중이용업소"라 한다)가 밀집한 지역 또는 건축물에 대하여 화재 발생 가능성과 화재로 인한 불특정 다수인의 생명·신체·재산상의 피해 및 주변에 미치는 영향을 예측·분석하고 이에 대한 대책을 마련하는 것을 말한다.

영 제2조【다중이용업】 「다중이용업소의 안전관리에 관한 특별법」(이하 "법"이라 한다) 제2조제1항제1호에서 "대통령령으로 정하는 영업"이란 다음 각 호의 영업을 말한다. 다만, 영업을 옥외 시설 또는 옥외 장소에서 하는 경우 그 영업은 제외한다. <개정 2022.3.15., 2022.11.29., 2023.12.12.>

1. 「식품위생법 시행령」 제21조제8호에 따른 식품접객업 중 다음 각 목의 어느 하나에 해당하는 것
 가. 휴게음식점영업·제과점영업 또는 일반음식점영업으로서 영업장으로 사용하는 바닥면적(「건축법 시행령」 제119조제1항제3호에 따라 산정한 면적을 말한다. 이하 같다)의 합계가 100제곱미터(영업장이 지하층에 설치된 경우에는 그 영업장의 바닥면적 합계가 66제곱미터) 이상인 것. 다만, 영업장(내부계단으로 연결된 복층구조의 영업장을 제외한다)이 다음의 어느 하나에 해당하는 층에 설치되고 그 영업장의 주된 출입구가 건축물 외부의 지면과 직접 연결되는 곳에서 하는 영업을 제외한다.
  1) 지상 1층
  2) 지상과 직접 접하는 층
 나. 단란주점영업과 유흥주점영업
1의2. 「식품위생법 시행령」 제21조제9호에 따른 공유주방 운영업 중 휴게음식점영업·제과점영업 또는 일반음식점영업에 사용되는 공유주방을 운영하는 영업으로서 영업장 바닥면적의 합계가 100제곱미터(영업장이 지하층에 설치된 경우에는 그 바닥면적 합계가 66제곱미터) 이상인 것. 다만, 영업장(내부계단으로 연결된 복층구조의 영업장은 제외한다)이 다음 각 목의 어느 하나에 해당하는 층에 설치되고 그 영업장의 주된 출입구가 건축물 외부의 지면과 직접 연결되는 곳에서 하는 영업은 제외한다. <신설 2021.12.30>
 가. 지상 1층
 나. 지상과 직접 접하는 층
2. 「영화 및 비디오물의 진흥에 관한 법률」 제2조제10호, 같은 조 제16호가목·나목 및 라목에 따른 영화상영관·비디오물감상실업·비디오물소극장업 및 복합영상물제공업
3. 「학원의 설립·운영 및 과외교습에 관한 법률」 제2조제1호에 따른 학원(이하 "학원"이라 한다)으로서 다음 각 목의 어느 하나에 해당하는 것
 가. 「소방시설 설치 및 관리에 관한 법률 시행령」 별표 4에 따라 산정된 수용인원(이하 "수용인원"이라 한다)이 300명 이상인 것
 나. 수용인원 100명 이상 300명 미만으로서 다음의 어느 하나에 해당하는 것. 다만, 학원으로 사용하는 부분과 다른 용도로 사용하는 부분(학원의 운영권자를 달리하는 학원과 학원을 포함한다)이 「건축법 시행령」 제46조에 따른 방화구획으로 나누어진 경우는 제외한다.
  (1) 하나의 건축물에 학원과 기숙사가 함께 있는 학원
  (2) 하나의 건축물에 학원이 둘 이상 있는 경우로서 학원의 수용인원이 300명 이상인 학원
  (3) 하나의 건축물에 제1호, 제2호, 제4호부터 제7호까지, 제7호의2부터 제7호의5까지 및 제8호의 다중이용업 중 어느 하나 이상의 다중이용업과 학원이 함께 있는 경우
4. 목욕장업으로서 다음 각 목에 해당하는 것
 가. 하나의 영업장에서 「공중위생관리법」 제2조제1항제3호가목에 따른 목욕장업 중 맥반석·황토·옥 등을 직접 또는 간접 가열하여 발생하는 열기나 원적외선 등을 이용하여 땀을 배출하게 할 수 있는 시설 및 설비를 갖춘 것으로서 수용인원(물로 목욕을 할 수 있는 시설부분의 수용인원은 제외한다)이 100명 이상인 것
 나. 「공중위생관리법」 제2조제1항제3호나목의 시설 및 설비를 갖춘 목욕장업
5. 「게임산업진흥에 관한 법률」 제2조제6호·제6호의2·제7호 및 제8호의 게임제공업·인터넷컴퓨터게임시설제공업 및 복합유통게임제공업. 다만, 게임제공업 및 인터넷컴퓨터게임시설제공업의 경우에는 영업장(내부계단으로 연결된 복층구조의 영업장은 제외한다)이 다음 각 목의 어느 하나에 해당하는 층에 설치되고 그 영업장의 주된 출입구가 건축물 외부의 지면과 직접 연결된 구조에 해당하는 경우는 제외한다.
 가. 지상 1층
 나. 지상과 직접 접하는 층
6. 「음악산업진흥에 관한 법률」 제2조제13호에 따른 노래연습장업
7. 「모자보건법」 제2조제10호에 따른 산후조리업
7의2. 고시원업[구획된 실(室) 안에 학습자가 공부할 수 있는 시설을 갖추고 숙박 또는 숙식을 제공하

는 형태의 영업]

7의3. 「사격 및 사격장 안전관리에 관한 법률 시행령」 제2조제1항 및 별표 1에 따른 권총사격장(실내 사격장에 한정하며, 같은 조 제1항에 따른 종합사격장에 설치된 경우를 포함한다)

7의4. 「체육시설의 설치·이용에 관한 법률」 제10조제1항제2호에 따른 가상체험 체육시설업(실내에 1개 이상의 별도의 구획된 실을 만들어 골프 종목의 운동이 가능한 시설을 경영하는 영업으로 한정한다) <개정 2021.3.2>

7의5. 「의료법」 제82조제4항에 따른 안마시술소

8. 법 제15조제2항에 따른 화재안전등급(이하 "화재안전등급"이라 한다)이 제11조제1항에 해당하거나 화재발생시 인명피해가 발생할 우려가 높은 불특정다수인이 출입하는 영업으로서 행정안전부령으로 정하는 영업. 이 경우 소방청장은 관계 중앙행정기관의 장과 미리 협의하여야 한다.

2. 「학교안전사고 예방 및 보상에 관한 법률」

법 제2조【정의】

1. "학교"라 함은 다음 각 목의 어느 하나에 해당하는 기관 또는 시설을 말한다.
   가. 「유아교육법」 제2조제2호의 규정에 따른 유치원(이하 "유치원"이라 한다)
   나. 「초·중등교육법」 제2조의 규정에 따른 학교(이하 "초·중등학교"라 한다)
   다. 「평생교육법」 제20조제2항의 규정에 따라 고등학교 졸업 이하의 학력이 인정되는 평생교육시설(이하 "평생교육시설"이라 한다)
   라. 「재외국민의 교육지원 등에 관한 법률」 제2조제3호에 따른 한국학교

3. 「유통산업발전법」

법 제2조【정의】

3. "대규모점포"란 다음 각 목의 요건을 모두 갖춘 매장을 보유한 점포의 집단으로서 별표에 규정된 것을 말한다.
   가. 하나 또는 대통령령으로 정하는 둘 이상의 연접되어 있는 건물 안에 하나 또는 여러 개로 나누어 설치되는 매장일 것
   나. 상시 운영되는 매장일 것
   다. 매장면적의 합계가 3천제곱미터 이상일 것
4. "준대규모점포"란 다음 각 목의 어느 하나에 해당하는 점포로서 대통령령으로 정하는 것을 말한다.
   가. 대규모점포를 경영하는 회사 또는 그 계열회사(「독점규제 및 공정거래에 관한 법률」에 따른 계열회사를 말한다)가 직영하는 점포
   나. 「독점규제 및 공정거래에 관한 법률」에 따른 상호출자제한기업집단의 계열회사가 직영하는 점포
   다. 가목 및 나목의 회사 또는 계열회사가 제6호가목에 따른 직영점형 체인사업 및 같은 호 나목에 따른 프랜차이즈형 체인사업의 형태로 운영하는 점포

4. 「공동주택관리법」

법 제2조【정의】

2. "의무관리대상 공동주택"이란 해당 공동주택을 전문적으로 관리하는 자를 두고 자치 의결기구를 의무적으로 구성하여야 하는 등 일정한 의무가 부과되는 공동주택으로서, 다음 각 목 중 어느 하나에 해당하는 공동주택을 말한다.
   가. 300세대 이상의 공동주택
   나. 150세대 이상으로서 승강기가 설치된 공동주택
   다. 150세대 이상으로서 중앙집중식 난방방식(지역난방방식을 포함한다)의 공동주택
   라. 「건축법」 제11조에 따른 건축허가를 받아 주택 외의 시설과 주택을 동일 건축물로 건축한 건축물로서 주택이 150세대 이상인 건축물
   마. 가목부터 라목까지에 해당하지 아니하는 공동주택 중 입주자등이 대통령령으로 정하는 기준에 따라 동의하여 정하는 공동주택

건축법
1. 총 칙
2. 건 축
3. 유지관리
4. 대지도로
5. 구조재료
6. 지역지구
7. 건축설비
8. 특별건축구역
9. 보 칙
10. 벌 칙
건축법 관련기준

법 제34조【소규모 공동주택의 안전관리】 지방자치단체의 장은 의무관리대상 공동주택에 해당하지 아니하는 공동주택(이하 "소규모 공동주택"이라 한다)의 관리와 안전사고의 예방 등을 위하여 다음 각 호의 업무를 할 수 있다. <개정 2023.10.24./시행 2024.4.25.>
1. 제32조에 따른 시설물에 대한 안전관리계획의 수립 및 시행
2. 제33조에 따른 공동주택에 대한 안전점검
3. 그 밖에 지방자치단체의 조례로 정하는 사항

3 건축물의 긴급점검의 실시(건관법 제14조)(영 제9조)

▶ 「건축물관리법」

법 제14조【긴급점검의 실시】
① 특별자치시장·특별자치도지사 또는 시장·군수·구청장은 다음 각 호의 어느 하나에 해당하는 경우 해당 건축물의 관리자에게 건축물의 구조안전, 화재안전 등을 점검하도록 요구하여야 한다.
1. 재난 등으로부터 건축물의 안전을 확보하기 위하여 점검이 필요하다고 인정되는 경우
2. 건축물의 노후화가 심각하여 안전에 취약하다고 인정되는 경우
3. 그 밖에 대통령령으로 정하는 경우
② 제1항에 따른 점검(이하 "긴급점검"이라 한다)은 관리자가 긴급점검 실시 요구를 받은 날부터 1개월 이내에 실시하여야 한다.
③ 긴급점검의 항목, 절차, 방법 등 필요한 사항은 대통령령으로 정한다.

영 제9조【긴급점검의 실시】
① 법 제14조제1항제3호에서 "대통령령으로 정하는 경우"란 다음 각 호의 경우를 말한다.
1. 부실 설계 또는 시공 등으로 인하여 건축물의 붕괴·전도 등이 발생할 위험이 있다고 판단되는 경우
2. 그 밖에 건축물의 안전한 이용에 중대한 영향을 미칠 우려가 있다고 인정되는 경우 등 시·군·구 조례로 정하는 경우
② 법 제14조제1항에 따른 점검(이하 "긴급점검"이라 한다)의 항목은 다음 각 호의 구분에 따른다.
1. 구조안전: 「건축법」 제48조에 적합한지 여부
2. 화재안전: 「건축법」 제49조, 제50조, 제50조의2, 제51조, 제52조, 제52조의2 및 제53조에 적합한지 여부
3. 그 밖에 건축물의 안전을 확보하기 위하여 점검이 필요하다고 인정되는 항목
③ 법 제14조제2항에 따라 긴급점검의 실시를 요구받은 건축물의 관리자는 법 제18조제1항에 따라 지정을 통지받은 건축물관리점검기관에 점검을 의뢰해야 한다.

해설 재난 등으로부터 건축물의 안전을 확보하기 위하여 점검이 필요하다고 인정하는 경우 등에 해당하는 경우 시장·군수·구청장 등이 해당 건축물의 관리자에게 긴급점검을 요구하도록 하고, 관리자는 요구를 받은 날부터 1개월 이내에 건축물의 구조안전, 화재안전 등의 긴급점검을 실시하도록 규정하고 있다.

건 축 법
1. 총 칙
2. 건 축
3. 유지관리
4. 대지도로
5. 구조재료
6. 지역지구
7. 건축설비
8. 특별건축구역
9. 보 칙
10. 벌 칙
건 축 법 관련기준

【1】 긴급점검 대상

1. 재난 등으로부터 건축물의 안전을 확보하기 위하여 점검이 필요하다고 인정되는 경우
2. 건축물의 노후화가 심각하여 안전에 취약하다고 인정되는 경우
3. 부실 설계 또는 시공 등으로 인하여 건축물의 붕괴·전도 등이 발생할 위험이 있다고 판단되는 경우
4. 그 밖에 건축물의 안전한 이용에 중대한 영향을 미칠 우려가 있다고 인정되는 경우 등 시·군·구 조례로 정하는 경우

【2】 점검의 시기

관리자가 긴급점검 실시 요구를 받은 날부터 1개월 이내에 실시하여야 한다.

【3】 긴급점검 항목

항 목	점검 내용(적합여부 확인 대상 규정)
1. 구조안전	건축법 제48조(구조내력 등)
2. 화재안전	건축법 제49조(건축물의 피난시설 및 용도제한 등), 제50조(건축물의 내화구조와 방화벽), 제50조의2(고층건축물의 피난 및 안전관리), 제51조(방화지구 안의 건축물), 제52조(건축물의 마감재료), 제52조의2(실내건축), 제53조(지하층)
3. 그 밖에	건축물의 안전을 확보하기 위하여 점검이 필요하다고 인정되는 항목

【4】 긴급점검의 방법

긴급점검의 실시를 요구받은 건축물의 관리자는 특별자치시장·특별자치도지사 또는 시장·군수·구청장에게 지정을 통지받은 건축물관리점검기관에 점검을 의뢰해야 한다.

【참고】 건축물관리점검지침(국토교통부고시 제2022-332호, 2022.6.20.)

제9조【긴급점검】

긴급점검은 법 제14조에 따라 재난 등으로부터 건축물의 안전을 확보하기 위하여 점검이 필요하다고 인정되는 경우나 건축물의 노후가 심각하여 안전에 취약하다고 인정되는 경우 등 건축물의 안전을 확보하기 위하여 건축물의 위험요인을 신속하게 발견하기 위한 점검을 말한다.

제11조【정기점검 및 긴급점검의 수행방법】 ➡ 2 【참고】 참조

제12조【정기점검 및 긴급점검 실시자의 자격】 ➡ 2 【참고】 참조

제13조【정기점검 및 긴급점검 실시 과정의 안전관리】 ➡ 2 【참고】 참조

제14조【정기점검 및 긴급점검의 계획수립】 ➡ 2 【참고】 참조

제15조【긴급점검 내용】

점검자는 다음 각 호에 따라 대상 건축물에 대한 긴급점검을 수행하여야 하며, 점검결과를 별지 제1호 및 제4호 서식에 따라 작성하여야 한다.

1. 구조안전 : 제15조제1항제3호와 같음
2. 화재안전 : 제15조제1항제4호와 같음

제17조【정기점검 및 긴급점검 실시요령】 ➡ 2 【참고】 참조

4 소규모 노후 건축물등에 대한 안전점검(건관법 제15조)(영 제10조)

▶「건축물관리법」

법 제15조【소규모 노후 건축물등 점검의 실시】

① 특별자치시장·특별자치도지사 또는 시장·군수·구청장은 다음 각 호의 어느 하나에 해당하는 건축물 중 안전에 취약하거나 재난의 위험이 있다고 판단되는 건축물을 대상으로 구조안전, 화재안전 및 에너지성능 등을 점검할 수 있다.

1. 사용승인 후 30년 이상 지난 건축물 중 조례로 정하는 규모의 건축물
2. 「건축법」 제2조제2항제11호에 따른 노유자시설
3. 「장애인·고령자 등 주거약자 지원에 관한 법률」 제2조제2호에 따른 주거약자용 주택
4. 그 밖에 대통령령으로 정하는 건축물

② 특별자치시장·특별자치도지사 또는 시장·군수·구청장은 제1항에 따른 점검(이하 "소규모 노후 건축물등 점검"이라 한다)결과를 해당 관리자에게 제공하고 점검결과에 대한 개선방안 등을 제시하여야 한다.

③ 특별자치시장·특별자치도지사 또는 시장·군수·구청장은 소규모 노후 건축물등 점검결과에 따라 보수·보강 등에 필요한 비용의 전부 또는 일부를 보조하거나 융자할 수 있으며, 보수·보강 등에 필요한 기술적 지원을 할 수 있다.

④ 소규모 노후 건축물등 점검의 실시 절차 및 방법 등 필요한 사항은 대통령령으로 정한다.

영 제10조【소규모 노후 건축물등 점검의 실시】

① 법 제15조제1항제4호에서 "대통령령으로 정하는 건축물"이란 다음 각 호의 어느 하나에 해당하는 건축물을 말한다.

1. 「건축법」 제5조제1항 및 같은 법 시행령 제6조제1항제6호가목에 따른 리모델링 활성화 구역 내 건축물
2. 「국토의 계획 및 이용에 관한 법률」 제37조제1항제4호에 따른 방재지구 내 건축물
3. 「도시 및 주거환경정비법」 제20조 및 제21조에 따라 해제된 정비예정구역 또는 정비구역 내 건축물
4. 「도시재생 활성화 및 지원에 관한 특별법」 제2조제1항제5호에 따른 도시재생활성화지역 내 건축물
5. 「자연재해대책법」 제12조제1항에 따른 자연재해위험개선지구 내 건축물
6. 「건축법」 제정일(1962년 1월 20일) 이전에 건축된 건축물
7. 그 밖에 안전에 취약하거나 재난 발생 우려가 큰 건축물 등 시·군·구 조례로 정하는 건축물

② 특별자치시장·특별자치도지사 또는 시장·군수·구청장은 제12조제3항의 명부에서 건축물관리점검기관을 지정하여 법 제15조제1항에 따른 점검(이하 "소규모 노후 건축물등 점검"이라 한다)을 요청할 수 있다. 이 경우 특별자치시장·특별자치도지사 또는 시장·군수·구청장은 다음 각 호의 사항을 건축물관리점검기관에 통보해야 한다.

1. 대상 건축물의 용도 및 구조
2. 대상 건축물의 위치 및 규모
3. 점검이 필요하다고 판단한 사유

③ 제2항에 따라 점검을 요청받은 건축물관리점검기관은 해당 건축물의 관리실태 등을 검토하고 점검의 시기 및 방법 등을 정하여 해당 건축물의 관리자와 특별자치시장·특별자치도지사 또는 시장·군수·구청장에게 통보해야 한다.

해설 특별자치시장・특별자치도지사 또는 시장・군수・구청장이 사용승인 후 30년 이상 지난 일정한 규모의 건축물 등에 해당하는 건축물 중 안전에 취약하거나 재난의 위험이 있다고 판단되는 건축물을 대상으로 구조안전, 화재안전 및 에너지성능 등을 점검할 수 있도록 하고, 시장・군수・구청장 등이 이러한 소규모 노후 건축물 등 점검결과에 따라 보수・보강 등에 필요한 비용을 보조하는 등의 지원을 할 수 있도록 규정하였다.

【1】 소규모 노후 건축물등 점검 대상

점검 대상	근거규정 관계법
1. 사용승인 후 30년 이상 지난 건축물 중 조례로 정하는 규모의 건축물	
2. 노유자시설	「건축법」 제2조제2항제11호
3. 주거약자용 주택	「장애인・고령자 등 주거약자 지원에 관한 법률」 제2조제2호
4. 리모델링 활성화 구역 내 건축물	「건축법」 제5조제1항 및 같은 법 시행령 제6조제1항제6호가목
5. 방재지구 내 건축물	「국토의 계획 및 이용에 관한 법률」 제37조제1항제4호
6. 해제된 정비예정구역 또는 정비구역 내 건축물	「도시 및 주거환경정비법」 제20조 및 제21조
7. 도시재생활성화지역 내 건축물	「도시재생 활성화 및 지원에 관한 특별법」 제2조제1항제5호
8. 자연재해위험개선지구 내 건축물	「자연재해대책법」 제12조제1항
9. 「건축법」 제정일(1962년 1월 20일) 이전에 건축된 건축물	
10. 그 밖에 안전에 취약하거나 재난 발생 우려가 큰 건축물 등 시・군・구 조례로 정하는 건축물	

【2】 특별자치시장・특별자치도지사 또는 시장・군수・구청장의 안전점검 직권 시행

① 특별자치시장・특별자치도지사 또는 시장・군수・구청장은 다음 위 【1】의 건축물 중 안전에 취약하거나 재난의 위험이 있다고 판단되는 건축물을 대상으로 구조안전, 화재안전 및 에너지성능 등을 점검할 수 있다.

② 특별자치시장・특별자치도지사 또는 시장・군수・구청장은 소규모 노후 건축물등 점검결과를 해당 관리자에게 제공하고 점검결과에 대한 개선방안 등을 제시하여야 한다.

③ 특별자치시장・특별자치도지사 또는 시장・군수・구청장은 소규모 노후 건축물등 점검결과에 따라 보수・보강 등에 필요한 비용의 전부 또는 일부를 보조하거나 융자할 수 있으며, 보수・보강 등에 필요한 기술적 지원을 할 수 있다.

④ 특별자치시장・특별자치도지사 또는 시장・군수・구청장은 명부에서 건축물관리점검기관을 지정하여 소규모 노후 건축물등 점검을 요청할 수 있다. 이 경우 허가권자는 다음 사항을 건축물관리점검기관에 통보해야 한다.

1. 대상 건축물의 용도 및 구조
2. 대상 건축물의 위치 및 규모
3. 점검이 필요하다고 판단한 사유

⑤ 점검을 요청받은 건축물관리점검기관은 해당 건축물의 관리실태 등을 검토하고 점검의 시기 및 방법 등을 정하여 해당 건축물의 관리자와 허가권자에게 통보해야 한다.

【참고】 건축물관리점검지침(국토교통부고시 제2022-332호, 2022.6.20.)

제18조【소규모 노후 건축물등 점검】소규모 노후 건축물등 점검은 법 제15조에 따라 특별자치시장·특별자치도지사 또는 시장·군수·구청장이 안전에 취약하거나 재난의 위험이 있다고 판단되는 건축물의 안전을 확보하기 위해 실시하는 점검을 말한다.

제19조【소규모 노후 건축물등 점검 수행방법】소규모 노후 건축물등 점검은 제23조의 내용을 수행할 수 있는 경험과 기술을 갖춘 사람이 항목별 점검업무를 충실하게 수행하여야 한다.

제20조【소규모 노후 건축물등 점검 실시자의 자격】소규모 노후 건축물등 점검자는 영 별표 2에 따른 자격기준을 갖추고 영 별표 3에 따른 교육을 이수하여야 한다.

제21조【소규모 노후 건축물등 점검 실시 과정의 안전관리】소규모 노후 건축물등 점검 실시 과정의 안전관리에 관하여는 제13조의 규정을 준용한다.

제22조【정소규모 노후 건축물등 점검의 계획수립】① 점검책임자는 소규모 노후 건축물등 점검에 사용하기 위하여 관리자에게 제14조제1항 각 호에 해당하는 자료를 제공 받을 수 있다.
② 점검책임자는 관리자에게 제공받은 자료 등을 이용하여 제14조제3항 각 호의 사항을 포함한 점검계획을 수립하여야 한다.

제23조【소규모 노후 건축물등 점검 내용】① 점검자는 다음 각 호에 따라 대상 건축물에 대한 점검을 수행하여야 하며, 점검결과를 별지 제5호 및 제6호 서식에 따라 작성하여야 한다.
1. 구조안전 : 건축물의 수선 및 용도변경 등에 따른 건축물 하중의 변화여부와 구조의 변경에 따른 주요구조부의 심각한 균열발생 여부와 건축물 마감재 등의 안전성 적합여부를 점검한다.
2. 화재안전 : 화재 등 재난 및 재해로부터 재실자의 안전한 피난과 인명피해를 감소시킬 수 있는 적합한 피난설비의 설치여부와 계단·복도·출구, 옥상광장 등의 피난통로에 적재물 등 통행을 방해하는 요소가 존재하는지를 점검한다. 또한 방화구획, 경계벽·칸막이벽, 내화구조, 내부마감재료, 지하층 등이 당초 설계기준대로 유지되어 화재확산을 방지하고, 인명의 피해를 최소화 할 수 있는 구조와 재료로 유지되고 있는 지를 점검한다.
3. 에너지성능 등: 건축물의 노후화, 균열 및 창호의 재료열화 등에 따른 열손실로 에너지가 새어나가거나, 에너지 사용 효율이 현저히 떨어질 것으로 우려되는 부위가 존재하는지 점검하고, 에너지 효율 개선 필요성을 제시하여야 한다. 냉·난방, 급수, 배수 등의 설비시설이 노후화, 재료열화 등에 따른 열손실로 에너지가 새어나가거나, 에너지 사용 효율이 현저히 떨어질 것으로 우려되는 부위가 존재하는지 점검하고, 에너지 효율 개선 필요성을 제시하여야 한다.

② 점검자가 점검 대상 건축물에 딸린 공작물의 점검을 실시할 경우 점검결과를 별지 제3호 서식에 따라 작성하여야 한다.

제17조【소규모 노후 건축물등 점검 실시요령】본 지침에서 규정하지 아니하는 소규모 노후 건축물등 점검 실시방법·절차 등 구체적인 사항에 대해서는 「소규모 노후 건축물등 점검 매뉴얼」에 따르며, 공작물의 점검을 실시할 경우 「건축물 정기점검 매뉴얼」에 따른다.

관계법 [4] 소규모 노후 건축물등에 대한 안전점검관련 관계법

1. 「장애인·고령자 등 주거약자 지원에 관한 법률」

법 제2조【정의】
2. “주거약자용 주택”이란 다음 각 목의 어느 하나에 해당하는 주택을 말한다.
가. 주거약자에게 임대할 목적으로 건설하는 「민간임대주택에 관한 특별법」 제2조제2호의 민간건설

건축법
1. 총 칙
2. 건 축
3. 유지관리
4. 대지도로
5. 구조재료
6. 지역지구
7. 건축설비
8. 특별건축구역
9. 보 칙
10. 벌 칙
건축법 관련기준

임대주택
나. 주거약자에게 임대할 목적으로 개조한 「민간임대주택에 관한 특별법」 제2조제2호의 민간건설임대주택 또는 같은 조 제3호의 민간매입임대주택
다. 「공공주택 특별법」 제2조제1호가목의 공공임대주택으로서 가목과 나목에 준하는 주택
라. 주거약자가 거주하는 주택으로서 제15조의 주택개조비용을 지원받아 개조한 주택

2. 「국토의 계획 및 이용에 관한 법률」

법 제37조 【용도지구의 지정】 ① 국토교통부장관, 시·도지사 또는 대도시 시장은 다음 각 호의 어느 하나에 해당하는 용도지구의 지정 또는 변경을 도시·군관리계획으로 결정한다. <개정 2017.4.18.>
1. 경관지구: 경관의 보전·관리 및 형성을 위하여 필요한 지구
2. 고도지구: 쾌적한 환경 조성 및 토지의 효율적 이용을 위하여 건축물 높이의 최고한도를 규제할 필요가 있는 지구
3. 방화지구: 화재의 위험을 예방하기 위하여 필요한 지구
4. 방재지구: 풍수해, 산사태, 지반의 붕괴, 그 밖의 재해를 예방하기 위하여 필요한 지구
5. "이후 생략"

3. 「도시 및 주거환경정비법」

법 제20조 【정비구역등의 해제】 ① 정비구역의 지정권자는 다음 각 호의 어느 하나에 해당하는 경우에는 정비구역등을 해제하여야 한다. <개정 2018.6.12.>
1. 정비예정구역에 대하여 기본계획에서 정한 정비구역 지정 예정일부터 3년이 되는 날까지 특별자치시장, 특별자치도지사, 시장 또는 군수가 정비구역을 지정하지 아니하거나 구청장등이 정비구역의 지정을 신청하지 아니하는 경우
2. 재개발사업·재건축사업[제35조에 따른 조합(이하 "조합"이라 한다)이 시행하는 경우로 한정한다]이 다음 각 목의 어느 하나에 해당하는 경우
가. 토지등소유자가 정비구역으로 지정·고시된 날부터 2년이 되는 날까지 제31조에 따른 조합설립추진위원회(이하 "추진위원회"라 한다)의 승인을 신청하지 아니하는 경우
나. 토지등소유자가 정비구역으로 지정·고시된 날부터 3년이 되는 날까지 제35조에 따른 조합설립인가(이하 "조합설립인가"라 한다)를 신청하지 아니하는 경우(제31조제4항에 따라 추진위원회를 구성하지 아니하는 경우로 한정한다)
다. 추진위원회가 추진위원회 승인일부터 2년이 되는 날까지 조합설립인가를 신청하지 아니하는 경우
라. 조합이 조합설립인가를 받은 날부터 3년이 되는 날까지 제50조에 따른 사업시행계획인가(이하 "사업시행계획인가"라 한다)를 신청하지 아니하는 경우
3. 토지등소유자가 시행하는 재개발사업으로서 토지등소유자가 정비구역으로 지정·고시된 날부터 5년이 되는 날까지 사업시행계획인가를 신청하지 아니하는 경우

② 구청장등은 제1항 각 호의 어느 하나에 해당하는 경우에는 특별시장·광역시장에게 정비구역등의 해제를 요청하여야 한다.

③ 특별자치시장, 특별자치도지사, 시장, 군수 또는 구청장등이 다음 각 호의 어느 하나에 해당하는 경우에는 30일 이상 주민에게 공람하여 의견을 들어야 한다.
1. 제1항에 따라 정비구역등을 해제하는 경우
2. 제2항에 따라 정비구역등의 해제를 요청하는 경우

④ 특별자치시장, 특별자치도지사, 시장, 군수 또는 구청장등은 제3항에 따른 주민공람을 하는 경우에는 지방의회의 의견을 들어야 한다. 이 경우 지방의회는 특별자치시장, 특별자치도지사, 시장, 군수 또는 구청장등이 정비구역등의 해제에 관한 계획을 통지한 날부터 60일 이내에 의견을 제시하여야 하며, 의견제시 없이 60일이 지난 경우 이의가 없는 것으로 본다.

⑤ 정비구역의 지정권자는 제1항부터 제4항까지의 규정에 따라 정비구역등의 해제를 요청받거나 정비구역등을 해제하려면 지방도시계획위원회의 심의를 거쳐야 한다. 다만, 「도시재정비 촉진을 위한 특별

법」 제5조에 따른 재정비촉진지구에서는 같은 법 제34조에 따른 도시재정비위원회(이하 "도시재정비위원회"라 한다)의 심의를 거쳐 정비구역등을 해제하여야 한다. <개정 2021.4.13>

⑥ 제1항에도 불구하고 정비구역의 지정권자는 다음 각 호의 어느 하나에 해당하는 경우에는 제1항제1호부터 제3호까지의 규정에 따른 해당 기간을 2년의 범위에서 연장하여 정비구역등을 해제하지 아니할 수 있다.

1. 정비구역등의 토지등소유자(조합을 설립한 경우에는 조합원을 말한다)가 100분의 30 이상의 동의로 제1항제1호부터 제3호까지의 규정에 따른 해당 기간이 도래하기 전까지 연장을 요청하는 경우
2. 정비사업의 추진 상황으로 보아 주거환경의 계획적 정비 등을 위하여 정비구역등의 존치가 필요하다고 인정하는 경우

⑦ 정비구역의 지정권자는 제5항에 따라 정비구역등을 해제하는 경우(제6항에 따라 해제하지 아니한 경우를 포함한다)에는 그 사실을 해당 지방자치단체의 공보에 고시하고 국토교통부장관에게 통보하여야 하며, 관계 서류를 일반인이 열람할 수 있도록 하여야 한다.

법 제21조 【정비구역등의 직권해제】 ① 정비구역의 지정권자는 다음 각 호의 어느 하나에 해당하는 경우 지방도시계획위원회의 심의를 거쳐 정비구역등을 해제할 수 있다. 이 경우 제1호 및 제2호에 따른 구체적인 기준 등에 필요한 사항은 시·도조례로 정한다. <개정 2020.6.9.>

1. 정비사업의 시행으로 토지등소유자에게 과도한 부담이 발생할 것으로 예상되는 경우
2. 정비구역등의 추진 상황으로 보아 지정 목적을 달성할 수 없다고 인정되는 경우
3. 토지등소유자의 100분의 30 이상이 정비구역등(추진위원회가 구성되지 아니한 구역으로 한정한다)의 해제를 요청하는 경우
4. 제23조제1항제1호에 따른 방법으로 시행 중인 주거환경개선사업의 정비구역이 지정·고시된 날부터 10년 이상 지나고, 추진 상황으로 보아 지정 목적을 달성할 수 없다고 인정되는 경우로서 토지등소유자의 과반수가 정비구역의 해제에 동의하는 경우
5. 추진위원회 구성 또는 조합 설립에 동의한 토지등소유자의 2분의 1 이상 3분의 2 이하의 범위에서 시·도조례로 정하는 비율 이상의 동의로 정비구역의 해제를 요청하는 경우(사업시행계획인가를 신청하지 아니한 경우로 한정한다)
6. 추진위원회가 구성되거나 조합이 설립된 정비구역에서 토지등소유자 과반수의 동의로 정비구역의 해제를 요청하는 경우(사업시행계획인가를 신청하지 아니한 경우로 한정한다)

② 제1항에 따른 정비구역등의 해제의 절차에 관하여는 제20조제3항부터 제5항까지 및 제7항을 준용한다.

③ 제1항에 따라 정비구역등을 해제하여 추진위원회 구성승인 또는 조합설립인가가 취소되는 경우 정비구역의 지정권자는 해당 추진위원회 또는 조합이 사용한 비용의 일부를 대통령령으로 정하는 범위에서 시·도조례로 정하는 바에 따라 보조할 수 있다.

4. 「도시재생 활성화 및 지원에 관한 특별법」

법 제2조 【정의】

5. "도시재생활성화지역"이란 국가와 지방자치단체의 자원과 역량을 집중함으로써 도시재생을 위한 사업의 효과를 극대화하려는 전략적 대상지역으로 그 지정 및 해제를 도시재생전략계획으로 결정하는 지역을 말한다.

5. 「자연재해대책법」

법 제12조 【자연재해위험개선지구의 지정 등】 ① 시장·군수·구청장은 상습침수지역, 산사태위험지역 등 지형적인 여건 등으로 인하여 재해가 발생할 우려가 있는 지역을 자연재해위험개선지구로 지정·고시하고, 그 결과를 시·도지사를 거쳐(특별자치시장이 보고하는 경우는 제외한다) 행정안전부장관과 관계 중앙행정기관의 장에게 보고하여야 한다. 이 경우 「토지이용규제 기본법」 제8조제2항에 따라 지형도면을 함께 고시하여야 한다.

5 안전진단의 실시(건관법 제16조)(영 제11조)

▶「건축물관리법」

법 제16조【안전진단의 실시】

① 관리자는 제13조에 따른 정기점검, 제14조에 따른 긴급점검 또는 제15조에 따른 소규모 노후 건축물등 점검을 실시한 결과, 건축물의 안전성 확보를 위하여 필요하다고 인정되는 경우 건축물의 안전성 결함의 원인 등을 조사·측정·평가하여 보수·보강 등의 방안을 제시하는 진단을 실시하여야 한다.

② 특별자치시장·특별자치도지사 또는 시장·군수·구청장은 다음 각 호의 어느 하나에 해당하는 경우 해당 관리자에게 제1항에 따른 진단(이하 "안전진단"이라 한다)을 실시할 것을 요구할 수 있다. 이 경우 요구를 받은 자는 특별한 사유가 없으면 이에 따라야 한다. <개정 2020.6.9.>

1. 건축물에 중대한 결함이 발생한 경우
2. 건축물의 붕괴·전도 등이 발생할 위험이 있다고 판단하는 경우
3. 재난 예방을 위하여 안전진단이 필요하다고 인정되는 경우
4. 그 밖에 건축물의 성능이 낮아져 공중의 안전을 침해할 우려가 있는 것으로 대통령령으로 정하는 경우

③ 국토교통부장관은 건축물의 구조상 공중의 안전한 이용에 중대한 영향을 미칠 우려가 있어 안전진단이 필요하다고 판단하는 경우에는 특별자치시장·특별자치도지사 또는 시장·군수·구청장에게 안전진단을 실시할 것을 요구하거나, 「시설물의 안전 및 유지관리에 관한 특별법」 제28조제1항에 따라 등록한 안전진단전문기관(이하 "안전진단전문기관"이라 한다) 또는 「국토안전관리원법」에 따른 국토안전관리원(이하 "국토안전관리원"이라 한다)에 의뢰하여 안전진단을 실시할 수 있다. <개정 2020.6.9.>

④ 제3항에 따라 안전진단을 실시하는 안전진단전문기관이나 국토안전관리원은 관계인에게 필요한 질문을 하거나 관계 서류 등을 열람할 수 있다. <개정 2020.6.9.>

⑤ 제3항에 따라 안전진단을 실시하는 안전진단전문기관이나 국토안전관리원은 대통령령으로 정하는 바에 따라 결과보고서를 작성하고, 이를 해당 관리자, 국토교통부장관, 특별자치시장·특별자치도지사 또는 시장·군수·구청장에게 제출하여야 한다. <개정 2020.6.9.>

⑥ 국토교통부장관, 특별자치시장·특별자치도지사 또는 시장·군수·구청장은 제3항에 따른 안전진단 결과에 따라 보수·보강 등의 조치가 필요하다고 인정하는 경우에는 해당 관리자에게 보수·보강 등의 조치를 취할 것을 명할 수 있다.

⑦ 제3항에 따라 특별자치시장·특별자치도지사 또는 시장·군수·구청장이 안전진단을 실시한 경우 결과보고서를 국토교통부장관에게 제출하여야 한다.

영 제11조【안전진단의 실시】

① 법 제16조제2항제4호에서 "대통령령으로 정하는 경우"란 다음 각 호의 어느 하나에 해당하는 경우를 말한다.

1. 지진·화재 등 재난 발생으로 인하여 구조안전 또는 화재안전의 성능 저하가 우려되어 법 제16조제1항에 따른 진단(이하 "안전진단"이라 한다)이 필요하다고 특별자치시장·특별자치도지사 또는 시장·군수·구청장이 인정하는 경우
2. 그 밖에 시·군·구 조례로 정하는 경우

② 법 제16조제5항에 따른 결과보고서에는 다음 각 호의 사항이 포함되어야 한다.

1. 건축물의 개요, 안전진단의 범위 및 과업 내용 등 안전진단의 개요
2. 설계도면, 구조계산서 및 보수·보강 이력 등 자료수집 및 분석 결과
3. 외관조사 결과 분석, 재료 시험·측정 결과 분석 등 현장조사 및 시험 결과
4. 건축물의 상태평가 결과
5. 건축물의 구조해석 등 안전성평가 결과
6. 건축물의 종합평가 결과
7. 보수·보강방법
8. 종합결론 및 추가 보완이 필요한 사항
9. 그 밖에 안전진단에 관한 것으로서 국토교통부장관이 정하는 사항

③ 법 제16조제3항에 따라 안전진단을 의뢰받은 기관은 안전진단을 완료한 날부터 30일 이내에 같은 조 제5항에 따라 결과보고서를 해당 관리자, 국토교통부장관, 특별자치시장·특별자치도지사 또는 시장·군수·구청장에게 제출해야 한다. 이 경우 건축물 생애이력 정보체계에 입력하는 방법으로 제출할 수 있다.

해설 정기점검, 긴급점검, 소규모 노후 건축물 등 점검을 실시한 결과 건축물의 안전성 확보를 위하여 필요하다고 인정되는 경우 관리자가 안전진단을 실시하도록 규정하였다.

【1】 안전진단

관리자는 정기점검, 긴급점검 또는 소규모 노후 건축물등 점검을 실시한 결과, 건축물의 안전성 확보를 위하여 필요하다고 인정되는 경우 건축물의 안전성 결함의 원인 등을 조사·측정·평가하여 보수·보강 등의 방안을 제시하는 진단을 실시하여야 한다.

【2】 안전진단 대상 및 절차 등

(1) 특별자치시장·특별자치도지사 또는 시장·군수·구청장의 요구에 의한 안전진단

특별자치시장·특별자치도지사 또는 시장·군수·구청장은 다음의 경우 해당 관리자에게 안전진단을 실시할 것을 요구할 수 있다. 이 경우 요구를 받은 자는 특별한 사유가 없으면 이에 따라야 한다.

안전진단 대상(허가권자→관리자)	
1. 건축물에 중대한 결함이 발생한 경우	
2. 건축물의 붕괴·전도 등이 발생할 위험이 있다고 판단하는 경우	
3. 재난 예방을 위하여 안전진단이 필요하다고 인정되는 경우	
4. 그 밖에 건축물의 성능이 낮아져 공중의 안전을 침해할 우려가 있는 것으로 우측란의 경우	▪ 지진·화재 등 재난 발생으로 인하여 구조안전 또는 화재안전의 성능 저하가 우려되어 안전진단이 필요하다고 허가권자가 인정하는 경우
	▪ 그 밖에 시·군·구 조례로 정하는 경우

(2) 국토교통부장관의 요구에 의한 안전진단

안전진단 대상(국토교통부장관→허가권자, 진단기관)	
1. 국토교통부장관의 진단 대상	건축물의 구조상 공중의 안전한 이용에 중대한 영향을 미칠 우려가 있어 안전진단이 필요하다고 판단하는 경우
2. 국토교통부장관의 조치	▪ 허가권자에게 안전진단을 실시할 것을 요구할 수 있음
	▪ 안전진단전문기관[주1], 국토안전관리원[주2]에 의뢰하여 실시할 수 있음

주1) 「시설물의 안전 및 유지관리에 관한 특별법」 제28조제1항, 주2) 「국토안전관리원법」 **관계법**

① 안전진단전문기관이나 국토안전관리원은 관계인에게 필요한 질문을 하거나 관계 서류 등을 열람할 수 있다.

② 안전진단전문기관이나 국토안전관리원은 다음 사항이 포함된 결과보고서를 작성하고, 이를 해당 관리자, 국토교통부장관, 허가권자에게 제출하여야 한다.

▪ 결과보고서에 포함될 사항
1. 건축물의 개요, 안전진단의 범위 및 과업 내용 등 안전진단의 개요
2. 설계도면, 구조계산서 및 보수·보강 이력 등 자료수집 및 분석 결과
3. 외관조사 결과 분석, 재료 시험·측정 결과 분석 등 현장조사 및 시험 결과
4. 건축물의 상태평가 결과
5. 건축물의 구조해석 등 안전성평가 결과
6. 건축물의 종합평가 결과
7. 보수·보강방법
8. 종합결론 및 추가 보완이 필요한 사항
9. 그 밖에 안전진단에 관한 것으로서 국토교통부장관이 정하는 사항

③ 국토교통부장관, 특별자치시장·특별자치도지사 또는 시장·군수·구청장은 안전진단 결과에 따라 보수·보강 등의 조치가 필요하다고 인정하는 경우 해당 관리자에게 보수·보강 등의 조치를 취할 것을 명할 수 있다.

④ 국토교통부장관의 요구로 특별자치시장·특별자치도지사 또는 시장·군수·구청장이 안전진단을 실시한 경우 결과보고서를 국토교통부장관에게 제출하여야 한다.

⑤ 안전진단을 의뢰받은 기관은 안전진단을 완료한 날부터 30일 이내에 결과보고서를 해당 관리자, 국토교통부장관, 특별자치시장·특별자치도지사 또는 시장·군수·구청장에게 제출해야 한다. 이 경우 건축물 생애이력 정보체계에 입력하는 방법으로 제출할 수 있다.

【참고】 건축물관리점검지침(국토교통부고시 제2022-332호, 2022.6.20.)

제27조【안전진단】 ① 안전진단은 법 제16조 따라 건축물의 안전성 결함의 원인 등을 조사·측정·평가하여, 이에 대한 신속하고 적절한 보수·보강 방법 및 조치방안 등을 제시하는 진단을 말한다.
② 건축물 관리자와 점검책임자가 안전진단의 과업 실시를 위해 준비해야 할 사항은 다음 각 호와 같다.
1. 안전진단 과업지시서 등의 작성
2. 안전진단 과업지시서 등의 검토
3. 일정계획 수립
4. 조사·시험 항목의 선정
5. 경험과 기술을 갖춘 기술인력과 소요장비
6. 해당건축물의 설계도서 및 유지관리 관련 자료 등
③ 안전진단을 위한 조사·시험 항목을 선정할 때는 다음 각 호를 고려하여야 한다.
1. 건축물의 구조적 특수성 검토
2. 최신 기술과 실무 경험의 적용

제28조【안전진단 실시자의 자격】 안전진단 점검책임자 및 점검자는 영 별표 2에 따른 자격기준을 갖추고 영 별표 3에 따른 교육을 이수하여야 한다.

제29조【안전진단 실시 과정의 안전관리】 안전진단 실시 과정의 안전관리에 관하여는 제13조의 규정을 준용한다.

제30조【안전진단 결과보고서 작성】 ① 안전진단의 결과보고서는 영 제11조제2항에 각 호에 따른 사항을 포함하여야 하며, 별지 제7호 서식에 따라 작성해야한다.
② 안전진단 결과보고서는 건축물 관리자의 유지관리 업무에 효율적이며 체계적으로 활용 할 수 있도록 과업내용을 중심으로 작성하되, 다음 각 호의 사항을 포함하여야 한다.
1. 계약서 및 대가내역서 2. 과업지시서 3. 보고서 4. 보고서 부록

제31조【안전진단의 실시방법·절차】 이 지침에서 정하지 않은 안전진단 실시방법·절차 등에 관한 사항은 「시설물의 안전 및 유지관리 실시 등에 관한 지침」(국토교통부고시 제2017-1029호)의 제8조제7항, 제12조제2항부터 제7항, 제16조, 제18조부터 제35조, 제36조제1항의 규정을 준용한다. 이 경우 "안전점검등" 및 "정밀안전진단"은 "안전진단", "책임기술자"는 "점검책임자", "참여기술자"는 "점검자"로 본다.

관계법 5 안전진단의 실시관련 관계법

1. 「시설물의 안전 및 유지관리에 관한 특별법」

법 제28조【안전진단전문기관의 등록 등】 ① 시설물의 안전점검등 또는 성능평가를 대행하려는 자는 기술인력 및 장비 등 대통령령으로 정하는 분야별 등록기준을 갖추어 시·도지사에게 안전진단전문기관으로 등록을 하여야 한다.

영 제23조【안전진단전문기관의 등록 등】 ① 법 제28조제1항에서 "기술인력 및 장비 등 대통령령으로 정하는 분야별 등록기준"이란 별표 11의 등록기준을 말한다.

[별표 11] 〈개정 2020.2.18.〉

안전진단전문기관의 등록기준(제23조제1항 관련)

구 분		토목			건축	종합 분야
		교량 및 터널분야	수리 분야	항만 분야	건축분야	
1. 자본금		1억 이상				4억 이상
2. 기술인력	가. 토목·건축·안전관리(건설안전 기술자격자)분야의 특급기술인 또는 건축사 이상	2명 이상 (토목 분야 50% 이상)			2명 이상 (건축 분야 또는 건축사 50% 이상)	8명 이상 (토목·건축 분야 각각 25% 이상)
	나. 토목·건축·안전관리(건설안전 기술자격자)분야의 중급기술인 이상	3명 이상 (토목 분야 60% 이상)			3명 이상 (건축 분야 60% 이상)	11명 이상 (토목· 건축 분야 각각 30% 이상)
	다. 토목·건축·안전관리(건설안전 기술자격자)분야의 초급기술인 이상	3명 이상				11명 이상
3. 장비		국토교통부령으로 정하는 진단측정 장비				

비고
1. 기술인력의 기술등급 및 인정범위는 「건설기술진흥법 시행령」 별표 1에 따른다. 이 경우 기술인력의 기술자격에 관한 세부적인 사항은 국토교통부령으로 정한다.
2. "건축사"란 건축사 면허를 가진 사람으로서 연면적 5천 제곱미터 이상의 건축물에 대한 설계 또는 감리 실적이 있는 사람을 말한다.
3. 안전진단전문기관이 다른 분야의 안전진단 업무를 추가로 등록하려는 경우에는 한 번만 중급기술인 및 초급기술인 중 이미 인정받은 기술인력을 각각 1명씩을 인정받을 수 있다.

2. 「국토안전관리원법」

법 제1조 【목적】 이 법은 국토안전관리원을 설립하여 건설공사의 안전 및 품질 관리, 시설물의 안전 및 유지관리, 지하안전관리와 그 밖에 이와 관련된 사업을 효율적으로 수행하게 함으로써 국민의 안전 보장 및 복리 증진에 기여함을 목적으로 한다.

6 건축물관리점검 지침(건관법 제17조)

▶ 「건축물관리법」

법 제17조 【건축물관리점검지침】

① 국토교통부장관은 제13조부터 제16조까지의 규정에 따른 정기점검, 긴급점검, 소규모 노후 건축물등 점검 및 안전진단(이하 "건축물관리점검"이라 한다)의 실시 방법·절차 등에 관한 사항을 규정한 지침(이하 "건축물관리점검지침"이라 한다)을 작성하여 고시하여야 한다.

고시 건축물관리점검지침(국토교통부고시 제2022-332호, 2022.6.20)

② 국토교통부장관이 건축물관리점검지침을 정할 때에는 미리 관계 중앙행정기관의 장과 협의하여야 한다.

① 국토교통부장관은 정기점검, 긴급점검, 소규모 노후 건축물등 점검 및 안전진단(이하 "건축물관리점검")의 실시 방법·절차 등에 관한 사항을 규정한 지침(이하 "건축물관리점검지침")을 작성하여 고시하여야 한다.

② 국토교통부장관이 건축물관리점검지침을 정할 때에는 미리 관계 중앙행정기관의 장과 협의하여야 한다.

【참고】 건축물관리점검지침(국토교통부고시 제2022-332호, 2022.6.20.)

제1조 【목적】 이 지침은 「건축물관리법」(이하 "법"이라 한다) 제17조제1항에 따른 정기점검, 긴급점검, 소규모 노후 건축물등 점검 및 안전진단에 관한 실시방법·절차 등, 「건축물관리법 시행령」(이하 "영"이라 한다) 제7조제2항에 따른 특수한 건축물의 구조안전 점검기준, 영 제8조제3항제3호나목에 따른 사용승인 후 20년이 지난 후에 처음 실시하는 정기점검, 영 제13조제5항에 따른 업무대가 산정기준, 영 제13조제4항 및 제27조제4항에 따른 점검책임자 및 점검자 교육훈련 등에 필요한 사항을 정함을 목적으로 한다.

제2조 【적용범위】 ① 이 지침의 구체적인 적용범위는 각 장별로 다음 각 호와 같다.

1. 제2장 : 법 제18조부터 제25조에 따른 건축물관리점검 절차 등에 적용한다.
2. 제3장 : 법 제13조 및 제14조와 영 제8조 및 제9조에 따른 정기점검 및 긴급점검의 실시 절차 및 방법 등에 적용한다.
3. 제4장 : 법 제15조와 영 제10조에 따른 소규모 노후 건축물등 점검의 절차와 방법에 적용한다.
4. 제5장 : 법 제12조와 영 제7조제2항에 따른 특수한 건축물의 구조안전 확인에 적용한다.
5. 제6장 : 법 제16조와 영 제11조에 따른 안전진단의 실시에 적용한다.
6. 제7장 : 법 제18조와 영 제13조제5항에 따른 건축물관리점검의 업무대가에 적용한다.
7. 제8장 : 법 제18조와 영 제13조제4항 및 영 제27조제4항에 따른 건축물관리점검책임자 및 점검자 교육훈련에 적용한다.

② 법 제18조에 따른 건축물관리점검 업무대가 산정은 이 지침의 산정기준을 적용하는 것을 원칙으로 한다. 다만, 해당 건축물관리점검에 대한 업무대가 산정 기준이 없는 경우와 고도의 기술력이 필요하거나, 건축물관리점검의 기본과업 내용에 현저히 미치지 못하는 등 이 지침의 적용이 적합하지 않은 경우에는 적용하지 않을 수 있다.

제3조 ~ 제43조 "생략"

7 건축물관리점검 기관의 지정 등(건관법 제18조)(영 제12조, 제13조)

▶ 「건축물관리법」

법 제18조【건축물관리점검기관의 지정 등】

① 특별자치시장·특별자치도지사 또는 시장·군수·구청장은 다음 각 호의 어느 하나에 해당하는 자를 대통령령으로 정하는 바에 따라 건축물관리점검기관으로 지정하여 해당 관리자에게 알려야 한다. <개정 2020.6.9., 2021.3.16.>

1. 「건축사법」 제23조제1항에 따른 건축사사무소개설신고를 한 자
2. 「건설기술 진흥법」 제26조제1항에 따라 등록한 건설엔지니어링사업자
3. 안전진단전문기관
4. 국토안전관리원
5. 그 밖에 대통령령으로 정하는 자

② 해당 관리자는 제1항에 따라 지정된 건축물관리점검기관으로 하여금 건축물관리점검을 수행하도록 하여야 한다.

③ 건축물관리점검기관은 점검책임자를 지정하여 업무를 수행하여야 한다.

④ 점검자는 건축물관리점검지침에 따라 성실하게 그 업무를 수행하여야 한다.

⑤ 해당 관리자는 다음 각 호의 어느 하나에 해당하는 경우 건축물관리점검기관의 교체를 요청할 수 있다. 이 경우 특별자치시장·특별자치도지사 또는 시장·군수·구청장은 사유가 정당하다고 인정되는 경우 건축물관리점검기관을 변경하여 관리자에게 알려야 한다.

1. 거짓이나 부정한 방법으로 건축물관리점검기관으로 지정을 받은 경우
2. 건축물관리점검에 요구되는 점검자 자격기준에 적합하지 아니한 경우
3. 점검자가 고의 또는 중대한 과실로 건축물관리점검지침에 위반하여 업무를 수행한 경우
4. 건축물관리점검기관이 정당한 사유 없이 건축물관리점검을 거부하거나 실시하지 아니한 경우

⑥ 점검자의 자격, 업무대가 등에 관하여 필요한 사항은 대통령령으로 정한다.

영 제12조【건축물관리점검기관의 지정 등】

① 법 제18조제1항제5호에서 "대통령령으로 정하는 자"란 다음 각 호의 자를 말한다. <개정 2020.12.8.>

1. 「기술사법」 제6조에 따라 건축분야를 전문분야로 하여 기술사사무소를 개설등록한 자
2. 「한국부동산원법」에 따른 한국부동산원
3. 「한국토지주택공사법」에 따른 한국토지주택공사

② 건축물관리점검기관이 갖춰야 할 요건은 별표 1과 같다.

③ 특별시장·광역시장·특별자치시장·도지사 또는 특별자치도지사(이하 "시·도지사"라 한다)는 법 제18조제1항 각 호의 자를 대상으로 모집공고를 거쳐 명부를 작성하고 관리해야 한다. 이 경우 특별시장·광역시장 또는 도지사는 미리 관할 시장·군수·구청장과 협의해야 한다.

④ 특별자치시장·특별자치도지사 또는 시장·군수·구청장은 법 제18조제1항에 따라 이 조 제3항의 명부에서 건축물관리점검기관을 지정해야 한다.

⑤ 제3항 및 제4항에 따른 건축물관리점검기관 모집공고, 명부 작성·관리 및 지정에 필요한 사항은 특별시·광역시·특별자치시·도 또는 특별자치도의 조례로 정할 수 있다.

영 제13조【점검자의 자격 등】

① 건축물관리점검기관은 법 제18조제3항에 따라 별표 2에 따른 자격기준에 적합한 사람을 해당 건축물관리점검의 점검책임자로 지정해야 한다.

② 제1항에 따라 지정된 점검책임자는 해당 건축물관리점검을 총괄하여 관리 · 감독한다.
③ 법 제18조제4항에 따른 점검자(이하 "점검자" 라 한다)의 자격기준은 별표 2와 같다.
④ 점검책임자 및 점검자는 법 제13조부터 제16조까지의 정기점검, 긴급점검, 소규모 노후 건축물등 점검 및 안전진단(이하 "건축물관리점검" 이라 한다) 업무를 하려면 별표 3에 따라 신규교육 및 보수교육을 이수해야 한다.
⑤ 법 제18조제6항에 따른 건축물관리점검의 업무대가는 인건비, 기술료, 직접경비, 간접경비 및 추가 업무비용(제8조제3항제3호나목에 따른 구조안전 점검에 따른 추가비용 등을 말한다)으로 구분하여 계산한다. 이 경우 업무대가 산정에 필요한 세부적인 사항은 국토교통부장관이 정하여 고시한다.

해설 특별시장 · 광역시장 · 특별자치시장 · 도지사 또는 특별자치도지사(이하 "시 · 도지사")는 건축물관리점검기관의 명부를 작성해야 하며, 허가권자는 명부에서 건축물관리점검기관을 지정하고 해당 관리자에게 알려야 한다. 관리자는 지정된 건축물관리점검기관에게 건축물관리점검을 수행하도록 하여야 하며, 점검기관은 점검책임자와 점검자를 지정하여 업무를 수행하여야 한다.

【1】 건축물관리점검기관의 지정

① 시 · 도지사는 다음에 해당하는 자를 대상으로 모집공고를 거쳐 건축물관리점검기관 명부를 작성하고 관리해야 한다. 이 경우 특별시장 · 광역시장 또는 도지사는 미리 관할 시장 · 군수 · 구청장과 협의해야 한다.

건축물관리점검기관	근거 규정 관계법
1. 건축사사무소개설신고를 한 자	「건축사법」 제23조제1항
2. 건설엔지니어링사업자	「건설기술 진흥법」 제26조제1항
3. 안전진단전문기관	「시설물의 안전 및 유지관리에 관한 특별법」 제28조제1항
4. 국토안전관리원	「국토안전관리원법」
5. 건축분야를 전문분야로 하여 기술사사무소를 개설등록한 자	「기술사법」 제6조
6. 한국부동산원	「한국부동산원법」
7. 한국토지주택공사	「한국토지주택공사법」

② 특별자치시장 · 특별자치도지사 또는 시장 · 군수 · 구청장은 명부에서 건축물관리점검기관으로 지정하여 해당 관리자에게 알려야 한다.
③ 건축물관리점검기관 모집공고, 명부 작성 · 관리 및 지정에 필요한 사항은 특별시 · 광역시 · 특별자치시 · 도 또는 특별자치도의 조례로 정할 수 있다.

【2】 건축물관리점검기관의 점검업무 수행

① 해당 관리자는 지정된 건축물관리점검기관으로 하여금 건축물관리점검을 수행하도록 하여야 한다.
② 건축물관리점검기관은 점검책임자를 지정하여 업무를 수행하여야 하며, 점검책임자는 해당 건축물관리점검을 총괄하여 관리 · 감독한다.
③ 점검자는 건축물관리점검지침에 따라 성실하게 그 업무를 수행하여야 한다.

【3】 점검자의 자격 등

① 건축물관리점검기관이 갖춰야 할 요건은 별표 1과 같다.

② 건축물관리점검기관은 자격기준(별표 2)에 적합한 사람을 해당 건축물관리점검의 점검책임자로 지정해야 하며, 점검자의 자격기준은 별표 2와 같다.

③ 점검책임자 및 점검자는 정기점검, 긴급점검, 소규모 노후 건축물등 점검 및 안전진단(이하 "건축물관리점검") 업무를 하려면 별표 3에 따라 신규교육 및 보수교육을 이수해야 한다.

④ 건축물관리점검의 업무대가는 인건비, 기술료, 직접경비, 간접경비 및 추가 업무비용(구조안전 점검에 따른 추가비용 등)으로 구분하여 계산한다. 이 경우 업무대가 산정에 필요한 세부적인 사항은 국토교통부장관이 정하여 고시한다.

【4】 건축물관리점검기관의 교체

해당 관리자는 다음에 해당하는 경우 건축물관리점검기관의 교체를 요청할 수 있다. 이 경우 특별자치시장·특별자치도지사 또는 시장·군수·구청장은 사유가 정당하다고 인정되는 경우 건축물관리점검기관을 변경하여 관리자에게 알려야 한다.

▪ 건축물관리점검기관의 교체 사유
1. 거짓이나 부정한 방법으로 건축물관리점검기관으로 지정을 받은 경우
2. 건축물관리점검에 요구되는 점검자 자격기준에 적합하지 아니한 경우
3. 점검자가 고의 또는 중대한 과실로 건축물관리점검지침에 위반하여 업무를 수행한 경우
4. 건축물관리점검기관이 정당한 사유 없이 건축물관리점검을 거부하거나 실시하지 아니한 경우

【별표1】 건축물관리점검기관의 요건(영 제12조제2항 관련)

1. 정기점검, 긴급점검 및 소규모 노후 건축물등 점검 기관

가. 기술인력: 점검대상 규모에 따른 다음의 기술인력을 모두 갖출 것

구분	점검대상 규모		
	연면적 3천제곱미터 미만	연면적 3천제곱미터 이상 1만제곱미터 미만	연면적 1만제곱미터 이상
1) 「건축사법」에 따른 건축사, 「건설기술 진흥법 시행령」 별표 1에 따른 건축구조, 건축시공 또는 건설안전 전문분야의 특급건설기술인	1명 이상	1명 이상	1명 이상
2) 「건축사법」에 따른 건축사보의 자격요건을 갖춘 사람 또는 「건설기술 진흥법 시행령」 별표 1에 따른 건축 직무분야의 초급건설기술인 이상인 사람	2명 이상	3명 이상	4명 이상

나. 장비: 다음의 장비를 모두 갖출 것

1) 망원경, 균열폭측정기
2) 레이저 거리측정기
3) 열화상카메라
4) 전자내시경
5) 측량기[수준(水準: 각 지점 간 상대적 높이 또는 평균 해수면으로부터의 높이를 말한다. 이하 같다)·각도 측정용]

2. 안전진단 기관

구분	요건
가. 자본금	1억 이상일 것
나. 기술인력	다음의 기술인력을 모두 갖출 것 1) 다음의 어느 하나에 해당하는 사람: 2명 이상. 이 경우 건축사 또는 건축 직무분야 특급건설기술인이 50% 이상이어야 한다. 가) 「건축사법」 에 따른 건축사(연면적 5천제곱미터 이상의 건축물에 대한 설계 또는 감리 실적이 있는 사람만 해당한다) 나) 「건설기술 진흥법 시행령」 별표 1에 따른 건축 직무분야 또는 건설안전 전문분야의 특급건설기술인 2) 「건설기술 진흥법 시행령」 별표 1에 따른 건축 직무분야 또는 건설안전 전문분야의 중급건설기술인 이상인 사람: 3명 이상. 이 경우 건축 직무분야 중급건설기술인 이상이 60% 이상이어야 한다. 3) 「건설기술 진흥법 시행령」 별표 1에 따른 건축 직무분야 또는 건설안전 전문분야의 초급건설기술인 이상인 사람: 3명 이상
다. 장비	다음의 장비를 모두 갖출 것 1) 균열폭측정기(7배율 이상이고, 라이트 부착형일 것) 2) 반발경도(反撥硬度: 튀어오르는 높이에 따른 단단한 정도를 말한다)측정기(교정장치를 포함할 것) 3) 초음파측정기(초음파 전달시간을 0.1㎲까지 분해가 가능할 것) 4) 철근탐사장비 5) 철근부식도측정장비(자연전위법 또는 전기저항법으로 측정이 가능할 것) 6) 염분측정장비 7) 코어채취기 8) 도막(도료 도포막) 두께 측정장비(측정범위가 0.1㎜ 이하일 것) 9) 측량기(수준·각도·거리 측정용) 10) 강재비파괴시험장비 가) 자분(磁粉)탐상기 나) 초음파시험기 11) 진동측정기 12) 정적 변형측정장치

비고: "자본금"이란 법인인 경우에는 안전진단 업무를 수행하기 위한 납입자본금 또는 출자금을 말하고, 개인인 경우에는 영업용 자산평가액을 말한다.

【별표2】 점검책임자 및 점검자의 자격기준(영 제13조제1항 및 제3항 관련)

구분	점검책임자	점검자
1. 정기점검, 긴급점검 및 소규모 노후 건축물등 점검	가.「건축사법」에 따른 건축사 나.「건설기술 진흥법 시행령」 별표 1에 따른 건축 직무분야(건축기계설비 및 실내건축 전문분야는 제외한다) 또는 건설안전 전문분야의 특급건설기술인	가.「건축사법」에 따른 건축사보의 자격요건을 갖춘 사람 나.「건설기술 진흥법 시행령」 별표 1 건축 직무분야의 초급건설기술인 이상인 사람
2. 안전진단	가.「건축사법」에 따른 건축사로서 연면적 5천제곱미터 이상의 건축물에 대한 설계 또는 감리실적이 있는 건축사 나.「건설기술 진흥법 시행령」 별표 1에 따른 건축 직무분야(건축기계설비 및 실내건축 전문분야는 제외한다)의 특급건설기술인	가.「건축사법」에 따른 건축사보의 자격요건을 갖춘 사람 나.「건설기술 진흥법 시행령」 별표 1 건축 직무분야 또는 건설안전 전문분야의 초급건설기술인 이상인 사람

건 축 법
1. 총 칙
2. 건 축
3. 유지관리
4. 대지도로
5. 구조재료
6. 지역지구
7. 건축설비
8. 특별건축구역
9. 보 칙
10. 벌 칙
건 축 법 관련기준

【별표3】 점검책임자 및 점검자가 받아야 할 건축물관리 교육(영 제13조제4항 관련)

1. 교육시간
   가. 정기점검, 긴급점검 및 소규모 노후 건축물등 점검의 경우
      1) 신규교육: 7시간. 다만, 점검책임자의 경우 35시간으로 한다.
      2) 보수교육: 7시간
   나. 안전진단의 경우
      1) 신규교육: 70시간
      2) 보수교육: 14시간
2. 교육방법: 사이버교육 및 집합교육
3. 그 밖의 사항
   가. 보수교육은 신규교육을 이수한 후 3년마다 실시한다.
   나. 제1호나목의 안전진단 교육은 「시설물의 안전 및 유지관리에 관한 특별법 시행령」 제9조제3항에 따른 건축 직무분야의 정밀안전진단교육을 이수한 경우에는 해당 교육을 이수한 것으로 본다.

관계법 7 건축물관리점검 기관의 지정 등 관계법

1. 「건축사법」

법 제23조 【건축사사무소개설신고 등】 ① 제18조에 따른 자격등록을 한 건축사가 건축사업을 하려면 대통령령으로 정하는 바에 따라 시·도지사에게 건축사사무소의 개설신고(이하 "건축사사무소개설신고"라 한다)를 하여야 한다. <개정 2020.2.18.>

영 제22조 【건축사사무소개설신고】 법 제23조제1항에 따른 건축사사무소개설신고(이하 "건축사사무소개설신고"라 한다)를 하려는 자는 국토교통부령으로 정하는 건축사사무소개설신고서(전자문서로 된 신고서를 포함한다)에 다음 각 호의 서류(전자문서를 포함한다)를 첨부하여 특별시장·광역시장·특별자치시장·도지사·특별자치도지사(이하 "시·도지사"라 한다)에게 제출해야 한다. 이 경우 시·도지사는 「전자정부법」 제36조제1항에 따른 행정정보의 공동이용을 통하여 법인 등기사항증명서(법인인 경우만 해당한다)를 확인해야 한다. <개정 2020.9.8.>
1. 건축사 자격등록증 사본
2. 사무실 보유증명서

2. 「건설기술 진흥법」

법 제26조 【건설엔지니어링업의 등록 등】 ① 발주청이 발주하는 건설엔지니어링사업을 수행하려는 자는 전문분야별 요건을 갖추어 특별시장·광역시장·특별자치시장·도지사 또는 특별자치도지사(이하 "시·도지사"라 한다)에게 등록하여야 한다. 다만, 발주청이 발주하는 건설엔지니어링 중 건설공사의 계획·조사·설계를 수행하기 위하여 시·도지사에게 등록하려는 자는 「엔지니어링산업 진흥법」 제2조제4호에 따른 엔지니어링사업자 또는 「기술사법」 제6조제1항에 따른 사무소를 등록한 기술사이어야 한다. <개정 2021.3.16>

3. 「기술사법」

법 제6조 【기술사사무소의 개설등록 등】 ① 기술사가 개업하기 위하여 사무소를 개설하려면 과학기술정보통신부장관에게 등록을 하여야 한다. 이 경우 2명 이상의 기술사가 합동기술사사무소(이하 "합동사무소"라 한다)를 개설할 수 있다.
② 제1항에 따라 기술사사무소(합동사무소를 포함한다. 이하 같다)의 등록이 된 경우에는 과학기술정보통신부장관은 그 등록사실을 「국가기술자격법」 제10조에 따른 해당 기술사의 관련 주무부장관(이하 "주무부장관"이라 한다)에게 통보하여야 한다.
③ 기술사는 둘 이상의 기술사사무소를 개설할 수 없다.

건 축 법
1. 총 칙
2. 건 축
3. 유지관리
4. 대지도로
5. 구조재료
6. 지역지구
7. 건축설비
8. 특별건축구역
9. 보 칙
10. 벌 칙
건 축 법 관련기준

④ 제1항에 따라 합동사무소를 개설할 때에는 다음 각 호의 요건을 모두 갖추어야 한다.
1. 「국가기술자격법」 제10조에 따라 국가기술자격을 취득한 기술사, 기사 등 대통령령으로 정하는 보조 인력을 3명 이상 확보할 것
2. 합동사무소의 운영에 관한 규약을 작성할 것
⑤ 기술사사무소의 등록절차, 제4항제2호에 따른 규약의 작성과 기재 사항, 그 밖에 합동사무소의 개설에 필요한 사항은 대통령령으로 정한다.

4. 「한국부동산원법」

법 **제1조 【목적】** 이 법은 한국부동산원을 설립하여 부동산 시장의 조사·관리 및 부동산의 가격 공시와 통계·정보 관리 등의 업무를 수행하도록 함으로써 부동산 시장의 안정과 질서를 유지하고, 부동산 시장에서의 소비자 권익 보호와 부동산 산업발전에 이바지함을 목적으로 한다. <개정 2020.6.9.>

5. 「한국토지주택공사법」

법 **제1조 【목적】** 이 법은 한국토지주택공사를 설립하여 토지의 취득·개발·비축·공급, 도시의 개발·정비, 주택의 건설·공급·관리 업무를 수행하게 함으로써 국민주거생활의 향상과 국토의 효율적인 이용을 도모하여 국민경제의 발전에 이바지함을 목적으로 한다.

[8] 건축물관리점검의 통보 (건관법 제19조) (규칙 제7조)

▶ 「건축물관리법」

법 **제19조 【건축물관리점검의 통보】**

① 특별자치시장·특별자치도지사 또는 시장·군수·구청장은 다음 각 호의 어느 하나에 해당하는 점검을 실시하여야 하는 건축물의 관리자에게 점검 대상 건축물이라는 사실과 점검 실시절차를 해당 점검일부터 3개월 전까지 미리 알려야 한다. 다만, 제2호의 경우 특별자치시장·특별자치도지사 또는 시장·군수·구청장은 지체 없이 해당 건축물의 관리자에게 점검 대상 건축물이라는 사실과 점검 실시절차를 알려야 한다.
1. 제13조에 따른 정기점검
2. 제14조에 따른 긴급점검
3. 제15조에 따른 소규모 노후 건축물등 점검
② 제1항에 따른 통지의 방법은 국토교통부령으로 정한다.

규칙 **제7조 【정기점검 등의 통지】**

① 특별자치시장·특별자치도지사 또는 시장·군수·구청장은 법 제19조제1항에 따라 관리자에게 점검 대상 건축물이라는 사실과 점검 실시절차를 통지하는 경우 「건축물관리법 시행령」(이하 "영"이라 한다) 제12조제4항에 따라 지정된 건축물관리점검기관을 알려 주어야 한다.
② 법 제19조제1항에 따른 점검의 통지는 문서, 팩스, 전자우편 또는 문자메시지 등으로 할 수 있다.

해설 시장·군수·구청장 등은 정기점검, 긴급점검 및 소규모 노후 건축물등 점검을 실시하여야 하는 건축물의 관리자에게 점검 대상 건축물이라는 사실과 점검 실시절차를 해당 점검일부터 3개월 전까지 미리 알려야 한다.

① 통보의 의무자 : 특별자치시장·특별자치도지사 또는 시장·군수·구청장

② 통보 대상 : 정기점검, 긴급점검 및 소규모 노후 건축물등 점검을 실시하여야 하는 건축물의 관리자

③ 통보의 시기 : 해당 점검일부터 3개월 전까지(긴급점검의 경우 지체없이)

④ 통보의 내용 :
- 점검 대상 건축물이라는 사실
- 점검 실시절차
- 건축물관리점검기관

⑤ 통보의 방법 : 문서, 팩스, 전자우편 또는 문자메시지 등

9 건축물관리점검 결과의 보고(건관법 제20조)(영 제14조)

▶「건축물관리법」

법 제20조【건축물관리점검 결과의 보고】

① 건축물관리점검기관은 건축물관리점검을 마친 날부터 30일 이내에 해당 건축물의 관리자와 특별자치시장·특별자치도지사 또는 시장·군수·구청장에게 건축물관리점검 결과를 보고하여야 한다.

② 건축물관리점검기관은 제1항에 따른 건축물관리점검 결과를 보고할 때에는 다음 각 호의 사항에 대한 이행 여부를 확인하여야 한다. <개정 2020.3.31., 2021.11.30.>

1. 「시설물의 안전 및 유지관리에 관한 특별법」 제11조에 따른 안전점검
2. 「소방시설 설치 및 관리에 관한 법률」 제22조에 따른 소방시설등의 자체점검 등
3. 「수도법」 제33조에 따른 위생상의 조치
4. 「승강기 안전관리법」 제28조 및 제32조에 따른 승강기 설치검사 및 안전검사
5. 「에너지이용 합리화법」 제39조에 따른 검사대상기기의 검사
6. 「전기안전관리법」 제12조에 따른 일반용전기설비의 점검
7. 「하수도법」 제39조에 따른 개인하수처리시설의 운영·관리
8. 그 밖에 대통령령으로 정하는 사항

③ 제1항에 따른 건축물관리점검 결과의 보고는 제7조에 따른 건축물 생애이력 정보체계에 입력하는 것으로 대신할 수 있다.

영 제14조【건축물관리점검 결과의 보고】

법 제20조제2항제8호에서 "대통령령으로 정하는 사항"이란 다음 각 호의 사항을 말한다.

1. 「공동주택관리법」 제33조 및 제34조에 따른 안전점검 및 소규모 공동주택 안전관리
2. 「도시가스사업법」 제17조에 따른 정기검사 및 수시검사
3. 「도시 및 주거환경정비법」 제12조에 따른 안전진단

해설 건축물관리점검기관은 건축물관리점검을 마친 날부터 30일 이내에 해당 건축물의 관리자와 시장·군수·구청장 등에게 건축물관리점검 결과를 보고하여야 한다.

건 축 법
1. 총 칙
2. 건 축
3. 유지관리
4. 대지도로
5. 구조재료
6. 지역지구
7. 건축설비
8. 특별건축구역
9. 보 칙
10. 벌 칙
건 축 법 관련기준

① 건축물관리점검기관은 건축물관리점검을 마친 날부터 30일 이내에 해당 건축물의 관리자와 특별자치시장·특별자치도지사 또는 시장·군수·구청장에게 건축물관리점검 결과를 보고* 하여야 한다.

* 보고는 건축물 생애이력 정보체계에 입력하는 것으로 대신할 수 있다.

② 건축물관리점검 결과를 보고할 때에는 다음 사항에 대한 이행 여부를 확인하여야 한다.

▪ 점검결과 보고시 이행 여부 확인 사항	근거 규정 관계법
1. 안전점검	「시설물의 안전 및 유지관리에 관한 특별법」 제11조
2. 소방시설등의 자체점검 등	「소방시설 설치 및 관리에 관한 법률」 제22조
3. 위생상의 조치	「수도법」 제33조
4. 승강기 설치검사 및 안전검사	「승강기 안전관리법」 제28조 및 제32조
5. 검사대상기기의 검사	「에너지이용 합리화법」 제39조
6. 일반용전기설비의 점검	「전기사업법」 제66조
7. 개인하수처리시설의 운영·관리	「하수도법」 제39조
8. 안전점검 및 소규모 공동주택 안전관리	「공동주택관리법」 제33조 및 제34조
9. 정기검사 및 수시검사	「도시가스사업법」 제17조
10. 안전진단	「도시 및 주거환경정비법」 제12조

관계법 9 관련 관계법

1. 「시설물의 안전 및 유지관리에 관한 특별법」

법 제11조 【안전점검의 실시】 ① 관리주체는 소관 시설물의 안전과 기능을 유지하기 위하여 정기적으로 안전점검을 실시하여야 한다. 다만, 제6조제1항 단서에 해당하는 시설물의 경우에는 시장·군수·구청장이 안전점검을 실시하여야 한다.

② 관리주체는 시설물의 하자담보책임기간(동일한 시설물의 각 부분별 하자담보책임기간이 다른 경우에는 시설물의 부분 중 대통령령으로 정하는 주요 부분의 하자담보책임기간을 말한다)이 끝나기 전에 마지막으로 실시하는 정밀안전점검의 경우에는 안전진단전문기관이나 국토안전관리원에 의뢰하여 실시하여야 한다. <개정 2020.6.9.>

③ 민간관리주체가 어음·수표의 지급불능으로 인한 부도(不渡) 등 부득이한 사유로 인하여 안전점검을 실시하지 못하게 될 때에는 관할 시장·군수·구청장이 민간관리주체를 대신하여 안전점검을 실시할 수 있다. 이 경우 안전점검에 드는 비용은 그 민간관리주체에게 부담하게 할 수 있다.

④ 제3항에 따라 시장·군수·구청장이 안전점검을 대신 실시한 후 민간관리주체에게 비용을 청구하는 경우에 해당 민간관리주체가 그에 따르지 아니하면 시장·군수·구청장은 지방세 체납처분의 예에 따라 징수할 수 있다.

⑤ 시설물의 종류에 따른 안전점검의 수준, 안전점검의 실시시기, 안전점검의 실시 절차 및 방법, 안전점검을 실시할 수 있는 자의 자격 등 안전점검 실시에 필요한 사항은 대통령령으로 정한다.

영 제8조 【안전점검의 실시 등】

① 법 제11조제1항에 따라 관리주체 또는 시장·군수·구청장은 소관 시설물의 안전과 기능을 유지하기 위하여 정기안전점검 및 정밀안전점검을 실시해야 한다. 다만, 제3종시설물에 대한 정밀안전점검은 정기안전점검 결과 해당 시설물의 안전등급이 D등급(미흡) 또는 E등급(불량)인 경우에 한정하여 실시한다. <개정 2022.11.15.>

② 법 제11조제1항에 따른 안전점검의 실시시기는 별표 3과 같다.

③ 법 제11조제2항에서 "대통령령으로 정하는 주요 부분"이란 별표 4에 따른 시설물별 주요 부분을 말한다.

④ 관리주체는 법 제11조제2항에 따라 정밀안전점검을 의뢰하려는 경우에는 다음 각 호에 해당하는 안전진단전문기관에 의뢰해서는 아니 된다. <개정 2021.12.28>

1. 해당 시설물을 설계·시공·감리한 자 또는 그 계열회사(「독점규제 및 공정거래에 관한 법률」 제2조제12호에 따른 계열회사를 말한다. 이하 같다)인 안전진단전문기관
2. 해당 시설물의 관리주체에 소속되어 있거나 그 자회사인 안전진단전문기관. 다만, 공공관리주체인 안전진단전문기관으로서 소관 시설물의 구조적 특수성으로 해당 기관의 전문기술이 필요하여 국토교통부장관이 인정하는 경우에는 그러하지 아니하다.

2. 「소방시설 설치 및 관리에 관한 법률」

법 제22조 【소방시설등의 자체점검】 ① 특정소방대상물의 관계인은 그 대상물에 설치되어 있는 소방시설등이 이 법이나 이 법에 따른 명령 등에 적합하게 설치·관리되고 있는지에 대하여 다음 각 호의 구분에 따른 기간 내에 스스로 점검하거나 제34조에 따른 점검능력 평가를 받은 관리업자 또는 행정안전부령으로 정하는 기술자격자(이하 "관리업자등"이라 한다)로 하여금 정기적으로 점검(이하 "자체점검"이라 한다)하게 하여야 한다. 이 경우 관리업자등이 점검한 경우에는 그 점검 결과를 행정안전부령으로 정하는 바에 따라 관계인에게 제출하여야 한다.

1. 해당 특정소방대상물의 소방시설등이 신설된 경우: 「건축법」 제22조에 따라 건축물을 사용할 수 있게 된 날부터 60일
2. 제1호 외의 경우: 행정안전부령으로 정하는 기간

② 자체점검의 구분 및 대상, 점검인력의 배치기준, 점검자의 자격, 점검 장비, 점검 방법 및 횟수 등 자체점검 시 준수하여야 할 사항은 행정안전부령으로 정한다.

③ 제1항에 따라 관리업자등으로 하여금 자체점검하게 하는 경우의 점검 대가는 「엔지니어링산업 진흥법」 제31조에 따른 엔지니어링사업의 대가 기준 가운데 행정안전부령으로 정하는 방식에 따라 산정한다.

④ 제3항에도 불구하고 소방청장은 소방시설등 자체점검에 대한 품질확보를 위하여 필요하다고 인정하는 경우에는 특정소방대상물의 규모, 소방시설등의 종류 및 점검인력 등에 따라 관계인이 부담하여야 할 자체점검 비용의 표준이 될 금액(이하 "표준자체점검비"라 한다)을 정하여 공표하거나 관리업자등에게 이를 소방시설등 자체점검에 관한 표준가격으로 활용하도록 권고할 수 있다.

⑤ 표준자체점검비의 공표 방법 등에 관하여 필요한 사항은 소방청장이 정하여 고시한다.

⑥ 관계인은 천재지변이나 그 밖에 대통령령으로 정하는 사유로 자체점검을 실시하기 곤란한 경우에는 대통령령으로 정하는 바에 따라 소방본부장 또는 소방서장에게 면제 또는 연기 신청을 할 수 있다. 이 경우 소방본부장 또는 소방서장은 그 면제 또는 연기 신청 승인 여부를 결정하고 그 결과를 관계인에게 알려주어야 한다.

3. 「수도법」

법 제33조 【위생상의 조치】 ① 일반수도사업자는 수도에 관하여 소독 및 수질검사, 그 밖의 위생에 필요한 조치(이하 "소독등위생조치"라 한다)를 하여야 한다.

② 수돗물을 다량으로 사용하는 건축물 또는 시설로서 대통령령으로 정하는 규모 이상의 건축물 또는 시설의 소유자나 관리자(「공동주택관리법」 제2조제1항제1호에 따른 공동주택에 대해서는 같은 법 제64조에 따른 관리사무소장을 건축물이나 시설의 관리자로 본다. 이하 제3항·제4항과 제36조제1항에서 같다)는 급수설비(일반수도사업자가 수도시설관리권을 가지는 부분은 제외한다)에 대한 소독등위생조치를 하여야 한다. 이 경우 일반수도사업자는 해당 지방자치단체의 조례로 정하는 바에 따라 수질검사에 필요한 비용의 일부를 지원할 수 있다. <개정 2019.11.26.>

③ 다음 각 호의 어느 하나에 해당하는 건축물 또는 시설로서 대통령령으로 정하는 규모 이상의 건축물 또는 시설의 소유자나 관리자는 환경부령으로 정하는 바에 따라 급수관(일반수도사업자가 수도시설관리

권을 가지는 부분은 제외한다)을 주기적으로 검사하고, 그 결과에 따라 세척·갱생·교체 등 필요한 조치(이하 "세척등조치"라 한다)를 하여야 한다. <개정 2022.12.15.>

1. 「유통산업발전법」 제2조제3호에 따른 대규모점포
2. 「주택법」 제2조제3호에 따른 공동주택 중 대통령령으로 정하는 건축물
3. 「건축법」 제2조제2항제8호에 따른 운수시설
4. 「건축법」 제2조제2항제9호에 따른 의료시설
5. 「건축법」 제2조제2항제10호에 따른 교육연구시설 중 대통령령으로 정하는 시설
6. 국가나 지방자치단체가 설치하는 「건축법」 제2조제2항제11호부터 제13호까지의 규정에 따른 시설 중 대통령령으로 정하는 시설
7. 「건축법」 제2조제2항제14호에 따른 업무시설
8. 국가나 지방자치단체가 설치하는 「건축법」 제2조제2항제23호에 따른 교정(矯正) 시설 중 대통령령으로 정하는 시설
9. 국가나 지방자치단체가 설치하는 「건축법」 제2조제2항제24호에 따른 국방·군사시설 중 대통령령으로 정하는 시설 <신설 2022.12.15.>
10. 그 밖에 안전한 수돗물의 공급을 위하여 특히 필요하다고 인정하여 조례로 정하는 시설

④ 일반수도사업자는 제2항 또는 제3항에 따른 건축물 또는 시설의 소유자나 관리자가 소독등위생조치 또는 세척등조치를 하는지에 대하여 지도·감독하여야 한다.

⑤ 제1항부터 제4항까지의 규정에 따른 소독등위생조치, 세척등조치, 수질검사의 주기·항목 및 지도·감독에 관하여 필요한 사항은 환경부령으로 정한다. 다만, 제2항에 따른 규모 이상의 건축물 또는 시설을 제외한 건축물 또는 시설에 대한 소독등위생조치는 해당 지방자치단체의 조례로 정할 수 있다.

4. 「승강기 안전관리법」

법 제28조【승강기의 설치검사】

① 승강기의 제조·수입업자는 설치를 끝낸 승강기에 대하여 행정안전부령으로 정하는 바에 따라 행정안전부장관이 실시하는 설치검사(이하 "설치검사"라 한다)를 받아야 한다.

② 승강기의 제조·수입업자 또는 관리주체는 설치검사를 받지 아니하거나 설치검사에 불합격한 승강기를 운행하게 하거나 운행하여서는 아니 된다.

③ 제1항과 제2항에서 규정한 사항 외에 설치검사의 기준·항목 및 방법 등에 필요한 사항은 행정안전부장관이 정하여 고시한다.

법 제32조【승강기의 안전검사】 ① 관리주체는 승강기에 대하여 행정안전부장관이 실시하는 다음 각 호의 안전검사(이하 "안전검사"라 한다)를 받아야 한다.

1. 정기검사: 설치검사 후 정기적으로 하는 검사. 이 경우 검사주기는 2년 이하로 하되, 다음 각 목의 사항을 고려하여 행정안전부령으로 정하는 바에 따라 승강기별로 검사주기를 다르게 할 수 있다.
   가. 승강기의 종류 및 사용 연수
   나. 제48조제1항에 따른 중대한 사고 또는 중대한 고장의 발생 여부
   다. 그 밖에 행정안전부령으로 정하는 사항
2. 수시검사: 다음 각 목의 어느 하나에 해당하는 경우에 하는 검사
   가. 승강기의 종류, 제어방식, 정격속도, 정격용량 또는 왕복운행거리를 변경한 경우(변경된 승강기에 대한 검사의 기준이 완화되는 경우 등 행정안전부령으로 정하는 경우는 제외한다)
   나. 승강기의 제어반(制御盤) 또는 구동기(驅動機)를 교체한 경우
   다. 승강기에 사고가 발생하여 수리한 경우(제3호나목의 경우는 제외한다)
   라. 관리주체가 요청하는 경우
3. 정밀안전검사: 다음 각 목의 어느 하나에 해당하는 경우에 하는 검사. 이 경우 다목에 해당할 때에는 정밀안전검사를 받고, 그 후 3년마다 정기적으로 정밀안전검사를 받아야 한다.
   가. 제1호에 따른 정기검사(이하 "정기검사"라 한다) 또는 제2호에 따른 수시검사 결과 결함의 원인

이 불명확하여 사고 예방과 안전성 확보를 위하여 행정안전부장관이 정밀안전검사가 필요하다고 인정하는 경우

나. 승강기의 결함으로 제48조제1항에 따른 중대한 사고 또는 중대한 고장이 발생한 경우

다. 설치검사를 받은 날부터 15년이 지난 경우

라. 그 밖에 승강기 성능의 저하로 승강기 이용자의 안전을 위협할 우려가 있어 행정안전부장관이 정밀안전검사가 필요하다고 인정한 경우

② 관리주체는 안전검사를 받지 아니하거나 안전검사에 불합격한 승강기를 운행할 수 없으며, 운행을 하려면 안전검사에 합격하여야 한다. 이 경우 관리주체는 안전검사에 불합격한 승강기에 대하여 행정안전부령으로 정하는 기간에 안전검사를 다시 받아야 한다.

③ 행정안전부장관은 행정안전부령으로 정하는 바에 따라 제1항 또는 제2항에 따른 안전검사를 받을 수 없다고 인정하면 그 사유가 없어질 때까지 안전검사를 연기할 수 있다.

④ 제1항부터 제3항까지에서 규정한 사항 외에 안전검사의 기준·항목 및 방법 등에 필요한 사항은 행정안전부장관이 정하여 고시한다.

5. 「에너지이용 합리화법」

法 제39조 **【검사대상기기의 검사】** ① 특정열사용기자재 중 산업통상자원부령으로 정하는 검사대상기기(이하 "검사대상기기"라 한다)의 제조업자는 그 검사대상기기의 제조에 관하여 시·도지사의 검사를 받아야 한다.

② 다음 각 호의 어느 하나에 해당하는 자(이하 "검사대상기기설치자"라 한다)는 산업통상자원부령으로 정하는 바에 따라 시·도지사의 검사를 받아야 한다.

1. 검사대상기기를 설치하거나 개조하여 사용하려는 자
2. 검사대상기기의 설치장소를 변경하여 사용하려는 자
3. 검사대상기기를 사용중지한 후 재사용하려는 자

③ 시·도지사는 제1항이나 제2항에 따른 검사에 합격된 검사대상기기의 제조업자나 설치자에게는 지체 없이 그 검사의 유효기간을 명시한 검사증을 내주어야 한다.

④ 검사의 유효기간이 끝나는 검사대상기기를 계속 사용하려는 자는 산업통상자원부령으로 정하는 바에 따라 다시 시·도지사의 검사를 받아야 한다. <개정 2008. 2. 29., 2013. 3. 23.>

⑤ 제1항·제2항 또는 제4항에 따른 검사에 합격되지 아니한 검사대상기기는 사용할 수 없다. 다만, 시·도지사는 제4항에 따른 검사의 내용 중 산업통상자원부령으로 정하는 항목의 검사에 합격되지 아니한 검사대상기기에 대하여는 검사대상기기의 안전관리와 위해방지에 지장이 없는 범위에서 산업통상자원부령으로 정하는 기간 내에 그 검사에 합격할 것을 조건으로 계속 사용하게 할 수 있다.

⑥ 시·도지사는 제1항·제2항 및 제4항에 따른 검사에서 검사대상기기의 안전관리와 위해방지에 지장이 없는 범위에서 산업통상자원부령으로 정하는 바에 따라 그 검사의 전부 또는 일부를 면제할 수 있다.

⑦ 검사대상기기설치자는 다음 각 호의 어느 하나에 해당하면 산업통상자원부령으로 정하는 바에 따라 시·도지사에게 신고하여야 한다.

1. 검사대상기기를 폐기한 경우
2. 검사대상기기의 사용을 중지한 경우
3. 검사대상기기의 설치자가 변경된 경우
4. 제6항에 따라 검사의 전부 또는 일부가 면제된 검사대상기기 중 산업통상자원부령으로 정하는 검사대상기기를 설치한 경우

⑧ 검사대상기기에 대한 검사의 내용·기준, 그 밖에 필요한 사항은 산업통상자원부령으로 정한다.

6. 「전기안전관리법」

法 제12조 **【일반용전기설비의 점검】** ① 산업통상자원부장관은 일반용전기설비가 「전기사업법」 제67조에 따른 기술기준(이하 "기술기준"이라 한다)에 적합한지 여부에 대하여 산업통상자원부령으로 정하는 바에 따라 그 전기설비의 사용 전과 사용 중에 정기적으로 안전공사로 하여금 점검하도록 하여야 한다. 다

만, 주거용 시설물에 설치된 일반용전기설비를 정기적으로 점검(이하 "정기점검" 이라 한다)하는 경우 그 소유자 또는 점유자로부터 점검의 승낙을 받을 수 없는 경우에는 그러하지 아니하다. <개정 2022.10.18.>
② 안전공사는 산업통상자원부장관이 정하여 고시하는 원격점검기능이 있는 장치(이하 "원격점검장치" 라 한다)를 활용하여 일반용전기설비에 대한 원격점검을 실시할 수 있다. 이 경우 산업통상자원부령으로 정하는 바에 따라 정기점검을 원격점검으로 대체하거나 그 시기를 조정할 수 있다. <신설 2021.12.21.>
③ 안전공사는 제2항에 따른 원격점검 결과가 기술기준에 부합하지 아니한 경우에는 해당 전기설비의 소유자 또는 점유자에게 이를 통지하여야 한다. <신설 2021.12.21.>
④ 제3항에 따른 통지를 받은 소유자 또는 점유자가 안전공사에 점검을 요청하는 경우 안전공사는 특별한 사유가 없으면 점검을 실시하여야 한다. <신설 2021.12.21.>
⑤ 안전공사는 제1항 본문 또는 제4항에 따른 점검 결과 일반용전기설비가 기술기준에 적합하지 아니하다고 인정되는 경우에는 지체 없이 다음 각 호의 사항을 그 소유자 또는 점유자에게 통지하여야 한다. <개정 2021.12.21., 2022.10.18.>
1. 기술기준에 적합하도록 하기 위하여 필요한 조치의 내용
2. 제1호에 따른 조치를 하지 아니하는 경우에 발생할 수 있는 결과
⑥ 안전공사는 정기점검 또는 원격점검 결과 기술기준에 부합하지 아니한 전기설비 중 경미한 수리(「전기공사업법」 제3조제1항 단서에 따른 경미한 전기공사에 한정한다)가 필요한 경우로서 해당 전기설비의 소유자 또는 점유자의 요청이 있는 경우에는 직접 이를 수리할 수 있다. <개정 2021.12.21.>
⑦ 안전공사는 제1항, 제4항 또는 제5항)에 따른 점검 또는 통지에 관한 업무를 수행하는 경우 산업통상자원부령으로 정하는 사항을 기록·보존하여야 한다. <개정 2021.12.21., 2022.10.18.>
⑧ 안전공사는 제5항에 따라 통지한 사항의 조치 이행 여부를 점검한 결과 그 소유자 또는 점유자가 통지를 받고도 같은 항 제1호의 조치를 하지 아니한 경우에는 특별자치도지사·특별자치시장·시장·군수·구청장(구청장은 자치구의 구청장을 말한다. 이하 "시장·군수·구청장" 이라 한다)에게 그 조치 불이행 사실을 통보하여야 한다. 이 경우 시장·군수·구청장은 그 소유자 또는 점유자에게 그 전기설비의 수리·개조 또는 이전에 관한 명령(이하 "개선명령" 이라 한다)을 하여야 하되, 전기설비가 기술기준에 적합하지 아니한 사항이 중대하여 시장·군수·구청장의 개선명령을 기다릴 여유가 없다고 인정되는 경우로서 산업통상자원부령으로 정하는 경우에는 안전공사가 직접 개선명령을 한 후 이를 시장·군수·구청장에게 통보하여야 한다. <개정 2021.12.21.>
⑨ 시장·군수 또는 구청장은 일반용전기설비의 소유자 또는 점유자가 개선명령(안전공사가 직접 개선명령을 한 경우를 포함한다)을 이행하지 아니하여 전기로 인한 재해가 발생할 우려가 크다고 인정되는 경우에는 산업통상자원부령으로 정하는 바에 따라 전기판매사업자에게 그 소유자 또는 점유자에 대한 전기의 공급을 정지하여 줄 것을 요청하고 그 개선명령을 이행하지 아니한 내용을 즉시 안전공사에 통보하여야 한다. 이 경우 전기공급의 정지요청을 받은 전기판매사업자는 특별한 사유가 없으면 이에 따라야 한다. <개정 2021.12.21.>
⑩ 안전공사는 제1항에 따른 점검에 필요한 자료를 산업통상자원부령으로 정하는 바에 따라 전기판매사업자에게 요청할 수 있다. 이 경우 자료요청을 받은 전기판매사업자는 특별한 사유가 없으면 이에 따라야 한다. <개정 2021.12.21.>
⑪ 제1항에 따라 점검을 하는 자는 그 권한을 표시하는 증표를 지니고 이를 관계인에게 내보여야 한다. <개정 2021.12.21.>
⑫ 제1항 및 제2항에 따른 점검의 기준·방법과 그 밖에 필요한 사항은 산업통상자원부령으로 정한다. <개정 2021.12.21.>
⑬ 구역전기사업자에 관하여는 제9항 및 제10항을 준용한다. 이 경우 "전기판매사업자" 는 "구역전기사업자" 로 본다. <개정 2021.12.21., 2022.10.18.>

건 축 법
1. 총 칙
2. 건 축
3. 유지관리
4. 대지도로
5. 구조재료
6. 지역지구
7. 건축설비
8. 특별건축구역
9. 보 칙
10. 벌 칙
건 축 법 관련기준

7. 「하수도법」

법 제39조【개인하수처리시설의 운영·관리】① 개인하수처리시설의 소유자 또는 관리자는 개인하수처리시설을 운영·관리할 때에는 다음 각 호의 어느 하나에 해당하는 행위를 하여서는 아니 된다. <개정 2020.5.26.>

1. 건물등에서 발생하는 오수를 개인하수처리시설에 유입시키지 아니하고 배출하거나 개인하수처리시설에 유입시키지 아니하고 배출할 수 있는 시설을 설치하는 행위
2. 개인하수처리시설에 유입되는 오수를 최종방류구를 거치지 아니하고 중간배출하거나 중간배출할 수 있는 시설을 설치하는 행위
3. 건물등에서 발생하는 오수에 물을 섞어 처리하거나 물을 섞어 배출하는 행위
4. 정당한 사유 없이 개인하수처리시설을 정상적으로 가동하지 아니하여 방류수수질기준을 초과하여 배출하는 행위

② 개인하수처리시설의 소유자 또는 관리자는 방류수의 수질자가측정 및 내부청소 등에 관하여 환경부령으로 정하는 기준에 따라 그 시설을 유지·관리하여야 한다. <개정 2020.5.26.>

③ 개인하수처리시설의 소유자 또는 관리자는 대통령령으로 정하는 부득이한 사유로 방류수수질기준을 초과하여 방류하게 되는 때에는 특별자치시장·특별자치도지사·시장·군수·구청장에게 미리 신고하여야 한다. <개정 2020.5.26.>

④ 제3항의 규정에 따라 개인하수처리시설의 소유자 또는 관리자가 신고하여야 할 사항 및 신고절차 등에 관하여 필요한 사항은 환경부령으로 정한다.

⑤ 특별자치시장·특별자치도지사·시장·군수·구청장은 제3항에 따른 신고를 받은 경우 그 내용을 검토하여 이 법에 적합하면 신고를 수리하여야 한다. <신설 2021.1.5.>

⑥ 특별자치시장·특별자치도지사·시장·군수·구청장은 개인하수처리시설의 소유자 또는 관리자가 해당 시설에 대하여 제2항에 따른 기준에 따라 내부청소를 하지 아니하여 제80조제4항제12호의 규정에 따라 과태료 처분을 받고도 계속하여 내부청소를 하지 아니한 때에는 「행정대집행법」에서 정하는 바에 따라 대집행을 하고 그 비용을 소유자 또는 관리자로부터 징수할 수 있다. <개정 2020.5.26., 2021.1.5>

⑦ 공동으로 이용하기 위하여 설치한 개인하수처리시설에 오수를 유입시키는 건물등으로서 대통령령으로 정하는 건물등의 소유자는 환경부령으로 정하는 바에 따라 해당 시설의 공동 관리·유지에 필요한 운영기구를 설치하고 그 대표자를 지정하여 특별자치시장·특별자치도지사·시장·군수·구청장에게 그 사실을 신고하여야 한다. 대통령령으로 정하는 중요한 사항을 변경하려는 경우에도 또한 같다. <개정 2020.5.26.>

⑧ 특별자치시장·특별자치도지사·시장·군수·구청장은 제7항 전단에 따른 신고 또는 같은 항 후단에 따른 변경신고를 받은 날부터 3일 이내에 신고수리 여부를 신고인에게 통지하여야 한다. <신설 2021.1.5.>

⑨ 특별자치시장·특별자치도지사·시장·군수·구청장이 제8항에서 정한 기간 내에 신고수리 여부 또는 민원 처리 관련 법령에 따른 처리기간의 연장을 신고인에게 통지하지 아니하면 그 기간(민원 처리 관련 법령에 따라 처리기간이 연장 또는 재연장된 경우에는 해당 처리기간을 말한다)이 끝난 날의 다음 날에 신고를 수리한 것으로 본다. <신설 2021.1.5.>

⑩ 제1항부터 제6항까지 및 제40조를 적용하는 경우 제7항에 따른 운영기구의 대표자는 해당 개인하수처리시설의 소유자 또는 관리자로 본다. <개정 2020.5.26., 2021.1.5>

⑪ 개인하수처리시설의 소유자 또는 관리자는 해당 시설의 관리를 제53조제1항에 따른 처리시설관리업자에게 위탁할 수 있다. <개정 2020.5.26., 2021.1.5>

⑫ 제11항의 규정에 따라 개인하수처리시설의 관리를 위탁받은 자는 이 법을 적용하는 경우 개인하수처리시설의 소유자 또는 관리자로 본다. 다만, 개인하수처리시설의 소유자에게 명백한 잘못이 있다고 인정되는 경우 등 대통령령으로 정하는 사유가 있는 경우에는 그러하지 아니하다. <개정 2020.5.26., 2021.1.5>

8. 「공동주택관리법」

법 제33조【안전점검】① 의무관리대상 공동주택의 관리주체는 그 공동주택의 기능유지와 안전성 확보로 입주자등을 재해 및 재난 등으로부터 보호하기 위하여 「시설물의 안전 및 유지관리에 관한 특별법」 제21조에 따른 지침에서 정하는 안전점검의 실시 방법 및 절차 등에 따라 공동주택의 안전점검을 실시하여야 한다. 다만, 16층 이상의 공동주택 및 사용연수, 세대수, 안전등급, 층수 등을 고려하여 대통령령으로 정하는 15층 이하의 공동주택에 대하여는 대통령령으로 정하는 자로 하여금 안전점검을 실시하도록 하여야 한다.

② 제1항에 따른 관리주체는 안전점검의 결과 건축물의 구조·설비의 안전도가 매우 낮아 재해 및 재난 등이 발생할 우려가 있는 경우에는 지체 없이 입주자대표회의(임대주택은 임대사업자를 말한다. 이하 이 조에서 같다)에 그 사실을 통보한 후 대통령령으로 정하는 바에 따라 시장·군수·구청장에게 그 사실을 보고하고, 해당 건축물의 이용 제한 또는 보수 등 필요한 조치를 하여야 한다.

③ 의무관리대상 공동주택의 입주자대표회의 및 관리주체는 건축물과 공중의 안전 확보를 위하여 건축물의 안전점검과 재난예방에 필요한 예산을 매년 확보하여야 한다.

④ 공동주택의 안전점검 방법, 안전점검의 실시 시기, 안전점검을 위한 보유 장비, 그 밖에 안전점검에 필요한 사항은 대통령령으로 정한다.

법 제34조【소규모 공동주택의 안전관리】지방자치단체의 장은 의무관리대상 공동주택에 해당하지 아니하는 공동주택(이하 "소규모 공동주택"이라 한다)의 관리와 안전사고의 예방 등을 위하여 다음 각 호의 업무를 할 수 있다. <개정 2023.10.24./시행 2024.4.25.>

1. 제32조에 따른 시설물에 대한 안전관리계획의 수립 및 시행
2. 제33조에 따른 공동주택에 대한 안전점검
3. 그 밖에 지방자치단체의 조례로 정하는 사항

9. 「도시가스사업법」

법 제17조【정기검사 및 수시검사】① 도시가스사업자와 특정가스사용시설의 사용자는 그 가스공급시설이나 특정가스사용시설에 대하여 산업통상자원부령으로 정하는 바에 따라 정기 또는 수시로 산업통상자원부장관 또는 시장·군수·구청장의 검사를 받아야 한다. 다만, 대통령령으로 정하는 자는 정기검사의 전부 또는 일부를 면제할 수 있다.

② 제1항에 따른 정기검사 및 수시검사의 대상과 기준, 그 밖에 검사에 필요한 사항은 산업통상자원부령으로 정한다.

10. 「도시 및 주거환경정비법」

법 제12조【재건축사업 정비계획을 위한 안전진단】① 정비계획의 입안권자는 재건축사업 정비계획의 입안을 위하여 제5조제1항제10호에 따른 정비예정구역별 정비계획의 수립시기가 도래한 때에 안전진단을 실시하여야 한다.

② 정비계획의 입안권자는 제1항에도 불구하고 다음 각 호의 어느 하나에 해당하는 경우에는 안전진단을 실시하여야 한다. 이 경우 정비계획의 입안권자는 안전진단에 드는 비용을 해당 안전진단의 실시를 요청하는 자에게 부담하게 할 수 있다.

1. 제14조에 따라 정비계획의 입안을 제안하려는 자가 입안을 제안하기 전에 해당 정비예정구역에 위치한 건축물 및 그 부속토지의 소유자 10분의 1 이상의 동의를 받아 안전진단의 실시를 요청하는 경우
2. 제5조제2항에 따라 정비예정구역을 지정하지 아니한 지역에서 재건축사업을 하려는 자가 사업예정구역에 있는 건축물 및 그 부속토지의 소유자 10분의 1 이상의 동의를 받아 안전진단의 실시를 요청하는 경우
3. 제2조제3호나목에 해당하는 건축물의 소유자로서 재건축사업을 시행하려는 자가 해당 사업예정구역에 위치한 건축물 및 그 부속토지의 소유자 10분의 1 이상의 동의를 받아 안전진단의 실시를 요청하는 경우

③ 제1항에 따른 재건축사업의 안전진단은 주택단지의 건축물을 대상으로 한다. 다만, 대통령령으로 정하는 주택단지의 건축물인 경우에는 안전진단 대상에서 제외할 수 있다.
④ 정비계획의 입안권자는 현지조사 등을 통하여 해당 건축물의 구조안전성, 건축마감, 설비노후도 및 주거환경 적합성 등을 심사하여 안전진단의 실시 여부를 결정하여야 하며, 안전진단의 실시가 필요하다고 결정한 경우에는 대통령령으로 정하는 안전진단기관에 안전진단을 의뢰하여야 한다.
⑤ 제4항에 따라 안전진단을 의뢰받은 안전진단기관은 국토교통부장관이 정하여 고시하는 기준(건축물의 내진성능 확보를 위한 비용을 포함한다)에 따라 안전진단을 실시하여야 하며, 국토교통부령으로 정하는 방법 및 절차에 따라 안전진단 결과보고서를 작성하여 정비계획의 입안권자 및 제2항에 따라 안전진단의 실시를 요청한 자에게 제출하여야 한다.
⑥ 정비계획의 입안권자는 제5항에 따른 안전진단의 결과와 도시계획 및 지역여건 등을 종합적으로 검토하여 정비계획의 입안 여부를 결정하여야 한다.
⑦ 제1항부터 제6항까지의 규정에 따른 안전진단의 대상·기준·실시기관·지정절차 및 수수료 등에 필요한 사항은 대통령령으로 정한다.

10 사용제한 등(건관법 제21조)(영 제15조)

▶ 「건축물관리법」

제21조【사용제한 등】

① 관리자는 건축물의 안전한 이용에 주는 영향이 중대하여 긴급한 조치가 필요하다고 인정되는 경우로서 대통령령으로 정하는 경우에는 해당 건축물에 대하여 사용제한·사용금지·해체 등의 조치를 하여야 한다.
② 관리자는 제1항에 따른 조치를 하는 경우에는 미리 그 사실을 특별자치시장·특별자치도지사 또는 시장·군수·구청장에게 알려야 한다. 이 경우 통보를 받은 특별자치시장·특별자치도지사 또는 시장·군수·구청장은 이를 공고하여야 한다.
③ 제20조제1항에 따라 건축물관리점검 결과를 보고받은 특별자치시장·특별자치도지사 또는 시장·군수·구청장은 해당 건축물의 안전한 이용에 주는 영향이 중대하여 긴급한 조치가 필요하다고 인정되면 대통령령으로 정하는 바에 따라 해당 건축물의 사용제한·사용금지·해체 등의 조치를 명할 수 있다.
④ 특별자치시장·특별자치도지사 또는 시장·군수·구청장은 제3항에 따른 명령을 받은 자가 그 명령을 이행하지 아니한 경우에는 「행정대집행법」에 따라 대집행을 할 수 있다.

영 제15조【건축물의 사용제한】

① 법 제21조제1항에서 "대통령령으로 정하는 경우"란 다음 각 호의 어느 하나에 해당하는 경우를 말한다.
1. 주요구조부의 강도 또는 강성(剛性: 변형에 대한 저항능력)이 현저하게 저하된 경우
2. 주요구조부에 과다한 변형이 발생하거나 균열이 심화된 경우
3. 건축물관리점검 실시 결과 건축물의 안전성 확보를 위하여 필요하다고 인정되는 경우
② 특별자치시장·특별자치도지사 또는 시장·군수·구청장이 법 제21조제3항에 따라 사용제한·사용금지·해체 등의 조치를 명할 때에는 해당 건축물의 관리자에게 조치 내용 및 그 이유 등을 포함하여 서면으로 알려야 한다.

① 관리자는 건축물의 안전한 이용에 주는 영향이 중대하여 긴급한 조치가 필요하다고 인정되는 경우로서 다음 경우에는 해당 건축물에 대하여 사용제한·사용금지·해체 등의 조치를 하여야 한다.

1. 주요구조부의 강도 또는 강성(剛性: 변형에 대한 저항능력)이 현저하게 저하된 경우
2. 주요구조부에 과다한 변형이 발생하거나 균열이 심화된 경우
3. 건축물관리점검 실시 결과 건축물의 안전성 확보를 위하여 필요하다고 인정되는 경우

② 관리자는 위의 조치를 하는 경우 미리 그 사실을 특별자치시장·특별자치도지사 또는 시장·군수·구청장에게 알려야 하며, 통보를 받은 특별자치시장·특별자치도지사 또는 시장·군수·구청장은 이를 공고하여야 한다.

③ 위 [9]의 ①에 따른 건축물관리점검 결과를 보고받은 특별자치시장·특별자치도지사 또는 시장·군수·구청장은 해당 건축물의 안전한 이용에 주는 영향이 중대하여 긴급한 조치가 필요하다고 인정되면 해당 건축물의 사용제한·사용금지·해체 등의 조치를 명할 수 있다. 이 경우 해당 건축물의 관리자에게 조치 내용 및 그 이유 등을 포함하여 서면으로 알려야 한다.

④ 특별자치시장·특별자치도지사 또는 시장·군수·구청장은 위 ③의 명령을 받은 자가 그 명령을 이행하지 않는 경우 「행정대집행법」에 따라 대집행을 할 수 있다.

[11] 점검결과의 이행 등(건관법 제22조)(영 제15조)

▶「건축물관리법」

법 제22조【점검결과의 이행 등】

① 관리자는 제20조제1항에 따라 건축물관리점검 결과를 보고받은 경우 내진성능, 화재안전성능 등 대통령령으로 정하는 중대한 결함사항에 대하여 대통령령으로 정하는 바에 따라 보수·보강 등 필요한 조치를 하여야 한다.

② 특별자치시장·특별자치도지사 또는 시장·군수·구청장은 관리자가 제1항에 따른 건축물의 보수·보강 등 필요한 조치를 하지 아니한 경우 해당 관리자에게 해체·개축·수선·사용금지·사용제한, 그 밖에 필요한 조치의 이행 또는 시정을 명할 수 있다.

③ 건축물관리점검 결과를 통보받은 관리자는 건축물의 긴급한 보수·보강 등이 필요한 경우 이를 방송, 인터넷, 표지판 등을 통하여 해당 건축물의 사용자 등에게 알려야 한다.

법 제23조【점검결과의 이행 등】

① 제22조에 따라 보수·보강 등 필요한 조치를 완료한 관리자는 그 결과를 특별자치시장·특별자치도지사 또는 시장·군수·구청장에게 보고하여야 한다.

② 제1항에 따른 보고의 절차 등에 관한 사항은 국토교통부령으로 정한다.

영 제16조【점검결과의 이행 등】

① 법 제22조제1항에서 "내진성능, 화재안전성능 등 대통령령으로 정하는 중대한 결함사항"이란 제15조제1항 각 호의 어느 하나에 해당하는 경우를 말한다.

② 관리자는 법 제22조제1항에 따라 보수·보강 등 필요한 조치를 해야 하는 경우 법 제20조제1항에 따라 건축물관리점검 결과를 보고받은 날부터 60일 이내에 보수·보강 등 조치계획을 수립하여 특별자치시장·특별자치도지사 또는 시장·군수·구청장에게 보고해야 한다.

③ 관리자는 법 제20조제1항에 따라 건축물관리점검 결과를 보고받은 날부터 2년 이내에 제2항의 보수·보강 등 조치계획에 따른 조치를 시작해야 한다. 이 경우 특별한 사유가 없으면 시작한 날부터 3년 이내에 보수·보강 등 필요한 조치를 완료해야 한다.

> **규칙 제8조【조치결과의 보고】**
> 관리자는 법 제23조제1항에 따라 법 제22조제1항 및 제2항에 따른 조치를 완료한 날부터 30일 이내에 해당 조치결과를 건축물 생애이력 정보체계에 입력하는 방법으로 보고해야 한다.

【1】 점검결과의 이행 등

(1) 관리자는 건축물관리점검 결과를 보고받은 경우 내진성능, 화재안전성능 등 다음 ① 의 중대한 결함사항에 대하여 ②의 보수·보강 등 필요한 조치를 하여야 한다.

① 중대한 결함사항

1. 주요구조부의 강도 또는 강성(剛性: 변형에 대한 저항능력)이 현저하게 저하된 경우
2. 주요구조부에 과다한 변형이 발생하거나 균열이 심화된 경우
3. 건축물관리점검 실시 결과 건축물의 안전성 확보를 위하여 필요하다고 인정되는 경우

② 보수·보강 등 필요한 조치

건축물관리점검 결과를 보고받은 날부터 60일 이내에 보수·보강 등 조치계획을 수립하여 특별자치시장·특별자치도지사 또는 시장·군수·구청장에게 보고해야 한다.

(2) 특별자치시장·특별자치도지사 또는 시장·군수·구청장은 관리자가 건축물의 보수·보강 등 필요한 조치를 하지 아니한 경우 해당 관리자에게 해체·개축·수선·사용금지·사용제한, 그 밖에 필요한 조치의 이행 또는 시정을 명할 수 있다.

(3) 건축물관리점검 결과를 통보받은 관리자는 건축물의 긴급한 보수·보강 등이 필요한 경우 이를 방송, 인터넷, 표지판 등을 통하여 해당 건축물의 사용자 등에게 알려야 한다.

(4) 관리자는 건축물관리점검 결과를 보고받은 날부터 2년 이내에 보수·보강 등 조치계획에 따른 조치를 시작해야 한다. 이 경우 특별한 사유가 없으면 시작한 날부터 3년 이내에 보수·보강 등 필요한 조치를 완료해야 한다.

【2】 조치결과의 보고

① 보수·보강 등 필요한 조치를 완료한 관리자는 그 결과를 특별자치시장·특별자치도지사 또는 시장·군수·구청장에게 보고하여야 한다.

② 관리자는 점검결과 이행에 대한 조치를 완료한 날부터 30일 이내에 해당 조치결과를 건축물 생애이력 정보체계에 입력하는 방법으로 보고해야 한다.

2 주택의 유지·관리 지원(법 제35조의2)(영 제23조의8)

법 제35조의2【주택의 유지 · 관리 지원】

삭제<2019.4.30./시행 2020.5.1.>

※ 「건축물관리법」 제정으로 삭제됨

▶ 건축법 제35조의2의 관련내용은 「건축물관리법」
제39조(건축물관리지원센터의 지정 등),
제40조(지역건축물관리지원센터의 설치 및 운영)으로 이동하여 보완 제정됨

※ 여기서는 「건축법」에 있던 해당 규정에 대한 「건축물관리법」의 규정 내용을 해설함.

1 건축물관리지원센터의 지정 등(건관법 제39조)(영 제29조)(규칙 제19조)

▶「건축물관리법」

법 제39조【건축물관리지원센터의 지정 등】

① 국토교통부장관은 건축물관리를 위한 정책과 기술의 연구·개발 및 보급 등을 효율적으로 추진하기 위하여 다음 각 호의 기관을 건축물관리지원센터로 지정할 수 있다. <개정 2020.5.19., 2020.6.9.>

1.「정부출연연구기관 등의 설립·운영 및 육성에 관한 법률」에 따라 설립된 건축공간연구원
2. 국토안전관리원
3.「과학기술분야 정부출연연구기관 등의 설립·운영 및 육성에 관한 법률」에 따라 설립된 한국건설기술연구원
4.「한국부동산원법」에 따른 한국부동산원
5.「한국토지주택공사법」에 따라 설립된 한국토지주택공사
6. 그 밖에 대통령령으로 정하는 공공기관

② 국토교통부장관은 제1항에 따른 건축물관리지원센터를 지정하거나 그 지정을 취소한 경우에는 그 사실을 관보에 고시하여야 한다.

③ 제1항에 따른 건축물관리지원센터는 다음 각 호의 업무를 수행한다.

1. 건축물관리 관련 정책 수립·이행 지원
2. 건축물관리 관련 상담 지원
3. 이 법에 따라 국토교통부장관으로부터 대행 또는 위탁받은 업무
4. 그 밖에 체계적인 건축물관리를 위하여 필요한 업무

④ 국토교통부장관은 제1항에 따라 지정된 건축물관리지원센터에 대하여 예산의 범위에서 제3항의 업무를 수행하는 데 필요한 비용의 일부를 출연하거나 지원할 수 있다.

⑤ 제1항에 따른 건축물관리지원센터의 지정 및 지정취소 등에 필요한 사항은 대통령령으로 정한다.

영 제29조【건축물관리지원센터의 지정 등】

① 법 제39조제1항제6호에서 "대통령령으로 정하는 공공기관"이란 「공공기관의 운영에 관한 법률」 제4조에 따른 공공기관으로서 다음 각 호의 사항을 모두 갖춘 기관을 말한다.

1. 건축물관리 지원업무를 수행할 전담조직, 예산 및 시설
2. 건축물관리 지원업무를 수행할 수 있는 10명 이상의 전문인력

3. 건축물관리 지원업무 운영규정
② 법 제39조제1항에 따라 건축물관리지원센터로 지정받으려는 자는 국토교통부령으로 정하는 신청서에 다음 각 호의 서류를 첨부하여 국토교통부장관에게 제출해야 한다.
1. 건축물관리지원센터 운영계획
2. 건축물관리지원센터 인력·조직 및 시설 확보 현황
3. 건축물관리지원센터 운영에 따른 예산조달계획
③ 국토교통부장관은 제2항에 따라 신청한 자를 건축물관리지원센터로 지정하는 경우에는 국토교통부령으로 정하는 지정서를 발급해야 한다.
④ 국토교통부장관은 건축물관리지원센터로 하여금 다음 각 호의 업무를 대행하게 할 수 있다. <개정 2023.7.11.>
1. 법 제6조에 따른 실태조사
2. 법 제29조의2에 따른 화재안전성능보강에 대한 지원의 보조
3. 법 제38조에 따른 건축물관리기술의 국제협력 및 해외진출을 촉진하기 위한 사업의 추진
⑤ 건축물관리지원센터는 다음 각 호의 서류를 해당 구분에 따른 날까지 국토교통부장관에게 제출해야 한다.
1. 업무계획: 매년 2월 말일
2. 전년도 업무 추진 실적: 다음 해 3월 31일
⑥ 국토교통부장관은 건축물관리지원센터가 다음 각 호의 어느 하나에 해당하는 경우에는 그 지정을 취소할 수 있다. 다만, 제1호에 해당하는 경우에는 그 지정을 취소해야 한다.
1. 거짓이나 부정한 방법으로 건축물관리지원센터로 지정받은 경우
2. 정당한 사유 없이 지정받은 날부터 6개월 이상 건축물관리지원센터의 업무를 수행하지 않은 경우
3. 그 밖에 건축물관리지원센터로서의 업무를 수행할 수 없게 된 경우
⑦ 국토교통부장관은 제6항에 따라 지정을 취소하려는 경우에는 청문을 해야 한다.

규칙 제19조【건축물관리지원센터의 지정】
① 영 제29조제2항 각 호 외의 부분에서 "국토교통부령으로 정하는 신청서"란 별지 제12호서식의 건축물관리지원센터 지정신청서를 말한다.
② 국토교통부장관은 영 제29조제2항 및 이 조 제1항에 따라 신청서를 제출받은 경우 「전자정부법」 제36조제1항에 따른 행정정보의 공동이용을 통해 법인 등기사항증명서(법인인 경우만 해당한다) 또는 사업자등록증명을 확인해야 한다. 이 경우 신청인이 사업자등록증명 확인에 동의하지 않은 경우에는 해당 서류를 제출하도록 해야 한다.
③ 영 제29조제3항에서 "국토교통부령으로 정하는 지정서"란 별지 제13호서식의 건축물관리지원센터 지정서를 말한다.

해설 국토교통부장관은 건축물관리를 위한 정책 등을 효율적으로 추진하기 위하여 건축물관리지원센터를 지정할 수 있다.

【1】 건축물관리지원센터의 지정

국토교통부장관은 건축물관리를 위한 정책과 기술의 연구·개발 및 보급 등을 효율적으로 추진하기 위하여 아래 표의 기관을 건축물관리지원센터로 지정할 수 있다.

【2】 건축물관리지원센터 지정 대상 기관

▪ 건축물지원센터 지정 대상	근거 규정
1. 건축공간연구원	「정부출연연구기관 등의 설립·운영 및 육성에 관한 법률」
2. 국토안전관리원	「국토안전관리원법」
3. 한국건설기술연구원	「과학기술분야 정부출연연구기관 등의 설립·운영 및 육성에 관한 법률」
4. 한국부동산원	「한국부동산원법」
5. 한국토지주택공사	「한국토지주택공사법」
6. 공공기관(아래 사항을 모두 갖춘 기관)	「공공기관의 운영에 관한 법률」 제4조

① 건축물관리 지원업무를 수행할 전담조직, 예산 및 시설
② 건축물관리 지원업무를 수행할 수 있는 10명 이상의 전문인력
③ 건축물관리 지원업무 운영규정

【3】 건축물관리지원센터의 업무

1. 건축물관리 관련 정책 수립·이행 지원
2. 건축물관리 관련 상담 지원
3. 이 법에 따라 국토교통부장관으로부터 대행 또는 위탁받은 업무
4. 그 밖에 체계적인 건축물관리를 위하여 필요한 업무

【4】 건축물관리지원센터의 대행 업무

국토교통부장관은 건축물관리지원센터로 하여금 다음의 업무를 대행하게 할 수 있다.

1. 실태조사(「건축물관리법」 제6조)
2. 화재안전성능보강에 대한 지원의 보조(「건축물관리법」 제29조의2)
3. 건축물관리기술의 국제협력 및 해외진출을 촉진하기 위한 사업의 추진(「건축물관리법」 제38조)

【5】 건축물관리지원센터의 실적 등의 보고

건축물관리지원센터는 다음 서류를 국토교통부장관에게 제출해야 한다.

제출 대상 서류	제출기한
1. 업무계획	매년 2월 말일
2. 전년도 업무 추진 실적	다음 해 3월 31일

【6】 지정 절차

① 건축물관리지원센터로 지정받으려는 자는 아래의 서류를 국토교통부장관에게 제출해야 한다.

건축법
1. 총 칙
2. 건 축
3. 유지관리
4. 대지도로
5. 구조재료
6. 지역지구
7. 건축설비
8. 특별건축구역
9. 보 칙
10. 벌 칙
건축법 관련기준

■ 제출서류
1. 건축물관리지원센터 지정신청서(별지 제12호서식)
2. 건축물관리지원센터 운영계획
3. 건축물관리지원센터 인력·조직 및 시설 확보 현황
4. 건축물관리지원센터 운영에 따른 예산조달계획

② 국토교통부장관은 신청서를 제출받은 경우 행정정보의 공동이용을 통해 법인 등기사항증명서(법인인 경우만 해당) 또는 사업자등록증명을 확인해야 한다.

③ 국토교통부장관은 제1항에 따른 건축물관리지원센터를 지정하거나 그 지정을 취소한 경우에는 그 사실을 관보에 고시하여야 한다.

④ 국토교통부장관은 신청자를 건축물관리지원센터로 지정하는 경우 건축물관리지원센터 지정서(별지 제13호 서식)를 발급해야 한다.

⑤ 국토교통부장관은 지정된 건축물관리지원센터에 예산의 범위에서 업무를 수행에 필요한 비용의 일부를 출연하거나 지원할 수 있다.

【7】 지정 취소

① 국토교통부장관은 건축물관리지원센터가 다음의 경우에는 지정을 취소할 수 있다.

■ 지정 취소 가능 사유(단, 1의 경우 지정 취소할 것)
1. 거짓이나 부정한 방법으로 건축물관리지원센터로 지정받은 경우
2. 정당한 사유 없이 지정받은 날부터 6개월 이상 건축물관리지원센터의 업무를 수행하지 않은 경우
3. 그 밖에 건축물관리지원센터로서의 업무를 수행할 수 없게 된 경우

② 국토교통부장관은 지정을 취소하려는 경우에는 청문을 해야 한다.

2 지역건축물관리지원센터의 설치 및 운영(건관법 제40조)(규칙 제20조)

▶ 「건축물관리법」

법 제40조【지역건축물관리지원센터의 설치 및 운영】

① 특별자치시장·특별자치도지사 또는 시장·군수·구청장은 관리자가 건축물관리계획에 따라 효율적으로 건축물을 관리할 수 있도록 기술을 지원하거나 정보를 제공할 수 있다.

② 특별자치시장·특별자치도지사 또는 시장·군수·구청장은 제1항에 따른 기술지원, 정보제공, 안전대책의 수립 등을 위하여 필요한 경우에는 지역건축물관리지원센터를 설치·운영할 수 있다.

③ 제2항에 따른 지역건축물관리지원센터는 「건축법」 제87조의2제1항에 따른 지역건축안전센터와 통합하여 운영할 수 있다.

④ 제2항에 따른 지역건축물관리지원센터의 설치·운영 등에 필요한 사항은 국토교통부령으로 정한다.

규칙 제20조【지역건축물관리지원센터의 설치 및 운영 등】

① 법 제40조제2항에 따른 지역건축물관리지원센터(이하 "지역건축물관리지원센터"라 한다)에는 센터장 1명과 기술지원, 정보제공 및 안전대책의 수립 등에 필요한 전문인력을 둔다.

② 특별자치시장·특별자치도지사 또는 시장·군수·구청장은 해당 지방자치단체 소속 공무원 중에서 건축물관리에 관한 학식과 경험이 풍부한 사람으로 하여금 제1항에 따른 센터장(이하 "센터장"이라 한다)을 겸임하게 할 수 있다.

③ 센터장은 지역건축물관리지원센터의 사무를 총괄하고, 소속 직원을 지휘·감독한다.

④ 제1항에 따른 전문인력은 다음 각 호의 어느 하나에 해당하는 자격을 갖춘 사람으로서 건축물관리에 관한 학식과 경험이 풍부한 사람으로 한다. <개정 2021.12.10>

1. 「건축사법」 제2조제1호에 따른 건축사
2. 「국가기술자격법」에 따른 건축구조기술사
3. 「국가기술자격법」에 따른 건축시공기술사
4. 「국가기술자격법」에 따른 건설안전기술사
5. 「건설기술 진흥법 시행령」 별표 1에 따른 건축구조 전문분야의 특급건설기술인 또는 고급건설기술인

⑤ 특별자치시장·특별자치도지사 또는 시장·군수·구청장은 제4항제1호에 해당하는 전문인력 1명 이상과 같은 항 제2호 또는 제5호에 해당하는 전문인력 1명 이상을 두어야 하며, 지역건축물관리지원센터의 전문인력을 확보하기 위하여 노력해야 한다.

⑥ 특별자치시장·특별자치도지사 또는 시장·군수·구청장은 지역의 규모·예산·인력 등을 고려할 때 단독으로 지역건축물관리지원센터를 설치·운영하는 것이 어려운 경우에는 둘 이상의 특별자치시·특별자치도 또는 시·군·자치구가 공동으로 하나의 지역건축물관리지원센터를 설치·운영할 수 있다. 이 경우 공동으로 지역건축물관리지원센터를 설치·운영하려는 특별자치시장·특별자치도지사 또는 시장·군수·구청장은 지역건축물관리지원센터의 공동 설치 및 운영에 관한 협약을 체결해야 한다.

⑦ 제1항부터 제6항까지에서 규정한 사항 외에 지역건축물관리지원센터의 조직 및 운영 등에 필요한 사항은 해당 지방자치단체의 조례로 정한다.

해설 특별자치시장·특별자치도지사 또는 시장·군수·구청장은 관리자가 건축물관리계획에 따라 효율적으로 건축물을 관리할 수 있도록 지역건축물관리지원센터를 설치하여 기술을 지원하거나 정보를 제공할 수 있다.

【1】 지역건축물관리지원센터의 지정

① 특별자치시장·특별자치도지사 또는 시장·군수·구청장는 관리자가 건축물관리계획에 따라 효율적으로 건축물을 관리할 수 있도록 기술을 지원하거나 정보를 제공할 수 있다.
② 특별자치시장·특별자치도지사 또는 시장·군수·구청장은 기술지원, 정보제공, 안전대책의 수립 등을 위하여 필요한 경우에는 지역건축물관리지원센터를 설치·운영할 수 있다.
③ 지역건축물관리지원센터는 「건축법」에 따른 지역건축안전센터와 통합하여 운영할 수 있다.

【2】 지역건축물관리지원센터의 설치 및 운영 등

(1) 지역건축물관리지원센터의 구성

① 센터장 1명과 기술지원, 정보제공 및 안전대책의 수립 등에 필요한 전문인력을 둔다.

② 해당 지방자치단체 소속 공무원 중에서 건축물관리에 관한 학식과 경험이 풍부한 사람으로 하여금 센터장을 겸임하게 할 수 있다.

③ 센터장은 지역건축물관리지원센터의 사무를 총괄하고, 소속 직원을 지휘·감독한다.

(2) 전문인력의 자격

① 전문인력은 다음에 해당하는 자격을 갖춘 사람으로서 건축물관리에 관한 학식과 경험이 풍부한 사람으로 한다.

■ 전문인력의 자격	근거 규정
1. 건축사	「건축사법」 제2조제1호
2. 건축구조기술사	「국가기술자격법」
3. 건축시공기술사	
4. 건설안전기술사	
5. 건축구조 전문분야의 특급건설기술인 또는 고급건설기술인	「건설기술 진흥법 시행령」 별표 1

② 특별자치시장·특별자치도지사 또는 시장·군수·구청장은 위 표의 전문인력 자격에서 1. 건축사 1명 이상과 2. 건축구조기술사 또는 5. 건축구조 전문분야 특급건설기술인 중 1명 이상을 두어야 하며, 지역건축물관리지원센터의 전문인력을 확보하기 위하여 노력해야 한다.

(3) 지역건축물관리지원센터의 운영 등

① 특별자치시장·특별자치도지사 또는 시장·군수·구청장은 지역의 규모·예산·인력 등을 고려할 때 단독으로 지역건축물관리지원센터를 설치·운영하는 것이 어려운 경우 둘 이상의 특별자치시·특별자치도 또는 시·군·자치구가 공동으로 하나의 지역건축물관리지원센터를 설치·운영할 수 있다.

② 공동 지역건축물관리지원센터를 설치·운영하려는 경우 공동 설치 및 운영에 관한 협약을 체결해야 한다.

③ 위의 규정한 사항 외에 지역건축물관리지원센터의 조직 및 운영 등에 필요한 사항은 해당 지방자치단체의 조례로 정한다.

3 건축물의 철거 등의 신고(법 제36조)(규칙 제24조)

법 제36조【건축물의 철거 등의 신고】

삭제<2019.4.30./시행 2020.5.1.>

※ 「건축물관리법」 제정으로 삭제됨

▶ 건축법 제36조의 관련내용은 「건축물관리법」

제30조(건축물 해체의 허가)

제30조의2(해체공사 착공신고 등)

제30조의3(건축물 해체의 허가 또는 신고사항의 변경) <신설 2022.2.3>

제30조의4(현장점검)

제31조(건축물 해체공사감리자의 지정 등)

제32조(해체공사감리자의 업무 등)

제33조(건축물 해체공사 완료신고)

제34조(건축물의 멸실신고)로 이동하여 보완 제정됨

※ 여기서는 「건축법」에 있던 해당 규정에 대한 「건축물관리법」의 규정 내용을 정리함.

1 건축물 해체의 허가 등(건관법 제30조, 제30조의2)(영 제21조)(규칙 제11조, 제12조)

▶「건축물관리법」

법 제30조【건축물 해체의 허가】

① 관리자가 건축물을 해체하려는 경우에는 특별자치시장·특별자치도지사 또는 시장·군수·구청장(이하 이 장에서 "허가권자"라 한다)의 허가를 받아야 한다. 다만, 다음 각 호의 어느 하나에 해당하는 경우 대통령령으로 정하는 바에 따라 신고를 하면 허가를 받은 것으로 본다. <개정 2020.4.7.>

1. 「건축법」 제2조제1항제7호에 따른 주요구조부의 해체를 수반하지 아니하고 건축물의 일부를 해체하는 경우
2. 다음 각 목에 모두 해당하는 건축물의 전체를 해체하는 경우
   가. 연면적 500제곱미터 미만의 건축물
   나. 건축물의 높이가 12미터 미만인 건축물
   다. 지상층과 지하층을 포함하여 3개 층 이하인 건축물
3. 그 밖에 대통령령으로 정하는 건축물을 해체하는 경우

② 제1항 각 호 외의 부분 단서에도 불구하고 관리자가 다음 각 호의 어느 하나에 해당하는 경우로서 해당 건축물을 해체하려는 경우에는 허가권자의 허가를 받아야 한다. <개정 2022.2.3.>

1. 해당 건축물 주변의 일정 반경 내에 버스 정류장, 도시철도 역사 출입구, 횡단보도 등 해당 지방자치단체의 조례로 정하는 시설이 있는 경우
2. 해당 건축물의 외벽으로부터 건축물의 높이에 해당하는 범위 내에 해당 지방자치단체의 조례로 정하는 폭 이상의 도로가 있는 경우
3. 그 밖에 건축물의 안전한 해체를 위하여 건축물의 배치, 유동인구 등 해당 건축물의 주변 여건을 고려하여 해당 지방자치단체의 조례로 정하는 경우

1. 총 칙
2. 건 축
3. 유지관리
4. 대지도로
5. 구조재료
6. 지역지구
7. 건축설비
8. 특별건축구역
9. 보 칙
10. 벌 칙
건 축 법 관련기준

③ 제1항 또는 제2항에 따라 허가를 받으려는 자 또는 신고를 하려는 자는 건축물 해체 허가신청서 또는 신고서에 제4항에 따라 작성되거나 제5항에 따라 검토된 해체계획서를 첨부하여 허가권자에게 제출하여야 한다. <개정 2022.2.3.>

④ 제1항 각 호 외의 부분 본문 또는 제2항에 따라 허가를 받으려는 자가 허가권자에게 제출하는 해체계획서는 다음 각 호의 어느 하나에 해당하는 자가 이 법과 이 법에 따른 명령이나 처분, 그 밖의 관계 법령을 준수하여 작성하고 서명날인하여야 한다. <신설 2022.2.3.>

1.「건축사법」 제23조제1항에 따른 건축사사무소개설신고를 한 자
2.「기술사법」 제6조에 따라 기술사사무소를 개설등록한 자로서 건축구조 등 대통령령으로 정하는 직무범위를 등록한 자

⑤ 제1항 각 호 외의 부분 단서에 따라 신고를 하려는 자가 허가권자에게 제출하는 해체계획서는 다음 각 호의 어느 하나에 해당하는 자가 이 법과 이 법에 따른 명령이나 처분, 그 밖의 관계 법령을 준수하여 검토하고 서명날인하여야 한다. <신설 2022.2.3.>

1.「건축사법」 제23조제1항에 따른 건축사사무소개설신고를 한 자
2.「기술사법」 제6조에 따라 기술사사무소를 개설등록한 자로서 건축구조 등 대통령령으로 정하는 직무범위를 등록한 자

⑥ 허가권자는 다음 각 호의 어느 하나에 해당하는 경우 「건축법」 제4조제1항에 따라 자신이 설치하는 건축위원회의 심의를 거쳐 해당 건축물의 해체 허가 또는 신고수리 여부를 결정하여야 한다. <신설 2022.2.3.>

1. 제1항 각 호 외의 부분 본문 또는 제2항에 따른 건축물의 해체를 허가하려는 경우
2. 제1항 각 호 외의 부분 단서에 따라 건축물의 해체를 신고받은 경우로서 허가권자가 건축물 해체의 안전한 관리를 위하여 전문적인 검토가 필요하다고 판단하는 경우

⑦ 제6항에 따른 심의 결과 또는 허가권자의 판단으로 해체계획서 등의 보완이 필요하다고 인정되는 경우에는 허가권자가 관리자에게 기한을 정하여 보완을 요구하여야 하며, 관리자는 정당한 사유가 없으면 이에 따라야 한다. <신설 2022.2.3.>

⑧ 허가권자는 대통령령으로 정하는 건축물의 해체계획서에 대한 검토를 국토안전관리원에 의뢰하여야 한다. <개정 2020.6.9., 2022.2.3.>

⑨ 그 밖에 건축물 해체의 허가절차 등에 관하여는 국토교통부령으로 정한다. <개정 2022.2.3.>

영 제21조【건축물 해체의 신고 대상 건축물 등】

① 법 제30조제1항제3호에서 "대통령령으로 정하는 건축물"이란 다음 각 호의 어느 하나에 해당하는 건축물을 말한다.

1.「건축법」 제14조제1항제1호 또는 제3호에 따른 건축물
2.「국토의 계획 및 이용에 관한 법률」에 따른 관리지역, 농림지역 또는 자연환경보전지역에 있는 높이 12미터 미만인 건축물. 이 경우 해당 건축물의 일부가 「국토의 계획 및 이용에 관한 법률」에 따른 도시지역에 걸치는 경우에는 그 건축물의 과반이 속하는 지역으로 적용한다.
3. 그 밖에 시·군·구 조례로 정하는 건축물

② 법 제30조제1항 각 호 외의 부분 단서에 따라 신고를 하려는 자는 국토교통부령으로 정하는 신고서를 특별자치시장·특별자치도지사 또는 시장·군수·구청장(이하 이 장에서 "허가권자"라 한다)에게 제출해야 한다.

③ 허가권자는 법 제30조제3항 및 이 조 제2항에 따라 건축물 해체 허가신청서 또는 신고서를 제출받은 경우 건축물 또는 건축물에 사용된 자재에 석면이 함유되었는지를 확인하고, 석면이 함유되어 있는 경우 지체 없이 다음 각 호의 자에게 해당 사실을 통보해야 한다. <개정 2022.8.2>

1. 「산업안전보건법」 제119조제4항 및 같은 법 시행령 제115조제33호에 따라 조치를 명하는 지방고용노동관서의 장
2. 「폐기물관리법」 제17조제5항, 같은 법 시행령 제37조제1항제2호가목 및 같은 조 제2항 제1호에 따라 서류를 확인하는 시·도지사, 유역환경청장 또는 지방환경청장

④ 허가권자는 법 제30조제3항 및 이 조 제2항에 따라 건축물 해체 허가신청서 또는 신고서를 제출받은 경우 해당 건축물 또는 그 건축물 부지에 안전조치가 되지 않은 가스시설(가스배관을 포함한다. 이하 같다)이 있는지를 확인하고, 안전조치가 되지 않은 가스시설이 있는 경우 지체 없이 다음 각 호의 어느 하나에 해당하는 자에게 해당 사실을 통보해야 한다. <신설 2024.1.2.>

1. 「고압가스 안전관리법」 제23조의6제1항에 따라 안전조치를 하는 사업소 밖 배관 보유사업자
2. 「도시가스사업법」 제28조의3제2항에 따라 안전조치를 하는 도시가스사업자
3. 「액화석유가스의 안전관리 및 사업법」 제49조의7제1항에 따라 안전조치를 하는 액화석유가스 충전사업자 및 액화석유가스 집단공급사업자

⑤ 법 제30조제4항제2호 및 같은 조 제5항제2호에서 "건축구조 등 대통령령으로 정하는 직무범위"란 각각 「기술사법 시행령」 별표 2의2에 따른 직무 범위 중 건축구조, 건축시공 또는 건설안전을 말한다. <개정 2022.8.2., 2024.1.2.>

⑥ 법 제30조제8항에서 "대통령령으로 정하는 건축물"이란 다음 각 호의 건축물을 말한다. <개정 2022.8.2., 2024.1.2.>

1. 「건축법 시행령」 제2조제18호나목 또는 다목에 따른 특수구조 건축물
2. 건축물에 10톤 이상의 장비를 올려 해체하는 건축물
3. 폭파하여 해체하는 건축물

규칙 제11조【건축물 해체의 허가 신청 등】

① 법 제30조제3항에 따른 건축물 해체 허가신청서는 별지 제5호서식에 따른다. <개정 2022.8.4>

② 특별자치시장·특별자치도지사 또는 시장·군수·구청장(이하 "허가권자"라 한다)은 법 제30조제1항 각 호 외의 부분 본문 및 같은 조 제2항에 따라 허가를 한 경우에는 같은 조 제2항에 따라 허가를 신청한 자에게 별지 제6호서식의 건축물 해체 허가서를 내주어야 한다.

③ 영 제21조제2항에서 "국토교통부령으로 정하는 신고서"란 별지 제5호서식의 건축물 해체 신고서를 말한다.

④ 허가권자는 법 제30조제1항 각 호 외의 부분 단서에 따른 신고를 수리하는 경우에는 같은 조 제3항에 따라 신고한 자에게 별지 제6호의2서식의 건축물 해체신고 확인증을 내주어야 한다. <신설 2022.8.4>

⑤ 관리자는 법 제30조제3항에 따른 건축물 해체 허가신청서 또는 신고서를 「건축법」 제11조 또는 제14조에 따라 건축허가를 신청하거나 건축신고를 할 때 함께 제출(전자문서로 제출하는 것을 포함한다)할 수 있다. <개정 2022.8.4>

규칙 제12조【해체계획서의 작성】

① 법 제30조제3항에 따른 해체계획서에는 다음 각 호의 내용이 포함되어야 한다. <개정 2022.8.4>

1. 해체공사의 공정 등 해체공사의 개요
2. 해체공사의 영향을 받게 될 「건축법」 제2조제1항제4호에 따른 건축설비의 이동, 철거 및 보호 등에 관한 사항
3. 해체공사의 작업순서, 해체공법 및 이에 따른 구조안전계획
4. 해체공사 현장의 화재 방지대책, 공해 방지 방안, 교통안전 방안, 안전통로 확보 및 낙하 방지대책 등 안전관리대책
5. 해체물의 처리계획
6. 해체공사 후 부지정리 및 인근 환경의 보수 및 보상 등에 관한 사항

② 허가권자는 법 제30조제3항에 따라 제출받은 해체계획서에 보완이 필요하다고 인정하는 경우에는 기한을 정하여 보완을 요청할 수 있다.

③ 국토교통부장관은 제1항에 따른 해체계획서의 세부적인 작성 방법 등에 관해 필요한 사항을 정하여 고시해야 한다.

해설 관리자가 건축물을 해체하려는 경우 시장·군수·구청장 등의 허가권자로부터 해체 허가를 받거나 허가권자에게 신고하도록 규정하였다.(제30조 신설)

【1】 건축물의 해체 허가

① 관리자가 건축물을 해체하려는 경우에는 특별자치시장·특별자치도지사 또는 시장·군수·구청장(이하 **3**에서 "허가권자")의 허가를 받아야 한다.

② 해체신고 대상(아래 【2】)의 경우라도 다음의 경우는 관리자가 허가권자의 허가를 받아야 한다.

■ 해체 신고 대상 중 허가를 받아야 하는 경우
1. 해당 건축물 주변의 일정 반경 내에 버스 정류장, 도시철도 역사 출입구, 횡단보도 등 해당 지방자치단체의 조례로 정하는 시설이 있는 경우
2. 해당 건축물의 외벽으로부터 건축물의 높이에 해당하는 범위 내에 해당 지방자치단체의 조례로 정하는 폭 이상의 도로가 있는 경우
3. 그 밖에 건축물의 안전한 해체를 위하여 건축물의 배치, 유동인구 등 해당 건축물의 주변 여건을 고려하여 해당 지방자치단체의 조례로 정하는 경우

【2】 건축물의 해체 신고 대상

① 다음의 경우는 해체 신고를 하면 허가를 받은 것으로 본다.

■ 해체 신고 대상	
1. 주요구조부의 해체를 수반하지 아니하고 건축물의 일부를 해체하는 경우	
2. 우측란 모두 해당하는 건축물의 전체를 해체하는 경우	- 연면적 500㎡ 미만의 건축물
	- 건축물의 높이가 12m 미만인 건축물
	- 지상층과 지하층을 포함하여 3개 층 이하인 건축물
3. 「건축법」 상의 신고대상 건축물 중 우측란의 건축물을 해체하는 경우	- 바닥면적의 합계가 85㎡ 이내의 증축·개축 또는 재축 (다만) 3층 이상 건축물인 경우 증축·개축 또는 재축하려는 부분의 바닥면적의 합계가 건축물 연면적의 1/10 이내인 경우로 한정
	- 연면적이 200㎡ 미만이고 3층 미만인 건축물의 대수선

4. 관리지역, 농림지역 또는 자연환경보전지역에 있는 높이 12m 미만인 건축물을 해체하는 경우 * 이 경우 해당 건축물의 일부가 도시지역에 걸치는 경우 그 건축물의 과반이 속하는 지역으로 적용
5. 그 밖에 시·군·구 조례로 정하는 건축물

② 해체 신고를 하려는 자는 건축물 해체 신고서(별지 제5호서식)를 특별자치시장·특별자치도지사 또는 시장·군수·구청장(이하 **3**에서 "허가권자")에게 제출해야 한다.

【3】 건축물의 해체 허가 및 신고 절차 등

① 허가를 받거나 신고를 하려는 자는 건축물 해체 허가신청서 또는 신고서(별지 제5호서식)에 해체계획서를 첨부하여 허가권자에게 제출해야 한다.

② 해체계획서의 포함 사항

1. 해체공사의 공정 등 해체공사의 개요
2. 해체공사의 영향을 받게 될 건축설비의 이동, 철거 및 보호 등에 관한 사항
3. 해체공사의 작업순서, 해체공법 및 이에 따른 구조안전계획
4. 해체공사 현장의 화재 방지대책, 공해 방지 방안, 교통안전 방안, 안전통로 확보 및 낙하 방지대책 등 안전관리대책
5. 해체물의 처리계획
6. 해체공사 후 부지정리 및 인근 환경의 보수 및 보상 등에 관한 사항

※ 국토교통부장관은 해체계획서의 세부적인 작성 방법 등에 관해 필요한 사항을 정하여 고시해야 한다. [건축물 해체계획서의 작성 및 감리업무 등에 관한 기준(국토교통부고시 제2022-446호, 2022.8.4 참조)]

③ 해체 허가를 받으려는 자 또는 신고를 하려는 자가 허가권자에게 제출하는 해체계획서는 다음에 해당하는 자가 이 법과 이 법에 따른 명령이나 처분 등 법령을 준수하여 작성하고 서명날인해야 한다.

■ 해체계획서 작성자	근거 규정
1. 건축사사무소개설신고를 한 자	「건축사법」 제23조제1항
2. 기술사사무소를 개설등록한 자로서 직무범위(건축구조, 건축시공 또는 건설안전)를 등록한 자	「기술사법」 제6조

④ 허가권자는 다음 건축물의 해체계획서에 대한 검토를 국토안전관리원에 의뢰하여야 한다.

■ 국토안전관리원 검토 의뢰 대상 건축물	근거 규정
1. 특수구조 건축물 중 - 기둥과 기둥 사이의 거리*가 20m 이상인 건축물 - 특수한 설계·시공·공법 등이 필요한 건축물로서 국토교통부장관이 정하여 고시하는 구조로 된 건축물	「건축법 시행령」 제2조제18호나목 또는 다목(*기둥의 중심선 사이의 거리, 기둥이 없는 경우 내력벽과 내력벽의 중심선 사이의 거리)
2. 건축물에 10톤 이상의 장비를 올려 해체하는 건축물	-
3. 폭파하여 해체하는 건축물	-

⑤ 허가권자는 다음의 경우에 자신이 설치하는 건축위원회의 심의를 거쳐 해당 건축물의 해체 허가 또는 신고수리 여부를 결정하여야 한다.

■ 건축위원회의 심의를 거쳐야 하는 경우
1. 건축물의 해체를 허가하려는 경우
2. 건축물의 해체를 신고받은 경우로서 허가권자가 건축물 해체의 안전한 관리를 위하여 전문적인 검토가 필요하다고 판단하는 경우

⑥ 앞 ⑤의 심의 결과 또는 허가권자의 판단으로 해체계획서 등의 보완이 필요하다고 인정되는 경우 허가권자가 관리자에게 기한을 정하여 보완을 요구해야 하며, 관리자는 정당한 사유가 없으면 이에 따라야 한다.

⑦ 허가권자는 건축물 해체 허가신청서 또는 신고서를 제출받은 경우의 조치사항

㉠ 석면 함유여부 확인 및 사실의 통보

건축물 또는 건축물에 사용된 자재에 석면이 함유되었는지를 확인하고, 함유되어 있는 경우 지체 없이 다음의 자에게 해당 사실을 통보해야 한다.

■ 석면 함유 확인시 통보 대상	근거 규정 관계법1
1. 「산업안전보건법」에 따라 조치를 명하는 지방고용노동관서의 장	「산업안전보건법」 - 법 제119조(석면조사)제4항 - 시행령 제115조(권한의 위임)제33호
2. 「폐기물관리법」에 따라 서류를 확인하는 시·도지사, 유역환경청장 또는 지방환경청장	「폐기물관리법」 - 법 제17조(사업장폐기물배출자의 의무 등)제5항 - 시행령 제37조(권한의 위임)제1항제2호가목, 제2항제1호

㉡ 안전 미조치 가스시설의 확인 및 사실의 통보

해당 건축물 또는 그 건축물 부지에 안전조치가 되지 않은 가스시설(가스배관 포함)이 있는지를 확인하고, 안전조치가 되지 않은 가스시설이 있는 경우 지체 없이 다음에 해당하는 자에게 해당 사실을 통보해야 한다.

■ 안전 미조치 가스시설 확인시 사실 통보대상자	근거 규정 관계법2
1. 굴착공사 시 고압가스배관에 대한 안전조치를 하는 사업소 밖 배관 보유 사업자	「고압가스 안전관리법」 제23조의6제1항
2. 가스배관시설 및 가스사용시설에 대하여 가스차단밸브 잠금조치, 배관 내의 잔류가스 제거 등에 대한 안전조치를 하는 도시가스사업자	「도시가스사업법」 제28조의3제2항
3. 굴착공사시 액화석유가스배관에 대한 안전조치를 하는 액화석유가스 충전사업자 및 액화석유가스 집단공급사업자	「액화석유가스의 안전관리 및 사업법」 제49조의7제1항

⑧ 허가권자는 해체 허가를 한 경우 또는 신고를 수리하는 경우 허가 신청자 또는 신고한 자에게 건축물 해체 허가서(별지 제6호서식) 또는 건축물 해체신고 확인증(별지 제6호의2서식)을 내주어야 한다.

⑨ 관리자는 건축물 해체 허가신청서 또는 신고서를 「건축법」에 따라 건축허가를 신청하거나 건축신고를 할 때 함께 제출(전자문서 제출 포함)할 수 있다.

관계법1 산업안전보건법(제119조제4항, 영 제115조제28호), 폐기물관리법(제17조제5항, 영 제37조제1항, 2항)

1. 「산업안전보건법」

법 제119조【석면조사】

④ 고용노동부장관은 건축물·설비소유주등이 일반석면조사 또는 기관석면조사를 하지 아니하고 건축물이나 설비를 철거하거나 해체하는 경우에는 다음 각 호의 조치를 명할 수 있다.

건 축 법
1. 총 칙
2. 건 축
3. 유지관리
4. 대지도로
5. 구조재료
6. 지역지구
7. 건축설비
8. 특별건축구역
9. 보 칙
10. 벌 칙
건 축 법 관련기준

1. 해당 건축물·설비소유주등에 대한 일반석면조사 또는 기관석면조사의 이행 명령
2. 해당 건축물이나 설비를 철거하거나 해체하는 자에 대하여 제1호에 따른 이행 명령의 결과를 보고받을 때까지의 작업중지 명령

영 제115조【권한의 위임】고용노동부장관은 법 제165조제1항에 따라 다음 각 호의 권한을 지방고용노동관서의 장에게 위임한다. <개정 2021.11.19.>

3. 법 제119조제4항에 따른 일반석면조사 또는 기관석면조사의 이행 명령 및 이행 명령의 결과를 보고받을 때까지의 작업중지 명령

2.「폐기물관리법」

법 제17조【사업장폐기물배출자의 의무 등】

⑤ 환경부령으로 정하는 지정폐기물을 배출하는 사업자는 그 지정폐기물을 제18조제1항에 따라 처리하기 전에 다음 각 호의 서류를 환경부장관에게 제출하여 확인을 받아야 한다. 다만, 「자동차관리법」 제2조제8호에 따른 자동차정비업을 하는 자 등 환경부령으로 정하는 자가 지정폐기물을 공동으로 수집·운반하는 경우에는 그 대표자가 환경부장관에게 제출하여 확인을 받아야 한다.

1. 다음 각 목의 사항을 적은 폐기물처리계획서
   가. 상호, 사업장 소재지 및 업종
   나. 폐기물의 종류, 배출량 및 배출주기
   다. 폐기물의 운반 및 처리 계획
   라. 폐기물의 공동 처리에 관한 계획(공동 처리하는 경우만 해당한다)
   마. 그 밖에 환경부령으로 정하는 사항
2. 제17조의2제1항에 따른 폐기물분석전문기관이 작성한 폐기물분석결과서
3. 지정폐기물의 처리를 위탁하는 경우에는 수탁처리자의 수탁확인서

영 제37조【권한의 위임】① 법 제62조제1항에 따라 환경부장관은 다음의 사항에 관한 권한을 시·도지사에게 위임한다. <개정 2020.5.19., 2022.6.14.>

2. 법 제2조제3호에 따른 「대기환경보전법」, 「물환경보전법」 또는 「소음·진동관리법」에 따른 배출시설을 설치·운영하는 사업장(「산업집적활성화 및 공장설립에 관한 법률」에 따른 공장으로 한정한다) 외에서 배출하는 지정폐기물, 「의료법」 제3조제2항제3호바목의 종합병원(이하 "종합병원"이라 한다)이 아닌 기관에서 배출하는 의료폐기물, 법 제17조제5항 각 호 외의 부분 단서에 따라 공동으로 수집·운반하는 지정폐기물을 배출·운반 또는 처리하는 자에 대한 다음 각 목의 권한
   가. 법 제17조제5항 및 제6항에 따른 서류의 확인과 변경확인

② 제62조제1항에 따라 환경부장관은 다음 각 호의 사항에 관한 권한을 유역환경청장이나 지방환경청장에게 위임한다. <개정 2020.5.19.>

1. 제1항제2호에 해당하는 자를 제외한 자에 대한 제1항제2호 각 목의 권한 "이하 생략"

관계법2 고압가스 안전관리법, 도시가스사업법, 액화석유가스의 안전관리 및 사업법

1.「고압가스 안전관리법」

법 제23조의6【고압가스배관의 안전조치 등】① 사업소 밖 배관 보유 사업자는 사업소 경계 밖의 지하에 매설된 배관이 있는 지역에서 시행되는 굴착공사가 있으면 고압가스배관에 대하여 산업통상자원부령으로 정하는 안전조치를 하도록 노력하여야 한다.

② 사업소 밖 배관 보유 사업자는 고압가스배관의 설치 위치와 그 밖에 산업통상자원부령으로 정하는 사항이 포함된 고압가스배관에 관한 도면을 작성·보존하여야 한다.

규칙 제52조의7【고압가스배관에 대한 안전조치 등】① 법 제23조의6제1항에서 "산업통상자원부령으로 정하는 안전조치"란 다음 각 호의 사항을 말한다.

1. 굴착공사장별 안전관리 전담자의 지정·운영
2. 굴착공사자에 대한 배관 매설 위치 등이 표시된 도면의 제공
3. 고압가스배관 매설상황 확인, 굴착공사 협의 등 고압가스배관 보호를 위한 제도의 지도 및 자문
4. 그 밖에 별표 31의2에서 정하는 사항

2. 「도시가스사업법」

법 제28조의3 【건축물 공사에 따른 안전조치】 ① 도시가스배관이 설치된 건축물을 증축·개축·대수선·철거 공사를 하려는 경우 그 공사의 시행자는 도시가스를 공급하고 있는 도시가스사업자에게 해당 공사를 시작하기 7일 전까지 산업통상자원부령으로 정하는 바에 따라 공사의 일시·내용 등을 포함한 공사계획을 알려 주어야 한다. 다만, 도시가스배관에 위험을 발생시킬 우려가 없다고 인정되는 공사로서 대통령령으로 정하는 공사의 경우에는 그러하지 아니하다.

② 제1항에 따른 건축물 공사의 시행자와 해당 도시가스사업자는 가스배관시설 및 가스사용시설에 대하여 가스차단밸브 잠금조치, 배관 내의 잔류가스 제거 등 산업통상자원부령으로 정하는 안전조치를 하여야 한다.

규칙 제48조의2 【건축물 공사에 따른 안전조치 등】 ① "생략"

② 법 제28조의3제2항에서 "가스차단밸브 잠금조치, 배관 내의 잔류가스 제거 등 산업통상자원부령으로 정하는 안전조치"란 다음 각 호와 같다. <개정 2022.1.21.>

1. 안전조치에 관한 협의
   가. 건축물 공사 시행자와 도시가스사업자는 주변 도시가스배관 등의 손상과 가스사고를 예방하기 위하여 도시가스사업자의 공사 현장 참관 여부를 포함한 별지 제34호서식에 따른 안전조치 협의서(이하 "안전조치 협의서"라 한다)를 작성할 것
   나. 안전조치 협의서는 2부를 작성하여 건축물 공사 시행자와 도시가스사업자가 각 1부씩 보유할 것
2. 건축물 공사 시행자의 안전조치
   가. 안전조치 협의서의 내용대로 안전조치를 이행할 것
   나. 안전조치 협의서에 따른 안전조치가 완료된 것을 확인한 후 공사를 시행할 것
3. 도시가스사업자의 안전조치
   가. 건축물에 공급되는 도시가스배관의 가스차단밸브 잠금(차단)조치 또는 막음조치를 할 것
   나. 건축물 부지 내 가스배관시설 및 가스사용시설 내의 잔류가스 제거 등의 조치를 할 것
   다. 안전조치 협의서의 내용을 이행할 것

3. 「액화석유가스의 안전관리 및 사업법」

법 제49조의7 【액화석유가스배관의 안전조치 등】 ① 액화석유가스 충전사업 중 산업통상자원부령으로 정하는 사업 및 액화석유가스 집단공급사업 허가를 받은 사업자는 그 사업 허가를 받은 지역에서 시행되는 굴착공사가 있으면 액화석유가스배관에 대하여 산업통상자원부령으로 정하는 안전조치를 하도록 노력하여야 한다.

② "생략"

규칙 제72조의13 【액화석유가스배관에 대한 안전조치 등】 ① 법 제49조의7제1항에 따라 액화석유가스 충전사업자 및 액화석유가스 집단공급사업자가 할 수 있는 안전조치는 다음 각 호와 같다.

1. 굴착공사장별 안전관리 전담자의 지정·운영
2. 굴착공사자에 대한 배관 매설 위치 등이 표시된 도면의 제공
3. 액화석유가스배관 매설상황 확인, 가스안전 영향평가, 굴착공사 협의 및 순회점검 등 액화석유가스배관 보호를 위한 제도의 지도 및 자문
4. 그 밖에 별표 20의2 제2호에서 정하는 사항

② "생략"

2 건축물 해체공사 착공신고 등(건관법 제30조의2)(규칙 제12조의2)

▶ 「건축물관리법」

법 제30조의2【해체공사 착공신고 등】

① 제30조제1항 각 호 외의 부분 본문 또는 같은 조 제2항에 따라 해체 허가를 받은 건축물의 해체공사에 착수하려는 관리자는 국토교통부령으로 정하는 바에 따라 허가권자에게 착공신고를 하여야 한다. 다만, 제30조제1항 각 호 외의 부분 단서에 따라 신고를 한 건축물의 경우는 제외한다. <개정 2022.2.3.>

② 허가권자는 제1항에 따른 신고를 받은 날부터 7일 이내에 신고수리 여부 또는 민원 처리 관련 법령에 따른 처리기간의 연장 여부를 신고인에게 통지하여야 한다. <개정 2022.2.3.>

③ 허가권자가 제2항에서 정한 기간 내에 신고수리 여부 또는 민원 처리 관련 법령에 따른 처리기간의 연장 여부를 신고인에게 통지하지 아니하면 그 기간이 끝난 날의 다음 날에 신고를 수리한 것으로 본다.

[본조신설 2021.7.27.][제30조의3에서 이동, 종전 제30조의2는 제30조의4로 이동 <2022.2.3>]

규칙 제12조의2【건축물 해체공사 착공신고】

① 관리자는 법 제30조의2제1항 본문에 따라 착공신고를 하려는 경우 별지 제6호의3서식의 건축물 해체공사 착공신고서에 다음 각 호의 서류를 첨부하여 허가권자에게 제출(전자문서로 제출하는 것을 포함한다)해야 한다. <개정 2022.8.4>

1. 해체공사계약서[해체공사를 수행하는 자(이하 "해체작업자"라 한다)가 해체공사를 하도급한 경우에는 하도급계약서를 포함한다] 사본
2. 해체공사감리계약서 사본
3. 삭제 <2022.8.4>

② 허가권자는 제1항에 따른 건축물 해체공사 착공신고서를 제출받은 경우 다음 각 호의 사항에 대한 현장점검을 해야 한다.

1. 해체할 건축물의 현황
2. 해체할 건축물 주변의 도로 현황과 보행자 및 차량의 통행 현황
3. 제12조제1항제4호에 따른 안전관리대책(착공신고 전에 이행할 수 있는 안전관리대책으로 한정한다)의 이행 여부

③ 허가권자는 제2항에 따른 점검 결과 건축물의 안전한 해체를 위하여 보완이 필요하다고 인정되는 사항에 대하여 관리자에게 보완을 요구해야 한다.

④ 제3항에 따른 보완을 요구받은 관리자는 특별한 사유가 없으면 요구에 따라야 한다.

⑤ 허가권자는 제2항 및 제3항에 따른 점검 및 보완 결과 건축물 해체공사의 안전이 확보되었다고 인정되면 별지 제6호의4서식의 건축물 해체공사 착공신고 확인증을 관리자에게 내주어야 한다. <개정 2022.8.4>

[본조신설 2021.10.28.]

해설 건축물 해체공사 과정에서 발생하는 안전사고를 예방하기 위하여 해체공사에 착수하려는 관리자로 하여금 해체공사 허가권자에게 착공신고를 하도록 하는 등의 규정이 신설되었다.

■ 해체공사의 착공신고

① 해체 허가를 받은 건축물의 해체공사에 착수하려는 관리자는 아래 표의 서류를 갖춰 허가권자에게 착공신고를 하여야 한다. 예외 해체신고를 한 건축물의 경우 착공신고 제외

※ 착공신고시 제출 서류(전자문서로 제출하는 것 포함)

■ 건축물 해체공사 착공신고서(별지 제6호의3서식)	
▪ 첨부서류	1. 해체공사계약서[해체공사를 수행하는 자(이하 "해체작업자")가 해체공사를 하도급 한 경우 하도급계약서 포함] 사본
	2. 해체공사감리계약서 사본

② 허가권자는 건축물 해체공사 착공신고서를 제출받은 경우 다음 사항에 대한 현장점검을 해야 한다.

1. 해체할 건축물의 현황
2. 해체할 건축물 주변의 도로 현황과 보행자 및 차량의 통행 현황
3. 안전관리대책(착공신고 전에 이행할 수 있는 안전관리대책으로 한정)의 이행 여부

③ 허가권자는 ② 에 따른 현장점검 결과 건축물의 안전한 해체를 위하여 보완이 필요하다고 인정되는 사항에 대하여 관리자에게 보완을 요구해야 하며, 보완을 요구받은 관리자는 특별한 사유가 없으면 요구에 따라야 한다.

④ 허가권자는 현장점검 및 보완 결과 건축물 해체공사의 안전이 확보되었다고 인정되면 건축물 해체공사 착공신고 확인증(별지 제6호의4서식)을 관리자에게 내주어야 한다.

⑤ 허가권자는 착공신고를 받은 날부터 3일 이내에 신고수리 여부 또는 민원 처리 관련 법령에 따른 처리기간의 연장 여부를 신고인에게 통지하여야 하며, 허가권자가 이 기간 내에 통지하지 아니하면 그 기간이 끝난 날의 다음 날에 신고를 수리한 것으로 본다.

3 건축물 해체공사 해체의 허가 또는 신고 사항의 변경(건관법 제30조의3)(영 제21조의2)(규칙 제12조의3)

▶「건축물관리법」

법 제30조의3【건축물 해체의 허가 또는 신고 사항의 변경】

① 관리자는 제30조제1항 또는 제2항에 따라 허가를 받았거나 신고한 사항 중 해체계획서와 다른 해체공법을 적용하는 등 대통령령으로 정하는 사항을 변경하려면 국토교통부령으로 정하는 바에 따라 허가권자의 변경허가를 받거나 허가권자에게 변경신고를 하여야 한다. 이 경우 해체계획서의 변경 등에 관한 사항은 제30조제3항부터 제7항까지 및 제9항을 준용한다.

② 관리자는 제30조의2제1항에 따라 해체공사의 착공신고를 한 사항 중 제32조의2에 따른 해체작업자 변경 등 대통령령으로 정하는 사항을 변경하려면 국토교통부령으로 정하는 바에 따라 허가권자에게 변경신고를 하여야 한다.

③ 관리자는 제1항 또는 제2항에 따른 변경허가 또는 변경신고 사항 외의 사항을 변경한 경우에는 제33조에 따른 건축물 해체공사 완료신고 시 국토교통부령으로 정하는 바에 따라 허가권자에게 일괄하여 변경신고를 하여야 한다.

[본조신설 2022.2.3.]

영 제21조의2【건축물 해체허가 등의 변경허가 또는 변경신고 사항】

① 법 제30조의3제1항 전단에서 "대통령령으로 정하는 사항"이란 다음 각 호의 사항을 말한다.

1. 해체공법
2. 해체작업의 순서
3. 해체하는 부분 및 면적
4. 해체장비의 종류
5. 해체 대상 건축물의 석면 함유 여부
6. 해체공사 현장의 안전관리대책

② 허가권자는 법 제30조의3제1항에 따른 변경허가 신청이나 변경신고를 받은 경우 해체 대상 건축물 또는 그 건축물에 사용된 자재에 석면이 함유되었는지를 확인하고, 석면이 함유되어 있으면 지체 없이 제21조제3항 각 호의 자에게 그 사실을 통보해야 한다.

③ 허가권자는 법 제30조의3제1항에 따른 변경허가 신청이나 변경신고를 받은 경우 해당 건축물 또는 그 건축물 부지에 안전조치가 되지 않은 가스시설이 있는지를 확인하고, 안전조치가 되지 않은 가스시설이 있는 경우 지체 없이 제21조제4항 각 호의 어느 하나에 해당하는 자에게 해당 사실을 통보해야 한다. <신설 2024.1.2.>

④ 허가권자는 법 제30조의3제1항에 따른 변경허가 신청이나 변경신고를 받은 경우로서 해체 대상 건축물이 제21조제5항 각 호의 건축물에 해당하는 경우에는 「국토안전관리원법」에 따른 국토안전관리원(이하 "국토안전관리원"이라 한다)에 변경된 해체계획서에 대한 검토를 의뢰해야 한다. <개정 2024.1.2.>

⑤ 법 제30조의3제2항에서 "해체작업자 변경 등 대통령령으로 정하는 사항"이란 다음 각 호의 사항을 말한다. <개정 2024.1.2.>
1. 착공 예정일(30일 이상 변경하는 경우로 한정한다)
2. 해체작업자, 하수급인 및 현장관리인과 해체공사 현장에 배치하는 건설기술자

[본조신설 2022.8.2.]

규칙 제12조의3【허가·신고사항의 변경 등】

① 관리자는 법 제30조의3제1항에 따라 허가를 받았거나 신고한 사항 중 영 제21조의2제1항 각 호의 사항을 변경하려면 다음 각 호의 구분에 따라 허가권자의 변경허가를 받거나 허가권자에게 변경신고를 해야 한다.
1. 당초 건축물 해체허가를 받은 경우에는 변경허가를 받을 것
2. 당초 건축물 해체신고를 한 경우에는 변경신고를 할 것
3. 당초 건축물 해체허가를 받은 경우로서 허가받은 사항의 변경으로 인하여 건축물 해체공사가 법 제30조제1항 각 호 외의 부분 단서에 따라 신고해야 하는 건축물 해체공사에 해당하게 되는 경우에는 제1호에도 불구하고 제2호에 따라 변경신고를 할 것
4. 당초 건축물 해체신고를 한 경우로서 신고한 사항의 변경으로 인하여 건축물 해체공사가 법 제30조제1항 각 호 외의 부분 본문 및 같은 조 제2항에 따라 허가를 받아야 하는 건축물 해체공사에 해당하게 되는 경우에는 제2호에도 불구하고 제1호에 따라 변경허가를 받을 것

② 제1항에 따라 변경허가를 신청하거나 변경신고를 하려는 관리자는 별지 제6호의5서식의 건축물 해체 변경허가 신청서 또는 건축물 해체 변경신고서에 변경사항이 반영된 해체계획서를 첨부하여 허가권자에게 제출해야 한다.

③ 관리자는 법 제30조의3제2항에 따라 영 제21조의2제5항 각 호의 사항을 변경하려는 경우에는 별지 제6호의6서식의 건축물 해체공사착공 변경신고서에 변경사항을 증명할 수 있는 서류 사본을 첨부하여 허가권자에게 제출해야 한다. <개정 2024.1.3.>

④ 관리자는 법 제30조의3제3항에 따라 일괄하여 변경신고를 하려는 경우에는 별지 제6호의7서식의 건축물 해체 등 일괄 변경신고서에 변경사항을 증명할 수 있는 서류 사본을 첨부

하여 허가권자에게 제출해야 한다.
⑤ 허가권자는 제1항부터 제4항까지의 규정에 따른 변경허가를 하거나 변경신고를 수리하는 경우에는 다음 각 호의 구분에 따라 관리자에게 변경허가서 또는 확인증을 내주어야 한다.
1. 제1항에 따른 변경허가를 하거나 변경신고를 수리하는 경우: 별지 제6호의8서식의 건축물 해체 변경허가서 또는 건축물 해체 변경신고 확인증
2. 제3항에 따른 변경신고를 수리하는 경우: 별지 제6호의9서식의 건축물 해체공사착공 변경신고 확인증
3. 제4항에 따른 일괄 변경신고를 수리하는 경우: 별지 제6호의9서식의 건축물 해체 등 일괄 변경신고 확인증
[본조신설 2022.8.4.]

해설 해체계획서와 다른 공법을 적용하는 등 해체 허가를 받거나 신고한 사항 중 대통령령으로 정하는 주요 사항이 변경되는 경우 허가권자의 승인을 받도록 하는 규정이 신설되었다.(2022.2.3. 신설)

【1】 건축물의 해체 허가 및 신고 사항의 변경 허가 등

① 관리자는 해체 허가 및 신고사항의 변경사항 발생시 허가권자의 변경허가를 받거나 허가권자에게 변경신고를 하여야 한다.

■ 변경 허가 및 신고 대상 변경사항	
1. 해체공법	4. 해체장비의 종류
2. 해체작업의 순서	5. 해체 대상 건축물의 석면 함유 여부
3. 해체하는 부분 및 면적	6. 해체공사 현장의 안전관리대책

② 관리자는 허가를 받았거나 신고한 사항 중 위 각 호의 사항을 변경하려면 다음의 구분에 따라 허가권자의 변경허가를 받거나 허가권자에게 변경신고를 해야 한다.

변경 허가	변경 신고
- 당초 건축물 해체허가를 받은 경우	- 당초 건축물 해체신고를 한 경우
- 당초 건축물 해체신고를 한 경우로서 신고한 사항의 변경으로 인하여 허가를 받아야 하는 건축물 해체공사에 해당하게 되는 경우	- 당초 건축물 해체허가를 받은 경우로서 허가받은 사항의 변경으로 인하여 신고해야 하는 건축물 해체공사에 해당하게 되는 경우

③ 이 경우 해체계획서의 변경 등에 관한 사항은 【3】의 규정을 준용한다.(④의 내용은 제외)

【2】 변경사항의 해체 허가 및 신고 절차 등

① 변경허가를 신청하거나 변경신고를 하려는 관리자는 건축물 해체 변경허가 신청서 또는 건축물 해체 변경신고서(별지 제6호의5서식)에 변경사항이 반영된 해체계획서를 첨부하여 허가권자에게 제출해야 한다.

② 허가권자는 변경허가 신청이나 변경신고를 받은 경우 ㉠ 해체 대상 건축물 또는 그 건축물에 사용된 자재에 석면이 함유되었는지를 확인하고, 석면이 함유되어 있는 경우 ㉡ 해당 건축물 또는 그 건축물 부지에 안전조치가 되지 않은 가스시설이 있는지를 확인하고, 안전조치가 되지 않은 가스시설이 있는 경우 지체 없이 【3】의 ⑦ 표에 기재된 자에게 그 사실을 통보해야 한다.

③ 허가권자는 변경허가 신청이나 변경신고를 받은 경우로서 해체 대상 건축물이 다음에 해당하는 경우 국토안전관리원에 변경된 해체계획서에 대한 검토를 의뢰해야 한다.

■국토안전관리원 검토 의뢰 대상 건축물	근거 규정
1. 특수구조 건축물 중 - 기둥과 기둥 사이의 거리*가 20m 이상인 건축물 - 특수한 설계·시공·공법 등이 필요한 건축물로서 국토교통부장관이 정하여 고시하는 구조로 된 건축물	「건축법 시행령」 제2조제18호나목 또는 다목(*기둥의 중심선 사이의 거리, 기둥이 없는 경우 내력벽과 내력벽의 중심선 사이의 거리)
2. 건축물에 10톤 이상의 장비를 올려 해체하는 건축물	-
3. 폭파하여 해체하는 건축물	-

【3】 해체공사의 착공신고 사항의 변경

① 관리자가 해체공사의 착공신고를 한 사항 중 다음 사항을 변경하려면 허가권자에게 변경신고를 해야 한다.

■착공신고 사항 중 변경신고 대상
1. 착공 예정일(30일 이상 변경하는 경우로 한정)
2. 해체작업자, 하수급인 및 현장관리인과 해체공사 현장에 배치하는 건설기술자

② 관리자는 표의 1, 2를 변경하려는 경우 건축물 해체공사착공 변경신고서(별지 제6호의6서식)에 변경사항을 증명할 수 있는 서류 사본을 첨부하여 허가권자에게 제출해야 한다.

【4】 변경사항의 일괄신고

① 관리자는 변경허가 또는 변경신고 사항 외의 사항을 변경한 경우 건축물 해체공사 완료신고 시 국토교통부령으로 정하는 바에 따라 허가권자에게 일괄하여 변경신고를 하여야 한다.

② 관리자는 일괄 변경신고를 하려는 경우 건축물 해체 등 일괄 변경신고서(별지 제6호의7서식)에 변경사항을 증명할 수 있는 서류 사본을 첨부하여 허가권자에게 제출해야 한다.

【5】 변경허가서 등의 교부

허가권자는 위의 규정에 따른 변경허가를 하거나 변경신고를 수리하는 경우 다음의 구분에 따라 관리자에게 변경허가서 또는 확인증을 내주어야 한다.

구 분	서 식
1. 제1항에 따른 변경허가를 하거나 변경신고를 수리하는 경우	건축물 해체 변경허가서 또는 건축물 해체 변경신고 확인증(별지 제6호의8서식)
2. 제3항에 따른 변경신고를 수리하는 경우	건축물 해체공사착공 변경신고 확인증 (별지 제6호의9서식)
3. 제4항에 따른 일괄 변경신고를 수리하는 경우	건축물 해체 등 일괄 변경신고 확인증 (별지 제6호의9서식)

4 현장점검(건관법 제30조의4)(영 제21조의3)(규칙 제12조의4)

▶「건축물관리법」

법 제30조의4【현장점검】

① 허가권자는 안전사고 예방 등을 위하여 제30조의2에 따른 해체공사 착공신고를 받은 경우 등 대통령령으로 정하는 경우에는 건축물 해체 현장에 대한 현장점검을 하여야 한다.

<개정 2022.2.3.>

② 허가권자는 제1항에 따른 현장점검 결과 해체공사가 안전하게 진행되기 어렵다고 판단되는 경우 즉시 관리자, 제31조제1항에 따른 해체공사감리자, 제32조의2에 따른 해체작업자 등에게 작업중지 등 필요한 조치를 명하여야 하며, 조치 명령을 받은 자는 국토교통부령으로 정하는 바에 따라 필요한 조치를 이행하여야 한다. <개정 2022.2.3.>

③ 허가권자는 국토교통부령으로 정하는 바에 따라 제2항에 따른 필요한 조치가 이행되었는지를 확인한 후 공사재개 등의 조치를 명하여야 하며, 필요한 조치가 이행되지 아니한 경우 공사재개 등의 조치를 명하여서는 아니 된다. <신설 2022.2.3.>

④ 허가권자는 제1항의 현장점검 업무를 제18조제1항에 따른 건축물관리점검기관으로 하여금 대행하게 할 수 있다. 이 경우 업무를 대행하는 자는 현장점검 결과를 국토교통부령으로 정하는 바에 따라 허가권자에게 서면으로 보고하여야 하며, 현장점검을 수행하는 과정에서 긴급히 조치하여야 하는 사항이 발견되는 경우 즉시 안전조치를 실시한 후 그 사실을 허가권자에게 보고하여야 한다. <신설 2022.2.3.>

⑤ 허가권자는 제1항에 따라 업무를 대행하게 한 경우 국토교통부령으로 정하는 범위에서 해당 지방자치단체의 조례로 정하는 수수료를 지급하여야 한다. <개정 2022.2.3.>

[본조신설 2020.4.7.][제30조의2에서 이동 <2022.2.3.>]

영 제21조의3【현장점검】

법 제30조의4제1항에서 "해체공사 착공신고를 받은 경우 등 대통령령으로 정하는 경우"란 다음 각 호의 경우를 말한다. <개정 2022.12.6>

1. 법 제30조의2제1항에 따른 건축물 해체공사 착공신고를 받은 경우
2. 법 제31조제2항제3호에 따른 정당한 사유의 유무를 확인하려는 경우
3. 다음 각 목의 경우로서 허가권자가 현장점검이 필요하다고 인정하는 경우
   가. 법 제30조의3제1항에 따른 변경허가 신청이나 변경신고를 받은 경우
   나. 법 제30조의3제2항에 따른 변경신고를 받은 경우
   다. 해체공사감리자가 법 제32조제1항부터 제3항까지의 규정에 따라 업무를 성실하게 수행하는지를 확인하려는 경우
   라. 해체작업자가 법 제32조의2 각 호의 업무를 성실하게 수행하는지를 확인하려는 경우
   마. 건축물 해체공사와 관련된 위법행위 등에 대한 신고·제보 등을 받은 경우
4. 건축물 해체공사의 공정(工程)이 법 제32조제5항제1호 전단에 따른 필수확인점(이하 "필수확인점" 이라 한다)에 다다른 경우로서 건축물 해체공사가 해체계획서와 관계 법령에 맞게 수행되는지를 확인하기 위하여 시·군·구 조례로 정하는 경우

[본조신설 2022.8.2.]

규칙 제12조의4【허가·신고사항의 변경 등】

① 법 제30조의4제2항에 따라 허가권자로부터 조치 명령을 받은 자는 필요한 조치의 이행을 완료한 후 별지 제6호의10서식의 조치 명령 이행결과 통보서에 다음 각 호의 자료를 첨부하여 허가권자에게 제출해야 한다.

1. 조치 명령의 이행을 증명할 수 있는 서류 사본
2. 현장사진

② 허가권자는 제1항에 따른 통보를 받은 경우에는 서면점검 또는 현장점검의 방법으로 조

치 명령의 이행 사실을 확인해야 한다.
③ 법 제30조의4제4항에 따라 건축물 해체 현장에 대한 현장점검 업무를 대행하는 건축물 관리점검기관은 현장점검을 완료한 경우 허가권자에게 별지 제6호의11서식의 건축물 해체 현장 안전점검표를 제출해야 한다.
[본조신설 2022.8.4.]

해설 건축물 해체 시 안전을 확보하기 위하여 건축물 해체 시 허가를 받아야 하는 건축물의 대상을 확대하고, 허가권자가 안전사고 예방 등을 위하여 점검이 필요하다고 판단하는 경우의 현장점검에 관한 사항을 규정하였다.

【1】 해체 현장점검

① 허가권자는 안전사고 예방 등을 위하여 해체공사 착공신고를 받은 경우 등의 경우 건축물 해체 현장에 대한 현장점검을 해야 한다.

■ 현장점검 대상	
1. 건축물 해체공사 착공신고를 받은 경우	
2. 해체공사감리자의 등록 명령에도 불구하고 정당한 사유없이 지속적으로 이에 따르지 않을 경우 정당한 사유의 유무를 확인하려는 경우	
3. 허가권자가 현장점검이 필요하다고 인정하는 우측 란의 경우	가. 해체허가 등의 변경허가 신청이나 변경신고를 받은 경우 나. 해체공사의 착공신고 사항 중 변경신고를 받은 경우 다. 해체공사감리자가 감리자의 업무를 성실하게 수행하는지를 확인하려는 경우 라. 해체작업자가 해체작업의 업무를 성실하게 수행하는지를 확인하려는 경우 마. 건축물 해체공사와 관련된 위법행위 등에 대한 신고·제보 등을 받은 경우
4. 건축물 해체공사의 공정(工程)이 필수확인점에 다다른 경우로서 건축물 해체공사가 해체계획서와 관계 법령에 맞게 수행되는지를 확인하기 위하여 시·군·구 조례로 정하는 경우	

【2】 현장점검후의 조치

① 허가권자는 현장점검 결과 해체공사가 안전하게 진행되기 어렵다고 판단되는 경우 즉시 관리자, 해체공사감리자, 해체작업자 등에게 작업중지 등 필요한 조치를 명하여야 한다.
② 조치 명령을 받은 자는 필요한 조치의 이행을 완료한 후 별지 조치 명령 이행결과 통보서(제6호의10서식)에 다음 자료를 첨부하여 허가권자에게 제출해야 한다.

■ 첨부 자료
1. 조치 명령의 이행을 증명할 수 있는 서류 사본
2. 현장사진

③ 허가권자는 이행결과를 통보 받은 경우 필요한 조치가 서면검사 또는 현장점검의 방법으로 조치 명령의 이행 사실을 확인해야 한다.
④ 허가권자는 이행 사실을 확인한 후 공사재개 등의 조치를 명하여야 하며, 필요한 조치가 이행되지 아니한 경우 공사재개 등의 조치를 명하여서는 아니 된다.

【3】 해체 현장점검 업무의 대행

① 허가권자는 현장점검 업무를 건축물관리점검기관으로 하여금 대행하게 할 수 있다.

② 업무 대행자는 현장점검 완료 후 점검 결과를 허가권자에게 보고[건축물 해체 현장 안전점검표(별지 제6호의11서식)를 제출]해야 한다.

③ 업무 대행자는 현장점검을 수행하는 과정에서 긴급히 조치하여야 하는 사항이 발견되는 경우 즉시 안전조치를 실시한 후 그 사실을 허가권자에게 보고하여야 한다.

④ 허가권자는 업무를 대행하게 한 경우 국토교통부령으로 정하는 범위에서 해당 지방자치단체의 조례로 정하는 수수료를 지급하여야 한다.

5 건축물 해체공사감리자의 지정 등(건관법 제31조, 제32조)(영 제22조)(규칙 제13조~제15조)

▶ 「건축물관리법」

법 제31조 【건축물 해체공사감리자의 지정 등】

① 허가권자는 건축물 해체허가를 받은 건축물에 대한 해체작업의 안전한 관리를 위하여 「건축사법」 또는 「건설기술 진흥법」에 따른 감리자격이 있는 자(공사시공자 본인 및 「독점규제 및 공정거래에 관한 법률」 제2조제12호에 따른 계열회사는 제외한다) 중 제31조의2에 따른 해체공사감리 업무에 관한 교육을 이수한 자를 대통령령으로 정하는 바에 따라 해체공사감리자(이하 "해체공사감리자"라 한다)로 지정하여 해체공사감리를 하게 하여야 한다. <개정 2020.12.29. 2022.2.3.>

② 허가권자는 다음 각 호의 어느 하나에 해당하는 경우에는 해체공사감리자를 교체하여야 한다. 이 경우 다음 각 호의 어느 하나에 해당하는 해체공사감리자에 대해서는 1년 이내의 범위에서 해체공사감리자의 지정을 제한할 수 있다. <개정 2022.2.3.>

1. 해체공사감리자의 지정에 관한 서류를 거짓이나 그 밖의 부정한 방법으로 제출한 경우
2. 업무 수행 중 해당 관리자 또는 제32조의2에 따른 해체작업자의 위반사항이 있음을 알고도 해체작업의 시정 또는 중지를 요청하지 아니한 경우
3. 제32조제7항에 따른 등록 명령에도 불구하고 정당한 사유 없이 지속적으로 이에 따르지 아니한 경우 <신설 2022.2.3.>
4. 그 밖에 대통령령으로 정하는 경우

③ 해체공사감리자는 수시 또는 필요한 때 해체공사의 현장에서 감리업무를 수행하여야 한다. 다만, 해체공사 방법 및 범위 등을 고려하여 대통령령으로 정하는 건축물의 해체공사를 감리하는 경우에는 대통령령으로 정하는 자격 또는 경력이 있는 자를 감리원으로 배치하여 전체 해체공사 기간 동안 해체공사 현장에서 감리업무를 수행하게 하여야 한다. <신설 2022.6.10.>

④ 허가권자는 제2항 각 호의 어느 하나에 해당하는 해체공사감리자에 대해서는 1년 이내의 범위에서 해체공사감리자의 지정을 제한하여야 한다. <신설 2022.2.3., 2022.6.10>

⑤ 건축물을 해체하려는 자와 해체공사감리자 간의 책임 내용 및 범위는 이 법에서 규정한 것 외에는 당사자 간의 계약으로 정한다. <개정 2022.2.3., 2022.6.10.>

⑥ 국토교통부장관은 대통령령으로 정하는 바에 따라 제3항 단서에 따른 감리원 배치기준을 정하여야 한다. 이 경우 관리자 및 해체공사감리자는 정당한 사유가 없으면 이에 따라야 한다. <신설 2021.7.27., 2022.2.3., 2022.6.10.>

⑦ 해체공사감리자의 지정기준, 지정방법, 해체공사 감리비용 등 필요한 사항은 국토교통부

령으로 정한다. <개정 2021.7.27., 2022.2.3., 2022.6.10>

법 제31조의2【해체공사감리자 등의 교육】 "생략"

법 제32조【해체공사감리자의 업무 등】

① 해체공사감리자는 다음 각 호의 업무를 수행하여야 한다. <개정 2022.2.3.>

1. 해체작업순서, 해체공법 등을 정한 제30조제3항에 따른 해체계획서(제30조의3제1항에 따른 변경허가 또는 변경신고에 따라 해체계획서의 내용이 변경된 경우에는 그 변경된 해체계획서를 말한다. 이하 "해체계획서"라 한다에 맞게 공사하는지 여부의 확인
2. 현장의 화재 및 붕괴 방지 대책, 교통안전 및 안전통로 확보, 추락 및 낙하 방지대책 등 안전관리대책에 맞게 공사하는지 여부의 확인
3. 해체 후 부지정리, 인근 환경의 보수 및 보상 등 마무리 작업사항에 대한 이행 여부의 확인
4. 해체공사에 의하여 발생하는 「건설폐기물의 재활용촉진에 관한 법률」 제2조제1호에 따른 건설폐기물이 적절하게 처리되는지에 대한 확인
5. 그 밖에 국토교통부장관이 정하여 고시하는 해체공사의 감리에 관한 사항

② 해체공사감리자는 건축물의 해체작업이 안전하게 수행되기 어려운 경우 해당 관리자 및 제32조의2에 따른 해체작업자에게 해체작업의 시정 또는 중지를 요청하여야 하며, 해당 관리자 및 해체작업자는 정당한 사유가 없으면 이에 따라야 한다. <개정 2022.2.3.>

③ 해체공사감리자는 해당 관리자 또는 제32조의2에 따른 해체작업자가 제2항에 따른 시정 또는 중지를 요청받고도 건축물 해체작업을 계속하는 경우에는 국토교통부령으로 정하는 바에 따라 허가권자에게 보고하여야 한다. 이 경우 보고를 받은 허가권자는 지체 없이 작업중지를 명령하여야 한다. <개정 2022.2.3.>

④ 관리자 또는 제32조의2에 따른 해체작업자가 제2항에 따른 조치를 요청받고 이를 이행한 경우나 제3항 후단에 따른 작업중지 명령을 받은 이후 해체작업을 다시 하려는 경우에는 건축물 안전확보에 필요한 개선계획을 허가권자에게 제출하여 승인을 받아야 한다. <개정 2022.2.3.>

⑤ 해체공사감리자는 허가권자 등이 건축물의 해체가 해체계획서에 따라 적정하게 이루어졌는지 확인할 수 있도록 다음 각 호의 어느 하나에 해당하는 해체 작업 시에는 해당 작업이 진행되고 있는 현장에 대한 사진 및 동영상(촬영일자가 표시된 사진 및 동영상을 말한다)을 촬영하고 보관하여야 한다. <신설 2022.2.3.>

1. 필수확인점(공사의 수행 과정에서 다음 단계의 공정을 진행하기 전에 해체공사감리자의 현장점검에 따른 승인을 받아야 하는 공사 중지점을 말한다)의 해체. 이 경우 필수확인점의 세부 기준 등에 관하여 필요한 사항은 대통령령령으로 정한다.
2. 해체공사감리자가 주요한 해체라고 판단하는 해체

⑥ 해체공사감리자는 그날 수행한 해체작업에 관하여 다음 각 호에 해당하는 사항을 제7조에 따른 건축물 생애이력 정보체계에 매일 등록하여야 한다. <신설 2022.2.3.>

1. 공종, 감리내용, 지적사항 및 처리결과
2. 안전점검표 현황
3. 현장 특기사항(발생상황, 조치사항 등)
4. 해체공사감리자가 현장관리 기록을 위하여 필요하다고 판단하는 사항

⑦ 허가권자는 제6항 각 호에 해당하는 사항을 등록하지 아니한 해체공사감리자에게 등록을 명하여야 하며, 해체공사감리자는 정당한 사유가 없으면 이에 따라야 한다. <신설

2022.2.3.>
⑧ 해체공사감리자는 건축물의 해체작업이 완료된 경우 해체감리완료보고서를 해당 관리자와 허가권자에게 제출(전자문서로 제출하는 것을 포함한다)하여야 한다. <개정 2022.2.3.>
⑨ 제4항에 따른 개선계획 승인, 제5항에 따른 사진·동영상의 촬영·보관 및 제8항에 따른 해체감리완료보고서의 작성 등에 필요한 사항은 국토교통부령으로 정한다. <개정 2022.2.3.>

법 제32조의2【해체작업의 업무】

해체작업자는 다음 각 호의 업무를 수행하여야 한다.
1. 해체계획서대로 해체공사 수행
2. 해체계획서의 화재 및 붕괴 방지 대책, 교통안전 및 안전통로 확보 대책, 추락 및 낙하 방지 대책 등 안전관리대책 수행
3. 「산업안전보건법」 등 관계 법령에서 정하는 업무
[본조신설 2022.2.3.]

영 제22조【건축물 해체공사감리자의 지정 등】

① 시·도지사는 법 제31조제1항에 따른 감리자격이 있는 자를 대상으로 모집공고를 거쳐 명부를 작성하고 관리해야 한다. 이 경우 특별시장·광역시장 또는 도지사는 미리 관할 시장·군수·구청장과 협의해야 한다.
② 허가권자는 법 제31조제1항에 따라 다음 각 호의 건축물의 경우 제1항의 명부에서 해체공사감리자를 지정해야 한다. <개정 2021.10.28., 2022.8.2>
1. 법 제30조제1항 각 호 외의 부분 본문 및 같은 조 제2항에 따른 해체허가 대상인 건축물
2. 법 제30조제1항 각 호 외의 부분 단서에 따른 해체신고 대상인 건축물로서 다음 각 목의 어느 하나에 해당하는 건축물 <개정 2021.10.28., 2024.1.2.>
가. 제21조제6항 각 호의 건축물
나. 해체하려는 건축물이 유동인구가 많거나 건물이 밀집되어 있는 곳에 있는 경우 등 허가권자가 해체작업의 안전한 관리를 위하여 필요하다고 인정하는 건축물
③ 허가권자는 건축물을 해체하고 「건축법」 제25조제2항에 해당하는 건축물을 건축하는 경우로서 관리자가 요청하는 경우에는 이 조 제2항에 따라 지정한 해체공사감리자를 「건축법」 제25조제2항에 따른 공사감리자로 지정할 수 있다. 이 경우 허가권자는 건축하려는 건축물의 규모 및 용도 등을 고려하여 해체공사감리자를 지정해야 한다.
④ 제1항부터 제3항까지의 규정에 따른 해체공사감리자의 명부 작성·관리 및 지정에 필요한 사항은 특별시·광역시·특별자치시·도 또는 특별자치도의 조례로 정할 수 있다. <개정 2022.8.2.>

영 제22조【해체공사감리자의 교체】

법 제31조제2항제4호에서 "대통령령으로 정하는 경우"란 다음 각 호의 경우를 말한다. <개정 2022.8.2>
1. 해체공사 감리에 요구되는 감리자 자격기준에 적합하지 않은 경우
2. 해체공사감리자가 고의 또는 중대한 과실로 법 제32조를 위반하여 업무를 수행한 경우
3. 해체공사감리자가 정당한 사유 없이 해체공사 감리를 거부하거나 실시하지 않은 경우
4. 그 밖에 해체공사감리자가 업무를 계속하여 수행할 수 없거나 수행하기에 부적합한 경우로서 시·군·구 조례로 정하는 경우

규칙 제13조【건축물 해체공사감리자의 지정 등】

① 허가권자는 법 제31조제1항에 따라 해체공사감리자를 지정할 때 관리자가 법 제30조제4항에 따라 해체하려는 건축물(영 제21조제6항 각 호의 건축물과 「건축법 시행령」 제91조의3제1항제1호 및 제5호의 건축물로 한정한다)에 대한 해체계획서를 작성한 자를 해체공사감리자로 지정해 줄 것을 요청하는 경우로서 그 자가 영 제22조제1항 전단에 따른 명부에 포함되어 있는 경우에는 그 자를 우선하여 지정할 수 있다. <개정 2022.8.4, 2024.1.3.>

② 법 제30조제3항에 따라 건축물 해체 허가신청서 또는 신고서를 제출받은 허가권자는 영 제22조제2항 각 호의 건축물에 해당하는 경우에는 법 제31조제1항에 따라 별지 제7호서식의 해체공사감리자 지정통지서를 해당 관리자에게 통지해야 한다. <개정 2022.8.4.>

③ 관리자는 제2항에 따라 지정통지서를 받으면 해당 해체공사감리자와 감리계약을 체결해야 한다.

④ 관리자가 중앙행정기관의 장, 지방자치단체의 장 및 「공공기관의 운영에 관한 법률」에 따른 공공기관의 장인 경우에 해당 건축물의 해체공사 감리비용은 다음 각 호의 어느 하나에 해당하는 방법으로 산정한다. <개정 2022.8.4./각호신설>

1. 해체공사비에 국토교통부장관이 정하여 고시하는 요율을 곱하여 산정하는 방법
2. 「엔지니어링산업 진흥법」 제31조제2항에 따른 엔지니어링사업의 대가 기준 중 실비정액가산방식을 국토교통부장관이 정하여 고시하는 방법에 따라 적용하여 산정하는 방법

⑤ 제4항에 따른 자가 아닌 관리자의 건축물 해체공사 감리비용은 같은 항의 감리비용을 참고하여 정할 수 있다.

해설 건축물 해체 허가권자는 해체작업의 안전한 관리를 위하여 감리자격이 있는 자를 해체공사감리자로 지정하여 해체공사감리를 하게 하여야 며(제31조), 해체공사감리자의 업무 및 지정절차에 대해 규정하였다.

【1】 해체공사감리자의 지정

① 해체공사감리자의 지정
- 지정권자 : 허가권자
- 감리대상 :건축물 해체허가를 받은 건축물
- 지정목적 : 건축물 해체작업의 안전한 관리
- 자격 : 「건축사법」 또는 「건설기술 진흥법」에 따른 감리자격이 있는 자 중 해체공사감리업무에 관한 교육 이수자(이하 "해체공사감리자")

  * 공사시공자 본인 및 「독점규제 및 공정거래에 관한 법률」 제2조제12호에 따른 계열회사는 제외

② 감리명부의 작성 및 관리
- 작성 및 관리자 : 시・도지사
- 대상 : 위 ①의 감리자격이 있는 자
- 방법 : 모집공고를 거쳐 명부를 작성하고 관리
  * 특별시장・광역시장 또는 도지사는 미리 관할 시장・군수・구청장과 협의

③ 허가권자는 다음 건축물의 경우 해체감리명부에서 해체공사감리자를 지정해야 한다.

■ 감리명부에서 해체공사감리자를 지정해야 하는 건축물
1. 해체허가 대상인 건축물

2. 해체신고 대상 건축물 중 우측 란에 해당하는 건축물	㉠ 특수구조 건축물 중 - 기둥과 기둥 사이의 거리(기둥의 중심선 사이의 거리, 기둥이 없는 경우 내력벽과 내력벽의 중심선 사이의 거리)가 20m 이상인 건축물 - 특수한 설계·시공·공법 등이 필요한 건축물로서 국토교통부장관이 정하여 고시하는 구조로 된 건축물
	㉡ 건축물에 10톤 이상의 장비를 올려 해체하는 건축물
	㉢ 폭파하여 해체하는 건축물
	㉣ 해체하려는 건축물이 유동인구가 많거나 건물이 밀집되어 있는 곳에 있는 경우 등 허가권자가 해체작업의 안전한 관리를 위하여 필요하다고 인정하는 건축물

④ 건축물 해체 허가신청서 또는 신고서를 제출받은 허가권자는 위 표 각 호의 건축물에 해당하는 경우에는 해체공사감리자 지정통지서(별지 제7호서식)를 해당 관리자에게 통지해야 하며, 관리자는 해당 해체공사감리자와 감리계약을 체결해야 한다.

⑤ 허가권자는 건축물을 해체하고 건축법에 따라 허가권자가 공사감리자를 지정하는 소규모 건축물 등(「건축법」 제25조제2항)을 건축하는 경우로서 관리자가 요청하는 경우에는 해체공사감리자를 이 건축물의 공사감리자로 지정할 수 있다. 이 경우 허가권자는 건축하려는 건축물의 규모 및 용도 등을 고려하여 해체공사감리자를 지정해야 한다.

⑥ 허가권자는 해체공사감리자를 지정할 때 관리자가 해체하려는 다음의 건축물에 대한 해체계획서를 작성한 자를 해체공사감리자로 지정해 줄 것을 요청하는 경우로서 그 자가 해체공사감리자 명부에 포함되어 있는 경우에는 그 자를 우선하여 지정할 수 있다.

■ 우선 지정할 수 있는 건축물
1. 특수구조건축물 중
- 기둥과 기둥 사이의 거리(기둥의 중심선 사이의 거리를 말하며, 기둥이 없는 경우 내력벽과 내력벽의 중심선 사이의 거리)가 20m 이상인 건축물
- 특수한 설계 · 시공 · 공법 등이 필요한 건축물로서 국토교통부장관이 정하여 고시하는 구조(특수구조 건축물 대상기준/국토교통부고시 제2018-777호)로 된 건축물
2. 건축물에 10톤 이상의 장비를 올려 해체하는 건축물
3. 폭파하여 해체하는 건축물
4. 6층 이상인 건축물
5. 3층 이상의 필로티형식 건축물

⑦ 관리자가 중앙행정기관의 장, 지방자치단체의 장 및 「공공기관의 운영에 관한 법률」에 따른 공공기관의 장인 경우에 해당 건축물의 해체공사 감리비용은 다음의 방법으로 산정한다.

■ 감리비용 산정 방법
1. 해체공사비에 국토교통부장관이 정하여 고시하는 요율을 곱하여 산정하는 방법
2. 「엔지니어링산업 진흥법」에 따른 엔지니어링사업의 대가 기준 중 실비정액가산방식을 국토교통부장관이 정하여 고시하는 방법에 따라 적용하여 산정하는 방법

⑧ 해체공사감리자의 명부 작성 · 관리 및 지정에 필요한 사항은 특별시 · 광역시 · 특별자치시 · 도 또는 특별자치도의 조례로 정할 수 있다.

【2】 해체공사감리자의 교체 등

① 허가권자는 다음에 해당하는 경우 해체공사감리자를 교체하여야 한다.

■ 해체공사감리자의 교체 해당 사유
1. 해체공사감리자의 지정에 관한 서류를 거짓이나 그 밖의 부정한 방법으로 제출한 경우
2. 업무 수행 중 해당 관리자 또는 해체작업자의 위반사항이 있음을 알고도 해체작업의 시정 또는 중지를 요청하지 아니한 경우
3. 해체공사감리자의 등록 명령에도 불구하고 정당한 사유없이 지속적으로 이에 따르지 않은 경우
4. 해체공사 감리에 요구되는 감리자 자격기준에 적합하지 않은 경우
5. 해체공사감리자가 고의 또는 중대한 과실로 법 제32조를 위반하여 업무를 수행한 경우
6. 해체공사감리자가 정당한 사유 없이 해체공사 감리를 거부하거나 실시하지 않은 경우
7. 그 밖에 해체공사감리자가 업무를 계속하여 수행할 수 없거나 수행하기에 부적합한 경우로서 시·군·구 조례로 정하는 경우

② 위 표의 해당 해체공사감리자에 대해서는 1년 이내의 범위에서 해체공사감리자의 지정을 제한해야 한다.

③ 건축물을 해체하려는 자와 해체공사감리자 간의 책임 내용 및 범위는 이 법에서 규정한 것 외에는 당사자 간의 계약으로 정한다.

④ 해체공사감리자의 지정기준, 지정방법, 해체공사 감리비용 등 필요한 사항은 국토교통부령으로 정한다.

【3】 해체공사의 감리자 배치기준 등

(1) 감리업무의 수행

① 해체공사감리자는 수시 또는 필요한 때 해체공사의 현장에서 감리업무를 수행하여야 한다.

② 아래 (2)의 경우 전체 해체공사 기간 동안 자격 또는 경력이 있는 감리원이 해체공사 현장에서 감리업무를 수행하게 해야 한다.

(2) 해체공사 상주 감리

① 상주감리 대상 건축물

상주감리 대상 건축물
1. 해체허가 대상 건축물
2. 해체신고 대상 건축물 중 특수구조 건축물 – 기둥의 중심선 사이의 거리(기둥이 없는 경우 내력벽의 중심선 사이의 거리)가 20m 이상인 건축물 – 특수한 설계·시공·공법 등이 필요한 건축물로서 국토교통부장관이 정하여 고시하는 구조의 건축물
3. 건축물에 10톤 이상의 장비를 올려 해체하는 건축물
4. 폭파하여 해체하는 건축물

② 해체공사 상주감리원의 자격

구분	감리원 자격	근거 규정
1. 필수확인점에 감리원 배치시	㉠ 건축사	「건축사법」 제2조제1호
	㉡ 건설사업관리를 수행할 자격이 있는 사람으로서 특급기술인인 사람	「건설기술 진흥법」 제39조
2. 필수확인점 외의 해체 공정에 감리원 배치시	㉠ 건축사	「건축사법」 제2조제1호
	㉡ 건설사업관리를 수행할 자격이 있는 사람으로서 특급기술인인 사람	「건설기술 진흥법」 제39조
	㉢ 건축사보	「건축사법」 제2조제2호
	㉣ 기술사사무소	「기술사법」 제6조

	㉤ 건설엔지니어링사업자 등에 소속된 사람 중	「건축사법」 제23조제9항 각 호
	- 건축 분야의 국가기술자격을 취득한 사람	「국가기술자격법」
	- 건설사업관리를 수행할 자격이 있는 사람으로서 직무분야가 건축*인 사람 * 건축: 1)건축구조, 2)건축기계설비, 3)건축시공, 4)실내건축, 5)건축품질관리, 6)건축계획·설계	「건설기술 진흥법」 제39조 *「건설기술 진흥법 시행령」 별표 1 제3호라목

③ 감리원 배치기준

국토교통부장관은 안전한 해체작업을 위하여 해체공사 방법 및 범위 등을 고려하여 감리원 배치기준을 다음과 같이 정하여야 한다. 이 경우 관리자 및 해체공사감리자는 정당한 사유가 없으면 이에 따라야 한다.

구 분	배치 기준 등	
1. 해체 허가대상 건축물의 해체공사	㉠ 건축물의 연면적 3천㎡ 미만	1명 이상
	㉡ 건축물의 연면적 3천㎡ 이상 (예외) 관리자가 요청하는 경우로서 허가권자가 해체공사의 난이도, 해체할 부분 및 면적 등을 고려할 때 감리원을 2명 이상 배치할 필요가 없다고 인정하는 경우	2명 이상 (예외:1명)
2. 해체 신고대상 건축물의 해체공사	-	1명 이상
3. 해체공사 과정 중 필수확인점에 다다른 경우	㉠ 배치기간은 다음 단계의 해체공정을 진행하기 전까지일 것	-
	㉡ 위 1. ㉡과 ㉡(예외)에 따라 배치하는 경우 건축사 자격자	1명 이상
	㉢ 해체공사감리자에 소속된 사람 중 건축사가 있으면 그 사람(건축사로서 필수확인점이 아닌 해체공정에 배치된 감리원을 포함)을 배치할 것	-

【4】 해체공사감리자의 업무 등

① 해체공사감리자의 수행 업무

1. 해체작업순서, 해체공법 등 해체계획서에 맞게 공사하는지 여부의 확인
2. 현장의 화재 및 붕괴 방지 대책, 교통안전 및 안전통로 확보, 추락 및 낙하 방지대책 등 안전관리대책에 맞게 공사하는지 여부의 확인
3. 해체 후 부지정리, 인근 환경의 보수 및 보상 등 마무리 작업사항에 대한 이행 여부의 확인
4. 해체공사에 의하여 발생하는 건설폐기물*이 적절하게 처리되는지에 대한 확인 (*「건설폐기물의 재활용촉진에 관한 법률」 제2조제1호)
5. 그 밖에 국토교통부장관이 정하여 고시하는 해체공사의 감리에 관한 사항

② 해체작업의 시정 또는 중지

1. 해체공사감리자는 건축물의 해체작업이 안전하게 수행되기 어려운 경우 해당 관리자 및 해체작업자에게 해체작업의 시정 또는 중지를 요청하여야 한다.
2. 해체공사감리자는 해당 관리자 또는 해체작업자가 시정 또는 중지를 요청받고도 건축물 해체작업을 계속하는 경우 건축물 해체작업 시정 또는 중지 요청 보고서(별지 제8호서식)에 해체공사감리자 지정통지서 사본을 첨부하여 허가권자에게 보고하여야 한다. - 이 경우 보고를 받은 허가권자는 지체 없이 작업중지를 명령하여야 한다.
3. 관리자 또는 해체작업자가 해체작업의 시정 또는 중지를 요청받고 이를 이행한 경우나 허가권자의

작업중지 명령을 받은 이후 해체작업을 다시 하려는 경우 건축물 안전확보에 필요한 개선계획을 허가권자에게 제출하여 승인을 받아야 한다.
4. 관리자 또는 해체작업자는 개선계획을 승인받으려는 경우 해체작업 개선계획서(별지 제9호서식)를 허가권자에게 제출해야 한다.
5. 허가권자는 제출받은 해체작업 개선계획서에 보완이 필요하다고 인정되면 해당 관리자 또는 해체작업자에게 보완을 요청할 수 있다.

③ 사진 및 동영상의 촬영·보관 등

㉠ 해체공사감리자는 허가권자 등이 건축물의 해체가 해체계획서에 따라 적정하게 이루어졌는지 확인할 수 있도록 다음의 해체 작업 시에는 해당 작업이 진행되고 있는 현장에 대한 사진 및 동영상(촬영일자가 표시된 사진 및 동영상을 말한다)을 촬영하고 보관하여야 한다.

1. 필수확인점*(공사의 수행 과정에서 다음 단계의 공정 진행 전 해체공사감리자의 현장점검에 따른 승인을 받아야 하는 공사 중지점)의 해체
2. 해체공사감리자가 주요한 해체라고 판단하는 해체

* 필수확인점의 세부 기준

- 공정 : 마감재, 지붕, 중간층 및 지하층 해체공정 착수 전
- 시점 : 필수확인점의 구체적인 시점에 관하여 필요한 사항은 국토교통부장관이 정하여 고시한다.

㉡ 해체공사감리자는 사진 및 동영상(이하 "사진등")을 촬영하는 때에는 불가피한 경우를 제외하고는 촬영 대상 공정별로 같은 장소에서 촬영해야 한다.

㉢ 해체공사감리자는 촬영한 사진등을 디지털파일 형태로 가공·처리한 후 해체공사 공정별로 구분하여 관리자가 건축물 해체공사 완료신고를 한 날부터 30일까지 보관해야 한다.

㉣ 해체공사감리자는 허가권자 및 관리자가 해체공사 현장의 안전관리 현황 등을 확인하기 위하여 보관기간에 보관 중인 사진등의 제공을 요청하는 경우 사진등을 제공해야 한다.

④ 건축물 생애이력 정보체계에 등록

㉠ 해체공사감리자는 그날 수행한 해체작업에 관하여 다음 사항을 건축물 생애이력 정보체계 구축 규정(법 제7조)에 따른 건축물 생애이력 정보체계에 매일 등록하여야 한다.

1. 공종, 감리내용, 지적사항 및 처리결과
2. 안전점검표 현황
3. 현장 특기사항(발생상황, 조치사항 등)
4. 해체공사감리자가 현장관리 기록을 위하여 필요하다고 판단하는 사항

㉡ 허가권자는 위 표에 해당하는 사항을 등록하지 않은 해체공사감리자에게 등록을 명하여야 하며, 해체공사감리자는 정당한 사유가 없으면 이에 따라야 한다.

⑤ 해체감리완료보고서의 제출 등

1. 해체공사감리자는 건축물의 해체작업이 완료된 경우 해체감리완료보고서를 해당 관리자와 허가권자에게 제출(전자문서 제출 포함)해야 한다.
2. 해체감리완료보고서를 작성하는 경우 감리업무 수행 내용·결과 및 해체공사 결과 등을 포함하여 작성해야 한다.
3. 개선계획 승인, 사진·동영상의 촬영·보관 및 해체감리완료보고서의 작성 등에 필요한 사항은 국토교통부령으로 정한다.

【5】 해체작업자의 업무

① 해체계획서대로 해체공사 수행

② 해체계획서의 화재 및 붕괴 방지 대책, 교통안전 및 안전통로 확보 대책, 추락 및 낙하 방지 대책 등 안전관리대책 수행

③ 「산업안전보건법」 등 관계 법령에서 정하는 업무

4 해체공사 완료신고 및 멸실신고(건관법 제33조, 제34조)(규칙 제16조, 제17조)

▶ 「건축물관리법」

법 제33조【건축물 해체공사 완료신고】

① 관리자는 다음 각 호의 어느 하나에 해당하는 날부터 30일 이내에 허가권자에게 건축물 해체공사 완료신고를 하여야 한다. <개정 2022.2.3. 각호신설>

1. 제30조제1항 각 호 외의 부분 본문 또는 같은 조 제2항에 따른 해체허가 대상의 경우, 제32조제8항에 따른 해체감리완료보고서를 해체공사감리자로부터 제출받은 날
2. 제30조제1항 각 호 외의 부분 단서에 따른 해체신고 대상의 경우, 건축물을 해체하고 폐기물 반출이 완료된 날

② 제1항에 따른 신고의 방법·절차에 관한 사항은 국토교통부령으로 정한다.

법 제34조【건축물의 멸실신고】

① 관리자는 해당 건축물이 멸실된 날부터 30일 이내에 건축물 멸실신고서를 허가권자에게 제출하여야 한다. 다만, 건축물을 전면해체하고 제33조에 따른 건축물 해체공사 완료신고를 한 경우에는 멸실신고를 한 것으로 본다. <개정 2022.2.3.>

② 제1항에 따른 신고의 방법·절차에 관한 사항은 국토교통부령으로 정한다.

규칙 제16조【건축물 해체공사 완료신고】

① 관리자는 법 제33조제1항에 따라 건축물 해체공사 완료신고를 하려는 경우 별지 제10호서식의 건축물 해체공사 완료신고서에 법 제32조제8항에 따라 제출받은 해체감리완료보고서를 첨부하여 허가권자에게 제출(전자문서로 제출하는 것을 포함한다)해야 한다. <개정 2022.8.4>

② 허가권자는 제1항에 따라 신고서를 제출받은 경우 건축물 또는 건축물 자재에 석면이 함유되었는지를 확인해야 한다. 이 경우 석면 함유에 대한 통보에 관하여는 영 제21조제3항을 준용한다.

③ 허가권자는 제1항에 따라 건축물 해체공사 완료신고서를 제출받았을 때에는 석면 함유 여부 및 건축물의 해체공사 완료 여부를 확인한 후 별지 제11호서식의 건축물 해체공사 완료 신고확인증을 신고인에게 내주어야 한다.

규칙 제17조【건축물 멸실의 신고】

① 관리자는 법 제34조제1항 본문에 따라 멸실신고를 하려는 경우에는 별지 제10호서식의 건축물 멸실 신고서를 허가권자에게 제출(전자문서로 제출하는 것을 포함한다)해야 한다.

② 허가권자는 제1항에 따라 신고서를 제출받은 경우 건축물 또는 건축물 자재에 석면이 함

유되었는지를 확인해야 한다. 이 경우 석면 함유에 대한 통보에 관하여는 영 제21조제3항을 준용한다.
③ 허가권자는 제1항에 따라 건축물 멸실 신고서를 제출받았을 때에는 석면 함유 여부 및 신고 내용을 확인한 후 별지 제11호서식의 건축물 멸실 신고확인증을 신고인에게 내주어야 한다.

해설 관리자는 건축물 해체공사를 끝낸 경우와 건축물이 멸실된 경우 허가권자에게 신고하여야 한다.

【1】 건축물 해체공사 완료 신고

① 관리자는 다음 표의 날부터 30일 이내에 허가권자에게 건축물 해체공사 완료신고를 하여야 한다.

1. 해체허가 대상	해체감리완료보고서를 해체공사감리자로부터 제출받은 날
2. 해체신고 대상	건축물을 해체하고 폐기물 반출이 완료된 날

② 관리자는 건축물 해체공사 완료신고서(별지 제10호서식)에 해체공사감리자로부터 제출받은 해체감리완료보고서를 첨부하여 허가권자에게 제출(전자문서 제출 포함)해야 한다.

③ 허가권자는 신고서를 제출받은 경우 건축물 또는 건축물 자재에 석면이 함유되었는지를 확인해야 한다. (석면 함유에 대한 통보는 3-1-【3】-⑦을 준용)

④ 허가권자는 건축물 해체공사 완료신고서를 제출받았을 때에는 석면 함유 여부 및 건축물의 해체공사 완료 여부를 확인한 후 건축물 해체공사 완료 신고확인증(별지 제11호서식)을 신고인에게 내주어야 한다.

【2】 건축물의 멸실 신고

① 관리자는 해당 건축물이 멸실된 날부터 30일 이내에 건축물 멸실신고서를 허가권자에게 제출하여야 한다. 예외 건축물을 전면해체하고 건축물 해체공사 완료신고를 한 경우에는 멸실신고를 한 것으로 본다.

② 관리자는 멸실신고를 하려는 경우 건축물 멸실 신고서(별지 제10호서식)를 허가권자에게 제출(전자문서 제출 포함)해야 한다.

③ 허가권자는 신고서를 제출받은 경우 건축물 또는 건축물 자재에 석면이 함유되었는지를 확인해야 한다. (석면 함유에 대한 통보는 3-1-【3】-⑦을 준용)

④ 허가권자는 건축물 멸실 신고서를 제출받았을 때에는 석면 함유 여부 및 신고 내용을 확인한 후 건축물 멸실 신고확인증(별지 제11호서식)을 신고인에게 내주어야 한다.

5 건축물 석면의 제거·처리(건축법 규칙 제24조의2)

규칙 제24조의2 【건축물석면의 제거·처리】
석면이 함유된 건축물을 증축·개축 또는 대수선하는 경우에는 「산업안전보건법」 등 관계 법령에 적합하게 석면을 먼저 제거·처리한 후 건축물을 증축·개축 또는 대수선해야 한다. <개정 2020.5.1., 2021.6.25>

해설 「건축물 관리법」 제정으로 「건축법」 상의 석면처리 등과 관련된 내용이 이관되고, 현재 「건축법」에 남아 있는 규정임. 석면 처리와 관련된 규정의 내용은 앞 부분의 해체, 멸실 등의 규정을 참고바람.

■ 석면이 함유된 건축물을 증축 · 개축 또는 대수선하는 경우 「산업안전보건법」 등 관계 법령에 적합하게 석면을 먼저 제거·처리한 후 건축물을 증축·개축 또는 대수선해야 한다.

■ 건축물을 해체, 멸실의 경우 석면 함유에 대한 통보는 3-1-【3】-⑦을 참고바람.

4 건축지도원(법 제37조)(영 제24조)

법 제37조【건축지도원】

① 특별자치시장 · 특별자치도지사 또는 시장 · 군수 · 구청장은 이 법 또는 이 법에 따른 명령이나 처분에 위반되는 건축물의 발생을 예방하고 건축물을 적법하게 유지 · 관리하도록 지도하기 위하여 대통령령으로 정하는 바에 따라 건축지도원을 지정할 수 있다.

② 제1항에 따른 건축지도원의 자격과 업무 범위 등은 대통령령으로 정한다.

영 제24조【건축지도원】

① 법 제37조에 따른 건축지도원(이하 "건축지도원"이라 한다)은 특별자치시장 · 특별자치도지사 또는 시장 · 군수 · 구청장이 특별자치시 · 특별자치도 또는 시 · 군 · 구에 근무하는 건축직렬의 공무원과 건축에 관한 학식이 풍부한 자로서 건축조례로 정하는 자격을 갖춘 자 중에서 지정한다.

② 건축지도원의 업무는 다음 각 호와 같다.

1. 건축신고를 하고 건축 중에 있는 건축물의 시공 지도와 위법 시공 여부의 확인 · 지도 및 단속
2. 건축물의 대지, 높이 및 형태, 구조 안전 및 화재 안전, 건축설비 등이 법령등에 적합하게 유지 · 관리되고 있는지의 확인 · 지도 및 단속
3. 허가를 받지 아니하거나 신고를 하지 아니하고 건축하거나 용도변경한 건축물의 단속

③ 건축지도원은 제2항의 업무를 수행할 때에는 권한을 나타내는 증표를 지니고 관계인에게 내보여야 한다.

④ 건축지도원의 지정 절차, 보수 기준 등에 관하여 필요한 사항은 건축조례로 정한다.

해설 모든 건축물은 허가(신고), 시공 · 감리, 사용승인 및 유지관리의 적법한 과정을 거쳐야 한다. 건축지도원은 이러한 적법과정에 위배되는 경우, 즉 허가나 신고 등을 받지않은 건축물의 단속과 감리자가 없는 신고대상건축물의 시공지도와 적법여부의 확인 및 사용승인 후의 유지관리의 확인 등의 임무가 있다.

■ 건축지도원

구 분	내 용
1. 지도원의 지정	특별자치시장·특별자치도지사 또는 시장 · 군수 · 구청장이 지정
2. 지도원의 자격	건축직렬의 공무원과 건축에 관한 학식이 풍부한 자 중 건축조례가 정하는 자격을 갖춘 자
3. 지도원의 업무	① 건축신고를 하고 건축 중에 있는 건축물의 시공지도와 위법시공여부의 확인 · 지도 및 단속 ② 건축물의 대지, 높이 및 형태, 구조안전 및 화재안전, 건축설비등이 법령등에 적합하게 유지 · 관리되고 있는지의 확인 · 지도 및 단속 ③ 허가를 받지 아니하거나 신고를 하지 아니하고 건축허가나 용도변경한 건축물의 단속
4. 기타	• 건축지도원의 지정절차 · 보수기준 등에 관하여 필요한 사항은 건축조례로 정함

5 건축물대장(법 제38조)(영 제25조)

법 제38조【건축물대장】

① 특별자치시장 · 특별자치도지사 또는 시장 · 군수 · 구청장은 건축물의 소유 · 이용 및 유지 · 관리 상태를 확인하거나 건축정책의 기초 자료로 활용하기 위하여 다음 각 호의 어느 하나에 해당하면 건축물대장에 건축물과 그 대지의 현황 및 국토교통부령으로 정하는 건축물의 구조내력(構造耐力)에 관한 정보를 적어서 보관하고 이를 지속적으로 정비하여야 한다. <개정 2019.4.30.>

1. 제22조제2항에 따라 사용승인서를 내준 경우
2. 제11조에 따른 건축허가 대상 건축물(제14조에 따른 신고 대상 건축물을 포함한다) 외의 건축물의 공사를 끝낸 후 기재를 요청한 경우
3. 삭제 <2019.4.30.>
4. 그 밖에 대통령령으로 정하는 경우

② 특별자치시장 · 특별자치도지사 또는 시장 · 군수 · 구청장은 건축물대장의 작성 · 보관 및 정비를 위하여 필요한 자료나 정보의 제공을 중앙행정기관의 장 또는 지방자치단체의 장에게 요청할 수 있다. 이 경우 자료나 정보의 제공을 요청받은 기관의 장은 특별한 사유가 없으면 그 요청에 따라야 한다. <신설 2017.10.24.>

③ 제1항 및 제2항에 따른 건축물대장의 서식, 기재 내용, 기재 절차, 그 밖에 필요한 사항은 국토교통부령으로 정한다. <개정 2017.10.24.>

영 제25조【건축물대장】

법 제38조제1항제4호에서 "대통령령으로 정하는 경우"란 다음 각 호의 어느 하나에 해당하는 경우를 말한다.

1. 「집합건물의 소유 및 관리에 관한 법률」 제56조 및 제57조에 따른 건축물대장의 신규등록 및 변경등록의 신청이 있는 경우
2. 법 시행일 전에 법령등에 적합하게 건축되고 유지 · 관리된 건축물의 소유자가 그 건축물의 건축물관리대장이나 그 밖에 이와 비슷한 공부(公簿)를 법 제38조에 따른 건축물대장에 옮겨 적을 것을 신청한 경우
3. 그 밖에 기재내용의 변경 등이 필요한 경우로서 국토교통부령으로 정하는 경우

해설 건축물대장은 건축물의 소유 · 이용상태를 확인하거나 건축정책의 기초자료로 활용하기 위한 것으로서 특별자치시장 · 특별자치도지사 또는 시장 · 군수 · 구청장의 기재 및 보관의무가 있다.

■ 건축물대장

구 분	내 용
기재 및 보관의무자	특별자치시장 · 특별자치도지사 또는 시장 · 군수 · 구청장
목 적	건축물의 소유 · 이용 상태를 확인하거나 건축정책의 기초자료로 활용하기 위함
기재 및 보관하고 지속적으로 정비하여야 하는 경우	1. 사용승인서를 내준 경우(법 제22조제2항) 2. 건축허가 대상건축물(신고대상건축물 포함) 외의 건축물이 공사를 끝낸 후 기재를 요청한 경우 3. 「집합건물의 소유 및 관리에 관한 법률」에 따른 건축물대장의 신규등록 및 변경등록의 신청이 있는 경우 관계법1 4. 법 시행일 전에 법령등에 적합하게 건축되고 유지·관리된 건축물의 소유자가 건축물관리대장이나 그 밖에 이와 비슷한 공부를 건축물대장에 옮겨 적을 것을 신청한 경우 5. 그 밖에 기재내용의 변경 등의 필요가 있는 경우로서 국토교통부령으로 정하는 경우

기재 내용	건축물과 그 대지의 현황 및 국토교통부령으로 정하는 건축물의 구조내력(構造耐力)에 관한 정보
서식, 절차 등	■ 특별자치시장·특별자치도지사 또는 시장·군수·구청장는 건축물대장의 작성·보관 및 정비를 위하여 필요한 자료나 정보의 제공을 중앙행장기관의 장 또는 지방자치단체의 장에게 요청할 수 있다.(자료 요청받은 기관의 장은 특별한 사유가 없는 한 그 요청에 따라야 한다) ■ 건축물대장의 서식·기재내용·기재절차 등 기타 필요한 사항은 국토교통부령으로 정함 관계법2

관계법1 「집합건물의 소유 및 관리에 관한 법률」(제56조, 제57조)

법 **제56조【건축물대장의 신규등록신청】** ① 이 법을 적용받는 건물을 신축한 자는 1개월 이내에 1동의 건물에 속하는 전유부분 전부에 대하여 동시에 건축물대장 등록신청을 하여야 한다.

② 제1항의 신청서에는 제54조에 규정된 사항을 적고 건물의 도면, 각 층의 평면도(구분점포의 경우에는 「건축사법」 제23조에 따라 신고한 건축사 또는 「공간정보의 구축 및 관리 등에 관한 법률」 제39조제2항에서 정한 측량기술자가 구분점포의 경계표지에 관한 측량성과를 적어 작성한 평면도를 말한다)와 신청인의 소유임을 증명하는 서면을 첨부하여야 하며, 신청서에 적은 사항 중 규약이나 규약에 상당하는 공정증서로써 정한 것이 있는 경우에는 그 규약이나 공정증서를 첨부하여야 한다.

③ 이 법을 적용받지 아니하던 건물이 구분, 신축 등으로 인하여 이 법을 적용받게 된 경우에는 제1항과 제2항을 준용한다.

④ 제3항의 경우에 건물 소유자는 다른 건물의 소유자를 대위(代位)하여 제1항의 신청을 할 수 있다.

법 **제57조【건축물대장의 변경등록신청】** ① 건축물대장에 등록한 사항이 변경된 경우에는 소유자는 1개월 이내에 변경등록신청을 하여야 한다.

② 1동의 건물을 표시할 사항과 공용부분의 표시에 관한 사항의 변경등록은 전유부분 소유자 중 1인 또는 여럿이 제1항의 기간까지 신청할 수 있다.

③ 제1항 및 제2항의 신청서에는 변경된 사항과 1동의 건물을 표시하기에 충분한 사항을 적고 그 변경을 증명하는 서면을 첨부하여야 하며 건물의 소재지, 구조, 면적이 변경되거나 부속건물을 신축한 경우에는 건물도면 또는 각 층의 평면도도 첨부하여야 한다.

④ 구분점포는 제1조의2제1항제1호의 용도 외의 다른 용도로 변경할 수 없다.

관계법2 「건축물대장의 기재 및 관리등에 관한 규칙」의 관련내용

규칙 **제2조【용어의 정의】** 이 규칙에서 사용하는 용어의 정의는 다음과 같다. <개정 2020.5.1., 2021.7.12>

1. "생성"이라 함은 건축물이 신축·개축(전부를 개축하는 경우에 한한다)·재축·증축(기존 건축물과 별개의 동으로 증축한 것에 한한다) 등에 의하여 대지에 건축물의 건축공사가 완료된 후 건축물대장을 새로이 작성하는 것을 말한다.
2. "집합건축물"이라 함은 「집합건물의 소유 및 관리에 관한 법률」의 적용을 받는 건축물을 말한다.
3. "일반건축물"이라 함은 "집합건축물" 외의 건축물을 말한다.
4. "건축물대장의 기재내용"이라 함은 건축물의 표시 및 소유자 현황에 관한 사항을 말한다.
5. "건축물대장의 전환"이라 함은 "일반건축물대장"이 "집합건축물대장"으로 되는 것을 말한다.
6. "건축물대장의 합병"이라 함은 "집합건축물대장"이 "일반건축물대장"으로 되는 것을 말한다.
7. "말소"라 함은 해체·멸실 등으로 인하여 건축물의 전부 또는 일부가 없어진 경우에 해당 건축물대장을 제23조에 따른 방법으로 "말소" 표시를 하고 더 이상 사용하지 아니하거나 건축물대장의 해당 사항을 지우는 것을 말한다.
8. "이기"라 함은 기존 건축물 공부(가옥대장, 건축물관리대장 등)를 건축물대장으로 새로이 작성함을 말한다.

9. "폐쇄"라 함은 건축물대장의 전환 · 합병, 이기 · 재작성 등에 의하여 건축물대장을 새로이 작성한 경우 기존 건축물대장을 제23조에 따른 방법으로 "폐쇄" 표시를 하고 더 이상 사용하지 아니하는 것을 말한다.

10. "건축물현황도"란 배치도[대지의 경계, 대지의 조경면적, 「건축법」(이하 "법" 이라 한다) 제43조에 따른 공개 공지 또는 공개 공간, 건축선(법 제46조제1항 단서에 따라 건축선이 정해지는 경우에는 건축선 후퇴면적 및 건축선 후퇴거리를 포함한다), 건축물의 배치현황, 대지 안 옥외주차 현황, 대지에 직접 접한 도로를 포함한 도면을 말한다], 각 층 평면도 또는 단위세대평면도 등 건축물 및 그 대지의 현황을 표시하는 도면을 말한다.

규칙 제3조 **【건축물대장의 기재】** 「건축법 시행령」(이하 "영"이라 한다) 제25조제3호에서 "국토교통부령으로 정하는 경우"라 함은 다음 각 호의 어느 하나에 해당하는 경우를 말한다. <개정 2021.7.12>

1. 건축물의 증축 · 개축 · 재축 · 이전 · 대수선 및 용도변경에 의하여 건축물의 표시에 관한 사항이 변경된 경우
2. 건축물의 소유권에 관한 사항이 변경된 경우
3. 법 및 관계 법령에 따른 조사 · 점검 등에 따른 건축물의 현황과 건축물대장의 기재내용이 일치하지 않는 경우 <신설 2021.7.12>

규칙 제4조 **【건축물대장의 종류】** 건축물대장은 건축물의 종류에 따라 다음 각 호와 같이 구분한다.

1. 일반건축물대장 : 일반건축물에 해당하는 건축물 및 대지에 관한 현황을 기재한 건축물대장
2. 집합건축물대장 : 집합건축물에 해당하는 건축물 및 대지에 관한 현황을 기재한 건축물대장

규칙 제5조 **【건축물대장의 작성방법】** ① 건축물대장은 건축물 1동을 단위로 하여 각 건축물마다 별표에 따라 작성하고, 부속건축물이 있는 경우 부속건축물은 주된 건축물대장에 포함하여 작성한다. <개정 2021.7.12>

② 집합건축물대장은 표제부와 전유부(專有部)로 나누어 작성한다.

③ 하나의 대지에 2 이상의 건축물(부속건축물을 제외한다)이 있는 경우에는 총괄표제부를 작성하여야 한다.

④ 건축물대장에는 건축물현황도가 포함된다.

⑤ 건축물이 다가구주택인 경우에는 다가구주택의 호(가구)별 면적대장을 작성해야 한다. <신설 2018.12.4>

규칙 제7조 **【건축물대장의 서식】** ① 일반건축물대장은 별지 제1호서식에 따르며, 동 서식의 각 기재란이 부족한 경우에는 다음 각 호의 기재사항 구분에 따라 해당 서식에 나머지 사항을 기재한다.

1. 건축물현황: 별지 제2호서식
2. 소유자현황: 별지 제2호의2서식
3. 변동사항: 별지 제2호의3서식
4. 그 밖의 사항: 별지 제2호의4서식

② 집합건축물대장의 표제부는 별지 제3호서식에 따르며, 동 서식의 각 기재란이 부족한 경우에는 다음 각 호의 기재사항 구분에 따라 해당 서식에 나머지 사항을 기재한다.

1. 건축물현황: 별지 제4호서식
2. 변동사항: 별지 제4호의2서식
3. 그 밖의 사항: 별지 제4호의3서식

③ 집합건축물대장의 전유부는 별지 제5호서식에 따르며, 동 서식의 각 기재란이 부족한 경우에는 다음 각 호의 기재사항 구분에 따라 해당 서식에 나머지 사항을 기재한다.

1. 소유자현황: 별지 제6호서식
2. 변동사항: 별지 제6호의2서식
3. 그 밖의 사항: 별지 제6호의3서식

건 축 법
1. 총 칙
2. 건 축
3. 유지관리
4. 대지도로
5. 구조재료
6. 지역지구
7. 건축설비
8. 특별건축구역
9. 보 칙
10. 벌 칙
건 축 법 관련기준

④ 건축물대장의 총괄표제부는 별지 제7호서식에 따르며, 동 서식의 각 기재란이 부족한 경우에는 다음 각 호의 기재사항 구분에 따라 해당 서식에 나머지 사항을 기재한다.
1. 건축물현황: 별지 제8호서식
2. 변동사항: 별지 제8호의2서식
3. 그 밖의 사항: 별지 제8호의3서식
⑤ 다가구주택의 호(가구)별 면적대장은 별지 제9호서식에 따른다. <신설 2018.12.4.>

6 등기촉탁(법 제39조)

법 제39조【등기촉탁】

① 특별자치시장·특별자치도지사 또는 시장·군수·구청장은 다음 각 호의 어느 하나에 해당하는 사유로 건축물대장의 기재 내용이 변경되는 경우(제2호의 경우 신규 등록은 제외한다) 관할 등기소에 그 등기를 촉탁하여야 한다. 이 경우 제1호와 제4호의 등기촉탁은 지방자치단체가 자기를 위하여 하는 등기로 본다. <개정 2017.1.17., 2019.4.30.>
1. 지번이나 행정구역의 명칭이 변경된 경우
2. 제22조에 따른 사용승인을 받은 건축물로서 사용승인 내용 중 건축물의 면적·구조·용도 및 층수가 변경된 경우
3. 「건축물관리법」 제30조에 따라 건축물을 해체한 경우
4. 「건축물관리법」 제34조에 따른 건축물의 멸실 후 멸실신고를 한 경우
② 제1항에 따른 등기촉탁의 절차에 관하여 필요한 사항은 국토교통부령으로 정한다. **관계법**

관계법 「건축물대장의 기재 및 관리등에 관한 규칙」(국토교통부령 제882호, 2021.8.27.)

규칙 제26조【등기촉탁의 절차 등】 ① 법 제39조제1항에 따른 등기촉탁 대상 건축물의 소유자 또는 건축주는 사용승인서를 교부받은 날 또는 건축물대장이 말소된 날부터 1개월 이내에 다음 각 호의 서류를 특별자치시장·특별자치도지사 또는 시장·군수·구청장에게 제출하여야 한다. 다만, 해당 건축물에 대한 등기가 없는 경우에는 그러하지 아니하다. <개정 2023.8.1.>
1. 등록면허세영수필 확인서 및 통지서(「지방세법」 제26조제1항 본문에 따라 등록면허세 부과가 면제되는 경우는 제외한다)
2. 건물 등기사항증명서 등 등기에 필요한 서류
② 제1항에 따른 서류를 제출받은 특별자치시장·특별자치도지사 또는 시장·군수·구청장은 건축물대장을 변경한 날 또는 건축물대장을 말소한 날부터 1개월 이내에 별지 제25호서식의 건물표시변경 등기촉탁서에 다음 각 호의 서류를 첨부하여 관할 등기소에 등기를 촉탁하여야 한다. <개정 2023.8.1.>
1. 건축물대장 등본
2. 등기촉탁서 부본
3. 등록면허세영수필 확인서 및 통지서(「지방세법」 제26조제1항 본문에 따라 등록면허세 부과가 면제되는 경우는 제외한다)
4. 삭제 <2017.7.18.>
③ 특별자치시장·특별자치도지사 또는 시장·군수·구청장은 제2항에 따른 등기촉탁 내용을 별지 제26호서식의 건물표시변경등기촉탁대장에 기재하여야 한다. <개정 2017.7.18.>

7 질의회신·법령해석

■ 목차

【참고】「건축물관리법」 제정으로 1, 2 관련 내용이 「건축법」에서 삭제되었습니다. <시행 2020.5.1.>

1 건축물의 유지·관리

질의회신 유지관리업자가 모든 시설물의 안전점검을 실시여부

국토교통부 민원마당 FAQ 2019.5.24.

질의 별도의 등록분야가 없는 유지관리업자의 경우 모든 시설물에 대한 안전점검을 할 수 있는지?

회신 유지관리업자의 경우에도 시설물의 안전 및 유지관리에 관한 특별법 시행령 별표9 비고1에 따라 실시하고자 하는 시설물의 해당 직무분야(토목분야, 건축분야)의 책임기술자를 보유한 경우에만 해당 분야의 시설물에 대한 안전점검을 실시할 수 있음. 따라서 토목분야 건설기술자로만 구성된 유지관리업자의 경우에는 건축분야의 시설물에 대하여는 안전점검을 실시할 수 없음.

질의회신 수목, 담장 및 가로등을 설치하는 경우 위법 여부

건교부 건축과-174, 2004.1.15

질의 건축물 사용승인을 받은 후 대지에 설치된 수목 및 담장을 철거할 경우, 높이 6미터의 가로등을 설치하는 경우 및 대지내에 잔디를 식재하는 경우 건축법상 저촉되는지 여부

회신 「건축법」 제26조의 규정에 의하여 건축물의 소유자 또는 관리자는 건축물·대지 및 건축설비를 건축법령 등에 적합하게 유지·관리해야 하므로, 동법 제32조의 규정에 의한 대지안의 조경기준에 위배되게 수목을 철거하면 「건축법」에 위반되는 것임 (* 법 제26조, 제32조 ⇒ 제35조, 제42조, 2008.3.21 ⇒ 제35조 삭제, 2019.4.30, 건축물 관리법 신설)

2 건축물의 철거 등의 신고

질의회신 건축물 철거 여부

국토교통부 민원마당 FAQ 2023.6.15.

질의 건축물의 지하부분 외벽테두리 및 기초부분이 미철거된 채 흙으로 매립한 경우 건축법 제27조 제1항 및 「건축법 시행규칙」 제24조 제4항 규정에 따른 건축물의 철거여부 확인 시 건축물이 철거완료된 것으로 볼 수 있는 지

회신 「건축법 시행규칙」 제24조 제4항 규정에 따라 건축물의 철거 확인 시 건축물대상상 기재된 건축물에 대한 철거가 이루어졌는지 여부, 건축물의 기능과 구조를 상실하였는지 여부 등과 사실상 전체건축물을 철거해체하여 부산물 등 건설폐기물을 관련법의 절차이행 등을 종합 검토하여 판단하여야 할 것이며, 향후 새로운 건축

행위에 장애도 없어야 할 것임.(*법 제27조 ⇒ 제36조, 2008.3.21 ⇒ 삭제, 2019.4.30, 건축물 관리법 신설)

질의회신 건축물 철거신고 관련

국토교통부 민원마당 FAQ 2022.6.21.

질의 건축물 철거신고시 산업안전보건법상 석면조사대상이 아닌 경우에도 석면조사결과서 사본을 제출하여야 하는 지?

회신 석면 함유 여부만 명기토록 한 건축물 철거신고제도는 허위신고를 막기에 한계가 있으며, 「산업안전보건법」은 건축물 철거, 해체시 석면조사를 의무화하고 있으나 조사결과의 행정기관 제출 및 검증 절차 부재. 따라서, 건축물 철거, 멸실 신고시 건축법령상 철거신고대상 또는 산업안전보건법상 석면조사대상은 석면조사결과를 제출토록 규정함

질의회신 소유자가 사망한 경우 건축물 철거 가능 여부

국토교통부 민원마당 FAQ 2022.6.21.

질의 2006년 사망한 자의 명의로 된 건축물을 현 시점에 건축물 멸실 신고가 가능한 지 여부

회신 「건축법」 제36조제2항에서 건축물의 소유자나 관리자는 건축물이 재해로 멸실된 경우 멸실 후 30일 이내에 신고하도록 하고 있음. 따라서, 질의의 건축물 멸실 신고는 해당 건축물의 관리자도 가능함 (*법 제36조 ⇒ 삭제, 2019.4.30, 건축물 관리법 신설)

질의회신 증축 중 기존건축물을 철거 후 건축하고자 하는 경우 다시 허가를 받아야 하는지

건교부 건축 58070-1459, 1999.4.23.

질의 증축허가를 받아 착공코자 하였으나 건축물이 노후되어 건축물을 철거한 바, 신축으로 다시 건축허가를 받아야 하는지 또는 변경허가를 할 수 있는지

회신 질의의 경우에는 건축법 제27조의 규정에 의하여 그 철거 전에 시장·군수·구청장에게 이를 신고해야 하는 것이며, 또한 신축에 해당하는 것으로서 그 전체 규모에 따라 건축허가(신고)를 받은 후 건축해야 하는 것임 (*법 제27조 ⇒ 제36조, 2008.3.21 ⇒ 삭제, 2019.4.30, 건축물 관리법 신설)

3 건축물대장

법령해석 주차전용건축물의 집합건축물대장 중 건축물현황도란에 표기되어 있는 부대시설에 관한 사항은 같은 대장의 용도란에도 반드시 표기해야 하는지 여부

「건축물대장 규칙」 제5조제1항 등 관련 법제처 법령해석 21-0773, 2021.11.25./건축사협회 수정게시 2022.9.19.

질의요지 「건축물대장의 기재 및 관리 등에 관한 규칙」(이하 "건축물대장규칙"이라 함) 제5조제1항 및 제4항에 따르면 건축물대장은 건축물마다 작성하고, 건축물대장에는 건축물현황도가 포함되는데, 「주차장법」 제2조제11호에 따른 주차전용건축물(이하 "주차전용건축물"이라 함)에 대한 집합건축물대장의 건축물현황도란에 같은 법 시행규칙 제6조 제4항에 따른 부대시설에 관한 사항이 표기되어 있는 경우, 같은 대장의 용도란에도 해당 사항을 반드시 표기해야 하는지?

회답 집합건축물대장의 건축물현황도란에 「주차장법 시행규칙」 제6조제4항에 따른 부대시설에 관한 사항이 표기되어 있더라도, 같은 대장의 용도란에 해당 사항을 반드시 표기해야 하는 것은 아님.

이유 건축물대장의 용도란은 건축물이 실제 쓰이는 용도를 기재하는 것으로, 그 기재 내용은 해당 건축물에 대한 구체적인 현황 및 정보 등을 확인하기 위한 자료로서, 건축물대장규칙 제5조제1항에서는 건축물대장은 건축물 1동을 단위로 하여 각 건축물마다 별표에 따라 작성한다고 규정하고 있고, 같은 규칙 별표 제2호가목3)가)

에서는 집합건축물대장의 작성방법 중 '용도'의 작성요령을 '층 · 구조 · 용도별로 「건축법 시행령」 별표 1에 따른 용도를 적고, 괄호 안에 구체적인 명칭을 적을 것'이라고 규정하고 있으므로, 건축물대장규칙 별지 제5호 서식에 따른 '용도'란은 건축법령에서 정하는 바에 따라 작성해야 함

법령해석 **공동주택의 공용부분에 대한 평면도를 발급받기 위해서는 다른 구분소유자의 동의를 얻어야 하는지**

「건축물대장 규칙」 제11조제3항 등 관련 법제처 법령해석 16-0045, 2016.9.21/건축사협회 수정게시 2022.9.19.

질의요지 공동주택의 구분소유자가 해당 공동주택의 주민공동시설과 같은 공용 부분에 대한 평면도를 발급받으려는 경우, 「건축물대장의 기재 및 관리 등에 관한 규칙」 제11조제3항에 따라 다른 구분소유자의 동의를 얻어야 하는지 여부

회답 다른 구분소유자의 동의를 얻어야 함

이유 「건축물대장의 기재 및 관리 등에 관한 규칙」 제11조제3항의 개정(건설교통부령 제547호) 취지는 상·하수도 및 도시가스 배관의 인입 현황을 포함한 도면으로서 건축물의 현황 등에 대한 구체적인 도면에 해당하는 평면도의 발급으로 인해 건축물의 내부가 공개되어 범죄에의 이용 또는 사생활 침해의 우려가 있는 것을 방지하고자 건축물 소유자 의 동의를 얻은 경우 등으로 그 발급을 제한하려는 것이라고 할 것인 데, 공동주택의 주민공동시설과 같은 공용부분이라고 하더라도 범죄의 발생이나 사생활 침해의 여지가 없다고 단정하기 어렵다고 할 것이므로, 해당 공용부분 사용자의 안전과 사생활의 보장 등을 위하여 공동주택 의 공용부분에 대한 평면도의 발급에 대해서도 다른 구분소유자의 동의를 받아야 한다고 해석하는 것이 위와 같은 해당 규정의 취지에 부합하는 해석이라고 할 것임.

법령해석 **건축물대장 및 토지대장의 기재사항 등**

「건축법」 제38조, 「건축물대장의 기재 및 관리 등에 관한 규칙」 별지 제3호 등 관련 법제처 법령해석 11-0629, 2011.12.8.

질의요지 가. 집합건축물의 건축자가 「주차장법」 제19조제1항에 따라 해당 건축물의 부설주차장을 설치할 의무가 있어 같은 조 제4항에 따라 건축물 부지 인근에 부설주차장을 설치한 경우, 특별자치도지사 또는 시장·군수·구청장이 「건축법」 제38조에 따라 해당 건축물대장에 건축물과 그 대지의 현황을 작성할 때 위 부설주차장의 주소(지번)를 반드시 기재하여야 하는지?

나. 지목이 원래 "대"인 토지가 「주차장법」 제19조제4항에 따른 건축물 부지 인근의 부설주차장으로 용도변경된 경우 지적소관청은 토지소유자의 지목변경 신청이 없는 경우에도 반드시 직권으로 그 부지의 토지대장의 지목을 "주차장"으로 변경하여 기재하여야 하는지 아니면 부설주차장 부지 소유자의 신청이 전제되어야 하는지?

회답 가. 질의 가에 대하여

집합건축물의 건축자가 「주차장법」 제19조제1항에 따라 해당 건축물의 부설주차장을 설치할 의무가 있어 같은 조 제4항에 따라 건축물 부지 인근에 부설주차장을 설치한 경우, 특별자치도지사 또는 시장·군수·구청장이 「건축법」 제38조에 따라 해당 건축물대장에 건축물과 그 대지의 현황을 작성할 때 위 부설주차장의 주소(지번)를 반드시 기재하여야 하는 것은 아니라고 할 것입니다.

나. 질의 나에 대하여

지목이 원래 "대"인 토지가 「주차장법」 제19조제4항에 따른 건축물 부지 인근의 부설주차장으로 용도변경된 경우 지적소관청은 토지소유자의 지목변경 신청이 없는 경우에도 반드시 직권으로 그 부지의 토지대장의 지목을 "주차장"으로 변경하여 기재하여야 하는 것은 아니라고 할 것입니다.

이유 "생략"

법령해석 건축물대장의 지번 및 대지면적 변경 관련

「건축물대장 규칙」 제20조 관련 법제처 법령해석 08-0011, 2008.5.1./건축사협회 수정게시 2022.9.19.

질의요지 지적공부를 관리하는 시장·군수는 「지적법」 제3조제2항 및 제26조제 1항에 따라 위 도시개발사업이 완료된 지역 내 토지에 대하여 지적공부에 등록하는 지번·지목·면적 등을 조사·측량하고 토지의 지번과 면적을 결정 하여 2007년 9월경 새로운 토지대장을 작성한 후 구토지대장을 폐쇄하였고, 이에 따라 확정된 지번 및 면적이 기재된 신토지대장을 첨부하여 건축물대장 관리기관에 지적정리 통지를 한 경우,

가). 건축물대장 관리기관은 건축물 소유자의 신청이 없어도 「건축물대장의 기재 및 관리 등에 관한 규칙」 제20조제2항에 따라 건축물 대장의 지번을 직권으로 변경할 수 있는지 여부

나). 구 토지대장 및 신토지대장에 각각 기재된 면적에 차이가 있으나 신토지대장에 기재된 면적이 사실관계에 부합하는 경우 건축물대장 관리 기관은 건축물 소유자의 신청이 없어도 「건축물대장의 기재 및 관리 등에 관한 규칙」 제21조제1항에 따라 직권으로 건축물대장의 대지면 적을 변경할 수 있는지 여부

회답 가). 건축물대장 관리기관은 건축물 소유자의 신청이 없더라도 직권으로 건축물대장의 지번을 변경할 수 있음.

나). 구 토지대장에 기재된 대지면적이 측량상의 오차 등에 의해 잘못 기재된 것이고 신토지대장에 기재된 대지면적이 사실관계에 부합되는 것 이라면, 건축물대장 관리기관은 건축물 소유자의 신청이 없더라도 「건축물대장의 기재 및 관리 등에 관한 규칙」 제21조제1항에 따라 직권으로 건축물대장의 대지면적을 변경할 수 있음.

이유 「건축물대장규칙」 제21조제1항은 건축물대장 관리기관이 건축물대장의 "기재내용에 잘못이 있음"을 발견한 경우에는 그 사실을 확인한 후 직권으로 이를 정정할 수 있도록 하고 있으며, 같은 조 제2항은 건축물 소유자의 정정신청을 할 수 있도록 하고 있는바, 실제 건축물의 대지면 적에 부합되지 않게 기재되어 있는 경우라면 건축물대장상의 "기재내용에 잘못이 있음"으로 보아야 할 것이므로 위 규정을 적용할 수 있음

법령해석 현황측량성과도 작성 자격

법제처 법령해석 07-0218, 2007.8.3.

질의요지 「건축물대장의 기재 및 관리 등에 관한 규칙」 제12조제2항제3호에 따르면, 같은 조 제1항 외의 건축물의 공사를 완료한 자는 건축물대장생성신청서에 첨부할 서류로 현황측량성과도(경계복원측량도로 갈음할 수 있다)를 규정하고 있는바, 현황측량성과도가 「지적법」 상 지적측량수행자가 작성한 지적현황측량성과도만을 의미하는지, 아니면 「측량법」 상 측량기술자 자격이 있는 자가 작성한 현황측량성과도도 포함되는 것인지?

회답 「건축물대장의 기재 및 관리 등에 관한 규칙」 제12조제2항제3호의 현황측량성과도는 「지적법」 상 지적측량수행자가 작성한 지적현황측량성과도만을 의미하는 것이 아니라 「측량법」 상 측량기술자 자격이 있는 자가 작성한 현황측량성과도도 포함되는 것임

이유 "생략"

질의회신 건축물대장의 지번변경 관련

국토교통부 민원마당 FAQ 2023.6.15.

질의 가. 가옥대장을 이기하여 건축물대장을 생성할 때 건축물대장의 지번이 다르게 기재되었을 경우 지번 변경 신청시 민원인이 현황측량을 반드시 실시하여야 하는지 여부

나. 가옥대장에 의해 배치도 없이 이기된 건축물대장의 토지(지번)가 공유지 분할에 따라 다수로 분할되어 실제 지번과 건축물대장 상의 지번이 불부합 상태로 있는 경우 건축물대장의 지번을 변경하고자 할 때 현황측량의 실시 여부

다. 2012년 이후 도로명주소법에 의하여 건축물대장 상 지번을 변경하여야 하는데, 현재의 건축물대장 상 지번 자체가 잘못되었거나 건축물 일부가 지적경계를 넘어간 경우 도로명주소(새주소)를 부여할 수 있는지 여부

회신 가. 「건축물대장의 기재 및 관리 등에 관한 규칙」(이하 '건축물대장 규칙') 제21조(건축물대장 기초자료

의 관리 및 건축물대장의 기재내용 정정) 제2항 규정은 건축물대장 관리기관이 기초자료 등을 통해 건축물대장의 기재내용에 잘못이 있거나 기재내용이 누락되어 있음을 발견한 경우에, 그 사실을 확인한 후 직권으로 이를 정정하거나 기재할 수 있도록 되어 있으며, 동조 제3항에서는 건축물의 소유자는 기재내용에 잘못이 있음을 발견한 경우 서류를 첨부하여 정정신청을 할 수 있도록 하고, 동조 제4항 규정에 의거 건축물대장 관리기관은 신청내용이 건축물 및 실제 현황과 합치되는지 여부를 대조, 확인하도록 되어 있음. 건출물대장 관리기관은 해당 건축물대장의 기초자료(기존 건축물 공부로서 가옥대장, 건축물관리대장, 사용승인서 등)를 바탕으로 건축물대장을 생성(이기)하는 과정에서 내용을 잘못 기재하거나 누락된 여부 등 건축물 적법 여부 확인(지번 포함)에 대한 사실관계가 사전 검토되어야 할 것이며, 사실관계 확인 이후 제21조제2항에 의한 직권 정정, 동조제3항에 의한 건축물소유자의 정정신청으로 실제 현황과 합치 여부 확인 후 건축물대장 관리기관에서 건축물대장의 기재내용을 정정할 수 있음. 위의 사실관계 확인에 따라 소유자의 신청에 의해 건축물대장의 지번 정정을 신청해야하는 경우 별지 제17호서식의 건축물지번 정정신청서에 토지대장 또는 임야대장 및 건축물의 대지위치에 관한 사항일 경우에는 현황측량성과도(「공간정보의 구축 및 관리 등에 관한 법률」 제23조제1항에 따라 지적측량을 실시하는 경우에 한정하며, 경계복원측량도로 갈음할 수 있다)를 첨부하여 신청해야 함

나. 건축물대장의 지번이 공유지 분할 등으로 변경되었다면 가옥대장에 의해 배치도 없이 건축물대장이 작성되었다 하더라도, 건축물대장 규칙 제20조제1항에 따라 건축물의 소유자는 별지 제17호서식의 건축물지번 변경신청서에 다음 각 호의 서류를 첨부하여 특별자치시장・특별자치도지사 또는 시장・군수・구청장에게 신청하여야 하며, 특별자치시장・특별자치도지사 또는 시장・군수・구청장은 이를 확인한 후 그 지번을 변경하여야 함. 1. 토지대장 또는 임야대장 2. 현황측량성과도(「공간정보의 구축 및 관리 등에 관한 법률」 제23조제1항에 따라 지적측량을 실시하는 경우에 한정하며, 경계복원측량도로 갈음할 수 있다) 3. 대지 소유자의 동의서(변경되는 대지의 소유권자와 건축물의 소유권자가 다른 경우에 한한다)

다. 건축물대장에 도로명주소를 부여하는 방법은 기존 건축물대장의 대지위치(지번)와는 별도로 건축물에 해당하는 도로명주소를 추가로 기입하는 것임

질의회신 건축물대장에 부설주차장의 지번 기재 관련 질의

국토교통부 민원마당 FAQ 2023.6.15.

질의 인근 부설주차장으로 사용되는 토지의 지번을 관련 공부(건축물대장, 토지대장 등)에 기재하여야 하는지 법령해석 질의

회신 건축물대장은 건축법령에 따라 행정청에서 건축물의 소유·이용 상태를 확인하거나 건축정책의 기초 자료로 활용하기 위하여 「건축법」 제22조제2항에 따라 사용승인(다른 법령에 따라 사용승인으로 의제되는 준공검사·준공인가 등을 포함)을 하는 때에 그 결과에 따라 건축물 및 대지의 현황을 기재함

또한, 건축물대장의 서식에 주차장의 표시는 주차대수 및 면적만을 기재하고 있으며 부설주차장의 토지는 건축법령에 따른 대지에 포함되지 아니함.

따라서, 인근 부설주차장으로 사용되는 토지의 지번은 건축물대장에 반드시기재하여야 하는 의무사항은 아닌 것으로 사료됨

질의회신 대지의 변동으로 지하층이 된 경우 건축물대장 표시변경 처리

국토교통부 민원마당 FAQ 2023.6.15.

질의 건축물의 준공 후 대지의 고저차가 발생하여 지하층으로 변한 경우 건축물대장의 표시변경으로 처리할 수 있는지 여부

회신 가. 지상의 건축물이 「건축법」 제2조제1항제5호 및 같은 법 시행령 제119조제1항제10호의 규정에 의하여 지하층이 된 경우 「건축물대장의 기재 및 관리 등에 관한 규칙」 제18조의 규정에 의하여 건축물대장의 표

시변경으로 처리가 가능한 것으로 판단되나,

나. 귀 질의와 같이 지상층이 지하층으로 변한 경위 등의 사실판단과 그 밖에 관련 사항 등을 허가권자가 종합적으로 검토하여 판단할 사항임을 회신하오니, 보다 구체적인 사항은 자세한 자료를 갖추어 해당 지역의 허가권자와 협의하여 처리 바람

질의회신 건축법 적용 제외 건축물에 대한 건축물대장 생성

국토교통부 민원마당 FAQ 2023.6.15.

질의 '운전보안시설'의 정의 및 건축물대장을 생성할 수 있는지 여부

회신 「건축법」 제3조제1항제2호 가목에 따라 건축법을 적용하지 않는 '운전보안시설'이란 「도시철도 운전규칙」 제3조제5호가 정의하는 "운전보안장치"를 설치 · 운영하는 시설을 의미하는 것으로 승무사무소, 검수고, 전기실, 건널목처소 등을 의미함

이와 관련, 「건축법」 제38조에 따른 건축물대장은 「건축법」의 적용을 받아 건축하는 건축물을 대상으로 하는 것으로, 상기 '운전보안시설'과 같이 「건축법」을 적용 받지 않는 건축물은 현행 규정상 건축물대장을 생성할 수 없는 것이니, 보다 구체적인 사항은 자세한 자료를 갖추어 종합행정을 담당하는 허가권자인 시장, 군수, 구청장에게 문의 바람

질의회신 건축물대장의 직권말소 권한

국토교통부 민원마당 FAQ 2019.5.24.

질의 건축물대장의 직권말소 요건 등

회신 「건축물대장의 기재 및 관리 등에 관한 규칙」 제22조제3항의 규정에 의한 건축물대장의 직권말소는 건축물이 철거 · 멸실되었음에도 소유자가 건축물대장의 말소 신청을 하지 아니하거나 「건축법」 제36조에 따른 건축물의 철거 또는 멸실 신고가 없는 경우에 시장.군수.구청장이 직권으로 해당 건축물대장을 말소할 수 있는 것이며, 이 경우 시장,군수,구청장은 지체 없이 그 내용을 건축물의 소유자에게 통지하여야 하는 것임

질의회신 건축물 철거 후 건축물대장 정리 관련

국토교통부 민원마당 FAQ 2019.5.24.

질의 <질의 배경>

가. 도심지 내 맞벽건축물(지상 5층, 지하 1층, 연면적 1,521.39㎡)을 철거하고 지반 붕괴 및 맞벽건축물 손괴를 사유로 지상층의 맞벽부분, 인접부지와 맞벽건축물에 면한 지하층의 외벽 테두리, 기초부분이 미 철거된 상태

나. 상기와 같이 미 철거된 상태에서 건축법에 의한 건축물이 존재하지 않고 건축물의 기능과 구조를 상실 한 것으로 판단하여 건축물대장을 말소처리 하고 기타 기재사항에 "철거되었으나 지하부분 기초일부 및 벽체일부가 존재함"으로 표기되어 있음

<질의 요지>

가. 건축법 제38조에 의하면 건축물대장에는 건축물 및 대지에 관한 현황을 기재·보관 하도록 되어 있고 건축법 시행규칙 제24조 제4항에 의하면 건축물의 철거·멸실 여부를 확인한 후 건축물대장을 말소하여야 한다고 규정하고 있으므로 건축물대장의 말소는 건축법 제2조 건축물의 정의에 의한 건축물의 존재 여부가 주요 판단기준이 된다고 사료되나, 국토해양부의 질의회신(건축기획팀-5392(2007. 10.09)과 상충되어 혼선을 초래하고 있는바, 상기 현황과 같이 건축물대장의 첫 번째면(갑)에 "말소" 처리하고 잔존물에 대하여 기타 기재사항에 상기와 같이 표기하여 건축물대장을 정리한 것이 적절한 조치인 지 여부?

나. 또는 건축물대장의 기재 및 관리 등에 관한 규칙 제23조에 의하여 건축물의 일부가 철거 또는 멸실된 것으로 보아 별첨 건축물대장의 첫 번째면(갑)의 "말소" 사항을 지우고 변동사항 난에 철거·멸실된 건축물 및 잔존 구조물에 관한 현황을 기재하여 보관하는 것이 적절한 조치인 지 여부?

회신 건축법 제24조 제4항에서 시장·군수·구청장은 건축물철거·멸실신고서를 제출받은 때에는 건축물의 철거·멸실 여부를 확인한 후 건축물대장에서 철거·멸실된 건축물의 내용을 말소하여야 한다고 규정하고 있는 바, 건축물의 철거여부를 확인한 결과, 철거 후 건축면적 및 연면적이 없다 하더라도 벽이나 기초 등 건축물의 일부가 철거되지 아니하고 남은 경우에는 당해 건축물 전부가 철거되었다 할 수 없으므로 이 경우에는 건축물대장의 기재 및 관리 등에 관한 규칙 제23조 단서에 따라 건축물대장의 해당 사항을 지우고 변동사항란에 그 사유 및 말소일자를 기재하여 관리하여야 할 것임

질의회신 기존건축물의 증축신고대상인 건축물의 사용승인 시 건축물대장(현황도) 작성은?

국토교통부 민원마당 FAQ 2019.5.24.

질의 건축법 제9조에 따라 기존건축물에 증축신고대상에 대한 건축물의 사용승인을 하는 경우 건축물대장(현황도) 작성은?

회신 가. 건축법 제29조 제1항의 규정에 의하면 동법 제18조 제2항의 규정에 의하여 사용승인을 교부한 경우에는 건축물대장에 건축물 및 그 대지에 관한 현황을 기재하고 관리하도록 규정하고 있으며.

나. 또한, 건축물대장의 기재 및 관리 등에 관한 규칙 제12조 제1항의 규정에 의하면 시장·군수·구청장은 법 제18조 제2항 등에 의거 사용승인을 하는 때에는 그 내용에 따라 건축물대장을 생성하도록 되어 있음

다. 따라서, 건축법 제9조에 의하여 건축신고대상 건축물의 경우에는 사용승인시 첨부된 공사완료도서 즉, "입면, 배치 및 평면도 등에 표시된 현황도면"등을 이용하여 건축물대장을 생성하면 될 것임

(* 법 제9조, 제18조, 제27조 ⇒ 제14조, 제22조, 제36조, 2008.3.21 개정)

질의회신 건축물대장에 등재 여부

국토교통부 민원마당 FAQ 2019.5.24.

질의 건축물이 지적상 임야인 "가"대지와 구거인 "나"대지에 걸쳐 있으나, 건축물대장은 "가"대지에 단독 등재되어 있어 철거소송 절차에 의해 "가"대지 지상 건축물은 철거하였으며, "나"대지 지상건축물은 건축물대장이 존재하지 않으나 실제 건축물은 잔존하고 있어 해당 구청의 하천점용허가와 영업허가를 득한 상태인 바, 동 건축물을 건축물대장에 등재할 수 있는 지

회신 가.「건축물대장의 기재 및 관리 등에 관한 규칙」 제12조 제2항에 따르면 「건축법」 제22조 제2항에 따라 사용승인을 받은 건축물외의 건축물의 공사를 완료한 자는 대지의 범위와 그 대지의 사용에 관한 권리를 증명하는 서류, 건축물현황도, 현황측량성과도(경계복원측량도로 갈음할 수 있음)를 첨부하여 동 규칙 별지 제9호서식의 건축물대장생성신청서를 작성하여 허가권자에게 신청하여야 하고,

나. 건축물대장생성신청을 받은 허가권자는 신청내용이 건축물 및 대지의 실제 현황과 합치되고 건축법령이 정한 건축기준 및 관계 법령 등의 규정에 적합한 건축물에 대하여 건축물대장을 생성하도록 되어 있음

다. 따라서, 질의 관련 건축물이 건축법령이 정한 건축기준 및 관계법령 등의 규정에 적합하면 추인이 가능하고, 건축물 및 대지의 실제 현황과 합치되는 경우 건축물대장 작성이 가능할 것인 바, 이의 사실판단은 해당 허가권자가 판단하여야 할 것임

질의회신 건축물대장의 지번 직권 정정 시 토지주의 동의서 첨부 여부

국토교통부 민원마당 FAQ 2019.5.24.

질의 「건축물대장의 기재 및 관리 등에 관한 규칙」 제21조 제1항에 따라 건축물대장의 지번을 직권으로 정정하려는 경우 변경되는 대지의 소유권자와 건축물의 소유권자가 달라 토지주의 대지 동의서가 첨부되어야 하는 지 여부

회신 시장 · 군수 · 구청장이 건축물대장의 기재내용에 잘못이 있음을 발견하여 「건축물대장의 기재 및 관리 등에 관한 규칙」 제21조제1항에 따라 직권으로 정정하는 경우에는 대지소유자의 동의를 받을 필요가 없음

건축법 1. 총 칙 2. 건 축 3. 유지관리 4. 대지도로 5. 구조재료 6. 지역지구 7. 건축설비 8. 특별건축구역 9. 보 칙 10. 벌 칙 건축법 관련기준

질의회신 건축물 현황도 발급 신청 가능 여부

국토교통부 민원마당 FAQ 2019.5.24.

질의 금융기관이 대출신청인(소유자)의 건축물 확인을 위하여 감정평가사에 의뢰한 증빙서류로 간정평가사가 건축물 현황도 발급 신청 시 발급 가능 여부

회신 「건축물대장의 기재 및 관리 등에 관한 규칙」 제11조 제3항에 따라 건축물현황도 중 평면도 및 단위세대별 평면도(이하 "평면도 등")는 건축물 소유자의 동의를 얻거나 건축물 소유자의 배우자 등이 신청하는 경우에 한하여 교부하거나 열람하게 할 수 있으며, 제11조 제3항 제4호의 규정에 의하면 건축물 소유자의 필요에 의하여 건축물의 감정평가, 설계 · 시공 또는 중개 등을 의뢰한 증빙서류가 있는 경우에 이에 해당하는 자가 신청하는 경우에 한하여 평면도 등의 발급 또는 열람이 가능함

질의회신 미등기 건물의 건축물대장상 소유자 변경 가능 여부

건교부 고객만족센터 2007.4.6.

질의 1960대 농촌주택을 건축물 대장에 올려놓은 상태에서 건물 등기를 내지 않은 상태에서 부모님이 돌아가셔서, 토지만 상속을 받고 건물은 상속을 받지 않았음. 이 건물을 타인에게 매매를 통해서 넘겼는데, 그분도 또 다른 분에게 매매 해서 애초 건축물대장에 등록된 소유자가 누군지 모르는 상태임. 이 경우 소유자 변경대상이 되는지 여부

회신 건축물대장이 당해 건축물의 소유권리를 증명하는 공부가 될 수 있기 때문에, 건축물대장의 소유자 변경은 「건축물대장의 기재 및 관리 등에 관한 규칙」 제19조의 규정에 의하여 당해 건축물의 등기부등본 첨부하거나 등기필증을 제시하여야 하는 것으로 사료됨

질의회신 건설사 및 다수의 개인의 공동 건축주의 건설사 소유 명의 가능여부

건교부 건축기획팀-1552, 2007.3.23.

질의 다수의 건축주(건설사 및 다수의 개인)가 집합건축물을 건축하여 사용승인 신청시 일부에 대하여는 (개인)건축주가 개별소유하고 그 나머지에 대하여 건설사의 명의로 건축물대장에 등재할 수 있는지

회신 「건축물대장의 기재 및 관리 등에 관한 규칙」 제12조 제1항의 규정에 의하여 건축물대장은 건축법 제18조 제2항의 규정에 의하여 사용승인된 내용에 따라 생성함. 최초 건축물대장의 소유자는 건축물의 사용승인 신청시 소유권지분에 따라 작성되는 것으로 당해 건축물의 건축주 전원의 동의에 의하여 소유권지분이 결정되는 것임. 질의의 건설사가 당해 건축물의 "공동건축주"이고 "건축주"전원의 동의에 따라 일정 지분을 확보한 경우라면 그 확보한 지분에 한하여 건설사의 명의로 건축물대장에 등재할 수 있는 것임
(* 법 제18조 ⇒ 제22조, 2008.3.21 개정)

질의회신 건축물대장 기재내용의 변경시 신청내용만 확인해야 하는지 여부

건교부 건축기획팀-454, 2007.1.26.

질의 건축물대장 기재내용의 변경시 시장·군수·구청장이 확인하여야 할 사항을 당해 신청내용에 한하여야 하는지?

회신 「건축물대장의 기재 및 관리 등에 관한 규칙」 제7조제2항의 규정에 의하여 시장·군수 또는 구청장은 제1항의 규정에 의한 건축물표시변경신청에 의하여 건축물의 표시에 관한 사항을 변경하고자 하는 때에는 신청내용이 건축물 및 대지의 실제현황과 합치되는지 여부를 대조하여야 함. 이 경우 시장·군수 또는 구청장이 확인하여야 할 사항은 소유자의 "건축물의 표시에 관한 변경신청내용"과 그 건축물 및 대지의 "실제현황"이 합치되는지 여부를 확인하여야 한다는 의미임

질의회신 단독주택을 다가구주택으로 건축물대장 변경 가능 여부

국토교통부 민원마당 FAQ 2019.5.24.

질의 건축법령에 의한 건축허가 및 사용승인(준공)을 받아 다가구주택으로 사용하고 있는 단독주택(○가구용)

에 대한 건축물대장 기재사항 중 "다가구주택"으로 기재할 수 있는 지?

회신 가. 건축물대장의 표시사항의 변경에 대하여는 「건축물대장의 기재 및 관리 등에 관한 규칙」 제18조 제1항의 규정에 의하여 관련서류 등을 첨부하여 신청하여야 하는 것임

나. 이 경우 표시사항 변경과 관련하여 건축물의 구체적인 현황이 불분명하나, 대통령령 제16284호(1999.4.30)로 공포된 건축법시행령 규정 이전에 "다가구주택 건축기준(건설부 건축 30420-9321, 1990.4.21)"에 의한 단독주택(○가구용)으로 건축허가 및 사용승인(준공)을 얻은 대로 위법행위가 없이 적법하게 유지·관리된 경우라면 기재사항을 변경할 수 있는 것임

다. 다만, 다가구주택이 상기요건 등에 적합한 지 여부에 대하여는 허가권자가 종합적으로 확인하여 판단하여야 할 것임

질의회신 행정구역에 걸치는 대지의 건축물대장의 작성 및 관리 방법

국토교통부 민원마당 FAQ 2019.5.24.

질의 2개 이상의 행정구역에 걸치는 대지에 건축물대장의 작성 및 관리 방법은?

회신 지방자치법 제8장의 규정에 따라 지방자치단체 상호간에 협력에 의하여 처리하여야 할 것임. 다만, 동 법률에 의한 협의가 이루어지지 아니한 경우에는 당해 대지의 면적비율이 가장 큰 행정구역을 관할하는 자치단체가 건축물대장을 총괄 작성 관리하되 민원인의 편리를 위하여 건축물대장관련 업무처리의 방법 등은 자치단체간에 협력하여 처리함이 타당

질의회신 건축물대장의 용도를 직권으로 정정할 수 있는 지

국토교통부 민원마당 FAQ 2019.5.24.

질의 「관광진흥법」 제14조의 규정에 의하여 관광숙박업(휴양콘도미니엄)의 사업계획승인을 얻어 건축허가 및 사용승인을 받은 후 동 사업계획승인이 「관광진흥법」 제33조의 규정에 의하여 취소된 경우, 시장·군수·구청장이 당해 건축물대장의 용도를 직권으로 정정할 수 있는 지?

회신 가. 시장·군수·구청장은 건축물대장의 용도를 직권으로 정정할 수 없음

나. 이유 : 건축물대장의 용도는 당해 건축물을 사용할 수 있는 용도를 표시한 사항으로 「관광진흥법」의 규정에 의하여 사업이 취소된 사항과는 별개의 사안이며, 건축물의 용도변경은 당해 건축물의 용도를 변경하고자 하는 자가 「건축법」 제14조 또는 「건축물대장의 기재 및 관리 등에 관한 규칙」 제7조제1항의 규정에 의하여 신청하여 처리하여야 할 사항임 (*법 제14조 ⇒ 제19조, 2008.3.21 개정)

질의회신 개발제한구역건축물관리대장과 건축법에 의한 건축물관리대장의 관계

건교부 건축기획팀-4950, 2006.12.2

질의 개발제한구역내 사찰 증축시 연면적 산출시 건축물관리대장과 개발제한구역건축물관리대장 중 어느 것을 기준으로 산출하여야 하는지

회신 가. 개발제한구역 건축물관리대장은 「개발제한구역의 지정 및 관리에 관한 특별조치법 시행령」 제24조 제1항의 규정에 의하여 허가권자가 개발제한구역안의 건축물의 소유·이용상태를 확인하거나 건축허가 등 개발제한구역을 관리하기 위한 기초자료로 활용하기 위하여 유지·관리하는 것을 말하며, 이는 개발제한구역 지정당시 구역 내 모든 건축물(무허가건축물을 포함)을 대상으로 작성·관리하는 것으로 행정기관이 사실관계를 판단하기 위한 기초·보조자료로서 구역관리의 편의를 위하여 사용하는 공부임.

나. 따라서 질의의 경우 개발제한구역 안에서 건축물 증축 등 건축허가시 필요한 연면적 산정은 객관적 사실을 입증하는 공신력을 가지는 「건축법」 제29조의 규정에 의한 건축물대장을 근거로 처리하여야 할 것임.

(* 법 제29조 ⇒ 제38조, 2008.3.21 개정)

질의회신 기존 건축물이 있는 토지를 합병, 건폐율이 부적할 경우 건축물대장표시변경 가능여부

건교부 건축기획팀-2748, 2006.5.2.

질의 기존 건축물이 있는 토지를 합병하였으나 건폐율이 현행법령에 부합하지 않을 경우 건축물대장표시변경

가능여부

회신 건축물대장의 기재 및 관리 등에 관한 규칙 제7조와 건축물대장정리 및 정비요령(2004.3.15) 규정에 의하여 건축물의 건축주 또는 소유자는 건축물대장의 기재사항중 건축물의 표시에 관한 사항을 변경하고자 하는 때에는 건축물표시변경신청서(별지 제10호 서식)에 필요서류를 첨부하여 허가권자(시장·군수·구청장)에게 신청하도록 규정됨. 이 경우 허가권자는 신청내용이 건축법령과 관계법령 등에 적합한지 여부와 건축물 및 대지의 실제현황과 합치되는지 여부를 대조·확인하여 적합할 경우 건축물대장기재사항을 변경하는 것임.

질의회신 건축물대장 지번과 건축물이 실제 위치한 지번이 다른 경우 건축물대장의 정정 가능여부

건교부 건축기획팀-2702, 2006.4.28.

질의 건축물대장 지번과 건축물이 실제 위치한 지번이 다른 경우 건축물대장의 정정 가능여부

회신 건축물대장의 지번 정정은 건축물대장의 기재 및 관리 등에 관한 규칙 제8조제1항의 규정에 의하여 시장·군수·구청장이 직권으로 정정하거나 제2항의 규정에 의하여 당해 건축물의 건축주(또는 소유자)가 신청에 의하여 그 건축물대장의 기재사항을 정정할 수 있음. 다만, 이 경우 정정하고자 하는 토지의 지상권자(소유자)와 당해 건축물의 소유자가 상이한 경우에는 새로이 건축물대장을 작성하는 경우와 동일한 사항으로 동규칙 제5조제2항의 규정에 따라 처리하여야 할 것임. 또한 건축물대장정리 및 정비요령(2004.3.15)의 규정에서도 건축물대장 지번과 건축물이 실제 위치한 지번이 다른 경우의 처리는 정정하고자 하는 건축물대지의 범위와 그 소유 및 사용에 대한 권원이 증명된 경우로서 관련증빙자료(허가, 신고, 사용승인, 과세자료, 현황측량성과도 등)를 확인 및 현지실사 후 소유권 등이 일치할 경우 지번을 변경하도록 정하고 있음. 따라서 건축물대장 지번과 건축물이 실제 위치한 지번이 다른 경우의 건축물대장 정정은 건축물대지의 소유 및 사용에 관한 권리가 있음이 증명된 경우에 한하여 당해 건축물의 건축주(또는 소유자)가 신청하거나 직권에 의하여 정정이 가능한 것임

질의회신 건축물대장과 건축물 현황이 상이할 때 건축물대장 등재방법

건교부 건축기획팀-2032, 2006.3.31.

질의 건축물대장과 건축물 현황이 상이할 때 건축물대장 등재방법

회신 「건축물대장의 기재 및 관리 등에 관한 규칙」 제8조의 제2항 규정에 의하여 건축물의 소유자 또는 관리자가 건축물대장의 기재사항에 잘못이 있음을 발견한 경우에는 시장.군수 또는 구청장에게 별지 제10호 서식 또는 별지 제11호 서식에 필요서류를 첨부하여 정정신청 할 수 있음

질의회신 건축물 사용승인 신청시 소유권표시 잘못으로 작성된 건축물대장의 정정 가능여부

건교부 건축기획팀-2637, 2006.4.28.

질의 건축물 사용승인신청시 소유권표시 잘못으로 작성된 건축물대장의 정정 가능여부

회신 건축물대장의 작성은「건축법」 제29조 제1항제1호의 규정에 의하여 시장·군수·구청장은 제18조제2항의 규정에 의한 사용승인서를 교부한 경우에 그 건축물의 관리를 위하여 건축물대장을 작성하는 것이며, 그 소유권의 표시는 건축주가 「건축법」 제18조제1항 규정에 의하여 사용승인을 신청한 그대로 작성되는 것임.

건축물대장의 기재 및 관리 등에 관한 규칙 제7조제3항 규정에 의하여 건축물의 건축주 또는 소유자는 건축물대장의 기재사항 중 건축물의 소유자에 관한 사항을 변경하고자 하는 때에는 건축물소유자변경·정정신청서(별지 제11호 서식)를 시장·군수·구청장에게 제출하여야 하고, 이 경우 신청인은 당해 건축물의 등기필증을 제시하거나 신청서에 당해 건축물의 등기부등본을 첨부하여야 함.

따라서 건축물대장이 작성된 이후에 소유권과 관련된 사항은 동 규칙 제7조 규정에 의한 건축물대장기재사항의 변경 절차에 따라 처리하여야 할 것이며, 행정청이 행정행위를 함에 있어서 신청인의 잘못된 의사표시와 관련된 사항은 건축법령에서 검토될 사항이 아니라 민법 등 다른 법률과 관련된 사항임

(* 법 제18조, 제29조 ⇒ 제22조, 제38조, 2008.3.21. 개정)

질의회신 등기부등본을 근거로 건축물대장 작성 여부

국토교통부 민원마당 FAQ 2019.5.24.

질의 등기부등본을 근거로 건축물대장을 신규로 작성할 수 있는 지?

회신 가. 건설교통부령(「건축물대장의 기재 및 관리 등에 과한 규칙」) 부칙 제507호(1992.6.1) 제4조의 규정에 의하여 이 규칙 시행 당시의 건축물로서 기존건축물공부가 작성되어 있지 아니한 건축물의 소유자는 시장 등에게 이 규칙에 의한 건축물대장을 작성하여 줄 것을 신청할 수 있다. 이 경우 시장 등은 당해 건축물이 건축(용도변경을 포함한다. 이하 같다)당시 허가(허가에 갈음하는 신고를 포함한다. 이하 같다)를 받아야 하는 건축물로서 허가를 받지 아니하고 건축하였거나 허가된 내용과 다르게 건축한 경우를 제외하고는 건축물 대장을 적성하여야 함

나. 「부동산등기법」 제131조의 규정에 의하여 미등기건물의 소유권보존등기는 ①건축물대장등본에 의하여 자기 또는 피상속인이 건축물대장에 소유자로서 등록되어 있는 것을 증명하는 자, ②판결 또는 기타 시, 구, 읍, 면의 장의 서면에 의하여 자기의 소유권을 증명하는 자, ③수용으로 인하여 소유권을 취득하였음을 증명하는 자가 이를 신청할 수 있음

다. 따라서 등기부등본이 있다는 사유가 당해 건축물대장이 존재하였다는 사실을 증명할 수 있는 사항이 아니므로 건축물대장은 건설교통부령의 절차에 따라 작성되어야 할 것임

질의회신 건축물대장상 주구조 항목에 기재된 사항 정정 가능한지 여부

건교부 건축기획팀-1921, 2006.3.28.

질의 건축물대장상 주구조 항목에 기재된 사항(경량철골구조 → 일반철골구조 또는 기타 강구조 등)을 정정 가능한지 여부

회신 건축물대장의 기재 및 관리 등에 관한 규칙 제8조의 규정에 의하여 건축물의 소유자 또는 관리자가 건축물대장의 기재사항에 잘못이 있음을 발견한 경우에는 별지 제10호 서식의 건축물표시변경·정정신청서 또는 별지11호 서식의 건축물소유자변경·정정신청서에 필요서류를 첨부하여 그 잘못된 부분의 정정을 신청할 수 있으니 질의의 경우가 이에 해당하는지 여부 등 사실판단과 관련된 더 자세한 사항은 현지 현황을 잘 알고 있는 건축물대장작성권자(시장. 군수. 구청장)에게 문의하시기 바라며, 또한 질의의 경우 준공당시 건축법령, 동 대장규칙, 세부기준에 의하여 건축허가(신고) 또는 기재 신청된 내용에 따라 건축물대장이 작성되었던 바, 세법 등 타 법령의 개정 등으로 인하여 소유자의 재산권 등의 침해가 없어야 함은 마땅하나 현재 일치하지 아니한 부분이 발생되었다 하더라도 관계법령에서 특별히 규정하지 아니한 경우에는 당해 법령에 따라야 함이 타당할 것으로 사료되며, 세법은 그 법률이 가지고 있는 목적에 따라 당해 건축물이 적법한 건축물이든지 적법하지 아니한 건축물이든지 그 법 목적에 따라 세금을 부과하는 것으로 관련법령에 의한 세금의 징수와 건축법령의 합법성과는 별개의 사안임.

질의회신 하나의 대지에 소유가 각각 다른 여러 동이 있는 경우의 건축물대장 기재방법

건교부 건축기획팀-854, 2006.2.9.

질의 하나의 대지에 다가구주택 및 다중주택 등을 건축하여 소유자별로 건축물대장을 작성할 수 있는지 아니면 하나의 대지 안에서 주택의 소유자가 2인 이상이 되는 경우에는 반드시 공동주택으로 건축하고 건축물대장을 작성하여야 하는지

회신 건축법 제2조제1항2호의2에 의거 "건축물의 용도"라 함은 건축물의 종류를 유사한 구조·이용목적 및 형태별로 묶어 분류한 것으로 동법 시행령 별표 1(용도별 건축물의 종류)에 의한 건축물의 용도를 분류함에 있어 건축물의 소유자에 따라 건축물의 용도가 달라지는 것으로 볼 수는 없는 것이며, 개별 건축물이 위 기준에 의한 용도별 건축물의 기준에 적합한 경우 건축물은 각각 당해 용도로 보아야 할 것임. 또한 건축물대장은 건축물 1동을 기준으로 작성되는 것인 바, 하나의 대지 안에 여러 동의 건축물이 있는 경우 동별로 소유자가 다를 수 있는 것임.

질의회신 하나의 대지 안에 여러 동이 있을 때 건축물대장 작성방법

건교부 건축기획팀-221, 2006.1.12.

질의 하나의 대지 안에 여러 동의 아파트와 1개동의 유치원 건물이 함께 있고 유치원 건물은 일반건축물대장으로 작성되어 있을 때 건폐율, 용적률 산정방법 및 건축물대장 작성 방법은?

회신 건축법 제47조, 제48조의 규정에 따라 건폐율, 용적률 등은 하나의 대지안의 모든 건축물의 합계면적으로 산정하여야 하며, 하나의 대지 안에서는 집합건축물대장이나 일반건축물대장 하나만을 작성하고 2이상의 건축물이 있는 경우에는 총괄표제부를 만들어야 함 (* 법 제47조, 제48조 ⇒ 제55조, 제56조, 2008.3.21 개정)

질의회신 멸실된 건축물의 건축물대장의 말소 신청 및 절차

건교부 건축기획팀-711, 2006.2.5.

질의 멸실된 건축물의 건축물대장의 말소 신청 및 절차는?

회신 가. 건축물대장의기재및관리등에관한규칙 제9조제1항의 규정에 의하여 건축물의 소유자는 철거·멸실 등으로 인하여 건축물이 없어진 경우에는 별지 제12호서식의 건축물대장말소신청서(전자문서로 된 신청서를 포함한다)에 읍·면·동장의 확인서(영 제22조제1항 단서의 규정에 의하여 설계도서의 제출을 생략할 수 있는 건축물의 경우에는 당해 기관장의 확인서를 말한다)를 첨부하여 시장·군수 또는 구청장에게 당해 건축물대장의 말소를 신청하여야 하는 것이며, 다만, 법제27조의 규정에 의하여 철거 또는 멸실의 신고를 한 경우에는 그러하지 아니함.

나. 동규칙 제9조제5항의 규정에 의하여 시장·군수 또는 구청장은 건축물의 소유자가 제1항의 규정에 의한 말소신청을 하지 아니한 경우로서 법 제27조의 규정에 의한 건축물의 철거 또는 멸실의 신고가 없는 경우에는 직권으로 당해 건축물대장을 말소할 수 있는 것으로 이 경우 시장·군수 또는 구청장은 지체 없이 그 사실을 건축물의 소유자에게 통지하여야 하는 것임 (* 법 제27조 ⇒ 제36조, 2008.3.21 개정)

질의회신 건축물대장 작성 후 건축주 명의변경이 가능한 지?

국토교통부 민원마당 FAQ 2019.5.24.

질의 건축물대장이 작성된 상태에서 건축주 명의변경이 가능한 지?

회신 가.「건축법」 제8조 및 제9조의 규정에 의하여 건축 또는 대수선에 관한 허가를 받거나 신고를 한 자로부터 건축 또는 대수선중인 건축물을 양수한 경우에는 같은법시행규칙 제11조 제1항 제1호의 규정에 의하여 그 양수인은 구 건축주의 명의변경동의서 또는 권리관계의 변경사실을 증명할 수 있는 서류를 첨부하여 건축관계자 변경신고를 하여야 함

나.「건축법」 제29조 제1항 제1호의 규정에 의하여 시장·군수·구청장은 제18조 제2항의 규정에 의하여 사용승인서를 교부한 경우에는 그 건축물의 건축물대장을 작성함

다. 건축물대장이 작성된 이후에 당해 건축물에 대한 소유권이 변경된 경우에는 「건축물대장의 기재 및 관리 등에 관한 규칙」 제7조 제3항의 규정에 의하여 신청인(건축주 또는 소유자)은 당해 건축물의 등기필증을 제시하거나 신청서에 당해 건축물의 등기부등본을 첨부하여 건축물대장의 기재사항을 변경하여야 하는 것임

라. 따라서 건축물대장이 작성된 이후에 당해 건축물의 소유권이 변동된 사항은 회신내용 "다"에 따라 처리하여야 하는 것임 (* 법 제8조, 제9조, 제18조, 제29조 ⇒ 제11조, 제14조, 제22조, 제38조, 2008.3.21 개정)

질의회신 실제로 존재하지 아니하는 건축물대장의 말소 가능여부

건교부 건축기획팀-540, 2006.1.27.

질의 실제로 존재하지 아니하는 건축물대장의 말소는?

회신 건축대장의 기재 및 관리 등에 관한 규칙 제9조제1항의 규정에 의하여 건축물의 소유자는 철거·멸실 등으로 인하여 건축물이 없어진 경우에는 별지 제12호서식의 건축물대장말소신청서(전자문서로 된 신청서를 포함한다)에 읍·면·동장의 확인서를 첨부하여 시장·군수 또는 구청장에게 당해건축물대장의 말소를 신청하여야 함. 다만, 법 제27조의 규정에 의하여 철거 또는 멸실의 신고를 한 경우에는 그러하지 아니함. 동규칙 제9조제5

항의 규정에 의하여 시장·군수 또는 구청장은 건축물의 소유자가 제1항의 규정에 의한 말소신청을 하지 아니한 경우로서 법 제27조의 규정에 의한 건축물의 철거 또는 멸실의 신고가 없는 경우에는 직권으로 당해 건축물대장을 말소할 수 있으며, 이 경우 시장·군수 또는 구청장은 지체 없이 그 사실을 건축물의 소유자에게 통지하여야 함. (* 법 제27조 ⇒ 제36조, 2008.3.21 개정)

질의회신 공용건축물 협의 없이 건축한 역사의 건축물대장 등재절차

건교부 건축기획팀-438, 2006.1.23.

질의 철도청 당시 공용건축물 협의 없이 건축한 역사를 한국철도공사에서 건축물대장에 등재하고자 할 경우 등재 절차는

회신 「건축법」 제29조 및 「건축물대장의 기재 및 관리 등에 관한 규칙」 부칙 제4조의 규정에 의하여 건축물대장은 적법한 건축물에 한하여 작성할 수 있는 것이므로 질의의 내용과 같이 건축 당시 허가 절차 없이 건축하였다면 건축허가 절차 등 적법한 절차를 거친 후 건축물대장에 등재할 수 있는 것임. 이는 건축법 제25조의 규정에 의한 협의로서 건축허가를 갈음하는 공용건축물의 경우에도 동일하게 적용됨.
(* 법 제25조, 제28조 ⇒ 제29조, 제38조, 2008.3.21 개정)

질의회신 1979년 연립주택이 현행 다세대주택인 경우 건축물대장 기재변경 가능여부

건교부 건축과-4482, 2005.8.4.

질의 '79년 건축당시 공동주택 분류규정에 의하여 연립주택으로 건축물관리대장에 등재되어 있으나, 현행 건축법 시행령에 의한 용도상 다세대주택에 해당하는 경우 동 건축물의 용도를 연립주택으로 보아야 하는 지 또는 다세대주택으로 보아야 하는 지 여부

회신 질의의 경우가 건축당시 용도대로 사용되고 이용이나 형태상 변경이 없는 상태에서 법령의 개정 등에 의하여 용도기준이 새로이 분류된 경우라면 이는 건축당시의 용도로 볼 수 있을 것으로 사료되나, 현행 건축법 등 관계법령의 기준 등에 적합하다면 현재 기준에 적합한 용도로 변경(기재변경사항)할 수도 있을 것으로 판단됨

질의회신 다세대주택을 다가구주택으로 기재변경 가능여부

건교부건축과-403, 2005.1.24.

질의 건축물대장의기재및관리등에관한규칙 제6조제4항에서 공동주택인 건축물대장은 이를 합병할 수 없다고 규정된 바, 건축법과 관계법령의 제 기준에 적합한 경우 기존의 다세대주택을 다가구단독주택으로 변경할 수 없는지 여부

회신 건축물대장의기재및관리등에관한규칙 제6조제4항에서 합병할 수 없도록 규정한 것은 공동주택 내에서의 합병에 한하는 것으로서, 이를 변경함으로써 전체가 단독주택이 되는 경우까지 금지하는 것은 아닌 바, 변경되는 건축물이 다가구단독주택의 조건에 충족하고 건축법 및 관계법령 등 제 규정에 적합한 경우라면 동 규칙 제6조제2항의 규정에 의하여 합병할 수 있는 것임

질의회신 단독주택을 집합건축물로 전환하고자 하는 경우 절차 등

건축 58070-1579, 2003.8.30.

질의 1990년도에 건축한 단독주택을 집합건축물로 전환하고자 하는 경우 전환절차 및 가능여부

회신 건축물대장의기재및관리등에관한규칙 제6조의 규정에 의하면 일반건축물이 집합건축물로 된 경우 건축주 등은 건축물대장전환신청서에 전환하고자 하는 건축물의 건축물현황도와 전환하고자 하는 건축물의 소유권을 증명하는 서류를 첨부하여 당해 시장 · 군수 · 구청장에게 제출하면 되는 것이나, 이 경우 집합건축물에 관한 건축법 및 관계법령의 제규정에 적합해야 전환이 가능한 것이니 이에 대한 구체적인 사항은 당해 시장 · 군수 · 구청장에게 문의바람.

질의회신 다가구주택으로 변경신청하고자 하는 경우 대수선신고여부

건교부 건축 58070-618, 2003.4.8.

질의 다가구주택 제도가 시행되기 전에 "단독주택"으로 적법하게 건축허가를 받아 사용승인을 받은 건축물로서, 사용승인 당시부터 임대를 위하여 현행 다가구주택과 같이 여러 개의 독립된 가구의 구조로 사용하던 중 가구수의 증가를 위한 경계벽의 신설 또는 변경이 없는 상태에서 건축물대장의 기재사항을 다가구주택으로 변경신청하고자 하는 경우 대수선신고를 하여야 하는지의 여부

회신 다가구주택의 가구수 증가를 위한 경계벽의 신설 또는 변경행위가 없다면 건축법시행령 제3조의2제8호의 규정에 의하여 대수선에 해당하는 것이 아니므로 이 경우 대수선의 신고를 하지 않고 건축물대장의 기재사항 변경은 가능한 것이나, 같은법 제14조제1항의 규정에 의하여 변경하고자하는 용도의 건축기준에 적합하여야 할 것이니 보다 구체적인 사항은 당해 허가권자에게 문의바람

질의회신 건축물대장 소유자 정정 관련

국토교통부 민원마당 FAQ 2019.5.24.

질의 건축물대장에 소유자가 잘못 기재된 경우 소유권 보존등기 이전에 이를 증명할 수 있는 서류에 의거 건축물대장의 소유자를 정정할 수 있는지 여부

회신 「건축물대장의 기재 및 관리 등에 관한 규칙」 제21조 제2항의 규정에 의하여 건축물대장의 기재내용에 잘못이 있거나 누락된 경우, 시장, 군수, 구청장은 그 사실을 확인한 후 직권으로 이를 정정하거나 기재할 수 있음 따라서, 이에 대한 구체적인 사실관계 등의 판단 및 정정 가능여부에 대해서는 건축물대장의 작성권자인 시군구청에 문의하시기 바람

질의회신 건축물실측도에 의거 건축물대장 작성이 가능한지 여부

건교부건축과-318, 2005.1.18.

질의 건축물실측도에 의거 건축물대장 작성이 가능한지 여부

회신 건축물대장의 기재 및 관리 등에 관한 규칙 부칙 제3조제3항에 의하면 이 규칙 시행당시 기존건축물공부가 작성되어 있는 건축물의 소유자는 건축물현황 도면을 첨부하여 시장·군수·구청장에게 기존건축물공부를 이 규칙에 의한 건축물대장으로 이기를 신청할 수 있는 것이며 신청을 받은 시장·군수·구청장은 당해 건축물에 관한 건축물대장을 우선하여 이기토록 규정하고 있으니, 질의의 건축물실측도가 구법에 의하여 적법하게 작성된 가옥대장이라면 동 규정에 의거 건축물대장으로 이기할 수 있는 것임

질의회신 연립중 1개호만 남고 모두 멸실되었을 때, 직권으로 건축물대장 기재사항변경 가능여부

건교부 건축과-334, 2005.1.19.

질의 집합건축물(연립등)중 1개호만 남고 모두 멸실되었을 경우, 시장·군수 또는 구청장이 직권으로 건축물대장 기재사항을 변경할 수 있는지 여부

회신 건축물대장의 기재 및 관리 등에 관한 규칙 제7조제4항의 규정에 의거 건축물의 건축주 또는 소유자가 건축물의 표시에 관한 사항이 변경되었음에도 변경 신청을 하지 않는 경우에는 시장·군수 또는 구청장은 직권으로 당해 건축물대장의 기재사항을 변경할 수 있으며 직권으로 건축물대장의 기재사항을 변경한 시장·군수·구청장은 지체없이 그 내용을 당해 건축물의 건축주 또는 소유자에게 통지하여야 하며, 이 경우에도 동 건축물은 건축법 및 관련법령에 적합하여야만 건축물대장 작성이 가능한 것임

질의회신 건축물대장기재신청시 현황측량성과도 작성자의 자격 요건

건교부건축과-798, 2004.3.3.

질의 건축물대장기재신청시 제출하는 현황측량성과도 작성자의 자격 요건은

회신 건축물대장의기재및관리등에관한규칙 제5조제2항의 규정에 의하면 사용승인을 얻어야 하는 자 외의 자가 건축물대장기재신청을 하는 경우 건축물대장기재신청서에 건축물현황도와 현황측량성과도(경계복원측량도로 갈음할 수 있다)를 첨부하여 시장.군수 또는 구청장에게 제출하도록 하고 있음(건축허가 및 건축신고대상 건축물은 건축물현황도와 현황측량성과도를 제출할 필요 없음)
이 경우 현황측량성과도를 제출토록 한 취지는 건축물이 신청 대지에 정확히 정착되어 있음을 건축물대장 작성권자가 확인하기 위한 것인 바, 현황측량성과도는 지적법에 의한 지적공사 및 측량법에 의한 등록업체 모두 작성 가능한 것임

질의회신 건축물대장 작성을 위하여 현황측량성과도를 반드시 제출해야 하는지

건교부 건축 58070-2374, 2003.12.24.

질의 건축법에 의한 허가나 신고를 받아 건축하는 건축물의 경우에도 건축물대장 작성을 위하여 현황측량성과도를 반드시 제출해야 하는지 여부

회신 건축물대장의기재및관리등에관한규칙 제5조제2항의 규정에 의하여 건축법 제18조의 규정에 의한 사용승인(다른 법령에 의하여 사용승인으로 의제되는 준공검사·준공인가 등을 포함 한다)을 얻어야하는 자 외의 자가 건축물대장기재신청을 하는 경우 현황측량성과도를 제출토록 하고 있으므로 건축법에 의한 허가 또는 신고를 받아 건축하는 건축물의 경우에는 건축물대장 작성을 위하여 현황측량성과도를 제출할 필요가 없음
(* 법 제18조 ⇒ 제22조, 2008.3.21 개정)

질의회신 집합건축물에서 호별로 소유자를 구분하여 건축물대장 작성이 가능한지

건교부 건축 58070-2372, 2003.12.24.

질의 집합건축물의 경우 호별로 소유자를 구분하여 건축물대장 작성이 가능한지 여부 및 대지의 소유지분과 건축물의 소유지분이 같아야 하는지 여부

회신 건축물대장의기재및관리등에관한규칙 제5조제1항의 규정에 의하여 건축물대장은 사용승인에 관한 서류에 의하여 작성되는 것이므로 귀 질의의 경우 사용승인서류에 따라야 할 것임. 다만, 전유부분과 대지사용권의 관계는 집합건물의소유및관리에관한법률에 의하는 것이니 법원행정처에 문의바람

질의회신 대지를 분할하여 건축물대장을 분리 작성하고자 하는 경우

건교부 건축 58070-2375, 2003.12.24.

질의 대지를 분할하여 건축물대장을 분리 작성하고자 하는 경우 각각의 건축물에 대하여 국토의계획및이용에관한법률에 적법하여야 하는지

회신 건축물대장을 분리 작성하고자 하는 경우에는 건축물대장의기재및관리등에관한규칙 제5조제2항 및 동조제3항의 규정에 의하여 새로이 건축물대장을 작성하는 것에 준하여 각각의 건축물이 건축법 등 관계법령에 적합하여야 하는 것임을 회신하오니 보다 자세한 사항에 대하여는 당해 건축물대장 작성권자에게 문의바람

질의회신 토지소유자가 타인일 경우 대장작성시 토지주의 사용승락이 필요한 지

건교부 건축 58070-2341, 2003.12.18.

질의 건축물대장 작성시 토지소유자가 타인일 경우에는 토지주의 사용승락을 받아야 하는지

회신 건축물대장을 작성하고자 하는 자는 건축물대장의기재및관리등에관한규칙 제5조제2항의 규정에 의하여 건축물대장기재신청서에 건축물현황도를 첨부하여 시장·군수·구청장에게 제출하도록 하고 있으며, 이 경우 동 규칙에서 토지소유자의 동의여부를 규정하고 있지 아니하나, 건축물대장의 작성으로 인하여 등기의 작성등 소유권 변동을 발생하는 경우에는 민법·부동산등기법 등 관계법령에 따라야 하는 것임

질의회신 분할측량성과도로 현황측량성과도를 갈음할 수 있는지

건교부 건축 58070-2344, 2003.12.18.

질의 분할측량성과도로 현황측량성과도를 갈음할 수 있는지 여부

회신 사용승인을 얻어야 하는 자외의 자가 건축물대장기재신청을 하는 경우에는 을건축물대장의기재및관리등에관한규칙 제5조제2항의 규정에 의하여 건축물대장기재신청서에 건축물현황도와 현황측량성과도(경계복원측량도로 갈음할 수 있다)를 첨부하여 시장·군수·구청장에게 제출하도록 하고 있으며, 이 경우 현황측량성과도를 제출토록 하는 취지는 건축물이 당해 대지에 정착되어 있는 현황 등을 확인하기 위한 것인 바, 질의에서의 분할측량성과도에 대지 및 건축물의 현황이 명확히 표시되어 있다면 현황측량성과도에 갈음하여 첨부할 수 있을 것임

질의회신 건축물의 현황을 측량한 결과 지번이 상이한 경우 건축물대장 정정 가능 여부

건교부 건축 58070-2089, 2003.11.14.

질의 1961년도에 건축된 건축물의 현황을 측량한 결과 지번이 상이한 경우 현재 위치하고 있는 지번(국유지)으로 건축물대장 정정이 가능한지 여부

회신 건축물대장의기재및관리등에관한규칙 제8조제1항의 규정에 의하여 건축물대장의 기재사항에 잘못이 있음을 발견한 경우에는 시장·군수·구청장이 그 사실을 확인한 후 직권으로 정정하거나 동 규칙 제8조제2항과 제3항의 규정에 의하여 소유자 등의 신청에 따라 건축물 및 대지의 실제 현황이 신청내용과 합치되는지 여부를 대조·확인하여 정정할 수 있도록 하고 있으며, 동 규칙 제8조제2항에 의하면 건축물표시변경·정정신청서에 그 잘못이 있는 부분의 도면과 이를 증명하는 서류 등을 첨부하도록 하고 있음

이 경우 건축물대장의 정정으로 인하여 등기의 작성 등 소유권 변동이 발생하는 경우 등에는 국유재산법, 민법, 및 부동산등기법 등 관계법령의 제반규정에 적합하여야 할 것이니 구체적인 사항은 건축물대장 작성권자인 당해 시장·군수·구청장에게 문의바람

질의회신 일반건축물대장 작성시 공용부분면적을 별도로 기재할 수 있는지

건교부 건축 58070-2070, 2003.11.10.

질의 일반건축물대장 작성시 공용부분면적을 별도로 기재할 수 있는지 여부

회신 집합건물의소유및관리에관한법률 제3조의 규정에 의하면 공용부분이란 복도, 계단 등 구분소유자 전원 또는 일부에 제공되는 부분을 말하는 것인 바, 일반건축물에는 적용되지 않는 것이므로 일반건축물대장에 동 부분을 별도 기재할 수는 없는 것이며, 보다 자세한 사항에 대하여는 당해 건축물대장작성권자에게 문의바람

질의회신 문화 및 집회시설 신축분양시 구분등기가 가능한지

건교부 건축 58070-193, 2003.10.24.

질의 문화 및 집회시설을 신축하여 각 실을 분양하는 경우 공동주택과 같이 집합건축물대장으로 작성하여 구분등기가 가능한 지 여부

회신 문화 및 집회시설도 집합건물의소유및관리에관한법률의 규정에 의한 집합건물(구분소유를 목적으로 구조·이용상 구분독립된 건축물)에 해당한다면 공동주택처럼 집합건축물대장을 작성할 수 있는 것이니, 질의의 건축물이 이에 해당하는지의 여부 등 보다 구체적인 사항은 당해 건축물대장 작성·관리권자인 시장·군수·구청장에게 문의바람

질의회신 대지를 분할하여 소유자별 건축물대장 분리작성 가능 여부

국토교통부 민원마당 FAQ 2019.5.24.

질의 하나의 대지를 분할하여 소유자별 건축물대장의 분리작성 가능 여부?

회신 건축물대장은 건축물대장의 기재 및 관리 등에 관한 규칙 제3조 제1항의 규정에 의하여 건축물 1동을 단위로 하여 각 건축물마다 작성(부속건축물은 주된 건축물에 포함)하도록 하고 있는 바, 질의의 건축물의 필지

(대지) 소유자별 건축물대장의 등재가능 여부는 허가권자가 건축물의 구조 및 기능 등을 검토하여 판단하여야 할 것으로 사료되며, 건축물이 있는 대지의 분할은 건축법 제49조 제2항의 규정에 따라 동법 동조 제1항, 제33조, 제47조, 제48조, 제51조 및 제53조의 규정에 의한 기준에 미달되게 분할할 수 없도록 하고 있으며 분할된 건축물도 건축법·지적법 등 관련법령에 적합하여만 건축물대장의 분리작성이 가능한 것
(* 법 제47조, 제48조, 제49조, 제51조, 제53조 ⇒ 제55조, 제56조, 제57조, 제60조, 제61조, 2008.3.21 개정)

질의회신 공동소유 일반건축물을 집합건축물로 전환시 소유권 구분 건축물대장 기재 가능여부

건교부 건축 58070-1637, 2003.9.5.

질의 일반건축물대장상에 공동소유로 되어 있는 일반건축물을 집합건축물로 전환하고자 하는 경우, 집합건축물대장의 전유부분 소유자현황란의 소유자기재를 등기부등본상의 지분별로 구분하여 지분소유자별로 소유권을 구분하여 기재할 수 있는지 여부

회신 건축물대장의기재및관리등에관한규칙 제6조의 규정에 의하면 일반건축물의 집합건축물로의 변경은 건축물대장전환신청서에 전환하고자 하는 건축물의 건축물현황도와 그 건축물의 소유권을 증명하는 서류를 첨부하여 당해 시장·군수·구청장에게 제출하도록 하고 있는 바, 소유자가 여러 명인 경우로서 일반건축물을 집합건축물로 전환시 각 전유부분을 등기부등본상 지분별로 구분하여 기재하고자 할 경우 전유부분에 대한 결정 증명서류를 첨부하여 제출하면 지분소유자별로 소유자를 분리 기재할 수 있을 것이나, 보다 구체적인 사항은 당해 지역의 시장·군수·구청장에게 문의바람

질의회신 건축물대장 작성절차에 대한 질의

건교부 건축 58070-1621, 2003.9.3.

질의 건축물대장 작성절차에 대한 질의

회신 건축물대장의기재및관리등에관한규칙 제5조제1항의 규정에 의하면 건축법 제18조의 규정에 의한 사용승인(다른 법령에 의하여 사용승인으로 의제되는 준공검사·준공인가 등을 포함한다)을 신청하는 자는 건축물의 배치도, 각 층의 평면도, 부설주차장의 도면 등 건축물 및 그 대지의 현황을 표시하는 도면을 시장·군수·구청장에게 제출하여야 하며, 시장·군수·구청장은 사용승인에 관한 서류에 의하여 건축물대장을 작성하는 것이니, 이에 대한 보다 구체적인 사항은 당해 지역의 시장·군수·구청장에게 문의바람
(* 법 제18조 ⇒ 제22조, 2008.3.21 개정)

질의회신 하나의 대지에 건축물이 2개동 이상인 경우 건축물대장 작성방법

건교부 건축 58070-1179, 2003.7.2.

질의 하나의 대지에 건축물이 2개동 이상인 경우 건축물대장 작성방법은

회신 건축물대장의기재및관리등에관한규칙 제3조 및 제4조의2의 규정에 의하면 건축물대장은 건축물 1동을 단위로 하여 작성하되, 하나의 대지안에 2동이상의 건축물(부속건축물을 제외한다)이 있는 경우에는 총괄표제부를 작성하는 것임을 알려드리니 보다 자세한 사항에 대하여는 당해 건축물대장 작성권자에게 문의바람

질의회신 일반건축물대장에서 집합건축물대장으로 전환시 소유권외 권리 해제여부

건교부 건축 58070-605, 2003.4.4.

질의 건축물대장을 일반건축물대장에서 집합건축물대장으로 전환하고자 하는 경우 건축물소유권 행사에 제한을 주는 강제경매신청, 압류, 가처분, 근저당 등 소유권외의 권리를 모두 해제해야 하는지 여부

회신 건축물대장의기재및관리등에관한규칙 제6조제1항의 규정에 의하여 당해 건축물이 집합건물의소유및관리에관한법률에 의거 집합건축물에 해당하고 건축법령등 관계법령에 적합한 경우에는 전환하고자 하는 당해 건축물의 소유권을 증명하는 서류에 의하여 집합건축물로 전환할 수 있는 것이며, 다만, 강제경매신청에 의하여 경매가 진행중인 경우라면 경매낙찰로 인하여 소유권의 변경이 이루어져 당해 건축물 세입자등에게 재산상

불이익을 초래할 수 있는 점을 감안하여 동 건축물에 대한 소유권 변경원인이 소멸된 이후에 전환하는 것이 타당할 것으로 사료됨

질의회신 집합건축물대장을 일반건축물대장으로의 변경 절차 및 방법

건교부 건축 58070-803, 2003.5.6.

질의 집합건축물대장을 일반건축물대장으로 변경하고자 하는 경우 절차 및 방법은

회신 건축물대장의기재및관리등에관한규칙 제6조의 규정에 의하면 집합건축물대장을 일반건축물대장으로 변경하고자 하는 경우에는 건축물대장합병신청서에 건축물의 건축물현황도와 건축물의 소유권을 증명하는 서류를 첨부하여 당해 시장·군수 또는 구청장에게 신청하면 되는 것이며, 보다 자세한 사항은 당해 건축물대장의 작성권자에게 문의바람

질의회신 A명의로 사용승인 받은 건축물에 대하여 B명의로 건축물대장을 작성할 수 있는지

건교부 건축 58070-921, 2003.5.21.

질의 A명의로 사용승인 받은 건축물에 대하여 B명의로 건축물대장을 작성할 수 있는지 여부

회신 건축물대장의기재및관리등에관한규칙 제5조제1항의 규정에 의하면 시장·군수·구청장은 사용승인에 관한 서류에 의하여 건축물대장을 작성토록 규정하고 있는 바, 귀 질의의 경우 B명의로 건축물대장을 작성할 수는 없는 것임을 회신하니 보다 자세한 사항에 대하여는 당해 건축물대장 작성권자에게 문의바람

질의회신 기존건축물의 건축행위 없이 면적 변경이 있는 경우 집합건축물대장의 변경방법

건교부 건축 58070-730, 2003.4.24.

질의 기존건축물(집합건축물로서 공동주택단지내 상가)의 건축행위가 없이 전유부분 및 공유부분의 면적간에 변경이 있는 경우 집합건축물대장의 변경 방법 및 절차는

회신 건축물대장의기재및관리등에관한규칙 제7조의 규정에 의하면 건축물대장의 기재사항 중 건축물의 표시에 관한 사항을 변경하고자 하는 때에는 건축물현황도와 건축물의 표시에 관한 사항이 변경되었음을 증명하는 서류(집합건물의소유및관리에관한법률에서 정한 절차등에 적합하게 변경하였음을 증명하는 서류 등)를 첨부하여 건축물표시변경신청을 하면 되는 것이며, 시장·군수 또는 구청장은 동 신청내용이 건축물 및 대지의 실제 현황과 합치되는지와 건축기준 및 기타 관계법령에 적합한지 여부를 대조·확인 후 건축물대장을 변경하는 것이며, 보다 자세한 사항은 인근법률사무소 또는 당해 건축물대장의 작성권자에게 문의바람

질의회신 실제면적이 대장상 면적과 다른 경우 증축 등 위한 면적 기준

건교부 건축 58550-769, 2003.4.30.

질의 가. 실제 건축되어 있는 건축물의 면적과 건축물대장에 기재되어 있는 면적이 서로 다른 상황에서 동 건축물의 신축·증축등 여부를 판단시 기존건축물 면적은 어느 것을 기준으로 해야 하는지 여부

나. 기존 2층 건축물을 1층 외벽만 남겨 놓고 모두 철거한 후 새로 철골기둥(H빔 4개)을 설치하여 종전보다 더 크게 2층건축물을 설치한 경우 개축으로 보는지 아니면 신축으로 보는 지 여부

회신 가. 건축물의 증·개축여부등을 판단시 기준이 되는 기존건축물의 면적은 사용승인을 할 때의 면적을 말하는 것이며, 참고로 건축물대장은 시장·군수·구청장이 당해 건축물의 사용승인시 관련서류를 근거로 작성하는 것임

나. 질의의 경우 기존건축물을 철거하고 동일 대지 안에 종전의 규모층수 및 면적등 보다 더 크게 다시 축조하는 경우에는 신축에 해당됨

질의회신 현황측량 결과 건축물대장의 지번과 상이할 경우 건축물대장의 기재 및 관리 등에 관한 규칙 적용은?

국토교통부 민원마당 FAQ 2019.5.24.

질의 광명시 소하동 ㅇㅇ번지로 건축물대장에 등재되어 있는 건축물의 현황측량 결과 같은 동 15번지로 측량되었으며, 동 건축물대장은 건축물 관리대장 운용 요령지시에 따라 조제(재무1234-857, 79.6.4) 1979.6.30일 등재된 것으로 건축물 소유자는 A, 소하동 xx번지의 토지소유자는 A, B, C, D임

현황측량 결과 건축물대장의 지번과 상이할 경우 건축물대장의 기재 및 관리 등에 관한 규칙을 적용함에 있어 제20조에 따라 지번을 변경하여야 하는지 아니면 제21조 제2항 제3호에 따라 지번을 정정하여야 하는 지?

회신 건축물대장의 기재 및 관리 등에 관한 규칙 제21조에 따라 건축물대장의 기재내용에 잘못이 있음을 발견한 경우에는 시장·군수·구청장의 직권에 의하거나 건축물의 소유자의 신청에 의하여 건축물대장의 기재내용을 정정하는 것이므로,

건축물대장을 생성하거나 기존건축물공부에서 건축물대장에 이기하면서 명백하게 지번을 잘못 기재한 사실이 있는 경우에는 위 규정에 따라 지번을 정정하여야 할 것이며 그렇지 아니한 경우에는 동 규칙 제20조에 따라 건축물대장의 지번을 변경하여야 할 것임

질의회신 건축물대장에 위법한 건축물로 기재되어 있는 건축물에 치과의원을 개설 여부

국토교통부 민원마당 FAQ 2019.5.24.

질의 건축물대장에 위법한 건축물로 기재되어 있는 건축물에 치과의원을 개설하고자 「의료법」 제30조 제3항의 규정에 의한 신고를 하는 경우 이를 수리하여야 하는지 여부

회신 건축물대장에 위법한 건축물로 기재되어 있는 건축물에 치과의원을 개설하고자 「의료법」 제30조 제3항의 규정에 의한 신고를 하더라도 개설신고서 및 구비서류에 하자가 없는 한 동 신고를 수리하여야 함
(※ 법제처 법령해석 참조, 안건번호 06-0199, 2006.9.8)

질의회신 건축주가 다수인 경우 건축물대장 등재

국토교통부 민원마당 FAQ 2019.5.24.

질의 다수의 건축주(건설사 및 다수의 개인)가 집합건축물을 건축하여 사용승인 신청시 일부에 대하여는 (개인)건축주가 개별소유하고 그 나머지에 대하여 건설사의 명의로 건축물대장에 등재할 수 있는 지

회신 가. 「건축물대장의 기재 및 관리 등에 관한 규칙」 제12조 제1항의 규정에 의하여 건축물대장은 건축법 제18조 제2항의 규정에 의하여 사용승인된 내용에 따라 생성함

나. 최초 건축물대장의 소유자는 건축물의 사용승인 신청시 소유권지분에 따라 작성되는 것으로 당해 건축물의 건축주 전원의 동의에 의하여 소유권지분이 결정되는 것임

다. 질의의 건설사가 당해 건축물의 "공동건축주"이고 "건축주" 전원의 동의에 따라 일정 지분을 확보한 경우라면 그 확보한 지분에 한하여 건설사의 명의로 건축물대장에 등재할 수 있는 것임
(* 법 제18조 ⇒ 제22조, 2008.3.21 개정)

질의회신 건축물대장의 기재내용을 변경신청 없이 사용한 경우의 처벌

국토교통부 민원마당 FAQ 2019.5.24.

질의 건축물대장의 기재내용을 변경신청하도록 하였는 바, 기재내용을 신청하지 아니하고 사용한 경우 처벌은?

회신 건축물대장 기재사항의 변경을 이행하지 아니한 건축주는 건축법 제108조 및 제110조의 규정에 의하여 처벌이 가능하며, 동법 제79조의 규정에 의한 시정명령 및 동법 제80조의 규정에 의한 이행강제금을 부과할 수 있는 것임

질의회신 증축허가를 득하지 아니한 건축물의 건축물대장 등재 여부

국토교통부 민원마당 FAQ 2019.5.24.

질의 건축허가를 받지 않고 증축한 부분의 건축물대장 등재 가능 여부?

회신 건축법상 허가나 신고대상의 건축물을 허가나 신고 절차 없이 건축한 건축물이라도 현행 건축법 등 관련 법령에 적합한 건축물의 경우에 허가권자가 행정조치를 선행한 후 추인절차를 거쳐 적법한 건축물로 인정하였다면 건축물대장에 등재가 가능할 것임

질의회신 증축과 관련한 건축허가 및 집합건축물대장 생성 가능 여부

국토교통부 민원마당 FAQ 2019.5.24.

질의 기존 단독주택이 있는 대지에 기존 건축물의 소유자가 아닌 자가 기존 건축물의 옆과 상부에 붙여 증축하고자 할 때 건축허가 및 집합건축물대장 생성이 가능한 지 여부

회신 기존 건축물에 붙여 증축하는 경우로서 증축하는 부분이 건축법과 기타 관계법령의 제 규정에 적합하고, 기존 건축물의 전유 및 공용부분의 변경이 없으며, 기존 건축물 소유자의 동의가 있는 경우에는 건축허가 및 집합건축물대장 생성이 가능할 것임

질의회신 건축물대장상 명칭 및 번호가 기재되지 않은 경우 등기부등본에 따라 정리 가능 여부

국토교통부 민원마당 FAQ 2019.5.24.

질의 하나의 대지에 2 이상이 있는 건축물의 건축물대장상 명칭 및 번호가 기재되어 있지 않은 경우 부동산등기부등본에 따라 정리가 가능한 지?

회신 가. 건축물대장의 기재 및 관리등에 관한 규칙 제5조 제1항의 규정에 의거 건축물대장은 건축물 1동을 단위로 하여 각 건축물마다 작성(부속건축물은 주된 건축물에 포함)하도록 하고 있으며, 하나의 대지 안에 2이상의 건축물(부속건축물 제외)이 있을 경우에는 같은 조 제3항의 규정에 따라 총괄표제부를 작성하도록 규정하고 있음

나. 건축물대장이 작성된 후 소유권은 등기부등본을 기준으로, 소유권 이외의 기타 사항은 건축물대장에 따라 등기부등본을 정리하는 것이 원칙이며 또한 귀구에서 질의한 것처럼 등기부등본에 따라 명칭 및 번호를 정리(예 : 제4호, 제5호, 제6호 등)할 경우 현재 우리부에서 추진하는 건축물대장 기초자료 정비사업의 정비방향(원칙 : 가동, 나동, 1동, 2동 등)과 맞지 않아 재정비하여야 하는 사례가 발생되므로, 건축물대장의 명칭 및 번호에 대한 정비는 추후 실시예정인 건축물대장 기초자료 정비사업시 일괄적으로 정비하여야 할 것으로 사료되며 이때에도 현지의 기존건축물에 대한 실지현황 등을 종합검토하여 건축법 등 관련법령에 적정성여부 등을 판단하여야 할 것임

8 판례

대법원판례 공유물분할 · 지분소유권이전등기말소

대법원 2016다1854, 1861, 2016.6.28.

판시사항 1동의 건물에 대하여 구분소유가 성립하기 위한 요건 및 집합건물이 아닌 일반건물로 등기된 기존의 건물이 구분건물로 변경등기되기 전이라도 그와 같은 요건을 갖추면 구분소유권이 성립하는지 여부(적극) / 일반건물로 등기되었던 기존의 건물에 관하여 실제로 건축물대장의 전환등록절차를 거쳐 구분건물로 변경등기까지 마쳐진 경우, 전환등록 시점에는 구분행위가 있었던 것으로 볼 수 있는지 여부(원칙적 적극) / 단독주택 등을 주용도로 하여 일반건물로 등록·등기된 기존의 건물에 관하여 건축물대장의 전환등록절차나 구분건물로의 변경등기가 마쳐지지 아니한 상태에서 구분행위의 존재를 인정할 때 고려하여야 할 사항

판결요지 1동의 건물에 대하여 구분소유가 성립하기 위해서는 객관적·물리적인 측면에서 1동의 건물이 존재하고, 구분된 건물부분이 구조상·이용상 독립성을 갖추어야 할 뿐 아니라, 1동의 건물 중 물리적으로 구획된 건물부분을 각각 구분소유권의 객체로 하려는 구분행위가 있어야 한다. 여기서 구분행위는 건물의 물리적 형질에 변경을 가함이 없이 법률관념상 건물의 특정 부분을 구분하여 별개의 소유권의 객체로 하려는 일종의 법률행위로서, 시기나 방식에 특별한 제한이 있는 것은 아니고 처분권자의 구분의사가 객관적으로 외부에 표시되면 인정된다. 따라서 집합건물이 아닌 일반건물로 등기된 기존의 건물이 구분건물로 변경등기되기 전이라도, 구분된 건물부분이 구조상·이용상 독립성을 갖추고 건물을 구분건물로 하겠다는 처분권자의 구분의사가 객관적으로 외부에 표시되는 구분행위가 있으면 구분소유권이 성립한다. 그리고 일반건물로 등기되었던 기존의 건물에 관하여 실제로 건축물대장의 전환등록절차를 거쳐 구분건물로 변경등기까지 마쳐진 경우라면 특별한 사정이 없는 한 전환등록 시점에는 구분행위가 있었던 것으로 봄이 타당하다.

그러나 처분권자의 구분의사는 객관적으로 외부에 표시되어야 할 뿐만 아니라, 건축법 등은 구분소유의 대상이 되는 것을 전제로 하는 공동주택과 그 대상이 되지 않는 것을 전제로 하는 다가구주택을 비롯한 단독주택을 엄격히 구분하여 규율하고 있고(건축법 제2조 제2항, 건축법 시행령 제3조의5 [별표 1], 주택법 제2조 제2호 등 참조), 이에 따라 등록·등기되어 공시된 내용과 다른 법률관계를 인정할 경우 거래의 안전을 해칠 우려가 크다는 점 등에 비추어 볼 때, 단독주택 등을 주용도로 하여 일반건물로 등록·등기된 기존의 건물에 관하여 건축물대장의 전환등록절차나 구분건물로의 변경등기가 마쳐지지 아니한 상태에서 구분행위의 존재를 인정하는 데에는 매우 신중하여야 한다.

대법원판례 건축물대장 지번변경 및 건물철거등

대법원 2014다206075, 2014.11.27.

판시사항 건축물대장에 건축물 대지로 잘못 기재된 지번의 토지 소유자라고 주장하는 자가 지번의 정정신청을 거부하는 건축물 소유자를 상대로 건축물대장 지번정정신청절차의 이행을 구할 소의 이익이 있는지 여부

판결요지 건축법 제38조, 제39조와 건축법 시행령 제25조의 위임에 따른 국토교통부령인 '건축물대장의 기재 및 관리 등에 관한 규칙'(이하 '건축물대장규칙'이라 한다) 제21조에 의하면, 건축물대장의 지번에 관한 사항에 잘못이 있는 경우 건축물대장 소관청은 직권에 의한 정정을 제외하고는 건축물 소유자의 신청에 의해서만 잘못된 부분을 정정할 수 있다. 따라서 건축물대장에 건축물 대지가 아닌 토지가 건축물지번으로 잘못 기재되어 있음을 이유로 잘못 기재된 지번의 토지 소유자가 건축물대장 소관청에 대하여 지번의 정정을 신청하더라도, 소관청으로서는 건축물 소유자의 정정신청이 없다면 지번을 정정할 수 없다.

또한 동일 대지에 기존 건축물대장이 존재하는 경우 대장을 말소하거나 폐쇄하기 전에는 새로운 건축물대장을 작성할 수 없다는 건축물대장규칙 제6조에 비추어, 건축물대장에 건축물 대지가 아님에도 건축물지번으로 잘못 기재된 토지가 있는 경우에 건축물 소유자가 지번의 정정신청을 거부하고 있다면, 잘못 기재된 지번의 토지 소유자는 사실상 토지 위에 건축물을 신축할 수 없고 그에 따른 소유권보존등기를 마칠 수도 없는 불이익을 받고 있

다고 볼 수밖에 없다. 이러한 결과는 건축물대장에 건축물 대지로 잘못 기재된 지번의 토지 소유자가 가지는 토지의 사용·수익이라는 소유권에 대한 건축물 소유자의 방해 행위로 평가할 수 있다.
사정이 이러하다면, 건축물대장에 건축물 대지로 잘못 기재된 지번의 토지 소유자라고 주장하는 자가 지번의 정정신청을 거부하는 건축물 소유자를 상대로 건축물대장 지번의 정정을 신청하라는 의사의 진술을 구하는 소는 토지 소유권의 방해배제를 위한 유효하고도 적절한 수단으로서 소의 이익이 있다.

대법원판례 무허가 용도변경 후 계속 사용하는 행위가 건축물 유지·관리의무 위반인지

대법원 96도2719, 1997.2.14.

판시사항 가. 건축물의 무허가 용도변경 후 이를 계속 사용하는 행위가 무허가 용도변경행위와는 별도로 건축물 유지·관리의무 위반행위에 해당하는지 여부(적극)
나. 무허가 용도변경행위에 대한 형사재판의 기판력이 용도변경행위 이후의 건축물 유지·관리의무 위반행위에도 미치는지 여부(소극)

판결요지 가. 건축법 제26조 제1항은 '건축물의 소유자 또는 관리자는 그 건축물·대지 및 건축설비를 항상 이 법 또는 이 법의 규정에 의한 명령이나 처분과 관계 법령이 정하는 기준에 적합하도록 유지·관리하여야 한다.' 라고 규정하고 있는바, 건축허가 등에 관한 관계 법령에 비추어 보면 건축물의 소유자 또는 관리자에게는 건축물을 원래 허가받은 '용도' 그대로 계속 유지할 의무가 부과되어 있다고 보아야 하므로, 건축물의 용도를 변경한 후 이를 계속 사용하는 행위는 건축법 제79조 제4호, 제26조 제1항의 규정에 위반된다.
나. 건축물 유지·관리의무 위반행위는 계속범의 성질을 가지는 것이어서 건축물을 원래의 기준에 적합하도록 회복시키지 않는 한 가벌적 위법상태는 계속되고 있다고 할 것이므로, 어느 시점에서 동일한 건축물에 관한 무허가 용도변경행위에 대하여 형사재판을 받은 일이 있다고 하더라도 그 이후에 건축물 유지·관리의무 위반행위가 계속되었다면 이는 별도의 범죄를 구성하는 것이고, 따라서 그 형사재판의 기판력은 그 이후의 범행에 미치지 않는다.

대법원판례 유지·관리 의무자가 법인격 없는 사단의 경우 위반죄의 주체가 대표기관이 되는지

대법원 96도524, 1997.1.24.

판시사항 건축물의 유지·관리의무를 지는 '소유자 또는 관리자'가 법인격 없는 사단인 경우, 구 건축법 제79조 제4호에 의한 같은 법 제26조 제1항 위반죄의 주체는 그 대표기관인 자연인이 되는지 여부.

판결요지 법인격 없는 사단과 같은 단체는 법인과 마찬가지로 사법상의 권리의무의 주체가 될 수 있음은 별론으로 하더라도 법률에 명문의 규정이 없는 한 그 범죄능력은 없고 그 단체의 업무는 단체를 대표하는 자연인인 대표기관의 의사결정에 따른 대표행위에 의하여 실현될 수밖에 없는바, 구 건축법(1995.1.5. 법률 제4919호로 개정되기 전의 것) 제26조 제1항의 규정에 의하여 건축물의 유지·관리의무를 지는 '소유자 또는 관리자'가 법인격 없는 사단인 경우에는 자연인인 대표기관이 그 업무를 수행하는 것이므로, 같은 법 제79조 제4호에서 같은 법 제26조 제1항의 규정에 위반한 자라 함은 법인격 없는 사단의 대표기관인 자연인을 의미한다.

4

건축물의 대지와 도로

1 대지의 안전(법 제40조)(규칙 제25조)

법 제40조【대지의 안전 등】

① 대지는 인접한 도로면보다 낮아서는 아니 된다. 다만, 대지의 배수에 지장이 없거나 건축물의 용도상 방습(防濕)의 필요가 없는 경우에는 인접한 도로면보다 낮아도 된다.

② 습한 토지, 물이 나올 우려가 많은 토지, 쓰레기, 그 밖에 이와 유사한 것으로 매립된 토지에 건축물을 건축하는 경우에는 성토(盛土), 지반 개량 등 필요한 조치를 하여야 한다.

③ 대지에는 빗물과 오수를 배출하거나 처리하기 위하여 필요한 하수관, 하수구, 저수탱크, 그 밖에 이와 유사한 시설을 하여야 한다.

④ 손궤(損潰: 무너져 내림)의 우려가 있는 토지에 대지를 조성하려면 국토교통부령으로 정하는 바에 따라 옹벽을 설치하거나 그 밖에 필요한 조치를 하여야 한다.

규칙 제25조【대지의 조성】

법 제40조제4항에 따라 손궤의 우려가 있는 토지에 대지를 조성하는 경우에는 다음 각 호의 조치를 하여야 한다. 다만, 건축사 또는 「기술사법」에 따라 등록한 건축구조기술사에 의하여 해당 토지의 구조안전이 확인된 경우는 그러하지 아니하다. <개정 2016.5.30>

1. 성토 또는 절토하는 부분의 경사도가 1:1.5이상으로서 높이가 1미터이상인 부분에는 옹벽을 설치할 것
2. 옹벽의 높이가 2미터이상인 경우에는 이를 콘크리트구조로 할 것. 다만, 별표 6의 옹벽에 관한 기술적 기준에 적합한 경우에는 그러하지 아니하다.
3. 옹벽의 외벽면에는 이의 지지 또는 배수를 위한 시설외의 구조물이 밖으로 튀어 나오지 아니하게 할 것

4. 옹벽의 윗가장자리로부터 안쪽으로 2미터 이내에 묻는 배수관은 주철관, 강관 또는 흡관으로 하고, 이음부분은 물이 새지 아니하도록 할 것
5. 옹벽에는 3제곱미터마다 하나 이상의 배수구멍을 설치하여야 하고, 옹벽의 윗가장자리로부터 안쪽으로 2미터 이내에서의 지표수는 지상으로 또는 배수관으로 배수하여 옹벽의 구조상 지장이 없도록 할 것
6. 성토부분의 높이는 법 제40조에 따른 대지의 안전 등에 지장이 없는 한 인접대지의 지표면보다 0.5미터 이상 높게 하지 아니할 것. 다만, 절토에 의하여 조성된 대지 등 허가권자가 지형조건상 부득이하다고 인정하는 경우에는 그러하지 아니하다.

【별표 6】 옹벽에 관한 기술적 기준(시행규칙 제25조 관련)

1. 석축인 옹벽의 경사도는 그 높이에 따라 다음 표에 정하는 기준 이하일 것

구 분	1.5미터까지	3미터까지	5미터까지
멧쌓기	1 : 0.30	1 : 0.35	1 : 0.40
찰쌓기	1 : 0.25	1 : 0.30	1 : 0.35

2. 석축인 옹벽의 석축용 돌의 뒷길이 및 뒷채움돌의 두께는 그 높이에 따라 다음 표에 정하는 기준 이상일 것

구분높이		1.5미터까지	3미터까지	5미터까지
석축용돌의 뒷길이(cm)		30	40	50
뒷채움돌의 두께(cm)	상부	30	30	30
	하부	40	50	50

3. 석축인 옹벽의 윗가장자리로부터 건축물의 외벽면까지 띄어야 하는 거리는 다음 표에 정하는 기준 이상일 것. 다만, 건축물의 기초가 석축의 기초 이하에 있는 경우에는 그러하지 아니하다.

건축물의 층수	1층	2층	3층 이상
띄우는 거리(m)	1.5	2	3

4.~ 6. 삭제 <2014.10.15>

해설 대지는 「측량·수로조사 및 지적에 관한 법률」에 의해 각 필지로 구획된 토지로서 「건축법」에 의한 건축물이 축조되는 토지를 말한다. 그러므로 건축물의 기반이 되는 대지의 안전확보는 매우 중요하다. 이에 법조항에서는 대지의 안전에 필요한 조치 즉, 배수·지반개량·옹벽 등에 관한 필요사항을 규정하고 있다.

1 대지의 안전기준

필요조치		내 용
1. 대지와 도로면		(원칙) 대지는 인접하는 도로면보다 낮아서는 안됨 (예외) 대지안의 배수에 지장이 없거나 건축물의 용도상 방습이 필요가 없는 경우 제외
2. 성토, 지반개량 등의 조치		습한 토지, 물이 나올 우려가 많은 토지 또는 쓰레기 기타 이와 유사한 것으로 매립된 토지에 건축물을 건축하는 경우 성토, 지반개량 기타 필요한 조치를 하여야 함
3. 하수시설 등의 설치		대지에는 빗물 및 오수를 배출하거나 처리하기 위하여 필요한 하수관·하수구·저수탱크 기타 이와 유사한 시설을 하여야 함
4. 옹벽의 설치 예외 건축사, 구조기술사가 토지의 구조안전을 확인한 경우	설 치	성토·절토하는 부분의 경사도가 1 : 1.5 이상으로서 높이가 1m 이상인 부분에는 옹벽을 설치하여야 함
	구 조	높이 2m 이상인 옹벽의 경우에는 콘크리트구조로 하여야 함 (예외) 옹벽에 관한 기술적 기준에 적합한 경우 제외(별표6)
	옹벽의 외벽면	옹벽의 외벽면에는 이의 지지 또는 배수를 위한 시설외의 구조물이 밖으로 튀어나오지 아니하게 할 것
	옹벽의 배수	① 옹벽의 윗가장자리로부터 안쪽으로 2m 이내에 묻는 배수관은 주철관, 강관 또는 흄관으로 하고 이음부분에는 물이 새지 않도록 할 것 ② 옹벽에는 3㎡ 마다 하나 이상의 배수구멍을 설치하여야 하고, 옹벽의 윗가장자리로부터 2m 이내에서의 지표수는 지상으로 또는 배수관으로 배수하여 옹벽의 구조상 지장이 없도록 할 것
5. 성토		성토부분의 높이는 대지의 안전 등에 지장이 없는 한 인접대지의 지표면보다 0.5m 이상 높게 하지 아니할 것 −다만, 절토에 의하여 조성된 대지 등 시장·군수·구청장이 지형조건상 부득이하다고 인정되는 경우에는 그러하지 아니하다.

【참고1】 경사도 1 : 1.5는 수직 : 수평의 비를 말함(우측 참조)

【참고2】 옹벽의 높이 5m 이상인 공사의 경우 설계자 및 공사감리자가 토목기술사 등에게 협력 받아야 하는 대상임(제5장 해설 참조)

1

1.5

2 옹벽에 관한 기술적 기준

구 분	내 용				기 타
옹벽의 경사도 (석축인 경우)	방식 \ 높이	1.5m까지	3m까지	5m까지	【참고】 • 멧쌓기 : 돌쌓기 등에서 모르타르를 쓰지 않고 쌓는 방법 • 찰쌓기 : 돌쌓기 등에서 맞댐면에 모르타르를 사춤하여 쌓는 방법 -멧쌓기에 비해 견고함
	멧쌓기	0.3 / 1 / 1.5m	0.35 / 1 / 3m	0.40 / 1 / 5m	
	찰쌓기	0.25 / 1 / 1.5m	0.3 / 1 / 3m	0.35 / 1 / 5m	
석축용돌의 뒷길이 및 뒷채움돌의 두께 (석축인 경우)	방식 \ 높이	1.5m까지	3m까지	5m까지	돌의 뒷길이 / 뒤채움돌의 두께
	돌의 뒷길이	30cm이상	40cm이상	50cm이상	
	뒷채움돌의 두께 상부	30cm이상	30cm이상	30cm이상	
	뒷채움돌의 두께 하부	40cm이상	50cm이상	50cm이상	
옹벽의 윗가장자리로부터 건축물의 외벽면까지의 거리 (석축인 경우)	건축물 층수	1층	2층	3층 이상	건축물의 기초가 석축기초 아래에 있는 경우 제외
	띄우는 거리	1.5m이상	2m이상	3m이상	
	그림 상세	1.5m이상	2m이상	3m이상	제한없음

2 토지 굴착부분에 대한 조치 등(법 제41조)(규칙 제26조)

법 제41조【토지 굴착 부분에 대한 조치 등】

① 공사시공자는 대지를 조성하거나 건축공사를 하기 위하여 토지를 굴착·절토(切土)·매립(埋立) 또는 성토 등을 하는 경우 그 변경 부분에는 국토교통부령으로 정하는 바에 따라 공사 중 비탈면 붕괴, 토사 유출 등 위험 발생의 방지, 환경 보존, 그 밖에 필요한 조치를 한 후 해당 공사현장에 그 사실을 게시하여야 한다. <개정 2014.5.28>

② 허가권자는 제1항을 위반한 자에게 의무이행에 필요한 조치를 명할 수 있다.

규칙 제26조【토지의 굴착부분에 대한 조치】

① 법 제41조제1항에 따라 대지를 조성하거나 건축공사에 수반하는 토지를 굴착하는 경우에는 다음 각 호에 따른 위험발생의 방지조치를 하여야 한다.

1. 지하에 묻은 수도관·하수도관·가스관 또는 케이블등이 토지굴착으로 인하여 파손되지 아니하도록 할 것
2. 건축물 및 공작물에 근접하여 토지를 굴착하는 경우에는 그 건축물 및 공작물의 기초 또는 지반의 구조내력의 약화를 방지하고 급격한 배수를 피하는 등 토지의 붕괴에 의한 위해를 방지하도록 할 것
3. 토지를 깊이 1.5미터 이상 굴착하는 경우에는 그 경사도가 별표 7에 의한 비율이하이거나 주변상황에 비추어 위해방지에 지장이 없다고 인정되는 경우를 제외하고는 토압에 대하여 안전한 구조의 흙막이를 설치할 것
4. 굴착공사 및 흙막이 공사의 시공중에는 항상 점검을 하여 흙막이의 보강, 적절한 배수조치등 안전상태를 유지하도록 하고, 흙막이판을 제거하는 경우에는 주변지반의 내려앉음을 방지하도록 할 것

② 성토부분·절토부분 또는 되메우기를 하지 아니하는 굴착부분의 비탈면으로서 제25조에 따른 옹벽을 설치하지 아니하는 부분에 대하여는 법 제41조제1항에 따라 다음 각 호에 따른 환경의 보전을 위한 조치를 하여야 한다.

1. 배수를 위한 수로는 돌 또는 콘크리트를 사용하여 토양의 유실을 막을 수 있도록 할 것
2. 높이가 3미터를 넘는 경우에는 높이 3미터 이내마다 그 비탈면적의 5분의 1 이상에 해당하는 면적의 단을 만들 것. 다만, 허가권자가 그 비탈면의 토질·경사도등을 고려하여 붕괴의 우려가 없다고 인정하는 경우에는 그러하지 아니하다.
3. 비탈면에는 토양의 유실방지와 미관의 유지를 위하여 나무 또는 잔디를 심을 것. 다만, 나무 또는 잔디를 심는 것으로는 비탈면의 안전을 유지할 수 없는 경우에는 돌붙이기를 하거나 콘크리트블록격자등의 구조물을 설치하여야 한다.

【별표 7】 토질에 따른 경사도(규칙 제26조제1항 관련)

토 질	경 사 도
경암	1 : 0.5
연암	1 : 1.0
모래	1 : 1.8
모래질흙	1 : 1.2
사력질흙, 암괴 또는 호박돌이 섞인 모래질흙	1 : 1.2
점토, 점성토	1 : 1.2
암괴 또는 호박돌이 섞인 점성토	1 : 1.5

해설 건축물의 대지를 조성하거나 건축공사에 수반된 토지를 굴착하는 경우 위해방지를 위한 대책을 세워야 하며, 환경의 보전을 위한 조치를 하여야 한다. 또한 토지굴착 등의 공사시 필요한 경우 관계전문기술자의 협력을 받아야 되는 사항도 규정되어 있다.

■ 토지굴착부분에 대한 조치

구 분	내 용	기 타
위험발생의 방지 조치 (대지를 조성하거나 건축공사에 수반하는 토지를 굴착하는 경우)	지하에 묻은 수도관·하수도관·가스관 또는 케이블 등이 토지굴착으로 인하여 파손되지 아니하도록 할 것	■ 공사시공자는 대지를 조성하거나 건축공사를 하기 위하여 토지를 굴착·절토·매립 또는 성토 등을 하는 경우 그 변경 부분에 공사 중 비탈면 붕괴, 토사 유출 등 위험 발생의 방지, 환경 보존 등 필요한 조치를 한 후 당해 공사현장에 그 사실을 게시하여야 한다. ■ 허가권자는 토지굴착 부분 등의 조치를 위반한 자에 대하여 그 의무이행에 필요한 조치를 명할 수 있다.
	건축물 및 공작물에 근접하여 토지를 굴착하는 경우에는 그 건축물 및 공작물의 기초 또는 지반의 구조내력의 약화를 방지하고 급격한 배수를 피하는 등 토지의 붕괴에 의한 위해를 방지하도록 할 것	
	토지를 깊이 1.5m 이상 굴착하는 경우 토압에 대하여 안전한 구조의 흙막이를 설치할 것 -경사도가 [별표7]에 의한 비율 이하이거나 주변상황에 비추어 위해방지에 지장이 없다고 인정되는 경우를 제외	
	굴착공사 및 흙막이공사의 시공 중에는 항상 점검을 하여 흙막이의 보강, 적절한 배수조치 등 안전상태를 유지하도록 하고, 흙막이판을 제거하는 경우에는 주변지반이 내력앉음을 방지하도록 할 것	
환경의 보전을 위한 조치 (성토부분, 절토부분 또는 되메우기를 하지 아니하는 굴착부분의 비탈면으로서 옹벽을 설치하지 않는 부분)	배수를 위한 수로는 돌 또는 콘크리트를 사용하여 토양의 유실을 막을 수 있도록 할 것	
	높이가 3m를 넘는 경우에는 높이 3m 이내마다 그 비탈면 적의 1/5 이상에 해당하는 면적의 단을 만들 것 -허가권자가 그 비탈면의 토질·경사도 등을 고려하여 붕괴의 우려가 없다고 인정하는 경우에는 제외	
	비탈면에는 토양의 유실방지와 미관의 유지를 위하여 나무 또는 잔디를 심을 것 -나무 또는 잔디를 심는 것으로는 비탈면의 안전을 유지할 수 없는 경우 돌 붙이기를 하거나 콘크리트 블록격자 등의 구조물을 설치할 것	

■ 깊이 10m 이상 토지굴착공사 또는 높이 5m 이상의 옹벽 등의 공사에 관하여는 토목분야 기술사 및 국토개발분야의 지반 및 지질 기술사의 협력을 받아야 함

건 축 법
1. 총 칙
2. 건 축
3. 유지관리
4. 대지도로
5. 구조재료
6. 지역지구
7. 건축설비
8. 특별건축구역
9. 보 칙
10. 벌 칙
건 축 법 관련기준

3 대지의 조경(법 제42조)(영 제27조)(규칙 제26조의2)

법 제42조【대지의 조경】

① 면적이 200제곱미터 이상인 대지에 건축을 하는 건축주는 용도지역 및 건축물의 규모에 따라 해당 지방자치단체의 조례로 정하는 기준에 따라 대지에 조경이나 그 밖에 필요한 조치를 하여야 한다. 다만, 조경이 필요하지 아니한 건축물로서 대통령령으로 정하는 건축물에 대하여는 조경 등의 조치를 하지 아니할 수 있으며, 옥상 조경 등 대통령령으로 따로 기준을 정하는 경우에는 그 기준에 따른다.

② 국토교통부장관은 식재(植栽) 기준, 조경 시설물의 종류 및 설치방법, 옥상 조경의 방법 등 조경에 필요한 사항을 정하여 고시할 수 있다.

영 제27조【대지의 조경】

① 법 제42조제1항 단서에 따라 다음 각 호의 어느 하나에 해당하는 건축물에 대하여는 조경 등의 조치를 하지 아니할 수 있다.

1. 녹지지역에 건축하는 건축물
2. 면적 5천 제곱미터 미만인 대지에 건축하는 공장
3. 연면적의 합계가 1천500제곱미터 미만인 공장
4. 「산업집적활성화 및 공장설립에 관한 법률」 제2조제14호에 따른 산업단지의 공장
5. 대지에 염분이 함유되어 있는 경우 또는 건축물 용도의 특성상 조경 등의 조치를 하기가 곤란하거나 조경 등의 조치를 하는 것이 불합리한 경우로서 건축조례로 정하는 건축물
6. 축사
7. 법 제20조제1항에 따른 가설건축물
8. 연면적의 합계가 1천500제곱미터 미만인 물류시설(주거지역 또는 상업지역에 건축하는 것은 제외한다)로서 국토교통부령으로 정하는 것
9. 「국토의 계획 및 이용에 관한 법률」에 따라 지정된 자연환경보전지역 · 농림지역 또는 관리지역(지구단위계획구역으로 지정된 지역은 제외한다)의 건축물
10. 다음 각 목의 어느 하나에 해당하는 건축물 중 건축조례로 정하는 건축물
   가. 「관광진흥법」 제2조제6호에 따른 관광지 또는 같은 조 제7호에 따른 관광단지에 설치하는 관광시설
   나. 「관광진흥법 시행령」 제2조제1항제3호가목에 따른 전문휴양업의 시설 또는 같은 호 나목에 따른 종합휴양업의 시설
   다. 「국토의 계획 및 이용에 관한 법률 시행령」 제48조제10호에 따른 관광 · 휴양형 지구단위계획구역에 설치하는 관광시설
   라. 「체육시설의 설치 · 이용에 관한 법률 시행령」 별표 1에 따른 골프장

② 법 제42조제1항 단서에 따른 조경 등의 조치에 관한 기준은 다음 각 호와 같다. 다만, 건축조례로 다음 각 호의 기준보다 더 완화된 기준을 정한 경우에는 그 기준에 따른다. <개정 2017.3.29.>

1. 공장(제1항제2호부터 제4호까지의 규정에 해당하는 공장은 제외한다) 및 물류시설(제1항 제8호에 해당하는 물류시설과 주거지역 또는 상업지역에 건축하는 물류시설은 제외한다)
   가. 연면적의 합계가 2천 제곱미터 이상인 경우: 대지면적의 10퍼센트 이상
   나. 연면적의 합계가 1천500 제곱미터 이상 2천 제곱미터 미만인 경우: 대지면적의 5퍼센트 이상

2.「공항시설법」 제2조제7호에 따른 공항시설: 대지면적(활주로 · 유도로 · 계류장 · 착륙대 등 항공기의 이륙 및 착륙시설로 쓰는 면적은 제외한다)의 10퍼센트 이상
3.「철도의 건설 및 철도시설 유지관리에 관한 법률」 제2조제1호에 따른 철도 중 역시설: 대지면적(선로 · 승강장 등 철도운행에 이용되는 시설의 면적은 제외한다)의 10퍼센트 이상
4. 그 밖에 면적 200제곱미터 이상 300제곱미터 미만인 대지에 건축하는 건축물: 대지면적의 10퍼센트 이상

③ 건축물의 옥상에 법 제42조제2항에 따라 국토교통부장관이 고시하는 기준에 따라 조경이나 그 밖에 필요한 조치를 하는 경우에는 옥상부분 조경면적의 3분의 2에 해당하는 면적을 법 제42조제1항에 따른 대지의 조경면적으로 산정할 수 있다. 이 경우 조경면적으로 산정하는 면적은 법 제42조제1항에 따른 조경면적의 100분의 50을 초과할 수 없다.

규칙 제26조의2【대지안의 조경】
영 제27조제1항제8호에서 "국토교통부령으로 정하는 것"이란 「물류정책기본법」 제2조제4호에 따른 물류시설을 말한다.

해설 대지의 조경은 도시의 녹지공간을 확보하여 도시의 경관을 향상시키고 쾌적한 환경을 조성하는 데 그 취지가 있으며, 조경 식수가 부적합한 용도의 경우 녹지보존에 지장이 없는 경우 등에 있어서는 규정을 완화하거나 적용에서 제외된다. 또한 식수 등 조경에 필요한 조치를 함이 적당하지 아니하다고 인정되는 시기에 건축물의 사용승인을 하는 경우, 조경비용을 금융기관에 예탁할 것을 조건으로 사용승인을 받을 수 있다.

■ 대지안의 조경

구 분	내 용	적 용 제 외	기 타
1. 원칙	면적 200㎡ 이상인 대지에 건축물을 건축하는 건축주는 용도지역 및 건축물의 규모에 따라 조례가 정하는 기준에 따라 조경 등 필요한 조치를 하여야 함		
2. 조경등의 조치에 관한 기준	① 공장[1] 및 물류시설[2] 연면적의 합계 / 조경율 2,000㎡이상 / 대지면적의 10%이상 1,500㎡이상 ~2,000㎡미만 / 대지면적의 5%이상	1) 4.의 ② 공장 제외 2) ▪4.의 ⑥ .물류시설 제외 ▪주거지역 또는 상업지역에 건축하는 물류시설 제외	건축조례에서 더 완화된 기준을 정한 경우에는 그 기준에 따름
	② 공항시설(「공항시설법」 관계법1) －대지면적의 10% 이상	• 활주로 · 유도로 · 계류장 · 착륙대 등 항공기의 이 · 착륙시설에 쓰는 면적제외	
	③ 역시설(「철도의 건설 및 철도시설 유지관리에 관한 법률」 관계법2) －대지면적의 10% 이상	• 선로 · 승강장 등 철도 운행용 시설의 면적 제외	
	④ 200㎡ 이상 300㎡ 미만인 대지에 건축하는 건축물 －대지면적의 10% 이상	－	
3. 옥상 조경	• 조경면적의 $\frac{2}{3}$ 에 해당하는 면적을 대지안의 조경면적으로 산정 －이 경우 법정조경면적의 $\frac{50}{100}$ 을 초과할 수 없다.		국토교통부장관이 고시하는 기준에 따라 조경 기타 필요한 조치를 하는 경우

건 축 법
1. 총 칙
2. 건 축
3. 유지관리
4. 대지도로
5. 구조재료
6. 지역지구
7. 건축설비
8. 특별건축구역
9. 보 칙
10. 벌 칙
건 축 법 관련기준

<table>
<tr><td rowspan="10">4. 조경의 적용제외</td><td colspan="2">① 녹지지역에 건축하는 건축물</td><td rowspan="10">–</td></tr>
<tr><td rowspan="3">② 공장</td><td>㉠ 면적 5,000㎡ 미만인 대지에 건축하는 공장</td></tr>
<tr><td>㉡ 연면적의 합계가 1,500㎡ 미만인 공장</td></tr>
<tr><td>㉢ 산업단지안의 공장(산업집적활성화 및 공장설립에 관한 법률 관계법3)</td></tr>
<tr><td colspan="2">③ 대지에 염분이 함유되어 있는 경우 또는 건축물의 특성상 조경 등의 조치를 하기가 곤란하거나 조경 등의 조치를 하는 것이 불합리한 경우로서 건축조례가 정하는 건축물</td></tr>
<tr><td colspan="2">④ 축사</td></tr>
<tr><td colspan="2">⑤ 가설건축물(허가대상)</td></tr>
<tr><td colspan="2">⑥ 연면적의 합계가 1,500㎡ 미만인 물류시설(주거지역 또는 상업지역에 건축하는 것 제외)로서 국토교통부령으로 정하는 것(물류정책기본법 관계법4)</td></tr>
<tr><td colspan="2">⑦ 자연환경보전지역 · 농림지역 또는 관리지역(지구단위계획구역 제외)의 건축물</td></tr>
<tr><td colspan="2">⑧ 다음 건축물중 조례로 정하는 건축물 관계법5
㉠「관광진흥법」에 따른 관광지 또는 관광단지에 설치하는 관광시설
㉡「관광진흥법」에 따른 전문휴양업의 시설 또는 종합휴양업의 시설
㉢「국토의 계획 및 이용에 관한 법률」에 따른 관광 · 휴양형 지구단위계획구역에 설치하는 관광시설 관계법6
㉣「체육시설의 설치 · 이용에 관한 법률」에 따른 골프장 관계법7</td></tr>
</table>

■ 국토교통부장관은 식재기준, 조경시설물의 종류 및 설치방법, 옥상조경의 방법 등 조경에 필요한 사항을 정하여 고시할 수 있다. 【참고】

【참고】 조경기준(국토교통부고시 제2021-1778호, 2022.1.7) ➡ 제2편 건축법 관련기준 참조

관계법1 공항시설(「공항시설법」 제2조제7호, 영 제3조)

법 제2조【정의】

7. "공항시설"이란 공항구역에 있는 시설과 공항구역 밖에 있는 시설 중 대통령령으로 정하는 시설로서 국토교통부장관이 지정한 다음 각 목의 시설을 말한다.
   가. 항공기의 이륙 · 착륙 및 항행을 위한 시설과 그 부대시설 및 지원시설
   나. 항공 여객 및 화물의 운송을 위한 시설과 그 부대시설 및 지원시설

영 제3조【공항시설의 구분】법 제2조제7호 각 목 외의 부분에서 "대통령령으로 정하는 시설"이란 다음 각 호의 시설을 말한다.

1. 다음 각 목에서 정하는 기본시설
   가. 활주로, 유도로, 계류장, 착륙대 등 항공기의 이착륙시설
   나. 여객터미널, 화물터미널 등 여객시설 및 화물처리시설
   다. 항행안전시설
   라. 관제소, 송수신소, 통신소 등의 통신시설
   마. 기상관측시설
   바. 공항 이용객을 위한 주차시설 및 경비 · 보안시설
   사. 이용객에 대한 홍보시설 및 안내시설
2. 다음 각 목에서 정하는 지원시설
   가. 항공기 및 지상조업장비의 점검 · 정비 등을 위한 시설
   나. 운항관리시설, 의료시설, 교육훈련시설, 소방시설 및 기내식 제조 · 공급 등을 위한 시설

다. 공항의 운영 및 유지·보수를 위한 공항 운영·관리시설
라. 공항 이용객 편의시설 및 공항근무자 후생복지시설
마. 공항 이용객을 위한 업무·숙박·판매·위락·운동·전시 및 관람집회 시설
바. 공항교통시설 및 조경시설, 방음벽, 공해배출 방지시설 등 환경보호시설
사. 공항과 관련된 상하수도 시설 및 전력·통신·냉난방 시설
아. 항공기 급유시설 및 유류의 저장·관리 시설
자. 항공화물을 보관하기 위한 창고시설
차. 공항의 운영·관리와 항공운송사업 및 이와 관련된 사업에 필요한 건축물에 부속되는 시설
카. 공항과 관련된 「신에너지 및 재생에너지 개발·이용·보급 촉진법」 제2조제3호에 따른 신에너지 및 재생에너지 설비

3. 도심공항터미널
4. 헬기장에 있는 여객시설, 화물처리시설 및 운항지원시설
5. 공항구역 내에 있는 「자유무역지역의 지정 및 운영에 관한 법률」 제4조에 따라 지정된 자유무역지역에 설치하려는 시설로서 해당 공항의 원활한 운영을 위하여 필요하다고 인정하여 국토교통부장관이 지정·고시하는 시설
6. 그 밖에 국토교통부장관이 공항의 운영 및 관리에 필요하다고 인정하는 시설

관계법2 역시설(「철도의 건설 및 철도시설 유지관리에 관한 법률」 제2조)

법 제2조【정의】이 법에서 사용하는 용어의 뜻은 다음과 같다. 다만, 이 법에 특별한 규정이 있는 것을 제외하고는 「철도산업발전 기본법」에서 정하는 바에 따른다.

1. "철도"란 여객 또는 화물을 운송하는 데 필요한 철도시설과 철도차량 및 이와 관련된 운영·지원체계가 유기적으로 구성된 운송체계를 말한다.
2. "고속철도"란 열차가 주요 구간을 시속 200킬로미터 이상으로 주행하는 철도로서 국토교통부장관이 그 노선을 지정·고시하는 철도를 말한다.
3. "광역철도"란 「대도시권 광역교통관리에 관한 특별법」 제2조제2호나목에 따른 철도를 말한다.
4. "일반철도"란 고속철도와 「도시철도법」에 따른 도시철도를 제외한 철도를 말한다.
5. "철도망"이란 철도시설이 서로 유기적인 기능을 발휘할 수 있도록 체계적으로 구성한 철도 교통망을 말한다.
6. "철도시설"이란 다음 각 목의 어느 하나에 해당하는 시설(부지를 포함한다)을 말한다.

가. 철도의 선로(선로에 딸리는 시설을 포함한다), 역 시설(물류시설, 환승 시설 및 역사(역사)와 같은 건물에 있는 판매시설·업무시설·근린생활시설·숙박시설·문화 및 집회시설 등을 포함한다) 및 철도 운영을 위한 건축물·건축설비
나. 선로 및 철도차량을 보수·정비하기 위한 선로 보수기지, 차량 정비기지 및 차량 유치시설
다. 철도의 전철전력설비, 정보통신설비, 신호 및 열차 제어설비
라. 철도노선 간 또는 다른 교통수단과의 연계 운영에 필요한 시설
마. 철도기술의 개발·시험 및 연구를 위한 시설
바. 철도경영연수 및 철도전문인력의 교육훈련을 위한 시설
사. 그 밖에 철도의 건설·유지보수 및 운영을 위한 시설로서 대통령령으로 정하는 시설

관계법3 산업단지(산업집적활성화 및 공장설립에 관한 법률 제2조, 산업입지 및 개발에 관한 법률 제2조, 제6조~제8조)

1. 산업집적활성화 및 공장설립에 관한 법률

법 제2조【정의】

14. "산업단지"란 「산업입지 및 개발에 관한 법률」 제6조·제7조·제7조의2 및 제8조에 따라 지정·개발된 국가산업단지, 일반산업단지, 도시첨단산업단지 및 농공단지를 말한다.

건축법
1. 총칙
2. 건축
3. 유지관리
4. 대지도로
5. 구조재료
6. 지역지구
7. 건축설비
8. 특별건축구역
9. 보칙
10. 벌칙
건축법 관련기준

2. 산업입지 및 개발에 관한 법률

법 제2조 【정의】 이 법에서 사용하는 용어의 뜻은 다음과 같다. <개정 2020.12.22.>

7의2. "산업시설용지" 란 공장, 지식산업 관련 시설, 문화산업 관련 시설, 정보통신산업 관련 시설, 재활용산업 관련 시설, 자원비축시설, 물류시설, 교육 · 연구시설 및 그 밖에 대통령령으로 정하는 시설의 용지를 말한다.

8. "산업단지"란 제7호의2에 따른 시설과 이와 관련된 교육 · 연구 · 업무 · 지원 · 정보처리 · 유통 시설 및 이들 시설의 기능 향상을 위하여 주거 · 문화 · 환경 · 공원녹지 · 의료 · 관광 · 체육 · 복지 시설 등을 집단적으로 설치하기 위하여 포괄적 계획에 따라 지정 · 개발되는 일단(一團)의 토지로서 다음 각 목의 것을 말한다.

가. 국가산업단지: 국가기간산업, 첨단과학기술산업 등을 육성하거나 개발 촉진이 필요한 낙후지역이나 둘 이상의 특별시 · 광역시 · 특별자치시 또는 도에 걸쳐 있는 지역을 산업단지로 개발하기 위하여 제6조에 따라 지정된 산업단지

나. 일반산업단지: 산업의 적정한 지방 분산을 촉진하고 지역경제의 활성화를 위하여 제7조에 따라 지정된 산업단지

다. 도시첨단산업단지: 지식산업 · 문화산업 · 정보통신산업, 그 밖의 첨단산업의 육성과 개발 촉진을 위하여 「국토의 계획 및 이용에 관한 법률」에 따른 도시지역에 제7조의2에 따라 지정된 산업단지

라. 농공단지(農工團地): 대통령령으로 정하는 농어촌지역에 농어민의 소득 증대를 위한 산업을 유치 · 육성하기 위하여 제8조에 따라 지정된 산업단지

법 제6조 【국가산업단지의 지정】 ① 국가산업단지는 국토교통부장관이 지정한다.

② 중앙행정기관의 장은 국가산업단지의 지정이 필요하다고 인정하면 대상지역을 정하여 국토교통부장관에게 국가산업단지로의 지정을 요청할 수 있다.

③ 국토교통부장관은 제1항 또는 제2항에 따라 국가산업단지를 지정하려면 산업단지개발계획을 수립하여 관할 시 · 도지사의 의견을 듣고, 관계 중앙행정기관의 장과 협의하여야 한다. 산업단지개발계획을 변경하려는 경우에도 또한 같다.

법 제7조 【일반산업단지의 지정】 ① 일반산업단지는 시 · 도지사 또는 대도시시장이 지정한다. 다만, 대통령령으로 정하는 면적 미만의 산업단지의 경우에는 시장 · 군수 또는 구청장이 지정할 수 있다. <개정 2016.12.20>

② 제1항에 따른 일반산업단지의 지정권자(이하 "일반산업단지지정권자"라 한다)는 일반산업단지를 지정하려면 산업단지개발계획을 수립하여 관할 시장 · 군수 또는 구청장의 의견을 듣고 국토교통부장관을 비롯한 관계 행정기관의 장(대상지역에 「공유수면 관리 및 매립에 관한 법률」 제2조제1호가목의 바다 · 바닷가가 포함된 경우에는 해양수산부장관을 포함한다)과 협의하여야 한다. 산업단지개발계획을 변경하려는 경우에도 또한 같다. <개정 2016.12.20>

법 제7조의2 【도시첨단산업단지의 지정】 ① 도시첨단산업단지는 국토교통부장관, 시 · 도지사 또는 대도시시장이 지정하며, 시 · 도지사(특별자치도지사는 제외한다)가 지정하는 경우에는 시장 · 군수 또는 구청장의 신청을 받아 지정한다. 다만, 대통령령으로 정하는 면적 미만인 경우에는 시장 · 군수 또는 구청장이 직접 지정할 수 있다. <개정 2016.12.20>

② 인구의 과밀방지 등을 위하여 서울특별시 등 대통령령이 정하는 지역에는 도시첨단산업단지를 지정할 수 없다.

③ 시장 · 군수 또는 구청장은 제1항 본문에 따라 시 · 도지사에게 도시첨단산업단지의 지정을 신청하고자 하는 때에는 산업단지개발계획을 입안하여 제출하여야 한다.

④ 제1항에 따른 도시첨단산업단지의 지정권자(이하 "도시첨단산업단지지정권자"라 한다)는 도시첨단산업단지를 지정하려는 경우에는 산업단지개발계획에 대하여 관계 행정기관의 장(대상지역에 「공유수면 관리 및 매립에 관한 법률」 제2조제1호가목의 바다 · 바닷가가 포함된 경우에는 해양수산부장관을 포함한다)과 협의하여야 한다. 산업단지개발계획을 변경하려는 경우에도 또한 같다. <개정 2016.12.20.>

법 제8조【농공단지의 지정】① 농공단지는 특별자치도지사 또는 시장 · 군수 · 구청장이 지정한다.
② 제1항에 따른 농공단지의 지정권자(대도시시장은 제외한다)는 농공단지를 지정하려면 대통령령으로 정하는 서류와 도면을 첨부한 산업단지개발계획을 작성하여 시 · 도지사의 승인을 받아야 한다. 승인받은 사항을 변경하려는 경우에도 또한 같다. 다만, 대통령령으로 정하는 경미한 사항의 변경은 그러하지 아니하다. <개정 2016.12.20.>

관계법4 물류시설(「물류정책기본법」 제2조)

법 제2조【정의】① 이 법에서 사용하는 용어의 정의는 다음과 같다. <개정 2020.12.29.>
1. "물류(物流)"란 재화가 공급자로부터 조달 · 생산되어 수요자에게 전달되거나 소비자로부터 회수되어 폐기될 때까지 이루어지는 운송 · 보관 · 하역(荷役) 등과 이에 부가되어 가치를 창출하는 가공 · 조립 · 분류 · 수리 · 포장 · 상표부착 · 판매 · 정보통신 등을 말한다.
2. "물류사업"이란 화주(貨主)의 수요에 따라 유상(有償)으로 물류활동을 영위하는 것을 업(業)으로 하는 것으로 다음 각 목의 사업을 말한다.
가. 자동차 · 철도차량 · 선박 · 항공기 또는 파이프라인 등의 운송수단을 통하여 화물을 운송하는 화물운송업
나. 물류터미널이나 창고 등의 물류시설을 운영하는 물류시설운영업
다. 화물운송의 주선(周旋), 물류장비의 임대, 물류정보의 처리 또는 물류컨설팅 등의 업무를 하는 물류서비스업
라. 가목부터 다목까지의 물류사업을 종합적 · 복합적으로 영위하는 종합물류서비스업
3. "물류체계"란 효율적인 물류활동을 위하여 시설 · 장비 · 정보 · 조직 및 인력 등이 서로 유기적으로 기능을 발휘할 수 있도록 연계된 집합체를 말한다.
4. "물류시설"이란 물류에 필요한 다음 각 목의 시설을 말한다.
가. 화물의 운송 · 보관 · 하역을 위한 시설
나. 화물의 운송 · 보관 · 하역 등에 부가되는 가공 · 조립 · 분류 · 수리 · 포장 · 상표부착 · 판매 · 정보통신 등을 위한 시설
다. 물류의 공동화 · 자동화 및 정보화를 위한 시설
라. 가목부터 다목까지의 시설이 모여 있는 물류터미널 및 물류단지

관계법5 관광지, 관광단지(「관광진흥법」 제2조, 영 제2조)

법 제2조【정의】
6. "관광지"란 자연적 또는 문화적 관광자원을 갖추고 관광객을 위한 기본적인 편의시설을 설치하는 지역으로서 이 법에 따라 지정된 곳을 말한다.
7. "관광단지"란 관광객의 다양한 관광 및 휴양을 위하여 각종 관광시설을 종합적으로 개발하는 관광 거점 지역으로서 이 법에 따라 지정된 곳을 말한다.

영 제2조【정의】①「관광진흥법」(이하 "법"이라 한다) 제3조제2항에 따라 관광사업의 종류를 다음과 같이 세분한다. <개정 2021.3.23.>
3. 관광객 이용시설업의 종류
가. 전문휴양업 : 관광객의 휴양이나 여가 선용을 위하여 숙박업 시설(「공중위생관리법 시행령」 제2조제1항제1호 및 제2호의 시설을 포함하며, 이하 "숙박시설"이라 한다)이나 「식품위생법 시행령」 제21조제8호가목 · 나목 또는 바목에 따른 휴게음식점영업, 일반음식점영업 또는 제과점영업의 신고에 필요한 시설(이하 "음식점시설"이라 한다)을 갖추고 별표 1 제4호가목(2)(가)부터 (거)까지의 규정에 따른 시설(이하 "전문휴양시설"이라 한다) 중 한 종류의 시설을 갖추어 관광객에게 이용하게 하는 업
나. 종합휴양업

건 축 법
1. 총 칙
2. 건 축
3. 유지관리
4. 대지도로
5. 구조재료
6. 지역지구
7. 건축설비
8. 특별건축구역
9. 보 칙
10. 벌 칙
건 축 법 관련기준

(1) 제1종 종합휴양업 : 관광객의 휴양이나 여가 선용을 위하여 숙박시설 또는 음식점시설을 갖추고 전문휴양시설 중 두 종류 이상의 시설을 갖추어 관광객에게 이용하게 하는 업이나, 숙박시설 또는 음식점시설을 갖추고 전문휴양시설 중 한 종류 이상의 시설과 종합유원시설업의 시설을 갖추어 관광객에게 이용하게 하는 업

(2) 제2종 종합휴양업 : 관광객의 휴양이나 여가 선용을 위하여 관광숙박업의 등록에 필요한 시설과 제1종 종합휴양업의 등록에 필요한 전문휴양시설 중 두 종류 이상의 시설 또는 전문휴양시설 중 한 종류 이상의 시설 및 종합유원시설업의 시설을 함께 갖추어 관광객에게 이용하게 하는 업

관계법6 관광·휴양형 지구단위계획구역(「국토의 계획 및 이용에 관한 법률 시행령」 제42조의3 제2항 제10호)

영 제42조의3【지구단위계획의 수립】

② 국토교통부장관은 법 제49조제2항에 따라 지구단위계획의 수립기준을 정할 때에는 다음 각 호의 사항을 고려하여야 한다. <개정 2021.1.26.>

10. 도시지역 외의 지역에 지정하는 지구단위계획구역은 해당 구역의 중심기능에 따라 주거형, 산업·유통형, 관광·휴양형 또는 복합형 등으로 지정 목적을 구분할 것

※ 2012.4.10개정으로 제48조제10호의 내용이 제42조의2제2항제10호로 개정·이전되었고, 2016.12.30. 개정으로 제42조의3제2항제10호로 이전됨

관계법7 골프장(「체육시설의 설치·이용에 관한 법률 시행령」 제2조, 별표 1)

영 제2조【체육시설의 종류】「체육시설의 설치·이용에 관한 법률」(이하 "법"이라 한다) 제3조에 따른 체육시설의 종류는 별표 1과 같다.

[별표 1] 체육시설의 종류 〈개정 2021.6.8.〉

구 분	체육시설종류
운동 종목	골프장, 골프연습장, 궁도장, 게이트볼장, 농구장, 당구장, 라켓볼장, 럭비풋볼장, 롤러스케이트장, 배구장, 배드민턴장, 벨로드롬, 볼링장, 봅슬레이장, 빙상장, 사격장, 세팍타크로장, 수상스키장, 수영장, 무도학원, 무도장, 스쿼시장, 스키장, 승마장, 썰매장, 씨름장, 아이스하키장, 야구장, 양궁장, 역도장, 에어로빅장, 요트장, 육상장, 자동차경주장, 조정장, 체력단련장, 체육도장, 체조장, 축구장, 카누장, 탁구장, 테니스장, 펜싱장, 하키장, 핸드볼장, 인공암벽장, 그 밖에 국내 또는 국제적으로 치러지는 운동 종목의 시설로서 문화체육관광부장관이 정하는 것
시설 형태	운동장, 체육관, 종합 체육시설, 가상체험 체육시설

4 공개 공지 등의 확보(법 제43조)(영 제27조의2)

법 제43조 【공개 공지 등의 확보】

① 다음 각 호의 어느 하나에 해당하는 지역의 환경을 쾌적하게 조성하기 위하여 대통령령으로 정하는 용도와 규모의 건축물은 일반이 사용할 수 있도록 대통령령으로 정하는 기준에 따라 소규모 휴식시설 등의 공개 공지(空地: 공터) 또는 공개 공간(이하 "공개공지등"이라 한다)을 설치하여야 한다. <개정 2019.4.23.>

1. 일반주거지역, 준주거지역
2. 상업지역
3. 준공업지역
4. 특별자치시장·특별자치도지사 또는 시장·군수·구청장이 도시화의 가능성이 크거나 노후 산업단지의 정비가 필요하다고 인정하여 지정·공고하는 지역

② 제1항에 따라 공개공지등을 설치하는 경우에는 제55조, 제56조와 제60조를 대통령령으로 정하는 바에 따라 완화하여 적용할 수 있다. <개정 2019.4.23.>

③ 시·도지사 또는 시장·군수·구청장은 관할 구역 내 공개공지등에 대한 점검 등 유지·관리에 관한 사항을 해당 지방자치단체의 조례로 정할 수 있다. <신설 2019.4.23.>

④ 누구든지 공개공지등에 물건을 쌓아놓거나 출입을 차단하는 시설을 설치하는 등 공개공지등의 활용을 저해하는 행위를 하여서는 아니 된다. <신설 2019.4.23.>

⑤ 제4항에 따라 제한되는 행위의 유형 또는 기준은 대통령령으로 정한다. <신설 2019.4.23.>

영 제27조의2 【공개 공지 등의 확보】

① 법 제43조제1항에 따라 다음 각 호의 어느 하나에 해당하는 건축물의 대지에는 공개 공지 또는 공개 공간(이하 이 조에서 "공개공지등"이라 한다)을 설치해야 한다. 이 경우 공개 공지는 필로티의 구조로 설치할 수 있다. <개정 2019.10.22.>

1. 문화 및 집회시설, 종교시설, 판매시설(「농수산물 유통 및 가격안정에 관한 법률」에 따른 농수산물유통시설은 제외한다), 운수시설(여객용 시설만 해당한다), 업무시설 및 숙박시설로서 해당 용도로 쓰는 바닥면적의 합계가 5천 제곱미터 이상인 건축물
2. 그 밖에 다중이 이용하는 시설로서 건축조례로 정하는 건축물

② 공개공지등의 면적은 대지면적의 100분의 10 이하의 범위에서 건축조례로 정한다. 이 경우 법 제42조에 따른 조경면적과 「매장문화재 보호 및 조사에 관한 법률」 제14조제1항제1호에 따른 매장문화재의 현지 보존 조치 면적을 공개공지등의 면적으로 할 수 있다. <개정 2017.6.27.>

③ 제1항에 따라 공개공지등을 설치할 때에는 모든 사람들이 환경친화적으로 편리하게 이용할 수 있도록 긴 의자 또는 조경시설 등 건축조례로 정하는 시설을 설치해야 한다. <개정 2019.10.22.>

④ 제1항에 따른 건축물(제1항에 따른 건축물과 제1항에 해당되지 아니하는 건축물이 하나의 건축물로 복합된 경우를 포함한다)에 공개공지등을 설치하는 경우에는 법 제43조제2항에 따라 다음 각 호의 범위에서 대지면적에 대한 공개공지등 면적 비율에 따라 법 제56조 및 법 제60조를 완화하여 적용한다. 다만, 다음 각 호의 범위에서 건축조례로 정한 기준이 완화 비율보다 큰 경우에는 해당 건축조례로 정하는 바에 따른다. <개정 2014.11.11.>

1. 법 제56조에 따른 용적률은 해당 지역에 적용하는 용적률의 1.2배 이하
2. 법 제60조에 따른 높이 제한은 해당 건축물에 적용하는 높이기준의 1.2배 이하

⑤ 제1항에 따른 공개공지등의 설치대상이 아닌 건축물(「주택법」 제15조제1항에 따른 사업계획승인 대상인 공동주택 중 주택 외의 시설과 주택을 동일 건축물로 건축하는 것 외의 공동주택은 제외한다)의 대지에 법 제43조제4항, 이 조 제2항 및 제3항에 적합한 공개 공지를 설치하는 경우에는 제4항을 준용한다. <개정 2019.10.22.>
⑥ 공개공지등에는 연간 60일 이내의 기간 동안 건축조례로 정하는 바에 따라 주민들을 위한 문화행사를 열거나 판촉활동을 할 수 있다. 다만, 울타리를 설치하는 등 공중이 해당 공개공지등을 이용하는데 지장을 주는 행위를 해서는 아니 된다.
⑦ 법 제43조제4항에 따라 제한되는 행위는 다음 각 호와 같다. <신설 2020.4.21.>
1. 공개공지등의 일정 공간을 점유하여 영업을 하는 행위
2. 공개공지등의 이용에 방해가 되는 행위로서 다음 각 목의 행위
가. 공개공지등에 제3항에 따른 시설 외의 시설물을 설치하는 행위
나. 공개공지등에 물건을 쌓아 놓는 행위
3. 울타리나 담장 등의 시설을 설치하거나 출입구를 폐쇄하는 등 공개공지등의 출입을 차단하는 행위
4. 공개공지등과 그에 설치된 편의시설을 훼손하는 행위
5. 그 밖에 제1호부터 제4호까지의 행위와 유사한 행위로서 건축조례로 정하는 행위

해설 도심지의 대규모 건축물은 사용에 편하지만, 반면에 휴식공간의 부족 등 쾌적한 환경 조성에는 미흡한 점이 많다. 이러한 문제를 해결하기 위해서 다중이 이용하는 대형 건축물 등을 건축할 경우 소규모 휴식시설 등 공개공지등을 설치하도록 의무화하였다. 또한 공개공지를 설치하는 경우 용적률 또는 높이제한 등 규정 적용시 1.2배의 범위에서 완화하여 적용하도록 하고 있으며, 건축조례로 더 크게 완화한 경우 건축조례를 적용하도록 하고 있다.(2014.11.11. 건축법 시행령 개정)

【1】 공개 공지 등의 확보

구 분	내 용	기 타
① 설치목적	상업지역 등의 환경을 쾌적하게 조성하기 위함	
② 대상지역	1. 일반주거지역 2. 준주거지역 3. 상업지역 4. 준공업지역 5. 특별자치시장·특별자치도지사 또는 시장·군수·구청장이 도시화의 가능성이 크거나 노후 산업단지의 정비가 필요하다고 인정하여 지정·공고하는 지역	
③ 대상용도 및 규모	1. 바닥면적의 합계 5,000m²이상인 ㉠ 문화 및 집회시설 ㉡ 종교시설 ㉢ 판매시설 ㉣ 운수시설(여객용 시설만 해당) ㉤ 업무시설 ㉥ 숙박시설 2. 그 밖에 다중이 이용하는 시설로서 건축조례로 정하는 건축물	• 판매시설 중 「농수산물유통 및 가격안정에 관한 법률」 에 따른 농수산물유통시설은 제외 관계법1
④ 공개공지등 면적	대지면적의 10/100 이하의 범위에서 건축조례로 정함	• 법 제42조에 따른 조경면적과 「매장문화재 보호 및 조사에 관한 법률」 에 따른 매장문화재의 현지 보존 조치 면적을 공개공지등의 면적으로 할 수 있음 관계법2

⑤ 공개공지등의 시설 설치	모든 사람들이 환경친화적으로 편리하게 이용할 수 있도록 긴 의자 또는 조경시설 등 건축조례로 정하는 시설을 설치할 것	• 공개공지는 필로티의 구조로 설치 가능
⑥공개공지등 설치시 완화규정 적용	대지면적에 대한 공개공지등 면적 비율에 따라 다음 범위에서 완화 적용함 1. 용적률: 해당지역에 적용되는 용적률의 1.2배 이하 2. 높이제한: 해당건축물에 적용되는 높이 기준의 1.2배 이하 ※ 건축조례 기준이 위의 완화 비율보다 큰 경우 건축조례기준을 적용함	• 공개공지등의 설치 대상 건축물과 대상이 아닌 건축물이 복합된 경우도 완화규정 적용 대상에 포함

- 공개공지등의 설치대상이 아닌 건축물(「주택법」에 따른 사업승인대상 공동주택 중 주택 외의 시설과 주택을 동일 건축물로 건축하는 것 외의 공동주택은 제외)의 대지에 공개공지등을 준수사항을 지켜 설치하는 경우에도 용적률·높이제한 등 규정의 완화적용 가능
- 공개공지등에는 연간 60일 안에서 건축조례로 정하는 바에 따라 주민들을 위한 문화행사나 판촉활동 가능 (울타리를 설치하는 등 공중이 해당 공개공지등의 이용에 지장을 주는 행위 금지)
- 시·도지사 또는 시장·군수·구청장은 관할 구역 내 공개공지등에 대한 점검 등 유지·관리에 관한 사항을 해당 지방자치단체의 조례로 정할 수 있다.

【2】 공개 공지 등에서의 제한 행위

누구든지 공개공지등에 물건을 쌓아놓거나 출입을 차단하는 시설을 설치하는 등 공개공지등의 활용을 저해하는 행위를 하여서는 아니 된다.

■ 공개 공지 등에서 제한되는 행위
1. 공개공지등의 일정 공간을 점유하여 영업을 하는 행위
2. 공개공지등의 이용에 방해가 되는 행위로서 다음의 행위 - 공개공지등에 모든 사람들이 환경친화적으로 편리하게 이용할 수 있도록 긴 의자 또는 조경시설 등 건축조례로 정하는 시설 외의 시설물을 설치하는 행위 - 공개공지등에 물건을 쌓아 놓는 행위
3. 울타리나 담장 등의 시설을 설치하거나 출입구를 폐쇄하는 등 공개공지등의 출입을 차단하는 행위
4. 공개공지등과 그에 설치된 편의시설을 훼손하는 행위
5. 그 밖에 1.~4.의 행위와 유사한 행위로서 건축조례로 정하는 행위

【참고】 국토해양부 해설(2006년 제4654호)

- 의무대상과 비의무대상이 복합된 경우의 공개공지 제도운영
  - 공개공지는 설치 의무대상과 비의무대상으로 나뉘어 운영되고 있고, 비의무대상이라 하더라도 사업계획승인 대상을 제외하고는 공개공지 설치시 인센티브를 의무대상과 동일하게 받을 수 있도록 규정
  - 「주택법」에 따른 사업계획승인 건축물은 인센티브 부여대상에서 제외되어 있는데 이는 공개공지가 설치되어도 추후 입주자들이 공지를 폐쇄함으로써 시행효과를 기대할 수 없기 때문임
- 의무대상인 건축물과 비의무대상인 건축물(아파트 포함)이 하나의 건축물로 복합된 주상복합인 경우에는 종전에 의무대상인 건축물 부분에만 인센티브를 적용토록 하였으나, 개정 규정에서는 해당 건축물 전체에 인센티브를 받을 수 있도록 명시하고 있음
  - 이는 5천㎡ 이상 문화 및 집회시설, 판매시설 등 의무대상은 영업의 특성상 공개공지를 폐쇄할 가능성이 적을 뿐만 아니라, 공개공지를 설치하였으나 주상복합의 주거용 비율 등이 정해져있어 인센티브를 제한적으로 적용받아 형평성에 문제가 있을 수 있기 때문임

관계법1 농수산물유통시설(「농수산물유통 및 가격안정에 관한 법률」 제2조)

법 제2조【정의】이 법에서 사용하는 용어의 정의는 다음과 같다. <개정 2014.12.31>

2. "농수산물도매시장"이란 특별시 · 광역시 · 특별자치시 · 특별자치도 또는 시가 양곡류 · 청과류 · 화훼류 · 조수육류(鳥獸肉類) · 어류 · 조개류 · 갑각류 · 해조류 및 임산물 등 대통령령으로 정하는 품목의 전부 또는 일부를 도매하게 하기 위하여 제17조에 따라 관할구역에 개설하는 시장을 말한다.
3. "중앙도매시장"이란 특별시 · 광역시 · 특별자치시 또는 특별자치도가 개설한 농수산물도매시장 중 해당 관할구역 및 그 인접지역에서 도매의 중심이 되는 농수산물도매시장으로서 농림축산식품부령 또는 해양수산부령으로 정하는 것을 말한다.
4. "지방도매시장"이란 중앙도매시장 외의 농수산물도매시장을 말한다.
5. "농수산물공판장"이란 지역농업협동조합, 지역축산업협동조합, 품목별 · 업종별협동조합, 조합공동사업법인, 품목조합연합회, 산림조합 및 수산업협동조합과 그 중앙회(농협경제지주회사를 포함한다. 이하 "농림수협등"이라 한다), 그 밖에 대통령령으로 정하는 생산자 관련 단체와 공익상 필요하다고 인정되는 법인으로서 대통령령으로 정하는 법인(이하 "공익법인"이라 한다)이 농수산물을 도매하기 위하여 제43조에 따라 특별시장 · 광역시장 · 특별자치시장 · 도지사 또는 특별자치도지사(이하 "시 · 도지사"라 한다)의 승인을 받아 개설 · 운영하는 사업장을 말한다.
6. "민영농수산물도매시장"이란 국가, 지방자치단체 및 제5호에 따른 농수산물공판장을 개설할 수 있는 자 외의 자(이하 "민간인등"이라 한다)가 농수산물을 도매하기 위하여 제47조에 따라 시 · 도지사의 허가를 받아 특별시 · 광역시 · 특별자치시 · 특별자치도 또는 시 지역에 개설하는 시장을 말한다.
12. "농수산물종합유통센터"란 제69조에 따라 국가 또는 지방자치단체가 설치하거나 국가 또는 지방자치단체의 지원을 받아 설치된 것으로서 농수산물의 출하 경로를 다원화하고 물류비용을 절감하기 위하여 농수산물의 수집 · 포장 · 가공 · 보관 · 수송 · 판매 및 그 정보처리 등 농수산물의 물류활동에 필요한 시설과 이와 관련된 업무시설을 갖춘 사업장을 말한다.

관계법2 매장문화재의 보존(「매장문화재 보호 및 조사에 관한 법률」 제14조)

법 제14조【발굴된 매장문화재의 보존조치】① 문화재청장은 발굴된 매장문화재가 역사적 · 예술적 또는 학술적으로 가치가 큰 경우 「문화재보호법」(→「문화유산의 보존 및 활용에 관한 법률」) 제8조에 따른 문화재위원회의 심의를 거쳐 발굴허가를 받은 자에게 그 발굴된 매장문화재에 대하여 다음 각 호의 보존조치를 지시할 수 있다. <개정 2019.11.26., 2023.8.8./시행 2024.5.17.>

1. 현지보존 : 문화재(→국가유산)의 전부 또는 일부를 발굴 전 상태로 복토(覆土)하여 보존하거나 외부에 노출시켜 보존하는 것

공개공지 예

5 대지와 도로의 관계(법 제44조)(영 제28조)

법 제44조【대지와 도로의 관계】

① 건축물의 대지는 2미터 이상이 도로(자동차만의 통행에 사용되는 도로는 제외한다)에 접하여야 한다. 다만, 다음 각 호의 어느 하나에 해당하면 그러하지 아니하다. <개정2016.1.19.>

1. 해당 건축물의 출입에 지장이 없다고 인정되는 경우
2. 건축물의 주변에 대통령령으로 정하는 공지가 있는 경우
3. 「농지법」 제2조제1호나목에 따른 농막을 건축하는 경우 <신설 2016.1.19.>

② 건축물의 대지가 접하는 도로의 너비, 대지가 도로에 접하는 부분의 길이, 그 밖에 대지와 도로의 관계에 관하여 필요한 사항은 대통령령으로 정하는 바에 따른다.

영 제28조【대지와 도로의 관계】

① 법 제44조제1항제2호에서 "대통령령으로 정하는 공지"란 광장, 공원, 유원지, 그 밖에 관계 법령에 따라 건축이 금지되고 공중의 통행에 지장이 없는 공지로서 허가권자가 인정한 것을 말한다.

② 법 제44조제2항에 따라 연면적의 합계가 2천 제곱미터(공장인 경우에는 3천 제곱미터) 이상인 건축물(축사, 작물 재배사, 그 밖에 이와 비슷한 건축물로서 건축조례로 정하는 규모의 건축물은 제외한다)의 대지는 너비 6미터 이상의 도로에 4미터 이상 접하여야 한다.

해설 대지는 건축물이 축조되는 토지로서 건축물이 들어설 경우 사람과 차량의 출입이 원활하여야 한다. 또한 재해발생시 피난 및 소화활동에 지장이 없어야 한다. 따라서 모든 대지는 최소 2m 이상을 도로에 접하여야 하며, 건축물의 규모나 대지조건에 따라 도로의 너비 및 대지에 접하는 부분의 길이 등을 확보하여야 한다.

■ 대지와 도로의 관계

대상 건축물	대지가 접해야 할 도로	
	도로너비	접하는 부분의 길이
• 모든 건축물	• 도로(4m 이상) • 막다른 도로 -자동차만의 통행에 사용되는 도로 제외	2m 이상
• 연면적 합계가 2,000㎡ 이상인 건축물 • 공장 : 3,000㎡ 이상인 건축물 (축사, 작물 재배사 등으로서 건축조례로 정하는 규모의 건축물은 제외)	• 6m 이상의 도로	4m 이상

예외
- 해당 건축물의 출입에 지장이 없다고 인정하는 경우
- 건축물의 주변에 광장·공원·유원지 그 밖에 관계법령에 따라 건축이 금지되고 공중의 통행에 지장이 없는 공지로서 허가권자가 인정하는 공지가 있는 경우
- 「농지법」에 따른 농막을 건축하는 경우

건 축 법
1. 총 칙
2. 건 축
3. 유지관리
4. 대지도로
5. 구조재료
6. 지역지구
7. 건축설비
8. 특별건축구역
9. 보 칙
10. 벌 칙
건 축 법 관련기준

■ 대지와 도로의 관계(그림해설)

일반도로의 경우		막다른 도로의 경우	연면적 합계 2,000㎡(공장:3,000㎡) 이상인 건축물의 대지
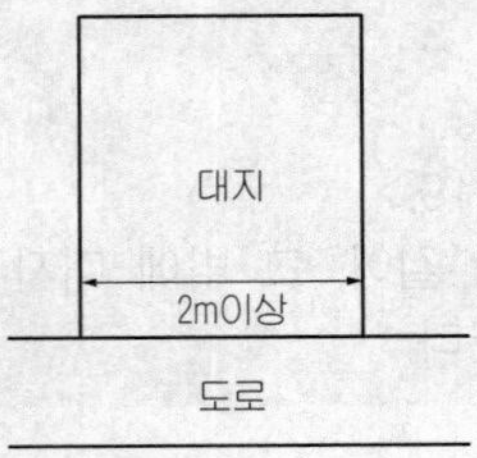 대지 2m이상 도로	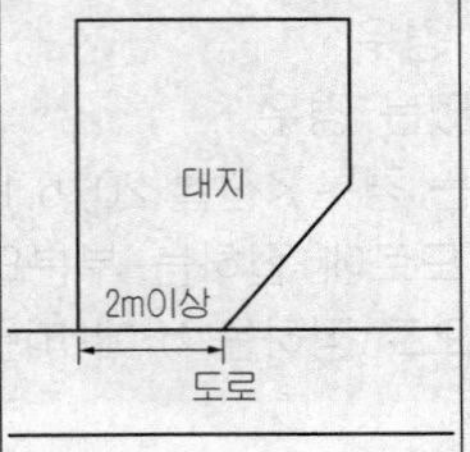 대지 2m이상 도로	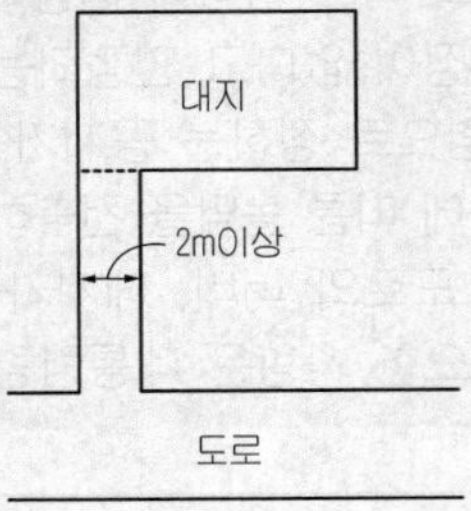 대지 2m이상 도로	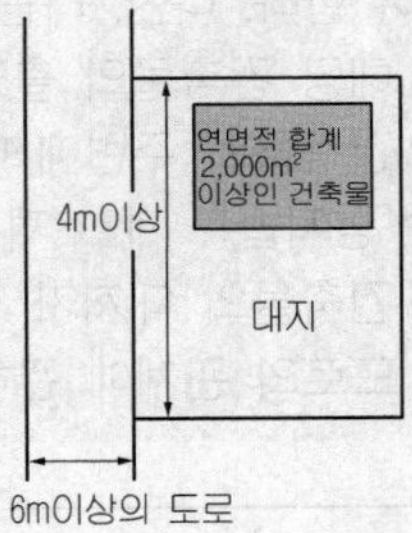 연면적 합계 2,000㎡ 이상인 건축물 4m이상 대지 6m이상의 도로
대지는 도로에 2m 이상 접하여야 함 (자동차만의 통행에 사용되는 도로를 제외)			6m 이상의 도로에 4m 이상 접하여야 함

6 도로의 지정·폐지 또는 변경(법 제45조)(규칙 제26조의4)

법 제45조【도로의 지정·폐지 또는 변경】

① 허가권자는 제2조제1항제11호나목에 따라 도로의 위치를 지정·공고하려면 국토교통부령으로 정하는 바에 따라 그 도로에 대한 이해관계인의 동의를 받아야 한다. 다만, 다음 각 호의 어느 하나에 해당하면 이해관계인의 동의를 받지 아니하고 건축위원회의 심의를 거쳐 도로를 지정할 수 있다.

1. 허가권자가 이해관계인이 해외에 거주하는 등의 사유로 이해관계인의 동의를 받기가 곤란하다고 인정하는 경우
2. 주민이 오랫 동안 통행로로 이용하고 있는 사실상의 통로로서 해당 지방자치단체의 조례로 정하는 것인 경우

② 허가권자는 제1항에 따라 지정한 도로를 폐지하거나 변경하려면 그 도로에 대한 이해관계인의 동의를 받아야 한다. 그 도로에 편입된 토지의 소유자, 건축주 등이 허가권자에게 제1항에 따라 지정된 도로의 폐지나 변경을 신청하는 경우에도 또한 같다.

③ 허가권자는 제1항과 제2항에 따라 도로를 지정하거나 변경하면 국토교통부령으로 정하는 바에 따라 도로관리대장에 이를 적어서 관리하여야 한다.

규칙 제26조의4【도로관리대장 등】

법 제45조제2항 및 제3항에 따른 도로의 폐지·변경신청서 및 도로관리대장은 각각 별지 제26호서식 및 별지 제27호서식과 같다.

해설 허가권자는 건축허가 또는 신고시 도로의 위치를 지정·공고하는 경우 이해관계인의 동의를 얻어야 하며, 허가시 지정된 도로의 폐지·변경시도 마찬가지로 통행에 지장이 없는 범위 내에서 이해관계인의 동의를 받아야 한다. 또한 도로대장에 이를 기재하고 관리하여야 한다.

■ 도로의 지정·폐지 및 변경

구 분		내 용	기 타
도로의 지정·공고	대상	건축허가시 허가권자가 그 위치를 지정한 도로	허가권자는 도로를 지정 또는 변경한 경우 도로 관리대장에 이를 기재하고 관리하여야 함
	절차	이해관계자의 동의를 얻어 지정·공고	
	예외	다음의 경우 이해관계자의 동의를 받지 아니하고 건축위원회의 심의를 거쳐 도로로 지정할 수 있다. 1. 허가권자가 이해관계인이 해외에 거주하는 등 이해관계인의 동의를 받기가 곤란하다고 인정하는 경우 2. 주민이 오랫동안 통행로로 이용하고 있는 사실상의 통로로서 해당 지방자치단체의 조례로 정하는 것인 경우	
도로의 폐지·변경	대상	건축허가시 허가권자가 그 위치를 지정한 도로	
	절차	이해관계인의 동의를 얻어 폐지 또는 변경	
• 도로에 편입된 토지소유자, 건축주 등이 허가권자에게 도로의 폐지·변경신청의 경우 이해관계인의 동의를 얻어야 한다.			

건축법
1. 총 칙
2. 건 축
3. 유지관리
4. 대지도로
5. 구조재료
6. 지역지구
7. 건축설비
8. 특별건축구역
9. 보 칙
10. 벌 칙
건축법 관련기준

7 건축선(법 제46조)(영 제31조)

법 제46조【건축선의 지정】

① 도로와 접한 부분에 건축물을 건축할 수 있는 선[이하 "건축선(建築線)"이라 한다]은 대지와 도로의 경계선으로 한다. 다만, 제2조제1항제11호에 따른 소요 너비에 못 미치는 너비의 도로인 경우에는 그 중심선으로부터 그 소요 너비의 2분의 1의 수평거리만큼 물러난 선을 건축선으로 하되, 그 도로의 반대쪽에 경사지, 하천, 철도, 선로부지, 그 밖에 이와 유사한 것이 있는 경우에는 그 경사지 등이 있는 쪽의 도로경계선에서 소요 너비에 해당하는 수평거리의 선을 건축선으로 하며, 도로의 모퉁이에서는 대통령령으로 정하는 선을 건축선으로 한다.

② 특별자치시장 · 특별자치도지사 또는 시장 · 군수 · 구청장은 시가지 안에서 건축물의 위치나 환경을 정비하기 위하여 필요하다고 인정하면 제1항에도 불구하고 대통령령으로 정하는 범위에서 건축선을 따로 지정할 수 있다. <개정 2014.1.14>

③ 특별자치시장 · 특별자치도지사 또는 시장 · 군수 · 구청장은 제2항에 따라 건축선을 지정하면 지체 없이 이를 고시하여야 한다. <개정 2014.1.14>

영 제31조【건축선】

① 법 제46조제1항에 따라 너비 8미터 미만인 도로의 모퉁이에 위치한 대지의 도로모퉁이 부분의 건축선은 그 대지에 접한 도로경계선의 교차점으로부터 도로경계선에 따라 다음의 표에 따른 거리를 각각 후퇴한 두 점을 연결한 선으로 한다.

(단위 : 미터)

도로의 교차각	해당 도로의 너비		교차되는 도로의 너비
	6이상 8미만	4이상 6미만	
90° 미만	4	3	6이상 8미만
	3	2	4이상 6미만
90° 미만 120° 미만	3	2	6이상 8미만
	2	2	4이상 6미만

② 특별자치시장 · 특별자치도지사 또는 시장 · 군수 · 구청장은 법 제46조제2항에 따라 「국토의 계획 및 이용에 관한 법률」 제36조제1항제1호에 따른 도시지역에는 4미터 이하의 범위에서 건축선을 따로 지정할 수 있다. <개정 2014.10.14.>

③ 특별자치시장 · 특별자치도지사 또는 시장 · 군수 · 구청장은 제2항에 따라 건축선을 지정하려면 미리 그 내용을 해당 지방자치단체의 공보(公報), 일간신문 또는 인터넷 홈페이지 등에 30일 이상 공고하여야 하며, 공고한 내용에 대하여 의견이 있는 자는 공고기간에 특별자치시장 · 특별자치도지사 또는 시장 · 군수 · 구청장에게 의견을 제출(전자문서에 의한 제출을 포함한다)할 수 있다. <개정 2014.10.14.>

해설 건축선은 건축물을 건축할 수 있는 선으로서 원칙적으로 대지와 도로의 경계선으로 한다.
또한,
① 구시가지 등의 소요 너비에 못 미치는 너비의 도로에 있어 도로너비의 확보
② 도로모퉁이에서의 시야확보
③ 시가지의 건축물의 위치를 정비하거나 환경을 정비하기 위해 따로 건축선이 지정될 수 있다.
①, ②의 경우 건축선과 도로경계선 사이의 부분은 용적률, 건폐율 등의 「건축법」을 적용시키기 위한 대지면적에서 제외되고, ③의 경우 건축은 할 수 없으나(지하부분 제외) 대지면적에 산입하여 「건축법」을 적용한다.

■ 건축선

구 분	내 용
정의	도로와 접한 부분에 있어서 건축물을 건축할 수 있는 선
원칙	대지와 도로의 경계선으로 함 (그림: 대지 / 도로 / 대지, 대지와 도로의 경계선(건축선), 〈소요폭이상〉)
소요너비에 못 미치는 도로에서의 건축선*	일반 / 경사지, 하천, 철도, 선로부지 등 / 막다른 도로의 경우 (그림) ■부분 : 건축법상의 대지면적에서 제외됨

도로모퉁이 부분의 건축선*

대상: 너비 8m 미만인 도로의 모퉁이에 위치한 대지

도로의 교차각	해당 도로의 너비(A 또는 B) 6m 이상 8m 미만	해당 도로의 너비(A 또는 B) 4m 이상 6m 미만	교차되는 도로의 너비(B 또는 A)
90° 미만	4m	3m	6m 이상 8m 미만
90° 미만	3m	2m	4m 이상 6m 미만
90° 이상 120° 미만	3m	2m	6m 이상 8m 미만
90° 이상 120° 미만	2m	2m	4m 이상 6m 미만

구 분	내 용	도시지역내
지정건축선	특별자치시장·특별자치도지사 또는 시장·군수·구청장은 도시지역에 4m 이내의 범위에서 건축선을 따로 지정할 수 있음	(그림) ■부분 : 「건축법」 적용을 위한 대지면적에 포함

건축선 후퇴의 경우

* 건축물 면적, 높이 등 세부 산정기준[국토교통부고시 제2021-1422호, 2021.12.30., 제정/시행 2021.12.30.] 제2편 참조

지정건축선의 예

8 건축선에 의한 건축제한(법 제47조)

법 제47조【건축선에 따른 건축제한】
① 건축물과 담장은 건축선의 수직면(垂直面)을 넘어서는 아니 된다. 다만, 지표(地表) 아래 부분은 그러하지 아니하다.
② 도로면으로부터 높이 4.5미터 이하에 있는 출입구, 창문, 그 밖에 이와 유사한 구조물은 열고 닫을 때 건축선의 수직면을 넘지 아니하는 구조로 하여야 한다.

해설 건축선은 '건축물을 건축할 수 있는 선'이라고 앞에서 정의한 바 있다. 따라서 건축선을 넘어 건축할 수 없다. 반면에 도로의 너비를 확보하기 위하여 후퇴한 부분과 시가지정비를 위하여 건축선을 후퇴한 부분에 대해서 지표아래에서는 건축할 수 있으며, 도로면으로부터 높이 4.5m 이하의 부분의 출입문·창문 등은 열고 닫을 때에도 건축선의 수직면을 넘지 않는 구조로 하여 통행에 지장을 주지 않아야 한다.

건축선에 의한 건축제한

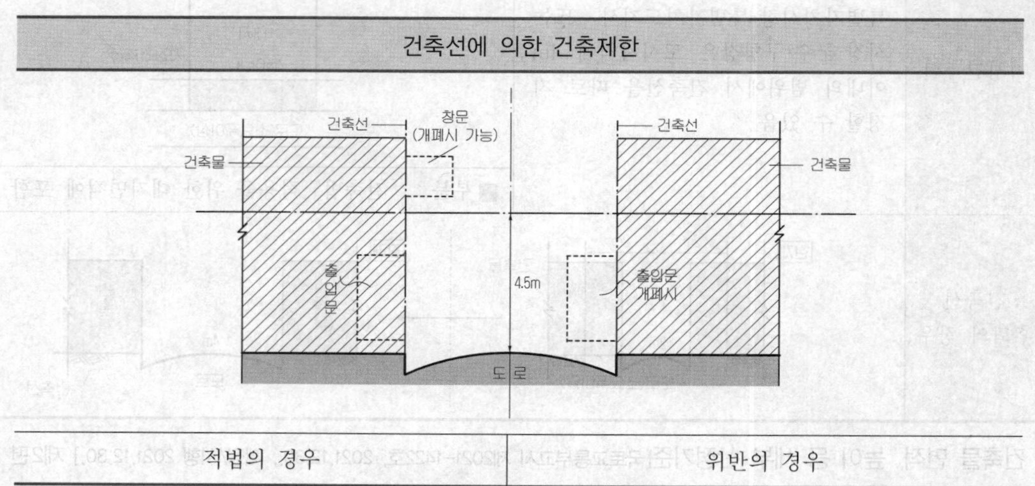

적법의 경우	위반의 경우

9 질의회신 · 법령해석

■ 목차

1 대지의 안전

질의회신 대지 재조성시 인접대지 지표면보다 0.5미터 이하로 성토 여부

건교부 건축기획팀-481. 2006.1.25.

질의 허가를 받아 건축하던 중 대지를 다시 조성하고자 하는 경우

가. 대지의 높이를 인접대지의 지표면보다 0.5미터 이하로 조성하여야 하는지?

나. 조성될 지표면을 기준으로 하여 지하층과 건축법 제53조의 규정에 적합한 건축물 각 부분의 높이를 다시 산정하여야 하는지?

회신 가. 건축법시행규칙 제25조 관련 동 규칙 별표6 제6호에 의하면 성토부분의 높이는 동법 제30조의 규정에 의한 대지의 안전 등에 지장이 없는 한 인접대지의 지표면보다 0.5미터 이상 높게 하지 아니하되 다만, 절토 등에 의하여 조성된 대지 등 시장·군수·구청장이 지형조건상 부득이 하다고 인정하는 경우에는 그러하지 아니하는 것임.

나. 질의의 경우 새로이 조성되는 지표면에 따라 건축법 제2조제1항제4호 및 동법 제53조 등 건축법령의 기준을 적용하여야 할 것임 (* 법 제30조, 제53조 ⇒ 제40조, 제61조, 2008.3.21 개정)

질의회신 대지를 인접대지보다 0.5m 넘게 성토 가능 여부

건교부 건축 58070-794. 2002.4.9.

질의 건축하고자하는 대지를 인접대지 지표면보다 0.5미터 넘게 성토할 수 있는지 여부

회신 건축법시행규칙 제25조 및 건축법시행규칙 별표6 제6호에 의하여 성토부분의 높이는 건축법 제30조의 규정에 의한 대지의 안전 등에 지장이 없는 한 인접대지의 지표면보다 0.5미터 이상 높게 할 수 없으나, 절토에 의하여 조성된 대지 등 시장·군수·구청장이 지형조건상 부득이하다고 인정하는 경우에는 그러하지 아니할 수 있는 것이니, 문의의 경우에 대한 성토 가능여부는 성토내용·방법·인접대지현황 등을 고려하여 당해 허가권자가 판단하여야 할 것임 (* 법 제30조 ⇒ 제40조, 2008.3.21 개정)

질의회신 대지 주변 경사지의 조치

건교부 건축기획팀-1533. 2005.11.24.

질의 건축허가를 받은 대지 주변이 경사지로서 붕괴 등이 우려되는 경우 조치

회신 손궤의 우려가 있는 토지에 대지를 조성하고자 하는 경우에는 건축법 제30조제4항의 규정에 의거 동법

시행규칙 제25조의 규정에 의하여 옹벽을 설치하거나 기타 필요한 조치를 하여야 하는 것이며 또한 건축허가를 받은 후에 옹벽을 축조하고자 하는 경우에는 법 제10조의 규정에 의하여 축조하기 전에 신고를 하여야 할 것임 (* 법 제10조, 제30조 ⇒ 제16조, 제40조, 2008.3.21 개정)

질의회신 경사진 대지의 성토 가능 여부

건교부 건축 58070-323. 2002.2.14.

질의 경사진 도로와 접한 동일한 경사를 가진 대지면을 평탄하게 하기 위하여 대지의 낮은 면을 85센티미터 성토(높은 면과 동일하게 성토)하여 건축허가를 득한 경우에도 건축법시행규칙 별표6 제6호의 규정을 적용하여야 하는지 여부

회신 건축법시행규칙 별표6 제6호의 규정에 의하여 성토부분의 높이는 건축법 제30조의 규정에 의한 대지의 안전 등에 지장이 없는 한 인접대지의 지표면보다 50센티미터 이상 높게 하지 아니하도록 하고 있으나, 문의의 경우와 같이 경사진 대지를 평탄하게 조성하는 것은 대지의 안전성을 확보하기 위한 것이므로 상기 규정에 관계없이 성토가 가능한 것임 (* 법 제30조 ⇒ 제40조, 2008.3.21 개정)

질의회신 옹벽 등의 구조 안전 조치

건교부 건축과-766. 2004.2.27.

질의 가. 건축법 제30조제4항 및 같은법 시행규칙 제25조의 규정에 의하여 옹벽을 조성하는 경우 같은법 시행규칙 별표6의 규정에 적합하여야 하는지 여부

나. 건축법시행규칙 제25조 단서에서 건축사 또는 건축구조기술사에 의한 구조안전이 확인된 경우 동 규칙 동 조각호의 조치를 하지 아니할 수 있도록 규정하고 있는 바, 옹벽 등이 시공 후 동 규정에 의한 구조안전 확인 조치를 하는 것도 가능한지 여부

회신 가. 건축법 제30조 및 같은법 시행규칙 제25조의 규정에 의하여 손궤의 우려가 있는 대지를 조성하기 위하여 축조하는 옹벽은 같은법 시행규칙 별표6의 기준에 적합하여야 할 것이며,

나. 건축법시행규칙 단서조항에 의한 건축사 또는 건축구조기술사의 구조안전확인 조치는 원칙적으로 옹벽 등의 공사 시공 전에 하여야 하는 것임 (* 법 제30조 ⇒ 제40조, 2008.3.21 개정)

질의회신 옹벽 높이가 5m 이상인 경우 석축인 옹벽 축조 가능 여부

건교부 건축 58070-4198. 1999.10.28.

질의 산을 절토하여 대지조성시 현장에서 생산된 발파석으로 높이 2.3~7.5미터의 옹벽을 축조함에 있어 구조물안전진단 결과 안전한 경우 건축법 제30조 및 같은법시행규칙 제25조의 규정에 적합한 것으로 볼 수 있는지

회신 건축법시행규칙 제25조 제2호의 규정에 의하여 옹벽의 높이가 3미터 이상인 경우에는 이를 콘크리트구조로 하여야 하는 것이나 별표 6의 옹벽에 관한 기술적 기준에 적합대지의 안전 등에 지장이 없다고 구조기술사 등 전문가가 확인하고 허가권자가 인정하는 경우에는 동 규정에 적합한 것으로 볼 수도 있을 것으로 사료됨 (* 법 제30조 ⇒ 제40조, 2008.3.21 개정)(※콘크리트구조로 하여야 하는 옹벽의 높이가 '3m 이상'에서 '2m 이상'으로 개정됨 2013.11.28)

질의회신 성토 및 절토면의 구배에 따른 옹벽설치여부

건교부 건축 58070-2046, 1999.6.3.

질의 절토면의 구배를 1 : 1로 하고, 성토면의 구배는 1 : 1.5로 하는 경우 경사도가 1 : 1.5 이상이면 토질에 관계없이 무조건 옹벽을 설치해야 하는지

회신 건축법 제30조 제4항 및 동법시행규칙 제25조 제1호('99. 5. 9 시행 건축법시행령 개정 전에는 동령 제26조 제1호)의 규정에 의거 성토 또는 절토하는 부분의 경사도가 1 : 1.5 이상으로서 높이가 1m 이상인 부분은 옹벽을 설치하여야 하는 것임 (* 법 제30조 ⇒ 제40조, 2008.3.21 개정)

2 대지안의 조경

법령해석 조경 의무면적 위반 시 이행강제금의 산정 기준

「건축법」 제42조 등 관련 법제처 법령해석 09-0113, 2009.5.19./건축사협회 수정게시 2022.9.19.

질의요지 「건축법 시행령」 별표 15, 제3호에 해당하는 건축물의 이행강제금과 관련하여, "위반한 조경 의무면적에 해당하는 바닥면적"은 위반면적인지, 아니면 조경 의무면적 대비 위반면적 비율을 연면적에 곱하여 산출한 면적인지?

회답 「건축법 시행령」 별표 15 제3호에 해당하는 건축물에 대한 이행강제금에 있어서 "위반한 조경의무면적에 해당하는 바닥면적"은 위반면적을 말함.

이유 「건축법 시행령」 별표 15 제3호에서는 위반한 "조경의무면적에 해당 하는"이라고 명시적으로 규정하고 있고 위반한 "조경의무면적의 비율에 해당하는" 등으로 규정하고 있지 않은 점과, 같은 영 제119조제1항제4호에서 연면적은 하나의 건축물의 각 층의 바닥면적의 합계라고 규정하고 있어 연면적과 바닥면적은 법령상 명확히 구분되는 개념이므로, 같은 영 별표 15 제3호에서 위반한 조경의무면적에 해당하는 바닥면적이라고 규정하면서 이에 대한 예외를 두고 있지 않은데도 불구하고 이를 연면적으로 보아 이행강제금을 산출할 법령상 근거가 전혀 없는 점에서 볼 때, "위반한 조경의무면적에 해당하는 바닥면적"이란 대지의 조경에 관한 규정인 「건축법」 제42조제1항 및 위 규정에 따른 지방자치단체의 조례 등을 위반한 면적 자체를 말하는 것이라고 할 것임.

질의회신 오솔길 · 조형물 · 광장 및 분수대 부분을 증축시 조경면적에 산입 여부

국토교통부 민원마당 FAQ 2019.5.24.

질의 기존건축물 신축시 조경면적 산정에서 제외되었던 오솔길·조형물·광장 및 분수대 부분을 증축시 조경면적에 포함할 수 있는 지?

회신 건축법 제32조 제2항의 규정에 의하여 고시된 조경기준(건설교통부고시 제2000-159호) 제3조 제4호의 규정에 의한 조경시설공간에 설치한 조경시설(조경과 관련된 파고라·벤치·조각물·정원석·분수대·휴게·여가·수경·관리 및 기타 이와 유사한 것으로 설치되는 시설, 생태연못 및 하천 등)은 조경면적에 포함할 수 있는 것이니 적용비율 등 구체적인 사항은 허가권자에게 문의 바람(*법 제32조 ⇒ 제42조, 2008.3.21 개정)

질의회신 조경시설 관련

국토교통부 민원마당 FAQ 2019.5.24.

질의 조경기준 제4조 조경면적산정 관련질문임.

대지면적의 비율로 산정한 조경면적이 12㎡ 일경우 식재면적은 한변 1M이상 1㎡이상임으로 6㎡/ 6㎡로 두 곳으로 나누어 식재할 수 있는지? 아니면 3항에 따라 하나의 조경시설공간의 면적은 10㎡ 이상이어야 한다는 조항에 따라 12㎡를 한곳에 식재해야 하는지?

회신 건축법 제42조의 규정에 따르면 면적 200㎡ 이상인 대지에 건축을 하는 건축주는 용도지역 및 건축물의 규모에 따라 당해 지방자치단체의 조례가 정하는 기준에 따라 대지 안에 조경 기타 필요한 조치를 하여야 하며, 조경기준 제4조를 보면 조경면적은 식재된 부분의 면적과 조경시설공간의 면적을 합한 면적으로 산정하며, 하나의 식재면적은 한 변의 길이가 1m 이상으로서 1㎡ 이상이어야 하며, 하나의 조경시설공간의 면적은 10㎡ 이상이어야 하는 바, 조경시설공간이 10㎡ 이하인 경우에는 조경면적으로 인정받을 수 없을 것으로 사료됨

질의회신 옥상조경 질의

국토교통부 민원마당 FAQ 2019.5.24.

질의 옥상조경 기준?

회신 건축법 제42조의 규정에 따르면 면적 200제곱미터 이상인 대지에 건축을 하는 건축주는 용도지역 및 건축물

의 규모에 따라 당해 지방자치단체의 조례가 정하는 기준에 따라 대지 안에 조경 기타 필요한 조치를 하여야 하며, 조경기준 제4조를 보면 조경면적은 식재된 부분의 면적과 조경시설공간의 면적을 합한 면적으로 산정하며, 식재면적은 당해 지방자치단체의 조례에서 정하는 조경면적(이하 "조경의무면적"이라 한다)의 100분의 50 이상(이하 "식재의무면적"이라 한다)이어야 함.

건축법시행령 제27조제3항을 보면 건축물의 옥상에 법 제42조제2항에 따라 국토해양부장관이 고시하는 기준에 따라 조경이나 그 밖에 필요한 조치를 하는 경우에는 옥상부분 조경면적의 3분의 2에 해당하는 면적을 법 제42조제1항에 따른 대지의 조경면적으로 산정할 수 있으며, 이 경우 조경면적으로 산정하는 면적은 법 제42조제1항에 따른 조경면적의 100분의 50을 초과할 수 없음

질의회신 자연녹지지역에 건축하는 경우 조경면제 기준

건교부건축기획팀-534, 2006.1.27.

질의 자연녹지지역에 건축하는 건축물에 대하여는 건축법 제32조제1항 단서규정에 의하여 조경등의 조치를 하지 아니할 수 있는데, 지방자치단체의 조례에 규정이 있다하여 동단서 규정에 상관없이 조경 등의 조치를 하도록 할 수 있는 지 여부

회신 건축법 제32조제1항 단서규정 및 동시행령 제27조제1항제1호 규정에 의해 녹지지역에 건축하는 건축물에 대하여는 조경 등의 조치를 하지 아니할 수 있는 것이며, 동규정은 건축법에서 지방자치단체의 조례로 위임한 규정이 아닌 바, 다른 법령 근거가 없다면 조례로서 별도로 기준을 정하여 운용할 수 있는 규정이 아님

(* 법 제32조 ⇒ 제42조, 2008.3.21 개정)

질의회신 너비 1m미만부분의 조경면적 산입여부

건교부 건축 58550-2, 2003.1.2.

질의 가. 건설교통부고시 조경기준 제4조제2호에 하나의 식재면적은 한변의 길이가 1미터이상으로서 1제곱미터 이상이어야 한다고 규정하고 있는 바, 대지내 0.5m×78m(너비×길이)로 식재되어 있는 부분의 면적을 식재면적으로 산정할 수 있는지 여부

나. 건설교통부고시 조경기준 제4조에 조경면적은 식재된 부분의 면적과 조경시설공간의 면적을 합한 면적으로 산정하도록 하고 있는 바, 대지 일부면의 경사로 인하여 도면상 조경부분의 수평투영면적이 실제 조경을 한 부분의 면적보다 적은 경우, 경사진 대지내 실제로 조경을 한 부분의 면적을 조경면적으로 산정할 수 있는지 여부

회신 가. 건설교통부고시 조경기준 제4조제2호의 규정 중 '한변의 길이가 1미터이상'이라 함은 식재하고자 하는 부분의 최소변의 길이를 1미터이상으로 하여야 한다는 의미이므로 가로 및 세로 각각 1미터 이상이 되어야 하는 것이며,

나. '조경면적'은 식재된 부분과 조경시설공간의 수평투영면적의 합으로 산정하여야 할 것임

질의회신 토지의 일부분을 형질변경허가를 받아 건축한 경우 형질변경범위 외의 토지에 조경을 할 수 있는지

건교부 건축 58070-2230, 1999.6.15.

질의 토지의 일부를 형질변경 허가를 받아 건축할 경우 건폐율·용적률 등의 산정을 위한 대지면적의 범위. 즉, 형질변경을 받는 범위 이외의 토지에 조경을 설치할 경우에도 조경면적에 포함시킬 수 있는지.

회신 '99.5.9부터 시행된 개정 건축법 제2조 제1항 제1호 단서 및 동법시행령 제3조 제2항의 규정에 의하면 1이상의 필지의 일부를 형질변경허가 등을 받은 경우 그 허가를 받은 부분의 토지도 '대지'로 볼 수 있는 것으로서, 건축법 제32조의 규정에 의한 조경시설의 설치는 동 대지의 범위 안에 해야 하는 것임

(* 법 제32조 ⇒ 제42조, 2008.3.21 개정)

질의회신 수직증축시 조경을 설치하여야 하는지

건교부 건축 58070-1003, 1999.3.22.

질의 가. 수직증축만 하는 경우에도 조경을 해야 하는지
나. 건축물 실측 면적이 건축물대장 상 면적보다 클 경우 건폐율 적용기준

회신 가. 건축법 제32조 및 동법시행령 제27조의 규정에 의거 건축조례가 정하는 용도지역 및 규모의 건축물은 당해 건축조례가 정하는 바에 따라 식수 등 조경에 필요한 조치를 해야 하는 것이며,
나. 건폐율은 대지면적에 대한 건축면적의 비율로서 이는 토지대장·건축물대장 등 공부상 면적을 기준으로 적용하는 것임 (* 법 제32조 ⇒ 제42조, 2008.3.21 개정)

3 공개공지의 확보

법령해석 공개 공지 설치 의무 대상의 판단 기준이 되는 "해당 용도로 쓰는 바닥면적"의 산정방법

「건축법 시행령」 제27조의2제1항제1호 등 관련 법제처 법령해석 21-0640, 2021.11.18./건축사협회 수정게시 2022.7.28.

질의요지 「건축법 시행령」 제27조의2제1항제1호에 따른 문화 및 집회시설 등으로서 "해당 용도로 쓰는 바닥면적"을 산정할 때 부설 주차장의 면적을 포함(부설 주차장의 면적을 비례 배분하여 포함하는 것을 의미)해야 하는지 여부

회답 「건축법 시행령」 제27조의2제1항제1호에 따른 문화 및 집회시설 등으로서 "해당 용도로 쓰는 바닥면적"을 산정할 때 부설 주차장의 면적을 포함해야 함

이유 「건축법 시행령」 제2조제13호에서는 "부속용도"를 건축물의 주된 용도의 기능에 필적인 용도로 정의하면서 같은 호 나목에서 주차 용도를 부속용도의 하나로 규정하고 있는바, 같은 영에서의 "용도"는 그 의미를 한정하는 특별한 규정이 없는 한, 주차 등 부속용도를 포함하는 의미로 보는 것이 원칙이며, 같은 호에서 건축물의 규모에 따라 공개공지등을 설치하도록 규정한 것은 도심에서 불특정 다수인이 이용하는 대형 건축물에 일반 대중이 환경친화적으로 편리하게 이용할 수 있는 공간을 확보하기 위한 취지라는 점에 비추어 볼 때, 공개공지등의 설치 의무 대상 건축물인지의 판단 기준이 되는 "해당 용도로 쓰는 바닥면적"을 산정할 때 부설 주차장의 면적이 제외된다고 보기는 어려움

법령해석 인천광역시장이 도시화의 가능성이 크다고 인정하는 지역을 지정·공고할 수 있는지 여부 등

「건축법」 제43조 등 관련 법제처 법령해석 14-0591, 2014.10.14./건축사협회 수정게시 2022.9.19.

질의요지 가. 인천광역시장이 「건축법」 제43조제1항제4호에 따라 도시화의 가능성이 크다고 인정하는 지역을 지정·공고할 수 있는지 여부
나. 인천광역시 남구청장이 인천광역시 남구, 서구, 부평구에 걸쳐 있는 국가산업단지인 한국수출산업단지(주안) 중 남구에 해당하는 지역에 대해서 「건축법」 제43조제1항제4호에 따라 도시화의 가능성이 크다고 인정하는 지역으로 지정·공고할 수 있는지 여부

회답 가. 인천광역시장은 「건축법」 제43조제1항제4호에 따라 도시화의 가능성이 크다고 인정하는 지역을 지정·공고할 수 없다고 할 것임
나. 인천광역시 남구청장은 인천광역시 남구, 서구, 부평구에 걸쳐 있는 국가산업단지인 한국수출산업단지(주안) 중 남구에 해당하는 지역에 대해 「건축법」 제43조제1항제4호에 따라 도시화의 가능성이 크다고 인정 하는 지역으로 지정·공고할 수 있다고 할 것임

이유 가. 「건축법」 제43조제1항제4호에서 도시화의 가능성이 크다고 인정하는 지역을 지정·공고하는 주체를 특별자치시장·특별자치도지사 또는 시장· 군수·구청장으로 정하고 있으므로, 법 문언에 따라 인천광역시장은 같은 호에 따른 지정·공고의 권한이 없다고 할 것임.

나. 「건축법」 제43조 및 같은 법 시행령 제27조의2에 따르면 특별자치 시장·특별자치도지사 또는 시장·군수·구청장은 도시화의 가능성이 크다고 인정하는 지역에 대해서는 공개공지등을 설치하여야 하는 지역으로 지정·공고할 수 있고, 그 밖에 지정·공고를 위한 다른 요건이나 제한 사항이 규정되어 있지 않으므로, 시장·군수·구청장은 관할 구역 내에서의 같은 법 제43조제4호에 따른 지정·공고 행위에 대한 재량권을 가진다고 할 것임.

법령해석 공개공지관련 용적률 및 높이기준 완화 적용 여부

법제처 법령해석 06-0115, 2006.6.7.

질의요지 「건축법」 제67조제2항 및 동법 시행령 제113조제4항의 규정에 의하면, 공개공지 또는 공개공간을 설치하는 경우에는 동법 제48조(용적률) 및 제51조(높이제한)의 기준을 동법 시행령 제113조제4항 각호의 범위안에서 건축조례가 정하는 바에 따라 완화하여 적용할 수 있도록 하고 있는바, 건축조례가 이러한 사항을 정하지 아니한 경우 동법 시행령 제113조제4항 각호의 규정대로 용적률 및 높이 기준을 완화하여 적용할 수 있는지 여부

회답 공개공지 등을 설치하더라도 건축조례로 용적률 및 높이 기준의 완화에 대하여 정하지 아니한 경우 「건축법 시행령」 제113조제4항 각호의 규정에 의하여 건축물의 용적률 및 높이 기준을 완화하여 적용할 수 없음

이유 ○ "생략" (* 법 제47조, 제48조, 제51조, 제67조 ⇒ 제55조, 제56조, 제60조, 제43조 2008.3.21 개정) (* 영 제113조 ⇒ 제27조의2, 2008.2.22 개정)

질의회신 조경면적에 공개공지 면적을 포함시킬 수 있는 지 여부

국토교통부 민원마당 FAQ 2019.5.24.

질의 바닥면적의 합계가 5천제곱미터 이상인 건축물로서 공개공지 등의 설치대상이 아닌 건축물에 공개공지 등을 설치할 경우 조경면적에 공개공지 면적을 포함시킬 수 있는 지 여부

회신 건축법 제43조 및 같은법시행령 제27조의2 제2항에 따르면 공개공지 등의 면적은 대지면적의 100분의 10 이하의 범위에서 건축조례로 정하며, 이 경우 법 제32조(현행 제42조)에 따른 조경면적을 공개공지등의 면적으로 할 수 있다고 규정하고 있는 바,

바닥면적의 합계가 5천제곱미터 이상인 건축물로서 공개공지 등의 설치대상이 아니라 하더라도 같은법 시행령 제27조의2 제2항 및 제3항에 적합한 공개공지를 설치하는 경우에는 조경면적에 공개공지의 면적을 포함시킬 수 있을 것으로 판단됨

질의회신 공개공지 설치에 따른 적용완화 여부

국토교통부 민원마당 FAQ 2019.5.24.

질의 건축법 제43조 및 같은 법 시행령 제27조의2 규정에 의한 공개공지 확보에 따른 용적률 완화(법정 용적률 1.2배 이하) 규정 적용과 관련하여

가. 도시계획시설 결정(공공청사-국토의 계획 및 이용에 관한 법률 제78조 "용도지역 안에서의 용적률"에 의거 용적률 250%로 받음)을 받은 대지에 건축법 제43조 및 같은법 시행령 제27조의2에 의한 공개공지 확보에 따른 용적률 완화(법정용적률 1.2배 이하)를 적용할 수 있는 지

나. 국토의 계획 및 이용에 관한 법률 제51조 "지구단위계획의 지정 등"에 따라 지구단위계획으로 지정된 구역 내에서 상기 규정에 따른 용적률 완화를 적용할 수 있는 지 여부

회신 건축법 제56조에 따르면 건축물의 용적률 최대한도는 국토의 계획 및 이용에 관한 법률(이하 "국계법") 제78조에 따른 용적률의 기준에 의하되, 건축법에서 그 기준을 완화 또는 강화하여 적용하도록 규정한 경우에는 그에 의하도록 하고 있는 바, 이는 국계법 제78조에 따른 용도 지역별 용적률에 관한 특례규정에 해당하는 것임

(질의 "가"에 대하여) 국계법 제43조에 의한 도시계획시설 결정은 같은 법 제78조 "용도지역 안에서의 용적률"을 적용하여 규모를 결정한 사항이므로 상기와 같이 특례규정을 적용하여 건축법 제43조에 따라 공개공지나 공개공간을 설치하는 경우 용적률 기준을 100분의 120의 범위 안에서 대통령령이 정하는 비율로 완화 받을 수 있음

(질의 “나”에 대하여) 건축법 제43조의 규정은 국계법 제78조에 따른 용도지역별 용적률에 관한 특례적용 대상으로써, 지구단위계획으로 정한 지구단위계획구역에 적용될 용적률 기준을 규정하고 있는 국계법 제52조에 관한 특례는 아니라고 할 것인 바, 국계법상의 지구단위계획구역 안에서 건축법 제43조 및 같은법 시행령 제27조의2에 의한 공개공지 확보에 따른 용적률 완화(법정용적률 1.2배 이하)를 적용하고자 하는 경우 지구단위계획의 변경 없이 해당 지구단위계획구역의 용적률 기준을 완화하여 적용할 수는 없을 것임

질의회신 공개공지 설치에 따른 적용완화 여부

국토교통부 민원마당 FAQ 2019.5.24.

질의 일반상업지역의 지구단위계획구역안에서 해당 지구단위계획의 지침 등에 용적률에 대한 별도의 규정에 없어 국토의 계획 및 이용에 관한 법률(이하 “국토계획법률”이라 함)상의 일반상업지역에 허용되는 용적률을 적용하고자 할 때, 건축법령에 의한 공개공지를 제공하는 경우 용적률 및 도로사선에 의한 높이제한 등을 완화 받을 수 있는 지

회신 가. 국토계획법률에 따라 지구단위계획구역으로 지정된 경우에는 해당 구역의 건축은 지구단위계획의 내용에 따른 용적률 등을 적용하여야 하는 것이나, 지구단위계획에서 용적률 적용에 대한 구체적인 규정이 없다면 국토계획법률이 정한 허용용적률을 적용하면 될 것임

나. 한편, 건축법 제43조(종전 건축법 제67조)에 따라 공개공지 또는 공개공간을 설치하는 경우에는 건축물의 건폐율, 용적률, 건축물의 높이제한을 대통령령이 정하는 바에 따라 완화 적용할 수 있도록 되어 있고,

다. 건축법 제56조(종전 건축법 제48조, 건축물의 용적률)에 따르면 용적률은 국토계획법률 제78조에 따른 용적률의 기준에 따르되, 다만, 이 법(건축법)에서 기준을 완화하거나 강화하여 적용하도록 규정한 경우에는 그에 따르도록 하고 있음

라. 따라서, 지구단위계획에 용적률에 대한 별도의 규정이 없이 일반적인 용적률을 적용하는 경우로서 건축법 제43조의 규정에 의한 공개공지 등을 설치하는 경우에는 건축법령이 정한 용적률 등의 적용 완화를 받을 수 있을 것이니, 이와 관련한 지구단위계획의 내용 등 구체적인 사항은 그 지구단위계획을 수립·운용하고 있는 허가권자에게 문의하시기 바람

질의회신 공개공지 관련

국토교통부 민원마당 FAQ 2019.5.24.

질의 ○「건축법 시행령」 제27조의2제4항에 따른 공개공지 설치시 건축물의 높이 완화기준을 아래와 같이 공개공지 설치 의무대상 시설의 면적으로 산출하도록 지방자치단체의 조례로 정하였고, 복합용도(의무대상+비의무대상)의 건축물을 건축하는 경우

* [1+ {공개공지등 설치면적-(공개공지 등 설치 의무면적, 의무대상이 아닌 경우에는 대지면적의 5퍼센트)} ÷ 대지면적]× 법60조에 따른 높이제한 기준(1.5)

○ 비의무대상 용도의 면적을 위 산출식의 의무대상 면적에 포함할 수 있는 지와 복합용도 건축물의 완화기준을 조례로 정하지 않은 경우 높이 완화를 받을 수 있는 지 여부

회신 ○ 「건축법 시행령」 제27조의2제2항에 따라 공개공지 등의 면적은 대지면적의 100분의 10이하의 범위에서 건축조례로 정하도록 하고 있고,

같은 조제4항에서 제1항에 따른 건축물(의무대상)과 제1항에 해당되지 아니하는 건축물(비의무대상)이 하나의 건축물로 복합된 경우도 높이를 완화 받을 수 있도록 하고 있으며, 그 범위는 건축조례로 정하도록 하고 있음

○ 따라서, 귀 도의 질의내용은 건축조례로 정한 공개공지 설치면적 및 높이 완화기준에 적용방법에 대한 해석을 요구하는 사항으로 해당 지방자치단체의 조례 제정권자가 제정 취지 및 목적 등을 감안하여 판단할 사항임

건 축 법
1. 총 칙
2. 건 축
3. 유지관리
4. 대지도로
5. 구조재료
6. 지역지구
7. 건축설비
8. 특별건축구역
9. 보 칙
10. 벌 칙
건 축 법 관련기준

질의회신 공개공지 제공에 따른 지구단위계획 완화규정

국토교통부 민원마당 FAQ 2019.5.24.

질의 도시지역 내 지구단위계획구역에서 「건축법」에 따라 설치하여야 하는 공개공지 의무면적을 초과하여 설치한 경우 완화 가능한 용적률 산정 방법

회신 「국토의 계획 및 이용에 관한 법률 시행령」 제46조제3항에 따라 지구단위계획구역에서 건축물을 건축하고자 하는 자가 「건축법」 제43조제1항에 따른 공개공지 또는 공개공간을 같은 항에 따른 의무면적을 초과하여 설치한 경우에는 지구단위계획으로 다음과 비율까지 완화하여 적용할 수 있음을 알려드립니다. 완화할 수 있는 용적률 = 「건축법」 제43조제2항에 따라 완화된 용적률+(해당 용도지역에 적용되는 용적률×의무면적을 초과하는 공개공지 또는 공개공간의 면적의 절반÷대지면적) 이내

질의회신 공개공지 의무대상이 아닌 건축물의 공개공지 설치 시 적용완화 여부

건교부 건축기획팀-4246, 2006.7.6.

질의 공개공지를 의무적으로 확보하여야 하는 업무시설(6,874제곱미터)과 근린생활시설(2,239제곱미터) 및 공동주택(63,039)을 하나의 복합된 건축물로 건축할 때 건축법 제67조 제1항 및 동법시행령 제113조 제1항 및 제4항의 규정에 의한 공개공지를 설치하는 경우 업무시설외의 다른 용도에 대하여도 용적률과 높이제한 규정의 완화를 적용받을 수 있는 지

회신 건축법시행령 제113조 제1항 및 제4항의 규정에 의하면 공개공지를 의무적으로 설치하여야 하는 건축물에 공개공지 설치대상이 아닌 건축물이 하나의 건축물로 복합된 경우에는 이를 포함하도록 규정되어 있는 바, 질의의 경우와 같이 건축하는 경우 공개공지 설치대상이 아닌 건축물 용도의 경우에도 용적률 및 높이제한 규정을 당해 건축조례가 정하는 범위내에서 완화 받을 수 있는 것임
(* 법 제67조 ⇒ 제43조, 2008.3.21 개정), (* 영 제113조 ⇒ 제27조의2, 2008.2.22 개정)

질의회신 건축물의 출입구와 도로를 연결하는 통로부분에 대한 공개공지 인정여부

건교부 건축기획팀-1762, 2006.3.21.

질의 공개공지 안에 건축물의 출입구와 도로를 연결하는 통로부분이 있는 경우 그 부분의 면적은 공개공지의 면적에서 제외되는 것인지

회신 문의의 통로부분이 건축법 제67조제1항의 규정에 의하여 일반이 사용할 수 있고 동법 시행령 제113조제2항 및 제3항의 규정에 적합한 경우에는 공개공지로 볼 수 있을 것임.
(* 법 제67조 ⇒ 제32조의2, 2007.10.17 ⇒ 제43조, 2008.3.21 개정)

질의회신 피로티인 공개공지의 바닥면적 산입여부

건교부 건축 58550-314, 2000.1.31.

질의 건축법 제67조 및 같은법시행령 제113조의 규정에 의한 공개공지를 확보함에 있어 건축물의 피로티 구조인 부분에 공개공지를 설치하는 경우 피로티 부분을 건축물의 바닥면적에 산입 여부

회신 건축법 시행령제119조제1항제3호라목의 규정에 의하면 피로티의 부분은 당해 부분이 공중의 통행 또는 차량의 주차에 전용되는 경우와 공동주택의 경우에 이를 바닥면적에 산입하지 않도록 하고 있음. 건축법 제67조의 규정에 의하면 공개공지 또는 공개공간의 확보는 환경을 쾌적하게 조성하기 위하여 설치하는 것으로 공개공지의 경우에는 피로티의 구조로 설치할 수 있도록 하고 있으나, 공개공간은 피로티 부분에 설치할 수 있도록 규정하고 있지 않음 (* 법 제67조 ⇒ 제32조의2, 2007.10.17 개정 ⇒ 제43조, 2008.3.21 개정)
(* 영 제113조 ⇒ 제27조의2, 2008.2.22 개정)

건 축 법
1. 총 칙
2. 건 축
3. 유지관리
4. 대지도로
5. 구조재료
6. 지역지구
7. 건축설비
8. 특별건축구역
9. 보 칙
10. 벌 칙
건 축 법 관련기준

4 대지와 도로의 관계

법령해석 건축물의 접도의무 규정이 적용되지 않는 「건축법 시행령」 제28조제1항에 따른 광장, 공원, 유원지에 대하여 허가권자의 인정이 필요한지 여부

「건축법 시행령」 제28조제1항 등 관련 법제처 법령해석 21-0521, 2021.10.20. /건축사협회 수정게시 2022.7.28.

질의요지 건축물의 주변에 광장, 공원, 유원지(이하 "광장등"이라 함)가 있으나, 「건축법 시행령」 제28조제1항에 따른 허가권자의 인정은 없는 경우에도 그 건축물의 대지에 대하여 「건축법」 제44조제1항 각 호 외의 부분 단서 및 같은 항 제2호가 적용되는지?

회답 건축물의 대지에 대하여 「건축법」 제44조제1항 각 호 외의 부분 단서 및 같은 항 제2호가 적용되지 않음

이유 "광장등"은 그 면적, 통행량, 접근성 등이 각각 다르고, 특히 공원・유원지는 「건축법 시행령」 제3조의5 및 별표 1 제27호바목에 따른 건축물의 일종인 관광 휴게시설로서 다수의 공중이 이용하는 등 교통상・피난상・방화상・위생상 문제가 발생할 소지가 있는 만큼, 허가권자가 사전에 확인하여 접도의무 규정의 적용 제외 여부를 결정하기 위한 "허가권자의 인정" 절차가 필요함

법령해석 건축물 대지의 접도의무 규정의 의미

「건축법」 제44조 관련 법제처 법령해석 18-0087, 2018.6.12./건축사협회 수정게시 2022.9.16.

질의요지 건축물 대지의 2미터 이상이 「건축법」 제2조제11호에 따른 도로에 접해 있으나 해당 건축물에서 해당 도로까지 통로로 사용되는 구간 중 너비가 2미터 미만인 곳이 있는 경우가 건축물 대지의 2미터 이상이 도로에 접할 것을 규정하고 있는 같은 법 제44조제1항에 위반되는지?

<질의 배경> 대지의 2미터 이상이 도로에 접해 있어 외형상으로는 「건축법」 제44조제1항 요건을 충족하지만, 그 접도 부분부터 건축 예정지역 부분으로 이어지는 구간 중에 너비가 2미터가 안되는 부분이 있는 경우가 「건축법」 제44조제1항 위반인지 의문이 있어 법령해석을 요청.

회답 해당 건축물에서 해당 도로까지 통로로 사용되는 구간이 제반 사정을 고려할 때 건축물에서 도로로의 출입에 지장이 없다면 건축법 제44조제 1항에 위반되지 않음.

이유 건축법 제44조 제1항 단서에서는 해당 건축물의 출입에 지장이 없다고 인정되는 경우나 건축물의 주변에 대통령령으로 정하는 공지가 있는 경우 등에는 같은 항 본문에 따른 접도의무 예외를 인정하고 있는데, 이는 건축물에서 도로까지의 구간에 피난상·방화상 등에 필요한 통로를 확보해 안전을 도모하기 위한 건축법 제44조제1항 본문 취지를 고려해 해당 건축물의 출입에 지장이 없다고 인정되는 경우 등에는 건축물의 대지가 도로에 접하지 않거나, 접하는 부분이 2미터 미만이라도 건축 행위를 허용하려는 것임

그러한 예외사항에 해당하는지 여부는 건축물의 종류와 규모, 건축물에서 도로까지의 구간 중에 통행을 방해하는 장애물이 있는지 여부, 인접 대지의 통행 가능 여부 등 제반 사정을 고려해 판단해야 하는데, 만약 예외사항에 해당한다면 건축물의 대지와 도로가 접하는 부분이 반드시 2미터 이상이어야 할 필요는 없는 것이므로, 비록 건축물에서 도로까지의 구간 중에 너비가 2미터 미만인 부분이 있더라도 해당 구간을 통해 건축물의 출입에 지장이 없다면 「건축법」 제44조제1항을 위 반한 것은 아니라고 보아야 함.

법령해석 지목이 "대(垈)" 인 토지가 녹지의 결정으로 맹지(盲地)가 된 경우, 녹지를 가로지르는 「건축법」 상의 도로를 해당 토지의 진입도로로 설치하기 위하여 녹지점용허가를 할 수 있는지 여부 등

「도시공원・녹지의 점용허가에 관한 지침」 제4조제2항제2호 등 관련 법제처 법령해석 17-0083, 2017.3.6.

질의요지 「도시공원·녹지의 점용허가에 관한 지침」(국토교통부훈령 제562호를 말함. 이하 "점용허가지침"이라 함) 제4조제2항제2호에서는 녹지를 가로지르는 진입도로에 대한 녹지점용허가 기준을 규정하면서, 같은 호 가목 및 나목에서는 「건축법」 상 도로로 사용하기 위하여 점용하려는 경우에는 도시·군관리계획으로 이면도로가 결정된 경우에만 도로개설 전까지의 기간으로 한정하여 허가할 수 있다고 규정하고 있고, 같은 호 자목에서는 녹

지의 결정으로 인하여 「공간정보의 구축 및 관리 등에 관한 법률」(이하 "공간정보관리법"이라 함)에 따른 지목이 대(垈)인 토지가 맹지(盲地)가 된 경우 토지의 현지여건을 고려하여 이면도로를 계획한 후 점용허가를 하거나 「도시공원 및 녹지에 관한 법률 시행령」(이하 "도시공원법 시행령"이라 함) 제22조제3호에 따라 도로[「국토의 계획 및 이용에 관한 법률」 및 「사도법」의 규정에 따른 도로를 말함(점용허가지침 제4조제2항제2호다목 참조). 이하 같음]로 점용허가할 수 있다고 규정하고 있는바,

가. 지목이 대인 A토지가 녹지의 결정으로 인하여 맹지가 되었고, A토지와 인근 도로 사이에 녹지를 가로질러 「건축법」 상의 도로로 사용하기 위한 진입도로를 설치하려는 경우, 도시·군관리계획으로 이면도로가 결정되지 않았더라도 점용허가지침 제4조제2항제2호자목에 따라 녹지점용허가를 할 수 있는지?

나. 질의 가에 따른 진입도로가 설치된 경우, A토지와 접해 있고 지목이 임야이며 맹지인 B토지에 건축물을 건축하려는 사람이 질의 가에 따른 진입도로를 B토지의 출입로로 사용하려는 경우, 질의 가에 따른 녹지점용허가와 구별되는 별도의 녹지점용허가를 받아야 하는지?

<질의 배경> ○ 충청북도 청주시는, (가) 지목이 대인 A토지가 녹지의 결정으로 인하여 맹지가 된 경우 도시·군관리계획으로 이면도로가 결정되지 않았더라도 A토지와 인근 도로 사이에 녹지를 가로질러 「건축법」 상의 도로로 사용하기 위한 진입도로를 설치할 수 있도록 녹지점용허가를 해줄 수 있는지, (나) 만약 A토지 진입도로 설치를 위한 녹지점용허가가 가능하다면, A토지에 접해있고 지목이 임야이며 맹지인 B토지의 소유자가 B토지 상에 건축물을 건축하기 위하여 A토지 진입도로를 사용하고자 할 경우, 그 진입도로의 사용을 위해 별도의 녹지점용허가를 받아야 하는지에 대하여 국토교통부에 질의하였고, 국토교통부 내부적으로 의견 대립이 있어 법령해석을 요청함.

회답 가. 질의 가에 대하여

지목이 대인 A토지가 녹지의 결정으로 인하여 맹지가 되었고, A토지와 인근 도로 사이에 녹지를 가로질러 「건축법」 상의 도로로 사용하기 위한 진입도로를 설치하려는 경우, 도시·군관리계획으로 이면도로가 결정되지 않았더라도 점용허가지침 제4조제2항제2호자목에 따라 녹지점용허가를 할 수 있습니다.

나. 질의 나에 대하여

질의 가에 따른 진입도로가 설치된 경우, A토지와 접해 있고 지목이 임야이며 맹지인 B토지에 건축물을 건축하려는 사람이 질의 가에 따른 진입도로를 B토지의 출입로로 사용하려는 경우, 질의 가에 따른 녹지점용허가와 구별되는 별도의 녹지점용허가를 받아야 할 필요는 없습니다.

이유 "생략"

법령해석 「건축법」 제44조제1항제1호에서 정한 건축물의 출입에 지장이 없는 경우가 연면적 2,000㎡ 이상인 건축물에도 적용되는지 여부

「건축법 시행령」 제44조 관련 법제처 법령해석 16-0229, 2016.11.2./건축사협회 수정게시 2022.9.16.

질의요지 「건축법」 제44조제1항에서는 건축물의 대지는 2미터 이상이 도로에 접하여야 하되, 해당 건축물의 출입에 지장이 없다고 인정되는 경우(제1호) 등 같은 항 각 호의 어느 하나에 해당하면 그러하지 아니하다고 규정하고 있고,

같은 법 시행령 제28조제2항에서는「건축법」 제44조제2항에 따라 연면적의 합계가 2,000㎡ 이상인 건축물의 대지는 너비 6미터 이상의 도로에 4미터 이상 접하여야 한다고 규정하고 있는바,

연면적의 합계가 2,000㎡ 이상인 건축물의 출입에 지장이 없는 경우에도 그 건축물의 대지는 건축법 시행령 제28조제2항에 따라 너비6m 이상인 도로에 접해야 하는지

회답 연면적의 합계가 2,000㎡ 이상인 건축물의 출입에 지장이 없는 경우에도 그 건축물의 대지는 건축법 시행령 제28조제2항에 따라 너비6m이 상인 도로에 접해야 함.

이유 「건축법」 제44조 및 같은 법 시행령 제28조에서 건축물의 대지에 대한 접도의무를 규정하고 있는 것은 건축물의 대지와 도로와의 관계를 특별히 규제하는 데 있어 접도의무를 위반하는 토지에 대해서는 건축물을

건축하는 행위를 허용하지 않으려는 취지인 바(법제처 2009.12.14.회신 09-0371 해석례 및 대법원 1999.6.25. 선고 98두18299 판결례 참조),
입법취지에 비추어 볼 때 건축법 시행령 제28조제2항에 따른 강화된 접도의무를 위반한 토지는 건축 행위가 예외없이 허용되지 않는다고 보아야 할 것이므로,
연면적의 합계가 2천 제곱미터 이상인 건축물의 출입에 지장이 없는 경우라고 하더라도 건축물의 대지는 건축법 시행령 제28조제2항에 따라 너비 6미터 이상인 도로에 반드시 접해야 하고, 이러한 경우 건축법 제44조제1항제1호가 적용되어 강화된 접도의무가 면제될 수 없음.

법령해석 건축물의 대지가 반드시 「건축법」 상 도로에 접하여야 하는지

「건축법」 제44조 등 관련 법제처 법령해석 12-0559, 2012.10.31./건축사협회 수정게시 2022.9.16.

질의요지 「건축법」 제44조제1항에서 건축물의 대지는 2미터 이상이 도로(자동차만의 통행에 사용되는 도로는 제외함)에 접하여야 한다고 규정하면서, 같은 법 제3조제2항에서는 일정지역에서는 같은 법 제44조를 적용하지 아니한다고 규정하고 있는데, 여기에서 "적용하지 아니한다"는 것은 건축물의 대지가 도로에 접하지 아니하여도 된다는 의미인지, 아니면 건축물의 대지와 도로가 접하는 부분이2미터 이상은 아니더라도 최소한 도로에 접하기는 하여야 한 다는 의미인지?

회답 이 질의에서 "적용하지 아니한다"는 것은 건축물의 대지가 도로에 접하지 아니하여도 된다는 의미라고 할 것임.

이유 「건축법」 제44조제1항 단서와 각 호 및 같은 법 시행령 제28조제1항에서 규정하고 있는 접도의무 예외사유를 보면, ① 해당 건축물의 출입에 지장이 없다고 인정되는 경우, ② 건축물의 주변에 광장, 공원, 유원지, 그 밖에 관계 법령에 따라 건축이 금지되고 공중의 통행에 지장 이 없는 공지로서 허가권자가 인정한 공지가 있는 경우와 같이 건축물 의 대지가 도로에 접하여 있지 아니하여도 건축물의 주변에 공지 등이 존재하여 건축물로의 통행에 지장이 없는 경우를 규정하고 있는 점 등 에 비추어 볼 때,
이 사안에서와 같이 「건축법」 제44조의 적용이 제외되는 대지의 건축물에 대해서는 도로에 접할 것을 요구하지 아니한다고 해석하는 것이 접도의무 규정의 취지에 부합한다고 할 것임.

질의회신 현황도로에 접합 대지에 건축허가가 가능한지 여부

국토교통부 민원마당 FAQ 2019.5.24.

질의 건축법상 도로가 아닌 현황도로에 접합 대지에 건축허가가 가능한지 여부

회신 「건축법」 제2조제1항제11호에 따라 "도로"란 보행과 자동차 통행이 가능한 너비 4미터 이상의 도로로서 「국토의 계획 및 이용에 관한 법률」, 「도로법」 등 관계 법령에 따라 신설 또는 변경에 관한 고시가 된 도로, 건축허가 또는 신고 시에 허가권자가 위치를 지정하여 공고한 도로 또는 그 예정도로를 말하는 것이며, 같은 법 제44조제1항에 따라 건축물의 대지는 2미터 이상이 도로(자동차만의 통행에 사용되는 도로는 제외한다)에 접하여야 하며, 다만, 해당 건축물의 출입에 지장이 없다고 인정되는 경우와 건축물의 주변에 대통령령으로 정하는 공지가 있는 경우 중 어느 하나에 해당하면 그러하지 아니하도록 하고 있음. 이에 따라, 해당 건축물의 출입에 지장이 없다고 인정되는 경우에는 건축허가가 가능할 수 있을 것으로 사료되나, 이는 주변 도로현황 및 대지여건 등을 종합적으로 검토하여 판단하여야 할 사항으로 보다 자세한 사항은 관련 자료를 갖추어 해당지역 허가권자에게 문의바람

질의회신 "보차혼용통로"에만 접해 있을 경우 건축허가가 가능한 지 여부

국토교통부 민원마당 FAQ 2019.5.24.

질의 수개의 필지가 지적상의 도로가 없고 수년간 사용해온 현황도로를 이용하여 출입하였으나, 현황도로를 「국토의 계획 및 이용에 관한 법률」 에 의한 지구단위계획 수립시 "보차혼용통로 및 건축한계선"으로 결정·고시한 사항으로,

대지가 건축법령에 따른 도로가 아닌 "보차혼용통로"에만 접해있을 경우 건축허가가 가능한 지 여부

회신 건축법령에서 대지와 도로와의 관계는 건축물 이용자의 통행상의 편의뿐만 아니라 유사시의 피난상, 소방상, 위생상 안정한 상태를 유지·보존하도록 하기위한 공익상의 측면을 고려하여 규정하고 있으며, 특히, 「건축법」 제33조 규정에 따르면 건축물의 대지는 2미터 이상을 건축법상 도로에 접하도록 하고 있어, 출입에 지장이 없다고 인정되거나 주변에 공지가 있는 경우 등 부득이하거나 특별한 경우 이외에는 이를 적용하여 법 제정의 취지를 살려야 할 것임

질의의 "보차혼용통로"에 접해있는 대지가 위와 같은 부득이하거나 특별한 경우에 해당하는지 여부에 관하여는 허가권자가 판단할 사항이므로 주변 여건, 법 취지 등을 면밀히 고려하시어 적의 처리하기 바람

(* 법 제33조 ⇒ 제44조, 2008.3.21 개정)

질의회신 대지와 도로와의 관계

국토교통부 민원마당 FAQ 2019.5.24.

질의 건축물의 대지에 대한 진입도로 및 부설주차장 진입로 폭 적용

회신 건축물을 건축하는 경우에는 건축법 및 관계법령에 적합하여야 하는 것으로, 건축법령상 대지와 도로의 관계에 관해서는 건축법 제44조에 따라 건축물의 대지는 2미터 이상이 도로(자동차만의 통행에 사용되는 도로는 제외)에 접하도록 규정하고 있음

또한, 주차장법 시행규칙 제11조제4항제4호에서 부설주차장의 총 주차대수 규모가 8대 이하인 자주식주차장(지평식에 한한다)의 경우 출입구 너비는 3미터 이상으로 하며, 다만 막다른 도로에 접하여 있는 부설주차장으로서 시장 · 군수 또는 구청장이 차량의 소통에 지장이 없다고 인정하는 경우에는 2.5미터 이상으로 할 수 있다고 규정하고 있음

질의회신 대지와 도로의 관계

국토교통부 민원마당 FAQ 2019.5.24.

질의 임시도로(지목: 전)에 접한 대지의 건축허가 가능여부

회신 건축법」 제44조 및 같은 법 시행령 제28조에 따라 건축물의 대지는 2미터 이상이 도로(자동차만의 통행에 사용되는 도로는 제외한다)에 접하도록 하고 있음

다만, 해당 건축물의 출입에 지장이 없다고 인정되는 경우 또는 건축물의 주변에 광장, 공원, 유원지 등 건축이 금지되고 공중의 통행에 지장이 없는 공지로서 허가권자가 인정한 경우에는 그러하지 아니하도록 하고 있음

따라서, 질의의 대지가 동 규정에 해당하는 지 여부에 대하여는 대지의 주변여건과 출입가능 여부 등을 종합적으로 검토하여 판단하여야 할 것임

질의회신 제방도로에 접한 대지에 건축허가 또는 신고 가능 여부

국토교통부 민원마당 FAQ 2019.5.24.

질의 제방도로에 접한 대지에 건축허가 또는 신고가 가능한 지

회신 건축법 제44조의 규정에 의하면 건축물의 대지는 2미터 이상을 같은 법 제2조 제1항 제11호의 규정에 의한 도로에 접해야 하는 것으로 이 경우 도로는 국토의 계획 및 이용에 관한 법률·도로법·사도법 기타 관계법령에 의하여 신설 또는 변경에 관한 고시가 된 도로와 건축허가 또는 신고시 허가권자가 그 위치를 지정·공고한 도로를 말하는 것으로 보아야 할 것임

다만, 건축법 제44조 제1항 단서에 따르면 해당 건축물의 출입에 지장이 없다고 인정되는 경우 또는 건축물의 주변에 건축이 금지되고 공중의 통행에 지장이 없는 공지로서 허가권자가 인정하는 것은 그러하지 아니하도록 하고 있는 바, 질의의 신청대지에 건축물의 건축허가·신고가 가능한 지 여부는 동 대지와 접한 제방도로가 상기 법령에 적합한 것인 지의 여부를 당해 허가권자가 확인·검토 하여 판단해야 할 것임

질의회신 도로너비가 다른 경우 적용 방법

국토교통부 민원마당 FAQ 2019.5.24.

질의 연면적 합계가 2천 제곱미터 이상인 건축물을 건축하고자 하는 경우 대지에 접하는 도로의 너비가 일정하지 아니할 때 적용방법은?

회신 「건축법 시행령」 제28조 제2항에 의하여 연면적의 합계가 2천 제곱미터이상인 건축물의 대지는 너비 6미터 이상인 도로에 4미터 이상 접하여야 한다고 규정하고 있고, 너비가 일정하지 않은 도로의 경우는 최소 너비로 산정 하여야 할 것임

질의회신 너비 4m 미만 통과도로에 접한 경우 건축선 지정 또는 도로 지정여부

건교부 고객만족센터 - 3842, 2007.5.9.

질의 건축허가 시 도로와 관련, 「건축법」 제2조 제1항 제11호의 규정에 의한 너비 4m 미만 통과도로에 접하여 증축하고자 하는 경우

가. 이 법 제35조의 규정에 의하여 건축할 대지 쪽으로 도로 중심선에서 2m를 후퇴하여 도로를 지정(변경 포함)하여야 하는 지 여부와 이 경우 반대편 도로 측의 이해관계인의 동의를 받아야 하는 지 여부 ?

나. 질의 '가 '가 아닌 경우, 이 법 제36조의 규정에 의하여 건축선만 지정하고 이해관계인의 동의를 받지 아니하여도 건축허가가 가능한 지 여부?

회신 질의의 도로가 「건축법」 제33조의 규정에 의하여 건축물의 대지에 접한 도로로서 이 법 제2조 제1항 제11호에서 정의된 도로로 한정함을 알려드림. 질의의 도로 너비가 「건축법」 제2조 제1항 제11호 본문 및 동법 시행령 제3조의3에서 규정한 소요 너비에 미달하는 경우, 이 법 제35조의 규정에 의하여 도로의 위치를 지정·공고하거나 이 법 제36조의 규정에 의하여 건축선이 지정되어야 할 것으로 사료됨.
(*법 제33조, 제35조, 제36조 ⇒ 제44조, 제45조, 제46조, 2008.3.21 개정)

질의회신 농로개설허가를 받아 개설된 공장허가 예정부지의 진입도로에 대한 건축법상 도로인정여부

건교부 건축기획팀 - 716, 2007.2.12.

질의 공장허가 예정부지의 진입도로는 농로개설허가를 받아 개설되었고, 공장허가 예정부지와 농로의 소유주가 동일인일 경우 건축법상 도로 인정 여부

회신 질의 관련 진입도로가 건축법 제2조 제11호의 규정에 의한 도로가 아닌 경우에는 동법 제2조 제11호 나목에 의하여 건축허가 또는 신고시 허가권자가 그 위치를 지정·공고하여야 할 것이며, 이 경우 동법 제35조의 규정에 의하여 이해관계인의 동의를 얻어야 하는 것임 (*법 제35조 ⇒ 제45조, 2008.3.21 개정)

질의회신 지적상 통과도로이나 도로 중간에 계단으로 자동차통행이 불가능한 도로

건교부 건축기획팀 - 2492, 2006.4.24.

질의 지적상 통과도로이나 도로의 중간에 계단 등이 설치되어 자동차통행이 불가능한 도로인 경우, 신청대지에 대한 도로 소요폭 확보 기준은?

회신 질의내용만으로 판단한다면, 신청대지가 우측의 8m 도로에서 통행·출입 등에 지장이 없다면, 신청대지의 경우 도로 중간에 계단 등이 설치되어 자동차 통행이 불가능한 도로(이하 "2~3m 도로") 및 계단부분에 대하여 소요 폭을 확보할 필요가 없을 것이며, 신청대지가 우측의 8m 도로에서 통행·출입 등에 지장이 있어 2~3m 도로에서 출입해야 한다면 2~3m 도로를 막다른 도로로 보아, 「건축법 시행령」 제3조의3제2호 규정에 따라 길이가 35m 이상이며, 도시지역일 경우 6m 이상의 너비를 확보하여야 하지만, 계단 부분은 건축법령상 도로로 볼 수 없어 도로 너비를 확보하지 않아도 될 것으로 판단됨

다만, 2~3m 도로 및 계단부분의 전체 또는 일부를 「건축법 시행령」 제3조의3제1호 규정에 따라 지형적 조건으로 차량통행이 곤란하다고 인정하여 시장·군수·구청장이 위치를 지정·공고한 경우 「건축법 시행령」 제3조의3제1호 규정에 따라 지정·공고한 부분의 너비를 3m 이상 확보하여야 할 것으로 사료됨

허가권자는 상기 제1항의 규정에 의하여 지정한 도로를 폐지 또는 변경하고자 할 때에는 동조제2항의 규정에 의하여 당해 도로에 대한 이해관계인의 동의를 얻어야 하며, 당해 도로에 편입된 토지의 소유자, 건축주 등이 허가권자에게 제1항의 규정에 의하여 지정된 도로의 폐지 또는 변경을 신청하는 경우에도 또한 당해 도로에 대한 이해관계인의 동의를 얻어야 하는 것임

질의회신 당해 대지 출입에 지장이 없다고 인정되는 경우란?

건교부건축기획팀-559, 2005.10.5.

질의 건축법 제33조제1항 제1호의 규정을 구체적으로 어느 경우에 적용하는지

회신 건축법 제33조제1항의 규정에 의하면 건축물의 대지는 2m 이상을 도로(자동차만의 통행에 사용되는 도로를 제외함)에 접하여야 하는 것이며, 다만 동항 단서 및 제1호에 의하여 당해 건축물의 출입에 지장이 없다고 인정되는 경우에는 그러하지 아니할 수 있는 것으로 건축법 제2조제1항제11호의 규정에 의한 도로가 아닌 도로에 접한 경우도 건축물의 출입에 지장이 없다고 볼 수 있는 것이나 개별 건축물의 대지에 대하여 위의 규정을 적용할 수 있는지의 여부는 대지 및 대지가 속한 지역의 현황 등을 종합적으로 고려하여 결정하여야 할 사안으로 판단됨 (*법 제33조 ⇒ 제44조, 2008.3.21 개정)

질의회신 인접 개발행위허가자의 동의를 받은 부지를 도로로 사용하는 경우

건교부건축기획팀-633, 2005.10.10.

질의 국토의 계획 및 이용에 관한 법률 시행령에 의한 개발행위허가기준에 의하면 "대지와 도로의 관계는 건축법에 적합"할 것으로 규정하고 있는 바, 개발행위허가 신청시 인접지에서 공사 중인 개발행위허가 부지를 진입도로로 사용하는 것으로 토지소유자의 동의를 받은 경우 건축법에 적합한 도로로 볼 수 있는지 여부

회신 건축법 제33조의 규정에 의하여 건축물의 대지는 2m 이상을 도로에 접하도록 하고 있으며, 이 경우 도로라 함은 너비 4m 이상으로서 동법 제2조제1항제11호의 규정에 의한 너비 4m 이상으로서 "국토의 계획 및 이용에 관한 법률"·"도로법"·"사도법" 기타 관계법령에 의하여 신설 또는 변경에 관한 고시가 된 도로(예정도로 포함) 또는 건축허가(신고)시 시장·군수·구청장등이 그 위치를 지정·공고한 도로를 말하는 것으로, 질의의 도로로 사용하고자 하는 부지가 "국토의 계획 및 이용에 관한법률" 등에 의해 고시된 도로의 경우에는 공사가 완료되지 않아도 건축법상 도로로 볼 수 있을 것이며, 이에 해당하지 않는 경우에는 건축허가(신고)시 이해관계자의 동의를 받아 도로로 지정·공고하는 등의 절차를 거쳐야 하는 것으로 이에 해당하지 아니하는 경우에는 인접지 소유자의 동의만으로 건축법상 도로로 볼 수 없는 것임(*법 제33조 ⇒ 제44조, 2008.3.21 개정)

질의회신 기부채납하여 필지분할된 도로에 접한 대지에 건축물을 건축하고자 하는 경우

건교부 건축 58070-578, 2003.4.1.

질의 기부채납하여 필지 분할이 된 도로에 접한 수개의 대지에 건축허가를 받은 기존 건축물들이 있는 상태에서, 동 도로와 접한 대지에 건축물을 건축하고자하는 경우 동 도로의 지목을 반드시 도로로 변경하여야 하는지 여부

회신 건축법제33조제1항의 규정에 의하여 대지는 도로에 2미터이상을 접하여야 하며, 이 경우 도로라 함은 같은 법 제2조제1항제11호의 규정에 의하여 도로법, 사도법등 관계법령에 의한 도로와 건축허가시 허가권자가 위치를 지정 · 공고한 도로"는 반드시 지목을 도로로 변경하여야 하는 것은 아닌 것임.
(*법 제33조 ⇒ 제44조, 2008.3.21 개정)

질의회신 역광장을 이용하여 건축이 가능한지

건교부건축 58070－2044, 1999.6.3.

질의 역광장(철도용지)에 접한 부지는 도로에 접하지 아니하여 건축이 불가한지

회신 건축법 제33조의 규정에 의하면 건축물의 대지는 도로에 2m 이상을 접해야 하는 것이나, 동 단서에서 건축물의 주위에 동법시행령 제28조에서 정하는 공지가 있거나 기타 통행에 지장이 없는 경우에는 그러하지 아

니하도록 하고 있는 바, 광장으로서 건축이 금지되고 공중의 통행에 지장이 없는 공지라면 건축이 가능할 수 있는 것임 (*법 제33조 ⇒ 제44조, 2008.3.21 개정)

질의회신 시장부지를 도로로 인정여부

건교부 건축 58070－1631, 1999.5.4.

질의 공지형태의 잡종지로서 수년전부터 차량통행·주차 및 사람통행을 하고 있는 시장주변에 기존 음식점 등을 새로 짓고자 하는 경우 이 시장부지를 진입도로로 볼 수 있는지

회신 건축법 제33조 제1항의 규정에 의하면 건축물의 대지는 도로에 2m 이상을 접하도록 하고 있으나, 동조 단서 및 동법시행령 제28조의 규정에 의하면 광장·공원·유원지 기타 관계법령에 의하여 건축이 금지되고 공중의 통행에 지장이 없는 공지로서 허가권자가 인정한 경우에는 건축법상 도로가 아니더라도 이에 접한 대지에 건축이 가능하도록 하고 있음 (* 법 제33조 ⇒ 제44조, 2008.3.21 개정)

질의회신 문화재 부지가 건축이 금지된 공지로 볼 수 있는 지

국토교통부 민원마당 FAQ 2019.5.24.

질의 건축하고자 하는 대지와 인접대지사이에 자치단체의 지정문화재가 있는 개인소유의 임야를 건축이 금지된 공지로 보아 일조권 규정을 적용할 수 있는 지 여부

회신 귀 문의의 문화재 부지는 건축법시행령 제86조 제5항의 규정에 의한 건축이 금지된 공지로 볼 수 없는 것임

5 도로의 지정·폐지 및 변경

질의회신 지정된 도로 변경

국토교통부 민원마당 FAQ 2019.5.24.

질의 「건축법」 제2조제1항제11호 나목의 따른 도로를 토지 소유자가 별도의 동의절차 없이 일부 변경하여 인근 건축물에 차량의 통행이 불가능하게 된 경우 「건축법」 제45조제2항 규정 위반에 해당하는 지 여부

회신 건축법상 도로는 「건축법」 제2조제1항제11호에 보행과 자동차 통행이 가능한 너비 4미터 이상의 도로로서 법령에 따라 고시된 도로 또는 허가시 허가권자가 지정, 공고한 도로를 말하며,

같은 법 제45조제2항의 규정에 의하면, 허가권자는 허가시 지정한 도로를 폐지하거나 변경하려면 그 도로에 대한 이해관계인의 동의를 받아야 하며, 그 도로에 편입된 토지의 소유자, 건축주 등이 지정된 도로의 폐지나 변경을 신청할 때도 그 도로에 대한 이해관계인의 동의를 받도록 규정하고 있음.

따라서, 허가권자가 건축허가 시 지정한 도로를 자동차 통행이 불가능할 정도로 도로 여건을 변경하는 행위는 상기 규정에 따라 그 도로의 이해관계인의 동의를 받아 허가권자에게 도로의 변경을 신청하여야 함.

질의회신 도로(사도)폐지에 대한 인접지 소유자 동의 여부 질의

국토교통부 민원마당 FAQ 2019.5.24.

질의 막다른 도로(사도) 폐지시 인접지 소유자 동의 여부

회신 허가권자는 지정한 도로를 폐지하거나 변경하려면 「건축법」 제45조 제2항에 따라 당해 도로에 대한 이해관계인의 동의를 받아야 하는 것이며, 건축법상 도로의 폐지 시 이해관계인의 범위는 당해 도로의 소유자, 동 도로와 접하고 있는 대지 및 건축물의 소유자와 도로폐지에 따른 건축물 높이 등에 영향이 있는지 여부 등 현지의 구체적인 현황에 따라 허가권자가 판단하여야 할 사항임

질의회신 건물의 막다른 도로 폐지 가능여부

국토교통부 민원마당 FAQ 2019.5.24.

질의 건물의 진출입을 위해 건축허가 신청 토지 이외의 토지에 막다른 도로(해당 건물 이외에 아무도 사용하지 못하는 도로로 건축법에 의해 개설된 도로)를 개설한 후, 나중에 그 건물을 멸실했을 경우 그 용도가 상실된 해당 도로의 폐지가 가능한지.

회신 건축법상 도로란 「건축법」 제2조제1항제11호에 따라 보행과 자동차 통행이 가능한 너비 4미터 이상의 도로(막다른 도로 등 일부의 경우에는 대통령령이 정하는 구조 및 너비의 도로)로서 「도로법」, 「사도법」 등 관계법령에 따라 신설 또는 변경에 관한 고시가 된 도로와 건축허가(신고) 시 허가권자가 그 위치를 지정·공고한 도로를 말함.

아울러, 「건축법」 제45조제1항에 따르면 허가권자는 도로의 위치를 지정·공고하고자 할 때에는 당해 도로에 대한 이해관계인의 동의를 받도록 하고 있으며, 같은 조 제2항에 따라 허가권자는 지정한 도로를 폐지하거나 변경하는 경우(도로에 편입된 토지의 소유자, 건축주 등이 지정된 도로의 폐지나 변경을 신청하는 경우 포함)에도 그 도로에 대한 이해관계인의 동의를 받도록 하고 있음.

따라서, 질의의 도로가 건축허가(신고) 시 지정·공고된 도로로서 그 도로를 폐지 또는 변경하는 경우에는 상기 규정에 따라 이해관계인의 동의를 받아야 할 것으로 판단되며, 「도로법」 등 관계 법령에 따라 설치된 도로인 경우에는 해당 법령에서 정하는 바에 따라 그 폐지 등이 이루어져야 할 것으로 사료됨

질의회신 건축허가를 위한 도로폐지 관련

국토교통부 민원마당 FAQ 2019.5.24.

질의 건축물 준공 후 새로운 진출입로의 개설에 따라 건축허가를 위한 기존 도로를 폐지하고 원래 지목으로 환원이 가능한 지 여부

회신 건축법 제45조제2항에 따라 허가권자는 같은 조 제1항에 따라 지정한 도로를 폐지하거나 변경하려면 그 도로에 대한 이해관계인의 동의를 받도록 하고 있으며, 그 도로에 편입된 토지의 소유자, 건축주 등이 허가권자에게 같은 조 제1항에 따라 지정된 도로의 폐지나 변경을 신청하는 경우에도 또한 같도록 하고 있음.

따라서, 기존 도로의 폐지 및 지목 변경 가능여부는 도로현황과 이해관계인의 동의여부, 대지현황 등에 대한 현황 및 사실조사를 거쳐 관계 법령의 적합여부를 종합적으로 판단하여야 함.

질의회신 도로폐지 동의 관련

국토교통부 민원마당 FAQ 2019.5.24.

질의 건축법상 지정·공고된 막다른 도로의 끝 부분을 일부 폐지시, 나머지 도로 부분의 토지 소유자의 동의가 필요한지

회신 건축법 제45조제2항에 따르면 허가권자가 지정·공고한 도로를 폐지하거나 변경하려면 그 도로에 대한 이해관계인의 동의를 받아야 하는 것이며, 이 때 "이해관계인"이라 함은 통상 해당 도로에 접한 대지와 건축물의 소유자 등을 말하는 것이나,

이해관계인의 범위는 도로폐지에 따른 건축선지정 등에 영향이 있는지 여부 등 현지의 구체적인 현황에 따라 해당 허가권자가 사안별로 각각 판단하여야 할 사항임.

따라서, 귀하께서 질의하신 바와 같이 막다른 도로로서 그 끝부분을 일부 폐지하는 경우 폐지되지 아니하는 도로부분의 토지 소유자의 동의가 필요한지 여부 등 보다 구체적인 사항은 관련서류 등을 첨부하여 현지현황을 소상히 파악하고 있는 해당 허가권자에게 문의 바람.

질의회신 도로의 지정·폐지 관련

국토교통부 민원마당 FAQ 2019.5.24.

질의 가. 1985년 대지(A)에 건축허가시 도로로 지정한 부분을 현재도 건축법상 도로로 볼 수 있는지?
나. 상기 도로에 대하여 도로신설 등의 사정이 생긴 경우 허가권자가 직권으로 도로를 변경할 수 있는지?

다. 건축법상 지정한 도로의 통행을 방해한 경우 건축법시행령 '별표15' 제13호에 따라 그 밖에 이 법 또는 이 법에 따른 명령이나 처분을 위반한 건축물로 판단하여 이행강제금 부과가 가능한지?

회신 가. 질의요지 '가'에 대하여

당해 건축물 허가 당시 건축법령에 따라 지정한 도로로서 변경 또는 폐지되지 아니한 경우라면 현재도 건축법상 도로로 볼 수 있음

나. 질의요지 '나'에 대하여

1999.2.8.개정 건축법(법률 제5895호) 부칙 제4조에서 개정 이전규정에 따라 지정된 도로에 대하여는 개정규정에 의하여 지정.공고한 것으로 보도록 규정하고 있고,

또한, 같은 개정 건축법 제35조제2항 및 현행 건축법(법률 제10764호) 제45조제2항에서 지정한 도로를 폐지 또는 변경하고자 하는 경우에는 이해관계인의 동의를 받도록 규정하고 있는바,

허가권자는 당해 도로의 이해관계인의 동의를 받아 허가시 지정한 도로를 변경할 수 있는 것임

다. 질의요지 '다'에 대하여

건축물의 허가시 지정한 도로에 대하여는 허가권자가 지정 목적에 맞게 사용될 수 있도록 유지.관리되어야 할 것으로 사료되나, 당해 도로의 개설 또는 사용 등에 대하여는 건축법령에서 관련규정을 두고 있지 아니함

질의회신 지정공고절차를 거치지 아니하고 도로대장에만 기재된 도로의 효력

건교부 건축기획팀-1770, 2006.3.21.

질의 가. 건축법 제2조제1항제11호 및 제35조와 관련 건축허가시 건축허가권자가 도로대장만 작성하고 공고절차를 거치지 아니한 경우 도로대장에 기재된 그 도로를 건축법상 도로로 볼 수 있는지

나. 종전 건축법(1991. 5. 31, 법률 제4381호) 제35조 및 동법 시행당시 건축법 시행령 제30조의 규정과 관련 건축허가시 이해관계인의 동의를 얻지 아니하고 건축을 허가한 경우 적법한 허가인지

다. 건축허가시 토지의 지목("도")을 이유로 들어 도로대장을 작성하여 건축허가를 한 경우 건축법상 도로로 볼 수 있는지와 도로로 볼 수 없다면 도로지정을 취소하여야 하는 것이 아닌지

회신 가. 도로지정이 이루어진 시기를 알 수 없어 정확한 회신이 어려우나 건축법 제2조제1항제11호 나목에 의하여 허가권자가 도로의 위치를 공고하도록 한 규정은 1999. 2. 8 개정된 건축법(법률 제5895호)에서부터 규정하고 있음을 알려 드리며, 종전의 규정에 의하여 지정된 도로는 동법 부칙 제4조에 의하여 제2조제1항제11호의 개정규정에 의하여 지정·공고된 것으로 보는 것임.

나. 1991. 5. 31 전면 개정된 건축법의 시행에 맞춰 전면 개정된 건축법 시행령(1992. 5. 30 대통령령 제13655호) 제30조제1항의 규정에 의하면 동법 제2조제11호 나목의 규정에 의하여 시장 등이 도로를 지정하고자 하는 경우에는 당해 도로에 대한 이해관계자의 동의를 얻어야 하며, 도로를 지정한 경우 그 도로의 구간·연장·너비 및 위치를 기재한 건설부령이 정하는 도로대장을 작성·비치하여야 하는 것으로 당해 건축허가가 적법한 것인지 여부는 현지의 현황과 허가당시 기록 등을 확인하여 판단하여야 할 것임.

다. 건축법령에서는 동법 제2조제1항제11호의 규정에 의한 도로가 지적법상 지목이 반드시 "도"이어야 한다는 명문의 규정은 없으며 동법 제2조제1항제11호에서 규정에 의거 도로는 보행 및 자동차운행이 가능한 너비 4m 이상의 도로(지형적 조건으로 자동차통행이 불가능한 경우와 막다른 도로의 경우에는 대통령령이 정하는 구조 및 너비의 도로)로서 국토의 계획 및 이용에 관한 법률, 도로법, 사도법 등 관계법령에 의하여 신설 또는 변경에 관한 고시가 된 도로와 건축허가(신고)시 시장, 군수, 구청장 등이 그 위치를 지정한 도로를 말하는 것임

(* 법 제35조 ⇒ 제45조, 2008.3.21 개정)

질의회신 구거부지를 용도폐지절차 없이 건축법상 도로로 지정가능 여부

건교부 건축기획팀-2550, 2006.4.25.

질의 가. 건축허가를 위하여 기능이 유지되고 있는 구거부지를 용도폐지절차 없이 건축법상 도로로 지정하는

것이 가능한지?
나. 농로로 사용하고 있는 구거부지를 도로로 지정하기 위한 절차는?
다. 건축허가시 요구되는 도로의 너비를 확보하지 아니한 상태로 건축물의 사용승인이 가능한지?
회신 가. 질의요지 "가", "나"에 대하여 : 건축법 제2조제1항제11호의 규정에 의하여 "도로"라 함은 보행 및 자동차통행이 가능한 너비 4m 이상의 도로(지형적 조건으로 자동차통행이 불가능한 경우와 막다른 도로의 경우에는 대통령령이 정하는 구조 및 너비의 도로)로서 ①「국토의 계획 및 이용에 관한 법률」·「도로법」·「사도법」 기타 관계법령에 의하여 신설 또는 변경에 관한 고시가 된 도로, ② 건축허가 또는 신고시 특별시장·광역시장·도지사 또는 시장·군수·구청장(자치구의 구청장에 한한다. 이하 같다)이 그 위치를 지정·공고한 도로 또는 그 예정도로를 말함. 건축법 제35조제1항의 규정에 의하여 허가권자는 제2조제11호 나목의 규정에 의하여 도로의 위치를 지정·공고하고자 할 때에는 건설교통부령이 정하는 바에 의하여 당해 도로에 대한 이해관계인의 동의를 얻어야 함 나. 따라서 건축법 제2조제1항제11호의 규정에 의한 도로를 지정하기 위하여는 건축주는 당해 도로에 대한 이해관계인의 동의를 얻어야 하며, 건축법령에서는 도로지정이 가능한 토지의 종류나 용도를 별도로 정하지 아니하는 것으로 질의의 구거가 도로로 지정되기 위하여는 당해 구거의 소유권자가 공유수면관리법 제5조, 국유재산관리법 제24조 등 관련법령을 검토하여 동의하여야 하는 것임
다. 질의요지 "다"에 대하여 : 허가권자는 건축법 제18조의 규정에 의하여 건축물이 건축법령 및 관련법령에 적합하게 공사완료 된 경우에 사용승인을 하여야 할 것으로, 이 경우에도 건축법 제33조제1항의 규정에 의하여 건축법 제2조제1항제11호의 규정에 적합한 도로에 2m 이상이 접하여야 그 사용승인이 가능한 것임

질의회신 현황도로의 임의 폐지 가능여부

건교부건축기획팀-342, 2006.1.17.

질의 허가권자가 소위 "현황도로"를 도로로 보고 건축허가 및 사용승인을 한 경우 현황도로를 건축법상 도로로 볼 수 있는지와 현황도로가 건축법상의 도로인 경우 도로에 속한 토지소유자가 그 도로를 임의로 폐지할 수 있는지 여부
회신 허가권자가 질의의 도로에 접한 대지에 건축법령 및 관계법령에 적합하게 건축허가와 사용승인을 한 경우라면 이를 건축법상의 도로로 볼 수 있을 것으로 사료됨. 건축법 제35조제2항의 규정에 의거 동조제1항의 규정에 의하여 지정한 도로를 폐지 또는 변경하고자 할 때에는 당해 도로에 대한 이해관계인의 동의를 얻어야 하는 것인 바, 질의의 도로가 건축법상의 도로라면 도로폐지 절차를 거쳐야 할 것임 (*법 제35조 ⇒ 제45조, 2008.3.21 개정)

질의회신 도로대장에 기재되지 아니한 위치를 지정한 도로

건교부 건축기획팀-64, 2006.1.4.

질의 대지에 접한 막다른 도로를(길이 35m 이상, 너비 6m 이상) 개설하는 것으로 하여 건축허가 및 사용승인이 되었으나 도로대장에 동 도로를 기재하지 아니하였으며, 현재 도로 중 일부 구간이 소요너비에 미달한 상태에서 건축물의 용도변경이 신고처리된 경우
가. 위 도로를 도로로 볼 수 있는지
나. 위 도로에 접한 대지 안의 건축물에 대한 용도변경 신고에 대하여 건축법 제69조제1항의 규정에 의한 조치를 취할 수 있는지
다. 건축법 제35조제3항의 규정에 의한 도로관리대장에 위 도로를 기재할 수 있는지
회신 건축법상 "도로"라 함은 동법 제2조제1항제11호에서 규정에 의거 보행 및 자동차운행이 가능한 너비4m 이상의 도로(지형적 조건으로 자동차통행이 불가능한 경우와 막다른 도로의 경우에는 대통령령이 정하는 구조 및 너비의 도로)로서 국토의 계획 및 이용에 관한 법률, 도로법, 사도법 등 관계법령에 의하여 신설 또는 변경에 관한 고시가 된 도로와 건축허가(신고)시 시장, 군수, 구청장 등이 그 위치를 지정한 도로를 말하는 것인 바,

건축법상 도로가 되기 위하여는 고시 또는 지정 등의 요건과 함께 도로의 구조 및 너비가 건축법령에서 정한 기준에 적합하여야 할 것이므로,

가. 허가권자가 질의의 도로를 도로로 하여 건축법령 및 관계법령에 적합하게 건축허가와 사용승인을 한 경우라면 이를 건축법상의 도로로 볼 수 있을 것으로 판단되며,

나. 현재 도로의 구조 및 너비가 건축법령에서 정한 기준에 미달한 경우라면 동법 제69조제1항의 규정에 의거 위반사항을 해소한 후에 용도변경을 하는 것이 타당할 것이나, 용도변경 신고에 대한 조치나 위반사항의 시정 등에 따른 구체적인 사항은 당해 건축허가권자가 도로, 대지 및 건축물의 현황 및 이에 관계된 행정처리 사실과 위반사항 등을 종합적으로 고려하여 판단할 사안으로 보여지며

다. 회신 내용 중 "가"에 의하여 건축법상 도로로 볼 수 있고 도로의 구조 및 너비가 건축법령에 적합한 경우에는 지금이라도 도로관리대장에 기재 및 관리되어야 할 것으로 사료됨

(*법 제35조, 제69조 ⇒ 제45조,제79조, 2008.3.21 개정)

질의회신 건축법상 도로의 폐지 · 변경시 동의를 받아야 할 이해관계인의 범위

건교부 건축과-41, 2005.1.5.

질의 건축법 제35조제2항의 규정에 의하여 건축법상 도로를 폐지 또는 변경하고자하는 경우, 동의를 받아야 하는 이해관계인의 범위는

회신 건축법 제35조제2항에서 건축법상 도로의 폐지 또는 변경시에는 당해 도로에 대한 이해관계인의 동의를 얻도록 하고 있는 바, 동 규정에 의한 이해관계인이라 함은 당해 도로의 소유자와 동 도로와 접하고 있는 대지 및 건축물의 소유자 등을 말하는 것임 (*법 제35조 ⇒ 제45조, 2008.3.21 개정)

질의회신 건축물 멸실신고와 건축허가시 지정한 도로의 폐지관계

건교부 건축과-2384, 2005.5.4.

질의 건축물 멸실신고를 한 경우 당초 건축허가시 지정·공고한 도로도 자동으로 폐지되는지의 여부

회신 건축법 제35조의 규정에 의하여 그 위치를 지정·공고한 도로를 폐지하고자 하는 경우에도 동법 동조의 규정을 따라야 하는 것이며 당해 도로에 편입된 토지의 소유자가 도로의 폐지를 원하는 경우 동조제2항의 규정에 의하여 폐지신청이 가능할 것임 (* 법 제35조 ⇒ 제45조, 2008.3.21 개정)

질의회신 대지가 도로와 접하고 있지 않은 경우 진입로 소유자 동의 필요여부

건교부 건축 58070-350, 2003.2.24.

질의 건축물을 건축하고자 하는 대지가 도로와 접하고 있지 않아 현재 경매 진행중인 지적법상 진입로(지목 : 도) 소유자의 동의를 받아 건축허가를 받을 수 있는지 여부

회신 건축법 제35조제1항의 규정에 의하여 허가권자는 같은법 제2조제11호나목의 규정에 의하여 도로의 위치를 지정 · 공고하고자 할 때에는 당해 도로에 대한 이해관계인의 동의를 얻어야 하는 것인 바, 귀 문의의 경우와 같이 도로를 지정하고자하는 진입로 부분이 경매진행중이라면 소유권 관계가 확정된 후 소유자의 동의를 득하여 도로의 지정 여부를 검토하는 것이 타당할 것으로 사료되니 보다 구체적인 사항은 당해 지역의 현황을 상세히 알고 있는 당해 허가권자에게 문의하기 바람. (* 법 제35조 ⇒ 제45조, 2008.3.21. 개정)

질의회신 연면적에 따른 도로개설시 소유권 확보여부

건교부 건축 58070 - 2191, 1999.6.12.

질의 건축물의 연면적에 따라 필요한 진입로(도로)의 너비를 확보토록 한 것은 소유권까지 취득해야 하는지 아니면 통행권만 확보해도 되는지

회신 건축법 제33조 제2항 및 동법시행령 제28조 제2항의 규정에 의하면 연면적의 합계가 2천㎡ 이상인 건축물의 대지는 너비 6m 이상의 도로에 4m 이상을 접해야 하는 것으로서, 질의의 대지가 소요너비의 건축법상 도

로에 접한 경우라면 소유권 또는 통행권과 관계없이 건축할 수 있는 것이나, 건축법상 도로가 아니라면 동법 제35조의 규정에 의하여 이해관계인의 동의를 얻어 도로로 지정되어야 하는 것임
(*법 제33조, 제35조 ⇒ 제44조, 제45조, 2008.3.21 개정)

질의회신 기 지정된 도로에 대한 이해관계인의 동의여부

건교부 건축 58070-1924, 1999.5.27.

질의 A가 건축허가시 C에게 사용승락을 받아 시장·군수가 기도로로 인정한 부분을 이용하여 B가 다른 대지에 건축을 할 경우 A의 동의가 필요한지 여부 또는 도면상 표기만으로 건축허가가 가능한지

회신 시장·군수·구청장이 건축허가 또는 신고시 지정한 도로도 건축법 제2조 제1항 제11호의 규정에 의한 도로에 해당하는 것이므로, 이에 접한 다른 대지에 건축시 그 도로소유자나 이해관계인의 동의가 건축법상 다시 필요한 것은 아니며, 당사자간의 그 사용·수익 등에 관하여는 민법 등 관계법령에 따라야 할 사항임

6 건축선

법령해석 막다른 현황도로의 건축선 결정여부

법제처 법령해석 1992.11.6

질의요지 막다른 현황도로가 본인소유대지일 때 건축선은 어떻게 결정되는지 여부 및 막다른 도로의 길이산정 방법은?

회답 질의의 현황도로가 「건축법 제2조 제11호」의 규정에 의한 도로에 해당하는 경우에는 「동법시행령 제3조 제4항」의 규정에 의하여 막다른 도로의 길이에 따른 소요 폭을 확보하여야 할 것인 바, 이 때 소요 폭은 당해 도로의 중심선으로부터 확보하는 것이며, 또한 막다른 도로의 길이산정은 통과도로와의 분기점의 중앙점을 기점으로 산정하는 것임

질의회신 대수선 시 기존건축물에 대한 특례 적용 여부

국토교통부 민원마당 FAQ 2023.6.15.

질의 건축선을 넘어서 있는 기존건축물의 지붕을 대수선하고자 할 때 기존건축물에 대한 특례를 적용할 수 있는 지의 여부

회신 건축물을 대수선하는 경우에도 건축법 및 관계법령의 규정에 적합하여야 하는 것이며, 건축법 제47조의 규정에 따르면 건축물 및 담장은 건축선의 수직면을 넘어서는 아니되며, 같은 법 제6조 및 같은 법시행령 제6조의2의 규정에 따라 기존건축물을 증축 또는 개축하고자 하는 경우에도 해당 부분이 법령등정에 적합한 경우 당해 지방자치단체의 조례가 정하는 바에 의하여 허가가 가능할 것임

질의회신 건축선 지정 관련

국토교통부 민원마당 FAQ 2019.5.24.

질의 소요너비에 미달되는 막다른 도로에 접한 대지에 건축물을 건축시 건축법상 도로의 소요너비를 확보하기 위해 건축선을 후퇴하는 경우 대지 분할 및 지목변경을 하여야 하는지 여부.

회신 건축법 시행령 제3조의3 제2호에 따르면 막다른 도로의 길이가 35미터 이상인 경우에는 도로의 너비는 6미터(도시지역이 아닌 읍·면지역은 4미터)이상이 되도록 규정하고 있음.
건축법 제46조제1항에 따르면 소요너비에 못 미치는 너비의 도로인 경우에는 그 중심선으로부터 그 소요너비의 2분의1의 수평거리만큼 물러난 선을 건축선으로 하도록 규정하고 있으며, 이 경우 대지의 분할 및 지목변경에 대하여는 건축법령에서 명문으로 규정하고 있지 아니함.

질의회신 소요너미 미달도로의 건축선 관련

국토교통부 민원마당 FAQ 2019.5.24.

질의 소요너비 미달도로의 건축선 지정 시 공제부분에 대하여 대지 분할, 지목 변경을 하여야 사용승인이 가능한지?

* 도시계획선 및 건축선 지정부분에 대한 대지의 분할 측량을 조건으로 건축허가 득함.

회신 「건축법」 제46조제1항에 따르면 소요너비에 못 미치는 너비의 도로인 경우 그 중심선으로부터 소요너비의 2분의1의 수평거리만큼 물러난 선을 건축선으로 하도록 규정하고 있으며, 이 경우 대지 분할 및 지목변경에 대하여는 건축법령에서 명문으로 규정하고 있지 아니함

기타, 허가조건 등에 관하여는 해당 지역의 허가권자인 시장.군수.구청장에게 문의하여야 할 것으로 사료됨

질의회신 2개의 도로에 접합 대지의 건축선

국토교통부 민원마당 FAQ 2019.5.24.

질의 너비 4미터인 도로와 너비 6미터인 도로가 교차되는 부분에 위치한 대지의 도로모퉁이 부분에서의 건축선의 지정은

회신 건축법 제2조 제1항 제11호의 규정에 의한 도로가 서로 교차되는 부분에 위치한 도로모퉁이 부분의 건축선은 그 대지에 접한 도로경계선의 교차점으로부터 도로경계선을 따라 동법 시행령 제31조 제1항에서 정하는 거리를 각각 후퇴한 2점을 연결한 선으로 하는 것임

질의회신 소요너비 미달 막다른 도로의 건축선 지정여부

건교부 건축기획팀-736, 2005.10.12.

질의 소요너비에 미달하는 막다른 도로에 접한 대지에 건축하는 경우 건축선을 지정하여야 하는지

회신 건축법 제33조와 관련하여 건축물의 대지에 접한 도로는 동법 제2조제1항제11호에서 정의한 도로이어야 하며 도로의 너비가 법 제2조제1항제11호 본문 및 동법 시행령 제3조의3에서 규정한 소요너비에 미달하는 경우에는 동법 제35조의 규정에 의하여 도로의 위치를 지정·공고하거나 제36조의 규정에 의하여 건축선이 지정되어야 할 것으로 사료됨 (* 법 제33조, 제35조, 제36조 ⇒ 제44조, 제45조, 제46조, 2008.3.21 개정)

질의회신 막다른 도로에 막다르게 접한 대지에 건축이 가능한지

건교부 건축 58070-1595, 2003.9.1.

질의 지적도상 진입도로의 폭이 4미터로 설정(막다른 도로의 소요폭은 6미터)되어 있는 막다른 도로에 막다르게 접한 대지에 건축이 가능한지 여부

회신 건축법 제36조의 규정에 의하여 도로와 접한 부분에 있어서 건축물을 건축할 수 있는 선은 대지와 도로와의 경계선으로, 소요너비에 미달되는 너비의 도로인 경우에는 그 중심선으로부터 소요너비의 2분의1에 상당하는 수평거리를 후퇴한 선을 건축선으로 하는 것이나, 다만 막다른 도로에 막다르게 접한 대지의 경우에는 도로 소요폭을 확보하지 않더라도 건축이 가능한 것임. (*법 제36조 ⇒ 제46조, 2008.3.21 개정)

질의회신 건축선 후퇴부분을 대지면적에 제외시켜 건폐율 산정하는지

국토교통부 민원마당 FAQ 2019.5.24.

질의 건축선 후퇴부분을 대지면적에 제외시켜 건폐율 산정하는지 여부

회신 건축법 제36조제1항의 규정에 의한 건축선 후퇴부분은 건축법 제37조의 규정에 의하여 건축물 및 담장 등 구조물의 설치를 제한하고 도로면으로부터 높이 4.5미터이하에 있는 출입구·창문등 구조물의 개·폐시 이를 넘지 못하도록 하여 통행상 지장이 없도록 규정하고 있고, 동법시행령 제119조제1항제1호의 규정에 의거 동법 제36조제1항 단서의 규정에 의하여 대지안에 건축선이 정하여진 경우에는 그 건축선과 도로 사이의 대지면적을 포함하지 않도록 규정하고 있음을 알려드리니, 기타 도로법등 구체적인 사항에 대하여는 당해 시장·군수·구청장에게 문의하기 바람 (*법 제36조 ⇒ 제46조, 2008.3.21 개정)

건 축 법
1. 총 칙
2. 건 축
3. 유지관리
4. 대지도로
5. 구조재료
6. 지역지구
7. 건축설비
8. 특별건축구역
9. 보 칙
10. 벌 칙
건 축 법 관련기준

질의회신 교통소통이 원활하도록 건축선을 현행보다 더 후퇴할 수는 없는지

건교부 건축 58070-1173, 2003.7.1.

질의 상가지역에서 교통소통이 원활하도록 건축선을 현행보다 더 후퇴할 수는 없는지

회신 건축법 제36조제2항 및 동시행령 제31조제2항의 규정에 의하면 시장·군수 또는 구청장은 국토의계획및이용에관한법률 제36조제1항제1호의 규정에 의한 도시지역에서는 건축물의 위치를 정비하거나 환경을 장비하기 위하여 필요하다고 인정하는 경우에는 동법동조제1항의 규정에 불구하고 4미터 이하의 범위안에서 건축선을 따로 지정할 수 있도록 규정하고 있음. (*법 제36조 ⇒ 제46조, 2008.3.21 개정)

질의회신 건축법 제36조제1항 규정에 의한 건축선 지정부분의 전면도로너비 인정

건교부 건축 58070-2330, 2001.9.11.

질의 소요너비에 미달하는 도로에 접한 대지에 건축물을 건축시 도로중심선으로부터 당해 도로 소요너비의 2분의1을 후퇴하여 건축하는 경우로서 건축법 제51조제3항의 규정에 의한 도로너비에 의한 높이제한 적용시 도로소요너비에 미달하여 장래 후퇴하여야 하는 건축선 예정선을 전면도로의 반대쪽 경계선으로 볼 수 있는지 여부

회신 건축법 제36조제1항의 규정에 의하여 도로 소요너비에 미달되어 건축법 제51조제3항의 규정에 의한 도로너비에 의한 높이제한 적용시에 전면도로의 반대쪽 경계선은 도로 소요너비에 미달되어 후퇴하여야 하는 건축선으로 볼 수 있는 것임 (* 법 제36조, 제51조 ⇒ 제46조, 제60조, 2008.3.21 개정)

질의회신 계단식 도로의 모퉁이 건축선 후퇴여부

건교부 건축 58070-1140, 1999.4.1.

질의 너비 6m 막다른 도로와 너비 5m인 막다른 도로가 만나는 부분에 지형상 고저차가 있어 계단식으로 된 경우에도 도로모퉁이의 건축선을 후퇴해야 하는지

회신 건축법 제36조 제1항 후단 및 동법시행령 제31조의 규정에 의하면 너비 8m 미만인 도로의 모퉁이에 있어서는 도로의 교차각 및 너비에 따라 표에서 정한 각각의 거리를 후퇴한 2점을 연결한 선을 건축선으로 하는 것이므로, 질의의 두 도로가 건축법 제2조 제1항 제11호의 규정에 의한 도로에 해당하는 경우라면 이에 따라야 하는 것임 (* 법 제36조 ⇒ 제46조, 2008.3.21 개정)

질의회신 공원과 대지사이에 소요너비에 미달된 도로가 있는 경우 후퇴여부

건교부 건축 58070-2005, 1995.5.18.

질의 근린공원과 대지사이에 소요너비에 미달되는 도로가 있는 경우 도로 폭을 확보하기 위하여 후퇴하여야 하는 기준은

회신 건축법 제36조 제1항의 단서규정에 의하면 동법 제2조 제11호의 규정에 의한 소요너비에 미달되는 너비의 도로인 경우에는 그 중심선으로부터 당해 소요너비의 2분의 1에 상당하는 수평거리를 후퇴한 선을 건축선으로 하되 당해 도로의 반대쪽에 경사지·하천·철도·선로부지 기타 이와 유사한 것이 있을 경우에는 당해 경사지 등이 있는 쪽 도로경계선에서 소요너비에 상당하는 수평거리의 선을 건축선으로 하는 바, 질의의 도로가 공원과 대지사이에 위치하고 소요너비에 미달된 경우라면 이는 도로중심선으로부터 공원과 대지 각각의 후퇴한 선을 건축선으로 하여야 할 것임 (* 법 제36조 ⇒ 제46조, 2008.3.21 개정)

7 건축선에 의한 건축제한

질의회신 건축선 후퇴부분 대지면적에 제외

국토교통부 민원마당 FAQ 2019.5.24.

질의 건축선 후퇴부분을 대지면적에서 제외시켜 건폐율을 산정하는지 여부

회신 건축선 후퇴부분은 건축물 담장 등 구조물의 설치를 제한하고 도로면으로부터 높이 4.5미터 이하에 있는 출입구.창문 등 구조물의 개폐시 이를 넘지 못하도록 하여 통행상 지장이 없도록 규정하고 있고, 대지안에 건축선이 정하여진 경우에는 그 건축선과 도로사이의 대지면적을 포함하지 않도록 규정하고 있음

질의회신 미관지구안에서 건축선 후퇴부분이 건축이 금지되는 공지 인정여부

서울시 건축과-9897, 2005.7.1.

질의 미관지구안에서 건축선 후퇴부분을 건축법시행령 제28조 제1항에서 규정한 건축이 금지되고 공중의 통행에 지장이 없는 공지로 볼 수 있는지 여부

회신 건축법 제33조 및 동법시행령 제28조의 규정에 의하여 건축물의 대지는 2m이상을 도로에 접하여야 하나, 건축물의 주변에 광장·공원·유원지 기타 관계법령에 의하여 건축이 금지되고 공중의 통행에 지장이 없는 공지로서 허가권자가 인정한 경우에는 그러하지 아니하도록 규정하고 있음

따라서, 상기 규정을 적용함에 있어 "건축이 금지되고 공중의 통행에 지장이 없는 공지"로 인정여부는 법령의 유권해석을 요하는 사항이 아니라 당해 허가권자가 현장여건 및 관계법령을 종합적으로 검토하여 사실판단할 사항이며, 건축법 제37조의 규정에 의하여 미관지구안에서 건축선 후퇴부분의 지상부분에는 건축물 및 담장 등은 설치할 수 없으나, 지표하에는 건축물 등을 건축할 수 있으므로 미관지구안에서의 건축선 후퇴부분은 건축이 금지된 공지로 볼 수 없음 (* 법 제28조, 제33조, 제37조 ⇒ 제37조, 제44조, 제47조, 2008.3.21 개정)

(※ 미관지구, 경관지구→경관지구로 통합, 국토계획법 개정 2017.4.18.)

질의회신 건축선 후퇴부분의 지표하에 설치하는 건축물

서울시 건지 58550-3951, 2000.11.9.

질의 건축법 제37조제1항 "건축물 및 담장은 건축선의 수직면을 넘어서는 아니된다. 다만, 지표하의 부분은 그러하지 아니하다."의 규정 중 지표하의 정의가 당해 대지의 가중평균한 지표면 하부를 의미하는 것인지 아니면 실질적으로 형성된 현황 대지의 지표면 하부를 의미하는 것인지 여부

회신 건축법 제37조제1항의 단서 규정인 "지표하의 부분은 그러하지 아니하다."에서 지표하에 대하여 건축법령에서 구체적으로 정의하고 있지는 않지만, 건축선의 수직면을 넘어서 건축할 수 있는 기준을 설정한 것이므로 지표하란 의미는 건축물 높이 등을 적용하기 위하여 산정되는 당해 대지의 가중평균한 지표면 하부가 아니라 실질적으로 형성된 현황 대지의 지표면 하부로 보는 것이 타당할 것으로 사료됨

(*법 제37조 ⇒ 제47조, 2008.3.21 개정)

질의회신 지표하에 건축선을 넘어 건축가능여부

건축 58070-1844, 1999.5.21.

질의 건축법 제37조 제1항 단서에서 "지표하의 부분은 그러하지 아니하다"라는 규정은 건축선을 넘어 도로의 지표 하에도 지하층을 설치할 수 있다는 말인지

회신 건축법 제37조 제1항 단서의 규정은 도로가 아닌 건축선 후퇴부분(동법 제36조 제1항 단서)의 경우 그 지표하에 건축물 등을 설치할 수 있다는 것이며, 도로 안의 경우에는 도시계획법, 도로법 등 관계법령에서 허용되는 범위(도시계획시설인 지하통로, 도로 점용 허가를 받은 지하구조물 등)안에서만 설치가 가능한 것임

(* 법 제36조, 제37조 ⇒ 제46조, 제47조, 2008.3.21 개정)

건 축 법
1. 총 칙
2. 건 축
3. 유지관리
4. 대지도로
5. 구조재료
6. 지역지구
7. 건축설비
8. 특별건축구역
9. 보 칙
10. 벌 칙
건 축 법 관련기준

10 판례

대법원판례 건축허가신청반려처분취소

대법원 2003두6382, 2003.12.26.

판시사항 건축법 제33조 제1항이 건축물 대지의 접도의무를 규정한 취지 및 같은 항 단서 제1호 소정의 '당해 건축물의 출입에 지장이 없다고 인정되는 경우'에 해당하는지 여부에 관한 판단 기준

판결요지 건축법 제33조 제1항이 건축물 대지의 접도의무를 규정한 취지는, 건축물의 이용자로 하여금 교통상·피난상·방화상·위생상 안전한 상태를 유지·보존케 하기 위하여 건축물의 대지와 도로와의 관계를 특별히 규제하여 도로에 접하지 아니하는 토지에는 건축물을 건축하는 행위를 허용하지 않으려는 데에 있다 할 것이므로, 같은 법 제33조 제1항 단서 제1호 소정의 '당해 건축물의 출입에 지장이 없다고 인정되는 경우'에 해당하는지 여부는 위와 같은 취지에 비추어 건축허가 대상 건축물의 종류와 규모, 대지가 접하고 있는 시설물의 종류 등 구체적인 사정을 고려하여 개별적으로 판단하여야 한다.

대법원판례 건축법상 도로 소유자의 출입문 설치 허용 여부

대법원 92다33978, 1993.3.12.

판시사항 건축법상 도로인 토지상에 소유자가 출입문을 설치하는 행위가 허용되는지 여부

판결요지 건축물의 대지와 도로와의 관계에 관한 건축법 제33조 내지 제37조의 각 규정들의 취지는 건축물 이용자의 통행상의 편의뿐만 아니라 유사시의 피난상, 소방상, 위생상 안전한 상태를 유지, 보존케 하기 위한 공익상의 측면을 고려하여 건축물의 대지와 도로와의 관계를 특별히 규제하고, 건축선 외인 도로내에서의 건축물이나 공작물의 축조를 금지한 것으로 보아야 할 것이므로 건축법상 도로 위에 출입문을 설치하는 행위는 비록 도로의 소유자에 의한 것이고 건축물의 이용자들이 각자 열쇠를 소지하고 공동으로 관리한다 하더라도 사법상 권리행사가 제한되는 것으로서 허용되지 않는다.

대법원판례 주위통행권의 범위 등

대법원 91다32251, 1992.4.24.

판시사항 가. 주위토지통행권의 범위와 그 판단기준

나. 건축법 제33조 제1항, 제8조의 각 규정만으로 당연히 포위된 토지 소유자에게 건축법에서 정하는 도로의 폭이나 면적 등과 일치하는 주위토지통행권이 생기는지 여부.

다. 위요된 토지가 도시계획구역 내의 일반주거지역에 위치하고 나대지인 상태로 되어 있어 이를 일정한 건축물의 건축부지로 이용하고자 하는 경우 주위토지통행권의 범위를 정함에 있어 건축법규상의 규제내용을 참작요소로 삼아야 하는지 여부.

판결요지 가. 민법 제219조에 규정된 주위토지통행권은 공로와의 사이에 그 용도에 필요한 통로가 없는 토지의 이용을 위하여 주위토지의 이용을 제한하는 것이므로 그 통행권의 범위는 통행권을 가진 자에게 필요할 뿐만 아니라 이로 인한 주위토지 소유자의 손해가 가장 적은 장소와 방법의 범위 내에서 인정되어야하며, 이와 같은 범위는 결국 사회통념에 비추어 쌍방토지의 지형적, 위치적 형상 및 이용관계, 부근의 지리상황, 상린지 이용자의 이해득실 기타 제반 사정을 참작한 뒤 구체적 사례에 응하여 판단하여야 한다.

나. 건축법 제33조 제1항, 제8조의 각 규정에 의하면 도시계획구역 내에서 건축을 하고자 하는 경우 방재 및 통행의 안전을 위하여 건축물의 주위에 넓은 공지가 있는 등 특별히 안전성에 지장이 없는 경우를 제외하고는 건축물의 대지는 2미터 이상을 도로에 접하여야 하며, 이에 적합하지 아니할 경우에는 건축허가를 받을 수 없도록 규제하고 있는바, 이러한 규정은 건물의 신축이나 증 · 개축 허가시 그와 같은 범위의 도로가 필요하다는 행정법규에 불과한 것이고, 위 규정 자체만으로 당연히 포위된 토지 소유자에게 그 반사적 이익으로서 건축법에서 정하는 도로의 폭이나 면적 등과 일치하는 주위토지통행권이 바로 생긴다고 단정할 수는 없다.

다. 위요된 토지가 도시계획구역 내의 일반주거지역에 위치하고 현재 나대지인 상태로 되어 있어 이를 일정한 건축물의 건축부지로 이용하고자 하는 경우에 있어서는, 만일 건축법규상의 규제에 적합한 통로의 개설이 허용되지 않는다고 하면 이는 그 토지 소유자로 하여금 건축물의 신축행위를 할 수 없게 하여 당해 토지의 용도에 따른 이용상에 중대한 지장을 주게 되는 매우 불합리한 결과가 생기게 되는바, 따라서 이러한 경우 건축법규상의 규제사항의 존재의 점만으로 당연히 그 규제에 적합한 내용의 주위토지통행권을 인정할 것은 아니라고 하더라도, 공익상의 견지에서 토지의 이용관계를 합리적으로 조정하기 위하여는 마땅히 건축법규상의 규제내용도 그 참작요소로 삼아, 위요된 토지의 소유자의 건축물 건축을 위한 통행료의 필요도와 위요지 소유자가 입게 되는 손해의 정도를 비교형량하여 주위토지통행권의 적정한 범위를 결정하여야 옳다.

대법원판례 **진입로가 없는 맹지의 지상에 건축허가를 받기 위한 요건**

대법원 95다146, 1995.7.25.

판시사항 가. 구 건축법에 의하여 진입로가 없는 맹지의 지상에 건축허가를 받기 위한 요건.

나. 오랫동안 갑의 묵인하에 갑 소유의 대지를 진입로로 사용하여 온 맹지소유자 을이, 갑의 진입로 확보 약정상의 의무 불이행을 이유로 하여 그 약정과 동시이행하기로 한 다른 부동산의 매매계약을 해제한 것이, 신의칙에 위반되지 않는다고 본 사례.

판결요지 가. 구 건축법(1991.5.31. 법률 제4381호로 전문 개정되기 전의 것) 제27조 제1항에 건축물의 대지는 2m 이상을 “도로”에 접하여야 한다고 규정하고 있으므로, 맹지인 대지상에 건축허가를 받기 위하여는 “도로”에 접하여야 하는바, 폭 2m 이하의 골목길과 같은 사실상의 도로는 건축법상의 도로가 아니므로 맹지가 그와 같은 골목길에 접한다 하여 구 건축법 제27조 제1항 소정의 요건을 갖추었다고 할 수 없으므로, 그 맹지상에 건축하려고 하는 경우에는 그 자체로는 건축 허가가 불가능하여 위 골목길을 도로로 지목변경하여야 하며, 그 경우 구 건축 법시행령(1992.5.30. 대통령령 제13655호로 전문 개정되기 전의 것) 제62조 제1항 소정의 3m 노폭을 갖추어야 한다.

나. 오랫동안 갑의 묵인하에 갑 소유의 대지를 진입로로 사용하여 온 맹지 소유자 을이, 갑의 진입로 확보 약정상의 의무 불이행을 이유로 하여 그 약정과 동시이행하기로 한 다른 부동산의 매매계약을 해제한 것이, 신의칙에 위반되지 않는다고 본 사례.

5

건축물의 구조 및 재료 등

1 건축물의 구조 등

1 구조안전의 확인 등(법 제48조)(영 제32조)(구조규칙 제4장)

법 제48조【구조내력 등】

① 건축물은 고정하중, 적재하중(積載荷重), 적설하중(積雪荷重), 풍압(風壓), 지진, 그 밖의 진동 및 충격 등에 대하여 안전한 구조를 가져야 한다.

② 제11조제1항에 따른 건축물을 건축하거나 대수선하는 경우에는 대통령령으로 정하는 바에 따라 구조의 안전을 확인하여야 한다.

③ 지방자치단체의 장은 제2항에 따른 구조 안전 확인 대상 건축물에 대하여 허가 등을 하는 경우 내진(耐震)성능 확보 여부를 확인하여야 한다.

④ 제1항에 따른 구조내력의 기준과 구조 계산의 방법 등에 관하여 필요한 사항은 국토교통부령으로 정한다. <개정 2015.1.6.>

영 제32조【구조 안전의 확인】

① 법 제48조제2항에 따라 법 제11조제1항에 따른 건축물을 건축하거나 대수선하는 경우 해당 건축물의 설계자는 국토교통부령으로 정하는 구조기준 등에 따라 그 구조의 안전을 확인하여야 한다. <개정 2014.11.28>

1.~7. 삭제 <2014.11.28>

② 제1항에 따라 구조 안전을 확인한 건축물 중 다음 각 호의 어느 하나에 해당하는 건축물의 건축주는 해당 건축물의 설계자로부터 구조 안전의 확인 서류를 받아 법 제21조에 따른 착공신고를 하는 때에 그 확인 서류를 허가권자에게 제출하여야 한다. 다만, 표준설계도서에 따라 건축하는 건축물은 제외한다. <개정 2017.2.3, 2017.10.24, 2018.12.4>

1. 층수가 2층[주요구조부인 기둥과 보를 설치하는 건축물로서 그 기둥과 보가 목재인 목구조 건축물(이하 "목구조 건축물"이라 한다)의 경우에는 3층] 이상인 건축물
2. 연면적이 200제곱미터(목구조 건축물의 경우에는 500제곱미터) 이상인 건축물. 다만, 창고, 축사, 작물 재배사 및 표준설계도서에 따라 건축하는 건축물은 제외한다.
3. 높이가 13미터 이상인 건축물
4. 처마높이가 9미터 이상인 건축물

5. 기둥과 기둥 사이의 거리가 10미터 이상인 건축물
6. 건축물의 용도 및 규모를 고려한 중요도가 높은 건축물로서 국토교통부령으로 정하는 건축물
7. 국가적 문화유산으로 보존할 가치가 있는 건축물로서 국토교통부령으로 정하는 것
8. 제2조제18호가목 및 다목의 건축물
9. 별표 1 제1호의 단독주택 및 같은 표 제2호의 공동주택

구조규칙 제9조의2【구조계산】

법 제48조제2항에 따라 구조의 안전을 확인하여야 하는 건축물의 구조계산은 「건축구조기준」에서 정하는 바에 따른다.

구조규칙 제56조【적용범위】

① 영 제32조제1항에 따른 각 단계별 구조안전(지진에 대한 구조안전을 포함한다)확인의 절차, 내용 및 방법은 제57조에서 제59조까지에 따른다. <개정 2014.11.28.>

② 영 제32조제2항제6호에서 "국토교통부령으로 정하는 건축물"이란 별표 11에 따른 중요도 특 또는 중요도 1에 해당하는 건축물을 말한다. <개정 2014.11.28., 2017.10.24.>

③ 영 제32조제2항제7호에서 "국가적 문화유산으로 보존할 가치가 있는 건축물로서 국토교통부령이 정하는 것"이란 국가적 문화유산으로 보존할 가치가 있는 박물관·기념관 그 밖에 이와 유사한 것으로서 연면적의 합계가 5천제곱미터 이상인 건축물을 말한다. <개정 2014.11.28.>

구조규칙 제57조【구조설계도서의 작성】

구조설계도서는 이 규칙에 적합하도록 작성하여야 하며 구조설계도서에 포함할 내용과 구조안전 확인의 기술적 기준은 「건축구조기준」 또는 「소규모건축구조기준」에서 정하는 바에 따른다. <개정 2017.2.3.>

구조규칙 제58조【구조안전확인서 제출】

영 제32조제2항 각 호의 어느 하나에 해당하는 건축물로서 같은 조 제1항에 따라 구조안전의 확인(지진에 대한 구조안전을 포함한다)을 한 건축물에 대해서는 법 제21조에 따른 착공신고를 하는 경우에 다음 각 호의 구분에 따른 구조안전 및 내진설계 확인서를 작성하여 제출하여야 한다. <개정 2017.2.3.>

1. 6층 이상 건축물: 별지 제1호서식에 따른 구조안전 및 내진설계 확인서
2. 소규모건축물: 별지 제2호서식에 따른 구조안전 및 내진설계 확인서 또는 별지 제3호서식에 따른 구조안전 및 내진설계 확인서 <신설 2017.2.3.>
3. 제1호 및 제2호 외의 건축물: 별지 제2호서식에 따른 구조안전 및 내진설계 확인서

구조규칙 제59조【공사단계의 구조안전확인】

공사감리자는 건축물의 착공신고 또는 실제 착공일 전까지 구조부재와 관련된 상세시공도면이 적정하게 작성되었는지와 구조계산서 및 구조설계도서에 적합하게 작성되었는지에 대하여 검토하여 확인하여야 한다.

건 축 법
1. 총 칙
2. 건 축
3. 유지관리
4. 대지도로
5. 구조재료
6. 지역지구
7. 건축설비
8. 특별건축구역
9. 보 칙
10. 벌 칙
건 축 법 관련기준

해설 건축물은 생활하기에 편리하고 쾌적하게 계획되어야 한다. 이러한 계획적인 점 못지않게 건축물의 안전, 즉 구조에 관한 사항도 매우 중요하다. 구조가 바탕이 되지 않은 계획·설계는 건축물의 균열·붕괴 등 많은 위험요소를 내포하게 된다. 이에 건축물의 구조에 관한 사항을 「건축물의 구조기준 등에 관한 규칙」, 「건축구조기준」 등에서 규정하고 있다. 이러한 규정에 따라 건축사는 설계시 건축물에 대한 구조안전을 확인하여야 하며, 대규모 건축물, 특수구조 건축물, 다중이용건축물 및 준다중이용건축물 등의 건축물에 있어서는 건축구조기술사의 협력을 받아 구조안전에 만전을 기하여야 한다.

【1】 구조내력

건축물은 고정하중·적재하중·적설하중·풍압·지진 그 밖에 진동 및 충격 등에 대하여 안전한 구조를 가져야 한다.

【2】 구조안전의 확인 등

① 건축물을 건축하거나 대수선하는 경우 해당 건축물의 설계자(건축사)는 「건축물의 구조기준 등에 관한 규칙」(이후 "구조규칙"), 「건축구조기준」 에 따라 구조의 안전을 확인하여야 한다.

② 지방자치단체의 장은 구조 안전 확인 대상 건축물에 대하여 허가 등을 하는 경우 내진(耐震)성능 확보 여부를 확인하여야 한다.

【3】 구조안전 확인 서류의 제출

① 위 규정에 따라 구조 안전을 확인한 건축물 중 다음 건축물의 건축주는 설계자로부터 구조 안전의 확인 서류를 받아 착공신고 시 허가권자에게 제출하여야 한다.

예외 표준설계도서에 따라 건축하는 건축물은 제외

층수 (목구조건축물[1])	연면적[2] (목구조건축물)	높이	처마높이	기둥과 기둥 사이의 거리[3]	중요도가 높은 건축물[4]	국가적 문화유산[5]	특수구조 건축물	주택
2층 이상 (3층 이상)	200m² 이상 (500m² 이상)	13m 이상	9m 이상	10m 이상	중요도 특, 1 해당 건축물[4]	연면적 합계 5,000m² 이상	3m 이상 돌출차양 등[6]	단독주택, 공동주택

1) 목구조 건축물 : 주요구조부인 기둥과 보를 설치하는 건축물로서 그 기둥과 보가 목재인 건축물
2) 창고, 축사, 작물 재배사는 제외
3) 기둥의 중심선 사이의 거리를 말하며, 기둥이 없는 경우 내력벽과 내력벽 사이의 거리
4) 건축물의 용도 및 규모를 고려한 중요도 특, 중요도 1에 해당하는 건축물 (5 【참고2】 참조)
5) 국가적 문화유산으로 보존가치가 있는 박물관·기념관 그 밖에 이와 유사한 것으로서 연면적의 합계 5,000m² 이상인 건축물
6) 특수구조 건축물 중
- 한쪽 끝은 고정되고 다른 끝은 지지(支持)되지 아니한 구조로 된 보·차양 등이 외벽(외벽이 없는 경우 외곽 기둥)의 중심선으로부터 3m 이상 돌출된 건축물
- 특수한 설계·시공·공법 등이 필요한 건축물로서 국토교통부장관이 정하여 고시하는 구조로 된 건축물 ⇨ 특수구조 건축물 대상기준[국토교통부고시 제2018-777호, 2018.12.7.]

② 구조안전 확인 서류의 구분

㉠ 6층 이상 건축물 : 별지 제1호서식(구조안전 및 내진설계 확인서)

㉡ 소규모 건축물* : 별지 제2호서식 또는 제3호서식(구조안전 및 내진설계 확인서)

* 2층 이하의 건축물로서 위 【3】 ①의 어느 하나에도 해당하지 않는 건축물

㉢ 위 ㉠, ㉡ 외의 건축물 : 별지 제2호서식(구조안전 및 내진설계 확인서)

㉣ 기존 건축물[*1]을 건축 또는 대수선시 건축주는 적용의 완화[*2]를 요청할 때 구조 안전의 확인 서류를 허가권자에게 제출하여야 한다.(*1.시행령 제6조제1항다목, *2.법 제5조제1항 참조)

【4】 공사단계의 구조안전 확인

① 확인자 : 공사감리자

② 검토 및 확인 시기 : 건축물의 착공신고 또는 실제 착공일 전까지

③ 검토 및 확인 내용

- 구조부재와 관련된 상세시공도면의 적정 여부
- 구조계산서 및 구조설계도서의 적합 여부

2 건축물 내진등급의 설정(법 제48조의2)(구조규칙 제60조)

법 제48조의2【건축물 내진등급의 설정】

① 국토교통부장관은 지진으로부터 건축물의 구조 안전을 확보하기 위하여 건축물의 용도, 규모 및 설계구조의 중요도에 따라 내진등급(耐震等級)을 설정하여야 한다.

② 제1항에 따른 내진등급을 설정하기 위한 내진등급기준 등 필요한 사항은 국토교통부령으로 정한다.

[본조신설 2013.7.16.]

구조규칙 제60조【건축물의 내진등급기준】

법 제48조의2제2항에 따른 건축물의 내진등급기준은 별표 12와 같다.

[본조신설 2014.2.7.]

[별표12] 건축물의 내진등급기준(제60조 관련) <신설 2014.2.7.>

건축물의 내진등급	건축물의 중요도	중요도계수(IE)
특	별표 11에 따른 중요도 특	1.5
I	별표 11에 따른 중요도 1	1.2
II	별표 11에 따른 중요도 2 및 3	1.0

건축법
1. 총칙
2. 건축
3. 유지관리
4. 대지도로
5. 구조재료
6. 지역지구
7. 건축설비
8. 특별건축구역
9. 보칙
10. 벌칙
건축법 관련기준

3 건축물의 내진능력 공개(법 제48조의3)(영 제32조의2)(구조규칙 제60조의2)

법 제48조의3【건축물의 내진능력 공개】

① 다음 각 호의 어느 하나에 해당하는 건축물을 건축하고자 하는 자는 제22조에 따른 사용승인을 받는 즉시 건축물이 지진 발생 시에 견딜 수 있는 능력(이하 "내진능력"이라 한다)을 공개하여야 한다. 다만, 제48조제2항에 따른 구조안전 확인 대상 건축물이 아니거나 내진능력 산정이 곤란한 건축물로서 대통령령으로 정하는 건축물은 공개하지 아니한다. <개정 2017.12.26.>

1. 층수가 2층[주요구조부인 기둥과 보를 설치하는 건축물로서 그 기둥과 보가 목재인 목구조 건축물(이하 "목구조 건축물"이라 한다)의 경우에는 3층] 이상인 건축물
2. 연면적이 200제곱미터(목구조 건축물의 경우에는 500제곱미터) 이상인 건축물
3. 그 밖에 건축물의 규모와 중요도를 고려하여 대통령령으로 정하는 건축물

② 제1항의 내진능력의 산정 기준과 공개 방법 등 세부사항은 국토교통부령으로 정한다.

[본조신설 2016.1.19.]

영 제32조의2【건축물의 내진능력 공개】

① 법 제48조의3제1항 각 호 외의 부분 단서에서 "대통령령으로 정하는 건축물"이란 다음 각 호의 어느 하나에 해당하는 건축물을 말한다.

1. 창고, 축사, 작물 재배사 및 표준설계도서에 따라 건축하는 건축물로서 제32조제2항제1호 및 제3호부터 제9호까지의 어느 하나에도 해당하지 아니하는 건축물
2. 제32조제1항에 따른 구조기준 중 국토교통부령으로 정하는 소규모건축구조기준을 적용한 건축물

② 법 제48조의3제1항제3호에서 "대통령령으로 정하는 건축물"이란 제32조제2항제3호부터 제9호까지의 어느 하나에 해당하는 건축물을 말한다.

[본조신설 2018.6.26.]

구조규칙 제60조의2【건축물의 내진능력 산정 기준 및 공개 방법】

① 법 제48조의3제1항에 따른 내진능력(이하 "내진능력"이라 한다)의 산정 기준은 별표 13과 같다.

② 법 제48조의3제1항에 따른 건축물에 대하여 법 제22조에 따라 사용승인을 신청하는 자는 제1항에 따라 산정한 내진능력을 신청서에 적어 제출하여야 한다. 이 경우 별표 13 제2호나목의 방식으로 내진능력을 산정한 경우에는 건축구조기술사가 날인한 근거자료를 함께 제출하여야 한다.

③ 법 제48조의3제1항에 따른 내진능력의 공개는 내진능력을 건축물대장에 기재하는 방법으로 한다.

[본조신설 2017.1.20.]

【1】 내진능력 공개 대상 건축물

다음 건축물을 건축하고자 하는 자는 사용승인을 받는 즉시 건축물이 지진 발생 시에 견딜 수 있는 능력(이하 "내진능력"이라 한다)을 공개하여야 한다.

1. 2층[목구조 건축물: 3층] 이상인 건축물
2. 연면적 200㎡[목구조 건축물: 500㎡] 이상인 건축물
3. 높이가 13m 이상인 건축물
4. 처마높이가 9m 이상인 건축물
5. 기둥과 기둥 사이의 거리가 10m 이상인 건축물
6. 건축물의 용도 및 규모를 고려한 중요도가 높은 건축물로서 국토교통부령으로 정하는 건축물
7. 국가적 문화유산으로 보존할 가치가 있는 건축물로서 국토교통부령으로 정하는 것
8. 한쪽 끝은 고정되고 다른 끝은 지지(支持)되지 아니한 구조로 된 보·차양 등이 외벽(외벽이 없는 경우 외곽 기둥)의 중심선으로부터 3m 이상 돌출된 건축물
9. 특수한 설계·시공·공법 등이 필요한 건축물로서 국토교통부장관이 정하여 고시하는 구조로 된 건축물 ⇨ 특수구조 건축물 대상기준 [국토교통부고시 제2018-777호, 2018.12.7.] 참조
10. 단독주택 및 공동주택

【2】 내진능력 공개 제외 대상 건축물

구조안전확인대상이 아니거나 내진능력 산정이 곤란한 건축물로서 다음의 건축물은 내진능력을 공개하지 아니한다.

1. 창고, 축사, 작물 재배사 및 표준설계도서에 따라 건축하는 건축물로서 위 【1】 표의 1., 3.～10.의 어느 하나에도 해당하지 않는 건축물
2. 소규모건축구조기준을 적용한 건축물 ⇨ 소규모건축구조기준 [국토교통부고시 제2023-786호, 2023.12.19. 폐지] ➡건축구조기준_KDS 42 참조

【3】 사용승인 신청시 내진능력의 제출 등

① 내진능력 공개대상 건축물의 사용승인 신청자는 내진능력을 신청서에 적어 제출해야 한다.

② 아래 별표 13의 제2호나목 방식으로 내진능력 산정시 구조기술사의 날인 근거자료를 함께 제출해야 한다.

③ 내진능력의 공개는 건축물대장에 기재하는 방법으로 한다.

【참고】 내진능력 산정 기준 [구조규칙 별표 13] 〈신설 2017.1.20.〉

1. 내진능력 표기방법

내진능력은 수정 메르칼리 진도 등급(MMI 등급)과 최대지반가속도를 함께 표기하되, 최대지반가속도는 소수점 이하 4번째 자리에서 반올림하여 소수점 이하 3번째 자리까지 표기한다. (예시 : Ⅶ-0.150g)

2. 건축물의 최대지반가속도는 다음 각 목의 어느 하나에 해당하는 방법으로 산정한다.

가. 응답 스펙트럼 방식: 최대지반가속도(g) = $\frac{2}{3} \times S \times I \times F_a$

S : 지진구역계수(별표 10에 따른 지진구역계수 또는 「건축구조기준」 그림 0306.3.1상의 지진구역계수를 말한다)

I : 중요도계수(별표 11에 따른 중요도계수를 말한다)

F_a : 지반증폭계수(「건축구조기준」 표 0306.3.3에 따른다)

나. 능력 스펙트럼 방식: 다음 1)부터 3)까지의 절차에 따라 산정한다.

1) 하중의 점진적 증가에 상응하여 비선형 정적해석으로 구한 건축물의 최상층 변위와 지진력과의 관계곡선(이하 "능력곡선"이라 한다)을 구한다.

2) 능력곡선 위에 건축물이 지진력에 의해 변형을 일으키더라도 인명의 손상이 발생되지 않는 변위의 한계점(이하 "인명안전 한계점"이라 한다)을 구한다.

3) 가속도와 주기의 응답 스펙트럼 관계를 가속도와 변위관계로 변환하여 구해진 상관곡선(이하 "요구곡선"이라 한다)이 능력곡선의 인명안전 한계점과 교차할 때의 요구곡선 가속도를 최대지반가속도로 한다.

3. 건축물의 수정 메르칼리 진도 등급(MMI 등급)은 아래의 표에서 제2호에 따라 산정한 최대지반가속도가 해당되는 범위에 대응하는 수정 메르칼리 진도 등급(MMI 등급)으로 한다.

최대지반가속도(g)	내진능력(MMI 등급)
0.002 이상 0.004 미만	Ⅰ
0.004 이상 0.008 미만	Ⅱ
0.008 이상 0.017 미만	Ⅲ
0.017 이상 0.033 미만	Ⅳ
0.033 이상 0.066 미만	Ⅴ
0.066 이상 0.133 미만	Ⅵ
0.133 이상 0.264 미만	Ⅶ
0.264 이상 0.528 미만	Ⅷ
0.528 이상 1.050 미만	Ⅸ
1.050 이상 2.100 미만	Ⅹ
2.100 이상 4.191 미만	Ⅺ
4.191 이상	Ⅻ

4 부속구조물의 설치 및 관리(법 제48조의4)

법 제48조의4【부속구조물의 설치 및 관리】

건축관계자, 소유자 및 관리자는 건축물의 부속구조물을 설계·시공 및 유지·관리 등을 고려하여 국토교통부령으로 정하는 기준에 따라 설치·관리하여야 한다.
[본조신설 2016.2.3.]

법 제2조【정의】①

21. "부속구조물"이란 건축물의 안전·기능·환경 등을 향상시키기 위하여 건축물에 추가적으로 설치하는 환기시설물 등 대통령령으로 정하는 구조물을 말한다.

영 제2조【정의】①

19. 법 제2조제1항제21호에서 "환기시설물 등 대통령령으로 정하는 구조물"이란 급기(給氣) 및 배기(排氣)를 위한 건축 구조물의 개구부(開口部)인 환기구를 말한다.

※ 관련내용은 제7장 4-3 환기구의 안전기준 참조

5 관계전문기술자와의 협력(법 제67조)(영 제91조의3)(규칙 제36조의2)(구조규칙 제61조)

법 제67조【관계전문기술자】

① 설계자와 공사감리자는 제40조, 제41조, 제48조부터 제50조까지, 제50조의2, 제51조, 제52조, 제62조 및 제64조와 「녹색건축물 조성 지원법」 제15조에 따른 대지의 안전, 건축물의 구조상 안전, 부속구조물 및 건축설비의 설치 등을 위한 설계 및 공사감리를 할 때 대통령령으로 정하는 바에 따라 다음 각 호의 어느 하나의 자격을 갖춘 관계전문기술자(「기술사법」 제21조제2호에 따라 벌칙을 받은 후 대통령령으로 정하는 기간이 지나지 아니한 자는 제외한다)의 협력을 받아야 한다. <개정 2020.6.9., 2021.3.16>

1. 「기술사법」 제6조에 따라 기술사사무소를 개설등록한 자
2. 「건설기술 진흥법」 제26조에 따라 건설엔지니어링사업자로 등록한 자
3. 「엔지니어링산업 진흥법」 제21조에 따라 엔지니어링사업자의 신고를 한 자
4. 「전력기술관리법」 제14조에 따라 설계업 및 감리업으로 등록한 자

② 관계전문기술자는 건축물이 이 법 및 이 법에 따른 명령이나 처분, 그 밖의 관계 법령에 맞고 안전 · 기능 및 미관에 지장이 없도록 업무를 수행하여야 한다.

영 제91조의3【관계전문기술자와의 협력】

① 다음 각 호의 어느 하나에 해당하는 건축물의 설계자는 제32조에 따라 해당 건축물에 대한 구조의 안전을 확인하는 경우에는 건축구조기술사의 협력을 받아야 한다. <개정 2018.12.4>

1. 6층 이상인 건축물
2. 특수구조 건축물
3. 다중이용 건축물
4. 준다중이용 건축물 <신설 2015.9.22>
5. 3층 이상의 필로티형식 건축물 <신설 2018.12.4.>
6. 제32조제2항제6호에 해당하는 건축물 중 국토교통부령으로 정하는 건축물

② "생략" ➡ **제7장 건축설비 참조**

③ 깊이 10미터 이상의 토지 굴착공사 또는 높이 5미터 이상의 옹벽 등의 공사를 수반하는 건축물의 설계자 및 공사감리자는 토지 굴착 등에 관하여 국토교통부령으로 정하는 바에 따라 「기술사법」에 따라 등록한 토목 분야 기술사 또는 국토개발 분야의 지질 및 기반 기술사의 협력을 받아야 한다. <개정 2016.5.17.>

④ 설계자 및 공사감리자는 안전상 필요하다고 인정하는 경우, 관계 법령에서 정하는 경우 및 설계계약 또는 감리계약에 따라 건축주가 요청하는 경우에는 관계전문기술자의 협력을 받아야 한다.

⑤ 특수구조 건축물 및 고층건축물의 공사감리자는 제19조제3항제1호 각 목 및 제2호 각 목에 해당하는 공정에 다다를 때 건축구조기술사의 협력을 받아야 한다. <개정 2016.5.17.>

⑥ 3층 이상인 필로티형식 건축물의 공사감리자는 법 제48조에 따른 건축물의 구조상 안전을 위한 공사감리를 할 때 공사가 제18조의2제2항제3호나목에 따른 단계에 다다른 경우마다 법 제67조제1항제1호부터 제3호까지의 규정에 따른 관계전문기술자의 협력을 받아야 한다. 이 경우 관계전문기술자는 「건설기술 진흥법 시행령」 별표 1 제3호라목1)에 따른 건축구조 분야의 특급 또는 고급기술자의 자격요건을 갖춘 소속 기술자로 하여금 업무를 수행하게 할 수 있다. <개정 2018.12.4>

⑦ 제1항부터 제6항까지의 규정에 따라 설계자 또는 공사감리자에게 협력한 관계전문기술자

는 공사 현장을 확인하고, 그가 작성한 설계도서 또는 감리중간보고서 및 감리완료보고서에 설계자 또는 공사감리자와 함께 서명날인하여야 한다. <개정 2018.12.4>

⑧ 제32조제1항에 따른 구조 안전의 확인에 관하여 설계자에게 협력한 건축구조기술자는 구조의 안전을 확인한 건축물의 구조도 등 구조 관련 서류에 설계자와 함께 서명날인하여야 한다. <개정 2018.12.4>

⑨ 법 제67조제1항 각 호 외의 부분에서 "대통령령으로 정하는 기간"이란 2년을 말한다. <개정 2018.12.4>

규칙 제36조의2【관계전문기술자】

① 삭제 <2010.8.5>

② 영 제91조의3제3항에 따라 건축물의 설계자 및 공사감리자는 다음 각 호의 어느 하나에 해당하는 사항에 대하여 「기술사법」에 따라 등록한 토목 분야 기술사 또는 국토개발 분야의 지질 및 기반 기술사의 협력을 받아야 한다. <개정 2016.5.30.>

1. 지질조사
2. 토공사의 설계 및 감리
3. 흙막이벽 · 옹벽설치등에 관한 위해방지 및 기타 필요한 사항

구조규칙 제61조【건축구조기술사와의 협력】

영 제91조의3제1항제5호에 따라 건축물의 설계자가 해당 건축물에 대한 구조의 안전을 확인하는 경우 건축구조기술사의 협력을 받아야 하는 건축물은 별표 10에 따른 지진구역 Ⅰ의 지역에 건축하는 건축물로서 별표 11에 따른 중요도가 특에 해당하는 건축물로 한다.
[전문개정 2015.12.21.]

【1】 관계전문기술사와의 협력

① 설계자 및 공사감리자는 다음의 내용에 의한 설계 및 공사감리를 함에 있어 관계전문기술자의 협력을 받아야 한다.

내 용	대지의 안전, 건축물의 구조상 안전, 부속구조물 및 건축설비의 설치 등을 위한 설계 및 공사감리			
세부관련 규정	법조항	내 용	법조항	내 용
	법제40조	대지의 안전 등	법제50조	건축물의 내화구조와 방화벽
	법제41조	토지 굴착부분에 대한 조치 등	법제50조의2	고층건축물의 피난 및 안전관리
	법제48조	구조내력 등	법제51조	방화지구 안의 건축물
	법제48조의2	건축물 내진등급의 설정	법제52조	건축물의 내부 마감재료
	법제48조의3	건축물의 내진능력 공개	법제62조	건축설비기준 등
	법제48조의4	부속건축물의 설치 및 관리	법제64조	승강기
	법제49조	건축물의 피난시설 및 용도제한 등	녹색건축물조성 지원법 제15조	건축물에 대한 효율적인 에너지 관리와 녹색건축물 조성의 활성화
관계전문 기술자의 협력	1. 안전상 필요하다고 인정하는 경우 2. 관계법령이 정하는 경우 3. 설계계약 또는 감리계약에 따라 건축주가 요청하는 경우			

관계전문 기술자의 업무수행	관계전문기술자는 건축물이 이 법 및 이 법에 따른 명령이나 처분, 그 밖의 관계 법령에 맞고 안전·기능 및 미관에 지장이 없도록 업무를 수행하여야 한다.

② 관계전문기술자의 자격

자 격	근거 법규정 관계법	비 고
1. 기술사사무소를 개설등록한 자	「기술사법」 제6조	「기술사법」 제2조제2호의 벌칙을 받은 후 2년 미경과자는 제외
2. 건설엔지니어링사업자로 등록한 자	「건설기술 진흥법」 제26조	
3. 엔지니어링사업자의 신고를 한 자	「엔지니어링산업 진흥법」 제21조	
4. 설계업 및 감리업으로 등록한 자	「전력기술관리법」 제14조	

관계법 「기술사법」, 「건설기술진흥법」, 「엔지니어링산업 진흥법」, 「전력기술관리법」

1. 「기술사법」

법 제6조 【기술사사무소의 개설등록 등】 ① 기술사가 개업하기 위하여 사무소를 개설하려면 과학기술정보통신부장관에게 등록을 하여야 한다. 이 경우 2명 이상의 기술사가 합동기술사사무소(이하 "합동사무소"라 한다)를 개설할 수 있다. <개정 2017.7.26.>

② 제1항에 따라 기술사사무소(합동사무소를 포함한다. 이하 같다)의 등록이 된 경우에는 과학기술정보통신부장관은 그 등록사실을 「국가기술자격법」 제10조에 따른 해당 기술사의 관련 주무부장관(이하 "주무부장관"이라 한다)에게 통보하여야 한다. <개정 2017.7.26.>

③ 기술사는 둘 이상의 기술사사무소를 개설할 수 없다.

④ 제1항에 따라 합동사무소를 개설할 때에는 다음 각 호의 요건을 모두 갖추어야 한다.

1. 「국가기술자격법」 제10조에 따라 국가기술자격을 취득한 기술사, 기사 등 대통령령으로 정하는 보조 인력을 3명 이상 확보할 것
2. 합동사무소의 운영에 관한 규약을 작성할 것

⑤ 기술사사무소의 등록절차, 제4항제2호에 따른 규약의 작성과 기재 사항, 그 밖에 합동사무소의 개설에 필요한 사항은 대통령령으로 정한다.

2. 「건설기술 진흥법」

법 제26조 【건설엔지니어링의 등록 등】 ① 발주청이 발주하는 건설엔지니어링사업을 수행하려는 자는 전문분야별 요건을 갖추어 특별시장·광역시장·특별자치시장·도지사 또는 특별자치도지사(이하 "시·도지사"라 한다)에게 등록하여야 한다. 다만, 발주청이 발주하는 건설엔지니어링 중 건설공사의 계획·조사·설계를 수행하기 위하여 시·도지사에게 등록하려는 자는 「엔지니어링산업 진흥법」 제2조제4호에 따른 엔지니어링사업자 또는 「기술사법」 제6조제1항에 따른 사무소를 등록한 기술사이어야 한다. <개정 2021.3.16.>

② 시·도지사는 건설엔지니어링사업자에게 국토교통부령으로 정하는 바에 따라 등록증을 발급하여야 한다. <개정 2021.3.16.>

③ 건설엔지니어링사업자는 제1항에 따라 등록한 사항 중 국토교통부령으로 정하는 사항이 변경된 경우에는 국토교통부령으로 정하는 기간 이내에 변경등록을 하여야 한다. <개정 2020.10.20., 2021.3.16.>

④ 건설엔지니어링사업자는 휴업하거나 폐업하는 경우에는 국토교통부령으로 정하는 바에 따라 시·도지사에게 신고하여야 한다. 이 경우 폐업신고를 받은 시·도지사는 그 등록을 말소하여야 한다. <개정

2021.3.16.>

⑤ 시ㆍ도지사는 제1항부터 제4항까지의 규정에 따라 건설엔지니어링사업자가 등록 또는 변경등록을 하거나 건설엔지니어링사업자로부터 휴업 또는 폐업 신고를 받은 경우에는 그 사실을 국토교통부장관에게 통보하여야 한다. <개정 2021.3.16.>

⑥ 제1항 본문에 따른 건설엔지니어링업의 전문분야 구분, 전문분야별 등록요건 및 업무범위 등은 대통령령으로 정한다. <개정 2021.3.16.>

⑦ 건설엔지니어링업의 등록 및 변경등록, 휴업ㆍ폐업의 절차 등에 관하여 필요한 사항은 국토교통부령으로 정한다. <개정 2021.3.16.>

[제목개정 2021.3.16.]

3. 「엔지니어링산업 진흥법」

법 제21조【엔지니어링사업자의 신고 등】① 엔지니어링활동을 영업의 수단으로 하려는 자는 기술인력 등 대통령령으로 정하는 요건을 갖추고 산업통상자원부장관에게 신고하여야 한다. 이 경우 산업통상자원부장관은 신고한 자에게 산업통상자원부령으로 정하는 바에 따라 신고증을 교부하여야 한다.

② 엔지니어링사업자는 대통령령으로 정하는 중요 사항을 변경하거나 휴업 또는 폐업하려는 때에는 산업통상자원부령으로 정하는 바에 따라 그 사유가 발생한 날부터 30일 이내에 산업통상자원부장관에게 그 사실을 신고하여야 한다.

③ 산업통상자원부장관은 제1항 및 제2항에 따른 신고를 받은 경우 그 신고 사항에 대하여 보완이 필요하다고 인정할 때에는 3개월 이내에서 기간을 정하여 이를 보완하게 할 수 있다.

④ 제1항에 따라 엔지니어링사업자의 신고를 한 자는 타인에게 자기의 상호 또는 성명을 사용하여 엔지니어링사업을 하게 하거나 신고증을 빌려 주어서는 아니 된다.

⑤ 누구든지 제4항에서 금지된 행위를 알선하거나 타인의 신고증을 사용하여서는 아니 된다.

⑥ 엔지니어링사업자의 신고 절차 등에 관하여 필요한 사항은 산업통상자원부령으로 정한다.

4. 「전력기술관리법」

법 제14조【설계업ㆍ감리업의 등록 등】① 다음 각 호의 어느 하나에 해당하는 영업을 하려는 자는 그 영업의 종류별로 시ㆍ도지사에게 등록하여야 한다. 이를 변경하려는 경우에도 또한 같다.

1. 전력시설물의 설계업(이하 "설계업"이라 한다)
2. 전력시설물의 공사감리업(이하 "감리업"이라 한다)

② 설계업 또는 감리업의 종류, 종류별 등록 기준, 영업 범위, 그 밖에 필요한 사항은 대통령령으로 정한다.

③ 제1항에 따라 등록을 한 설계업자 또는 감리업자는 다른 사람에게 자기의 성명 또는 상호를 사용하여 전력시설물의 설계업 또는 감리업을 하게 하거나 등록증을 빌려 주어서는 아니 된다.

④ 설계업 및 감리업의 등록 및 변경등록 절차 등에 관하여 필요한 사항은 산업통상자원부령으로 정한다.

⑤ 설계ㆍ감리의 용역대가(用役代價)는 산업통상자원부장관이 정하여 고시한다.

【2】 건축구조기술사와의 협력

다음 건축물을 건축하거나 대수선하는 설계자는 구조의 안전을 확인하는 경우 건축구조기술사의 협력을 받아야 함

① 6층 이상인 건축물

② 특수구조 건축물

■ 특수구조 건축물(영 제2조항제18호)

- 한쪽 끝은 고정되고 다른 끝은 지지되지 아니한 구조로 된 보·차양 등이 외벽의 중심선으로부터 3m 이상 돌출된 건축물
- 기둥과 기둥 사이의 거리가 20m 이상인 건축물
- 특수한 설계·시공·공법 등이 필요한 건축물로서 국토교통부장관이 정하여 고시하는 구조로 된 건축물

③ 다중이용 건축물, 준다중이용 건축물

■ 다중이용건축물(영 제2조항제17호)	■ 준다중이용건축물(영 제2조항제17호의2)
• 바닥면적의 합계 5,000㎡ 이상인 건축물	다중이용건축물 외의 건축물로서 • 바닥면적의 합계 1,000㎡ 이상인 건축물
① 문화 및 집회시설(동물원 및 식물원 제외), ② 종교시설, ③ 판매시설, ④ 운수시설 중 여객용 시설, ⑤ 의료시설 중 종합병원, ⑥ 숙박시설 중 관광숙박시설	① 문화 및 집회시설(동물원 및 식물원 제외), ② 종교시설, ③ 판매시설, ④ 운수시설 중 여객용 시설, ⑤ 의료시설 중 종합병원, ⑥ 숙박시설 중 관광숙박시설
-	① 교육연구시설, ② 노유자시설, ③ 운동시설, ④ 위락시설, ⑤ 관광휴게시설, ⑥ 장례시설
• 16층 이상인 건축물	-

④ 3층 이상의 필로티형식 건축물

➡ 필로티 건축물 구조설계 체크리스트(설계+감리) 및 가이드라인 참조(2편 및 CD 수록)

⑤ 지진구역1의 중요도 (특)에 해당하는 건축물

【참고1】 지진구역의 구분

구조규칙 별표10 (지진구역 및 지진계수)

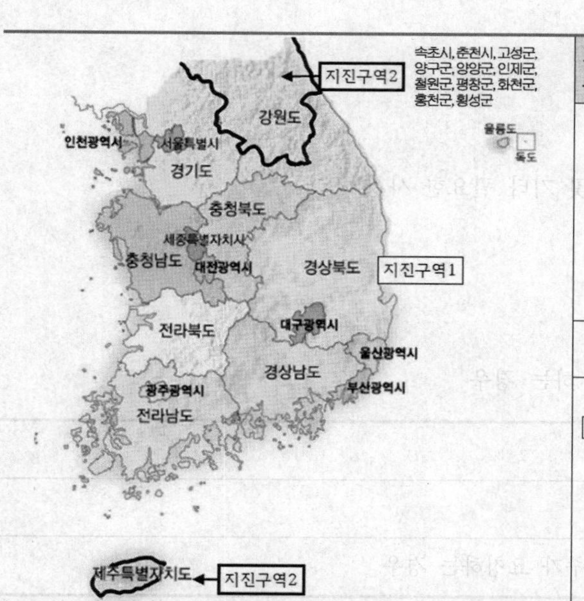

지진구역		행정구역	지진구역 계수
I	시	서울특별시, 부산광역시, 인천광역시, 대구광역시, 대전광역시, 광주광역시, 울산광역시, 세종특별자치시	0.22g
	도	경기도, 강원도 남부[주1)], 충청북도, 충청남도, 전라북도, 전라남도, 경상북도, 경상남도	
Ⅱ	도	강원도 북부[주2)], 제주도	0.14g

비고

주1) 강원도 남부: 강릉시, 동해시, 삼척시, 원주시, 태백시, 영월군, 정선군

주2) 강원도 북부: 속초시, 춘천시, 고성군, 양구군, 양양군, 인제군, 철원군, 평창군, 화천군, 홍천군, 횡성군

【참고2】 중요도에 의한 건축물의 분류(지진에 대한 안전여부 확인대상)

구조규칙 별표11(중요도 및 중요계수)

중요도	특	1	2	3
건축물의 용도 및 규모	1. 연면적 1,000㎡이상인 위험물 저장 및 처리 시설·국가 또는 지방자치단체의 청사·외국공관·소방서·발전소·방송국·전신전화국·국가 또는 지방자치단체의 데이터센터 2. 종합병원, 수술시설이나 응급시설이 있는 병원	1. 연면적 1,000㎡ 미만인 위험물 저장 및 처리시설·국가 또는 지방자치단체의 청사·외국공관·소방서·발전소·방송국·전신전화국·중요도(특)에 해당하지 않는 데이터센터 2. 연면적 5,000㎡ 이상인 공연장·집회장·관람장·전시장·운동시설·판매시설·운수시설(화물터미널과 집배송시설은 제외함) 3. 아동관련시설·노인복지시설·사회복지시설·근로복지시설 4. 5층 이상인 숙박시설·오피스텔·기숙사·아파트·교정시설 5. 학교 6. 수술시설과 응급시설 모두 없는 병원, 기타 연면적 1,000㎡ 이상인 의료시설로서 중요도(특)에 해당하지 않는 건축물	1. 중요도(특), (1), (3)에 해당하지 않는 건축물	1. 농업시설물, 소규모창고 2. 가설구조물
중요도계수	1.5	1.2	1.0	1.0

비고 중요도(특)에 해당하는 데이터센터는 국가 또는 지방자치단체가 구축이나 운영에 관한 권한 또는 업무를 위임ㆍ위탁한 데이터센터를 포함한다.

【3】 토목 분야 기술사 등과의 협력

설계자 및 공사감리자는 다음 공사를 수반하는 건축물의 경우 토목분야 기술사 또는 국토개발 분야의 지질 및 기반 기술사의 협력을 받아야 함

① 대상
- 깊이 10m 이상의 토지굴착공사
- 높이 5m 이상의 옹벽 등의 공사

② 협력사항
- 지질조사
- 토공사의 설계 및 감리
- 흙막이벽·옹벽설치등에 관한 위해방지 및 기타 필요한 사항

【4】 설비분야 관계전문기술자와의 협력

➡ 제7장. 건축설비 해설 참조

【5】 관계전문기술자와의 협력

① 설계자 및 공사감리자가 협력을 받아야 하는 경우

1. 안전상 필요하다고 인정하는 경우
2. 관계 법령이 정하는 경우
3. 설계계약 또는 감리계약에 따라 건축주가 요청하는 경우

② 공사감리자가 협력을 받아야 하는 경우

<table>
<tr><th rowspan="2">대상건축물</th><th colspan="2">대상 공정</th><th rowspan="2">관계전문기술자</th></tr>
<tr><th>구조</th><th>공정</th></tr>
<tr><td rowspan="6">1. 특수구조 건축물, 고층건축물</td><td rowspan="3">• 철근콘크리트조
• 철골철근콘크리트조
• 조적조
• 보강콘크리트블럭조</td><td>가. 기초공사 시 철근배치를 완료한 경우</td><td rowspan="6">건축구조기술사</td></tr>
<tr><td>나. 지붕슬래브배근을 완료한 경우</td></tr>
<tr><td>다. 지상 5개 층마다 상부 슬래브배근을 완료한 경우</td></tr>
<tr><td rowspan="3">• 철골조</td><td>가. 기초공사 시 철근배치를 완료한 경우</td></tr>
<tr><td>나. 지붕철골 조립을 완료한 경우</td></tr>
<tr><td>다. 지상 3개 층마다 또는 높이 20m마다 주요구조부의 조립을 완료한 경우</td></tr>
<tr><td rowspan="2">2. 3층 이상인 필로티형식 건축물</td><td rowspan="2">• 건축물 상층부의 하중이 상층부와 다른 구조형식의 하층부로 전달되는 우측란의 어느 하나에 해당하는 부재(部材)의 철근배치를 완료한 경우</td><td>가. 기둥 또는 벽체 중 하나</td><td rowspan="2">건축구조 분야의 특급 또는 고급기술자의 자격요건을 갖춘 소속 기술자</td></tr>
<tr><td>나. 보 또는 슬래브 중 하나</td></tr>
</table>

【6】 관계전문기술자의 서명·날인

설계자 및 공사감리자에 협력한 관계전문기술자는 공사 현장을 확인하고, 다음의 경우 설계도서 등에 서명·날인하여야 한다.

① 관계전문기술자가 작성한 설계도서 – 설계자와 함께 서명·날인

② 감리중간보고서 및 감리완료보고서 – 공사감리자와 함께 서명·날인

③ 구조기술사가 건축구조기준 등에 따라 구조 안전의 확인에 관하여 설계자에게 협력한 건축물의 구조도 등 구조 관련 서류 – 설계자와 함께 서명·날인

■ 건축물의 구조기준 등에 관한 규칙(국토교통부령 제919호, 2021.12.9.)

구 분	내 용	구 분	내 용
제1장 총칙		제3절 구조계산 등<신설 2009.12.31>	
제1조	목적	제9조의2	구조계산
제2조	정의	제9조의2	건축물의 규모제한
제3조	적용범위 등	제10조~제17조	삭제<2009.12.31>
제2장 구조설계<개정 2009.12.31>		제4절 기초의 구조계산<신설 2009.12.31>	
제1절 구조설계의 원칙<개정 2009.12.31>		제18조	허용지내력
제4조	안정성	제19조	기초
제5조	구조부재의 사용성 및 내구성	제20조	삭제<2009.12.31>
제6조	삭제<2009.12.31>	제3장 소규모건축물의 구조기준	
제7조	삭제<2009.12.31>	제1절 통칙	
제2절 설계하중<개정 2009.12.31>		제21조	목적
제8조	적용범위	제22조	적용범위
제9조	설계하중	제2절 목구조	

제23조	적용범위	제5절 콘크리트구조	
제24조	압축재의 최소단면 및 모서리에 설치하는 기둥	제47조	적용범위
제25조	가새	제48조	콘크리트의 배합
제26조	바닥틀 및 지붕틀	제49조	콘크리트의 양생
제27조	방부조치	제50조	거푸집 및 받침기둥의 제거
제3절 조적식구조		제51조	철근을 덮는 두께
제28조	적용범위	제52조	보의 구조
제29조	조적식구조의 설계	제53조	콘크리트슬래브의 구조
제30조	기초	제54조	내력벽의 구조
제31조	내력벽의 높이 및 길이	제55조	무근콘크리트 구조
제32조	내력벽의 두께	제4장 구조안전의 확인<신설 2009.12.31>	
제33조	경계벽 등의 두께	제56조	적용범위
제34조	테두리보	제57조	구조설계도서의 작성
제35조	개구부	제58조	구조안전확인서 제출
제36조	벽의 홈	제59조	공사단계의 구조안전확인
제37조	목골조적식구조 또는 철골조적식 구조인 벽	제60조	건축물의 내진등급기준
제38조	난간 및 난간벽	제60조의2	건축물의 내진능력 산정 기준 및 공개 방법
제39조	조적식구조인 담	제61조	건축구조기술사와의 협력
제40조	구조부재의 받침방법	부칙 제458호<2021.12.9>	
제4절 보강블록구조		별표1~별표7	삭제<2009.12.31>
제41조	적용범위	별표8	지반의허용지내력도[제18조관련]
제42조	기초	별표9	콘크리트슬래브의 최소두께[제53조제1호관련]
제43조	내력벽	별표10	지진구역 및 지역계수[제61조관련]
제44조	테두리보	별표11	중요도 및 중요도계수[제56조제2항관련]
제45조	보강블록구조의 담	별표12	건축물의 내진등급기준[제60조관련]
제46조	준용규정	별표13	내진능력 산정 기준[제60조의2관련]

■ **건축구조기준** [국토교통부고시 제2022-803호, 2022.10.11.]

총 칙(KDS 41 10 05 : 2022)

1. 일반사항

1.1 목적

KDS 41 00 00은 건축법과 주택법 등의 관련 법령에 따라 건축물 및 공작물의 구조에 대한 설계, 검사 및 검증, 설계하중, 재료별 설계방법, 재료강도, 제작 및 설치, 시공, 품질관리 등의 기술적 사항을 규정함으로써 건축물 및 공작물의 안전성, 사용성, 내구성 및 친환경성을 확보하는 것을 그 목적으로 한다.

1.2 적용범위

건축법과 주택법 등에 따라 신축·증축·개축·재축·이전 등 건축하거나 대수선 및 유지·관리하는 건축물 및 공작물(이하 '건축구조물'이라 한다)의 구조체와 부구조체 및 비구조요소, 그리고 이들의 공사를 위한 가설구조물 등의 설계·시공·공사감리·유지·관리업무는 KDS 41 00 00에 따라야 한다. 또한, KDS 43 00 00의 특수목적 건축구조물은 이 기준과 KDS 43 00 00의 해당 기준을 함께 적용하여야 한다.

건축법 1. 총칙 2. 건축 3. 유지관리 4. 대지도로 5. 구조재료 6. 지역지구 7. 건축설비 8. 특별건축구역 9. 보칙 10. 벌칙 건축법 관련기준

1.3 규정내용

KDS 41 10 05에서는 이 기준의 목적, 적용범위, 구성, 용어의 정의, 건축물의 중요도 분류, 구조설계, 각종 검사와 실험 및 구조재료의 성능검증, 구조안전의 확인, 책임구조기술자에 관한 사항을 규정한다.

1.4 기준의 구성 ☞ 내용은 CD 참조

KDS 41 00 00의 내용은 다음과 같다.

KDS 41 10 00 일반사항
KDS 41 12 00 건축물 설계하중
KDS 41 17 00 건축물 내진설계기준
KDS 41 19 00 건축물 기초구조 설계기준
KDS 41 20 00 건축물 콘크리트구조 설계기준
KDS 41 30 00 건축물 강구조 설계기준
KDS 41 40 00 건축물 합성구조 설계기준
KDS 41 50 00 목구조 설계기준
KDS 41 60 00 조적식구조 설계기준
KDS 41 80 00 기타 재료구조설계기준

1.5 참고 기준

다음 ①~⑤의 국토교통부에서 제정, 고시 또는 공고한 최근의 기준 및 시방서는 필요한 경우, 이 기준의 일부로 사용한다. 그러나 설계·시공·재료물성에서 다음 각 호의 기준이나 이와 관련된 다른 기준 및 시방서의 내용이 이 기준과 상충될 경우에는 이 기준에 따른다.

(1) KDS 14 20 00 콘크리트구조 설계기준
(2) KDS 14 30 00 강구조 설계(허용응력설계법)
(3) KDS 14 31 00 강구조 설계(하중저항계수설계법)
(4) KDS 11 50 00 기초설계기준
(5) KCS 41 00 00 건축공사표준시방서

2 용어의 정의...이후 "생략" ☞ 내용은 CD 참조

2 건축물의 피난시설(법 제49조, 제49조의2, 제50조의2)

법 제49조【건축물의 피난시설 및 용도제한 등】

① 대통령령으로 정하는 용도 및 규모의 건축물과 그 대지에는 국토교통부령으로 정하는 바에 따라 복도, 계단, 출입구, 그 밖의 피난시설과 저수조(貯水槽), 그 밖의 소화설비 및 대지 안의 피난과 소화에 필요한 통로를 설치하여야 한다. <개정 2018.4.17.>

② 대통령령으로 정하는 용도 및 규모의 건축물의 안전 · 위생 및 방화(防火) 등을 위하여 필요한 용도 및 구조의 제한, 방화구획(防火區劃), 화장실의 구조, 계단 · 출입구, 거실의 반자 높이, 거실의 채광 · 환기, 배연설비와 바닥의 방습 등에 관하여 필요한 사항은 국토교통부령으로 정한다. 다만, 대규모 창고시설 등 대통령령으로 정하는 용도 및 규모의 건축물에 대해서는 방화구획 등 화재 안전에 필요한 사항을 국토교통부령으로 별도로 정할 수 있다. <개정 2019.4.23., 2021.10.19.>

③ 대통령령으로 정하는 용도 및 규모의 건축물에 대하여 가구 · 세대 등 간 소음 방지를 위하여 국토교통부령으로 정하는 바에 따라 경계벽 및 바닥을 설치하여야 한다. <신설 2014.5.28.>

④ 「자연재해대책법」 제12조제1항에 따른 자연재해위험개선지구 중 침수위험지구에 국가 · 지방자치단체 또는 「공공기관의 운영에 관한 법률」 제4조제1항에 따른 공공기관이 건축하는 건축물은 침수 방지 및 방수를 위하여 다음 각 호의 기준에 따라야 한다. <신설 2015.1.6.>

1. 건축물의 1층 전체를 필로티(건축물을 사용하기 위한 경비실, 계단실, 승강기실, 그 밖에 이와 비슷한 것을 포함한다) 구조로 할 것
2. 국토교통부령으로 정하는 침수 방지시설을 설치할 것

해설 일정규모 이상의 건축물의 경우 많은 사람을 수용하게 되면, 화재 등 재해발생시 큰 피해를 받을 수 있으므로 피난시설의 정확한 설치는 필수적이다. 피난시설은 건축물 내부에서 안전지대로 이르기까지의 경로 즉,

건축물 내부(거실) ➡ 출입구 ➡ 복도 ➡ 계단 ➡ 복도 ➡ 출구 ➡ 건축물 외부

위와 같은 경로를 따라 안전지대로 대피할 수 있어야 한다. 따라서 법 규정에서는 복도, 계단(직통계단, 피난계단, 특별피난 계단 등)의 설치 및 구조, 출입구에 관한 규정, 계단이나 출구까지의 보행거리 등의 피난규정을 규정하고, 「건축물의 피난 · 방화구조 등의 기준에 관한 규칙」(이하 "피난 · 방화규칙")을 정해 건축물의 안전 · 위생 · 방화 등을 확보할 수 있도록 하고 있다.

또한, 고층건축물의 재난발생시 안전한 피난을 위해 피난안전구역을 설치하거나 대피공간을 확보한 계단을 설치하도록 하는 등 고층건축물에 대한 피난 및 안전관리에 대한 규정이 신설되었다. (건축법 제50조의2, 2011.9.16 신설)

■ 피난규정의 적용 예(영 제44조)

영 제44조【피난 규정의 적용례】

건축물이 창문, 출입구, 그 밖의 개구부(開口部)(이하 "창문등"이라 한다)가 없는 내화구조의 바닥 또는 벽으로 구획되어 있는 경우에는 그 구획된 각 부분을 각각 별개의 건축물로 보아 제34조부터 제41조까지 및 제48조를 적용한다. <개정 2018.9.4>

해설 건축물의 건축에서 아래 규정의 적용시 건축물이 내화구조의 바닥 또는 벽(창문·출입구 기타 개구부가 없는 경우)으로 구획되어 있는 경우에는 그 구획된 각 부분을 별개의 건축물로 본다.

■ 피난규정의 적용 예

법조항(시행령)	내 용	그 림 해 설
제34조	직통계단의 설치	
제35조	피난계단의 설치	
제36조	옥외피난계단의 설치	
제37조	지하층과 피난층 사이의 개방공간 설치	
제38조	관람석 등으로부터의 출구 설치	
제39조	건축물 바깥쪽으로의 출구 설치	
제40조	옥상광장 등의 설치	
제41조	대지안의 피난 및 소화에 필요한 통로의 설치	
제48조	계단·복도 및 출입구의 설치	

■ A, B는 별개의 건축물로 본다.

1 계단 및 복도의 설치(영 제48조)

영 제48조【계단·복도 및 출입구의 설치】

① 법 제49조제2항 본문에 따라 연면적 200제곱미터를 초과하는 건축물에 설치하는 계단 및 복도는 국토교통부령으로 정하는 기준에 적합해야 한다. <개정 2022.4.29>

② 법 제49조제2항 본문에 따라 제39조제1항 각 호의 어느 하나에 해당하는 건축물의 출입구는 국토교통부령으로 정하는 기준에 적합해야 한다. <개정 2022.4.29>

■ 계단 및 복도의 설치기준(피난·방화규칙 제15조, 제15조의2)

피난규칙 제15조【계단의 설치기준】

① 영 제48조의 규정에 의하여 건축물에 설치하는 계단은 다음 각호의 기준에 적합하여야 한다. <개정 2015.4.6.>

1. 높이가 3미터를 넘는 계단에는 높이 3미터이내마다 유효너비 120센티미터 이상의 계단참을 설치할 것
2. 높이가 1미터를 넘는 계단 및 계단참의 양옆에는 난간(벽 또는 이에 대치되는 것을 포함한다)을 설치할 것
3. 너비가 3미터를 넘는 계단에는 계단의 중간에 너비 3미터 이내마다 난간을 설치할 것. 다만, 계단의 단높이가 15센티미터 이하이고, 계단의 단너비가 30센티미터 이상인 경우에는 그러하지 아니하다.
4. 계단의 유효 높이(계단의 바닥 마감면부터 상부 구조체의 하부 마감면까지의 연직방향의 높이를 말한다)는 2.1미터 이상으로 할 것

② 제1항에 따라 계단을 설치하는 경우 계단 및 계단참의 너비(옥내계단에 한정한다), 계단의 단

높이 및 단너비의 칫수는 다음 각 호의 기준에 적합해야 한다. 이 경우 돌음계단의 단너비는 그 좁은 너비의 끝부분으로부터 30센티미터의 위치에서 측정한다. <개정 2019.8.6.>

1. 초등학교의 계단인 경우에는 계단 및 계단참의 유효너비는 150센티미터 이상, 단높이는 16센티미터 이하, 단너비는 26센티미터 이상으로 할 것
2. 중·고등학교의 계단인 경우에는 계단 및 계단참의 유효너비는 150센티미터 이상, 단높이는 18센티미터 이하, 단너비는 26센티미터 이상으로 할 것
3. 문화 및 집회시설(공연장·집회장 및 관람장에 한한다)·판매시설 기타 이와 유사한 용도에 쓰이는 건축물의 계단인 경우에는 계단 및 계단참의 유효너비를 120센티미터 이상으로 할 것
4. 제1호부터 제3호까지의 건축물 외의 건축물의 계단으로서 다음 각 목의 어느 하나에 해당하는 층의 계단인 경우에는 계단 및 계단참은 유효너비를 120센티미터 이상으로 할 것
   가. 계단을 설치하려는 층이 지상층인 경우: 해당 층의 바로 위층부터 최상층(상부층 중 피난층이 있는 경우에는 그 아래층을 말한다)까지의 거실 바닥면적의 합계가 200제곱미터 이상인 경우
   나. 계단을 설치하려는 층이 지하층인 경우: 지하층 거실 바닥면적의 합계가 100제곱미터 이상인 경우
5. 기타의 계단인 경우에는 계단 및 계단참의 유효너비를 60센티미터 이상으로 할 것
6. 「산업안전보건법」에 의한 작업장에 설치하는 계단인 경우에는 「산업안전 기준에 관한 규칙」에서 정한 구조로 할 것

③ 공동주택(기숙사를 제외한다)·제1종 근린생활시설·제2종 근린생활시설·문화 및 집회시설·종교시설·판매시설·운수시설·의료시설·노유자시설·업무시설·숙박시설·위락시설 또는 관광휴게시설의 용도에 쓰이는 건축물의 주계단·피난계단 또는 특별피난계단에 설치하는 난간 및 바닥은 아동의 이용에 안전하고 노약자 및 신체장애인의 이용에 편리한 구조로 하여야 하며, 양쪽에 벽등이 있어 난간이 없는 경우에는 손잡이를 설치하여야 한다.

④ 제3항의 규정에 의한 난간·벽 등의 손잡이와 바닥마감은 다음 각호의 기준에 적합하게 설치하여야 한다.

1. 손잡이는 최대지름이 3.2센티미터 이상 3.8센티미터 이하인 원형 또는 타원형의 단면으로 할 것
2. 손잡이는 벽등으로부터 5센티미터 이상 떨어지도록 하고, 계단으로부터의 높이는 85센티미터가 되도록 할 것
3. 계단이 끝나는 수평부분에서의 손잡이는 바깥쪽으로 30센티미터 이상 나오도록 설치할 것

⑤ 계단을 대체하여 설치하는 경사로는 다음 각호의 기준에 적합하게 설치하여야 한다.

1. 경사도는 1 : 8을 넘지 아니할 것
2. 표면을 거친 면으로 하거나 미끄러지지 아니하는 재료로 마감할 것
3. 경사로의 직선 및 굴절부분의 유효너비는 「장애인·노인·임산부등의 편의증진보장에 관한 법률」이 정하는 기준에 적합할 것

⑥ 제1항 각호의 규정은 제5항의 규정에 의한 경사로의 설치기준에 관하여 이를 준용한다.

⑦ 제1항 및 제2항에도 불구하고 영 제34조제4항 단서에 따라 피난층 또는 지상으로 통하는 직통계단을 설치하는 경우 계단 및 계단참의 유효너비는 다음 각 호의 구분에 따른 기준에 적합하여야 한다. <개정 2015.4.6.>

1. 공동주택: 120센티미터 이상
2. 공동주택이 아닌 건축물: 150센티미터 이상

⑧ 승강기기계실용 계단, 망루용 계단 등 특수한 용도에만 쓰이는 계단에 대해서는 제1항부터 제7항까지의 규정을 적용하지 아니한다.

피난규칙 제15조의2【복도의 너비 및 설치기준】

① 영 제48조의 규정에 의하여 건축물에 설치하는 복도의 유효너비는 다음 표와 같이 하여야 한다

구 분	양옆에 거실이 있는 복도	그 밖의 복도
유치원·초등학교·중학교·고등학교	2.4미터 이상	1.8미터 이상
공동주택·오피스텔	1.8미터 이상	1.2미터 이상
당해 층 거실의 바닥면적 합계가 200제곱미터 이상인 경우	1.5미터 이상 (의료시설의 복도는 1.8미터 이상)	1.2미터 이상

② 문화 및 집회시설(공연장 · 집회장 · 관람장 · 전시장에 한정한다), 종교시설 중 종교집회장, 노유자시설 중 아동 관련 시설 · 노인복지시설, 수련시설 중 생활권수련시설, 위락시설 중 유흥주점 및 장례식장의 관람실 또는 집회실과 접하는 복도의 유효너비는 제1항에도 불구하고 다음 각 호에서 정하는 너비로 해야 한다. <개정 2019.8.6.>

1. 당해 층의 바닥면적의 합계가 500제곱미터 미만인 경우 1.5미터 이상
2. 당해 층의 바닥면적의 합계가 500제곱미터 이상 1천제곱미터 미만인 경우 1.8미터 이상
3. 당해 층의 바닥면적의 합계가 1천제곱미터 이상인 경우 2.4미터 이상

③ 문화 및 집회시설중 공연장에 설치하는 복도는 다음 각 호의 기준에 해야 한다. <개정 2019.8.6.>

1. 공연장의 개별 관람실(바닥면적이 300제곱미터 이상인 경우에 한정한다)의 바깥쪽에는 그 양쪽 및 뒤쪽에 각각 복도를 설치할 것
2. 하나의 층에 개별 관람실(바닥면적이 300제곱미터 미만인 경우에 한정한다)을 2개소 이상 연속하여 설치하는 경우에는 그 관람실의 바깥쪽의 앞쪽과 뒤쪽에 각각 복도를 설치할 것

④ 법 제19조에 따라 「공공주택 특별법 시행령」 제37조제1항제3호에 해당하는 건축물을 「주택법 시행령」 제4조의 준주택으로 용도변경하려는 경우로서 다음 각 호의 요건을 모두 갖춘 경우에는 용도변경한 건축물의 복도 중 양 옆에 거실이 있는 복도의 유효너비는 제1항에도 불구하고 1.5미터 이상으로 할 수 있다. <신설 2021.10.15.>

1. 용도변경의 목적이 해당 건축물을 「공공주택 특별법」 제43조제1항에 따라 공공매입임대주택으로 공급하려는 공공주택사업자에게 매도하려는 것일 것
2. 둘 이상의 직통계단이 지상까지 직접 연결되어 있을 것
3. 건축물의 내부에서 계단실로 통하는 출입구의 유효너비가 0.9미터 이상일 것
4. 제3호의 출입구에는 영 제64조제1호에 따른 방화문을 피난하려는 방향으로 열리도록 설치하되, 해당 방화문은 항상 닫힌 상태를 유지하거나 화재로 인한 연기나 불꽃을 감지하여 자동으로 닫히는 구조일 것. 다만, 연기나 불꽃을 감지하여 자동으로 닫히는 구조로 할 수 없는 경우에는 온도를 감지하여 자동으로 닫히는 구조로 할 수 있다.

건 축 법
1. 총 칙
2. 건 축
3. 유지관리
4. 대지도로
5. 구조재료
6. 지역지구
7. 건축설비
8. 특별건축구역
9. 보 칙
10. 벌 칙
건 축 법 관련기준

【1】 계단 및 복도 규정의 적용대상

연면적 200㎡를 초과하는 건축물에 설치하는 계단 및 복도

【2】 계단 각부의 치수기준(피난·방화규칙 제15조①)

단높이, 단너비	계단참 설치 및 계단의 유효높이
단너비 단높이	계단참의 너비 ≧1.2m ≦3m ≦3m 유효높이 ≧2.1m

계단 및 계단참의 유효너비	계단 유효너비의 상세
W W W W W : 계단 및 계단참의 폭	벽측 손잡이 난간 계단의 유효너비

계단폭, 돌음계단의 치수측정	계단에 대체되는 경사로
	• 기울기는 1 : 8이하 • 표면을 거친면으로 하거나 미끄러지지 않는 재료로 마감

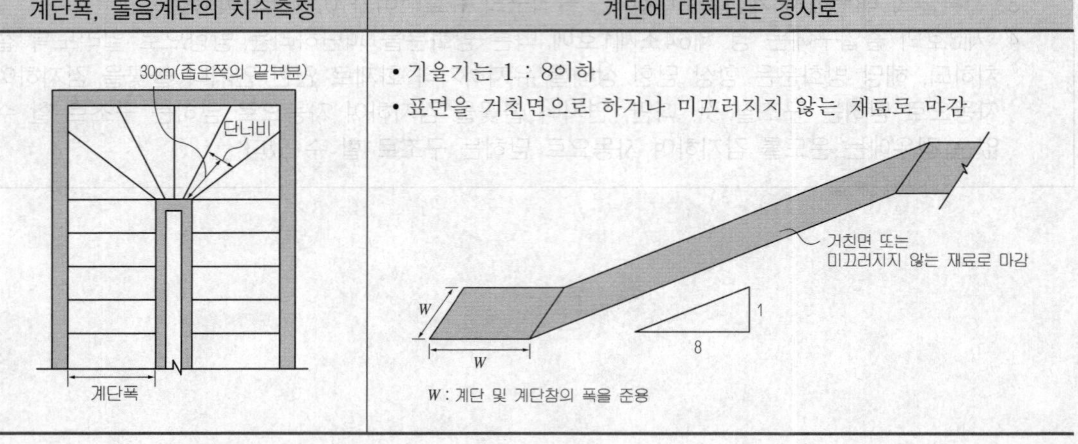

계단 너비 3m 넘는 경우의 난간설치	높이 1m 넘는 경우 계단, 계단참의 난간설치
• 계단 중간에 3m 이내마다 난간설치 • 계단 단높이 15㎝ 이하, 단너비 30㎝ 이하의 경우 난간설치 제외	• 양옆에 난간(벽 또는 이에 대치되는 것 포함) 설치

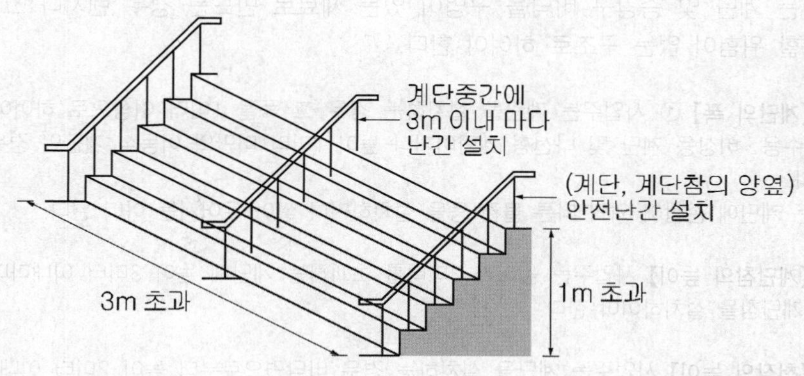

【3】 용도별 계단각부의 치수(피난·방화규칙 제15조②)

	건축물의 용도·규모 등			계단·계단참 유효너비 (옥내계단에 한정)	단높이	단너비	기 타
1	• 초등학교			150㎝이상	16㎝이하	26㎝이상	※ 돌음계단의 단너비 : 좁은 너비의 끝부분으로부터 30㎝ 위치에서 측정
2	• 중·고등학교			150㎝이상	18㎝이하	26㎝이상	
3	• 문화 및 집회시설(공연장, 집회장 및 관람장에 한함) • 판매시설 • 기타 이와 유사한 것			120㎝이상	–	–	
4	1~3 외의 계단	지상층 계단	바로 위층부터 최상층*까지 거실 바닥면적의 합계가 200㎡ 이상	120㎝이상	–	–	* 상부층 중 피난층이 있는 경우 그 아래층
		지하층 계단	지하층 거실 바닥면적의 합계가 100㎡ 이상				
5	• 기타의 계단			60㎝이상	–	–	
6	피난층 또는 지상으로 통하는 준초고층 건축물의 직통계단	• 공동주택		120㎝이상	–	–	※ 이 기준 충족 시 준초고층건축물의 피난안전구역의 설치 배제 가능함
		• 공동주택이 아닌 건축물		150㎝이상			

■ 「산업안전보건법」에 따른 작업장에 설치하는 계단인 경우 「산업안전보건기준에 관한 규칙」에서 정한 구조로 한다. 관계법

건 축 법
1. 총 칙
2. 건 축
3. 유지관리
4. 대지도로
5. 구조재료
6. 지역지구
7. 건축설비
8. 특별건축구역
9. 보 칙
10. 벌 칙
건 축 법 관련기준

관계법 작업장에 설치하는 계단(「산업안전보건기준에 관한 규칙」 제1편제3장 통로)

규칙 제26조【계단의 강도】① 사업주는 계단 및 계단참을 설치하는 경우 매제곱미터당 500킬로그램 이상의 하중에 견딜 수 있는 강도를 가진 구조로 설치하여야 하며, 안전율[안전의 정도를 표시하는 것으로서 재료의 파괴응력도(破壞應力度)와 허용응력도(許容應力度)의 비율을 말한다)]은 4 이상으로 하여야 한다.
② 사업주는 계단 및 승강구 바닥을 구멍이 있는 재료로 만드는 경우 렌치나 그 밖의 공구 등이 낙하할 위험이 없는 구조로 하여야 한다.

규칙 제27조【계단의 폭】① 사업주는 계단을 설치하는 경우 그 폭을 1미터 이상으로 하여야 한다. 다만, 급유용·보수용·비상용 계단 및 나선형 계단이거나 높이 1미터 미만의 이동식 계단인 경우에는 그러하지 아니하다.
② 사업주는 계단에 손잡이 외의 다른 물건 등을 설치하거나 쌓아 두어서는 아니 된다.

규칙 제28조【계단참의 높이】사업주는 높이가 3미터를 초과하는 계단에 높이 3미터 이내마다 너비 1.2미터 이상의 계단참을 설치하여야 한다.

규칙 제29조【천장의 높이】사업주는 계단을 설치하는 경우 바닥면으로부터 높이 2미터 이내의 공간에 장애물이 없도록 하여야 한다. 다만, 급유용·보수용·비상용 계단 및 나선형 계단인 경우에는 그러하지 아니하다.

규칙 제30조【계단의 난간】사업주는 높이 1미터 이상인 계단의 개방된 측면에 안전난간을 설치하여야 한다.

【4】 아동·노약자 및 신체장애인에 대한 배려(피난·방화규칙 제15조③)

구 분	내 용	
용 도	• 공동주택(기숙사 제외) • 제1종 근린생활시설 • 제2종 근린생활시설 • 문화 및 집회시설 • 종교시설 • 판매시설 • 운수시설 • 의료시설 • 노유자시설 • 업무시설 • 숙박시설 • 위락시설 • 관광휴게시설	
대 상	• 주계단 • 피난계단 • 특별피난계단	
부 위	• 계단에 설치하는 난간 및 바닥	원형 타원형 손잡이 3.2~3.8cm 벽에서 5cm이상 계단으로부터 높이: 85cm
구 조	• 아동의 이용에 안전하고 • 노약자 및 신체장애인의 이용에 편리한 구조 • 양쪽에 벽등이 있어 난간이 없는 경우 손잡이 설치	
벽 등의 손잡이 설치기준 (우측 그림 참조)	• 최대지름이 3.2㎝ 이상 3.8㎝ 이하인 원형 또는 타원형으로 할 것 • 손잡이는 벽 등으로부터 5㎝ 이상 떨어지도록 하고, 계단으로부터의 높이는 85㎝가 되도록 할 것 • 계단이 끝나는 수평부분에서의 손잡이는 바깥쪽으로 30㎝ 이상 나오도록 할 것	

【5】 특정용도의 계단에 있어서의 적용제외(피난·방화규칙 제15조⑧)

승강기기계실용 계단, 망루용 계단 등 특수한 용도에만 쓰이는 계단은 앞의 계단 등의 규정을 적용하지 아니한다.

【6】 복도의 너비 및 설치기준(피난·방화규칙 제15조의2)

(1) 복도의 유효너비

구 분	복도의 너비	
	양옆에 거실이 있는 복도	그 밖의 복도
1. 유치원·초등학교·중학교·고등학교	2.4m 이상	1.8m 이상
2. 공동주택·오피스텔	1.8m 이상	1.2m 이상
3. 해당층 거실의 바닥면적합계가 200㎡ 이상인 경우	1.5m 이상 (의료시설의 복도 : 1.8m 이상)	1.2m 이상

(2) 근린생활시설 등을 준주택으로 용도변경하는 경우 복도의 유효너비

<1>용도의 건축물 관계법1 을 <2>준주택 관계법2 으로 용도변경하려는 경우 <3> 요건을 모두 갖추면 복도의 양옆에 거실이 있는 복도의 유효너비를 1.5m 이상으로 할 수 있다.

⟨1⟩ 용도변경 전 용도	⟨2⟩ 용도변경 후 용도(준주택)	양옆에 거실이 있는 복도의 유효너비
• 제1종 근린생활시설 • 제2종 근린생활시설 • 노유자시설 • 수련시설 • 업무시설 • 숙박시설	• 기숙사 • 다중생활시설(제2종 근린생활시설 중) • 다중생활시설(숙박시설 중) • 노인복지주택(노인복지시설 중) • 오피스텔	1.5m 이상 *위 (1)의 규정의 완화 적용

⟨3⟩ 완화 규정의 적용 요건
1. 용도변경의 목적이 해당 건축물을 공공매입임대주택 관계법1 으로 공급하려는 공공주택사업자에게 매도하려는 것일 것
2. 둘 이상의 직통계단이 지상까지 직접 연결되어 있을 것
3. 건축물의 내부에서 계단실로 통하는 출입구의 유효너비가 0.9m 이상일 것
4. 위 3.의 출입구에는 60분+ 방화문을 피난하려는 방향으로 열리도록 설치하되, 해당 방화문은 항상 닫힌 상태를 유지하거나 화재로 인한 연기나 불꽃을 감지하여 자동으로 닫히는 구조일 것 예외 연기나 불꽃을 감지 작동방식으로 할 수 없는 경우 온도를 감지하여 자동으로 닫히는 구조도 가능

관계법1 「공공주택 특별법」

법 제43조【공공주택사업자의 기존주택등 매입】① 공공주택사업자는 「주택법」 제49조에 따른 사용검사 또는 「건축법」 제22조에 따른 사용승인을 받은 건축물로서 대통령령으로 정하는 규모 및 기준의 주택등(이하 "기존주택등"이라 한다)을 매입하여 공공매입임대주택으로 공급할 수 있다.

영 제37조【기존주택등의 매입】① 법 제43조제1항에서 "대통령령으로 정하는 규모 및 기준의 주택 등"이란 다음 각 호의 어느 하나에 해당하는 주택 또는 건축물을 말한다. <개정 2020.10.19.>

3.「건축법 시행령」 별표 1 제3호, 제4호, 제11호, 제12호, 제14호 또는 제15호에 따른 제1종 근린생활시설, 제2종 근린생활시설, 노유자시설, 수련시설, 업무시설 또는 숙박시설의 용도로 사용하는 건축물

관계법2 「주택법 시행령」

영 제4조【준주택의 종류와 범위】법 제2조제4호에 따른 준주택의 종류와 범위는 다음 각 호와 같다.

1.「건축법 시행령」 별표 1 제2호라목에 따른 기숙사
2.「건축법 시행령」 별표 1 제4호거목 및 제15호다목에 따른 다중생활시설
3.「건축법 시행령」 별표 1 제11호나목에 따른 노인복지시설 중 「노인복지법」 제32조제1항제3호의 노인복지주택
4.「건축법 시행령」 별표 1 제14호나목2)에 따른 오피스텔

(3) 관람실 또는 집회실과 접하는 복도의 유효너비

대 상	해당 층 해당용도의 바닥면적의 합계	복도의 유효너비
• 문화 및 집회시설(공연장·집회장·관람장·전시장) • 종교시설(종교집회장) • 노유자시설(아동관련시설, 노인복지시설) • 수련시설(생활권 수련시설) • 위락시설(유흥주점) • 장례식장	500㎡ 미만	1.5m 이상
	500㎡ 이상~1천㎡ 미만	1.8m 이상
	1천㎡ 이상	2.4m 이상

(4) 공연장의 개별관람석의 복도

① 각 층에 설치된 개별관람실*의 복도 (* 바닥면적이 300㎡ 이상인 것에 한정함)	
② 하나의 층에 개별관람실*을 2개소 이상 연속하여 설치하는 경우 (* 바닥면적이 300㎡ 미만인 경우에 한정함)	

② 직통계단의 설치(영 제34조)(피난규칙 제8조)

영 제34조【직통계단의 설치】

① 건축물의 피난층(직접 지상으로 통하는 출입구가 있는 층 및 제3항과 제4항에 따른 초고층 건축물의 피난안전구역을 말한다. 이하 같다) 외의 층에서는 피난층 또는 지상으로 통하는 직통계단(경사로를 포함한다. 이하 같다)을 거실의 각 부분으로부터 계단(거실로부터 가장 가까운 거리에 있는 1개소의 계단을 말한다)에 이르는 보행거리가 30미터 이하가 되도록 설치해야 한다. 다만, 건축물(지하층에 설치하는 것으로서 바닥면적의 합계가 300제곱미터 이상인 공연장·집회장·관람장 및 전시장은 제외한다)의 주요구조부가 내화구조 또는 불연재료로 된 건축물은 그 보행거리가 50미터(층수가 16층 이상인 공동주택의 경우 16층 이상인 층에 대해서는 40미터) 이하가 되도록 설치할 수 있으며, 자동화 생산시설에 스프링클러 등 자동식 소화설비를 설치한 공장으로서 국토교통부령으로 정하는 공장인 경우에는 그 보행거리가 75미터(무인화 공장인 경우에는 100미터) 이하가 되도록 설치할 수 있다. <개정 2020.10.8.>

② 법 제49조제1항에 따라 피난층 외의 층이 다음 각 호의 어느 하나에 해당하는 용도 및 규모의 건축물에는 국토교통부령으로 정하는 기준에 따라 피난층 또는 지상으로 통하는 직통계단을 2개소 이상 설치하여야 한다. <개정 2017.2.3>

1. 제2종 근린생활시설 중 공연장·종교집회장, 문화 및 집회시설(전시장 및 동·식물원은 제외한다), 종교시설, 위락시설 중 주점영업 또는 장례시설의 용도로 쓰는 층으로서 그 층에서 해당 용도로 쓰는 바닥면적의 합계가 200제곱미터(제2종 근린생활시설 중 공연장·종교집회장은 각각 300제곱미터) 이상인 것
2. 단독주택 중 다중주택·다가구주택, 제1종 근린생활시설 중 정신과의원(입원실이 있는 경우로 한정한다), 제2종 근린생활시설 중 인터넷컴퓨터게임시설제공업소(해당 용도로 쓰는 바닥면적의 합계가 300제곱미터 이상인 경우만 해당한다)·학원·독서실, 판매시설, 운수시설(여객용 시설만 해당한다), 의료시설(입원실이 없는 치과병원은 제외한다), 교육연구시설 중 학원, 노유자시설중 아동 관련 시설·노인복지시설·장애인 거주시설(「장애인복지법」 제58조제1항제1호에 따른 장애인 거주시설 중 국토교통부령으로 정하는 시설을 말한다. 이하 같다) 및 「장애인복지법」 제58조제1항제4호에 따른 장애인 의료재활시설(이하 "장애인 의료재활시설" 이라 한다), 수련시설 중 유스호스텔 또는 숙박시설의 용도로 쓰는 3층 이상의 층으로서 그 층의 해당 용도로 쓰는 거실의 바닥면적의 합계가 200제곱미터 이상인 것
3. 공동주택(층당 4세대 이하인 것은 제외한다) 또는 업무시설 중 오피스텔의 용도로 쓰는 층으로서 그 층의 해당 용도로 쓰는 거실의 바닥면적의 합계가 300제곱미터 이상인 것
4. 제1호부터 제3호까지의 용도로 쓰지 아니하는 3층 이상의 층으로서 그 층 거실의 바닥면적의 합계가 400제곱미터 이상인 것
5. 지하층으로서 그 층 거실의 바닥면적의 합계가 200제곱미터 이상인 것

③~⑤ "③ 참조"

피난규칙 제8조【직통계단의 설치기준】

① 영 제34조제1항 단서에서 "국토교통부령으로 정하는 공장"이란 반도체 및 디스플레이 패널을 제조하는 공장을 말한다. <개정 2019.8.6>

② 영 제34조제2항에 따라 2개소 이상의 직통계단을 설치하는 경우 다음 각 호의 기준에 적합해야 한다. <개정 2019.8.6.>

1. 가장 멀리 위치한 직통계단 2개소의 출입구 간의 가장 가까운 직선거리(직통계단 간을 연결하는 복도가 건축물의 다른 부분과 방화구획으로 구획된 경우 출입구 간의 가장 가까운 보행거리를 말한다)는 건축물 평면의 최대 대각선 거리의 2분의 1 이상으로 할 것. 다만, 스프링클러 또

는 그 밖에 이와 비슷한 자동식 소화설비를 설치한 경우에는 3분의 1이상으로 한다.
2. 각 직통계단 간에는 각각 거실과 연결된 복도 등 통로를 설치할 것

해설 직통계단은 피난층(또는 초고층 건축물과 준초고층 건축물의 피난안전구역)까지, 직접 이르는 계단으로 화재 등의 재해발생시 신속한 피난의 주경로가 된다. 일정 규모 이상의 건축물에서는 전층에 걸친 직통계단은 2개소 이상 설치하여 피난의 효율성을 높이도록 규정하고 있다. 직통계단은 피난시 유효하지만 구조제한을 받지 않으며, 고층부와 저층부에 연결된 직통계단은 피난계단·특별피난계단의 구조로 하여 안전에 대비하고자 하였다.

■ 피난층

정 의	도해(직접 지상으로 통하는 출입구가 있는 층의 경우)
• 직접 지상으로 통하는 출입구가 있는 층 • 초고층 건축물과 준초고층 건축물의 피난안전구역	피난층 G.L G.L

■ 직통계단

직통계단이란 건축물의 피난층 외의 층에서 피난층 또는 지상으로 통하는 계단을 말함
- 피난상 계단·계단참 등이 연속적으로 연결되어 피난의 경로가 명확히 구분되어야 한다.

【1】 보행거리(거실의 각 부분에서 가장 가까운 거리에 있는 1개소의 직통계단까지의 거리)

(1) 보행거리의 산정

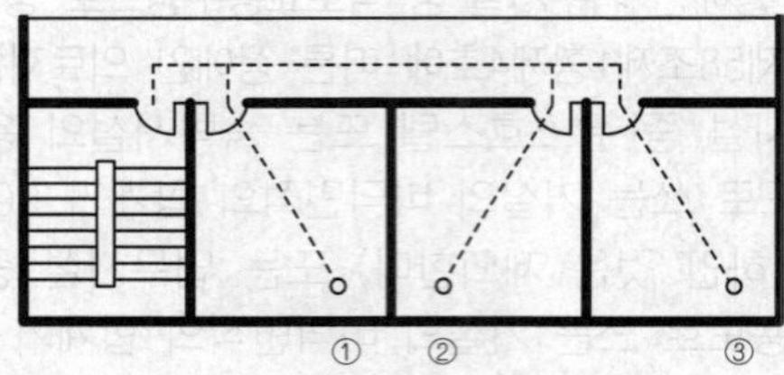

(2) 보행거리의 기준(이하 규정)

층의 구분			일반층(거실 → 직통계단)	
주요구조부[1]			내화구조 또는 불연재료	기타(원칙)
용도	일반용도		50m 이하	30m 이하
	공동주택	15층이하	50m 이하	30m 이하
		16층이상	40m 이하[2]	30m 이하
설비			자동식 소화설비[3]	기타(원칙)
용도	반도체 및 디스플레이 패널 제조 공장		70m 이하	30m 이하
	위 공장이 무인화 설비된 공장		100m 이하	30m 이하

1) 지하층에 설치하는 것으로서 바닥면적의 합계가 300㎡이상인 공연장·집회장·관람장 및 전시장은 주요구조부를 내화구조 또는 불연재료로 하더라도 보행거리 완화규정(50m 이하)을 적용하지 아니한다.
2) 층수가 16층 이상인 공동주택의 경우 16층 이상인 층에 대해서는 40m
3) 공장의 자동화 생산시설에 설치한 스프링클러 등 자동식 소화설비

【2】 2개소 이상의 직통계단의 설치

(1) 대상건축물

	적 용 용 도	사용층	바닥면적의 합계	실구분	비 고
1	① 공연장·종교집회장(제2종 근린생활시설 중) ② 문화 및 집회시설 (전시장, 동·식물원 제외) ③ 종교시설 ④ 주점영업(위락시설 중) ⑤ 장례시설	해당용도로 쓰는 층	200㎡ 이상 (①의 경우 300㎡ 이상)	그 층에서 해당용도로 쓰는 부분	
2	① 다중주택·다가구주택(단독주택 중) ② 입원실있는 정신과의원(제1종 근린생활시설 중) ③ 인터넷컴퓨터게임시설제공업소[1]·학원·독서실(제2종 근린생활시설 중) ④ 판매시설 ⑤ 운수시설(여객용 시설만 해당) ⑥ 의료시설(입원실 없는 치과병원 제외) ⑦ 학원(교육연구시설 중) ⑧ 아동관련시설·노인복지시설·장애인 거주 시설·장애인 의료재활시설 (노유자시설 중) ⑨ 유스호스텔(수련시설 중) ⑩ 숙박시설	해당 용도로 쓰는 3층 이상의 층	200㎡ 이상	그 층의 해당 용도로 쓰는 거실 (이하 "거실")	2 이상의 직통계단설치 규정에서의 직통계단은 건축물의 모든 층에 걸친 직통계단을 말함
3	① 공동주택(층당 4세대 이하 제외) ② 오피스텔(업무시설 중)	해당 용도로 쓰는 층	300㎡ 이상	거실	
4	1~3이외의 용도	3층 이상의 층	400㎡ 이상	거실	
5	용도와 무관	지하층	200㎡ 이상	거실	

1) 해당용도로 쓰는 바닥면적의 합계 300㎡ 이상인 경우만 해당

(2) 2개소 이상의 직통계단 설치 기준(피난·방화규칙 제8조)

① 가장 멀리 위치한 직통계단 2개소의 출입구 간의 가장 가까운 직선거리*1)는 건축물 평면의 최대 대각선 거리의 1/2 이상*2)으로 할 것

*1) 직통계단 간을 연결하는 복도가 건축물의 다른 부분과 방화구획으로 구획된 경우 출입구 간의 가장 가까운 보행거리

*2) 스프링클러 등 자동식 소화설비를 설치한 경우 1/3 이상

② 각 직통계단 간에는 각각 거실과 연결된 복도 등 통로를 설치할 것

방화구획
L : 평면의 최대 대각선 길이
ℓ_1 : 출입구간 직선거리
ℓ_2 : 방화구획된 복도의 출입구간 보행거리
$\ell_1,\ \ell_2 \geq \frac{L}{2}(\frac{L}{3}$: 스프링클러 등 설치시)

2개소 이상 직통계단 설치의 도해(예)

3 고층건축물의 피난 및 안전관리(법 제50조의2)(영 제34조)(피난규칙 제8조의2, 제22조의2)

법 제50조의2【고층건축물의 피난 및 안전관리】

① 고층건축물에는 대통령령으로 정하는 바에 따라 피난안전구역을 설치하거나 대피공간을 확보한 계단을 설치하여야 한다. 이 경우 피난안전구역의 설치 기준, 계단의 설치 기준과 구조 등에 관하여 필요한 사항은 국토교통부령으로 정한다.

② 고층건축물에 설치된 피난안전구역 · 피난시설 또는 대피공간에는 국토교통부령으로 정하는 바에 따라 화재 등의 경우에 피난 용도로 사용되는 것임을 표시하여야 한다. <신설 2015.1.6.>

③ 고층건축물의 화재예방 및 피해경감을 위하여 국토교통부령으로 정하는 바에 따라 제48조부터 제50조까지의 기준을 강화하여 적용할 수 있다. <개정 2015.1.6., 2018.4.17.>
[본조신설 2011.9.16]

영 제34조【직통계단의 설치】 ①, ② "2 참조"

③ 초고층 건축물에는 피난층 또는 지상으로 통하는 직통계단과 직접 연결되는 피난안전구역(건축물의 피난 · 안전을 위하여 건축물 중간층에 설치하는 대피공간을 말한다. 이하 같다)을 지상층으로부터 최대 30개 층마다 1개소 이상 설치하여야 한다.

④ 준초고층 건축물에는 피난층 또는 지상으로 통하는 직통계단과 직접 연결되는 피난안전구역을 해당 건축물 전체 층수의 2분의 1에 해당하는 층으로부터 상하 5개층 이내에 1개소 이상 설치하여야 한다. 다만, 국토교통부령으로 정하는 기준에 따라 피난층 또는 지상으로 통하는 직통계단을 설치하는 경우에는 그러하지 아니하다.

⑤ 제3항 및 4항에 따른 피난안전구역의 규모와 설치기준은 국토교통부령으로 정한다.

피난규칙 제8조의2【피난안전구역의 설치기준】

① 영 제34조제3항 및 제4항에 따라 설치하는 피난안전구역(이하 "피난안전구역"이라 한다)은 해당 건축물의 1개층을 대피공간으로 하며, 대피에 장애가 되지 아니하는 범위에서 기계실, 보일러실, 전기실 등 건축설비를 설치하기 위한 공간과 같은 층에 설치할 수 있다. 이 경우 피난안전구역은 건축설비가 설치되는 공간과 내화구조로 구획하여야 한다.

② 피난안전구역에 연결되는 특별피난계단은 피난안전구역을 거쳐서 상 · 하층으로 갈 수 있는 구조로 설치하여야 한다.

③ 피난안전구역의 구조 및 설비는 다음 각 호의 기준에 적합하여야 한다. <개정 2019.8.6>

1. 피난안전구역의 바로 아래층 및 위층은 「녹색건축물 조성 지원법」 제15조제1항에 따라 국토교통부장관이 정하여 고시한 기준에 적합한 단열재를 설치할 것. 이 경우 아래층은 최상층에 있는 거실의 반자 또는 지붕 기준을 준용하고, 위층은 최하층에 있는 거실의 바닥 기준을 준용할 것
2. 피난안전구역의 내부마감재료는 불연재료로 설치할 것
3. 건축물의 내부에서 피난안전구역으로 통하는 계단은 특별피난계단의 구조로 설치할 것
4. 비상용 승강기는 피난안전구역에서 승하차 할 수 있는 구조로 설치할 것
5. 피난안전구역에는 식수공급을 위한 급수전을 1개소 이상 설치하고 예비전원에 의한 조명설비를 설치할 것
6. 관리사무소 또는 방재센터 등과 긴급연락이 가능한 경보 및 통신시설을 설치할 것
7. 별표 1의2에서 정하는 기준에 따라 산정한 면적 이상일 것
8. 피난안전구역의 높이는 2.1미터 이상일 것
9. 「건축물의 설비기준 등에 관한 규칙」 제14조에 따른 배연설비를 설치할 것
10. 그 밖에 소방청장이 정하는 소방 등 재난관리를 위한 설비를 갖출 것

피난규칙 제22조의2【고층건축물 피난안전구역 등의 피난 용도 표시】
법 제50조의2제2항에 따라 고층건축물에 설치된 피난안전구역, 피난시설 또는 대피공간에는 다음 각 호에서 정하는 바에 따라 화재 등의 경우에 피난 용도로 사용되는 것임을 표시하여야 한다.

1. 피난안전구역
   가. 출입구 상부 벽 또는 측벽의 눈에 잘 띄는 곳에 "피난안전구역" 문자를 적은 표시판을 설치할 것
   나. 출입구 측벽의 눈에 잘 띄는 곳에 해당 공간의 목적과 용도, 다른 용도로 사용하지 아니할 것을 안내하는 내용을 적은 표시판을 설치할 것
2. 특별피난계단의 계단실 및 그 부속실, 피난계단의 계단실 및 피난용 승강기 승강장
   가. 출입구 측벽의 눈에 잘 띄는 곳에 해당 공간의 목적과 용도, 다른 용도로 사용하지 아니할 것을 안내하는 내용을 적은 표시판을 설치할 것
   나. 해당 건축물에 피난안전구역이 있는 경우 가목에 따른 표시판에 피난안전구역이 있는 층을 적을 것
3. 대피공간: 출입문에 해당 공간이 화재 등의 경우 대피장소이므로 물건적치 등 다른 용도로 사용하지 아니할 것을 안내하는 내용을 적은 표시판을 설치할 것

[본조신설 2015.7.9.]

해설 고층건축물의 화재예방 및 피해경감을 위하여 피난안전구역을 설치하거나 대피공간을 확보한 계단을 설치하도록 하고, 일반 건축물보다 강화된 건축 기준을 적용할 수 있으며, 피난안전구역의 설치와 그 설치기준에 대해서도 규정하고 있다.

【1】 고층건축물의 피난 등

고층건축물에는 피난안전구역을 설치하거나 대피공간을 확보한 계단을 설치하여야 한다.

【2】 강화된 규정의 적용

법조항	내 용	비 고
제48조	구조내력 등	각 법 조항과 관계된 건축법 시행령, 건축물의 구조기준 등에 관한 규칙, 건축물의 피난·방화구조 등의 기준에 관한 규칙 등도 강화하여 적용할 수 있음
제48조의2	건축물 내진등급의 설정	
제48조의3	건축물의 내진능력 공개	
제48조의4	부속구조물의 설치 및 관리	
제49조	건축물의 피난시설 및 용도제한 등	
제50조	건축물의 내화구조와 방화벽	

【3】 피난안전구역의 설치(피난·방화규칙 제8조의2)

(1) 피난안전구역

건축물의 피난·안전을 위하여 건축물의 중간층에 설치하는 대피공간

(2) 피난안전구역의 설치

① 초고층 건축물에는 피난층 또는 지상으로 통하는 직통계단과 직접 연결되는 피난안전구역을 지상층으로부터 최대 30개 층마다 1개소 이상을 설치할 것

② 준초고층 건축물에는 피난층 또는 지상으로 통하는 직통계단과 직접 연결되는 피난안전구역을 해당 건축물의 전체 층수의 1/2에 해당하는 상하 5개층 이내에 1개소 이상 설치할 것

예외 다음 기준에 따라 피난층 또는 지상으로 통하는 직통계단을 설치하는 경우

용 도	계단 및 계단참의 유효너비
1. 공동주택	120㎝ 이상
2. 공동주택이 아닌 건축물	150㎝ 이상

(3) 피난안전구역의 규모와 설치기준

① 피난안전구역 규모 등

㉠ 피난안전구역은 해당 건축물의 1개층을 대피공간으로 할 것

㉡ 대피에 장애가 되지 아니하는 범위에서 기계실, 보일러실, 전기실 등 건축설비를 설치하기 위한 공간과 같은 층에 설치 가능(단, 건축설비가 설치되는 공간과 내화구조로 구획)

㉢ 피난안전구역에 연결되는 특별피난계단은 피난안전구역을 거쳐서 상·하층으로 갈 수 있는 구조로 설치

② 피난안전구역의 구조 및 설비 기준

㉠ 피난안전구역의 바로 아래층 및 위층은 「건축물의 에너지절약설계기준」에 적합한 단열재를 설치할 것(아래층은 최상층에 있는 거실의 반자 또는 지붕 기준을 준용하고, 위층은 최하층에 있는 거실의 바닥 기준을 준용할 것)

☞ 건축물의 에너지절약설계기준(국토교통부고시 제2023-104호, 2023.2.28.) 참조
<제3권 건축법령집 제2편 「녹색건축물 조성 지원법」에 수록>

㉡ 내부마감재료 : 불연재료

ⓒ 건축물의 내부에서 피난안전구역으로 통하는 계단 : 특별피난계단
ⓔ 비상용 승강기 : 피난안전구역에서 승하차 할 수 있는 구조
ⓜ 식수공급을 위한 급수전을 1개소 이상 설치
ⓑ 예비전원에 의한 조명설비 설치
ⓢ 관리사무소 또는 방재센터 등과 긴급연락이 가능한 경보 및 통신시설 설치
ⓞ 피난안전구역의 면적산정 기준(별표 1의2)에 따라 산정한 면적 이상일 것 【참고】
ⓙ 피난안전구역의 높이는 2.1m 이상일 것
ⓒ 배연설비(「설비규칙」 제14조)를 설치할 것
ⓚ 그 밖에 소방청장이 정하는 소방 등 재난관리를 위한 설비를 갖출 것

【참고】 피난안전구역의 면적 산정기준[피난·방화규칙 별표 1의2]

1. 피난안전구역의 면적은 다음 산식에 따라 산정한다.

(피난안전구역 윗층의 재실자 수 × 0.5) × 0.28㎡

가. 피난안전구역 윗층의 재실자 수는 해당 피난안전구역과 다음 피난안전구역 사이의 용도별 바닥면적을 사용 형태별 재실자 밀도로 나눈 값의 합계를 말한다. 다만, 문화·집회용도 중 벤치형 좌석을 사용하는 공간과 고정좌석을 사용하는 공간은 다음의 구분에 따라 피난안전구역 윗층의 재실자 수를 산정한다.
 1) 벤치형 좌석을 사용하는 공간: 좌석길이 / 45.5㎝
 2) 고정좌석을 사용하는 공간: 휠체어 공간 수 + 고정좌석 수
나. 피난안전구역 설치 대상 건축물의 용도에 따른 사용 형태별 재실자 밀도는 다음 표와 같다.

용 도	사용 형태별		재실자 밀도
문화·집회	고정좌석을 사용하지 않는 공간		0.45
	고정좌석이 아닌 의자를 사용하는 공간		1.29
	벤치형 좌석을 사용하는 공간		-
	고정좌석을 사용하는 공간		-
	무대		1.40
	게임제공업 등의 공간		1.02
운동	운동시설		4.60
교육	도서관	서고	9.30
		열람실	4.60
	학교 및 학원	교실	1.90
보육	보호시설		3.30
의료	입원치료구역		22.3
	수면구역		11.1
교정	교정시설 및 보호관찰소 등		11.1
주거	호텔 등 숙박시설		18.6
	공동주택		18.6
업무	업무시설, 운수시설 및 관련 시설		9.30
판매	지하층 및 1층		2.80
	그 외의 층		5.60
	배송공간		27.9

저장	창고, 자동차 관련 시설	46.5
산업	공장	9.30
	제조업 시설	18.6

※ 계단실, 승강로, 복도 및 화장실은 사용 형태별 재실자 밀도의 산정에서 제외하고, 취사장·조리장의 사용 형태별 재실자 밀도는 9.30으로 본다.

2. 피난안전구역 설치 대상 용도에 대한 「건축법 시행령」 별표 1에 따른 용도별 건축물의 종류는 다음 표와 같다.

용도	용도별 건축물
문화·집회	문화 및 집회시설(공연장·집회장·관람장·전시장만 해당한다), 종교시설, 위락시설, 제1종 근린생활시설 및 제2종 근린생활시설 중 휴게음식점·제과점·일반음식점 등 음식·음료를 제공하는 시설, 제2종 근린생활시설 중 공연장·종교집회장·게임제공업 시설, 그 밖에 이와 비슷한 문화·집회시설
운동	운동시설, 제1종 근린생활시설 및 제2종 근린생활시설 중 운동시설
교육	교육연구시설, 수련시설, 자동차 관련 시설 중 운전학원 및 정비학원, 제2종 근린생활시설 중 학원·직업훈련소·독서실, 그 밖에 이와 비슷한 교육시설
보육	노유자시설, 제1종 근린생활시설 중 지역아동센터
의료	의료시설, 제1종 근린생활시설 중 의원, 치과의원, 한의원, 침술원, 접골원(接骨院), 조산원 및 안마원
교정	교정 및 군사시설
주거	공동주택 및 숙박시설
업무	업무시설, 운수시설, 제1종 근린생활시설과 제2종 근린생활시설 중 지역자치센터·파출소·사무소·이용원·미용원·목욕장·세탁소·기원·사진관·표구점, 그 밖에 이와 비슷한 업무시설
판매	판매시설(게임제공업 시설 등은 제외), 제1종 근린생활시설 중 수퍼마켓과 일용품 등의 소매점
저장	창고시설, 자동차 관련 시설(운전학원 및 정비학원은 제외한다)
산업	공장, 제2종 근린생활시설 중 제조업 시설

【4】 피난 용도의 표시(피난·방화규칙 제22조의2)

(1) 피난안전구역

① 출입구 상부 벽 또는 측벽의 눈에 잘 띄는 곳에 '피난안전구역' 문자를 적은 표시판을 설치할 것

② 출입구 측벽의 눈에 잘 띄는 곳에 '해당 공간의 목적과 용도, 다른 용도로 사용하지 아니할 것'을 안내하는 내용을 적은 표시판을 설치할 것

(2) 특별피난계단의 계단실 및 그 부속실, 피난계단의 계단실 및 피난용 승강기 승강장

① 출입구 측벽의 눈에 잘 띄는 곳에 '해당 공간의 목적과 용도, 다른 용도로 사용하지 아니할 것'을 안내하는 내용을 적은 표시판을 설치할 것

② 해당 건축물에 피난안전구역이 있는 경우 표시판에 피난안전구역이 있는 층을 적을 것

(3) 대피공간

출입문에 해당 공간이 화재 등의 경우 '대피장소이므로 물건적치 등 다른 용도로 사용하지 아니할 것'을 안내하는 내용을 적은 표시판을 설치할 것

4 피난계단의 설치(영 제35조, 제36조)(피난규칙 제9조제1항)

영 제35조【피난계단의 설치】

① 법 제49조제1항에 따라 5층 이상 또는 지하 2층 이하인 층에 설치하는 직통계단은 국토교통부령으로 정하는 기준에 따라 피난계단 또는 특별피난계단으로 설치하여야 한다. 다만, 건축물의 주요구조부가 내화구조 또는 불연재료로 되어 있는 경우로서 다음 각 호의 어느 하나에 해당하는 경우에는 그러하지 아니하다.

1. 5층 이상인 층의 바닥면적의 합계가 200제곱미터 이하인 경우
2. 5층 이상인 층의 바닥면적 200제곱미터 이내마다 방화구획이 되어 있는 경우

② 건축물(갓복도식 공동주택은 제외한다)의 11층(공동주택의 경우에는 16층) 이상인 층(바닥면적이 400제곱미터 미만인 층은 제외한다) 또는 지하 3층 이하인 층(바닥면적이 400제곱미터미만인 층은 제외한다)으로부터 피난층 또는 지상으로 통하는 직통계단은 제1항에도 불구하고 특별피난계단으로 설치하여야 한다.

③ 제1항에서 판매시설의 용도로 쓰는 층으로부터의 직통계단은 그 중 1개소 이상을 특별피난계단으로 설치하여야 한다.

④ 삭제 <1995.12.30>

⑤ 건축물의 5층 이상인 층으로서 문화 및 집회시설 중 전시장 또는 동·식물원, 판매시설, 운수시설(여객용 시설만 해당한다), 운동시설, 위락시설, 관광휴게시설(다중이 이용하는 시설만 해당한다) 또는 수련시설 중 생활권 수련시설의 용도로 쓰는 층에는 제34조에 따른 직통계단 외에 그 층의 해당 용도로 쓰는 바닥면적의 합계가 2천 제곱미터를 넘는 경우에는 그 넘는 2천 제곱미터 이내마다 1개소의 피난계단 또는 특별피난계단(4층 이하의 층에는 쓰지 아니하는 피난계단 또는 특별피난계단만 해당한다)을 설치하여야 한다. <개정 2009.7.16>

⑥ 삭제 <1999.4.30.>

영 제36조【옥외 피난계단의 설치】

건축물의 3층 이상인 층(피난층은 제외한다)으로서 다음 각 호의 어느 하나에 해당하는 용도로 쓰는 층에는 제34조에 따른 직통계단 외에 그 층으로부터 지상으로 통하는 옥외피난계단을 따로 설치하여야 한다. <개정 2014.3.24.>

1. 제2종 근린생활시설 중 공연장(해당 용도로 쓰는 바닥면적의 합계가 300제곱미터 이상인 경우만 해당한다), 문화 및 집회시설 중 공연장이나 위락시설 중 주점영업의 용도로 쓰는 층으로서 그 층 거실의 바닥면적의 합계가 300제곱미터 이상인 것
2. 문화 및 집회시설 중 집회장의 용도로 쓰는 층으로서 그 층 거실의 바닥면적의 합계가 1천 제곱미터 이상인 것

피난규칙 제9조【피난계단 및 특별피난계단의 구조】

① 영 제35조제1항 각 호 외의 부분 본문에 따라 건축물의 5층 이상 또는 지하 2층 이하의 층으로부터 피난층 또는 지상으로 통하는 직통계단(지하 1층인 건축물의 경우에는 5층 이상의 층으로부터 피난층 또는 지상으로 통하는 직통계단과 직접 연결된 지하 1층의 계단을 포함한다)은 피난계단 또는 특별피난계단으로 설치해야 한다. <개정 2019.8.6.>

② "생략"

해설 직통계단은 피난층까지 직접 이르는 계단으로서 면적에 따른 설치개소(2개소 이상)의 규정외에 별도의 구조제한 등의 규정이 없다. 반면에 일정규모 이상의 건축물은 수직적(지상, 지하)으로 많은 사람들이 공간을 이용하고 있으므로, 화재 등 재해발생시 큰 피해가 우려된다. 따라서, 사람들이 안전지대로 대피할 수 있는 경로로서의 직통계단을 피난계단·특별피난계단의 구조로 하여 재해시 안전을 확보하도록 규정하고 있다. 또한 좁은 공간에 많은 사람들이 밀집되어 있는 집회장 등에 있어서는 옥외피난계단을 별도로 설치하도록 규정하고 있다.

【1】 피난계단 및 특별피난계단의 설치기준주)

<table>
<tr><th rowspan="2">구 분</th><th rowspan="2">대상층</th><th rowspan="2">바닥면적</th><th colspan="2">직통계단의 구조</th><th rowspan="2">피난계단·특별피난계단의 예외규정
(아래 【2】【3】 해설참조)</th></tr>
<tr><th>피난계단</th><th>특별피난계단</th></tr>
<tr><td rowspan="6">일반
용도</td><td>지하2층</td><td>–</td><td>가능</td><td>가능</td><td rowspan="9">■ 건축물의 주요구조부가 내화구조 또는 불연재료의 경우로서
1. 5층이상의 층의 바닥면적의 합계가 200㎡ 이하인 경우
2. 5층이상의 층의 바닥면적 매 200㎡ 마다 방화구획이 되어 있는 경우
- 피난·특별피난계단 설치제외

■ 5층이상 또는 지하2층 이하의 층에 설치하는 계단으로서 그 층의 용도가 판매시설의 용도에 쓰이는 것은 직통계단 중 1개소 이상을 특별피난계단으로 설치
- 계단구조의 강화(특별피난계단의 구조로)

■ 5층 이상의 층으로서 문화 및 집회시설 중 전시장 또는 동·식물원, 판매시설, 운수시설(여객용 시설만 해당), 운동시설, 위락시설, 관광휴게시설(다중이 이용하는 시설만 해당) 또는 수련시설 중 생활권 수련시설의 용도에 쓰이는 층에는 직통계단 외에 그 층의 해당 용도에 쓰는 바닥면적의 합계가 2,000㎡를 넘는 경우
- 그 넘는 2,000㎡ 이내마다 1개소의 피난계단 또는 특별피난계단을 별도 설치할 것(4층 이하의 층에는 쓰이지 않아야 함)
※ 각층 면적의 합계가 아님에 주의

* 갓복도식 공동주택 : 각 층의 계단실 및 승강기에서 각 세대로 통하는 복도의 한쪽면이 외기에 개방된 구조의 공동주택(피난·방화규칙 제9조제4항)</td></tr>
<tr><td rowspan="2">지하3층
이하의 층</td><td>400㎡
미만의 층</td><td>가능</td><td>가능</td></tr>
<tr><td>400㎡
이상의 층</td><td>불가</td><td>가능</td></tr>
<tr><td>지상5층
이상의 층</td><td>–</td><td>가능</td><td>가능</td></tr>
<tr><td rowspan="2">지상11층
이상의 층</td><td>400㎡
미만의 층</td><td>가능</td><td>가능</td></tr>
<tr><td>400㎡
이상의 층</td><td>불가</td><td>가능</td></tr>
<tr><td rowspan="3">공동
주택
(갓복도*
제외)</td><td>15층
이하의 층</td><td>–</td><td>가능</td><td>가능</td></tr>
<tr><td rowspan="2">16층
이상의 층</td><td>400㎡
미만의 층</td><td>가능</td><td>가능</td></tr>
<tr><td>400㎡
이상의 층</td><td>불가</td><td>가능</td></tr>
</table>

주) 지하 1층인 건축물의 경우 5층 이상의 층으로부터 피난층 또는 지상으로 통하는 직통계단과 직접 연결된 지하 1층의 계단: 피난계단 또는 특별피난계단으로 설치해야 함

【2】 적용제외(건축물의 주요구조부가 내화구조 또는 불연재료인 경우)

5층 이상 부분의 바닥면적의 합계가 200㎡ 이하인 경우	5층 이상 층의 바닥면적 매 200㎡ 이내마다 방화구획이 되어 있는 경우
①+②+③ ≦ 200㎡	①~⑦ ≦ 200㎡ (방화구획부분)

【3】 설치 완화 및 강화하는 경우

설치완화(공동주택의 경우)			설치강화(추가설치 경우)	
갓복도식	갓복도식 이외		5층 이상의 층, 지하2층 이하의 층(판매시설의 용도)	5층 이상의 층으로서 문화 및 집회시설 등으로 쓰이는 것으로서 그 층의 해당 용도의 바닥면적의 합계가 2,000㎡를 넘는 경우
	15층 이하	16층 이상		
피난계단의 구조	피난계단	특별피난계단	피난계단 — 특별피난계단 1개소이상을 특별피난계단으로	2,000㎡ 초과 쓰이지 않는 구조 피난 피난 별도설치 (피난·특별피난계단) • 그 넘는 매 2천㎡ 이내마다 1개소의 피난 또는 특별피난계단을 설치 • 별도설치의 피난 또는 특별피난계단은 4층 이하의 부분은 쓰이지 않는 구조로 하여야 함 • 판매시설의 경우는 1개소이상을 특별피난계단으로 하는 규정을 만족하여야 함

【4】 옥외피난계단의 설치

대 상	해당층의 거실 바닥면적의 합계	해당용도의 층	설 치	상 세
• 공연장(제2종 근린생활시설 중) • 공연장(문화 및 집회시설 중) • 주점영업 (위락시설 중)	300㎡ 이상	3층 이상인 층 (피난층 제외)	옥외피난계단의 별도설치 (규정에 따른 직통계단외에)	• 3층이상의 층(피난층 제외) 피난층을 제외한 3층이상의 층 피난층 피난층 피난층 옥외피난계단 옥외피난계단
• 집회장(문화 및 집회시설 중)	1,000㎡ 이상			

5 피난계단 및 특별피난계단의 구조(피난규칙 제9조)

피난규칙 제9조【피난계단 및 특별피난계단의 구조】

① "생략"

② 제1항에 따른 피난계단 및 특별피난계단의 구조는 다음 각호의 기준에 적합해야 한다. <개정 2019.8.6., 2021.3.26.>

1. 건축물의 내부에 설치하는 피난계단의 구조

가. 계단실은 창문 · 출입구 기타 개구부(이하 "창문등"이라 한다)를 제외한 당해 건축물의 다른 부분과 내화구조의 벽으로 구획할 것

나. 계단실의 실내에 접하는 부분(바닥 및 반자 등 실내에 면한 모든 부분을 말한다)의 마감(마감을 위한 바탕을 포함한다)은 불연재료로 할 것

다. 계단실에는 예비전원에 의한 조명설비를 할 것

라. 계단실의 바깥쪽과 접하는 창문등(망이 들어 있는 유리의 붙박이창으로서 그 면적이 각각 1제곱미터 이하인 것을 제외한다)은 당해 건축물의 다른 부분에 설치하는 창문등으로부터 2미터 이상의 거리를 두고 설치할 것

마. 건축물의 내부와 접하는 계단실의 창문등(출입구를 제외한다)은 망이 들어 있는 유리의 붙박이창으로서 그 면적을 각각 1제곱미터 이하로 할 것

바. 건축물의 내부에서 계단실로 통하는 출입구의 유효너비는 0.9미터 이상으로 하고, 그 출입구에는 피난의 방향으로 열 수 있는 것으로서 언제나 닫힌 상태를 유지하거나 화재로 인한 연기 또는 불꽃을 감지하여 자동적으로 닫히는 구조로 된 영 제64조제1항제1호의 60+ 방화문(이하 "60+방화문"이라 한다) 또는 같은 항 제2호의 방화문(이하 "60분방화문"이라 한다)을 설치할 것. 다만, 연기 또는 불꽃을 감지하여 자동적으로 닫히는 구조로 할 수 없는 경우에는 온도를 감지하여 자동적으로 닫히는 구조로 할 수 있다.

사. 계단은 내화구조로 하고 피난층 또는 지상까지 직접 연결되도록 할 것

2. 건축물의 바깥쪽에 설치하는 피난계단의 구조

가. 계단은 그 계단으로 통하는 출입구외의 창문등(망이 들어 있는 유리의 붙박이창으로서 그 면적이 각각 1제곱미터 이하인 것을 제외한다)으로부터 2미터 이상의 거리를 두고 설치할 것

나. 건축물의 내부에서 계단으로 통하는 출입구에는 60+방화문 또는 60분방화문을 설치할 것
다. 계단의 유효너비는 0.9미터 이상으로 할 것
라. 계단은 내화구조로 하고 지상까지 직접 연결되도록 할 것

3. 특별피난계단의 구조
가. 건축물의 내부와 계단실은 노대를 통하여 연결하거나 외부를 향하여 열 수 있는 면적 1제곱미터 이상인 창문(바닥으로부터 1미터 이상의 높이에 설치한 것에 한한다) 또는 「건축물의 설비기준 등에 관한 규칙」 제14조의 규정에 적합한 구조의 배연설비가 있는 면적 3제곱미터 이상인 부속실을 통하여 연결할 것
나. 계단실·노대 및 부속실(「건축물의 설비기준 등에 관한 규칙」 제10조제2호 가목의 규정에 의하여 비상용승강기의 승강장을 겸용하는 부속실을 포함한다)은 창문등을 제외하고는 내화구조의 벽으로 각각 구획할 것
다. 계단실 및 부속실의 실내에 접하는 부분(바닥 및 반자 등 실내에 면한 모든 부분을 말한다)의 마감(마감을 위한 바탕을 포함한다)은 불연재료로 할 것
라. 계단실에는 예비전원에 의한 조명설비를 할 것
마. 계단실·노대 또는 부속실에 설치하는 건축물의 바깥쪽에 접하는 창문등(망이 들어 있는 유리의 붙박이창으로서 그 면적이 각각 1제곱미터이하인 것을 제외한다)은 계단실·노대 또는 부속실외의 당해 건축물의 다른 부분에 설치하는 창문등으로부터 2미터 이상의 거리를 두고 설치할 것
바. 계단실에는 노대 또는 부속실에 접하는 부분외에는 건축물의 내부와 접하는 창문등을 설치하지 아니할 것
사. 계단실의 노대 또는 부속실에 접하는 창문등(출입구를 제외한다)은 망이 들어 있는 유리의 붙박이창으로서 그 면적을 각각 1제곱미터 이하로 할 것
아. 노대 및 부속실에는 계단실외의 건축물의 내부와 접하는 창문등(출입구를 제외한다)을 설치하지 아니할 것
자. 건축물의 내부에서 노대 또는 부속실로 통하는 출입구에는 60+방화문 또는 60분방화문을 설치하고, 노대 또는 부속실로부터 계단실로 통하는 출입구에는 60+방화문, 60분방화문 또는 영 제64조제1항제3호의 30분 방화문을 설치할 것. 이 경우 방화문은 언제나 닫힌 상태를 유지하거나 화재로 인한 연기 또는 불꽃을 감지하여 자동적으로 닫히는 구조로 해야 하고, 연기 또는 불꽃으로 감지하여 자동적으로 닫히는 구조로 할 수 없는 경우에는 온도를 감지하여 자동적으로 닫히는 구조로 할 수 있다.
차. 계단은 내화구조로 하되, 피난층 또는 지상까지 직접 연결되도록 할 것
카. 출입구의 유효너비는 0.9미터 이상으로 하고 피난의 방향으로 열 수 있을 것

③ 영 제35조제1항 각 호 외의 부분 본문에 따른 피난계단 또는 특별피난계단은 돌음계단으로 해서는 안 되며, 영 제40조에 따라 옥상광장을 설치해야 하는 건축물의 피난계단 또는 특별피난계단은 해당 건축물의 옥상으로 통하도록 설치해야 한다. 이 경우 옥상으로 통하는 출입문은 피난방향으로 열리는 구조로서 피난 시 이용에 장애가 없어야 한다. <개정 2019.8.6., 2021.9.3>

④ 영 제35조제2항에서 "갓복도식 공동주택"이라 함은 각 층의 계단실 및 승강기에서 각 세대로 통하는 복도의 한쪽 면이 외기에 개방된 구조의 공동주택을 말한다.

해설 피난계단이나 특별피난계단은 화재 등 재해 발생시 안전한 피난을 유도하기 위한 직통계단으로, 여기서는 피난 및 특별피난계단의 구조(내화구조), 마감재료(불연재료), 배연설비, 출입구(60+방

화문, 60분방화문, 30분 방화문) 및 조명설비 등에 대해서 규정하고 있다.

【1】 피난계단

피난계단의 구조	세 부 규 정	
옥내 피난계단	계단실의 벽	내화구조로 할 것[창문, 출입구, 기타 개구부(이하 "창문등") 제외]
	계단실의 실내마감	불연재료로 할 것(바닥 및 반자 등 실내에 면한 모든 부분을 말함)
망입유리의 붙박이창으로서 면적이 $1m^2$ 이하 내화구조의 벽 60+, 60분방화문 (출입구의 유효너비는 0.9m 이상으로 하고 출입문은 피난의 방향으로 열 수 있고, 언제나 닫힌 상태를 유지하거나 화재시 연기의 발생 또는 온도의 상승에 의하여 자동적으로 닫히는 구조 2m이상 내장 : 불연재료 예비전원이 의한 조명설비 옥외 옥내	계단실의 채광	예비전원에 의한 조명설비를 할 것
	옥외에 접하는 창문 등	해당 건축물의 다른 부분에 설치하는 창문등으로부터 2m이상의 거리를 두고 설치(망이 들어있는 붙박이창으로서 면적이 각각 $1m^2$ 이하인 것 제외)
	내부와 면하는 계단실의 창	망이 들어 있는 유리의 붙박이창으로서 그 면적을 각각 $1m^2$ 이하로 할 것(출입구 제외)
	계단실의 출입구	60+방화문 또는 60분방화문을 설치할 것(출입구의 유효너비는 0.9m 이상으로 하고, 출입문은 피난의 방향으로 열 수 있고, 언제나 닫힌 상태를 유지하거나 화재시 연기 또는 불꽃을 감지하여 자동적으로 닫히는 구조로 해야 하고, 할 수 없을 경우 온도감지로 자동적으로 닫히는 구조로 할 수 있음)
	계단의 구조	내화구조로 하고 피난층 또는 지상까지 직접 연결되도록 할 것
옥외 피난계단	계단의 위치	계단으로 통하는 출입구외의 창문등(망이 들어있는 유리의 붙박이창으로서 그 면적이 각각 $1m^2$ 이하인 것 제외)으로부터 2m 이상의 거리를 두고 설치
60+, 60분방화문 옥내 옥외 2m이상 2m이상 계단의 유효너비는 0.9m이상 내화구조의 계단 (지상까지 직접연결 되도록 할것)	계단실의 출입구	60+방화문 또는 60분방화문을 설치할 것
	계단의 유효너비	0.9m 이상으로 할 것
	계단의 구조	내화구조로 하고 지상까지 직접연결 되도록 할 것

□ 피난계단은 돌음계단으로 해서는 안된다.

□ 옥상광장을 설치해야 하는 건축물의 피난계단·특별피난계단은 해당 건축물의 옥상으로 통하도록 설치해야 한다. 이 경우 옥상으로 통하는 출입문은 피난방향으로 열리는 구조로서 피난시 이용에 장애가 없어야 한다.

※ 옥상광장의 설치 - 5층 이상인 층이 제2종 근린생활시설 중 공연장·종교집회장·인터넷컴퓨터게임시설제공업소(해당 용도 바닥면적의 합계가 각각 $300m^2$ 이상인 경우만 해당), 문화 및 집회시설(전시장 및 동·식물원 제외), 종교시설, 판매시설, 위락시설 중 주점영업 또는 장례식장의 용도에 쓰이는 경우

【2】 특별피난계단

특별피난계단의 구조	세부 공통 규정		
노대가 설치된 경우 2m이상(망입유리의 붙박이창으로 1m² 이하인 것 제외) 60+, 60분, 30분 방화문 (유효너비 0.9m이상) 망입유리의 붙박이창으로 면적 1m²이하인 것 노대 내화구조의 벽 불연재료로 마감 60+, 60분방화문(유효너비 0.9m이상) 옥외 옥내	① 부속실 등의 설치	건축물의 내부와 계단실은 • 노대를 통해 연결하거나 • 부속실을 통해 연결할 것	
	② 부속실의 구조	• 외부를 향해 열 수 있는 면적 1m² 이상의 창문(바닥으로부터 1m 이상의 높이에 설치한 것에 한함)이 있거나, • 배연설비가 있을 것	
	③ 계단실·노대 및 부속실의 벽	창문등을 제외하고는 내화구조의 벽으로 각각 구획할 것 -공동주택에 있어서 부속실과 비상용승강기의 승강장을 겸용하는 경우의 그 부속실 또는 승강장을 포함	
	④ 계단실 및 부속실의 마감	실내에 접하는 부분의 마감(마감을 위한 바탕포함)을 불연재료로 할 것 -바닥 및 반자 등 실내에 면한 모든 부분을 말함	
창문(면적 1m² 이상으로서 외부로 열 수 있는 것)이 있는 부속실(면적 3m² 이상)이 설치된 경우 옥외 60+, 60분, 30분 방화문 (유효너비 0.9m이상) 내화구조의 벽 60+, 60분방화문 (유효너비 0.9m이상) 부속실 예비전원에 의한 조명설비를 할 것 불연재료로 마감 망이 들어 있는 유리의 붙박이창으로 면적이 1m² 이하인 것 옥내	⑤ 계단실의 채광	예비전원에 의한 조명설비를 할 것	
	⑥ 옥외에 접하는 창문등(계단실, 노대, 부속실에 설치)	계단실·노대 또는 부속실외에 해당 건축물의 다른 부분에 설치하는 창문등으로부터 2m이상의 거리를 두고 설치할 것 -망이 들어있는 유리의 붙박이창으로서 면적이 각각 1m² 이하인 것을 제외	
	⑦ 계단실의 실내측의 창	노대 또는 부속실에 접하는 부분외에는 건축물의 내부와 접하는 창문등을 설치하지 아니할 것	
	⑧ 노대 또는 부속실에 면하는 창	망이 들어 있는 유리의 붙박이창으로서 그 면적을 각각 1m² 이하로 할 것 -출입구 제외	
배연설비가 있는 부속실(면적 3m²이상)이 설치된 경우 옥내 내화구조의 벽 60+, 60분, 30분 방화문 (유효너비 0.9m이상) 60+, 60분방화문 (유효너비 0.9m이상) 부속실 배연설비 불연재료로 마감(마감을 위한 바탕포함) 2m이상 (망이 들어있는 유리의 붙박이창으로 1m² 이하인 것 제외) 예비전원에 의한 조명설비를 할 것 옥외	⑨ 노대 및 부속실의 실내측의 창	계단실외의 건축물의 내부와 접하는 창문등을 설치하지 아니할 것 -출입구 제외	
	⑩ 출입구에 설치하는문	건축물 내부에서 노대, 부속실로	60+방화문 또는 60분방화문을 설치할 것
		노대, 부속실에서 계단실로	60+방화문, 60분방화문 또는 30분 방화문을 설치할 것 (언제나 닫힌 상태를 유지하거나 화재시 연기 또는 불꽃을 감지하여 자동적으로 닫히는 구조로 해야 하고, 할 수 없을 경우 온도감지로 자동적으로 닫히는 구조로 할 수 있음)
	⑪ 출입구의 너비		유효너비는 0.9m 이상으로 할 것
	⑫ 계단의 구조		내화구조로 하고, 피난층 또는 지상까지 직접 연결되도록 할 것

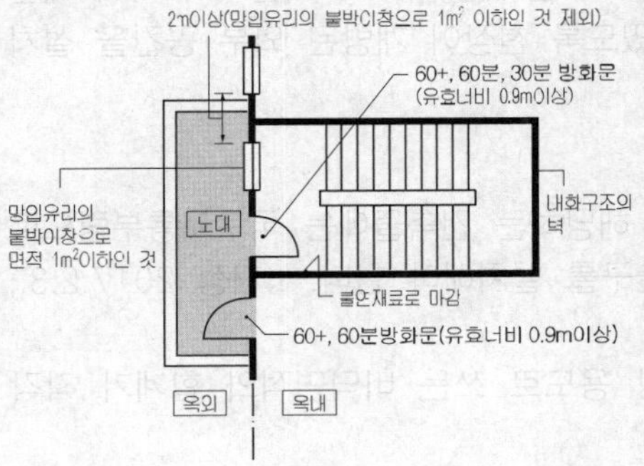

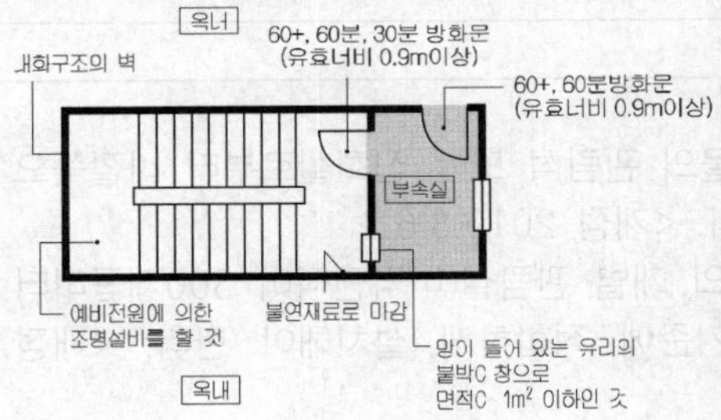

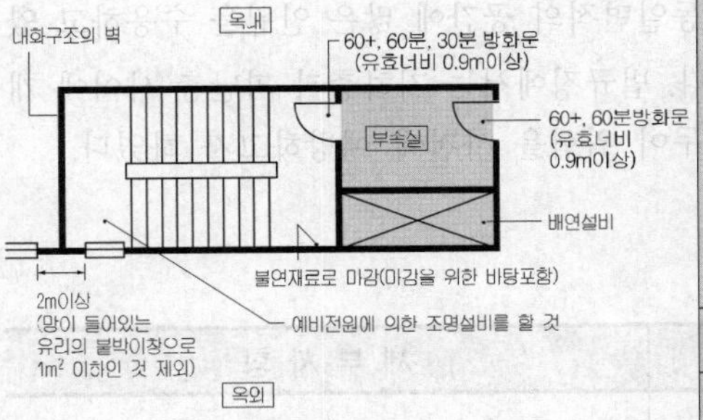

□ 특별피난계단은 돌음계단으로 해서는 안된다.

□ 옥상광장을 설치해야 하는 건축물의 피난계단·특별피난계단은 해당 건축물의 옥상으로 통하도록 설치해야 한다. 이 경우 옥상으로 통하는 출입문은 피난방향으로 열리는 구조로서 피난시 이용에 장애가 없어야 한다.

6 지하층과 피난층 사이 개방공간 설치 및 관람실 등으로부터의 출구 설치(영 제37조, 제38조)(피난규칙 제10조)

영 제37조【지하층과 피난층 사이 개방공간 설치】

바닥면적의 합계가 3천 제곱미터 이상인 공연장 · 집회장 · 관람장 또는 전시장을 지하층에 설치하는 경우에는 각 실에 있는 자가 지하층 각 층에서 건축물 밖으로 피난하여 옥외 계단 또는 경사로 등을 이용하여 피난층으로 대피할 수 있도록 천장이 개방된 외부 공간을 설치하여야 한다.

영 제38조【관람실 등으로부터의 출구 설치】

법 제49조제1항에 따라 다음 각 호의 어느 하나에 해당하는 건축물에는 국토교통부령으로 정하는 기준에 따라 관람실 또는 집회실로부터의 출구를 설치해야 한다. <개정 2017.2.3., 2019.8.6.>

1. 제2종 근린생활시설 중 공연장 · 종교집회장(해당 용도로 쓰는 바닥면적의 합계가 각각 300제곱미터 이상인 경우만 해당한다)
2. 문화 및 집회시설(전시장 및 동 · 식물원은 제외한다)
3. 종교시설
4. 위락시설
5. 장례시설

피난규칙 제10조【관람실 등으로 부터의 출구의 설치기준】

① 영 제38조 각 호의 어느 하나에 해당하는 건축물의 관람석 또는 집회실로부터 바깥쪽으로의 출구로 쓰이는 문은 안여닫이로 해서는 안 된다. <개정 2019.8.6.>

② 영 제38조에 따라 문화 및 집회시설 중 공연장의 개별 관람실(바닥면적이 300제곱미터 이상인 것만 해당한다)의 출구는 다음 각 호의 기준에 적합하게 설치해야 한다. <개정 2019.8.6.>

1. 관람실별로 2개소 이상 설치할 것
2. 각 출구의 유효너비는 1.5미터 이상일 것
3. 개별 관람실 출구의 유효너비의 합계는 개별 관람실의 바닥면적 100제곱미터마다 0.6미터의 비율로 산정한 너비 이상으로 할 것

해설 공연장 등의 시설은 다른 용도의 건축물에 비하여, 동일면적의 공간에 많은 인원을 수용하고 있다. 따라서 재해발생시 매우 큰 위험요소를 안고 있다. 법규정에서는 지하층과 피난층 사이에 개방공간의 설치, 출입문, 복도, 비상구 등의 규정을 두어 위험을 사전에 예방하고자 하였다.

【1】 지하층과 피난층 사이 개방공간의 설치

대 상	내 용	세 부 사 항
바닥면적의 합계가 3,000㎡ 이상인 공연장 · 집회장 · 관람장 또는 전시장을 지하층에 설치하는 경우	천장이 개방된 외부 공간을 설치	지하층 각 층에서 건축물 밖으로 피난하여 옥외계단 또는 경사로 등을 이용하여 피난층으로 대피할 수 있도록 함

【2】 관람실 등으로부터의 출구 설치

대 상	해당층의 용도	출구의 형식
1. 제2종 근린생활시설 중 공연장·종교집회장[1)] 2. 문화 및 집회시설(전시장 및 동·식물원 제외) 3. 종교시설 4. 위락시설 5. 장례시설	• 관람실·집회실로 사용되는 부분	안여닫이 금지

1) 해당 용도로 쓰는 바닥면적의 합계가 각각 300㎡ 이상인 경우만 해당

【3】 문화 및 집회시설 중 공연장 개별 관람실 출구의 설치기준

바닥면적이 300㎡ 이상인 공연장의 개별 관람실			
출구의 설치기준	형식	안여닫이문 금지	무 대 / 안여닫이 금지 / ≥1.5m
	출구의 수	2개소 이상(관람실별로)	
	각 출구의 유효너비	1.5m 이상	
	개별 관람실 출구의 유효너비 합계	$\frac{\text{개별관람실 바닥면적}(m^2)}{100(m^2)} \times 0.6(m)$	

7 건축물 바깥쪽으로의 출구 설치(영 제39조)(피난규칙 제11조)

영 제39조【건축물 바깥쪽으로의 출구 설치】

① 법 제49조제1항에 따라 다음 각 호의 어느 하나에 해당하는 건축물에는 국토교통부령으로 정하는 기준에 따라 그 건축물로부터 바깥쪽으로 나가는 출구를 설치하여야 한다. <개정 2017.2.3.>

1. 제2종 근린생활시설 중 공연장·종교집회장·인터넷컴퓨터게임시설제공업소(해당 용도로 쓰는 바닥면적의 합계가 각각 300제곱미터 이상인 경우만 해당한다) <신설 2014.3.24.>
2. 문화 및 집회시설(전시장 및 동·식물원은 제외한다)
3. 종교시설
4. 판매시설
5. 업무시설 중 국가 또는 지방자치단체의 청사
6. 위락시설
7. 연면적이 5천 제곱미터 이상인 창고시설
8. 교육연구시설 중 학교
9. 장례시설
10. 승강기를 설치하여야 하는 건축물

② 법 제49조제1항에 따라 건축물의 출입구에 설치하는 회전문은 국토교통부령으로 정하는 기준에 적합하여야 한다.

피난규칙 제11조【건축물의 바깥쪽으로의 출구의 설치기준】

① 영 제39조제1항의 규정에 의하여 건축물의 바깥쪽으로 나가는 출구를 설치하는 경우 피난층의 계단으로부터 건축물의 바깥쪽으로의 출구에 이르는 보행거리(가장 가까운 출구와의 보행거리를 말한다. 이하 같다)는 영 제34조제1항의 규정에 의한 거리이하로 하여야 하며, 거실(피난에 지장이 없는 출입구가 있는 것을 제외한다)의 각 부분으로부터 건축물의 바깥쪽으로의 출구에 이르는 보행거리는 영 제34조제1항의 규정에 의한 거리의 2배 이하로 하여야 한다.

② 영 제39조제1항에 따라 건축물의 바깥쪽으로 나가는 출구를 설치하는 건축물중 문화 및 집회시설(전시장 및 동·식물원을 제외한다), 종교시설, 장례식장 또는 위락시설의 용도에 쓰이는 건축물의 바깥쪽으로의 출구로 쓰이는 문은 안여닫이로 하여서는 아니된다.

③ 영 제39조제1항에 따라 건축물의 바깥쪽으로 나가는 출구를 설치하는 경우 관람실의 바닥면적의 합계가 300제곱미터 이상인 집회장 또는 공연장은 주된 출구 외에 보조출구 또는 비상구를 2개소 이상 설치해야 한다. <개정 2019.8.6.>

④ 판매시설의 용도에 쓰이는 피난층에 설치하는 건축물의 바깥쪽으로의 출구의 유효너비의 합계는 해당 용도에 쓰이는 바닥면적이 최대인 층에 있어서의 해당 용도의 바닥면적 100제곱미터마다 0.6미터의 비율로 산정한 너비 이상으로 하여야 한다.

⑤ 다음 각 호의 어느 하나에 해당하는 건축물의 피난층 또는 피난층의 승강장으로부터 건축물의 바깥쪽에 이르는 통로에는 제15조제5항에 따른 경사로를 설치하여야 한다.

1. 제1종 근린생활시설 중 지역자치센터·파출소·지구대·소방서·우체국·방송국·보건소·공공도서관·지역건강보험조합 기타 이와 유사한 것으로서 동일한 건축물안에서 당해 용도에 쓰이는 바닥면적의 합계가 1천제곱미터 미만인 것
2. 제1종 근린생활시설 중 마을회관·마을공동작업소·마을공동구판장·변전소·양수장·정수장·대피소·공중화장실 기타 이와 유사한 것
3. 연면적이 5천제곱미터 이상인 판매시설, 운수시설
4. 교육연구시설 중 학교
5. 업무시설중 국가 또는 지방자치단체의 청사와 외국공관의 건축물로서 제1종 근린생활시설에 해당하지 아니하는 것
6. 승강기를 설치하여야 하는 건축물

⑥ 법 제39조제1항에 따라 영 제39조제1항 각 호의 어느 하나에 해당하는 건축물의 바깥쪽으로 나가는 출입문에 유리를 사용하는 경우에는 안전유리를 사용하여야 한다.

해설 피난시의 건축물내부에 있어서는 피난층이 피난경로의 마지막부분이라 할 수 있으나, 보다 안전지대인 옥외까지 안전하게 피난할 수 있어야 한다. 이에 피난층에 있어서의 옥외로의 출구까지의 보행거리, 집회장 또는 공연장의 보조출구의 설치, 출구의 구조, 다중이용시설에서의 경사로 설치 등의 제한규정을 두고 있다.

【1】 피난층에서의 보행거리

대 상			피난층에서의 보행거리			
			계단 → 옥외출구		거실 → 옥외출구	
			내화구조 또는 불연재료 (주요구조부)	기타	내화구조 또는 불연재료	기타
건축물의 용도	1. 제2종 근린생활시설*(공연장·종교집회장·인터넷컴퓨터게임시설제공업소) 2. 문화 및 집회시설 (전시장 및 동·식물원 제외) 3. 종교시설 4. 판매시설 5. 국가 또는 지방자치단체의 청사(업무시설 중) 6. 위락시설 7. 연면적 5,000㎡ 이상인 창고시설 8. 학교(교육연구시설 중) 9. 장례시설 10. 승강기 설치대상 건축물		50m 이하	30m 이하	100m 이하	60m 이하
	공동주택	15층 이하	50m 이하	30m 이하	100m 이하	60m 이하
		16층 이상	40m 이하	30m 이하	80m 이하	60m 이하

* 제2종 근린생활시설 중 공연장·종교집회장은 해당 용도 바닥면적의 합계가 각각 300㎡ 이상인 경우만 해당

【2】 건축물의 바깥쪽으로의 출구의 설치기준

① 문화 및 집회시설(전시장 및 동·식물원 제외), 종교시설, 장례시설 또는 위락시설의 용도에 쓰이는 건축물의 바깥쪽으로의 출구로 쓰이는 문은 안여닫이로 하여서는 안됨

② 관람실의 바닥면적의 합계가 300㎡이상인 집회장 또는 공연장은 주된 출구 외에 보조출구 또는 비상구를 2개소 이상 설치해야 함.

③ 판매시설의 용도에 쓰이는 피난층에 설치하는 건축물의 바깥쪽으로의 출구의 유효너비의 합계는 다음과 같이 산정함

$$\text{유효너비의 합계} \geq \frac{\text{해당용도에 쓰이는 바닥면적이 최대인 층의 면적}(m^2)}{100(m^2)} \times 0.6(m)$$

④ 위 【1】 용도의 건축물의 바깥쪽으로 나가는 출입문에 유리를 사용하는 경우 안전유리를 사용할 것

8 회전문의 설치기준(영 제39조)(피난규칙 제12조)

영 제39조【건축물 바깥쪽으로의 출구 설치】① "생략"

② 법 제49조제1항에 따라 건축물의 출입구에 설치하는 회전문은 국토교통부령으로 정하는 기준에 적합하여야 한다.

피난규칙 제12조【회전문의 설치기준】

영 제39조제2항의 규정에 의하여 건축물의 출입구에 설치하는 회전문은 다음 각 호의 기준에 적합하여야 한다.

1. 계단이나 에스컬레이터로부터 2미터 이상의 거리를 둘 것
2. 회전문과 문틀사이 및 바닥사이는 다음 각 목에서 정하는 간격을 확보하고 틈 사이를 고무와 고무펠트의 조합체 등을 사용하여 신체나 물건 등에 손상이 없도록 할 것
   가. 회전문과 문틀 사이는 5센티미터 이상
   나. 회전문과 바닥 사이는 3센티미터 이하
3. 출입에 지장이 없도록 일정한 방향으로 회전하는 구조로 할 것
4. 회전문의 중심축에서 회전문과 문틀 사이의 간격을 포함한 회전문날개 끝부분까지의 길이는 140센티미터 이상이 되도록 할 것
5. 회전문의 회전속도는 분당회전수가 8회를 넘지 아니하도록 할 것
6. 자동회전문은 충격이 가하여지거나 사용자가 위험한 위치에 있는 경우에는 전자감지장치 등을 사용하여 정지하는 구조로 할 것

회전문의 설치기준의 도해

9 경사로의 설치(피난규칙 제11조제5항)

피난규칙 제11조【건축물의 바깥쪽으로의 출구의 설치기준】 ①~④ "생략"

⑤ 다음 각 호의 어느 하나에 해당하는 건축물의 피난층 또는 피난층의 승강장으로부터 건축물의 바깥쪽에 이르는 통로에는 제15조제5항에 따른 경사로를 설치하여야 한다.

1. 제1종 근린생활시설 중 지역자치센터 · 파출소 · 지구대 · 소방서 · 우체국 · 방송국 · 보건소 · 공공도서관 · 지역건강보험조합 기타 이와 유사한 것으로서 동일한 건축물안에서 당해 용도에 쓰이는 바닥면적의 합계가 1천제곱미터 미만인 것
2. 제1종 근린생활시설 중 마을회관 · 마을공동작업소 · 마을공동구판장 · 변전소 · 양수장 · 정수장 · 대피소 · 공중화장실 기타 이와 유사한 것
3. 연면적이 5천제곱미터 이상인 판매시설, 운수시설
4. 교육연구시설 중 학교
5. 업무시설 중 국가 또는 지방자치단체의 청사와 외국공관의 건축물로서 제1종 근린생활시설에 해당하지 아니하는 것
6. 승강기를 설치하여야 하는 건축물

피난규칙 제15조【계단의 설치기준】 ①~④ "생략"

⑤ 계단을 대체하여 설치하는 경사로는 다음 각호의 기준에 적합하게 설치하여야 한다.

1. 경사도는 1 : 8을 넘지 아니할 것
2. 표면을 거친 면으로 하거나 미끄러지지 아니하는 재료로 마감할 것
3. 경사로의 직선 및 굴절부분의 유효너비는 「장애인 · 노인 · 임산부등의 편의증진보장에 관한 법률」이 정하는 기준에 적합할 것

【1】 경사로 설치 대상

다음 건축물의 피난층 또는 피난층의 승강장으로부터 건축물의 바깥쪽에 이르는 통로에는 경사로를 설치해야 한다.

	대 상	세 부 용 도
1	제1종 근린생활시설 (동일한 건축물에서 해당 용도에 쓰이는 바닥면적의 합계가 1,000m² 미만인 것)	지역자치센터 · 파출소 · 지구대 · 소방서 · 우체국 · 방송국 · 보건소 · 공공도서관 · 지역건강보험조합 기타 이와 유사한 것
2	제1종 근린생활시설 (면적 제한없음)	마을회관 · 마을공동작업소 · 마을공동구판장 · 변전소 · 양수장 · 정수장 · 대피소 · 공중화장실 기타 이와 유사한 것
3	판매시설, 운수시설 (연면적이 5,000m² 이상)	–
4	교육연구시설	학교
5	업무시설	국가 또는 지방자치단체의 청사, 외국공관의 건축물(제1종 근린생활시설에 해당하지 않는 것)
6	승강기를 설치하여야 하는 건축물	–

【2】 경사로의 기준

1. 경사도는 1:8을 넘지 않을 것
2. 표면을 거친 면이나 미끄러지지 아니하는 재료로 마감할 것
3. 경사로의 직선 및 굴절부분의 유효너비는「장애인 · 노인 · 임산부등의 편의증진 보장에 관한 법률」의 기준에 적합할 것 ☞ 제2권 제8편 해설 참조

10 옥상광장 등의 설치(영 제40조)(피난규칙 제13조)

영 제40조【옥상광장 등의 설치】

① 옥상광장 또는 2층 이상인 층에 있는 노대등[노대(露臺)나 그 밖에 이와 비슷한 것을 말한다. 이하 같다]의 주위에는 높이 1.2미터 이상의 난간을 설치하여야 한다. 다만, 그 노대등에 출입할 수 없는 구조인 경우에는 그러하지 아니하다. <개정 2018.9.4.>

② 5층 이상인 층이 제2종 근린생활시설 중 공연장·종교집회장·인터넷컴퓨터게임시설제공업소(해당 용도로 쓰는 바닥면적의 합계가 각각 300제곱미터 이상인 경우만 해당한다), 문화 및 집회시설(전시장 및 동·식물원은 제외한다), 종교시설, 판매시설, 위락시설 중 주점영업 또는 장례시설의 용도로 쓰는 경우에는 피난 용도로 쓸 수 있는 광장을 옥상에 설치하여야 한다. <개정 2017.2.3.>

③ 다음 각 호의 어느 하나에 해당하는 건축물은 옥상으로 통하는 출입문에 「소방시설 설치 및 관리에 관한 법률」 제40조제1항에 따른 성능인증 및 같은 조 제2항에 따른 제품검사를 받은 비상문자동개폐장치(화재 등 비상시에 소방시스템과 연동되어 잠김 상태가 자동으로 풀리는 장치를 말한다)를 설치해야 한다. <신설 2021.1.8., 2022.11.29>

1. 제2항에 따라 피난 용도로 쓸 수 있는 광장을 옥상에 설치해야 하는 건축물
2. 피난 용도로 쓸 수 있는 광장을 옥상에 설치하는 다음 각 목의 건축물
   가. 다중이용 건축물
   나. 연면적 1천제곱미터 이상인 공동주택

④ 층수가 11층 이상인 건축물로서 11층 이상인 층의 바닥면적의 합계가 1만 제곱미터 이상인 건축물의 옥상에는 다음 각 호의 구분에 따른 공간을 확보하여야 한다. <개정 2021.1.8.>

1. 건축물의 지붕을 평지붕으로 하는 경우: 헬리포트를 설치하거나 헬리콥터를 통하여 인명 등을 구조할 수 있는 공간
2. 건축물의 지붕을 경사지붕으로 하는 경우: 경사지붕 아래에 설치하는 대피공간

⑤ 제4항에 따른 헬리포트를 설치하거나 헬리콥터를 통하여 인명 등을 구조할 수 있는 공간 및 경사지붕 아래에 설치하는 대피공간의 설치기준은 국토교통부령으로 정한다. <개정 2021.1.8.>

■ **헬리포트의 설치기준**(피난·방화규칙 제13조)

피난규칙 제13조【헬리포트 및 구조공간 설치기준】

① 영 제40조제4항제1호에 따라 건축물에 설치하는 헬리포트는 다음 각호의 기준에 적합해야 한다. <개정 2021.3.26>

1. 헬리포트의 길이와 너비는 각각 22미터이상으로 할 것. 다만, 건축물의 옥상바닥의 길이와 너비가 각각 22미터이하인 경우에는 헬리포트의 길이와 너비를 각각 15미터까지 감축할 수 있다.
2. 헬리포트의 중심으로부터 반경 12미터 이내에는 헬리콥터의 이·착륙에 장애가 되는 건축물, 공작물, 조경시설 또는 난간 등을 설치하지 아니할 것
3. 헬리포트의 주위한계선은 백색으로 하되, 그 선의 너비는 38센티미터로 할 것
4. 헬리포트의 중앙부분에는 지름 8미터의 "Ⓗ"표지를 백색으로 하되, "H"표지의 선의 너비는 38센티미터로, "○"표지의 선의 너비는 60센티미터로 할 것
5. 헬리포트로 통하는 출입문에 영 제40조제3항 각 호 외의 부분에 따른 비상문자동개폐장치(이하 "비상문자동개폐장치" 라 한다)를 설치할 것 <신설 2021.3.26>

② 영 제40조제3항제1호에 따라 옥상에 헬리콥터를 통하여 인명 등을 구조할 수 있는 공간

을 설치하는 경우에는 직경 10미터 이상의 구조공간을 확보해야 하며, 구조공간에는 구조활동에 장애가 되는 건축물, 공작물 또는 난간 등을 설치해서는 안 된다. 이 경우 구조공간의 표시기준 및 설치기준 등에 관하여는 제1항제3호부터 제5호까지의 규정을 준용한다. <개정 2021.3.26>

③ 영 제40조제4항제2호에 따라 설치하는 대피공간은 다음 각 호의 기준에 적합해야 한다. <개정 2021.3.26>

1. 대피공간의 면적은 지붕 수평투영면적의 10분의 1 이상 일 것
2. 특별피난계단 또는 피난계단과 연결되도록 할 것
3. 출입구 · 창문을 제외한 부분은 해당 건축물의 다른 부분과 내화구조의 바닥 및 벽으로 구획할 것
4. 출입구는 유효너비 0.9미터 이상으로 하고, 그 출입구에는 60+방화문 또는 60분방화문을 설치할 것

4의2. 제4호에 따른 방화문에 비상문자동개폐장치를 설치할 것 <신설 2021.3.26>

5. 내부마감재료는 불연재료로 할 것
6. 예비전원으로 작동하는 조명설비를 설치할 것
7. 관리사무소 등과 긴급 연락이 가능한 통신시설을 설치할 것

해설 화재 등 재해발생시 건축물의 상부에 있어서는 피난층으로 대피하기 어려운 경우가 있다. 이 경우 특정용도의 건축물에는 옥상광장을 두어 대피할 수 있도록 하였다.

대형건축물에는 평지붕인 경우 헬리포트나 인명구조공간을 설치하도록 하였고, 경사지붕의 경우는 경사지붕 아래에 대피공간을 설치하도록 하는 등 보다 큰 재해를 방지하고자 하였으며, 또한 옥상 대피시 안전을 고려하여 난간높이 등을 규정하고 있다.

■ 옥상광장 등의 설치

구분	적용부분 및 대상	제한내용	상세
1. 난간	• 옥상광장 • 2층 이상의 층에 있는 노대등 • 그 밖에 이와 유사한 것	• 주위에 높이 1.2m 이상의 난간 설치 ※ 옥상, 노대 등에 출입할 수 없는 구조의 경우 예외	
2. 옥상광장	•5층 이상의 층이 다음의 용도에 쓰이는 경우 ① 공연장·종교집회장·인터넷컴퓨터게임시설제공업소(제2종 근린생활시설 중) ② 문화 및 집회시설(전시장 및 동·식물원 제외) ③ 종교시설 ④ 판매시설 ⑤ 주점영업(위락시설 중) ⑥ 장례시설	• 옥상에 피난의 용도로 쓰이는 광장 설치 *①의 경우 해당 용도 바닥면적의 합계가 각각 300㎡ 이상인 경우만 해당	

구분	대상		기준	비고
3. 옥상 출입문 자동개폐장치	• 위 2. 옥상광장 설치대상 • 피난용도 광장을 옥상에 설치하는 다음 건축물 ① 다중이용 건축물 ② 연면적 1천m^2 이상인 공동주택		• 옥상으로 통하는 출입문에 성능인증[1] 및 제품검사[2]를 받은 비상문자동개폐장치[3]를 설치해야 한다.	1), 2) 「소방시설 설치 및 관리에 관한 법률」 제40조제1항 또는 제2항 3) 화재 등 비상시에 소방시스템과 연동되어 잠김 상태가 자동으로 풀리는 장치
4. 헬리포트 및 대피공간 설치대상	층수가 11층 이상으로서 11층 이상 부분의 바닥면적의 합계가 1만m^2 이상인 건축물	평지붕	㉠ 건축물의 옥상에 헬리포트 설치 ㉡ 헬리콥터를 통한 인명구조공간 설치	1만m^2미만 (11층 이상 부분의 바닥면적의 합계) 11층 10층 불필요 불필요
		경사지붕	㉢ 경사지붕 아래에 대피공간 설치	

5. 헬리포트, 대피공간 등의 설치기준

① 헬리포트 설치기준

㉠ 헬리포트의 길이와 너비는 각각 22m 이상으로 할 것
㉡ 옥상바닥의 길이와 너비가 22m 이하인 경우 각각 15m까지 감축할 수 있음
㉢ 헬리포트의 중심으로 반경 12m 이내에는 이착륙에 방해되는 건축물, 공작물, 조경시설 또는 난간 등의 설치금지
㉣ 헬리포트 중앙부분에는 지름 8m의 Ⓗ표시를 백색으로 할 것
㉤ 선의 너비(백색으로 표시)
 · 주위한계선, H표시 : 38㎝ · ○표시 부분 : 60㎝
㉥ 헬리포트로 통하는 출입문에는 비상문자동개폐장치(위 3.참조)를 설치할 것

② 인명구조공간 설치기준

㉠ 직경 10m 이상의 구조공간 확보
㉡ 구조활동에 장애가 되는 건축물, 공작물 또는 난간 설치 금지
㉢ 구조공간의 표시 및 설치기준은 위 ㉣~㉥을 준용

③ 대피공간 설치기준

㉠ 대피공간의 면적 : 지붕 수평투영면적의 1/10 이상
㉡ 특별피난계단 또는 피난계단과 연결되도록 할 것
㉢ 출입구·창문을 제외한 부분은 다른 부분과 내화구조의 바닥 및 벽으로 구획할 것
㉣ 출입구 : 유효너비 0.9m 이상, 비상문자동개폐장치가 설치된 60+방화문 또는 60분방화문 설치할 것
㉤ 내부마감재료 : 불연재료
㉥ 예비전원으로 작동하는 조명설비
㉦ 관리사무소 등과 긴급 연락이 가능한 통신시설 설치

■ 헬리포트의 도해

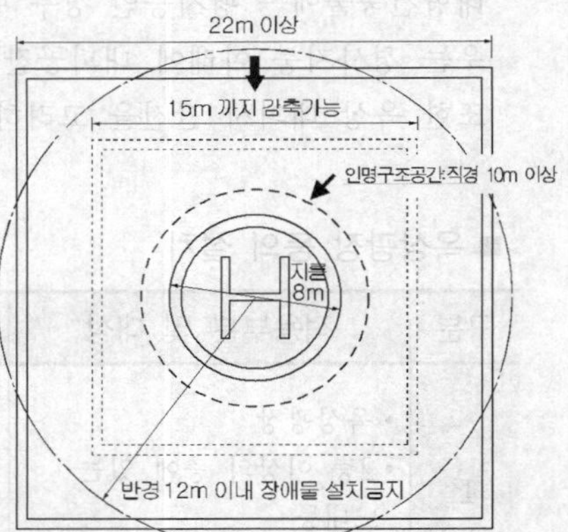

헬리포트 예(무역회관_Daum 지도)

11 대지 안의 피난 및 소화에 필요한 통로 설치(영 제41조)

영 제41조【대지 안의 피난 및 소화에 필요한 통로 설치】

① 건축물의 대지 안에는 그 건축물 바깥쪽으로 통하는 주된 출구와 지상으로 통하는 피난계단 및 특별피난계단으로부터 도로 또는 공지(공원, 광장, 그 밖에 이와 비슷한 것으로서 피난 및 소화를 위하여 해당 대지의 출입에 지장이 없는 것을 말한다. 이하 이 조에서 같다)로 통하는 통로를 다음 각 호의 기준에 따라 설치하여야 한다. <개정 2017.2.3.>

1. 통로의 너비는 다음 각 목의 구분에 따른 기준에 따라 확보할 것
   가. 단독주택: 유효 너비 0.9미터 이상
   나. 바닥면적의 합계가 500제곱미터 이상인 문화 및 집회시설, 종교시설, 의료시설, 위락시설 또는 장례시설: 유효 너비 3미터 이상
   다. 그 밖의 용도로 쓰는 건축물: 유효 너비 1.5미터 이상
2. 필로티 내 통로의 길이가 2미터 이상인 경우에는 피난 및 소화활동에 장애가 발생하지 아니하도록 자동차 진입억제용 말뚝 등 통로 보호시설을 설치하거나 통로에 단차(段差)를 둘 것

② 제1항에도 불구하고 다중이용 건축물, 준다중이용 건축물 또는 층수가 11층 이상인 건축물이 건축되는 대지에는 그 안의 모든 다중이용 건축물, 준다중이용 건축물 또는 층수가 11층 이상인 건축물에 「소방기본법」 제21조에 따른 소방자동차(이하 "소방자동차"라 한다)의 접근이 가능한 통로를 설치하여야 한다. 다만, 모든 다중이용 건축물, 준다중이용 건축물 또는 층수가 11층 이상인 건축물이 소방자동차의 접근이 가능한 도로 또는 공지에 직접 접하여 건축되는 경우로서 소방자동차가 도로 또는 공지에서 직접 소방활동이 가능한 경우에는 그러하지 아니하다. <개정 2015.9.22.>

【1】 통로의 설치기준

대 상	설치 기준	내 용
1. 단독주택	유효너비 0.9m 이상	
2. 바닥면적의 합계가 500㎡ 이상인 ① 문화 및 집회시설 ② 종교시설 ③ 의료시설 ④ 위락시설 ⑤ 장례시설	유효너비 3m 이상	통로는 1. 주된 출구와 2. 지상으로 통하는 피난계단 및 특별피난계단으로부터 도로 또는 공지*로 통하여야 함. * 공원, 광장, 그 밖에 이와 비슷한 것으로서 피난 및 소화를 위하여 해당 대지의 출입에 지장이 없는 것
3. 그 밖의 용도의 건축물	유효너비 1.5m 이상	
■ 필로티 내 통로의 길이 2m이상인 경우: 피난 및 소화활동에 지장이 없도록 자동차 진입억제용 말뚝 등 통로보호시설을 설치하거나 단차를 둘 것		

【2】 소화에 필요한 통로의 확보

대지안의 모든 다중이용 건축물, 준다중이용 건축물 또는 11층 이상인 건축물에 소방자동차의 접근이 가능한 통로를 설치할 것.

예외 위의 건축물이 소방자동차의 접근이 가능한 도로 또는 공지에 직접 접하여 건축되는 경우로서 소방자동차의 접근이 가능한 도로 또는 공지에 직접 접하여 건축되어 소방활동이 가능한 경우

12 피난시설 등의 유지·관리에 대한 기술지원(법 제49조의2)

법 제49조의2【피난시설 등의 유지 · 관리에 대한 기술지원】
국가 또는 지방자치단체는 건축물의 소유자나 관리자에게 제49조제1항 및 제2항에 따른 피난시설 등의 설치, 개량 · 보수 등 유지 · 관리에 대한 기술지원을 할 수 있다.
[본조신설 2018.8.14.]

13 거실 관련기준(법 제49조)(영 제50조～제52조)(피난·방화 제16조～제18조)

법 제49조【피난시설 등의 유지 · 관리에 대한 기술지원】
② 대통령령으로 정하는 용도 및 규모의 건축물의 안전 · 위생 및 방화(防火) 등을 위하여 필요한 용도 및 구조의 제한, 방화구획(防火區劃), 화장실의 구조, 계단 · 출입구, 거실의 반자 높이, 거실의 채광 · 환기, 배연설비와 바닥의 방습 등에 관하여 필요한 사항은 국토교통부령으로 정한다. 다만, 대규모 창고시설 등 대통령령으로 정하는 용도 및 규모의 건축물에 대해서는 방화구획 등 화재 안전에 필요한 사항을 국토교통부령으로 별도로 정할 수 있다. <개정 2019.4.23., 2021.10.19.>

영 제50조【거실반자의 설치】
법 제49조제2항 본문에 따라 공장, 창고시설, 위험물저장 및 처리시설, 동물 및 식물 관련 시설, 자원순환 관련 시설 또는 묘지 관련시설 외의 용도로 쓰는 건축물 거실의 반자(반자가 없는 경우에는 보 또는 바로 위층의 바닥판의 밑면, 그 밖에 이와 비슷한 것을 말한다)는 국토교통부령으로 정하는 기준에 적합해야 한다. <개정 2022.4.29.>

영 제51조【거실의 채광 등】
① 법 제49조제2항 본문에 따라 단독주택 및 공동주택의 거실, 교육연구시설 중 학교의 교실, 의료시설의 병실 및 숙박시설의 객실에는 국토교통부령으로 정하는 기준에 따라 채광 및 환기를 위한 창문등이나 설비를 설치해야 한다. <개정 2022.4.29.>
② 법 제49조제2항 본문에 따라 다음 각 호에 해당하는 건축물의 거실(피난층의 거실은 제외한다)에는 배연설비를 해야 한다. <개정 2020.10.8., 2022.4.29>
1. 6층 이상인 건축물로서 다음 각 목의 어느 하나에 해당하는 용도로 쓰는 건축물
   가. 제2종 근린생활시설 중 공연장, 종교집회장, 인터넷컴퓨터게임시설제공업소 및 다중생활시설(공연장, 종교집회장 및 인터넷컴퓨터게임시설제공업소는 해당 용도로 쓰는 바닥면적의 합계가 각각 300제곱미터 이상인 경우만 해당한다)
   나. 문화 및 집회시설
   다. 종교시설
   라. 판매시설
   마. 운수시설
   바. 의료시설(요양병원 및 정신병원은 제외한다)
   사. 교육연구시설 중 연구소
   아. 노유자시설 중 아동 관련 시설, 노인복지시설(노인요양시설은 제외한다)
   자. 수련시설 중 유스호스텔
   차. 운동시설
   카. 업무시설
   타. 숙박시설

파. 위락시설
하. 관광휴게시설
거. 장례시설
2. 다음 각 목에 해당하는 용도로 쓰는 건축물
가. 의료시설 중 요양병원 및 정신병원
나. 노유자시설 중 노인요양시설 · 장애인 거주시설 및 장애인 의료재활시설
다. 제1종 근린생활시설 중 산후조리원 <신설 2020.10.8.>

③ 법 제49조제2항 본문에 따라 오피스텔에 거실 바닥으로부터 높이 1.2미터 이하 부분에 여닫을 수 있는 창문을 설치하는 경우에는 국토교통부령으로 정하는 기준에 따라 추락방지를 위한 안전시설을 설치하여야 한다. <개정 2022.4.29>

④ "생략" ➡ 14

영 제52조【거실 등의 방습】

법 제49조제2항 본문에 따라 다음 각 호의 어느 하나에 해당하는 거실 · 욕실 또는 조리장의 바닥 부분에는 국토교통부령으로 정하는 기준에 따라 방습을 위한 조치를 해야 한다. <개정 2022.4.29>

1. 건축물의 최하층에 있는 거실(바닥이 목조인 경우만 해당한다)
2. 제1종 근린생활시설 중 목욕장의 욕실과 휴게음식점 및 제과점의 조리장
3. 제2종 근린생활시설 중 일반음식점, 휴게음식점 및 제과점의 조리장과 숙박시설의 욕실

■ **거실의 반자높이 등**(피난 · 방화 규칙 제16~18조)

피난규칙 제16조【거실의 반자높이】

① 영 제50조의 규정에 의하여 설치하는 거실의 반자(반자가 없는 경우에는 보 또는 바로 윗층의 바닥판의 밑면 기타 이와 유사한 것을 말한다. 이하같다)는 그 높이를 2.1미터 이상으로 하여야 한다.

② 문화 및 집회시설(전시장 및 동 · 식물원은 제외한다), 종교시설, 장례식장 또는 위락시설 중 유흥주점의 용도에 쓰이는 건축물의 관람실 또는 집회실로서 그 바닥면적이 200제곱미터 이상인 것의 반자의 높이는 제1항에도 불구하고 4미터(노대의 아랫부분의 높이는 2.7미터) 이상이어야 한다. 다만, 기계환기장치를 설치하는 경우에는 그렇지 않다. <개정 2019.8.6.>

피난규칙 제17조【채광 및 환기를 위한 창문등】

① 영 제51조에 따라 채광을 위하여 거실에 설치하는 창문등의 면적은 그 거실의 바닥면적의 10분의 1 이상이어야 한다. 다만, 거실의 용도에 따라 별표 1의3에 따라 조도 이상의 조명장치를 설치하는 경우에는 그러하지 아니하다.

② 영 제51조의 규정에 의하여 환기를 위하여 거실에 설치하는 창문등의 면적은 그 거실의 바닥면적의 20분의 1 이상이어야 한다. 다만, 기계환기장치 및 중앙관리방식의 공기조화설비를 설치하는 경우에는 그러하지 아니하다.

③ 제1항 및 제2항의 규정을 적용함에 있어서 수시로 개방할 수 있는 미닫이로 구획된 2개의 거실은 이를 1개의 거실로 본다.

④ 영 제51조제3항에서 "국토교통부령으로정하는 기준"이란 높이 1.2미터 이상의 난간이나 그 밖에 이와 유사한 추락방지를 위한 안전시설을 말한다.

피난규칙 제18조【거실 등의 방습】

① 영 제52조의 규정에 의하여 건축물의 최하층에 있는 거실바닥의 높이는 지표면으로부터 45센티미터 이상으로 하여야 한다. 다만, 지표면을 콘크리트바닥으로 설치하는 등 방습을 위

한 조치를 하는 경우에는 그러하지 아니하다.
② 영 제52조에 따라 다음 각 호의 어느 하나에 해당하는 욕실 또는 조리장의 바닥과 그 바닥으로부터 높이 1미터까지의 안쪽벽의 마감은 이를 내수재료로 해야 한다. <개정 2021.8.27>
1. 제1종 근린생활시설중 목욕장의 욕실과 휴게음식점의 조리장
2. 제2종 근린생활시설중 일반음식점 및 휴게음식점의 조리장과 숙박시설의 욕실

해설 건축물에서 가장 중요한 공간은 사용자가 장시간 사용하는 거실이라 할 수 있다. 따라서 「건축법」에서는 거실의 쾌적한 환경의 조성을 위한 규정을 두어 일조, 채광, 통풍, 환기 등에 의한 쾌적함을 높이고자 하였다. 또한 목조건축물의 방습규정과 물을 다량으로 사용하는 욕실·조리장 등의 바닥, 벽에 있어서는 내수재료 사용규정을 두고 있다.

【1】 거실의 반자높이

건축물의 용도*	소요실의 면적	반자높이	적용제외
1. 일반용도	–	2.1m 이상	–
2. 문화 및 집회시설 (전시장, 동·식물원 제외) 3. 종교시설 4. 장례시설 5. 유흥주점(위락시설 중)	관람실 또는 집회실로서 바닥면적이 200㎡ 이상인 것	4m 이상(노대아래 부분은 2.7m 이상)	기계환기장치를 설치하는 경우

* 예외 공장, 창고시설, 위험물 저장 및 처리시설, 동물 및 식물 관련 시설, 자원순환 관련 시설 또는 묘지 관련시설은 적용 제외

(1) 거실의 반자높이(일반)

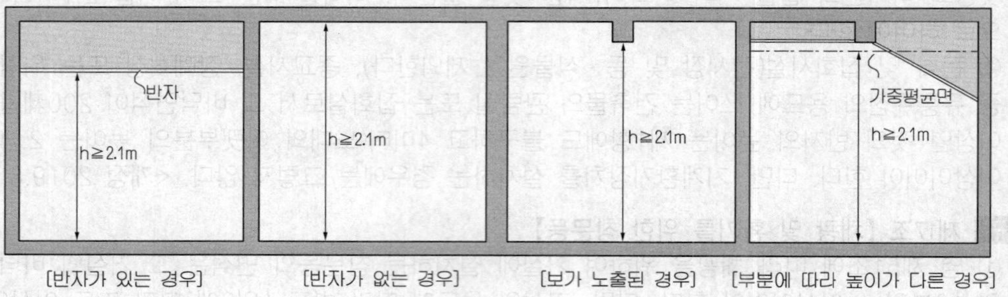

[반자가 있는 경우] [반자가 없는 경우] [보가 노출된 경우] [부분에 따라 높이가 다른 경우]

(2) 문화 및 집회시설 등의 관람실 또는 집회실의 반자높이

바닥면적 200㎡ 미만인 경우	바닥면적 200㎡ 이상인 경우
≥2.1m	≥4m ≥2.7m
• 반자높이 2.1m 이상(가중평균한 반자높이)	• 반자높이 4m 이상(가중평균한 반자높이) • 노대아래부분 2.7m 이상

【2】 거실의 채광·환기

구분	건축물의 용도	대상부분	창문등의 면적	적용제외	비 고
채광	1. 단독주택 2. 공동주택 3. 학교	거실 거실 교실	• 그 거실 바닥면적의 1/10 이상	거실의 용도에 따라 [별표]에서 정한 조도 이상의 조명장치를 설치하는 경우	채광 및 환기의 규정 적용시 수시로 개방할 수 있는 미닫이로 구획된 2개의 거실은 이를 1개의 거실로 봄
환기	4. 의료시설 5. 숙박시설	병실 객실	• 그 거실 바닥면적의 1/20 이상	기계환기장치 및 중앙관리방식의 공기조화 설비설치의 경우	

【별표】 거실의 용도에 따른 조도기준(피난·방화규칙 제17조제1항 관련)

거실의 용도부분 \ 조도구분		바닥에서 85㎝의 높이에 있는 수평면의 조도(룩스)
1. 거주	독서·식사·조리	150
	기타	70
2. 집무	설계·제도·계산	700
	일반사무	300
	기타	150
3. 작업	검사·시험·정밀검사·수술	700
	일반작업·제조·판매	300
	포장·세척	150
	기타	70
4. 집회	회의	300
	집회	150
	공연·관람	70
5. 오락	오락일반	150
	기타	30
6. 기타		1.~5. 중 가장 유사한 용도에 관한 기준을 적용한다.

【3】 거실의 방습

내 용		규제사항	기 타
최하층의 거실바닥의 높이 (바닥이 목조인 경우)		• 지표면으로부터 45㎝이상 설치	• 지표면을 콘크리트바닥으로 설치하는 등 방습을 위한 조치를 하는 경우 예외
욕실·조리장의 바닥 등	• 제1종 근린생활시설 중 - 목욕장의 욕실 - 휴게음식점 조리장 - 제과점 조리장	• 욕실·조리장의 바닥과 • 그 바닥으로부터 높이 1m까지의 안쪽벽의 마감은 - 내수재료로 해야 함	–
	• 제2종 근린생활시설 중 - 일반음식점 조리장 - 휴게음식점 조리장 - 제과점 조리장 • 숙박시설의 욕실		

■ 거실의 방습(그림해설)

일반적인 경우		방습 등의 조치를 한 경우
기둥, h≧45cm 이상, h	h≧45cm 이상, h	기둥, h : 제한없음, h

【4】 오피스텔 거실 창문의 안전시설

오피스텔에 거실 바닥으로부터 높이 1.2m 이하 부분에 여닫을 수 있는 창문을 설치하는 경우 높이 1.2m 이상의 난간이나 그 밖에 이와 유사한 추락방지를 위한 안전시설을 설치하여야 함

【5】 거실의 배연설비

설치 대상 용도	건축물의 규모	설치장소	기 타
• 제2종 근린생활시설 중 공연장, 종교집회장, 인터넷컴퓨터게임시설제공업소[1] 및 다중생활시설 • 문화 및 집회시설 • 종교시설 • 판매시설 • 운수시설 • 운동시설 • 업무시설 • 숙박시설 • 위락시설 • 관광휴게시설 • 장례시설 • 교육연구시설 중 연구소 • 수련시설 중 유스호스텔 • 의료시설(요양병원 및 정신병원 제외) • 노유자시설 중 아동 관련 시설 · 노인복지시설(노인요양시설 제외)	6층 이상 건축물	대상건축물의 거실	피난층 거실은 제외
• 의료시설중 요양병원 및 정신병원 • 노유자시설 중 노인요양시설·장애인 거주시설 및 장애인 의료재활시설 • 제1종 근린생활시설 중 산후조리원<시행 2021.4.9.>	건축물 층수와 무관		

1) 공연장, 종교집회장 및 인터넷컴퓨터게임시설제공업소는 해당 용도로 쓰는 바닥면적의 합계가 각각 300㎡ 이상인 경우만 해당

【참고】 배연설비(설비규칙 제14조) ➡ 제7장 건축설비 해설 참조

14 소방관 진입창 및 식별표시의 설치(법 제49조제3항)(영 제51조제4항)(피난규칙 제18조의2)

법 제49조【건축물의 피난시설 및 용도제한 등】

③ 대통령령으로 정하는 건축물은 국토교통부령으로 정하는 기준에 따라 소방관이 진입할 수 있는 창을 설치하고, 외부에서 주야간에 식별할 수 있는 표시를 하여야 한다. <신설 2019.4.23.>

영 제51조【거실의 채광 등】

④ 법 제49조제3항에 따라 건축물의 11층 이하의 층에는 소방관이 진입할 수 있는 창을 설치하고, 외부에서 주야간에 식별할 수 있는 표시를 해야 한다. 다만, 다음 각 호의 어느 하나에 해당하는 아파트는 제외한다. <개정 2019.10.22.>

1. 제46조제4항 및 제5항에 따라 대피공간 등을 설치한 아파트
2. 「주택건설기준 등에 관한 규정」 제15조제2항에 따라 비상용승강기를 설치한 아파트 관계법

피난규칙 제18조의2【소방관 진입창의 기준】

법 제49조제3항에서 "국토교통부령으로 정하는 기준"이란 다음 각 호의 요건을 모두 충족하는 것을 말한다.

1. 2층 이상 11층 이하인 층에 각각 1개소 이상 설치할 것. 이 경우 소방관이 진입할 수 있는 창의 가운데에서 벽면 끝까지의 수평거리가 40미터 이상인 경우에는 40미터 이내마다 소방관이 진입할 수 있는 창을 추가로 설치해야 한다.
2. 소방차 진입로 또는 소방차 진입이 가능한 공터에 면할 것
3. 창문의 가운데에 지름 20센티미터 이상의 역삼각형을 야간에도 알아볼 수 있도록 빛 반사 등으로 붉은색으로 표시할 것
4. 창문의 한쪽 모서리에 타격지점을 지름 3센티미터 이상의 원형으로 표시할 것
5. 창문의 크기는 폭 90센티미터 이상, 높이 1.2미터 이상으로 하고, 실내 바닥면으로부터 창의 아랫부분까지의 높이는 80센티미터 이내로 할 것
6. 다음 각 목의 어느 하나에 해당하는 유리를 사용할 것
   가. 플로트판유리로서 그 두께가 6밀리미터 이하인 것
   나. 강화유리 또는 배강도유리로서 그 두께가 5밀리미터 이하인 것
   다. 가목 또는 나목에 해당하는 유리로 구성된 이중 유리로서 그 두께가 24밀리미터 이하인 것

[본조신설 2019.8.6.]

관계법 주택건설기준 등에 관한 규정(제15조제2항)

영 제15조【승강기등】

① 6층 이상인 공동주택에는 국토교통부령이 정하는 기준에 따라 대당 6인승 이상인 승용승강기를 설치하여야 한다. 다만, 「건축법 시행령」 제89조의 규정에 해당하는 공동주택의 경우에는 그러하지 아니하다.

② 10층 이상인 공동주택의 경우에는 제1항의 승용승강기를 비상용승강기의 구조로 하여야 한다.

해설 건축물 11층 이하의 층에 소방관 진입창의 설치 근거를 마련하는 등의 내용으로 「건축법」이 개정(2019.4.23.)됨에 따라 소방관이 진입할 수 있는 창의 설치기준을 2층 이상 11층 이하인 층에 각각 1개소 이상 설치하도록 하고, 창문의 가운데에 지름 20㎝ 이상의 역삼각형을 야간에도 알아볼 수 있도록 빛 반사 등으로 붉은색으로 표시할 것 등을 규정하였다.

【1】 소방관 진입창 등의 설치 대상

대 상	건축물의 11층 이하의 층
예 외	① 4층 이상의 층에 대피공간을 설치한 아파트 ② 10층 이상의 공동주택으로 승용승강기를 비상용승강기로 설치한 아파트(「주택건설기준 등에 관한 규정」 제15조제2항)

【2】 소방관 진입창 등의 설치 기준

위 대상 건축물에 소방관이 진입할 수 있는 창을 설치하고, 외부에서 주야간에 식별할 수 있는 표시를 다음 설치기준 모두를 충족하도록 설치하여야 한다.

설치기준		세부내용
1. 2층 이상 11층 이하인 층에 각각 1개소 이상 설치할 것	▪ 소방관이 진입할 수 있는 창의 가운데에서 벽면 끝까지의 수평거리가 40m 이상인 경우: 40m 이내마다 소방관이 진입할 수 있는 창을 추가 설치	
2. 소방차 진입로 또는 소방차 진입이 가능한 공터에 면할 것		
3. 창문의 가운데에 지름 20㎝ 이상의 역삼각형을 야간에도 알아볼 수 있도록 빛 반사 등으로 붉은색으로 표시할 것		
4. 창문의 한쪽 모서리에 타격지점을 지름 3㎝ 이상의 원형으로 표시할 것		
5. 창문의 규격	① 크기	폭 90㎝ 이상, 높이 1.2m 이상
	② 실내 바닥면으로부터 창의 아랫부분까지의 높이	80㎝ 이내
6. 우측의 어느 하나에 해당하는 유리를 사용할 것	① 플로트판유리	두께 6㎜ 이하
	② 강화유리 또는 배강도유리	두께 5㎜ 이하
	③ 위 ①, ②로 구성된 이중 유리	두께 24㎜ 이하

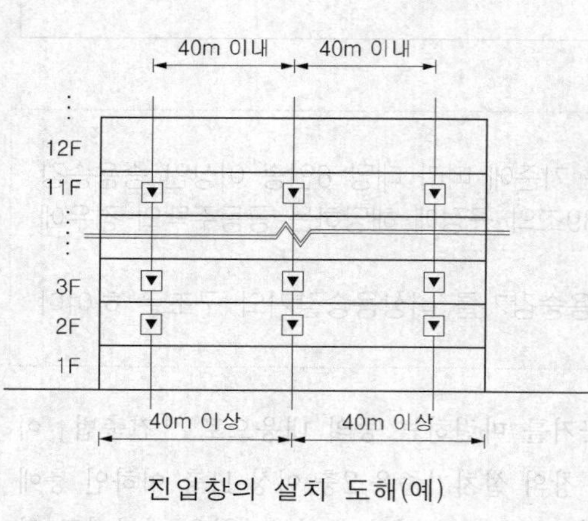

진입창의 설치 도해(예)

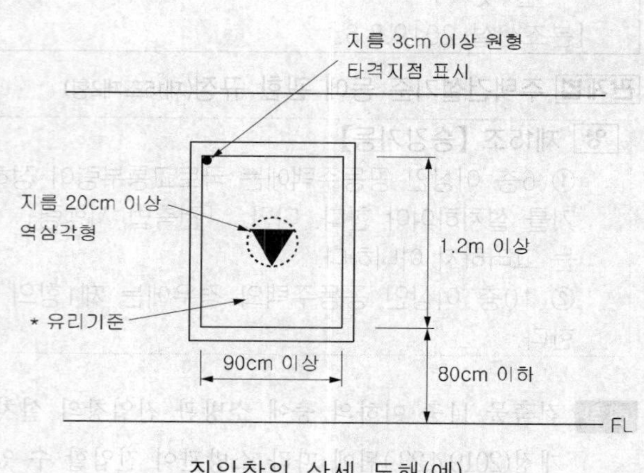

진입창의 상세 도해(예)

3 건축물의 방화 및 방화구획 등

화재발생시 건축물에 거주하는 인명의 보호가 매우 중요하다. 이러한 점에서 「건축법」에서는 건축물의 피난·방화에 관한 사항이 매우 상세하게 규정되어 있다. (“피난·방화규칙”에서 규정) 방화에 관한 이러한 세부규정들을 적용하기 위해서는 화재의 진전과정과 함께 관련 규정을 이해하는 것이 좋다.

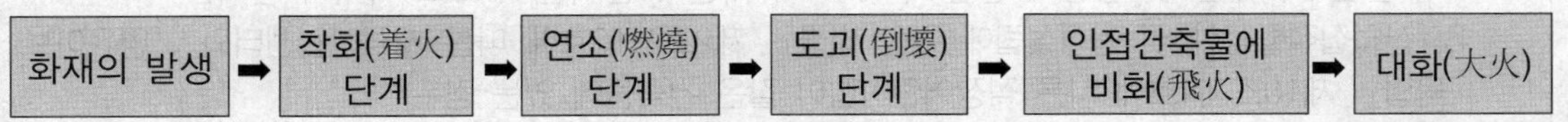

[화재의 진전단계]

■ 방지규정

화재발생단계 및 방지		제한규정	법조항	비고
1. 착화단계 -벽 및 반자로의 불이 번짐	착화억제	마감재료의 제한	법 제52조 영 제61조	
		굴뚝규제	영 제40조 피난·방화규칙 제20조	
2. 연소단계 -불이 번지는 공간이 확대됨	연소억제	방화구획	법 제49조제2항 영 제46조	개체규정
		방화벽	법 제50조제2항 영 제57조	
		경계벽·칸막이벽	법 제49조제2항 영 제53조	
3. 도괴단계 -건축물이 붕괴	도괴방지	주요구조부의 내화구조	법 제50조 영 제56조	
4. 인접건축물로의 연소	연소확대 방지	연소의 우려가 있는 부분의 조치 -방화구조(내화구조), 방화문 등	피난·방화규칙 제23조	집단규정 (방화지구 지정)
5. 대화단계 -주변지역으로 번짐	대화방지	모든 건축물의 내화구조화	법 제50조제1항 영 제56조	

※ 피난·방화규칙은 「건축물의 피난·방화구조 등의 기준에 관한 규칙」을 말함.

1 방화에 장애가 되는 용도의 제한(영 제47조)(피난규칙 제14조의2)

영 제47조【방화에 장애가 되는 용도의 제한】

① 법 제49조제2항 본문에 따라 의료시설, 노유자시설(아동 관련 시설 및 노인복지시설만 해당한다), 공동주택, 장례시설 또는 제1종 근린생활시설(산후조리원만 해당한다)과 위락시설, 위험물저장 및 처리시설, 공장 또는 자동차 관련 시설(정비공장만 해당한다)은 같은 건축물에 함께 설치할 수 없다. 다만, 다음 각 호에 해당하는 경우로서 국토교통부령으로 정하는 경우에는 같은 건축물에 함께 설치할 수 있다. <개정 2022.4.29>

건 축 법
1. 총 칙
2. 건 축
3. 유지관리
4. 대지도로
5. 구조재료
6. 지역지구
7. 건축설비
8. 특별건축구역
9. 보 칙
10. 벌 칙
건 축 법 관련기준

1. 공동주택(기숙사만 해당한다)과 공장이 같은 건축물에 있는 경우
2. 중심상업지역 · 일반상업지역 또는 근린상업지역에서 「도시 및 주거환경정비법」에 따른 재개발사업을 시행하는 경우
3. 공동주택과 위락시설이 같은 초고층 건축물에 있는 경우. 다만, 사생활을 보호하고 방범 · 방화 등 주거 안전을 보장하며 소음 · 악취 등으로부터 주거환경을 보호할 수 있도록 주택의 출입구 · 계단 및 승강기 등을 주택 외의 시설과 분리된 구조로 하여야 한다.
4. 「산업집적활성화 및 공장설립에 관한 법률」 제2조제13호에 따른 지식산업센터와 「영유아보육법」 제10조제4호에 따른 직장어린이집이 같은 건축물에 있는 경우

② 법 제49조제2항 본문에 따라 다음 각 호에 해당하는 용도의 시설은 같은 건축물에 함께 설치할 수 없다. <개정 2022.4.29>

1. 노유자시설 중 아동 관련 시설 또는 노인복지시설과 판매시설 중 도매시장 또는 소매시장
2. 단독주택(다중주택, 다가구주택에 한정한다), 공동주택, 제1종 근린생활시설 중 조산원 또는 산후조리원과 제2종 근린생활시설 중 다중생활시설

■ 복합건축물의 피난시설 등(피난·방화규칙 제14조의2)

피난규칙 제14조의2【복합건축물의 피난시설 등】

영 제47조제1항 단서의 규정에 의하여 같은 건축물안에 공동주택 · 의료시설 · 아동관련시설 또는 노인복지시설(이하 이 조에서 "공동주택등"이라 한다)중 하나 이상과 위락시설 · 위험물저장 및 처리시설 · 공장 또는 자동차정비공장(이하 이 조에서 "위락시설등"이라 한다)중 하나 이상을 함께 설치하고자 하는 경우에는 다음 각 호의 기준에 적합하여야 한다.

1. 공동주택등의 출입구와 위락시설등의 출입구는 서로 그 보행거리가 30미터 이상이 되도록 설치할 것
2. 공동주택등(당해 공동주택등에 출입하는 통로를 포함한다)과 위락시설등(당해 위락시설등에 출입하는 통로를 포함한다)은 내화구조로 된 바닥 및 벽으로 구획하여 서로 차단할 것
3. 공동주택등과 위락시설등은 서로 이웃하지 아니하도록 배치할 것
4. 건축물의 주요 구조부를 내화구조로 할 것
5. 거실의 벽 및 반자가 실내에 면하는 부분(반자돌림대 · 창대 그 밖에 이와 유사한 것을 제외한다. 이하 이 조에서 같다)의 마감은 불연재료 · 준불연재료 또는 난연재료로 하고, 그 거실로부터 지상으로 통하는 주된 복도 · 계단 그밖에 통로의 벽 및 반자가 실내에 면하는 부분의 마감은 불연재료 또는 준불연재료로 할 것

【1】 용도제한의 원칙

공동주택등의 시설과 위락시설등의 시설은 같은 건축물에 함께 설치할 수 없다.

공동주택등	위락시설등
1. 공동주택 2. 의료시설 3. 아동관련시설 4. 노인복지시설 5. 장례시설 6. 제1종 근린생활시설(산후조리원만 해당)	1. 위락시설 2. 위험물저장 및 처리시설 3. 공장 4. 자동차 관련 시설(정비공장만 해당)

예외 다음의 시설기준을 갖춘 경우 같은 건축물에 함께 설치할 수 있다.

구 분	공동주택등과 위락시설등의 시설기준
1. 기숙사와 공장이 같은 건축물에 있는 경우 2. 중심상업지역·일반상업지역·근린상업지역에서 「도시 및 주거환경정비법」에 의한 재개발사업을 시행하는 경우 3. 공동주택과 위락시설이 같은 초고층 건축물에 있는 경우(사생활을 보호하고 방범·방화 등 주거 안전을 보장하며 소음·악취 등으로부터 주거환경을 보호할 수 있도록 주택의 출입구·계단 및 승강기 등을 주택 외의 시설과 분리된 구조로 할 것) 4. 「산업집적활성화 및 공장설립에 관한 법률」에 따른 지식산업센터와 「영유아보육법」에 따른 직장어린이집이 같은 건축물에 있는 경우	① 출입구간의 보행거리 : 30m 이상 되도록 설치 ② 내화구조로 된 바닥 및 벽으로 구획하여 서로 차단할 것(출입통로 포함) ③ 서로 이웃하지 않게 배치할 것 ④ 건축물의 주요구조부 : 내화구조로 할 것 ⑤ · 거실의 벽 및 반자가 실내에 면하는 부분의 마감[주)] : 불연재료·준불연재료·난연재료 · 주된 복도·계단 등 통로의 벽 및 반자가 실내에 면하는 부분 의 마감[주)] : 불연재료·준불연재료 주) 반자돌림대·창대 그 밖에 이와 유사한 것 제외

【2】 용도제한의 강화

다음 A용도와 B용도는 같은 건축물에 함께 설치할 수 없다.

A 용도	B 용도
1. 노유자시설 중 아동 관련 시설 또는 노인복지시설	판매시설 중 도매시장 또는 소매시장
2. 단독주택(다중주택, 다가구주택), 공동주택, 제1종 근린생활시설 중 조산원과 산후조리원	제2종 근린생활시설 중 다중생활시설

2 방화구획(영 제46조)(피난규칙 제14조)

영 제46조【방화구획의 설치】

① 법 제49조제2항 본문에 따라 주요구조부가 내화구조 또는 불연재료로 된 건축물로서 연면적이 1천 제곱미터를 넘는 것은 국토교통부령으로 정하는 기준에 따라 다음 각 호의 구조물로 구획(이하 "방화구획"이라 한다)을 해야 한다. 다만, 「원자력안전법」 제2조제8호 및 제10호에 따른 원자로 및 관계시설은 같은 법에서 정하는 바에 따른다. <개정 2022.4.29>

1. 내화구조로 된 바닥 및 벽
2. 제64조제1호·제2호에 따른 방화문 또는 자동방화셔터(국토교통부령으로 정하는 기준에 적합한 것을 말한다. 이하 같다)

② 다음 각 호에 해당하는 건축물의 부분에는 제1항을 적용하지 않거나 그 사용에 지장이 없는 범위에서 제1항을 완화하여 적용할 수 있다. <개정 2020.10.8., 2022.4.29, 2023.5.15.>

1. 문화 및 집회시설(동·식물원은 제외한다), 종교시설, 운동시설 또는 장례시설의 용도로 쓰는 거실로서 시선 및 활동공간의 확보를 위하여 불가피한 부분
2. 물품의 제조·가공·보관 및 운반 등(보관은 제외한다)에 필요한 고정식 대형 기기(器機) 또는 설비의 설치를 위하여 불가피한 부분. 다만, 지하층인 경우에는 지하층의 외벽 한쪽 면(지하층의 바닥면에서 지상층 바닥 아래면까지의 외벽 면적 중 4분의 1 이상이 되는 면을 말한다) 전체가 건물 밖으로 개방되어 보행과 자동차의 진입·출입이 가능한 경우로 한정한다.
3. 계단실·복도 또는 승강기의 승강장 및 승강로로서 그 건축물의 다른 부분과 방화구획으로 구획된 부분. 다만, 해당 부분에 위치하는 설비배관 등이 바닥을 관통하는 부분은 제외

한다.
4. 건축물의 최상층 또는 피난층으로서 대규모 회의장 · 강당 · 스카이라운지 · 로비 또는 피난안전구역 등의 용도로 쓰는 부분으로서 그 용도로 사용하기 위하여 불가피한 부분
5. 복층형 공동주택의 세대별 층간 바닥 부분
6. 주요구조부가 내화구조 또는 불연재료로 된 주차장
7. 단독주택, 동물 및 식물 관련 시설 또는 국방·군사시설(집회, 체육, 창고 등의 용도로 사용되는 시설만 해당한다)로 쓰는 건축물 <개정 2023.5.15.>
8. 건축물의 1층과 2층의 일부를 동일한 용도로 사용하며 그 건축물의 다른 부분과 방화구획으로 구획된 부분(바닥면적의 합계가 500제곱미터 이하인 경우로 한정한다)

③ 건축물 일부의 주요구조부를 내화구조로 하거나 제2항에 따라 건축물의 일부에 제1항을 완화하여 적용한 경우에는 내화구조로 한 부분 또는 제1항을 완화하여 적용한 부분과 그 밖의 부분을 방화구획으로 구획하여야 한다. <개정 2018.9.4>

④ 공동주택 중 아파트로서 4층 이상인 층의 각 세대가 2개 이상의 직통계단을 사용할 수 없는 경우에는 발코니(발코니의 외부에 접하는 경우를 포함한다)에 인접 세대와 공동으로 또는 각 세대별로 다음 각 호의 요건을 모두 갖춘 대피공간을 하나 이상 설치해야 한다. 이 경우 인접 세대와 공동으로 설치하는 대피공간은 인접 세대를 통하여 2개 이상의 직통계단을 쓸 수 있는 위치에 우선 설치되어야 한다. <개정 2020.10.8., 2023.9.12.>
1. 대피공간은 바깥의 공기와 접할 것
2. 대피공간은 실내의 다른 부분과 방화구획으로 구획될 것
3. 대피공간의 바닥면적은 인접 세대와 공동으로 설치하는 경우에는 3제곱미터 이상, 각 세대별로 설치하는 경우에는 2제곱미터 이상일 것
4. 대피공간으로 통하는 출입문에는 제64조제1항제1호에 따른 60분+ 방화문을 설치할 것)

⑤ 제4항에도 불구하고 아파트의 4층 이상인 층에서 발코니에 다음 각 호의 어느 하나에 해당하는 구조 또는 시설을 갖춘 경우에는 대피공간을 설치하지 않을 수 있다. <개정 2021.8.10.>
1. 발코니와 인접 세대와의 경계벽이 파괴하기 쉬운 경량구조 등인 경우
2. 발코니의 경계벽에 피난구를 설치한 경우
3. 발코니의 바닥에 국토교통부령으로 정하는 하향식 피난구를 설치한 경우
4. 국토교통부장관이 제4항에 따른 대피공간과 동일하거나 그 이상의 성능이 있다고 인정하여 고시하는 구조 또는 시설(이하 이 호에서 "대체시설"이라 한다)을 갖춘 경우. 이 경우 국토교통부장관은 대체시설의 성능에 대해 미리 「과학기술분야 정부출연연구기관 등의 설립·운영 및 육성에 관한 법률」 제8조제1항에 따라 설립된 한국건설기술연구원(이하 "한국건설기술연구원" 이라 한다)의 기술검토를 받은 후 고시해야 한다. <시행 2021.8.11>

⑥ 요양병원, 정신병원, 「노인복지법」 제34조제1항제1호에 따른 노인요양시설(이하 "노인요양시설" 이라 한다), 장애인 거주시설 및 장애인 의료재활시설의 피난층 외의 층에는 다음 각 호의 어느 하나에 해당하는 시설을 설치하여야 한다. <개정 2018.9.4>
1. 각 층마다 별도로 방화구획된 대피공간
2. 거실에 접하여 설치된 노대등
3. 계단을 이용하지 아니하고 건물 외부의 지상으로 통하는 경사로 또는 인접 건축물로 피난할 수 있도록 설치하는 연결복도 또는 연결통로

⑦ 법 제49조제2항 단서에서 "대규모 창고시설 등 대통령령으로 정하는 용도 및 규모의 건축물" 이란 제2항제2호에 해당하여 제1항을 적용하지 않거나 완화하여 적용하는 부분이 포함된 창고시설을 말한다. <신설 2022.4.29>

■ 방화구획의 설치기준(피난·방화 규칙 제14조)

피난규칙 제14조【방화구획의 설치기준】

① 영 제46조제1항 각 호 외의 부분 본문에 따라 건축물에 설치하는 방화구획은 다음 각 호의 기준에 적합해야 한다. <개정 2021.3.26>

1. 10층 이하의 층은 바닥면적 1천제곱미터(스프링클러 기타 이와 유사한 자동식 소화설비를 설치한 경우에는 바닥면적 3천제곱미터)이내마다 구획할 것
2. 매층마다 구획할 것. 다만, 지하 1층에서 지상으로 직접 연결하는 경사로 부위는 제외한다.
3. 11층 이상의 층은 바닥면적 200제곱미터(스프링클러 기타 이와 유사한 자동식 소화설비를 설치한 경우에는 600제곱미터)이내마다 구획할 것. 다만, 벽 및 반자의 실내에 접하는 부분의 마감을 불연재료로 한 경우에는 바닥면적 500제곱미터(스프링클러 기타 이와 유사한 자동식 소화설비를 설치한 경우에는 1천500제곱미터)이내마다 구획하여야 한다.
4. 필로티나 그 밖에 이와 비슷한 구조(벽면적의 2분의 1 이상이 그 층의 바닥면에서 위층 바닥 아래면까지 공간으로 된 것만 해당한다)의 부분을 주차장으로 사용하는 경우 그 부분은 건축물의 다른 부분과 구획할 것 <신설 2019.8.6.>

② 제1항에 따른 방화구획은 다음 각 호의 기준에 적합하게 설치해야 한다. <개정 2021.3.26., 2021.12.23>

1. 영 제46조에 따른 방화구획으로 사용하는 60+방화문 또는 60분방화문은 언제나 닫힌 상태를 유지하거나 화재로 인한 연기 또는 불꽃을 감지하여 자동적으로 닫히는 구조로 할 것. 다만, 연기 또는 불꽃을 감지하여 자동적으로 닫히는 구조로 할 수 없는 경우에는 온도를 감지하여 자동적으로 닫히는 구조로 할 수 있다.
2. 외벽과 바닥 사이에 틈이 생긴 때나 급수관 · 배전관 그 밖의 관이 방화구획으로 되어 있는 부분을 관통하는 경우 그로 인하여 방화구획에 틈이 생긴 때에는 그 틈을 별표 1 제1호에 따른 내화시간(내화채움성능이 인정된 구조로 메워지는 구성 부재에 적용되는 내화시간을 말한다) 이상 견딜 수 있는 내화채움성능이 인정된 구조로 메울 것
   가., 나. 삭제 <2021.3.26>
3. 환기 · 난방 또는 냉방시설의 풍도가 방화구획을 관통하는 경우에는 그 관통부분 또는 이에 근접한 부분에 다음 각 목의 기준에 적합한 댐퍼를 설치할 것. 다만, 반도체공장건축물로서 방화구획을 관통하는 풍도의 주위에 스프링클러헤드를 설치하는 경우에는 그렇지 않다.
   가. 화재로 인한 연기 또는 불꽃을 감지하여 자동적으로 닫히는 구조로 할 것. 다만, 주방 등 연기가 항상 발생하는 부분에는 온도를 감지하여 자동적으로 닫히는 구조로 할 수 있다.
   나. 국토교통부장관이 정하여 고시하는 비차열(非遮熱) 성능 및 방연성능 등의 기준에 적합할 것
   다., 라. 삭제 <2019.8.6.>
4. 영 제46조제1항제2호와 제81조제5항제5호에 따라 설치되는 자동방화셔터는 다음 각 목의 요건을 모두 갖출 것. 이 경우 자동방화셔터의 구조 및 성능기준 등에 관한 세부사항은 국토교통부장관이 정하여 고시한다. <신설 2021.3.26., 2021.12.23.>
   가. 피난이 가능한 60분+ 방화문 또는 60분 방화문으로부터 3미터 이내에 별도로 설치할 것
   나. 전동방식이나 수동방식으로 개폐할 수 있을 것
   다. 불꽃감지기 또는 연기감지기 중 하나와 열감지기를 설치할 것
   라. 불꽃이나 연기를 감지한 경우 일부 폐쇄되는 구조일 것
   마. 열을 감지한 경우 완전 폐쇄되는 구조일 것

③ 영 제46조제1항에서 "국토교통부령으로 정하는 기준에 적합한 것"이란 한국건설기술연구

원장이 국토교통부장관이 정하여 고시하는 바에 따라 다음 각 호의 사항을 모두 인정한 것을 말한다. <신설 2019.8.6.>

1. 생산공장의 품질 관리 상태를 확인한 결과 국토교통부장관이 정하여 고시하는 기준에 적합할 것
2. 해당 제품의 품질시험을 실시한 결과 비차열 1시간 이상의 내화성능을 확보하였을 것

④ 영 제46조제5항제3호에 따른 하향식 피난구(덮개, 사다리, 경보시스템을 포함한다)의 구조는 다음 각 호의 기준에 적합하게 설치해야 한다. <개정 2021.3.26>

1. 피난구의 덮개는 품질시험을 실시한 결과 비차열 1시간 이상의 내화성능을 가져야 하며, 피난구의 유효 개구부 규격은 직경 60센티미터 이상일 것
2. 상층·하층간 피난구의 설치위치는 수직방향 간격을 15센티미터 이상 띄어서 설치할 것
3. 아래층에서는 바로 위층의 피난구를 열 수 없는 구조일 것
4. 사다리는 바로 아래층의 바닥면으로부터 50센티미터 이하까지 내려오는 길이로 할 것
5. 덮개가 개방될 경우에는 건축물관리시스템 등을 통하여 경보음이 울리는 구조일 것
6. 피난구가 있는 곳에는 예비전원에 의한 조명설비를 설치할 것

⑤ 제2항제2호에 따른 건축물의 외벽과 바닥 사이의 내화채움방법에 필요한 사항은 국토교통부장관이 정하여 고시한다. <개정 2021.3.26.>

【1】 방화구획

(1) 방화구획 설치 대상

주요구조부가 내화구조 또는 불연재료로 된 건축물로서
연면적이 1,000㎡ 넘는 것

(2) 방화구획 구획 방법

- 내화구조의 바닥, 벽과
- 60+방화문, 60분방화문 또는 자동방화셔터*로 구획

* 아래 고시 기준에 적합하고, 비차열 1시간 이상의 내화성능을 확보할 것

【참고】 건축자재등 품질인정 및 관리기준(국토교통부고시 제2023-24호, 2023.1.9)

구분	내 용		자동식소화설비 설치의 경우(스프링클러 등)	구획방법 도해
면적구획	10층 이하의 층	바닥면적 1,000㎡ 이내마다 구획	바닥면적 3,000㎡ 이내마다 구획	
층별구획	모든 층	매층마다 구획 (지하 1층에서 지상으로 직접 연결하는 경사로 부위 제외)	–	
고층면적구획	11층 이상의 층 *( )는 벽 및 반자의 실내 부분의 마감을 불연재료로 한 경우	바닥면적 200㎡(500㎡) 이내마다 구획	바닥면적 600㎡(1,500㎡) 이내마다 구획	
필로티등*	주차장으로 사용하는 부분	건축물의 다른 부분과 구획	* 벽면적의 1/2 이상이 그 층의 바닥면에서 위층 바닥 아래면까지 공간으로 된 것만 해당	

불연재료로 실내 마감시 500m²(1,500m²)이하 마다
200m²(600m²)이하 마다
11F 이상
10F 이하
매층마다 구획
1,000m²(3,000m²)이하 마다
3F
2F
1F
G.L
B1 지하층
B2
※( )는 자동식소화설비 설치의 경우

(3) 방화구획 적용 완화 대상

다음에 해당하는 건축물의 부분에는 위의 사항을 적용하지 아니하거나, 그 사용에 지장을 초래하지 않는 범위에서 완화적용할 수 있다.

① 문화 및 집회시설(동 · 식물원 제외), 종교시설, 운동시설 또는 장례시설의 용도로 쓰는 거실로서 시선 및 활동공간의 확보를 위하여 불가피한 부분

② 물품의 제조·가공·보관 및 운반 등(보관은 제외)에 필요한 고정식 대형 기기(器機) 또는 설비의 설치를 위하여 불가피한 부분[지하층인 경우 지하층의 외벽 한쪽 면(지하층의 바닥면에서 지상층 바닥 아래면까지의 외벽 면적 중 1/4 이상이 되는 면) 전체가 건물 밖으로 개방되어 보행과 자동차의 진입 · 출입이 가능한 경우로 한정]

③ 계단실·복도 또는 승강기의 승강장 및 승강로로서 그 건축물의 다른 부분과 방화구획으로 구획된 부분. 예외 해당 부분에 위치하는 설비배관 등이 바닥을 관통하는 부분은 제외

④ 건축물의 최상층 또는 피난층으로서 대규모 회의장 · 강당 · 스카이라운지 · 로비 또는 피난안전구역 등의 용도에 쓰는 부분으로서 그 용도로 사용하기 위하여 불가피한 부분

⑤ 복층형 공동주택의 세대별 층간 바닥부분

⑥ 주요구조부가 내화구조 또는 불연재료로 된 주차장

⑦ 단독주택, 동물 및 식물 관련 시설 또는 교정 및 국방 · 군사시설(집회, 체육, 창고 등의 용도로 사용되는 시설만 해당)로 쓰는 건축물

⑧ 건축물의 1층과 2층의 일부를 동일한 용도로 사용하며 그 건축물의 다른 부분과 방화구획으로 구획된 부분(바닥면적의 합계가 500㎡ 이하인 경우로 한정)

(4) 방화구획부분의 조치

① 방화구획으로 사용하는 60+방화문 또는 60분방화문은 언제나 닫힌 상태를 유지하거나 화재로 인한 연기 또는 불꽃을 감지하여 자동적으로 닫히는 구조로 할 것(연기 또는 불꽃을 감지하여 자동적으로 닫히는 구조로 할 수 없는 경우 온도를 감지하여 자동적으로 닫히는 구조로 할 수 있다)

② 외벽과 바닥 사이에 틈이 생긴 때나 급수관·배전관 그 밖의 관이 방화구획으로 되어 있는 부분을 관통하여 방화구획에 틈이 생긴 때에는 피난 · 방화규칙 별표 1 제1호에 따른 내화시간(내화채움성능이 인정된 구조로 메워지는 구성 부재에 적용되는 내화시간을 말함) 이상 견딜 수 있는 내화채움성능이 인정된 구조로 메울 것

③ 환기 · 난방 또는 냉방시설의 풍도가 방화구획을 관통하는 경우 그 관통부분 또는 이에 근접한 부분에 다음의 기준에 적합한 댐퍼를 설치.

예외 반도체공장건축물로서 방화구획을 관통하는 풍도의 주위에 스프링클러헤드를 설치하는 경우 제외

▪ 방화구획 관통부의 댐퍼 설치기준
㉠ 화재로 인한 연기 또는 불꽃을 감지하여 자동적으로 닫히는 구조로 할 것 예외 주방 등 연기가 항상 발생 부분은 온도를 감지하여 자동적으로 닫히는 구조 가능
㉡ 국토교통부장관이 정하여 고시하는 비차열(非遮熱) 성능 및 방연성능 등의 기준에 적합할 것

④ 자동방화셔터는 다음의 요건을 모두 갖출 것. 이 경우 자동방화셔터의 구조 및 성능기준 등에 관한 세부사항은 국토교통부장관이 정하여 고시한다.

【참고】 건축자재등 품질인정 및 관리기준(국토교통부고시 제2023-24호, 2023.1.9)

■ 자동방화셔터의 충족 요건
㉠ 피난이 가능한 60분+ 방화문 또는 60분 방화문으로부터 3m 이내에 별도로 설치할 것
㉡ 전동방식이나 수동방식으로 개폐할 수 있을 것
㉢ 불꽃감지기 또는 연기감지기 중 하나와 열감지기를 설치할 것
㉣ 불꽃이나 연기를 감지한 경우 일부 폐쇄되는 구조일 것
㉤ 열을 감지한 경우 완전 폐쇄되는 구조일 것

⑤ 건축물 일부의 주요구조부를 내화구조로 하거나 건축물의 일부에 위 (3)에 따라 완화하여 적용한 경우 내화구조로 한 부분 또는 완화 적용한 부분과 그 밖의 부분을 방화구획으로 구획할 것

■ 방화구획 부분의 상세구조

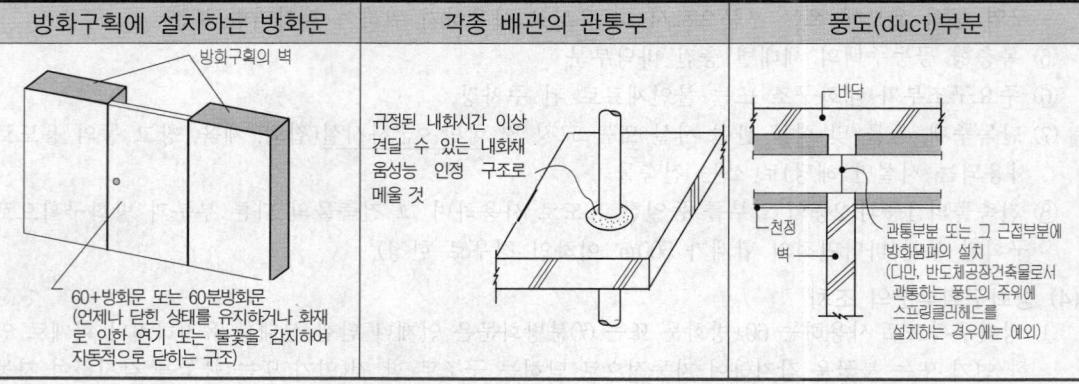

방화구획에 설치하는 방화문	각종 배관의 관통부	풍도(duct)부분
방화구획의 벽 60+방화문 또는 60분방화문 (언제나 닫힌 상태를 유지하거나 화재로 인한 연기 또는 불꽃을 감지하여 자동적으로 닫히는 구조)	규정된 내화시간 이상 견딜 수 있는 내화채움성능 인정 구조로 메울 것	바닥 천정 벽 관통부분 또는 그 근접부분에 방화댐퍼의 설치 (다만, 반도체공장건축물로서 관통하는 풍도의 주위에 스프링클러헤드를 설치하는 경우에는 예외)

【2】 아파트의 대피공간 설치

공동주택 중 아파트로서 4층 이상의 층의 각 세대가 2개 이상의 직통계단을 사용할 수 없는 경우 발코니(발코니의 외부에 접하는 경우 포함)에 인접세대와 공동으로 또는 각 세대별로 대피공간을 설치해야 한다. 이 경우 인접 세대와 공동으로 설치하는 대피공간은 인접 세대를 통하여 2개 이상의 직통계단을 쓸 수 있는 위치에 우선 설치되어야 한다.

구 분	대피공간의 설치	대피공간의 구조 (발코니 등의 구조변경절차 및 설치기준 제3조) 【참고】
1. 인접세대와 공동설치	① 대피공간은 바깥의 공기와 접할 것 ② 대피공간은 실내의 다른 부분과 방화구획으로 구획할 것 ③ 대피공간으로 통하는 출입문에는 60분+ 방화문을 설치할 것 ④ 바닥면적 3㎡ 이상(각 세대당 1.5㎡ 이상)	① 대피공간은 채광방향과 관계없이 거실 각 부분에서 접근이 용이한 장소에 설치하여야 하며, 출입구에 설치하는 갑종방화문은 거실쪽에서만 열 수 있는 구조로서 대피공간을 향해 열리는 밖여닫이로 하여야 함. ② 대피공간은 1시간 이상의 내화성능을 갖는 내화구조의 벽으로 구획되어야 하며, 벽·천장 및 바닥의 내부마감재료는 준불연재료 또는 불연재료를 사용하야여 함. ③ 대피공간에 창호를 설치하는 경우 폭 0.7m, 높이 1.0m 이상은 반드시 개폐가능하여야 하며, 비상시 외부의 도움을 받는 경우 피난에 장애가 없는 구조로 설치하여야 함. ④ 대피공간에는 정전에 대비해 휴대용 손전등을 비치하거나

2. 개별설치	① 위 ①~③의 요건을 모두 만족하여야 함 ② 각 세대별 바닥면적 2㎡ 이상	비상전원이 연결된 조명설비가 설치되어야 함. ⑤ 대피공간은 대피에 지장이 없도록 시공·유지관리되어야 하며, 보일러실 또는 창고 등 대피에 장애가 되는 공간으로 사용하지 말 것. 예외 에어컨 실외기 등 냉방설비의 배기장치를 대피공간에 설치하는 경우 불연재료로 구획하고, 구획된 면적은 대피공간 바닥면적 산정시 제외할 것

예외 대피공간설치 제외의 경우

1. 발코니와 인접 세대와의 경계벽이 파괴하기 쉬운 경량구조 등인 경우
2. 발코니의_경계벽에 피난구를 설치한 경우
3. 발코니 바닥에 다음과 같은 하향식 피난구를 설치한 경우

■ 하향식 피난구(덮개, 사다리, 승강식피난기 및 경보시스템 포함)의 설치기준

① 피난구 덮개(덮개와 사다리, 승강식피난기 또는 경보시스템이 일체형으로 구성된 경우 그 사다리, 승강식피난기 또는 경보시스템을 포함) : 품질시험 결과 비차열 1시간 이상 내화성능 확보
② 피난구의 유효개구부 규격 : 직경 60㎝ 이상
③ 상층·하층간 피난구의 수평거리 : 15㎝ 이상 떨어져 있을 것
④ 아래층에서는 바로 윗층의 피난구를 열수 없는 구조
⑤ 사다리의 길이 : 아래층 바닥면에서 50㎝ 이하까지 내려오도록 설치
⑥ 덮개 개방시 건축물관리시스템을 통하여 경보음이 울리는 구조
⑦ 예비전원에 의한 조명설비

4. 국토교통부장관이 대피공간과 동일하거나 그 이상의 성능이 있다고 인정하여 고시하는 구조 또는 시설(이하 "대체시설")을 갖춘 경우. 이 경우 대체시설 성능에 대해 미리 한국건설기술연구원의 기술검토를 받은 후 고시해야 함

【참고】 아파트 대피시설 성능 인정 등에 관한 지침(국토교통부지침 2015.7.27)

⇨ 아파트 대피공간 대체시설 인정 고시(국토교통부고시 제2015-390호, 2015.6.24.) 참조
다음 그림은 위 고시 인정 설계도서 p.5

【3】 요양병원 등의 대피공간 설치

① 대상용도 : 요양병원, 정신병원, 노인요양시설(「노인복지법」 제34조제1항제1호), 장애인 거주시설 및 장애인 의료재활시설

② 설치 : 위 용도의 피난층 외의 층에 다음 시설을 설치하여야 함.

1. 각 층마다 별도로 방화구획된 대피공간
2. 거실에 접하여 설치된 노대등
3. 계단을 이용하지 아니하고 건물 외부의 지상으로 통하는 경사로 또는 인접 건축물로 피난할 수 있도록 설치하는 연결복도 또는 연결통로

【참고】 발코니 등의 구조변경절차 및 설치기준(국토교통부고시 제2018-775호, 2018.12.7.) ➡ 1권 제2편 참조

제1조【목적】이 기준은 건축법 시행령 제2조제14호 및 제46조제4항제4호의 규정에 따라 주택의 발코니 및 대피공간의 구조변경절차 및 설치기준을 정함을 목적으로 한다.

제2조【단독주택의 발코니 구조변경 범위】 단독주택(다가구주택 및 다중주택은 제외한다)의 발코니는 외벽 중 2면 이내의 발코니에 대하여 변경할 수 있다. <개정 2012.11.5>

제3조【대피공간의 구조】① 건축법 시행령 제46조제4항의 규정에 따라 설치되는 대피공간은 채광방향과 관계없이 거실 각 부분에서 접근이 용이하고 외부에서 신속하고 원활한 구조활동을 할 수 있는 장소에 설치하여야 하며, 출입구에 설치하는 갑종방화문은 거실쪽에서만 열 수 있는 구조(대피공간임을 알 수 있는 표지판을 설치할 것)로서 대피공간을 향해 열리는 밖여닫이로 하여야 한다. <개정 2012.11.5>

② 대피공간은 1시간 이상의 내화성능을 갖는 내화구조의 벽으로 구획되어야 하며, 벽·천장 및 바닥의 내부마감재료는 준불연재료 또는 불연재료를 사용하여야 한다.

③ 대피공간은 외기에 개방되어야 한다. 다만, 창호를 설치하는 경우에는 폭 0.7미터 이상, 높이 1.0미터 이상(구조체에 고정되는 창틀 부분은 제외한다)은 반드시 외기에 개방될 수 있어야 하며, 비상시 외부의 도움을 받는 경우 피난에 장애가 없는 구조로 설치하여야 한다.

④ 대피공간에는 정전에 대비해 휴대용 손전등을 비치하거나 비상전원이 연결된 조명설비가 설치되어야 한다.

⑤ 대피공간은 대피에 지장이 없도록 시공·유지관리되어야 하며, 대피공간을 보일러실 또는 창고 등 대피에 장애가 되는 공간으로 사용하여서는 아니된다. 다만, 에어컨 실외기 등 냉방설비의 배기장치를 대피공간에 설치하는 경우에는 다음 각 호의 기준에 적합하여야 한다.

1. 냉방설비의 배기장치를 불연재료로 구획할 것
2. 제1호에 따라 구획된 면적은 건축법 시행령 제46조제4항제3호에 따른 대피공간 바닥면적 산정시 제외할 것

제4조【방화판 또는 방화유리창의 구조】, 제5조【발코니 창호 및 난간등의 구조】~ 제12조 "생략"

【4】 대규모 창고시설 등의 완화 규정 적용시 설비의 추가 설치

① 대상: 물품의 제조·가공·보관 및 운반 등(보관은 제외)에 필요한 고정식 대형 기기(器機) 또는 설비의 설치를 위하여 불가피한 부분.

※ 지하층인 경우 지하층의 외벽 한쪽 면(지하층의 바닥면에서 지상층 바닥 아래면까지의 외벽 면적 중 1/4 이상이 되는 면) 전체가 건물 밖으로 개방되어 보행과 자동차의 진입·출입이 가능한 경우로 한정

② 조치내용: 방화구획 설치 규정을 적용하지 않거나 완화 적용 부분에 다음 설비를 추가 설치할 것

1. 개구부	소방청장이 정하여 고시하는 화재안전기준(이하 "화재안전기준")을 충족하는 설비로서 수막(水幕)을 형성하여 화재확산을 방지하는 설비
2. 개구부 외의 부분	화재안전기준을 충족하는 설비로서 화재를 조기에 진화할 수 있도록 설계된 스프링클러

3 대규모 건축물의 방화벽(법 제50조제2항)(영 제57조)(피난규칙 제21조, 제22조)

법 제50조【건축물의 내화구조와 방화벽】
② 대통령령으로 정하는 용도 및 규모의 건축물은 국토교통부령으로 정하는 기준에 따라 방화벽으로 구획하여야 한다.

영 제57조【대규모 건축물의 방화벽 등】
① 법 제50조제2항에 따라 연면적 1천 제곱미터 이상인 건축물은 방화벽으로 구획하되, 각 구획된 바닥면적의 합계는 1천 제곱미터 미만이어야 한다. 다만, 주요구조부가 내화구조이거나 불연재료인 건축물과 제56조제1항제5호 단서에 따른 건축물 또는 내부설비의 구조상 방화벽으로 구획할 수 없는 창고시설의 경우에는 그러하지 아니하다.
② 제1항에 따른 방화벽의 구조에 관하여 필요한 사항은 국토교통부령으로 정한다.
③ 연면적 1천 제곱미터 이상인 목조 건축물의 구조는 국토교통부령으로 정하는 바에 따라 방화구조로 하거나 불연재료로 하여야 한다.

■ 방화벽의 구조(피난·방화규칙 제21조)

피난규칙 제21조【방화벽의 구조】
① 영 제57조제2항에 따라 건축물에 설치하는 방화벽은 다음 각 호의 기준에 적합해야 한다. <개정 2021.3.26>
1. 내화구조로서 홀로 설 수 있는 구조일 것
2. 방화벽의 양쪽 끝과 윗쪽 끝을 건축물의 외벽면 및 지붕면으로부터 0.5미터 이상 튀어나오게 할 것
3. 방화벽에 설치하는 출입문의 너비 및 높이는 각각 2.5미터이하로 하고, 해당 출입문에는 60+방화문 또는 60분방화문을 설치할 것

② 제14조제2항의 규정은 제1항의 규정에 의한 방화벽의 구조에 관하여 이를 준용한다.

■ 대규모 목조건축물의 외벽 등(피난·방화규칙 제22조)

피난규칙 제22조【대규모 목조건축물의 외벽 등】
① 영 제57조제3항의 규정에 의하여 연면적이 1천제곱미터 이상인 목조의 건축물은 그 외벽 및 처마밑의 연소할 우려가 있는 부분을 방화구조로 하되, 그 지붕은 불연재료로 하여야 한다.
② 제1항에서 "연소할 우려가 있는 부분"이라 함은 인접대지경계선·도로중심선 또는 동일한 대지안에 있는 2동 이상의 건축물(연면적의 합계가 500제곱미터 이하인 건축물은 이를 하나의 건축물로 본다) 상호의 외벽간의 중심선으로부터 1층에 있어서는 3미터 이내, 2층 이상에 있어서는 5미터 이내의 거리에 있는 건축물의 각 부분을 말한다. 다만, 공원·광장·하천의 공지나 수면 또는 내화구조의 벽 기타 이와 유사한 것에 접하는 부분을 제외한다.

해설 주요구조부가 내화구조 또는 불연재료로 된 대형건축물은 방화구획으로서 불의 확산을 최소화하고 있다. 방화벽의 설치규정은 주요구조부가 내화구조 또는 불연재료가 아닌 대규모 건축물에 있어서의 불의 확산을 방지하는 규정이다.

【1】 방화벽의 설치 등

<table>
<tr><td rowspan="2">설치 대상</td><td colspan="2">연면적 1,000㎡ 이상인 건축물
예외
1. 주요구조부가 내화구조이거나 불연재료인 건축물
2. 영 제56조제1항제6호 단서의 건축물
(내화구조로 하지 않아도 되는 건축물/단독주택 등)
3. 내부설비의 구조상 방화벽으로 구획할 수 없는 창고시설</td><td>방화벽
A
B
A 또는 B의 부분 < 1000m²</td></tr>
<tr></tr>
<tr><td>설치 기준</td><td colspan="2">방화벽으로 구획
–각 구획의 바닥면적의 합계가 1,000㎡미만으로 설치</td><td></td></tr>
<tr><td rowspan="4">방화벽의 상세규정</td><td>방화벽의 구조</td><td>내화구조로 홀로 설 수 있는 구조일 것</td><td></td></tr>
<tr><td>방화벽의 돌출</td><td>방화벽의 양쪽끝과 위쪽 끝을 건축물의 외벽면 및 지붕면으로부터 0.5m 이상 튀어나오게 할 것</td><td rowspan="2">0.5m이상 돌출
방화벽
지붕면
외벽면
≦2.5m
0.5m이상
≦2.5m
출입문은 60+방화문 또는 60분방화문을 설치</td></tr>
<tr><td>방화벽에 설치하는 출입문</td><td>출입문의 너비 및 높이는 각각 2.5m 이하로 하고 해당 출입문은 60+방화문 또는 60분 방화문을 설치할 것</td></tr>
<tr><td colspan="2">피난·방화규칙 제14조제2항(방화구획의 설치기준/방화문, 관통부, 댐퍼설치)의 규정은 방화벽의 구조에 관하여 이를 준용함</td><td></td></tr>
</table>

【2】 대규모 목조건축물

대 상	부 위	구조 등 제한규정
연면적 1,000㎡ 이상인 목조건축물	• 외벽 및 처마 밑의 연소할 우려가 있는 부분	• 방화구조
	• 지붕	• 불연재료

■ 연소할 우려가 있는 부분

기준선		건축물의 부분	상 세	기 타
1	인접대지 경계선	• 1층부분-3m이내 • 2층부분-5m이내의 부분	5m 5m 3m 3m A A : 인지경계선, 도로중심선, 외벽간의 중심선	동일대지안의 2동 이상의 건축물의 경우 연면적의 합계가 500㎡ 이하의 경우 하나의 건축물로 봄
2	도로중심선			
3	외벽간의 중심선 (동일 대지안의 2동 이상의 건축물)			

그림해설

• 1층 건축물의 경우 임

━ : 연소의 우려가 있는 부분

해 설	
①	인접대지경계선-3m이내
②	인접대지경계선-3m이내
③	도로중심선-3m이내
④	외벽간의 중심선-3m이내(연면적합계 500㎡ 초과 부분)
⑤	인접대지경계선-3m이내
⑥	제외 : 외벽간의 중심에서 3m 초과
⑦	제외 : 연면적 합계 500㎡이하
⑧	제외 : 하천에 면한 부분
⑨	제외 : 연면적의 합계가 500㎡ 이하
⑩	외벽간의 중심선-3m이내(500㎡초과)
⑪	도로중심선-3m이내
⑫	제외 : 하천에 면한 부분

■ 공원, 광장, 하천의 공지나 수면 또는 내화구조의 벽 기타 이와 유사한 것에 면하는 부분제외

4 경계벽 등의 설치(법 제49조제4항)(영 제53조)(피난규칙 제19조)

법 제49조【건축물의 피난시설 및 용도제한 등】①~③ "생략"

④ 대통령령으로 정하는 용도 및 규모의 건축물에 대하여 가구·세대 등 간 소음 방지를 위하여 국토교통부령으로 정하는 바에 따라 경계벽 및 바닥을 설치하여야 한다. <개정 2019.4.23.>

영 제53조【경계벽 등의 설치】

① 법 제49조제4항에 따라 다음 각 호의 어느 하나에 해당하는 건축물의 경계벽은 국토교통부령으로 정하는 기준에 따라 설치해야 한다. <개정 2020.10.8.>

1. 단독주택 중 다가구주택의 각 가구 간 또는 공동주택(기숙사는 제외한다)의 각 세대 간 경계벽(제2조제14호 후단에 따라 거실·침실 등의 용도로 쓰지 아니하는 발코니 부분은 제외한다)
2. 공동주택 중 기숙사의 침실, 의료시설의 병실, 교육연구시설 중 학교의 교실 또는 숙박시설의 객실 간 경계벽
3. 제1종 근린생활시설 중 산후조리원의 다음 각 호의 어느 하나에 해당하는 경계벽 <신설 2020.10.9.>
   가. 임산부실 간 경계벽
   나. 신생아실 간 경계벽
   다. 임산부실과 신생아실 간 경계벽
4. 제2종 근린생활시설 중 다중생활시설의 호실 간 경계벽
5. 노유자시설 중 「노인복지법」 제32조제1항제3호에 따른 노인복지주택(이하 "노인복지주택"이라 한다)의 각 세대 간 경계벽
6. 노유자시설 중 노인요양시설의 호실 간 경계벽

② 법 제49조제4항에 따라 다음 각 호의 어느 하나에 해당하는 건축물의 층간바닥(화장실의 바닥은 제외한다)은 국토교통부령으로 정하는 기준에 따라 설치해야 한다. <개정 2019.10.22>

1. 단독주택 중 다가구주택
2. 공동주택(「주택법」 제16조에 따른 주택건설사업계획승인 대상은 제외한다)
3. 업무시설 중 오피스텔
4. 제2종 근린생활시설 중 다중생활시설
5. 숙박시설 중 다중생활시설

■ 경계벽 등의 구조 (피난·방화규칙 제19조)

피난규칙 제19조【경계벽 등의 구조】

① 법 제49조제4항에 따라 건축물에 설치하는 경계벽은 내화구조로 하고, 지붕밑 또는 바로 위층의 바닥판까지 닿게 해야 한다. <개정 2019.8.6.>

② 제1항에 따른 경계벽은 소리를 차단하는데 장애가 되는 부분이 없도록 다음 각 호의 어느 하나에 해당하는 구조로 하여야 한다. 다만, 다가구주택 및 공동주택의 세대간의 경계벽인 경우에는 「주택건설기준 등에 관한 규정」 제14조에 따른다. <개정 2014.11.28>

1. 철근콘크리트조·철골철근콘크리트조로서 두께가 10센티미터이상인 것
2. 무근콘크리트조 또는 석조로서 두께가 10센티미터(시멘트모르타르·회반죽 또는 석고플라스터의 바름두께를 포함한다)이상인 것
3. 콘크리트블록조 또는 벽돌조로서 두께가 19센티미터 이상인 것
4. 제1호 내지 제3호의 것외에 국토교통부장관이 정하여 고시하는 기준에 따라 국토교통부장

관이 지정하는 자 또는 한국건설기술연구원장이 실시하는 품질시험에서 그 성능이 확인된 것
5. 한국건설기술연구원장이 제27조제1항에 따라 정한 인정기준에 따라 인정하는 것
③ 법 제49조제4항에 따른 가구 · 세대 등 간 소음방지를 위한 바닥은 경량충격음(비교적 가볍고 딱딱한 충격에 의한 바닥충격음을 말한다)과 중량충격음(무겁고 부드러운 충격에 의한 바닥충격음을 말한다)을 차단할 수 있는 구조로 하여야 한다. <신설 2014.11.28>
④ 제3항에 따른 가구 · 세대 등 간 소음방지를 위한 바닥의 세부 기준은 국토교통부장관이 정하여 고시한다. <신설 2014.11.28.>

해설 다가구주택 · 공동주택 · 학교 · 숙박시설 · 의료시설 등은 공간이 여러개로 구성된 유사한 구조의 건축물이기 때문에 재해발생시 큰 피해가 우려된다. 따라서 경계벽의 구조를 제한하여 연소확대에 대비하고, 차음성능을 확보하도록 하고 있다. 또한, 가구·세대 등 간 소음방지를 위한 층의 바닥을 충격음 차단 구조로 하는 등의 규정이 신설되었다.(2014.11.28. 개정)

【1】 경계벽의 구조

대상 경계벽	구조제한	차음상 유효한 구조 등
1. 단독주택 중 다가구주택의 각 가구 간 경계벽 2. 공동주택(기숙사 제외)의 각 세대 간 경계벽 3. 노유자시설 중 노인복지주택의 각 세대 간 경계벽 4. 노유자시설 중 노인요양시설의 호실 간 경계벽 5. 기숙사의 침실 간 경계벽 6. 의료시설의 병실 간 경계벽 7. 숙박시설의 객실 간 경계벽 8. 학교의 교실 간 경계벽 9. 제2종근린생활시설 중 다중생활시설의 각 호실 간 경계벽 10. 제1종근린생활시설 중 산후조리원의 각 경계벽*	내화구조로 하고 지붕밑 또는 바로 위층 바닥판까지 닿게 하여야 함	• 경계벽은 소리를 차단하는데 장애가 되는 부분이 없는 다음의 구조로 하여야 함. 1. 철근콘크리트조 · 철골철근콘크리트조로서 두께가 10㎝ 이상인 것 2. 무근콘크리트조 또는 석조로서 두께가 10㎝ 이상인 것 - 시멘트모르타르 · 회반죽 또는 석고플라스터의 바름두께 포함 3. 콘크리트블록조 또는 벽돌조로서 두께가 19㎝ 이상인 것 4. 1~3 이외의 것으로서 국토교통부장관이 고시하는 기준에 따라 국토교통부장관이 지정하는 자 또는 한국건설기술연구원장이 실시하는 품질시험에서 그 성능이 확인된 것 5. 한국건설기술연구원장이 정한 인정기준에 따라 인정하는 것 - 다가구주택 및 공동주택의 세대간의 경계벽인 경우 「주택건설기준 등에 관한 규정」에 따름. 관계법 세대간의 경계벽 등(주택건설기준 등에 관한 규정 제14조) * 임산부실간 경계벽, 신생아실 간 경계벽, 임산부실과 신생아실 간 경계벽

관계법 세대간 경계벽 등(「주택건설기준 등에 관한 규정」 제14조)

영 제14조【세대간의 경계벽등】① 공동주택 각 세대간의 경계벽 및 공동주택과 주택외의 시설간의 경계벽은 내화구조로서 다음 각 호의 어느 하나에 해당하는 구조로 해야 한다. <개정 2021.1.5>
1. 철근콘크리트조 또는 철골 · 철근콘크리트조로서 그 두께(시멘트모르타르 · 회반죽 · 석고플라스터, 그 밖에 이와 유사한 재료를 바른 후의 두께를 포함한다)가 15센티미터 이상인 것
2. 무근콘크리트조 · 콘크리트블록조 · 벽돌조 또는 석조로서 그 두께(시멘트모르타르 · 회반죽 · 석고플라스터, 그 밖에 이와 유사한 재료를 바른 후의 두께를 포함한다)가 20센티미터 이상인 것
3. 조립식주택부재인 콘크리트판으로서 그 두께가 12센티미터 이상인 것
4. 제1호 내지 제3호의 것외에 국토교통부장관이 정하여 고시하는 기준에 따라 한국건설기술연구원장이 차음성능을 인정하여 지정하는 구조인 것
② 제1항에 따른 경계벽은 이를 지붕밑 또는 바로 윗층바닥판까지 닿게 하여야 하며, 소리를 차단하는데 장애가 되는 부분이 없도록 설치하여야 한다. 이 경우 경계벽의 구조가 벽돌조인 경우에는 줄눈 부위에 빈틈이 생기지 아니하도록 시공하여야 한다. <개정 2017.10.17.>
③ ~ ⑥ "생략"

■ 차음구조 상세

구조별 / 벽의구분	철근콘크리트조 철골철근콘크리트조	PC판(조립식 주택부재인 콘크리트판)	무근콘크리트조 석조	콘크리트블록조 벽돌조	기타구조	비 고
경계벽	≥10cm · 바름두께 제외	규정없음	≥10cm · 바름두께 포함	≥19cm · 바름두께 제외	• 국토교통부장관이 고시하는 기준에 따라 국토교통부장관이 지정하는 자 또는 한국건설기술연구원장이 실시하는 품질시험에 그 성능이 확인된 것	■ 경계벽은 내화구조로 하고 지붕밑 또는 바로 위층의 바닥판까지 닿게 하여야 함 ■ 경계벽은 소리를 차단하는데 장애가 되는 부분이 없는 구조로 하여야 함 ■ 이 표의 바름두께는 시멘모르타르, 회반죽, 석고플라스터 등의 재료임
다가구주택, 공동주택의 세대간 경계벽 (주택건설기준등에 관한 규정 제14조)	≥15cm · 바름두께 포함	≥12cm · 바름두께 제외	≥20cm · 바름두께 포함		• 국토교통부장관이 정하여 고시하는 기준에 따라 한국건설기술연구원장이 차음성능을 인정하여 지정하는 구조 【참고】	

【참고】 벽체의 차음구조 인정 및 관리기준 (국토교통부고시 제2018-776호, 2018.12.7.)

【2】 소음방지 층간바닥의 구조

대상 건축물	구조기준
1. 단독주택 중 다가구주택 2. 공동주택(「주택법」에 따른 사업승인대상 제외) 3. 업무시설 중 오피스텔 4. 제2종 근린생활시설 중 다중생활시설 5. 숙박시설 중 다중생활시설	• 경량충격음(비교적 가볍고 딱딱한 충격에 의한 바닥충격음)과 중량충격음(무겁고 부드러운 충격에 의한 바닥충격음)을 차단할 수 있는 구조로 할 것 • 가구·세대 등 간 소음방지를 위한 바닥의 세부 기준은 국토교통부장관이 정하여 고시함【참고】

【참고】 소음방지를 위한 층간 바닥충격음 차단 구조* 기준 (국토교통부고시 제2018-585호, 2018.9.21.)

* 바닥충격음 차단구조: 「주택법」에 따라 바닥충격음 차단구조의 성능등급을 인정하는 기관의 장이 차단구조의 성능(중량충격음 50dB 이하, 경량충격음 58dB 이하)을 확인하여 인정한 바닥구조

5 침수 방지시설(법 제49조제5항)(피난규칙 제19조의2)

법 제49조 【건축물의 피난시설 및 용도제한 등】

①~④ "생략"

⑤ 「자연재해대책법」 제12조제1항에 따른 자연재해위험개선지구 중 침수위험지구에 국가·지방자치단체 또는 「공공기관의 운영에 관한 법률」 제4조제1항에 따른 공공기관이 건축하

는 건축물은 침수 방지 및 방수를 위하여 다음 각 호의 기준에 따라야 한다. <개정 2019.4.23>

1. 건축물의 1층 전체를 필로티(건축물을 사용하기 위한 경비실, 계단실, 승강기실, 그 밖에 이와 비슷한 것을 포함한다) 구조로 할 것
2. 국토교통부령으로 정하는 침수 방지시설을 설치할 것

피난규칙 제19조의2【침수 방지시설】

법 제49조제4항제2호에서 "국토교통부령으로 정하는 침수 방지시설"이란 다음 각 호의 시설을 말한다.

1. 차수판(遮水板)
2. 역류방지 밸브

[본조신설 2015.7.9.]

해설 집중호우로 인한 건축물의 침수 피해를 방지하기 위하여 침수위험지구에서 건축하는 공공건축물은 1층을 필로티로 하고 국토교통부령으로 정하는 침수 방지시설을 설치하도록 규정이 신설되었다.(2015.1.6.)

■ 침수 방지시설

대상 지구	대상 건축물	침수 방지시설
자연재해위험개선지구 중 침수위험지구	국가·지방자치단체 또는 공공기관이 건축하는 건축물	1. 건축물의 1층 전체를 필로티(건축물을 사용하기 위한 경비실, 계단실, 승강기실, 그 밖에 이와 비슷한 것 포함) 구조로 할 것 2. 차수판(遮水板) 3. 역류방지 밸브

6 건축물에 설치하는 굴뚝 (영 제54조)(피난규칙 제20조)

영 제54조【건축물에 설치하는 굴뚝】

건축물에 설치하는 굴뚝은 국토교통부령으로 정하는 기준에 따라 설치하여야 한다.

피난규칙 제20조【건축물에 설치하는 굴뚝】

영 제54조에 따라 건축물에 설치하는 굴뚝은 다음 각호의 기준에 적합하여야 한다.

1. 굴뚝의 옥상 돌출부는 지붕면으로부터의 수직거리를 1미터 이상으로 할 것. 다만, 용마루·계단탑·옥탑등이 있는 건축물에 있어서 굴뚝의 주위에 연기의 배출을 방해하는 장애물이 있는 경우에는 그 굴뚝의 상단을 용마루·계단탑·옥탑등보다 높게 하여야 한다.
2. 굴뚝의 상단으로부터 수평거리 1미터 이내에 다른 건축물이 있는 경우에는 그 건축물의 처마보다 1미터 이상 높게 할 것
3. 금속제 굴뚝으로서 건축물의 지붕속·반자위 및 가장 아랫바닥밑에 있는 굴뚝의 부분은 금속외의 불연재료로 덮을 것
4. 금속제 굴뚝은 목재 기타 가연재료로부터 15센티미터 이상 떨어져서 설치할 것. 다만, 두께 10센티미터 이상인 금속외의 불연재료로 덮은 경우에는 그러하지 아니하다.

해설 건축물에 설치되는 굴뚝은 배연을 목적으로 하지만, 화재시 열 등에 의해 위험요소가 될 수 있으므로 굴뚝의 높이·가연재료와의 이격거리 등을 두어 배연 및 방화에 대비하고자 하였다.

■ 굴뚝의 구조

구 분	굴뚝의 부분	내용 및 그림해설	
굴뚝일반 (금속제 굴뚝 포함)	• 옥상 돌출부	① 굴뚝의 옥상돌출부는 지붕면으로부터 수직거리 1m 이상으로 할 것	h 굴뚝 ≥1m 옥상 / 굴뚝 ≥1m 지붕면
		② ①을 만족하는 이외에 용마루, 계단탑, 옥탑 등이 있는 건축물에 있어서 굴뚝의 주위에 연기의 배출을 방해하는 장애물이 있는 경우 그 굴뚝의 상단을 용마루, 계단탑, 옥탑 등보다 높게 하여야 함	• h≥옥탑의 높이 / • 굴뚝 B의 경우는 위법
	• 굴뚝의 상단으로서 수평거리 1m 이내에 다른 건축물이 있는 경우	• 굴뚝의 높이는 그 건축물의 처마로부터 1m 이상 높게 할 것	• 수평거리 1m 이내에 건축물이 있는 경우 (h≥1m, 1m이내, 처마, 다른 건축물) / • 수평거리 1m 이내에 건축물이 없는 경우 (h : 높이 제한 없음, 1m, 다른 건축물)
금속제 굴뚝	• 건축물의 지붕속 반자위 및 가장 아래 바닥밑에 있는 굴뚝의 부분	• 금속외의 불연재료로 덮을 것	지붕속, 반자위 / 굴뚝 / 금속 이외의 불연재료로 덮을 것 / 가장 아래바닥밑의 부분
	• 목재, 가연재료와 접하는 부분	① 목재 기타 가연재료로부터 15㎝ 이상 떨어져 설치	금속재 굴뚝 / 15cm 이상 떨어져 설치 / 목재 기타 가연재료
		② 두께 10㎝ 이상인 금속외의 불연재료로 덮은 경우 ① 규정 적용 제외	금속재 굴뚝 / 목재 기타 가연재료 / 두께 10cm 이상인 금속이외의 불연재료로 덮을 것

7 창문 등의 차면시설(영 제55조)

영 제55조【창문 등의 차면시설】
인접 대지경계선으로부터 직선거리 2미터 이내에 이웃 주택의 내부가 보이는 창문 등을 설치하는 경우에는 차면시설(遮面施設)을 설치하여야 한다.

차면시설 설치의 예

8 건축물의 내화구조(법 제50조 제1항)(영 제56조)

법 제50조【건축물의 내화구조와 방화벽】
① 문화 및 집회시설, 의료시설, 공동주택 등 대통령령으로 정하는 건축물은 국토교통부령으로 정하는 기준에 따라 주요구조부와 지붕을 내화(耐火)구조로 하여야 한다. 다만, 막구조 등 대통령령으로 정하는 구조는 주요구조부에만 내화구조로 할 수 있다. <개정 2018.8.14.>

영 제56조【건축물의 내화구조】
① 법 제50조제1항 본문에 따라 다음 각 호의 어느 하나에 해당하는 건축물(제5호에 해당하는 건축물로서 2층 이하인 건축물은 지하층 부분만 해당한다)의 주요구조부와 지붕은 내화구조로 해야 한다. 다만, 연면적이 50제곱미터 이하인 단층의 부속건축물로서 외벽 및 처마 밑면을 방화구조로 한 것과 무대의 바닥은 그렇지 않다. <개정 2021.1.5>

1. 제2종 근린생활시설 중 공연장·종교집회장(해당 용도로 쓰는 바닥면적의 합계가 각각 300제곱미터 이상인 경우만 해당한다), 문화 및 집회시설(전시장 및 동·식물원은 제외한다), 종교시설, 위락시설 중 주점영업 및 장례시설의 용도로 쓰는 건축물로서 관람석 또는 집회실의 바닥면적의 합계가 200제곱미터(옥외관람석의 경우에는 1천 제곱미터) 이상인 건축물
2. 문화 및 집회시설 중 전시장 또는 동·식물원, 판매시설, 운수시설, 교육연구시설에 설치하는 체육관·강당, 수련시설, 운동시설 중 체육관·운동장, 위락시설(주점영업의 용도로 쓰는 것은 제외한다), 창고시설, 위험물저장 및 처리시설, 자동차 관련 시설, 방송통신시설 중 방송국·전신전화국·촬영소, 묘지 관련 시설 중 화장시설·동물화장시설 또는 관광휴게시설의 용도로 쓰는 건축물로서 그 용도로 쓰는 바닥면적의 합계가 500제곱미터 이상인 건축물
3. 공장의 용도로 쓰는 건축물로서 그 용도로 쓰는 바닥면적의 합계가 2천 제곱미터 이상인 건축물. 다만, 화재의 위험이 적은 공장으로서 국토교통부령으로 정하는 공장은 제외한다.
4. 건축물의 2층이 단독주택 중 다중주택 및 다가구주택, 공동주택, 제1종 근린생활시설(의료의 용도로 쓰는 시설만 해당한다), 제2종 근린생활시설 중 다중이용시설, 의료시설, 노유자시설 중 아동 관련 시설 및 노인복지시설, 수련시설 중 유스호스텔, 업무시설 중 오피스

텔, 숙박시설 또는 장례시설의 용도로 쓰는 건축물로서 그 용도로 쓰는 바닥면적의 합계가 400제곱미터 이상인 건축물

5. 3층 이상인 건축물 및 지하층이 있는 건축물. 다만, 단독주택(다중주택 및 다가구주택은 제외한다), 동물 및 식물 관련 시설, 발전시설(발전소의 부속용도로 쓰는 시설은 제외한다), 교도소 · 소년원 또는 묘지 관련 시설(화장시설 및 동물화장시설은 제외한다)의 용도로 쓰는 건축물과 철강 관련 업종의 공장 중 제어실로 사용하기 위하여 연면적 50제곱미터 이하로 증축하는 부분은 제외한다.

② 법 제50조제1항 단서에 따라 막구조의 건축물은 주요구조부에만 내화구조로 할 수 있다. <개정 2019.10.22.>

해설 내화구조는 화재에 견딜 수 있는 성능의 구조로서 큰 변형을 일으키지 않는 한 재사용이 가능한 것이라 할 수 있다. 비교적 큰 규모의 건축물에 있어서는 건축물의 주요구조부를 내화구조로 하게 하여 도괴(倒壞)에 의한 인명피해 및 화재의 확산을 방지하도록 하였다.

【1】 주요구조부 및 지붕을 내화구조로 하여야 하는 건축물

	건축물의 용도	해당용도의 바닥면적의 합계	3층 이상 건축물 및 지하층 있는 건축물	기 타
1	① 공연장·종교집회장 (제2종 근린생활시설 중) ② 문화 및 집회시설 (전시장 및 동 · 식물원 제외) ③ 종교시설 ④ 주점영업(위락시설 중) ⑤ 장례시설	관람석 또는 집회실의 바닥면적의 합계가 200m²(①은 300m²) 이상* *옥외관람석은 1,000m² 이상	• 바닥면적에 관계없이 내화구조로 함 • 2층 이하인 건축물인 경우 지하층 부분만 해당	–
2	① 전시장 또는 동 · 식물원 (문화 및 집회시설 중) ② 판매시설 ③ 운수시설 ④ 체육관 · 강당(교육연구시설에 설치) ⑤ 수련시설 ⑥ 체육관 · 운동장(운동시설 중) ⑦ 위락시설(주점영업 제외) ⑧ 창고시설 ⑨ 위험물저장 및 처리시설 ⑩ 자동차 관련 시설 ⑪ 방송국 · 전신전화국 · 촬영소 (방송통신시설 중) ⑫ 화장시설 · 동물화장시설(묘지관련시설 중) ⑬ 관광휴게시설	500m² 이상	예외 다음 용도는 제외 ① 단독주택(다중주택 및 다가구주택 제외) ② 동물 및 식물관련시설 ③ 발전시설(발전소의 부속용도로 쓰는 시설 제외) ④ 교도소·소년원 ⑤ 묘지 관련 시설 (화장시설 및 동물화장시설 제외) ⑥ 철강 관련 업종의 공장 중 제어실로 사용하기 위하여 연면적 50m² 이하로 증축하는 부분	–
3	• 공장	2,000m² 이상		화재의 위험이 적은 공장으로서 국토교통부령이 정하는 공장 제외(피난 · 방화규칙 제20조의2 별표2의 업종의 공장으로서 주요구조부가 불연재료로 되어 있는 2층 이하의 공장)
4	건축물의 2층이 다음의 용도로 사용하는 것 ① 다중주택 · 다가구주택(단독주택 중) ② 공동주택 ③ 제1종 근린생활시설(의료의 용도에 쓰는 시설만 해당)	400m² 이상		–

④ 다중생활시설 (제2종 근린생활시설 중) ⑤ 의료시설 ⑥ 아동관련시설 · 노인복지시설 (노유자시설 중) ⑦ 유스호스텔(수련시설 중) ⑧ 오피스텔(업무시설 중) ⑨ 숙박시설 ⑩ 장례시설			–

■ 연면적이 50㎡ 이하인 단층 부속건축물로서 외벽 및 처마 밑면을 방화구조로 한 것은 제외
■ 무대 바닥 제외
■ 막구조의 건축물은 주요구조부에만 내화구조로 할 수 있다.

【2】 내화구조의 정의(영 제2조)(피난·방화 제3조)

영 제2조【정의】

7. "내화구조(耐火構造)"란 화재에 견딜 수 있는 성능을 가진 구조로서 국토교통부령으로 정하는 기준에 적합한 구조를 말한다.

■ 내화구조(피난·방화 규칙 제3조)

피난규칙 제3조【내화구조】

영 제2조제7호에서 "국토교통부령으로 정하는 기준에 적합한 구조"란 다음 각 호의 어느 하나에 해당하는 것을 말한다. <개정 2021.8.27., 2021.12.23.>

1. 벽의 경우에는 다음 각 목의 어느 하나에 해당하는 것
   가. 철근콘크리트조 또는 철골철근콘크리트조로서 두께가 10센티미터 이상인 것
   나. 골구를 철골조로 하고 그 양면을 두께 4센티미터 이상의 철망모르타르(그 바름바탕을 불연재료로 한 것으로 한정한다. 이하 이 조에서 같다) 또는 두께 5센티미터 이상의 콘크리트블록 · 벽돌 또는 석재로 덮은 것
   다. 철재로 보강된 콘크리트블록조 · 벽돌조 또는 석조로서 철재에 덮은 콘크리트블록등의 두께가 5센티미터 이상인 것
   라. 벽돌조로서 두께가 19센티미터 이상인 것
   마. 고온 · 고압의 증기로 양생된 경량기포 콘크리트패널 또는 경량기포 콘크리트블록조로서 두께가 10센티미터 이상인 것
2. 외벽 중 비내력벽인 경우에는 제1호에도 불구하고 다음 각 목의 어느 하나에 해당하는 것
   가. 철근콘크리트조 또는 철골철근콘크리트조로서 두께가 7센티미터 이상인 것
   나. 골구를 철골조로 하고 그 양면을 두께 3센티미터 이상의 철망모르타르 또는 두께 4센티미터 이상의 콘크리트블록 · 벽돌 또는 석재로 덮은 것
   다. 철재로 보강된 콘크리트블록조 · 벽돌조 또는 석조로서 철재에 덮은 콘크리트블록등의 두께가 4센티미터 이상인 것
   라. 무근콘크리트조 · 콘크리트블록조 · 벽돌조 또는 석조로서 그 두께가 7센티미터 이상인 것
3. 기둥의 경우에는 그 작은 지름이 25센티미터 이상인 것으로서 다음 각 목의 어느 하나에 해당하는 것. 다만, 고강도 콘크리트(설계기준강도가 50MPa 이상인 콘크리트를 말한다. 이하 이 조에서 같다)를 사용하는 경우에는 국토교통부장관이 정하여 고시하는 고강도 콘

크리트 내화성능 관리기준에 적합해야 한다.
가. 철근콘크리트조 또는 철골철근콘크리트조
나. 철골을 두께 6센티미터(경량골재를 사용하는 경우에는 5센티미터)이상의 철망모르타르 또는 두께 7센티미터 이상의 콘크리트블록·벽돌 또는 석재로 덮은 것
다. 철골을 두께 5센티미터 이상의 콘크리트로 덮은 것
4. 바닥의 경우에는 다음 각 목의 어느 하나에 해당하는 것
가. 철근콘크리트조 또는 철골철근콘크리트조로서 두께가 10센티미터 이상인 것
나. 철재로 보강된 콘크리트블록조·벽돌조 또는 석조로서 철재에 덮은 콘크리트블록등의 두께가 5센티미터 이상인 것
다. 철재의 양면을 두께 5센티미터 이상의 철망모르타르 또는 콘크리트로 덮은 것
5. 보(지붕틀을 포함한다)의 경우에는 다음 각 목의 어느 하나에 해당하는 것. 다만, 고강도 콘크리트를 사용하는 경우에는 국토교통부장관이 정하여 고시하는 고강도 콘크리트내화성능 관리기준에 적합해야 한다.
가. 철근콘크리트조 또는 철골철근콘크리트조
나. 철골을 두께 6센티미터(경량골재를 사용하는 경우에는 5센티미터)이상의 철망모르타르 또는 두께 5센티미터 이상의 콘크리트로 덮은 것
다. 철골조의 지붕틀(바닥으로부터 그 아랫부분까지의 높이가 4미터 이상인 것에 한한다)로서 바로 아래에 반자가 없거나 불연재료로 된 반자가 있는 것
6. 지붕의 경우에는 다음 각 목의 어느 하나에 해당하는 것
가. 철근콘크리트조 또는 철골철근콘크리트조
나. 철재로 보강된 콘크리트블록조·벽돌조 또는 석조
다. 철재로 보강된 유리블록 또는 망입유리(두꺼운 판유리에 철망을 넣은 것을 말한다)로 된 것
7. 계단의 경우에는 다음 각 목의 어느 하나에 해당하는 것
가. 철근콘크리트조 또는 철골철근콘크리트조
나. 무근콘크리트조·콘크리트블록조·벽돌조 또는 석조
다. 철재로 보강된 콘크리트블록조·벽돌조 또는 석조
라. 철골조
8. 「과학기술분야 정부출연연구기관 등의 설립·운영 및 육성에 관한 법률」 제8조에 따라 설립된 한국건설기술연구원의 장(이하 "한국건설기술연구원장"이라 한다)이 국토교통부장관이 정하여 고시하는 방법에 따라 품질을 시험한 결과 별표 1에 따른 성능기준에 적합할 것 <개정 2021.12.23.>
9. 다음 각 목의 어느 하나에 해당하는 것으로서 한국건설기술연구원장이 국토교통부장관으로부터 승인받은 기준에 적합한 것으로 인정하는 것
가. 한국건설기술연구원장이 인정한 내화구조 표준으로 된 것
나. 한국건설기술연구원장이 인정한 성능설계에 따라 내화구조의 성능을 검증할 수 있는 구조로 된 것
10. 한국건설기술연구원장이 제27조제1항에 따라 정한 인정기준에 따라 인정하는 것

■ 내화구조의 성능기준(제3조8호 관련, 피난·방화규칙 별표1)

1. 일반기준

(단위 : 시간)

구성 부재 / 용도				벽						보·기둥	바닥	지붕·지붕틀
				외벽			내벽					
				내력벽	비내력벽		내력벽	비내력벽				
용도	용도구분	용도규모 층수/최고 높이(m)			연소 우려가 있는 부분	연소 우려가 없는 부분		간막이벽	승강기·계단실의 수직벽			
일반시설	제1종 근린생활시설, 제2종 근린생활시설, 문화 및 집회시설, 종교시설, 판매시설, 운수시설, 교육연구시설, 노유자시설, 수련시설, 운동시설, 업무시설, 위락시설, 자동차 관련 시설(정비공장 제외), 동물 및 식물 관련 시설, 교정 및 군사시설, 방송통신시설, 발전시설, 묘지 관련 시설, 관광휴게시설, 장례시설	12/50	초과	3	1	0.5	3	2	2	3	2	1
			이하	2	1	0.5	2	1.5	1.5	2	2	0.5
		4/20 이하		1	1	0.5	1	1	1	1	1	0.5
주거시설	단독주택, 공동주택, 숙박시설, 의료시설	12/50	초과	2	1	0.5	2	2	2	3	2	1
			이하	2	1	0.5	2	1	1	2	2	0.5
		4/20 이하		1	1	0.5	1	1	1	1	1	0.5
산업시설	공장, 창고시설, 위험물 저장 및 처리시설, 자동차 관련 시설 중 정비공장, 자연순환 관련 시설	12/50	초과	2	1.5	0.5	2	1.5	1.5	3	2	1
			이하	2	1	0.5	2	1	1	2	2	0.5
		4/20 이하		1	1	0.5	1	1	1	1	1	0.5

2. 적용기준

가. 용도

1) 건축물이 하나 이상의 용도로 사용될 경우 위 표의 용도구분에 따른 기준 중 가장 높은 내화시간의 용도를 적용한다.

2) 건축물의 부분별 높이 또는 층수가 다를 경우 최고 높이 또는 최고 층수를 기준으로 제1호에 따른 구성 부재별 내화시간을 건축물 전체에 동일하게 적용한다.

3) 용도규모에서 건축물의 층수와 높이의 산정은 「건축법 시행령」 제119조에 따른다. 다만, 승강기탑, 계단탑, 망루, 장식탑, 옥탑 그 밖에 이와 유사한 부분은 건축물의 높이와 층수의 산정에서 제외한다.

나. 구성 부재

1) 외벽 중 비내력벽으로서 연소우려가 있는 부분은 제22조제2항에 따른 부분을 말한다.

2) 외벽 중 비내력벽으로서 연소우려가 없는 부분은 제22조제2항에 따른 부분을 제외한 부분을 말한다.

3) 내벽 중 비내력벽인 간막이벽은 건축법령에 따라 내화구조로 해야 하는 벽을 말한다.

다. 그 밖의 기준

1) 화재의 위험이 적은 제철·제강공장 등으로서 품질확보를 위해 불가피한 경우에는 지방건축위원회의 심의를 받아 주요구조부의 내화시간을 완화하여 적용할 수 있다.

2) 외벽의 내화성능 시험은 건축물 내부면을 가열하는 것으로 한다.

■ 내화구조 상세

구분	철근콘크리트조 철골철근콘크리트조	철골조		철재로 보강된 콘크리트블록조, 벽돌조, 석조	기타구조	
		피복재	피복두께			
벽	두께≥10cm	골구 :철골조		철재 철재로 보강된 콘크리트블록조, 벽돌조 또는 석조-철재보강 덮은 두께 ≥5㎝	벽돌조≥19cm	고온고압의 증기로 양생된 경량기포콘크리트패널 또는 경량기포 콘크리트 블록 두께≥10cm
		철망모르타르	≧4㎝			
		콘크리트블록, 벽돌, 석재	≧5㎝			
외벽 중 비내력벽	두께≥7cm	골구 :철골조		철재로 보강된 콘크리트블록조, 벽돌조 또는 석조로서 철재에 덮은 콘크리트블록 등의 두께 ≥ 4㎝	무근콘크리트, 콘크리트블록조, 벽돌조 또는 석조 두께≥7cm	
		철망모르타르	≧3㎝			
		콘크리트블록, 벽돌또는석재	≧4㎝			
기둥 (작은 지름이 25㎝ 이상인 것)	≥25cm ≥25cm	철골 작은지름 ≥25cm		–	고강도 콘크리트(50MPa이상)의 경우 고강도 콘크리트 내화성능 관리기준에 적합할 것【참고】	
		철망모르타르	≧6㎝			
		철망모르타르/경량골재사용	≧5㎝			
		콘크리트블록, 벽돌, 석재	≧7㎝			
		콘크리트	≧5㎝			
바닥	두께≥10cm	철재		철재 철재로 보강된 콘크리트블록조, 벽돌조 또는 석조로서 철재에 덮은 콘크리트블록 등의 두께 ≥ 5㎝	–	
		철망모르타르	≧5㎝			
		콘크리트	≧5㎝			
보 (지붕틀 포함)	치수규제없음	철골		–	철골조 지붕틀 반자없음 H H≥4m 불연재료의 반자 H H≥4m 고강도 콘크리트(50MPa이상)의 경우 고강도 콘크리트 내화성능 관리기준에 적합할 것【참고】	
		철망모르타르	≧6㎝			
		철망모르타르(경량골재사용)	≧5㎝			
		콘크리트	≧5㎝			

지붕	치수규제 없음	• 철재로 보강된 유리블록 • 망입유리*로 된 것	철재로 보강된 콘크리트 블록조, 벽돌조 또는 석조 덮은 두께 제한없음	*망입유리: 두꺼운 판유리에 철망 넣은 것
계단	치수규제없음	철골조계단	철재로 보강된 콘크리트 블록조, 벽돌조 또는 석조 덮은 두께 제한없음	무근콘크리트조, 콘크리트블록조, 벽돌조, 석조 : 치수 제한없음

■ 이 표에서 철망모르타르는 그 바름바탕을 불연재료로 한 것에 한정함
■ 국토교통부장관이 정하여 고시하는 방법에 따라 품질을 시험한 결과 「피난 · 방화규칙」 별표1에 따른 성능기준에 적합할 것
■ 한국건설기술연구원장이 인정기준에 따라 인정하는 것 등도 내화구조로 인정됨

【참고】 고강도 콘크리트의 기둥·보의 내화성능 관리기준(국토교통부고시 제2008-334호, 2008.7.21)

고강도 콘크리트 기둥·보의 내화성능 관리기준의 제정이유 및 주요내용

1. 제정이유

국내 초고층 건축물 건립에 따른 고강도 콘크리트 사용이 증가함에 따라 화재시 폭렬현상 등 내화성능 저하에 대한 대책마련이 필요하여 설계기준강도 50MPa 이상의 고강도 콘크리트에 대하여 내화성능 관리기준을 마련코자 함.

2. 주요골자

가. 고강도 콘크리트 기둥·보의 내화성능기준을 마련 (제4조)

초고층 건축물 등의 기둥 또는 보에 적용하는 50MPa 이상의 고강도 콘크리트는 주철근의 온도를 내화구조 성능기준(국토해양부고시 제2008-154호)에서 규정한 시간까지 평균 538℃, 최고 649℃ 이하로 확보하도록 규정함.

나. 시험체 제작방법을 규정 (제5조)

시공업자, 생산자, 감리자 등이 시험체의 제작 및 시험의뢰를 하고 고강도 콘크리트를 사용한 기둥 시험체를 대상으로 제작하며 구체적인 시험체 크기, 온도측정위치, 양생기간 등을 규정함.

다. 시험방법 규정 (제6조)

고강도 콘크리트의 내화성능 확인을 위한 시험은 KSF2257-7의 시험방법에 의하되 비재하 가열시험으로 수평부재용 가열로를 이용하며 구체적인 시험절차, 시험방법, 시험성적서 등을 규정함.

라. 전문위원회 운영 (제7조)

시험기관은 콘크리트 · 재료 · 구조 등 전문가로 구성된 전문위원회를 운영하여 고강도 콘크리트의 표준내화공법 및 기타 필요한 사항을 심의 · 자문할 수 있도록 규정함.

마. 내화성능 관리절차 등을 규정 (제8조)

공인시험기관의 시험을 실시하고 시험성적서를 제출한 경우와 설계기준강도 60MPa 이하의 경우 별도 시험없이 구조기술사가 내화성능기준에 적합한 구조보강을 확인한 경우, 감리자가 현장의 일치여부를 확인, 내화성능을 인정토록 규정함.

건 축 법
1. 총 칙
2. 건 축
3. 유지관리
4. 대지도로
5. 구조재료
6. 지역지구
7. 건축설비
8. 특별건축구역
9. 보 칙
10. 벌 칙
건 축 법 관련기준

9 방화구조(영 제2조제8호)(피난규칙 제4조)

영 제2조【정의】

8. "방화구조(防火構造)"란 화염의 확산을 막을 수 있는 성능을 가진 구조로서 국토교통부령으로 정하는 기준에 적합한 구조를 말한다.

■ 방화구조(피난・방화규칙 제4조)

피난규칙 제4조【방화구조】

영 제2조제8호에서 "국토교통부령으로 정하는 기준에 적합한 구조"란 다음 각 호의 어느 하나에 해당하는 것을 말한다. <개정 2022.2.10>

1.철망모르타르로서 그 바름두께가 2센티미터 이상인 것
2. 석고판위에 시멘트모르타르 또는 회반죽을 바른 것으로서 그 두께의 합계가 2.5센티미터 이상인 것
3. 시멘트모르타르위에 타일을 붙인 것으로서 그 두께의 합계가 2.5센티미터 이상인 것
4. 삭제 <2010.4.7>
5. 삭제 <2010.4.7>
6. 심벽에 흙으로 맞벽치기한 것
7.「산업표준화법」에 따른 한국산업표준(이하 "한국산업표준"이라 한다)에 따라 시험한 결과 방화 2급 이상에 해당하는 것

해설 방화구조는 내화구조보다 방화에 대한 성능이 약한 구조로서 연소방지의 역할을 한다.

■ 방화구조 상세

구분	구 조	마감바탕	마 감
1	철망, 모르타르, ≥2.0cm	철망	모르타르
2	시멘트모르타르・회반죽, ≥2.5cm, 석고판	석고판	시멘트모르타르 또는 회반죽
3	타일, ≥2.5cm, 시멘트모르타르	시멘트모르타르	타일
4	흙, 외 또는 산자, 흙	심벽 (외 또는 산자)	흙으로 맞벽치기
5	■ 「산업표준화법」에 따른 한국산업표준(이하 "한국산업표준")에 따라 시험한 결과 방화2급 이상에 해당하는 것		

4 방화지구 안의 건축물(법 제51조)(영 제58조)(피난규칙 제23조)

법 제51조【방화지구 안의 건축물】

① 「국토의 계획 및 이용에 관한 법률」 제37조제1항제3호에 따른 방화지구(이하 "방화지구"라 한다) 안에서는 건축물의 주요구조부와 지붕 · 외벽을 내화구조로 하여야 한다. 다만, 대통령령으로 정하는 경우에는 그러하지 아니하다. <개정 2017.4.18., 2018.8.14.>

② 방화지구 안의 공작물로서 간판, 광고탑, 그 밖에 대통령령으로 정하는 공작물 중 건축물의 지붕 위에 설치하는 공작물이나 높이 3미터 이상의 공작물은 주요부를 불연(不燃)재료로 하여야 한다.

③ 방화지구 안의 지붕 · 방화문 및 인접 대지 경계선에 접하는 외벽은 국토교통부령으로 정하는 구조 및 재료로 하여야 한다.

■ 방화지구의 건축물

영 제58조【방화지구의 건축물】

법 제51조제1항에 따라 그 주요구조부 및 외벽을 내화구조로 하지 아니할 수 있는 건축물은 다음 각 호와 같다.

1. 연면적 30제곱미터 미만인 단층 부속건축물로서 외벽 및 처마면이 내화구조 또는 불연재료로 된 것
2. 도매시장의 용도로 쓰는 건축물로서 그 주요구조부가 불연재료로 된 것

■ 방화지구 안의 지붕·방화문 및 외벽 등(피난·방화규칙 제23조)

피난규칙 제23조【방화지구안의 지붕·방화문 및 외벽 등】

① 법 제51조제3항에 따라 방화지구 내 건축물의 지붕으로서 내화구조가 아닌 것은 불연재료로 하여야 한다. <개정 2015.7.9.>

② 법 제51조제3항에 따라 방화지구 내 건축물의 인접대지경계선에 접하는 외벽에 설치하는 창문등으로서 제22조제2항에 따른 연소할 우려가 있는 부분에는 다음 각 호의 방화설비를 설치해야 한다. <개정 2021.3.26>

1. 60+방화문 또는 60분방화문
2. 소방법령이 정하는 기준에 적합하게 창문등에 설치하는 드렌처
3. 당해 창문등과 연소할 우려가 있는 다른 건축물의 부분을 차단하는 내화구조나 불연재료로 된 벽 · 담장 기타 이와 유사한 방화설비
4. 환기구멍에 설치하는 불연재료로 된 방화커버 또는 그물눈이 2밀리미터 이하인 금속망

해설 방화지구는 도시의 화재위험을 예방하기 위하여 필요한 구역으로서 많은 건축물이 밀집된 도심 등에 지정하는 지구이다. 이러한 방화지구에서는 화재시 인접건축물로의 연소확대에 의하여 큰 화재로 진전될 우려가 있으므로, 지구내의 모든 건축물을 내화구조로 하게 하였고, 간판 · 광고탑 및 인접대지경계선에 접하는 연소할 우려가 있는 개구부의 조치도 규정하여 안전에 대비하고 있다.

【1】 방화지구 안에서의 건축물

구분	내 용		구조 및 재료	그림상세해설
원칙	건축물의 주요구조부와 지붕·외벽		내화구조	간판등의 공작물 … 불연재료 지붕 … 내화구조/불연재료 주요구조부 · 외벽 … 내화구조 간판·광고탑≥3m(지상설치) …불연재료 연소의 우려가 있는 부분의 개구부 … 방화문, 방화설비 등을 설치…【2】참조
	지붕(내화구조가 아닌 것)		불연재료	
	간판 · 광고탑 등의 공작물	지붕위에 설치	불연재료	
		지상에 설치(높이 3m 이상인 경우)		
	• 외벽의 창문 등으로서 연소의 우려가 있는 부분		60+방화문, 60분방화문 · 방화설비	
예외	• 연면적 30㎡ 미만인 단층 부속건축물로서 외벽 및 처마면이 내화구조 또는 불연재료로 된 것		방화지구내의 원칙에서 제외	
	• 도매시장의 용도에 쓰는 건축물로서 그 주요구조부가 불연재료로 된 것			

【참고】 방화지구(국토의 계획 및 이용에 관한 법률 제37조)

- 화재의 위험을 예방하기 위하여 필요한 지구
- 국토교통부장관, 시 · 도지사 또는 대도시 시장이 도시 · 군관리계획으로 지정함

【2】 방화지구 안의 외벽의 개구부에 대한 조치

방화지구 내 건축물의 인접대지경계선에 접하는 외벽에 설치하는 창문등으로서 연소할 우려가 있는 부분에 다음의 방화설비를 설치해야 한다.

1. 60+방화문 또는 60분방화문
2. 창문 등에 설치하는 드렌처(소방법령이 정하는 기준에 적합한 것)
3. 내화구조나 불연재료로 된 벽 · 담장 등 이와 유사한 방화설비
4. 환기구멍에 설치하는 불연재료로 된 방화커버 또는 그물눈이 2㎜ 이하인 금속망

【참고1】 연소할 우려가 있는 부분의 개구부 규제

① 인접대지경계선 ② 도로중심선 ③ 동일 대지내의 2동 이상의 건축물의 외벽간의 중심선에서 1층 부분 3m이내, 2층 이상 부분 5m 이내에서 벗어나면 개구부의 규제는 없다.

【참고2】 방화지구 내·외에 걸칠 때의 경우

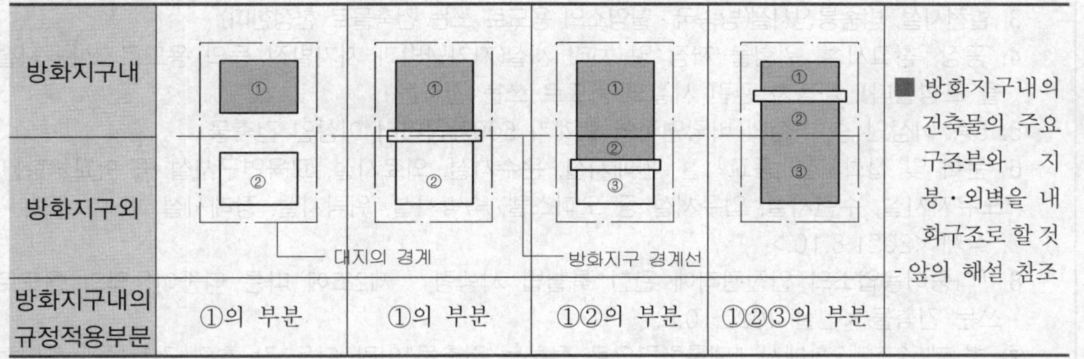

방화지구내
방화지구외
①
②
①
②
①
②
③
①
②
③
대지의 경계
방화지구 경계선
■ 방화지구내의 건축물의 주요 구조부와 지붕·외벽을 내화구조로 할 것
- 앞의 해설 참조
방화지구내의 규정적용부분
①의 부분
①의 부분
①②의 부분
①②③의 부분

5 건축물의 마감재료(법 제52조)(영 제61조)(피난규칙 제24조, 제24조의2)

법 제52조【건축물의 마감재료 등】

① 대통령령으로 정하는 용도 및 규모의 건축물의 벽, 반자, 지붕(반자가 없는 경우에 한정한다) 등 내부의 마감재료[제52조의4제1항의 복합자재의 경우 심재(心材)를 포함한다]는 방화에 지장이 없는 재료로 하되, 「실내공기질 관리법」 제5조 및 제6조에 따른 실내공기질 유지기준 및 권고기준을 고려하고 관계 중앙행정기관의 장과 협의하여 국토교통부령으로 정하는 기준에 따른 것이어야 한다. <개정 2021.3.16>

② 대통령령으로 정하는 건축물의 외벽에 사용하는 마감재료(두 가지 이상의 재료로 제작된 자재의 경우 각 재료를 포함한다)는 방화에 지장이 없는 재료로 하여야 한다. 이 경우 마감재료의 기준은 국토교통부령으로 정한다. <개정 2021.3.16.>

③ 욕실, 화장실, 목욕장 등의 바닥 마감재료는 미끄럼을 방지할 수 있도록 국토교통부령으로 정하는 기준에 적합하여야 한다. <신설 2013.7.16.>

④ 대통령령으로 정하는 용도 및 규모에 해당하는 건축물 외벽에 설치되는 창호(窓戶)는 방화에 지장이 없도록 인접 대지와의 이격거리를 고려하여 방화성능 등이 국토교통부령으로 정하는 기준에 적합하여야 한다. <신설 2020.12.22.>

[제목개정 2020.12.22.]

영 제61조【건축물의 마감재료】

① 법 제52조제1항에서 "대통령령으로 정하는 용도 및 규모의 건축물"이란 다음 각 호의 어느 하나에 해당하는 건축물을 말한다. 다만, 제1호, 제1호의2, 제2호부터 제7호까지의 어느 하나에 해당하는 건축물(제8호에 해당하는 건축물은 제외한다)의 주요구조부가 내화구조 또는 불연재료로 되어 있고 그 거실의 바닥면적(스프링클러나 그 밖에 이와 비슷한 자동식 소화설비를 설치한 바닥면적을 뺀 면적으로 한다. 이하 이 조에서 같다) 200제곱미터 이내마다 방화구획이 되어 있는 건축물은 제외한다. <개정 2020.10.8., 2021.8.10.>

1. 단독주택 중 다중주택·다가구주택

1의2. 공동주택

2. 제2종 근린생활시설 중 공연장·종교집회장·인터넷컴퓨터게임시설제공업소·학원·독서실·당

구장 · 다중생활시설의 용도로 쓰는 건축물
3. 발전시설, 방송통신시설(방송국 · 촬영소의 용도로 쓰는 건축물로 한정한다)
4. 공장, 창고시설, 위험물 저장 및 처리 시설(자가난방과 자가발전 등의 용도로 쓰는 시설을 포함한다), 자동차 관련 시설의 용도로 쓰는 건축물
5. 5층 이상인 층 거실의 바닥면적의 합계가 500제곱미터 이상인 건축물
6. 문화 및 집회시설, 종교시설, 판매시설, 운수시설, 의료시설, 교육연구시설 중 학교 · 학원, 노유자시설, 수련시설, 업무시설 중 오피스텔, 숙박시설, 위락시설, 장례시설
7. 삭제 <2021.8.10.>
8. 「다중이용업소의 안전관리에 관한 특별법 시행령」 제2조에 따른 다중이용업의 용도로 쓰는 건축물 <신설 2020.10.8.>

② 법 제52조제2항에서 "대통령령으로 정하는 건축물"이란 다음 각 호의 건축물에 해당하는 것을 말한다. <개정 2021.8.10.>
1. 상업지역(근린상업지역은 제외한다)의 건축물로서 다음 각 목의 어느 하나에 해당하는 것
가. 제1종 근린생활시설, 제2종 근린생활시설, 문화 및 집회시설, 종교시설, 판매시설, 의료시설, 교육연구시설, 노유자시설, 운동시설 및 위락시설의 용도로 쓰는 건축물로서 그 용도로 쓰는 바닥면적의 합계가 2천제곱미터 이상인 건축물
나. 공장(국토교통부령으로 정하는 화재 위험이 적은 공장은 제외한다)의 용도로 쓰는 건축물로부터 6미터 이내에 위치한 건축물
2. 의료시설, 교육연구시설, 노유자시설 및 수련시설의 용도로 쓰는 건축물
3. 3층 이상 또는 높이 9미터 이상인 건축물
4. 1층의 전부 또는 일부를 필로티 구조로 설치하여 주차장으로 쓰는 건축물
5. 제1항제4호에 해당하는 건축물 <신설 2021.8.10.>

③ 법 제52조제4항에서 "대통령령으로 정하는 용도 및 규모에 해당하는 건축물" 이란 제2항 각 호의 건축물을 말한다. <신설 2021.5.4>

피난규칙 제24조【건축물의 마감재료 등】

① 법 제52조제1항에 따라 영 제61조제1항 각 호의 건축물에 대하여는 그 거실의 벽 및 반자의 실내에 접하는 부분(반자돌림대 · 창대 기타 이와 유사한 것을 제외한다. 이하 이 조에서 같다)의 마감재료(영 제61조제1항제4호에 해당하는 건축물의 경우에는 단열재를 포함한다)는 불연재료 · 준불연재료 또는 난연재료를 사용해야 한다. 다만, 다음 각 호에 해당하는 부분의 마감재료는 불연재료 또는 준불연재료를 사용해야 한다. <개정 2021.9.3>
1. 거실에서 지상으로 통하는 주된 복도 · 계단, 그 밖의 벽 및 반자의 실내에 접하는 부분 <신설 2021.9.3>
2. 강판과 심재(心材)로 이루어진 복합자재를 마감재료로 사용하는 부분 <신설 2021.9.3>

② 영 제61조제1항 각 호의 건축물 중 다음 각 호의 어느 하나에 해당하는 거실의 벽 및 반자의 실내에 접하는 부분의 마감은 제1항에도 불구하고 불연재료 또는 준불연재료로 하여야 한다.
1. 영 제61조 각 호에 따른 용도에 쓰이는 거실 등을 지하층 또는 지하의 공작물에 설치한 경우의 그 거실(출입문 및 문틀을 포함한다)
2. 영 제61조제1항제6호에 따른 용도에 쓰이는 건축물의 거실

③ 제1항 및 제2항에도 불구하고 영 제61조제1항제4호에 해당하는 건축물에서 단열재를 사용하는 경우로서 해당 건축물의 구조, 설계 또는 시공방법 등을 고려할 때 단열재로 불연재료

· 준불연재료 또는 난연재료를 사용하는 것이 곤란하여 법 제4조에 따른 건축위원회(시·도 및 시·군·구에 두는 건축위원회를 말한다)의 심의를 거친 경우에는 단열재를 불연재료·준불연재료 또는 난연재료가 아닌 것으로 사용할 수 있다. <신설 2021.9.3.>

④ 법 제52조제1항에서 "내부마감재료"란 건축물 내부의 천장·반자·벽(경계벽 포함)·기둥 등에 부착되는 마감재료를 말한다. 다만, 「다중이용업소의 안전관리에 관한 특별법 시행령」 제3조에 따른 실내장식물을 제외한다. <개정 2021.9.3.>

⑤ 영 제61조제1항제1호의2에 따른 공동주택에는 「실내공기질관리법」 제11조제1항 및 같은 법 시행규칙 제10조에 따라 환경부장관이 고시한 오염물질방출 건축자재를 사용해서는 아니 된다. <개정 2021.3.26., 2021.9.3.>

⑥ 영 제61조제2항제1호부터 제3호까지의 규정에 해당하는 건축물의 외벽에는 법 제52조제2항 후단에 따라 불연재료 또는 준불연재료를 마감재료(단열재, 도장 등 코팅재료 및 그 밖에 마감재료를 구성하는 모든 재료를 포함한다. 이하 이 조에서 같다)로 사용해야 한다. 다만, 국토교통부장관이 정하여 고시하는 화재 확산 방지구조 기준에 적합하게 마감재료를 설치하는 경우에는 난연재료(강판과 심재로 이루어진 복합자재가 아닌 것으로 한정한다)를 사용할 수 있다. <개정 2021.9.3., 2022.2.10.>

1. 삭제 <2022.2.10.>
2. 삭제 <2022.2.10.>

⑦ 제6항에도 불구하고 영 제61조제2항제1호·제3호 및 제5호에 해당하는 건축물로서 5층 이하이면서 높이 22미터 미만인 건축물의 경우 난연재료(강판과 심재로 이루어진 복합자재가 아닌 것으로 한정한다)를 마감재료로 할 수 있다. 다만, 건축물의 외벽을 국토교통부장관이 정하여 고시하는 화재 확산 방지구조 기준에 적합하게 설치하는 경우에는 난연성능이 없는 재료(강판과 심재로 이루어진 복합자재가 아닌 것으로 한정한다)를 마감재료로 사용할 수 있다. <개정 2021.9.3., 2022.2.10>

⑧ 제6항 및 제7항에 따른 마감재료가 둘 이상의 재료로 제작된 것인 경우 해당 마감재료는 다음 각 호의 요건을 모두 갖춘 것이어야 한다. <신설 2022.2.10.>

1. 마감재료를 구성하는 재료 전체를 하나로 보아 국토교통부장관이 정하여 고시하는 기준에 따라 실물모형시험(실제 시공될 건축물의 구조와 유사한 모형으로 시험하는 것을 말한다. 이하 같다)을 한 결과가 국토교통부장관이 정하여 고시하는 기준을 충족할 것
2. 마감재료를 구성하는 각각의 재료에 대하여 난연성능을 시험한 결과가 국토교통부장관이 정하여 고시하는 기준을 충족할 것

⑨ 영 제14조제4항 각 호의 어느 하나에 해당하는 건축물 상호 간의 용도변경 중 영 별표 1 제3호다목(목욕장만 해당한다)·라목, 같은 표 제4호가목·사목·카목·파목(골프연습장, 놀이형시설만 해당한다)·더목·러목, 같은 표 제7호다목2) 및 같은 표 제16호가목·나목에 해당하는 용도로 변경하는 경우로서 스프링클러 또는 간이 스크링클러의 헤드가 창문등으로부터 60센티미터 이내에 설치되어 건축물 내부가 화재로부터 방호되는 경우에는 제6항부터 제8항까지의 규정을 적용하지 않을 수 있다. <신설 2021.7.5., 2021.9.3., 2022.2.10>

⑩ 영 제61조제2항제4호에 해당하는 건축물의 외벽[필로티 구조의 외기에 면하는 천장 및 벽체를 포함한다] 중 1층과 2층 부분에는 불연재료 또는 준불연재료를 마감재료로 해야 한다. 다만, 마감재료를 구성하는 재료 전체를 하나로 보아 국토교통부장관이 고시하는 기준에 따라 난연성능을 시험한 결과 불연재료 또는 준불연재료에 해당하는 경우 난연재료를 단열재로 사용할 수 있다. <개정 2021.7.5., 2021.9.3., 2022.2.10>

⑪ 강판과 심재로 이루어진 복합자재를 마감재료로 사용하는 경우 해당 복합자재는 다음 각 호의 요건을 모두 갖춘 것이어야 한다. <신설 2022.2.10.>
1. 강판과 심재 전체를 하나로 보아 국토교통부장관이 정하여 고시하는 기준에 따라 실물모형시험을 실시한 결과가 국토교통부장관이 정하여 고시하는 기준을 충족할 것
2. 강판: 다음 각 목의 구분에 따른 기준을 모두 충족할 것
가. 두께[도금 이후 도장(塗裝) 전 두께를 말한다]: 0.5밀리미터 이상
나. 앞면 도장 횟수: 2회 이상
다. 도금의 부착량: 도금의 종류에 따라 다음의 어느 하나에 해당할 것. 이 경우 도금의 종류는 한국산업표준에 따른다.
1) 용융 아연 도금 강판: 180g/㎡ 이상
2) 용융 아연 알루미늄 마그네슘 합금 도금 강판: 90g/㎡ 이상
3) 용융 55% 알루미늄 아연 마그네슘 합금 도금 강판: 90g/㎡ 이상
4) 용융 55% 알루미늄 아연 합금 도금 강판: 90g/㎡ 이상
5) 그 밖의 도금: 국토교통부장관이 정하여 고시하는 기준 이상
3. 심재: 강판을 제거한 심재가 다음 각 목의 어느 하나에 해당할 것
가. 한국산업표준에 따른 그라스울 보온판 또는 미네랄울 보온판으로서 국토교통부장관이 정하여 고시하는 기준에 적합한 것
나. 불연재료 또는 준불연재료인 것
⑫ 법 제52조제4항에 따라 영 제61조제2항 각 호에 해당하는 건축물의 인접대지경계선에 접하는 외벽에 설치하는 창호(窓戶)와 인접대지경계선 간의 거리가 1.5미터 이내인 경우 해당 창호는 방화유리창[한국산업표준 KS F 2845(유리구획 부분의 내화 시험방법)에 규정된 방법에 따라 시험한 결과 비차열 20분 이상의 성능이 있는 것으로 한정한다]으로 설치해야 한다. 다만, 스프링클러 또는 간이 스프링클러의 헤드가 창호로부터 60센티미터 이내에 설치되어 건축물 내부가 화재로부터 방호되는 경우에는 방화유리창으로 설치하지 않을 수 있다. <신설 2021.7.5., 2021.9.3., 2022.2.10>
[제목개정 2021.7.5.]

■ 화재 위험이 적은 공장과 인접한 건축물의 마감재료(피난·방화 규칙 제24조의2)

피난규칙 제24조의2【화재 위험이 적은 공장과 인접한 건축물의 마감재료】
① 영 제61조제2항제1호나목에서 "국토교통부령으로 정하는 화재위험이 적은 공장"이란 별표 3의 업종에 해당하는 공장을 말한다. 다만, 공장의 일부 또는 전체를 기숙사 및 구내식당의 용도로 사용하는 건축물을 제외한다. <개정 2021.9.3.>
②, ③ 삭제 <2021.9.3.>

해설 화재발생시 불의 확산을 방지하는 것이 화재초기에 매우 중요하다.
따라서 많은 사람들이 이용하는 일정규모 이상의 건축물에 있어서는 연소방지 및 화재진전을 억제하기 위하여 내부마감재료를 불연·준불연·난연재료 등 불에 타지 않는 성능의 재료를 사용하게 하였고, 피난로, 지하층의 거실 및 문화 및 집회시설 등에 있어서는 제한규정을 강화하여 불연·준불연재료만을 사용하게 하였다.
또한, 화재 발생시 그 피해가 막대할 것으로 예상되는 상업지역의 문화 및 집회시설 등 건축물과 공장 및 6층 이상의 건축물 등의 경우 외벽으로의 화재 확산을 방지를 위해 외벽 마감재료를 불연·준불연재료만을 사용하도록 규제하였다.

1 용도별 건축물의 내부 마감재료의 제한(법 제52조제1항)

다음 용도 및 규모의 건축물의 벽, 반자, 지붕(반자가 없는 경우) 등 내부의 마감재료(복합자재의 경우 심재 포함)[1]는 방화에 지장이 없는 재료로 하되, 실내공기질 유지기준 및 권고기준 【참고1,2】을 고려하고 관계 중앙행정기관의 장과 협의하여 국토교통부령으로 정하는 기준에 따라야 함.

예외1 주요구조부가 내화구조 또는 불연재료로 된 건축물로서 그 거실의 바닥면적[2] 200㎡이내마다 방화구획되어 있는 건축물(7호 건축물은 제외)

예외2 벽 및 반자의 실내에 접하는 부분 중 반자돌림대・창대 기타 이와 유사한 것은 마감재료 규정 적용을 제외함

	건축물의 용도	해당 용도의 거실의 바닥면적[2]의 합계	적용구분 (벽 및 반자의 실내측 부분)	내부 마감재료		
				불연	준불연	난연
1	① 다중주택・다가구주택(단독주택 중) ② 공동주택[3]	면적에 관계없이 적용	거실	○	○	○
			통로 등[4] (복도, 계단)	○	○	×
2	(제2종 근린생활시설 중) 공연장·종교집회장·인터넷컴퓨터게임시설제공업소·학원·독서실·당구장·다중생활시설	면적에 관계없이 적용	거실	○	○	○
			통로	○	○	×
3	① 발전시설 ② 방송국·촬영소(방송통신시설 중)	면적에 관계없이 적용	거실	○	○	○
			통로	○	○	×
4	① 공장 ② 창고시설 ③ 자동차 관련 시설 ④ 위험물 저장 및 처리 시설(자가 난방, 자가발전 등의 용도로 쓰는 시설 포함)	면적에 관계없이 적용	거실[5]	○	○	○
			통로	○	○	×
5	5층 이상의 건축물	500㎡이상	거실	○	○	○
			통로	○	○	×
6	① 문화 및 집회시설 ② 종교시설 ③ 판매시설 ④ 운수시설 ⑤ 의료시설 ⑥ 교육연구시설 중 학교·학원 ⑦ 노유자시설 ⑧ 수련시설 ⑨ 업무시설 중 오피스텔 ⑩ 숙박시설 ⑪ 위락시설 ⑫ 장례시설	면적에 관계없이 적용	거실	○	○	×
			통로	○	○	×
7	다중이용업의 용도로 쓰는 건축물(「다중이용업소의 안전관리에 관한 특별법 시행령」 제2조) **관계법1**	면적에 관계없이 적용	거실	○	○	○
			통로	○	○	×
8	1~7의 용도에 쓰이는 거실 등을 지하층 또는 지하의 공작물에 설치하는 경우 그 거실(출입문 및 문틀 포함)	면적에 관계없이 적용	거실	○	○	×
			통로	○	○	×

1) 내부 마감재료 : 건축물 내부의 천장・반자・벽(경계벽 포함)・기둥 등에 부착되는 마감재료
다만,「다중이용업소의 안전관리에 관한 특별법 시행령」 제3조에 따른 실내장식물을 제외 **관계법1**
2) 거실 바닥면적산정시 스프링클러 등 자동식 소화설비를 설치한 부분의 바닥면적은 제외함
3) 공동주택에는「실내공기질관리법」 **관계법2** 에 따라 환경부장관이 고시한 오염물질방출 건축자재 사용 금지
4) 통로 등: ・거실에서 지상으로 통하는 주된 복도・계단, 그 밖의 벽 및 반자의 실내에 접하는 부분
・강판과 심재(心材)로 이루어진 복합자재를 마감재료로 사용하는 부분
5) 4호의 거실의 실내에 접하는 부분의 마감재료에 단열재를 포함
※ 4호 건축물에서 단열재를 불연, 준불연, 난연재료의 사용이 곤란하여 지방건축위원회의 심의를 거친 경우 다른 재료로 사용할 수 있다.

【참고1】 실내공기질 유지기준 및 권고기준(실내공기질 관리법 시행규칙 별표2, 3)

[별표 2] 실내공기질 유지기준(제3조 관련) <개정 2020.4.3>

오염물질 항목 / 다중이용시설	미세먼지 (PM-10) (μg/m³)	미세먼지 (PM-2.5) (μg/m³)	이산화탄소 (ppm)	폼알데하이드 (μg/m³)	총부유세균 (CFU/m³)	일산화탄소 (ppm)
가. 지하역사, 지하도상가, 철도역사의 대합실, 여객자동차터미널의 대합실, 항만시설 중 대합실, 공항시설 중 여객터미널, 도서관·박물관 및 미술관, 대규모 점포, 장례식장, 영화상영관, 학원, 전시시설, 인터넷컴퓨터게임시설제공업의 영업시설, 목욕장업의 영업시설	100 이하	50 이하	1,000 이하	100 이하	-	10 이하
나. 의료기관, 산후조리원, 노인요양시설, 어린이집, 실내 어린이놀이시설	75 이하	35 이하		80 이하	800 이하	
다. 실내주차장	200 이하	-		100 이하	-	25 이하
라. 실내 체육시설, 실내 공연장, 업무시설, 둘 이상의 용도에 사용되는 건축물	200 이하	-	-	-	-	-

비고:
1. 도서관, 영화상영관, 학원, 인터넷컴퓨터게임시설제공업 영업시설 중 자연환기가 불가능하여 자연환기설비 또는 기계환기설비를 이용하는 경우에는 이산화탄소의 기준을 1,500ppm 이하로 한다.
2. 실내 체육시설, 실내 공연장, 업무시설 또는 둘 이상의 용도에 사용되는 건축물로서 실내 미세먼지(PM-10)의 농도가) 200μg/m³에 근접하여 기준을 초과할 우려가 있는 경우에는 실내공기질의 유지를 위하여 다음 각 목의 실내공기정화시설(덕트) 및 설비를 교체 또는 청소하여야 한다.
   가. 공기정화기와 이에 연결된 급·배기관(급·배기구를 포함한다)
   나. 중앙집중식 냉·난방시설의 급·배기구
   다. 실내공기의 단순배기관
   라. 화장실용 배기관
   마. 조리용 배기관

[별표 3] 실내공기질 권고기준(제4조 관련) <개정 2020.4.3.>

오염물질 항목 / 다중이용시설	이산화질소 (ppm)	라돈 (Bq/m³)	총휘발성유기화합물 (μg/m³)	곰팡이 (CFU/m³)
가. 지하역사, 지하도상가, 철도역사의 대합실, 여객자동차터미널의 대합실, 항만시설 중 대합실, 공항시설 중 여객터미널, 도서관·박물관 및 미술관, 대규모점포, 장례식장, 영화상영관, 학원, 전시시설, 인터넷컴퓨터게임시설제공업의 영업시설, 목욕장업의 영업시설	0.1 이하	148 이하	500 이하	-
나. 의료기관, 산후조리원, 노인요양시설, 어린이집, 실내 어린이놀이시설	0.05 이하		400 이하	500 이하
다. 실내주차장	0.30 이하		1,000 이하	-

【참고2】 소규모 공장용도 건축물의 내부마감재료(적용제외의 경우)

구 분	내 용
1. 화재위험이 적은 공장 용도로 사용	피난·방화규칙 별표 3의 용도[1](공장의 일부 또는 전체를 기숙사 및 구내식당의 용도로 사용하는 건축물은 제외)
2. 화재시 대피가능한 출구를 갖출 것	건축물 내부의 각 부분으로부터 가장 가까운 거리에 있는 출구 기준 －보행거리 30m 이내 －유효너비 1.5m 이상
3. 복합자재[2]를 내부마감재료로 사용하는 경우 품질기준[3]에 적합할 것	2) 복합자재의 기준 －불연성인 재료와 불연성이 아닌 재료가 복합된 자재로서 －외부의 양면(철판, 알루미늄, 콘크리트박판 등의 재료로 이루어진 것)과 심재(心材)로 구성된 것 3) 품질기준: 한국산업표준에서 정하는 다음의 요건을 갖춘 것 ① 강판 : ㉠ 두께:0.5㎜ 이상(도금 이후 도장 전 두께) ㉡ 앞면 도장 횟수 : 2회 이상 ㉢ 도금 부착량 : 종류별 다음 기준에 적합할 것 ▪ 용융 아연 도금 강판: 180g/㎡ 이상일 것 ▪ 용융 아연 알루미늄 마그네슘 합금 도금 강판: 90g/㎡ 이상일 것 ▪ 용융 55% 알루미늄 아연 마그네슘 합금 도금 강판: 90g/㎡ 이상일 것 ▪ 용융 55% 알루미늄 아연 합금 도금 강판: 90g/㎡ 이상일 것 ▪ 그 밖의 도금: 국토교통부장관이 정하여 고시하는 기준에 적합할 것 ② 심재 : ㉠ 발포 폴리스티렌 단열재로서 비드보온판 4호 이상인 것 ㉡ 경질 폴리우레탄 폼 단열재로서 보온판 2종2호 이상인 것 ㉢ 밖의 심재는 불연재료·준불연재료 또는 난연재료인 것

관계법1 다중이용업, 실내장식물(「다중이용업소의 안전관리에 관한 특별법 시행령」 제2조, 제3조)

영 제2조【다중이용업】 「다중이용업소의 안전관리에 관한 특별법」(이하 "법"이라 한다) 제2조제1항제1호에서 "대통령령으로 정하는 영업"이란 다음 각 호의 영업을 말한다. 다만, 영업을 옥외 시설 또는 옥외 장소에서 하는 경우 그 영업은 제외한다. <개정 2021.3.2., 2021.12.30., 2022.3.15., 2022.11.29.>

1. 「식품위생법 시행령」 제21조제8호에 따른 식품접객업 중 다음 각 목의 어느 하나에 해당하는 것
  가. 휴게음식점영업 · 제과점영업 또는 일반음식점영업으로서 영업장으로 사용하는 바닥면적(「건축법 시행령」 제119조제1항제3호에 따라 산정한 면적을 말한다. 이하 같다)의 합계가 100제곱미터(영업장이 지하층에 설치된 경우에는 그 영업장의 바닥면적 합계가 66제곱미터) 이상인 것. 다만, 영업장(내부계단으로 연결된 복층구조의 영업장을 제외한다)이 다음의 어느 하나에 해당하는 층에 설치되고 그 영업장의 주된 출입구가 건축물 외부의 지면과 직접 연결되는 곳에서 하는 영업을 제외한다.
    1) 지상 1층
    2) 지상과 직접 접하는 층
  나. 단란주점영업과 유흥주점영업

1의2. 「식품위생법 시행령」 제21조제9호에 따른 공유주방 운영업 중 휴게음식점영업 · 제과점영업 또는 일반음식점영업에 사용되는 공유주방을 운영하는 영업으로서 영업장 바닥면적의 합계가 100제곱미터(영업장이 지하층에 설치된 경우에는 그 바닥면적 합계가 66제곱미터) 이상인 것. 다만, 영업장(내부계단으로 연결된 복층구조의 영업장은 제외한다)이 다음 각 목의 어느 하나에 해당하는 층에 설치되고 그 영업장의 주된 출입구가 건축물 외부의 지면과 직접 연결되는 곳에서 하는 영업은 제외한다. <신설 2021.12.30>
  가.지상 1층
  나. 지상과 직접 접하는 층

2. 「영화 및 비디오물의 진흥에 관한 법률」 제2조제10호, 같은 조 제16호가목 · 나목 및 라목에 따른 영화상영관 · 비디오물감상실업 · 비디오물소극장업 및 복합영상물제공업

건 축 법
1. 총 칙
2. 건 축
3. 유지관리
4. 대지도로
5. 구조재료
6. 지역지구
7. 건축설비
8. 특별건축구역
9. 보 칙
10. 벌 칙
건 축 법 관련기준

3. 「학원의 설립·운영 및 과외교습에 관한 법률」 제2조제1호에 따른 학원(이하 "학원"이라 한다)으로서 다음 각 목의 어느 하나에 해당하는 것
가.「소방시설 설치 및 관리에 관한 법률 시행령」 별표 4에 따라 산정된 수용인원(이하 "수용인원"이라 한다)이 300명 이상인 것
나. 수용인원 100명 이상 300명 미만으로서 다음의 어느 하나에 해당하는 것. 다만, 학원으로 사용하는 부분과 다른 용도로 사용하는 부분(학원의 운영권자를 달리하는 학원과 학원을 포함한다)이 「건축법 시행령」 제46조에 따른 방화구획으로 나누어진 경우는 제외한다.
(1) 하나의 건축물에 학원과 기숙사가 함께 있는 학원
(2) 하나의 건축물에 학원이 둘 이상 있는 경우로서 학원의 수용인원이 300명 이상인 학원
(3) 하나의 건축물에 제1호, 제2호, 제4호부터 제7호까지, 제7호의2부터 제7호의5까지 및 제8호의 다중이용업 중 어느 하나 이상의 다중이용업과 학원이 함께 있는 경우
4. 목욕장업으로서 다음 각 목에 해당하는 것
가. 하나의 영업장에서 「공중위생관리법」 제2조제1항제3호가목에 따른 목욕장업 중 맥반석·황토·옥 등을 직접 또는 간접 가열하여 발생하는 열기나 원적외선 등을 이용하여 땀을 배출하게 할 수 있는 시설 및 설비를 갖춘 것으로서 수용인원(물로 목욕을 할 수 있는 시설부분의 수용인원은 제외한다)이 100명 이상인 것
나.「공중위생관리법」 제2조제1항제3호나목의 시설 및 설비를 갖춘 목욕장업
5.「게임산업진흥에 관한 법률」 제2조제6호·제6호의2·제7호 및 제8호의 게임제공업·인터넷컴퓨터게임시설제공업 및 복합유통게임제공업. 다만, 게임제공업 및 인터넷컴퓨터게임시설제공업의 경우에는 영업장(내부계단으로 연결된 복층구조의 영업장은 제외한다)이 다음 각 목의 어느 하나에 해당하는 층에 설치되고 그 영업장의 주된 출입구가 건축물 외부의 지면과 직접 연결된 구조에 해당하는 경우는 제외한다.
1) 지상 1층
2) 지상과 직접 접하는 층
6.「음악산업진흥에 관한 법률」 제2조제13호에 따른 노래연습장업
7.「모자보건법」 제2조제10호에 따른 산후조리업
7의2. 고시원업[구획된 실(室) 안에 학습자가 공부할 수 있는 시설을 갖추고 숙박 또는 숙식을 제공하는 형태의 영업]
7의3.「사격 및 사격장 안전관리에 관한 법률 시행령」 제2조제1항 및 별표 1에 따른 권총사격장(실내사격장에 한정하며, 같은 조 제1항에 따른 종합사격장에 설치된 경우를 포함한다)
7의4.「체육시설의 설치·이용에 관한 법률」 제10조제1항제2호에 따른 가상체험 체육시설업(실내에 1개 이상의 별도의 구획된 실을 만들어 골프 종목의 운동이 가능한 시설을 경영하는 영업으로 한정한다)
7의5. 「의료법」 제82조제4항에 따른 안마시술소
8. 법 제15조제2항에 따른 화재위험평가결과 위험유발지수가 제11조제1항에 해당하거나 화재발생시 인명피해가 발생할 우려가 높은 불특정다수인이 출입하는 영업으로서 행정안전부령으로 정하는 영업. 이 경우 소방청장은 관계 중앙행정기관의 장과 미리 협의하여야 한다.

영 **제3조【실내장식물】** 법 제2조제1항제3호에서 "대통령령으로 정하는 것"이란 건축물 내부의 천장이나 벽에 붙이는(설치하는) 것으로서 다음 각 호의 어느 하나에 해당하는 것을 말한다. 다만, 가구류(옷장, 찬장, 식탁, 식탁용 의자, 사무용 책상, 사무용 의자 및 계산대, 그 밖에 이와 비슷한 것을 말한다)와 너비 10센티미터 이하인 반자돌림대 등과 「건축법」 제52조에 따른 내부마감재료는 제외한다. <개정 2018.7.10.>
1. 종이류(두께 2밀리미터 이상인 것을 말한다)·합성수지류 또는 섬유류를 주원료로 한 물품
2. 합판이나 목재
3. 공간을 구획하기 위하여 설치하는 간이 칸막이(접이식 등 이동 가능한 벽체나 천장 또는 반자가 실내에 접하는 부분까지 구획하지 아니하는 벽체를 말한다)

4. 흡음(吸音)이나 방음(防音)을 위하여 설치하는 흡음재(흡음용 커튼을 포함한다) 또는 방음재(방음용 커튼을 포함한다)

관계법2 오염물질(「실내공기질 관리법」)

법 제11조【오염물질 방출 건축자재의 사용제한 등】① 다중이용시설 또는 공동주택(「주택법」 제2조제16호의2에 따른 건강친화형 주택은 제외한다. 이하 이 조에서 같다)을 설치(기존 시설 또는 주택의 개수 및 보수를 포함한다. 이하 이 조에서 같다)하는 자는 환경부장관이 관계 중앙행정기관의 장과 협의하여 환경부령으로 정하는 기준을 초과하여 오염물질을 방출하는 다음 각 호의 어느 하나에 해당하는 건축자재를 사용해서는 아니 된다.
1. 접착제
2. 페인트
3. 실란트(sealant)
4. 퍼티(putty)
5. 벽지
6. 바닥재
7. 그 밖에 건축물 내부에 사용되는 건축자재로서 목질판상(木質板狀)제품 등 환경부령으로 정하는 것

② 제1항 각 호의 건축자재를 제조하거나 수입하는 자는 그 건축자재가 제1항에 따른 기준을 초과하여 오염물질을 방출하는지 여부를 제11조의2에 따른 시험기관에서 확인받은 후 다중이용시설 또는 공동주택을 설치하는 자에게 공급하여야 한다. 다만, 다른 법령에 따라 이 법에 준하는 확인을 받은 경우 등 대통령령으로 정하는 경우에는 본문에 따른 확인을 받지 아니하고 건축자재를 공급할 수 있다. <개정 2018.4.17.>

③~⑥ "생략"

규칙 제10조【건축자재의 오염물질 방출 기준 등】① 법 제11조제1항 각 호 외의 부분에 따른 건축자재의 오염물질 방출 기준(이하 "방출기준"이라 한다)은 별표 5와 같다. <개정 2017.12.27.>

② 법 제11조제1항제7호 중 "목질판상(木質板狀)제품 등 환경부령으로 정하는 것"이란 합판, 파티클보드(Particle Board) 또는 섬유판(纖維板)을 가공하여 만든 제품을 말한다. 다만, 법 제11조제1항제6호에 따른 바닥재 및 「전기용품 및 생활용품 안전관리법 시행규칙」 별표 5 제2호나목1)에 따른 가구는 제외한다. <신설 2017.12.27>

[별표 5] 건축자재의 오염물질 방출 기준(제10조 관련) <개정 2017.12.27.>

구 분 \ 오염물질 종류		폼알데하이드	톨루엔	총휘발성유기화합물
1. 접착제		0.02 이하	0.08 이하	2.0 이하
2. 페인트		0.02 이하	0.08 이하	2.5 이하
3. 실란트		0.02 이하	0.08 이하	1.5 이하
4. 퍼티		0.02 이하	0.08 이하	20.0 이하
5. 벽지		0.02 이하	0.08 이하	4.0 이하
6. 바닥재		0.02 이하	0.08 이하	4.0 이하
7. 목질판상제품	1) 2021년 12월 31까지 적용	0.12 이하	0.08 이하	0.8 이하
	2) 2022년 1월 1일부터 적용	0.05 이하	0.08 이하	0.4 이하

비고 : 위 표에서 오염물질의 종류별 측정단위는 mg/m²·h를 적용한다.
다만, 실란트의 측정단위는 mg/m·h로 한다.

2 건축물의 외벽 마감재료의 제한(법 제52조제2항)

【1】 방화에 지장없는 재료의 사용

다음 건축물의 외벽에 사용하는 마감재료(두 가지 이상의 재료로 제작된 자재의 경우 각 재료를 포함)는 방화에 지장이 없는 재료로 하여야 한다.

<table>
<tr><th colspan="2">(1) 대상 건축물의 종류 등</th><th>(2) 외벽 마감재료</th><th>(3) 5층 이하이면서 22m 미만 건축물</th></tr>
<tr><td rowspan="2">1. 상업지역(근린상업지역 제외)의 건축물</td><td>• 제1종 근린생활시설, 제2종 근린생활시설, 문화 및 집회시설, 종교시설, 판매시설, 의료시설, 교육연구시설, 노유자시설, 운동시설 및 위락시설로 쓰는 바닥면적의 합계 2,000㎡ 이상인 건축물</td><td rowspan="4">① 불연재료 또는 준불연재료를 마감재료[2] 로 사용
② 화재 확산 방지구조 기준【참고2】에 적합하게 마감재료를 설치하면 난연재료[3] 허용</td><td rowspan="2">① 난연재료[3] 허용
② 화재확산방지구조에 적합한 경우 난연성능 없는 재료[3]도 허용</td></tr>
<tr><td>• 공장(화재 위험이 적은 공장[1] 제외)에서 6m 이내에 위치한 건축물</td></tr>
<tr><td colspan="2">2. 의료시설, 교육연구시설, 노유자시설, 수련시설의 용도로 쓰는 건축물</td><td>–</td></tr>
<tr><td colspan="2">3. 3층 이상 또는 높이 9m 이상인 건축물</td><td>위 ①, ②와 같음</td></tr>
<tr><td colspan="2">4. 1층의 전부 또는 일부를 필로티 구조로 설치하여 주차장으로 쓰는 건축물의 외벽* 중 1층과 2층 부분
* 필로티 구조의 외기에 면하는 천장 및 벽체 포함</td><td>① 불연재료 또는 준불연재료
② 난연성능 시험[3] 결과 ①에 해당하는 경우 난연재료를 단열재로 사용 가능</td><td>–</td></tr>
<tr><td colspan="2">5. 앞 1의 표 4.에 해당하는 건축물
① 공장 ② 창고시설 ③ 자동차 관련 시설 ④ 위험물 저장 및 처리 시설(자가 난방, 자가발전 등의 용도로 쓰는 시설 포함)</td><td></td><td>위 ①, ②와 같음</td></tr>
</table>

1) 화재위험이 적은 공장 : 피난·방화규칙 별표3【참고1】의 업종에 해당하는 공장(공장의 일부 또는 전체를 기숙사 및 구내식당으로 사용하는 건축물은 제외)
2) 단열재, 도장 등 코팅재료 및 그 밖에 마감재료를 구성하는 모든 재료를 포함
3) 강판과 심재로 이루어진 복합자재가 아닌 것으로 한정

※ [1] 강판과 심재로 이루어진 복합자재의 마감재료 요건

<table>
<tr><th colspan="3">■ 다음 요건을 모두 갖출 것</th></tr>
<tr><td colspan="3">1. 강판과 심재 전체를 하나로 보아 실물모형시험[*1]을 한 결과가 기준[*2]을 충족할 것</td></tr>
<tr><td rowspan="7">2. 강판: 우측 모든 기준 충족</td><td colspan="2">가. 두께[도금 이후 도장(塗裝) 전 두께]: 0.5㎜ 이상</td></tr>
<tr><td colspan="2">나. 앞면 도장 횟수: 2회 이상</td></tr>
<tr><td rowspan="5">다. 도금의 부착량: 도금의 종류에 따라 우측란의 어느 하나에 해당할 것. 이 경우 도금의 종류는 한국산업표준에 따름</td><td>1) 용융 아연 도금 강판: 180g/m² 이상</td></tr>
<tr><td>2) 용융 아연 알루미늄 마그네슘 합금 도금 강판: 90g/m² 이상</td></tr>
<tr><td>3) 용융 55% 알루미늄 아연 마그네슘 합금 도금 강판: 90g/m² 이상</td></tr>
<tr><td>4) 용융 55% 알루미늄 아연 합금 도금 강판: 90g/m² 이상</td></tr>
<tr><td>5) 그 밖의 도금: 국토교통부장관이 정하여 고시하는 기준[*2] 이상</td></tr>
<tr><td rowspan="2">3. 심재: 강판을 제거한 심재가 우측 어느 하나에 해당할 것</td><td colspan="2">가. 한국산업표준에 따른 그라스울 보온판 또는 미네랄울 보온판으로서 기준[*2]에 적합한 것</td></tr>
<tr><td colspan="2">나. 불연재료 또는 준불연재료인 것</td></tr>
</table>

※ [2] 2 이상의 재료로 제작된 마감재료 요건[위 표의 (2), (3)]

■ 다음 요건을 모두 갖출 것

1. 마감재료를 구성하는 재료 전체를 하나로 보아 실물모형시험*1을 한 결과가 기준*2을 충족할 것
2. 마감재료를 구성하는 각각의 재료에 대하여 난연성능을 시험한 결과가 기준*2을 충족할 것

예외 불연재료 사이에 다른 재료(두께 5㎜ 이하만 해당)를 부착하여 제작한 재료의 경우 전체를 하나의 재료로 보고 난연성능을 시험할 수 있으며, 불연재료에 0.1㎜ 이하의 두께로 도장을 한 재료의 경우 불연재료의 성능기준을 충족한 것으로 보고 난연성능 시험의 생략 가능

위 ※ [1], [2]에서

*1 실물모형시험 : 실제 시공될 건축물의 구조와 유사한 모형으로 시험하는 것

*2 기준 : 건축자재등 품질인정 및 관리기준(국토교통부고시 제2023-24호, 2023.1.9)

【참고1】 화재위험이 적은 공장의 업종(피난·방화규칙 별표3)

분류번호	업 종	분류번호	업 종
10121	가금류 가공 및 저장처리업	23329	그외 기타 콘크리트 제품 및 유사제품 제조업
10129	기타 육류 가공 및 저장처리업	23911	건설용 석제품 제조업
10211	수산동물 훈제, 조리 및 유사 조제식품 제조업	23919	기타 석제품 제조업
10212	수산동물 건조 및 염장품 제조업	24112	제강업
10213	수산동물 냉동품 제조업	24113	합금철 제조업
10219	기타 수산동물 가공 및 저장처리업	24119	기타 제철 및 제강업
10220	수산식물 가공 및 저장처리업	24211	동 제련, 정련 및 합금 제조업
10301	과실 및 채소 절임식품 제조업	24212	알루미늄 제련, 정련 및 합금 제조업
10309	기타 과일·채소 가공 및 저장처리업	24213	연 및 아연 제련, 정련 및 합금 제조업
10743	장류 제조업	24219	기타 비철금속 제련, 정련 및 합금 제조업
11201	얼음 제조업	24311	선철주물 주조업
11202	생수 생산업	24312	강주물 주조업
11209	기타 비알콜음료 제조업	24111	제철업
23110	판유리 제조업	24321	알루미늄주물 주조업
23122	판유리 가공품 제조업	24322	동주물 주조업
23192	포장용 유리용기 제조업	24329	기타 비철금속 주조업
23221	구조용 정형내화제품 제조업	25112	구조용 금속판제품 및 금속공작물 제조업
23229	기타 내화요업제품 제조업	25113	금속 조립구조재 제조업
23231	점토 벽돌, 블록 및 유사 비내화 요업제품 제조업	25119	기타 구조용 금속제품 제조업
23232	타일 및 유사 비내화 요업제품 제조업	28421	운송장비용 조명장치 제조업
23239	기타 구조용 비내화 요업제품 제조업	29172	공기조화장치 제조업
23311	시멘트 제조업	30310	자동차 엔진용 부품 제조업
23312	석회 및 플라스터 제조업	30320	자동차 차체용 부품 제조업
23323	플라스터 제품 제조업	30391	자동차용 동력전달 장치 제조업
23325	콘크리트 타일, 기와, 벽돌 및 블록 제조업	30392	자동차용 전기장치 제조업
23326	콘크리트관 및 기타 구조용 콘크리트제품 제조업		

비고 분류번호는 「통계법」 제17조에 따라 통계청장이 고시하는 한국표준산업분류에 따른 분류번호를 말한다.

【참고2】 화재 확산 방지구조[건축자재등 품질인정 및 관리 기준(국토교통부고시 제2023-24호, 2023.1.9)]

제31조【화재 확산 방지구조】 ① 규칙 제24조제6항에서 "국토교통부장관이 정하여 고시하는 화재 확산 방지구조"는 수직 화재확산 방지를 위하여 외벽마감재와 외벽마감재 지지구조 사이의 공간(별표 9에서 "화재확산방지재료" 부분)을 다음 각 호 중 하나에 해당하는 재료로 매 층마다 최소 높이 400㎜ 이상 밀실하게 채운 것을 말한다.

1. 한국산업표준 KS F 3504(석고 보드 제품)에서 정하는 12.5㎜ 이상의 방화 석고 보드
2. 한국산업표준 KS L 5509(석고 시멘트판)에서 정하는 석고 시멘트판 6㎜ 이상인 것 또는 KS L 5114(섬유강화 시멘트판)에서 정하는 6㎜ 이상의 평형 시멘트판인 것
3. 한국산업표준 KS L 9102(인조 광물섬유 단열재)에서 정하는 미네랄울 보온판 2호 이상인 것
4. 한국산업표준 KS F 2257-8(건축 부재의 내화 시험 방법-수직 비내력 구획 부재의 성능 조건)에 따라 내화성능 시험한 결과 15분의 차염성능 및 이면온도가 120K 이상 상승하지 않는 재료

② 제1항에도 불구하고 영 제61조제2항제1호 및 제3호에 해당하는 건축물로서 5층 이하이면서 높이 22미터 미만인 건축물의 경우에는 화재확산방지구조를 매 두 개 층마다 설치할 수 있다.

[별표9] 화재 확산 방지구조의 예 [제31조 관련]

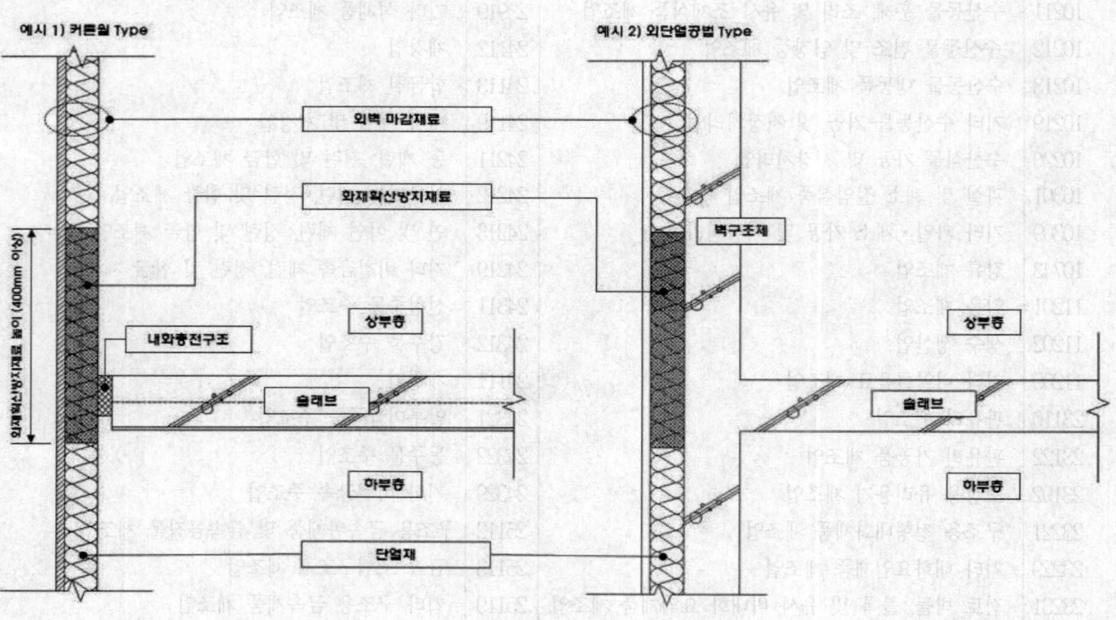

【2】 용도변경시의 예외 적용

건축물대장 기재내용 변경신청없이 용도변경이 가능한 대상(「건축법 시행령」 별표1의 같은 호 내에서의 용도변경) 중 예외적으로 용도변경시 기재내용 변경을 신청해야 하는 대상(아래 표)의 경우로서 스프링클러 또는 간이 스크링클러의 헤드가 창문등에서 60㎝ 이내에 설치되어 건축물 내부가 화재로부터 방호되는 경우 앞 【1】의 마감재료에 대한 규정을 적용하지 않을 수 있다.

별표1의 호	목	세부용도
3. 제1종 근린생활시설	다.	목욕장
	라.	의원, 치과의원, 한의원, 침술원, 접골원(接骨院), 조산원, 안마원, 산후조리원 등 주민의 진료·치료 등을 위한 시설
4. 제2종 근린생활시설	가.	공연장(극장, 영화관, 연예장, 음악당, 서커스장, 비디오물감상실, 비디오물소극장 등)으로서 바닥면적의 합계가 500m² 미만인 것
	사.	소년게임제공업소, 복합유통게임제공업소, 인터넷컴퓨터게임시설제공업소 등 게임 관련 시설로서 바닥면적의 합계가 500m² 미만인 것
	카.	학원(자동차학원·무도학원 및 정보통신기술을 활용하여 원격으로 교습하는 것 제외), 교습소(자동차교습·무도교습 및 정보통신기술을 활용하여 원격으로 교습하는 것 제외), 직업훈련소(운전·정비 관련 직업훈련소는 제외)로서 바닥면적의 합계가 500m² 미만인 것
	파.	골프연습장, 놀이형시설
	더.	단란주점으로서 바닥면적의 합계가 150m² 미만인 것
	러.	안마시술소, 노래연습장
7. 판매시설	다.2)	청소년게임제공업의 시설, 일반게임제공업의 시설, 인터넷컴퓨터게임시설제공업의 시설 및 복합유통게임제공업의 시설로서 제2종 근린생활시설에 해당하지 않는 것
16. 위락시설	가.	단란주점으로서 제2종 근린생활시설에 해당하지 않는 것
	나.	유흥주점이나 그 밖에 이와 비슷한 것

3 욕실 등 바닥 마감재료의 제한(법 제52조제3항)

욕실, 화장실, 목욕장 등의 바닥 마감재료는 미끄럼을 방지할 수 있도록 국토교통부 기준에 적합하여야 한다.

4 외벽 창호의 기준(법 제52조제4항)

다음 용도 및 규모에 해당하는 건축물 외벽에 설치되는 창호(窓戶)는 방화에 지장이 없도록 인접 대지와의 이격거리를 고려하여 방화성능 등이 국토교통부령으로 정하는 기준에 적합하여야 한다.

대상		기준
1. 상업지역(근린상업지역 제외)의 건축물	• 제1종 근린생활시설, 제2종 근린생활시설, 문화 및 집회시설, 종교시설, 판매시설, 의료시설, 교육연구시설, 노유자시설, 운동시설 및 위락시설로 쓰는 바닥면적의 합계 2,000m² 이상인 건축물	■ 인접대지경계선에 접하는 외벽에 설치하는 창호(窓戶)와 인접대지경계선 간의 거리가 1.5m 이내인 경우 해당 창호는 방화유리창*으로 설치해야 한다. 예외 스프링클러 또는 간이 스프링클러의 헤드가 창호로부터 60㎝ 이내에 설치되어 건축물 내부가 화재로부터 방호되는 경우
	• 공장(화재 위험이 적은 공장 제외)에서 6m 이내에 위치한 건축물	
2. 의료시설, 교육연구시설, 노유자시설, 수련시설의 용도로 쓰는 건축물		
3. 3층 이상 또는 높이 9m 이상인 건축물		
4. 1층의 전부 또는 일부를 필로티 구조로 설치하여 주차장으로 쓰는 건축물		
5. 다음 용도의 건축물 ① 공장 ② 창고시설 ③ 자동차 관련 시설 ④ 위험물 저장 및 처리 시설(자가 난방, 자가발전 등의 용도로 쓰는 시설 포함)		

* 한국산업표준 KS F 2845(유리구획 부분의 내화 시험방법)에 규정된 방법에 따라 시험한 결과 비차열 20분 이상의 성능이 있는 것

5 불연재료 · 준불연재료 · 난연재료 등

영 제2조【정의】

9. "난연재료(難燃材料)"란 불에 잘 타지 아니하는 성능을 가진 재료로서 국토교통부령으로 정하는 기준에 적합한 재료를 말한다.
10. "불연재료(不燃材料)"란 불에 타지 아니하는 성질을 가진 재료로서 국토교통부령으로 정하는 기준에 적합한 재료를 말한다.
11. "준불연재료"란 불연재료에 준하는 성질을 가진 재료로서 국토교통부령으로 정하는 기준에 적합한 재료를 말한다.

피난규칙 제2조【내수재료】

「건축법 시행령」(이하 "영"이라 한다) 제2조제6호에서 "국토교통부령으로 정하는 재료"란 벽돌 · 자연석 · 인조석 · 콘크리트 · 아스팔트 · 도자기질재료 · 유리 및 그 밖에 이와 비슷한 내수성 건축재료를 말한다. <개정 2019.8.6.>

피난규칙 제5조【난연재료】

영 제2조제1항제9호에서 "국토교통부령으로 정하는 기준에 적합한 재료"란 「산업표준화법」에 따른 한국산업표준에 따라 시험한 결과 가스 유해성, 열방출량 등이 국토교통부장관이 정하여 고시하는 난연재료의 성능기준을 충족하는 것을 말한다. <개정 2019.8.6.>

피난규칙 제6조【불연재료】

영 제2조제1항제10호에서 "국토교통부령으로 정하는 기준에 적합한 재료"란 다음 각 호의 어느 하나에 해당하는 것을 말한다. <개정 2014.5.22., 2019.8.6>

1. 콘크리트 · 석재 · 벽돌 · 기와 · 철강 · 알루미늄 · 유리 · 시멘트모르타르 및 회. 이 경우 시멘트모르타르 또는 회 등 미장재료를 사용하는 경우에는 「건설기술관리법」 제34조제1항 제2호의 규정에 의하여 제정된 건축공사표준시방서에서 정한 두께 이상인 것에 한한다.
2. 「산업표준화법」에 따른 한국산업표준에서 정하는 바에 따라 시험한 결과 질량감소율 등이 국토교통부장관이 정하여 고시하는 불연재료의 성능기준을 충족하는 것
3. 그 밖에 제1호와 유사한 불연성의 재료로서 국토교통부장관이 인정하는 재료. 다만, 제1호의 재료와 불연성재료가 아닌 재료가 복합으로 구성된 경우를 제외한다.

피난규칙 제7조【준불연재료】

영 제2조제1항제11호에서 "국토교통부령으로 정하는 기준에 적합한 재료"란 「산업표준화법」에 따른 한국산업표준에 따라 시험한 결과 가스 유해성, 열방출량 등이 국토교통부장관이 정하여 고시하는 준불연재료의 성능기준을 충족하는 것을 말한다. <개정 2019.8.6>

해설 불연재료 등은 방화정도에 따라 불연 · 준불연 · 난연재료 등으로 나누어진다. 이러한 재료 등은 화재시 연소현상을 일으키지 않는 재료로서 화재의 초기단계 및 진전에 있어 건축물의 연소방지 및 화재진행을 억제하기 위해 건축물의 벽 및 반자의 실내측에 접하는 부분의 방화재료로서 사용하도록 하고 있다. 또한 욕실 등에 있어서는 내수재료로서 방수성능을 확보하도록 규정하고 있다.

구 분	정 의	한국산업표준에 따른 시험결과	기 타
1. 불연재료	콘크리트, 석재, 벽돌·기와, 철강, 알루미늄, 유리, 시멘트모르타르, 회 및 기타 이와 유사한 것	질량감소율 등이 국토교통부장관이 정하여 고시하는 불연재료의 성능기준을 충족하는 것	• 시멘트모르타르 또는 회 등의 미장재를 사용하는 경우 건축공사 표준시방서에서 정한 두께 이상인 경우에 한함 • 불연성재료가 아닌 재료가 복합으로 구성된 경우 제외
2. 준불연재료	불연재료에 준하는 성질을 가진 재료	가스 유해성, 열방출량 등이 국토교통부장관이 정하여 고시하는 준불연재료의 성능기준을 충족하는 것	—
3. 난연재료	불에 잘 타지 아니하는 성질을 가진 재료	가스 유해성, 열방출량 등이 국토교통부장관이 정하여 고시하는 난연재료의 성능기준을 충족하는 것	—
4. 내수재료	벽돌, 자연석, 인조석, 콘크리트, 아스팔트, 도자기질재료, 유리 기타 이와 유사한 내수성의 건축재료	—	—

6 실내건축(법 제52조의2)(영 제61조의2)(규칙 제26조의5)

법 제52조의2【실내건축】

① 대통령령으로 정하는 용도 및 규모에 해당하는 건축물의 실내건축은 방화에 지장이 없고 사용자의 안전에 문제가 없는 구조 및 재료로 시공하여야 한다.

② 실내건축의 구조 · 시공방법 등에 관한 기준은 국토교통부령으로 정한다.

③ 특별자치시장 · 특별자치도지사 또는 시장 · 군수 · 구청장은 제1항 및 제2항에 따라 실내건축이 적정하게 설치 및 시공되었는지를 검사하여야 한다. 이 경우 검사하는 대상 건축물과 주기(週期)는 건축조례로 정한다.

[본조신설 2014.5.28.]

영 제61조의2【실내건축】

법 제52조의2제1항에서 "대통령령으로 정하는 용도 및 규모에 해당하는 건축물"이란 다음 각 호의 어느 하나에 해당하는 건축물을 말한다. <개정 2020.4.21.>

1. 다중이용 건축물
2. 「건축물의 분양에 관한 법률」 제3조에 따른 건축물
3. 별표 1 제3호나목 및 같은 표 제4호아목에 따른 건축물(칸막이로 거실의 일부를 가로로 구획하거나 가로 및 세로로 구획하는 경우만 해당한다) <신설 2020.4.21.>

[본조신설 2014.11.28.]

규칙 제26조의5【실내건축의 구조·시공방법 등의 기준】

① 법 제52조의2제2항에 따른 실내건축의 구조 · 시공방법 등에 관한 기준은 다음 각 호의 구분에 따른 기준에 따른다. <개정 2015.1.29., 2020.10.28.>

1. 영 제61조의2제1호 및 제2호에 따른 건축물: 다음 각 목의 기준을 모두 충족할 것
   가. 실내에 설치하는 칸막이는 피난에 지장이 없고, 구조적으로 안전할 것
   나. 실내에 설치하는 벽, 천장, 바닥 및 반자틀(노출된 경우에 한정한다)은 방화에 지장이 없는 재료를 사용할 것
   다. 바닥 마감재료는 미끄럼을 방지할 수 있는 재료를 사용할 것
   라. 실내에 설치하는 난간, 창호 및 출입문은 방화에 지장이 없고, 구조적으로 안전할 것
   마. 실내에 설치하는 전기 · 가스 · 급수 · 배수 · 환기시설은 누수 · 누전 등 안전사고가 없는 재료를 사용하고, 구조적으로 안전할 것
   바. 실내의 돌출부 등에는 충돌, 끼임 등 안전사고를 방지할 수 있는 완충재료를 사용할 것
2. 영 제61조의2제3호에 따른 건축물: 다음 각 목의 기준을 모두 충족할 것
   가. 거실을 구획하는 칸막이는 주요구조부와 분리 · 해체 등이 쉬운 구조로 할 것
   나. 거실을 구획하는 칸막이는 피난에 지장이 없고, 구조적으로 안전할 것. 이 경우 「건축사법」에 따라 등록한 건축사 또는 「기술사법」에 따라 등록한 건축구조기술사의 구조안전에 관한 확인을 받아야 한다.
   다. 거실을 구획하는 칸막이의 마감재료는 방화에 지장이 없는 재료를 사용할 것
   라. 구획하는 부분에 추락, 누수, 누전, 끼임 등의 안전사고를 방지할 수 있는 안전조치를 할 것

② 제1항에 따른 실내건축의 구조 · 시공방법 등에 관한 세부 사항은 국토교통부장관이 정하여 고시한다.

[본조신설 2014.11.28.]

해설 다중이용 건축물 등 건축물의 내부 공간을 구획하거나 내장재 또는 장식물을 설치하는 경우 방화에 지장이 없고 사용자의 안전에 문제가 없는 구조 및 재료로 시공하도록 하는 실내건축에 대한 규정이 신설되었다.(2014.5.28.)

【1】 대상

① 다중이용 건축물

② 건축허가 대상 중 사용승인 전 분양하는 다음의 건축물(「건축물의 분양에 관한 법률」에 따른 건축물)

구 분	규 모
1. 분양하는 부분의 바닥면적이 3,000㎡ 이상인 건축물	
2. 오피스텔	▪ 30실 이상
3. 생활숙박시설	▪ 30실 이상 ▪ 생활숙박시설 영업장의 면적이 해당 건축물 연면적의 1/3 이상
3. 주택 외의 시설과 주택을 동일 건축물로 짓는 건축물	▪ 주택 외 용도의 바닥면적의 합계 3,000㎡ 이상
4. 임대 후 분양전환을 조건으로 임대하는 것 (분양전환 시 임차인에게 우선순위를 부여하는 것을 포함)	▪ 바닥면적의 합계가 3,000㎡ 이상

③ 칸막이를 구획하는 제1종 근린생활시설[1)] 과 제2종 근린생활시설[2)] 중 다음 용도의 건축물(칸막이로 거실의 일부를 가로로 구획하거나 가로 및 세로로 구획하는 경우만 해당)

▪ 휴게음식점, 제과점 등 음료·차(茶)·음식·빵·떡·과자 등을 조리하거나 제조하여 판매하는 시설

1) 바닥면적의 합계가 300㎡ 미만인 것

2) 바닥면적의 합계가 300㎡ 이상인 것

관계법 「건축물의 분양에 관한 법률」 제3조

법 제3조【적용 범위】① 이 법은 「건축법」 제11조에 따른 건축허가를 받아 건축하여야 하는 다음 각 호의 어느 하나에 해당하는 건축물로서 같은 법 제22조에 따른 사용승인서의 교부(이하 "사용승인"이라 한다) 전에 분양하는 건축물에 대하여 적용한다.

1. 분양하는 부분의 바닥면적(「건축법」 제84조에 따른 바닥면적을 말한다)의 합계가 3천제곱미터 이상인 건축물
2. 업무시설 등 대통령령으로 정하는 용도 및 규모의 건축물

② 제1항에도 불구하고 다음 각 호의 어느 하나에 해당하는 건축물에 대하여는 이 법을 적용하지 아니한다. <개정 2012.6.1.>

1. 「주택법」에 따른 주택 및 복리시설
2. 「산업집적활성화 및 공장설립에 관한 법률」에 따른 지식산업센터
3. 「관광진흥법」에 따른 관광숙박시설
4. 「노인복지법」에 따른 노인복지시설
5. 「공공기관의 운영에 관한 법률」에 따른 공공기관이 매입하는 업무용 건축물
6. 「지방공기업법」에 따른 지방공기업이 매입하는 업무용 건축물

③ 제2조제2호 단서 및 제2항에도 불구하고 제2조제2호 단서에 따라 분양에 해당하지 아니하는 방법으로 매입한 건축물과 제2항제5호 및 제6호에 해당하는 건축물의 전매 또는 전매 알선에 대하여는 제6조의3제3항 및 제10조제2항제5호를 적용한다. <신설 2012.6.1.>

> **영** 제2조【적용 범위】 「건축물의 분양에 관한 법률」(이하 "법"이라 한다) 제3조제1항제2호에서 "대통령령으로 정하는 용도 및 규모"란 분양하려는 부분의 용도 및 규모가 다음 각 호의 어느 하나에 해당하는 것을 말한다. <개정 2021.11.2.>
> 1. 「건축법 시행령」 별표 1 제14호나목2)에 따른 오피스텔(이하 "오피스텔"이라 한다)로서 30실(室) 이상인 것
> 2. 「건축법 시행령」 별표 1 제15호가목에 따른 생활숙박시설(이하 "생활숙박시설"이라 한다)로서 30실 이상이거나 생활숙박시설 영업장의 면적이 해당 건축물 연면적의 3분의 1 이상인 것
> 3. 주택 외의 시설과 주택을 동일 건축물로 짓는 건축물 중 주택 외의 용도로 쓰이는 바닥면적(「건축법 시행령」 제119조제1항제3호에 따라 산정(算定)한 바닥면적을 말한다. 이하 같다)의 합계가 3천제곱미터 이상인 것
> 4. 바닥면적의 합계가 3천제곱미터 이상으로서 임대 후 분양전환을 조건으로 임대하는 것(분양전환 시 임차인에게 우선순위를 부여하는 것을 포함한다)

【2】 실내건축의 구조·시공방법 등의 기준

(1) 위 【1】의 ①, ②의 건축물

▪ 다음 기준을 모두 충족할 것
1. 실내에 설치하는 칸막이는 피난에 지장이 없고, 구조적으로 안전할 것
2. 실내에 설치하는 벽, 천장, 바닥 및 반자틀(노출된 경우에 한정)은 방화에 지장이 없는 재료를 사용 할 것
3. 바닥 마감재료는 미끄럼을 방지할 수 있는 재료를 사용할 것
4. 실내에 설치하는 난간, 창호 및 출입문은 방화에 지장이 없고, 구조적으로 안전할 것
5. 실내에 설치하는 전기·가스·급수(給水)·배수(排水)·환기시설은 누수·누전 등 안전사고가 없는 재료를 사용하고, 구조적으로 안전할 것
6. 실내의 돌출부 등에는 충돌, 끼임 등 안전사고를 방지할 수 있는 완충재료를 사용할 것

(2) 위 【1】의 ③의 건축물

▪ 다음 기준을 모두 충족할 것
1. 거실을 구획하는 칸막이는 주요구조부와 분리·해체 등이 쉬운 구조로 할 것
2. 거실을 구획하는 칸막이는 피난에 지장이 없고, 구조적으로 안전할 것 ※ 「건축사법」에 따라 등록한 건축사 또는 「기술사법」에 따라 등록한 건축구조기술사의 구조안전에 관한 확인을 받아야함
3. 거실을 구획하는 칸막이의 마감재료는 방화에 지장이 없는 재료를 사용할 것
4. 구획하는 부분에 추락, 누수, 누전, 끼임 등의 안전사고를 방지할 수 있는 안전조치를 할 것

(3) 실내건축의 구조·시공방법 등에 관한 세부 사항 : 국토교통부장관이 정하여 고시

【참고】 실내건축의 구조·시공방법 등에 관한 기준(국토교통부고시 제2020-742호, 2020.10.22.)

【3】 실내건축 설치의 검사

특별자치시장·특별자치도지사 또는 시장·군수·구청장은 실내건축이 적정하게 설치 및 시공되었는지를 검사하여야 한다. 이 경우 검사 대상 건축물과 주기는 건축조례로 정한다.

건 축 법
1. 총 칙
2. 건 축
3. 유지관리
4. 대지도로
5. 구조재료
6. 지역지구
7. 건축설비
8. 특별건축구역
9. 보 칙
10. 벌 칙
건 축 법 관련기준

7 건축자재(법 제52조의3, 4)

1 건축자재의 제조 및 유통관리(법 제52조의3)(영 제61조의3,4)(규칙 제27조)

법 제52조의3【건축자재의 제조 및 유통 관리】

① 제조업자 및 유통업자는 건축물의 안전과 기능 등에 지장을 주지 아니하도록 건축자재를 제조 · 보관 및 유통하여야 한다.

② 국토교통부장관, 시 · 도지사 및 시장 · 군수 · 구청장은 건축물의 구조 및 재료의 기준 등이 공사현장에서 준수되고 있는지를 확인하기 위하여 제조업자 및 유통업자에게 필요한 자료의 제출을 요구하거나 건축공사장, 제조업자의 제조현장 및 유통업자의 유통장소 등을 점검할 수 있으며 필요한 경우에는 시료를 채취하여 성능 확인을 위한 시험을 할 수 있다.

③ 국토교통부장관, 시 · 도지사 및 시장 · 군수 · 구청장은 제2항의 점검을 통하여 위법 사실을 확인한 경우 대통령령으로 정하는 바에 따라 공사 중단, 사용 중단 등의 조치를 하거나 관계 기관에 대하여 관계 법률에 따른 영업정지 등의 요청을 할 수 있다.

④ 국토교통부장관, 시 · 도지사, 시장 · 군수 · 구청장은 제2항의 점검업무를 대통령령으로 정하는 전문기관으로 하여금 대행하게 할 수 있다.

⑤ 제2항에 따른 점검에 관한 절차 등에 관하여 필요한 사항은 국토교통부령으로 정한다.

[본조신설 2016.2.3.][제24조의2에서 이동, 종전 제52조의3은 제52조의4로 이동 <2019.4.23.>]

영 제61조의3【건축자재 제조 및 유통에 관한 위법 사실의 점검 및 조치】

① 국토교통부장관, 시 · 도지사 및 시장 · 군수 · 구청장은 법 제52조의3제2항에 따른 점검을 통하여 위법 사실을 확인한 경우에는 같은 조 제3항에 따라 해당 건축관계자 및 제조업자 · 유통업자에게 위법 사실을 통보해야 하며, 해당 건축관계자 및 제조업자 · 유통업자에 대하여 다음 각 호의 구분에 따른 조치를 할 수 있다. <개정 2019.10.22.>

1. 건축관계자에 대한 조치
   가. 해당 건축자재를 사용하여 시공한 부분이 있는 경우: 시공부분의 시정, 해당 공정에 대한 공사 중단 및 해당 건축자재의 사용 중단 명령
   나. 해당 건축자재가 공사현장에 반입 및 보관되어 있는 경우: 해당 건축자재의 사용 중단 명령
2. 제조업자 및 유통업자에 대한 조치: 관계 행정기관의 장에게 관계 법률에 따른 해당 제조업자 및 유통업자에 대한 영업정지 등의 요청

② 건축관계자 및 제조업자 · 유통업자는 제1항에 따라 위법 사실을 통보받거나 같은 항 제1호의 명령을 받은 경우에는 그 날부터 7일 이내에 조치계획을 수립하여 국토교통부장관, 시 · 도지사 및 시장 · 군수 · 구청장에게 제출하여야 한다.

③ 국토교통부장관, 시 · 도지사 및 시장 · 군수 · 구청장은 제2항에 따른 조치계획(제1항제1호가목의 명령에 따른 조치계획만 해당한다)에 따른 개선조치가 이루어졌다고 인정되면 공사 중단 명령을 해제하여야 한다.

[본조신설 2016.7.19.]

영 제61조의4【위법 사실의 점검업무 대행 전문기관】

① 법 제52조의3제4항에서 "대통령령으로 정하는 전문기관"이란 다음 각 호의 기관을 말한다. <개정 2020.12.1., 2021.8.10., 2021.12.21>

1. 한국건설기술연구원

2. 「국토안전관리원법」에 따른 국토안전관리원(이하 "국토안전관리원"이라 한다)
3. 「한국토지주택공사법」에 따른 한국토지주택공사
4. 제63조제2호에 따른 자 및 같은 조 제3호에 따른 시험·검사기관 <신설 2021.12.21>
5. 그 밖에 점검업무를 수행할 수 있다고 인정하여 국토교통부장관이 지정하여 고시하는 기관

② 제52조의3제4항에 따라 위법 사실의 점검업무를 대행하는 기관의 직원은 그 권한을 나타내는 증표를 지니고 관계인에게 내보여야 한다. <개정 2019.10.22.>

[본조신설 2016.7.19.]

규칙 제27조【건축자재 제조 및 유통에 관한 위법 사실의 점검 절차 등】

① 국토교통부장관, 시·도지사 및 시장·군수·구청장은 법 제52조의3제2항에 따른 점검을 하려는 경우에는 다음 각 호의 사항이 포함된 점검계획을 수립해야 한다. <개정 2019.11.18.>

1. 점검 대상
2. 점검 항목
  가. 건축물의 설계도서와의 적합성
  나. 건축자재 제조현장에서의 자재의 품질과 기준의 적합성
  다. 건축자재 유통장소에서의 자재의 품질과 기준의 적합성
  라. 건축공사장에 반입 또는 사용된 건축자재의 품질과 기준의 적합성
  마. 건축자재의 제조현장, 유통장소, 건축공사장에서 시료를 채취하는 경우 채취된 시료의 품질과 기준의 적합성
3. 그 밖에 점검을 위하여 필요하다고 인정하는 사항

② 국토교통부장관, 시·도지사 및 시장·군수·구청장은 법 제52조의3제2항에 따라 점검 대상자에게 다음 각 호의 자료를 제출하도록 요구할 수 있다. 다만, 제2호의 서류는 해당 건축물의 허가권자가 아닌 자만 요구할 수 있다. <개정 2019.11.18.>

1. 건축자재의 시험성적서 및 납품확인서 등 건축자재의 품질을 확인할 수 있는 서류
2. 해당 건축물의 설계도서
3. 그 밖에 해당 건축자재의 점검을 위하여 필요하다고 인정하는 자료

③ 법 제52조의3제4항에 따라 점검업무를 대행하는 전문기관은 점검을 완료한 후 해당 결과를 14일 이내에 점검을 대행하게 한 국토교통부장관, 시·도지사 또는 시장·군수·구청장에게 보고해야 한다. <개정 2019.11.18.>

④ 시·도지사 또는 시장·군수·구청장은 영 제61조의3제1항에 따른 조치를 한 경우에는 그 사실을 국토교통부장관에게 통보해야 한다. <개정 2019.11.18.>

⑤ 국토교통부장관은 제1항제2호 각 목에 따른 점검 항목 및 제2항 각 호에 따른 자료제출에 관한 세부적인 사항을 정하여 고시할 수 있다.

[본조신설 2016.7.20.]

【1】 건축자재의 제조 및 유통 관리

(1) 제조업자 및 유통업자의 의무

제조업자 및 유통업자는 건축물의 안전과 기능 등에 지장을 주지 않도록 건축자재를 제조·보관 및 유통하여야 한다.

(2) 공사현장의 확인 및 필요 자료의 요구 등

국토교통부장관, 시·도지사 및 시장·군수·구청장은 건축물의 구조 및 재료의 기준 등이 공사현장에

서 준수되고 있는지를 확인하기 위하여 다음 행위를 할 수 있다.

1. 제조업자 및 유통업자에게 필요한 자료의 제출을 요구
2. 건축공사장, 제조업자의 제조현장 및 유통업자의 유통장소 등의 점검
3. 필요한 경우 시료를 채취하여 성능 확인 시험

(3) 위법사실 확인시의 조치

① 국토교통부장관, 시·도지사 및 시장·군수·구청장은 위 ②의 점검을 통하여 위법 사실을 확인한 경우 해당 건축관계자 및 제조업자·유통업자에게 위법 사실을 통보하고, 공사중단, 사용중단, 영업정지 요청 등 다음 구분에 따른에 조치를 취할 수 있다.

② 조치 내용

조치대상	조치 내용	
1. 건축관계자	▪ 해당 건축자재를 사용하여 시공한 부분이 있는 경우	시공부분의 시정, 해당 공정에 대한 공사 중단 및 해당 건축자재의 사용 중단 명령
	▪ 해당 건축자재가 공사현장에 반입 및 보관되어 있는 경우	해당 건축자재의 사용 중단 명령
2. 제조업자 및 유통업자	관계 행정기관의 장에게 관계 법률에 따른 해당 제조업자 및 유통업자에 대한 영업정지 등의 요청	

(4) 조치계획의 보고 등

① 건축관계자 및 제조업자·유통업자는 위법 사실을 통보받거나 조치 명령을 받은 경우 그 날부터 7일 이내에 조치계획을 수립하여 국토교통부장관, 시·도지사 및 시장·군수·구청장에게 제출하여야 한다.

②. 국토교통부장관, 시·도지사 및 시장·군수·구청장은 조치계획(위 표 1. 가. 명령에 따른 조치계획만 해당)에 따른 개선조치가 이루어졌다고 인정되면 공사 중단 명령을 해제하여야 한다.

【2】 점검 업무의 대행 등

(1) 위법 사실의 점검업무 대행 전문기관

국토교통부장관, 시·도지사, 시장·군수·구청장은 점검업무를 다음의 전문기관으로 하여금 대행하게 할 수 있다.

대행전문기관	근거법규정
1. 한국건설기술연구원	「과학기술분야 정부출연연구기관 등의 설립·운영 및 육성에 관한 법률」 제8조
2. 국토안전관리원	「국토안전관리원법」
3. 한국토지주택공사	「한국토지주택공사법」
4. 건설엔지니어링사업자로서 건축 관련 품질시험의 수행능력이 국토교통부장관이 정하여 고시하는 기준에 해당하는 자	「건설기술 진흥법」
5. 인정기구로부터 인정받은 시험·검사기관	「국가표준기본법」 제23조
5. 그 밖에 점검업무를 수행할 수 있다고 인정하여 국토교통부장관이 지정하여 고시하는 기관	-

(2) 점검 권한 증표의 제시

위법 사실의 점검업무를 대행하는 기관의 직원은 그 권한을 나타내는 증표를 지니고 관계인에게 내보여야 한다.

【3】 건축자재 제조 및 유통에 관한 위법 사실의 점검 절차 등

(1) 점검 계획의 수립

국토교통부장관, 시·도지사 및 시장·군수·구청장은 위법 사실을 점검하려는 경우 점검계획을 수립하여야 한다.

(2) 점검 계획의 포함사항

1. 점검대상	
2. 점검항목	① 건축물의 설계도서와의 적합성 ② 건축자재 제조현장에서의 자재의 품질과 기준의 적합성 ③ 건축자재 유통장소에서의 자재의 품질과 기준의 적합성 ④ 건축공사장에 반입 또는 사용된 건축자재의 품질과 기준의 적합성 ⑤ 건축자재의 제조현장, 유통장소, 건축공사장에서 시료를 채취하는 경우 채취된 시료의 품질과 기준의 적합성
3. 그 밖에 점검을 위하여 필요하다고 인정하는 사항	

(3) 자료제출의 요구

국토교통부장관, 시·도지사 및 시장·군수·구청장은 점검 대상자에게 다음의 자료를 제출하도록 요구할 수 있다.

1. 건축자재의 시험성적서 및 납품확인서 등 건축자재의 품질을 확인할 수 있는 서류
2. 해당 건축물의 설계도서(해당 건축물의 허가권자가 아닌 자만 요구 가능)
3. 그 밖에 해당 건축자재의 점검을 위하여 필요하다고 인정하는 자료

(4) 점검결과의 보고

점검업무를 대행하는 전문기관은 점검 완료 후 해당 결과를 14일 이내에 점검을 대행하게 한 국토교통부장관, 시·도지사 또는 시장·군수·구청장에게 보고하여야 한다.

(5) 조치의 통보 등

① 시·도지사 또는 시장·군수·구청장은 점검에 대한 조치를 한 경우 그 사실을 국토교통부장관에게 통보하여야 한다.

② 국토교통부장관은 점검 항목 및 자료제출에 관한 세부적인 사항을 정하여 고시할 수 있다.

[2] 건축자재의 품질관리(법 제52조의4)(영 제62조, 제63조)(피난규칙 제24조의3,4)

법 제52조의4【건축자재의 품질관리 등】

① 복합자재[불연재료인 양면 철판, 석재, 콘크리트 또는 이와 유사한 재료와 불연재료가 아닌 심재로 구성된 것을 말한다]를 포함한 제52조에 따른 마감재료, 방화문 등 대통령령으로 정하는 건축자재의 제조업자, 유통업자, 공사시공자 및 공사감리자는 국토교통부령으로 정하는 사항을 기재한 품질관리서(이하 "품질관리서"라 한다)를 대통령령으로 정하는 바에 따라 허가권자에게 제출하여야 한다. <개정 2021.3.16>

② 제1항에 따른 건축자재의 제조업자, 유통업자는 「과학기술분야 정부출연연구기관 등의 설립·운영 및 육성에 관한 법률」에 따른 한국건설기술연구원 등 대통령령으로 정하는 시험기관에 건축자재의 성능시험을 의뢰하여야 한다. <개정 2019.4.23.>

③ 제2항에 따른 성능시험을 수행하는 시험기관의 장은 성능시험 결과 등 건축자재의 품질관리에 필요한 정보를 국토교통부령으로 정하는 바에 따라 기관 또는 단체에 제공하거나 공개하여야 한다. <신설 2019.4.23.>

④ 제3항에 따라 정보를 제공받은 기관 또는 단체는 해당 건축자재의 정보를 홈페이지 등에 게시하여 일반인이 알 수 있도록 하여야 한다. <신설 2019.4.23.>

⑤ 제1항에 따른 건축자재 중 국토교통부령으로 정하는 단열재는 국토교통부장관이 고시하는 기준에 따라 해당 건축자재에 대한 정보를 표면에 표시하여야 한다. <신설 2019.4.23.>

⑥ 복합자재에 대한 난연성분 분석시험, 난연성능기준, 시험수수료 등 필요한 사항은 국토교통부령으로 정한다. <개정 2019.4.23>

[본조신설 2015.1.6.][제목개정 2019.4.23.][제52조의3에서 이동 <2019.4.23.>]

영 제62조【건축자재의 품질관리 등】

① 법 제52조의4제1항에서 "복합자재[불연재료인 양면 철판, 석재, 콘크리트 또는 이와 유사한 재료와 불연재료가 아닌 심재(心材)로 구성된 것을 말한다]를 포함한 제52조에 따른 마감재료, 방화문 등 대통령령으로 정하는 건축자재"란 다음 각 호의 어느 하나에 해당하는 것을 말한다. <개정 2020.10.8.>

1. 법 제52조의4제1항에 따른 복합자재
2. 건축물의 외벽에 사용하는 마감재료로서 단열재
3. 제64조제1항제1호부터 제3호까지의 규정에 따른 방화문
4. 그 밖에 방화와 관련된 건축자재로서 국토교통부령으로 정하는 건축자재

② 법 제52조의4제1항에 따른 건축자재의 제조업자는 같은 항에 따른 품질관리서(이하 "품질관리서"라 한다)를 건축자재 유통업자에게 제출해야 하며, 건축자재 유통업자는 품질관리서와 건축자재의 일치 여부 등을 확인하여 품질관리서를 공사시공자에게 전달해야 한다. <신설 2019.10.22.>

③ 제2항에 따라 품질관리서를 제출받은 공사시공자는 품질관리서와 건축자재의 일치 여부를 확인한 후 해당 건축물에서 사용된 건축자재 품질관리서 전체를 공사감리자에게 제출해야 한다. <개정 2019.10.22.>

④ 공사감리자는 제3항에 따라 제출받은 품질관리서를 공사감리완료보고서에 첨부하여 법 제25조제6항에 따라 건축주에게 제출해야 하며, 건축주는 법 제22조에 따른 건축물의 사용승인을 신청할 때에 이를 허가권자에게 제출해야 한다. <개정 2019.10.22.>

[본조신설 2015.9.22.][제목개정 2019.10.22.][제61조의4에서 이동 <2019.10.22.>]

건 축 법

1. 총 칙
2. 건 축
3. 유지관리
4. 대지도로
5. 구조재료
6. 지역지구
7. 건축설비
8. 특별건축구역
9. 보 칙
10. 벌 칙
건 축 법 관련기준

피난규칙 제24조의3【건축자재 품질관리서】

① 영 제62조제1항제4호에서 "국토교통부령으로 정하는 건축자재"란 영 제46조 및 이 규칙 제14조에 따라 방화구획을 구성하는 내화구조, 자동방화셔터, 내화채움성능이 인정된 구조 및 방화댐퍼를 말한다. <개정 2021.3.26., 2021.12.23>

② 법 제52조의4제1항에서 "국토교통부령으로 정하는 사항을 기재한 품질관리서"란 다음 각 호의 구분에 따른 서식을 말한다. 이 경우 다음 각 호에서 정한 서류를 첨부한다. <개정 2021.3.26., 2021.12.23., 2022.2.10>

1. 영 제62조제1항제1호의 경우: 별지 제1호서식. 이 경우 다음 각 목의 서류를 첨부할 것.
   가. 난연성능이 표시된 복합자재(심재로 한정한다) 시험성적서[법 제52조의5제1항에 따라 품질인정을 받은 경우에는 법 제52조의6제7항에 따라 국토교통부장관이 정하여 고시하는 품질인정서(이하 "품질인정서"라 한다)] 사본
   나. 강판의 두께, 도금 종류 및 도금 부착량이 표시된 강판생산업체의 품질검사증명서 사본
   다. 실물모형시험 결과가 표시된 복합자재 시험성적서(법 제52조의5제1항에 따라 품질인정을 받은 경우에는 품질인정서) 사본 <신설 2021.12.23, 2022.2.10>
2. 영 제62조제1항제2호의 경우: 별지 제2호서식. 이 경우 다음 각 목의 서류를 첨부할 것
   가. 난연성능이 표시된 단열재 시험성적서 사본. 이 경우 단열재가 둘 이상의 재료로 제작된 경우에는 각 재료별로 첨부해야 한다.
   나. 실물모형시험 결과가 표시된 단열재 시험성적서(외벽의 마감재료가 둘 이상의 재료로 제작된 경우만 첨부한다) 사본
3. 영 제62조제1항제3호의 경우: 별지 제3호서식. 이 경우 연기, 불꽃 및 열을 차단할 수 있는 성능이 표시된 방화문 시험성적서 사본을 첨부할 것

3의2. 내화구조의 경우: 별지 제3호의2서식. 이 경우 내화성능 시간이 표시된 시험성적서(법 제52조의5제1항에 따라 품질인정을 받은 경우에는 품질인정서) 사본을 첨부할 것 <신설 2021.12.23>

4. 자동방화셔터의 경우: 별지 제4호서식. 이 경우 연기 및 불꽃을 차단할 수 있는 성능이 표시된 자동방화셔터 시험성적서(법 제52조의5제1항에 따라 품질인정을 받은 경우에는 품질인정서) 사본을 첨부할 것
5. 내화채움성능이 인정된 구조의 경우: 별지 제5호서식. 이 경우 연기, 불꽃 및 열을 차단할 수 있는 성능이 표시된 내화채움구조 시험성적서(법 제52조의5제1항에 따라 품질인정을 받은 경우에는 품질인정서) 사본을 첨부할 것
6. 방화댐퍼의 경우: 별지 제6호서식. 이 경우 「산업표준화법」에 따른 한국산업규격에서 정하는 방화댐퍼의 방연시험방법에 적합한 것을 증명하는 시험성적서 사본을 첨부할 것

③ 공사시공자는 법 제52조의4제1항에 따라 작성한 품질관리서의 내용과 같게 별지 제7호서식의 건축자재 품질관리서 대장을 작성하여 공사감리자에게 제출해야 한다.

④ 공사감리자는 제3항에 따라 제출받은 건축자재 품질관리서 대장의 내용과 영 제62조제3항에 따라 제출받은 품질관리서의 내용이 같은지를 확인하고 이를 영 제62조제4항에 따라 건축주에게 제출해야 한다.

⑤ 건축주는 제4항에 따라 제출받은 건축자재 품질관리서 대장을 영 제62조제4항에 따라 허가권자에게 제출해야 한다.

[전문개정 2019.10.24.]

건 축 법
1. 총 칙
2. 건 축
3. 유지관리
4. 대지도로
5. 구조재료
6. 지역지구
7. 건축설비
8. 특별건축구역
9. 보 칙
10. 벌 칙
건 축 법 관련기준

피난규칙 제24조의4【건축자재 품질관리 정보 공개】

① 법 제52조의4제2항에 따라 건축자재의 성능시험을 의뢰받은 시험기관의 장(이하 "건축자재 성능시험기관의 장"이라 한다)은 건축자재의 종류에 따라 국토교통부장관이 정하여 고시하는 사항을 포함한 시험성적서(이하 "시험성적서"라 한다)를 성능시험을 의뢰한 제조업자 및 유통업자에게 발급해야 한다.

② 제1항에 따라 시험성적서를 발급한 건축자재 성능시험기관의 장은 그 발급일부터 7일 이내에 국토교통부장관이 정하여 고시하는 기관 또는 단체(이하 "기관 또는 단체"라 한다)에 시험성적서의 사본을 제출해야 한다. 다만, 다음 각 호의 어느 하나에 해당하는 경우에는 제외한다.

1. 건축자재의 성능시험을 의뢰한 제조업자 및 유통업자가 건축물에 사용하지 않을 목적으로 의뢰한 경우
2. 법에서 정하는 성능에 미달하여 건축물에 사용할 수 없는 경우

③ 제1항에 따라 시험성적서를 발급받은 건축자재의 제조업자 및 유통업자는 시험성적서를 발급받은 날부터 1개월 이내에 성능시험을 의뢰한 건축자재의 종류, 용도, 색상, 재질 및 규격을 기관 또는 단체에 통보해야 한다. 다만, 제2항 각 호의 어느 하나에 해당하는 경우는 제외한다.

④ 기관 또는 단체는 법 제52조의4제4항에 따라 다음 각 호의 사항을 해당 기관 또는 단체의 홈페이지 등에 게시하여 일반인이 알 수 있도록 해야 한다.

1. 제2항에 따라 제출받은 시험성적서의 사본
2. 제3항에 따라 통보받은 건축자재의 종류, 용도, 색상, 재질 및 규격

⑤ 기관 또는 단체는 국토교통부장관이 정하여 고시하는 시험성적서의 유효기간이 만료되기 1개월 전에 해당 시험성적서를 발급한 건축자재 성능시험기관의 장에게 그 사실을 알려야 한다.

⑥ 기관 또는 단체는 제5항에 따른 유효기간이 지난 시험성적서는 그 사실을 표시하여 해당 기관 또는 단체의 홈페이지 등에 게시해야 한다.

⑦ 기관 또는 단체는 제4항 및 제6항에 따른 정보 공개의 실적을 국토교통부장관에게 분기별로 보고해야 한다.

[본조신설 2019.10.24.]

피난규칙 제24조의5【건축자재 표면에 정보를 표시해야 하는 단열재】

법 제52조의4제5항에서 "국토교통부령으로 정하는 단열재" 란 영 제62조제1항제2호에 따른 단열재를 말한다. [본조신설 2019.10.24.]

해설 건축자재의 품질관리를 강화하기 위하여 건축물에 건축자재 제조업자, 유통업자, 공사시공자 및 공사감리자는 허가권자에게 건축자재 품질관리서를 제출하도록 하며, 기관 또는 단체가 건축자재의 성능시험을 수행하는 시험기관이 발급한 시험성적서 등을 홈페이지에 게시하도록 하는 등 관련 규정이 정비되었다.(건축법 개정 2019.4.23>

【1】 건축자재 품질관리서의 제출

복합자재*, 마감재료, 방화문 등 건축자재의 제조업자, 유통업자, 공사시공자 및 공사감리자는 품질관리서를 허가권자에게 제출하여야 한다.

* 불연재료인 양면 철판, 석재, 콘크리트 또는 이와 유사한 재료와 불연재료가 아닌 심재(心材)로 구성된 것

【2】 품질관리서의 제출 절차

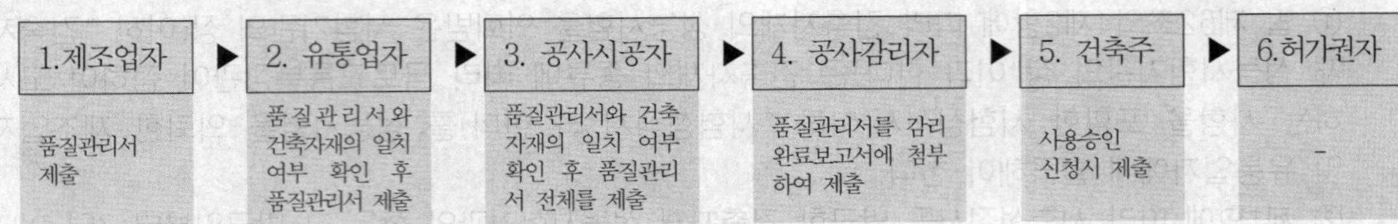

【3】 품질관리서 대장의 제출 절차

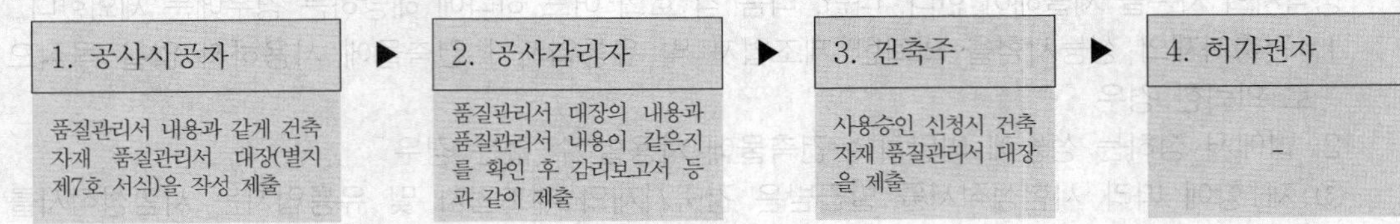

1. 공사시공자
품질관리서 내용과 같게 건축자재 품질관리서 대장(별지 제7호 서식)을 작성 제출
2. 공사감리자
품질관리서 대장의 내용과 품질관리서 내용이 같은지를 확인 후 감리보고서 등과 같이 제출
3. 건축주
사용승인 신청시 건축자재 품질관리서 대장을 제출
4. 허가권자
-

【4】 제출대상 건축자재의 종류 및 품질관리서의 첨부 서류

종류		서식	첨부서류
1. 복합자재		복합자재 품질관리서 (별지 제1호서식)	가. 난연성능이 표시된 복합자재(심재로 한정) 시험성적서(품질인정 받은 경우 품질인정서) 사본 나. 강판의 두께, 도금 종류 및 도금 부착량이 표시된 강판생산업체의 품질검사증명서 사본 다. 실물모형시험 결과가 표시된 복합자재 시험성적서(품질인정 받은 경우 품질인정서) 사본
2. 건축물의 외벽에 사용하는 마감재료로서 단열재		외벽 단열재 품질관리서 (별지 제2호서식)	가. 난연성능이 표시된 단열재(둘 이상의 재료로 제작된 경우 각각 제출) 시험성적서 사본 나. 실물모형시험 결과가 표시된 단열재 시험성적서(외벽의 마감재료가 둘 이상의 재료로 제작된 경우만 첨부) 사본
3. 60분+, 60분, 30분 방화문		방화문 품질관리서 (별지 제3호서식)	연기, 불꽃 및 열을 차단할 수 있는 성능이 표시된 방화문 시험성적서 사본
4. 방화구획을 구성하는 우측란의 자재 등	내화구조	내화구조 품질관리서 (별지 제3호의2서식)	내화성능 시간이 표시된 시험성적서 사본
	자동방화셔터	자동방화셔터 품질관리서(별지 제4호서식)	연기 및 불꽃을 차단할 수 있는 성능이 표시된 자동방화셔터 시험성적서(품질인정 받은 경우 품질인정서) 사본
	내화채움성능이 인정된 구조	내화채움성능 품질관리서(별지 제5호서식)	연기, 불꽃 및 열을 차단할 수 있는 성능이 표시된 내화채움구조 시험성적서(품질인정 받은 경우 품질인정서) 사본
	방화댐퍼	방화댐퍼 품질관리서 (별지 제6호서식)	한국산업규격에서 정하는 방화댐퍼의 방연시험방법에 적합한 것을 증명하는 시험성적서 사본

【5】 건축자재의 성능시험

① 건축자재의 제조업자, 유통업자는 한국건설기술연구원 등 다음의 시험기관에 건축자재의 성능시험을 의뢰하여야 한다.

1. 한국건설기술연구원
2. 「건설기술 진흥법」에 따른 건설기술용역사업자로서 건축 관련 품질시험의 수행능력이 국토교통부장관이 정하여 고시하는 기준에 해당하는 자
3. 「국가표준기본법」 제23조에 따라 인정받은 시험·검사기관

② 건축자재 성능시험기관의 장은 건축자재의 종류에 따라 국토교통부장관이 정하여 고시하는 사항을 포함한 시험성적서(이하 "시험성적서")를 성능시험을 의뢰한 제조업자 및 유통업자에게 발급해야 한다.

③ 시험성적서를 발급한 시험기관의 장은 그 발급일부터 7일 이내에 국토교통부장관이 정하는 기관 또는 단체에 시험성적서의 사본을 제출해야 한다.

예외 사본 제출 의무가 없는 경우

1. 건축자재의 성능시험을 의뢰한 제조업자 및 유통업자가 건축물에 사용하지 않을 목적으로 의뢰한 경우
2. 법에서 정하는 성능에 미달하여 건축물에 사용할 수 없는 경우

④ 시험성적서를 발급받은 건축자재의 제조업자 및 유통업자는 시험성적서를 발급받은 날부터 1개월 이내에 성능시험을 의뢰한 건축자재의 종류, 용도, 색상, 재질 및 규격을 기관 또는 단체에 통보해야 한다. * 위 ③의 예외 에 해당하는 경우 제외

【6】 건축자재의 품질관리 정보 공개 등

① 성능시험을 수행하는 시험기관의 장은 성능시험 결과 등 건축자재의 품질관리에 필요한 정보를 기관 또는 단체에 제공하거나 공개하여야 한다.

② 정보를 제공받은 기관 또는 단체는 해당 건축자재의 정보에 대한 다음 사항을 해당 기관 또는 단체의 홈페이지 등에 게시하여 일반인이 알 수 있도록 하여야 한다.

1. 시험성적서의 사본
2. 제조업자 및 유통업자로부터 통보받은 건축자재의 종류, 용도, 색상, 재질 및 규격

③ 기관 또는 단체는 정보 공개의 실적을 국토교통부장관에게 분기별로 보고해야 한다.

④ 건축자재 중 건축물의 외벽에 사용하는 마감재료로서 단열재는 국토교통부장관이 고시하는 기준에 따라 해당 건축자재에 대한 정보를 표면에 표시하여야 한다.

⑤ 복합자재에 대한 난연성분 분석시험, 난연성능기준, 시험수수료 등 필요한 사항은 국토교통부령으로 정한다.

3 건축자재의 품질인정(법 제52조의5)(영 제63조의2)(피난규칙 제24조의6,7)

법 제52조의5【건축자재의 품질인정】

① 방화문, 복합자재 등 대통령령으로 정하는 건축자재와 내화구조(이하 "건축자재등"이라 한다)는 방화성능, 품질관리 등 국토교통부령으로 정하는 기준에 따라 품질이 적합하다고 인정받아야 한다.

② 건축관계자등은 제1항에 따라 품질인정을 받은 건축자재등만 사용하고, 인정받은 내용대로 제조·유통·시공하여야 한다.

[본조신설 2020.12.22.]

영 제63조의2【품질인정 대상 건축자재 등】

법 제52조의5제1항에서 "방화문, 복합자재 등 대통령령으로 정하는 건축자재와 내화구조"란 다음 각 호의 건축자재와 내화구조(이하 제63조의4 및 제63조의5에서 "건축자재등"이라 한다)를 말한다.

1. 법 제52조의4제1항에 따른 복합자재 중 국토교통부령으로 정하는 강판과 심재로 이루어진 복합자재
2. 주요구조부가 내화구조 또는 불연재료로 된 건축물의 방화구획에 사용되는 다음 각 목의 건축자재와 내화구조
가. 자동방화셔터
나. 제62조제1항제4호에 따라 국토교통부령으로 정하는 건축자재 중 내화채움성능이 인정된 구조
3. 제64조제1항 각 호의 방화문
4. 그 밖에 건축물의 안전·화재예방 등을 위하여 품질인정이 필요한 건축자재와 내화구조로서 국토교통부령으로 정하는 건축자재와 내화구조

[본조신설 2021.12.21.] [종전 제63조의2는 제63조의6으로 이동 <2021.12.21.>]

피난규칙 제24조의6【품질인정 대상 복합자재 등】

① 영 제63조의2제1호에서 "국토교통부령으로 정하는 강판과 심재로 이루어진 복합자재"란 강판과 단열재로 이루어진 복합자재를 말한다.

② 영 제63조의2제4호에서 "국토교통부령으로 정하는 건축자재와 내화구조"란 제3조제8호부터 제10호까지의 규정에 따른 내화구조를 말한다.

[본조신설 2021.12.23.]

피난규칙 제24조의7【건축자재등의 품질인정】

① 법 제52조의5제1항에서 "국토교통부령으로 정하는 기준"이란 다음 각 호의 기준을 말한다.

1. 신청자의 제조현장을 확인한 결과 품질인정 또는 품질인정 유효기간의 연장을 신청한 자가 다음 각 목의 사항을 준수하고 있을 것
가. 품질인정 또는 품질인정 유효기간의 연장 신청 시 신청자가 제출한 다음 각 목에 관한 기준(유효기간 연장 신청의 경우에는 인정받은 기준을 말한다)
1) 원재료·완제품에 대한 품질관리기준
2) 제조공정 관리 기준
3) 제조·검사 장비의 교정기준
나. 법 제52조의5제1항에 따른 건축자재등(이하 "건축자재등"이라 한다)에 대한 로트번호 부여
2. 건축자재등에 대한 시험 결과 건축자재등이 다음 각 목의 구분에 따른 품질기준을 충족할 것
가. 영 제63조의2제1호의 복합자재: 제24조에 따른 난연성능
나. 영 제63조의2제2호가목의 자동방화셔터: 제14조제2항제4호에 따른 자동방화셔터 설치기준
다. 영 제63조의2제2호나목의 내화채움성능이 인정된 구조: 별표 1 제1호에 따른 내화시간(내화채움성능이 인정된 구조로 메워지는 구성 부재에 적용되는 내화시간을 말한다) 기준
라. 영 제63조의2제3호의 방화문: 영 제64조제1항 각 호의 구분에 따른 연기, 불꽃 및 열차단 시간
마. 제24조의6제2항에 따른 내화구조: 별표 1에 따른 내화시간 성능기준
3. 그 밖에 국토교통부장관이 정하여 고시하는 품질인정과 관련된 기준을 충족할 것

[본조신설 2021.12.23.]

해설 방화문, 복합자재 등 대통령령으로 정하는 건축자재와 내화구조는 방화성능, 품질관리 등 국토교통부령으로 정하는 기준에 따라 품질이 적합하다고 인정을 받아야 하고, 건축관계자 등은 인정받은 내용대로 제조·유통·시공하여야 한다.(2020.12.22 신설)

【1】 건축자재등의 품질인정

다음의 건축자재등<1>은 방화성능, 품질관리 등 아래<2>의 기준에 따라 품질이 적합하다고 인정받아야 한다.

<1> 건축자재등

1. 강판과 단열재로 이루어진 복합자재
2. 주요구조부가 내화구조 또는 불연재료로 된 건축물의 방화구획에 사용되는 다음의 건축자재와 내화구조
   ① 자동방화셔터
   ② 내화채움성능이 인정된 구조
3. 60분+, 60분, 30분 방화문
4. 그 밖에 건축물의 안전·화재예방 등을 위하여 품질인정이 필요한 건축자재와 내화구조로서 피난·방화규칙 제3조제8호~제10호까지의 규정에 따른 내화구조

<2> 건축자재등의 품질인정 기준

1. 신청자의 제조현장을 확인한 결과 품질인정 또는 품질인정 유효기간의 연장을 신청한 자가 다음 각 목의 사항을 준수하고 있을 것
   ① 품질인정 또는 품질인정 유효기간의 연장 신청 시 신청자가 제출한 아래의 기준(유효기간 연장 신청의 경우 인정받은 기준)
      ㉠ 원재료·완제품에 대한 품질관리기준
      ㉡ 제조공정 관리 기준
      ㉢ 제조·검사 장비의 교정기준
   ② 건축자재등에 대한 로트번호 부여
2. 건축자재등에 대한 시험 결과 건축자재등이 다음의 구분에 따른 품질기준을 충족할 것
   ① 강판과 단열재로 이루어진 복합자재(위 <1>의 1.): 제24조에 따른 난연성능
   ② 자동방화셔터(위 <1>의 2.가): 자동방화셔터 설치기준
   ③ 내화채움성능이 인정된 구조(위 <1>의 2.나): 내화시간(내화채움성능이 인정된 구조로 메워지는 구성 부재에 적용되는 내화시간) 기준
   ④ 방화문(위 <1>의 3.): 연기, 불꽃 및 열 차단 시간
   ⑤ 내화구조(위 <1>의 4.): 별표 1에 따른 내화시간 성능기준
3. 그 밖에 국토교통부장관이 정하여 고시하는 품질인정과 관련된 기준을 충족할 것

【2】 인정된 자재의 사용 등

건축관계자등은 【1】에 따라 품질인정을 받은 건축자재등만 사용하고, 인정받은 내용대로 제조·유통·시공하여야 한다.

4 건축자재등 품질인정기관의 지정·운영 등(법 제52조의6)(영 제63조의3~5)(피난규칙 제24조의 8,9)

법 제52조의6【건축자재등 품질인정기관의 지정·운영 등】

① 국토교통부장관은 건축 관련 업무를 수행하는 「공공기관의 운영에 관한 법률」 제4조에 따른 공공기관으로서 대통령령으로 정하는 기관을 품질인정 업무를 수행하는 기관(이하 "건축자재등 품질인정기관"이라 한다)으로 지정할 수 있다.

② 건축자재등 품질인정기관은 제52조의5제1항에 따른 건축자재등에 대한 품질인정 업무를 수행하며, 품질인정을 신청한 자에 대하여 국토교통부령으로 정하는 바에 따라 수수료를 받을 수 있다.

③ 건축자재등 품질인정기관은 제2항에 따라 품질이 적합하다고 인정받은 건축자재등(이하 "품질인정자재등"이라 한다)이 다음 각 호의 어느 하나에 해당하면 그 인정을 취소할 수 있다. 다만, 제1호에 해당하는 경우에는 그 인정을 취소하여야 한다.

1. 거짓이나 그 밖의 부정한 방법으로 인정받은 경우
2. 인정받은 내용과 다르게 제조·유통·시공하는 경우
3. 품질인정자재등이 국토교통부장관이 정하여 고시하는 품질관리기준에 적합하지 아니한 경우
4. 인정의 유효기간을 연장하기 위한 시험결과를 제출하지 아니한 경우

④ 건축자재등 품질인정기관은 제52조의5제2항에 따른 건축자재등의 품질 유지·관리 의무가 준수되고 있는지 확인하기 위하여 국토교통부령으로 정하는 바에 따라 제52조의4에 따른 건축자재 시험기관의 시험장소, 제조업자의 제조현장, 유통업자의 유통장소, 건축공사장 등을 점검하여야 한다.

⑤ 건축자재등 품질인정기관은 제4항에 따른 점검 결과 위법 사실을 발견한 경우 국토교통부장관에게 그 사실을 통보하여야 한다. 이 경우 국토교통부장관은 대통령령으로 정하는 바에 따라 공사 중단, 사용 중단 등의 조치를 하거나 관계 기관에 대하여 관계 법률에 따른 영업정지 등의 요청을 할 수 있다.

⑥ 건축자재등 품질인정기관은 건축자재등의 품질관리 상태 확인 등을 위하여 대통령령으로 정하는 바에 따라 제조업자, 유통업자, 건축관계자등에 대하여 건축자재등의 생산 및 판매실적, 시공현장별 시공실적 등의 자료를 요청할 수 있다.

⑦ 그 밖에 건축자재등 품질인정기관이 건축자재등의 품질인정을 운영하기 위한 인정절차, 품질관리 등 필요한 사항은 국토교통부장관이 정하여 고시한다.

[본조신설 2020.12.22.]

영 제63조의3【건축자재등 품질인정기관】

법 제52조의6제1항에서 "대통령령으로 정하는 기관"이란 한국건설기술연구원을 말한다.

[본조신설 2021.12.21.]

영 제63조의4【건축자재등 품질 유지·관리 의무 위반에 따른 조치】

① 국토교통부장관은 법 제52조의6제5항 전단에 따른 통보를 받은 경우 같은 항 후단에 따라 같은 조 제3항에 따른 품질인정자재등(이하 이 조 및 제63조의5에서 "품질인정자재등" 이라 한다)의 제조업자, 유통업자 및 법 제25조의2제1항에 따른 건축관계자등(이하 이 조 및 제63조의5에서 "제조업자등" 이라 한다)에게 위법 사실을 통보해야 하며, 제조업자등에게 다음 각 호의 구분에 따른 조치를 할 수 있다.

1. 법 제25조의2제1항에 따른 건축관계자등: 다음 각 목의 구분에 따른 조치
가. 품질인정자재등을 사용하지 않거나 인정받은 내용대로 시공하지 않은 부분이 있는 경우: 시공부분의 시정, 해당 공정에 대한 공사 중단과 품질인정을 받지 않은 건축자재등의 사용 중단 명령
나. 품질인정을 받지 않은 건축자재등이 공사현장에 반입되어 있거나 보관되어 있는 경우: 해당 건축자재등의 사용 중단 명령
2. 제조업자 및 유통업자: 관계 기관에 대한 관계 법률에 따른 영업정지 등의 요청
② 제1항에 따른 국토교통부장관의 조치에 관하여는 제61조의3제2항 및 제3항을 준용한다. 이 경우 "건축관계자 및 제조업자·유통업자"는 "제조업자등"으로, "국토교통부장관, 시·도지사 및 시장·군수·구청장"은 "국토교통부장관"으로 본다.
[본조신설 2021.12.21.]

영 제63조의5【제조업자등에 대한 자료요청】
법 제52조의6제1항 및 이 영 제63조의3에 따라 건축자재등 품질인정기관으로 지정된 한국건설기술연구원은 법 제52조의6제6항에 따라 제조업자등에게 다음 각 호의 자료를 요청할 수 있다.
1. 건축자재등 및 품질인정자재등의 생산 및 판매 실적
2. 시공현장별 건축자재등 및 품질인정자재등의 시공 실적
3. 품질관리서
4. 그 밖에 제조공정에 관한 기록 등 품질인정자재등에 대한 품질관리의 적정성을 확인할 수 있는 자료로서 국토교통부장관이 정하여 고시하는 자료
[본조신설 2021.12.21.]

피난규칙 제24조의8【건축자재등 품질인정 수수료】
① 법 제52조의6제2항에 따른 수수료의 종류는 다음 각 호와 같다.
1. 품질인정 신청 수수료
2. 품질인정 유효기간 연장 신청 수수료
② 제1항에 따른 수수료는 별표 4와 같다.
③ 품질인정 또는 품질인정 유효기간의 연장을 신청하려는 자는 다음 각 호의 구분에 따른 시기에 수수료를 내야 한다.
1. 수수료 중 기본비용 및 추가비용: 품질인정 또는 품질인정 유효기간의 연장 신청을 하는 때
2. 수수료 중 출장비용 및 자문비용: 한국건설기술연구원장이 고지하는 납부시기
④ 한국건설기술연구원장은 다음 각 호의 어느 하나에 해당하는 경우에는 납부된 수수료의 전부 또는 일부를 반환해야 한다.
1. 품질인정 또는 품질인정 유효기간의 연장을 위한 시험·검사 등을 실시하기 전에 신청자가 신청을 철회한 경우
2. 신청을 반려한 경우
3. 수수료를 과오납(過誤納)한 경우
⑤ 수수료의 납부·반환 방법 및 반환 금액 등 수수료의 납부 및 반환에 필요한 세부사항은 국토교통부장관이 정하여 고시한다.
[본조신설 2021.12.23.]

피난규칙 제24조의9【품질인정자재등의 제조업자 등에 대한 점검】

① 한국건설기술연구원장은 법 제52조의6제4항에 따라 매년 1회 이상 법 제52조의4제2항에 따른 시험기관의 시험장소, 법 제52조의6제4항에 따른 제조업자의 제조현장, 유통업자의 유통장소 및 건축공사장을 점검해야 한다.

② 한국건설기술연구원장은 제1항에 따라 제조현장 등을 점검하는 경우 다음 각 호의 사항을 확인해야 한다.

1. 법 제52조의4제2항에 따른 시험기관이 품질인정자재등과 관련하여 작성한 원시 데이터, 시험체 제작 및 확인 기록
2. 법 제52조의6제3항에 따른 품질인정자재등(이하 "품질인정자재등" 이라 한다)의 품질인정 유효기간 및 품질인정표시
3. 제조업자가 작성한 납품확인서 및 품질관리서
4. 건축공사장에서의 시공 현황을 확인할 수 있는 다음 각 목의 서류
   가. 품질인정자재등의 세부 인정내용
   나. 설계도서 및 작업설명서
   다. 건축공사 감리에 관한 서류
   라. 그 밖에 시공 현황을 확인할 수 있는 서류로서 국토교통부장관이 정하여 고시하는 서류

③ 제1항에 따른 점검의 세부 절차 및 방법은 국토교통부장관이 정하여 고시한다.

[본조신설 2021.12.23.]

해설 국토교통부장관은 공공기관을 건축자재등 품질인정기관으로 지정할 수 있으며, 품질인정기관은 건축자재 등에 대한 품질인정업무를 수행한다. 또한, 건축자재등의 품질 유지·관리 의무가 준수되고 있는지 확인하고, 건축자재 시험기관의 시험장소, 공사현장 등을 검사할 수 있다. 점검 결과 위법 사항 발견시 공사 중단, 사용 중단 등의 조치 등을 할 수 있다.(2020.12.22 신설).

【1】 건축자재등의 품질인정기관의 지정

국토교통부장관은 건축 관련 업무를 수행하는 「공공기관의 운영에 관한 법률」 제4조에 따른 공공기관으로서 한국건설기술연구원을 건축자재등 품질인정기관으로 지정할 수 있다.

【2】 건축자재등의 품질인정기관의 수수료 징수

건축자재등 품질인정기관은 건축자재등에 대한 품질인정 업무를 수행하며, 품질인정을 신청한 자에 대하여 다음에서 정하는 바에 따라 수수료를 받을 수 있다.

(1) 수수료의 종류 및 수수료(「피난·방화규칙」 별표4 참조)

[별표 4] 〈신설 2021.12.23.〉

건축자재등 품질인정 수수료(제24조의8제2항 관련)

1. 품질인정 신청 수수료
   가. 복합자재·방화문 및 자동방화셔터: 다음의 금액을 합산한 금액
      1) 기본비용: 다음의 금액을 합산한 금액
         (1) 특급기술자의 노임단가에 8.7을 곱한 금액과 고급기술자의 노임단가에 16.2를 곱한 금액 및

중급기술자의 노임단가에 5.8을 곱한 금액을 모두 합산한 금액
(2) 시험·검사 등에 드는 비용으로서 국토교통부장관이 정하여 고시하는 금액
2) 추가비용: 기본비용에 0.6을 곱한 금액
3) 출장비용: 출장자가 소속된 기관의 여비 규정에 따른 금액
4) 자문비용: 특급기술자의 노임단가에 5.2를 곱한 금액과 고급기술자의 노임단가에 20.8을 곱한 금액과 중급기술자의 노임단가에 1.0을 곱한 금액 모두를 합산한 금액
나. 내화구조 및 내화채움구조: 다음의 금액을 합산한 금액
1) 기본비용: 다음의 금액을 합산한 금액
(1) 특급기술자의 노임단가에 9.0을 곱한 금액과 고급기술자의 노임단가에 23.2를 곱한 금액 및 중급기술자의 노임단가에 5.8을 곱한 금액을 모두 합산한 금액
(2) 시험·검사 등에 드는 비용으로서 국토교통부장관이 정하여 고시하는 금액
2) 추가비용: 기본비용에 0.6을 곱한 금액
3) 출장비용: 가목3)에 따른 비용
4) 자문비용: 가목4)에 따른 비용

2. 품질인정 유효기간 연장 신청 수수료
가. 복합자재·방화문 및 자동방화셔터: 다음의 금액을 합산한 금액
1) 기본비용: 다음의 금액을 합산한 금액
(1) 특급기술자의 노임단가에 6.2를 곱한 금액과 고급기술자의 노임단가에 11.3을 곱한 금액 및 중급기술자의 노임단가에 5.8을 곱한 금액을 모두 합산한 금액
(2) 시험·검사 등에 드는 비용으로서 국토교통부장관이 정하여 고시하는 금액
2) 추가비용: 기본비용에 0.6을 곱한 금액
3) 출장비용: 제1호가목3)에 따른 비용
4) 자문비용: 제1호가목4)에 따른 비용
나. 내화구조 및 내화채움구조: 다음의 금액을 합산한 금액
1) 기본비용: 다음의 금액을 합산한 금액
(1) 특급기술자의 노임단가에 7.2를 곱한 금액과 고급기술자의 노임단가에 15.0을 곱한 금액 및 중급기술자의 노임단가에 5.8을 곱한 금액을 모두 합산한 금액
(2) 시험·검사 등에 드는 비용으로서 국토교통부장관이 정하여 고시하는 금액
2) 추가비용: 기본비용에 0.6을 곱한 금액
3) 출장비용: 제1호가목3)에 따른 비용
4) 자문비용: 제1호가목4)에 따른 비용

비고
1. 노임단가는 「통계법」 제27조제1항에 따라 한국엔지니어링진흥협회가 조사·공표하는 임금단가를 8시간으로 나눈 금액을 말한다.
2. 추가비용은 둘 이상의 건축자재등에 대해 품질인정 또는 품질인정 유효기간의 연장을 신청하는 경우의 두 번째 건축자재등부터 산정하여 합산한다.
3. 자문비용은 품질인정 과정에서 외부 전문가의 자문을 받은 경우에만 합산한다.

(2) 품질인정 또는 품질인정 유효기간의 연장 신청자의 수수료 납부 시기

1. 수수료 중 기본비용 및 추가비용	품질인정 또는 품질인정 유효기간 연장 신청시
2. 수수료 중 출장비용 및 자문비용	한국건설기술연구원장이 고지하는 납부시기

(3) 수수료의 반환

한국건설기술연구원장은 다음의 경우 납부된 수수료의 전부 또는 일부를 반환해야 한다.

1. 수수료 중 기본비용 및 추가비용 품질인정 또는 품질인정 유효기간 연장 신청시
2. 신청을 반려한 경우
3. 수수료를 과오납(過誤納)한 경우

(4) 수수료의 납부·반환 방법 및 반환 금액 등 수수료의 납부 및 반환에 필요한 세부사항

- 국토교통부장관이 정하여 고시

【3】 품질인정자재등의 인정 취소

건축자재등 품질인정기관은 품질인정자재등이 다음에 해당하면 그 인정을 취소할 수 있다.
(제1호의 경우는 그 인정을 취소하여야 함)

1. 거짓이나 그 밖의 부정한 방법으로 인정받은 경우
2. 인정받은 내용과 다르게 제조·유통·시공하는 경우
3. 품질인정자재등이 국토교통부장관이 정하여 고시하는 품질관리기준에 적합하지 아니한 경우
4. 인정의 유효기간을 연장하기 위한 시험결과를 제출하지 아니한 경우

【4】 품질인정자재등의 제조업자 등에 대한 점검

(1) 건축자재등 시험장소, 제조현장, 유통장소 및 건축공사장의 점검

건축자재등 품질인정기관은 건축자재등의 품질 유지·관리 의무가 준수되고 있는지 확인하기 위하여 한국건설기술연구원장은 매년 1회 이상 법 건축자재 시험기관의 시험장소, 제조업자의 제조현장, 유통업자의 유통장소 및 건축공사장을 점검해야 한다.

(2) 한국건설기술연구원장의 제조현장 등 점검시 확인사항

1. 시험기관이 품질인정자재등과 관련하여 작성한 원시 데이터, 시험체 제작 및 확인 기록
2. 품질인정자재등의 품질인정 유효기간 및 품질인정표시
3. 제조업자가 작성한 납품확인서 및 품질관리서
4. 건축공사장에서의 시공 현황을 확인할 수 있는 다음 서류 ① 품질인정자재등의 세부 인정내용 ② 설계도서 및 작업설명서 ③ 건축공사 감리에 관한 서류 ④ 그 밖에 시공 현황을 확인할 수 있는 서류로서 국토교통부장관이 정하여 고시하는 서류

(3) 점검의 세부 절차 및 방법: 국토교통부장관이 정하여 고시

【5】 건축자재등 품질·유지관리 의무 위반에 대한 조치

① 건축자재등 품질인정기관은 점검 결과 위법 사실을 발견한 경우 국토교통부장관에게 그 사실을 통보하여야 한다.

② 국토교통부장관은 통보를 받은 경우 품질인정자재등의 제조업자, 유통업자 및 건축관계자등에게 위법 사실을 통보해야 하며, 제조업자등에게 다음의 구분에 따른 조치를 할 수 있다.

의무 위반자	위반내용	조치내용
1. 건축관계자등	㉠ 품질인정자재등을 사용하지 않거나 인정받은 내용대로 시공하지 않은 부분이 있는 경우	· 시공부분의 시정, 해당 공정에 대한 공사 중단 명령 · 품질인정을 받지 않은 건축자재등의 사용 중단 명령
	㉡ 품질인정을 받지 않은 건축자재등이 공사현장에 반입되어 있거나 보관되어 있는 경우	· 해당 건축자재등의 사용 중단 명령
2. 제조업자, 유통업자	-	· 관계 기관에 대한 관계 법률에 따른 영업정지 등의 요청

③ 제조업자등은 위법 사실을 통보받거나 위 표 1.의 명령을 받은 경우 그 날부터 7일 이내에 조치계획을 수립하여 국토교통부장관에게 제출하여야 한다.

④ 국토교통부장관은 ② 에 따른 조치계획(위 표 1.의 조치계획만 해당)에 따른 개선조치가 이루어졌다고 인정되면 공사 중단 명령을 해제하여야 한다.

【6】 제조업자등에 대한 자료요청 등

① 건축자재등 품질인정기관은 건축자재등의 품질관리 상태 확인 등을 위하여 제조업자, 유통업자, 건축관계자등에 대하여 건축자재등의 생산 및 판매실적, 시공현장별 시공실적 등 다음의 자료를 요청할 수 있다.

1. 건축자재등 및 품질인정자재등의 생산 및 판매 실적
2. 시공현장별 건축자재등 및 품질인정자재등의 시공 실적
3. 품질관리서
4. 그 밖에 제조공정에 관한 기록 등 품질인정자재등에 대한 품질관리의 적정성을 확인할 수 있는 자료로서 국토교통부장관이 정하여 고시하는 자료

② 그 밖에 건축자재등 품질인정기관이 건축자재등의 품질인정을 운영하기 위한 인정절차, 품질관리 등 필요한 사항은 국토교통부장관이 정하여 고시한다.

건 축 법
1. 총 칙
2. 건 축
3. 유지관리
4. 대지도로
5. 구조재료
6. 지역지구
7. 건축설비
8. 특별건축구역
9. 보 칙
10. 벌 칙
건 축 법 관련기준

8 건축물의 범죄예방(법 제53조의2)(영 제63조의6)

법 제53조의2【건축물의 범죄예방】

① 국토교통부장관은 범죄를 예방하고 안전한 생활환경을 조성하기 위하여 건축물, 건축설비 및 대지에 관한 범죄예방 기준을 정하여 고시할 수 있다.

② 대통령령으로 정하는 건축물은 제1항의 범죄예방 기준에 따라 건축하여야 한다.

[본조신설 2014.5.28.]

영 제63조의6【건축물의 범죄예방】

법 제53조의2제2항에서 "대통령령으로 정하는 건축물"이란 다음 각 호의 어느 하나에 해당하는 건축물을 말한다. <개정 2018.12.31.>

1. 다가구주택, 아파트, 연립주택 및 다세대주택
2. 제1종 근린생활시설 중 일용품을 판매하는 소매점
3. 제2종 근린생활시설 중 다중생활시설
4. 문화 및 집회시설(동 · 식물원은 제외한다)
5. 교육연구시설(연구소 및 도서관은 제외한다)
6. 노유자시설
7. 수련시설
8. 업무시설 중 오피스텔
9. 숙박시설 중 다중생활시설

[본조신설 2014.11.28.][제61조의2에서 이동 <2021.12.21>]

해설 아파트, 소매점 등의 건축물에 대해 범죄를 예방하고 안전한 생활환경을 조성하기 목적으로 건축물, 건축설비 및 대지에 관하여 국토교통부장관이 정하여 고시하는 범죄예방 기준에 따라 건축하도록 하는 규정이 신설되었다.(2014.5.28. 건축법 개정)

【1】 대상 건축물

① 다가구주택, 아파트, 연립주택 및 다세대주택	
② 제1종 근린생활시설 중 일용품을 판매하는 소매점	⑥ 노유자시설
③ 제2종 근린생활시설 중 다중생활시설	⑦ 수련시설
④ 문화 및 집회시설(동·식물원 제외)	⑧ 업무시설 중 오피스텔
⑤ 교육연구시설(연구소 및 도서관 제외)	⑨ 숙박시설 중 다중생활시설

【2】 범죄예방 기준의 적용

① 위 범죄예방대상 건축물은 범죄예방 기준에 따라 건축하여야 한다.

② 국토교통부장관은 범죄를 예방하고 안전한 생활환경을 조성하기 위하여 건축물, 건축설비 및 대지에 관한 범죄예방 기준을 정하여 고시할 수 있다.

【참고】 범죄예방 건축기준(국토교통부고시 제2021-930호, 2021.7.1) ➡ 제1권 제2편 참조

9 방화문(영 제64조)(피난규칙 제26조)

■ 방화문의 구조

영 제64조【방화문의 구조】

① 방화문은 다음 각 호와 같이 구분한다.

1. 60분+ 방화문: 연기 및 불꽃을 차단할 수 있는 시간이 60분 이상이고, 열을 차단할 수 있는 시간이 30분 이상인 방화문
2. 60분 방화문: 연기 및 불꽃을 차단할 수 있는 시간이 60분 이상인 방화문
3. 30분 방화문: 연기 및 불꽃을 차단할 수 있는 시간이 30분 이상 60분 미만인 방화문

② 제1항 각 호의 구분에 따른 방화문 인정 기준은 국토교통부령으로 정한다.

[전문개정 2020.10.8.]

피난규칙 제26조【방화문의 구조】

영 제64조제1항에 따른 방화문은 한국건설기술연구원장이 국토교통부장관이 정하여 고시하는 바에 따라 품질을 시험한 결과 영 제64조제1항 각 호의 기준에 따른 성능을 확보한 것이어야 한다. <개정 2021.3.26>

1. 삭제 <2021.12.23.>
2. 삭제 <2021.12.23.>

[전문개정 2021.3.26.]

해설 기존의 갑종방화문과 을종방화문을 성능확인 별로 쉽게 구분할 수 있도록, 60분 방화문과 30분 방화문으로 개정되었다. 또한, 60분 방화문에 30분 이상의 열 차단 성능을 추가한 60분+ 방화문도 규정하여 아파트 대피공간 등에 사용하도록 규정하고 있다.

【참고】 건축자재등 품질인정 및 관리기준(국토교통부고시 제2023-24호, 2023.1.9)

10 지하층(법 제53조)(피난규칙 제25조)

법 제53조【지하층】

① 건축물에 설치하는 지하층의 구조 및 설비는 국토교통부령으로 정하는 기준에 맞게 하여야 한다. <개정 2023.12.26./시행 2024.3.27.>

② 단독주택, 공동주택 등 대통령령으로 정하는 건축물의 지하층에는 거실을 설치할 수 없다. 다만, 다음 각 호의 사항을 고려하여 해당 지방자치단체의 조례로 정하는 경우에는 그러하지 아니하다. <신설 2023.12.26./시행 2024.3.27.>

1. 침수위험 정도를 비롯한 지역적 특성
2. 피난 및 대피 가능성
3. 그 밖에 주거의 안전과 관련된 사항

■ 지하층의 구조(피난·방화 규칙 제25조)

피난규칙 제25조【지하층의 구조】

① 법 제53조에 따라 건축물에 설치하는 지하층의 구조 및 설비는 다음 각 호의 기준에 적합하여야 한다.

1. 거실의 바닥면적이 50제곱미터 이상인 층에는 직통계단외에 피난층 또는 지상으로 통하는 비상탈출구 및 환기통을 설치할 것. 다만, 직통계단이 2개소 이상 설치되어 있는 경우에는 그러하지 아니하다.

1의2. 제2종근린생활시설 중 공연장·단란주점·당구장·노래연습장, 문화 및 집회시설중 예식장·공연장, 수련시설 중 생활권수련시설·자연권수련시설, 숙박시설중 여관·여인숙, 위락시설중 단란주점·유흥주점 또는 「다중이용업소의 안전관리에 관한 특별법 시행령」 제2조에 따른 다중이용업의 용도에 쓰이는 층으로서 그 층의 거실의 바닥면적의 합계가 50제곱미터 이상인 건축물에는 직통계단을 2개소 이상 설치할 것

2. 바닥면적이 1천제곱미터이상인 층에는 피난층 또는 지상으로 통하는 직통계단을 영 제46조의 규정에 의한 방화구획으로 구획되는 각 부분마다 1개소 이상 설치하되, 이를 피난계단 또는 특별피난계단의 구조로 할 것

3. 거실의 바닥면적의 합계가 1천제곱미터 이상인 층에는 환기설비를 설치할 것

4. 지하층의 바닥면적이 300제곱미터 이상인 층에는 식수공급을 위한 급수전을 1개소이상 설치할 것

② 제1항제1호에 따른 지하층의 비상탈출구는 다음 각호의 기준에 적합하여야 한다. 다만, 주택의 경우에는 그러하지 아니하다.

1. 비상탈출구의 유효너비는 0.75미터 이상으로 하고, 유효높이는 1.5미터 이상으로 할 것
2. 비상탈출구의 문은 피난방향으로 열리도록 하고, 실내에서 항상 열 수 있는 구조로 하여야 하며, 내부 및 외부에는 비상탈출구의 표시를 할 것
3. 비상탈출구는 출입구로부터 3미터 이상 떨어진 곳에 설치할 것
4. 지하층의 바닥으로부터 비상탈출구의 아랫부분까지의 높이가 1.2미터 이상이 되는 경우에는 벽체에 발판의 너비가 20센티미터 이상인 사다리를 설치할 것
5. 비상탈출구는 피난층 또는 지상으로 통하는 복도나 직통계단에 직접 접하거나 통로 등으로 연결될 수 있도록 설치하여야 하며, 피난층 또는 지상으로 통하는 복도나 직통계단까지 이르는 피난통로의 유효너비는 0.75미터 이상으로 하고, 피난통로의 실내에 접하는 부분의 마감과 그 바탕은 불연재료로 할 것

6. 비상탈출구의 진입부분 및 피난통로에는 통행에 지장이 있는 물건을 방치하거나 시설물을 설치하지 아니할 것
7. 비상탈출구의 유도등과 피난통로의 비상조명등의 설치는 소방법령이 정하는 바에 의할 것

해설 지하층은 전시에 대피호로서의 의무공간확보의 규정이었으나, 현재에는 필요시에 건축주의 의사에 따라 설치할 수 있도록 규정하고 있다. 또한 설치시 지하층의 구조·피난에 대한 규정에 따르도록 하여 안전을 확보할 수 있게 하고 있다.

■ 거실의 지하층 설치 제한 〈개정 2023.12.26./시행 2024.3.27.〉

(1) 대상 : 단독주택, 공동주택 등 대통령령이 정하는 건축물

(2) 예외 : 다음 특성을 고려하여 건축조례로 정하는 경우

1. 침수위험 정도를 비롯한 지역적 특성
2. 피난 및 대피 가능성
3. 그 밖에 주거의 안전과 관련된 사항

【1】 지하층의 구조 및 설비기준

	해당 지하층의 바닥면적	규 정 내 용	그 림 상 세
1	거실 바닥면적 50㎡ 이상인 층	직통계단외에 피난층 또는 지상으로 통하는 비상탈출구 및 환기통 설치 -직통계단이 2이상 설치의 경우 제외	①직통계단외에 비상탈출구 및 환기통 설치 ②직통계단 2이상 설치시 예외
2	바닥면적 1,000㎡ 이상인 층	방화구획부분마다 피난계단 또는 특별피난계단을 1개소 이상 설치	방화구획 B 방화구획 A • 각 방화구획별 피난계단·특별피난계단의 설치
3	거실 바닥면적 합계 1,000㎡ 이상인 층	환기설비의 설치	—
4	바닥면적 300㎡ 이상인 층	식수공급을 위한 급수전 1개소 이상 설치	—

■ 제2종 근린생활시설 중 공연장·단란주점·당구장·노래연습장, 문화 및 집회시설 중 예식장·공연장, 수련시설 중 생활권수련시설,·자연권수련시설, 숙박시설 중 여관·여인숙, 위락시설 중 단란주점·유흥주점 또는 「다중이용업소의 안전관리에 관한 특별법 시행령」 제2조에 따른 다중이용업의 용도에 쓰이는 층으로서 그 층의 거실의 바닥면적의 합계가 50㎡ 이상인 건축물에는 직통계단을 2개소 이상 설치할 것

【2】 비상탈출구의 기준(주택의 경우 제외)

비상탈출구		
	1	0.75m×1.5m이상-비상탈출구의 크기 (유효너비)×(유효높이)
	2	비상탈출구의 문은 피난의 방향으로 열리도록 하고 실내에서 항상 열 수 있는 구조로 하며, 내부 및 외부에는 비상탈출구의 표시를 할 것
	3	출입구로부터 3m 이상 떨어진 곳에 설치
	4	지하층 바닥으로부터 탈출구의 아랫부분까지의 높이가 1.2m 이상 되는 경우 벽체에 사다리를 설치할 것(발판의 너비 20㎝ 이상)
	5	피난층 또는 지상으로 통하는 복도나 직통계단에 직접 접하거나 통로 등으로 연결될 수 있도록 설치하여야 하며, 피난층 또는 지상으로 통하는 복도나 직통계단까지 이르는 피난통로의 유효너비는 0.75m 이상으로 하고 피난통로의 실내에 접하는 부분의 마감과 그 바탕은 불연재료로 할 것

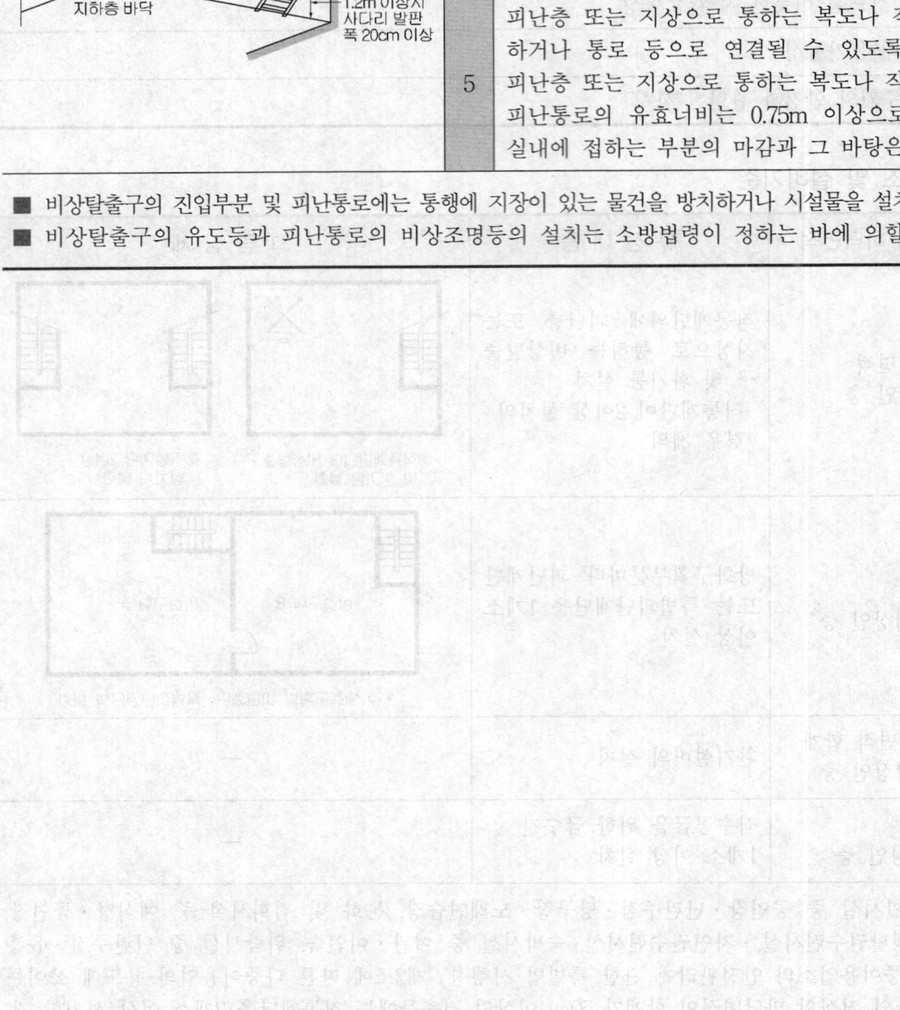

■ 비상탈출구의 진입부분 및 피난통로에는 통행에 지장이 있는 물건을 방치하거나 시설물을 설치하지 아니할 것
■ 비상탈출구의 유도등과 피난통로의 비상조명등의 설치는 소방법령이 정하는 바에 의할 것

10 질의회신 · 법령해석

갑종방화문은 60분+ 또는 60분 방화문으로, 을종방화문은 30분 방화문으로 개정되었습니다.(시행 2021.8.7.> 질의회신 확인시 참고바랍니다.(➡ 9 방화문 참조)

■ 목차

1 건축물의 구조

법령해석 「목구조인 단독주택을 건축하려는 경우 「건축법 시행령」 제32조제2항에 따라 구조 안전의 확인 서류를 제출해야 하는지

「건축법 시행령」 제32조제2항 등 관련 법제처 법령해석 20-0707, 2021.1.22.

질의요지 목(木)구조(각주: 주요구조부인 기둥과 보를 설치하는 건축물로서 그 기둥과 보가 목재인 목구조 건축물을 말하며, 이하 같음.)인 단독주택(각주: 「건축법 시행령」 별표 1 제1호의 단독주택으로서 「건축법 시행령」 제32조제2항제1호부터 제8호까지의 어느 하나에 해당하지 않는 건축물임을 전제함.)을 「건축법」 제11조제1항에 따라 건축하려는 경우, 해당 단독주택의 건축주는 같은 법 시행령 제32조제2항제9호에 따라 구조 안전의 확인 서류를 허가권자(각주: 특별자치시장 · 특별자치도지사 또는 시장 · 군수 · 구청장을 말하며, 이하 같음.)에게 제출해야 하는지?

<질의 배경> 민원인은 위 질의요지에 대해 국토교통부에 문의하였고 단독주택이 목구조인 경우에도 「건축법 시행령」 제32조제2항제9호에 따라 구조 안전의 확인 서류를 제출해야 한다는 회신을 받자, 이에 이견이 있어 법제처에 법령해석을 요청함.

회답 「건축법」 제11조제1항에 따라 목구조인 단독주택을 건축하려는 건축주는 같은 법 시행령 제32조제2항제9호에 따라 구조 안전의 확인 서류를 허가권자에게 제출해야 합니다.

이유 “생략”

건 축 법
1. 총 칙
2. 건 축
3. 유지관리
4. 대지도로
5. 구조재료
6. 지역지구
7. 건축설비
8. 특별건축구역
9. 보 칙
10. 벌 칙
건 축 법 관련기준

법령해석 **구조 안전의 확인 서류 제출에 관한 경과조치의 적용 범위**

「건축법 시행령」 부칙 제2조 등 관련(개정 2017.10.24./시행 2017.12.1.) 법제처 법령해석 18-0381, 2018.11.2.

질의요지 2017년 10월 24일 대통령령 제28397호로 일부개정되어 2017년 12월 1일 시행된 「건축법 시행령」(이하 "구 건축법 시행령"이라 함) 제32조제2항제2호 · 제6호 또는 제9호에 따라 구조 안전의 확인 서류 제출 대상이 된 건축물에 대하여 같은 영의 시행 전에 건축허가 · 대수선허가 또는 용도변경허가를 신청하거나 건축신고 또는 용도변경신고를 한 경우로서 건축물의 설계변경 없이 건축주 · 설계자 · 공사시공자 또는 공사감리자(이하 "건축관계자"라 함)가 변경되어 구 건축법 시행령의 시행 이후 「건축법」 제16조제1항 및 같은 법 시행령 제12조제1항제3호에 따른 변경신고를 하는 경우 「건축법 시행령」 제32조제2항에 따라 구조 안전의 확인 서류를 제출해야 하는지?

회답 이 사안의 경우 구조 안전의 확인 서류를 제출하지 않아도 됩니다.

이유 "생략"

법령해석 **구조안전을 확인해야 하는 건축물의 범위**

「건축법」 제48조제2항 등 관련 법제처 법령해석 18-0049, 2018.3.26.

질의요지 「건축법 시행령」 별표 1 제1호의 단독주택 및 같은 표 제2호의 공동주택을 「건축법」 제14조제1항에 따라 건축신고를 통해 건축하는 경우, 같은 법 제48조제2항에 따라 구조 안전의 확인을 해야 하는지?

<질의 배경> 민원인은 「건축법 시행령」 제32조제2항제9호에 따른 건축물을 「건축법」 제14조제1항에 따라 건축신고를 하여 건축하는 경우 같은 법 제48조제2항 및 같은 법 시행령 제32조에 따른 구조 안전의 확인을 하지 않아도 된다고 생각하여 국토교통부에 질의하였으나, 국토교통부에서 해당 건축물의 경우 구조의 안전을 확인해야 한다는 취지로 답변하자, 이에 이의가 있어서 법제처에 법령해석을 요청함.

회답 「건축법 시행령」 별표 1 제1호의 단독주택 및 같은 표 제2호의 공동주택을 「건축법」 제14조제1항에 따라 건축신고를 통해 건축하는 경우, 같은 법 제48조제2항에 따라 구조 안전의 확인을 해야 합니다.

이유 "생략"

법령해석 **구조안전을 확인하여야 하는 건축물의 범위**

건축법 제48조 등 관련 법제처 법령해석 13-0458, 2013.12.11.

질의요지 「건축법」 제14조제1항에 따라 건축신고를 하고 건축하는 건축물이 같은 법 제48조제2항 및 같은 법 시행령 제32조제1항에 따라 구조안전을 확인하여야 하는 건축물의 범위에 포함될 수 있는지?

회답 「건축법」 제14조제1항에 따라 건축신고를 하고 건축하는 건축물이라고 하더라도 같은 법 제48조제2항 및 같은 법 시행령 제32조제1항에 따라 구조안전을 확인하여야 하는 건축물의 범위에 포함될 수 있다고 할 것입니다.

이유 "생략"

질의회신 **건축물 증축 시 지진에 대한 안전여부 확인 대상 여부**

국토교통부 민원마당 FAQ 2022.6.20.

질의 건축법시행령 제32조 제2항에서 지진에 대한 안전여부 확인 대상 건축물을 정하면서,
'사용승인서를 교부받은 후 5년이 경과된 건축물의 증축(연면적의 10분의 1이내의 증축 또는 1개층의 증축에 한함) 및 일부개축의 경우에는 그러하지 아니한다.' 라고 명시되어 있는 바,
다음과 같은 경우 지진에 대한 안전여부 확인 대상인지 여부
가. 연면적 1/10초과로 증가하면서 1개층 증축 공사, 나. 연면적 1/10이하로 증가하면서 2개층 증축 공사

회신 건축법시행령 제32조 제2항 단서 규정에 따라 사용승인서를 교부 받은 후 5년이 경과된 건축물로서 연면적의 10분의 1이내의 증축(①) 또는 1개층의 증축(②)에 해당하는 경우에는 지진에 대한 안전여부를 확인 하지 아니하여도 되는 것으로써 연면적과 층수의 증축을 병행하는 경우에는 조건 ①, ②에 모두 적합하여야 하는 것

임. 따라서, "가"와 "나"는 이에 해당하지 않아, 지진에 대한 안전여부의 확인이 필요할 것으로 판단됨

질의회신 건축물 구조 안전 관련

국토교통부 민원마당 FAQ 2022.6.21.

질의 건축물의 구조안전 확인에 관한 기준?

회신 건축법 제48조에 따라 건축물은 고정하중·적재하중·적설하중·풍압·지진 기타의 진동 및 충격 등에 대하여 안전한 구조를 가져야 하므로, 허가권자는 건축물을 건축하고자 하는 대지 하부에 도시계획시설(도로-터널) 공사가 예정되어 있다면 건축물의 안전성 여부 및 「국토의 계획 및 이용에 관한 법률」 제64조등 관련 규정을 종합적으로 검토할 필요가 있을 것임

질의회신 건축 구조 안전의 확인

국토부 민원마당 전자민원처리공개 2018.8.21.

질의 1층 필로티형 창고, 2층 단독주택일 경우 기 사용승인 완료한 건축물로써, 1층 필로티 부분에 칸막이 벽을 설치하여 주택으로 용도변경시 건축법 시행령 32조에 의한 구조안전 확인대상 여부.

회신 건축법 제19조제7항에서 제1항과 제2항에 따른 건축물의 용도변경에 관하여는 제48조를 준용하도록 규정하고 있어, 건축법 제32조제2항제9호에 따른 주택에 해당하는 건축물을 용도변경하는 경우 구조 안전 확인 서류를 허가권자에게 제출하여야 함. 아울러, 필로티 구조의 변경을 통해 면적이 증가하는 경우에는 건축법 제2조제2호에 따른 증축에 해당할 수 있음

질의회신 구조안전확인에 대한 기둥사이의 거리

건교부 건축 58550-2573, 1999.7.5.

질의 건축법시행령 제32조 제1항 제5호의 규정을 적용함에 있어서 기둥과 기둥사이의 거리란

회신 건축법시행령 제32조 제1항 제5호의 규정을 적용함에 있어서 기둥과 기둥사이의 거리는 서로 마주보는 기둥과 기둥사이의 거리 중 가장 긴 거리를 말하는 것임(제1항 제5호 ⇒ 제2항 제5호, 2014.11.18. 개정)

2 건축물의 피난시설

법령해석 「건축법 시행령」 제34조제4항 단서에 따라 피난층 또는 지상으로 통하는 직통계단을 설치하는 경우, 피난안전구역의 설치가 금지되는지 여부

「건축법」 제50조의2 관련 법제처 법령해석 21-0267, 2021.6.8./건축사협회 수정게시 2022.7.28.

질의요지 「건축법 시행령」 제34조제4항 본문에서는 준초고층 건축물에서의 피난안전구역 설치 기준을 규정하면서, 단서에서 "국토교통부령으로 정하는 기준에 따라 피난층 또는 지상으로 통하는 직통계단을 설치하는 경우에는 그러하지 아니하다"라고 하는 바, 준초고층 건축물에 국토교통부령으로 정하는 기준에 따라 피난층 또는 지상으로 통하는 직통계단을 설치하는 경우, 해당 건축물에 피난안전구역을 설치할 수 없는지 여부

회답 이 사안의 경우 준초고층 건축물에 피난안전구역을 설치할 수 있음.

이유 「건축법」 제50조의2제1항 및 같은 법 시행령 제34조제4항에서는 고층건축물의 피난 및 안전관리를 위하여 준초고층 건축물에 피난층 또는 지상으로 통하는 직통계단과 직접 연결되는 피난안전구역을 설치하도록 하면서, 국토교통부령으로 정하는 기준에 따라 피난층 또는 지상으로 통하는 직통계단을 설치하는 경우에는 그러하지 아니하다고 규정하고 있는바, 문언상 위 규정은 준초고층 건축물에 국토교통부령으로 정하는 일정한 기준을 충족하여 피난층 또는 지상으로 통하는 직통계단을 설치한 경우에는 예외적으로 피난안전구역 설치의무가 면제된다는 의미일 뿐, 피난안전구역 설치를 금지하는 새로운 의무를 부과하는 의미로 해석하기는 어려움.

건 축 법
1. 총 칙
2. 건 축
3. 유지관리
4. 대지도로
5. 구조재료
6. 지역지구
7. 건축설비
8. 특별건축구역
9. 보 칙
10. 벌 칙
건 축 법 관련기준

법령해석 강화된 직통계단의 설치기준이 적용되는 대상의 범위

국토교통부령 제641호 「건축물의 피난·방화구조의 기준 등에 관한 규칙」 부칙 제2조 등 관련 법제처 법령해석 20-0688, 2021.2.24.

질의요지 2019년 8월 6일 국토교통부령 제641호로 개정된 「건축물의 피난·방화구조의 기준 등에 관한 규칙」 부칙 제2조에서는 제8조제2항의 개정규정은 해당 규정의 시행일(2019.11.7.) 이후 「건축법」 제11조에 따른 건축허가(각주: 증축에 대한 건축허가는 「건축법 시행령」 제2조제2호의 증축 중 건축면적을 늘리는 경우에 대한 건축허가로 한정하며, 이하 같음.)를 신청(각주: 건축허가를 신청하기 위해 「건축법」 제4조의2제1항에 따라 건축위원회에 심의를 신청하는 경우를 포함하며, 이하 같음.)하거나 같은 법 제14조에 따른 건축신고를 하는 경우부터 적용하도록 적용례를 두고 있는바, 해당 시행일 이후 「건축법」 제19조에 따른 용도변경 허가를 신청하는 경우 「건축물의 피난·방화구조의 기준 등에 관한 규칙」(이하 "건축물방화구조규칙"이라 함) 제8조제2항이 적용되는지?

회답 이 사안의 경우 건축물방화구조규칙 제8조제2항은 적용되지 않습니다.

이유 건축물방화구조규칙 제8조제2항제1호에서는 「건축법 시행령」 제34조제2항에 따라 직통계단을 2개소 이상 설치하는 경우에 적용되는 직통계단의 설치기준으로 가장 멀리 위치한 직통계단 2개소의 출입구 간의 가장 가까운 직선거리는 건축물 평면의 최대 대각선 거리의 2분의 1 이상으로 하도록 규정하고 있는바, 이는 화재 시 원활한 피난이 이루어 질 수 있도록 하려는 취지에서 직통계단 간 이격거리 기준을 명확하게 정한 것으로, 같은 규칙이 2019년 8월 6일 국토교통부령 제641호로 개정되기 전에는 구체적인 기준 없이 피난에 지장이 없도록 일정한 간격을 두어 설치해야 한다고만 규정하고 있었습니다.

그리고 국토교통부령 제641호 건축물방화구조규칙 부칙 제2조에서는 제8조제2항의 개정규정은 해당 규정의 시행일 이후 「건축법」 제11조에 따른 건축허가를 신청하거나 같은 법 제14조에 따른 건축신고를 하는 경우부터 적용하도록 규정하고 있는바, 이와 같이 구법과 신법의 적용상 혼란을 방지하고 기득권자의 지위를 보호하기 위해 적용례를 둔 이상 신법의 적용 대상으로 규정하고 있지 않은 「건축법」 제19조에 따른 용도변경 허가를 신청하는 경우에 대해서까지 같은 규칙 제8조제2항의 개정규정이 적용된다고 볼 수는 없습니다.

또한 건축물방화구조규칙 개정에 따른 다른 부칙 규정(각주: 2015.10.7. 국토교통부령 제238호로 일부개정되어 같은 날 시행된 건축물방화구조규칙 부칙 제2조 참조.)에서는 강화된 건축물의 마감재료 규정은 해당 규정 시행일 이후 건축허가, 건축신고 및 용도변경 허가를 신청하는 경우부터 적용하도록 규정하여 "용도변경"의 경우를 명시하고 있다는 점에 비추어 보면, 개정 규정의 시행일 이후 건축허가를 신청하거나 건축신고를 하는 경우부터 적용하도록 규정한 것은 용도변경을 하는 경우를 개정규정의 적용 대상에서 제외하려는 취지로 보는 것이 타당합니다.

아울러 국토교통부령 제641호 건축물방화구조규칙 부칙 제2조에서는 증축에 대한 건축허가는 건축면적을 늘리는 증축의 경우로 한정하여 제8조제2항의 개정규정을 적용하도록 규정하고 있는 점을 고려하더라도, 면적이나 구조가 변경되는 것이 전제되지 않는 용도변경에 대해서까지 강화된 직통계단의 설치기준이 적용된다고 보는 것은 불합리하다고 할 것입니다.

법령해석 건축물의 피난층 외의 층에서 피난층 또는 지상으로 통하는 직통계단 설치기준의 적용대상

「건축법 시행령」 제34조제1항 등 관련 법제처 법령해석 23-0065, 2023.2.24.

질의요지 「건축법 시행령」 제34조제1항 본문에서는 건축물의 피난층(각주: 직접 지상으로 통하는 출입구가 있는 층 및 「건축법 시행령」 제34조제3항과 제4항에 따른 피난안전구역을 말하며, 이하 같음.) 외의 층에서는 피난층 또는 지상으로 통하는 직통계단(각주: 경사로를 포함하며, 이하 같음.)을 거실의 각 부분으로부터 계단(거실로부터 가장 가까운 거리에 있는 1개소의 계단을 말함)에 이르는 보행거리가 30미터 이하가 되도록 설치해야 한다고 규정하고 있는 한편,

「건축법 시행령」 제34조제2항에서는 같은 법 제49조제1항에 따라 피난층 외의 층이 다음 각 호의 어느 하나에 해당하는 용도 및 규모의 건축물에는 국토교통부령으로 정하는 기준에 따라 피난층 또는 지상으로 통하는

직통계단을 2개소 이상 설치해야 한다고 규정하고 있는바,

「건축법 시행령」 제34조제2항에 따라 피난층 또는 지상으로 통하는 직통계단을 2개소 이상 설치해야 하는 건축물의 경우, 거실의 각 부분을 기준으로 그와 가장 가까운 거리에 있는 직통계단 1개소가 같은 조 제1항 본문에 따른 설치기준을 충족하면 되는지, 아니면 직통계단 전부가 같은 항 본문에 따른 설치기준을 충족해야 하는지?(각주: 「건축법 시행령」 제34조제1항 단서에 해당하지 않음을 전제함.)

회답 이 사안의 경우, 거실의 각 부분을 기준으로 그와 가장 가까운 거리에 있는 직통계단 1개소가 「건축법 시행령」 제34조제1항 본문에 따른 설치기준을 충족하면 됩니다

이유 "생략"

법령해석 「건축법 시행령」 제34조제2항에 따라 직통계단을 2개소 이상 설치해야 하는 범위

「건축법 시행령」 제34조제2항 등 관련 법제처 법령해석 20-0472, 2020.11.19.

질의요지 건축물의 일부 층이 「건축법 시행령」 제34조제2항 각 호의 어느 하나에 해당하는 경우 해당 층으로부터 피난층(각주: 직접 지상으로 통하는 출입구가 있는 층 및 「건축법 시행령」 제34조제3항·제4항에 따른 피난안전구역을 말하며, 이하 같음.) 또는 지상으로 통하는 직통계단을 2개소 이상 설치하면 되는지, 아니면 해당 건축물 전체에 대해 직통계단을 2개소 이상 설치해야 하는지?

<질의 배경> 민원인은 위 질의요지에 대해 국토교통부에 문의하였고 건축물 전체에 대해 직통계단을 2개소 이상 설치해야 한다는 회신을 받자 이에 이견이 있어 법제처에 법령해석을 요청함.

회답 이 사안과 같이 건축물의 일부 층이 「건축법 시행령」 제34조제2항 각 호의 어느 하나에 해당하는 경우 해당 층으로부터 피난층 또는 지상으로 통하는 직통계단을 2개소 이상 설치하면 됩니다.

이유 「건축법 시행령」 제34조제2항에서는 피난층 외의 층이 각 호의 어느 하나에 해당하는 용도 및 규모의 건축물에는 피난층 또는 지상으로 통하는 직통계단을 2개소 이상 설치하도록 규정하고 있는데, 해당 규정에 따라 직통계단을 2개소 이상 설치해야 하는 대상이 같은 규정 각 호의 어느 하나에 해당하는 층을 의미하는지 아니면 해당 층이 있는 건축물 전체를 의미하는지는 문언상 불분명합니다.

그런데 「건축법 시행령」 제34조제1항에서는 건축물의 피난층 외의 층에서는 피난층 또는 지상으로 통하는 직통계단을 설치해야 한다고 규정하여 직통계단은 "피난층 외의 층에서 피난층 또는 지상으로 통하는 계단"을 의미하는 것임을 분명히 하고 있으므로, 같은 조 제2항에 따라 2개소 이상 설치해야 하는 직통계단 또한 직통계단을 설치하는 층을 기준으로 피난층 또는 지상으로 통하도록 설치하면 되는 것이고, 건축물의 최상층을 기준으로 피난층 또는 지상으로 통하도록 설치해야 하는 것은 아니라고 보아야 합니다.

그리고 건축물에서 직통계단은 벽이나 복도 등의 장애물 없이 건축물의 아래·위층을 수직으로 관통하여 연결함으로써 피난층이 아닌 층에서 피난층이나 지상까지 신속하게 대피할 수 있도록 하는 계단이나 경사로를 말하는 것으로, 화재·지진 등 급히 대피해야 하는 재난이 발생하는 경우 사람들이 신속하게 안전한 피난층이나 건축물 밖으로 대피할 수 있도록 건축물에 설치하는 피난시설의 일종인바,(각주: 법제처 2016.5.12. 회신 16-0002 해석례 참조) 「건축법 시행령」 제34조제2항에서 직통계단을 2개소 이상 설치해야 한다고 규정한 것은 공연장 등과 같이 재난 시 동시에 피난해야 하는 사람들의 수가 많거나 해당 층의 면적이 넓어 한 개소의 직통계단만으로는 신속한 대피가 어려울 수 있기 때문입니다.

또한 「건축법 시행령」이 1999년 4월 30일 대통령령 제16284호로 일부개정되기 전에는 제34조제2항 각 호 외의 부분에서 '건축물의 피난층 외의 층이 다음 각 호의 1에 해당하는 경우에는 그 층으로부터 피난층 또는 지상으로 통하는 직통계단을 2개소 이상 설치해야 한다'고 규정하여 건축물 전체가 아닌 해당 층을 대상으로 직통계단을 2개소 이상 설치해야 하는 것이 분명했으나 대통령령 제16284호로 개정되면서 현행 규정의 표현과 같이 변경된 것으로, 당시 「건축법 시행령」의 개정이유가 「행정규제기본법」에 의한 규제정비계획에 따라 국민에게 불편을 주고 있는 건축규제를 폐지 또는 완화하려는 것(각주: 1999.4.30. 대통령령 제16284호로 일부개정된 「건축법 시행령」 개정이유 참조)이었음에 비추어 보면 「건축법 시행령」 제34조제2항 각 호 외의 부

분의 표현이 직통계단 설치 규제를 강화하려는 취지에서 변경된 것으로 보기는 어렵습니다.

이러한 점을 종합적으로 고려하면 건축물의 피난층 또는 지상으로 통하는 직통계단이 2개소 이상 설치되어 있지 않은 층의 경우 「건축법 시행령」 제34조제2항 각 호의 어느 하나에 해당하는 용도로 변경하는 것이 제한될 수 있음은 별론으로 하고, 「건축법 시행령」 제34조제2항에 따라 직통계단을 2개소 이상 설치해야 하는 대상은 건축물의 피난층 외의 층이 같은 항 각 호의 어느 하나에 해당하는 경우의 해당 층으로 한정하여 해석하는 것이 타당합니다.

만약 이와 달리 건축물의 일부 층이 「건축법 시행령」 제34조제2항 각 호의 어느 하나에 해당하는 경우 전체 건축물에 대해 직통계단을 2개소 이상 설치해야 한다고 본다면, 건축물의 지하층만 같은 항 제5호에 해당하는 경우에도 지상층을 포함한 전체 건축물에 대해 직통계단을 2개소 이상 설치해야 하는 불합리한 규제가 발생한다는 점도 이 사안을 해석할 때 고려해야 합니다.

법령해석 의무적으로 설치하는 직통계단 외에 추가로 설치하는 직통계단을 피난계단 등으로 설치해야 하는지 여부

「건축법 시행령」 제35조제1항 등 관련 법제처 법령해석 20-0035, 2020.4.27.

질의요지 「건축법 시행령」 제34조제1항 및 제2항에 따라 의무적으로 설치해야 하는 직통계단(각주: 「건축법 시행령」 제34조제1항 및 제2항에 따라 건축물의 구조, 용도 및 규모에 따라 반드시 설치해야 하는 최소한의 직통계단을 말함.) 외에 추가로 설치하는 직통계단에 대해서도 같은 영 제35조제1항 본문을 적용하여 피난계단 또는 특별피난계단으로 설치해야 하는지?

회답 이 사안의 경우 추가로 설치하는 직통계단에 대해서도 피난계단 또는 특별피난계단으로 설치해야 합니다.

이유 "생략"

법령해석 층수가 16층 이상이고 주요구조부가 내화구조 또는 불연재료로 된 공동주택의 15층 이하의 층의 직통계단의 설치 기준

「건축법 시행령」 제34조제1항 관련 법제처 법령해석 19-0443, 2019.11.21.

질의요지 「건축법 시행령」 제34조제1항 단서에 따라 주요구조부가 내화구조 또는 불연재료로 된 층수가 16층 이상인 공동주택의 피난층(각주: 직접 지상으로 통하는 출입구가 있는 층 및 「건축법 시행령」 제34조제3항 및 제4항에 따른 피난안전구역을 말하며, 이하 같음.) 외의 층에 피난층 또는 지상으로 통하는 직통계단(각주: 경사로를 포함하며, 이하 같음.)을 설치하는 경우, 15층 이하의 층에서는 거실의 각 부분으로부터 가장 가까운 거리에 있는 직통계단에 이르는 보행거리가 50미터 이하가 되도록 설치하면 되는지 아니면 40미터 이하가 되도록 설치해야 하는지?

<질의 배경> 아파트 입주민인 민원인은 위 질의요지에 대해 국토교통부에 문의하였고 16층 이상인 공동주택의 15층 이하의 층에서는 보행거리가 50미터 이하가 되도록 설치하면 된다는 답변을 받자 이견이 있어 법제처에 법령해석을 요청함.

회답 이 사안의 경우 50미터 이하가 되도록 설치하면 됩니다.

이유 "생략"

법령해석 「건축물의 피난·방화구조 등의 기준에 관한 규칙」 제15조제4항의 적용 범위

「건축물의 피난·방화구조 등의 기준에 관한 규칙」 제15조제4항 관련 법제처 법령해석 19-0158, 2019.5.20.

질의요지 「건축물의 피난·방화구조 등의 기준에 관한 규칙」 제15조제3항에 따라 공동주택(기숙사는 제외하며, 이하 같음)·제1종 근린생활시설·제2종 근린생활시설 등의 용도에 쓰이는 건축물의 주계단·피난계단 또는 특별피난계단에 설치하는 난간을 같은 조 제4항 각 호의 기준에 적합하게 설치해야 하는지?

<질의 배경> 민원인은 위 질의요지에 대하여 국토교통부에 문의하였고, 국토교통부에서 난간에는 「건축물의 피난·방화구조 등의 기준에 관한 규칙」 제15조제4항 각 호의 기준을 적용해야 하는 것은 아니라고 회신하자,

이에 이의가 있어 법제처에 법령해석을 요청함.

회답 이 사안의 경우 「건축물의 피난·방화구조 등의 기준에 관한 규칙」 제15조제4항 각 호의 기준에 적합하게 설치해야 하는 것은 아닙니다.

이유 「건축법」 제49조제2항 및 같은 법 시행령 제48조제1항에 따라 연면적 200제곱미터를 초과하는 건축물에 설치하는 계단 중 높이가 1미터를 넘는 계단 및 계단참의 양면에는 「건축물의 피난·방화구조 등의 기준에 관한 규칙」 제15조제1항제2호에 따라 난간을 설치하되, 난간을 대신하여 벽 또는 이에 대치되는 것(이하 "벽등"이라 함)이 있으면 난간을 설치하지 않을 수 있습니다.

그런데 「건축물의 피난·방화구조 등의 기준에 관한 규칙」 제15조제3항에서는 공동주택·제1종 근린생활시설 등의 용도에 쓰이는 건축물의 주계단·피난계단 또는 특별피난계단에 설치하는 난간은 아동의 이용에 안전하고 노약자 및 신체장애인의 이용에 편리한 구조로 하도록 하면서 양쪽에 벽등이 있어 난간이 없는 경우에는 손잡이를 설치해야 한다고 규정하고 있는바, 해당 규정은 벽등이 있어 난간이 없는 경우 벽등에 손잡이를 설치하도록 규정하고 있을 뿐 "난간의 손잡이"에 대해서는 별도로 규정하고 있지 않습니다.

따라서 「건축물의 피난·방화구조 등의 기준에 관한 규칙」 제15조제4항에서 "제3항의 규정에 의한 ~ 손잡이"로 규정한 것은 난간을 대체할 벽등이 있어 난간이 없는 경우를 전제로 하여 벽등에 설치하는 손잡이의 설치기준을 정한 것이지, 난간의 윗부분을 손잡이로 보아 벽등에 설치하는 손잡이와 동일한 기준으로 설치할 것을 전제하여 그 설치기준을 함께 규정한 것으로 볼 수는 없습니다.

아울러 「건축물의 피난·방화구조 등의 기준에 관한 규칙」 제15조제4항제2호에서는 손잡이의 설치 기준으로 벽등으로부터 5센티미터 이상 떨어지도록 설치할 것을 규정하고 있는데 해당 규정은 벽등이 없는 곳에 설치하는 난간의 구조상 난간에는 적용될 수 없다는 점도 이 사안을 해석할 때 고려해야 합니다.

※ 법령정비 권고사항

「건축물의 피난·방화구조 등의 기준에 관한 규칙」 제15조제4항 각 호 외에 난간의 설치기준이나 바닥마감의 설치기준에 대해 정할 사항이 없다고 판단된다면 같은 항 각 호 외의 부분에서 난간과 바닥마감 부분을 정비하여 같은 항 각 호가 벽등 손잡이의 설치기준임을 명확하게 규정할 필요가 있습니다.

법령해석 세대내계단의 범위

법제처 법령해석 09-0041, 2009.3.18.

질의요지 공동주택의 최상층 세대에서 거실과 다락을 연결하는 계단을 설치하는 경우에, 위 계단의 설치기준은 「주택건설기준 등에 관한 규정」 제16조의 세대내계단에 관한 기준이 적용되는지, 또는 「건축물의 피난·방화구조 등의 기준에 관한 규칙」 제15조의 계단에 관한 기준이 적용되는지?

회답 공동주택의 최상층 세대에서 거실과 다락을 연결하는 계단을 설치하는 경우에는 「주택건설기준 등에 관한 규정」 제16조의 세대내계단에 관한 기준이 적용됨

이유 "생략"

법령해석 직통계단 설치 관련 창고시설이 거실에 해당하는지 여부 질의

법제처 법령해석 1998-04-25

질의요지 「건축법시행령 별표1제18호」의 규정에 의한 창고시설을 거실로 보아 「동시행령 제34조」 규정에 의한 직통계단을 설치하여야 하는지 여부

<의견>

○ 갑설-「건축법시행령 별표1제18호」의 규정에 의한 창고시설은 창고, 냉동·냉장창고 기타 이와 유사한 것과 하역장을 말하며,-「건축법 제2조제5호」의 규정에 의하여 거실이라 함은 건축물 안에서 주거·집무·작업 집회·오락 기타 이와 유사한 목적을 위하여 사용되는 방을 말하는바,- 창고시설에서는 물품의 입출고·분류·관리 등을 하기 위하여 작업이 이루어지는 공간이므로 거실로 보아 「건축법시행령 제34조」 규정에 의한 직통

건 축 법
1. 총 칙
2. 건 축
3. 유지관리
4. 대지도로
5. 구조재료
6. 지역지구
7. 건축설비
8. 특별건축구역
9. 보 칙
10. 벌 칙
건 축 법 관련기준

계단을 설치하여야 함.

○ 을설-창고시설이라 함은 물품의 저장을 목적으로 하고 있으며, 물품의 입출고·분류·관리 등을 위한 작업은 일상적으로 행하여지지 않아 거실로 볼 수 없으므로 「건축법시행령 제34조」 규정에 의한 직통계단의 설치기준을 적용하지 않음.

<우리시 의견> 갑설.

○「건축법시행령 별표1」은 건축물의 용도를 분류하고 있으며,「건축법 제2조제5호」의 규정은 건축물 이용자의 활동목적에 따른 구분에 의하여 거실을 정의하고 있는바,

○ 당해 건축물의 이용양태 등을 감안할 때, 창고시설중 물품의 장기보관을 위한 시설이나 사람의 작업을 요하지 아니하는 특수한 설비를 갖춘 시설을 제외하고는 창고시설로 활용하기 위한 물품의 입출고·분류·관리 등을 위한 작업이 이루어진다 할 것이므로 건축물 주용도로서의 창고시설은 거실에 해당하는 것으로 보아 창고시설이 건축물의 피난층 외의 층에 있는 경우에는 「건축법 제35조」 규정에 의한 직통계단을 설치하여 재해의 위험으로부터 작업자를 보호하여야 한다고 판단됨.

회답 ○ 「건축법 제2조제5호」의 규정에 의한 "거실"이라 함은 건축물 안에서 주거·집무·작업· 집회·오락 기타 이와 유사한 목적을 위하여 사용되는 방을 말하고,

○ 「건축법시행령 별표1 제18호」의 "창고시설"이라 함은 위험물저장 및 처리시설 또는 그 부속용도에 해당하지 아니하는 건축물로서 창고, 냉동·냉장창고 기타 이와 유사한 것과 하역장을 말하는바,

○ 건축물의 주용도인 창고시설에서 물품의 분류·정리·관리 등을 위한 작업공간은 거실로 보아 직통계단 설치규정을 적용하여야 할 것임

질의회신 옥외계단을 직통계단으로 인정할 수 있는지 여부

국토교통부 민원마당 FAQ 2022.6.21.

질의 직통계단이 2개소 필요한 업무시설에서 하나는 건축물 내부에, 다른 하나는 옥외계단으로 설치할 경우 옥외계단을 직통계단으로 인정할 수 있는 지?

회신 ○「건축법 시행령」 제34조에 따라 건축물의 피난층(직접 지상으로 통하는 출입구가 있는 층 및 제3항과 제4항에 따른 피난안전구역) 외의 층에서 피난층 또는 지상으로 통하는 직통계단(경사로를 포함)을 설치함에 있어 거실의 각 부분으로부터 계단(거실로부터 가장 가까운 거리에 있는 계단)에 이르는 보행거리는 기준에 적합한 거리 이하로 설치하여야 함

○ 또한,「건축물의 피난 · 방화구조 등의 기준에 관한 규칙」 제8조에 따라 직통계단의 출입구는 피난에 지장이 없도록 일정한 간격을 두어 설치하고, 각 직통계단 상호간에는 각각 거실과 연결된 복도 등 통로를 설치하여야 함

○상기 규정의 취지는 직통계단 상호간이 복도 및 통로 등 누구나 이용할 수 있는 공용부분으로 연결되어 있어 한쪽 직통계단을 이용할 수 없을 경우 다른 쪽 직통계단을 이용하여 피난하는 데 장애가 없어야 하며, 직통계단 상호간을 연결하는 부분에 거실이 있어서는 안 되는 것임

○ 따라서 질의의 옥외계단이 보행거리, 직통계단 상호간의 연결 등 관련 기준에 적합하여야 설치가 가능한 것으로 사료되며, 보다 자세한 사항은 관련자료를 갖추어 해당지역 허가권자에게 문의 바람

질의회신 한 개 층을 하나의 거실로 사용하는 경우 직통계단 상호간 복도등 통로를 별도로 구획하여 설치

국토교통부 민원마당 FAQ 2022.6.21.

질의 한 개 층을 하나의 거실로 사용하는 경우 직통계단 상호간 복도등 통로를 별도로 구획하여 설치

회신 건축물의 피난 · 방화구조 등의 기준에 관한 규칙 제8조제1항에 따르면 직통계단 상호간에는 각각 거실과 연결된 복도등 통로를 설치하도록 하고 있음. 이는 거실에서 다른 거실을 거치지 아니하고 두 개의 직통계단에 도달할 수 있도록 한 취지로, 한 개 층을 하나의 거실로 사용하는 경우로, 건축법 시행령 제34조제1항에 따른 보행거리 기준 및 피난에 지장이 없도록 적합하도록 가구 등의 배치를 하고 그 외 2개의 직통계단 도달에

지장이 없도록 한 경우라면 직통계단 상호간을 연결하는 복도등 통로를 벽체 등으로 별도 구획하여 설치할 필요는 없을 것임

질의회신 직통계단까지의 피난거리 산정방법

국토교통부 민원마당 FAQ 2022.6.20.

질의 옥상광장 일부에 증축되는 건축물의 거실에서 직통계단까지의 피난거리를 산정함에 있어 옥상광장을 통과하는 구간은 제외되는지 여부

회신 건축법시행령 제34조제1항의 규정에 의하면 건축물의 피난층 외의 층에서는 피난층 또는 지상으로 통하는 직통계단을 거실의 각 부분으로부터 계단에 이르는 보행거리가 30미터 이하가 되도록 설치(주요구조부가 내화구조 또는 불연재료로 된 건축물에 있어서는 그 보행거리가 50미터이하)하도록 규정되어 있으므로 질의의 경우도 보행거리를 모두 산정하여 상기 규정에 적합하게 설치해야 함

질의회신 직통계단 2개소에 대한 보행거리 기준 적용

국토교통부 민원마당 FAQ 2022.6.21.

질의 직통계단 2개소에 대한 보행거리 기준 적용

회신 「건축법 시행령」 제34조제2항에서 직통계단을 2개소 이상 설치토록 한 목적은 한 쪽의 직통계단을 사용하지 못할 경우에 대비해 양방향 피난이 가능토록하기 위함으로 동 조항에 따라 직통계단을 2개소 이상 설치하여야 한다면 각 거실에서 영 제34조제1항에서 규정하는 있는 보행거리 이내에 있는 직통계단이 2개소 이상이어야 하는 것임

질의회신 직통계단을 2개소 설치시 계단상호간 연결복도 설치여부

국토교통부 민원마당 FAQ 2022.6.20.

질의 직통계단을 2개소 설치하는 경우 계단 상호간에 연결복도가 있어야 하는지 여부

회신 건축물의 피난방화구조등의 기준에 관한규칙 제8조에서 건축법시행령 제34조의 규정에 의한 직통계단의 출입구는 피난에 지장이 없도록 일정한 간격을 두어 설치하고 각 직통계단 상호간에는 각각 거실과 연결된 복도 등 통로를 설치토록 규정하고 있으며, 이는 화재등 비상시 원활한 피난 및 대피를 위한 것이므로 직통계단 상호간에는 상기 규정에 적합한 복도등 통로가 설치되어야 할 것임

질의회신 차량용 경사로 직통계단 해당 여부

국토교통부 민원마당 FAQ 2022.6.20.

질의 차량용 경사로를 직통계단으로 볼 수 있는 지 여부

회신 차량용 경사로는 직통계단으로 볼 수 없음

질의회신 지하층에 주차장과 근린생활시설 설치시 직통계단 2개소 설치여부

국토교통부 민원마당 FAQ 2022.6.20.

질의 지하1층, 지상3층인 건축물의 지하층에 주차장과 근린생활시설을 함께 설치하고자 하는 경우, 직통계단을 2개소를 설치하여야 하는지 여부

회신 「건축법 시행령」 제34조제2항제5호의 규정에 의하면 지하층으로서 그 층의 거실의 바닥면적의 합계가 200제곱미터 이상인 건축물과 「건축물의 피난·방화구조 등의 기준에 관한 규칙」 제25조제1항제1호의2 규정에 의거 제2종근린생활시설중 공연장·단란주점·당구장·노래연습장등의 용도에 쓰이는 층으로서 그 층의 거실의 바닥면적의 합계가 50제곱미터 이상인 건축물에는 피난층 또는 지상으로 통하는 직통계단을 2개소이상 설치하도록 규정되어 있음.

질의회신 계단참 부분이 접한 2개의 직통계단 인정여부

국토교통부 민원마당 FAQ 2022.6.20.

질의 출입구를 달리하고 계단참 부분이 서로 접하여 같이 사용할 경우 2개의 직통계단으로 인정할 수 있는지 여부

회신 건축물의 피난방화구조등의 기준에 관한규칙 제8조의 규정에 의거 건축법시행령 제34조의 규정에 의한 직통계단의 출입구는 피난에 지장이 없도록 일정간격을 두어 유사시 2방향 피난이 가능하게 하고, 각 직통계단 상호간에는 각각 거실과 연결된 복도 등 통로를 설치토록 규정하고 있는바, 질의의 경우 동규정에 부적합한 것으로 사료됨.

질의회신 중간층에 복도로 연결된 직통계단 인정 여부

국토교통부 민원마당 FAQ 2022.6.20.

질의 지상 7층의 건축물에서 지상 1층부터 3층까지의 계단위치와 3층부터 7층까지의 계단위치를 달리하면서 지상3층에서의 계단과 계단이 일정한 거리의 복도로 연결된 경우 직통계단으로 볼 수 있는지 여부

회신 건축법시행령 제34조의 규정에 의거 직통계단은 건축물의 피난층 외의 층에서 피난층 또는 지상으로 직접 연결되는 계단으로서 실내의 다른 부분인 복도 및 거실 등을 거치지 아니하고 피난할 수 있는 계단을 말함.

질의회신 건축물의 복도설치 기준 관련

국토교통부 민원마당 FAQ 2019.5.24.

질의 거실의 바닥면적 합계가 200제곱미터 이상인 고시원으로 양쪽 거실의 출구가 복도를 향한 경우와 양쪽의 거실 중 한쪽의 거실만 출구가 복도로 향하고 다른 한쪽의 거실의 출구는 벽면으로 된 경우 복도의 너비 기준은?

회신 「건축물의 피난.방화구조 등의 기준에 관한 규칙」 제15조의2 제1항의 규정에 의하여 건축물에 설치하는 복도의 유효너비는 당해 층 거실의 바닥면적 합계가 200제곱미터 이상인 양 옆에 거실이 있는 복도는 1.5미터 이상(의료시설의 복도는 1.8미터 이상), 기타의 복도는 1.2미터 이상 확보하도록 규정하고 있음.

이는 비상시 원활한 피난.대피를 위한 것으로 양 옆에 거실이 있는 복도는 거실의 출구 방향과 상관없이 일정한 유효너비를 확보함이 타당할 것으로 사료됨.

참고로, 「다중이용업소의 안전관리에 관한 특별법령」에 따른 통로 설치기준은 별도로 검토하여야 할 것임

질의회신 지하주차장 직통계단의 보행거리 적용 여부

국토교통부 민원마당 FAQ 2022.6.21.

질의 지하9층, 지상 35층인 복합건축물에 「건축법 시행령」 제34조제1항의 규정에 의한 직통계단 이외에 해당 건축물의 이용 편의상 지하주차장인 지하8층에서부터 지상1층까지 통하는 계단을 설치한 경우 동 계단도 직통계단에 따른 건축기준에 적합하여야 하는 지 및 특별피난계단 구조에 적합하여야 하는 지 여부

회신 「건축법 시행령」 제34조제1항의 규정에 의하면, 건축물의 피난층외의 층에서는 피난층 또는 지상으로 통하는 직통계단을 거실의 각 부분으로부터 계단에 이르는 보행거리가 30미터~100미터 이하가 되도록 설치하도록 규정하고 있으며, 동법 시행령 제35조제2항의 규정에 의하면, 건축물의 11층(공동주택의 경우에는 16층)이상인 층(바닥면적이 400제곱미터 미만인 층은 제외한다) 또는 지하 3층 이하인 층(바닥면적이 400제곱미터미만인 층은 제외한다)으로부터 피난층 또는 지상으로 통하는 직통계단은 특별피난계단으로 설치하도록 규정하고 있음. 이 경우 지하주차장은 거실로 볼 수 없을 것이므로 상기 규정중 거실에서부터 직통계단까지의 보행거리 규정은 적용하지 아니할 수 있을 것이나 특별피난계단 규정 등 여타 규정은 건축법령에 적합하게 설치해야 할 것으로 사료됨. 이와 관련한 질의의 구체적인 사항은 설계도서 등 관계 자료와 현지의 현황을 확인하여 판단해야 할 것이므로 관련 도면 등 자세한 자료를 갖추어 현지 상황을 잘 알 수 있는 관할 소재지의 시장・군수・구청장에게 문의 바람

질의회신 복도설치 기준 관련

국토교통부 민원마당 FAQ 2013.12.9.

질의 건축물에 설치되는 복도가 양옆에 거실이 있는 경우와 기타의 복도가 혼재되어 있을 경우, 복도의 설치 기준 문의

회신 「건축물의 피난·방화구조 등의 기준에 관한 규칙」 제15조의2 제1항에 따르면 건축물에 설치하는 복도의 유효너비는 해당 용도, 면적 및 거실과 접하는 부분에 따라 1.2미터~2.4미터 이상을 확보하도록 하고 있음. 이는 비상시 원활한 피난·대피를 위해 일정한 복도의 너비를 확보하도록 규정한 것으로, 귀 질의와 같이 건축물에 설치하는 복도가 양옆에 거실이 있는 경우와 기타의 복도가 서로 혼재되어 있는 경우에는 상기 규정에 따라 양옆에 거실이 있는 복도의 유효너비 기준을 적용함이 타당하다고 사료되며, 보다 구체적인 사항은 자세한 자료를 갖추어 해당 지역의 허가권자에게 문의하시기 바람

[*건축물 높이 완화(국토교통부 민원마당 FAQ 2013.12.9.)의 내용 중 복도관련내용만 편집함]

질의회신 직통계단 인정 여부

국토교통부 민원마당 FAQ 2022.6.20.

질의 하나의 계단실내에서 일방향 계단과 계단 옆의 통로로 이루어 진 계단이 「건축법 시행령」 제34조에 따른 직통계단으로 인정될 수 있는 지 여부

회신 「건축법 시행령」 제34조의 규정에 의거 직통계단은 건축물의 피난층 외의 층에서 피난층 또는 지상으로 직접 연결되는 계단으로서 실내의 다른 부분인 복도 및 거실 등을 거치지 아니하고 피난할 수 있는 계단을 말하는 것임

질의건의 경우에는 하나의 계단실 내에서 중간에 계단참이 없이 계단과 계단 옆의 통로로 구성된 계단으로서 이 경우 통로는 복도가 아닌 변형된 계단참역할을 하는 계단의 일부로 판단할 수 있을 것으로 질의의 계단은 직통계단의 하나의 형태로 볼 수 있을 것임

질의회신 직통계단 인정 여부

국토교통부 민원마당 FAQ 2022.6.21.

질의 지상 4층, 지하3층의 건축물에서 지하 1층부터 지상 1층까지의 계단위치와 지하 1층부터 지하 2층까지의 계단위치를 달리하면서 지상1층에서의 계단과 계단이 일정한 거리의 복도로 연결된 경우 직통계단으로 볼 수 있는지 여부

회신 「건축법 시행령」 제34조의 규정에 의한 직통계단이라 함은 건축물의 피난층 이외의 층에서 피난층 또는 지상으로 직접 연결되는 계단으로서 실내의 다른 부분인 복도 및 거실 등을 거치지 아니하고 피난할 수 있는 계단을 말하는 것인 바, 복도로 연결된 구조는 이에 부적합함

질의회신 피난규정 적용 시 거실의 바닥면적 산정

국토교통부 민원마당 FAQ 2022.6.20.

질의 「건축법 시행령」 제34조제2항 제2호의 규정에서 "그 층의 당해용도에 쓰이는 거실의 바닥면적의 합계가 200제곱미터 이상인 것"은 ① 동 규정에 나열된 용도 중 어느 하나에 쓰이는 거실의 바닥면적의 합계가 200제곱미터 이상인 것을 말하는지 아니면 ② 어느 하나의 용도에 쓰이는 거실의 바닥면적의 합계는 200제곱미터에 미달하더라도 동 규정에 나열된 용도에 해당하는 거실의 바닥면적의 합계를 모두 합한 것이 200제곱미터 이상이면 동 규정의 적용대상이 되는 지

회신 「건축법 시행령」 제34조제2항제2호의 규정은 3층 이상의 층으로써 동 규정에 나열된 것에 해당하는 용도에 쓰이는 거실의 바닥면적을 모두 합한 것이 200제곱미터 이상인 것에 적용하는 것(질의요지 중 ②의 경우)으로 그 중 어느 하나의 용도에 쓰이는 거실의 바닥면적의 합계가 200제곱미터 이상이어야 적용하는 것은 아님

건 축 법
1. 총 칙
2. 건 축
3. 유지관리
4. 대지도로
5. 구조재료
6. 지역지구
7. 건축설비
8. 특별건축구역
9. 보 칙
10. 벌 칙
건 축 법 관련기준

질의회신 직통계단 설치시 바닥면적 산정방법

국토교통부 민원마당 FAQ 2022.6.20.

질의 제2종 근린생활시설중 독서실 등의 용도에 쓰이는 3층이상의 층에 각각의 소유자가 독서실을 운영하고자 할 경우 직통계단의 설치기준이 되는 당해 용도에 쓰이는 바닥면적의 산정방법은?

회신 건축법시행령 제34조제2항제2호의 규정에는 제2종 근린생활시설중 학원·독서실 및 교육연구시설중 학원등의 용도에 쓰이는 3층 이상의 층으로서 그 층의 당해용도에 쓰이는 거실의 바닥면적의 합계가 200제곱미터 이상인 건축물의 경우에는 피난층 또는 지상으로 통하는 직통계단 2개소 이상을 설치하여야 하도록 규정하고 있음. 이 경우 3층 이상의 층으로서 그 층의 당해 용도에 쓰이는 거실의 바닥면적의 합계라 함은 동법시행령 제34조제2항제2호의 규정에서 3층 이상으로서 당해 층의 당해 용도에 쓰이는 거실의 바닥면적의 합계를 말함

질의회신 오피스텔과 다른 용도의 복합건축물의 직통계단 겸용 사용 여부

국토교통부 민원마당 FAQ 2022.6.21.

질의 주상복합건물(지상1~2층 근린생활시설, 지상3~7층 오피스텔, 지상8~28층 공동주택)에 대해 오피스텔 건축기준에 의거 각 용도별 출입구를 분리하고, 건축법시행령 제34조에 의거하여 오피스텔층에 2개의 직통계단을 설치할 경우 1개의 직통계단은 오피스텔 전용으로 사용하고, 다른 하나는 공동주택과 겸용하여 사용할 수 있는 지

회신 오피스텔 건축기준 제2조제2호에 따라 지상층 연면적이 3천제곱미터를 넘으며 오피스텔과 다른 용도가 복합으로 사용되는 경우 오피스텔의 전용출입구를 설치하도록 규정하고 있는바,
이는 오피스텔과 다른 용도의 지상층 연면적이 3천제곱미터를 넘는 경우 오피스텔과 타용도의 출입구,계단 및 승강기등을 분리하여 설치하여야 함

질의회신 직통계단이 1개인 기존3층 건축물의 용도변경 가능 여부

국토교통부 민원마당 FAQ 2022.6.20.

질의 3층이상인 기존 건축물에 직통계단이 1개만 있어도 바닥면적 합계가 200제곱미터 이상인 독서실로 용도변경이 가능한 지 여부

회신 건축법시행령 제34조제2항제2호의 규정에 의하여 제2종근린생활시설중 학원,독서실 및 교육연구시설중 학원 등의 용도에 쓰이는 3층이상의 층으로서 그 층의 당해 용도에 쓰이는 거실의 바닥면적의 합계가 200제곱미터 이상인 경우에는 직통계단 2개소 이상을 설치해야 하며, 동법 제19조의 규정에 의하여 건축물의 용도변경은 변경하고자 하는 용도의 건축기준에 적합해야 하므로 질의의 용도변경시에 상기 직통계단 설치기준에 적합해야 함

질의회신 피난층인 지하층에 직통계단 설치여부

국토교통부 민원마당 FAQ 2022.6.20.

질의 지하1층 지상3층인 다세대주택에 있어 피난층인 지하층에 직통계단을 설치해야 하는 지 여부

회신 건축법시행령 제34조제1항 규정에 의거, 건축물의 피난층(직접 지상으로 통하는 출입구가 있는 층을 말한다)외의 층에서는 피난층 또는 지상으로 통하는 직통계단을(경사로를 포함한다)을 거실의 각 부분으로부터 계단(거실로부터 가장 가까운 거리에 있는 계단을 말한다)에 이르는 보행거리가 30미터 이하가 되도록 설치하여야 하는 바, 상기 질의의 지하1층이 전면도로에서 바로 출입이 가능한 피난층이라면 지상으로 통하는 직통계단을 설치하지 않아도 됨

질의회신 1층 주출입구로 통하는 복도 부분에 대한 피난통로 확보 여부

국토해양부 고객만족센터, 2008.6.3.

질의 「건축법 시행령」 제36조 규정에 의하여 위락시설에 설치한 옥외피난계단에 대하여 「건축법 시행령」 제41조 규정에 의한 대지 안의 피난통로를 확보하여야 하는 지 여부와 1층 내부 직통계단에서 건축물 주출입구로 통하는 복도 부분에 대하여도 당해 규정에 의한 피난통로를 확보하여야 하는 지 여부

회신 건축물의 대지 안에는 피난 및 소방 활동에 지장을 초래하지 않고, 화재의 피해가 확산되는 것을 방지할 수 있도록 그 건축물의 바깥쪽으로의 주된 출구와 지상으로 통하는 피난계단 및 특별피난계단으로부터 도로 또는 공지(공원·광장 그 밖에 이와 유사한 것으로서 피난 및 소화를 위하여 당해 대지에의 출입에 지장이 없는 것을 말함)로 통하는 통로(바닥면적의 합계가 500㎡ 이상인 문화 및 집회시설, 종교시설, 의료시설, 위락시설인 경우 유효너비 3m 이상)를 설치하도록 하고 있는 규정에 적합하여야 하는 것임

질의회신 거실의 바닥면적에 공용으로 사용하는 면적은 제외되는 것인지

건교부 건축 58070-1476, 2003.8.12.

질의 직통계단이 1개소인 건축물의 7층에 제2종근린생활시설중 학원을 설치함에 있어 당해 용도에 쓰이는 거실의 바닥면적 합계가 200제곱미터 이상인 경우, 직통계단을 2개소이상 설치하여야 하는지 및 '거실의 바닥면적'에는 공용으로 사용하는 면적은 제외되는 것인지 여부

회신 현행 건축법시행령 제34조제2항제2호의 규정에 의하면 제2종근린생활시설중 학원·독서실 및 교육연구시설중 학원 등의 용도에 쓰이는 3층이상의 층으로서 그 층의 당해용도에 쓰이는 거실의 바닥면적의 합계가 200제곱미터 이상인 경우에는 직통계단 2개소 이상을 설치토록 규정하고 있으며,
'거실의 바닥면적'에는 공용으로 사용하는 공중화장실, 계단, 복도 등은 제외하는 것임을 알려드리니 구체적인 적용방안 등에 관하여는 설계도면 등의 관련자료를 갖추어 당해 지역 허가권자와 직접 상의하시기 바람

질의회신 직통계단 설치 기준 중 당해 용도에 쓰이는 바닥면적의 산정방법

국토교통부 민원마당 FAQ 2013.12.16.

질의 제2종 근린생활시설중 독서실 등의 용도에 쓰이는 3층 이상의 층에 각각의 소유자가 독서실을 운영하고자 할 경우 직통계단의 설치기준이 되는 당해 용도에 쓰이는 바닥면적의 산정방법은

회신 건축법시행령 제34조제2항제2호의 규정에는 제2종 근린생활시설중 학원·독서실 및 교육연구시설중 학원 등의 용도에 쓰이는 3층 이상의 층으로서 그 층의 당해용도에 쓰이는 거실의 바닥면적의 합계가 200제곱미터 이상인 건축물의 경우에는 피난층 또는 지상으로 통하는 직통계단 2개소 이상을 설치하여야 하도록 규정하고 있음. 이 경우 3층 이상의 층으로서 그 층의 당해 용도에 쓰이는 거실의 바닥면적의 합계라 함은 동법시행령 제34조제2항제2호의 규정에서 3층 이상으로서 당해 층의 당해 용도에 쓰이는 거실의 바닥면적의 합계를 말함.

질의회신 직통계단 2개소 이상 설치할 때 공동주택 전용면적 300㎡ 와 바닥면적 300㎡ 와의 관계

건교부 고객만족센터, 2007.8.31.

질의 공동주택에서 전용면적은 주택법 시행령 제3조에 의거 외벽의 내부선을 기준으로 산정한 면적이 300㎡ 미만인 경우 직통계단을 1개소만 설치하여도 되는지

회신 건축법시행령 제34조제2항의 규정에 의하면 피난층 외의 층이 공동주택(층당 4세대이하인 경우를 제외함)의 용도에 쓰이는 층으로서 그 층의 당해 용도에 쓰이는 거실의 바닥면적의 합계가 300㎡ 이상인 건축물에는 건설교통부령이 정하는 기준에 따라 피난층 또는 지상으로 통하는 직통계단을 2개소 이상 설치하여야 하는 바, 이 경우 거실의 바닥면적은 건축법시행령 제119조제1항제3호의 규정에 의하여 산정하는 것으로 주택법에 의한 전용면적과는 관계가 없는 것임

질의회신 주차장을 통과하여 계단 이동시 동 주차장을 통로로 볼 수 있는지

건교부 건축 58070-2306, 2003.12.13.

질의 건축물의 지하1층에 2개소의 직통계단을 설치함에 있어 건축법령상 상호간 복도 및 통로를 설치하여야 하는 규정과 관련하여 계단에서 거실을 거쳐 주차장(칸막이 없음)을 통과하여 계단으로 이동시 동 주차장을 통로로 볼 수 있는지 여부

회신 건축물의피난・방화구조등의기준에관한규칙 제8조의 규정에 의하면 각 직통계단의 출입구는 피난에 지장이 없도록 일정한 간격을 두어 설치하고 각 직통계단 상호간에는 각각 거실과 연결된 복도 등 통로를 설치토록 규정하고 있는바, 칸막이가 없는 주차장일지라도 피난시 지장이 없도록 별도의 통로를 확보하여야할 것으로 판단됨

3 피난계단 및 특별피난계단의 구조

법령해석 「건축물의 피난・방화구조 등의 기준에 관한 규칙」 제9조제1항에 따른 피난계단 설치 범위

「건축물의 피난・방화구조 규칙」 제9조제1항 등 관련 법제처 법령해석 21-0432, 2021.9.8./건축사협회 수정게시 2022.7.28.

질의요지 지하 1층과 지상 1층이 모두 피난층[직접 지상으로 통하는 출입구가 있는 층(피난계단 또는 특별피난계단으로 설치해야 하는 대상)]인 경우, 지하 2층으로부터 지하 1층까지만 직통계단을 피난계단으로 설치하면 되는지, 아니면 지하 2층으로부터 지상 1층까지의 직통계단도 피난계단으로 설치해야 하는지 여부

회답 지하 2층으로부터 지하 1층까지만 직통계단을 피난계단으로 설치하면 됨

이유 피난계단 또는 특별피난계단으로 설치해야 하는 직통계단은 피난층이 아닌 5층 이상 또는 지하 2층 이하의 층에서 피난층이나 지상으로 직접 연결되는 직통계단을 의미한다고 보아야 할 것이므로, 피난층이 연속하여 여러 층에 위치한 경우 연속한 피난층 내부에 위치한 직통계단 모두에 대해 해당 규정을 적용해야 한다고 보기는 어려움

법령해석 비상용승강기 승강장을 특별피난계단의 부속실과 겸용하는 경우 특별피난계단 계단실 외의 건축물 내부와 접하는 창문의 설치 가능 여부

「건축물의 피난・방화구조 등의 기준에 관한 규칙」 제9조제2항제3호아목 등 관련 법제처 법령해석 20-0598, 2021.1.22.

질의요지 「건축물의 설비기준 등에 관한 규칙」(이하 "건축물설비기준규칙"이라 함) 제10조제2호가목 단서에 따라 「건축법」 제64조제2항에 따른 공동주택의 비상용승강기 승강장을 특별피난계단(각주: 「건축물의 피난・방화구조 등의 기준에 관한 규칙」 제9조에 따른 특별피난계단을 말하며, 이하 같음.)의 부속실과 겸용하는 경우, 해당 겸용 시설에는 「건축물의 피난・방화구조 등의 기준에 관한 규칙」(이하 "건축물방화구조규칙"이라 함) 제9조제2항제3호아목에 따라 특별피난계단 계단실 외의 건축물 내부와 접하는 창문을 설치해서는 안 되는지?

<질의 배경> 민원인은 위 질의요지에 대한 국토교통부의 회신 내용에 이견이 있어 법제처에 법령해석을 요청함.

회답 이 사안의 경우 특별피난계단 계단실 외의 건축물 내부와 접하는 창문을 설치해서는 안 됩니다.

이유 건축물방화구조규칙은 건축물의 피난・방화 등에 관한 기술적 기준을 정함을 목적(제1조)으로 하고, 건축물설비기준규칙은 건축설비의 설치에 관한 기술적 기준 등에 필요한 사항을 규정함을 목적(제1조)으로 하는 것으로서, 각 규칙은 입법목적을 달리하는 별개의 법령이므로 특별한 규정이 없는 한 어느 규칙이 다른 규칙에 우선하여 배타적으로 적용되는 관계에 있다고 볼 수는 없습니다.(각주: 대법원 2010.9.9. 선고 2008두22631 판결례 참조)

건축물설비기준규칙 제10조제2호가목 단서에서는 비상용승강기 승강장의 구조에 적용되는 기준의 하나로 공동주택의 경우 비상용승강기의 승강장과 특별피난계단의 부속실의 겸용부분을 특별피난계단의 계단실과 별도로 구획하는 때에는 승강장을 특별피난계단의 부속실과 겸용할 수 있다고 규정하고 있으나, 이때 승강장에 설치하는 창문과 관련한 별도의 기준을 정하고 있지 않은 반면, 건축물방화구조규칙 제9조제2항제3호아목에서는 특별피난계단의 구조에 적용되는 기준의 하나로 부속실에는 계단실 외의 건축물의 내부와 접하는 창문을 설치해서는 안 된다고 규정하고 있는바, 비상용승강기 승강장을 특별피난계단의 부속실과 겸용하는 경우에도 건축물방화구조규칙 제9조제2항제3호아목의 기준에 적합하도록 특별피난계단 부속실을 설치해야 합니다.

그리고 건축물방화구조규칙 제9조제2항제3호나목.다목 및 아목에서 특별피난계단의 부속실의 구조와 관련하여 창문 등을 제외하고는 내화구조의 벽으로 구획하고, 실내에 접하는 부분의 마감은 불연재료로 하며, 계단실 외

의 건축물의 내부와 접하는 창문을 설치하지 못하도록 규정한 것은, 특별피난계단의 부속실을 피난 및 방화에 용이한 구조로 함으로써 건축물 내 화재발생 시 특별피난계단의 부속실로 화염이나 연기 등이 유입되는 것을 방지하려는 취지로 보아야 할 것인바, 비상용승강기 승강장을 특별피난계단의 부속실과 겸용하더라도 특별피난계단 부속실의 용도가 달라지는 것은 아니므로 건축물방화구조규칙 제9조제2항제3호아목이 적용된다고 보는 것이 해당 규정의 취지에도 부합하는 해석입니다.

따라서 건축물설비기준규칙 제10조제2호가목 단서에 따라 비상용승강기 승강장을 특별피난계단의 부속실과 겸용하는 경우라도 해당 시설은 건축물방화구조규칙 제9조제2항제3호아목의 기준에 적합하도록 설치해야 하므로, 특별피난계단 계단실 외의 건축물 내부와 접하는 창문을 설치해서는 안됩니다.

질의회신 자동방화셔터 구조

국토교통부 민원마당 FAQ 2022.6.21.

질의 에스컬레이터 주위에 방화구획을 위해 자동방화셔터를 설치한 경우 화재발생시 연기감지기에 의한 일부 폐쇄가 아닌 완전폐쇄가 이루어지는 구조가 가능한 지 여부.

회신 「자동방화셔터 및 방화문의 기준」 제4조제2항의 규정에 따라 자동방화셔터는 화재발생시 연기감지기에 의한 일부폐쇄와 열감지기에 의한 완전폐쇄가 이루어질 수 있는 구조이어야 함

질의회신 주상복합건물의 경우 비상용승강기 승강장과 특별피난계단 부속실 겸용 가능 여부

국토교통부 민원마당 FAQ 2022.6.20.

질의 주상복합건물인 경우 비상용승강기의 승강장과 특별피난계단의 부속실을 겸용하여 사용할 수 있는 지 여부

회신 「건축물의 설비기준 등에 관한 규칙」 제10조제2호 가목 단서에 의하면, 공동주택의 경우에는 비상용승강기 승강장과 특별피난계단(「건축물의 피난·방화구조 등의 기준에 관한 규칙」 제9조에 의한 특별피난계단을 말한다)의 부속실과의 겸용부분을 특별피난계단의 계단실과 별도로 구획하는 때에는 비상용승강기 승강장을 특별피난계단의 부속실과 겸용할 수 있도록 규정하고 있음

따라서, 공동주택이 아닌 경우에는 비상용승강기 승강장과 특별피난계단의 부속실을 겸용하여 설치할 수 없음

질의회신 지하4층, 지상6층 건축물의 특별피난계단의 구조

국토교통부 민원마당 FAQ 2022.6.21.

질의 지하4층, 지상6층인 건축물에 대하여 지하층은 특별피난계단으로 지상층은 피난계단 구조로 할 경우 피난층인 1층의 계단실 구조를 피난계단의 구조로 하여야 하는 지 아니면 특별피난계단의 구조로 하여야 하는 지 여부

회신 「건축법시행령」 제35조제2항의 규정에 의하면 건축물(갓복도식 공동주택을 제외함)의 11층(공동주택의 경우에는 16층)이상의 층(바닥면적이 400제곱미터 미만인 층을 제외함) 또는 지하 3층 이하의 층(바닥면적이 400제곱미터 미만인 층을 제외함)으로부터 피난층 또는 지상으로 통하는 직통계단은 제1항의 규정에 불구하고 특별피난계단으로 설치하여야 하는 것인 바, 피난층에도 「건축물의 피난방화구조 등의 기준에 관한 규칙」 제9조제2항제3호의 규정에 적합하게 특별피난계단으로 설치하여야 함

질의회신 2개동으로 분리된 건축물의 특별피난계단 설치여부

국토교통부 민원마당 FAQ 2022.6.20.

질의 지하층은 2층 주차장으로 서로 연결되어 있으나, 지상층은 근린생활시설 10층, 공동주택 15층으로 분리된 경우 특별피난계단을 설치하여야 하는지 여부

회신 건축법시행령 제35조제2항의 규정에 의거 건축물의 11층(공동주택의 경우에는 16층)이상의 층(바닥면적이 400제곱미터 미만인 층을 제외한다)으로부터 피난층 또는 지상으로 통하는 직통계단은 제1항의 규정에 불구하고 특별피난계단으로 설치토록 규정하고 있고, 동법시행령 제44조의 규정에서 동법시행령 제34조 내지 제36

조의 규정을 적용함에 있어서 건축물이 창문·출입구 기타 개구부가 없는 내화구조의 바닥 또는 벽으로 구획되어 있는 경우에는 그 구획된 각 부분을 각각 별개의 건축물로 볼 수 있도록 규정하고 있음

질의회신 지상 12층 주상복합건축물의 특별피난계단 설치여부

국토교통부 민원마당 FAQ 2022.6.20.

질의 지상12층 주상복합건축물의 경우 피난계단을 특별피난계단으로 설치하여야 하는지 여부 및 설치시 특별피난계단 전실과 승강기승강장을 겸용할 수 있는지 여부

회신 건축법시행령 제35조 제2항의 규정에 의거 건축물의 11층(공동주택의 경우에는 16층)이상의 층(바닥면적이 400제곱미터 미만인 층을 제외한다)으로부터 피난층 또는 지상으로 통하는 직통계단은 제1항의 규정에 불구하고 특별피난계단으로 설치토록 규정하고 있으며, 건축물의설비기준등에관한규칙 제10조에 의거 공동주택의 경우 승강장과 특별피난계단의 계단실과 별도로 구획하는 때에는 승강장을 특별피난계단의 부속실과 겸용할 수 있도록 규정되어 있음

질의회신 특별피난계단 설치 여부

국토교통부 민원마당 FAQ 2022.6.20.

질의 16층 이상의 갓복도식 공동주택의 복도에 샤시(미서기창)를 설치할 경우 및 샤시의 일부분을 개방하거나 그릴창호를 설치할 경우 복도의 한쪽면이 외기에 개방된 구조로 보아 「건축법 시행령」 제35조 제2항에 의거 특별피난계단을 설치하지 않아도 되는 지 여부

회신 「건축물의 피난·방화구조 등의 기준에 관한 규칙」 제9조제4항에서 "갓복도식 공동주택"이라 함은 각 층의 계단실 및 승강기에서 각 세대로 통하는 복도의 한쪽 면이 외기(外氣)에 개방된 구조의 공동주택을 말하는 것이며, 「건축법 시행령」 제35조 제2항에서 갓복도식 공동주택을 제외한 16층 이상의 층으로부터 피난층 또는 지상으로 통하는 직통계단은 특별피난계단으로 설치하도록 규정되어 있으므로 질의의 경우 화재시 연기의 배출이나 피난 등의 활동을 현저히 저해할 수 있는 구조는 외기에 개방된 구조로 볼 수 없으므로 특별피난계단을 설치하여야 하는 것임

질의회신 특별피난계단 인정 여부 관련 질의

국토교통부 민원마당 FAQ 2022.6.21.

질의 지하3층의 특별피난계단이 지하2층부터는 선큰으로 연결되어 옥외피난계단의 구조로 된 경우 이를 특별피난계단으로 볼 수 있는지 여부.
상기가 불가능하다면 지하2층과 지하1층의 계단을 특별피난계단 구조로 하여 선큰 전체를 계단실로 인정받아 특별피난계단으로 볼 수 있는 지 여부.

회신 「건축법 시행령」 제34조제1항에 따라 건축물의 피난층 외의 층에서는 피난층 또는 지상으로 통하는 직통계단을 거실의 각 부분으로부터 계단(거실로부터 가장 가까운 거리에 있는 계단을 말한다)에 이르는 보행거리가 30미터 이하가 되도록 설치하여야 하며, 같은 법 시행령 제35조제2항에 따라 건축물(갓복도식 공동주택은 제외한다)의 11층(공동주택의 경우에는 16층) 이상인 층 또는 지하 3층 이하인 층으로부터 피난층 또는 지상으로 통하는 직통계단은 국토해양부령으로 정하는 기준에 따라 특별피난계단으로 설치하여야 함
이와 관련, 직통계단은 복도나 거실을 경유하지 않고 직접 지상 또는 피난층으로 통하는 경우로서 계단과 계단참으로만 이루어진 구조를 말함. 따라서, 질의의 구조가 직통계단으로 볼 수 있는 지 및 특별피난계단 구조에 적합 여부 등을 종합적으로 고려하여 판단하여야 할 것이니 구체적인 사실확인은 관련도면을 첨부하여 현지 여건을 소상히 알 수 있는 해당 허가권자에게 문의바람

질의회신 특별피난계단 적용 관련

국토교통부 민원마당 FAQ 2022.6.21.

질의 지하4층, 지상3층의 건축물로 지하2층과 지상2층에 피난층이 있는 경우 지하층에 대한 특별피난계단 적용 문의

회신 「「건축법 시행령」 제35조제2항의 규정에 의하면, 지하3층 이하인 층(바닥면적이 400제곱미터미만인 층은 제외한다)으로부터 피난층 또는 지상으로 통하는 직통계단은 특별피난계단으로 설치하여야 함

따라서, 질의의 건축물의 지하2층이 피난층이라 하더라도 상기 규정에 따라 지하3층 이하의 층의 바닥면적이 400제곱미터이상인 경우라면 피난층 또는 지상으로 통하는 직통계단은 특별피난계단으로 설치하여야 함

질의회신 직통계단을 특별피난계단 구조로 하여야 하는 지

국토교통부 민원마당 FAQ 2022.6.20.

질의 경사진 대지에 건축되어 지하1층이 지상과 연결된 건축물에 특별피난계단 1개소와 별도로 지하 3층으로부터 지하1층까지 설치된 직통계단을 설치할 경우 이를 특별피난계단으로 설치하지 않아도 되는 지 여부

회신 「건축법 시행령」 제34조 제2항의 규정에 따라 동조동항 각 호의 어느 하나에 해당하는 경우에는 직통계단을 2개소 이상 설치하여야 하며, 「건축법 시행령」 제35조 제2항의 규정에 따라 지하 3층 이하의 층으로부터 피난층 또는 지상으로 통하는 직통계단은 특별피난계단으로 설치하여야 함

질의의 건축물이 지하 1층이 지상으로 직접 연결된 경우라 하더라도 「건축법 시행령」 제35조 제2항의 구정에 따라 지하 3층 이하의 층에서는 피난층 또는 지상으로 통하는 직통계단은 특별피난계단으로 설치하여야 할 것임

질의회신 피난계단 및 특별피난계단의 돌음계단 설치가능여부

국토교통부 민원마당 FAQ 2022.6.21.

질의 계단구조 및 형태에 따른 돌음계단 판단여부

회신 건축법시행령 제35조 및 건축물의 피난방화구조등의 기준에 관한규칙 제9조의 규정에 의거 피난계단 또는 특별피난계단 설치시 직통계단은 돌음 계단으로 하여서는 아니 되도록 되어 있는바, 계단참 없이 단을 연속적으로 설치하여 도는 계단(계단의 폭이 안쪽이 좁으며, 계단과 계단의 중심선이 직선형이 아닌 계단참 없이 회전형인 경우 등)은 돌음계단으로 볼 수 있을 것임

질의회신 망입유리 붙박이창이 연속되어 설치된 경우 면적 산정

국토교통부 민원마당 FAQ 2022.6.20.

질의 1제곱미터 미만의 망입유리 붙박이창이 연속되어 설치된 경우 「건축물의 피난·방화구조 등의 기준에 관한 규칙」 제9조 제2항 3호 마목의 "망이 들어있는 유리의 붙박이창으로서 그 면적이 각각 1제곱미터 이하인 것을 제외한다"라는 조항에 해당하는 지 여부

회신 「건축물의 피난·방화구조 등의 기준에 관한 규칙」 제9조 제2항 3호 마목에 의거 특별피난계단의 경우 계단실・노대 또는 부속실에 설치하는 건축물의 바깥쪽에 접하는 창문등(망이 들어 있는 유리의 붙박이창으로서 그 면적이 각각 1제곱미터이하인 것을 제외한다)은 계단실・노대 또는 부속실외의 당해 건축물의 다른 부분에 설치하는 창문등으로부터 2미터 이상의 거리를 두고 설치하여야 함

이 규정은 화재시 피난통로로 사용되는 계단실이 건축물의 다른 부분에 설치된 창호 등을 통해 계단실 창문등으로 화재가 전파되는 것을 방지하기 위한 규정이며 질의의 경우와 같이 붙박이창이 상·하로 연속되어 있는 경우에는 붙박이창 면적의 합계가 1제곱미터 이하여야 함

질의회신 옥외피난계단 설치시 바닥면적 산정방법

국토교통부 민원마당 FAQ 2022.6.21.

질의 옥외피난계단 설치시 그 층의 거실의 바닥면적 합계라 함은 계단실,기계실, 화장실도 포함하는지 여부

회신 건축법시행령 제36조의 규정에 의거 건축물의 3층이상의 층(피난층을 제외한다)으로서 공연장, 위락시설 중 주점영업의 용도에 쓰이는 층으로서 그 층의 거실의 바닥 면적의 합계가 300제곱미터이상인 것은 직통계단 외에 그 층으로부터 지상으로 통하는 옥외피난계단을 따로 설치하도록 규정하고 있는바, 이 경우 공용으로 사용하는 계단실.복도.화장실은 포함되지 않음

질의회신 옥외피난계단 설치 여부

건교부 건축기획팀-7544, 2006.12.15.

질의 문화 및 집회시설 중 공연장 및 집회장의 용도로 쓰이는 부분이 없는 9층(당해 층의 전체바닥면적 865㎡)에 위락시설 중 주점영업의 용도(바닥면적 114㎡)로 사용하고자 할 경우 건축법시행령 제36조에 따른 옥외피난계단을 설치하여야 하는 지 여부

회신 건축법시행령 제36조에 따라 건축물의 3층 이상 층(피난 층 제외)에서 문화 및 집회시설 중 공연장, 위락시설 중 주점영업의 용도에 쓰이는 층으로서 그 층의 거실의 바닥면적의 합계가 300㎡ 이상이면 직통계단 외에 그 층에서 지상 층으로 통하는 옥외피난계단을 따로 설치해야 하는 바, '그 층의 거실의 바닥면적의 합계'라 함은 공연장, 주점영업의 용도로 사용되는 층에서 공연장, 위락시설 용도로 사용되는 거실의 바닥면적의 합계를 말함
질의의 건축물의 층이 공연장, 주점영업 용도로 쓰이는 거실의 바닥면적의 합계가 300㎡ 미만이라면 옥외피난계단을 설치할 필요가 없을 것으로 판단됨

질의회신 계단의 수를 초과하여 설치 시 피난계단의 구조로 하여야 하는 지

국토교통부 민원마당 FAQ 2022.6.20.

질의 지하 2층 지하주차장에 법정 직통계단 개수를 초과한 계단을 설치하고자 하는 경우 이 계단을 피난계단의 구조로 설치하지 않아도 되는 지

회신 「건축법 시행령」 제35조제1항의 규정에 의해 5층 이상 또는 지하2층 이하의 층에 설치하는 직통계단은 국토교통부령이 정하는 기준에 따라 피난계단 또는 특별피난계단으로 설치하여야 하는 것임

질의회신 특별피난계단 대상 건축물의 지하층 계단의 구조

서울시 건지 58550-3006, 2001.6.29.

질의 가. 지상20층, 지하1층인 공동주택에서 지상층의 직통계단(특별피난계단, 비상용승강기 설치)이 지하층과 연결될 때 지하1층의 계단을 특별피난계단의 구조로 하여야 하는지 여부
나. 또한 지상층의 비상용 승강기가 지하1층까지 연결 될 때 지하1층에도 비상용 승강기용 승강장을 설치하여야 하는지 여부

회신 가. 건축물의피난・방화구조등의기준에관한규칙 제9조제1항의 규정에 의하여 건축물의 5층 이상 또는 지하2층 이하의 층으로부터 피난층 또는 지상으로 통하는 직통계단은 피난계단 또는 특별피난계단으로 설치하도록 하면서, 지하1층인 건축물의 경우에는 5층 이상의 층으로부터 피난층 또는 지상으로 통하는 직통계단과 직접 연결된 지하1층의 계단도 피난계단 또는 특별피난계단으로 하도록 하고 있으므로 질의의 지하1층 직통계단도 특별피난계단의 구조로 하여야 할 것으로 판단되며,
나. 건축물에 설치하는 비상용승강기의 승강로는 건축물의설비기준등에관한규칙 제10조제3호나목의 규정에 의하여 전층을 단일구조로서 연결하여 설치하도록 규정하고 있고, 비상용승강기가 설치・운행되는 각 층(지상・지하 포함)에는 승강장의 창문・출입구 기타 개구부를 제외한 부분은 당해 건축물의 다른 부분과 내화구조의 바닥 및 벽으로 구획하는 등 동 규칙 제10조의 규정에 적합하도록 승강장을 설치하여야 하는 것임

질의회신 상하층 계단위치가 다른 경우 특별피난계단 인정 여부

건교부 건축 58070-3812, 1997.10.20.

질의 특별피난계단을 설치하여야 하는 건축물로서 건축물의 상・하부 층에서 계단의 위치가 동일한 위치에 있지 아니한 경우 특별피난계단으로 볼 수 있는지

건축법 1. 총칙 2. 건축 3. 유지관리 4. 대지도로 5. 구조재료 6. 지역지구 7. 건축설비 8. 특별건축구역 9. 보칙 10. 벌칙 건축법 관련기준

회신 피난계단 및 특별피난계단은 기본적으로 건축법시행령 제34조의 규정에 의한 직통계단의 기준에 적합하여야 하는 것이므로, 계단의 수직방향의 위치가 층에 따라 다른 구조라면 이는 특별피난계단으로 보기 어려울 것임

질의회신 피난계단의 갑종방화문을 방화셔터로 교체가능여부

국토교통부 민원마당 FAQ 2022.6.21.

질의 피난계단의 구조중 개구부에 설치하여야 할 갑종방화문을 방화셔터로 설치하여도 되는지 여부

회신 건축물의피난·방화구조등의기준에관한규칙 제9조제2항제1호 바목의 규정에 의거 건축물의 내부에서 계단실로 통하는 출입구의 유효너비는 0.9미터 이상으로 하고, 그 출입구에는 피난의 방향으로 열 수 있는 것으로서 언제나 닫힌 상태를 유지하거나 화재로 인한 연기, 온도, 불꽃 등을 가장 신속하게 감지하여 자동적으로 닫히는 구조로 된 갑종방화문을 설치토록 규정하고 있으므로 귀 질의 방화셔터는 적합하지 않음

4 옥상광장의 설치 등

질의회신 난간의 설치기준

국토교통부 민원마당 FAQ 2019.5.24.

질의 3층 이상인 주택의 창이 고정유리창인 경우에도 난간을 설치해야 하는지와 강화유리 또는 강화복층유리를 안전유리로 볼 수 있는지 여부

회신 「주택건설기준 등에 관한 규정」 제18조제3항에 따라 3층 이상인 주택의 창(고정창 포함)에는 난간을 설치하여야 하는 것이며, 같은 조 제1항에서의 안전유리란 45킬로그램의 추가 75센티미터 높이에서 낙하하는 충격량에 관통되지 아니하며 파손되는 경우에도 비산되지 아니하는 유리를 말함.

질의회신 난간의 높이 산정 방법

국토교통부 민원마당 FAQ 2019.5.24.

질의 옥상 난간대에 난간턱이 있는 경우 난간의 높이 측정 기준은?

회신 「주택건설기준 등에 관한 규정」 제18조제2항제1호에 의하면 난간대의 높이는 바닥의 마감면으로부터 120센티미터 이상으로 설치하도록 규정하고 있는 바, 난간의 높이 측정 위치는 난간턱이 아니라 난간의 바닥 마감면으로 하는 것임

질의회신 난간설치 기준

국토교통부 민원마당 FAQ 2019.5.24.

질의 공동주택 옥상에 헬리포트가 설치되는 경우 동 헬리포트 주위의 난간 설치 기준은?

회신 「주택건설기준 등에 관한 규정」 제18조에 따르면 주택단지 안의 건축물 또는 옥외에 설치하는 난간높이는 바닥의 마감면으로부터 120센티미터 이상(건축물의 내부계단 및 계단중간에 설치하는 난간 등은 90센티미터 이상)으로 설치하고 난간의 간살 간격은 안목치수 10센티미터 이하로 하도록 규정하고 있으며, 「건축법 시행령」 제40조제3항 및 「건축물의 피난·방화구조 등의 기준에 관한 규칙」 제13조에 따르면 헬리포트의 중심으로부터 반경 12미터이내에는 헬리포트의 이·착륙에 장애가 되는 건축물·공작물 또는 난간 등을 설치하지 못하도록 규정하고 있음

질의회신 헬리포트의 중심부터 반경 12미터 이내에 난간 설치 여부

국토교통부 민원마당 FAQ 2022.6.20.

질의 헬리포트의 중심으로부터 반경 12m 이내에 외부난간을 설치할 수 있는 지 여부

회신 건축물의 피난방화구조 등의 기준에 관한 규칙 제13조제1항제2호 규정에 의거, 건축법시행령 제40조제3항의 규정에 의하여 건축물에 설치하는 헬리포트의 중심으로부터 반경12미터이내에는 헬리콥터의 이·착륙에 장애가 되는 건축물·공작물 또는 난간 등을 설치할 수 없음

질의회신 옥상난간 높이 관련

국토교통부 민원마당 FAQ 2022.6.21.

질의 옥상난간 옆에 조경시설(화단)을 설치할 경우 난간의 높이(1.2m)는 조경시설(화단)에서 부터인지 옥상바닥마감에서 부터의 높이인지 및 옥탑층의 난간의 높이도 1.2m를 확보하여야 하는지 여부.

회신 「건축법 시행령」 제40조제1항의 규정에 의하면, 옥상광장 또는 2층 이상인 층에 있는 노대나 그 밖에 이와 비슷한 것의 주위에는 높이 1.2미터 이상의 난간을 설치하도록 규정하고 있음 해당 법령의 취지상 난간 1.2미터 이상이라 함은 사용자의 추락방지 등 안전을 위한 것으로, 옥상조경시설 및 옥탑층으로 유지관리 등을 위한 출입이 가능하다면 조경시설 등으로부터 1.2미터 이상의 난간을 설치하여야 할 것으로 사료되나, 구체적인 사실확인은 관련 도면 등을 관할 소재지의 허가권자에게 문의 바람.

질의회신 옥상광장 난간 관련

국토교통부 민원마당 FAQ 2022.6.21.

질의 ○ 옥상광장에 설치하는 난간의 높이 측정시 지붕 바닥마감선을 기준으로 하는 지, 파라펫 상단을 기준으로 하는 지 여부

○ 옥상광장에 화단을 설치할 경우 화단에서 난간까지 이격하여야 하는 수평거리는?

회신 옥상광장 난간 높이는 옥상광장의 바닥마감선을 기준으로 측정하는 것이나, 조경시설 등 설치로 이용자의 안전조치가 확보되어야 할 것임

질의회신 옥상광장 설치 관련

국토교통부 민원마당 FAQ 2022.6.21.

질의 문화 및 집회시설인 공연장 2~3층 관람석 전면에(무대와 객석이 마주 대면) 설치되는 난간높이를 1.2m 이상 설치하여야 하는 지?

회신 건축법 시행령 제40조제1항에 따라 2층 이상의 층에 있는 노대·계단 등 추락 위험이 있는 주위에는 1.2m 이상의 난간을 설치하는 것이 타당할 것임

질의회신 지하층이 연결되고 지상층이 각각 분리된 경우의 헬리포트 설치여부

건교부 고객만족센터, 2007.4.3.

질의 하나의 지하층으로서 지상층은 업무시설 1개동과 지상 5층부터 분리된 공동주택 2개동으로 되어 있는 주상복합 건축물인 경우로서 각 동의 11층 이상의 바닥면적의 합은 공동주택 2개동은 각각 약 8,000㎡이고 업무시설 1개동은 11,800㎡임. 이 경우 헬리포트 설치 대상 여부에 대한 질의

회신 「건축법 시행령」 제40조제3항 규정에 의해 층수가 11층 이상인 건축물로서 11층 이상의 층의 바닥면적의 합계가 1만㎡ 이상인 건축물(공동주택에 있어서는 지붕을 평지붕으로 하는 경우에 한함)의 옥상에는 건설교통부령이 정하는 기준에 따라 헬리포트를 설치하여야 하는 것이나

동 시행령 제44조의 규정에 따라 상기규정을 적용함에 있어서 건축물이 창문·출입구 기타 개구부가 없는 내화구조의 바닥 또는 벽으로 구획되어 있는 경우에는 그 구획된 각 부분을 각각 별개의 건축물로 보는 것인 바, 각 동의 11층 이상의 층이 서로 떨어진 경우로서 「건축물의 피난·방화구조 등의 기준에 관한 규칙」 제22조제2항 규정에 의한 '연소할 우려가 있는 부분'이 아니라면 동 시행령 제40조제3항 규정을 적용함에 있어 각각 별개의 건축물로 보아도 무방하리라 사료됨

5 대지안의 피난 및 소화에 필요한 통로의 설치

질의회신 피난 및 소화에 필요한 통로에 지상으로 돌출되지 않는 시설물의 통로폭 포함여부

국토교통부 민원마당 FAQ 2022.6.20.

질의 건축법시행령 제41조 규정에 의한 피난 및 소화에 필요한 통로에 지상으로 돌출되지 않는 방향전환장치의 여유공지가 포함되어 있을 경우 가능 여부

회신 건축법시행령 제41조 규정에 따라 건축물의 대지 안에는 그 건축물의 바깥쪽으로의 주된 출구와 지상으로 통하는 피난계단 및 특별피난계단으로부터 도로 또는 공지(공원·광장 그 밖에 이와 유사한 것으로서 피난 및 소화를 위하여 당해 대지에의 출입에 지장이 없는 것을 말한다)로 통하는 통로를 각 호의 기준에 따라 설치하여야 하는 바, 지상으로 돌출되지 않는 방향전환장치의 여유공지로서 피난 및 소화에 장애가 되지 않는다면 이를 상기 규정에 의한 통로에 포함하여도 무방하리라 사료됨

질의회신 주차의 통로가 피난 및 소화에 필요한 통로로 인정받을 수 있는지 여부

국토교통부 민원마당 FAQ 2022.6.20.

질의 피로티 주차장의 주차통로가 보차겸용 통로로 계획된 경우 보차겸용 통로를 건축법시행령 제41조 규정에 의한 통로로 인정받을 수 있는 지 여부

회신 「건축법시행령」 제41조 규정에 의거, 건축물의 대지 안에는 그 건축물의 바깥쪽으로의 주된 출구와 지상으로 통하는 피난계단 및 특별피난계단으로부터 도로 또는 공지로 통하는 통로를 기준에 따라 설치하여야 하는 바, 보차겸용 통로에 별도의 장애물이 없다면 당해 규정에 의한 통로로 볼 수 있음

질의회신 피난 및 소화에 필요한 통로 설치 관련

국토교통부 민원마당 FAQ 2022.6.21.

질의 대지 안의 건축물 바깥쪽으로 통하는 통로에 주차장이 계획된 경우 가능한 지?

회신 건축법 시행령 제41조는 화재시 건축물 이용자의 피난 및 소방관의 소방활동에 지장이 없도록 일정 너비의 통로를 확보하도록 규정한 사항임. 보행과 차량 이동이 모두 가능한 경우라면 설치가 가능할 것이나, 주차구획이 계획되어 차량이 주차될 경우 원활한 피난 및 소화활동에 지장을 줄 수 있으므로 부적합함.

질의회신 공장건축물의 피난 및 소화에 필요한 통로의 설치여부

국토교통부 민원마당 FAQ 2022.6.20.

질의 공장건축물로서 주차구획선이 건축물 주출입구로부터 0.8미터 이격 배치되는 경우 「건축법시행령」 제41조 규정에 대한 적합 여부

회신 「건축법시행령」 제41조 규정에 의해 건축물의 대지 안에는 그 건축물의 바깥쪽으로의 주된 출구와 지상으로 통하는 피난계단 및 특별피난계단으로부터 도로 또는 공지(공원 · 광장 그 밖에 이와 유사한 것으로서 피난 및 소화를 위하여 당해 대지에의 출입에 지장이 없는 것을 말한다)로 통하는 통로를 각 호의 기준에 따라 설치하여야 하는 바, 공장건축물인 경우에는 1.5미터 이상의 통로를 설치해야 함

질의회신 부설주차장의 차로가 피난통로로 이용할 수 있는지 여부

건교부 건축기획팀-1997, 2005.12.16.

질의 부설주차장의 차로를 건축법 시행령 제41조의 규정에 의하여 설치하여야 하는 통로로 볼 수 있는지

회신 질의의 부설주차장의 차로가 건축법 시행령 제41조의 규정에 의한 유효너비 이상인 경우 동조의 규정에 의한 통로를 설치한 것으로 볼 수 있을 것으로 판단됨

질의회신 건축물 바깥쪽으로 나가는 출구가 주차장과 연결된 경우 가능 여부

국토교통부 민원마당 FAQ 2022.6.20.

질의 건축물로부터 바깥쪽으로 나가는 출구가 주차장과 연결된 경우 「건축법 시행령」 제39조제1항에 적합한 건축물인지 여부

회신 「건축법 시행령」 제39조제1항의 각 호 어느 하나에 해당하는 건축물에는 국토해양부령으로 정하는 기준(건축물의 피난 방화구조 등의 기준에 관한 규칙 제11조)에 따라 그 건축물로부터 바깥쪽으로 나가는 출구를 적합하게 설치해야 함

이는 건축물 재실자가 보다 안전지대인 옥외까지 신속하고 안전하게 피난할 수 있도록 하기 위해 옥외로의 출구까지 보행거리, 출구의 구조,너비, 경사로 설치 등의 기준을 규정하고 있는 점을 감안하여 건축물의 출구밖에도 비상시 원활한 피난, 대피에 지장이 없도록 하여야 함

6 방화구획, 방화벽

법령해석 건축물이 창문 등 개구부가 없는 내화구조의 바닥 또는 벽으로 구획된 경우, 그 구획된 각 부분에 의료시설 등과 위락시설 등을 각각 설치할 수 있는지 여부

「건축법 시행령」 제47조제1항 등 관련 법제처 법령해석 23-0568, 2023.9.12.

질의요지 「건축법」 제49조제2항 본문에서는 대통령령으로 정하는 용도 및 규모의 건축물의 안전·위생 및 방화(防火) 등을 위하여 필요한 용도 및 구조의 제한 등에 관하여 필요한 사항은 국토교통부령으로 정한다고 규정하고 있고, 그 위임에 따라 마련된 같은 법 시행령 제47조제1항에서는 의료시설, 노유자시설(아동 관련 시설 및 노인복지시설만 해당함), 공동주택, 장례시설 또는 제1종 근린생활시설(산후조리원만 해당함)[이하 "의료시설등"이라 함]과 위락시설, 위험물저장 및 처리시설, 공장 또는 자동차 관련 시설(정비공장만 해당함)[이하 "위락시설등"이라 함]은 같은 건축물에 함께 설치할 수 없다고 규정하면서, 같은 항 각 호에 해당하는 경우로서 국토교통부령으로 정하는 경우에는 같은 건축물에 함께 설치할 수 있다고 규정하고 있는바,

「건축법 시행령」 제47조제1항 각 호에는 해당하지 않으나, 건축물이 창문, 출입구, 그 밖의 개구부(開口部)(이하 "창문등"이라 함)가 없는 내화구조(耐火構造)(각주: 「건축법 시행령」 제2조제7호에 따른 내화구조를 말하며, 이하 같음.)의 바닥 또는 벽으로 구획(이하 "내화구획"이라 함)되어 있는 경우, 같은 건축물의 내화구획된 한 부분에 의료시설등(각주: 해당 의료시설등에 출입하는 통로를 포함하며, 이하 같음.)을, 다른 부분에 위락시설등(각주: 해당 위락시설등에 출입하는 통로를 포함하며, 이하 같음.)을 각각 설치할 수 있는지?(각주: 「건축법」 외의 다른 법률에서 건축물에 의료시설등과 위락시설등을 함께 설치할 수 있도록 하는 특별한 규정을 둔 경우는 이 사안에서 논외로 함.)

회답 이 사안의 경우, 같은 건축물의 내화구획된 한 부분에 의료시설등을, 다른 부분에 위락시설등을 각각 설치할 수 없습니다.

이유 "생략"

법령해석 배연설비를 해야 하는 건축물의 용도 및 규모

「건축법 시행령」 제49조 등 관련 법제처 법령해석 23-0537, 2023.8.23.

질의요지 「건축법」 제49조제2항 본문에서는 대통령령으로 정하는 용도 및 규모의 건축물의 안전·위생 및 방화(防火) 등을 위하여 필요한 용도 및 구조의 제한, 방화구획(防火區劃), 화장실의 구조, 계단·출입구, 거실의 반자 높이, 거실의 채광·환기, 배연설비와 바닥의 방습 등에 관하여 필요한 사항은 국토교통부령으로 정한다고 규정하고 있고, 그 위임에 따라 마련된 같은 법 시행령에서는 '방화구획을 해야 하는 건축물'을 주요구조부가 내화구조 또는 불연재료로 된 건축물로서 연면적이 1천 제곱미터를 넘는 것(제46조제1항)으로, '건축물의 거실(피난층의 거실은 제외하며, 이하 같음)에 배연설비를 해야 하는 건축물'을 6층 이상인 업무시설 등의 용도

로 쓰는 건축물(제51조제2항) 등으로 각각 규정하고 있는바,
6층 이상인 업무시설 용도로 쓰는 건축물(각주: 주요구조부가 내화구조 또는 불연재료로 된 건축물을 전제함.)의 연면적이 1천 제곱미터 미만인 경우에도 그 건축물의 거실에 「건축법」 제49조제2항 본문에 따라 배연설비를 해야 하는지?

회답 6층 이상인 업무시설 용도로 쓰는 건축물의 연면적이 1천 제곱미터 미만인 경우에도 그 건축물의 거실에 「건축법」 제49조제2항 본문에 따라 배연설비를 해야 합니다.

이유 먼저 「건축법」 제49조제2항 본문에서는 '대통령령으로 정하는 용도 및 규모의 건축물'의 안전·위생 및 방화 등을 위해 방화구획 및 배연설비 등에 관하여 필요한 사항은 국토교통부령으로 정한다고 규정하고 있고, 같은 법 시행령 제46조부터 제48조까지 및 제50조부터 제52조까지에서는 같은 법 제49조제2항 본문의 위임에 따라 방화구획 및 배연설비 등을 해야 하는 '건축물의 용도 및 규모' 등을 각각 규정하고 있는데, 같은 법 시행령 제46조제1항에서는 '주요구조부가 내화구조 또는 불연재료로 된 건축물로서 연면적이 1천 제곱미터를 넘는 것'은 국토교통부령으로 정하는 기준에 따라 방화구획(각주: 「건축법 시행령」 제46조제1항 각 호의 구조물로 구획하는 것을 말함.)을 해야 한다고 규정하고 있고, 같은 영 제51조제2항에서는 '같은 항 각 호에 해당하는 건축물'의 거실에는 배연설비를 해야 한다고 규정하고 있는바, '방화구획'을 해야 하는 건축물의 용도 및 규모에 대해서는 같은 법 시행령 제46조제1항이, '배연설비'를 해야 하는 건축물의 용도 및 규모에 대해서는 같은 법 시행령 제51조제2항이 각각 적용됨이 그 문언 및 규정체계상 분명합니다.

그리고 「건축법 시행령」 제46조제1항 각 호 외의 부분 본문에서는 '내화구조로 된 바닥 및 벽(제1호) 또는 방화문(각주: 「건축법 시행령」 제64조제1항제1호·제2호에 따른 방화문을 말함.)·자동방화셔터(각주: 「건축물의 피난·방화구조 등의 기준에 관한 규칙」 제14조제3항에 따른 기준에 적합한 것을 말함.)(제2호)의 구조물로 구획'하는 것을 '방화구획'으로 약칭하고 있고, 「건축법」 제49조 등의 위임에 따른 건축설비의 설치에 관한 기술적 기준 등에 필요한 사항을 규정(각주: 「건축물의 설비기준 등에 관한 규칙」 제1조 참조)하고 있는 「건축물의 설비기준 등에 관한 규칙」(이하 "건축물설비기준규칙"이라 함) 제14조제1항 본문에서는 배연설비를 설치해야 하는 건축물에는 같은 항 각 호의 기준에 적합하게 '배연창', '배연구' 또는 '기계식 배연설비'를 설치하도록 규정하고 있는바, 건축법령에서 '방화구획' 및 '배연설비'에 대해 별도로 정의하고 있지는 않으나, 그 규정체계와 문언에 비추어 보면 방화구획은 건축물에서 화재가 발생한 경우 화염이나 연기 등의 확산을 차단하는 시설(각주: 법제처 2016. 12. 8. 회신 16-0480 해석례 참조)인 한편, 배연설비는 화재가 발생한 경우 건축물 내부의 연기를 바깥으로 배출하기 위한 시설(각주: 법제처 2016. 6. 27. 회신 16-0183 해석례 참조)로서, 방화구획과 배연설비는 그 설치 목적과 기능이 다른 별개의 건축설비라 할 것이고, 이러한 점을 고려하여 「건축법 시행령」 제46조제1항 및 제51조제2항에서 방화구획을 하거나, 배연설비를 해야 하는 건축물의 용도 및 규모 등을 각각 구분하여 규정한 것으로 보아야 합니다.

그렇다면 「건축법」 제49조제2항 본문에 따라 같은 법 시행령 제51조제2항에서 같은 항 각 호에 해당하는 건축물의 거실에는 배연설비를 해야 한다고 규정하면서, 같은 항 제1호 및 같은 호 카목에서 '6층 이상인 건축물로서 업무시설에 해당하는 용도로 쓰는 건축물'을 규정하고 있는 이상, 6층 이상인 업무시설 용도로 쓰는 건축물에 해당하는 경우에는 그 건축물이 방화구획을 해야 하는 건축물인지 여부와는 무관하게 그 건축물의 거실에는 같은 법 제49조제2항에 따라 배연설비를 해야 한다고 할 것입니다.

한편 「건축법」 제49조제2항 본문의 위임에 따라 마련된 건축물설비기준규칙 제14조제1항제1호에서는 같은 법 시행령 제46조제1항에 따라 건축물이 방화구획으로 구획된 경우에는 그 구획마다 1개소 이상의 배연창을 설치하도록 규정하고 있어, 건축물이 방화구획으로 구획된 경우에만 배연설비를 해야 한다고 보아야 한다는 의견이 있으나, 건축물설비기준규칙 제14조제1항제1호에서 건축물의 방화구획마다 1개소 이상의 배연창을 설치하도록 규정하고 있는 취지는 건축물을 방화구획으로 구획하면 화재가 발생한 때 화염 차단의 효과와 동시에 내부 연기의 배출도 차단된다는 점을 고려하여, 건축물이 방화구획으로 구획된 경우에는 '건축물의 거실'이 아닌 '방화구획'을 기준으로 각 구획마다 배연창을 1개소 이상 설치하도록 그 기준을 강화한 것(각주: 법제처 2016. 6. 27. 회신 16-0183 해석례 참조)이라는 점 및 같은 호는 배연설비를 설치해야 하는 건축물의 용도 및 규

모를 정한 것이 아니라, 배연설비 설치 대상 건축물에 배연설비를 설치할 때의 설치기준을 정한 것이라는 점에서 그러한 의견은 타당하다고 볼 수 없습니다.
따라서 6층 이상인 업무시설 용도로 쓰는 건축물의 연면적이 1천 제곱미터 미만인 경우에도 그 건축물의 거실에 「건축법」 제49조제2항 본문에 따라 배연설비를 해야 합니다.

법령해석 주요구조부가 내화구조로 된 건축물의 용도별 방화구획 필요 여부

「건축법 시행령」 제46조제3항 등 관련 법제처 법령해석 16-0480, 2016.12.8.

질의요지 「건축법」 제49조제2항에서는 대통령령으로 정하는 용도 및 규모의 건축물의 안전·위생 및 방화 등을 위하여 필요한 용도 및 구조의 제한, 방화구획 등에 관하여 필요한 사항은 국토교통부령으로 정한다고 규정하고 있고, 그 위임에 따라 같은 법 시행령 제46조제1항 본문에서는 주요구조부가 내화구조 또는 불연재료로 된 건축물로서 연면적이 1천 제곱미터를 넘는 것은 국토교통부령으로 정하는 기준에 따라 내화구조로 된 바닥·벽 및 갑종 방화문으로 구획(이하 "방화구획"이라 함)하여야 한다고 규정하고 있으며, 「건축법」 제49조제2항 및 같은 법 시행령 제46조제1항 본문의 위임에 따라 「건축물의 피난·방화구조 등의 기준에 관한 규칙」 제14조제1항제1호에서는 10층 이하의 층은 바닥면적 1천 제곱미터 이내마다 방화구획으로 구획하도록 규정하고 있습니다.
한편, 「건축법」 제50조제1항에서는 문화 및 집회시설, 의료시설, 공동주택 등의 건축물은 주요구조부를 내화(耐火)구조로 하여야 한다고 규정하고 있고, 같은 법 시행령 제46조제3항에서는 건축물의 일부가 「건축법」 제50조제1항에 따른 건축물에 해당하는 경우에는 그 부분과 다른 부분을 방화구획으로 구획하여야 한다고 규정하고 있는바,
주요구조부가 내화구조로 된 연면적이 1천 제곱미터를 넘는 건축물의 10층 이하의 층에 대하여 「건축물의 피난·방화구조 등의 기준에 관한 규칙」 제14조제1항제1호에 따라 바닥면적 1천 제곱미터 이내마다 방화구획으로 구획되어 있고, 바닥면적 1천 제곱미터 이내로 구획되어 있는 부분의 일부가 「건축법」 제50조제1항에 따른 건축물에 해당하는 경우, 같은 법 시행령 제46조제3항에도 불구하고 그 부분과 다른 부분을 방화구획으로 구획하지 않아도 되는지?
<질의 배경> ○ 민원인은 용도별로 구분되는 건축물의 경우에는 「건축법 시행령」 제46조제3항에 따라 용도가 구분되는 부분에서 방화구획으로 구획하여야 하는지를 국토교통부에 질의하였는데, 국토교통부로부터 건축물의 모든 주요구조부가 내화구조이고 면적별로 방화구획으로 구획된 경우에는 용도별로 방화구획을 하지 않아도 된다는 답변을 받자 이에 이의가 있어 법령해석을 요청함.

회답 주요구조부가 내화구조로 된 연면적이 1천 제곱미터를 넘는 건축물의 10층 이하의 층에 대하여 「건축물의 피난·방화구조 등의 기준에 관한 규칙」 제14조제1항제1호에 따라 바닥면적 1천 제곱미터 이내마다 방화구획으로 구획되어 있고, 바닥면적 1천 제곱미터 이내로 구획되어 있는 부분의 일부가 「건축법」 제50조제1항에 따른 건축물에 해당하는 경우에도 같은 법 시행령 제46조제3항에 따라 그 부분과 다른 부분을 방화구획으로 구획하여야 합니다.

이유 "생략"

질의회신 방화구획 설치 관련

국토교통부 민원마당 FAQ 2019.5.24.

질의 1. 계단실형 공동주택으로 세대 현관문 및 계단실의 출입문을 갑종방화문으로 설치한 경우, 승강기의 출입문을 방화문의 구조로 하여야 하는 지 여부.
2. 데크층이 지상으로 직접 대피가 가능한 경우 피난층으로 볼 수 있는 지 여부.

회신 1.「건축법 시행령」 제46조제1항의 규정에 의하면, 주요구조부가 내화구조 또는 불연재료로 된 건축물로서 연면적이 1천 제곱미터를 넘는 것은 국토해양부령으로 정하는 기준에 따라 내화구조로 된 바닥·벽 및 제64조에 따른 갑종방화문(국토해양부장관이 정하는 기준에 적합한 자동방화셔터를 포함한다)으로 구획(이하 " 방화구획"이라 한다)하여야 하나,

제2항제3호에 따라 계단실부분·복도 또는 승강기의 승강로 부분(해당 승강기의 승강을 위한 승강로비 부분을 포함한다)으로서 그 건축물의 다른 부분과 방화구획으로 구획된 건축물의 부분에는 제1항을 적용하지 아니하거나 그 사용에 지장이 없는 범위에서 제1항을 완화하여 적용할 수 있음
따라서, 상기 기준에 따라 계단실부분, 복도, 승강기의 승강로부분(승강로비 부분 포함)이 해당 건축물의 다른 부분과 방화구획으로 구획된 경우 방화구획 기준을 완화 적용할 수 있을 것이니 구체적인 적용은 현지 여건을 잘 알 수 있는 관할 소재지의 시장.군수.구청장에게 문의하시기 바람
2. 「건축법 시행령」 제34조제1항에 따라 "피난층"이라 함은 직접 지상으로 통하는 출입구가 있는 층을 말하는 바, 질의가 이에 해당하는 지 여부는 사실 판단이 필요할 것임

질의회신 방화구획 적용 여부

국토교통부 민원마당 FAQ 2022.6.21.

질의 연면적 1천제곱미터 미만이지만 건축물이 5층인 경우 방화구획을 적용하여야 하는 지?
회신 방화구획 적용 대상은 건축법 시행령 제46조제1항에 따라 주요구조부가 내화구조 또는 불연재료로 된 건축물로서 연면적 1천제곱미터 이상인 경우 국토교통부령에 따른 세부기준을 적용하는 것이므로 적용 대상이 아닌 연면적 1천제곱미터 미만인 경우 세부기준인 층간방화구획을 적용할 필요가 없음

질의회신 층간 방화구획을 하지 않을 수 있는 지

국토교통부 민원마당 FAQ 2022.6.20.

질의 가. 지하주차장의 경우 건축법상 방화구획 적용완화 대상이 될 수 있는 바 지하 2층과 지하 1층사이의 층간방화구획을 하지 않을 수 있는 지 여부
나. 「건축물의 파난·방화구조 등의 기준에 관한 규칙」 과 관련된 사항이 건축감리자의 감리사항인 지 여부
회신 가. 「건축물의 피난·방화구조 등의 기준에 관한 규칙」 제14조제1항제2호 규정에 따라 지상층과 지하층은 모두 층마다 구획하여야 하는 것으로, 「건축법 시행령」 제46조제2항제6호 규정에 따라 주요구조부가 내화구조 또는 불연 재료로 된 주차장의 부분은 동조 제1항의 규정을 완화 받을 수 있는 것이나, 램프 및 통로등이 건축물의 다른 부분과 방화구획 된 경우에 한하여 완화 받을 수 있는 것임
나. 「건축법 시행규칙」 제19조의2 제1항제1호에 의거 공사감리자의 업무범위에 건축물 및 대지가 관계법령에 적합하도록 공사시공자 및 건축주를 지도할 것을 명기하고 있음

질의회신 지하주차장과 다른 용도와의 방화구획 완화규정 적용여부

국토교통부 민원마당 FAQ 2022.6.20.

질의 건축물의 지하층에 식당, 창고, 사무실 및 주차장(주차장이 면적은 1천㎡이상)이 있는 경우 동 주차장에 대하여 건축법시행령 제46조제2항의 규정에 의한 방화구획 완화규정을 적용하고자 하는 경우 주차장과 식당·창고·사무실의 경계부분이 내화구조등으로 설치되어야 하는지 여부
회신 건축법시행령 제46조제2항제6호의 규정에 의하면 주요구조부가 내화구조 또는 불연재료로 된 주차장의 부분에 대하여는 동법시행령 동조 제1항의 방화구획 관련 규정을 적용하지 아니하거나 그 사용에 지장을 초래하지 아니하는 범위에서 완화하여 적용할 수 있도록 되어 있으므로, 질의의 경우 주차장에 대하여 상기 방화구획 완화규정을 적용하고자 하는 경우에는 주차장과 타용도의 경계부분은 내화구조 또는 불연재료로 설치되어야 함.

질의회신 방화구획 관통부 처리방법

국토교통부 민원마당 FAQ 2022.6.21.

질의 '06년 4월에 최초 사업승인을 받은 이후 '09년 7월 변경 사업승인을 한 경우, 방화구획 관통부의 처리방법 문의.

건 축 법
1. 총 칙
2. 건 축
3. 유지관리
4. 대지도로
5. 구조재료
6. 지역지구
7. 건축설비
8. 특별건축구역
9. 보 칙
10. 벌 칙
건 축 법 관련기준

회신 구 「건축물의 피난·방화구조 등의 기준에 관한 규칙」 부칙(건설교통부령 제563호, '06.6.29, 이하 "구 규칙"이라 한다) 제3항의 규정에 의하면, 2007년 12월 29일까지는 구 규칙 제14조제2항제2호의 개정규정에 불구하고 종전의 규정에 따를 수 있도록 규정하고 있음

따라서, 당초 주택건설사업계획승인(건축허가 의제)을 받은 건축기준 범위내 설계변경을 한 경우에는 위 부칙에 따라 종전 규정에 따를 수 있을 것이나, 변경사업승인시 부칙의 적용 여부에 대하여는 인·허가권자가 판단하여 처리할 사항임

질의회신 배관 통로 부분 방화구획 적용 문의

국토교통부 민원마당 FAQ 2022.6.20.

질의 배관이 지나가는 통로가 벽돌쌓기로 시공되고 점검구나 문이 방화문으로 설치된 경우 상기 통로 내부의 층간 방화구획을 설치하여야 하는 지 여부

회신 「건축법 시행령」 제46조제1항의 규정에 의하면, 주요구조부가 내화구조 또는 불연재료로 된 건축물로서 연면적이 1천 제곱미터를 넘는 것은 국토해양부령으로 정하는 기준에 따라 내화구조로 된 바닥·벽 및 갑종 방화문(국토해양부장관이 정하는 기준에 적합한 자동방화셔터 포함)으로 구획(이하 "방화구획"이라 한다)하여야 하나, 제2항제3호에 따라 계단실부분·복도 또는 승강기의 승강로 부분(해당 승강기의 승강을 위한 승강로비 부분을 포함한다)으로서 그 건축물의 다른 부분과 방화구획으로 구획된 건축물의 부분에는 상기 방화구획 규정을 적용하지 아니하거나 그 사용에 지장이 없는 범위에서 완화하여 적용할 수 있음

따라서, 질의의 배관 통로 부분이 당해 건축물의 다른 부분과 방화구획된 경우라면 내부설비의 구조·기능상 「건축법 시행령」 제46조제2항제3호의 규정에 의한 계단실·복도·승강로 등과 같은 것으로 볼 수 있음

(*국토해양부⇒국토교통부, 2013.3.23. 개정)

질의회신 공동주택, 오피스텔 수직풍도의 샤프트를 층간 방화구획 하여야 하는지

건교부 건축 58070-1658, 2003.9.8.

질의 공동주택, 오피스텔 용도의 건축물에 설치되는 수직풍도의 샤프트가 건축법시행령 제46조의 규정에 의한 층간 방화구획을 하여야 하는지 여부

회신 질의의 수직풍도 샤프트 부분이 당해 건축물의 다른 부분과 방화구획된 경우라면 내부설비의 구조·기능상 건축법시행령 제46조제2항제3호의 규정에 의한 계단실·복도·승강로 등과 같은 것으로 볼 수 있을 것임.

질의회신 방화구획 관련

국토교통부 민원마당 FAQ 2022.6.21.

질의 지하주차장을 근린상가와 공동주택이 하나의 층에서 같이 사용할 경우 근린주차장과 공동주택주차장간 방화구획을 설치하여야 하는 지 여부

회신 「건축법 시행령」 제46조제2항제6호의 규정에 의하면, 주요구조부가 내화구조 또는 불연재료로 된 주차장은 동조 제1항을 적용하지 아니하거나 그 사용에 지장이 없는 범위에서 완화하여 적용할 수 있으나, 동조 제3항에서 건축물의 일부가 같은법 제50조제1항(내화구조 대상)에 따른 건축물에 해당하는 경우에는 그 부분과 다른 부분을 방화구획으로 구획하도록 하고 있음

따라서, 방화구획 적용은 해당 건축물의 주차장 구조 및 면적구획 현황, 용도별 방화구획 적용대상 여부를 고려하여 허가권자가 판단하여야 할 것이니, 보다 구체적인 사항은 관련도면 등을 갖추어 현지 여건을 잘 알 수 있는 관할 소재지의 허가권자인 시장·군수·구청장에게 문의 바람

질의회신 방화구획 적용 관련

국토교통부 민원마당 FAQ 2022.6.21.

질의 건축법 시행령」 제61조 단서에 따라 200제곱미터 이내마다 방화구획 되어 있는 건축물은 「건축법」

제52조에 따른 기준 적용에서 제외되는 바, 방화구획은 내부벽체만 구획하면 되는 지 아니면 외벽을 포함하여 구획하여야 하는 지 여부

회신 "200제곱미터 이내마다 방화구획이 된 경우"라 하면 외벽을 포함하여 구획한 것을 말하는 것임

질의회신 방화구획설치 관련

국토교통부 민원마당 FAQ 2022.6.21.

질의 1. 계단실형 공동주택으로 세대 현관문 및 계단실의 출입문을 갑종방화문으로 설치한 경우, 승강기의 출입문을 방화문의 구조로 하여야 하는 지 여부
2. 데크층이 지상으로 직접 대피가 가능한 경우 피난층으로 볼 수 있는 지 여부

회신 1.「건축법 시행령」 제46조제1항의 규정에 의하면, 주요구조부가 내화구조 또는 불연재료로 된 건축물로서 연면적이 1천 제곱미터를 넘는 것은 국토해양부령으로 정하는 기준에 따라 내화구조로 된 바닥·벽 및 제64조에 따른 갑종방화문(국토해양부장관이 정하는 기준에 적합한 자동방화셔터를 포함한다)으로 구획(이하 "방화구획"이라 한다)하여야 하나, 제2항제3호에 따라 계단실부분·복도 또는 승강기의 승강로 부분(해당 승강기의 승강을 위한 승강로비 부분을 포함한다)으로서 그 건축물의 다른 부분과 방화구획으로 구획된 건축물의 부분에는 제1항을 적용하지 아니하거나 그 사용에 지장이 없는 범위에서 제1항을 완화하여 적용할 수 있음
따라서, 상기 기준에 따라 계단실부분, 복도, 승강기의 승강로부분(승강로비 부분 포함)이 해당 건축물의 다른 부분과 방화구획으로 구획된 경우 방화구획 기준을 완화 적용할 수 있을 것이니 구체적인 적용은 현지 여건을 잘 알 수 있는 관할 소재지의 시장.군수.구청장에게 문의하시기 바람
2. 「건축법 시행령」 제34조제1항에 따라 "피난층"이라 함은 직접 지상으로 통하는 출입구가 있는 층을 말하는 바, 질의가 이에 해당하는 지 여부는 사실 판단이 필요할 것임

질의회신 승강기문 방화문 설치 여부

국토교통부 민원마당 FAQ 2022.6.21.

질의 ○ 공동주택의 각 세대와 코어부를 방화구획으로 구획한 경우 건축법시행령 제46조제1항 따른 방화구획 규정을 적용하지 아니할 수 있는지 여부.
○ 공동주택의 각 세대와 코어부를 방화구획 한 경우 승강기문을 방화문으로 사용하는 경우에 해당하는지 여부.
○ 비상용승강기의 승강로의 출입문을 방화문으로 해야 하는지 여부

회신 ○ 「건축법 시행령」 제46조제2항에서는 방화구획 규정을 적용하지 아니하거나 일부 완화하여 적용할 수 있는 경우를 건축물 구조 및 용도의 사안별로 여러 가지 요건을 규정하고 있음. 질의의 경우는 해당 건축물의 전체적인 구조 및 배치계획 등을 검토하여 판단해야 할 것이므로 자세한 자료를 갖추어 당해 허가권자에게 문의하시기 바람
○ 일반적으로 건축물의 방화구획을 위해 승강기문을 방화문으로 사용하는 경우가 있으므로 질의의 경우 당해 부분의 방화구획 설치 여부에 따라 판단해야 할 것이니 구체적인 확인은 관련 자료를 갖추어 허가권자에게 문의하시기 바람
○ 「건축물의 설비기준 등에 관한 규칙」 제10조제2호 나목의 규정에 의하면, 비상용승강기 승강장은 각층의 내부와 연결될 수 있도록 하되, 그 출입구는 갑종방화문을 설치하도록 규정하고 있으나 승강로의 출입구는 제외되어 있음을 알려드림

질의회신 계단실부분 복도 또는 승강로 부분의 방화구획 설치 관련

국토교통부 민원마당 FAQ 2022.6.21.

질의 지하2층, 지상15층 아파트 계단실부분, 복도 또는 승강로부분의 방화구획 설치 방법 문의

회신 「건축법 시행령」 제46조제1항에 따라 주요구조부가 내화구조 또는 불연재료로 된 건축물로서 연면적

이 1천 제곱미터를 넘는 것은 국토해양부령으로 정하는 기준에 따라 내화구조로 된 바닥·벽 및 갑종 방화문(국토해양부장관이 정하는 기준에 적합한 자동방화셔터를 포함한다)으로 구획(이하 "방화구획"이라 한다)하여야 하나, 제2항제3호에 따라 계단실부분·복도 또는 승강기의 승강로 부분(해당 승강기의 승강을 위한 승강로비 부분을 포함한다)으로서 그 건축물의 다른 부분과 방화구획으로 구획된 건축물의 부분에는 상기 기준을 적용하지 아니하거나 그 사용에 지장이 없는 범위에서 완화하여 적용할 수 있음 아울러, 「자동방화셔터 및 방화문의 기준」 제5조제3항에 따라 승강기문을 방화문으로 사용하는 경우 KS F 2268-1(방화문의 내화시험 방법)에 따라 시험한 결과 비차열 1시간 이상의 성능이 확보되어야 함. 따라서, 계단실부분.복도, 승강기의 승강로 부분이 해당 건축물의 다른 부분과 방화구획으로 구획된 부분에는 방화구획을 완화하여 적용할 수 있을 것이니 구체적인 적용은 관련도면을 첨부하여 관할 소재지의 시장.군수.구청장에게 문의하시기 바람(*국토해양부⇒국토교통부, 2013.3.23. 개정)(*「자동방화셔터 및 방화문의 기준」 폐지 ⇒ 「건축자재등 품질인정 및 관리기준」의 제정, 2022.2.11.)

질의회신 건축물의 내부중정부분의 복도에 방화구획 설치여부

국토교통부 민원마당 FAQ 2022.6.20.

질의 건축물의 내부에 중정형의 공간으로 되어 있는 부분의 상부에 지붕이 설치되어 있는 경우 동건축물의 복도의 난간벽에 방화구획을 해야 하는지 여부

회신 건축물에 설치하는 방화구획은 화재의 연소확대등을 방지하기 위하여 설치하는 것으로 건축법시행령 제46조의 규정에 의하면 일정규모 및 용도에 해당하는 건축물은 방화구획을 하도록 규정하고 있습니다. 질의의 건축물이 방화구획 설치대상 건축물이라면 화재발생시 화염 및 연기등이 전층으로 확산되지 않도록 해야 할 것으로 사료됨

질의회신 공장건축물의 증축에 따른 방화구획 적용 여부

국토교통부 민원마당 FAQ 2022.6.20.

질의 공장 건축물이 증축되어 연면적이 1천 제곱미터를 초과할 경우, 「건축법시행령」 제46조 제1항의 규정에 따른 방화구획의 적용 여부

회신 「건축법시행령」 제46조 제1항 규정에 의해 주요구조부가 내화구조 또는 불연재료로 된 건축물로서 연면적이 1천 제곱미터를 넘는 것은 「건축물의 피난·방화구조 등의 기준에 관한 규칙」 제14조 기준에 따라 내화구조로 된 바닥·벽 및 제64조의 규정에 의한 60+, 60분방화문(국토교통부장관이 정하는 기준에 적합한 자동방화셔터를 포함)으로 구획하여야 하는 것임

질의회신 방화구획 완화 적용 문의

국토교통부 민원마당 FAQ 2022.6.20.

질의 실내체육관의 일부공간에 관람 및 응원 활동곤간인 관람석 설치하는 부분에 방화구획을 적용하여야 하는 지 여부

회신 「건축법 시행령」 제46조 및 「건축물의 피난 · 방화구조 등의 기준에 관한 규칙」 제14조에 의하면, 10층 이하의 층은 바닥면적 1천제곱미터(스프링클러 기타 이와 유사한 자동식 소화설비를 설치한 경우에는 바닥면적 3천제곱미터) 이내마다, 3층 이상의 층과 지하층은 층마다 방화구획하도록 규정하고 있으나, 같은 법 시행령 제46조제2항제1호에서 문화 및 집회시설(동,식물원은 제외한다), 종교시설, 운동시설 또는 장례식장의 용도로 쓰는 거실로서 시선 및 활동공간의 확보를 위하여 불가피한 부분은 상기 기준을 적용하지 아니하거나 그 사용에 지장이 없는 범위에서 완화하여 적용할 수 있도록 규정하고 있음

질의회신 제연시설 풍도의 방화댐퍼 설치 여부

건교부 건축기획과-1109, 2008.5.13.

질의 제연시설의 풍도의 방화댐퍼 설치 여부

회신 「건축물의 피난·방화구조 등의 기준에 관한 규칙」 제14조제2항제3호에 의거 환기·난방 또는 냉방시설의 풍도가 방화구획을 관통하는 경우에는 그 관통부분 또는 이에 근접한 부분에 방화댐퍼를 설치하여야 하는 것이며, 제연풍도에 대하여는 설치여부를 별도로 규정하고 있지 아니함

따라서, 질의의 경우와 같이 비상용 승강기 승강장(특별피난계단 부속실겸용)내 설치되는 제연풍도의 경우 방화댐퍼 설치 시 원활한 급기를 방해하여 제연성능을 저하시켜 본래의 기능을 충족할 수 없다면 설치하지 아니할 수 있을 것임

질의회신 지하주차장의 램프부분에 층별 방화구획 여부

국토교통부 민원마당 FAQ 2022.6.21.

질의 「건축법 시행령」 제46조제2항제6호 규정에 따르면 주요구조부가 내화구조 또는 불연재료로 된 주차장의 경우 동조제1항의 방화구획 규정을 적용하지 않거나 완화적용 할 수 있도록 하는바, 주요구조부가 내화구조인 지하주차장의 램프부분에 적용하는 층간 방화구획을 설치하지 않아도 되는지 여부

회신 「건축물의 피난 · 방화구조 등의 기준에 관한 규칙」 제14조제1항제2호 규정에 따라 3층 이상의 층과 지하층은 층마다 구획하여야 하는 것으로, 「건축법 시행령」 제46조제2항제6호 규정에 따라 주요구조부가 내화구조 또는 불연재료로 된 주차장의 부분은 동조제1항의 규정을 완화받을 수 있는 것이나, 램프 및 통로 등이 건축물의 다른 부분과 방화구획된 경우에 한하여 완화받을 수 있음

다만, 이 경우 지하1층에서 지상층으로 직접 통하는 부분은 방화구획을 하지 않아도 될 것임

질의회신 방화구획 적용 여부

국토교통부 민원마당 FAQ 2022.6.21.

질의 연면적 1천제곱미터 미만이지만 건축물이 5층인 경우 방화구획을 적용하여야 하는 지?

회신 방화구획 적용 대상은 건축법 시행령 제46조제1항에 따라 주요구조부가 내화구조 또는 불연재료로 된 건축물로서 연면적 1천제곱미터 이상인 경우 국토교통부령에 따른 세부기준을 적용하는 것이므로 적용 대상이 아닌 연면적 1천제곱미터 미만인 경우 세부기준인 층간방화구획을 적용할 필요가 없음

질의회신 적층식 랙 설치한 경우 방화구획 적용 여부

국토교통부 민원마당 FAQ 2022.6.21.

질의 창고 건축물 내부에 적층식 랙을 설치한 경우 방화구획 완화 적용이 가능한 지?

회신 창고내 설치하는 랙이 물품의 보관 및 유통가공(포장, 해체, 재포장 등) 등 물류업무 수행에 불가피하게 설치되는 설비(장치)의 경우에는 상기에 따른 방화구획 적용 제외대상이 됨. (건축기획과-5103호, '10.6.18 참조)

다만, 창고 내부의 일부분에 랙이 설치되어 있고 지게차 등 이동식 물류설비가 이동이 가능하도록 공간이 계획된 경우 랙이 설치되지 않는 부분은 방화구획을 적용함. * 이동식 물류설비 : 지게차, 이동식 컨베이어벨트 등

질의회신 건축물 방화문 성능시험

국토교통부 민원마당 FAQ 2022.6.21.

질의 ○ 시험을 개별적으로 실시하여 성능이 확인된 방화문과 도어클로저를 같이 설치할 수 있는 지 여부.

○ 도어클로저 성능 시험성적서 표기 방법.

회신 「자동방화셔터 및 방화문의 기준」(국토해양부 고시 제2009-863호) 제8조제1항의 규정에 의하면, 성능시험은 가이드레일, 케이스, 각종 부속품 등을 포함하여 실제의 것과 동일한 구성 · 재료 및 크기의 것으로 하여야 하나, 도어클로저는 1회 시험을 하여 성능이 확인된 경우 유효기간내 성능시험을 생략할 수 있음. 이는 동일

한 구성·재료 및 크기의 시험체를 반복 사용할 경우 이미 성능이 확인된 도어클로저에 대해서는 유효기간 내 성능시험 없이 사용이 가능하도록 규정한 것임.

따라서, 질의의 경우 도어클로저 성능시험시 사용한 방화문과 성능이 확인된 방화문이 동일한 구성·재료 및 크기에 해당할 경우 사용이 가능임.

건 축 법

질의회신 자동적으로 닫히는 구조

국토교통부 민원마당 FAQ 2022.6.21.

질의 화재시 연기의 발생에 의하여 자동적으로 닫히는 구조로 된 연기센서가 내장된 도어클로저를 방화문에 사용할 경우 가능한 지 여부

회신 「건축물의 피난·방화구조 등의 기준에 관한 규칙」 제14조제2항제1호의 규정에 의하면, 「건축법 시행령」 제46조에 의한 방화구획으로 사용하는 갑종방화문은 언제나 닫힌 상태를 유지하거나 화재로 인한 연기의 발생 또는 온도의 상승에 의하여 자동적으로 닫히는 구조로 하여야 함.

따라서, 질의의 도어클로저가 상기 규정에 의한 성능을 갖추어야 하는 것이니 구체적인 사실확인은 관련 자료 등을 갖추어 관할 소재지의 시장·군수·구청장에게 문의 바람

질의회신 자동방화셔터의 상부 틈새 마감

국토교통부 민원마당 FAQ 2022.6.21.

질의 자동방화셔터 상부에 틈새가 있을 경우 처리 방법.

회신 「자동방화셔터 및 방화문의 기준」 제4조제3항에 따라 셔터의 상부는 상층 바닥에 직접 닿도록 하여야 하며, 부득이하게 발생한 바닥과의 틈새는 화재시 연기와 열의 이동통로가 되지 않도록 방화구획에 준하는 처리를 하여야 하는 바, 이와 관련, "방화구획"이라 함은 내화구조로 된 바닥·벽 및 갑종방화문(상기 기준에 적합한 자동방화셔터를 포함한다)으로 구획한 것을 말함

따라서, 화재의 확산을 방지하는 성능이 있는 것으로 구획하여야 할 것이니 구체적인 적용은 관련 도면 등을 갖추어 현지 상황을 잘 알 수 있는 관할 소재지의 시장·군수·구청장에게 문의하시기 바람 참고로, 셔터 구성 부재에 대한 세부사항은 「한국산업규격」 KS F 4510(중량셔터)을 참고하시기 바람(* 「자동방화셔터 및 방화문의 기준」 폐지 ⇒ 「건축자재등 품질인정 및 관리기준」의 제정, 2022.2.11.)

질의회신 커튼월과 내화구조의 벽을 근접하여 설치한 경우 층간방화구획 설치 여부

국토교통부 민원마당 FAQ 2022.6.21.

질의 커튼월과 내화구조의 벽을 근접하여 설치한 경우 커튼월과 바닥 사이의 틈새를 내화충전구조로 구획해야 하는 지 여부

회신 「건축물의 피난·방화구조 등의 기준에 관한 규칙」 제14조제1항제2호의 규정에 의하면, 3층 이상의 층과 지하층은 층마다 구획하여야 하며, 「내화구조의 인정 및 관리기준」 제2조제7항에서 방화구획의 수평·수직 설비관통부, 조인트 및 커튼월과 바닥 사이 등의 틈새에는 내화충전구조를 설치하도록 규정하고 있음

이는 화재시 열 및 연기가 틈새를 통해 확산되는 것을 방지하기 위한 것으로 질의의 구조가 상부층으로의 화재 확산을 방지할 수 있는 지 여부를 검토하여 상기 규정의 층간방화구획을 적용하여야 할 것이니 구체적인 사항은 관련 자료를 갖추어 현지 현황을 잘 알 수 있는 관할 소재지의 시장·군수·구청장에게 문의 바람

질의회신 설비공간의 방화구획

국토교통부 민원마당 FAQ 2022.6.21.

질의 설비공간의 방화구획

회신 건축법 시행령 제46조제2항제3호에 따라 계단실부분·복도 또는 승강기의 승강로 부분(해당 승강기의 승

1. 총 칙
2. 건 축
3. 유지관리
4. 대지도로
5. 구조재료
6. 지역지구
7. 건축설비
8. 특별건축구역
9. 보 칙
10. 벌 칙
건 축 법 관련기준

강을 위한 승강로비 부분을 포함)으로서 그 건축물의 다른 부분과 방화구획으로 구획된 부분은 층간 방화구획을 적용하지 않을 수 있어 여기에 접하여 설치되는 설비배관을 위한 공간 또한 동 부분과 함께 건축물의 다른 부분과 방화구획으로 구획된 경우 층간 방화구획을 적용하지 않을 수 있는 것이며, 이에 해당하지 않는 설비배관을 위한 공간에 대하여는 층간 방화구획을 적용하여야 할 것임

다만, 이에 대해서는 설비배관이 설치되는 공간 또한 방화구획의 기준을 원칙적으로 적용하기 위하여 건축법 시행령 제46조제2항 개정을 추진 중임을 알려드리며, 건축물의 화재안전성능 측면에서 층간방화구획을 위하여 내화충전구조를 설치하는 것이 바람직 할 것임

질의회신 에이컨실외기실 방화구획 적용 및 엘리베이터 문 성능기준 등 관련

국토교통부 민원마당 FAQ 2022.6.21.

질의 ○ 각 세대 내 에어컨실외기실의 방화구획 적용 여부 ○ 엘리베이터 문의 갑종방화문 성능 기준

회신 「자동방화셔터 및 방화문의 기준」 제5조제3항에 따라 승강기문을 방화문으로 사용하는 경우에는 승강장에 면한 부분에 대하여 KS F 2268-1(방화문의 내화시험 방법)에 따라 시험한 결과 비차열 1시간 이상의 성능이 확보된 것을 사용하여야 함. 또한 「건축물의 피난.방화구조 등의 기준에 관한 규칙」 제9조제2항제1호 바목에 따라 피난계단의 구조 중 건축물의 내부에서 계단실로 통하는 출입구는 피난방향으로 열 수 있는 것으로서 언제나 닫힌 상태를 유지하거나 화재로 인한 연기, 온도, 불꽃 등을 가장 신속하게 감지하여 자동적으로 닫히는 구조로 된 갑종방화문을 설치하도록 규정하고 있음. 다만, 에어컨실외기실은 건축법령상 방화구획으로 설치하도록 규정하고 있지 아니함. 참고로, 방염처리 대상에 대해서는 소방관계법령에서 규정하고 있는 바, 이에 대한 유권해석은 해당 법령을 운영하고 있는 소방방재청에 직접 문의하시기 바람(* 「자동방화셔터 및 방화문의 기준」 폐지 ⇒ 「건축자재등 품질인정 및 관리기준」의 제정, 2022.2.11.)

질의회신 승강기 전면부분에 방화셔터를 설치 안 할 수 있는 방안

건교부 고객만족센터, 2007.4.3.

질의 층간방화구획과 관련하여 승강기 전면부분에 방화셔터를 설치하는 것은 경제적인 면이나 기능적인 면에서 매우 비효율적이라 판단되는 바, 다른 대안이 없는지 문의

회신 「자동방화셔터 및 방화문의 기준」(건설교통부 고시 제2005-232호)제5조제3항 규정에 따라 KS F 2268-1(방화문의 내화시험 방법)에 따라 시험한 결과 비차열 1시간 이상의 성능이 확보되면 승강기문을 방화문으로 사용할 수 있는 것임(* 「자동방화셔터 및 방화문의 기준」 폐지 ⇒ 「건축자재등 품질인정 및 관리기준」의 제정, 2022.2.11.)

질의회신 대규모 건축물의 방화벽

국토교통부 민원마당 FAQ 2022.6.21.

질의 연면적이 1천제곱미터 이상이지만 주요구조부가 내화구조 또는 불연재료가 아닌 경우 방화구획을 하지 않아도 되는지?

회신 방화구획 적용 대상은 아니지만 건축법 시행령 제57조에 따라 방화벽을 설치하여야 함

건 축 법
1. 총 칙
2. 건 축
3. 유지관리
4. 대지도로
5. 구조재료
6. 지역지구
7. 건축설비
8. 특별건축구역
9. 보 칙
10. 벌 칙
건 축 법 관련기준

7 대피공간 등

■ 아파트 대피공간의 주요 개정 규정 ※ 3., 4.의 경우 <시행 2024.9.13>

1. 방화문 : 갑종방화문 ⇒ 60+방화문
2. 창호크기 : (폭) 0.9m × (높이) 1.2m ⇒ 0.7m × 1.0m
3. 바닥면적 산정방법 : 벽의 내부선으로 둘러싸인 부분의 수평투영면적
4. 바닥면적 산입제외 : ① 인접세대와 공동 설치시 : 4㎡까지, ② 각 세대별 설치시 : 3㎡ 까지

법령해석 아파트 대피공간의 바닥면적 계산 방법

「건축법 시행령」 제46조제4항 등 관련 법제처 법령해석 19-0050, 2019.5.14.

질의요지 「건축법」 제84조 및 같은 법 시행령 제119조제1항제3호에서는 건축물의 바닥면적 산정방법을 규정하고 있는데, 같은 영 제46조제4항제3호에 따라 아파트의 발코니에 설치한 대피공간의 바닥면적을 산정할 때 같은 영 제119조제1항제3호나목에 따른 바닥면적 산정방법을 적용해야 하는지?

<질의 배경>

민원인은 「건축법 시행령」 제46조제4항제3호에 따른 아파트 대피공간의 바닥면적을 산정할 때에 같은 영 제119조제1항제3호나목을 적용해야 한다는 입장으로 국토교통부에 문의하였으나, 국토교통부의 회신 내용에 이견이 있자 법령해석 요청을 의뢰하였고 이에 국토교통부에서 법제처에 법령해석을 요청함.

회답 이 사안의 경우 「건축법 시행령」 제119조제1항제3호나목에 따른 바닥면적 산정방법이 적용되지 않습니다.

이유 「건축법」 제84조 및 그 위임에 따른 같은 법 시행령 제119조제1항제3호에서는 건축물의 바닥면적을 건축물의 각 층 또는 그 일부로서 벽, 기둥, 그 밖에 이와 비슷한 구획의 중심선으로 둘러싸인 부분의 수평투영면적으로 산정하도록 규정(각 목 외의 부분)하면서 건축물의 노대등[주석: 노대(露臺)나 그 밖에 이와 비슷한 것을 말하며(「건축법 시행령」 제40조제1항 참조), 이하 같음.]의 바닥은 난간 등의 설치 여부에 관계없이 노대등의 면적에서 노대등이 접한 가장 긴 외벽에 접한 길이에 1.5미터를 곱한 값을 뺀 면적을 바닥면적에 산입하도록 규정(나목)하고 있습니다.

그런데 「건축법 시행령」 제119조제1항제3호에 따른 건축물의 "바닥면적"은 건축신고의 대상을 정하거나(「건축법」 제14조제1항제1호) 건축물의 용도를 구별(「건축법 시행령」 별표 1)하는 등 건축행정에서 중요한 기준이 되는 것으로 같은 영 제119조제1항제3호나목은 반 내부, 반 외부의 공간이면서 동시에 주택의 내부공간으로 편입될 수 있는 중립적인 공간인 발코니(노대)의 특성을 고려하여 건축물의 "바닥면적"에 발코니(노대)를 산입하는 방법에 대하여 별도로 규정한 것이고, 같은 영 제46조제4항제3호는 아파트 입주자의 안전을 확보하기 위해 설치해야 할 대피공간으로 구획된 내부 바닥면적의 기준을 규정한 것으로 두 규정은 입법취지와 목적을 달리하는 규정입니다.

그리고 「건축법」 제110조제8호의2에서는 같은 영 제46조의 위임 근거인 같은 법 제49조를 위반한 경우 "2년 이하의 징역 또는 1억원 이하의 벌금"을 규정하고 있는바, 대피공간의 바닥면적 기준은 형벌의 근거가 되는 행정법규로서 엄격하게 해석·적용해야 하고 그 행정행위의 상대방에게 불리한 방향으로 지나치게 확장해석하거나 유추해석해서는 안 됩니다.[주석: 대법원 2013.12.12. 선고 2011두3388 판결례 참조]

그렇다면 「건축법 시행령」 제46조제4항제3호에 따라 아파트의 발코니에 설치한 "대피공간의 바닥면적"은 실제로 대피공간으로 활용할 수 있는 구획된 내부 공간의 바닥을 기준으로 산정해야 하고, 같은 영 제119조제1항제3호나목은 적용되지 않는다고 보는 것이 타당합니다. (▶ 벽 내부선으로 둘러싸인 부분의 수평투영면적으로 산정하는 것으로 「건축법 시행령」이 개정됨. 2023.9.12./시행 2024.9.13.)

질의회신 완강기 설치 시 대피공간 설치 여부

국토교통부 민원마당 FAQ 2022.6.20.

질의 기존의 공동주택(아파트)에 소방관계 법령에 적합한 완강기가 설치되어 있는 경우 발코니 구조변경 시 대피공간을 설치하지 않을 수 있는 지?

회신 「건축법 시행령」(대통령령 제19163호, 2005.12.02) 부칙 제2조에 의거 이 영 시행전에 건축허가를 신청한 경우와 건축신고를 하거나 건축허가를 받은 공동주택 중 아파트에 설치된 발코니를 거실·침실·창고 등으로 사용하고자 하는 경우에는 제46조 제4항 및 제5항의 개정규정에 적합한 대피공간 또는 경계벽을 설치하여야 하는 것으로, 소방관계 법령에 적합한 완강기가 설치되어 있는 경우라도 동 규정에 적합한 대피공간을 설치하여야 하는 것임

질의회신 대피공간내 내부와 면하는 창호 설치 가능 여부

국토교통부 민원마당 FAQ 2022.6.20.

질의 대피공간내 내부(안방)와 면하는 창호 설치 가능 여부

회신 건축법 시행령 제46조 제4항에 의거 설치하는 대피공간은 국토해양부(구.건설교통부) 고시 제2005-400호(2005.12.8) "발코니 등의 구조변경절차 및 설치기준" 제3조 제2항에 의거 1시간 이상의 내화성능을 갖는 내화구조의 벽으로 구획되어야 하는 것이며, 대피공간의 성능 및 기능에 지장을 줄 수 있는 건축물의 내부에 면하는 창호는 설치하여서는 안됨

질의회신 대피공간 단열재 사용여부

국토교통부 민원마당 FAQ 2012.9.26.

질의 대피공간에 불에 타지 않는 단열재를 설치하여야 하는 지 여부

회신 「발코니 등의 구조변경절차 및 설치기준」 제3조제2항에 따라 대피공간의 벽·천장 및 바닥의 내부마감재료는 준불연재료 또는 불연재료를 사용하여야 하므로 대피공간에 내부마감재료로 단열재를 설치하는 경우라면 준불연재료 또는 불연재료를 사용하여야 함

참고로, 동 기준 제5조제2항에 따라 발코니를 거실 등으로 사용하는 경우 발코니에 설치하는 창호 등은 「건축법 시행령」 제91조제3항에 따른 「건축물의 에너지절약 설계기준」 및 「건축물의 구조기준 등에 관한 규칙」 제3조에 따른 「건축구조설계기준」에 적합하여야 함

질의회신 대피공간 설치 여부

국토교통부 민원마당 FAQ 2022.6.21.

질의 확장된 발코니에 파괴하기 쉬운 경량구조 등으로 설치한 경우 대피공간을 설치하지 않아도 되는 지?

회신 건축법 시행령 제46조제5항에 따라 인접세대와의 경계벽이 파괴하기 쉬운 구조로 된 경우 대피공간을 설치하지 않을 수 있으며, 건축법 시행령 제53조제1호에 따라 공동주택 각 세대 간 경계벽(발코니를 거실,침실 등으로 사용하는 경우 제외)은 내화구조 및 차음구조에 적합하게 설치하여야 함

따라서, 발코니를 거실,침실 등으로 사용하는 확장형 발코니의 경계벽은 파귀하기 쉬운 구조 뿐만 아니라 내화구조 및 차음구조 기준에도 적합하여야 함

질의회신 발코니 대피공간

국토교통부 민원마당 FAQ 2022.6.21.

질의 아파트의 대피공간 설치기준 및 다른 실내공간과 겸용 사용 가능 여부

회신 「건축법 시행령」 제46조제4항의 규정에 의하면, 공동주택 중 아파트로서 4층 이상인 층의 각 세대가 2개 이상의 직통계단을 사용할 수 없는 경우에는 발코니에 인접 세대와 공동으로 또는 각 세대별로 다음의 요건

을 모두 갖춘 대피공간을 하나 이상 설치하여야 함 - 대피공간은 바깥의 공기와 접할 것 - 대피공간은 실내의 다른 부분과 방화구획으로 구획될 것 - 대피공간의 바닥면적은 인접 세대와 공동으로 설치하는 경우에는 3제곱미터 이상, 각 세대별로 설치하는 경우에는 2제곱미터 이상일 것 - 국토해양부장관이 정하는 기준(발코니 등의 구조변경절차 및 설치기준)에 적합할 것 따라서, 질의의 대피공간이 상기 규정에 적합한 지 여부는 설계도서 및 현지 여건을 고려하여 판단하여야 할 것이니 구체적인 사실확인은 현지 상황을 잘 알고 있는 관할 소재지의 시장·군수·구청장에게 문의 바람

질의회신 공동주택 대피공간 창호 면적

국토교통부 민원마당 FAQ, 2013.12.12.

질의 공동주택으로 대피공간에 설치한 창호가 폭 1.5미터, 높이 1.17미터로서 「발코니 등의 구조변경절차 및 설치기준」에 따른 창호의 기준(폭 0.9미터, 높이 1.2미터)에 높이가 0.03미터 부족하나, 유사시 해체가 용이하고 대피에 지장이 없는 구조로써 동 기준에서 요구하는 면적의 초과 확보가 가능할 경우, 대피공간 구조에 적합한 것으로 볼 수 있는 지. ※ 면적대비 : 법적기준: 0.9×1.2 = 1.08㎡, 시공면적: 1.5×1.17 = 1.75㎡

회신 「발코니 등의 구조변경절차 및 설치기준」 제3조의 규정에 따른 대피공간은 화재시 외부의 도움을 받을 때까지 일정시간 동안 안전하게 대피할 수 있는 공간을 갖추도록 규정한 것임. 이와 관련, 상기 규정에 따라 대피공간에 창호를 설치하는 경우에는 폭 0.9미터, 높이 1.2미터 이상 개폐가 가능하여야 하는 것으로, 귀 질의와 같이 유사시 창호의 분리·해체가 용이하여 대피에 지장이 없는 구조로서 동등 이상의 면적이 확보되고 고가사다리차 등을 이용한 일반 성인의 피난에 장애가 되지 않는 경우라면, 이는 대피공간의 기능에 적합한 것으로 볼 수 있는 것이니, 보다 구체적인 사항은 자세한 자료를 갖추어 현지 현황을 잘 알 수 있는 관할 소재지의 시장·군수·구청장에게 문의바람.(※ 창호크기 변경: 폭 0.7미터 이상, 높이 1.0미터 이상, 2010.9.10. 개정)

질의회신 건축물 대피공간 설치 여부

국토교통부 민원마당 FAQ 2022.6.21.

질의 공동주택 탑상형(층당 6세대)으로 각 세대가 사용할 수 있는 직통계단 2개 설치시 대피공간을 설치하여야 하는 지 여부.

회신 「건축법 시행령」 제46조제4항에 따라 공동주택 중 아파트로서 4층 이상인 층의 각 세대가 2개 이상의 직통계단을 사용할 수 없는 경우 발코니에 인접 세대와 공동으로 또는 각 세대별로 대피공간을 하나 이상 설치하여야 하는 바, 각 세대가 2개 이상의 직통계단을 사용할 수 있는 경우 대피공간 설치 의무 대상이 아님

질의회신 방 출입문을 갑종방화문으로 할 경우 대피공간 설치한 것으로 볼 수 있는지 여부

건교부 건축기획팀-2293, 2006.4.12.

질의 2004년3월11일 사업계획승인을 받고 현재 7개층 정도 골조공사가 완료된 아파트로서 발코니 확장과 관련하여 확장되는 방출입문을 갑종방화문으로 할 경우 대피공간을 설치한 것으로 볼 수 있는 지 여부

회신 2005년12월2일 개정·공포된「건축법 시행령」 시행 전에 건축허가를 신청한 경우와 건축신고를 하거나 건축허가를 받은 공동주택 중 아파트에 설치된 발코니를 거실·침실·창고 등으로 사용하고자 하는 경우에는 동 시행령 부칙 제2조제2항 단서 규정에 따라 실내의 다른 부분과 구획된 바닥면적 2㎡ 이상의 실의 출입문 또는 실내와 접한 부분에 전면 유리창이 설치되지 아니한 발코니의 출입문에 제64조의 규정에 의한 갑종방화문을 설치하는 경우에는 제46조제4항의 개정규정에 의한 대피공간을 설치한 것으로 보는 것임

질의회신 방화판을 발코니 천정쪽으로 설치할 수 있는 지 여부

국토교통부 민원마당 FAQ 2022.6.20.

질의 2004.9.9 사업계획승인을 득하고 공사중인 아파트로서 발코니 구조변경과 관련하여 방화판을 당해 발코

니 천정쪽으로 설치할 수 있는 지 여부

회신 「발코니 등의 구조변경절차 및 설치기준」 제4조 제1항 규정에 따라 아파트 2층 이상의 층에서 스프링클러의 살수범위에 포함되지 않는 발코니를 구조변경하는 경우에는 발코니 끝부분에 바닥판 두께를 포함하여 높이가 90센티미터 이상의 방화판 또는 방화유리창을 설치하여야 하는 바, 이 규정은 발코니를 확장할 경우 하부층에서 발생한 화염이 당해 층 실내로 바로 전파되는 것을 일정시간 차단하기 위한 규정임.

질의회신 발코니 폭의 일부만 구조변경 할 경우 방화판 등 설치대상인 지

국토교통부 민원마당 FAQ 2022.6.20.

질의 발코니 구조변경(확장)을 발코니 폭의 일부(예 : 발코니 폭이 2m일때 발코니 끝선이 아닌 1~1.5m까지)만 할 경우 방화판 및 방화유리 설치대상인지 여부

회신 「발코니 등의 구조변경절차 및 설치기준」 제4조제1항 규정에 따라 아파트 2층 이상의 층에서 스프링클러의 살수범위에 포함되지 않는 발코니를 구조변경 하는 경우에는 발코니 끝부분에 바닥판 두께를 포함하여 높이가 90센티미터 이상의 방화판 또는 방화유리창을 설치하여야 하는 것으로 동 규정은 발코니를 확장할 경우 하부층에서 발생한 화염이 당해 층 실내로 바로 전파되는 것을 일정시간 차단하기 위한 규정인 바, 귀 질의의 경우 아파트 2층 이상의 층에서 스프링클러의 살수범위에 포함되지 않는 발코니를 구조변경 하는 경우라면 발코니 폭의 일부만 확장 할 경우라도 동 규정에 적합하게 방화판 또는 방화유리창을 설치하여야 할 것으로 판단됨.

질의회신 방화판 설치기준 관련

국토교통부 민원마당 FAQ 2022.6.21.

질의 발코니를 구조변경할 경우 설치하는 방화판 대신 방화구획용 방화스크린셔터 설치가 가능한 지 여부

회신 「자동방화셔터 및 방화문의 기준」 제2조제2항에 따라"자동방화셔터"라 함은 방화구획의 용도로 화재시 연기 및 열을 감지하여 자동 폐쇄되는 것으로서, 공항.체육관 등 넓은 공간에 부득이하게 내화구조로 된 벽을 설치하지 못하는 경우에 사용함.

공항.체육관 등 넓은 공간에 제한적으로 사용이 가능한 것으로 방화판의 설치 부위에 사용하는 것은 부적합함

질의회신 방화판의 성능시험 및 인정기준

건교부 건축기획팀-680, 2006.2.3.

질의 「발코니 등의 구조변경절차 및 설치기준」 제4조제1항 규정에 의한 방화판의 성능시험 및 인정기준과 동기준 제5조제1항 규정에 의한 난간높이의 기준에 대한 질의

회신 「발코니 등의 구조변경절차 및 설치기준」 제4조제3항 규정에 의해 방화판은 「건축물의 피난·방화구조 등의 기준에 관한 규칙」 제6조의 규정에서 규정하고 있는 불연재료를 사용할 수 있으며 다만, 방화판으로 유리를 사용하는 경우에는 제4항의 규정에 따른 방화유리를 사용하여야 함. 동기준 제5조제1항 규정에 의한 난간 높이는 「주택건설 기준 등에 관한 규정」 제18조제2항 규정에 의거, 바닥의 마감면으로부터 산정하는 것이나 법령취지에 맞도록 추락의 위험이 없어야 하는 것임

질의회신 발코니 확장 관련

국토교통부 민원마당 FAQ 2022.6.21.

질의 가. 아파트가 아닌 연립주택 2층 이상의 층에서 스프링클러의 살수 범위에 포함되지 않는 발코니를 구조변경하는 경우, 방화판 또는 방화유리창을 설치해야 하는지 나. 연립주택 발코니의 구조변경 시 외부 창호의 하부구조가 개폐되지 않는 Fix창(h=1220)인 경우에도 난간설치를 해야 하는지 및 Fix창 유리의 종류

회신 "발코니 등의 구조변경절차 및 설치기준(국토해양부 고시 제200-862호)" 제4조제1항에서 정하고 있는 방화판 또는 방화유리창을 설치하여야 하는 건축물은 「건축법 시행령」 별표1 제2호 가목에 따른 "아파트"를 말

하는 것임 아울러, 발코니를 거실등으로 사용하고자 하는 경우 난간, 창호 및 내부마감재료 등의 설치에 대하여는 동 기준 제5조 및 제6조에서 정하고 있으며, 질의 창호의 하부구조가 개폐되지 않는 Fix창이라 하더라도 난간은 설치하여야 하는 것임

질의회신 공동주택의 3층 이하부분에 대한 발코니를 거실로 변경시 대피공간 설치여부

건교부 고객만족센터, 2008.1.21.

질의 공동주택 중 3층 이하부분에 대한 발코니를 거실로 변경하고자 할 경우 대피공간을 반드시 설치하여야 하는지

회신 건축법 시행령 제46조제4항의 규정에 의하면 공동주택 중 아파트로서 4층 이상의 층의 각 세대가 2개 이상의 직통계단을 사용할 수 없는 경우에는 발코니에 인접세대와 공동으로 또는 각 세대별로 동항 각 호의 요건을 모두 갖춘 대피공간을 하나 이상 설치하여야 하는 것이므로 3층 이하의 층의 세대에 대하여는 당해 규정에 의한 대피공간을 설치하지 않아도 될 것임

8 창문등의 차면시설

질의회신 차면시설 설치여부

건교부 건축 58070-501, 2003.3.20.

질의 건축물의 발코니 부분이 인접대지경계선으로부터 1.1미터 떨어져 있으나, 동 건축물의 발코니는 인접대지내 다세대주택의 측벽과 마주보고 있는 경우에도 창문 등에 차면시설을 설치하여야 하는지 여부

회신 건축법시행령 제55조의 규정에서 인접대지경계선으로부터 직선거리 2미터이내에 이웃주택의 내부가 보이는 창문 등을 설치하는 경우에는 차면시설을 설치하여야 하는 것인바, 이웃주택의 내부가 보이는지 여부등 보다 구체적인 사항은 당해 대지 및 건축물의 현황을 상세히 알고 있는 당해 허가권자에게 문의하기 바람.

9 건축물의 내화구조

법령해석 건축물에서 내화구조로 해야 하는 부분의 범위

「건축법」 제50조제1항 등 관련 법제처 법령해석 21-0478, 2021.9.14.

질의요지 「건축법」 제50조제1항에서는 문화 및 집회시설, 의료시설, 공동주택 등 대통령령으로 정하는 건축물은 국토교통부령으로 정하는 기준에 따라 주요구조부와 지붕을 내화(耐火)구조로 해야 한다고 규정하고 있고, 「건축물의 피난·방화구조 등의 기준에 관한 규칙」(이하 "건축물방화구조규칙"이라 함) 제3조제5호다목에서는 바닥으로부터 그 아랫부분까지의 높이가 4미터 이상인 철골조의 지붕틀로서 바로 아래에 반자가 없거나 불연재료로 된 반자가 있는 경우 내화구조를 갖춘 것으로 규정하고 있는바,

바닥으로부터 그 아랫부분까지의 높이가 4미터 이상인 철골조의 지붕틀로서 바로 아래에 반자가 없거나 불연재료로 된 반자가 있는 지붕틀에 설치하는 지붕의 경우에도 「건축법」 제50조제1항 및 건축물방화구조규칙 제3조에 따른 내화구조로 해야 하는지?(각주: 「건축법」 제50조제1항 본문 및 같은 법 시행령 제56조제1항에 해당하는 건축물로, 같은 법 제50조제1항 단서에 따른 막구조의 건축물이 아닌 경우를 전제로 하며, 이하 같음)

<질의 배경> 민원인의 위 질의요지에 대한 국토교통부의 회신 내용에 이견이 있어 법제처에 법령해석을 요청함.

회답 이 사안의 지붕의 경우 「건축법」 제50조제1항 및 건축물방화구조규칙 제3조에 따른 내화구조로 해야 합니다.

이유 「건축법」 제2조제1항제7호에서는 "주요구조부"를 내력벽(耐力壁), 기둥, 바닥, 보, 지붕틀 및 주계단(主階段)으로 정의하고 있고, 같은 법 제50조제1항 본문에서는 문화 및 집회시설, 의료시설, 공동주택 등 대통령령으로 정하는 건축물은 주요구조부와 지붕을 내화구조로 해야 한다고 규정하면서, 같은 항 단서 및 같은 법 시

행령 제56조제2항에서는 막구조의 건축물은 주요구조부에만 내화구조로 할 수 있다고 규정하고 있는바, 법령의 문언상 막구조의 건축물이 아닌 건축물이라면 내력벽, 기둥, 바닥, 보 및 지붕틀 등 각각의 주요구조부와 지붕 모두를 내화구조로 해야 한다는 점이 분명합니다.
그리고 「건축법 시행령」 제2조제7호에서는 내화구조(耐火構造)를 화재에 견딜 수 있는 성능을 가진 구조로서 국토교통부령으로 정하는 기준에 적합한 구조라고 정의하고 있고, 이에 따라 내화구조의 구체적인 기준을 정하고 있는 건축물방화구조규칙 제3조 각 호에서는 주요구조부 중 보(지붕틀을 포함함, 제5호)와 지붕(제6호)이 내화구조에 해당하는 경우를 구분하여 규정하고 있으며, 「건축법」 제50조제1항에서는 문화 및 집회시설, 의료시설, 공동주택 등의 건축물은 주요구조부와 지붕 모두를 내화구조로 해야 한다고 규정하고 있는바, 이 사안과 같이 지붕틀이 건축물방화구조규칙 제3조제5호다목에 해당하는 내화구조를 갖추었다고 하여 지붕틀과 별개의 구조물인 지붕을 내화구조로 하지 않아도 된다고 볼 수 있는 근거는 없습니다.
따라서 바닥으로부터 그 아랫부분까지의 높이가 4미터 이상인 철골조의 지붕틀로서 바로 아래에 반자가 없거나 불연재료로 된 반자가 있는 지붕틀에 설치하는 지붕은 「건축법」 제50조제1항 및 건축물방화구조규칙 제3조에 따른 내화구조로 해야 합니다.

질의회신 소규모증축 내화구조 적용 여부

국토교통부 민원마당 FAQ 2022.6.21.

질의 대형공장(2천제곱미터 이상)에 컴프레셔실 증축(1×2m)을 외벽에 붙여 공사할 경우 주요구조부를 내화구조로 하여야 하는 지 여부.

회신 「건축법 시행령」 제56조제1항제3호에 따라 공장의 용도로 쓰는 건축물로서 그 용도로 쓰는 바닥면적의 합계가 2천 제곱미터 이상인 건축물의 주요구조부는 내화구조로 하여야 하는 바, 이와 관련 "주요구조부"란 「건축법」 제2조제1항제7호에 따라 내력벽, 기둥, 바닥, 보, 지붕틀 및 주계단을 말하며, 사이 기둥, 최하층 바닥, 작은 보, 차양, 옥외 계단, 그 밖에 이와 유사한 것으로 건축물의 구조상 중요하지 아니하는 부분은 제외하는 것으로 규정하고 있음,
질의의 경우가 이에 해당되는지 여부등 구체적인 적용은 관련 도면 등을 갖추어 현지 상황을 잘 알 수 있는 관할 소재지의 시장·군수·구청장에게 문의하시기 바람

질의회신 1층을 수평 증축시 기존 3층에 건축물에 대한 내화구조 적용여부

국토해양부 고객만족센터, 2008.5.26.

질의 기존 3층의 공장건축물(연면적:1,180㎡)의 1층을 수평증축(바닥면적:300㎡)하려고 할 경우 주요구조부에 대하여 내화구조로 하여야 하는 지

회신 「건축법 시행령」제56조제1항제6호의 규정에 의하면 3층 이상의 건축물의 주요구조부는 이를 내화구조로 하여야 하는 것이므로 주요구조부에 대하여 내화구조로 하여야 할 것으로 사료됨

질의회신 증축으로 인하여 내화구조 대상이 되는 경우 적용기준

국토해양부 고객만족센터, 2008.5.26.

질의 지하1층~지상2층이 근린생활시설이고 지상3층이 단독주택인 건축물에 대하여 지상3층을 증축하려고 할 경우 내화구조 대상 건축물인지 여부

회신 3층 이상의 건축물 및 지하층이 있는 건축물의 주요구조부에 대하여는 이를 내화구조로 하도록 하고 있는「건축법 시행령」56조제1항제6호의 규정 등에 적합하여야 할 것임

질의회신 증축으로 내화구조를 해야 하는 건축물의 기존건축물 보강여부

건교부 건축과-5044, 2005.9.1.

질의 용도가 창고 및 근린생활시설이고 주요구조부가 내화구조가 아닌 기존 2층 건축물을 3층으로 증축하고

자 할 때 주요구조부의 내화구조 적용범위(기존 건축물에도 적용해야 하는 지 여부)에 대한 질의

회신 건축법 시행령 제56조제1항제6호의 규정에 의거 3층이상의 건축물에 대하여는 주요구조부를 내화구조로 하도록 규정하고 있는 바, 질의의 건축물의 경우는 건축물 전체를 대상으로 하여야 하는 것임

질의회신 기존 RC 건축물에 증축하는 부분에 대한 내화구조 확보여부

건교부 건축과-214, 2005.1.13.

질의 철근콘크리트로 되어있는 지상3층 복합건축물을 1개층 증축하는 경우 내화구조로 하여야 하는지 여부

회신 건축법 시행령 제56조제1항제6호 규정에 의하면 3층 이상의 건축물에 대하여는 주요구조부를 내화구조로 하도록 규정하고 있는 바, 질의의 건축물의 경우는 내화구조로 하여야 하는 것임

질의회신 점포위에 건축된 단독주택에 대한 내화구조 대상여부

국토해양부 고객만족센터, 2008.5.26.

질의 3층 건물에서 1층이 소매점(100㎡), 2층이 사무소(100㎡), 3층이 단독주택(100㎡)일 경우 주요구조부를 내화구조를 하여야 하는 지 여부

회신 「건축법 시행령」 제56조제1항제6호의 규정에 의하여 단독주택(다중주택 및 다가구주택을 제외함)의 용도에 쓰이는 건축물을 제외한 3층 이상의 건축물 및 지하층이 있는 건축물의 주요구조부는 이를 내화구조로 하여야 하며, 이 경우 단독주택이라 함은 건축물 전체의 용도가 단독주택인 경우를 말하는 것임

질의회신 교회건물과 별개의 동으로 교육관 증축

건교부 건축기획팀-2413, 2006.4.18.

질의 문화 및 집회시설인 교회건물과 별개의 동으로 부속용도인 교육관을 증축하는 경우 교육관을 「건축법 시행령」 제56조제1항제2호 규정에 의한 관람석 및 집회실의 바닥면적으로 산정하여야 하는 지 여부

회신 「건축법 시행령」 제56조제1항 규정에 따라 문화 및 집회시설(전시장 및 동·식물원을 제외)의 용도에 쓰이는 건축물로서 관람석 또는 집회실의 바닥면적의 합계가 200㎡ 이상인 건축물의 주요구조부는 이를 내화구조로 하여야 하는 바, 이 경우 '관람석 또는 집회실의 바닥면적'이라 함은 문화 및 집회시설의 용도에 쓰이는 건축물로서 그 용도에 쓰이는 바닥면적의 합계를 말하는 것임

질의회신 공작물에 해당하는 주차장인 경우 내화구조 규정 적용 여부

국토교통부 민원마당 FAQ 2023.6.15.

질의 건축법시행령 제118조의 규정에 의한 공작물에 해당하는 주차장인 경우 동법 제40조의 규정에 의한 내화구조 규정을 적용하여야 하는 지 여부

회신 건축법 제83조제3항 및 같은 법 시행령 제118조제3항으로 정하는 공작물의 건축법 준용 조항 중 법 제50조(건축물의 내화구조와 방화벽)에 대하여 별도로 정하고 있지 아니하므로 질의하신 공작물은 해당 조항 적용대상이 아닐 것으로 사료되나, 이와 관련된 구체적인 사항은 관련 도서 등을 구비하시어 해당지역 허가권자에게 문의 바람

질의회신 건축물의 내화구조에 대한 문의

국토교통부 민원마당 FAQ 2022.6.1.

질의 지상 3층(1층 필로티, 2층 제2종 근린생활시설 중 학원, 3층 단독주택)이며, 연면적 299.12㎡ 인 건축물인 경우 「건축법 시행령」 제56조 적용 대상 여부.

회신 「건축법 시행령」 제56조제1항제5호에서 3층 이상인 건축물의 주요구조부는 내화구조로 하도록 하고 있으며, 단서로 건축물의 전체 용도가 단독주택(다중주택 및 다가구주택은 제외한다) 등의 용도는 적용 제외할

수 있도록 하고 있음

따라서, 질의의 복합용도의 건축물이 3층 이상인 경우에는 동 규정에 따라 주요구조부를 내화구조로 하여야 함

질의회신 계단실 출입구를 자동유리출입문으로 교체할 수 있는지 여부

국토해양부 고객만족센터, 2008.5.26.

질의 지하주차장 계단실 출입구에 있는 스텐레스 스틸 출입문(SSD-1)을 자동유리출입문으로 교체할 수 있는 지 여부

회신 「건축법 시행령」 제46조제1항의 규정에 의하면 같은 법 제39조제2항의 규정에 의하여 주요구조부가 내화구조 또는 불연재료로 된 건축물로서 연면적이 1천㎡를 넘는 것은 건설교통부령이 정하는 기준에 따라 내화구조로 된 바닥 · 벽 및 같은법 시행령 제64조의 규정에 의한 갑종방화문(건설교통부장관이 정하는 기준에 적합한 자동방화셔터를 포함함)으로 구획(이하 "방화구획"이라 함)하여야 하는 것으로, 질의의 경우 상기규정에 의한 방화구획에 설치하는 갑종방화문에 해당하는 경우라면 「자동방화셔터 및 방화문의 기준」(건설교통부고시 제2005-232호, 2005.7.27.) 제5조제2항의 성능기준을 만족하여야 하는 것임

질의회신 10cm 이상인 DECK 슬래브의 내화구조 인정여부

건교부 건축기획팀-1329, 2006.3.2.

질의 DECK 슬래브인 경우 DECK 상부의 콘크리트 두께가 10cm 이상이라면 DECK의 길이 및 용도(구조용 또는 거푸집용)에 상관없이 내화구조로 인정받을 수 있는지 여부와 J.F(Joist Floor) DECK를 구조용 합성 DECK로 시공한 경우 내화구조로 인정받을 수 있는지 여부

회신 「건축법시행령」 제2조제7의2호 규정에 의해 "내화구조"라 함은 화재에 견딜 수 있는 성능을 가진 구조로서 「건축물의 피난·방화구조 등의 기준에 관한 규칙」 제3조 규정에 적합한 구조를 말하는 바, 동규칙 동조 제4호 규정에 따라 바닥의 경우 철근콘크리트조 또는 철골철근콘크리트조로서 두께가 10cm 이상인 것은 내화구조에 해당하는 것임

질의회신 내화구조의 인정 관련

국토교통부 민원마당 FAQ 2022.6.21.

질의 내화도료에 대한 인정신청시 도막두께를 보, 기둥 각 3.0㎜ 로 신청하였으나, 제작된 도막두께는 보 2.429 ㎜, 기둥 2.402㎜ 로 시험하여 1시간 및 2시간의 내화성능이 확인된 경우 내화구조 인정을 몇 ㎜ 로 할 수 있는지

회신 「내화구조의 인정 및 관리기준」 제7조제3항의 규정에 의하면, 품질시험을 실시하는 시험기관의 장은 시험을 위하여 운반된 시료 또는 시험편이 같은 조 제1항에 따라 채취된 것임을 확인하고, 같은 기준 제4조의 규정에 의한 신청자로 하여금 신청시 제출한 구조 및 시공방법과 동일하게 시험체를 제작하게 하여 신청자 등과 함께 시험체를 확인하도록 하고 있으며, 같은 기준 제19조제2항에서는 품질시험을 위한 시험체 제작과정에서 신청내용과 상이하게 생산.제작된 경우 또는 부정한 행위를 한 경우 내화구조에 대한 인정신청을 즉시 취소하도록 되어 있음. 질의의 경우 동 관리기준 제7조제3항 및 제19조제2항에 따라 한국건설기술연구원장이 적의 판단할 사항으로 사료됨

질의회신 내화구조의 성능기준 적용

국토교통부 민원마당 FAQ 2022.6.20.

질의 건축물의 부분별 높이 또는 층수가 상이할 경우 내화구조의 성능기준 적용에 있어 최고높이 또는 최고층수 중 어느 한가지만 적용하면 되는 것인지?

회신 내화구조의 성능기준은 건축물의 용도별 층수 및 높이에 따른 규모에 따라 화재시의 가열에 견디는 최소한의 시간을 규정한 것임. 내화구조 성능기준은 건축물의 규모를 판단하는 기준으로 층수 및 높이의 2가지를 고려토록 한 것으로서, 층수와 높이 중 어느 하나가 해당 기준을 초과할 경우 상위 기준을 적용하여야 함

질의회신 커튼월구조 내화구조

국토교통부 민원마당 FAQ 2022.6.21.

질의 방화지구안에서 건축물 외벽 커튼월을 창문으로 보아 「건축물의 피난·방화구조 등의 기준에 관한 규칙」 제23조제2항의 규정을 적용하여야 하는 지 여부.

회신 건축물의 외벽에 설치하는 커튼월은 유리 등을 건축물 구조체에 고정적으로 부착하여 하중을 지지하지 않고 비바람 등을 차단하는 칸막이 역할을 하는 비내력 구조체로서 외벽 또는 창호로 모두 해석이 가능할 것임. 따라서, 커튼월 구조도 「건축법」 제51조, 「건축법시행령」 제58조 및 「건축물의 피난·방화구조 등의 기준에 관한 규칙」 제23조제2항의 규정을 적용해야 할 것으로 사료됨

질의회신 건축물 내화구조 관련

국토교통부 민원마당 FAQ 2022.6.21.

질의 창고의 용도로 사용하는 건축물을 증축(증축 후 면적:830㎡)하는 경우 내화구조의 적용여부.

회신 「건축법 시행령」 제56조 제1항에 따라 창고시설의 용도로 쓰는 건축물로서 그 용도로 쓰는 바닥면적의 합계가 500제곱미터 이상인 건축물의 주요구조부는 내화구조로 하여야 함
따라서, 증축으로 창고의 용도로 쓰는 바닥면적의 합계가 500제곱미터이상의 건축물이 되는 경우에는 건축물의 주요구조부는 내화구조로 하기바람

질의회신 건축물의 내화구조 관련

국토교통부 민원마당 FAQ 2022.6.21.

질의 건축물이 3층이며, 3층만 단독주택인 경우 내화구조를 하지 않아도 되는 지?

회신 건축법 제56조제1항제5호 단서의 규정은 해당 건축물 전체의 용도가 단서의 용도에 해당될 경우 적용함

질의회신 피난계단 내화구조 관련

국토교통부 민원마당 FAQ 2022.6.21.

질의 가. 교육연구시설(학원)으로 용도변경(대수선)하여 피난계단을 설치할 때 벽체의 내화구조의 성능기준이 몇 시간 인지. 나. 피난계단을 철골철재계단으로 설치할 때 내화구조로 인정받는지 여부.

회신 가. 건축물의 용도, 규모 및 구성부재에 따라 내화구조의 성능기준을「건축물의 피난·방화구조 등의 기준에 관한 규칙」(이하'피난규칙') 별표1에 규정하고 있으며, 나. "내화구조"는 건축법 시행령 제2조 제7호에서 "화재에 견딜 수 있는 성능을 가진 구조로서 국토해양부령으로 정하는 기준에 적합한 구조를 말한다"라고 정의하고 있으며, 피난규칙 제3조 제7호에 따라 "철근콘크리트조 또는 철골철근콘크리트조, 무근콘크리트조·콘크리트블록조·벽돌조 또는 석조, 철재로 보강된 콘크리트블록조·벽돌조 또는 석조, 철골조"의 계단은 법정 내화구조로 인정됨

질의회신 철골보의 내화구조 관련

국토교통부 민원마당 FAQ 2022.6.21.

질의 철골보의 내화구조 관련

회신 건축물의 피난·방화구조 등의 기준에 관한 규칙 제3조제5호에 따르면 철골조의 지붕틀(바닥으로부터 그 아랫부분까지의 높이가 4미터 이상인 것에 한한다)로서 바로 아래에 반자가 없거나 불연재료로 된 반자가 있는 것은 내화구조라 하고 있음. 일반적인 철골보는 상기 규정에 해당되지 않는 것이나, 질의의 철골보가 지붕틀을 구성하는 수평부재에 해당하는 경우라면 상기 규정을 적용할 수 있을 것임

질의회신 공장건축물의 작은 보를 내화구조로 하여야 하는 지 여부

국토교통부 민원마당 FAQ 2022.6.21.

질의 공장건축물의 작은 보를 내화구조로 하여야 하는 지 여부

회신 「건축법 시행령」 제56조제1항제3호에 따라 공장의 용도로 쓰는 건축물로서 그 용도로 쓰는 바닥면적의 합계가 2천 제곱미터 이상인 건축물의 주요구조부는 내화구조로 하여야 하는 바, 이와 관련 "주요구조부"란 「건축법」 제2조제1항제7호에 따라 내력벽, 기둥, 바닥, 보, 지붕틀 및 주계단을 말하며, 사이 기둥, 최하층 바닥, 작은 보, 차양, 옥외 계단, 그 밖에 이와 유사한 것으로 건축물의 구조상 중요하지 아니하는 부분은 제외함

질의회신 RC조로 된 사무실에 연접한 철골조 공장의 내화구조 시공여부

건교부 건축기획팀-1797, 2005.12.6.

질의 공장동과 사무동이 붙어있는 연면적이 2,375㎡인 공장건물에서 공장동은 지상 2층이고 사무동은 지상 3층인 경우로서, 사무동은 철근콘크리트조로 하고 공장동은 철골조로 할 때 공장동의 철골구조를 내화구조로 하여야 하는지 여부

회신 건축법 시행령 제56조제1항 규정에 의거 공장의 용도에 쓰이는 건축물로서 그 용도에 사용하는 바닥면적의 합계가 2천㎡ 이상인 건축물(화재의 위험이 적은 공장으로서 건설교통부령이 정하는 공장을 제외)의 주요구조부는 이를 내화구조로 하여야 하는 것임

질의회신 비내력인 외벽에 대한 내화구조 적용 여부

국토교통부 민원마당 FAQ 2022.6.20.

질의 공장건축물에서 비내력인 외벽에 대해 내화구조 적용 여부

회신 「건축법」 제40조 제1항 및 「건축법시행령」 제56조 제1항 제4호 규정에 따라 공장의 용도에 쓰이는 건축물로서 그 용도에 사용하는 바닥면적의 합계가 2천제곱미터 이상인 경우 주요구조부를 내화구조로 하도록 규정하고 있으며, 여기서 "주요구조부"라 함은 「건축법」 제2조 제1항 제6호에 따르면 내력벽·기둥·바닥보·지붕틀 및 주계단을 말하는 것으로 질의의 비내력인 외벽은 이에 해당하지 않음. 다만, 「건축법」 제41조 규정에 따라 「국토의 계획 및 이용에 관한 법률」에 의한 방화지구안에서는 대통령령이 정하는 경우를 제외하고는 건축물의 주요구조부 및 외벽을 내화구조로 하여야 함. (*법 제40조, 제41조 ⇒ 제50조, 제51조, 2008. 3. 21.)

질의회신 벽돌조의 내화구조 여부

건교부 건축 58070-1994, 2003.10.30.

질의 내화구조 설치대상인 건축물의 수직 풍도를 건축물의 다른 부분과 방화구획 함에 있어 벽 구조를 0.5B 벽돌쌓기로 설치하는 경우 내화구조로 볼 수 있는지 여부

회신 귀 질의의 벽돌조인 벽의 경우 내화구조는 건축물의피난·방화구조등의기준에관한규칙 제3조제1호에 의거 두께가 19센티미터 이상인 것으로 규정되어 있음

질의회신 내화구조 두께가 다른 경우 두께산정방법

건교부 건축 58070-20, 1996.1.5

질의 건축물의 피난·방화구조 등의 기준에 관한 규칙 제3조제4호의 규정에 의하면 철근콘크리트조로서 바닥의 두께가 10센티미터 이상인 것은 내화구조인 바, 데크플레이트를 사용하였을 때 콘크리트 스라브 두께가 각각 다를 경우에 있어서 두께산정방법과 두께 10센티미터에 보호모르타르의 두께도 포함되는지.

①
②
데크플레이트

회신 질의의 경우와 같이 바닥에 데크플레이트를 설치하였을 경우 바닥두께가 각각 다를 경우에 있어서 두께 산정방법은 가장 얇은 부분(②)의 두께를 말하는 것이며, 이때 바닥의 두께에서 보호모르타르는 포함되지 않는 것임

10 방화지구안의 건축물

법령해석 방화지구 안 건축물에 방화설비를 설치해야 하는 창문등의 범위

「건축물의 피난·방화구조 등의 기준에 관한 규칙」 제22조제2항 등 관련 법제처 법령해석 22-0071, 2022.7.28.

질의요지 「건축법」 제51조제3항에서는 방화지구 안의 인접 대지 경계선에 접하는 외벽은 국토교통부령으로 정하는 구조 및 재료로 해야 한다고 규정하고 있고, 그 위임에 따른 「건축물의 피난·방화구조 등의 기준에 관한 규칙」(이하 "건축물방화구조규칙"이라 함) 제23조제2항에서는 방화지구(각주: 「국토의 계획 및 이용에 관한 법률」 제37조제1항제3호에 따른 방화지구를 말하며, 이하 같음) 내 건축물의 인접대지경계선에 접하는 외벽에 설치하는 창문등(각주: 창문, 출입구 기타 개구부를 말하며(건축물방화구조규칙 제9조제2항제1호가목 참조), 이하 같음)으로서 같은 규칙 제22조제2항에 따른 연소할 우려가 있는 부분에는 60분방화문(제1호) 등의 방화설비를 설치해야 한다고 규정하고 있는 한편, 「건축법」 제52조제2항에서는 대통령령으로 정하는 건축물(각주: 「건축법 시행령」 제61조제2항 각 호의 건축물을 말함)(이하 "방화기준준수대상건축물"이라 함)의 외벽에 사용하는 마감재료(각주: 두 가지 이상의 재료로 제작된 자재의 경우 각 재료를 포함함)는 방화에 지장이 없는 재료로 하여야 한다고 규정하고 있고, 같은 조 제4항 및 건축물방화구조규칙 제24조제12항 본문에서는 방화기준준수대상건축물의 인접대지경계선에 접하는 외벽에 설치하는 창호(窓戶)와 인접대지경계선간의 거리가 1.5미터 이내인 경우 해당 창호는 방화유리창으로 설치해야 한다고 규정하고 있는바,

방화지구 내 방화기준 준수대상건축물의 경우로서 그 외벽을 「건축법」 제52조제2항에 따라 방화에 지장이 없는 마감재료로 하고, 그 외벽에 설치하는 창호(각주: 해당 창호는 인접대지경계선과의 거리가 1.5미터 이내인 외벽에 설치하는 것으로서, 공원·광장·하천의 공지나 수면 또는 내화구조의 벽 기타 이와 유사한 것에 접하고 있지 않음을 전제함)를 건축물방화구조규칙 제24조제12항 본문에 따라 방화유리창으로 설치한 경우에도, 해당 창호에 같은 규칙 제23조제2항 각 호의 방화설비를 설치해야 하는지?

회답 이 사안의 경우 해당 창호에는 건축물방화구조규칙 제23조제2항 각 호의 방화설비를 설치해야 합니다.

이유 먼저 「건축법」 제51조제3항의 위임에 따른 건축물방화구조규칙 제23조제2항에서는 방화지구 내 건축물의 일정한 창문등에 대해 같은 항 각 호에 따른 방화설비를 설치하도록 규정하고 있고, 「건축법」 제52조제4항 및 건축물방화구조규칙 제24조제12항 본문에서는 방화기준준수대상건축물의 일정한 창호는 방화유리창으로 설치해야 한다고 규정하고 있는데, 건축물방화구조규칙 제23조제2항에 따른 방화설비는 60+방화문 또는 60분방화문(제1호), 소방법령이 정하는 기준에 적합하게 창문등에 설치하는 드렌처(제2호) 등 창문등에 추가로 설치하는 설비인 반면, 같은 규칙 제24조제12항 본문에 따른 방화유리창은 인접대지경계선과의 거리가 1.5미터 이내인 창호 자체에 설치하는 것이므로, 두 규정은 서로 중복되거나 상충되는 기준을 정하고 있는 것은 아니어서, 어느 하나의 기준을 갖추었다고 하여 다른 기준을 갖추지 않아도 된다고 볼 수는 없습니다.

그리고 건축물방화구조규칙 제23조제2항에서는 "방화지구 내 건축물"의 "인접대지경계선에 접하는 외벽에 설치하는" 창문등으로서 같은 규칙 제22조제2항에 따른 "연소할 우려가 있는 부분"의 창문등을 방화설비 설치 요건으로 규정하고 있는데, 같은 규칙 제22조제2항에서는 "연소할 우려가 있는 부분"이란 인접대지경계선 등으로부터 1층에 있어서는 3미터 이내, 2층 이상에 있어서는 5미터 이내의 거리에 있는 건축물의 각 부분을 말한다고 규정하면서(본문), 공원·광장·하천의 공지나 수면 또는 내화구조의 벽 기타 이와 유사한 것에 접하는 부분을 제외한다(단서)고 규정하고 있으므로, 같은 규칙 제23조제2항에 따라 방화설비를 설치해야 하는 창문등에 해당하는지 여부는 해당 건축물이 방화지구에 위치해 있는지와 인접대지경계선에 접하는 외벽에 설치된 해당 창문등이 인접대지경계선 등으로부터 일정 거리 이내에 있는지, 공원·광장·하천의 공지나 수면 또는 내화구조의 벽 기타 이와 유사한 것에 접하는 부분인지를 기준으로 결정되는 것일 뿐, 「건축법」 제52조제2항 및 제4항에 따라 외벽 또는 그 외벽에 설치된 해당 창문이 방화에 지장이 없는 재료로 되어 있다는 이유로 건축물방화구조규칙 제23조제2항에 따른 방화설비의 설치 대상에서 제외된다고 볼 수는 없습니다.

한편 「건축법」 제51조제3항에서 방화지구 내 건축물에 대해 방화설비를 설치하도록 규정한 취지와 같은 법

제52조제2항 및 제4항에서 방화기준준수대상건축물에 대해 방화에 지장이 없는 재료로 외벽을 마감하고 방화성능을 갖춘 창호를 설치하도록 규정한 취지는 화재가 인접 건축물로 확산되어 대형화재사고로 확대되는 것을 방지하여 국민의 신체와 재산을 보호하려는 것이므로, 동일한 취지의 규정을 중복하여 적용하는 것은 과도한 규제로서 같은 법 제51조제3항 및 건축물방화구조규칙 제23조제2항에 따른 방화설비를 설치하지 않을 수 있다는 의견이 있습니다.

그러나 「건축법」 제51조제3항 및 건축물방화구조규칙 제23조제2항에서는 화재에 특히 취약하다고 인정하여 지정되는 방화지구 내 "모든" 건축물을 대상으로 인접대지경계선 등과의 거리를 기준으로 건축물의 일정 부분에 방화설비를 설치하도록 규정한 반면, 같은 법 제52조제2항 및 제4항에서는 방화지구 내에 위치한 건축물인지 여부를 불문하고 의료시설 용도의 건축물(같은 법 시행령 제61조제2항제2호), 3층 이상의 건축물(같은 법 시행령 제61조제2항제3호) 등 그 용도나 규모가 일정기준에 해당하는 건축물을 대상으로 외벽과 인접대지경계선으로부터 일정 거리 이내의 창호를 방화에 지장이 없는 재료로 하도록 규정한 것인바, 두 규정은 구체적인 적용 대상 및 기준에 차이가 있고 방화기준준수대상건축물인 경우에도 방화지구 내에 위치한 건축물인 경우 건축물방화구조규칙 제23조제2항에 적용되는 것이 분명하므로, 그러한 의견은 타당하지 않습니다.

따라서 이 사안의 경우 해당 창호에는 건축물방화구조규칙 제23조제2항 각 호의 방화설비를 설치해야 합니다.

법령해석 「국토의 계획 및 이용에 관한 법률」에 따른 방화지구 내의 목조 건축물이 아닌 건축물에도 「건축물의 피난 · 방화구조 등의 기준에 관한 규칙」 제23조제2항제2호가 적용되는지

「건축물의 피난 · 방화구조 등의 기준에 관한 규칙」 제23조제2항제2호 등 관련 법제처 법령해석 11-0285, 2011.8.19.

질의요지 「국토의 계획 및 이용에 관한 법률」에 따른 방화지구 내에 있는 목조 건축물이 아닌 건축물에도 「건축물의 피난·방화구조 등의 기준에 관한 규칙」 제23조제2항제2호가 적용되는지?

회답 「국토의 계획 및 이용에 관한 법률」에 따른 방화지구 내에 있는 목조 건축물이 아닌 건축물에도 「건축물의 피난·방화구조 등의 기준에 관한 규칙」 제23조제2항제2호가 적용된다고 할 것입니다.

이유 「건축법」 제50조 및 제51조에 따르면 문화 및 집회시설, 의료시설, 공동주택 등 대통령령으로 정하는 건축물은 국토해양부령으로 정하는 기준에 따라 주요구조부를 내화(耐火)구조로 하여야 하고(제50조제1항), 대통령령으로 정하는 용도 및 규모의 건축물은 국토해양부령으로 정하는 기준에 따라 방화벽으로 구획하여야 하며(제50조제2항), 특히 「국토의 계획 및 이용에 관한 법률」에 따른 방화지구 안에서는 건축물의 주요구조부와 외벽을 내화구조로 하여야 하고(제51조제1항 본문), 방화지구 안의 공작물로서 간판, 광고탑, 그 밖에 대통령령으로 정하는 공작물 중 건축물의 지붕 위에 설치하는 공작물이나 높이 3미터 이상의 공작물은 주요부를 불연(不燃)재료로 하여야 하며(제51조제2항), 방화지구 안의 지붕·방화문 및 인접 대지 경계선에 접하는 외벽은 국토해양부령으로 정하는 구조 및 재료로 하여야 합니다(제51조제3항).

그리고, 「건축법」 제51조제3항의 위임에 따른 「건축물의 피난·방화구조 등의 기준에 관한 규칙」 제23조제2항에서는 방화지구 내 건축물의 인접대지경계선에 접하는 외벽에 설치하는 창문등(창문·출입구 기타 개구부를 말함. 이하 같음)으로서 제22조제2항에 따른 연소할 우려가 있는 부분에는 다음 각 호의 방화문 기타 방화설비를 하여야 한다고 하면서 제2호에서 소방법령이 정하는 기준에 적합하게 창문등에 설치하는 드렌처를 규정하고 있습니다.

이와 같이 「건축법」 및 그 하위 법령에서는 건축물의 종류, 용도, 규모 등에 따라 갖추어야 할 내화구조, 방화벽 등 건축물의 방화에 관한 사항을 규정하면서 방화지구 내의 건축물에 대해서는 「건축법」 제51조 및 「건축물의 피난·방화구조 등의 기준에 관한 규칙」 제23조에서 그 기준을 정하고 있는바,

우선, 「건축법」 제51조제3항 및「건축물의 피난·방화구조 등의 기준에 관한 규칙」 제23조제2항에서는 그 적용대상인 건축물을 목조의 건축물로 제한하고 있지 아니하고 있고, 위 규정은 「국토의 계획 및 이용에 관한 법률」 제37조제1항에 따른 용도지구의 하나인 방화지구가 도시정비가 잘 안되어 있고 건축물이 밀집한 지역, 화재발생시 소방에 지장이 있는 지역, 화재발생시 폭발·유독가스 등으로 주변지역에 막대한 피해가 예상되는 공장이나 시설의 주변지역 등에 화재의 위험을 예방하기 위하여 지정되는 것이므로 위 지구 내의 건축물은 연

소의 우려가 많은 지붕·외벽 등에 대하여 방화설비를 갖추도록 한 것인 점에 비추어 볼 때, 방화지구 내의 건축물이라면 목조의 건축물 여부와 상관 없이 「건축법」 제51조제3항 및 「건축물의 피난·방화구조 등의 기준에 관한 규칙」 제23조제2항이 적용된다고 보아야 할 것입니다.
따라서, 「국토의 계획 및 이용에 관한 법률」에 따른 방화지구 내에 있는 목조 건축물이 아닌 건축물에도 「건축물의 피난·방화구조 등의 기준에 관한 규칙」 제23조제2항제2호가 적용된다고 할 것입니다.

질의회신 방화지구내 연소확대방지시설

국토교통부 민원마당 FAQ 2022.6.21.

질의 방화지구내 연소할 우려가 있는 부분에 방화설비(드렌처)를 설치할 경우, 지상 12층인 건축물과 인접한 대지의 건축물이 지상 3층~8층인 경우 건축물이 없는 4층~12층까지도 드렌처를 설치하여야 하는 지 여부

회신 「건축법」 제51조제3항 및 「건축물의 피난 · 방화구조 등의 기준에 관한 규칙」 제23조제2항의 규정에 의하면, 방화지구안의 건축물의 인접대지경계선에 접하는 외벽에 설치하는 창문등으로서 연소할 우려가 있는 부분(1층에 있어서는 3미터 이내, 2층 이상에 있어서는 5미터 이내의 거리에 있는 건축물의 각 부분)에는 방화문 및 기타 방화설비를 하도록 하고 있음
따라서, 인접한 대지의 건축물의 규모와 상관없이 해당 건축물의 외벽에 설치하는 창문등이 인접대지경계선에서 연소할 우려가 있는 부분에 해당하는 경우 상기 규정에 적합한 방화설비를 설치하여야 할 것이니, 구체적인 사실확인은 관련도면 등을 갖추어 관할 소재지의 시장 · 군수 · 구청장에게 문의 바람

질의회신 방화지구내 연결복도 설치

국토교통부 민원마당 FAQ 2022.6.21.

질의 ○ 상업지역, 방화지구에 건축되어 있는 두 건축물에 연결복도를 설치할 경우 연결복도에 설치하는 방화셔터는 어떤 성능을 갖추어야 하는 지
○ 연결복도의 설치개수를 제한하는 규정이 있는 지

회신 「건축법」 제51조제1항의 규정에 의하면, 「국토의 계획 및 이용에 관한 법률」에 따른 방화지구 안에서는 건축물의 주요구조부와 외벽을 내화구조로 하여야 하며, 같은 법 제59조제1항제2호 및 같은 법 시행령 제81조제5항의 규정에 의하면, 인근 건축물과 이어지는 연결복도나 연결통로를 설치하는 경우 주요구조부가 내화구조이고, 마감재료가 불연재료이고, 건축물과 복도 또는 통로의 연결부분에 방화셔터 또는 방화문을 설치하는 등 건축기준에 적합하게 설치하여야 함. 이 경우 방화셔터는 「자동방화셔터 및 방화문의 기준」 제5조제1항에 따라 비차열 1시간, 차연성능 등 성능기준에 적합한 것을 말함
아울러, 건축법령상 연결복도나 연결통로의 설치개수를 제한하고 있는 규정은 없음

질의회신 방화지구내 창호

국토교통부 민원마당 FAQ 2022.6.21.

질의 방화지구내 외벽에 창호를 망입유리로 설치할 경우 적법한 지 여부

회신 「건축물의 피난 · 방화구조 등의 기준에 관한 규칙」 제23조제2항의 규정에 의하면, 「건축법」 제51조제3항에 따라 방화지구안의 건축물의 인접대지경계선에 접하는 외벽에 설치하는 창문 등으로서 동 규칙 제22조제2항의 규정에 의한 연소할 우려가 있는 부분에는 방화문 및 드렌처 등 방화설비를 하여야 함.
따라서, 질의의 건축물의 규모, 인접대지경계선 현황, 방화설비 적합여부 등을 종합적으로 고려하여 판단하여야 할 것이니, 보다 구체적인 사항은 관할 소재지의 시장 · 군수 · 구청장에게 문의 바람

질의회신 방화지구 내 건축물에 설치하는 방화설비

국토교통부 민원마당 FAQ 2022.6.21.

질의 방화지구 내 건축물에 설치하는 방화설비

건 축 법
1. 총 칙
2. 건 축
3. 유지관리
4. 대지도로
5. 구조재료
6. 지역지구
7. 건축설비
8. 특별건축구역
9. 보 칙
10. 벌 칙
건 축 법 관련기준

회신 건축물의 피난·방화구조 등의 기준에 관한 규칙 제23조제2항에 따르면 방화지구 내 건축물의 인접대지경계선에 접하는 외벽에 설치하는 창문등으로서 제22조제2항에 따른 연소할 우려가 있는 부분에는 각 호의 방화문 기타 방화설비를 하도록 하고 있음. 동 기준에서 방화설비를 하여야 하는 연소할 우려가 있는 부분은 인접대지경계선에 접하는 외벽에 한한 것으로, 규칙 제22조제2항에 따른 도로 중심선 및 동일 대지 내 2개동 이상의 건축물로서 상호의 외벽간의 중심선을 기준으로 한 연소할 우려가 있는 부분은 제23조제2항에 따라 방화설비를 하여야 하는 부분에 해당하지 않음

11 건축물의 마감재료

법령해석 건축자재 품질관리서 제출 대상인 복합자재의 범위

「건축법」 제52조의4제4항 등 관련 법제처 법령해석 23-0483, 2023.9.27.

질의요지 「건축법」 제52조의4제1항에서는 '복합자재(불연재료(각주: 「건축법 시행령」 제2조제10호에 따른 불연재료를 말하며, 이하 같음.)인 양면 철판, 석재, 콘크리트 또는 이와 유사한 재료와 불연재료가 아닌 심재로 구성된 것을 말하며, 이하 같음)를 포함한 같은 법 제52조에 따른 마감재료, 방화문 등 대통령령으로 정하는 건축자재의 제조업자, 유통업자, 공사시공자 및 공사감리자(이하 "제조업자등"이라 함)는 국토교통부령으로 정하는 사항을 기재한 품질관리서(이하 "품질관리서"라 함)를 대통령령으로 정하는 바에 따라 허가권자(각주: 특별시장·광역시장·특별자치시장·특별자치도지사 또는 시장·군수·구청장을 말하며, 이하 같음.)에게 제출해야 한다'고 규정하고 있는바,

「건축법」 제52조의4제1항에 따라 제조업자등이 품질관리서를 제출해야 하는 '복합자재를 포함한 같은 법 제52조에 따른 마감재료'는 '복합자재, 같은 법 제52조에 따른 마감재료' 모두를 의미하는지, 아니면 '같은 법 제52조에 따른 마감재료로서의 복합자재'만을 의미하는지?

회답 「건축법」 제52조의4제1항에 따라 제조업자등이 품질관리서를 제출해야 하는 '복합자재를 포함한 같은 법 제52조에 따른 마감재료'는 '복합자재, 같은 법 제52조에 따른 마감재료' 모두를 의미합니다.

이유 "생략"

법령해석 건축물 내부의 마감재료를 방화에 지장이 없는 재료로 하지 않아도 되는 건축물의 범위

「건축법 시행령」 제61조제1항 등 관련 법제처 법령해석 23-0133, 2023.4.6.

질의요지 「건축법」 제52조제1항에서는 대통령령으로 정하는 용도 및 규모의 건축물의 벽, 반자, 지붕(반자가 없는 경우에 한정한다) 등 내부의 마감재료(각주: 「건축법」 제52조의4제1항의 복합자재의 경우 심재(心材)를 포함하며, 이하 같음.)(이하 "내부마감재료"라 함)는 방화(防火)에 지장이 없는 재료로 하도록 규정하고 있고, 그 위임에 따라 마련된 같은 법 시행령 제61조제1항 본문에서는 내부마감재료를 방화에 지장이 없는 재료로 해야 하는 건축물을 단독주택 중 다중주택·다가구주택(제1호), 창고시설(제4호) 등으로 규정하면서,

「건축법 시행령」 제61조제1항 단서에서는 같은 항 제1호, 제1호의2, 제2호부터 제7호까지의 어느 하나에 해당하는 건축물(같은 항 제8호에 해당하는 건축물은 제외하며, 이하 "창고시설등"이라 함)의 주요구조부(각주: 「건축법」 제2조제7호에 따른 주요구조부를 말하며, 이하 같음.)가 내화구조(각주: 「건축법 시행령」 제2조제7호에 따른 내화구조(耐火構造)를 말하며, 이하 같음.) 또는 불연재료(각주: 「건축법 시행령」 제2조제10호에 따른 불연재료(不燃材料)를 말하며, 이하 같음.)로 되어 있고 그 거실의 바닥면적(각주: 스프링클러나 그 밖에 이와 비슷한 자동식 소화설비를 설치한 바닥면적을 뺀 면적으로 하며, 이하 같음.) 200제곱미터 이내마다 방화구획(각주: 「건축법 시행령」 제46조제1항 제1호 및 제2호의 구조물로 구획하는 것을 말하며, 이하 같음.)이 되어 있는 건축물은 내부마감재료를 방화에 지장이 없는 재료로 해야 하는 건축물에서 제외한다고 규정하고 있는바,

주요구조부가 불연재료로 된 창고시설등으로서 그 거실의 바닥면적이 200제곱미터 이하인 건축물은 방화구획을 하지 않더라도 「건축법 시행령」 제61조제1항 단서에 따라 내부마감재료를 방화에 지장이 없는 재료로 하지 않을 수 있는지?

회답 주요구조부가 불연재료로 된 창고시설등으로서 그 거실의 바닥면적이 200제곱미터 이하인 건축물은 방화구획을 하지 않더라도 「건축법 시행령」 제61조제1항 단서에 따라 내부마감재료를 방화에 지장이 없는 재료로 하지 않을 수 있습니다.

이유 "생략"

법령해석 건축물의 외벽에 사용하는 마감재료를 방화재료로 해야 하는 대수선허가 신청의 범위

「건축법」 제50조 관련 법제처 법령해석 22-0361, 2022.6.23./건축사협회 수정게시 2022.7.28.

질의요지 2019년 8월 6일 대통령령 제30030호로 일부개정되어 2019년 11월 7일 시행된 「건축법 시행령」 제61조제2항제3호에 따라 외벽의 마감재료를 방화에 지장이 없는 재료로 해야 할 3층 이상 또는 높이 9미터 이상인 건축물에 해당하는 건축물을 2019년 11월 7일 이후에 대수선하려는 경우로서, 건축물의 외벽에 사용하는 마감재료의 증설 또는 해체 외의 사유로 대수선하는 경우에도 「건축법」 제52조제2항에 따라 건축물의 외벽에 사용하는 마감재료를 방화에 지장이 없는 재료로 해야 하는지 여부

회답 건축물의 외벽에 사용하는 마감재료의 증설, 해체 외의 사유로 대수선하는 경우에도 「건축법」 제52조제2항에 따라 건축물의 외벽에 사용하는 마감재료를 방화에 지장이 없는 재료로 해야 함.

이유 「건축법」 제2조제1항제9호에서는 "대수선"을 건축물의 기둥, 보, 내력벽, 주계단 등의 구조나 외부 형태를 수선·변경하거나 증설하는 것으로 대통령령으로 정하는 것을 말한다고 규정하고 있고, 같은 법 시행령 제3조의2에서는 내력벽을 증설, 해체하거나 그 벽면적을 30제곱미터 이상 수선, 변경하는 것(제1호), 기둥을 증설, 해체하거나 세 개 이상 수선, 변경하는 것(제2호), 건축물의 외벽에 사용하는 마감재료를 증설, 해체하거나 벽면적 30제곱미터 이상 수선, 변경하는 것(제9호) 등으로서 증축·개축 또는 재축에 해당하지 않는 것을 규정하고 있는바, "대수선"은 건축물 외벽에 사용하는 마감재료의 증설, 해체 외에도 더 넓은 범위의 수선·변경, 증설을 포함하는데, 개정 건축법 시행령 부칙 제5조에서는 영 제61조제2항의 개정규정은 같은 영 시행일 이후 "대수선"허가를 신청하는 경우부터 적용한다고 규정하여 건축물의 외벽에 사용하는 마감재료를 증설하거나 해체하는 형태의 대수선으로 그 범위를 한정하지 않고 있는 바, 2019년 11월 7일 이후에 3층 이상 또는 높이 9미터 이상인 건축물에 대한 대수선허가를 신청하여 대수선하는 경우라면 「건축법」 제52조제2항에 따라 외벽에 사용하는 마감재료는 방화에 지장이 없는 재료로 해야 할 것임.

법령해석 용도변경 허가 신청의 경우에도 강화된 건축기준이 적용되는지 여부

「건축법」 제52조 관련 법제처 법령해석 21-0735, 2021.12.29./건축사협회 수정게시 2022.7.28.

질의요지 2021년 6월 23일 전에 건축허가를 받거나 건축신고를 한 경우로서 2021년 7월 5일 이후에 용도변경 허가를 신청하는 경우(「건축법 시행령」 제61조제2항 각 호에 해당하는 건축물인 경우를 전제함), 「건축법」 제52조제4항, 같은 법 시행령 제61조제3항 및 건축물방화구조규칙 제24조제9항의 개정규정이 적용되는지 여부

회답 건축법 제52조제4항, 같은 법 시행령 제61조제3항 및 건축물방화구조규칙 제24조제9항의 개정규정이 적용됨

이유 개정된 「건축법」의 부칙에 두는 적용례는 신·구 법령의 변경 과정에서 개정 법령의 적용대상 및 시기를 명확히 하기 위한 규정으로서, 같은 법 부칙은 건축허가 및 건축신고의 절차가 진행 중인 사안은 제외하고 개정규정의 시행 이후에 건축허가나 건축신고가 이루어지는 경우부터 개정규정이 적용된다는 점을 명확히 해준 규정인바, 개정규정 시행 이후에 건축허가나 건축신고가 아닌 용도변경을 하는 경우에는 건축법 제19조에 따라 같은 법 제52조가 준용되므로, 해당 부칙에서 용도변경에 대하여 규정하고 있지 않다고 하더라도 이를 근거로 용도변경되는 건축물에 대하여 개정된 규정의 적용이 배제된다고 보기는 어려움

아울러 「건축법」 제52조제4항의 입법 목적은 창호를 통해 인접 건축물로 화재가 확산되어 대형화재사고로 확대되는 것을 방지하여 국민의 신체와 재산을 보호하려는 것인데, 만약 법률의 부칙 규정의 문언만을 보고 제한적으로 해석하여 법률 시행 후에 새로 건축허가를 하거나 건축신고를 하는 경우에만 그 건축물의 창호에 적용되는 방화기준을 갖추어야 한다고 해석하게 되면, 건축법 제52조제4항의 입법 목적에 부합하지 않음을 고려해야 함

법령해석 건축물의 외벽에 사용하는 마감재료를 방화재료로 해야 하는 용도변경의 범위

「건축법」 제52조제4항 관련 법제처 법령해석 22-0411, 2022.7.6.

질의요지 「건축법」 제52조제2항에서는 대통령령으로 정하는 건축물의 외벽에 사용하는 마감재료는 방화에 지장이 없는 재료(이하 "방화재료"라 함)로 해야 한다고 규정하고 있고, 그 위임에 따른 같은 법 시행령 제61조제2항에서는 외벽의 마감재료를 방화재료로 해야 하는 건축물을 규정하고 있는데, 대상 건축물에 대해서 2015년 9월 22일 대통령령 제26542호로 일부개정되기 전의 구 「건축법 시행령」 제61조제2항제2호에서는 "고층건축물[각주: 층수가 30층 이상이거나 높이가 120미터 이상인 건축물을 말함(「건축법」 제2조제1항제19호 참조)]"로 규정했던 것을, 같은 영이 2015년 9월 22일 대통령령 제26542호로 일부개정되어 "6층 이상 또는 높이 22미터 이상인 건축물"로 규정하면서 같은 영 부칙 제2조제8호에서는 해당 개정규정은 같은 영 시행 이후 건축허가를 신청하거나 용도변경 허가를 신청(용도변경 신고 및 건축물대장 기재내용의 변경 신청을 포함함)하는 경우부터 적용한다고 규정하고 있는바,

2015년 9월 22일 대통령령 제26542호로 일부개정되어 같은 날 시행된 「건축법 시행령」(이하 "개정 건축법 시행령"이라 함) 제61조제2항제2호에 해당하는 건축물에 대하여 2015년 9월 22일 이후에 건축물 외벽의 수선(각주: 「건축법 시행령」 제3조의2제9호에 따른 건축물의 외벽에 사용하는 마감재료를 증설 또는 해체하거나 벽면적 30제곱미터 이상 수선 또는 변경하는 것을 전제하며, 이하 같음)이 수반되지 않는 용도변경을 하려는 경우로서,

가. 「건축법」 제19조제2항에 따라 용도변경 허가를 신청하거나 용도변경 신고를 하는 경우 같은 법 제52조제2항에 따라 건축물의 외벽에 사용하는 마감재료를 방화재료로 해야 하는지?

나. 「건축법」 제19조제3항에 따라 건축물대장 기재내용의 변경 신청을 하는 경우 같은 법 제52조제2항에 따라 건축물의 외벽에 사용하는 마감재료를 방화재료로 해야 하는지?

회답 가. 질의 가에 대해

이 사안의 경우 건축물 외벽의 수선이 수반되지 않는 용도변경 허가를 신청하거나 용도변경 신고를 하는 경우에도 「건축법」 제52조제2항에 따라 건축물의 외벽에 사용하는 마감재료를 방화재료로 해야 합니다.

나. 질의 나에 대해

이 사안의 경우 건축물 외벽의 수선이 수반되지 않는 용도변경을 위해 건축물 기재내용의 변경 신청을 하는 경우에도 「건축법」 제52조제2항에 따라 건축물의 외벽에 사용하는 마감재료를 방화재료로 해야 합니다.

이유 "생략"

법령해석 건축물의 외벽에 설치되는 창호를 방화유리창으로 해야 하는 용도변경의 범위

「건축법」 제52조제4항 관련 법제처 법령해석 22-0475, 2022.7.15.

질의요지 「건축법」 제52조제4항에서는 대통령령으로 정하는 용도 및 규모에 해당하는 건축물 외벽에 설치되는 창호(窓戶)는 방화에 지장이 없도록 인접 대지와의 이격거리를 고려하여 방화성능 등이 국토교통부령으로 정하는 기준에 적합하여야 한다고 규정하고 있고, 같은 항의 위임에 따라 2021년 5월 4일 대통령령 제31668호로 일부개정되어 2021년 6월 23일 시행된 「건축법 시행령」(이하 "구 건축법 시행령"이라 함) 제61조제3항에서는 방화성능을 갖춘 창호를 설치해야 하는 건축물을 같은 조 제2항 각 호의 건축물로 규정하면서, 같은 영 부칙 제2조제1호에서는 적용례를 두어 같은 영 제61조제3항의 개정규정은 2021년 6월 23일 이후 "법 제11조에

따른 건축허가의 신청(각주: 건축허가를 신청하기 위하여 「건축법」 제4조의2제1항에 따라 건축위원회에 심의를 신청하는 경우를 포함하며, 이하 같음), 법 제14조에 따른 건축신고 또는 법 제19조에 따른 용도변경 허가의 신청(같은 조에 따른 용도변경 신고 또는 건축물대장 기재내용의 변경신청을 포함함)을 하는 경우부터 적용한다"고 규정하고 있는 한편,

「건축법」 제52조제4항의 위임에 따라 2021년 7월 5일 국토교통부령 제868호로 일부개정되어 같은 날 시행된 「건축물의 피난·방화구조 등의 기준에 관한 규칙」(이하 "구 건축물방화구조규칙"이라 함) 제24조제9항 본문에서는 "영 제61조제2항 각 호에 해당하는 건축물의 인접대지경계선에 접하는 외벽에 설치하는 창호와 인접대지경계선 간의 거리가 1.5미터 이내인 경우 해당 창호는 방화유리창(각주: 「산업표준화법」에 따른 한국산업표준 KS F 2845(유리구획 부분의 내화 시험방법)에 규정된 방법에 따라 시험한 결과 비차열 20분 이상의 성능이 있는 것으로 한정하며, 이하 같음)으로 설치해야 한다"고 규정하고 있고, 같은 규칙 부칙 제2조에서는 건축물의 방화유리창 설치에 관한 적용례를 두어 "제24조제9항의 개정규정은 이 규칙의 시행 이후 법 제11조에 따른 건축허가의 신청, 법 제14조에 따른 건축신고 또는 법 제19조에 따른 용도변경 허가를 신청(같은 조에 따른 용도변경 신고 및 건축물대장 기재내용의 변경신청을 포함함)하는 경우부터 적용한다"고 규정하고 있는바,

2021년 7월 5일 이후에 건축물의 외벽에 설치하는 창호의 신설·교체·변경 등(이하 "수선등"이라 함)이 수반되지 않는 용도변경(각주: 용도변경 이후를 기준으로 해당 건축물이 「건축법 시행령」 제61조제2항 각 호에 해당하는 경우를 말함)을 하려는 경우로서,

가. 「건축법」 제19조제2항에 따라 용도변경 허가를 신청하거나 용도변경 신고를 하는 경우 같은 법 제52조제4항에 따라 건축물의 외벽에 설치되는 창호를 방화유리창으로 해야 하는지?

나. 「건축법」 제19조제3항 본문에 따라 건축물대장 기재내용의 변경을 신청하려는 경우 같은 법 제52조제4항에 따라 건축물의 외벽에 설치되는 창호를 방화유리창으로 해야 하는지?

회답 가. 질의 가에 대해

이 사안의 경우 2021년 7월 5일 이후 건축물의 외벽에 설치하는 창호의 수선등이 수반되지 않는 용도변경 허가를 신청하거나 용도변경 신고를 하는 경우에도 「건축법」 제52조제4항에 따라 건축물의 외벽에 설치되는 창호를 방화유리창으로 해야 합니다.

나. 질의 나에 대해

이 사안의 경우 2021년 7월 5일 이후 건축물의 외벽에 설치하는 창호의 수선등이 수반되지 않는 용도변경을 위해 건축물 기재내용의 변경신청을 하는 경우에도 「건축법」 제52조제4항에 따라 건축물의 외벽에 설치되는 창호를 방화유리창으로 해야 합니다.

이유 "생략"

법령해석 미끄럼 방지 기준에 적합한 바닥 마감재료를 사용해야 하는 "욕실, 화장실, 목욕장 등"의 범위

「건축법」 제52조제3항 관련 법제처 법령해석 22-0799, 2022.2.24.

질의요지 「건축법」 제52조제3항에서는 욕실, 화장실, 목욕장 등의 바닥 마감재료는 미끄럼을 방지할 수 있도록 국토교통부령으로 정하는 기준에 적합해야 한다고 규정하고 있고, 구 「건축물의 피난·방화구조 등의 기준에 관한 규칙」(2014년 6월 23일 국토교통부령 제102호로 일부개정되어 같은 날 시행된 것을 말하며, 이하 "구 건축물방화구조규칙"이라 함) 제24조제6항에서는 「건축법」 제52조제3항에 따라 바닥을 도자기질 타일로 마감하는 경우에는 미끄럼을 방지할 수 있도록 「산업표준화법」에 따른 한국산업표준(KS L 1001)의 미끄럼 저항성 마찰계수의 기준에 적합한 재료를 사용해야 한다고 규정하고 있는바,

「건축법」 제52조제3항 및 구 건축물방화구조규칙 제24조제6항에 따라 미끄럼 방지 기준에 적합한 바닥 마감재료를 사용해야 하는 "욕실, 화장실, 목욕장 등"에 바닥을 도자기질 타일로 마감하는 발코니, 실외기실이 포함되는지?

회답 「건축법」 제52조제3항 및 구 건축물방화구조규칙 제24조제6항에 따라 미끄럼 방지 기준에 적합한 바닥 마감재료를 사용해야 하는 "욕실, 화장실, 목욕장 등"에 바닥을 도자기질 타일로 마감하는 발코니, 실외기실은 포함되지 않습니다.

이유 "생략"

법령해석 건축물의 내부 마감재료를 방화에 지장이 없는 재료로 해야 하는 건축물의 범위

(「건축법 시행령」 제61조제1항제3호 관련) 법제처 법령해석 19-0365, 2019.9.26.

질의요지 「건축법 시행령」 제61조제1항제3호에 따른 "발전시설의 용도로 쓰는 건축물"은 방송통신시설 중 발전시설의 용도로 쓰는 건축물을 의미하는지 아니면 방송통신시설과 별개로 발전시설의 용도로 쓰는 건축물을 의미하는지?

<질의 배경> 민원인은 위 질의요지에 대해 국토교통부에 문의하였고 국토교통부에서 방송통신시설과 별개로 발전시설의 용도로 쓰는 건축물을 의미한다고 회신하자 이에 이견이 있어 법제처에 법령해석을 요청함.

회답 이 사안의 경우 방송통신시설과 별개로 발전시설의 용도로 쓰는 건축물을 의미합니다.

이유 "생략"

※ 법령정비 권고사항

「건축법 시행령」 제61조제1항제3호에 따른 발전시설의 용도로 쓰는 건축물은 방송통신시설과 관계없이 발전시설의 용도로 쓰는 건축물을 의미하는 점이 명확해지도록 관련 규정을 정비할 필요가 있습니다.

[※방송통신시설 중 방송국·촬영소 또는 발전시설의 용도로 쓰는 건축물→발전시설, 방송통신시설 중 방송국·촬영소의 용도로 쓰는 건축물, 개정(2020.10.8.)]

법령해석 외벽에 설치되는 창호가 건축물의 외벽에 포함되는지

「건축법」 제52조제2항 등 관련 법제처 법령해석 15-0710, 2016.3.15.

질의요지 「건축법」 제52조제2항에서는 건축물의 외벽에 사용하는 마감재료는 방화에 지장이 없는 재료로 하여야 하고, 마감재료의 기준은 국토교통부령으로 정하도록 규정하고 있는바,

건축물의 외벽에 설치되는 창호가 「건축법」 제52조제2항에 따른 건축물의 외벽에 포함되는지?

<질의 배경>

○ 민원인은 창호 등을 제조하는 자로서 외벽에 설치하는 창호가 외벽에 포함되는지를 국토교통부에 질의하였는데, 국토교통부로부터 창호는 외벽에 포함되지 않는다는 답변을 받자 이에 이견이 있어 직접 법제처에 법령해석을 요청함.

회답 건축물의 외벽에 설치되는 창호는 「건축법」 제52조제2항에 따른 건축물의 외벽에 포함되지 않습니다.

이유 "생략"

※ 법령정비의견

○ 「건축법」 제52조제2항에서는 방화에 지장이 없는 마감재료를 사용하여야 하는 대상으로 건축물의 "외벽"을 규정하고 있는 반면, 「건축법」 제51조제3항 및 「건축물의 피난·방화구조 등의 기준에 관한 규칙」 제23조제2항에서는 방화지구 내 건축물의 인접대지경계선에 접하는 외벽에 설치하는 창문등으로서 연소할 우려가 있는 부분에는 방화문 등 방화설비를 하도록 규정하고 있는 등 건축법령상 창문이 외벽에 포함되는지 여부가 명확하지 않을 뿐 아니라, 고층건축물 등의 외벽에 설치하는 창호의 마감재료의 경우에도 방화에 지장이 없는 재료를 사용할 필요가 있는 점 등을 고려하여 건축법령상 창호와 외벽의 관계를 명확히 규정할 필요가 있습니다.

[※건축법 제52조 제4항 창호규정 신설]

④ 대통령령으로 정하는 용도 및 규모에 해당하는 건축물 외벽에 설치되는 창호(窓戶)는 방화에 지장이 없도록 인접 대지와의 이격거리를 고려하여 방화성능 등이 국토교통부령으로 정하는 기준에 적합하여야 한다. <신설 2020.12.22./시행 2021.6.23.>

건 축 법
1. 총 칙
2. 건 축
3. 유지관리
4. 대지도로
5. 구조재료
6. 지역지구
7. 건축설비
8. 특별건축구역
9. 보 칙
10. 벌 칙
건 축 법 관련기준

법령해석 「건축물의 피난,방화구조 등의 기준에 관한 규칙」 제24조제1항 및 제2항(벽 및 반자의 실내에 접하는 부분의 의미)

법제처 법령해석 06-0247, 2006.10.4.

질의요지 「건축물의 피난·방화구조 등의 기준에 관한 규칙」 제24조제1항 및 제2항에 의한 "벽 및 반자의 실내에 접하는 부분"에 동조 제3항의 규정에 의한 "천장(반자가 설치되지 않은)"이 포함되는지 여부

회답 「건축물의 피난·방화구조 등의 기준에 관한 규칙」 제24조제1항 및 제2항에 의한 "벽 및 반자의 실내에 접하는 부분"에 동조 제3항의 규정에 의한 "천장(반자가 설치되지 않은)"도 포함됩니다.

이유 "생략"

질의회신 "심재가 전부 용융, 소멸되는 것"에 대한 판단 기준

국토교통부 민원마당 FAQ 2022.6.20.

질의 「건축물의 내부마감재료의 난연성능기준」(건설교통부고시 제2006-476호) 제3조 규정의 "복합자재의 경우 심재가 전부 용융, 소멸되는 것" 에 대한 판단기준은?

회신 상기 고시 제3조의 규정에서 "복합자재의 경우 심재가 전부 용융, 소멸되는 것"은 한국산업규격 KS F ISO 5660-1 시험결과 부적합이라는 의미임. 또한 복합자재의 경우에는 심재가 관통하는 경우(한쪽면 강판을 제거하였을 경우 심재가 관통되어 다른 한쪽면 강판이 육안으로 관찰되는 경우)에도 동 시험결과에 대한 부적합으로 판단하기 때문에, "심재가 전부 용융, 소멸되는 것"을 포함하여 심재가 관통되면 부적합한 것이라고 사료됨. 즉, 심재가 전부 용융, 소멸되면, 심재가 관통되지 않는 경우는 발생하지 않으므로,"복합자재의 경우 심재가 전부 용융, 소멸되는 것"이라는 것은 심재가 관통되는 것으로 해석가능하다고 사료됨.

질의회신 복합자재에 대한 판단 기준 및 가열 후 심재에 대한 판단 등

국토교통부 민원마당 FAQ 2022.6.20.

질의 「건축물의 내부마감재료의 난연성능기준」의 "방화상 유해한 균열, 구멍, 용융" 등의 복합자재에 대한 판단 기준 및 가열후 심재에 대한 판단 및 의견(판단기준에 부피비를 추가)

회신 건축물의 내부마감재료의 난연성능기준에 따라 "방화상 유해한 균열, 구멍 및 용융(복합자재의 경우 심재가 전부 용융, 소멸되는 것을 포함)"이 있는 것은 부적합이라는 의미임. 또한, 복합자재의 경우에는 심재가 관통하는 경우(한쪽면 강판을 제거하였을 경우 심재가 관통되어 다른 한쪽면 강판이 육안으로 관찰되는 경우)에도 상기와 같이 부적합으로 판단하고 있음

질의회신 건축물 외부마감재료 사용제한 여부

국토교통부 민원마당 FAQ 2022.6.21.

질의 최근 「건축법」 제52조가 개정된 바, 방화지구에서 외벽의 마감재료에 대한 사용 규제가 있는 지 여부.

회신 「건축법」 제51조의 규정에 의하면, 「국토의 계획 및 이용에 관한 법률」에 따른 방화지구 안에서는 건축물의 주요구조부와 외벽을 내화구조로 하여야 하며, 방화지구 안의 지붕·방화문 및 인접대지경계선에 접하는 외벽은 국토해양부령으로 정하는 구조 및 재료로 하여야 함

또한, 「건축물의 피난·방화구조 등의 기준에 관한 규칙」 제23조의 규정에 의하면, 방화지구안의 건축물의 지붕으로서 내화구조가 아닌 것은 불연재료로 하여야 하며, 방화지구안의 건축물의 인접대지경계선에 접하는 외벽에 설치하는 창문 등으로서 연소할 우려가 있는 부분(인접대지경계선으로부터 1층에 있어서는 3미터 이내, 2층 이상에 있어서는 5미터 이내의 거리에 있는 부분)은 방화문, 기타 방화설비를 하여야 함

참고로, 개정 「건축법」(법률 제9858호, 2010.12.30 시행) 제52조제2항의 규정에 따라 외벽에 사용하는 마감재료는 방화상 지장이 없는 재료를 사용토록 개정되었으며, 세부적인 건축물의 용도·규모·제한의 정도 등은 시

행일 이전까지 마련할 예정임※
※ 「건축물의 피난·방화구조 등의 기준에 관한 규칙」 제24조제6항이 신설(2010.12.30.)되어 외벽의 마감재료는 불연재료, 준불연재료를 사용하도록 하고 있으며, 고층건축물의 경우 화재확산방지구조로 하면 난연재료도 허용하는 것으로 개정(2012.1.6)되어 시행중에 있음

질의회신 건축물 내부마감재료 적용

국토교통부 민원마당 FAQ 2022.6.21.

질의 기존 건축물인 공장과는 별개의 동으로 사무동, 기계실, 경비실을 설치할 경우 「건축법」 제52조를 어떻게 적용하는 지 여부.

회신 「건축법」 제52조의 규정에 의하면, 대통령령으로 정하는 용도 및 규모의 건축물의 내부마감재료는 방화에 지장이 없는 재료를 사용하여야 함. 이 경우 기존 건축물과 별개의 동으로 다른 용도로 사용하는 경우라면 각각의 동에 대하여 「건축법」 제2조제2항 및 같은법 시행령 [별표1]에 따라 건축물의 용도를 분류하여 상기 규정을 적용할 수 있음.
따라서, 질의의 건축물의 용도 및 별개의 건축물로 볼 수 있는 지 여부는 해당 건축물의 구조·이용목적·형태 등을 고려하여 판단하여야 할 것이니 보다 구체적인 사항은 관할 소재지의 시장군수구청장에게 문의 바람

질의회신 "건축물의 내부마감재료"에 바닥에 부착되는 마감재료도 포함되는 지

국토교통부 민원마당 FAQ 2022.6.20.

질의 「건축법」 제52조 규정에 의한 "건축물의 내부마감재료"에 바닥에 부착되는 마감재료도 포함되는 지 여부

회신 「건축물의 피난·방화구조 등의 기준에 관한 규칙」 제24조 제3항 규정에 따라 「건축법」 제52조 규정을 적용함에 있어 "내부마감재료"라 함은 건축물 내부의 천장·반자·벽(간막이벽 포함)·기둥 등에 부착되는 마감재료를 말하는 바, 바닥에 부착되는 마감재료는 이에 포함되지 않는 것임

질의회신 "건축물의 내부 마감재료"에 건축설비 보온재가 포함되는 지 여부

건교부 건축기획과-5262, 2008.11.11.

질의 건축법 제52조에 규정에 의한 "건축물의 내부 마감재료"에 건축설비 보온재가 포함되는 지 여부

회신 「건축물의 피난·방화구조 등의 기준에 관한 규칙」 제24조 제3항 규정에 따라 「건축법」 제52조 규정을 적용함에 있어 "내부 마감재료"라 함은 건축물 내부의 천장·반자·벽(칸막이벽 포함)·기둥 등에 부착되는 마감재료를 말하는 바, 건축설비 보온재는 이에 포함되지 않는 것임

질의회신 채광용 썬라이트가 내부마감재료의 난연성능기준을 충족하여야 하는 지

건교부 건축기획과-2523, 2008.7.15.

질의 공장 지붕의 채광용 썬라이트가 내부마감재료 난연성능기준을 충족하여야 하는 지 여부

회신 건축법 제52조 및 동시행령 제61조의 규정에 의하여 공장의 용도에 사용되는 건축물은 「건축물의 피난·방화구조 등의 기준에 관한 규칙」 제24조에 따라 그 거실의 벽 및 반자의 실내에 접하는 부분(반자돌림대·창대 기타 이와 유사한 것을 제외한다. 이하 이 조에서 같다)의 마감을 불연재료·준불연재료 또는 난연재료로 하도록 하고 있으며, 피난규칙 제24조 제3항에 의거 ″내부마감재료″를 건축물 내부의 천장·반자·벽(칸막이벽 포함)·기둥 등에 부착되는 마감재료로 정의한 바,
공장건축물의 천장도 이에 해당될 것으로 판단되어 난연재료이상의 성능을 확보하여야 할 것임
다만, 구조부가 내화구조 또는 불연재료로 된 건축물로서 그 거실의 바닥면적(스프링클러 기타 이와 유사한 자동식소화설비를 설치한 바닥면적을 뺀 면적으로 한다.) 200제곱미터이내마다 방화구획이 되어 있는 건축물을 제외토록 하고 있음

질의회신 내부마감재료 미적용 숙박업소에 대한 내부마감재료 변경여부

국토해양부 고객만족센터, 2008.5.26.

질의 건축법령이 개정되기 전 내부마감재료 적용대상이 아닌 숙박업소로서 난연・준불연재료 또는 불연재료를 사용하지 않고 사용승인을 받은 후 지금까지 내부마감재료를 변경하지 않은 경우 현행법에 의하여 위반건축물로 볼 수 있는 지 여부

회신 가. 「건축법시행령」 제61조 및 「건축물의 피난・방화구조 등의 기준에 관한 규칙」 제24조의 규정에 의하면 숙박시설(여관 및 여인숙을 제외함)의 용도에 쓰이는 건축물로서 3층 이상의 층의 당해용도에 쓰이는 거실의 바닥면적의 합계가 200㎡(주요구조부가 내화구조 또는 불연재료로 된 건축물의 경우에는 400㎡)이상인 건축물에 대하여는 그 거실의 벽 및 반자의 실내에 접하는 부분(반자돌림대·창대 기타 이와 유사한 것을 제외함)의 마감은 불연재료·준불연재료 또는 난연재료로 하여야 하며, 그 거실에서 지상으로 통하는 주된 복도·계단 기타 통로의 벽 및 반자의 실내에 접하는 부분의 마감과 숙박시설 중 여관・여인숙의 용도에 쓰이는 건축물의 거실의 벽 및 반자의 실내에 접하는 부분의 마감은 불연재료 또는 준불연재료로 하도록 규정하고 있음.

나. 따라서, 질의의 경우 기존의 건축물이 「건축법」 제5조의2의 규정에 의하여 법령의 제정・개정으로 인하여 이 법의 규정에 부적합하게 된 기존건축물로서 적법하게 사용승인 된 상태로 사용되고 있는 건축물이라면 건축법령을 위반한 건축물로 보기 어려울 것이오나, 사용승인을 받은 후 내부마감재료를 변경하고자 하는 경우라면 같은 법 제26조제1항의 규정에 의하여 변경하는 시점의 건축기준 등에 적합하여야 할 것임

(* 법 제5조의2, 제26조 ⇒ 제6조, 제35조, 2008.3.21. 개정)

질의회신 샌드위치판넬로 마감한 철골조 공장의 내부마감재료

국토해양부 고객만족센터, 2008.5.26.

질의 외부벽체는 50㎜ 샌드위치판넬, 지붕은 75㎜ 샌드위치판넬로 마감한 철골조의 골판지상자 제조・가공 공장의 내부마감재료와 관련한 질의

가. 「건축법」 제43조 규정에 의한 "대통령령이 정하는 용도 및 규모의 건축물"에 해당하는 지 여부?

나. 외벽에 설치한 샌드위치판넬에 대하여 별도의 내부 마감시공을 하지 않은 경우 내부마감재료로 볼 수 있는 지 여부?

다. 내부에 면한 샌드위치판넬에 난연2급에 해당하는 석고보드로 마감할 경우 석고보드를 내부마감재료로 볼 수 있는 지 여부?

회신 가. 「건축법 시행령」 제61조제4호의 규정에 의하여 공장의 용도에 사용되는 건축물(다만, 건축물이 1층 이하이고, 연면적이 1천㎡ 미만으로서 동호 각 목의 요건을 모두 갖춘 경우를 제외함)은 동법 제43조의 규정에 의한"대통령령이 정하는 용도 및 규모의 건축물"에 해당하며, 이 경우 같은법 시행령 같은 조 제1호 내지 제5호에 해당하는 건축물의 경우 주요구조부가 내화구조 또는 불연재료로 된 건축물로서 그 거실의 바닥면적(스프링클러 기타 이와 유사한 자동식 소화설비를 설치한 바닥면적을 뺀 면적으로 함) 200㎡ 이내마다 방화구획이 되어 있는 건축물을 제외함.

나. 그리고 「건축물의 피난・방화 구조 등의 기준에 관한 규칙」 제24조제1항의 규정에 의하면 동법 시행령 제61조 각호의 건축물에 대하여는 그 거실의 벽 및 반자의 실내에 접하는 부분(반자돌림대・창대 기타 이와 유사한 것을 제외함)의 마감은 불연재료・준불연재료 또는 난연재료로 하여야 하며, 그 거실에서 지상으로 통하는 주된 복도・계단 기타 통로의 벽 및 반자의 실내에 접하는 부분의 마감은 불연재료 또는 준불연재료로 하여야 하고, 동 규칙 동조제3항의 규정에 의하면 "내부마감재료"라 함은 건축물 내부의 천장・반자・벽(간막이 벽 포함)・기둥 등에 부착되는 마감재료를 말하며, 「소방시설설치유지 및 안전관리에 관한 법률 시행령」 제2조의 규정에 의한 실내장식물은 제외하는 것으로 규정되어 있음

다. 따라서, 외벽에 설치한 샌드위치판넬에 대하여 별도의 내부 마감시공을 하지 않은 경우 샌드위치판넬을 내부마감재료로 볼 수 있을 것이며, 석고보드로 마감한 경우라면 석고보드를 내부마감재료로 볼 수 있을 것으로

사료됨 (* 법 제43조 ⇒ 제52조, 2008.3.21. 개정)

질의회신 내장재료 규정 중 "실내에 접하는 부분" 이란

건교부 건축 58070-2609, 1999.7.8.

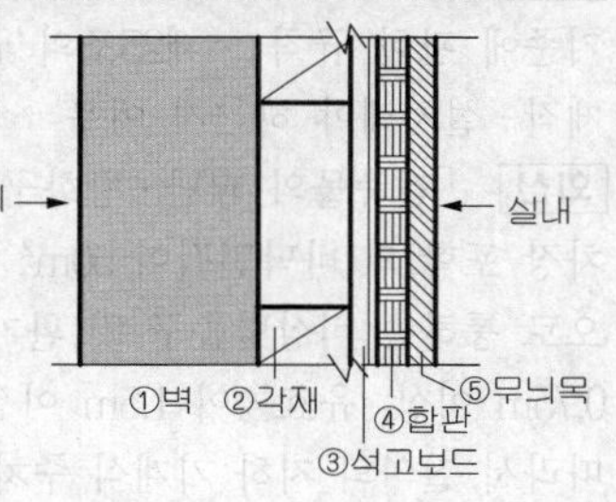

질의 건축물의 피난·방화구조 등의 기준에 관한 규칙 제24조제1항의 규정에 의한 "실내에 접하는 부분"이라 함은 어디를 기준을 하는지

회신 건축물의 피난·방화구조 등의 기준에 관한 규칙 제24조제1항의 규정에 의한 "실내에 접하는 부분"이라 함은 ⑤번 무늬목이 실내에 맞닿는 부분을 말하는 것임

12 지하층의 구조 등

질의회신 지하층의 건축물 구조관련

국토교통부 민원마당 FAQ 2022.6.21.

질의 가. 거실의 바닥면적의 합계가 1천제곱미터 이상인 지하층(창고시설)에 환기설비를 설치하여야 하는지?
나, 지하층 규모에 따라 환기설비의 종류를 법에 정하고 있는지 및 지하층이 실로 구획되어 있으면 구획된 실마다 환기설비를 하여야 되는지?

회신 「건축물의 피난·방화구조 등의 기준에 관한 규칙」 제25조제1항제3호에 따라 거실의 바닥면적의 합계가 1천제곱미터 이상인 지하층에는 건축물의 용도와 관계없이 환기설비를 설치하도록 하고 있으며,
지하층 규모에 따른 환기설비의 종류에 대하여 「건축법」 에 명문화하고 있지 아니하나, 지하층의 환기가 원활히 이루어질 수 있도록 환기설비를 하여야 할 것으로 사료됨.

질의회신 지하층이 주차장으로 사용되는 경우 비상탈출구 설치 여부

국토교통부 민원마당 FAQ 2022.6.20.

질의 지하층 전체를 주차장(바닥면적 350㎡)으로 사용할 경우 피난층 또는 지상으로 통하는 비상탈출구를 설치하여야 하는 지 여부

회신 건축물의 피난 방화구조 등의 기준에 관한 규칙」 제25조제1항제1호에 따라 지하층의 거실의 바닥면적이 50제곱미터 이상인 층에는 직통계단 외에 피난층 또는 지상으로 통하는 비상탈출구 및 환기통을 설치하여야 하며,
「건축법」 제2조제1항제5호의 규정에서 "거실"이라 함은 건축물 안에서 주거·집무·작업·집회·오락 기타 이와 유사한 목적을 위하여 사용되는 방을 말하는 것인 바, 지하주차장은 거실로 볼 수 없을 것임

질의회신 지하층이 피난층인 경우 비상탈출구를 설치해야 하는지 여부

국토교통부 민원마당 FAQ 2022.6.20.

질의 지하층이 피난층인 경우 비상탈출구를 설치해야 하는지 여부

회신 「건축물의 피난·방화구조 등의 기준에 관한 규칙」 제25조제1항1호의 규정에 의거 지하층의 거실 바닥면적이 50제곱미터이상인 층에는 직통계단 외에 피난층 또는 지상으로 통하는 비상탈출구 및 환기통을 설치(직통계단이 2개소 이상인 경우 제외)하도록 규정하고 있으므로, 지하층이 피난층에 해당하는 경우는 비상탈출구를 설치하지 않아도 될 것임

질의회신 기계식 주차장의 지하 출입통로의 비상탈출구 기준

건교부건축기획팀-1571, 2005.11.28.

질의 지하층에 설치되는 기계식 주차장의 사람이 출입하는 통로의 출입구를 「건축물의 피난·방화구조 등의 기준에 관한 규칙」 제25조의 규정에 따른 비상탈출구로 보아 동규칙 동조제2항제1호의 규정에 따른 크기로 제작·설치해야 하는지 여부

회신 「건축물의 피난·방화구조 등의 기준에 관한 규칙」 제25조의 규정에 따라 자동차관련시설(기계식 주차장 포함)의 바닥면적이 50m² 이상인 지하층에는 직통계단을 2개소 이상 설치하거나, 직통계단 1개소와 지상으로 통하는 비상탈출구 및 환기통을 설치하여야 하며, 비상탈출구를 설치할 시에는 비상탈출구의 유효너비는 0.75m 이상, 유효높이 1.5m 이상으로 하여야 함

따라서 질의의 지하 기계식 주차장의 지하층 바닥면적이 50m² 이상이며 해당 출입구가 직통계단 1개소와는 별도로 설치되는 것이라면 해당 출입구를 비상탈출구로 보아 출입구의 유효크기 규정을 따라야 할 것으로 사료됨

질의회신 채광 확보시 자연채광에만 한하는 지

국토교통부 민원마당 FAQ 2022.6.20

질의 가.「건축법시행령」 제51조 제1항 및 「건축물의 피난·방화구조 등의 기준에 관한 규칙」 제17조 제1항 규정의 채광이 자연광에만 한정하는지 또는 조명장치로 대체 가능한 채광인 지 여부

나. 조명장치로 대체 가능하다면 의료시설의 병실은 어느 정도 조도의 조명장치를 설치해야 하는 지

회신 가. 「건축법시행령」 제51조 제1항 및「건축물의 피난·방화구조 등의 기준에 관한 규칙」 제17조 제1항 규정에 따르면 의료시설의 병실 등에는 채광을 위한 일정면적 이상의 창문을 설치하거나 별표 1의 규정에 의한 조도 이상의 조명장치를 설치하여야 함. 따라서, 창문설치 없이 조명장치의 설치로 대체할 수 있을 것임

나. 조명장치의 조도는 「건축물의 피난·방화구조 등의 기준에 관한 규칙」 별표 1의 규정에 따라 결정되는 것이며 별표 1의 용도구분에 해당 거실의 용도가 규정되어 있지 않다면 가장 유사한 용도에 관한 기준으로 적용해야 할 것으로, 해당 거실의 용도가 어느 용도와 가장 유사한지 여부는 허가권자가 판단할 사항인 것으로 사료됨

6 지역 및 지구안의 건축물

■ 토지의 경제적이고 효율적인 이용을 위한 지역·지구·구역의 지정에 관한 사항은 종전의 「도시계획법」에 규정하였고, 지역·지구내의 건축제한, 건폐율·용적률 등의 내용은 「건축법」에 규정되어 있었으나 현행법에서는 종전의 「도시계획법」과 「건축법」으로 이원화되어 있는 규정을 「국토의 계획 및 이용에 관한 법률」로 일원화하여 지정 및 관리체계의 효용성을 높이고자 하였다.

【참고1】 국토의 계획 및 이용에 관한 법률상의 지역(국토의 계획 및 이용에 관한 법률 제36조, 시행령 제30조)

국토교통부장관, 시·도지사 또는 대도시 시장은 용도지역의 지정 또는 변경을 도시·군관리계획으로 지정한다. 이에 따라 용도지역을 도시지역, 관리지역, 농림지역 및 자연환경보전지역으로 지정할 수 있다.

■ 용도지역의 지정 및 세분(1)_도시지역

도시지역은 주거지역·상업지역·공업지역 및 녹지지역을 다음과 같이 세분하여 지정할 수 있다.

구분	용도지역/내용	용도지역의 세분		
		지역명		내 용
도시지역	주거지역 : 거주의 안녕과 건전한 생활환경의 보호를 위하여 필요한 지역	전용주거지역 : 양호한 주거환경을 보호하기 위하여 필요한 지역	제1종 전용주거지역	단독주택 중심의 양호한 주거환경을 보호하기 위하여 필요한 지역
			제2종 전용주거지역	공동주택 중심의 양호한 주거환경을 보호하기 위하여 필요한 지역
		일반주거지역 : 편리한 주거 환경의 조성을 위해 필요한 지역	제1종 일반주거지역	저층주택을 중심으로 편리한 주거환경을 조성하기 위하여 필요한 지역
			제2종 일반주거지역	중층주택을 중심으로 편리한 주거환경을 조성하기 위하여 필요한 지역
			제3종 일반주거지역	중·고층주택을 중심으로 편리한 주거환경을 조성하기 위하여 필요한 지역
		준주거지역		주거기능을 위주로 이를 지원하는 일부 상업·업무기능을 보완하기 위하여 필요한 지역

건축법
1. 총 칙
2. 건 축
3. 유지관리
4. 대지도로
5. 구조재료
6. 지역지구
7. 건축설비
8. 특별건축구역
9. 보 칙
10. 벌 칙
건축법 관련기준

도시지역	상업지역 : 상업 그밖의 업무의 편익을 증진하기 위하여 필요한 지역	중심상업지역	도심 · 부도심의 업무 및 상업기능의 확충을 위하여 필요한 지역
		일반상업지역	일반적인 상업 및 업무기능을 담당하기 위해 필요한 지역
		근린상업지역	근린지역에서의 일용품 및 서비스의 공급을 위하여 필요한 지역
		유통상업지역	도시내 및 지역간 유통기능의 증진을 위하여 필요한 지역
	공업지역 : 공업의 편익을 증진하기 위하여 필요한 지역	전용공업지역	주로 중화학공업 · 공해성공업을 수용하기 위하여 필요한 지역
		일반공업지역	환경을 저해하지 아니하는 공업의 배치를 위하여 필요한 지역
		준공업지역	경공업 그밖의 공업을 수용하되, 주거 · 상업 · 업무기능의 보완이 필요한 지역
	녹지지역 : 자연환경 · 농지 및 산림의 보호, 보건위생, 보안과 도시의 무질서한 확산을 방지하기 위하여 녹지의 보전이 필요한 지역	보전녹지지역	도시의 자연환경 · 경관 · 산림 및 녹지공간을 보전할 필요가 있는 지역
		생산녹지지역	주로 농업적 생산을 위하여 개발을 유보할 필요가 있는 지역
		자연녹지지역	도시의 녹지공간의 확보, 도시확산의 방지, 장래 도시용지의 공급 등을 위하여 보전할 필요가 있는 지역으로서 불가피한 경우에 한하여 제한적인 개발이 허용되는 지역

■ 용도지역의 지정 및 세분(2)_관리지역, 농림지역, 자연환경보전지역

구 분	세분 및 내용	
관리지역	보전관리지역	자연환경보호, 산림보호, 수질오염방지, 녹지공간확보 및 생태계 보전 등을 위하여 보전이 필요하나, 주변의 용도지역과의 관계들을 고려할 때 자연환경보전지역으로 지정하여 관리하기가 곤란한 지역
	생산관리지역	농업 · 임업 · 어업 생산 등을 위하여 관리가 필요하나, 주변 용도지역과의 관계등을 고려할 때 농림지역으로 지정하여 관리하기가 곤란한 지역
	계획관리지역	도시지역으로의 편입이 예상되는 지역이나 자연환경을 고려하여 제한적인 이용 · 개발을 하려는 지역으로서 계획적 · 체계적인 관리가 필요한 지역
농림지역	도시지역에 속하지 아니하는 「농지법」에 따른 농업진흥지역 또는 「산지관리법」에 따른 보전산지 등으로서 농림업을 진흥시키고 산림을 보전하기 위하여 필요한 지역	
자연환경보전지역	자연환경·수자원·해안·생태계·상수원 및 문화재의 보전과 수산자원의 보호·육성 등을 위하여 필요한 지역	

【참고2】 용도지구의 지정(국토의 계획 및 이용에 관한 법률 제37조)

국토교통부장관, 시·도지사 또는 대도시 시장은 다음의 용도지구의 지정 또는 변경을 도시·군관리계획으로 결정한다.

구 분	지 정 목 적
1. 경관지구	경관의 보전·관리 및 형성을 위하여 필요한 지구
2. 고도지구	쾌적한 환경 조성 및 토지의 효율적 이용을 위하여 건축물 높이의 최고한도를 규제할 필요가 있는 지구
3. 방화지구	화재의 위험을 예방하기 위하여 필요한 지구
4. 방재지구	풍수해, 산사태, 지반의 붕괴, 그 밖의 재해를 예방하기 위하여 필요한 지구
5. 보호지구	문화재, 중요 시설물(항만, 공항 등 대통령령으로 정하는 시설물을 말한다) 및 문화적·생태적으로 보존가치가 큰 지역의 보호와 보존을 위하여 필요한 지구
6. 취락지구	녹지지역·관리지역·농림지역·자연환경보전지역·개발제한구역 또는 도시자연공원구역의 취락을 정비하기 위한 지구
7. 개발진흥지구	주거기능·상업기능·공업기능·유통물류기능·관광기능·휴양기능 등을 집중적으로 개발·정비할 필요가 있는 지구
8. 특정용도 제한지구	주거 및 교육 환경 보호나 청소년 보호 등의 목적으로 오염물질 배출시설, 청소년 유해시설 등 특정시설의 입지를 제한할 필요가 있는 지구
9. 복합용도지구	지역의 토지이용 상황, 개발 수요 및 주변 여건 등을 고려하여 효율적이고 복합적인 토지이용을 도모하기 위하여 특정시설의 입지를 완화할 필요가 있는 지구
10. 그 밖에 대통령령으로 정하는 지구	–

※ 경관지구, 방재지구, 보호지구, 취락지구, 개발진흥지구는 세분하여 지정할 수 있음

■ 용도지구의 세분(국토의 계획 및 이용에 관한 법률 시행령 제31조제2항)

국토교통부장관, 시·도지사 또는 대도시 시장은 도시·군관리계획 결정으로 경관지구 등을 다음과 같이 세분하여 지정할 수 있다.

구 분	용도지구의 세분	
	지구명	내 용
1. 경관지구	① 자연경관지구	산지·구릉지 등 자연경관을 보호하거나 유지하기 위하여 필요한 지구
	② 시가지경관지구	지역 내 주거지, 중심지 등 시가지의 경관을 보호 또는 유지하거나 형성하기 위하여 필요한 지구
	③ 특화경관지구	지역 내 주요 수계의 수변 또는 문화적 보존가치가 큰 건축물 주변의 경관 등 특별한 경관을 보호 또는 유지하거나 형성하기 위하여 필요한 지구
2. 방재지구	① 시가지방재지구	건축물·인구가 밀집되어 있는 지역으로서 시설 개선 등을 통하여 재해 예방이 필요한 지구
	② 자연방재지구	토지의 이용도가 낮은 해안변, 하천변, 급경사지 주변 등의 지역으로서 건축 제한 등을 통하여 재해 예방이 필요한 지구
3. 보호지구	① 역사문화환경보호지구	문화재·전통사찰 등 역사·문화적으로 보존가치가 큰 시설 및 지역의 보호와 보존을 위하여 필요한 지구
	② 중요시설물보호지구	중요시설물*의 보호와 기능의 유지 및 증진 등을 위하여 필요한 지구 *항만, 공항, 공용시설(공공업무시설, 공공필요성이 인정되는 문화시설·집회시설·운동시설 및 그 밖에 이와 유사한 시설로서 도시·군계획조례로 정하는 시설), 교정시설·군사시설

	③ 생태계보호지구	야생동식물서식처 등 생태적으로 보존가치가 큰 지역의 보호와 보존을 위하여 필요한 지구
4. 취락지구	① 자연취락지구	녹지지역·관리지역·농림지역 또는 자연환경보전지역안의 취락을 정비하기 위하여 필요한 지구
	② 집단취락지구	개발제한구역안의 취락을 정비하기 위하여 필요한 지구
5. 개발진흥지구	① 주거개발진흥지구	주거기능을 중심으로 개발·정비할 필요가 있는 지구
	② 산업·유통개발진흥지구	공업기능 및 유통·물류기능을 중심으로 개발·정비할 필요가 있는 지구
	③ 관광·휴양개발진흥지구	관광·휴양기능을 중심으로 개발·정비할 필요가 있는 지구
	④ 복합개발진흥지구	주거기능, 공업기능, 유통·물류기능 및 관광·휴양기능 중 2 이상의 기능을 중심으로 개발·정비할 필요가 있는 지구
	⑤ 특정개발진흥지구	주거기능, 공업기능, 유통·물류기능 및 관광·휴양기능 외의 기능을 중심으로 특정한 목적을 위하여 개발·정비할 필요가 있는 지구

【참고3】 용도구역의 지정(국토의 계획 및 이용에 관한 법률 제38조~제40조의2)

구 분	내 용	기 타
1. 개발제한구역	국토교통부장관은 도시의 무질서한 확산을 방지하고 도시주변의 자연환경을 보전하여 도시민의 건전한 생활환경을 확보하기 위하여 도시의 개발을 제한할 필요가 있거나 국방부장관의 요청이 있어 보안상 도시의 개발을 제한할 필요가 있다고 인정되면 개발제한구역의 지정 또는 변경을 도시·군관리계획으로 결정할 수 있다.	개발구역의 지정 또는 변경에 관하여 필요한 사항은 「개발제한구역의 지정 및 관리에 관한 특별조치법」으로 정함
2. 도시자연공원구역	시·도지사 또는 대도시 시장은 도시의 자연환경 및 경관을 보호하고 도시민에게 건전한 여가·휴식공간을 제공하기 위하여 도시지역 안에서 식생이 양호한 산지의 개발을 제한할 필요가 있다고 인정되면 도시자연공원구역의 지정 또는 변경을 도시·군관리계획으로 결정할 수 있다.	도시자연공원구역의 지정 또는 변경에 관하여 필요한 사항은 「도시공원 및 녹지 등에 관한 법률」로 정함
3. 시가화조정구역	시·도지사는 직접 또는 관계 행정기관의 장의 요청을 받아 도시지역과 그 주변지역의 무질서한 시가화를 방지하고 계획적·단계적인 개발을 도모하기 위하여 대통령령이 정하는 기간동안 시가화를 유보할 필요가 있다고 인정되면 시가화조정구역의 지정 또는 변경을 도시·군관리계획으로 결정할 수 있다. 다만, 국가계획과 연계된 경우는 국토교통부장관이 직접 결정할 수 있다.	시가화조정구역의 지정에 관한 도시·군관리계획의 결정은 시가화유보기간이 끝난 날의 다음날부터 그 효력을 잃게 됨
4. 수산자원보호구역	해양수산부장관은 직접 또는 관계 행정기관의 장의 요청을 받아 수산자원의 보호·육성하기 위하여 필요한 공유수면이나 그에 인접된 토지에 대한 수산자원보호구역의 지정 또는 변경을 도시·군관리계획으로 결정할 수 있다.	—
5. 입지규제최소구역	도시·군관리계획의 결정권자는 도시지역에서 복합적인 토지이용을 증진시켜 도시 정비를 촉진하고 지역 거점을 육성할 필요가 있다고 인정되면 법에서 정하는 지역과 그 주변지역의 전부 또는 일부를 입지규제최소구역으로 지정할 수 있다.	「주택법」, 「주차장법」 등 다른 법률 규정의 일부를 완화 또는 배제가 능하며, 「건축법」의 특례 적용 가능함

1 건축물의 대지가 지역·지구 또는 구역에 걸치는 경우의 조치(법 제54조)

법 제54조【건축물의 대지가 지역 · 지구 또는 구역에 걸치는 경우의 조치】

① 대지가 이 법이나 다른 법률에 따른 지역 · 지구(녹지지역과 방화지구는 제외한다. 이하 이 조에서 같다) 또는 구역에 걸치는 경우에는 대통령령으로 정하는 바에 따라 그 건축물과 대지의 전부에 대하여 대지의 과반(過半)이 속하는 지역 · 지구 또는 구역 안의 건축물 및 대지 등에 관한 이 법의 규정을 적용한다. <개정 2017.4.18.>

② 하나의 건축물이 방화지구와 그 밖의 구역에 걸치는 경우에는 그 전부에 대하여 방화지구 안의 건축물에 관한 이 법의 규정을 적용한다. 다만, 건축물의 방화지구에 속한 부분과 그 밖의 구역에 속한 부분의 경계가 방화벽으로 구획되는 경우 그 밖의 구역에 있는 부분에 대하여는 그러하지 아니하다.

③ 대지가 녹지지역과 그 밖의 지역 · 지구 또는 구역에 걸치는 경우에는 각 지역 · 지구 또는 구역 안의 건축물과 대지에 관한 이 법의 규정을 적용한다. 다만, 녹지지역 안의 건축물이 방화지구에 걸치는 경우에는 제2항에 따른다. <개정 2017.4.18.>

④ 제1항에도 불구하고 해당 대지의 규모와 그 대지가 속한 용도지역 · 지구 또는 구역의 성격 등 그 대지에 관한 주변여건상 필요하다고 인정하여 해당 지방자치단체의 조례로 적용방법을 따로 정하는 경우에는 그에 따른다.

영 제77조【건축물의 대지가 지역 · 지구 또는 구역에 걸치는 경우】

법 제54조제1항에 따라 대지가 지역 · 지구 또는 구역에 걸치는 경우 그 대지의 과반이 속하는 지역 · 지구 또는 구역의 건축물 및 대지 등에 관한 규정을 그 대지의 전부에 대하여 적용 받으려는 자는 해당 대지의 지역 · 지구 또는 구역별 면적과 적용 받으려는 지역 · 지구 또는 구역에 관한 사항을 허가권자에게 제출(전자문서에 의한 제출을 포함한다)하여야 한다.

해설 건축물의 대지가 지역 · 지구 또는 구역에 걸치는 경우 원칙적으로 그 건축물 및 대지 전부에 대하여 대지의 과반이 속하는 지역 · 지구 또는 구역안의 건축물 및 대지 등에 관한 규정을 적용한다. 다만 방화지구에 일부라도 건축물이 걸칠 때, 지구지정 목적상 과반이 아니더라도 방화지구의 규정을 적용받게 된다.

대지가 녹지지역과 걸치는 경우, 각 지역 · 지구 또는 구역의 규정을 적용받게 되며, 녹지지역이라도 건축물이 방화지구에 걸치는 경우 각 지구의 규정을 적용한다.

또한, 대지주변 여건상 필요하다고 인정하여 지방자치단체의 조례로 적용방법을 따로 정하는 경우에는 그에 의하도록 하고 있다.

1 대지가 지역·지구 또는 구역에 걸치는 경우

그 대지의 과반이 속하는 지역 등의 건축물 및 대지에 관한 규정을 적용한다.

※ 건축물의 위치에 관계없음에 유의

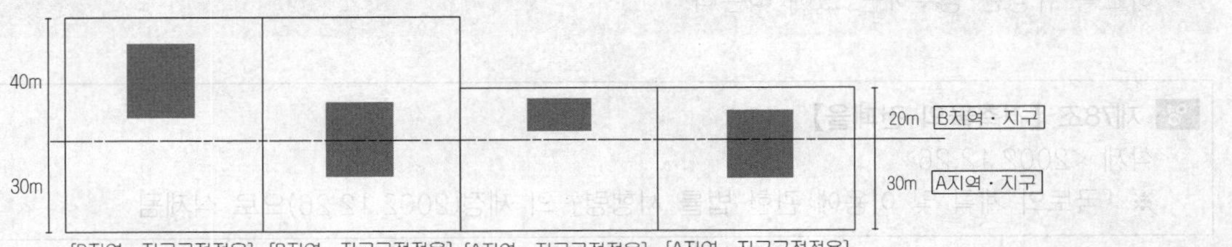

【참고】 건설교통부 해설(2006년 제4654호)

법 제54조의 규정은 높이제한, 일조권 등 건축법의 규정을 적용하기 위한 것이며, 「국토의 계획 및 이용에 관한 법률」 제84조(2이상의 용도지역 · 용도지구 · 용도구역에 걸치는 토지에 대한 적용기준)는 용적률 · 건폐율 등 해당 법 규정을 적용하기 위한 것임

2 대지가 녹지지역과 그밖의 지역·지구 또는 구역에 걸치는 경우

대지가 녹지지역과 그 밖의 지역 · 지구 또는 구역에 걸치는 경우에는 각 지역 · 지구 또는 구역안의 건축물 및 대지에 관한 규정을 적용한다.

3 하나의 건축물이 방화지구와 그 밖의 구역에 걸치는 경우

【원칙】 건축물 전부에 대하여 방화지구 안의 건축물에 관한 규정을 적용
－"대지의 과반이 속하는 지역"과는 관계없음

주의 건축물이 방화지구와 그 밖의 구역의 경계가 방화벽으로 구획되는 경우
－ 그 밖의 구역에 있는 부분에 대하여는 방화지구의 규정을 적용하지 않음.

주의 대지의 과반이 속하는 규정을 적용시키는 것이 아니라, 건축물의 일부라도 걸치는 경우
－ 방화지구내의 규정을 적용

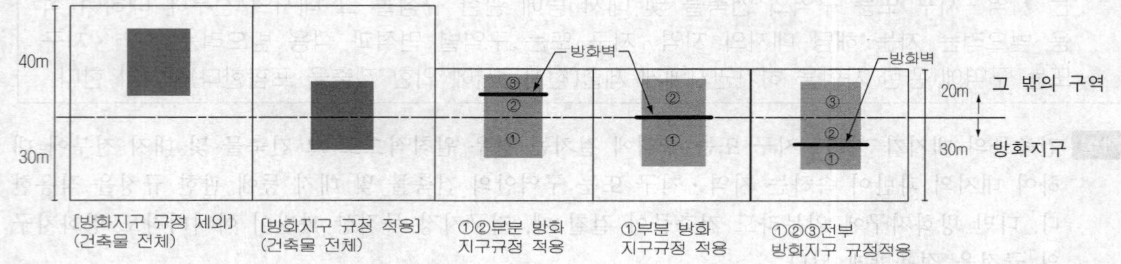

2 건축물의 건폐율(법 제55조)

법 제55조【건축물의 건폐율】

대지면적에 대한 건축면적(대지에 건축물이 둘 이상 있는 경우에는 이들 건축면적의 합계로 한다)의 비율(이하 "건폐율"이라 한다)의 최대한도는 「국토의 계획 및 이용에 관한 법률」 제77조에 따른 건폐율의 기준에 따른다. 다만, 이 법에서 기준을 완화하거나 강화하여 적용하도록 규정한 경우에는 그에 따른다.

영 제78조【건축물의 건폐율】

삭제 <2002.12.26>

※ 「국토의 계획 및 이용에 관한 법률 시행령」 의 제정(2002.12.26)으로 삭제됨

해설 건폐율이란 대지면적에 대한 건축면적의 비로서, 건축물이 축조되는 대지에 최소한도의 공지를 확보하여 일조·채광·통풍 등의 환경조건을 조성하고, 재해시의 연소확대를 방지하고, 피난 및 소화활동을 용이하게 하는데 목적이 있다.

또한 도시과밀화를 방지하기 위하여 필요한 경우 또는 토지이용도를 높여야 할 필요가 있는 경우에는 지방자치단체의 조례로서 건폐율을 따로 정할 수 있게 함으로서, 지역실정에 맞도록 규정하고 있다.

■ 건폐율의 정의

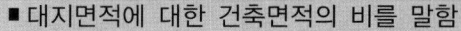

■ 대지면적에 대한 건축면적의 비를 말함

$$건폐율 = \frac{건축면적\left(\begin{array}{c}2\ 이상의\ 건축물이\ 있는\\ 경우\ 건축면적의\ 합계\end{array}\right)}{대지면적} \times 100(\%)$$

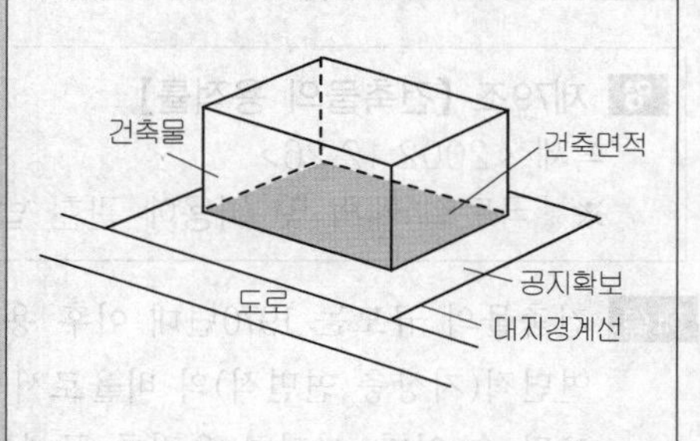

【참고】 용도지역 안에서의 건폐율(국토의 계획 및 이용에 관한 법률 제77조, 시행령 제84조)

용도지역안에서 건폐율의 최대한도는 관할구역의 면적 및 인구규모, 용도지역의 특성등을 감안하여 다음의 범위안에서 특별시·광역시·특별자치시·특별자치도·시 또는 군의 조례로 정한다.

구분			지역안에서의 건폐율		비고
지역		최대한도	지역의 세분	건폐율의 한도 (도시계획 조례로 정함)	
도시지역	주거지역	70%	제1종 전용주거지역	50%	■ 다음지역의 건폐율은 80% 이하의 범위에서 아래기준에 따라 조례로 정함 1. 취락지구(집단취락지구의 경우 「개발제한구역의 지정 및 관리에 관한 특별조치법」에 따름) : 60% 이하 2. 개발진흥지구(도시지역외의 지역 또는 대통령령으로 정하는 용도지역만 해당) : 40% 이하 3. 수자원보호구역 : 40% 이하 4. 자연공원(「자연공원법」) : 60% 이하 5. 농공단지(「산업입지 및 개발에 관한 법률」) : 70% 이하 6. 공업지역내의 국가산업단지·일반산업단지·도시첨단산업단지·준산업단지(「산업단지 및 개발에 관한법률」) : 80% 이하
			제2종 전용주거지역	50%	
			제1종 일반주거지역	60%	
			제2종 일반주거지역	60%	
			제3종 일반주거지역	50%	
			준 주거지역	70%	
	상업지역	90%	중심상업지역	90%	
			일반상업지역	80%	
			근린상업지역	70%	
			유통상업지역	80%	
	공업지역	70%	전용공업지역	70%	
			일반공업지역	70%	
			준공업지역	70%	
	녹지지역	20%	보전녹지지역	20%	
			생산녹지지역	20%	
			자연녹지지역	20%	
관리지역	보전관리지역	20%	보전관리지역	20%	
	생산관리지역	20%	생산관리지역	20%	
	계획관리지역	40%	계획관리지역	40%	
농림지역		20%	–	–	
자연환경보전지역		20%	–	–	

☞ 건폐율 조정, 완화 등의 관련 규정은 2권 해설 참조

3 건축물의 용적률(법 제56조)

법 제56조【건축물의 용적률】

대지면적에 대한 연면적(대지에 건축물이 둘 이상 있는 경우에는 이들 연면적의 합계로 한다)의 비율(이하 "용적률"이라 한다)의 최대한도는 「국토의 계획 및 이용에 관한 법률」 제78조에 따른 용적률의 기준에 따른다. 다만, 이 법에서 기준을 완화하거나 강화하여 적용하도록 규정한 경우에는 그에 따른다.

영 제79조【건축물의 용적률】

삭제 <2002.12.26>

※ 「국토의 계획 및 이용에 관한 법률 시행령」의 제정(2002.12.26)으로 삭제됨

해설 건축물의 규모는 1970년대 이후 용적률로서 규제하고 있다. 용적률은 대지면적에 대한 건축물의 연면적(지상층 연면적)의 비율로서 일정한 용적률 내에서는 고층화 될수록 좀 더 많은 공지가 확보될 수 있다. 이러한 용적률 규제는 도시공간의 입체화, 토지의 효율적 이용, 쾌적한 도시환경의 조성 및 나아가서는 균형있는 도시발전을 꾀하고자 하는데 규정의 목적을 둔다.

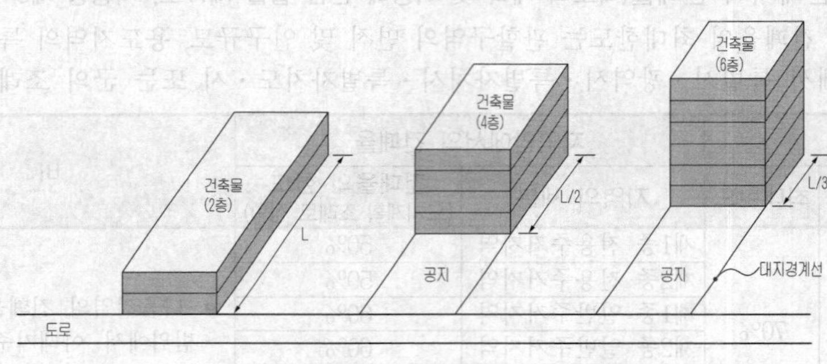

[그림] 용적률 200%의 경우 층수의 비교

■ 용적률의 정의

■ 대지면적에 대한 건축물의 연면적의 비를 말함

$$\text{용적률} = \frac{\text{연면적}\left(\begin{array}{c}\text{2 이상의 건축물이 있는 경우}\\ \text{연면적의 합계로서 산정}\end{array}\right)}{\text{대지면적}} \times 100(\%)$$

【참고】 용적률은 지상부분의 규모에 관한 규제이므로 용적률에 적용되는 연면적은 연면적의 일반적인 원칙(건축물의 규모로서 연면적 = 지상층 바닥면적 + 지하층 바닥면적)의 개념이 아니라 ① 지하층 면적 ② 지상부분의 주차용 면적(부속용도로 사용하는 경우) ③ 초고층 건축물과 준초고층 건축물의 피난안전구역의 면적 ④ 11층 이상 건축물로서 11층 이상층의 바닥면적의 합계가 1만 ㎡ 이상인 건축물의 경사지붕 아래 설치하는 대피공간의 면적을 제외한 연면적으로 환산함. 또한 대지에 2 이상의 건축물이 있는 경우 이들 연면적의 합계로서 산정함.

【참고】 용도지역안에서의 용적률(국토의 계획 및 이용에 관한 법률 제78조, 시행령 제85조)

지 역		용적률의 최고한도	용도지역의 세분	용적률의 범위	기 타
도시지역	주거지역	500%	제1종 전용주거지역	50%이상 100%이하	■ 도시·군계획조례로 용도지역별 용적률을 정하는 경우 해당지역의 구역별로 용적률의 세분 지정 가능 ■ 다음 지역의 용적률 기준은 다음 범위에서 도시·군계획조례가 정하는 비율을 초과 지정 금지 1.도시지역외의 지역에 지정된 개발진흥지구 : 100% 이하 2. 수산자원보호구역 : 80% 이하 3. 자연공원*1 : 100% 이하 4. 농공단지*2(도시지역외에 한함) : 150% 이하 *1. 「자연공원법」 *2. 「산업입지 및 개발에 관한 법률」 ■ 방재지구의 재해저감대책에 부합하게 재해예방시설을 설치하는 건축물은 주거, 상업, 공업지역 용적률의 140% 이하 범위에서 조례가 정하는 비율 적용 가능
			제2종 전용주거지역	50%~150%	
			제1종 일반주거지역	100%~200%	
			제2종 일반주거지역	100%~250%	
			제3종 일반주거지역	100%~300%	
			준 주거지역	200%~500%	
	상업지역	1500%	중심상업지역	200%~1500%	
			일반상업지역	200%~1300%	
			근린상업지역	200%~900%	
			유통상업지역	200%~1100%	
	공업지역	400%	전용공업지역	150%~300%	
			일반공업지역	150%~350%	
			준공업지역	150%~400%	
	녹지지역	100%	보전녹지지역	50%~80%	
			생산녹지지역	50%~100%	
			자연녹지지역	50%~100%	
관리지역	보전관리지역	80%	보전관리지역	50%~80%	
	생산관리지역	80%	생산관리지역	50%~80%	
	계획관리지역	100%	계획관리지역	50%~100%	
농 림 지 역		80%	농림지역	50%~80%	
자연환경보전지역		80%	자연환경보전지역	50%~80%	

☞ 용적률 완화 등의 관련 규정은 2권 해설 참조

4 대지의 분할제한(법 제57조)(영 제80조)

법 제57조【대지의 분할제한】

① 건축물이 있는 대지는 대통령령으로 정하는 범위에서 해당 지방자치단체의 조례로 정하는 면적에 못 미치게 분할할 수 없다.

② 건축물이 있는 대지는 제44조, 제55조, 제56조, 제58조, 제60조 및 제61조에 따른 기준에 못 미치게 분할할 수 없다.

영 제80조【건축물이 있는 대지의 분할제한】

법 제57조제1항에서 "대통령령으로 정하는 범위"란 다음 각 호의 어느 하나에 해당하는 규모 이상을 말한다.

1. 주거지역: 60제곱미터
2. 상업지역: 150제곱미터
3. 공업지역: 150제곱미터
4. 녹지지역: 200제곱미터
5. 제1호부터 제4호까지의 규정에 해당하지 아니하는 지역: 60제곱미터

해설 소규모 대지에 건축물이 밀집하여 건축되면 일조·통풍·피난·교통 등에 지장을 초래하여 건축물 주위환경은 물론 도시환경을 악화시키게 된다. 따라서 각 용도지역별로 적정한 대지면적의 제한은 효율적인 밀도조정과 도시환경정비의 효과가 있다. 또한 대지와 도로와의 관계·건폐율·용적률·대지안의 공지·건축물의 높이제한 등에 반하여 대지의 분할을 금지하도록 하고 있다.

■ 대지의 분할제한

1. 건축물이 있는 대지는 아래표의 범위내에서 조례가 정하는 면적에 미달되게 분할할 수 없다.

용도지역	분할규모	기 타
주거지역	60㎡ 이상	■ 건축물의 대지는 다음의 규정에 미달되게 분할할 수 없다. • 대지와 도로와의 관계(법 제44조) • 건축물의 건폐율(법 제55조) • 건축물의 용적률(법 제56조) • 대지 안의 공지(법 제58조) • 건축물의 높이 제한(법 제60조) • 일조 등의 확보를 위한 건축물의 높이 제한(법 제61조)
상업지역	150㎡ 이상	
공업지역	150㎡ 이상	
녹지지역	200㎡ 이상	
기타지역	60㎡ 이상	

2. 건축협정이 인가된 경우 건축협정의 대상 대지는 분할할 수 있다.

5 대지안의 공지(법 제58조)(영 제80조의2)

법 제58조【대지안의 공지】
건축물을 건축하는 경우에는 「국토의 계획 및 이용에 관한 법률」에 따른 용도지역·용도지구, 건축물의 용도 및 규모 등에 따라 건축선 및 인접 대지경계선으로부터 6미터 이내의 범위에서 대통령령으로 정하는 바에 따라 해당 지방자치단체의 조례로 정하는 거리 이상을 띄워야 한다.

영 제80조의2【대지안의 공지】
법 제58조에 따라 건축선(법 제46조제1항에 따른 건축선을 말한다. 이하 같다) 및 인접 대지경계선(대지와 대지 사이에 공원, 철도, 하천, 광장, 공공공지, 녹지, 그 밖에 건축이 허용되지 아니하는 공지가 있는 경우에는 그 반대편의 경계선을 말한다)으로부터 건축물의 각 부분까지 띄어야 하는 거리의 기준은 별표 2와 같다. <개정 2014.10.14.>

【별표2】 대지 안의 공지 기준(제80조의2 관련)

1. 건축선으로부터 건축물까지 띄어야 하는 거리

대상 건축물	건축조례에서 정하는 건축기준
가. 해당 용도로 쓰이는 바닥면적의 합계가 500㎡ 이상인 공장(전용공업지역 및 일반공업지역 또는 「산업입지 및 개발에 관한 법률」에 따른 산업단지에서 건축하는 공장 제외)으로서 건축조례가 정하는 건축물	• 준공업지역 : 1.5m 이상 6m 이하 • 준공업지역 외의 지역 : 3m 이상 6m 이하
나. 해당 용도로 쓰이는 바닥면적의 합계가 500㎡ 이상인 창고(전용공업지역 및 일반공업지역 또는 「산업입지 및 개발에 관한 법률」에 따른 산업단지에서 건축하는 창고 제외)로서 건축조례가 정하는 건축물	• 준공업지역 : 1.5m 이상 6m 이하 • 준공업지역 외의 지역 : 3m 이상 6m 이하
다. 해당 용도로 쓰이는 바닥면적의 합계가 1,000㎡ 이상인 판매시설, 숙박시설(일반숙박시설 제외), 문화 및 집회시설(전시장 및 동·식물원 제외) 및 종교시설	• 3m 이상 6m 이하
라. 다중이 이용하는 건축물로서 건축조례로 정하는 건축물	• 3m 이상 6m 이하
마. 공동주택	• 아파트 : 2m 이상 6m 이하 • 연립주택 : 2m 이상 5m 이하 • 다세대주택 : 1m 이상 4m 이하
바. 그 밖에 건축조례가 정하는 건축물	• 1m 이상 6m 이하(한옥의 경우: 처마선 0.5m 이상 2m 이하, 외벽선 1m 이상 2m 이하)

2. 인접대지경계선으로부터 건축물까지 띄어야 하는 거리

대상 건축물	건축조례에서 정하는 건축기준
가. 전용주거지역에 건축하는 건축물(공동주택 제외)	• 1m 이상 6m 이하(한옥의 경우에는 처마선 0.5m 이상 2m 이하, 외벽선 1m 이상 2m 이하)
나. 해당 용도로 쓰이는 바닥면적의 합계가 500㎡ 이상인 공장(전용공업지역 및 일반공업지역 또는 「산업입지 및 개발에 관한 법률」에 따른 산업단지에서 건축하는 공장 제외)으로서 건축조례가 정하는 건축물	• 준공업지역 : 1m 이상 6m 이하 • 준공업지역 외의 지역 : 1.5m 이상 6m 이하
다. 상업지역이 아닌 지역에서 건축하는 건축물로서 해당 용도로 쓰이는 바닥면적의 합계가 1,000㎡ 이상인 판매시설, 숙박시설(일반숙박시설 제외), 문화 및 집회시설(전시장 및 동·식물원 제외) 및 종교시설	• 1.5m 이상 6m 이하
라. 다중이 이용하는 건축물(상업지역에서 건축하는 건축물 제외)로서 건축조례가 정하는 건축물	• 1.5m 이상 6m 이하
마. 공동주택(상업지역에서 건축하는 공동주택 제외)	• 아파트 : 2m 이상 6m 이하 • 연립주택 : 1.5m 이상 5m 이하 • 다세대주택 : 0.5m 이상 4m 이하
바. 그 밖에 건축조례로 정하는 건축물	• 0.5m 이상 6m 이하

비고

1) 제1호가목 및 제2호나목에 해당하는 건축물 중 법 제11조에 따른 허가를 받거나 법 제14조에 따른 신고를 하고 2009년 7월 1일부터 2015년 6월 30일까지, 2016년 7월 1일부터 2019년 6월 30일까지 또는 2021년 11월 2일부터 2024년 11월 1일까지 법 제21조에 따른 착공신고를 하는 건축물에 대해서는 건축조례로 정하는 건축기준을 2분의 1로 완화하여 적용한다. <개정 2021.11.2>

2) 제1호에 해당하는 건축물(별표 1 제1호, 제2호 및 제17호부터 제19호까지의 건축물은 제외한다)이 너비가 20m 이상인 도로를 포함하여 2개 이상의 도로에 접한 경우로서 너비가 20m 이상인 도로(도로와 접한 공공공지 및 녹지를 포함한다)면에 접한 건축물에 대해서는 건축선으로부터 건축물까지 띄어야 하는 거리를 적용하지 않는다.

3) 제1호에 따른 건축물의 부속용도에 해당하는 건축물에 대해서는 주된 용도에 적용되는 대지의 공지 기준 범위에서 건축조례로 정하는 바에 따라 완화하여 적용할 수 있다. 다만, 최소 0.5m 이상은 띄어야 한다.

【참고】 건설교통부 해설(2006년 제4654호)

■ 제58조(대지안의 공지) 규정의 도입 취지

- 기본적으로는 화재시 화염전파를 방지하고 피난통로를 확보하며 채광 및 통풍을 원활히 하여 주거환경의 향상에 목적
- 불특정 다수인이 수용되는 집회시설, 판매 및 종교시설 등 대형건축물과 위험물제조·공해배출 공장등을 일정 거리 이상 띄움으로서 도로의 소통을 원활히 하고 공해 및 위해로부터 벗어나게 하여 국민생명보호 및 쾌적한 도시환경 조성에 취지가 있음

■ 건축선의 의미

- 여기서의 건축선은 제46조제1항의 건축선을 말하며, 따라서 이격거리는 대지와 도로와의 경계선 또는 미달도로로 인해 후퇴된 건축선 중 하나를 기점으로 산정하는 것이 바람직

- 즉, 지구단위계획에서의 건축한계선이나 법 제46조제2항에 따라 허가권자가 일괄적으로 규정한 건축선은 기점이 될 수 없음
- 따라서 도로가 미달되지 않는 대지에서 건축한계선이 2m로 정해져 있고 대지안의 공지가 3m라면 도로와의 경계선에서부터 총 이격거리는 5m가 아니라 3m로 계산됨

■ 조례 미제정시 적용관련

- 부칙 제3조에서는 건축조례로 위임한 사항은 당해 조례가 제정될 때가지 종전의 규정에 따른다고 하였으므로 조례가 없다면 적용되지 않는 것이 원칙
- 그러나 이미 법령에서 적용대상과 범위를 일부 명시하고 규정된 범위내에서의 적용기준만을 조례에 위임한 경우 조례가 제정되지 않았다하여 법령의 적용여부까지 조례로 위임한 것은 아님
- 따라서 조례가 제정되기 전이라도 법적 취지나 각 지자체의 정책적 방향에 따라 법령에서 규정한 기준의 범위 내에서 대지안의 공지를 적용할 수 있을 것으로 판단됨
- 그러나 동 규정을 조례제정 전 적용한다 하더라도 적용기준은 건축주에게 가장 유리한 기준(건축조례가 정할 수 있는 가장 완화된 기준)으로 하는 것이 바람직할 것으로 사료됨

※ 건축허가등 수수료도 동일한 취지로 운용가능

- 또한 적용범위는 1,000㎡이상의 판매·숙박시설 등이나 공동주택, 전용주거지역 등 법령에서 명확하게 규정하고 있는 대상으로 한정하여야 할 것이며, 공장이나 다중이용시설 또는 그 밖의 건축조례가 정하는 건축물은 조례가 제정되기 전까지는 적용이 불가할 것이므로 이를 확대해석하여 모든 건축물에 규정적용을 하는 것은 바람직하지 않을 것임

■ '건축물의 각 부분'의 의미

- 대지안의 공지규정을 적용하여야 하는 '건축물 각 부분'이라 함은 건축물의 외벽까지를 말하는 것이 아니고, 동 건축물중 당해 용도(부속용도 포함)로 사용되는 부분까지의 이격거리를 말하는 것임

※ 기존 건축물을 용도변경 하는 경우에도 대지안의 공지규정을 적용해야 하는 용도로의 변경부분까지의 이격거리로 계산가능할 것임

※ 건축물 바깥에 설치되어 해당 용도의 거실로 사용되지 않는 테라스·선큰 공간·드라이 에어리어 및 지상에 돌출되지 않은 지하구조물은 적용하지 않는 것이 바람직

- 따라서 부속용도를 아파트에 붙여 짓는 경우에는 아파트 건축물로 보아 부속용도 부분으로부터도 동일하게 띄어야 하는 것이며, 주상복합건축물의 경우에는 각 용도별로 규정을 적용가능할 것임
- 다만, 부속용도라 하더라도 소규모 수위실 등과 같이 대지안의 공지기준의 법적취지를 달성하는 데 무리가 없는 범위라면 융통성있게 법령적용이 가능할 것으로 판단됨

6 맞벽 건축과 연결복도(법 제59조)(영 제81조)

법 제59조【맞벽 건축과 연결복도】

① 다음 각 호의 어느 하나에 해당하는 경우에는 제58조, 제61조 및 「민법」 제242조를 적용하지 아니한다.

1. 대통령령으로 정하는 지역에서 도시미관 등을 위하여 둘 이상의 건축물 벽을 맞벽(대지경계선으로부터 50센티미터 이내인 경우를 말한다. 이하 같다)으로 하여 건축하는 경우
2. 대통령령으로 정하는 기준에 따라 인근 건축물과 이어지는 연결복도나 연결통로를 설치하는 경우

② 제1항 각 호에 따른 맞벽, 연결복도, 연결통로의 구조·크기 등에 관하여 필요한 사항은 대통령령으로 정한다.

영 제81조【맞벽건축 및 연결복도】

① 법 제59조제1항제1호에서 "대통령령으로 정하는 지역"이란 다음 각 호의 어느 하나에 해당하는 지역을 말한다. <개정 2014.10.14., 2015.9.22.>

1. 상업지역(다중이용 건축물 및 공동주택은 스프링클러나 그 밖에 이와 비슷한 자동식 소화설비를 설치한 경우로 한정한다)
2. 주거지역(건축물 및 토지의 소유자 간 맞벽건축을 합의한 경우에 한정한다)
3. 허가권자가 도시미관 또는 한옥 보전·진흥을 위하여 건축조례로 정하는 구역
4. 건축협정구역 <신설 2014.10.14.>

② 삭제 <2006.5.8>

③ 법 제59조제1항제1호에 따른 맞벽은 다음 각 호의 기준에 적합하여야 한다. <개정 2014.10.14.>

1. 주요구조부가 내화구조일 것
2. 마감재료가 불연재료일 것

④ 제1항에 따른 지역(건축협정구역은 제외한다)에서 맞벽건축을 할 때 맞벽 대상 건축물의 용도, 맞벽 건축물의 수 및 층수 등 맞벽에 필요한 사항은 건축조례로 정한다. <개정 2014.10.14>

⑤ 법 제59조제1항제2호에서 "대통령령으로 정하는 기준"이란 다음 각 호의 기준을 말한다. <개정 2019.8.6.>

1. 주요구조부가 내화구조일 것
2. 마감재료가 불연재료일 것
3. 밀폐된 구조인 경우 벽면적의 10분의 1 이상에 해당하는 면적의 창문을 설치할 것. 다만, 지하층으로서 환기설비를 설치하는 경우에는 그러하지 아니하다.
4. 너비 및 높이가 각각 5미터 이하일 것. 다만, 허가권자가 건축물의 용도나 규모 등을 고려할 때 원활한 통행을 위하여 필요하다고 인정하면 지방건축위원회의 심의를 거쳐 그 기준을 완화하여 적용할 수 있다.
5. 건축물과 복도 또는 통로의 연결부분에 자동방화셔터 또는 방화문을 설치할 것
6. 연결복도가 설치된 대지 면적의 합계가 「국토의 계획 및 이용에 관한 법률 시행령」 제55조에 따른 개발행위의 최대 규모 이하일 것. 다만, 지구단위계획구역에서는 그러하지 아니하다.

⑥ 법 제59조제1항제2호에 따른 연결복도나 연결통로는 건축사 또는 건축구조기술사로부터 안전에 관한 확인을 받아야 한다. <개정 2016.5.17., 2016.7.19.>

해설 도시미관 등을 위하여 상업지역 및 건축조례로 정한 구역이나, 주거지역에서 건축물 및 토지 소유자 간에 합의된 경우에는 2 이상의 건축물의 외벽을 맞벽(대지경계선으로부터 50cm 이내인 경우)으로 할 수 있다. 이때에는 「건축법」 제58조(대지안의 공지), 제61조(일조 등의 확보를 위한 건축물의 높이 제한)와 「민법」 제242조(경계선 부근의 건축)의 규정을 적용하지 않는다.

또한, 건축물간의 연결복도(건축물의 기능을 향상시키고, 건축물 사용자의 편의를 증진시키고자 설치된 것)도 마찬가지로 법적용이 제외된다.

연결복도의 예

1 맞벽 건축 및 연결복도

<table>
<tr><th colspan="3">구 분</th><th>맞벽건축 도해</th></tr>
<tr><td>맞벽건축
(대지경계선에서 50㎝ 이내인 경우)</td><td>대상지역</td><td>① 상업지역(다중이용 건축물 및 공동주택은 스프링클러나 그 밖에 이와 비슷한 자동식 소화설비를 설치한 경우로 한정)
② 주거지역(건축물 및 토지의 소유자 간 맞벽건축을 합의한 경우에 한정)
③ 허가권자가 도시미관 또는 한옥 보전·진흥을 위하여 건축조례로 정하는 구역
④ 건축협정구역</td><td rowspan="2">대지경계선
A건축물
B건축물
50cm 이내
50cm 이내</td></tr>
<tr><td>연결복도 또는 연결통로</td><td colspan="2">건축물과 건축물을 연결하는 복도와 통로의 설치 가능(지역, 용도에 관계없음)</td></tr>
<tr><td>제외규정</td><td colspan="3">• 맞벽 및 연결복도에 대한 법적용제외
① 법 제58조 - 대지안의 공지
② 법 제61조 - 일조 등의 확보를 위한 건축물의 높이제한
③ 「민법」 제242조 - 경계선부근의 건축(경계로부터 0.5m 이상의 거리를 두어야 함)</td></tr>
</table>

2 맞벽 등의 구조제한 등

【1】 맞벽

① 맞벽의 구조 기준
- 주요구조부 : 내화구조
- 마감재료 : 불연재료

② 맞벽건축 대상지역(건축협정구역 제외)에서 맞벽건축을 할 때 맞벽 대상 건축물의 용도, 맞벽 건축물의 수 및 층수 등 맞벽에 필요한 사항은 건축조례로 정한다.

【2】 연결복도 또는 연결통로

다음의 기준으로 하되, 건축사 또는 건축구조기술사로부터 안전에 관한 확인을 받아야 한다.

구 분	기 준
1. 주요 구조부	▪ 내화구조
2. 마감재료	▪ 불연재료
3. 너비 및 높이	▪ 각각 5m 이하일 것 예외 허가권자가 건축물의 용도나 규모 등을 고려할 때 원활한 통행을 위하여 필요하다고 인정하면 지방건축위원회의 심의를 거쳐 완화 적용 가능
4. 밀폐된 구조인 경우	▪ 벽 면적의 1/10 이상 창문 설치 예외 지하층으로서 환기설비를 설치한 경우
5. 건축물과 복도 또는 통로의 연결부분	▪ 자동방화셔터 또는 방화문 설치
6. 연결복도가 설치된 대지면적의 합계	▪ 「국토의 계획 및 이용에 관한 법률 시행령」 제55조에 따른 개발행위의 최대 규모 이하일 것 - 주거, 상업지역 등 : 1만㎡ 미만 - 공업, 관리, 농림지역 : 3만㎡ 미만 등 예외 지구단위계획구역에서는 제외

■ 연결복도 아래부분에 도로가 위치하거나 타인의 토지를 건너갈 경우, 도로점용 허가 또는 토지 소유자의 사용승락을 받아야 함.

관계법 개발행위 허가(「국토의 계획 및 이용에 관한 법률 시행령」 제55조)

영 제55조【개발행위의 허가의 규모】 ① 법 제58조제1항제1호 본문에서 "대통령령으로 정하는 개발행위의 규모"란 다음 각호에 해당하는 토지의 형질변경면적을 말한다. 다만, 관리지역 및 농림지역에 대하여는 제2호 및 제3호의 규정에 의한 면적의 범위안에서 당해 특별시·광역시·특별자치시·특별자치도·시 또는 군의 도시·군계획조례로 따로 정할 수 있다. <개정 2014.1.14.>

1. 도시지역
  가. 주거지역·상업지역·자연녹지지역·생산녹지지역 : 1만제곱미터 미만
  나. 공업지역 : 3만제곱미터 미만
  다. 보전녹지지역 : 5천제곱미터 미만
2. 관리지역 : 3만제곱미터 미만
3. 농림지역 : 3만제곱미터 미만
4. 자연환경보전지역 : 5천제곱미터 미만

② 제1항의 규정을 적용함에 있어서 개발행위허가의 대상인 토지가 2 이상의 용도지역에 걸치는 경우에는 각각의 용도지역에 위치하는 토지부분에 대하여 각각의 용도지역의 개발행위의 규모에 관한 규정을 적용한다. 다만, 개발행위허가의 대상인 토지의 총면적이 당해 토지가 걸쳐 있는 용도지역중 개발행위의 규모가 가장 큰 용도지역의 개발행위의 규모를 초과하여서는 아니된다.

③ "생략"

건 축 법
1. 총 칙
2. 건 축
3. 유지관리
4. 대지도로
5. 구조재료
6. 지역지구
7. 건축설비
8. 특별건축구역
9. 보 칙
10. 벌 칙
건 축 법 관련기준

7 건축물의 높이 제한(법 제60조)(영 제82조)

법 제60조【건축물의 높이 제한】

① 허가권자는 가로구역[(街路區域): 도로로 둘러싸인 일단(一團)의 지역을 말한다. 이하 같다]을 단위로 하여 대통령령으로 정하는 기준과 절차에 따라 건축물의 높이를 지정·공고할 수 있다. 다만, 특별자치시장·특별자치도지사 또는 시장·군수·구청장은 가로구역의 높이를 완화하여 적용할 필요가 있다고 판단되는 대지에 대하여는 대통령령으로 정하는 바에 따라 건축위원회의 심의를 거쳐 높이를 완화하여 적용할 수 있다. <개정 2014.1.14.>

② 특별시장이나 광역시장은 도시의 관리를 위하여 필요하면 제1항에 따른 가로구역별 건축물의 높이를 특별시나 광역시의 조례로 정할 수 있다. <개정 2014.1.14.>

③ 삭제 <2015.5.18.>

④ 허가권자는 제1항 및 제2항에도 불구하고 일조(日照)·통풍 등 주변 환경 및 도시미관에 미치는 영향이 크지 않다고 인정하는 경우에는 건축위원회의 심의를 거쳐 이 법 및 다른 법률에 따른 가로구역의 높이 완화에 관한 규정을 중첩하여 적용할 수 있다. <신설 2022.2.3.>

영 제82조【건축물의 높이 제한】

① 허가권자는 법 제60조제1항에 따라 가로구역별로 건축물의 높이를 지정·공고할 때에는 다음 각 호의 사항을 고려하여야 한다. <개정 2014.10.14>

1. 도시·군관리계획 등의 토지이용계획
2. 해당 가로구역이 접하는 도로의 너비
3. 해당 가로구역의 상·하수도 등 간선시설의 수용능력
4. 도시미관 및 경관계획
5. 해당 도시의 장래 발전계획

② 허가권자는 제1항에 따라 가로구역별 건축물의 높이를 지정하려면 지방건축위원회의 심의를 거쳐야 한다. 이 경우 주민의 의견청취 절차 등은 「토지이용규제 기본법」 제8조에 따른다. <개정 2014.10.14>

③ 허가권자는 같은 가로구역에서 건축물의 용도 및 형태에 따라 건축물의 높이를 다르게 정할 수 있다.

④ 법 제60조제1항 단서에 따라 가로구역의 높이를 완화하여 적용하는 경우에 대한 구체적인 완화기준은 제1항 각 호의 사항을 고려하여 건축조례로 정한다. <개정 2014.10.14>

해설 건축물의 높이제한은 가로구역별 높이제한, 도로사선제한(가로구역별 높이가 정하여지지 않은 경우 적용, 2015.5.18. 삭제된 규정임), 일조권 등을 위한 높이제한, 구조 높이제한 등이 있다.

도로 사선제한의 경우 구역에 관계없이 전국적으로 적용하며 시행하여 왔으나 이는 전면 도로의 너비를 기준으로 적용하는 것으로, 2 이상의 전면도로의 경우, 막다른 도로, 하천 등의 접한 경우 등 제한 규정이 복잡하여 도시환경, 도시경관 등의 문제가 많이 야기되었다. 때문에 현 규정에서는 각 지역별 토지이용계획, 간선시설의 능력, 도시미관 및 경관 등을 고려하여 가로구역 단위로 건축물의 높이를 정하여 시행할 수 있도록 하고 있다.

건축물의 높이가 정하여지지 않은 가로구역의 경우 종전의 도로 사선제한규정을 적용하도록 하였으나, 도시의 개방감 확보와 허용용적률로 개발이 어렵고 건축물의 외관이 계단(사선)형으로 건축되어 도시미관에 저해되므로 2015.5.18. 개정시 삭제되었다.

건 축 법
1. 총 칙
2. 건 축
3. 유지관리
4. 대지도로
5. 구조재료
6. 지역지구
7. 건축설비
8. 특별건축구역
9. 보 칙
10. 벌 칙
건 축 법 관련기준

■ 가로구역별 건축물의 높이제한

① 허가권자는 가로구역(도로로 둘러싸인 일단의 지역을 말함)을 단위로 하여 건축물의 높이를 지정·공고할 수 있다.

■ 가로구역별 건축물의 높이 지정시의 고려사항
1. 도시·군관리계획 등의 토지이용계획
2. 해당 가로구역이 접하는 도로의 너비
3. 해당 가로구역의 상·하수도 등 간선시설의 수용 능력
4. 도시미관 및 경관계획
5. 해당 도시의 장래 발전계획

② 허가권자는 가로구역의 높이를 지정하려면 지방건축위원회의 심의를 거쳐야 한다. 이 경우 주민의 의견청취절차 등은 「토지이용규제 기본법」에 따른다. 관계법

③ 특별자치시장·특별자치도지사 또는 시장·군수·구청장은 가로구역의 높이를 완화하여 적용을 할 필요가 있다고 판단되는 대지에 대하여는 건축위원회의 심의를 거쳐 완화하여 적용할 수 있다. 이 경우 구체적 완화기준은 건축조례로 정한다.

④ 허가권자는 같은 가로구역에서 건축물의 용도 및 형태에 따라 건축물의 높이를 다르게 정할 수 있다.

⑤ 특별시장 또는 광역시장은 도시관리를 위하여 필요한 경우, 가로구역별 건축물의 높이를 특별시나 광역시의 조례로 정할 수 있다.

⑥ 허가권자는 위 규정에도 불구하고 일조(日照)·통풍 등 주변 환경 및 도시미관에 미치는 영향이 크지 않다고 인정하는 경우 건축위원회의 심의를 거쳐 이 법 및 다른 법률에 따른 가로구역의 높이 완화에 관한 규정을 중첩하여 적용할 수 있다. ☞ 3권 건축법 2022.2.3. 개정이유 참조

관계법 「토지이용규제 기본법」

법 제8조【지역·지구등의 지정 등】① 중앙행정기관의 장이나 지방자치단체의 장이 지역·지구등을 지정(변경을 포함한다. 이하 같다)하려면 대통령령으로 정하는 바에 따라 미리 주민의 의견을 들어야 한다. 다만, 다음 각 호의 어느 하나에 해당하거나 대통령령으로 정하는 경미한 사항을 변경하는 경우에는 그러하지 아니하다. <개정 2017.12.26>

1. 따로 지정 절차 없이 법령이나 자치법규에 따라 지역·지구등의 범위가 직접 지정되는 경우
2. 다른 법령 또는 자치법규에 주민의 의견을 듣는 절차가 규정되어 있는 경우
3. 국방상 기밀유지가 필요한 경우
4. 그 밖에 대통령령으로 정하는 경우

② 중앙행정기관의 장이 지역·지구등을 지정하는 경우에는 지적(지적)이 표시된 지형도에 지역·지구등을 명시한 도면(이하 "지형도면"이라 한다)을 작성하여 관보에 고시하고, 지방자치단체의 장이 지역·지구등을 지정하는 경우에는 지형도면을 작성하여 그 지방자치단체의 공보에 고시하여야 한다. 다만, 대통령령으로 정하는 경우에는 지형도면을 작성·고시하지 아니하거나 지적도 등에 지역·지구등을 명시한 도면을 작성하여 고시할 수 있다.

③ 제2항에 따라 지형도면 또는 지적도 등에 지역·지구등을 명시한 도면(이하 "지형도면등"이라 한다)을 고시하여야 하는 지역·지구등의 지정의 효력은 지형도면등의 고시를 함으로써 발생한다. 다만, 지역·지구등을 지정할 때에 지형도면등의 고시가 곤란한 경우로서 대통령령으로 정하는 경우에는 그러하지 아니하다.

④ 제3항 단서에 해당되는 경우에는 지역·지구등의 지정일부터 2년이 되는 날까지 지형도면등을 고시하여야 하며, 지형도면등의 고시가 없는 경우에는 그 2년이 되는 날의 다음 날부터 그 지정의 효력을 잃는다.

⑤ 제4항에 따라 지역·지구등의 지정이 효력을 잃은 때에는 그 지역·지구등의 지정권자는 대통령령으로 정하는 바에 따라 지체 없이 그 사실을 관보 또는 공보에 고시하고, 이를 관계 특별자치도지사·시장·군수(광역시의 관할 구역에 있는 군의 군수를 포함한다. 이하 같다) 또는 구청장(구청장은 자치구의 구청장을 말하며, 이하 "시장·군수 또는 구청장"이라 한다)에게 통보하여야 한다. 이 경우 시장·군수 또는 구청장은 그 내용을 제12조에 따른 국토이용정보체계(이하 "국토이용정보체계"라 한다)에 등재(등재)하여 일반 국민이 볼 수 있도록 하여야 한다.

⑥ 중앙행정기관의 장이나 지방자치단체의 장은 지역·지구등의 지정을 입안하거나 신청하는 자가 따로 있는 경우에는 그 자에게 제2항에 따른 고시에 필요한 지형도면등을 작성하여 제출하도록 요청할 수 있다.

⑦ 제2항에 따른 지형도면등의 작성에 필요한 구체적인 기준 및 방법 등은 대통령령으로 정한다.

⑧ 중앙행정기관의 장이나 지방자치단체의 장은 제2항에 따라 지형도면등의 고시를 하려면 관계 시장·군수 또는 구청장에게 관련 서류와 고시예정일 등 대통령령으로 정하는 사항을 미리 통보하여야 한다. 다만, 제2항 단서에 따라 지형도면을 작성·고시하지 아니하는 경우에는 지역·지구등을 지정할 때에 대통령령으로 정하는 사항을 미리 통보하여야 하고, 제3항 단서에 따라 지역·지구등의 지정 후에 지형도면등의 고시를 하는 경우에는 지역·지구등을 지정할 때와 제4항에 따른 지형도면등을 고시할 때에 대통령령으로 정하는 사항을 미리 통보하여야 한다.

⑨ 제8항에 따라 통보를 받은 시장·군수 또는 구청장은 그 내용을 국토이용정보체계에 등재하여 지역·지구등의 지정 효력이 발생한 날부터 일반 국민이 볼 수 있도록 하여야 한다. 다만, 제3항 단서에 따라 지역·지구등의 지정 후에 지형도면등의 고시를 하는 경우에는 제4항에 따라 지형도면등을 고시한 날부터 일반 국민이 볼 수 있도록 하여야 한다.

【참고1】 가로구역별 건축물 높이 제한(서울특별시 건축조례의 예)

제33조【가로구역별 건축물 높이 제한】 시장이 도시관리를 위하여 법 제60조제2항에 따라 정하는 건축물의 최고높이는 다음 각 호와 같다. <개정 2019.7.18.>

1. 제1종전용주거지역 안에서의 주거용건축물의 층수는 2층 이하로서 높이 8미터 이하(다음 각 목의 어느 하나에 해당하는 경우 제외)로 하며, 주거용 이외의 용도에 쓰이는 건축물(주거용과 다른 용도가 복합된 건축물을 제외한다)의 높이는 2층 이하로서 11미터 이하로 한다.
   가. 1층의 바닥이 지표면으로부터 0.5미터를 넘는 높이에 있는 건축물로서 그 0.5미터를 넘는 높이에 8미터를 가산한 높이가 12미터 이하인 건축물
   나. 지붕의 경사가 3:10이상인 건축물로서 높이 12미터 이하인 건축물
2. 상업지역·시가지·특화경관지구 및 시장이 도시경관 조성을 위하여 필요하다고 인정하는 구역 안에서의 가로구역(해당 지역·지구가 속해 있는 가로구역을 포함한다)별 건축물의 최고높이는 시장이 지정·공고한다. 이 경우 사전에 지정하고자 하는 내용을 15일 이상 주민에게 공람한 후 시 위원회의 심의를 거쳐야 한다.
3. 가로구역별 건축물의 최고높이가 지정·공고되지 않은 지구단위계획구역·도시환경정비구역 및 재정비촉진지구 안에서의 건축물의 최고높이는 다음 각 목의 기준에 따른다.
   가. 지구단위계획구역 안에서의 건축물의 최고높이는 해당 구역 안의 건축계획에서 정하는 기준에 따른다.
   나. 도시환경정비구역 안에서의 건축물의 최고높이는 「서울특별시 도시 및 주거환경정비 조례」에서 정하는 기준에 따른다.
   다. 재정비촉진지구 안에서의 건축물의 최고높이는「도시재정비 촉진을 위한 특별법」제12조에 따른 재정비촉진계획에서 정하는 기준에 따른다.
   라. 한양도성 역사도심 안에서의 건축물의 최고높이는 「서울특별시 한양도성 역사도심 특별지원에 관한 조례」에 근거한 '역사도심기본계획' 에서 정하는 기준에 따른다. <신설 2019.7.18.>

4. 삭제 <2019.7.18.>
5. 가로구역별 건축물의 최고높이를 완화하여 적용할 필요가 있다고 판단되는 대지에 대하여는 법 제60조제1항 단서 및 영 제82조에서 정하는 바에 따라 위원회의 심의를 거쳐 최고높이를 완화하여 적용할 수 있다.

【참고2】 전면도로에 의한 높이 제한 규정의 도해(예)

■ 건축물 높이 산정의 기준은 지표면부터이나, 전면도로에 의한 높이 제한 규정을 적용시에는 전면도로의 중심선이 그 기준점이 된다.

1 건축물 높이의 산정의 기준(건축물의 높이 제한 규정 적용시)

▪ 시장·군수·구청장이 가로구역별로 건축물의 높이를 지정·공고할 수 있는 구역

높이산정의 기준점 : 전면도로의 중심선

원 칙	대지면이 전면 도로보다 높은 경우	전면도로의 노면에 고저차가 있는 경우
H 건축물 H : 전면도로에 의한 높이산정시의 기준	H′ 건축물 H $\frac{h}{2}$ $\frac{h}{2}$ 가상의 전면도로면 H′ : 전면도로에 의한 높이산정시의 기준	H 건축물 전면도로면 가중평균한 전면도로면 H : 전면도로에 의한 높이산정시의 기준

2 높이 제한(가로 구역별로 건축물의 높이를 지정하는 경우)

구분	도로와 대지의 고저차 없는 경우	도로면보다 높은 대지	도로면보다 낮은 대지
일반 건축물	H 건축물 기준점 (전면도로의 중심선) H : 최고높이	H 건축물 기준점 (높이차 $\frac{1}{2}$ 위치의 가상도로면) H : 최고높이	기준점 (전면도로의 중심선) H 건축물 H′ H : 최고높이 H′ : 건축가능높이
필로티 구조 (완화)	H : 최고높이 h : 실제 허용높이 (H+h′) h′: 필로티 높이 (완화부분) 건축물 H h h′: 필로티 높이 기준점 (전면도로의 중심선)	H : 최고높이 h : 실제 허용높이 (H+h′) h′: 필로티 높이 (완화부분) 기준점 (높이차 $\frac{1}{2}$ 위치의 가상도로면) H h 건축물 h′: 필로티 높이	H : 최고높이 h : 실제 허용높이 (H+h′) h′ : 필로티 높이 (완화부분) H h 건축물 기준점 (전면도로의 중심선) h′ : 필로티 높이

8 일조 등의 확보를 위한 건축물의 높이제한(법 제61조)(영 제86조)

법 제61조【일조 등의 확보를 위한 건축물의 높이 제한】

① 전용주거지역과 일반주거지역 안에서 건축하는 건축물의 높이는 일조 등의 확보를 위하여 정북방향(正北方向)의 인접 대지경계선으로부터의 거리에 따라 대통령령으로 정하는 높이 이하로 하여야 한다. <개정 2022.2.3>

② 다음 각 호의 어느 하나에 해당하는 공동주택(일반상업지역과 중심상업지역에 건축하는 것은 제외한다)은 채광(採光) 등의 확보를 위하여 대통령령으로 정하는 높이 이하로 하여야 한다. <개정 2013.5.10>

1. 인접 대지경계선 등의 방향으로 채광을 위한 창문 등을 두는 경우
2. 하나의 대지에 두 동(棟) 이상을 건축하는 경우

③ 다음 각 호의 어느 하나에 해당하면 제1항에도 불구하고 건축물의 높이를 정남(正南)방향의 인접 대지경계선으로부터의 거리에 따라 대통령령으로 정하는 높이 이하로 할 수 있다. <개정 2016.1.19, 2017.2.8.>

1.「택지개발촉진법」 제3조에 따른 택지개발지구인 경우
2.「주택법」 제15조에 따른 대지조성사업지구인 경우
3.「지역 개발 및 지원에 관한 법률」 제11조에 따른 지역개발사업구역인 경우
4.「산업입지 및 개발에 관한 법률」 제6조, 제7조, 제7조의2 및 제8조에 따른 국가산업단지, 일반산업단지, 도시첨단산업단지 및 농공단지인 경우
5.「도시개발법」 제2조제1항제1호에 따른 도시개발구역인 경우
6.「도시 및 주거환경정비법」 제8조에 따른 정비구역인 경우
7. 정북방향으로 도로, 공원, 하천 등 건축이 금지된 공지에 접하는 대지인 경우
8. 정북방향으로 접하고 있는 대지의 소유자와 합의한 경우나 그 밖에 대통령령으로 정하는 경우

④ 2층 이하로서 높이가 8미터 이하인 건축물에는 해당 지방자치단체의 조례로 정하는 바에 따라 제1항부터 제3항까지의 규정을 적용하지 아니할 수 있다.

영 제86조【일조 등의 확보를 위한 건축물의 높이 제한】

① 전용주거지역이나 일반주거지역에서 건축물을 건축하는 경우에는 법 제61조제1항에 따라 건축물의 각 부분을 정북 방향으로의 인접 대지경계선으로부터 다음 각 호의 범위에서 건축조례로 정하는 거리 이상을 띄어 건축하여야 한다. <개정 2015.7.6., 2023.9.12>

1. 높이 10미터 이하인 부분: 인접 대지경계선으로부터 1.5미터 이상
2. 높이 10미터를 초과하는 부분: 인접 대지경계선으로부터 해당 건축물 각 부분 높이의 2분의 1 이상

② 다음 각 호의 어느 하나에 해당하는 경우에는 제1항을 적용하지 아니한다. <개정 2017.12.29.>

1. 다음 각 목의 어느 하나에 해당하는 구역 안의 대지 상호간에 건축하는 건축물로서 해당 대지가 너비 20미터 이상의 도로(자동차 · 보행자 · 자전거 전용도로를 포함하며, 도로에 공공공지, 녹지, 광장, 그 밖에 건축미관에 지장이 없는 도시 · 군계획시설이 접한 경우 해당 시설을 포함한다)에 접한 경우
   가.「국토의 계획 및 이용에 관한 법률」 제51조에 따른 지구단위계획구역, 같은 법 제37조제1항제1호에 따른 경관지구
   나.「경관법」 제9조제1항제4호에 따른 중점경관관리구역

다. 법 제77조의2제1항에 따른 특별가로구역

라. 도시미관 향상을 위하여 허가권자가 지정·공고하는 구역

2. 건축협정구역 안에서 대지 상호간에 건축하는 건축물(법 제77조의4제1항에 따른 건축협정에 일정 거리 이상을 띄어 건축하는 내용이 포함된 경우만 해당한다)의 경우

3. 건축물의 정북 방향의 인접 대지가 전용주거지역이나 일반주거지역이 아닌 용도지역에 해당하는 경우

③ 법 제61조제2항에 따라 공동주택은 다음 각 호의 기준을 충족해야 한다. 다만, 채광을 위한 창문 등이 있는 벽면에서 직각 방향으로 인접 대지경계선까지의 수평거리가 1미터 이상으로서 건축조례로 정하는 거리 이상인 다세대주택은 제1호를 적용하지 않는다. <개정 2021.11.2>

1. 건축물(기숙사는 제외한다)의 각 부분의 높이는 그 부분으로부터 채광을 위한 창문 등이 있는 벽면에서 직각 방향으로 인접 대지경계선까지의 수평거리의 2배(근린상업지역 또는 준주거지역의 건축물은 4배) 이하로 할 것

2. 같은 대지에서 두 동(棟) 이상의 건축물이 서로 마주보고 있는 경우(한 동의 건축물 각 부분이 서로 마주보고 있는 경우를 포함한다)에 건축물 각 부분 사이의 거리는 다음 각 목의 거리 이상을 띄어 건축할 것. 다만, 그 대지의 모든 세대가 동지(冬至)를 기준으로 9시에서 15시 사이에 2시간 이상을 계속하여 일조(日照)를 확보할 수 있는 거리 이상으로 할 수 있다.

가. 채광을 위한 창문 등이 있는 벽면으로부터 직각방향으로 건축물 각 부분 높이의 0.5배(도시형 생활주택의 경우에는 0.25배) 이상의 범위에서 건축조례로 정하는 거리 이상

나. 가목에도 불구하고 서로 마주보는 건축물 중 높은 건축물(높은 건축물을 중심으로 마주보는 두 동의 축이 시계방향으로 정동에서 정서 방향인 경우만 해당한다)의 건축물 높이가 낮고, 주된 개구부(거실과 주된 침실이 있는 부분의 개구부를 말한다)의 방향이 낮은 건축물을 향하는 경우에는 10미터 이상으로서 낮은 건축물 각 부분의 높이의 0.5배(도시형 생활주택의 경우에는 0.25배) 이상의 범위에서 건축조례로 정하는 거리 이상

다. 가목에도 불구하고 건축물과 부대시설 또는 복리시설이 서로 마주보고 있는 경우에는 부대시설 또는 복리시설 각 부분 높이의 1배 이상

라. 채광창(창넓이가 0.5제곱미터 이상인 창을 말한다)이 없는 벽면과 측벽이 마주보는 경우에는 8미터 이상

마. 측벽과 측벽이 마주보는 경우[마주보는 측벽 중 하나의 측벽에 채광을 위한 창문 등이 설치되어 있지 아니한 바닥면적 3제곱미터 이하의 발코니(출입을 위한 개구부를 포함한다)를 설치하는 경우를 포함한다]에는 4미터 이상

3. 제3조제1항제4호에 따른 주택단지에 두 동 이상의 건축물이 법 제2조제1항제11호에 따른 도로를 사이에 두고 서로 마주보고 있는 경우에는 제2호가목부터 다목까지의 규정을 적용하지 아니하되, 해당 도로의 중심선을 인접 대지경계선으로 보아 제1호를 적용한다.

④ 법 제61조제3항 각 호 외의 부분에서 "대통령령으로 정하는 높이"란 제1항에 따른 높이의 범위에서 특별자치시장 · 특별자치도지사 또는 시장 · 군수 · 구청장이 정하여 고시하는 높이를 말한다. <개정 2015.7.6.>

⑤ 특별자치시장 · 특별자치도지사 또는 시장 · 군수 · 구청장은 제4항에 따라 건축물의 높이를 고시하려면 국토교통부령으로 정하는 바에 따라 미리 해당 지역주민의 의견을 들어야 한다.

다만, 법 제61조제3항제1호부터 제6호까지의 어느 하나에 해당하는 지역인 경우로서 건축위원회의 심의를 거친 경우에는 그러하지 아니하다. <개정 2016.5.17.>

⑥ 제1항부터 제5항까지를 적용할 때 건축물을 건축하려는 대지와 다른 대지 사이에 다음 각 호의 시설 또는 부지가 있는 경우에는 그 반대편의 대지경계선(공동주택은 인접 대지경계선과 그 반대편 대지경계선의 중심선)을 인접 대지경계선으로 한다. <개정 2021.11.2>

1. 공원(「도시공원 및 녹지 등에 관한 법률」 제2조제3호에 따른 도시공원 중 지방건축위원회의 심의를 거쳐 허가권자가 공원의 일조 등을 확보할 필요가 있다고 인정하는 공원은 제외한다), 도로, 철도, 하천, 광장, 공공공지, 녹지, 유수지, 자동차 전용도로, 유원지
2. 다음 각 목에 해당하는 대지(건축물이 없는 경우로 한정한다)
   가. 너비(대지경계선에서 가장 가까운 거리를 말한다)가 2미터 이하인 대지
   나. 면적이 제80조 각 호에 따른 분할제한 기준 이하인 대지
3. 제1호 및 제2호 외에 건축이 허용되지 아니하는 공지

⑦ 제1항부터 제5항까지의 규정을 적용할 때 건축물(공동주택으로 한정한다)을 건축하려는 하나의 대지 사이에 제6항 각 호의 시설 또는 부지가 있는 경우에는 지방건축위원회의 심의를 거쳐 제6항 각 호의 시설 또는 부지를 기준으로 마주하고 있는 해당 대지의 경계선의 중심선을 인접 대지경계선으로 할 수 있다. <신설 2018.9.4.>

규칙 제36조【일조등의 확보를 위한 건축물의 높이제한】

특별자치시장 · 특별자치도지사 또는 시장 · 군수 · 구청장은 영 제86조제5항에 따라 건축물의 높이를 고시하기 위하여 주민의 의견을 듣고자 할 때에는 그 내용을 30일간 주민에게 공람시켜야 한다. <개정 2016.5.30.>

해설 주생활에 있어 일조의 확보는 매우 중요하다. 따라서 법규정에서도 주거용 건축물이 주된 용도지역인 일반주거지역, 전용주거지역과 공동주택은 지역에 관계없이 , 일조권에 대한 제한규정을 두고 있다.

이러한 일조권에 대한 규제는 인접대지의 일조확보의 관점에서 북쪽의 이격거리 규정을 두어 시행되고 있다. 이는 우리나라의 자연환경과 전통적인 남향배치 선호의 관점에서 보면 남측공간의 축소라는 문제점이 발생한다.

이에 현행규정에서는

① 신개발지의 경우·정북방향에 접한 대지 소유자와 합의한 경우 등
－정남방향의 이격거리 규정의 적용

② 일반상업지역 중심상업지역에 건축하는 공동주택의 경우
－일조권규정 적용 배제

등을 시행함으로써 일조기준의 시행을 보다 합리적으로 적용하고자 하였다.

1 일조 등의 확보를 위한 건축물의 높이제한

【1】 전용주거지역·일반주거지역내의 건축물(인지사선제한 및 인지간격제한)

대상지역	전용주거지역, 일반주거지역	
대상건축물	모든 건축물(용도 제한없음)	
규정내용 (정북방향일정거리의 확보)	① 높이 10m 이하인 부분	인접 대지경계선으로부터 1.5m 이상 이격
	② 높이 10m 초과하는 부분	인접 대지경계선으로부터 해당건축물의 각 부분의 높이의 1/2 이상 이격
그림해설		

■ 정남방향 일정거리 확보규정 적용시 위 규정에 의한 높이의 범위에서 특별자치시장·특별자치도지사 또는 시장·군수·구청장이 정하여 고시하는 높이 이하로 하여야 함.
■ 위 지역의 공동주택도 정북 또는 정남방향의 규정을 우선적용(개구부 방향에 관계없이 적용)

【2】 위 규정의 적용 제외

(1) 다음 구역 안의 대지 상호간에 건축하는 건축물로서 해당 대지가 너비 20m 이상의 도로*에 접한 대지 상호간에 건축하는 건축물 **관계법1**

1. 지구단위계획구역	「국토의 계획 및 이용에 관한 법률」 제51조
2. 경관지구	「국토의 계획 및 이용에 관한 법률」 제37조제1항제1호
3. 중점경관관리구역	「경관법」 제9조제1항제4호
4. 특별가로구역	「건축법」 제77조의2제1항
5. 도시미관 향상을 위하여 허가권자가 지정·공고하는 구역	

* 자동차·보행자·자전거 전용도로를 포함하며, 도로에 공공공지, 녹지, 광장, 그 밖에 건축미관에 지장이 없는 도시·군계획시설이 접한 경우 해당 시설을 포함

(2) 건축협정구역 안에서 대지 상호간에 건축하는 건축물(법 제77조의4제1항에 따른 건축협정에 일정 거리 이상을 띄어 건축하는 내용이 포함된 경우만 해당)

(3) 건축물의 정북방향의 인접 대지가 전용주거지역이나 일반주거지역이 아닌 용도지역에 해당하는 경우

건축법
1. 총 칙
2. 건 축
3. 유지관리
4. 대지도로
5. 구조재료
6. 지역지구
7. 건축설비
8. 특별건축구역
9. 보 칙
10. 벌 칙
건축법 관련기준

관계법1 앞 【2】 의 관련법 규정

1. 지구단위계획구역(「국토의 계획 및 이용에 관한 법률」 제51조)

법 제51조 【지구단위계획구역의 지정 등】 ① 국토교통부장관, 시 · 도지사, 시장 또는 군수는 다음 각 호의 어느 하나에 해당하는 지역의 전부 또는 일부에 대하여 지구단위계획구역을 지정할 수 있다. <개정 2017.2.8.>

1. 제37조에 따라 지정된 용도지구
2. 「도시개발법」 제3조에 따라 지정된 도시개발구역
3. 「도시 및 주거환경정비법」 제8조에 따라 지정된 정비구역
4. 「택지개발촉진법」 제3조에 따라 지정된 택지개발지구
5. 「주택법」 제15조에 따른 대지조성사업지구
6. 「산업입지 및 개발에 관한 법률」 제2조제8호의 산업단지와 같은 조 제12호의 준산업단지
7. 「관광진흥법」 제52조에 따라 지정된 관광단지와 같은 법 제70조에 따라 지정된 관광특구
8. 개발제한구역 · 도시자연공원구역 · 시가화조정구역 또는 공원에서 해제되는 구역, 녹지지역에서 주거 · 상업 · 공업지역으로 변경되는 구역과 새로 도시지역으로 편입되는 구역 중 계획적인 개발 또는 관리가 필요한 지역

8의2. 도시지역 내 주거 · 상업 · 업무 등의 기능을 결합하는 등 복합적인 토지 이용을 증진시킬 필요가 있는 지역으로서 대통령령으로 정하는 요건에 해당하는 지역

8의3. 도시지역 내 유휴토지를 효율적으로 개발하거나 교정시설, 군사시설, 그 밖에 대통령령으로 정하는 시설을 이전 또는 재배치하여 토지 이용을 합리화하고, 그 기능을 증진시키기 위하여 집중적으로 정비가 필요한 지역으로서 대통령령으로 정하는 요건에 해당하는 지역

9. 도시지역의 체계적 · 계획적인 관리 또는 개발이 필요한 지역
10. 그 밖에 양호한 환경의 확보나 기능 및 미관의 증진 등을 위하여 필요한 지역으로서 대통령령으로 정하는 지역

② 국토교통부장관, 시 · 도지사, 시장 또는 군수는 다음 각 호의 어느 하나에 해당하는 지역은 지구단위계획구역으로 지정하여야 한다. 다만, 관계 법률에 따라 그 지역에 토지 이용과 건축에 관한 계획이 수립되어 있는 경우에는 그러하지 아니하다. <개정 2013.7.16.>

1. 제1항제3호 및 제4호의 지역에서 시행되는 사업이 끝난 후 10년이 지난 지역
2. 제1항 각 호 중 체계적 · 계획적인 개발 또는 관리가 필요한 지역으로서 대통령령으로 정하는 지역

③ 도시지역 외의 지역을 지구단위계획구역으로 지정하려는 경우 다음 각 호의 어느 하나에 해당하여야 한다.

1. 지정하려는 구역 면적의 100분의 50 이상이 제36조에 따라 지정된 계획관리지역으로서 대통령령으로 정하는 요건에 해당하는 지역
2. 제37조에 따라 지정된 개발진흥지구로서 대통령령으로 정하는 요건에 해당하는 지역
3. 제37조에 따라 지정된 용도지구를 폐지하고 그 용도지구에서의 행위 제한 등을 지구단위계획으로 대체하려는 지역

2. 경관지구 (「국토의 계획 및 이용에 관한 법률」 제37조제1항 제1호)

법 제37조 【지구단위계획구역의 지정 등】 ① 국토교통부장관, 시 · 도지사 또는 대도시 시장은 다음 각 호의 어느 하나에 해당하는 용도지구의 지정 또는 변경을 도시 · 군관리계획으로 결정한다. <개정 2017.4.18.>

1. 경관지구: 경관의 보전 · 관리 및 형성을 위하여 필요한 지구

3. 중점경관관리구역(「경관법」 제9조제1항제4호)

법 제9조 【경관계획의 내용】 ① 경관계획에는 다음 각 호의 사항이 포함되어야 한다. 다만, 도지사가 수립하는 경관계획에는 제4호부터 제11호까지의 사항을 생략할 수 있고, 특별시장 · 광역시장 · 특별자치시장 · 특별자치도지사, 시장 · 군수, 행정시장, 구청장등 또는 경제자유구역청장이 수립하는 경관계획에는 제5호부터 제9호까지 및 제11호의 사항을 생략할 수 있다. <개정 2017.4.18.>

4. 중점적으로 경관을 보전 · 관리 및 형성하여야 할 구역(이하 "중점경관관리구역"이라 한다)의 관리에 관한 사항

4. 특별가로구역(「건축법」 제77조의2 제1항) ➡ **제8장 해설 참조**

법 제77조의2【특별가로구역의 지정】① 국토교통부장관 및 허가권자는 도로에 인접한 건축물의 건축을 통한 조화로운 도시경관의 창출을 위하여 이 법 및 관계 법령에 따라 일부 규정을 적용하지 아니하거나 완화하여 적용할 수 있도록 다음 각 호의 어느 하나에 해당하는 지구 또는 구역에서 대통령령으로 정하는 도로에 접한 대지의 일정 구역을 특별가로구역으로 지정할 수 있다. <개정 2017.1.17., 2017.4.18.>

1. 삭제 <2017.4.18.>
2. 경관지구
3. 지구단위계획구역 중 미관유지를 위하여 필요하다고 인정하는 구역

【3】 정남방향으로의 일조거리 확보 대상 관계법2

(1) 다음 대상 지구 등에 해당하면 건축물의 높이를 정남방향의 인접대지경계선으로부터의 거리에 따라 【1】에서 규정한 높이의 범위에서 특별자치시장·특별자치도지사 또는 시장·군수·구청장(이하 "허가권자")이 정하여 고시하는 높이 이하로 할 수 있다.

대상	근거 법령
1. 택지개발지구	「택지개발촉진법」 제3조
2. 대지조성사업지구	「주택법」 제15조
3. 지역개발사업구역	「지역 개발 및 지원에 관한 법률」 제11조
4. 국가산업단지 · 일반산업단지 · 도시첨단산업단지 · 농공단지	「산업입지 및 개발에 관한 법률」 제6조, 제7조, 제8조
5. 도시개발구역	「도시개발법」 제2조제1항제1호
6. 정비구역	「도시 및 주거환경정비법」 제8조
7. 정북방향으로 도로, 공원, 하천 등 건축이 금지된 공지에 접하는 대지인 경우	
8. 정북방향으로 접하고 있는 대지의 소유자와 합의한 경우	
9. 그 밖에 대통령령으로 정하는 경우	

(2) 허가권자는 위 (1)의 높이를 고시하려면 미리 지역주민의 의견을 들어야 한다.

예외 표 1.~6.의 경우 건축위원회의 심의를 거친 경우는 제외

관계법2 위 【3】의 관련법 규정

1. 택지개발예정지구(「택지개발촉진법」 제3조)

법 제3조【택지개발지구의 지정 등】① 특별시장 · 광역시장 · 도지사 또는 특별자치도지사(이하 "시 · 도지사"라 한다)는 「주거기본법」 제5조에 따른 주거종합계획 중 주택 · 택지의 수요 · 공급 및 관리에 관한 사항(이하 "택지수급계획"이라 한다)에서 정하는 바에 따라 택지를 집단적으로 개발하기 위하여 필요한 지역을 택지개발지구로 지정(지정한 택지개발지구를 변경하는 경우를 포함한다. 이하 같다)할 수 있다. 이 경우 택지개발사업이 필요하다고 인정되는 지역이 둘 이상의 특별시 · 광역시 · 도 또는 특별자치도(이하 "시 · 도"라 한다)에 걸치는 경우에는 관계 시 · 도지사가 협의하여 지정권자를 정한다.

② 제1항의 경우 시 · 도지사(특별자치도지사는 제외한다)는 택지수급계획에서 정한 해당 시 · 도의 계획량을 초과하여 지정하려면 국토교통부장관과 미리 협의하여야 하고, 지정하려는 택지개발지구의 면적이 대통령령으로 정하는 규모 이상인 경우에는 국토교통부장관의 승인을 받아야 한다. 이 경우 국토교통부장관이 택지개발지구의 지정을 승인하려는 때에는 미리 「주거기본법」 제8조에 따른 주거정책심의위원

회의 심의를 거쳐야 한다. <개정 2015.6.22.>

③ 국토교통부장관은 다음 각 호의 어느 하나에 해당하는 경우에는 제1항에도 불구하고 택지를 집단적으로 개발하기 위하여 필요한 지역을 택지개발지구로 지정할 수 있다. 다만, 특별자치도에 대하여는 그러하지 아니하다.

1. 국가가 택지개발사업을 실시할 필요가 있는 경우
2. 관계 중앙행정기관의 장이 요청하는 경우
3. 제7조제1항제2호의 한국토지주택공사가 택지수급계획상 택지공급을 위하여 대통령령으로 정하는 규모 이상으로 택지개발지구의 지정을 제안하는 경우
4. 제1항 후단에 따른 협의가 성립되지 아니하는 경우

2. 대지조성사업지구(「주택법」 제15조)

법 제15조 【사업계획의 승인】 ① 대통령령으로 정하는 호수 이상의 주택건설사업을 시행하려는 자 또는 대통령령으로 정하는 면적 이상의 대지조성사업을 시행하려는 자는 다음 각 호의 사업계획승인권자(이하 "사업계획승인권자"라 한다. 국가 및 한국토지주택공사가 시행하는 경우와 대통령령으로 정하는 경우에는 국토교통부장관을 말하며, 이하 이 조, 제16조부터 제19조까지 및 제21조에서 같다)에게 사업계획승인을 받아야 한다. 다만, 주택 외의 시설과 주택을 동일 건축물로 건축하는 경우 등 대통령령으로 정하는 경우에는 그러하지 아니하다. <개정 2021.1.12>

1. 주택건설사업 또는 대지조성사업으로서 해당 대지면적이 10만제곱미터 이상인 경우: 특별시장 · 광역시장 · 특별자치시장 · 도지사 또는 특별자치도지사(이하 "시 · 도지사"라 한다) 또는 「지방자치법」 제198조에 따라 서울특별시 · 광역시 및 특별자치시를 제외한 인구 50만 이상의 대도시(이하 "대도시"라 한다)의 시장
2. 주택건설사업 또는 대지조성사업으로서 해당 대지면적이 10만제곱미터 미만인 경우: 특별시장 · 광역시장 · 특별자치시장 · 특별자치도지사 또는 시장 · 군수

3. 광역개발권역 및 개발촉진지구(「지역 개발 및 지원에 관한 법률」 제11조)

법 제11조 【지역개발사업구역의 지정】 ① 시 · 도지사는 다음 각 호의 어느 하나에 해당하는 지역에 대하여 지역개발사업을 추진하려는 경우에는 직접 또는 제12조에 따른 제안을 받아 지역개발사업구역을 지정할 수 있다. 이 경우 지정하려는 지역개발사업구역이 둘 이상의 시 · 도에 걸쳐 있는 경우에는 관계 시 · 도지사가 공동으로 지정하여야 한다.

1. 지역개발계획에 따라 지역개발사업의 추진이 필요하다고 인정되는 지역
2. 지역개발계획에 개발하려는 지역으로 반영되지 아니하였으나 도로 · 상하수도 등의 기반시설이 갖추어져 있거나 기반시설 계획이 수립되어 있는 등 난개발(亂開發)의 우려가 없는 소규모 지역으로서 대통령령으로 정하는 기준에 해당하는 지역

② 국토교통부장관은 국가 경제에 중대한 영향을 미치는 국책사업 등과 연계하여 지역개발사업을 추진할 필요가 있거나 관계 중앙행정기관의 장의 요청에 따라 지역개발사업을 추진할 필요가 있다고 인정하는 경우에는 직접 지역개발사업구역을 지정할 수 있다.

4. 국가산업단지 · 일반산업단지 · 도시첨단산업단지 및 농공단지(「산업입지 및 개발에 관한 법률」)

법 제6조 【국가산업단지의 지정】 ① 국가산업단지는 국토교통부장관이 지정한다.

② 중앙행정기관의 장은 국가산업단지의 지정이 필요하다고 인정하면 대상지역을 정하여 국토교통부장관에게 국가산업단지로의 지정을 요청할 수 있다.

③ 국토교통부장관은 제1항 또는 제2항에 따라 국가산업단지를 지정하면 산업단지개발계획을 수립하여 관할 시 · 도지사의 의견을 듣고, 관계 중앙행정기관의 장과 협의하여야 한다. 산업단지개발계획을 변경하려는 경우에도 또한 같다.

④ 국토교통부장관은 제3항에 따라 협의 후 심의회의 심의를 거쳐 국가산업단지를 지정하여야 한다. 대통령령으로 정하는 중요 사항을 변경하려는 경우에도 또한 같다.

법 제7조 【일반산업단지의 지정】 ① 일반산업단지는 시·도지사 또는 대도시시장이 지정한다. 다만, 대통령령으로 정하는 면적 미만의 산업단지의 경우에는 시장·군수 또는 구청장이 지정할 수 있다. <개정 2016.12.20.>

② 제1항에 따른 일반산업단지의 지정권자(이하 "일반산업단지지정권자"라 한다)는 일반산업단지를 지정하려면 산업단지개발계획을 수립하여 관할 시장·군수 또는 구청장의 의견을 듣고 국토교통부장관을 비롯한 관계 행정기관의 장(대상지역에 「공유수면 관리 및 매립에 관한 법률」 제2조제1호가목의 바다·바닷가가 포함된 경우에는 해양수산부장관을 포함한다)과 협의하여야 한다. 산업단지개발계획을 변경하려는 경우에도 또한 같다 <개정 2016.12.20.>

법 제7조의2 【도시첨단산업단지의 지정】 ① 도시첨단산업단지는 국토교통부장관, 시·도지사 또는 대도시시장이 지정하며, 시·도지사(특별자치도지사는 제외한다)가 지정하는 경우에는 시장·군수 또는 구청장의 신청을 받아 지정한다. 다만, 대통령령으로 정하는 면적 미만인 경우에는 시장·군수 또는 구청장이 직접 지정할 수 있다. <개정 2016.12.20.>

② 인구의 과밀 방지 등을 위하여 서울특별시 등 대통령령으로 정하는 지역에는 도시첨단산업단지를 지정할 수 없다.

③ 시장·군수 또는 구청장은 제1항 본문에 따라 시·도지사에게 도시첨단산업단지의 지정을 신청하려는 경우에는 산업단지개발계획을 작성하여 제출하여야 한다.

④ 제1항에 따른 도시첨단산업단지의 지정권자(이하 "도시첨단산업단지지정권자"라 한다)는 도시첨단산업단지를 지정하려는 경우에는 산업단지개발계획에 대하여 관계 행정기관의 장(대상지역에 「공유수면 관리 및 매립에 관한 법률」 제2조제1호가목의 바다·바닷가가 포함된 경우에는 해양수산부장관을 포함한다)과 협의하여야 한다. 산업단지개발계획을 변경하려는 경우에도 또한 같다. <개정 2016.12.20.>

법 제8조 【농공단지의 지정】 ① 농공단지는 특별자치도지사 또는 시장·군수·구청장이 지정한다. <개정 2011.8.4>

② 제1항에 따른 농공단지의 지정권자(대도시시장은 제외한다)는 농공단지를 지정하려면 대통령령으로 정하는 서류와 도면을 첨부한 산업단지개발계획을 작성하여 시·도지사의 승인을 받아야 한다. 승인받은 사항을 변경하려는 경우에도 또한 같다. 다만, 대통령령으로 정하는 경미한 사항의 변경은 그러하지 아니하다. <개정 2016.12.20.>

5. 도시개발구역(「도시개발법」 제2조제1항, 제3조)

법 제2조 【정의】 1. "도시개발구역"이란 도시개발사업을 시행하기 위하여 제3조와 제9조에 따라 지정·고시된 구역을 말한다.

2. "도시개발사업"이란 도시개발구역에서 주거, 상업, 산업, 유통, 정보통신, 생태, 문화, 보건 및 복지 등의 기능이 있는 단지 또는 시가지를 조성하기 위하여 시행하는 사업을 말한다.

법 제3조 【도시개발구역의 지정 등】 ① 다음 각 호의 어느 하나에 해당하는 자는 계획적인 도시개발이 필요하다고 인정되는 때에는 도시개발구역을 지정할 수 있다. <개정 2021.1.12>

1. 특별시장·광역시장·도지사·특별자치도지사(이하 "시·도지사"라 한다)
2. 「지방자치법」 제198조에 따른 서울특별시와 광역시를 제외한 인구 50만 이상의 대도시의 시장(이하 "대도시 시장"이라 한다)

② 도시개발사업이 필요하다고 인정되는 지역이 둘 이상의 특별시·광역시·도·특별자치도(이하 "시·도"라 한다) 또는 「지방자치법」 제198조에 따른 서울특별시와 광역시를 제외한 인구 50만 이상의 대도시(이하 이 조, 제8조 및 제10조의2에서 "대도시"라 한다)의 행정구역에 걸치는 경우에는 관계 시·도지사 또는 대도시 시장이 협의하여 도시개발구역을 지정할 자를 정한다. <개정 2021.1.12., 2021.4.1>

6. 정비구역(「도시 및 주거환경정비법」 제2조, 제4조)

법 제2조 【용어의 정의】 이 법에서 사용하는 용어의 뜻은 다음과 같다. <개정 2021.1.5., 2021.1.12., 2021.4.13.>

1. "정비구역"이란 정비사업을 계획적으로 시행하기 위하여 제16조에 따라 지정 · 고시된 구역을 말한다.
2. "정비사업"이란 이 법에서 정한 절차에 따라 도시기능을 회복하기 위하여 정비구역에서 정비기반시설을 정비하거나 주택 등 건축물을 개량 또는 건설하는 다음 각 목의 사업을 말한다.
 가. 주거환경개선사업: 도시저소득 주민이 집단거주하는 지역으로서 정비기반시설이 극히 열악하고 노후 · 불량건축물이 과도하게 밀집한 지역의 주거환경을 개선하거나 단독주택 및 다세대주택이 밀집한 지역에서 정비기반시설과 공동이용시설 확충을 통하여 주거환경을 보전 · 정비 · 개량하기 위한 사업
 나. 재개발사업: 정비기반시설이 열악하고 노후 · 불량건축물이 밀집한 지역에서 주거환경을 개선하거나 상업지역 · 공업지역 등에서 도시기능의 회복 및 상권활성화 등을 위하여 도시환경을 개선하기 위한 사업. 이 경우 다음 요건을 모두 갖추어 시행하는 재개발사업을 "공공재개발사업"이라 한다.
  1) 특별자치시장, 특별자치도지사, 시장, 군수, 자치구의 구청장(이하 "시장 · 군수등"이라 한다) 또는 제10호에 따른 토지주택공사등(조합과 공동으로 시행하는 경우를 포함한다)이 제24조에 따른 주거환경개선사업의 시행자, 제25조제1항 또는 제26조제1항에 따른 재개발사업의 시행자나 제28조에 따른 재개발사업의 대행자(이하 "공공재개발사업 시행자"라 한다)일 것
  2) 건설 · 공급되는 주택의 전체 세대수 또는 전체 연면적 중 토지등소유자 대상 분양분(제80조에 따른 지분형주택은 제외한다)을 제외한 나머지 주택의 세대수 또는 연면적의 100분의 50 이상을 제80조에 따른 지분형주택, 「공공주택 특별법」에 따른 공공임대주택(이하 "공공임대주택"이라 한다) 또는 「민간임대주택에 관한 특별법」 제2조제4호에 따른 공공지원민간임대주택(이하 "공공지원민간임대주택"이라 한다)으로 건설 · 공급할 것. 이 경우 주택 수 산정방법 및 주택 유형별 건설비율은 대통령령으로 정한다.
 다. 재건축사업: 정비기반시설은 양호하나 노후 · 불량건축물에 해당하는 공동주택이 밀집한 지역에서 주거환경을 개선하기 위한 사업. 이 경우 다음 요건을 모두 갖추어 시행하는 재건축사업을 "공공재건축사업" 이라 한다.
  1) 시장 · 군수등 또는 토지주택공사등(조합과 공동으로 시행하는 경우를 포함한다)이 제25조제2항 또는 제26조제1항에 따른 재건축사업의 시행자나 제28조제1항에 따른 재건축사업의 대행자(이하 "공공재건축사업 시행자" 라 한다)일 것
  2) 종전의 용적률, 토지면적, 기반시설 현황 등을 고려하여 대통령령으로 정하는 세대수 이상을 건설 · 공급할 것. 다만, 제8조제1항에 따른 정비구역의 지정권자가 「국토의 계획 및 이용에 관한 법률」 제18조에 따른 도시 · 군기본계획, 토지이용 현황 등 대통령령으로 정하는 불가피한 사유로 해당하는 세대수를 충족할 수 없다고 인정하는 경우에는 그러하지 아니하다.

법 제8조 【정비구역의 지정】 ① 특별시장 · 광역시장 · 특별자치시장 · 특별자치도지사 · 시장 또는 군수(광역시의 군수는 제외하며, 이하 "정비구역의 지정권자"라 한다)는 기본계획에 적합한 범위에서 노후 · 불량건축물이 밀집하는 등 대통령령으로 정하는 요건에 해당하는 구역에 대하여 제16조에 따라 정비계획을 결정하여 정비구역을 지정(변경지정을 포함한다)할 수 있다.
② 제1항에도 불구하고 제26조제1항제1호 및 제27조제1항제1호에 따라 정비사업을 시행하려는 경우에는 기본계획을 수립하거나 변경하지 아니하고 정비구역을 지정할 수 있다.
③ 정비구역의 지정권자는 정비구역의 진입로 설치를 위하여 필요한 경우에는 진입로 지역과 그 인접지역을 포함하여 정비구역을 지정할 수 있다.
④ 정비구역의 지정권자는 정비구역 지정을 위하여 직접 제9조에 따른 정비계획을 입안할 수 있다.
⑤ 자치구의 구청장 또는 광역시의 군수(이하 제9조, 제11조 및 제20조에서 "구청장등"이라 한다)는 제9조에 따른 정비계획을 입안하여 특별시장 · 광역시장에게 정비구역 지정을 신청하여야 한다. 이 경우 제15조제2항에 따른 지방의회의 의견을 첨부하여야 한다.

2 공동주택의 일조확보 규정(중심상업 및 일반상업지역의 공동주택 제외)

구 분	내 용		기 타
• 전용주거지역 • 일반주거지역의 경우	위 1의 규정에 적합하게 건축하여야 함.		–
1. 건축물의 각 부분의 높이(기숙사 제외) 예외 채광 창문 등이 있는 벽면에서 직각방향으로 인접 대지경계선까지의 수평거리가 1m 이상으로서 건축조례가 정하는 거리 이상인 다세대주택인 경우 적용 제외	그 부분으로부터 채광을 위한 창문 등이 있는 벽면으로부터 직각방향으로 인접대지경계선까지의 수평거리의 2배(근린상업지역·준주거지역안의 건축물은 4배) 이하	인접대지경계선 h D h ≦ 2D(4D)	
2. 같은 대지에서 2동 이상의 건축물이 마주보는 경우(1동의 건축물의 각 부분이 서로 마주보고 있는 경우를 포함) 예외 주택단지에 2동 이상의 건축물이 건축법상의 도로를 사이에 두고 서로 마주보고 있는 경우 우측 ①, ②, ③의 규정을 적용하지 않고, 해당 도로의 중심선을 인접 대지경계선으로 보아 위 1.의 규정을 적용	① 채광을 위한 창문 등이 있는 벽면으로부터 직각방향으로 건축물의 각 부분의 높이의 0.5배(도시형 생활주택:0.25배) 이상 범위에서 조례로 정하는 거리 이상	h D D ≧ 0.5h(0.25h)	예외 해당 대지안의 모든 세대가 동지일을 기준으로 9시에서 15시 사이에 2시간 이상을 계속해서 일조를 확보할 수 있는 거리이상인 경우 적용 제외
	② 서로 마주보는 건축물 중 높은 건축물*의 주된 개구부**의 방향이 낮은 건축물을 향하는 경우에는 10m 이상으로서 낮은 건축물 각 부분 높이의 0.5배(도시형 생활주택: 0.25배) 이상 범위에서 조례로 정하는 거리 이상 * 높은 건축물을 중심으로 마주보는 두 동의 축이 시계방향으로 정동에서 정서 방향인 경우만 해당 ** 거실과 주된 침실이 있는 부분의 개구부		
	③ 건축물과 부대시설 또는 복리시설이 서로 마주보고 있는 경우에는 부대시설 또는 복리시설 각 부분 높이의 1배 이상		
	④ 채광창(창넓이 0.5㎡ 이상인 창)이 없는 벽면과 측벽이 마주보는 경우…8m 이상	D ≧ 8m 채광창이 없는 벽면	
	⑤ 측벽과 측벽이 마주보는 경우 [측벽중 1개의 측벽에 한하여 채광을 위한 창문등이 설치되어 있지 아니한 바닥면적 3㎡ 이하의 발코니(출입을 위한 개구부 포함)를 설치하는 경우 포함]…4m 이상	① D≧4m ② D≧4m 발코니(3m² 이하)	

■ 특별자치시장·특별자치도지사·시장·군수·구청장은 정남방향의 인접대지경계선에서부터 거리에 따라 건축물의 높이를 고시하고자 할 때에는 미리 당해지역 주민의 의견을 들어야한다.

예외 지역주민 협의가 필요치 않은 신개발지역 등에 있어서는 건축위원회의 심의를 거쳐 지정 고시할 수 있다.

③ 대지와 대지 사이에 공원 등이 있는 경우 인접대지경계선의 위치

■ 일조권 규정 적용시 (위 ①, ②의 경우) 대지와 대지 사이에 다음 시설 또는 부지【1】이 있는 경우 인접대지경계선의 위치는 아래【2】와 같다.

【1】 대지사이의 시설 또는 부지

① 공원*, 도로, 철도, 하천, 광장, 공공공지, 녹지, 유수지, 자동차 전용도로, 유원지

* 「도시공원 및 녹지 등에 관한 법률」에 따른 도시공원 중 건축위원회의 심의를 거쳐 허가권자가 공원의 일조 등을 확보할 필요가 있다고 인정하는 공원은 제외

② 너비(대지경계선에서 가장 가까운 거리)가 2m 이하인 대지

③ 면적이 제80조(건축물이 있는 대지의 분할제한) 각 호에 따른 분할제한 기준 이하인 대지

④ ①~③ 외에 건축이 허용되지 아니하는 공지

※ ②, ③의 경우 건축물이 없는 경우로 한정

【2】 인접대지경계선의 위치

① 일반건축물: 그 반대편 대지경계선

② 공동주택: 인접대지경계선과 그 반대편의 대지경계선과의 중심선

【참고】 인접대지경계선 위치의 도해

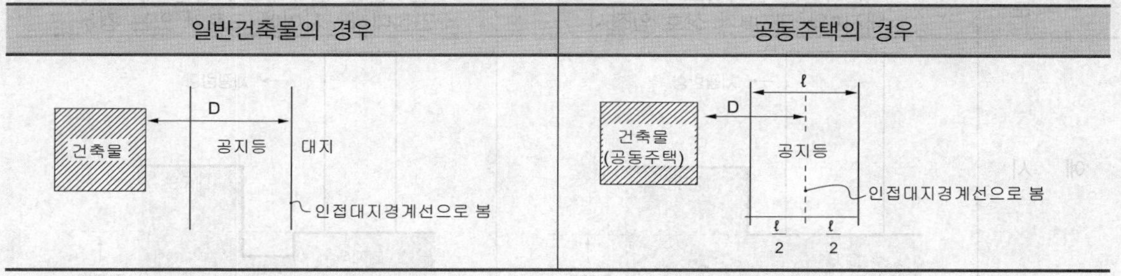

④ 하나의 대지 사이에 공원 등이 있는 경우 인접대지경계선의 위치<시행 2019.3.5>

■ 일조권 규정 적용시 (위 ①, ②의 경우) 공동주택을 건축하려는 하나의 대지 사이에 위 ③【1】에 해당하는 시설 또는 부지가 있는 경우 지방 건축위원회의 심의를 거쳐 인접대지경계선의 위치는 공원 등이 마주하고 있는 해당 대지의 경계선의 중심선으로 할 수 있다.

【참고】 인접대지경계선 위치의 도해

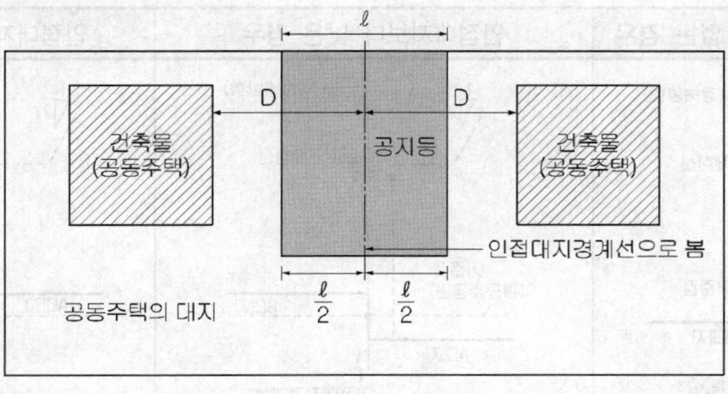

【참고1】 일조권 규정 적용시 지표면 산정방법(건설교통부 지침 건축58550-38, 2003.1.6)

■ 건축법시행령 제86조제1항(정북방향 일조권)

구 분	건축물을 건축하고자 하는 대지A와 대지B가 상호 인접시	건축물을 건축하고자 하는 대지A와 인접대지B 사이에 도로가 있는 경우
예 시	→ 정북방향 대지B 지표면 대지A	→ 정북방향 대지B 지표면 대지A 도로
지표면 (---표시)	대지A와 대지B의 평균수평면	대지A와 대지B의 평균수평면

■ 건축법시행령 제86조제2항제1호(채광방향 일조권)

구 분	건축물을 건축하고자 하는 대지A와 대지B가 상호 인접시	건축물을 건축하고자 하는 대지A와 인접대지B 사이에 도로가 있는 경우
예 시	→ 채광방향 대지B 대지A 지표면	→ 채광방향 대지B 대지A 도로 지표면
지표면 (---표시)	건축물을 건축하고자 하는 대지A의 지표면 ※ 대지A와 대지B의 평균수평면이었으나 법개정으로 대지A의 지표면으로 변경됨	건축물을 건축하고자 하는 대지A의 지표면

【참고2】 일조 등의 확보를 위한 높이 제한 규정의 도해(예)

1 높이 산정의 기준점의 설정(정북방향) 〈법 제61조제1항 관련〉

인접대지와 높이차가 없는 경우	인접대지보다 낮은 경우	인접대지보다 높은 경우
1/2 →N(정북방향) 일조권제한선 기준점 A대지 B대지 인접대지경계선	1/2 →N(정북방향) 일조권제한선 기준점 (평균수평면) B대지 A대지 인접대지경계선	1/2 →N(정북방향) 일조권제한선 기준점 (평균수평면) A대지 B대지 인접대지경계선

2 정북방향 일조권 사선제한의 적용 예〈법 제61조제1항 관련〉(▒ : 건축가능 영역)

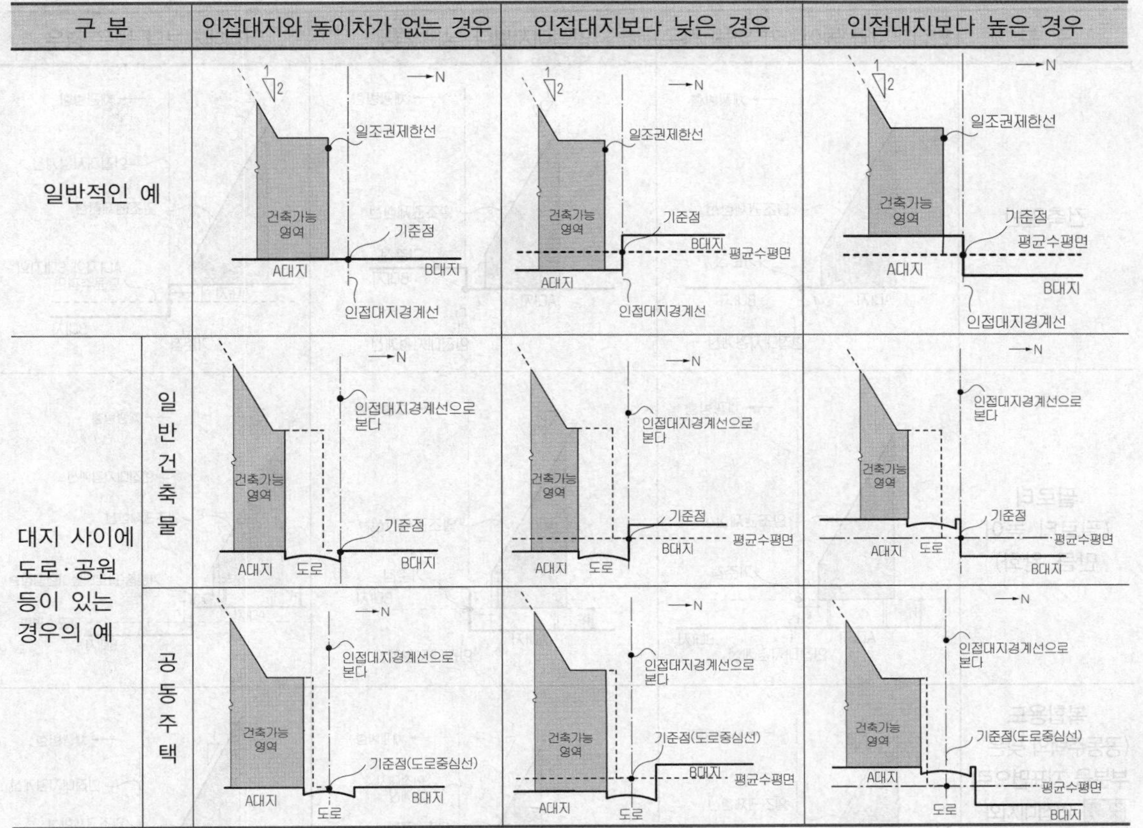

구 분		인접대지와 높이차가 없는 경우	인접대지보다 낮은 경우	인접대지보다 높은 경우
일반적인 예		1/2, N, 일조권제한선, 건축가능 영역, 기준점, A대지, B대지, 인접대지경계선	1/2, N, 일조권제한선, 건축가능 영역, 기준점, B대지, 평균수평면, A대지, 인접대지경계선	1/2, N, 일조권제한선, 건축가능 영역, 기준점, 평균수평면, A대지, B대지, 인접대지경계선
대지 사이에 도로·공원 등이 있는 경우의 예	일반건축물	N, 인접대지경계선으로 본다, 건축가능 영역, 기준점, A대지, 도로, B대지	N, 인접대지경계선으로 본다, 건축가능 영역, 기준점, B대지, 평균수평면, A대지, 도로	N, 인접대지경계선으로 본다, 건축가능 영역, 기준점, 평균수평면, A대지, 도로, B대지
	공동주택	N, 인접대지경계선으로 본다, 건축가능 영역, 기준점(도로중심선), A대지, 도로, B대지	N, 인접대지경계선으로 본다, 건축가능 영역, 기준점(도로중심선), B대지, 평균수평면, A대지, 도로	N, 인접대지경계선으로 본다, 건축가능 영역, 기준점(도로중심선), A대지, 평균수평면, 도로, B대지

주의 : 위 **2**규정 적용시 1. 필로티 구조의 경우 완화규정 없음
2. 복합용도 건축물의 경우 공동주택의 하단부가 아닌 해당 건축물의 지표면을 적용함
※ 아래의 예 참조

구 분	일반적인 예	대지사이에 도로가 있는 경우 (도로사선제한 별도고려)	높이차 있는 경우
1. 필로티 구조 (완화규정 없음)	1/2, N, 일조권제한선, 건축물, 기준점, A대지, B대지, 인접대지경계선	N, 인접대지경계선으로 본다, 일조권제한선, 건축물, 기준점, A대지, 도로, B대지	1/2, N, 일조권제한선, 건축물, 기준점, B대지, A대지, 인접대지경계선
2. 복합용도 건축물 (완화규정 없음)	1/2, N, 공동주택, 일조권제한선, 인접대지경계선, 기타용도, 기준점, A대지, B대지	1/2, N, 인접대지경계선으로 본다, 일조권제한선, 공동주택, 기타용도, 기준점(도로중심선), A대지, 도로, B대지	1/2, N, 일조권제한선, 공동주택, 인접대지경계선, 기타용도, 기준점, B대지, A대지

건축법
1. 총 칙
2. 건 축
3. 유지관리
4. 대지도로
5. 구조재료
6. 지역지구
7. 건축설비
8. 특별건축구역
9. 보 칙
10. 벌 칙
건 축 법 관련기준

3 공동주택의 채광방향 높이 제한 규정 적용 예〈법 제61조제2항 관련〉

구 분	인접대지와 높이차가 없는 경우	인접대지보다 낮은 경우	인접대지보다 높은 경우
건축일반	채광방향, 일조권제한선, 기준점, 2ℓ, ℓ, A대지, B대지, 인접대지경계선	채광방향, 일조권제한선, 기준점, 2ℓ, ℓ, A대지, B대지, 인접대지경계선	채광방향, 인접대지경계선, 일조권제한선, A대지와 B대지의 평균수평면, 2ℓ, ℓ, A대지, B대지, 기준점
필로티 (필로티 높이 만큼 완화)	채광방향, 일조권제한선, 기준점, 2ℓ, h', ℓ, A대지, B대지, 인접대지경계선	채광방향, 일조권제한선, 기준점, 2ℓ, h', ℓ, A대지, B대지, 인접대지경계선	채광방향, 인접대지경계선, 일조권제한선, 기준점(필로티높이만큼상승), 2ℓ, h', A대지, 평균수평면, B대지
복합용도 (공동주택의 낮은 부분을 지표면으로) 주의 인접대지와 고저차가 있는 경우 평균수평면을 지표면으로 보는 견해도 있음(국토부 질의회신)	채광방향, 일조권제한선, 인접대지경계선, 기준점, 가상지표면, 공동주택, 2ℓ, ℓ, 기타용도, A대지, B대지	채광방향, 인접대지경계선, 일조권제한선, 기준점(가상지표면), 공동주택, 2ℓ, B대지, 가상지표면, 기타용도, ℓ, A대지	채광방향, 인접대지경계선, 일조권제한선, 가상지표면, 공동주택, 2ℓ, 기준점, 기타용도, A대지, ℓ, B대지
도로, 공원 등이 대지 사이에 있는 경우 (도로사선 제한은 별도 고려)	일반건축물완화부분, 채광방향, 인접대지경계선으로 본다, 공동주택, 2ℓ, 기준점(도로중심선), A대지, ℓ, 도로, B대지	일반건축물완화부분, 채광방향, 인접대지경계선으로 본다, 공동주택, 2ℓ, 기준점(도로중심선), B대지, A대지, ℓ, 도로	일반건축물완화부분, 채광방향, 인접대지경계선으로 본다, 공동주택, 2ℓ, 기준점(도로중심선), A대지, A대지와 B대지의 평균수평면, ℓ, 도로, B대지

주의 1. 다세대주택으로 조례에서 정한 거리이상 확보한 경우 적용제외
2. 근린상업지역, 준주거지역의 건축물은 4배 이하
3. 공동주택중 기숙사는 제외

4 동일 대지내 2동 이상의 건축물이 마주 보는 경우〈법 제61제2항 관련〉

- 동간 이격거리는 각 동 지표면의 고저차와 관계없이 높은 건축물의 높이의 1/2 이상으로 한다.

구 분	고저차가 없는 경우	고저차 있는 경우 ①	고저차 있는 경우 ②
일반적인 건축물	0.5H이상 H : 높은 건축물의 높이	0.5H이상 H : 높은 건축물의 높이	0.5H이상 H : 높은 건축물의 높이
필로티 구조	0.5H이상 필로티 높이를 제외한 높이 필로티 높이 H : 필로티의 높이를 제외한 높은 건축물의 높이	0.5H이상 필로티 높이 H : 필로티의 높이를 제외한 높은 건축물의 높이	0.5H이상 필로티 높이 H : 필로티의 높이를 제외한 높은 건축물의 높이

주의 위 그림에서 높은 건축물(정동에서 정서 방향에 있는 경우)의 주된 개구부의 방향이 낮은 건축물을 향하는 경우 : 10m 이상으로서 낮은 건축물 각 부분의 높이의 0.5배(도시형 생활주택: 0.25배) 이상의 범위에서 건축조례로 정하는 거리 이상을 이격할 것

【참고3】 국토교통부 해설(2006년 제4654호, 2009.7.16, 2012.12.12., 2021.11.2 개정내용 반영)

■ 동간거리 : 남측에 낮은 건축물이 있는 경우

- 서로 마주보는 건축물 중 높은 건축물(높은 건축물을 중심으로 마주보는 두 동의 축이 시계방향으로 정동에서 정서 방향인 경우만 해당)의 주된 개구부(거실과 주된 침실이 있는 부분의 개구부)의 방향이 낮은 건축물을 향하는 경우: 10m 이상으로서 낮은 건축물 각 부분의 높이의 0.5배(도시형 생활주택: 0.25배) 이상의 범위에서 건축조례로 정하는 거리 이상 이격(2021.11.2. 개정) ▼ (아래 그림 참조 : 국토교통부 보도자료(2021.10.29.)

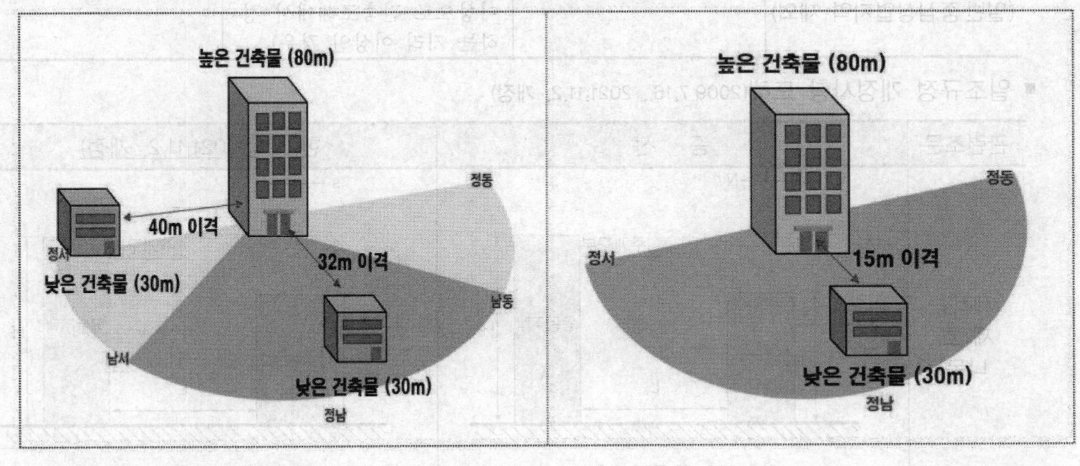

<종전> <현행>

■ 동간거리 : 주택단지내 도로가 있는 경우
- 여기서의 도로는 단지내 도로가 아니며 법 제2조제1항제11호에 따른 건축법상 도로를 의미
- 주택단지 내 건축법상 도로가 지나가는 경우는 종전에는 도로의 위치와 상관없이 동간거리(제2항제2호가목 내지 다목)를 적용하였으나, 개정규정은 도로중심선을 가상의 인접대지경계선으로 보고 채광창이 있는 벽면에서 인접대지경계선까지의 거리(제2항제1호)를 적용

■ 공원의 일조권 확보
- 대지사이에 공원이 있는 경우는 원칙적으로 반대편 대지경계선(공동주택은 중심선)을 인접대지경계선으로 보고 일조권 계산
- 도시공원 중 건축위원회의 심의를 거쳐 허가권자가 공원의 일조 등을 확보할 필요가 있다고 인정하는 공원은 완화규정에서 제외됨(2009.7.16개정)

■ 채광창이 없는 벽면
- 제2항제2호라목에서의 채광창이 없는 벽면이라 함은 측벽을 의미하는 것이 아니라 벽면 중 채광창이 없는 부분을 의미
- 또한 외벽이 단순한 장방형이 아니라 ㄱ, ㄷ, T, Y, +자형 등으로서 동일한 인접대지경계선을 기준으로 하여 일조권을 적용받는 외벽에 채광을 위한 창문 등이 없는 각 세대는 채광을 위한 창문등이 있는 벽면에서 제외

■ 이격거리의 구분(2012.12.12 개정)

구 분	정북방향 인접대지 경계선 이격거리	창문이 있는 벽면에서 인접대지 경계선 이격	동간거리
	·높이 9m 이하 : 1.5m 이상 ·높이 9m 초과 : 높이의 1/2 이상	벽면에서 직각방향으로 건물높이의 1/2이상	창문 등이 있는 벽면 직각방향으로 0.5배(0.25배) 또는 동지일 기준 2시간 연속 일조 확보
전용주거지역 일반주거지역	○	×	×
연립·아파트 (일반·중심상업지역 제외)	○	○ (근린상업 및 준주거지역은 1/4이상 이격)	○
다세대 주택 (일반·중심상업지역 제외)	○	× (벽면에서 이격거리가 1m 이상으로 건축조례에서 정하는 거리 이상인 경우)	○

■ 일조규정 개정사항 도해(2009.7.16., 2021.11.2. 개정)

관련조문	종 전	현 행(2021.11.2. 개정)
제2항 제2호 나목		
	$L \geq Max(0.5H_1,\ 0.4H_2)$	$L \geq Max(0.5H_1,\ 10m)$

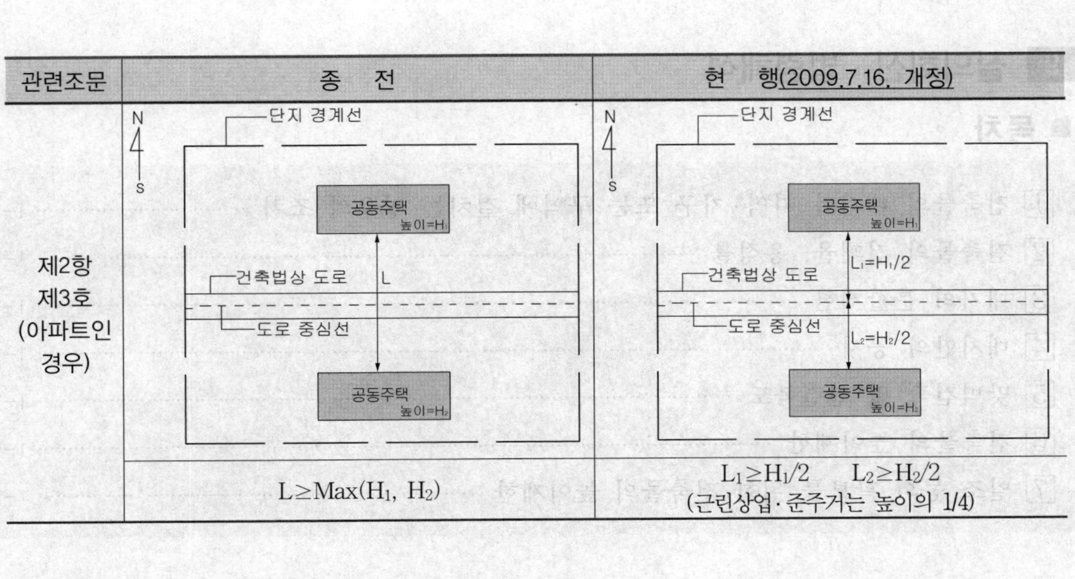

관련조문	종 전	현 행(2009.7.16. 개정)
제2항 제3호 (아파트인 경우)	N / S 단지 경계선 공동주택 높이=H_1 건축법상 도로 L 도로 중심선 공동주택 높이=H_2	N / S 단지 경계선 공동주택 높이=H_1 $L_1=H_1/2$ 건축법상 도로 도로 중심선 $L_2=H_2/2$ 공동주택 높이=H_2
	$L \geq Max(H_1, H_2)$	$L_1 \geq H_1/2$ $L_2 \geq H_2/2$ (근린상업·준주거는 높이의 1/4)

9 질의회신 · 법령해석

■ 목차

건 축 법
1. 총 칙
2. 건 축
3. 유지관리
4. 대지도로
5. 구조재료
6. 지역지구
7. 건축설비
8. 특별건축구역
9. 보 칙
10. 벌 칙
건 축 법 관련기준

1 건축물의 대지가 지역·지구 또는 구역에 걸치는 경우의 조치

법령해석 건축물의 대지가 둘 이상의 용도지역에 걸치는 경우에 대한 건폐율과 용적률 산정 방법

「건축법」 제54조제1항 등 관련 법제처 법령해석 19-0392, 2019.9.26./건축사협회 수정게시 2022.9.19.

질의요지 하나의 대지가 서로 다른 용도지역에 걸치는 경우로서 그 중 하나의 용도지역의 면적이 대지의 과반이고 가장 작은 용도지역의 규모가 330㎡를 초과하는 경우,(각주: 걸치는 용도지역이 녹지지역이 아니며, 「국토의 계획 및 이용에 관한 법률」 제84조제1항 단서 및 같은 법 시행령 제94조 단서에 해당하는 경우가 아닌 것을 전제로 함) 해당 대지에서의 건폐율과 용적률은 「건축법」 제54조제1항을 적용하여 대지의 과반이 속하는 용도지역의 건폐율과 용적률 기준에 따라야 하는지?

회답 「건축법」 제54조제1항을 적용하여 대지의 과반이 속하는 용도지역의 건폐율과 용적률 기준에 따라야 하는 것이 아니라 각각의 용도지역에 따른 건폐율과 용적률 기준에 따라야 함

이유 특정 지역이나 지구 등에서 건폐율이나 용적률의 기준을 정하는 것은 토지의 경제적·효율적 이용과 관련된 것이므로 국토계획법에서 특정 용도지역에 포함되는 대지의 건축물이나 그 밖의 시설의 용도·종류 및 규모 등의 제한에 관한 사항을 용도지역별로 명확하게 구분하여 규정하면서 건폐율 및 용적률의 최대한도의 범위를 같은 법 제77조 및 제78조에서 용도지역별로 세부적으로 구분하여 규정하고 있음

그리고 국토계획법 제84조제1항 각 호 외의 부분 본문에서는 하나의 대지가 둘 이상의 용도지역·용도지구 또는 용도구역에 걸치는 경우로서 각 용도지역등에 걸치는 부분 중 가장 작은 부분의 규모가 대통령령으로 정하는 규모(330㎡) 이하인 경우 전체 대지의 건폐율 및 용적률은 각 용도지역등별 건폐율 및 용적률을 가중평균한 값을 적용하도록 규정하고 있음

위와 같은 국토계획법의 규정 체계를 고려하면 용도지역에서의 건폐율 및 용적률은 각 용도지역에 따른 건폐율 및 용적률을 적용하는 것이 원칙이고, 하나의 대지가 둘 이상의 용도지역등에 걸치는 경우라 하더라도 국토계획법 제84조제1항 각 호 외의 부분 본문에 따른 경우를 제외하고는 각각의 용도지역에 관한 건폐율 및 용적률 규정이 그 대지의 해당 부분에 적용되는 것이 원칙이라 하겠음

법령해석 둘 이상의 용도지역에 걸치는 대지에 대한 건폐율 및 용적률의 적용기준

「국토의 계획 및 이용에 관한 법률」 제84조등 관련 법제처 법령해석 12-0595, 2012.12.4.

질의요지 하나의 대지의 용도지역이 도로변에 띠 모양으로 지정된 상업지역(대지면적 640제곱미터)과 주거지역(대지면적 400제곱미터)에 걸치는 경우 해당 대지 건축물의 건폐율 및 용적률은 「국토의 계획 및 이용에 관

한 법률」 제84조제1항에 따라 각 용도지역별 건폐율 및 용적률을 가중평균한 값을 적용하는지?

회답 하나의 대지의 용도지역이 도로변에 띠 모양으로 지정된 상업지역(대지면적 640제곱미터)과 주거지역(대지면적 400제곱미터)에 걸치는 경우 해당 대지 건축물의 건폐율 및 용적률은 「국토의 계획 및 이용에 관한 법률」 제84조제1항에 따라 각 용도지역별 건폐율 및 용적률을 가중평균한 값을 적용한다고 할 것입니다.

이유 「국토의 계획 및 이용에 관한 법률」(이하 "국토계획법"이라 함) 제84조제1항에서는 하나의 대지가 둘 이상의 용도지역에 걸치는 경우로서 각 용도지역에 걸치는 부분 중 가장 작은 부분의 규모가 "대통령령으로 정하는 규모" 이하인 경우에는 전체 대지의 건폐율 및 용적률은 각 부분이 전체 대지 면적에서 차지하는 비율을 고려하여 다음 각 호의 구분에 따라 각 용도지역별 건폐율 및 용적률을 가중평균한 값(이하 "가중평균기준"이라 함)을 적용한다고 규정하고 있고, 국토계획법 시행령 제94조에 따르면 국토계획법 제84조제1항 본문에서 "대통령령으로 정하는 규모"란 330제곱미터를 말하되, 다만, 도로변에 띠 모양으로 지정된 상업지역에 걸쳐 있는 토지의 경우에는 660제곱미터를 말합니다.

이 사안은 하나의 대지의 용도지역이 도로변에 띠 모양으로 지정된 상업지역(대지면적 640제곱미터)과 주거지역(대지면적 400제곱미터)에 걸치는 경우이므로 해당 대지 건축물의 건폐율 및 용적률의 적용기준은 국토계획법 제84조제1항 및 같은 법 시행령 제94조가 적용되는지에 따라 결정된다고 할 것입니다.

살피건대, 법문언상 국토계획법 제84조제1항에 따르면 가중평균기준이 적용되는 것은 각 용도지역에 걸치는 부분 중 가장 작은 부분의 규모가 대통령령이 정하는 규모 이하인 경우인데, 그 위임을 받은 같은 법 시행령 제94조 본문에서는 이러한 가장 작은 부분의 규모를 330제곱미터라고만 규정하고 있어, 이는 가장 작은 부분의 규모가 330제곱미터 이하이기만 하면 그 위치가 어느 용도지역에 있는지는 불문하고 가중평균기준을 적용한다는 의미라고 할 것이고, 같은 조 단서에서는 도로변의 띠 모양으로 지정된 상업지역에 걸쳐 있는 토지의 경우에는 660제곱미터라고 규정하고 있는바, 이 역시 같은 조 본문과 같은 맥락에서 대지가 둘 이상의 용도지역 중 도로변의 띠 모양으로 지정된 상업지역에 걸쳐있고 가장 작은 부분의 규모가 660제곱미터 이하이기만 하면 그 위치가 상업지역에 있던 그 외의 지역에 있던 불문하고 가중평균기준을 적용한다는 의미라고 할 것입니다.

즉, 이 사안의 대지는 도로변에 띠모양으로 지정된 상업지역에 걸쳐져 있고, 상업지역과 주거지역에 걸치는 부분 중 가장 작은 부분은 주거지역(400제곱미터)으로서 그 규모가 660제곱미터 이하이므로, 해당 대지 건축물의 건폐율 및 용적률은 국토계획법 제84조제1항 각 호의 산식에 따라 가중평균기준을 적용한다고 할 것입니다.

또한, "둘 이상의 용도지역 등에 걸치는 대지에 대한 적용기준"의 개정연혁을 살펴보더라도, 구 국토계획법(2012.2.1. 법률 제11292호로 개정되어 2012. 8. 2. 시행되기 전의 것을 말함) 제84조제1항에서는 하나의 대지가 둘 이상의 용도지역 등에 걸치는 경우로서 용도지역 등으로 구분되는 면적 중 가장 작은 부분이 일정 규모 이하인 경우에는 가장 큰 면적이 속하는 용도지역 등의 규정을 적용하도록 되어 있었는데, 이에 따라 낮은 용적률 등을 적용받는 용도지역 등에 속한 면적을 축소하기 위하여 건축부지를 과도하게 분할하는 사례가 발생하였고 특히 이러한 비정상적인 토지분할 및 합병사례는 띠 모양으로 지정된 상업지역에서 주로 발생함에 따라, 2012.2.1. 국토계획법 개정으로 현행과 같이 가장 작은 부분이 일정규모 이하인 경우에는 가중평균기준을 적용하도록 개정한 것이므로(국회 국토해양위원회 전문위원 검토보고서 2011.11. 참조), 이 사안의 경우 현행 국토계획법 제84조제1항에 따라 가중평균기준을 적용하는 것이 입법취지에도 부합한다고 할 것입니다.

따라서, 하나의 대지의 용도지역이 도로변에 띠 모양으로 지정된 상업지역(대지면적 640제곱미터)과 주거지역(대지면적 400제곱미터)에 걸치는 경우 해당 대지 건축물의 건폐율 및 용적률은 국토계획법 제84조제1항에 따라 가중평균기준을 적용한다고 할 것입니다.

법령해석 대지가 2이상의 용도지역에 걸치는 경우의 건축기준

「건축법」 제46조제1항 법제처 법령해석 06-0171, 2006.9.1.

질의요지 건축물의 대지가 2 이상의 용도지역에 걸치는 경우에 그 대지의 과반 이상이 속하는 용도지역 안의 건축기준을 건축허가 신청인의 의사와 관계없이 그 대지 전체에 적용하여야 하는지 여부

회답 건축물의 대지가 2 이상의 용도지역에 걸치는 경우로서 조례로 달리 정한 바가 없다면, 건축허가 신청인

의 의사와 관계없이 그 대지의 과반 이상이 속하는 용도지역 안의 건축기준을 그 대지 전체에 적용하여야 함
이유 "생략"

질의회신 2이상의 용도지역에 걸치는 대지의 용적률 및 건폐율과 건축제한

국토교통부 민원마당 FAQ 2019.5.24.

질의 2이상의 용도지역에 걸치는 대지의 용적률 및 건폐율 과 건축제한기준의 적용방법은?

회신 「국토의 계획 및 이용에 관한 법률」(이하 "국토계획법"이라 함) 제84조제1항에 따라 하나의 대지가 둘 이상의 용도지역·용도지구 또는 용도구역(이하 "용도지역 등"이라 함)에 걸치는 경우 각 용도지역 등에 걸치는 부분 중 가장 작은 부분의 규모가 대통령령으로 정하는 규모(국토계획법 시행령 제94조에 의거 330제곱미터, 도로변에 띠 모양으로 지정된 상업지역의 경우 660제곱미터) 이하이면 건폐율·용적률은 가중평균한 값을 적용하고 그 밖의 건축 제한 등에 관한 사항은 그 대지 중 가장 넓은 면적이 속하는 용도지역 등의 규정을 적용하나, 대통령령으로 정하는 규모를 초과할 경우에는 각각의 용도지역 등의 건축물 및 토지에 관한 규정을 적용하여야 할 것임.
또한, 국토계획법 제84조제3항에 따라 하나의 대지가 녹지지역과 그 밖의 용도지역 등에 걸쳐 있는 경우에는 같은 조 제1항에도 불구하고 각각의 용도지역 등의 건축물 및 토지에 관한 규정을 적용하여야 함.

질의회신 대지가 지역 지구에 걸칠 때 일조권 적용 기준

국토교통부 민원마당 FAQ 2022.6.28.

질의 신청대지가 과반이 속하는 일반상업지역과 일반주거지역에 걸쳐 있는 경우 주상복합건축물 1개동을 건축함에 있어 일조 등의 확보를 위한 건축기준의 적용은?

회신 「건축법」 제54조 제1항의 규정에 의하면 대지가 지역·지구등에 걸치는 경우에는 그 건축물 및 대지의 전부에 대하여 그 대지의 과반이 속하는 지역·지구안의 건축물 및 대지 등에 관한 규정을 적용하는 것이므로, 대지의 전부에 대하여 대지의 과반이 속하는 일반상업지역의 기준을 적용하게 되는 경우 일조등의 확보를 위한 건축물의 높이제한 규정을 적용하지 아니하는 것이나, 동법 동조 제4항의 규정에 의하여 당해 지방자치단체의 조례에서 적용방법을 따로 정하고 있는 경우에는 그에 따르는 것이니, 이에 대한 구체적인 사항은 허가권자에게 문의바람

질의회신 행정구역에 걸치는 대지의 건축물대장의 작성 및 관리 방법

국토교통부 민원마당 FAQ 2019.5.24.

질의 2개 이상의 행정구역에 걸치는 대지에 건축물대장의 작성 및 관리 방법은?

회신 지방자치법 제8장의 규정에 따라 지방자치단체 상호간에 협력에 의하여 처리하여야 할 것임. 다만, 동 법률에 의한 협의가 이루어지지 아니한 경우에는 당해 대지의 면적비율이 가장 큰 행정구역을 관할하는 자치단체가 건축물대장을 총괄 작성 관리하되 민원인의 편리를 위하여 건축물대장관련 업무처리의 방법 등은 자치단체간에 협력하여 처리함이 타당

질의회신 질의회신(둘 이상의 용도지역 관련)

국토교통부 민원마당 FAQ 2019.5.24.

질의 「국토의 계획 및 이용에 관한 법률」(이하 '국토계획법')시행 이전 2000년에 상업지역(2,252㎡)과 준주거지역(11,107㎡)의 둘 이상의 용도지역에 걸쳐있는 대지에 증축(600㎡)을 위한 건축허가시 용적률 적용 방법 문의.

회신 - 국토계획법 제84조제1항에 따라 하나의 대지가 둘 이상의 용도지역·용도지구 또는 용도구역(이하 "용도지역 등"이라 함)에 걸치는 경우 각 용도지역 등에 걸치는 부분 중 가장 작은 부분의 규모가 대통령령으로 정하는 규모(국토계획법 시행령 제94조에 의거 330제곱미터, 도로변에 띠 모양으로 지정된 상업지역의 경우 660제곱미터) 이하이면 건폐율·용적률은 가중평균한 값을 적용하고 그 밖의 건축 제한 등에 관한 사항은 그

대지 중 가장 넓은 면적이 속하는 용도지역 등의 규정을 적용하여야 함.
- 다만, 대통령령으로 정하는 규모를 초과하는 경우에는 용도지역선을 기준으로 각각의 용도지역 등의 건축물 및 토지에 관한 규정(건폐율, 용적률, 허용 건축물 등)을 적용하여야 할 것이며, 이에 해당하는지 여부 등 구체적인 사항은 사실 관계 등을 확인할 수 있는 해당 지자체 인·허가권자가 판단하여야 할 것으로 보다 자세한 사항은 관련자료를 갖추어 종합행정업무를 하고 있는 해당 지자체 인·허가권자와 상의바람

질의회신 둘 이상의 용도지역 관련

국토교통부 민원마당 FAQ 2019.5.24.

질의 하나의 대지를 계획관리지역(6,320㎡)과 보전관리지역에서 1,126㎡ 중 151㎡를 사업부지로 계획할 경우 적용 가능 여부

회신 국토계획법 제84조제1항에 따라 하나의 대지가 둘 이상의 용도지역·용도지구 또는 용도구역(이하 "용도지역 등"이라 함)에 걸치는 경우 각 용도지역 등에 걸치는 부분 중 가장 작은 부분의 규모가 대통령령으로 정하는 규모(국토계획법 시행령 제94조에 의거 330제곱미터, 도로변에 띠 모양으로 지정된 상업지역의 경우 660제곱미터) 이하이면 건폐율·용적률은 가중평균한 값을 적용하고 그 밖의 건축 제한 등에 관한 사항은 그 대지 중 가장 넓은 면적이 속하는 용도지역 등의 규정을 적용함.
아울러, '대지'란 「건축법」 제2조제1항제1호에 따르면 둘 이상의 필지를 하나의 대지로 하거나 하나 이상의 필지의 일부를 하나의 대지로 할 수 있으며, 「건축법 시행령」 제3조에는 대지의 범위가 규정되어 있음

질의회신 지역경계선 관련 질의

국토교통부 민원마당 FAQ 2019.5.24.

질의 대지가 일반상업지역(770㎡)과 준주거지역(1,200㎡)에 걸쳐있는 경우 건축법 시행령 제86조 제2항의 적용방법은?

회신 건축법 제54조 대지가 건축법이나 다른 법률에 따른 지역·지구(녹지지역, 방화지구, 미관지구는 제외함)에 걸치는 경우에는 대통령령으로 정하는 바에 따라 그 건축물과 대지의 전부에 대하여 대지의 과반(過半)이 속하는 지역·지구 또는 구역 안의 건축물 및 대지 등에 관한 건축법의 규정을 적용하도록 규정하고 있으며, 또한, 해당 대지의 규모와 그 대지가 속한 용도지역·지구 또는 구역의 성격 등 그 대지에 관한 주변여건상 필요하다고 인정하여 해당 지방자치단체의 조례로 적용방법을 따로 정하는 경우에는 그에 따르도록 규정하고 있음.
따라서, 보다 구체적인 사항에 대하여는 현지현황을 잘 알고 조례를 제정.운영하고 있는 해당 지역 허가권자(시장.군수.구청장)에게 문의 바람.

질의회신 증축을 위한 대지

국토교통부 민원마당 FAQ 2019.5.24.

질의 가. 증축을 위한 대지가 공업지역(과반이 넘음)과 자연녹지지역에 걸쳐 있을 경우에 증축 가능여부
나. 자연녹지지역에 설치하고자 하는 제1종 근린생활시설(소매점)이 공업지역에 설치되는 자동차 관련 시설의 부속용도로 사용될 가능성이 있다하여 증축을 불허할 수 있는지 여부

회신 건축물의 대지가 지역·지구 또는 구역에 걸치는 경우로서, 대지가 녹지지역과 그 밖의 지역·지구 또는 구역에 걸치는 경우에는 「건축법」 제54조제3항에 따라 각 지역·지구 또는 구역 안의 건축물과 대지에 관한 「건축법」의 규정을 적용하도록 하고 있으며,
'부속용도'란 건축물의 주된 용도의 기능에 필수적인 용도로서 「건축법 시행령」 제2조제13호 각 목의 어느 하나에 해당하는 용도를 말하는 것으로 건축물의 용도 분류는 해당 건축물의 구조, 기능, 이용목적·형태와 관계 법령 등을 종합 적으로 고려하여 판단해야 함.
아울러, 지역·지구 등에서의 건축행위 제한 등에 대하여는 「국토의 계획 및 이용에 관한 법률」 등 관계 법령

에도 적합하여야 하는 것인 바, 이에 적합여부 등 보다 구체적인 사항은 관련 자료를 갖추어 해당 지역의 허가권자인 시장, 군수, 구청장에게 문의 바람.

질의회신 주거지역과 상업지역에 걸쳐 있는 경우 단란주점 가능여부

건교부 건축 58070-1777, 1999.5.17.

질의 일반주거지역(과반 이상)고 일반상업지역이 걸쳐 있는 경우로서 준공된 지하층(117.60m²)의 용도가 건축물대장상 단란주점으로 기재된 경우 현행 건축법상 단란주점 용도로 영업허가가 가능한지

회신 단란주점의 영업허가 가능여부는 식품위생법 등 관계법령에 따라야 할 사항이나, 단란주점은 건축법시행령 별표1제4호차목의 규정에 의하여 당해 용도에 쓰이는 바닥면적의 합계에 따라 150m² 미만은 제2종 근린생활시설로, 동규모 이상은 동표 제12호의 규정에 의한 위락시설로 분류되는 것이며, 건축법 제46조의 규정에 의하면 대지가 지역에 걸치는 경우는 건축법의 적용에 있어 대지의 과반 이상이 속하는 지역(질의의 경우는 일반주거지역)안의 건축물 및 대지에 관한 규정을 적용하도록 하고 있음 (* 법 제46조⇒ 제54조, 2008.3.21 개정)

2 건축물의 건폐율, 용적률

법령해석 「건축법」에 따른 용적률의 특례 및 다른 법령에 따른 용적률의 특례를 중첩적으로 적용할 수 있는지 여부

「건축법」 제56조 관련 법제처 법령해석 21-0144, 2021.5.4./건축사협회 수정게시 2022.7.28.

질의요지 가. 하나의 건축물이 「건축법」 제65조의2에 따라 지능형건축물로 인증을 받은 건축물과 「녹색건축물 조성 지원법」 제15조제2항에 따른 녹색건축물 조성의 활성화 대상 건축물에 동시에 해당하는 경우, 해당 건축물의 용적률은 「건축법」 제65조의2에 따라 완화한 후, 녹색건축법 제15조제2항제1호의 완화비율을 적용하여 가중하는 방식으로 완화할 수 있는지 여부

나. 하나의 건축물이 「건축법」 제8조에 따른 리모델링이 쉬운 구조의 공동주택에 해당하면서 「주택법」 제2조제23호에 따른 장수명 주택으로 우수 등급 이상의 등급을 인정받은 경우, 해당 건축물의 용적률은 「건축법」 제8조와 「주택법」 제38조제7항 및 「주택건설기준 등에 관한 규정」 제65조의2제5항제2호에 따른 완화기준을 중첩 적용할 수 있는지 여부

회답 가. 질의 가에 대해

「건축법」 제65조의2에 따라 완화된 용적률을 기준으로 녹색건축법 제15조제2항제1호의 완화비율을 가중하는 방식으로 용적률을 완화할 수 없음

나. 질의 나에 대해

「건축법」 제8조에 따른 용적률 완화 기준과 「주택법」 제38조제7항 및 주택건설기준규정 제65조의2제5항제2호에 따른 용적률 완화 기준을 중첩적으로 적용하여 각각의 비율을 합산한 범위까지 용적률을 완화할 수 없음

이유 가. 질의 가에 대해

「건축법」 제65조의2제6항은 지능형건축물 인증 건축물에 대해, 녹색건축법 제15조제2항제1호은 녹색건축물 조성의 활성화 대상 건축물에 대해 각각 「건축법」 제56조에 따른 용적률을 100분의 115의 범위에서 완화하여 적용할 수 있다고 규정하여, 일정 요건을 충족하는 건축물의 용적률 기준을 완화할 수 있도록 하고 있을 뿐, 하나의 건축물에 대한 여러 특례 규정의 중첩 적용 여부나 중첩 적용을 전제한 용적률 합산방식 등에 대해서는 별도 규정하고 있지 않음

특정 기준에 부합하는 건축물의 장려를 위해 용적률 특례를 규정한 것만으로 용적률 완화 기준을 중첩 적용하여 그 상한이 누적 증가될 수 있다고 보는 것은 「건축법」 제56조 본문의 용적률 한도 기준이 되는 「국토의 계획 및 이용에 관한 법률」 제78조에서 건축물 밀도 관리를 위하여 용도지역별로 엄격하게 용적률 상한을 정

하고 있는 제도의 취지에 반함

나. 질의 나에 대해

「건축법」 제8조에서는 리모델링이 쉬운 구조의 공동주택을 대상으로 동법 제56조에 따른 용적률을 최대 100분의 120까지 완화할 수 있도록 하고, 「주택법」 제38조제7항 및 주택건설기준규정 제65조의2제5항제2호에서는 장수명 주택으로 우수 등급 이상의 등급을 인정받은 주택을 대상으로 국토계획법 제78조 및 동법 시행령 제85조제1항에 따라 조례로 정한 용적률의 100분의 115까지 완화(국토계획법 제78조에 따른 용적률 최대한도 이내)할 수 있도록 규정함

해당 조항은 모두 국토계획법 제78조에 따른 용적률을 기준으로 각각 이를 완화할 수 있도록 하고 있을 뿐, 하나의 건축물에 대한 여러 특례 규정의 중첩 적용 여부나 중첩 적용을 전제한 용적률 합산방식 등에 대해서는 별도 규정하고 있지 않음

법령해석 **「주택법」에 따라 공동주택의 부대시설을 신축하기 위한 허가를 받으려는 경우, 「건축법」에 따른 용적률 기준에 적합하여야 하는지**

「건축법」 제43조 및 제56조 관련 법제처 법령해석 13-0385, 2013.10.8.

질의요지 「주택법」 제42조제2항, 같은 법 시행령 제47조제1항·제3항 및 별표 3에 따르면 공동주택의 부대시설(경비실)을 신축하기 위해서는 전체 입주자 3분의 2 이상의 동의를 받아 각종 건축관계 서류를 첨부하여 시장·군수·구청장의 허가를 받도록 규정하고 있는바, 공동주택의 부대시설(경비실)에 대한 신축행위의 허가시 부대시설은 건축물 용적률의 제한기준에 적합해야 하는지?

회답 공동주택의 부대시설(경비실)에 대한 신축행위의 허가시 부대시설은 건축물 용적률의 제한기준에 적합해야 할 것입니다.

이유 "생략"

법령해석 **도시관리계획으로 결정된 도시계획시설의 용적률을 「건축법」 제43조 등에 따라 완화할 수 있는지 여부**

「건축법」 제43조 및 제56조 관련 법제처 법령해석 08-0250, 2008.9.2.

질의요지 「국토의 계획 및 이용에 관한 법률」(이하 "국토계획법"이라 함) 제43조제1항 및 제2항에서 지상·수상·공중·수중 또는 지하에 기반시설을 설치하고자 하는 때에는 그 시설의 종류·명칭·위치·규모 등을 미리 도시관리계획으로 결정하여야 하고, 도시계획시설의 결정·구조 및 설치의 기준 등에 관하여 필요한 사항은 국토해양부령으로 정하도록 규정함에 따라 「도시계획시설의 결정·구조 및 설치기준에 관한 규칙」(이하 "도시계획시설규칙"이라 함) 제2조제1항에서는 기반시설에 대한 도시관리계획 결정을 함에 있어서는 해당 도시계획시설의 종류와 기능에 따라 그 위치·면적 등을 결정하여야 하며, 시장·공공청사·문화시설·도서관·연구시설·사회복지시설·장례식장·종합의료시설 등 건축물인 시설로서 그 규모로 인하여 특별시·광역시·시 또는 군의 공간이용에 상당한 영향을 주는 도시계획시설인 경우에는 건폐율··용적률(「건축법」 제56조의 대지면적에 대한 연면적의 비율을 말함. 이하 같음) 및 높이의 범위를 함께 결정하여야 한다고 규정하고 있는 것과 관련하여, 위 규정에 따라 도시관리계획으로 결정된 도시계획시설(공공청사)의 용적률을 도시계획시설사업에 관한 실시계획을 인가하거나 또는 건축허가를 하면서 「건축법」 제43조 및 제56조에 따라 해당 도시계획시설의 용적률을 완화하여 적용할 수 있는지?

회답 국토계획법 제43조제1항에 따라 도시관리계획으로 결정된 도시계획시설(공공청사)의 용적률은 국토계획법 제30조제5항에 따른 도시관리계획의 변경 절차에 따라서 변경하지 않고 도시계획시설사업에 관한 실시계획을 인가하거나 또는 건축허가를 하면서 「건축법」 제43조 및 제56조에 따라 해당 도시계획시설의 용적률을 완화하여 적용할 수는 없습니다.

이유 "생략"

질의회신 건폐율 산정방법

국토교통부 민원마당 FAQ 2019.5.24.

질의 도시관리계획 변경으로 기존 공장부지에 도시계획도로가 예정되어 있는 경우, 건폐율 산정시 도시계획도로 예정지를 제외하여 산정하는지 여부

회신 대지에 도시계획시설인 도로가 있는 경우에는 도시계획시설에 포함되는 부분은 대지면적에서 제외하여 건폐율을 산정함이 타당할 것으로 사료됨

질의회신 용적률 산정 관련

국토교통부 민원마당 FAQ 2023.6.15.

질의 건축법령상 부설주차장 건축물의 승강기, 계단부분 면적을 용적률 산정 시 제외할 수 있는 지 여부

회신 「건축법 시행령」 제119조제1항제4호나목에 따라 지상층의 주차용(해당 건축물의 부속용도인 경우만 해당한다)으로 쓰는 면적은 용적률을 산정할 때에 제외하도록 하고 있는 바, 상기 규정이 주차면적 부족 등에 따라 발생되는 이용자의 불편해소와 편의 증진 등을 위하여 건축기준 일부를 완화한 취지를 감안할 때, 해당 주차용 건축물 사용에 필요한 주차구획, 차로 및 주차용 건축물의 상하 이동을 위하여 부설주차장 내에 필수적으로 설치되는 계단, 승강기 면적도 포함하는 것이 바람직하다 사료되나, 이에 해당하는 지 여부는 해당 시설의 설치목적과 이용형태 등을 종합적으로 검토하여 허가권자가 판단할 사항임

질의회신 용적률 산정 관련

국토교통부 민원마당 FAQ 2019.5.24.

질의 지하층 출입구로써 경사도로에 접하여 묻히지 않고 노출된 면의 용적률 산정시 면적에 포함되어야 하는지(가중평균으로는 지하층임)

회신 「건축법 시행령」 제119조제1항제4호에 따르면 연면적은 하나의 건축물 각 층의 바닥면적의 합계로 하되, 지하층의 면적 또는 지상층의 주차용(해당 건축물의 부속용도인 경우만 해당)으로 쓰는 면적 등은 용적률을 산정할 때 제외하며, 같은 항 제10호에서 법 제2조제1항제5호에 따른 지하층의 지표면은 각 층의 주위가 접하는 각 지표면 부분의 높이를 그 지표면 부분의 수평거리에 따라 가중평균한 높이의 수평면을 지표면으로 산정하도록 규정하고 있음 따라서, 질의의 지하층 출입구가 용적률 산정시 제외되는 면적인지 여부는 우선 당해 부분이 「건축법」 제2조제1항제5호에 따른 지하층에 해당되는 지를 우선 확인해 보아야 할 것으로 사료되는 바, 이에 대한 판단은 허가권자가 설계도서 및 상기규정 등을 종합적으로 검토·판단하여야 할 것임

질의회신 구거 및 지하전력구를 포함하여 건폐율 및 용적률을 산정해야 하는지

국토교통부 민원마당 FAQ 2019.5.24.

질의 구거(소하천) 및 지하전력구 부지를 포함하는 여러 필지로 이루어진 도시계획시설부지 중 각각의 2필지에 건축물을 건축하고자 하는 경우 구거(소하천) 및 지하전력구 부지를 포함하여 건폐율 및 용적률을 산정 하여야 하는지

회신 건축법시행령 제3조 제1항 제3호에서 "국토의계획및이용에관한법률 제2조 제7호의 규정에 의한 도시계획시설에 해당하는 건축물을 건축하는 경우 당해 도시계획시설이 설치되는 일단의 토지"를 하나의 대지로 할 수 있는 토지로 보고 있으며, 질의의 구거(소하천) 및 지하전력구 부지에 대하여 관련법령에서 건축을 금지하고 있지 않은 경우라면 동 부지를 포함하여 건폐율 및 용적률을 산정할 수 있을 것임

3 대지의 분할제한

법령해석 용도지역의 변경으로 건축물과 건축물이 있는 대지가 「건축법」 제61조제1항에 따른 이격 거리 기준에 맞지 않게 된 경우에 해당 대지의 분할이 같은 법 제57조제2항에 따라 제한되는지 여부

「건축법」 제57조제2항 등 관련 법제처 법령해석 22-0826, 2023.2.2.

질의요지 「건축법」 제57조제2항에서는 건축물이 있는 대지는 같은 법 제61조에 따른 기준에 못 미치게 분할할 수 없다고 규정하고 있고, 같은 조 제1항에서는 전용주거지역과 일반주거지역(각주: 「국토의 계획 및 이용에 관한 법률」 제36조제1항제1호 및 같은 법 시행령 제30조제1항제1호가목 및 나목에 따른 전용주거지역과 일반주거지역을 말하며, 이하 같음.) 안에서 건축하는 건축물의 높이는 일조 등의 확보를 위하여 정북방향의 인접 대지경계선으로부터의 거리에 따라 대통령령으로 정하는 높이 이하로 하여야 한다고 규정하고 있으며, 그 위임에 따라 마련된 같은 법 시행령 제86조제1항 각 호 외의 부분에서는 전용주거지역이나 일반주거지역에서 건축물을 건축하는 경우에는 건축물의 각 부분을 정북 방향으로의 인접 대지경계선으로부터 각 호의 범위에서 건축조례로 정하는 거리 이상을 띄어 건축하여야 한다고 규정하면서, 같은 항 제1호에서는 "높이 9미터 이하인 부분: 인접 대지경계선으로부터 1.5미터 이상"이라고 규정하고 있는바,

건축물(각주: 건축 당시 「건축법」 제61조에 따른 이격 거리 기준의 적용 대상이 아니었던 높이 9미터 이하인 건축물로서 건축 당시의 「건축법」 에 따라 적법하게 건축된 건축물을 전제로 하며, 이하 같음.)이 있는 대지가 건축물 신축 당시에는 전용주거지역·일반주거지역이 아닌 용도지역에 속하였으나, 추후 용도지역의 변경(각주: 「국토의 계획 및 이용에 관한 법률」 제36조에 따른 도시·군관리계획의 결정·변경으로 용도지역이 변경된 것을 말하며, 이하 같음.)으로 그 건축물과 대지가 일반주거지역에 위치하게 되어 「건축법」 제61조제1항 및 같은 법 시행령 제86조제1항제1호에 따른 이격 거리 기준에 맞지 않게 된 상태에서 그 대지를 분할하려 하는 경우, 같은 법 제57조제2항에 따라 해당 대지의 분할이 제한되는지(각주: 이격 거리 기준에 맞지 않는 부분이 해소되지 않고, 「건축법」 제57조제3항에 따른 건축협정 인가도 없을 것을 전제함.)?

회답 이 사안의 경우, 「건축법」 제57조제2항에 따라 해당 대지의 분할이 제한됩니다.

이유 "생략"

법령해석 「건축법」 제57조의 "건축물이 있는 대지"의 지목의 범위

「건축법」 제57조 등 관련 법제처 법령해석 20-0560, 2021.1.22./건축사협회 수정게시 2022.9.19.

질의요지 「건축법」 제57조제1항 및 제2항에서 정하고 있는 대지의 분할 제한과 관련하여 "건축물이 있는 대지"는 해당 건축물의 용도에 적합하도록 「공간정보의 구축 및 관리 등에 관한 법률」(이하 "공간정보관리법"이라 함)에 따른 지목변경이 이루어진 토지만을 의미하는지 여부

회답 「건축법」 제57조제1항 및 제2항의 "건축물이 있는 대지"는 건축물의 용도에 적합하도록 지목변경이 이루어진 토지만 의미하는 것은 아님

이유 「건축법」 제2조제1항에서는 공간정보관리법에 따라 각 필지(筆地)로 나눈 토지를 "대지"라고 정의하고 있을 뿐 특정한 지목의 토지로 한정하고 있지 않으므로, 건축물이 있는 대지의 분할 제한에 대해 규정 하고 있는 같은 법 제57조제1항 및 제2항의 "건축물이 있는 대지"는 공간정보관리법에 따라 각 필지로 나눈 토지로서 건축물이 있는 토지를 의미한다고 보아야 할 것이고, 명문의 근거 없이 해당 대지를 건축물의 용도에 적합하도록 지목변경이 이루어진 토지로 한정할 수는 없음. 또한 공간정보관리법 제79조제2항에서는 지적공부에 등록된 1필지의 일부가 형질변경 등으로 용도가 변경된 경우 토지소유자는 대통령령으로 정하는 바에 따라 용도가 변경된 날부터 60일 이내에 지적소관청에 토지의 분할을 신청해야 한다고 규정하고 있고, 같은 법 시행령 제65조제2항에서는 같은 법 제79조제2항에 따라 1필지의 일부가 형질변경 등으로 용도가 변경되어 토지의 분할을 신청할 때에는 지목변경 신청서를 함께 제출해야 한다고 규정하여, 지적공부에 등록된 1필지의 일 부가 형질변경 등으로 용도가 변경된 경우에는 해당 토지의 분할 신청과 지목변경 신청이 동시에 이루어질 수 있도

록 규정하고 있는바, 공간정보관리 법령에 따르더라도 토지의 분할 신청 시 지목변경이 먼저 이루어질 것을 전제하고 있지 않음.

법령해석 건축물이 있는 대지를 분할하는 확정판결의 내용이 「건축법」 제57조제1항에 따른 분할제한 기준에 위반하는 경우, 「공간정보의 구축 및 관리 등에 관한 법률」에 따른 지적공부상 분필이 가능한지

「건축법」 제57조제1항 등 관련 법제처 법령해석 16-0513, 2016.11.2.

질의요지 「건축법」 제57조제1항에서는 건축물이 있는 대지는 대통령령으로 정하는 범위에서 해당 지방자치단체의 조례로 정하는 면적(이하 "최소면적기준"이라 함)에 못 미치게 분할할 수 없다고 규정하고 있습니다.
한편, 「공간정보의 구축 및 관리 등에 관한 법률」(이하 "공간정보관리법"이라 함) 제79조제1항에서는 토지등소유자는 토지를 분할하려면 대통령령으로 정하는 바에 따라 지적소관청에 분할을 신청하여야 한다고 규정하고 있는바, 건축물이 있는 대지의 일부를 분할하는 내용의 확정판결이 있는 경우 그에 따라 분할되는 토지의 면적이 「건축법」 제57조제1항에 따른 최소면적 기준에 미달하더라도 지적소관청이 공간정보관리법 제79조제1항에 따라 지적공부상의 필지를 나누어 등록할 수 있는지?
<질의 배경>
○ 서울특별시 중구에 소재한 토지에 대하여 취득시효 완성을 원인으로 한 소유권 이전등기절차 이행판결 및 공유물분할을 원인으로 한 토지분할 판결이 내려졌고, 각 판결에 기초하여 공간정보관리법에 따른 지적 분할 신청이 이루어졌으나, 해당 판결에 따른 토지의 분할면적이 「건축법」 제57조제1항에 따른 최소면적 기준에 미달함.
○ 서울특별시는 이러한 지적 분할을 해주어야 하는지 국토교통부에 문의하였는데, 국토교통부로부터 법원의 확정판결서를 첨부하더라도 관계법령에서 토지분할을 제한하고 있는 경우 지적 분할을 할 수 없다는 답변을 받자 이에 이견이 있어 법제처에 법령해석을 요청함.

회답 건축물이 있는 대지의 일부를 분할하는 내용의 확정판결이 있더라도 그에 따라 분할되는 토지의 면적이 「건축법」 제57조제1항에 따른 최소면적 기준에 미달한다면 지적소관청이 공간정보관리법 제79조제1항에 근거하여 지적공부상의 필지를 나누어 등록할 수는 없습니다.

이유 "생략"

법령해석 건축물이 있는 대지를 분할제한면적 미만으로 분할시 개발행위허가 적용여부

법제처 법령해석 06-0284, 2006.11.17.

질의요지 건축물이 있는 대지를 「건축법」 제49조에서 규정하고 있는 분할제한면적 미만으로 토지를 분할하고자 하는 경우 「국토의 계획 및 이용에 관한 법률」 제56조를 적용할 수 있는지 여부

회답 건축물이 있는 대지를 「건축법」 제49조에서 규정하는 분할제한면적 미만으로 토지를 분할하고자 하는 경우에는 「국토의 계획 및 이용에 관한 법률」 제56조를 적용할 수 없음

이유 「국토의 계획 및 이용에 관한 법률」 제56조제1항에서는 각호에서 규정하는 행위로서 대통령령에서 규정하는 행위를 하기 위하여서는 허가를 받아야 한다고 규정하고 있고 동항 제4호에서는 토지분할을 규정하면서 「건축법」 제49조에서 규정하고 있는 건축물이 있는 대지의 분할은 「국토의 계획 및 이용에 관한 법률」 제56조제1항에 의한 허가대상에서 제외하고 있고, 동법 시행령 제51조제5호에서도 토지분할을 허가의 대상으로 규정하고 있으면서 「건축법」 제49조에서 규정하고 있는 건축물이 있는 대지의 분할은 「국토의 계획 및 이용에 관한 법률」 제56조제1항에 의한 허가대상에서 제외하고 있는바, 「국토의 계획 및 이용에 관한 법률」 제56조제1항제4호 및 동법 시행령 제51조제5호에서 규정하고 있는 토지분할은 건축물이 없는 나대지의 분할을 의미한다 할 것임.
따라서 건축물이 있는 대지를 「건축법」 제49조에 의한 분할제한면적 미만으로 토지를 분할하고자 하는 경우에 「국토의 계획 및 이용에 관한 법률」 제56조를 적용할 수는 없다 할 것임
(* 법 제49조 ⇒ 제57조, 2008.3.21 개정)

건 축 법
1. 총 칙
2. 건 축
3. 유지관리
4. 대지도로
5. 구조재료
6. 지역지구
7. 건축설비
8. 특별건축구역
9. 보 칙
10. 벌 칙
건 축 법 관련기준

질의회신 대지의 분할 관련

국토교통부 민원마당 FAQ 2019.5.24.

질의 건축허가를 받아 건축중에 있는 대지에 인접대지 건축물이 침범하고 있는 것을 발견하고 위법사항을 해소하고자, 침범된 대지(약 1.6㎡)를 분할과 동시에 인접대지에 합병하고자 하는 경우, 건축법 제57조에 따른 대지 분할 면적제한을 적용받아 분할을 할 수 없는 것인지.

* 인접대지는 침범 부분의 합병후에도 대지분할 제한면적 이하임

회신 「건축법」 제57조제1항에 따라 건축물이 있는 대지는 분할제한 최소면적에 미달되게 분할할 수는 없음 다만, 분할 후 기준면적에 미달된 대지를 지적 관련 법령에 의하여 인접한 다른 대지와 합병하는 등의 방법에 의하여 상기 규정에 적합하게 됨을 확인할 수 있는 경우에는 이를 조건으로 대지의 분할이 가능할 것이니, 질의 대지의 분할가능 여부 및 건축법 위반사항에 대한 조치 등에 대하여는 현지현황을 소상히 알고 있고 건축물 유지관리 및 지도감독 업무를 처리하고 있는 해당 지역의 시장, 군수, 구청장에게 문의 바람

질의회신 인접대지와 합병을 전제로한 건축물이 있는 필지의 분할 가능여부

건교부 건축 58550-1845, 2002.8.22.

질의 도시계획구역안에서 건축물이 있는 대지를 2필지로 분할하여 건축물이 없는 대지부분은 인접대지와 합병(합병시에는 분할제한 면적기준에 적합)하려고 하는 경우 분할이 가능한지 여부

회신 건축물이 있는 대지를 분할하는 경우에는 건축물이 있는 대지 및 건축물이 없는 대지 모두가 건축법 제49조에 의한 분할제한 면적에 적합해야 하나, 건축물이 없는 대지 부분이 분할 후 인접대지와 합병하여 기준면적에 적합하게 분할 및 합병될 수 있도록 지적법령에 의하여 조치가 되는 경우라면 분할이 가능할 것임

(* 법 제49조 ⇒ 제57조, 2008.3.21 개정)

질의회신 자투리땅에 건축 가능여부

건교부 건축 58070-1650, 1999.5.17.

질의 도시계획으로 인하여 도로로 편입되고 남은 자투리땅은 지역·지구의 상관없이 건축이 가능한지

회신 '99.2.8 건축법 제49조의 개정으로 대지면적의 최소한도 규정은 폐지되고 대지의 분할금지 규정으로 되었는 바, 이미 분할된 자투리땅에도 건축은 가능한 것이나, 지역·지구안의 건축제한 등 건축법 및 관계법령에는 적합해야 하는 것임 (* 법 제49조 ⇒ 제57조, 2008.3.21 개정)

질의회신 대지를 분할하여 소유자별 건축물대장 분리작성 가능 여부

국토교통부 민원마당 FAQ 2019.5.24.

질의 하나의 대지를 분할하여 소유자별 건축물대장의 분리작성 가능 여부?

회신 건축물대장은 건축물대장의 기재 및 관리 등에 관한 규칙 제3조 제1항의 규정에 의하여 건축물 1동을 단위로 하여 각 건축물마다 작성(부속건축물은 주된 건축물에 포함)하도록 하고 있는 바, 질의의 건축물의 필지(대지) 소유자별 건축물대장의 등재가능 여부는 허가권자가 건축물의 구조 및 기능 등을 검토하여 판단하여야 할 것으로 사료되며, 건축물이 있는 대지의 분할은 건축법 제49조 제2항의 규정에 따라 동법 동조 제1항, 제33조, 제47조, 제48조, 제51조 및 제53조의 규정에 의한 기준에 미달되게 분할할 수 없도록 하고 있으며 분할된 건축물도 건축법·지적법 등 관련법령에 적합하여만 건축물대장의 분리작성이 가능한 것 (*법 제47조, 제48조, 제49조, 제51조, 제53조 ⇒ 제55조, 제56조, 제57조, 제60조, 제61조, 2008.3.21.)

건 축 법
1. 총 칙
2. 건 축
3. 유지관리
4. 대지도로
5. 구조재료
6. 지역지구
7. 건축설비
8. 특별건축구역
9. 보 칙
10. 벌 칙
건 축 법 관련기준

4 대지안의 공지

법령해석 대지의 공지 기준이 적용되는 판매시설의 범위

「건축법」 제58조 관련 법제처 법령해석 21-0917, 2022.6.10./건축사협회 수정게시 2022.7.28.

질의요지 「건축법」 제58조에서는 건축선 및 인접 대지경계선으로부터 건축물의 각 부분까지 띄어야하는 거리 기준을 규정하고 있고, 그 위임에 따른 같은 법 시행령 별표 2 제1호다목에서는 "해당 용도로 쓰는 바닥면적의 합계가 1,000제곱미터 이상인 판매시설"의 경우 건축선으로부터 건축물까지 띄워야 하는 거리에 대한 건축조례 기준의 범위를 3미터 이상 6미터 이하로 규정하고 있는 바,

「건축법 시행령」 별표 2 제1호다목에 따른 "해당 용도로 쓰는 바닥면적의 합계가 1,000제곱미터 이상인 판매시설"은 건축물 전체가 판매시설인 경우로서 해당 용도로 쓰는 바닥면적의 합계가 1,000제곱미터 이상인 경우로 한정되는지, 아니면 여러 용도가 복합된 건축물로서 그 건축물에 바닥면적의 합계가 1,000제곱미터 이상인 판매시설이 있는 경우를 포함하는지?

회답 「건축법 시행령」 별표 2 제1호다목에 따른 "해당 용도로 쓰는 바닥면적의 합계가 1,000제곱미터 이상인 판매시설"에는 여러 용도가 복합된 건축물로서 그 건축물에 바닥면적의 합계가 1,000제곱미터 이상인 판매시설이 있는 경우도 포함됨.

이유 「건축법 시행령」 별표 2 제1호다목에서는 건축선으로부터 건축물의 각 부분까지 띄워야 하는 거리의 기준을 적용받는 대상 건축물을 "해당 용도로 쓰는 바닥면적의 합계"가 1,000제곱미터 이상인 "판매시설"이라고 규정하고 있을 뿐, 대상 건축물 전체를 판매시설의 단일한 용도로 제한하고 있지 않음.

그리고 「건축법」 제58조에서 건축물을 건축하는 경우 건축선 및 인접 대지경계선으로부터 6미터 이내의 범위에서 일정 거리 이상을 띄우도록 한 취지는, 대지 내 채광·통풍을 원활하게 하고 개방감을 확보하여 쾌적한 도시 및 주거환경을 조성하고, 피난 및 소화 활동에 필요한 최소한의 공지 확보를 통해 건축물의 안전을 향상시키며 도로의 기능을 보호하기 위한 것으로, 해당 건축물의 안전 향상 등을 위해 대지 안의 공지 확보 필요성을 고려할 때, 같은 법 시행령 별표 2 제1호다목에 따른 "해당 용도로 쓰는 바닥면적의 합계가 1,000제곱미터 이상인 판매시설"을 건축물 전체의 용도가 판매시설로서 그 바닥면적의 합계가 1,000제곱미터 이상인 경우만을 의미하는 것으로 축소하여 해석하는 것은 관련 규정의 입법취지에 부합하지 않음.

법령해석 「건축법」 제3조제2항에 따라 건축선의 지정에 관한 규정인 같은 법 제46조의 적용이 제외되는 지역에서 대지 안의 공지 확보를 위해 일정한 거리를 띄워서 건축물을 건축하는 경우 적용되는 기준선의 범위

「건축법」 제58조 등 관련 법제처 법령해석 18-0650, 2018.12.3.

질의요지 「건축법」 제3조제2항에 따라 건축선의 지정에 관한 규정인 같은 법 제46조의 적용이 제외되는 지역에서 도로에 접한 대지에 건축물을 건축하는 경우 같은 법 제58조에 따라 대지 안의 공지 확보를 위해 일정한 거리를 띄워서 건축해야 하는 기준선으로 인접 대지경계선 외에 건축선도 적용되는지?

<질의 배경> 전라남도 장성군의 관할 지역 중 「건축법」 제3조제2항에 따라 도시지역 및 지구단위계획구역 외의 동이나 읍이 아닌 지역에서는 건축선의 지정에 관한 규정인 같은 법 제46조의 적용이 제외되는데, 해당 지역에서의 공장 건축허가를 검토하는 과정에서 같은 법 제58조에 따라 대지 안의 공지 확보를 위해 일정한 거리를 띄워 건축물을 건축할 수 있는 기준선으로 인접 대지경계선 외에 건축선도 적용해야 하는지에 대한 의문이 있어 국토교통부에 문의한 결과 인접 대지경계선 외에 건축선도 기준선으로 적용해야 한다고 답변하자 이에 이견이 있어 법제처에 해석을 요청함.

회답 이 사안의 경우 인접 대지경계선 외에 건축선도 적용됩니다.

이유 "생략"

법령해석 대지 안의 공지에 건축물의 건축이 아닌 「주차장법」에 따른 부설주차장 주차구획(주차라인) 설치가 가능한지

「건축법」 제58조 등 관련 법제처 법령해석 12-0245, 2012.6.14.

질의요지 「건축법」 제58조에서는 "건축물을 건축하는 경우에는 「국토의 계획 및 이용에 관한 법률」에 따른 용도지역·용도지구, 건축물의 용도 및 규모 등에 따라 건축선 및 인접 대지경계선으로부터 6미터 이내의 범위에서 대통령령으로 정하는 바에 따라 해당 지방자치단체의 조례로 정하는 거리 이상을 띄워야 한다"는 "대지 안의 공지"에 대한 규정을 두고 있는바, 공동주택을 건축함에 있어 「건축법」 제58조에 따라 해당 지방자치단체의 조례로 정하는 거리 이상을 띄워야 하는 경우, 이러한 대지 안의 공지에 건축물의 건축이 아닌 「주차장법」 제2조제1호다목의 부설주차장 주차구획(주차라인) 설치가 가능한지?

회답 「건축법」 제58조에 따른 대지 안의 공지에 「주차장법」 제2조제1호다목의 부설주차장 주차구획(주차라인) 설치는 불가능하다고 할 것입니다.

이유 「건축법」 제58조에서는 건축물을 건축하는 경우에는 「국토의 계획 및 이용에 관한 법률」에 따른 용도지역·용도지구, 건축물의 용도 및 규모 등에 따라 건축선 및 인접 대지경계선으로부터 6미터 이내의 범위에서 대통령령으로 정하는 바에 따라 해당 지방자치단체의 조례로 정하는 거리 이상을 띄워야 한다고 규정하고 있는바, 공동주택을 건축함에 있어 「건축법」 제58조에 따라 해당 지방자치단체의 조례로 정하는 거리 이상을 띄워야 하는 경우, 이러한 대지 안의 공지에 건축물의 건축이 아닌 「주차장법」 제2조제1호다목의 부설주차장 주차구획(주차라인) 설치가 가능한지가 문제됩니다.

「건축법」 제58조는 조 제목이 "대지 안의 공지"로 되어 있는바, 일반적으로 "공지"란 빈터로 남겨둔 대지를 의미한다고 할 것이고, 위 조항의 규정내용 역시 "건축물을 건축하는 경우에는 「국토의 계획 및 이용에 관한 법률」에 따른 용도지역·용도지구, 건축물의 용도 및 규모 등에 따라 건축선 및 인접 대지경계선으로부터 6미터 이내의 범위에서 대통령령으로 정하는 바에 따라 해당 지방자치단체의 조례로 정하는 거리 이상을 띄워야 한다"고 하고 있으므로, 문언상 "대지 안의 공지"에는 시설물의 설치가 불가능하다고 보아야 할 것입니다.

또한, 「건축법」 제58조에서 대지 안의 공지를 마련하도록 한 취지는 기본적으로는 대지 안의 통풍·개방감을 확보하고, 화재발생 시 인접 대지 및 건축물로의 확산 예방과 피난통로를 확보하여 주거의 안전과 주거 환경의 향상을 꾀하기 위함이며, 아울러 불특정 다수인이 이용하는 집회시설, 판매 및 종교시설 등 대형건축물과 위험물제조·공해배출 공장 등을 건축선 및 인접대지경계선으로부터 일정거리를 띄우게 함으로써 시설 이용자 등의 이동을 원활히 하고 공해 및 위해로부터 벗어나게 하여 국민생명을 보호하고 쾌적한 도시환경을 조성하려는 것이므로, 위와 같은 취지에 따라 확보하도록 되어 있는 "대지 안의 공지"에 시설물을 설치할 수 있다고 해석한다면 이는 법취지에 부합하지 않는다고 할 것입니다.

더구나, 「주차장법」 제2조에 따르면 부설주차장은 같은 법 제19조제1항에 따라 「국토의 계획 및 이용에 관한 법률」에 따른 도시지역, 같은 법 제51조제3항에 따른 지구단위계획구역 및 지방자치단체의 조례로 정하는 관리지역에서 건축물 등 주차수요를 유발하는 시설을 건축하거나 설치하는 경우에 그 건축물 등의 내부 또는 그 부지에 의무적으로 설치하여야 하는 주차장인데, 시설물의 설치가 금지되는 "대지 안의 공지" 안에 "의무적으로 설치해야 하는 시설물"인 부설주차장을 설치할 수 있다고 해석하는 것은 무리한 해석이라고 할 것입니다.

따라서, 「건축법」 제58조에 따른 대지 안의 공지에 「주차장법」 제2조제1호다목의 부설주차장 주차구획(주차라인) 설치는 불가능하다고 할 것입니다.

※ 법령정비 의견

「건축법」 제58조의 조문 제목이 "대지안의 공지"로 되어 있으나 규정 내용은 대지를 한정하고 있지 않고, "공지"라는 용어대신 "건축선 및 인접 대지경계선으로부터 6미터 이내의 범위에서 대통령령으로 정하는 바에 따라 해당 지방자치단체의 조례로 정하는 거리 이상을 띄워야 한다"고 규정하고 있어 규율대상이 대지에 한정되는지 여부가 불분명하며, 공지의 개념이 불명확하여 띄워야 한다는 의미가 그 띄워야 하는 거리의 범위 내에는 어떠한 시설물의 설치도 불가능하다는 의미인지가 명확하지 않아 혼란을 초래할 수 있으므로 이를 명확히 할 필요가 있다고 보입니다.

⇒ 대지안의 공지 규정 운영지침(국토해양부 건축기획과-6777, 2012.10.18.)

가. 적용지역 : 「건축법」 제58조에 따라 확보된 대지안의 공지

＊ 미관보호 등을 위해 건축선을 별도로 지정하는 경우에는 해당 법령 등에 따름

나. 제한주차장 : 건축물의 출입구에서 도로에 이르는 공지에 설치하는 등 피난에 지장이 있는 주차구획은 제한

＊ 허가권자가 법령의 취지에 따라 피난 지장여부를 판단

다. 적용대상 : 2006.5.9. 대지안의 공지 규정의 신설·시행일 이후 건축되었거나 건축 허가(심의 포함) 중인 건축물

질의회신 공작물의 대지안의 공지 적용 여부

국토교통부 민원마당 FAQ 2023.6.15.

질의 높이 8m이하의 기계식 주차장 및 철골조립식 주차장으로서 외벽이 없는 공작물에 대해 건축법 제58조(대지안의 공지) 규정을 적용해야 하는 지

회신 ○ 건축법 제83조 제3항에서는 공작물이 준용하여야 하는 건축법상의 규정은같은 법 시행령 제118조제3항으로 정하는 바에 따르도록 하고 있고, 같은 령 제118조 제3항에서는 공작물이 준용하여야 하는 규정으로 건축법 제58조(대지 안의 공지)를 별도 제외 규정 없이 명시하고 있음. ○ 따라서 높이 8m이하의 기계식 주차장 및 철골조립식 주차장으로서 외벽이 없는 공작물은 건축법 제58조 대지안의 공지 규정을 적용하여야 할 것으로 사료되나, 보다 자세한 사항은 관련자료를 갖추어 해당지역 허가권자에게 문의 바람

질의회신 대지안의 공지 관련

국토교통부 민원마당 FAQ 2019.5.24.

질의 "대지안의 공지" 조례에 의거 20m이상도로에 접한건축물을 도로경계선에서 2미터이상 후퇴하였음.
도로경계선과 건축물 사이 후퇴한부분에 주차장, 지하램프, 조경은 가능한 줄 알고 있음.
도로경계선에서 상가출입구 전면 2.5m후퇴한 부분에 목재데크 시공 가능여부

회신 건축법 제58조에서는 대지안의 통풍, 개방감 확보, 도로기능의 보호, 화재시 화염전파 방지 및 피난통로 확보 등을 통해 도시 및 주거환경을 향상하기 위하여 대지 안의 공지 규정을 운영하고 있음.
이에 따라, 건축물을 건축하거나 용도변경하는 경우에는 국토의 계획 및 이용에 관한 법률에 따른 용도지역, 용도지구, 건축물의 용도 및 규모 등에 따라 건축선 및 인접 대지경계선으로부터 6미터 이내의 범위에서 대통령령으로 정하는 바에 따라 해당 지방자치단체의 조례로 정하는 거리 이상을 띄우도록 하고 있는 바,
상기규정에 따라 대지안의 공지 취지에 어긋나지 않는 범위에서 목재데크의 설치라면 가능할 것으로 사료되나, 이와 관련한 보다 구체적인 적용에 대해서는 관련자료를 갖추어 해당 지역의 허가권자에게 문의바람

질의회신 대지안의 공지 관련(데크, 발코니 등)

국토교통부 민원마당 FAQ 2019.5.24.

질의 해당 부분의 지표면에서 1m 이상(대지의 평균레벨에서는 1m 미만)의 높이로 설치된 건축물의 데크나 발코니 부분에 대하여도 건축법 제58조(대지안의 공지) 규정을 적용하여야 하는지 여부

회신 「건축법 제58조」에 따른 대지안의 공지 규정은 불특정 다수인이 사용하는 일정규모 이상의 판매 및 종교시설 등의 건축물과 위험물제조·공해배출 공장 등을 건축선 및 인접대지경계선으로부터 일정거리를 띄우게 함으로써 화재 시 화염전파를 방지하고 피난통로를 확보하며 채광 및 통풍을 원활히 함으로써 주거환경을 향상하기 위하여 정하고 있음
이와 관련, 대지안의 공지 규정을 적용하여야 하는 '건축물의 각 부분'이란 건축물의 외벽까지를 말하는 것이 아니고, 건축물의 가장 바깥 쪽(처마, 계단, 발코니 등)까지 적용하는 것이나,

동 규정의 법적취지를 달성하는 데 무리가 없는 범위에서의 테라스·선큰공간·드라이에어리어 및 지상에 노출되지 않는 지하구조물은 적용하지 않는 것이 합리적일 것으로 사료됨

질의회신 대지안의 공지 관련

국토교통부 민원마당 FAQ 2019.5.24.

질의 가. 현 황 : 지형차이로 인해 도로보다 높게 평탄한 대지를 조성하여 지하부분에는 주차장을 설치하고, 지상부분에는 공동주택을 건축코자 함(전면도로에 면해있는 부분에 지하층의 벽면이 노출됨) 나. 질의 요지 : 대지안의 공지 기준에 따라 건축선으로부터 "건축물 각 부분"까지 띄어야 하는 거리를 적용함에 있어 "건축물의 각 부분"을 전면도로에 노출되는 지하주차장 벽면으로 보아야 하는지, 아니면 새로 조성된 지상부분의 건축물 각 부분을 기준으로 적용하여야 하는지 여부

회신 「건축법」 제58조에서는 대지안의 통풍·개방감 확보, 도로기능의 보호, 화재시 화염전파 방지 및 피난통로 확보 등을 통해 도시 및 주거환경을 향상하기 위하여 대지 안의 공지 규정을 운영하고 있음 이에 따라, 건축물을 건축하거나 용도변경하는 경우에는 「국토의 계획 및 이용에 관한 법률」에 따른 용도지역·용도지구, 건축물의 용도 및 규모 등에 따라 건축선 및 인접 대지경계선으로부터 6미터 이내의 범위에서 대통령령으로 정하는 바에 따라 해당 지방자치단체의 조례로 정하는 거리 이상을 띄우도록 하고 있음

다만, 동 조항의 취지를 고려하여 건축물 바깥에 설치되어 해당 용도의 거실로 사용되지 않는 테라스·선큰공간과 지상에 돌출되지 않은 지하구조물은 적용하지 않는 것이 바람직 할 것으로 판단되며, 귀 질의와 같이 지형차이로 인해 전면도로에 노출된 지하주차장 벽면을 건축물의 각 부분으로 적용하는 것은 합리적이지 않다고 판단됨

질의회신 대지안의 공지(대지 조성용 옹벽)

국토교통부 민원마당 FAQ 2019.5.24.

질의 대지를 조성하기 위한 옹벽(1.4m)도 건축법 제58조에 따른 대지 안의 공지 규정을 적용하여야 하는 것인지 여부.

회신 「건축법」 제83조 및 같은 법 시행령 제118조에 따르면 대지를 조성하기 위한 옹벽으로서 높이가 2m를 넘는 경우에는 시장·군수·구청장 등에게 공작물 축조신고를 하여야 함. 이 때, 「건축법 시행령」 제118조제3항에 따라 같은 조 제1항제5호에 해당하는 옹벽, 담장에 대하여는 법 제58조(대지 안의 공지)를 준용하지 아니하는 것이고, 건축법령상 축조신고 대상 공작물이 아닌 경우 별도로 건축법령에서 제한사항을 규정하고 있지 아니하나, 보다 구체적인 사항은 관련 자료를 갖추어 해당 지역의 허가권자인 시장·군수·구청장에게 직접 문의하여 주시기 바람.

질의회신 대지안의 공지(지하주차장)

국토교통부 민원마당 FAQ 2019.5.24.

질의 지하주차장 부분에 대하여 대지안의 공지 규정을 적용하여야 하는 지 여부

회신 「건축법」 제58조에 따른 대지안의 공지는 대지안의 통풍 및 개방감을 확보하고 화재발생시 인접대지 및 건축물로의 연소확산 예방과 피난통로를 확보하기 위한 규정으로서, 화재확산과 피난에 지장을 초래하지 아니하면서 지상에 돌출되지 않은 지하구조물 등은 대지안의 공지 규정을 적용하지 아니하여도 될 것으로 사료되나, 보다 구체적인 사항은 해당 건축허가권자인 시장·군수·구청장에게 문의하시기 바람

질의회신 드라이에어리어의 대지안의 공지 규정 적용 여부

국토교통부 민원마당 FAQ 2019.5.24.

질의 지하층은 통풍을 위하여 지상층으로 노출되는 드라이에어리어에 대하여 「건축법」 제50조의 규정에 의한 대지안의 공지 규정을 적용받아서 조례로 정하는 거리 이상을 띄어야 하는 지

회신 「건축법」 제50조의 규정에 의한 대지안의 공지 규정은 기본적으로 화재시 화염전파를 방지하고 피난통로를 확보하며 채광 및 통풍을 원활히 하여 주거환경의 향상 등을 위한 것이므로, 지하층의 통풍을 위하여 건축물의 바깥쪽에 설치한 드라이에어리어는 「건축법」 제50조의 규정에 의한 대지안의 공지 규정을 적용하지 않는 것이 바람직하다고 우리부에서 운용지침을 건축기획팀-4564(2006.7.19)호로 지방자치단체에 송부한 바 있음을 알려드리오며, 이 경우 드라이에어리어가 지상층에 많이 돌출되어 대지안의 공지를 설치하는 취지에 어긋나거나 장애가 되어서는 아니 될 것임 (*법 제50조 ⇒ 제58조, 2008.3.21 개정)

질의회신 대지안의 공지(옥외계단)

국토교통부 민원마당 FAQ 2019.5.24.

질의 대지안의 공지에 지상에 구조물이 없는 지하층 출입을 위한 옥외계단을 설치할 수 있는지

회신 「건축법」 제58조의 대지안의 공지 규정은 기본적으로 대지안의 통풍·개방감을 확보하여 도시 및 주거환경을 보호하고 화재발생 시 인접대지 및 건축물로의 연소확산 예방과 피난통로를 확보하며 도로의 기능을 보호하기 위한 것이므로 질의의 지하층 출입을 위한 옥외계단은 대지안의 공지규정을 적용하지 않는 것이 바람직할 것으로 사료되나, 동 옥외계단이 지상 층에 많이 돌출되어 대지안의 공지의 취지에 어긋나거나 장애가 되어서는 아니 될 것임. 이에 대한 보다 구체적인 사항은 당해지역의 허가권자인 시장, 군수, 구청장에게 문의하시기 바람

질의회신 대지안의 공지 관련(계단)

국토교통부 민원마당 FAQ 2013.12.6.

질의 대지안의 공지규정 적용 시 계단도 건축선으로부터 일정거리 이격하여야 하는 지 여부

회신 건축법 시행령」 제80조의2에 따라 건축선 및 인접대지경계선으로부터 건축물의 각 부분까지 띄어야할 거리를 지방자치단체의 조례로 정하도록 하고 있고,

같은 법 제2조제1항제2호에 따라 "건축물"이란 토지에 정착(定着)하는 공작물 중 지붕과 기둥 또는 벽이 있는 것과 이에 딸린 시설물을 의미함에 따라,

계단의 경우도 건축선으로부터 일정거리를 띄어야 할 것으로 사료되니, 보다 구체적인 사항은 해당 건축허가권자인 시장, 군수, 구청장에게 문의하시기 바랍니다.

질의회신 대지안의 공지 관련 건축물의 각 부분은

국토교통부 민원마당 FAQ 2019.5.24.

질의 가. 현 황 : 지형차이로 인해 도로보다 높게 평탄한 대지를 조성하여 지하부분에는 주차장을 설치하고, 지상부분에는 공동주택을 건축코자 함(전면도로에 면해있는 부분에 지하층의 벽면이 노출됨)

나. 질의 요지 : 대지안의 공지 기준에 따라 건축선으로부터 "건축물 각 부분"까지 띄어야 하는 거리를 적용함에 있어 "건축물의 각 부분"을 전면도로에 노출되는 지하주차장 벽면으로 보아야 하는지, 아니면 새로 조성된 지상부분의 건축물 각 부분을 기준으로 적용하여야 하는지 여부

회신 「건축법」 제58조에서는 대지안의 통풍·개방감 확보, 도로기능의 보호, 화재시 화염전파 방지 및 피난통로 확보 등을 통해 도시 및 주거환경을 향상하기 위하여 대지 안의 공지 규정을 운영하고 있음

이에 따라, 건축물을 건축하거나 용도변경하는 경우에는 「국토의 계획 및 이용에 관한 법률」에 따른 용도지역·용도지구, 건축물의 용도 및 규모 등에 따라 건축선 및 인접 대지경계선으로부터 6미터 이내의 범위에서 대통령령으로 정하는 바에 따라 해당 지방자치단체의 조례로 정하는 거리 이상을 띄우도록 하고 있음

다만, 동 조항의 취지를 고려하여 건축물 바깥에 설치되어 해당 용도의 거실로 사용되지 않는 테라스·선큰공간과 지상에 돌출되지 않은 지하구조물은 적용하지 않는 것이 바람직 할 것으로 판단되며, 귀 질의와 같이 지형차이로 인해 전면도로에 노출된 지하주차장 벽면을 건축물의 각 부분으로 적용하는 것은 합리적이지 않다고 판단됨

이에 대하여는 해당 허가권자가 대지 및 건축물의 이용 형태, 주변 여건 등을 종합적으로 고려하여 판단할 수 있을 것인 바, 보다 구체적인 사항은 자세한 자료를 갖추어 해당 지역의 허가권자에게 문의 바람

질의회신 주상복합건축물에 대한 대지안의 공지 관련

국토교통부 민원마당 FAQ 2019.5.24.

질의 주상복합 건축물에 대한 대지안의 공지 규정 적용

회신 건축법 제58조에 따른 대지안의 공지는 대지안 통풍.개방감을 확보하여 도시 및 주거환경을 보호하고 화재발생시 인접대지 및 건축물로의 연소확산 예방과 피난통로를 확보하며 도로의 기능을 보호하기 위한 규정으로 건축물을 건축하거나 용도변경하는 경우에는 건축선 및 인접 대지경계선으로부터 6미터 이내의 범위에서 대통령령으로 정하는 바에 따라 해당 지방자치단체의 조례로 정하는 거리 이상을 띄어야 하는 것임
대지안의 공지 규정을 적용하여야 하는 건축물 각 부분이라 함은 건축물의 외벽까지만을 말하는 것이 아니고 동 건축물 중 해당 용도(부속용도 포함)로 사용되는 부분의 가장 바깥쪽(지붕, 처마, 차양 등)까지를 말하는 것임
질의하신 내용의 주상복합 건축물의 경우 각 용도별로 각각 대지안의 공지 규정을 적용하며, 주용도에 딸린 부속용도인 주차장 부분은 주용도와 동일하게 적용하여야 할 것인 바, 보다 구체적인 사항은 관련서류를 첨부하여 해당 조례를 운용하며 현지상황을 소상히 파악하고 있는 해당 허가권자와 협의하여 처리하시기 바람

질의회신 지하주차장에 대한 대지안의 공지 관련

국토교통부 민원마당 FAQ 2019.5.24.

질의 지하주차장 부분에 대하여 대지안의 공지 규정을 적용하여야 하는 지 여부

회신 「건축법」 제58조에 따른 대지안의 공지는 대지안의 통풍 및 개방감을 확보하고 화재발생시 인접대지 및 건축물로의 연소확산 예방과 피난통로를 확보하기 위한 규정으로서,
화재확산과 피난에 지장을 초래하지 아니하면서 지상에 돌출되지 않은 지하구조물 등은 대지안의 공지 규정을 적용하지 아니하여도 될 것으로 사료됨

5 맞벽건축 및 연결복도

*맞벽 : 벽과 벽사이가 대지경계선으로부터 50㎝ 이내인 경우를 말함(개정 2005.11.8.)

질의회신 맞벽건축시 하나의 건축물로 보는 지 여부

국토교통부 민원마당 FAQ 2019.5.24.

질의 소유자가 다른 두 대지에 두 건축물의 외벽을 서로 맞붙여 건축할 경우 하나의 건축물로 허가를 받아야 하는 지
상기와 같이 건축하여 서로 통행할 수 있도록 벽을 뚫을 경우 하나의 건축물로 보아야 하는 지 여부

회신 「건축법」 제59조제1항제1호에서 규정하고 있는 맞벽은 벽과 벽사이가 50센티미터 이내인 경우를 말하는 것인 바, 두 건축물의 외벽을 구조적, 기능적 등으로 분리하여 서로 맞붙여 건축할 경우 이를 맞벽으로 볼 수 있을 것이며 이 경우 두 건축물을 각각 건축허가 받아야 함.
두 건축물의 벽을 뚫어 서로 통행할 수 있도록 건축할 경우 같은 법 시행령 제81조제5항에 따른 건축기준에 적합하여야 할 것이며, 이 경우 건축법령상 하나의 건축물로 보지 않음.

질의회신 건축물 맞벽 관련

국토교통부 민원마당 FAQ 2019.5.24

질의 가. 맞벽은 각각의 건축물이 서로 마주하는 벽을 말하는 지, 아니면 하나의 벽으로 두 개의 건축물을 구획하는 벽을 말하는 것인지

나. 일반상업지역내 대지안의 공지 규정을 적용하여야 하는 건축물은 어떤 것이 있는지

회신 가. 건축법 제59조제1항제1호에서 규정하고 있는 맞벽은 벽과 벽사이가 50센티미터 이내인 경우를 말하는 것인 바, 하나의 벽으로 두 개의 건축물을 구획하는 경우에는 맞벽으로 볼 수 없음

나. 같은 조에서 상업지역 또는 특별자치도지사 또는 시장 · 군수 · 구청장이 도시미관 등을 위하여 건축조례로 정하는 구역에서 도시미관 등을 위하여 둘 이상의 건축물 벽을 맞벽으로 건축하는 경우에는 건축법 제58조, 제61조 및 민법 제242조를 적용하지 않도록 규정하고 있는 바,

도시미관 등을 고려하지 않는 상업지역에서 건축물을 건축하는 경우에는 상기규정을 적용할 수 없음을 알려드리오니 보다 구체적인 사항은 해당 지역의 허가권자인 시장, 군수, 구청장에게 문의하시기 바람

※벽과 벽사이가 50센티미터 이내인 경우→둘 이상의 건축물의 외벽이 대지경계선에서 50센티미터 이내인 경우

질의회신 맞벽에 개구부(방화문)를 설치, 연결복도 설치 가능여부

건교부 건축과-4466, 2005.8.3.

질의 건축법 제50조의2제1항의 규정에 의하여 맞벽으로 건축할 때 맞벽에 개구부(방화문)를 설치하여 두 건축물의 복도를 연결할 수 있는지

회신 「건축법」 제50조의2 및 「동법 시행령」 제81조의 규정에 의한 맞벽은 방화벽으로 축조하여야 하고 동 방화벽에 개구부를 두거나 연결복도(또는 연결통로)를 설치하는 경우에 대하여 건축법에서는 특별히 제한하고 있지 아니하나 방화벽에 설치하는 출입문 또는 연결복도는 각각「건축물의 피난·방화구조 등의 기준에 관한 규칙」 제22조 및「건축법 시행령」 제81조의 규정에 적합하여야 할 것임 (* 법 제50조의2 ⇒ 제59조, 2008.3.21 개정)

질의회신 맞벽 건축시 방화벽의 돌출 여부

건교부 건축 58550-2009, 2002.9.6.

질의 가. 남북간의 대지상에 맞벽 건축시 맞벽되는 부분에 대하여 정북방향 일조권을 적용하지 않는 경우 정남방향 일조권 적용 여부

나. 맞벽으로 건축하는 건축물의 층수 및 높이가 같아야 하는지 여부

다. 맞벽건축을 하는 경우 맞벽건축물의 주요구조부가 내화구조이거나 불연재료인 경우에도 반드시 방화벽 구조로 하여 건축물의 외벽면 및 지붕면으로부터 0.5미터 이상 튀어나오게 해야 하는지 여부

회신 가. 맞벽 건축시 일조등의 확보를 위한 높이제한 적용여부는 우리부 건축 58550-4566('99.11.24)호와 동일한 사항이므로 이를 참고하시기 바람.

나. 층수가 다른 건축물의 맞벽에 대하여는 우리부 건축 58070-1897('01,7.25)호로 기회신하였는 바, 이는 건축법령에서 건축물의 용도를 층수로 구분하고 있는 건축물간의 맞벽에 대하여 적용하는 것임.

다. 건축법시행령 제57조제1항단서 규정에서 건축물의 주요구조부가 내화구조이거나 불연재료인 건축물은 방화벽으로 구획하지 않아도 되는 점을 감안하여 맞벽건축물의 주요구조부가 내화구조이거나 불연재료인 경우에는 맞벽건축물의 외벽인 방화벽의 끝을 건축물의 외벽면등으로부터 반드시 0.5미터이상 튀어나오게 하지 않아도 될 것임

질의회신 방화지구내 연결복도 설치

국토교통부 민원마당 FAQ 2022.6.21.

질의 ○ 상업지역, 방화지구에 건축되어 있는 두 건축물에 연결복도를 설치할 경우 연결복도에 설치하는 방화셔터는 어떤 성능을 갖추어야 하는 지.

○ 연결복도의 설치개수를 제한하는 규정이 있는 지.

회신 「건축법」 제51조제1항의 규정에 의하면, 「국토의 계획 및 이용에 관한 법률」에 따른 방화지구 안에서는 건축물의 주요구조부와 외벽을 내화구조로 하여야 하며,
같은 법 제59조제1항제2호 및 같은 법 시행령 제81조제5항의 규정에 의하면, 인근 건축물과 이어지는 연결복도나 연결통로를 설치하는 경우 주요구조부가 내화구조이고, 마감재료가 불연재료이고, 건축물과 복도 또는 통로의 연결부분에 방화셔터 또는 방화문을 설치하는 등 건축기준에 적합하게 설치하여야 함
이 경우 방화셔터는 「자동방화셔터 및 방화문의 기준」 제5조제1항에 따라 비차열 1시간, 차연성능 등 성능기준에 적합한 것을 말함
아울러, 건축법령상 연결복도나 연결통로의 설치개수를 제한하고 있는 규정은 없음

질의회신 연결복도가 설치된 2개의 건축물이 하나의 건축물인지 여부

건축교부건축과-4495, 2005.8.4.

질의 건축법 제50조의2의 규정에 의한 연결복도를 설치하는 경우 연결된 두 건축물이 하나의 건축물인지

회신 건축법 제50조의2는 각각 다른 건축물을 맞벽으로 건축하거나 연결복도 또는 연결통로를 설치하는 경우에 대한 규정이므로 동 규정에 의하여 연결복도를 설치하는 경우라도 연결된 건축물은 각각 다른 건축물로 보는 것임 (* 법 제50조의2 ⇒ 제59조, 2008.3.21. 개정)

질의회신 맞벽건축물의 연결복도 또는 연결통로 설치시 적용기준

건교부 건축 58070-912, 2003.5.20.

질의 맞벽건축물에 건축법 제50조의2제1항제2호의 연결복도 또는 연결통로의 규정이 적용되는지 여부

회신 건축법 제50조의2제1항제2호의 규정에 의한 연결복도 및 연결통로의 규정은 맞벽건축물에도 적용되며, 이 경우 연결복도등은 동법시행령 제81조의 규정에 적합하게 설치해야 할 것임. 다만 맞벽건축물은 건축법규를 적용함에 있어서 별개의 대지에 건축된 각각의 건축물로 보기 때문에 맞벽건축물에 연결복도 또는 연결통로를 설치한다 하더라도 구조및 이용상 별개의 건축물로 인정할 수 있는 범위안에서 설치되어야할 것인 바, 질의의 경우가 이러한 제반여건에 부합되는지 여부등에 대하여는 현지의 현황을 잘 알고 있는 당해 허가권자에게 문의 바람 (* 법 제50조의2 ⇒ 제59조, 2008.3.21 개정)

질의회신 연결통로 설치 기준

건교부 건축 58070-2641, 1999.7.9

질의 가. 너비 6m 도로로 분리된 건축물 상호간의 연결복도를 설치할 경우 연결복도의 면적 배분기준 및 건폐율·용적률 산정방법
나. 지하 연결통로의 경우 벽면적의 10분의 1 이상 창문을 설치할 수 없는 데, 이를 기계환기 및 조명시설로 대체할 수 있는지

회신 가. 질의의 경우 너비 6m 도로가 설치된 근거법령에 따라 그 점용이 가능한지 여부에 대한 검토가 선행되어야 연결복도의 설치가능 여부가 결정될 것이며, 설치가능한 경우 면적 배분 기준은 건축법상 정한 바 없으나, 당해 대지 내에 있는 건축물 부분과 연결복도 부분을 각각 합하여 건폐율·용적률 등을 산정하는 것이며,
나. 지하부분의 경우에는 건축물로 보아 건축물의 피난·방화구조 기준에 관한 사항 등 관계법령에 적합하게 건축하면 되는 것임

6 건축물의 높이제한

▪ 건축물의 전면도로 높이 제한 폐지[제60조제3항 삭제〈2015.5.18.〉]

＊ 이유: 도시의 개방감 확보를 위하여 허가권자가 가로구역(도로로 둘러싸인 일단의 지역)별 건축물의 높이를 지정·공고하도록 하고 가로구역별 건축물의 높이가 정하여지지 아니한 가로구역의 경우 건축물의 각 부분의 높이는 전면 도로의 반대쪽 경계선까지의 수평거리의 1.5배를 넘을 수 없도록 하고 있으나, 전면 도로에 따른 건축물의 높이 제한은 허용용적률로 개발이 어렵고 건축물의 외관이 계단(사선)형으로 건축되어 도시미관에 저해됨.<법제처>

법령해석 「건축법」에 따른 건축물 높이의 특례 및 다른 법령에 따른 건축물 높이 특례를 중첩적으로 적용할 수 있는지 여부

「건축법」 제60조제1항 등 관련 법제처 법령해석 21-0792, 2021.12.16.

질의요지 「건축법」 제60조제1항에서는 허가권자(각주: 특별시장·광역시장·특별자치시장·특별자치도지사 또는 시장·군수·구청장을 말하며, 이하 같음)는 가로구역(街路區域)(각주: 도로로 둘러싸인 일단(一團)의 지역을 말하며, 이하 같음)을 단위로 하여 대통령령으로 정하는 기준과 절차에 따라 건축물의 높이를 지정·공고할 수 있다고 규정하면서(본문), 특별자치시장·특별자치도지사 또는 시장·군수·구청장은 가로구역의 높이를 완화하여 적용할 필요가 있다고 판단되는 대지에 대하여는 대통령령으로 정하는 바에 따라 건축위원회의 심의를 거쳐 높이를 완화하여 적용할 수 있다고 규정하고 있고(단서), 그 위임에 따른 같은 법 시행령 제82조제4항에서는 같은 법 제60조제1항 단서에 따라 가로구역의 높이를 완화하여 적용하려는 경우에 대한 구체적인 완화기준은 같은 법 시행령 제82조제1항 각 호의 사항을 고려하여 건축조례로 정한다고 규정하고 있는바,

가. 허가권자가 「건축법」 제60조제1항 본문에 따라 가로구역의 건축물 높이를 지정·공고하려는 경우,(각주: 「건축법」 제60조제2항에 따라 허가권자 중 특별시장이나 광역시장이 조례로 정하려는 경우를 포함함) 같은 법 제8조 및 「녹색건축물 조성 지원법」(이하 "녹색건축법"이라 함) 제15조제2항제2호에 따른 건축물의 높이 완화의 특례를 중첩적으로 적용할 수 있는지?

나. 특별자치시장·특별자치도지사 또는 시장·군수·구청장이 「건축법」 제60조제1항 단서 및 같은 법 시행령 제82조제4항에 따라 건축조례로 가로구역의 건축물 높이를 완화하려는 경우, 같은 법 제8조 및 녹색건축법 제15조제2항제2호에 따른 건축물의 높이 완화의 특례를 중첩적으로 적용하도록 규정할 수 있는지?

<질의 배경> 국토교통부는 위 질의요지와 관련하여 내부 이견이 있어 법제처에 법령해석을 요청함.

회답 가. 질의 가에 대해

이 사안의 경우 「건축법」 제8조 및 녹색건축법 제15조제2항제2호에 따른 건축물의 높이 완화의 특례를 중첩적으로 적용할 수 없습니다.

나. 질의 나에 대해

이 사안의 경우 건축조례로 「건축법」 제8조 및 녹색건축법 제15조제2항제2호에 따른 건축물의 높이 완화의 특례를 중첩적으로 적용하도록 규정할 수 없습니다.

이유 "생략"

※ 중첩적용이 가능하도록 개정됨(「건축법」 제60조제4항 신설〈2022.2.3〉)

④ 허가권자는 제1항 및 제2항에도 불구하고 일조(日照)·통풍 등 주변 환경 및 도시미관에 미치는 영향이 크지 않다고 인정하는 경우에는 건축위원회의 심의를 거쳐 이 법 및 다른 법률에 따른 가로구역의 높이 완화에 관한 규정을 중첩하여 적용할 수 있다. 〈신설 2022.2.3.〉

건 축 법

1. 총 칙

2. 건 축

3. 유지관리

4. 대지도로

5. 구조재료

6. 지역지구

7. 건축설비

8. 특별건축구역

9. 보 칙

10. 벌 칙

건 축 법 관련기준

질의회신 승강기탑등이 최고 높이에 산입되는 지의 여부

국토교통부 민원마당 FAQ 2019.5.24.

질의 건축법 제60조 제1항 및 제2항의 규정에 의하여 지방자치단체의 조례로 가로구역별의 건축물의 최고높이를 정하고 있는바, 이 경우 건축법시행령 제 119조 제1항 제5호 다목에 의하여 건축물의 높이에 산입되지 아니하는 부분도 최고높이에 산입되는지의 여부

회신 건축법시행령 제119조 제1항 제5호 다목의 규정에 의하여 높이에 산입되지 않는 부분은 건축법령에서 규정하고 있는 높이제한을 적용함에 있어 이를 높이에 산입하지 않는 것임

질의회신 가로구역 최고높이를 초과한 건축물의 증축

서울시 건축과-10914, 2005.7.15.

질의 가로구역별 건축물의 최고높이가 20m 이하로 정해진 구역에서 기존 건축물이 가로구역 최고높이를 초과(25m)한 건축물로서 기존 건축물 최고높이 25m 이하의 범위내에서 수평증축이 가능한지 여부

회신 기존건축물을 증축하고자 할 경우에는 현행 건축법 및 관련법령에 의한 건축기준 등에 적합하여야 하는 것이므로,

건축법 제51조 제1항 및 우리시 건축조례 제27조 제2호의 규정에 의한 가로구역별 최고높이가 정해진 구역안에서 기존 건축물을 증축하고자 할 경우에는 가로구역별 최고높이(20m) 범위이내에서의 건축(증축)행위만이 가능할 것임 (* 법 제51조 ⇒ 제60조, 2008.3.21 개정)

질의회신 층수에 산입 되는 옥탑의 건축물 사선제한

건교부 건축 58070-2233, 1995.6.1.

질의 옥상의 옥탑 등이 층수에 산입 되는 경우 건축법 제51조 및 제53조의 규정의 적용여부

회신 공동주택의 옥탑 등이 층수에 산입 되는 경우에는 이는 건축물의 높이에도 산정 되어 건축법 제51조 및 제53조의 규정을 적용 받는 것임 (* 법 제51조, 제53조 ⇒ 제60조, 제61조, 2008.3.21 개정)

7 일조 등의 확보를 위한 건축물의 높이제한

- 공동주택의 채광 확보 거리 기준 변경[제86조제3항제2호나목 〈개정 2021.11.2.〉]

  * 이유: 같은 대지에서 두 동(棟) 이상의 건축물이 서로 마주보고 있는 경우 종전에는 마주보는 두 동의 축이 남동에서 남서 방향인 건축물 중 남쪽 방향의 건축물을 기준으로 채광 확보 거리를 산정하도록 하던 것을 앞으로는 두 동의 축이 시계방향으로 정동에서 정서 방향인 건축물 중 낮은 건축물을 기준으로 산정하되, 최소 채광 확보 거리를 10m로 정함으로써 공동주택 건설대지를 효율적으로 활용하고 다양한 공동주택 경관을 창출할 수 있도록 함.<법제처>

- 정북방향 높이 제한 규정 개정(「건축법 시행령」 제86조제1항 제1호, 제2호 9m ⇒ 10m)〈2023.9.12〉

법령해석 도시·군계획시설에 바로 접하는 상호간의 대지에 건축하는 건축물의 경우 건축물의 높이 제한 규정의 적용이 배제되는지 여부

「건축법 시행령」 제86조제1항제1호 등 관련 — 법제처 법령해석 23-0266, 2023.7.17.

질의요지 「건축법」 제61조제1항에서는 전용주거지역(각주: 「국토의 계획 및 이용에 관한 법률 시행령」 제30조제1항제1호가목에 따른 전용주거지역을 말하며, 이하 같음.) 등에서 건축하는 건축물의 높이는 일조 등의 확보를 위하여 정북방향(正北方向)의 인접 대지경계선으로부터의 거리에 따라 대통령령으로 정하는 높이 이하

로 하여야 한다고 규정하고 있고, 같은 항의 위임에 따라 마련된 같은 법 시행령 제86조제1항에서는 전용주거지역 등에서 건축물을 건축하는 경우에는 건축물의 각 부분을 정북방향으로의 인접 대지경계선으로부터 일정 거리 이상을 띄어 건축해야 한다고 규정하고 있으며, 같은 조 제2항제1호에서는 지구단위계획구역(각주: 「국토의 계획 및 이용에 관한 법률」 제51조에 따른 지구단위계획구역을 말하며, 이하 같음.) 등 안의 "대지 상호 간에 건축하는 건축물로서 해당 대지가 너비 20미터 이상의 도로(각주: 「건축법」 제2조제11호에 따른 도로를 말함.)(자동차·보행자·자전거 전용도로를 포함하며, 도로에 공공공지, 녹지, 광장, 그 밖에 건축미관에 지장이 없는 도시·군계획시설(각주: 「국토의 계획 및 이용에 관한 법률」 제2조제7호에 따른 도시·군계획시설을 말하며, 이하 같음.)이 접한 경우 해당 시설을 포함한다)에 접한 경우"에는 같은 조 제1항을 적용하지 않는다고 규정하고 있는바,

「건축법 시행령」 제86조제2항제1호에 따른 '해당 대지가 너비 20미터 이상의 도로에 접한 경우'에는 해당 대지가 공공공지, 녹지, 광장, 그 밖에 건축미관에 지장이 없는 도시·군계획시설(이하 "도시·군계획시설"이라 함)에 바로 접해 있고 그 도시·군계획시설이 도로에 접한 경우로서 그 도시·군계획시설의 너비와 도로 너비의 합이 20미터 이상인 경우도 포함되는지?

회답 「건축법 시행령」 제86조제2항제1호에 따른 '해당 대지가 너비 20미터 이상의 도로에 접한 경우'에는 해당 대지가 도시·군계획시설에 바로 접해 있고 그 도시·군계획시설이 도로에 접한 경우로서 그 도시·군계획시설의 너비와 도로의 너비의 합이 20미터 이상인 경우도 포함됩니다.

이유 "생략"

법령해석 「건축법 시행령」 제86조제4항에 따른 고시가 없는 경우에도 「건축법」 제61조제3항을 적용할 수 있는지

「건축법」 제61조제3항 등 관련 법제처 법령해석 22-0911, 2023.2.24.

질의요지 「건축법」 제61조제1항에서는 전용주거지역과 일반주거지역 안에서 건축하는 건축물의 높이는 일조 등의 확보를 위하여 정북방향의 인접 대지경계선으로부터의 거리에 따라 대통령령으로 정하는 높이 이하로 하여야 한다고 규정하고 있고, 그 위임에 따라 마련된 같은 법 시행령 제86조제1항에서는 '다음 각 호의 범위에서 건축조례로 정하는 거리 이상을 띄어서 건축해야 한다'고 규정하고 있는 한편,

「건축법」 제61조제3항에서는 '다음 각 호의 어느 하나에 해당하면 같은 조 제1항에도 불구하고 건축물의 높이를 정남방향의 인접 대지경계선으로부터의 거리에 따라 대통령령으로 정하는 높이 이하로 할 수 있다'고 규정하고 있고, 그 위임에 따라 마련된 같은 법 시행령 제86조제4항에서는 '법 제61조제3항에 따른 "대통령령으로 정하는 높이"란 같은 법 시행령 제86조제1항에 따른 높이의 범위에서 특별자치시장·특별자치도지사 또는 시장·군수·구청장(이하 "시장등"이라 함)이 정하여 고시하는 높이를 말한다'고 규정하고 있는바,

시장등이 「건축법 시행령」 제86조제4항에 따른 건축물의 높이에 관한 고시를 하지 않은 경우에도 「건축법」 제61조제3항을 적용할 수 있는지?(각주: 건축을 하려는 지역이 「건축법」 제61조제3항 각 호의 어느 하나에 해당하는 지역인 경우를 전제함.)

회답 시장등이 「건축법 시행령」 제86조제4항에 따른 건축물의 높이에 관한 고시를 하지 않은 경우에는 「건축법」 제61조제3항을 적용할 수 없습니다.

이유 "생략"

법령해석 「건축법 시행령」 제86조제2항제1호에 따른 "도로"에 포함되는 공공공지, 녹지, 광장의 범위

「건축법 시행령」 제86조 관련 법제처 법령해석 22-0155, 2022.6.17./건축사협회 수정게시 2022.7.28.

질의요지 「건축법 시행령」 제86조제2항제1호에서는 지구단위계획구역 등에서 대지 상호 간에 건축하는 건축물로 해당 대지가 너비 20미터 이상의 도로(자동차·보행자·자전거 전용도로를 포함하며, 도로에 공공공지,

녹지, 광장, 그 밖에 건축미관에 지장이 없는 도시·군계획시설이 접한 경우 해당 시설 포함)에 접한 경우에는 같은 조 제1항에 따른 일조 등의 확보를 위한 건축물의 높이 제한 규정을 적용하지 않는다고 규정하고 있는 바, 제2항제1호에 따른 "공공공지, 녹지, 광장"은 「국토의 계획 및 이용에 관한 법률」 제2조제7호에 따른 도시·군계획시설 인 공공공지, 녹지, 광장으로 한정되는지?

회답 「건축법 시행령」 제86조제2항제1호에 따른 "공공공지, 녹지, 광장"은 도시·군계획시설인 공공공지, 녹지, 광장으로 한정됨

이유 「건축법 시행령」 제86조제2항제1호에서는 "공공공지, 녹지, 광장, 그 밖에 건축미관에 지장이 없는 도시·군계획시설"이라고 규정하고 있는데, 입법기술상 "그 밖에"라는 표현은 같은 호에서 공공공지, 녹지, 광장 등과 유사하나 그 대상을 특정할 수 없는 시설을 포함하기 위해 사용한 것이므로, 앞서 열거된 "공공공지, 녹지, 광장"은 각각 도시·군계획시설인 경우를 전제하고 있는 것으로 보아야 할 것임.

더불어 제1호에 따른 공공공지, 녹지, 광장 등의 시설은 그 속성상 도로와 마찬가지로 그 시설에 건축물의 건축이 제한되는 시설로서 일조 등의 확보에 지장이 없는 성질의 것으로 한정하여 해석할 필요가 있는데, 도시·군계획시설이 아닌 공공공지, 녹지, 광장은 장래의 사정 변경에 따라 해당 부지에 건축물이 건축될 가능성이 도시·군계획시설인 경우보다 훨씬 크다고 할 것인바, 도시·군계획시설이 아닌 공공공지, 녹지, 광장까지 포함된다고 보아 해당 시설에 접한 대지의 건축물의 높이 제한 기준의 적용을 배제하게 되면, 예외 사유의 범위가 과도하게 확장될 수 있고, 주거생활의 일조·채광·통풍 등의 확보를 목적으로 하는 「건축법 시행령」 제86조제1항의 입법 취지에 반하는 결과를 초래하게 됨.

법령해석 창 넓이가 0.5제곱미터 미만인 창이 마주보고 있는 공동주택 두 동의 이격거리 기준

「건축법 시행령」 제86조 관련 법제처 법령해석 21-0590, 2021.12.1./건축사협회 수정게시 2022.7.28.

질의요지 각각 창 넓이가 0.5제곱미터 미만인 창이 있는 벽면이 서로 마주보고 있는 공동주택 두 동의 경우, 동 사이의 거리 기준을 적용할 때 「건축법 시행령」 제86조제3항제2호가목을 적용해야 하는지, 아니면 같은 호 마목을 적용해야 하는지 여부

회답 「건축법 시행령」 제86조제3항제2호가목에 따른 건축물 사이의 거리 규정을 적용해야 함

이유 측벽은 0.5제곱미터 미만의 창을 포함한 창문 등이 없는 벽면을 말한다고 보아야 할 것인바, 이 사안과 같이 0.5제곱미터 미만의 창이 있는 벽면을 측벽으로 볼 수는 없으므로, 이러한 벽면이 서로 마주보는 경우가 같은 호 라목에 따른 채광창이 없는 벽면과 측벽이 마주보는 경우 또는 같은 호 마목에 따른 측벽과 측벽이 마주보는 경우에 해당한다고 할 수 없음

법령해석 마주보는 건축물을 띄어 건축해야 하는 기준인 "건축물 각 부분의 높이"의 범위

「건축법 시행령」 제86조 관련 법제처 법령해석 21-0403, 2021.10.15./건축사협회 수정게시 2022.7.28.

질의요지 같은 대지에서 두 동의 건축물이 서로 마주보고 있는 경우로서, 채광창등이 있는 벽면으로 된 건축물(A건축물)과 채광창등이 없는 측벽으로 된 건축물(B건축물)이 서로 마주보고 있는 경우,(「건축법 시행령」 제86조제3항제2호나목 및 다목에 해당하지 않는 경우를 전제함) 「건축법 시행령」 제86조제3항제2호 각 목 외의 부분 본문에 따른 "건축물 각 부분 사이의 거리"는 채광창등이 있는 벽면으로 된 건축물(A건축물)의 높이만을 기준으로 하여 산정해야 하는지 여부

회답 「건축법 시행령」 제86조제3항제2호에 따른 "건축물 각 부분 사이의 거리"는 채광창등이 없는 측벽으로 된 건축물(B건축물)의 높이도 기준으로 하여 산정해야 함

이유 「건축법 시행령」 제86조제3항제2호 각 목 외의 부분 본문에서는 두 동 이상의 건축물이 서로 마주보고 있는 경우에는 해당 두 동 이상의 마주보고 있는 건축물 각 부분 사이의 거리를 일정 거리 이상으로 할 것을 규정하고 있고, 같은 호 가목에 대한 예외규정을 둔 같은 호 나목에서는 "높은 건축물", "낮은 건축물"과 같이 명시적으로 두 건축물의 높이를 모두 고려하도록 규정하고 있는 점에 비추어 볼 때, 같은 항 제2호가목의 "건축

물 각 부분 높이"에서 "건축물의 각 부분"은 두 동 이상의 건축물이 서로 마주보고 있는 경우 각각의 건축물 부분을 가리키는 것으로 보아야 하므로, 건축물 각 부분 높이 모두를 기준으로 하여 이격거리를 산정해야 함

법령해석 일조 등 확보를 위한 이격 거리 기준이 배제되는 요건

「건축법 시행령」 제86조제2항 등 관련 법제처 법령해석 22-0088, 2022.4.20.

질의요지 「건축법 시행령」 제86조제2항제1호에서는 같은 호 각 목의 어느 하나에 해당하는 구역 안의 대지 상호간에 건축하는 건축물로서 해당 대지가 너비 20미터 이상의 도로(각주: 자동차·보행자·자전거 전용도로를 포함하고, 도로에 공공공지, 녹지, 광장, 그 밖에 건축미관에 지장이 없는 도시·군계획시설이 접한 경우 해당 시설을 포함하며, 이하 같음.)에 접한 경우에는 같은 조 제1항에 따른 일조(日照) 등 확보를 위한 인접 대지경계선으로부터의 이격 거리 제한을 적용하지 않는다고 규정하고 있는바,

「건축법 시행령」 제86조제2항제1호 각 목의 어느 하나에 해당하지 않는 구역 안의 대지 상호간에 건축물을 건축하는 경우로서 해당 대지가 너비 20미터 이상의 도로에 접한 경우 같은 조 제1항을 적용하지 않을 수 있는지?

회답 이 사안의 경우 「건축법 시행령」 제86조제1항을 적용해야 합니다.

이유 법령의 문언 자체가 비교적 명확한 개념으로 구성되어 있다면 원칙적으로 더 이상 다른 해석방법은 활용할 필요가 없거나 제한될 수밖에 없다고 할 것인데(각주: 대법원 2009.4.23. 선고 2006다81035 판결례 참조), 「건축법」 제61조제1항 및 같은 법 시행령 제86조제1항에서는 전용주거지역과 일반주거지역 안에서 건축물을 건축하는 경우 일조 등의 확보를 위해 건축물의 각 부분을 정북방향으로의 인접 대지경계선으로부터 일정 거리 이상을 띄어 건축해야 한다고 규정하고 있고, 같은 법 시행령 제86조제2항제1호에서는 "다음 각 목의 어느 하나에 해당하는 구역 안의 대지 상호간에 건축하는 건축물로서" 해당 대지가 너비 20미터 이상의 도로에 접한 경우에 같은 조 제1항을 적용하지 않는다고 규정하고 있는바, 인접 대지경계선으로부터의 이격 거리 제한을 적용받지 않기 위해서는 해당 대지가 같은 조 제2항제1호 각 목의 어느 하나에 해당하는 구역 안에 있어야 함이 문언상 명백합니다.

또한 「건축법」 제61조제1항 및 같은 법 시행령 제86조제1항은 인접한 건축물과의 사이에 일정한 공간을 두어 주거생활에 있어서 가장 중요한 일조·채광·통풍 등을 확보할 수 있도록 하려는 건축기준인바, 이에 대한 예외사유를 해석할 때에는 합리적인 이유 없이 문언의 의미를 확대하여 해석해서는 안 된다(각주: 법제처 2021.5.12. 회신 21-0081 해석례 참조)고 할 것이고, 같은 법 시행령 제86조제2항제1호에서 「국토의 계획 및 이용에 관한 법률」 제51조에 따른 지구단위계획구역, 같은 법 제37조제1항제1호에 따른 경관지구(가목), 「경관법」 제9조제1항제4호에 따른 중점경관관리구역(나목) 등의 구역을 한정하여 그 구역 안의 대지가 너비 20미터 이상의 도로에 접한 경우에만 「건축법 시행령」 제86조제1항을 적용하지 않도록 규정한 것은, 일조·채광·통풍 등의 확보와 일정 지역의 경관 관리를 조화롭게 추구하려는 취지(각주: 2015.7.6. 대통령령 제26384호로 개정된 「건축법 시행령」 조문별 개정이유서 참조)인바, 같은 조 제1항 및 제2항제1호의 규정 취지에 비추어 볼 때, 이 사안과 같이 같은 조 제2항제1호 각 목의 어느 하나에 해당하지 않는 구역 안의 대지 상호간에 건축물을 건축하려는 경우에도 같은 조 제1항의 적용이 배제된다고 볼 수는 없습니다.

따라서 「건축법 시행령」 제86조제2항제1호 각 목의 어느 하나에 해당하지 않는 구역 안의 대지 상호간에 건축물을 건축하는 경우로서 해당 대지가 너비 20미터 이상의 도로에 접한 경우 같은 조 제1항을 적용해야 합니다.

법령해석 너비 20미터 이상의 도로에 접하는 두 대지 사이에 건축이 금지된 공지가 있는 경우 일조 등 확보를 위한 이격거리 기준이 배제되는지 여부

「건축법 시행령」 제86조 관련 법제처 법령해석 21-0710, 2022.1.27./건축사협회 수정게시 2022.7.28.

질의요지 「건축법 시행령」 제86조제2항제1호 각 목의 어느 하나에 해당하는 구역 안의 대지로서 너비 20미터 이상의 도로에 접하고 있으며, 서로 접하지 않는 두 대지 사이에 건축이 금지된 공지가 있는 경우, 두 대지에 건축하는 건축물에 같은 조 제1항에 따른 거리 기준이 적용 여부

회답 이 경우 두 대지에 건축하는 건축물에 대하여는 「건축법 시행령」 제86조제1항에 따른 거리 기준이 적용되지 않음

이유 건축물을 건축하기 위한 두 대지가 이미 너비 20미터 이상의 도로에 접하고 있어 도로 방향으로의 일조권 확보가 용이한 경우이고, 추가적으로 두 대지 사이에 건축이 금지된 공지가 있는 경우에 해당하므로, 건축물을 건축할 때 인접 대지경계선으로부터 일정거리를 띄어 건축하지 않아도 된다고 보는 것이 같은 규정의 취지에도 부합

법령해석 일조 등 확보를 위한 이격 거리 기준이 배제되는 요건 중 너비 20미터 이상의 도로에 접하는 대지의 범위

「건축법 시행령」 제86조제2항 등 관련 법제처 법령해석 21-0081, 2021.5.12./건축사협회 수정게시 2022.7.28.

질의요지 「건축법 시행령」 제86조제2항제1호에서는 지구단위계획구역(각주: 「국토의 계획 및 이용에 관한 법률」 제51조에 따른 지구단위계획구역을 말하며, 이하 같음.) 등같은 호 각 목의 어느 하나에 해당하는 구역 안의 대지 상호간에 건축하는 건축물로서 해당 대지가 너비 20미터 이상의 도로(각주: 자동차·보행자·자전거 전용도로를 포함하고, 도로에 공공공지, 녹지, 광장, 그 밖에 건축미관에 지장이 없는 도시·군계획시설이 접한 경우 해당 시설을 포함하며, 이하 같음.)에 접한 경우에는 같은 조 제1항에 따른 일조(日照) 등 확보를 위한 인접 대지경계선으로부터의 이격 거리 제한을 적용하지 않는다고 규정하고 있는바, 이는 상호간의 두 대지가 모두 너비 20미터 이상의 도로에 연속하여 접하는 경우를 의미하는지?

회답 「건축법 시행령」 제86조제2항제1호 각 목 외의 부분은 상호간의 두 대지가 모두 너비 20미터 이상의 도로에 연속하여 접하는 경우를 의미함

이유 「건축법」 제61조제1항 및 같은 법 시행령 제86조제1항 각 호 외의 부분에서는 전용주거지역과 일반주거지역 안에서 일조 등의 확보를 위해 건축물의 각 부분을 정북 방향으로의 인접 대지경계선으로부터 일정 거리 이상을 띄어 건축해야 한다고 규정하고 있고, 「건축법 시행령」 제86조제2항에서는 동조 제1항을 적용하지 않는 경우를 열거하고 있는데, 이는 인접 건축물과 일정 공간을 두어 일조·채광·통풍 등을 확보할 수 있도록 하려는 건축기준에 대한 예외 사유인 만큼 합리적 이유 없이 의미를 확대하여 해석해서는 안 됨(법제처 2012.11.3. 회신 12-0596 해석례 참조)

「건축법 시행령」 제86조제2항제1호 각 목 외의 부분에서는 일정 구역 안의 대지 상호간에 건축하는 건축물로서 해당 대지가 너비 20미터 이상의 도로에 접한 경우 동조 제1항을 적용하지 않는다고 규정하고 있는바, 너비 20미터 이상의 도로에 접하는 대상인 "해당 대지"는 앞에서 수식하고 있는 건축물을 건축하기 위한 상호간의 두 대지 모두를 의미하는 것이 문언상 분명함.

법령해석 인접 대지경계선을 반대편의 대지경계선으로 하기 위한 대지의 요건

「건축법 시행령」 제86조제6항제2호 등 관련 법제처 법령해석 21-0054, 2021.3.15.

질의요지 건축물을 건축하려는 대지와 다른 대지 사이에 대지가 있는 경우로서 사이에 있는 대지의 너비가 2미터를 초과하지만 면적이 「건축법 시행령」 제80조 각 호에 따른 분할제한 기준 이하인 경우, 같은 영 제86조제6항제2호를 적용하여 건축물을 건축하려는 대지 반대편의 대지경계선을 인접 대지경계선으로 할 수 있는지?

<질의 배경> 인천광역시 계양구에서는 위 질의요지에 대해 국토교통부에 문의하였고 이 경우 「건축법 시행령」 제86조제6항제2호 각 목의 어느 하나에만 해당하면 건축물을 건축하려는 대지 반대편의 대지경계선을 인접 대지경계선으로 할 수 있다는 회신을 받자, 이에 이견이 있어 법제처에 법령해석을 요청함.

회답 이 사안의 경우 「건축법 시행령」 제86조제6항제2호를 적용하여 건축물을 건축하려는 대지 반대편의 대지경계선을 인접 대지경계선으로 할 수 있습니다.

이유 "생략"

법령해석 **일조 등 확보를 위한 인접 대지경계선으로부터의 이격거리 기준 적용 시 대지경계선의 범위**

「건축법 시행령」 제86조제6항 등 관련 법제처 법령해석 20-0602, 2020.12.30./건축사협회 수정게시 2022.9.19.

질의요지 건축물을 건축하려는 대지와 다른 대지 사이에 대지가 있는 경우로 사이에 있는 대지의 면적이 분할제한 기준 이하이고 건축물이 건축되어 있는 경우, 「건축법 시행령」 제86조제6항제2호나목을 적용하여 건축물을 건축하려는 대지 반대편의 대지경계선을 인접 대지경계선으로 할 수 있는지 여부

회답 「건축법 시행령」 제86조제6항제2호나목을 적용하여 건축물을 건축하려는 대지 반대편의 대지경계선을 인접 대지경계선으로 할 수 없음

이유 「건축법 시행령」 제86조제6항제2호는 너비가 2미터 이하이거나 면적이 같은 영 제80조 각 호에 따른 분할제한 기준인 대지의 경우 대지가 협소하여 사실상 건축물의 건축이 어렵거나 건축이 허용되지 않는 부지임에도 불구하고 인접대지에 위치한 건축물의 일조 등 확보를 위한 이격거리 제한이 적용되는 문제가 있어, 인접대지에 공원, 도로 등 시설이 있는 경우 또는 인접대지가 건축이 허용되지 않는 공지인 경우와 마찬가지로 이격거리 제한을 완화할 수 있게 신설된 규정임에 비추어 보면, 같은 영 제86조제6항제2호 각 목에서 일정 너비 또는 면적 이하인 대지를 규정한 것은 해당 대지에 건축물이 건축되어 있지 않은 경우를 전제한 것으로 보아야 함. 즉 건축물을 건축하려는 대지와 다른 대지 사이에 「건축법 시행령」 제86조제6항제2호 각 목에서 규정한 너비 또는 면적 이하의 대지가 있더라도 그 대지에 이미 건축물이 있는 경우라면 해당 건축물의 일조 등 확보를 위해서는 여전히 「건축법」 제61조제1항 및 같은 법 시행령 제86조제1항에 따라 건축하려는 대지의 인접 대지경계선을 기준으로 이격거리 제한이 적용될 필요가 있음.

법령해석 **「건축법 시행령」 제86조제6항제3호의 "건축이 허용되지 아니하는 공지"의 의미**

「건축법 시행령」 제86조제6항 등 관련 법제처 법령해석 19-0503, 2019.12.5./건축사협회 수정게시 2022.9.19.

질의요지 「건축법」 제44조에 따른 건축물의 대지가 도로에 접하여야 하는 요 건(이하 "접도요건"이라 함)을 충족하지 못하는 대지가 「건축법 시행 령」 제86조제6항제3호의 "건축이 허용되지 아니하는 공지"에 해당 하는지 여부

회답 접도요건을 충족하지 못하는 대지는 「건축법 시행령」 제86조제6항제3호의 "건축이 허용되지 아니하는 공지"에 해당하지 않음

이유 「건축법 시행령」 제86조제6항은 건축물을 건축하려는 대지와 다른 대지 사이에 있는 시설이나 부지에 건축물이 건축될 여지가 없는 경우 인접대지경계선을 기준으로 일조 등의 확보가능성을 판단할 필요가 없다는 점을 고려하여 일정한 요건을 충족하는 경우 반대편의 대지경계선을 인접대지경계선으로 보아 건축물의 높이 제한을 산정할 수 있도록 한 규정이므로, 같은 항 제3호에 따른 "건축이 허용되지 아니하는 공지"는 같은 항 제1호 및 제2호에 따른 공원, 도로 등 시설과 너비가 2미터 이하인 대지 등과 같이 그 속성상 건축을 할 수 없는 공지로 한정하여 해석할 필요가 있음 그런데 「건축법」 제44조는 건축물의 이용자로 하여금 교통상, 피난상 안전한 상태를 유지할 수 있도록 도로에 접하지 아니하는 토지에는 건축물을 건축하는 행위를 허용하지 않도록 하는 규정이므로 해당 규정에 따른 접도요건을 충족하지 못하는 대지는 현재 대지의 현황상 건축허가를 받지 못하는 것일 뿐 향후 도로로 사용할 인접 토지를 매입 하는 등의 방법을 통해 접도요건을 충족하게 될 경우에는 건축허가를 받을 수도 있는 대지이므로 「건축법 시행령」 제86조제6항제1호 및 제2호와 같이 그 속성상 건축을 할 수 없는 공지로 볼 수 없고, 따라서 접도요건을 충족하지 못한 대지는 같은 항 제3호의 "건축이 허용되지 아니하는 공지"에 해당하지 않음.

법령해석 **같은 대지에서 두 동의 건축물이 마주보고 있는 경우 건축물 간 띄어야 하는 거리를 산정할 때 적용되는 "채광을 위한 창문 등이 있는 벽면"의 의미**

「건축법 시행령」 제86조제3항 등 관련 법제처 법령해석 18-0122, 2018.6.11./건축사협회 수정게시 2022.9.19.

질의요지 한 세대 벽면에 창문이 없는 벽면과 창문이 있는 벽면이 같은 방향으로 구분되어 설치되어 있고, 그 중 창문이 없는 벽면만 서로 마주보는 형태로 두 동(棟)의 건축물을 건축하는 경우, 일조 등의 확보를 위해 건

물의 높이를 제한하고 있는 「건축법 시행 령」 제86조제3항제2호가목이 적용되는지 여부

회답 이 사안의 경우 「건축법 시행령」 제86조제3항제2호가목이 적용됨

이유 「건축법 시행령」 제86조제3항제2호 가목을 적용할 때 인동간격 기준점이 되는 "채광을 위한 창문 등이 있는 벽면"도 마주보는 건축물에 있는 "각 세대"를 기준으로 판단해야 함

이 사안과 같이 창문이 없는 벽면만 서로 마주보는 형태로 두 동의 건축물을 건축한다고 하더라도 "마주보는 벽면이 속한 세대"에 창문이 없는 벽면과 같은 방향으로 창문이 있는 벽면이 설치되어 있다면, 이는 「건축법 시행령」 제86조제3항제2호가목에 따른 "채광을 위한 창문 등이 있는 벽면"에 해당한다고 보아 인동간격을 확보하도록 하는 것이 그 건축물에 위치한 모든 세대의 일조권을 일정 수준으로 보호하려는 해당 규정의 입법취지에 부합함

만약 이와 달리 창문이 없는 벽면끼리 서로 마주보고 있는 경우 마주보는 벽면이 속한 "각 세대"가 아니라 마주보는 "벽면"을 기준으로 「건축법 시행령」 제86조제3항제2호가목을 적용할 경우 인동간격을 줄이기 위해 맞은편 건축물과 마주보는 벽면에는 창문을 설치하지 않는 건축물의 난립 등으로 일조권을 보장하려는 입법취지가 훼손될 수 있다는 점도 이 사안을 해석할 때에 고려할 필요가 있음

법령해석 일조 등의 확보를 위한 건축물의 높이 제한을 받지 않는 경우인 건축물의 정북방향의 인접 대지가 "전용주거지역이나 일반주거지역이 아닌 용도지역인 경우"의 의미

「건축법 시행령」 제86조제2항제3호 등 관련 법제처 법령해석 17-0245, 2017.8.8./건축사협회 수정게시 2022.9.19.

질의요지 일반주거지역 안에서 건축물을 신축할 때, 그 건축물의 정북방향과 인접한 대지가 일반주거지역과 일반상업지역에 걸쳐 있고 그 중 일반상업지역이 과반을 차지하는 경우, 그 인접대지를 「건축법 시행령」 제86조제2항제3호에 따른 전용주거지역이나 일반주거지역이 아닌 용도지역에 해당하는 경우로 볼 수 있는지 여부

<질의 배경>

○ 강남구청은 제3종일반주거지역에서의 건축물에 대한 신축 허가 신청을 받았는데, 해당 건축물의 정북방향의 인접 대지의 경우 55%는 일반상업지역, 45퍼센트는 제3종일반주거지역으로 되어 있어, 해당 인접 대지를 일반주거지역으로 볼 경우에는 「건축법 시행령」 제86조제1항이 적용되어 일정 거리를 띄어 건축해야 하나, 해당 인접 대지를 일반상업지역으로 볼 경우에는 「건축법 시행령」 제86조제2항제3호가 적용되어 건축거리 제한을 받지 않게 됨.

○ 이에 따라, 강남구청은 해당 인접대지에 대해 「건축법」 제54조제1항을 적용하여 일반상업지역으로 볼 수 있는지 국토교통부에 질의하였고, 국토교통부에서 일반상업지역으로 볼 수 없다고 답변하자, 법제처에 법령해석을 요청함.

회답 이 사안의 경우 그 인접 대지를 「건축법 시행령」 제86조제2항제3호에 따른 전용주거지역이나 일반주거지역이 아닌 용도지역에 해당하는 경우로 볼 수 없음.

이유 「건축법 시행령」 제86조제1항에서 전용주거지역 또는 일반주거지역에서 건축물을 건축하는 경우 정북방향 인접대지경계선까지 일정한 거리를 띄우도록 규정한 입법취지는 국토계획법에 따른 "주거지역"의 경우 거주의 안녕과 건전한 생활환경의 보호를 위하여 필요한 지역이므로 (제36조제1항제1호가목), 그 지역에서 주거생활을 유지하는데 있어서 가장 중요한 요소라고 할 수 있는 일조·채광·통풍 등을 보장하기 위해서 인접한 건축물과의 사이에 일정한 공간을 확보하도록 하려는 것이고, 다만, 건축하는 건축물의 정북방향에 위치한 대지가 주거와 상관없는 용도지역임에도 불구하고 주거지역인 경우와 같은 기준을 적용하는 것이 불합리한 측면이 있으므로, 「건축법 시행령」 제86조제2항제3호를 두어 정북방향의 인접 대지가 전용주거지역 또는 일반주거지역이 아닌 용도 지역인 경우에는 일조 등을 위한 이격 거리 제한을 적용하지 않도록 한 것이라 할 것임. 그렇다면, 신축하는 건축물과 같이 정북방향의 인접대지가 일반상업 지역과 일반주거지역에 걸치는 경우는 일조 등을 위한 건축물 간의 이격거리 기준이 적용되지 않는 「건축법 시행령」 제86조제2항제3호의 정북방향의 인접대지가 "전용주거지역 또는 일반주거지역이 아닌 용도 지역에 해당하는 경우"에 해당하지 않는다고 할 것임.

법령해석 일조 등 확보를 위한 건축물 높이 제한 시 "너비가 2미터 이하인 대지"의 의미

「건축법」 제61조 관련 법제처 법령해석 16-0128, 2016.8.29./건축사협회 수정게시 2022.9.19.

질의요지 「건축법 시행령」 제86조제6항제2호가목은 건축물을 건축하려는 대지와 정북방향에 있는 인접대지 한 필지의 너비전체가 2미터 이하인 경우에만 적용되는지, 아니면 그 인접대지 중 일부분의 너비가 2미터 이하인 경우에 대해서도 그 2미터 이하인 부분에 한정하여 적용되는지 여부

회답 「건축법 시행령」 제86조제6항제2호가목은 건축물을 건축하려는 대지와 정북방향에 있는 인접대지 한 필지의 너비 전체가 2미터 이하인 경우에만 적용됨

이유 「건축법」 제2조제1항제1호 본문에서는 "대지"란 「공간정보의 구축 및 관리 등에 관한 법률」에 따라 각 필지로 나눈 토지를 말한다고 규정하고 있고, 대지의 조경의무에 관한 같은 법 제42조제1항, 대지의 분할 제한에 관한 같은 법 제57조, 대지 안의 공지에 관한 같은 법 제58조 등에서도 "대지"가 한 필지의 토지임을 전제로 그 대지에 건축물을 건축하려는 경우 준수해야 할 각종 사항에 관하여 규정하고 있는바, 동일한 법령에서의 용어는 법령에 다른 규정이 있는 등 특별한 사정이 없는 한 동일하게 해석·적용되어야 하므로, 「건축법 시행령」 제86조제6항제2호가목에서 규정하고 있는 "대지"도 한 필지의 대지 전체를 의미하는 것으로 보아야 할 것임. 그렇다면 한 필지의 대지의 일부분의 너비가 2미터 이하이고 나머지 부분의 너비는 2미터를 넘는 경우에는 「건축법 시행령」 제86조제6항제2호가목이 적용될 여지가 없다고 할 것임.

법령해석 일조 등의 확보를 위한 건축물 높이 제한 규정의 예외 적용 범위

「건축법」 제61조 관련 법제처 법령해석 14-0840, 2015.1.26./건축사협회 수정게시 2022.9.19.

질의요지 구 「건축법 시행령」(2014.11.11. 대통령령 제25716호로 일부개정되어 11.29. 시행되기 전의 것을 말하며, 이하 "구 「건축법 시행 령」"이라 함) 제86조제1항 단서에 따라,

가) 두 대지가 도로에 접하면서 그 도로를 사이에 두고 마주보고 있는 경우 구 「건축법 시행령」 제86조제1항 단서 규정이 적용되는지?

나) 두 대지가 각각 다른 도로에 접한 경우 구 「건축법 시행령」 제86조 제1항 단서 규정이 적용되는지?

회답 가) 두 대지가 도로에 접하면서 그 도로를 사이에 두고 마주보고 있는 경우에는 구 「건축법 시행령」 제86조제1항 단서 규정이 적용되지 않음.

나) 두 대지가 각각 다른 도로에 접한 경우에는 구 「건축법 시행령」 제86조제1항 단서 규정이 적용되지 않음.

이유 가) 구 「건축법 시행령」 제86조제1항 단서에서는 처음 도입된 이래로 현재까지 주거지역에서의 일조기준 적용의 예외로서 일관되게 규정되어 왔고, 이처럼 예외를 인정하는 이유는 도로변 건축물의 연속성을 유지하고[종전 「건축법 시행령」(1986.12.29. 대통령령 제12022호로 일부개정·시행된 것을 말함) 제90조제1호 단서 참조] 건축물의 미관을 향상하기 위한 것[종전 「건축법 시행령」(1992.5.30. 대통령령 제 13655호로 전부개정되어 6.1. 시행된 것을 말함) 제86조제3호 참조]임. 즉, 이 규정은 주거지역 내에 건축물이 위치한다고 하더라도 일정 너비 이상의 넓은 도로에 연속하여 접한 두 대지의 경우 도로 방향으로 일 조권 확보가 비교적 용이하다는 점을 고려하여, 도로변에 위치하고 있는 건축물의 연속성 유지와 더불어 일조권 규제로 인해 건축물이 계단식으로 건축됨에 따라 도시 미관을 해치는 사례를 방지하기 위해 일조 등의 확보를 위한 높이제한 규제를 완화하려는 취지의 규정이라 하겠음.

나) "질의 가"에서 살펴본 바와 같이, 구 「건축법 시행령」 제86조제1 항 단서에 해당하기 위해서는 도로에 연속하여 접한 두 대지에 건축되는 건축물이어야 하므로, 이 사안에서와 같이 대지 상호간에 접하여 있으나 두 대지가 각각 다른 도로에 접한 경우에는 이러한 예외에 해당하지 않는바, 같은 항 본문에 따른 일조 등의 확보를 위한 정북방향의 건축물 높이제한 규정의 적용을 받는다고 할 것임.

법령해석 1층 전체에 필로티가 설치되는 공동주택을 건축할 때 「건축법」 제61조제2항의 "대통령령으로 정하는 높이"를 산정할 때뿐만 아니라 같은 조 제1항에 따른 높이 기준에 있어서도 필로티의 층고를 제외하여야 하는지 여부

「건축법」 제61조 등 관련 법제처 법령해석 12-0278, 2012.6.1.

질의요지 「건축법」 제61조제2항에 따르면, 공동주택의 높이는 제1항에 따른 높이 기준에 맞아야 할 뿐만 아니라 대통령령으로 정하는 높이 이하여야 한다고 규정하고 있고, 같은 법 시행령 제119조제1항제5호는 건축물의 높이 산정방법을 규정하면서 건축물의 1층 전체에 필로티가 설치되어 있는 경우에는 같은 법 제60조 및 같은 법 제61조제2항에 따른 높이를 산정할 때 필로티의 층고는 제외하도록 규정하고 있는바,

1층 전체에 필로티가 설치되는 공동주택을 건축할 때 「건축법」 제61조제2항의 "대통령령이 정하는 높이"를 산정할 때뿐만 아니라 같은 조 제1항에 따른 높이 기준에 있어서도 필로티의 층고를 제외하여야 하는지?

회답 1층 전체에 필로티가 설치되는 공동주택을 건축할 때 「건축법」 제61조제1항에 따른 높이 기준에 있어서는 필로티의 층고를 제외할 수 없다고 할 것입니다.

이유 「건축법」 제61조제1항에서는 전용주거지역과 일반주거지역 안에서 건축하는 건축물의 높이는 일조(日照) 등의 확보를 위하여 정북방향(正北方向)의 인접 대지경계선으로부터의 거리에 따라 대통령령으로 정하는 높이 이하로 하여야 한다고 규정하여 일조 등의 확보를 위한 정북방향의 건축물 높이 기준(이하 "정북방향의 높이 기준"이라 함)을 규정하고 있고, 같은 조 제2항에서는 공동주택(일반상업지역과 중심상업지역에 건축하는 것은 제외하며, 이하 같음)의 높이는 제1항에 따른 기준에 맞아야 할 뿐만 아니라 대통령령으로 정하는 높이 이하로 하여야 한다고 규정하고 있으며, 「건축법」 제84조에서는 건축물의 대지면적, 연면적, 바닥면적, 높이, 처마, 천장, 바닥 및 층수의 산정방법은 대통령령으로 정하도록 규정하고 있습니다.

그런데, 「건축법 시행령」 제119조제1항제5호 각 목 외의 부분 본문에서는 건축물의 높이를 산정하는 방법을 "지표면으로부터 그 건축물의 상단까지의 높이[건축물의 1층 전체에 필로티(건축물을 사용하기 위한 경비실, 계단실, 승강기실, 그 밖에 이와 비슷한 것을 포함함)가 설치되어 있는 경우에는 법 제60조 및 법 제61조제2항을 적용할 때 필로티의 층고를 제외한 높이]"로 규정하고 있고, 「건축법」 제61조제2항에서는 "제1항에 따른 기준에 맞아야 할 뿐만 아니라"라고 규정하고 있으므로, 1층 전체에 필로티가 설치되는 공동주택을 건축할 때 「건축법」 제61조제2항의 "대통령령으로 정하는 높이"를 산정할 때뿐만 아니라 같은 조 제1항에 따른 높이 기준에 있어서도 필로티의 층고를 제외하여야 하는지 여부가 문제될 수 있습니다.

살피건대, 「건축법 시행령」 제119조제1항제5호 각 목 외의 부분 본문에서는 필로티의 층고를 건축물의 높이에서 제외하는 경우를 법 제60조(건축물의 높이 제한) 및 법 제61조제2항을 적용할 때로 한정하고 있는데, 「건축법」 제61조제2항에서는 공동주택의 높이는 같은 조 제1항에 따른 기준에 맞아야 할 뿐만 아니라 대통령령으로 정하는 높이 이하여야 한다고 규정하고 있고, 동 규정의 위임을 받은 같은 법 시행령 제86조제2항에서도 공동주택을 건축하는 경우에만 적용되는 높이 기준을 규정하고 있음을 알 수 있습니다.

즉, 이는 공동주택이든 아니든 건축물을 건축하는 경우라면 정북방향의 높이 기준에 관해서는 「건축법」 제61조제1항을 따라야 하나, 공동주택을 건축하는 경우라면 같은 조 제1항 외에도 제2항의 높이 기준 또한 따라야 한다는 의미로, 그렇다면 같은 조 제2항은 공동주택을 건축하는 경우에만 적용되는 높이 기준에 관한 내용으로서, 그 주된 입법목적은 공동주택을 건축하는 경우에만 적용되는 높이 기준을 새로이 정함에 있는 것이지 같은 조 제1항의 정북방향의 높이 기준을 따로 정하려는 것은 아니라 할 것이므로, 같은 법 시행령 제119조제1항제5호 각 목 외의 부분 본문에서 "법 제61조제2항을 적용할 때"라 함은 "법 제61조제2항에 따라 대통령령으로 정하는 높이 기준을 적용할 때"로 해석하는 것이 법체계적으로 타당할 것입니다.

그렇다면, 「건축법 시행령」 제119조제1항제5호 각 목 외의 부분 본문에서의 "건축물의 1층 전체에 필로티가 설치되어 있는 경우에는 법 제61조제2항을 적용할 때 필로티의 층고를 제외한 높이"는 「건축법」 제61조제1항의 정북방향의 높이 기준에는 적용되지 않는다고 할 것입니다.

따라서, 1층 전체에 필로티가 설치되는 공동주택을 건축할 때 「건축법」 제61조제1항에 따른 높이 기준에 있어서는 필로티의 층고를 제외할 수 없다고 할 것입니다.

법령해석 제2종일반주거지역에서 다가구주택을 신축하면서 정북 방향의 인접대지보다 신축 대지의 지표면을 인위적으로 0.2미터 높게 조성한 경우, 인접대지와 지표면 높이의 차인 0.2미터를 가산한 건축물의 높이의 2분의 1 이상의 범위에서 건축조례로 정하는 거리 이상을 정북방향 인접대지 경계선으로부터 띄어야 하는지

「건축법 시행령」 제86조 등 관련 법제처 법령해석 11-0633, 2012.1.12./건축사협회 수정게시 2022.9.19.

질의요지 제2종일반주거지역에서 다가구주택을 신축하면서 정북 방향의 인접대지보다 신축 대지의 지표면을 인위적으로 0.2미터 높게 조성한 경우에 「건축법 시행령」 제86조제1항제3호(건물자체의 높이가 8.4미터인 경우임)를 적용함에 있어, 인접대지와 지표면 높이의 차인 0.2미터를 가산한 건축물의 높이의 2분의 1 이상의 범위에서 건축조례로 정하는 거리 이상을 정북방향 인접대지 경계선으로부터 띄어야 하는지, 아니면 같은 법 시행령 제119조제1항제5호나목에 따라 건축물 대지의 지표면과 인접대지의 지표면 간에 고저차가 있는 경우에는 그 지표면의 평균 수평면을 지표면으로 보므로, 건축물 대지의 지표면과 평균 수평면의 차이인 0.1미터만을 가산한 건축물의 높이의 2분의 1 이상의 범위에서 건축조례로 정하는 거리 이상을 정북방향 인접대지 경계선으로부터 띄어야 하는지?

회답 제2종일반주거지역에서 다가구주택을 신축하면서 정북 방향의 인접대지보다 신축 대지의 지표면을 인위적으로 0.2미터 높게 조성한 경우에 「건축법 시행령」 제86조제1항제3호(건물자체의 높이가 8.4미터인 경우임)를 적용함에 있어, 같은 법 시행령 제119조제1항제5호나목에 따라 건축물 대지의 지표면과 인접대지의 지표면의 평균 수평면을 지표면으로 보아 건축물 대지의 지표면과 평균 수평면의 차이인 0.1미터만을 가산한 건축물의 높이의 2분의 1 이상의 범위에서 건축조례로 정하는 거리 이상을 정북방향 인접대지 경계선으로부터 띄어야 한다고 할 것임

이유 「건축법 시행령」 제119조제1항제5호에 따라 일조 등의 확보를 위한 건축물의 높이 제한 규정을 적용하기 위해서 건축물의 높이를 산정하는 경우 남쪽 대지에 건축물을 건축하는 경우에는 남쪽과 북쪽 지표면 의 평균수평면을 지표면으로 보아 건축물의 높이를 산정하여야 할 것 임. 또한, 남쪽 대지에 건물을 신축하는 사람의 입장에서는 「건축법」 제61조제1항의 일조 등의 확보를 위한 정북방향 높이제한은 일종의 규제에 해당한다고 할 것인바, 신축 대지의 지표면을 인위적으로 0.2 미터 높게 조성하였다 하더라도, 명문의 규정이 없는 한 「건축법 시행령」 제119조제1항제5호나목의 규정을 배제하고 인접대지와의 지표면의 차이인 0.2미터 전부를 건축물 높이 산정에 가산하여야 하는 것은 아니라 할 것임.

지침 채광을 위한 창문들이 있는 벽면(건축법시행령 제86조)관련운용 알림

건교부 건축기획팀-1709, 2006.3.20, 각 시·도 관련지침

1. 2005.7.18 개정·공포한 건축법시행령 제86조제2항제1호의 규정에 의하면 건축물(기숙사를 제외한다)의 각 부분의 높이는 그 부분으로부터 채광을 위한 창문들이 있는 벽면으로부터 직각방향으로 인접대지경계선까지의 수평거리의 2배(근린상업지역·준주거지역안의 건축물 및 다세대주택은 4배) 이하의 높이로 하도록 규정하고 있음
2. 이는 개정 전의 종전규정보다 건축물의 높이를 1/2배로 (인접대지경계선까지의 수평거리의 4배 이하→2배 이하)로 낮추고, 다세대주택도 적용대상으로 포함시킴으로써 인접대지경계선으로부터 이격거리에 따라 일정부분 건축물의 높이를 제한하여 공동주택의 주거부분에 채광을 위한 공간을 확보하고 사생활 침해 및 소음 등으로부터 거주자를 보호함으로써 주거환경을 크게 개선하고자 하는 것임
3. 다만, 상기 규정을 적용함에 있어서 개정 전의 규정에서는 채광을 위한 창문등이 있는 벽면이라 함은 채광을 위한 창문등이 없는 벽면을 포함하여 채광을 위한 방향의 모든 부분을 기준으로 하도록 운용하였으나, 현행규정에서 이와 같이 높이제한을 적용하게 되는 경우 건축물의 높이나 면적을 지나치게 제한하게 되고 특히 주거지역등 층수제한이 있는 용도지역의 경우 허용용적률에도 미치지 못하게 되는 등 사실상 건축물의 규모를 과도하게 제한하는 결과를 가져올 수 있음
4. 따라서 공동주택의 외벽이 단순한 장방형이 아니라 ㄱ자형·ㄷ자형·T자형·Y자형 및 +자형등과 같은 형태로

서 동일한 인접대지경계선을 기준으로 하여 규정을 적용받는 외벽에 채광을 위한 창문등이 없는 각 세대는 건축법시행령 제86조 제2항 제1호에서 규정한 "채광을 위한 창문등이 있는 벽면"에서 제외하여 운용함이 바람직할 것으로 판단되어 알려드리니 업무에 참고하시기 바람. 끝.

질의회신 일조권 적용 관련

국토교통부 민원마당 FAQ 2023.6.15.

질의 건축법시행령 제86조제2항제2호나목의 규정에 따른 두 동의 건축물이 서로 마주보는 건축물 중 남쪽방향의 건축물이 낮을 경우, 일조권 적용 질의

회신 「건축법 시행령」 제86조제2항제2호 가목에 따르면 동일한 대지 안에서 2동 이상의 건축물이 서로 마주보고 있는 경우(1동의 건축물의 각 부분이 서로 마주보고 있는 경우를 포함함) 채광을 위한 창문 등이 있는 벽면으로부터 직각방향으로 건축물 각 부분의 높이의 0.5배(도시형 생활주택의 경우에는 0.25배) 이상의 범위에서 건축조례로 정하는 거리이상 띄어 건축하도록 하고 있으며, 동조동항동호 나목을 보면 가목에도 불구하고 서로 마주보는 건축물 중 높은 건축물(높은 건축물을 중심으로 마주보는 두 동의 축이 시계방향으로 정동에서 정서 방향인 경우만 해당한다)의 주된 개구부(거실과 주된 침실이 있는 부분의 개구부를 말한다)의 방향이 낮은 건축물을 향하는 경우에는 10미터 이상으로서 낮은 건축물 각 부분의 높이의 0.5배(도시형 생활주택의 경우에는 0.25배) 이상의 범위에서 건축조례로 정하는 거리 이상으로 정하고 있음.
따라서 낮은 건축물 각 부분 높이의 0.5배(도시형 생활주택의 경우에는 0.25배) 이상의 범위에서 건축조례로 정하는 거리이상을 띄어 건축하여야 하는 것임을 알려 드리오니, 보다 구체적인 사항은 자세한 자료를 갖추어 조례를 운영하고 있는 해당 지역의 허가권자에게 문의 바람

질의회신 도시형 생활주택 일조 및 이격거리 관련

국토교통부 민원마당 FAQ 2023.6.15.

질의 가. 건축위원회 심의를 신청하면 단지형 다세대는 5층까지 가능한지. 나. 아파트, 연립주택은 제외하고 도시형 생활주택만 일조규정을 완화토록 한 건축법 시행령과 도시형 생활주택 운영지침이 불일치하지 않는지 다. 도시형 생활주택간 채광방향 이격거리를 확장

회신 가. 단지형 다세대주택은 주택법 시행령 제3조제1항제1호에 의거 건축법 제4조에 따른 건축위원회의 심의를 받은 경우 주택으로 쓰는 층수를 5층까지 할 수 있는데, 건축위원회의 심의기준은 해당 지방자치단체에서 지역여건 또는 주거환경 등을 종합적으로 고려하여 정하고 있으므로 보다 구체적인 사항은 해당 지방자치단체로 문의하시기 바람
나. 도시형 생활주택은 도심 서민과 증가하는 1~2인 가구의 주거수요에 대응하기 위해 도입한 소규모 주택으로 이를 활성화하기 위해 건축법 시행령을 개정하여 일조규정을 완화하였음. 당초, 단지형 다세대주택만 일조규정을 완화하려 하였으나 도시형 생활주택 공급 활성화를 위하여 법령개정 추진과정에서 모두 포함하게 되었음
다. 도시형 생활주택간 채광방향 이격거리는 건축법 시행령 제86조제3항제2호 가목 및 나목에 따라 채광을 위한 창문 등이 있는 벽면으로부터 직각방향으로 건축물 각 부분 높이의 0.25배(남쪽 방향의 건축물 높이가 낮고, 주된 개구부의 방향이 낮은 건축물을 향하는 경우 10미터 이상으로서 낮은 건축물 각 부분의 높이의 0.25배) 이상의 범위에서 건축조례로 정하는 거리 이상으로 규정하고 있는데, 이는 지역여건, 주거환경, 관계법령 등을 종합적으로 고려하여 해당 지역의 실정에 맞게 조례로 규정하도록 함으로써 다양한 배치와 토지 효율성을 높일 수 있게 한 것임 그러므로, 도시형 생활주택간 채광방향 이격거리는 현행 규정에 따라 지역 여건을 고려하여 당해 지자체 조례에서 정하는 것이 타당할 것임

질의회신 도시형 생활주택의 일조권 적용 관련

국토교통부 민원마당 FAQ 2022.6.28.

질의 도시형 생활주택(공동주택)의 한쪽 면에 채광창이 있는 거실부분과 채광창이 없는 계단실 및 엘리베이터 코아

등이 함께 있는 경우, 건축법시행령 제86조제2항제호의 채광방향의 일조 등의 확보를 위한 건축물의 높이제한 여부

회신 「건축법 시행령」 제86조제2항제1호의 규정에 따르면 건축물(기숙사는 제외)의 각 부분의 높이는 그 부분으로부터 채광을 위한 창문 등이 있는 벽면에서 직각 방향으로 인접 대지경계선까지의 수평거리의 2배(근린상업지역 또는 준주거지역의 건축물은 4배)이하로 하여야 함 이는 공동주택 단위세대의 일조 및 채광의 확보와 인근대지에 대하여 외부로부터 오는 시선으로 인한 사생활보호 등을 위해 규정하고 있다고 봄.

질의의 채광창이 없는 공용의 계단실 및 엘리베이터실이 단위세대의 일조, 채광, 사생활보호 등에 지장이 없다고 인정되는 부분에 대해서 상기 규정을 적용하는 것이 불합리하다고 판단되는 경우에는 그러하지 아니하여도 될 것임

질의회신 일조권 관련

국토교통부 민원마당 FAQ 2022.6.28.

질의 건축법시행령 제86조제2항제1호의 채광방향의 일조 등의 확보를 위한 건축물의 높이제한 규정 적용시, 공동주택에 채광창이 설치된 단위세대로 한정해야 하는지 아니면 채광창이 없는 공용부 벽면까지 포함해야 하는지?

회신 「건축법 시행령」 제86조제2항제1호에 따르면 건축물(기숙사는 제외)의 각 부분의 높이는 그 부분으로부터 채광을 위한 창문 등이 있는 벽면에서 직각방향으로 인접 대지경계선까지의 수평거리의 2배(근린상업지역 또는 준주거지역의 건축물은 4배)이하로 하여야 함 이는 공동주택 단위세대의 일조 및 채광의 확보와 인근대지에 대하여 외부로부터 오는 시선으로 인한 사생활보호 등을 위해 규정하고 있음 질의의 채광창이 없는 공용부가 단위세대의 일조, 채광, 사생활보호 등에 지장이 없다고 인정되는 부분에 대해서 상기 규정을 적용하는 것이 불합리하다고 판단되는 경우에는 그러하지 아니하여도 될 것으로 사료됨

질의회신 건축물의 일조권 적용관련

국토교통부 민원마당 FAQ 2022.6.28.

질의 정북방향 일조권 적용시 대지와 다른 대지사이에 도로가 있는 경우, 인접대지경계선 산정기준 문의

회신 「건축법」 제61조제1항의 규정에 따라 전용 및 일반주거지역 안에서 건축하는 건축물의 높이는 일조 등의 확보를 위하여 정북방향의 인접 대지경계선으로부터의 거리에 따라 같은 법 시행령 제86조제1항에서 정하는 높이이하로 하여야 함 또한, 같은 법 시행령 제86조제5항에 따라 건축물을 건축하려는 대지와 다른 대지사이에 공원, 도로, 하천, 녹지 등 그 밖에 건축이 허용되지 아니하는 공지가 있는 경우에는 그 반대편 대지경계선(공동주택은 인접 대지경계선과 그 반대편 대지경계선의 중심선)을 인접 대지경계선으로 하도록 하고 있음

질의회신 일조권 완화적용 관련

국토교통부 민원마당 FAQ 2022.6.28.

질의 신청대지("A") 일부와 옆 대지("B")가 너비 20미터이상의 도로에 상호 인접하고 있으나 "B" 대지의 뒷부분에 있는 대지("C")와 "A"대지의 뒷부분에 대해서도 건축법 시행령 제86조제1항 단서규정에 따른 일조권 완화적용을 받을 수 있는지 여부.

회신 「건축법 시행령」 제86조제1항 단서규정에 따르면 전용주거지역 또는 일반주거지역에서 건축물을 건축하는 경우로서 건축물의 미관향상을 위하여 너비 20미터 이상의 도로로서 건축조례로 정하는 도로에 접한 대지 상호간에 건축하는 건축물의 경우에는 같은항 본문의 규정을 적용하지 아니하는 것임. 그러나, 질의 경우와 같이 대지 "A"와 대지 "B"가 20미터 이상의 도로에 상호인접하고 있더라도 "B" 대지의 뒤에 위치한 "C"대지와 "A" 대지의 부분에 대해서는 상기 규정에 따른 정북방향의 일조권 적용 기준을 배제할 수 없을 것으로 사료됨

질의회신 정남방향 일조기준 적용시 대통령령이 정하는 거리란 무엇인지

국토교통부 민원마당 FAQ 2022.6.28.

질의 「건축법」 제61조제3항제8호에 따른 정남방향 일조기준 적용시 대통령령이 정하는 거리란 같은법 시행령 제86조제1항 각호에 해당하는 거리인지?

회신 「건축법」 제61조제3항 및 동법 시행령 제86조제3항에 따르면 정남방향 일조기준 적용시 건축물의 높이는 정남방향의 인접 대지경계선으로부터의 거리에 따라 특별자치도지사 또는 시장 · 군수 · 구청장이 정하여 고시하는 높이 이하로 하도록 하고 있음

질의회신 일조 등의 확보를 위한 건축물의 높이제한 관련

국토교통부 민원마당 FAQ 2022.6.28.

질의 너비 20미터 이상도로에 접한 두 대지사이에 3미터 도로가 있는 경우 「건축법 시행령」 제86조제1항 단서규정에 따른 '대지 상호간'으로 볼 수 있는 지 여부

회신 「건축법 시행령」 제86조제1항에 따라 전용주거지역이나 일반주거지역에서 건축물을 건축하는 경우에는 법 제61조제1항에 따라 건축물의 각 부분을 정북 방향으로의 인접 대지경계선으로부터 해당 항 각 호의 범위에서 건축조례로 정하는 거리 이상을 띄어 건축하도록 하고 있으나, 다만, 건축물의 미관 향상을 위하여 너비 20미터 이상의 도로(자동차·보행자·자전거 전용도로를 포함한다)로서 건축조례로 정하는 도로에 접한 대지(도로와 대지 사이에 도시계획시설인 완충녹지가 있는 경우 그 대지를 포함한다) 상호간에 건축하는 건축물의 경우에는 그러하지 아니하도록 하고 있으며, 동 규정에서 '대지 상호간'이란 인접대지 간을 의미함에 따라 귀 도의 질의와 같이 두 대지 사이에 도로가 있는 경우에는 인접대지, 즉 대지 상호간으로 볼 수 없을 것으로 판단됨

질의회신 일조권 적용 관련

국토교통부 민원마당 FAQ 2022.6.28.

질의 건축법 시행령 제86조제2항제1호의 채광방향의 일조 등의 확보를 위한 건축물의 높이제한 규정 적용시, 공동주택에 채광창이 설치된 단위세대로 한정해야 하는지 아니면 채광창이 없는 공용부 벽면까지 포함해야 하는지?

회신 건축법 시행령 제86조제2항제1호에 따르면 건축물(기숙사는 제외)의 각 부분의 높이는 그 부분으로부터 채광을 위한 창문 등이 있는 벽면에서 직각방향으로 인접 대지경계선까지의 수평거리의 2배(근린상업지역 또는 준주거지역의 건축물은 4배)이하로 하여야 하며, 이는 공동주택 단위세대의 일조 및 채광의 확보와 인근대지에 대하여 외부로부터 오는 시선으로 인한 사생활보호 등을 위해 규정하고 있음.

따라서, 질의의 채광창이 없는 공용부가 단위세대의 일조, 채광, 사생활보호 등에 지장이 없다고 인정되는 부분에 대해서 상기 규정을 적용하는 것이 불합리하다고 판단되는 경우에는 그러하지 아니하여도 될 것임

질의회신 높이산입이 되지 않는 부분의 일조권 저촉 여부

국토교통부 민원마당 FAQ 2019.5.24.

질의 「건축법 시행령」 제119조 제1항 제5호 다목의 규정에 의하여 옥탑 등이 12미터를 넘는 경우에만 높이에 산입하는 이유와 일조를 위한 높이제한 규정과의 배치 여부?

회신 「건축법시행령」 제119조 제1항 제5호 다목의 규정에 의하면 건축물의 옥상에 설치되는 승강기탑·계단탑·망루·장식탑·옥탑등으로서 그 수평투영면적의 합계가 당해 건축물의 건축면적의 8분의1(「주택법」 제15조제1항의 규정에 의한 사업계획승인 대상인 공동주택 중 세대별 전용면적이 85제곱미터 이하인 경우에는 6분의1)이하인 경우로서 그 부분의 높이가 12미터를 넘는 경우 경우에는 그 넘는 부분에 한하여 당해 건축물의 높이에 산입하도록 하고 있으며, 이는 건축물의 기능 또는 이용상 옥상에 돌출되는 승강기탑·계단탑 등의 수평투영면적의 합계가 위 규정의 건축면적 이하인 경우 그 부분의 높이가 12미터를 넘지 아니하는 부분에 대하여 제한적으로 높이에 산입하지 않고 있는 것으로 사료되며,

위 규정에 의하여 건축물의 높이에 산입되지 아니하는 승강기탑·계단탑 등의 수평투영면적의 합계가 위 규정

의 건축면적이하인 경우 그 부분의 높이가 12미터를 넘지 아니하는 부분에 대하여 제한적으로 높이에 산입하지 않고 있는 것으로 사료되며,
위 규정에 의하여 건축물의 높이에 산입되지 아니하는 승강기탑·계단탑등 부분은 「건축법」 제53조의 규정에 의한 일조등의 확보를 위한 건축물의 높이제한 규정에 어긋나지 않는 것임 (*법 제53조 ⇒ 제61조, 2008.3.21 개정)

질의회신 도시형 생활주택 높이제한 등

국토교통부 민원마당 FAQ 2019.5.24.

질의 ○ 도시형생활주택(공동주택) 두 동 이상의 건축물이 마주보고 있는 경우 「건축법 시행령」 제86조제2항제2호에 따른 이격거리의 산정방법.
○ 도시형생활주택(공동주택)의 발코니를 구조변경하지 않은 경우 발코니를 대피공간으로 인정받을 수 있는 지 여부와 인정받을 수 있다면 갑종방화문 및 내화창호 설치 여부.

회신 ○ 동일한 대지안에서 2동 이상의 건축물이 서로 마주보고 있는 경우로서「건축법 시행령」 제86조제2항제2호 가목에 해당되는 때에는 채광을 위한 창문 등이 있는 벽면으로부터 직각방향으로 건축물 각 부분의 높이의 0.5배(도시형생활주택의 경우에는 0.25배) 이상의 범위에서 건축조례로 정하는 거리 이상 띄어야 하는 것인 바, 이와 관련 "채광을 위한 창문 등이 있는 벽면"은 채광을 위한 방향의 창문·출입구 기타 개구부 등이 있는 벽면으로 보아야 할 것으로 설계도면 등 질의의 건축물에 대한 구체적인 내용 확인에 대하여는 관련 자료를 갖추어 종합행정업무를 처리하고 있는 관할 소재지의 시장·군수·구청장에게 문의 바람
○ 「건축법 시행령」 제46조제4항의 규정에 의하면 공동주택 중 아파트로서 4층 이상인 층의 각 세대가 2개 이상의 직통계단을 사용할 수 없는 경우에는 발코니에 인접세대와 공동으로 또는 각 세대별로 대피공간을 하나 이상 설치하여야 하며, 대피공간의 구조는 「발코니 등의 구조변경절차 및 설치기준」 제3조에 적합하게 설치하여야 하는 바, 질의의 건축물이 같은 법 시행령 [별표 1] 제2호 가목에서 규정하고 있는 아파트로서 4층 이상인 층의 각 세대가 2개 이상의 직통계단을 사용할 수 없는 경우 상기 규정에 따른 대피공간을 설치하여야 할 것이니 질의의 건축물을 아파트로서 판단 및 대피공간으로서 적합 여부 등에 대한 구체적인 내용 확인에 대하여는 관련 자료를 갖추어 종합행정업무를 처리하고 있는 관할 소재지의 시장·군수·구청장에게 문의하시기 바람

질의회신 정북방향의 난간벽만 벽면적의 2분의1 이상 공간으로 되어 있을 경우 정북방향 일조기준 적용 여부

국토교통부 민원마당 FAQ 2019.5.24.

질의 옥상의 난간벽 중 정북방향의 난간벽 만 그 벽면적의 2분의 1 이상이 공간으로 되어 있을 경우에도 정북방향 일조기준을 적용받지 않는지?

회신 「건축법 시행령」 제119조제1항제5호 라목에 따르면 지붕마루장식. 굴뚝. 방화벽의 옥상돌출부나 그 밖에 이와 비슷한 옥상돌출물과 난간벽(그 벽면적의 2분의 1 이상이 공간으로 되어 있는 것만 해당한다)은 건축물의 높이에 산입하지 아니하도록 규정하고 있는 바, 상기 난간벽 면적 산정시에는 특정 방위가 아닌 전체를 대상으로 적용하여야 하는 것으로 사료됨.

질의회신 2분의 1 이상이 공간으로 되어 있는 처마의 일조 및 사선제한 적용 여부

국토교통부 민원마당 FAQ 2022.6.28.

질의 일조권을 위한 사선제한에 저촉되는 처마부분의 1/2이상을 공간으로 하였을 경우 설치 가능 여부

회신 「건축법 시행령 제119조 제1항 제5호의 규정에 의하여 건축물의 높이에 산입되지 않는 지붕마루장식·굴뚝·방화벽의 옥상돌출부 기타 이와 유사한 옥상돌출물과 난간 벽(그 벽면적의 2분의1 이상이 공간으로 되어 있는 것에 한함)은 일조 및 사선제한 등을 받지 않아도 되는 것이나, 질의의 처마는 난간 벽이나 기타 이와 유사한 구조로 볼 수 없는 것이므로 일조 및 사선제한을 적용받아야 함.

질의회신 채광을 위한 유리블록을 설치할 경우 일조권 규정의 적용방안?

국토교통부 민원마당 FAQ 2019.5.24.

질의 공동주택의 단위세대 당 채광창(0.5제곱미터 미만) 및 채광을 위한 유리블럭(0.5제곱미터 미만)을 설치할 경우 일조권 규정의 적용방안?

회신 「건축법 시행령」 제86조 제2항 제1호 및 제2호의 규정은 공동주택 단위세대의 일조 및 채광의 확보와 외부 시선으로부터의 사생활보호 등을 목적으로 하는 바, 동 규정의 취지를 감안할 때 채광이 가능하더라도 시선이 차단되는 유리블록에 대해서까지 위 규정을 적용하는 것은 과도하다고 보이며, 위 규정에서 채광을 위한 창문 등 또는 채광창의 판단기준은 단위 세대별로 동일한 벽면에 설치된 창문 등의 면적의 합계가 0.5제곱미터 이상일 경우 채광창 등으로 보아야 할 것으로 판단됨.

질의회신 일조권 적용 관련

국토교통부 민원마당 FAQ 2022.6.28.

질의 공동주택의 대피공간에 설치되는 창호와 실외기실의 환기를 위한 그릴 창호가 「건축법 시행령」 제86조 제2항에 따른 채광을 위한 창에 해당하는 지 여부

회신 일조 등의 확보를 위한 건축물의 높이제한 규정에 따라 공동주택의 높이는 「건축법」 제61조제2항 및 같은 법 시행령 제86조제2항에 적합하여야 하며, 채광을 위한 창문 등이 있는 벽면으로부터 일정거리 이상을 이격하도록 하고 있음.

따라서, 귀하의 질의내용과 같이 공동주택의 발코니에 설치하는 대피공간에 피난 또는 소방활동을 위해 설치한 창호나 실외기실에 환기목적으로 설치한 그릴 창호는 일반적으로 채광을 위한 창문으로 보기는 미약할 것이나 정확한 판단은 해당 건축물의 창호의 형태, 규모, 구조, 이용목적 등을 종합적으로 검토하여 판단하여야 함

질의회신 인접대지경계선까지의 수평거리 산정방법

국토교통부 민원마당 FAQ 2019.5.24.

질의 「건축법 시행령」 제86조 제2항 제1호와 관련하여 채광을 위한 창문등이 있는 벽면에서 직각방향으로 인접대지 경계선까지의 수평거리 산정방법에 대한 질의

회신 「건축법 시행령」 제86조 제2항 제1호의 규정에 의하여 건축물의 각 부분의 높이는 그 부분으로부터 채광을 위한 창문 등이 있는 벽면으로부터 직각 방향으로 인접대지경계선까지의 수평거리의 2배(근린상업지역 또는 준주거지역의 건축물의 4배)이하의 범위안에서 건축조례가 정하는 높이이하로 하도록 규정하고 있으며, 이 경우 "수평거리"란 수평면 위에 있는 두 점 사이의 거리로, 실제 인접대지 지형(고저차 등)의 영향을 받지 않는 최단거리를 말하는 것임

질의회신 동일세대내 채광방향 일조기준 적용

국토교통부 민원마당 FAQ 2022.6.28.

질의 각 층별로 1세대로 이루어진 공동주택의 평면을 질의서와 같이 중정을 둔 "ㄷ"자형으로 계획함에 따라 동일 세대 내에서 중정을 사이에 두고 서로 마주보는 부분이 있는 경우, 마주보는 각 부분에 대해서도 건축법 시행령 제86조 제2항 제2호에 따른 채광방향 일조기준을 적용하여야 하는 지?

회신 「건축법 시행령」 제86조 제2항 제2호에서는 동일한 대지안에서 2동 이상의 건축물이 서로 마주보고 있는 경우 마주보는 세대의 일조확보 및 사생활보호 등을 위해 각 목의 규정에 따라 건축물 각 부분사이의 거리를 띄우도록 하고 있음. 또한, 동 규정은 1동의 건축물의 각 부분이 서로 마주보고 있는 경우에도 거리를 띄우도록 규정하고 있으며 이는 평면이 "ㄷ"자형, "ㅁ"자형 등인 공동주택에서 마주보는 각 세대의 경우에도 동일한 대지 안에서 서로 다른 세대의 부분이 서로 마주보고 있는 경우와 같이 일조 등을 확보해 줄 필요가 있기 때문임 따라서, 1개층이 하나의 세대로 이루어진 1동의 건축물에서 같은 세대의 부분이 서로 마주보는 질의와 같은 경우 위 규정에 의한 거리기준을 적용하지 아니하여도 될 것이며, 아울러 상기 규정의 단서에 따라 당해 대지안의 모든 세대가 동지일을 기준으로 9시에서 15시 사이에 2시간 이상을 계속하여 일조를 확보할 수 있는 거리 이상으로 할 수 있는 것임

질의회신 측벽으로 볼 수 있는 지

국토교통부 민원마당 FAQ 2012.12.27.

질의 「건축법 시행령」 제86조 제2항 제2호 라목에 의거, 측벽과 측벽이 마주보는 경우에 공동주택의 동간거리를 4미터 이상 떨어지도록 정하고 있으나 건축물의 장방향으로 채광창이 설치되지 아니한 경우(출입구설치 및 계단창 0.5㎡미만 설치되어 있음)에도 이를 측벽으로 보아 당해 규정을 적용할 수 있는지 여부?

회신 일조 등의 확보를 위한 공동주택의 높이는 동일한 대지안에서 2동이상의 건축물이 서로 마주보고 있는 경우 「건축법」 제61조 제1항에 따른 정북방향의 인접대지경계선으로부터의 거리에 따른 높이 기준뿐만 아니라 같은 조 제2항 및 같은 법 시행령 제86조 제2항 제2호 각 목의 거리 이상을 띄어 건축하도록 하고 있는 바, 공동주택의 동(棟)간 거리는 일조확보 이외에도 대지(단지)안의 개방감과 통풍 확보, 사생활 보호 등 주거환경에 필요한 최소한의 거리를 확보하고자 규정한 것임.

이러한 취지로 볼 때 상기 규정 중 "측벽과 측벽이 마주보는 경우 4미터이상을 확보"하도록 하는 것에서 "측벽"이라 함은 일반적인 판상형 공동주택의 "측면의 벽"으로 보는 것이 타당한 것이므로, 공동주택의 서로 마주보는 벽면에 채광을 위한 창문 등을 설치하지 아니하는 인위적인 계획으로 인해 주거환경의 저하와 실거주자의 일조확보 등 생활환경에 극히 불합리하게 되는 경우에는 동 규정의 합목적상 "측벽"에 해당하는 것으로 보기 어려울 것으로 판단됨

질의회신 건축물 각 부분의 높이란?

국토교통부 민원마당 FAQ 2019.5.24.

질의 공동주택의 경우에는 건축법 시행령 제86조 제2항 2호 가목에 따르면 동일한 대지 안에서 2동 이상의 건축물이 서로 마주보고 있는 경우의 건축물 각 부분 사이의 거리는 채광을 위한 창문 등이 있는 벽면으로부터 직각방향으로 건축물 각 부분의 높이의 1배 이상을 띄어야 하는데, 동 규정에서 건축물 각 부분의 높이라 함은 당해 건축물의 높이인 지 또는 상대방 건축물 높이인 지?

회신 건축법 시행령 제86조 제2항 제2호 가목 규정에 의하면 동일한 대지 안에서 2동 이상의 건축물이 서로 마주보고 있는 경우의 건축물 각 부분 사이의 거리는 채광을 위한 창문 등이 있는 벽면으로부터 직각방향으로 건축물 각 부분의 높이의 1배 이상*을 띄어야 하며, 동 규정에서 건축물 각 부분의 높이라 함은 채광을 위한 창문 등이 있는 벽면으로부터 직각방향으로 마주보는 두 건축물의 높이로 보아야 할 것으로 판단됨

[*1배 이상 ⇒ 0.5배(도시형 생활주택은 0.25배)이상의 범위에서 건축조례로 정하는 거리 이상, 2009.7.16 개정]

질의회신 채광창이 없는 계단실의 일조권 적용 관련

국토교통부 민원마당 FAQ 2019.5.24.

질의 ○ 채광창이 있는 벽면의 방향으로 돌출하여 채광창이 없는 계단실이 배치된 경우, 동 계단실의 부분에 대해 「건축법 시행령」 제86조제2항제1호 적용 여부.

○ 계단실을 유리블럭 및 투과채광판 등으로 설치할 경우, 동 계단실을 채광을 위한 건축물 높이에서 제외할 수 있는 지 여부.

회신 「건축법 시행령」 제86조제2항제1호의 규정에 의하면, 건축물(기숙사는 제외한다)의 각 부분의 높이는 그 부분으로부터 채광을 위한 창문 등이 있는 벽면에서 직각방향으로 인접 대지경계선까지의 수평거리의 2배(근린상업지역 또는 준주거지역의 건축물은 4배)이하로 하여야 함.

이는 공동주택 단위세대의 일조 및 채광의 확보와 외부 시선으로부터의 사생활보호 등을 위해 규정하고 있음 따라서, 공용으로 사용하는 계단실이 단위세대의 일조, 채광, 사생활보호 등에 지장이 없다고 인정되는 부분에 대하여 상기 규정을 적용하는 것이 불합리하다고 판단되는 경우에는 그러하지 아니하여도 될 것으로 사료되며, 채광이 가능하더라도 시선이 차단되는 유리블럭에 대해서까지 상기 규정을 적용하는 것은 과도하다고 보여지는 바, 구체적인 적용은 관련 도면 등을 갖추어 현지 여건을 소상히 알 수 있는 관할 소재지의 시장, 군수, 구청장에게 문의하시기 바람.

건 축 법
1. 총 칙
2. 건 축
3. 유지관리
4. 대지도로
5. 구조재료
6. 지역지구
7. 건축설비
8. 특별건축구역
9. 보 칙
10. 벌 칙
건 축 법 관련기준

질의회신 절곡형(┘) 공동주택의 수평부 앞면에 돌출된 계단실 벽면에 대한 일조기준 적용

건교부 건축기획팀-1825, 2006.3.24.

질의 절곡형(┘)으로 된 1동의 공동주택에서 수평부의 절곡부분 발코니 앞면에 수직부에서 돌출된 계단실 벽면이 배치되는 경우 일조 등의 확보를 위한 건축물의 높이제한 적용에 대한 질의

회신 동일한 대지 안에서 2동 이상의 건축물이 서로 마주보고 있는 경우(1동의 건축물의 각 부분이 서로 마주보고 있는 경우를 포함) 건축물 각 부분 사이의 거리는 건축법 시행령 제86조제2항제2호의 규정에서 정하는 거리 이상을 띄어 건축하여야 하는 것으로, 귀 질의의 발코니와 계단실 각 부분의 경우 동 규정 가목에 적합하게 건축하거나 본문 단서에 의거 당해 대지 안의 모든 세대가 동지일을 기준으로 9시에서 15시 사이에 2시간 이상을 계속하여 일조를 확보할 수 있는 거리 이상으로 띄어 건축하여야 하는 것임

질의회신 주동의 평면이 Y자형과 유사한 공동주택에서 일조권 적용 여부

국토교통부 민원마당 FAQ 2022.6.28.

질의 주동의 평면이 Y자형과 유사한 공동주택에서 중앙부분 복도의 벽부분과 단위세대의 측벽 및 발코니 측벽이 마주보고 있는 경우에도 「건축법 시행령」 제86조제2항제2호의 규정을 적용할 수 있는 지

회신 「건축법 시행령」 제86조 제2항 제2호의 규정은 동일한 대지 안에서 2동 이상의 건축물이 서로 마주보고 있는 경우(1동의 건축물의 각 부분이 서로 마주보고 있는 경우를 포함함) 공동주택 단위세대의 일조, 채광, 사생활보호 등을 위하여 건축물의 각 부분간 거리를 띄어 건축하도록 한 규정으로, 1동의 건축물의 각 부분이 서로 마주보고 있는 경우에도 건축물 각 부분 사이의 거리를 「건축법 시행령」 제86조제2항제2호 각 목의 거리 이상을 띄어 건축하거나 당해 대지 안의 모든 세대가 동지일을 기준으로 9시에서 15시 사이에 2시간 이상을 계속하여 일조를 확보할 수 있는 거리 이상으로 띄어 건축하여야 할 것임

다만, 1동의 건축물의 각 부분이 서로 마주보고 있으나 각 부분의 형태(채광창 설치여부), 건축물의 방위, 대지내 건축물의 위치 등에 의하여 단위세대의 일조, 채광, 사생활보호 등에 지장이 없다고 인정되는 부분에 대하여 위 규정을 적용하는 것이 극히 불합리하다고 판단되는 경우에는 그러하지 아니하여도 될 것으로 사료됨

질의회신 창문으로부터 직각방향으로 마주보지 아니하는 경우의 각 부분의 높이

건교부 건축기획팀-1530, 2006.3.10.

질의 신청대지 안에 노대 등이 설치된 2동의 공동주택이 있는 경우로서 노대 등에 설치된 창문으로부터 직각방향으로 각 부분이 마주보지 아니하는 경우에도 각 부분 사이를 건축법 시행령 제86조제2항제2호 가목의 규정에 따른 거리를 띄어 건축하여야 하는지

회신 건축법 시행령 제86조제2항제2호 가목의 규정에 의한 건축물 각 부분사이의 거리는 채광을 위한 창문등이 있는 벽면으로부터 직각방향을 기준으로 하는 것으로, 마주보는 건축물 각 부분 사이의 거리의 방향이 채광을 위한 창문 등이 있는 벽면(노대가 설치되어 있는 경우에는 노대)으로부터 직각방향이 아닌 경우 각 부분 사이의 거리에 대하여는 상기의 규정이 적용되지 아니함

질의회신 발코니가 건축물 각 부분 사이의 거리인지여부

건교부 건축기획팀-1263, 2006.2.28.

질의 동일한 대지 안에서 건축하는 2 이상의 공동주택에 있어 건축법 시행령 제86조제2항제2호 가목의 규정을 적용하는 것은 외벽 사이인지 발코니 사이인지

회신 제86조제2항제2호 가목의 규정에 적합하여야 하는 것은 제2호 본문의 규정에 의하여 “건축물 각 부분 사이의 거리”이므로, 마주보는 공동주택의 발코니 사이의 거리가 가장 작은 경우에는 그 거리가 가목의 규정에 적합하여야 할 것임

질의회신 대지 안에 도로가 있을 경우 일조기준 적용방법

건교부 건축기획팀-693, 2006.2.3.

질의 하나의 대지 안에서 2동의 공동주택이 도로를 사이에 두고 마주보고 있는 경우 건축물간 띄어야 하는 거리는

회신 질의의 대지 안의 도로가 건축법 제2조제1항제11호의 규정에 의한 도로인 경우 공동주택 각 부분의 높이는 도로의 중심선을 인접대지경계선으로 하여 건축법 시행령 제86조제2항제1호의 규정에 적합하여야 할 것이며, 건축법상 도로가 아닌 경우 마주보는 공동주택 각 부분 사이의 거리는 영 제86조제2항제2호의 규정에 적합하게 띄어야 할 것임

질의회신 도로로 구획된 하나의 단지로 사업승인 득한 단지의 일조규정적용 방법

건교부건축과-3926호, 2004.8.4.

질의 도로로 구분된 2개의 토지를 주택법령에 의하여 하나의 단지로 사업승인 한 경우, 도로를 사이에 두고 있는 공동주택에 대한 일조권규정 적용방법은

회신 동 주택단지는 하나의 단지이지만 도로로 인하여 실질적으로는 대지가 명백히 분할되어있으므로 건축법 시행령 제86조제2항제1호의 규정을 적용하여 주택단지의 통과도로 중심선을 인접대지경계선으로 보고 일조권 규정을 적용하는 것이 타당함

질의회신 일조등의 확보를 위한 건축물의 높이제한

국토교통부 민원마당 FAQ 2019.5.24.

질의 너비 20m 도로에 접한 아파트 단지 사이에 8m도로가 있는 경우 8m도로에 접한 양 단지사이의 아파트는 일조권을 완화받을 수 있는 지

회신 「건축법 시행령」 제86조제1항 단서규정에 의거, 전용주거지역 또는 일반주거지역에서 건축물을 건축하는 경우로서 건축물의 미관 향상을 위하여 너비 20미터 이상의 도로(자동차·보행자·자전거 전용도로를 포함)로서 건축조례로 정하는 도로에 접한 대지(도로와 대지사이에 도시계획시설인 완충녹지가 있는 경우 그 대지를 포함) 상호간에 건축하는 건축물의 경우에는 동조 동항 본문 규정에 의한 정북방향 일조권을 적용하지 않아도 되는 바, 여기서 규정하고 있는 "대지 상호간"이라 함은 인접대지 간을 의미함

질의의 경우는 인접대지로 볼 수 없으므로 「건축법 시행령」 제86조제1항 단서규정을 적용하기 곤란할 것으로 판단됨

질의회신 1층에 필로티 설치시 일조권 높이제한 제외 여부

국토교통부 민원마당 FAQ 2019.5.24.

질의 건축물의 1층에 필로티와 근린생활시설이 설치되어 있는 경우에 일조권 산정높이에서 제외할 수 있는 것인지 여부.

회신 건축법시행령 제119조 제1항 제5호의 규정에 의하여 건축물의 1층 전체에 필로티가 설치되어 있는 경우에는 제82조 및 제86조 제2항의 규정을 적용하는 경우에 한하여 필로티의 층고를 제외한 높이를 건축물의 높이로 하는 것이나, 귀 질의의 경우처럼 1층에 필로티와 근린생활시설을 복합용도로 사용하는 경우에는 1층 층고높이도 포함하는 것임.

질의회신 일조 등의 확보를 위한 건축물의 높이제한 완화 적용 여부

국토교통부 민원마당 FAQ 2019.5.24.

질의 신청대지에 너비 8M의 도로가 접해 있고, 그 도로에 완충녹지(10M) 및 너비 25M 도로가 순서대로 접해 있을 경우, 2개의 도로와 완충녹지를 하나의 도로로 보아 신청대지의 건축물에 대해 일조 등의 확보를 위한 건축물의 높이제한 규정을 적용하지 않을 수 있는지 여부

회신 가. 건축법시행령 제86조 제1항 단서규정에 따르면 전용주거지역 또는 일반주거지역안에서 건축물을 건

축하는 경우로서 건축물의 미관향상을 위하여 너비 20미터이상의 도로로서 건축조례가 정하는 도로에 접한 대지(도로와 대지의 사이에 도시계획시설인 완충녹지가 있은 경우에 그 대지들 포함한다) 상호간에 건축하는 건축물의 경우에는 본문의 일조등의 확보를 위한 건축물의 높이제한 규정을 적용하지 아니할 수 있음

나. 질의회신 내용을 검토한 결과, 도로변의 건축물 미관향상을 위한 법취지상 건축법시행령 제86조 제1항 단서규정을 적용할 수 있을 것으로 사료되나, 동 규정 적용 여부는 당해 허가권자가 해당 도로 및 녹지가 각각 건축조례로 정하는 도로 및 도시계획시설에 해당하는 지 여부 등을 판단하여 결정하여야 할 것임

질의회신 지역지구의 경계부근에 접한 상업지역내 일조권 적용 여부

국토교통부 민원마당 FAQ 2019.5.24.

질의 일반상업지역내 공동주택을 건축하고자하는 대지가 정북방향으로 일반주거지역과 접하고 있는 경우, 동 공동주택에 대하여 정북방향 일조권 규정을 적용하여야 하는 지 여부

회신 건축법 제53조 제1항의 규정에는 전용주거지역 및 일반주거지역안에서 건축하는 건축물의 높이는 일조등의 확보를 위하여 정북방향의 인접대지경계선으로부터의 거리에 따라 동법시행령 제86조 제1항이 정하는 높이이하로 하여야 하도록 규정하고 있음. 따라서, 일반상업지역내에 건축하는 건축물에 대하여는 상기 규정을 적용하지 않음 (* 건축법 제53조->제61조)

질의회신 실제 도로폭이 부족 시 일조권 완화 적용 여부

건교부 건축기획팀-5606, 2006.9.12.

질의 신축대지에 접한 기 개설(10년전)된 도시계획상 20미터 도시계획도로의 실제 도로폭이 19.2~19.5미터로 도시계획상 도로폭(20m)에 미달되었을 경우 정북방향 일조권을 배제할 수 있는 지 여부

회신 건축법 제52조 및 동법 시행령 제86조 규정에 따르면 전용주거지역 및 일반주거지역 안에서 건축하는 건축물의 높이는 일조 등의 확보를 위하여 일정높이 이하로 하여야 하는 것이나, 시행령 제86조 제1항 단서규정에 따라 너비 20미터 이상의 도로(자동차전용도로 포함)로서 건축조례가 정하는 도로에 접한 대지 상호간에 건축하는 건축물의 경우에는 그러하지 아니함

여기서 도로라 함은 건축법 제2조 제1항 제11호의 규정에 의하여 「국토의 계획 및 이용에 관한 법률」, 「도로법」, 「사도법」 기타 관계법령에 의하여 신설 또는 변경에 관한 고시가 된 도로 및 건축허가시 시장·군수·구청장이 그 위치를 지정한 도로 등을 말하며, 여기에는 현황도로뿐만이 아니라 공부상에만 존재하는 그 예정도로까지 포함되는 것임

따라서, 건축법령의 도로폭 기준을 적용할 때 기준이 되는 것은 공부상 도로가 되는 것이며, 도시계획 등으로 고시되어 공부상 도로폭이 20미터라면 실제 도로의 폭이 일부 미달한 경우라 하여도 위 단서규정에 따른 너비 20미터 이상의 도로로 보아 정북방향 일조권을 배제할 수 있을 것임 (*법 제53조 ⇒ 제61조, 2008.3.21. 개정)

질의회신 "대지 상호간"에 당해 대지와 도로 맞은 편 대지 상호간도 해당하는지 여부

건교부 건축기획팀-3025, 2006.5.15.

질의 건축조례가 정한 20m 도로에 접한 대지 상호간에 건축하는 건축물의 경우에는 정북방향 일조권을 적용하지 않는 바, 이 경우 "대지 상호간"에 당해 대지와 도로 맞은 편 대지 상호간도 해당하는지 여부

회신 「건축법시행령」 제86조제1항 단서규정에 의거, 전용주거지역 또는 일반주거지역 안에서 건축물을 건축하는 경우로서 건축물의 미관향상을 위하여 너비 20m 이상의 도로(자동차전용도로를 포함한다)로서 건축조례가 정하는 도로에 접한 대지(도로와 대지의 사이에 도시계획시설인 완충녹지가 있는 경우에 그 대지를 포함한다)상호간에 건축하는 건축물의 경우에는 동조 동항 본문 규정에 의한 정북방향 일조권을 적용하지 않아도 되는 바, 「대지 상호간」이라 함은 인접대지 간을 의미하는 것으로서 상기 질의내용의 당해 대지와 도로 맞은편 대지는 당해 규정에 의한 "대지 상호간"에 해당하지 않는 것임

질의회신 건축물의 일조권 완화

국토교통부 민원마당 FAQ 2019.5.24.

질의 폭 40m 도로에 접해있는 양 대지사이에 1.75m 도로가 있는 경우 건축법 시행령 제86조제1항단서에 따라 일조권 적용을 완화받을 수 있는 지

회신 건축법 시행령 제86조제1항 단서규정에 의거, 전용주거지역 또는 일반주거지역에서 건축물을 건축하는 경우로서 건축물의 미관 향상을 위하여 너비 20미터이상의 건축조례로 정하는 도로(자동차 전용도로를 포함)에 접한 대지(도로와 대지 사이에 도시계획시설인 완충녹지가 있는 경우 그 대지를 포함) 상호간에 건축하는 건축물의 경우에는 동조 동항 본문 규정에 의한 정북방향 일조권을 적용하지 않아도 되는 바, 여기서 규정하고 있는 "대지 상호간"이라 함은 인접대지 간을 의미함

질의의 경우는 인접대지로 볼 수 없으므로 건축법 시행령 제86조제1항 단서규정을 적용하기 곤란할 것으로 판단됨을 회신하오니 보다 구체적인 사항은 해당 지역의 허가권자인 시장, 군수, 구청장에게 문의하시기 바람

질의회신 도로+제방+자동차전용도로가 있을 경우 일조기준 적용여부

건교부 건축기획팀-2495, 2006.4.24.

질의 1) 대지전면에 15m 도로가 있고 15m 도로와 자동차전용도로 사이에 지목상 제방이 있을 경우 「건축법 시행령」 제86조제1항 단서규정에 적합한 지 여부

2) 「건축법 시행령」 제86조제1항 단서규정에 적합한 도로에 접한 대지의 일부가 도로에 직접 접하지 않은 후면 대지일 경우에도 일조권 기준의 적용을 제외할 수 있는 지 여부

회신 1) 「건축법 시행령」 제86조제1항 단서규정에 의거, 전용주거지역 또는 일반주거지역 안에서 건축물을 건축하는 경우로서 건축물의 미관향상을 위하여 너비 20m 이상의 도로(자동차전용도로를 포함한다)로서 건축조례가 정하는 도로에 접한 대지(도로와 대지의 사이에 도시계획시설인 완충녹지가 있는 경우에 그 대지를 포함함) 상호간에 건축하는 건축물의 경우에는 본문에 의한 일조규정을 적용하지 않아도 되는 것임.

2) 「건축법 시행령」 제86조제1항 단서규정은 도로에 접한 대지 상호간에 건축물을 건축하는 경우에 적용하는 것으로 도로에 직접 접하지 않은 경우라면 일조규정을 적용하여야 하는 것임

질의회신 정북방향의 일조권 적용 배제 적용 가능한 지

국토교통부 민원마당 FAQ 2022.6.28.

질의 일반주거지역안에서 건축물을 건축하고자하는 대지와 그 인접대지의 전면에 도로(너비 6미터) + 고속도로 진입로(너비 20미터 이상)와 접하고 있는 경우 두 대지 상호간에 정북방향의 일조권 규정을 적용하지 아니할 수 있는 지 여부

회신 「건축법 시행령」 제86조 제1항 단서규정에 의한 너비 20미터 이상의 도로(자동차전용도로를 포함)로서 건축조례가 정하는 도로에 접한 대지상호간에는 정북방향으로의 일조권적용을 위한 높이제한을 적용하지 않는 것인 바, 문의의 경우와 같이 건축물을 건축하고자 하는 대지와 인접대지가 너비 6미터의 도로와 너비 20미터 이상의 고속도로 진입로에 접한 경우에도 상기규정을 적용하여 정북방향의 일조권 규정을 적용하지 아니할 수 있는 것임

질의회신 일조권 적용 관련

국토교통부 민원마당 FAQ 2022.6.28.

질의 전체 도로에서 건축허가 신청대지의 전면도로 부분만 25미터(15미터는 도로, 10미터는 도로가 아닌 경사지)이고 나머지가 15미터 도로일 경우에 정북방향 일조권 적용을 배제할 수 있는 지 여부

회신 건축법 시행령 제86조제1항 단서 규정에 건축물의 미관 향상을 위하여 너비 20미터 이상의 도로(자동차·보행자·자전거 전용도로를 포함한다)로서 건축조례로 정하는 도로에 접한 대지(도로와 대지 사이에 도시계획시설인 완충녹지가 있는 경우 그 대지를 포함한다) 상호간에 건축하는 건축물의 경우에는 정북방향의 일조권

적용을 배제 할 수 있도록 하고 있음. 또한, 건축법 제2조제1항제11호에 따라 "도로"란 보행과 자동차 통행이 가능한 너비 4미터 이상의 도로(지형적으로 자동차 통행이 불가능한 경우와 막다른 도로의 경우에는 대통령령으로 정하는 구조와 너비의 도로)로서 「도로법」 등 그 밖의 관계 법령에 따라 신설 또는 변경에 관한 고시가 된 도로와 건축허가 또는 신고 시에 특별시장·광역시장·도지사·특별자치도지사 또는 시장·군수·구청장이 위치를 지정하여 공고한 도로나 그 예정도로를 의미함. 따라서, 정북방향 일조권 적용배제를 위한 "도로"는 너비 20미터 이상으로서 보행과 자동차 통행이 가능한 도로이어야 하나, 질의내용에 해당하는 도로는 너비 15미터만 동 규정에 적합한 것으로 사료됨.

질의회신 도로 및 완충녹지에 접하고 있는 대지의 일조권 높이제한 완화 여부

건교부 건축 58070-2296, 2003.12.12.

질의 신청대지에 접한 너비 8미터의 도로가 완충녹지(폭 8미터)를 사이에 두고 너비 32미터의 도로에 접하고 있는 경우 일조등의 확보를 위한 건축물의 높이제한 완화를 받을 수 있는지 여부

회신 건축법시행령 제86조제1항 단서규정에 의하여 전용주거지역 또는 일반주거지역안에서 건축물을 건축하는 경우로서 건축물의 미관향상을 위하여 너비 20미터이상의 도로(자동차전용도로를 포함한다)로서 건축조례가 정하는 도로에 접한 대지(도로와 대지의 사이에 도시계획시설인 완충녹지가 있는 경우에 그 대지를 포함) 상호간에 건축하는 건축물인 경우에는 동조동항 본문의 규정을 적용하지 아니하는 것인 바, 신청대지에 접한 도로가 완충녹지를 사이에 두고 너비 20미터이상의 도로에 접하고 있는 경우 동 규정에 의한 완화적용이 가능할 것으로 사료되니, 보다 구체적인 사항은 당해 지역의 건축허가권자에게 문의하기 바람

질의회신 1동에서 약 135° 의 각도로 인접된 2세대의 경우 채광방향 일조기준 적용방법

건교부 건축기획팀-1609, 2006.3.13.

질의 1동의 공동주택에서 약 135°의 각도로 인접된 2세대의 경우 채광방향 일조권의 적용에 대한 질의

회신 동일한 대지 안에서 2동이상의 건축물이 서로 마주보고 있는 경우(1동의 건축물의 각 부분이 서로 마주보고 있는 경우를 포함한다)의 건축물 각 부분 사이의 거리는 건축법 시행령 제86조제2항제2호의 규정에 의하는 것인바, 귀 시의 질의서와 같이 한 동의 건축물에 약 135°의 각도로 2세대가 상호 인접하여 있으나 실질적으로 채광에 문제가 없고 창문 등이 있는 벽면의 각 세대가 직각방향 연장선상에서 서로 마주하지 않는 경우라면 동 법령 규정에서 말하는 마주보고 있는 경우에 해당하지 아니하는 것으로 판단됨

질의회신 건축이 허용되지 아니하는 공지 관련

국토교통부 민원마당 FAQ 2019.5.24.

질의 제1종 지구단위계획에 따라 건축한계선에 포함된 인접대지를 「건축법 시행령」 제86조제5항의 "그 밖에 건축이 허용되지 아니하는 공지"로 볼 수 있는지 여부

회신 건축법 시행령 제86조제5항에 따라 건축물을 건축하려는 대지와 다른 대지 사이에 공원(「도시공원 및 녹지 등에 관한 법률」 제2조제3호에 따른 도시공원 중 지방건축위원회의 심의를 거쳐 허가권자가 공원의 일조 등을 확보할 필요가 있다고 인정하는 공원은 제외한다), 도로, 철도, 하천, 광장, 공공공지, 녹지, 유수지, 자동차 전용 도로, 유원지, 그 밖에 건축이 허용되지 아니하는 공지가 있는 경우에는 그 반대편의 대지경계선(공동주택은 인접 대지경계선과 그 반대편 대지경계선의 중심선)을 인접 대지경계선으로 하도록 하고 있음. 따라서, 「국토의 계획 및 이용에 관한 법률 시행령」에 따른 지구단위계획수립 시 도로의 개방감 확보를 위하여 건축물을 도로로부터 일정거리를 후퇴하도록 지정한 건축한계선을 「건축법 시행령」 제86조제5항의"그 밖에 건축이 허용되지 아니하는 공지"로 보는 것은 곤란할 것으로 사료됨.

질의회신 대지와 다른 대지 사이에 철도부지가 있는 경우의 일조기준 적용방법

건교부 건축기획팀-2528, 2006.4.24.

질의 도시계획시설(철도) 부지에 대하여 건축법 시행령 제86조제5항의 규정을 적용할 수 있는지

회신 건축법 시행령 제86조제5항의 규정에 의하면 동조제1항 내지 제4항의 규정을 적용함에 있어서 건축물을 건축하고자 하는 대지와 다른 대지 사이에 공원(도시공원법 제3조제1호 및 제2호의 규정에 의한 어린이공원 및 근린공원을 제외함)·도로·철도·하천·광장·공공공지·녹지·유수지·자동차전용도로·유원지 기타 건축이 허용되지 아니하는 공지가 있는 경우에는 그 반대편의 대지경계선(공동주택에 있어서는 인접대지경계선과 그 반대편의 대지경계선과의 중심선)을 인접대지경계선으로 하는 것으로, 신청대지에 접하고 있는 도로와 이에 접하고 있는 녹지 또는 철도부지로서 건축이 허용되지 아니하는 공지에 대하여는 위 규정(제5항)을 적용하는 것이 타당할 것임

질의회신 건축이 허용되지 아니하는 철도부지의 정의

건교부 건축기획팀-1271, 2006.2.28.

질의 건축법 시행령 제86조제5항에서 "철도"는 모든 철도부지를 말하는 것인지 아니면 건축이 허용되지 아니하는 철도부지에 대하여만 적용할 수 있는지

회신 건축법 시행령 제86조제5항의 규정은 건축하고자 하는 대지와 인접대지 사이에 건축이 허용되지 아니하는 공지가 있는 경우 동조제1항 내지 제4항의 규정을 완화하여 적용하는 것이므로 역시설 등 건축물이 건축되는 철도부지인 경우에는 위의 규정을 적용할 수 없을 것으로 사료됨. 따라서 개별 철도부지에 대하여 건축법 시행령 제86조제5항의 규정을 적용하기 위해서는 당해 토지에 대한 도시관리계획 등을 통하여 건축이 허용되는지 여부를 확인하여야 할 것임

질의회신 통행로를 건축이 금지된 공지로 보아 일조기준을 적용하는지 여부

서울시건축과-12526, 2005.8.12.

질의 아파트 사업부지에서 제척(대지면적에서 제외)된 대지(폭 2m, 길이 30m정도)를 인접대지의 통행로로 제공한 경우 이를 건축이 금지된 공지로 보아 일조권기준을 적용함에 있어서 그 통행로 중심선을 인접대지경계선으로 하여 일조권을 적용할 수 있는지 여부

회신 건축법시행령 제86조 제5항의 규정에 의하여 일조기준을 적용함에 있어서 공동주택의 경우 당해 대지와 다른 대지사이에 공원・도로・철도・하천・광장・공공공지・녹지・유수지・자동차전용도로・유원지 기타 건축이 허용되지 아니하는 공지가 있는 경우에는 인접대지경계선과 그 반대편의 대지경계선과의 중심선을 인접대지경계선으로 하는 것인 바,

질의의 경우와 같이 사업부지에서 제척된 대지를 인접대지의 통행로로 사용하고 있다하더라도 동 통행로 부분이 건축법 제2조 제11호의 규정에 의한 건축법상 도로가 아닌 경우에는 이를 건축이 허용되지 아니하는 공지로 볼수 없는 것이므로 동 통행로(사업부지에서 제척된 대지)부분은 인접대지로 보아 일조권을 적용하여야 할 것으로 사료됨

질의회신 국유지인 구거를 건축이 금지된 공지로 볼 수 있는지 여부

건교부건축과-189, 2005.1.12.

질의 건축물을 건축하고자 하는 대지의 정북방향 도로 건너편에 위치한 구거(국유지)를 건축이 금지된 공지로 보아 건축법령에 의한 일조권 규정을 적용할 수 있는지 여부

회신 건축법 시행령 제86조제5항의 규정에 의하여 동조제1항 내지 제4항의 규정을 적용함에 있어서 건축물을 건축하고자 하는 대지와 다른 대지사이에 공원·도로·철도·하천·광장·공공공지·녹지·유수지·자동차전용도로·유원지 기타 건축이 허용되지 아니하는 공지가 있는 경우에는 그 반대편의 대지경계선(공동주택에 있어서는 인접대지경계선과 그 반대편의 대지경계선과의 중심선)을 인접대지경계선으로 하도록 하고 있는 바, 문의의 경우 구거부분이 국유지로서 현재 구거로 이용되고 있고, 별도의 건축계획 등이 없는 경우라면 이를 건축이 허용되지 아니하는 공지로 보아 일조권 규정을 적용할 수 있을 것으로 사료됨

질의회신 공공공지의 지하를 주차장으로 활용하는 경우 건축이 금지된 공지로 볼 수 있는지 여부

건교부 건축 58550-1972, 2003.10.29.

질의 건축법시행령 제86조제5항의 규정에 의한 일조등의 확보를 위한 건축물의 높이제한 규정을 적용함에 있어 국토의계획및이용에관한법률에 의한 도시기반시설(공공공지)의 지하부분을 상가 또는 주차장으로 활용하는 경우 건축이 금지된 공지로 볼 수 있는지의 여부

회신 질의의 경우 공공공지가 도시기반시설로 결정된 경우라면 건축법시행령 제86조제5항의 규정에 의한 건축이 금지된 공지로 볼 수 있을 것으로 사료됨

질의회신 문화재 부지가 건축이 금지된 공지로 볼 수 있는 지

국토교통부 민원마당 FAQ 2019.5.24.

질의 건축하고자 하는 대지와 인접대지사이에 자치단체의 지정문화재가 있는 개인소유의 임야를 건축이 금지된 공지로 보아 일조권 규정을 적용할 수 있는 지 여부

회신 귀 문의의 문화재 부지는 건축법시행령 제86조 제5항의 규정에 의한 건축이 금지된 공지로 볼 수 없는 것임

질의회신 맞벽으로 건축물 건축시 일조권 규정 적용 방법

건교부 건축 58070-2233, 2003.12.2.

질의 맞벽으로 건축물을 건축하는 경우 일조권 규정 적용 방법은

회신 건축법 제50조의2 및 같은법시행령제81조의 규정에 따라 맞벽으로 건축물을 건축하는 경우 맞벽으로 하고자하는 부분에 대하여는 같은법 제53조의 일조권 규정을 적용하지 아니할 수 있을 것이나, 맞벽으로 건축되지 아니한 부분에 대하여는 일조권 규정을 적용하여야 하는 것이니 보다 구체적인 사항은 당해 허가권자에게 문의하기 바람 (* 법 제50조의2, 제53조 ⇒ 제59조, 제61조, 2008.3.21 개정)

질의회신 남쪽으로 떨어지는 일조거리를 고시하지 아니한 경우의 적용여부

건교부 고객만족센터, 2007.6.15.

질의 건축법 제53조제3항제10호의 규정에 따라 정북방향으로 접한 대지의 소유자와 합의한 후 남측으로 일조권을 적용 받을 경우 건축가능 여부

회신 건축법 제53조제3항. 동법 시행령 제86조제3항의 규정에 의하여 당해 시장. 군수. 구청장이 고시하는 높이가 있는 경우에 적용하는 규정임 (* 법 제53조 ⇒ 제61조, 2008.3.21 개정)

질의회신 정남방향으로 일조권 적용시 정북방향에 접한 대지소유자의 동의 범위

건교부 건축 58070-1908, 1999.5.26.

질의 일조 등의 확보를 위한 이격거리를 남쪽으로 띄우고자 정북방향 중 좌측에 접한 대지에 대하여는 합의를 하였는 바, 정북방향의 우측에 일부 접한 대지에 대하여도 합의를 해야 하는지

회신 정북방향으로 띄어야 하는 일조 등의 확보를 위한 이격거리를 남쪽방향으로 띄우고자 합의할 경우에는 정북방향으로 접하고 있는 모든 대지의 소유자와 합의하여야 하는 것임

질의회신 인접대지와 고저차가 있는 경우 정북방향의 일조권 규정 적용

국토교통부 민원마당 FAQ 2022.6.28.

질의 건축물을 건축하고자하는 대지와 인접대지 사이에 고저차가 있는 경우 정북방향의 일조권 규정 적용 방법은?

회신 일조 등의 확보를 위한 건축물의 높이제한 규정을 적용함에 있어 건축물의 대지의 지표면과 인접대지의 지표면간의 고저차가 있는 경우에는 그 지표면의 평균수평면을 지표면으로 보고 일조권을 적용함

질의회신 상업지역내 주상복합건축물의 공동주택부분의 지표면 산정

국토교통부 민원마당 FAQ 2019.5.24.

질의 준공업지역내에서 주상복합건축물을 건축하고자 하는 신청대지가 인접대지의 지표면보다 높은 위치에 있는 경우 주상복합건축물의 일조권 확보를 위한 건축물 높이산정 적용방법에 대한 질의

회신 건축법시행령 제119조 제1항 제5호 다목의 단서 규정에 의하여 같은법 제53조의 규정에 의한 건축물의 높이산정에 있어 전용주거지역 및 일반주거지역을 제외한 지역에서 공동주택을 다른 용도와 복합하여 건축하는 경우에는 공동주택의 가장 낮은 부분을 당해 건축물의 지표면으로 보는 것인 바, 귀 문의의 경우에는 공동주택 하부의 공간으로 형성된 층의 가장 아래부분을 당해 건축물의 지표면으로 보는 것이 타당할 것임
(*법 제53조 ⇒ 제61조, 2008. 3. 21.)

질의회신 준공업지역내 주상복합건축물 대지가 인접대지보다 높은 경우 일조권 높이산정 방법

건교부 건축 58070-1861, 2003.10.9.

질의 준공업지역내에서 주상복합건축물을 건축하고자 하는 신청대지가 인접대지의 지표면보다 높은 위치에 있는 경우 주상복합건축물의 일조권 확보를 위한 건축물 높이산정 적용방법에 대한 질의

회신 건축법시행령 제119조제1항제5호나목 단서의 규정에 의하여 전용주거지역 및 일반주거지역을 제외한 지역에서 공동주택을 다른 용도와 복합하여 건축하는 경우에는 신청대지와 인접대지 지표면의 고저차이에 관계없이 공동주택의 가장 낮은 부분을 당해 건축물의 지표면으로 보아 건축법 제53조의 규정에 의한 건축물의 높이를 산정 하는 것이니. 이에 해당여부 등 보다 구체적인 사항은 자세한 자료를 갖추어 당해지역의 건축허가권자인 시장・군수・구청장에게 문의하기 바람

질의회신 정북방향의 적용 기준

국토교통부 민원마당 FAQ 2019.5.24.

질의 건축법상 일조권의 규정을 적용함에 있어서 정북방향이란 도북, 자북 중 어느 것을 말하는 것인 지 여부

회신 건축법시행령 제86조에 따른 정북방향이란 도북방향을 말함.

질의회신 지하층 일부가 지표면보다 돌출되는 경우 일조권산정을 위한 동 돌출의 건축물 높이 포함여부

건교부 건축 58550-521, 2003.3.24.

질의 '99. 4. 30 이전에 시행되었던 건축법시행령 제86조1항다목의 규정에 의한 정북방향으로의 일조권 규정을 적용함에 있어 지하층의 일부가 지표면 보다 돌출되는 경우 동 돌출을 건축물의 높이에 포함하여야 하는지의 여부

회신 건축법시행령 제86조의 규정에 의한 건축물의 높이산정은 대지의 지표면으로부터 산정하는 것인 바, 지상에 돌출된 지하층 부분도 건축물의 높이에 산입하여야 하는 것임

질의회신 신청대지와 도로 인접대지 상호간 고저차가 있을 때 일조적용

서울시 건지 58550-1368, 2002.4.10.

질의 일반주거지역안에서 신청대지인 남측대지와 북측대지 사이에 도로가 있으면서 또한 신청대지와 도로 및 인접대지 상호간에 고저차가 있는 경우 정북방향의 일조권 적용을 위한 높이 산정 기준은

회신 건축법시행령 제119조제1항제5호나목의 규정에 의하여 일조권에 의한 건축물의 높이를 산정함에 있어 건축물의 대지의 지표면과 인접대지 지표면에 고저차가 있는 경우에는 그 지표면의 평균수평면을 지표면으로 하는 것이며, 동법시행령 동조제2항의 규정에 의거 지표면에 고저차가 있는 경우에는 건축물의 주위가 접하는 각 지표면부분의 높이를 당해 지표면 부분의 수평거리에 따라 가중평균한 높이의 수평면을 지표면으로 하도록 하고 있는 바, 건축하고자 하는 대지와 인접대지 사이에 도로가 있는 경우 같은법 시행령 제86조제1항의 규정에 의한 정북방향의 일조권 적용을 위한 지표면은 당해 대지와 도로 반대편의 대지와의 평균수평면을 기준으로 하는 것임

질의회신 대지 고저차가 있는 2개 이상 인접 대지가 접한 경우의 일조높이 산정방법

건교부 건축 58070-292, 2001.2.15.

질의 2개 이상의 대지에 접하여 건축물을 건축하고자 하는 대지가 있는 경우, 일조 등의 확보를 위한 건축물의 높이제한 규정의 적용방법은

회신 일조 등의 확보를 위한 건축물의 높이제한 규정의 적용시, 당해 대지와 접한 인접 대지가 수개일 경우에는 건축법 시행령 제86조제1항의 규정에 의한 정북방향의 일조 등의 확보를 위한 건축물의 높이제한시에는 인접한 각각의 대지지표면을 기준으로 당해 건축물의 높이를 산정하여야 하는 것이며, 동법 시행령 제86제2항제1호의 규정의 적용시에는 당해 대지와 접한 각 인접대지의 지표면을 평균한 수평면을 지표면으로 보아 당해 건축물의 높이를 산정하여야 하는 것임

질의회신 승강기탑 일조기준 적용

건교부 건축 58070-4126, 1996.10.28.

질의 일조권에 의한 건축물의 높이를 산정함에 있어 가상 지표면의 산정은? 공동주택의 승강기탑 등으로 건축면적 1/8 이하이거나 높이가 12미터 이하인 경우 일조권 적용여부

회신 일조권에 의한 건축물의 높이를 산정함에 있어 가상 지표면의 산정은 건축법시행령 제119조제1항 및 제2항의 규정에 의하는 것이며, 건축물의 높이에 산입 되지 아니하는 부분은 일조권에 의한 높이제한 규정을 적용 받지 않아도 되는 것임

질의회신 높이산입이 되지 않는 부분의 일조권 저촉 여부

국토교통부 민원마당 FAQ 2019.5.24.

질의 「건축법시행령」 제119조 제1항 제5호 다목의 규정에 의하여 옥탑 등이 12미터를 넘는 경우에만 높이에 산입하는 이유와 일조를 위한 높이제한 규정과의 배치 여부?

회신 「건축법시행령」 제119조 제1항 제5호 다목의 규정에 의하면 건축물의 옥상에 설치되는 승강기탑·계단탑·망루·장식탑·옥탑등으로서 그 수평투영면적의 합계가 당해 건축물의 건축면적의 8분의 1(「주택법」 제16조 제1항의 규정에 의한 사업계획승인 대상인 공동주택 중 세대별 전용면적이 85제곱미터 이하인 경우에는 6분의 1)이하인 경우로서 그 부분의 높이가 12미터를 넘는 경우에는 그 넘는 부분에 한하여 당해 건축물의 높이에 산입하도록 하고 있으며, 이는 건축물의 기능 또는 이용상 옥상에 돌출되는 승강기탑·계단탑 등의 수평투영면적의 합계가 위 규정의 건축면적 이하인 경우 그 부분의 높이가 12미터를 넘지 아니하는 부분에 대하여 제한적으로 높이에 산입하지 않고 있는 것으로 사료되며, 위 규정에 의하여 건축물의 높이에 산입되지 아니하는 승강기탑·계단탑 등 부분은 「건축법」 제53조의 규정에 의한 일조등의 확보를 위한 건축물의 높이제한 규정에 어긋나지 않음.

10 판례

대법원판례 건축허가취소처분취소등

대법원 2013두16111, 2014.11.27.

판시사항 [1] 하나의 대지가 녹지지역과 그 밖의 용도지역 등에 걸쳐 있는 경우 행위제한에 관한 구 국토의 계획 및 이용에 관한 법률 제84조 제3항의 해석 및 대지가 녹지지역과 그 밖의 용도지역 등에 걸치는 경우 용도지역별 건축물의 용도제한에 관하여 건축법 제54조 제3항 본문이 적용되는지 여부(소극)
[2], [3] "생략"

판결요지 [1] 구 국토의 계획 및 이용에 관한 법률(2012.2.1. 법률 제11292호로 개정되기 전의 것, 이하 '국토계획법'이라고 한다) 제84조 제3항 본문은 하나의 대지가 녹지지역과 그 밖의 용도지역 등에 걸쳐 있는 경우 그 대지 중 용도지역 등에 있는 부분의 규모 및 용도지역별 면적과 관계없이 녹지지역에 대해서만 녹지지역에 관한 행위 제한 규정을 적용하도록 함으로써 녹지지역의 훼손을 최소화하기 위한 것으로 보인다. 이러한 규정의 입법 취지 및 문언에 의할 때 위 조항은 하나의 대지가 녹지지역과 그 밖의 용도지역 등에 걸쳐 있는 경우 용도지역 등 경계선을 기준으로 녹지지역에 대하여는 녹지지역에 관한 행위 제한 규정이 적용되고, 다른 용도지역 등에 대하여는 해당 용도지역 등에 관한 행위 제한 규정이 적용된다는 의미로 해석하는 것이 타당하다.
한편 건축법 제54조 제3항 본문에서는 "대지가 녹지지역과 그 밖의 지역·지구 또는 구역에 걸치는 경우에는 각 지역·지구 또는 구역 안의 건축물과 대지에 관한 이 법의 규정을 적용한다."라고 규정하고 있으나, 용도지역별 건축물의 용도 제한에 대하여는 건축법이 아니라 국토계획법이 규율하고 있으므로, 대지가 녹지지역과 그 밖의 용도지역 등에 걸치는 경우 용도지역별 건축물의 용도 제한에 관하여는 건축법 제54조 제3항 본문이 적용되지 아니한다.
[2], [3] "생략"

대법원판례 손해배상(기)

대법원 2009다98652, 2011.4.28.

판시사항 [1] 건물 신축으로 인한 일조방해행위를 사법상 위법한 가해행위로 평가하기 위한 요건
[2] 일조방해로 인하여 인근 공작물 등 토지상에 정착한 물건을 더 이상 본래의 용법대로 사용할 수 없게 된 경우, 공작물 등 소유자가 청구할 수 있는 통상 손해의 범위
[3] 손해배상액 산정에서 손익상계가 허용되기 위한 요건
[4] 고층 아파트 신축으로 비닐하우스에 일조방해가 발생하여 더 이상 정상적인 난 재배를 하기 어렵게 된 사안에서, 비닐하우스와 그 안에서 재배되는 난들에 대한 이전비용과 이전 과정에서 불가피하게 발생하는 손해를 통상의 손해로서 청구할 수 있고, 만약 비닐하우스 등을 이전하는 것이 불가능하다는 등 특별한 사정이 있다면 그 교환가치 상당액을 통상의 손해로서 청구할 수 있다고 한 사례

판결요지 [1] 토지의 소유자 등이 종전부터 향유하던 일조이익이 객관적인 생활이익으로서 가치가 있다고 인정되면 법적인 보호의 대상이 될 수 있는데, 그 인근에서 건물이나 구조물 등이 신축됨으로 인하여 햇빛이 차단되어 생기는 그늘, 즉 일영(日影)이 증가함으로써 해당 토지에서 종래 향유하던 일조량이 감소하는 일조방해가 발생한 경우, 일조방해의 정도, 피해이익의 법적 성질, 가해 건물의 용도, 지역성, 토지이용의 선후관계, 가해 방지 및 피해 회피의 가능성, 공법적 규제의 위반 여부, 교섭 경과 등 모든 사정을 종합적으로 고려하여 사회통념상 일반적으로 해당 토지 소유자의 수인한도를 넘게 되면 그 건축행위는 정당한 권리행사의 범위를 벗어나 사법상 위법한 가해행위로 평가된다.
[2] 일조방해로 인하여 인근 공작물 등 토지상에 정착한 물건을 더 이상 본래의 용법대로 사용할 수 없게 되었다면, 공작물 등 소유자로서는 공작물 등 이전이 불가능하거나, 이전으로 인하여 공작물 등을 종래 용법대로 사용할 수 없게 되거나, 공작물 등 이전비용이 공작물 등의 교환가치를 넘는다는 등 특별한 사정이 없는 한, 이전

비용 상당액을 통상의 손해로서 청구할 수 있고, 이전 과정에서 불가피하게 발생한 손해 역시 통상의 손해로서 청구할 수 있으며, 위와 같은 특별한 사정이 있는 경우에는 공작물 등의 교환가치 상당액을 통상의 손해로서 청구할 수 있다. 한편 이와 같이 이전비용 등을 통상의 손해로서 청구하는 경우 장래 공작물 등을 사용·수익하여 얻을 수 있었을 이익은 이전비용 등에 포함되어 있어 이를 따로 청구할 수 없다.

[3] 손해배상액 산정에서 손익상계가 허용되기 위해서는 손해배상책임의 원인이 되는 행위로 인하여 피해자가 새로운 이득을 얻었을 뿐만 아니라 그 이득은 배상의무자가 배상하여야 할 손해의 범위에 대응하는 것이어야 한다.

[4] 고층 아파트 신축으로 비닐하우스에 일조방해가 발생하여 더 이상 정상적인 난 재배를 하기 어렵게 된 사안에서, 특별한 사정이 없는 한 비닐하우스와 그 안에서 재배되는 난들에 대한 이전비용과 이전 과정에서 불가피하게 발생하는 손해를 통상의 손해로서 청구할 수 있고, 만약 비닐하우스 등을 이전하는 것이 불가능하다는 등 특별한 사정이 있다면 그 교환가치 상당액을 통상의 손해로서 청구할 수 있다고 한 사례.

대법원판례 건축공사금지등

대법원 2001다45195, 2001.10.23.

판시사항 [1] 건축법 제50조의2 제1항 제1호 소정의 '맞벽으로 하여 건축하는 경우'의 의미

[2] 건축법시행령 제81조 제3항의 "맞벽은 방화벽으로 축조하여야 한다."는 규정의 취지 및 이에 위반한 경우 민법 제242조가 적용되는지 여부(소극)

판결요지 [1] 건축법 제50조의2 제1항 제1호에서 말하는 '맞벽으로 하여 건축하는 경우'라 함은 서로 마주 보는 건축물의 벽이 존재하는 경우뿐만 아니라, 이 사건과 같이 상업지역에서 어느 일방 토지소유자가 나대지인 인접토지와의 경계선으로부터 50cm의 이격거리를 두지 아니하고 건축물을 건축하는 경우도 포함된다고 봄이 합목적적이라고 할 것이고, 토지소유자는 그 소유권이 미치는 토지 전부를 사용할 수 있음이 원칙이나 상린관계로 인하여 민법 제242조의 제한을 받게 된 것이므로 국민의 재산권 보장이라는 관점에서도 상업지역에서는 민법 제242조가 적용되지 아니한다고 해석함이 상당하다.

[2] 건축법시행령 제81조 제3항에서 "맞벽은 방화벽으로 축조하여야 한다"고 규정한 취지는 민법 제242조에 의한 이격거리의 제한을 폐지하는 대신 건축물의 유지·관리를 위한 방화목적을 고려하여 맞벽을 방화벽으로 건축하도록 제한을 가하고 있는 것으로 볼 것이어서 이에 위반한 경우 건축법에 따른 제재를 받는 것은 별론으로 하고 민법 제242조의 적용을 받게 되는 것은 아니다.

대법원판례 손해배상(기)

대법원 2000다44928, 44935, 2001.6.26.

판시사항 [1] 일조방해로 인한 불법행위가 성립되는 경우

[2] 아파트의 수분양자가 분양회사를 상대로
일조방해를 원인으로 한 불법행위책임을 물을 수 있는지 여부(소극)

[3] 상고심절차에서 상고이유서 제출기간이 경과한 후에 소송당사자가 파산선고를 받은 경우, 상고법원은 파산법에 정해진 수계절차를 거쳐야 하는지 여부(소극)

판결요지 [1] 주거의 일조는 쾌적하고 건강한 생활에 필요한 생활이익으로서 법적 보호의 대상이 되는 것이며, 어떤 토지의 거주자가 인접한 타인의 토지 위를 거쳐서 태양의 직사광선을 받고 있는데, 그 인접 토지의 사용권자가 건물 등을 건축함으로써 직사광선이 차단되는 불이익을 입게 되고, 그 일조방해의 정도가 사회통념상 일반적으로 인용하는 수인한도를 넘어서는 경우에는 그 건축행위는 정당한 권리행사로서의 범위를 벗어나거나 권리남용에 이르는 행위로서 위법한 가해행위로 평가되어 일조방해로 인한 불법행위가 성립한다.

[2] 분양회사가 신축한 아파트를 분양받은 자는 분양된 아파트에서 일정한 일조시간을 확보할 수 없다고 하더라도, 이를 가지고 위 아파트가 매매목적물로서 거래상 통상 갖추어야 하거나 당사자의 특약에 의하여 보유하

여야 할 품질이나 성질을 갖추지 못한 것이라거나, 또는 분양회사가 수분양자에게 분양하는 아파트의 일조 상황 등에 관하여 정확한 정보를 제공할 신의칙상 의무를 게을리 하였다고 볼 여지가 있을지는 몰라도, 분양회사가 신축한 아파트로 인하여 수분양자가 직사광선이 차단되는 불이익을 입게 되었다고 볼 수는 없으므로 분양회사에게 일조방해를 원인으로 하는 불법행위책임을 물을 수는 없다.

[3] 상고이유서 제출기간이 경과한 후에 소송당사자가 파산선고를 받은 때에도 상고법원은 상고장, 상고이유서, 답변서, 기타의 소송기록에 의하여 상고가 이유 있다고 인정할 경우에 파산법에 정해진 수계절차를 거치지 않고 변론 없이 원심판결을 파기하고 사건을 원심법원에 환송하는 판결을 할 수 있다.

대법원판례 손해배상(기)

대법원 98다56997, 2000.5.16.

판시사항 [1] 일조방해행위가 사법상 위법한 가해행위로 평가되기 위한 요건

[2] 일조방해에 대한 공법적 규제의 사법적 의미 및 건물 신축이 건축 당시의 공법적 규제에 형식적으로 적합하다고 하더라도 현실적인 일조방해의 정도가 현저하게 커 사회통념상 수인한도를 넘는 경우, 위법행위로 평가되는지 여부(적극)

[3] 일조방해행위가 사회통념상 수인한도를 넘었는지 여부에 관한 판단 기준

[4] 고층 아파트의 건축으로 인접 주택에 동지를 기준으로 진태양시(眞太陽時) 08:00~16:00 사이의 일조시간이 2분~150분에 불과하게 되는 일조 침해가 있는 경우, 그 정도가 수인한도를 넘었다는 이유로 아파트 높이가 건축 관련 법규에 위반되지 않았음에도 불구하고 불법행위의 성립을 인정한 사례

판결요지 [1] 건물의 신축으로 인하여 그 이웃 토지상의 거주자가 직사광선이 차단되는 불이익을 받은 경우에 그 신축행위가 정당한 권리행사로서의 범위를 벗어나 사법상 위법한 가해행위로 평가되기 위해서는 그 일조방해의 정도가 사회통념상 일반적으로 인용하는 수인한도를 넘어야 한다.

[2] 건축법 등 관계 법령에 일조방해에 관한 직접적인 단속법규가 있다면 그 법규에 적합한지 여부가 사법상 위법성을 판단함에 있어서 중요한 판단자료가 될 것이지만, 이러한 공법적 규제에 의하여 확보하고자 하는 일조는 원래 사법상 보호되는 일조권을 공법적인 면에서도 가능한 한 보증하려는 것으로서 특별한 사정이 없는 한 일조권 보호를 위한 최소한도의 기준으로 봄이 상당하고, 구체적인 경우에 있어서는 어떠한 건물 신축이 건축 당시의 공법적 규제에 형식적으로 적합하다고 하더라도 현실적인 일조방해의 정도가 현저하게 커 사회통념상 수인한도를 넘은 경우에는 위법행위로 평가될 수 있다.

[3] 일조방해 행위가 사회통념상 수인한도를 넘었는지 여부는 피해의 정도, 피해이익의 성질 및 그에 대한 사회적 평가, 가해 건물의 용도, 지역성, 토지이용의 선후관계, 가해 방지 및 피해 회피의 가능성, 공법적 규제의 위반 여부, 교섭 경과 등 모든 사정을 종합적으로 고려하여 판단하여야 한다.

[4] 고층 아파트의 건축으로 인접 주택에 동지를 기준으로 진태양시(眞太陽時) 08:00~16:00 사이의 일조시간이 2분~150분에 불과하게 되는 일조 침해가 있는 경우, 그 정도가 수인한도를 넘었다는 이유로 아파트 높이가 건축 관련 법규에 위반되지 않았음에도 불구하고 불법행위의 성립을 인정한 사례.

건 축 법
1. 총 칙
2. 건 축
3. 유지관리
4. 대지도로
5. 구조재료
6. 지역지구
7. 건축설비
8. 특별건축구역
9. 보 칙
10. 벌 칙
건 축 법 관련기준

7

건축물의 설비 등

1 건축설비 기준 등(법 제62조)(영 제87조)(설비규칙 제1조, 제11조의2, 제20조의2)

법 제62조【건축설비기준 등】

건축설비의 설치 및 구조에 관한 기준과 설계 및 공사감리에 관하여 필요한 사항은 대통령령으로 정한다.

영 제87조【건축설비의 원칙】

① 건축설비는 건축물의 안전·방화, 위생, 에너지 및 정보통신의 합리적 이용에 지장이 없도록 설치하여야 하고, 배관피트 및 닥트의 단면적과 수선구의 크기를 해당 설비의 수선에 지장이 없도록 하는 등 설비의 유지·관리가 쉽게 설치하여야 한다.

② 건축물에 설치하는 급수·배수·냉방·난방·환기·피뢰 등 건축설비의 설치에 관한 기술적 기준은 국토교통부령으로 정하되, 에너지 이용 합리화와 관련한 건축설비의 기술적 기준에 관하여는 산업통상자원부장관과 협의하여 정한다.

③ 건축물에 설치하여야 하는 장애인 관련 시설 및 설비는 「장애인·노인·임산부 등의 편의증진보장에 관한 법률」 제14조에 따라 작성하여 보급하는 편의시설 상세표준도에 따른다.

④ 건축물에는 방송수신에 지장이 없도록 공동시청 안테나, 유선방송 수신시설, 위성방송 수신설비, 에프엠(FM)라디오방송 수신설비 또는 방송 공동수신설비를 설치할 수 있다. 다만, 다음 각 호의 건축물에는 방송 공동수신설비를 설치하여야 한다.

1. 공동주택
2. 바닥면적의 합계가 5천제곱미터 이상으로서 업무시설이나 숙박시설의 용도로 쓰는 건축물

⑤ 제4항에 따른 방송 수신설비의 설치기준은 과학기술정보통신부장관이 정하여 고시하는 바에 따른다. <개정 2017.7.26.>

건 축 법
1. 총 칙
2. 건 축
3. 유지관리
4. 대지도로
5. 구조재료
6. 지역지구
7. 건축설비
8. 특별건축구역
9. 보 칙
10. 벌 칙
건 축 법 관련기준

⑥ 연면적이 500제곱미터 이상인 건축물의 대지에는 국토교통부령으로 정하는 바에 따라 「전기사업법」 제2조제2호에 따른 전기사업자가 전기를 배전(配電)하는 데 필요한 전기설비를 설치할 수 있는 공간을 확보하여야 한다.
⑦ 해풍이나 염분 등으로 인하여 건축물의 재료 및 기계설비 등에 조기 부식과 같은 피해 발생이 우려되는 지역에서는 해당 지방자치단체는 이를 방지하기 위하여 다음 각 호의 사항을 조례로 정할 수 있다.
1. 해풍이나 염분 등에 대한 내구성 설계기준
2. 해풍이나 염분 등에 대한 내구성 허용기준
3. 그 밖에 해풍이나 염분 등에 따른 피해를 막기 위하여 필요한 사항
⑧ 건축물에 설치하여야 하는 우편수취함은 「우편법」 제37조의2의 기준에 따른다. <신설 2014.10.14.>

■ 건축물의 설비기준 등에 관한 규칙

설비규칙 제1조【목적】
이 규칙은 「건축법」 제49조, 제62조, 제64조, 제67조 및 제68조와 같은 법 시행령 제87조, 제89조, 제90조 및 제91조의3에 따른 건축설비의 설치에 관한 기술적 기준 등에 필요한 사항을 규정함을 목적으로 한다. <개정 2020.4.9.>

설비규칙 제20조의2【전기설비 설치공간 기준】
영 제87조제6항에 따른 건축물에 전기를 배전(配電)하려는 경우에는 별표 3의3에 따른 공간을 확보하여야 한다.

해설 건축물은 기능적으로 편리하여야 하며, 구조적으로 안전하여야 한다. 또한 건축물 사용의 편리성을 높이기 위해 건축설비의 적절한 선택·관리도 매우 중요하다. 오늘날의 건축물은 고층화, 공간의 대형화가 되고 있고, 이에 따라 건축설비의 중요성 또한 매우 크게 대두되고 있다. 이에 건축법령에서도 「건축물의 설비기준 등에 관한 규칙」(이하 "설비규칙")을 별도로 규정하고, 피난 및 방화에 관해서도 매우 중요하게 운용되고 있다.

1 규정내용

① 건축설비의 설치 및 구조에 관한 기준
② 건축설비의 설계 및 공사감리에 관하여 필요한 사항

2 건축설비 설치의 원칙

원 칙	1. 건축설비는 건축물의 안전·방화, 위생, 에너지 및 정보통신의 합리적 이용에 지장이 없도록 설치하여야 함. - 배관피트 및 닥트의 단면적과 수선구의 크기를 해당 설비의 수선에 지장이 없도록 하는 등 설비의 유지·관리가 쉽게 설치하여야 함.
	2. 급수·배수·냉방·난방·환기·피뢰 등 건축설비의 설치에 관한 기술적 기준은 국토교통부령으로 정함. – 에너지 이용 합리화와 관련한 건축설비의 기술적 기준에 관하여는 산업통상자원부장관과 협의하여 정함.
	3. 건축물에 설치하는 장애인 관련 시설 및 설비는 「장애인 · 노인 · 임산부등의 편의증진보장에 관한 법률」에 따라 작성하여 보급하는 편의시설 상세표준도에 따른다. 【제7편 해설 참조】
	4. 건축물에는 방송수신에 지장이 없도록 공동시청 안테나, 유선방송 수신시설, 위성방송 수신설비, 에프엠(FM)라디오방송 수신설비 또는 방송 공동수신설비를 설치할 수 있다. - 방송 수신설비의 설치기준은 과학기술정보통신부장관이 정하여 고시하는 바에 따른다.
	5. 연면적 500㎡ 이상인 건축물의 대지에는 국토교통부령으로 정하는 바에 따라 배전(配電)하는 데 필요한 전기설비를 설치할 수 있는 공간을 확보할 것
	6. 해풍이나 염분 등으로 인하여 건축물의 재료 및 기계설비 등에 조기 부식과 같은 피해 발생이 우려되는 지역에서는 해당 지방자치단체는 이를 방지하기 위하여 다음 각 호의 사항을 조례로 정할 수 있다. ① 해풍이나 염분 등에 대한 내구성 설계기준 ② 해풍이나 염분 등에 대한 내구성 허용기준 ③ 그 밖에 해풍이나 염분 등에 따른 피해를 막기 위하여 필요한 사항
	7. 우편수취함은 「우편법」의 기준에 따른다.

	내 용	세부사항(「건축법」과「건축법 시행령」의 설비관련규정)		
「건축물의 설비기준 등에 관한 규칙」(설비규칙)	■「건축법」및「건축법 시행령」규정에 따른 건축설비의 설치에 관한 기술적 기준	건축법	제49조	건축물의 피난시설 및 용도제한 등
			제62조	건축설비기준 등
			제64조	승강기
			제67조	관계전문기술자
			제68조	기술적 기준
		건축법 시행령	제51조제2항	거실의 배연설비
			제87조	건축설비 설치의 원칙
	* '피난용승강기의 설치' 기준은 「건축물의 피난 · 방화구조 등의 기준에 관한 규칙」에서 정함		제89조	승용 승강기의 설치
			제90조	비상용 승강기의 설치
			제91조	피난용 승강기의 설치*
			제91조의3	관계전문기술자와의 협력

3 방송·통신, 전기 설비 및 우편수취함 설치 기준

【1】 방송 공동수신설비 등

① 다음 건축물은 방송 공동수신설비기준에 따른 설비를 할 것

- 공동주택
- 바닥면적의 합계가 5,000㎡ 이상으로서 업무시설이나 숙박시설의 용도로 쓰는 건축물

【참고】 방송 공동수신설비의 설치기준(과학기술정보통신부고시 제2018-1호, 2018.1.19.)

② 통신실의 면적확보 규정(「통신설비의 기술기준에 관한 규정」 제19조)

【참고1】 방송 공동수신설비의 설치기준에 관한 고시(과학기술정보통신부고시 제2018-1호, 2018.1.19.)

제1조【목적】이 기준은 「건축법 시행령」 제87조와 「주택건설기준 등에 관한 규정」 제42조에 따라 건축물에 설치하는 방송 공동수신설비의 설치기준 등을 규정함을 목적으로 한다.

제2조【용어】① 이 기준에서 사용하는 용어의 뜻은 다음과 같다.

1. "방송 공동수신설비"란 방송 공동수신 안테나 시설과 종합유선방송 구내전송선로설비를 말한다.
2. "방송 공동수신 안테나 시설"이란 「방송법」에 따라 허가받은 지상파텔레비전방송, 에프엠(FM)라디오방송, 이동멀티미디어방송 및 위성방송(이하 "지상파방송, 위성방송" 이라 한다)을 공동으로 수신하기 위하여 설치하는 수신안테나 · 선로 · 관로 · 증폭기 및 분배기 등과 그 부속설비를 말한다.

【참고2】 통신실의 면적확보 규정(「방송통신설비의 기술기준에 관한 규정」 제19조)

영 제19조【구내통신실의 면적확보】 「전기통신사업법」 제69조제2항에 따른 전기통신회선설비와의 접속을 위한 면적기준은 다음 각 호와 같다. <개정 2022.12.6.>

1. 업무용건축물에는 국선 · 국선단자함 또는 국선배선반과 초고속통신망장비, 이동통신망장비 등 각종 구내통신선로설비 및 구내용 이동통신설비를 설치하기 위한 공간으로서 다음 각 목의 구분에 따라 집중구내통신실과 층구내통신실을 확보하여야 한다.
   가. 집중구내통신실: 별표 2에 따른 면적확보 기준을 충족할 것
   나. 층구내통신실: 각 층별로 별표 2에 따른 면적확보 기준을 충족할 것
2. 주거용건축물 중 공동주택 및 준주택오피스텔에는 별표 3에 따른 면적확보 기준을 충족하는 집중구내통신실을 확보해야 한다.
3. 하나의 건축물에 업무용건축물과 주거용건축물 중 공동주택 및 준주택오피스텔이 복합된 건축물에는 각각 별표 2 및 별표 3에 따른 면적확보 기준을 충족하는 집중구내통신실을 용도별로 각각 분리된 공간에 확보해야 하며, 업무용건축물에 해당하는 부분에는 별표 2에 따른 면적확보 기준을 충족하는 층구내통신실을 확보해야 한다. 다만, 업무용건축물에 해당하는 부분의 연면적이 500제곱미터 미만인 건축물로서 다음 각 목의 요건을 모두 충족하는 경우에는 집중구내통신실을 용도별로 분리하지 않고 통합된 공간에 확보할 수 있다.
   가. 집중구내통신실의 면적이 별표 2와 별표 3에 따른 면적확보 기준을 합산한 면적 이상일 것
   나. 집중구내통신실이 해당 용도별 전기통신회선설비와의 접속기능을 원활히 수행할 수 있을 것

[별표 2] 업무용 건축물의 구내통신실면적확보 기준 〈개정 2017.4.25〉

건축물 규모	확보대상	확보면적
1. 6층 이상이고 연면적 5천제곱미터 이상인 업무용 건축물	가. 집중구내통신실	10.2제곱미터 이상으로 1개소 이상
	나. 층구내통신실	1) 각 층별 전용면적이 1천제곱미터 이상인 경우에는 각 층별로 10.2제곱미터 이상으로 1개소 이상

		2) 각 층별 전용면적이 800제곱미터 이상인 경우에는 각 층별로 8.4제곱미터 이상으로 1개소 이상 3) 각 층별 전용면적이 500제곱미터 이상인 경우에는 각 층별로 6.6제곱미터 이상으로 1개소 이상 4) 각 층별 전용면적이 500제곱미터 미만인 경우에는 각 층별로 5.4제곱미터 이상으로 1개소 이상
2. 제1항 외의 업무용 건축물	집중구내통신실	건축물의 연면적이 500제곱미터 이상인 경우 10.2제곱미터 이상으로 1개소 이상. 다만, 500제곱미터 미만인 경우는 5.4제곱미터 이상으로 1개소 이상

비고 1. 같은 층에 집중구내통신실과 층구내통신실을 확보하여야 하는 경우에는 집중구내통신실만을 확보할 수 있다.
2. 층별 전용면적이 500제곱미터 미만인 경우로서 각 층별로 통신실을 확보하기가 곤란한 경우에는 하나의 층구내통신실에 2개층 이상의 통신설비를 통합하여 수용할 수 있다. 이 경우 층구내통신실 확보면적은 통합 수용된 각 층의 전용면적을 합하여 위 표 제1호 중 층구내통신실의 확보면적란의 기준을 적용한다.
3. 같은 층에 층구내통신실을 2개소 이상으로 분리 설치하려는 경우에는 층구내통신실의 면적은 최소 5.4제곱미터 이상이어야 한다.
4. 집중구내통신실은 외부환경에 영향이 적은 지상에 확보되어야 한다. 다만, 부득이한 사유로 지상확보가 곤란한 경우에는 침수우려가 없고 습기가 차지 아니하는 지하층에 설치할 수 있다.
5. 집중구내통신실에는 조명시설과 통신장비전용의 전원설비를 갖추어야 한다.
6. 각 통신실의 면적은 벽이나 기둥 등을 제외한 면적으로 한다.
7. 집중구내통신실의 출입구에는 잠금장치를 설치하여야 한다.

[별표 3] 공동주택 및 준주택오피스텔의 구내통신실면적확보 기준 〈개정 2022.12.6.〉

구 분	확보면적
1. 50세대 이상 500세대 이하 단지	10제곱미터 이상으로 1개소
2. 500세대 초과 1,000세대 이하 단지	15제곱미터 이상으로 1개소
3. 1,000세대 초과 1,500세대 이하 단지	20제곱미터 이상으로 1개소
4. 1,500세대 초과 단지	25제곱미터 이상으로 1개소

비고 1. 집중구내통신실은 외부환경에 영향이 적은 지상에 확보되어야 한다. 다만, 부득이한 사유로 지상 확보가 곤란한 경우에는 침수우려가 없고 습기가 차지 아니하는 지하층에 설치할 수 있다.
2. 집중구내통신실에는 조명시설과 통신장비전용의 전원설비를 구비하여야 한다.
3. 각 통신실의 면적은 벽이나 기둥 등을 제외한 면적으로 한다.
4. 집중구내통신실의 출입구에는 잠금장치를 설치하여야 한다.

【2】 전기설비설치용 공간의 확보

연면적 500㎡ 이상인 건축물의 대지에는 국토교통부령으로 정하는 바에 따라 「전기사업법」에 따른 전기사업자 **관계법** 가 전기를 배전(配電)하는 데 필요한 전기설비를 설치할 수 있는 공간 **【참고】** 을 확보할 것

관계법 전기사업자(「전기사업법」 제2조제2호)

법 제2조【정의 1. "전기사업"이란 발전사업·송전사업·배전사업·전기판매사업 및 구역전기사업을 말한다.
2. "전기사업자"란 발전사업자·송전사업자·배전사업자·전기판매사업자 및 구역전기사업자를 말한다.

【참고】 전기설비 설치공간 확보기준(설비규칙 별표 3의3)

수전전압	전력수전 용량	확보면적
특고압 또는 고압	100kW 이상	가로 2.8m, 세로 2.8m
저압	75kW 이상 ~ 150kW 미만	가로 2.5m, 세로 2.8m
	150kW 이상 ~ 200kW 미만	가로 2.8m, 세로 2.8m
	200kW 이상 ~ 300kW 미만	가로 2.8m, 세로 4.6m
	300kW 이상	가로 2.8m 이상, 세로 4.6m 이상

비고 1. "저압", "고압" 및 "특고압"의 정의는 각각 「전기사업법 시행규칙」 제2조제8호, 제9호 및 제10호에 따른다.
2. 전기설비 설치공간은 배관, 맨홀 등을 땅속에 설치하는데 지장이 없고 전기사업자의 전기설비 설치, 보수, 점검 및 조작 등 유지관리가 용이한 장소이어야 한다.
3. 전기설비 설치공간은 해당 건축물 외부의 대지상에 확보하여야 한다. 다만, 외부 지상공간이 좁아서 그 공간 확보가 불가능한 경우에는 침수우려가 없고 습기가 차지 아니하는 건축물의 내부에 공간을 확보할 수 있다.
4. 수전전압이 저압이고 전력수전 용량이 300kW 이상인 경우 등 건축물의 전력수전 여건상 필요하다고 인정되는 경우에는 상기 표를 기준으로 건축주와 전기사업자가 협의하여 확보면적을 따로 정할 수 있다.
5. 수전전압이 저압이고 전력수전 용량이 150kW 미만이 경우로서 공중으로 전력을 공급받는 경우에는 전기설비 설치공간을 확보하지 않을 수 있다.

【3】 우편수취함의 설치기준(「우편법」 제37조의2 기준에 따름)

법 제37조의2【고층건물의 우편수취함 설치】 3층 이상의 고층건물로서 그 전부 또는 일부를 주택·사무소 또는 사업소로 사용하는 건축물에는 대통령령으로 정하는 바에 따라 우편수취함을 설치하여야 한다.

영 제50조【고층건물의 우편수취함 설치】 ① 법 제37조의2의 규정에 의한 건축물의 소유자 또는 관리인은 당해 건축물의 출입구에서 가까운 내부의 보기쉬운 곳에 그 건축물의 주거시설·사무소 또는 사업소별로 우편수취함을 설치하여야 한다.
② 제1항의 규정에 의한 우편수취함의 설치 및 관리등에 관하여 필요한 사항은 과학기술정보통신부령으로 정한다. <개정 2017.7.26.>

2 개별난방설비 등(영 제87조제2항)(설비규칙 제13조)

영 제87조【건축설비의 원칙】

② 건축물에 설치하는 급수 · 배수 · 냉방 · 난방 · 환기 · 피뢰 등 건축설비의 설치에 관한 기술적 기준은 국토교통부령으로 정하되, 에너지 이용 합리화와 관련한 건축설비의 기술적 기준에 관하여는 산업통상자원부장관과 협의하여 정한다.

설비규칙 제13조【개별난방설비】

① 영 제87조제2항의 규정에 의하여 공동주택과 오피스텔의 난방설비를 개별난방방식으로 하는 경우에는 다음 각호의 기준에 적합하여야 한다. <개정 2017.12.4>

1. 보일러는 거실외의 곳에 설치하되, 보일러를 설치하는 곳과 거실사이의 경계벽은 출입구를 제외하고는 내화구조의 벽으로 구획할 것
2. 보일러실의 윗부분에는 그 면적이 0.5제곱미터 이상인 환기창을 설치하고, 보일러실의 윗부분과 아랫부분에는 각각 지름 10센티미터 이상의 공기흡입구 및 배기구를 항상 열려있는 상태로 바깥공기에 접하도록 설치할 것. 다만, 전기보일러의 경우에는 그러하지 아니하다.
3. 삭제 <1999.5.11>
4. 보일러실과 거실사이의 출입구는 그 출입구가 닫힌 경우에는 보일러가스가 거실에 들어갈 수 없는 구조로 할 것
5. 기름보일러를 설치하는 경우에는 기름저장소를 보일러실외의 다른 곳에 설치할 것
6. 오피스텔의 경우에는 난방구획을 방화구획으로 구획할 것
7. 보일러의 연도는 내화구조로서 공동연도로 설치할 것

② 가스보일러에 의한 난방설비를 설치하고 가스를 중앙집중공급방식으로 공급하는 경우에는 제1항의 규정에 불구하고 가스관계법령이 정하는 기준에 의하되, 오피스텔의 경우에는 난방구획마다 내화구조로 된 벽 · 바닥과 갑종방화문으로 된 출입문으로 구획하여야 한다.

③ 허가권자는 개별 보일러를 설치하는 건축물의 경우 소방청장이 정하여 고시하는 기준에 따라 일산화탄소 경보기를 설치하도록 권장할 수 있다. <신설 2020.4.9.>

1 공동주택과 오피스텔의 난방설비를 개별난방방식으로 하는 경우의 기준

구 분	설치내용	그림해설
• 보일러의 위치	• 보일러실의 위치는 거실 이외의 곳에 설치 • 보일러실과 거실의 경계벽은 내화구조의 벽으로 구획(출입구 제외)	거실 / 보일러 / 환기창 / 환기구 (상하각각 지름 10㎝ 이상) / 옥외 / 출입문 [평면] 거실 / 환기창 / 환기구 / 옥외 / 보일러 / 환기구 [단면]
• 보일러실의 환기창	• 환기창 : 0.5㎡ 이상으로 하고 윗부분에 설치 • 환기구 : 상 · 하부분에 각각 지름 10㎝ 이상의 공기흡입구 및 배기구 설치(항상 개방된 상태로 외기에 접하도록 설치) – 전기보일러의 경우 예외	
• 보일러실의 출입구	• 거실과 출입구는 가스가 거실에 들어갈 수 없는 구조일 것(출입구가 닫힌 경우)	
• 기름보일러	• 기름저장소는 보일러실 외에 다른 곳에 설치할 것	
• 보일러의 연도	• 보일러의 연도는 내화구조로서 공동연도로 설치할 것	
• 오피스텔의 경우	• 난방구획을 방화구획으로 구획	

2 가스를 중앙집중공급방식으로 공급받는 가스보일러에 의한 난방설비 설치의 경우

－가스관계 법령이 정하는 기준에 의함.

－오피스텔의 경우 난방구획마다 내화구조의 벽 및 바닥과 60+방화문 또는 60분 방화문으로 구획

3 일산화탄소 가스누설경보기의 설치 권장

허가권자는 개별 보일러를 설치하는 건축물의 경우 소방청장이 정하여 고시하는 기준*에 따라 일산화탄소 경보기를 설치하도록 권장할 수 있다.

* 가스누설경보기의 화재안전 성능기준(NFPC 206, 소방청고시 제2022-50호) 및 기술기준(NFTC 206호, 소방청공고 제2022-227호) 참조

3 온돌의 설치기준(영 제87조제2항)(설비규칙 제12조)

법 제63조【온돌 및 난방설비 등의 시공】

삭제 <2015.5.18.>

※ 온돌 등 시공 방법 등 난방설비 기준은 이미 일반화되어 규제의 실효성이 없으므로, 이를 폐지하고(2015.5.18. 개정), 설비규칙에 온돌의 설치기준을 제4조에서 제12조로 이동하여 유지함

영 제87조【건축설비의 원칙】

② 건축물에 설치하는 급수·배수·냉방·난방·환기·피뢰 등 건축설비의 설치에 관한 기술적 기준은 국토교통부령으로 정하되, 에너지 이용 합리화와 관련한 건축설비의 기술적 기준에 관하여는 산업통상자원부장관과 협의하여 정한다.

설비규칙 제12조【온돌의 설치기준】

① 영 제87조제2항에 따라 건축물에 온돌을 설치하는 경우에는 그 구조상 열에너지가 효율적으로 관리되고 화재의 위험을 방지하기 위하여 별표 1의7의 기준에 적합하여야 한다. <개정 2015.7.9.>

② 제1항에 따라 건축물에 온돌을 시공하는 자는 시공을 끝낸 후 별지 제2호서식의 온돌 설치확인서를 공사감리자에게 제출하여야 한다. 다만, 제3조제2항에 따른 건축설비설치확인서를 제출한 경우와 공사감리자가 직접 온돌의 설치를 확인한 경우에는 그러하지 아니하다. <개정 2015.7.9.>

[제4조에서 이동 <2015.7.9.>]

해설 온돌을 설치하는 경우에는 그 구조상 열에너지가 효율적으로 관리되고 화재의 위험을 방지하기 위하여 온돌의 설치기준[별표1의7]에 적합하게 시공하여야 한다. 또한 설치가 끝난 후 시공자는 온돌설치확인서를 공사감리자에게 제출하여야 한다.

【별표 1의7】 온돌 설치기준(설비규칙 제12조제1항 관련)〈개정 2015.7.9.〉

1. 온수온돌

가. 온수온돌이란 보일러 또는 그 밖의 열원으로부터 생성된 온수를 바닥에 설치된 배관을 통하여 흐르게 하여 난방을 하는 방식을 말한다.

나. 온수온돌은 바탕층, 단열층, 채움층, 배관층(방열관을 포함한다) 및 마감층 등으로 구성된다.

상부마감층
배관층(방열관)
채움층
단열층
바탕층

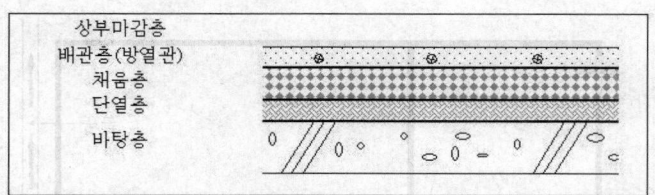

1) 바탕층이란 온돌이 설치되는 건축물의 최하층 또는 중간층의 바닥을 말한다.
2) 단열층이란 온수온돌의 배관층에서 방출되는 열이 바탕층 아래로 손실되는 것을 방지하기 위하여 배관층과 바탕층 사이에 단열재를 설치하는 층을 말한다.
3) 채움층이란 온돌구조의 높이 조정, 차음성능 향상, 보조적인 단열기능 등을 위하여 배관층과 단열층 사이에 완충재 등을 설치하는 층을 말한다.
4) 배관층이란 단열층 또는 채움층 위에 방열관을 설치하는 층을 말한다.
5) 방열관이란 열을 발산하는 온수를 순환시키기 위하여 배관층에 설치하는 온수배관을 말한다.
6) 마감층이란 배관층 위에 시멘트, 모르타르, 미장 등을 설치하거나 마루재, 장판 등 최종 마감재를 설치하는 층을 말한다.

다. 온수온돌의 설치 기준

1) 단열층은 「녹색건축물 조성 지원법」 제15조제1항에 따라 국토교통부장관이 고시하는 기준에 적합하여야 하며, 바닥난방을 위한 열이 바탕층 아래 및 측벽으로 손실되는 것을 막을 수 있도록 단열재를 방열관과 바탕층 사이에 설치하여야 한다. 다만, 바탕층의 축열을 직접 이용하는 심야전기이용 온돌(「한국전력공사법」에 따른 한국전력공사의 심야전력이용기기 승인을 받은 것만 해당하며, 이하 "심야전기이용 온돌"이라 한다)의 경우에는 단열재를 바탕층 아래에 설치할 수 있다.
2) 배관층과 바탕층 사이의 열저항은 층간 바닥인 경우에는 해당 바닥에 요구되는 열관류저항의 60% 이상이어야 하고, 최하층 바닥인 경우에는 해당 바닥에 요구되는 열관류저항이 70% 이상이어야 한다. 다만, 심야전기이용 온돌의 경우에는 그러하지 아니하다.
3) 단열재는 내열성 및 내구성이 있어야 하며 단열층 위의 적재하중 및 고정하중에 버틸 수 있는 강도를 가지거나 그러한 구조로 설치되어야 한다.
4) 바탕층이 지면에 접하는 경우에는 바탕층 아래와 주변 벽면에 높이 10센티미터 이상의 방수처리를 하여야 하며, 단열재의 윗부분에 방습처리를 하여야 한다.
5) 방열관은 잘 부식되지 아니하고 열에 견딜 수 있어야 하며, 바닥의 표면온도가 균일하도록 설치하여야 한다.
6) 배관층은 방열관에서 방출된 열이 마감층 부위로 최대한 균일하게 전달될 수 있는 높이와 구조를 갖추어야 한다.
7) 마감층은 수평이 되도록 설치하여야 하며, 바닥의 균열을 방지하기 위하여 충분하게 양생하거나 건조시켜 마감재의 뒤틀림이나 변형이 없도록 하여야 한다.
8) 한국산업표준에 따른 조립식 온수온돌판을 사용하여 온수온돌을 시공하는 경우에는 1)부터 7)까지의 규정을 적용하지 아니한다.
9) 국토교통부장관은 1)부터 7)까지에서 규정한 것 외에 온수온돌의 설치에 관하여 필요한 사항을 정하여 고시할 수 있다.

2. 구들온돌

가. 구들온돌이란 연탄 또는 그 밖의 가연물질이 연소할 때 발생하는 연기와 연소열에 의하여 가열된 공기를 바닥 하부로 통과시켜 난방을 하는 방식을 말한다.

나. 구들온돌은 아궁이, 환기구, 공기흡입구, 고래, 굴뚝 및 굴뚝목 등으로 구성된다.

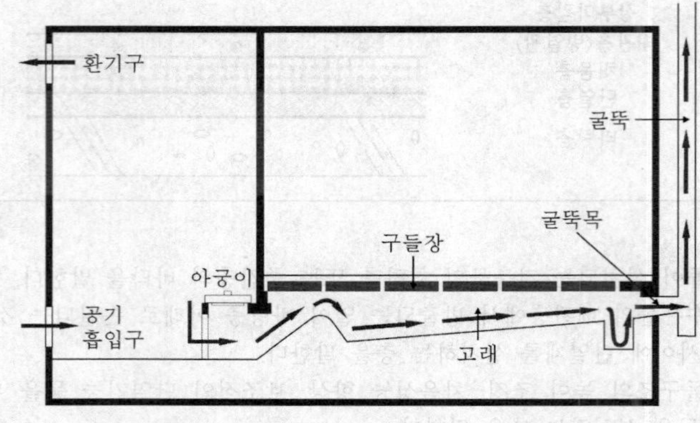

1) 아궁이란 연탄이나 목재 등 가연물질의 연소를 통하여 열을 발생시키는 부위를 말한다.
2) 온돌환기구란 아궁이가 설치되는 공간에서 연탄 등 가연물질의 연소를 통하여 발생하는 가스를 원활하게 배출하기 위한 통로를 말한다.
3) 공기흡입구란 아궁이가 설치되는 공간에서 연탄 등 가연물질의 연소에 필요한 공기를 외부에서 공급받기 위한 통로를 말한다.
4) 고래란 아궁이에서 발생한 연소가스 및 가열된 공기가 굴뚝으로 배출되기 전에 구들 아래에서 최대한 균일하게 흐르도록 하기 위하여 설치된 통로를 말한다.
5) 굴뚝이란 고래를 통하여 구들 아래를 통과한 연소가스 및 가열된 공기를 외부로 원활하게 배출하기 위한 장치를 말한다.
6) 굴뚝목이란 고래에서 굴뚝으로 연결되는 입구 및 그 주변부를 말한다.

다. 구들온돌의 설치 기준

1) 연탄아궁이가 있는 곳은 연탄가스를 원활하게 배출할 수 있도록 그 바닥면적의 10분의 1이상에 해당하는 면적의 환기용 구멍 또는 환기설비를 설치하여야 하며, 외기에 접하는 벽체의 아랫부분에는 연탄의 연소를 촉진하기 위하여 지름 10센티미터 이상 20센티미터 이하의 공기흡입구를 설치하여야 한다.
2) 고래바닥은 연탄가스를 원활하게 배출할 수 있도록 높이/수평거리가 1/5 이상이 되도록 하여야 한다.
3) 부뚜막식 연탄아궁이에 고래로 연기를 유도하기 위하여 유도관을 설치하는 경우에는 20도 이상 45도 이하의 경사를 두어야 한다.
4) 굴뚝의 단면적은 150제곱센티미터 이상으로 하여야 하며, 굴뚝목의 단면적은 굴뚝의 단면적보다 크게 하여야 한다.
5) 연탄식 구들온돌이 아닌 전통 방법에 의한 구들을 설치할 경우에는 1)부터 4)까지의 규정을 적용하지 아니한다.
6) 국토교통부장관은 1)부터 5)까지에서 규정한 것 외에 구들온돌의 설치에 관하여 필요한 사항을 정하여 고시할 수 있다.

4 공동주택 및 다중이용시설의 환기설비기준 등(영 제87조제2항)(설비규칙 제11조)

영 제87조【건축설비의 원칙】

② 건축물에 설치하는 급수·배수·냉방·난방·환기·피뢰 등 건축설비의 설치에 관한 기술적 기준은 국토교통부령으로 정하되, 에너지 이용 합리화와 관련한 건축설비의 기술적 기준에 관하여는 산업통상자원부장관과 협의하여 정한다.

설비규칙 제11조【공동주택 및 다중이용시설의 환기설비 기준 등】

① 영 제87조제2항의 규정에 따라 신축 또는 리모델링하는 다음 각 호의 어느 하나에 해당하는 주택 또는 건축물(이하 "신축공동주택등"이라 한다)은 시간당 0.5회 이상의 환기가 이루어질 수 있도록 자연환기설비 또는 기계환기설비를 설치하여야 한다. <개정 2020.4.9.>

1. 30세대 이상의 공동주택
2. 주택을 주택 외의 시설과 동일건축물로 건축하는 경우로서 주택이 30세대 이상인 건축물

② 신축공동주택등에 자연환기설비를 설치하는 경우에는 자연환기설비가 제1항에 따른 환기횟수를 충족하는지에 대하여 법 제4조에 따른 지방건축위원회의 심의를 받아야 한다. 다만, 신축공동주택등에 「산업표준화법」에 따른 한국산업표준(이하 "한국산업표준"이라 한다)의 자연환기설비 환기성능 시험방법(KSF 2921)에 따라 성능시험을 거친 자연환기설비를 별표 1의3에 따른 자연환기설비 설치 길이 이상으로 설치하는 경우는 제외한다. <개정 2015.7.9.>

③ 신축공동주택등에 자연환기설비 또는 기계환기설비를 설치하는 경우에는 별표 1의4 또는 별표 1의5의 기준에 적합하여야 한다.

④ 특별시장·광역시장·특별자치시장·특별자치도지사 또는 시장·군수·구청장(자치구의 구청장을 말하며, 이하 "허가권자"라 한다)은 30세대 미만인 공동주택과 주택을 주택 외의 시설과 동일 건축물로 건축하는 경우로서 주택이 30세대 미만인 건축물 및 단독주택에 대해 시간당 0.5회 이상의 환기가 이루어질 수 있도록 자연환기설비 또는 기계환기설비의 설치를 권장할 수 있다. <신설 2020.4.9.>

⑤ 다중이용시설을 신축하는 경우에 기계환기설비를 설치하여야 하는 다중이용시설 및 각 시설의 필요 환기량은 별표 1의6과 같으며, 설치하여야 하는 기계환기설비의 구조 및 설치는 다음 각 호의 기준에 적합하여야 한다. <개정 2020.4.9.>

1. 다중이용시설의 기계환기설비 용량기준은 시설이용 인원 당 환기량을 원칙으로 산정할 것
2. 기계환기설비는 다중이용시설로 공급되는 공기의 분포를 최대한 균등하게 하여 실내 기류의 편차가 최소화될 수 있도록 할 것
3. 공기공급체계·공기배출체계 또는 공기흡입구·배기구 등에 설치되는 송풍기는 외부의 기류로 인하여 송풍능력이 떨어지는 구조가 아닐 것
4. 바깥공기를 공급하는 공기공급체계 또는 공기흡입구는 입자형·가스형 오염물질의 제거·여과장치 등 외부로부터 오염물질이 유입되는 것을 최대한 차단할 수 있는 설비를 갖추어야 하며, 제거·여과장치 등의 청소 및 교환 등 유지관리가 쉬운 구조일 것
5. 공기배출체계 및 배기구는 배출되는 공기가 공기공급체계 및 공기흡입구로 직접 들어가지 아니하는 위치에 설치할 것
6. 기계환기설비를 구성하는 설비·기기·장치 및 제품 등의 효율과 성능 등을 판정하는데 있어 이 규칙에서 정하지 아니한 사항에 대하여는 해당항목에 대한 한국산업표준에 적합할 것

설비규칙 제11조의2【환기구의 안전 기준】

① 영 제87조제2항에 따라 환기구[건축물의 환기설비에 부속된 급기(給氣) 및 배기(排氣)를 위한 건축구조물의 개구부(開口部)를 말한다. 이하 같다]는 보행자 및 건축물 이용자의 안전

이 확보되도록 바닥으로부터 2미터 이상의 높이에 설치해야 한다. 다만, 다음 각 호의 어느 하나에 해당하는 경우에는 예외로 한다. <개정 2021.8.27>

1. 환기구를 벽면에 설치하는 등 사람이 올라설 수 없는 구조로 설치하는 경우. 이 경우 배기를 위한 환기구는 배출되는 공기가 보행자 및 건축물 이용자에게 직접 닿지 아니하도록 설치되어야 한다.
2. 안전울타리 또는 조경 등을 이용하여 접근을 차단하는 구조로 하는 경우

② 모든 환기구에는 국토교통부장관이 정하여 고시하는 강도(强度) 이상의 덮개와 덮개 걸침턱 등 추락방지시설을 설치하여야 한다.

[별표 1의3] 자연환기설비 설치 길이 산정방법 및 설치 기준(제11조제2항 관련)〈개정 2021.8.27〉

1. 설치 대상 세대의 체적 계산

- 필요한 환기횟수를 만족시킬 수 있는 환기량을 산정하기 위하여, 자연환기설비를 설치하고자 하는 공동주택 단위세대의 전체 및 실별 체적을 계산한다.

2. 단위세대 전체와 실별 설치길이 계산식 설치기준

- 자연환기설비의 단위세대 전체 및 실별 설치길이는 한국산업표준의 자연환기설비 환기성능 시험방법(KSF 2921)에서 규정하고 있는 자연환기설비의 환기량 측정장치에 의한 평가 결과를 이용하여 다음 식에 따라 계산된 설치길이 L값 이상으로 설치하여야 하며, 세대 및 실 특성별 가중치가 고려되어야 한다.

$$L = \frac{V \times N}{Q_{ref}} \times F$$

여기에서,
- L : 세대 전체 또는 실별 설치길이(유효 개구부길이 기준, m)
- V : 세대 전체 또는 실 체적(m^3)
- N : 필요 환기횟수(0.5회/h)
- Q_{ref} : 자연환기설비의 환기량 측정장치에 의해 평가된 기준 압력차 (2Pa)에서의 환기량($m^3/h \cdot m$)
- F : 세대 및 실 특성별 가중치**

비고

* 일반적으로 창틀에 접합되는 부분(endcap)과 실제로 공기유입이 이루어지는 개구부 부분으로 구성되는 자연환기설비에서, 유효 개구부길이(설치길이)는 창틀과 결합되는 부분을 제외한 실제 개구부 부분을 기준으로 계산한다.

** 주동형태 및 단위세대의 설계조건을 고려한 세대 및 실 특성별 가중치는 다음과 같다.

구 분	조 건	가중치
세대 조건	1면이 외부에 면하는 경우	1.5
	2면이 외부에 평행하게 면하는 경우	1
	2면이 외부에 평행하지 않게 면하는 경우	1.2
	3면 이상이 외부에 면하는 경우	1
실 조건	대상 실이 외부에 직접 면하는 경우	1
	대상 실이 외부에 직접 면하지 않는 경우	1.5

단, 세대조건과 실 조건이 겹치는 경우에는 가중치가 높은 쪽을 적용하는 것을 원칙으로 한다.

*** 일방향으로 길게 설치하는 형태가 아닌 원형, 사각형 등에는 상기의 계산식을 적용할 수 없으며, 지방건축위원회의 심의를 거쳐야 한다.

[별표 1의4] 신축공동주택등의 자연환기설비 설치 기준(제11조제3항 관련)〈개정 2020.4.9.〉

제11조제1항에 따라 신축공동주택등에 설치되는 자연환기설비의 설계·시공 및 성능평가방법은 다음 각 호의 기준에 적합하여야 한다.

1. 세대에 설치되는 자연환기설비는 세대 내의 모든 실에 바깥공기를 최대한 균일하게 공급할 수 있도록 설치되어야 한다.
2. 세대의 환기량 조절을 위하여 자연환기설비는 환기량을 조절할 수 있는 체계를 갖추어야 하고, 최대개방 상태에서의 환기량을 기준으로 별표 1의5에 따른 설치길이 이상으로 설치되어야 한다.
3. 자연환기설비는 순간적인 외부 바람 및 실내외 압력차의 증가로 인하여 발생할 수 있는 과도한 바깥공기의 유입 등 바깥공기의 변동에 의한 영향을 최소화할 수 있는 구조와 형태를 갖추어야 한다.
4. 자연환기설비의 각 부분의 재료는 충분한 내구성 및 강도를 유지하여 작동되는 동안 구조 및 성능에 변형이 없어야 하며, 표면결로 및 바깥공기의 직접적인 유입으로 인하여 발생할 수 있는 불쾌감(콜드드래프트 등)을 방지할 수 있는 재료와 구조를 갖추어야 한다.
5. 자연환기설비는 다음 각 목의 요건을 모두 갖춘 공기여과기를 갖춰야 한다.〈개정 2020.4.9.〉
   가. 도입되는 바깥공기에 포함되어 있는 입자형·가스형 오염물질을 제거 또는 여과하는 성능이 일정 수준 이상일 것
   나. 한국산업표준(KS B 6141)에 따른 입자 포집률이 질량법으로 측정하여 70퍼센트 이상일 것
   다. 청소 또는 교환이 쉬운 구조일 것
6. 자연환기설비를 구성하는 설비·기기·장치 및 제품 등의 효율과 성능 등을 판정함에 있어 이 규칙에서 정하지 아니한 사항에 대하여는 해당 항목에 대한 한국산업표준에 적합하여야 한다.
7. 자연환기설비를 지속적으로 작동시키는 경우에도 대상 공간의 사용에 지장을 주지 아니하는 위치에 설치되어야 한다.
8. 한국산업표준(KS B 2921)의 시험조건하에서 자연환기설비로 인하여 발생하는 소음은 대표길이 1미터(수직 또는 수평 하단)에서 측정하여 40dB 이하가 되어야 한다.
9. 자연환기설비는 가능한 외부의 오염물질이 유입되지 않는 위치에 설치되어야 하고, 화재 등 유사시 안전에 대비할 수 있는 구조와 성능이 확보되어야 한다.
10. 실내로 도입되는 바깥공기를 예열할 수 있는 기능을 갖는 자연환기설비는 최대한 에너지 절약적인 구조와 형태를 가져야 한다.
11. 자연환기설비는 주요 부분의 정기적인 점검 및 정비 등 유지관리가 쉬운 체계로 구성하여야 하고, 제품의 사양 및 시방서에 유지관리 관련 내용을 명시하여야 하며, 유지관리 관련 내용이 수록된 사용자 설명서를 제시하여야 한다.
12. 자연환기설비는 설치되는 실의 바닥부터 수직으로 1.2미터 이상의 높이에 설치하여야 하며, 2개 이상의 자연환기설비를 상하로 설치하는 경우 1미터 이상의 수직간격을 확보하여야 한다.

[별표1의5] 신축공동주택등의 기계환기설비의 설치기준(설비규칙 제11조제3항 관련)〈개정 2020.4.9.〉

제11조제1항의 규정에 의한 신축공동주택등의 환기횟수를 확보하기 위하여 설치되는 기계환기설비의 설계·시공 및 성능평가방법은 다음 각 호의 기준에 적합하여야 한다.

1. 기계환기설비의 환기기준은 시간당 실내공기 교환횟수(환기설비에 의한 최종공기흡입구에서 세대의 실내로 공급되는 시간당 총 체적 풍량을 실내 총체적으로 나눈 환기횟수를 말한다)로 표시하여야 한다.
2. 하나의 기계환기설비로 세대 내 2 이상의 실에 바깥공기를 공급할 경우의 필요환기량은 각 실에 필요한 환기량의 합계 이상이 되도록 하여야 한다.
3. 세대의 환기량 조절을 위하여 환기설비의 정격풍량을 최소·적정·최대의 3단계 또는 그 이상으로 조절할 수 있는 체계를 갖추어야 하고, 적정 단계의 필요 환기량은 신축공동주택등의 세대를 시간당 0.5회로 환기할 수 있는 풍량을 확보하여야 한다.

4. 공기공급체계 또는 공기배출체계는 부분적 손실 등 모든 압력 손실의 합계를 고려하여 계산한 공기공급능력 또는 공기배출능력이 제11조제1항의 환기기준을 확보할 수 있도록 하여야 한다.
5. 기계환기설비는 신축공동주택등의 모든 세대가 제11조제1항의 규정에 의한 환기횟수를 만족시킬 수 있도록 24시간 가동할 수 있어야 한다.
6. 기계환기설비의 각 부분의 재료는 충분한 내구성 및 강도를 유지하여 작동되는 동안 구조 및 성능에 변형이 없도록 하여야 한다.
7. 기계환기 설비는 다음 각 목의 어느 하나에 해당되는 체계를 갖추어야 한다.
   가. 바깥공기를 공급하는 송풍기와 실내공기를 배출하는 송풍기가 결합된 환기체계
   다. 바깥공기를 공급하는 송풍기와 실내공기가 배출되는 배기구가 결합된 환기체계
   다. 바깥공기가 도입되는 공기흡입구와 실내공기를 배출하는 송풍기가 결합된 환기체계
8. 바깥공기를 공급하는 공기공급체계 또는 바깥공기가 도입되는 공기흡입구는 입자형·가스형 오염물질을 제거 또는 여과하는 일정 수준 이상의 공기여과기 또는 집진기 등을 갖추어야 한다. 이 경우 공기여과기는 한국산업표준(KS B 6141)에서 규정하고 있는 입자 포집률[공기청정장치에서 그것을 통과하는공기 중의 입자를 포집(捕執)하는 효율을 말한다]이 비색법·광산란 적산법으로 측정하는 경우 80퍼센트 이상, 계수법으로 측정하는 경우 40퍼센트 이상인 환기효율을 확보하여야 하고, 수명연장을 위하여 여과기의 전단부에 사전여과장치를 설치하여야 하며, 여과장치 등의 청소 또는 교환이 쉬운 구조이어야 한다. 다만, 제7호다목에 따른 환기체계를 갖춘경우에는 별표 1의4 제5호를 따른다.
9. 기계환기설비를 구성하는 설비·기기·장치 및 제품 등의 효율 및 성능 등을 판정함에 있어 이 규칙에서 정하지 아니한 사항에 대하여는 해당 항목에 대한 한국산업표준에 적합하여야 한다.
10. 기계환기설비는 환기의 효율을 극대화할 수 있는 위치에 설치하여야 하고, 바깥공기의 변동에 의한 영향을 최소화할 수 있도록 공기흡입구 또는 배기구 등에 완충장치 또는 석쇠형 철망 등을 설치하여야 한다.
11. 기계환기설비는 주방 가스대 위의 공기배출장치, 화장실의 공기배출 송풍기등 급속 환기 설비와 함께 설치할 수 있다.
12. 공기흡입구 및 배기구와 공기공급체계 및 공기배출체계는 기계환기설비를 지속적으로 작동시키는 경우에도 대상 공간의 사용에 지장을 주지 아니하는 위치에 설치되어야 한다.
13. 기계환기설비에서 발생하는 소음의 측정은 한국산업표준(KS╥6361)에 따르는 것을 원칙으로 한다. 측정위치는 대표길이 1미터(수직 또는 수평 하단)에서 측정하여 소음이 40dB 이하가 되어야 하며, 암소음(측정대상인 소음 외에 주변에 존재하는 소음을 말한다)은 보정하여야 한다. 다만, 환기설비 본체(소음원)가 거주공간 외부에 설치될 경우에는 대표길이 1미터(수직 또는 수평 하단)에서 측정하여 50dB 이하가 되거나, 거주공간 내부의 중앙부 바닥으로부터 1.0~1.2미터 높이에서 측정하여 40dB 이하가 되어야 한다.
14. 외부에 면하는 공기흡입구와 배기구는 교차오염을 방지할 수 있도록 1.5미터 이상의 이격거리를 확보하거나, 공기흡입구와 배기구의 방향이 서로 90도 이상 되는 위치에 설치되어야 하고, 화재 등 유사 시 안전에 대비할 수 있는 구조와 성능이 확보되어야 한다.
15. 기계환기설비의 에너지 절약을 위하여 열회수형 환기장치를 설치하는 경우에는 한국산업표준(KS B 6879)에 따라 시험한 열회수형 환기장치의 유효환기량이 표시용량의 90퍼센트 이상이어야 하고, 열회수형 환기장치의 안과 밖은 물 맺힘이 발생하는 것을 최소화할 수 있는 구조와 성능을 확보하도록 하여야 한다.
16. 기계환기설비는 송풍기, 열회수형 환기장치, 공기여과기, 공기가 통하는 관, 공기흡입구 및 배기구, 그 밖의 기기 등 주요 부분의 정기적인 점검 및 정비 등 유지관리가 쉬운 체계로 구성되어야 하고, 제품의 사양 및 시방서에 유지관리 관련 내용을 명시하여야 하며, 유지관리 관련 내용이 수록된 사용자 설명서를 제시하여야 한다.

17. 실외의 기상조건에 따라 환기용송풍기 등 기계환기설비를 작동하지 아니하더라도 자연환기와 기계환기가 동시 운용될 수 있는 혼합형 환기설비가 설계도서 등을 근거로 필요 환기량을 확보할 수 있는 것으로 객관적으로 입증되는 경우에는 기계환기설비를 갖춘 것으로 인정할 수 있다. 이 경우 동시에 운용될 수 있는 자연환기설비와 기계환기설비가 제11조제1항의 환기기준을 각각 만족할 수 있어야 한다.

18. 중앙관리방식의 공기조화설비(실내의 온도 · 습도 및 청정도 등을 적정하게 유지하는 역할을 하는 설비를 말한다)가 설치된 경우에는 다음 각 목의 기준에도 적합하여야 한다.

가. 공기조화설비는 24시간 지속적인 환기가 가능한 것일 것. 다만, 주요 환기설비와 분리된 별도의 환기계통을 병행 설치하여 실내에 존재하는 국소 오염원에서 발생하는 오염물질을 신속히 배출할 수 있는 체계로 구성하는 경우에는 그러하지 아니하다.

나. 중앙관리방식의 공기조화설비의 제어 및 작동상황을 통제할 수 있는 관리실 또는 기능이 있을 것

[별표1의6] 기계환기설비를 설치해야 하는 다중이용시설 및 각 시설의 필요 환기량 〈개정 2021.8.27.〉

(설비규칙 제11조제5항 관련)

1. 기계환기설비를 설치하여야 하는 다중이용시설

가. 지하시설

1) 모든 지하역사(출입통로 · 대기실 · 승강장 및 환승통로와 이에 딸린 시설을 포함한다)

2) 연면적 2천제곱미터 이상인 지하도상가(지상건물에 딸린 지하층의 시설 및 연속되어 있는 둘 이상의 지하도상가의 연면적 합계가 2천제곱미터 이상인 경우를 포함한다)

나. 문화 및 집회시설

1) 연면적 2천제곱미터 이상인 「건축법 시행령」 별표 1 제5호라목에 따른 전시장(실내 전시장으로 한정한다)

2) 연면적 2천제곱미터 이상인 「건전가정의례의 정착 및 지원에 관한 법률」에 따른 혼인예식장

3) 연면적 1천제곱미터 이상인 「공연법」 제2조제4호에 따른 공연장(실내 공연장으로 한정한다)

4) 관람석 용도로 쓰는 바닥면적이 1천제곱미터 이상인 「체육시설의 설치 · 이용에 관한 법률」 제2조제1호에 따른 체육시설

5) 「영화 및 비디오물의 진흥에 관한 법률」 제2조제10호에 따른 영화상영관

다. 판매시설

1) 「유통산업발전법」 제2조제3호에 따른 대규모점포

2) 연면적 300제곱미터 이상인 「게임산업 진흥에 관한 법률」 제2조제7호에 따른 인터넷컴퓨터게임시설제공업의 영업시설

라. 운수시설

1) 「항만법」 제2조제5호에 따른 항만시설 중 연면적 5천제곱미터 이상인 대기실

2) 「여객자동차 운수사업법」 제2조제5호에 따른 여객자동차터미널 중 연면적 2천제곱미터 이상인 대기실

3) 「철도산업발전기본법」 제3조제2호에 따른 철도시설 중 연면적 2천제곱미터 이상인 대기실

4) 「공항시설법」 제2조제7호에 따른 공항시설 중 연면적 1천5백제곱미터 이상인 여객터미널

마. 의료시설: 연면적이 2천제곱미터 이상이거나 병상 수가 100개 이상인 「의료법」 제3조에 따른 의료기관

바. 교육연구시설

1) 연면적 3천제곱미터 이상인 「도서관법」 제2조제1호에 따른 도서관

2) 연면적 1천제곱미터 이상인 「학원의 설립 · 운영 및 과외교습에 관한 법률」 제2조제1호에 따른 학원

사. 노유자시설
1) 연면적 430제곱미터 이상인 「영유아보육법」 제2조제3호에 따른 어린이집
2) 연면적 1천제곱미터 이상인 「노인복지법」 제34조제1항제1호에 따른 노인요양시설
아. 업무시설: 연면적 3천제곱미터 이상인 「건축법 시행령」 별표 1 제14호에 따른 업무시설
자. 자동차 관련 시설: 연면적 2천제곱미터 이상인 「주차장법」 제2조제1호에 따른 주차장(실내주차장으로 한정하며, 같은 법 제2조제3호에 따른 기계식주차장은 제외한다)
차. 장례식장: 연면적 1천제곱미터 이상인 「장사 등에 관한 법률」 제28조의2제1항 및 제29조에 따른 장례식장(지하에 설치되는 경우로 한정한다)
카. 그 밖의 시설
1) 연면적 1천제곱미터 이상인 「공중위생관리법」 제2조제1항제3호에 따른 목욕장업의 영업시설
2) 연면적 5백제곱미터 이상인 「모자보건법」 제2조제10호에 따른 산후조리원
3) 연면적 430제곱미터 이상인 「어린이놀이시설 안전관리법」 제2조제2호에 따른 어린이놀이시설 중 실내 어린이놀이시설

2. 각 시설의 필요 환기량

구 분		필요 환기량(m³/인·h)	비 고
가. 지하시설	1) 지하역사	25이상	
	2) 지하도상가	36이상	매장(상점) 기준
나. 문화 및 집회시설		29이상	
다. 판매시설		29이상	
라. 운수시설		29이상	
마. 의료시설		36이상	
바. 교육연구시설		36이상	
사. 노유자시설		36이상	
아. 업무시설		29이상	
자. 자동차 관련 시설		27이상	
차. 장례식장		36이상	
카. 그 밖의 시설		25이상	

비고 가. 제1호에서 연면적 또는 바닥면적을 산정할 때에는 실내공간에 설치된 시설이 차지하는 연면적 또는 바닥면적을 기준으로 산정한다.
나. 필요 환기량은 예상 이용인원이 가장 높은 시간대를 기준으로 산정한다.
다. 의료시설 중 수술실 등 특수 용도로 사용되는 실(室)의 경우에는 소관 중앙행정기관의 장이 달리 정할 수 있다.
라. 제1호자목의 자동차 관련 시설의 필요 환기량은 단위면적당 환기량(m³/m²·h)으로 산정한다.

1 환기설비대상

(1) 신축 또는 리모델링하는 다음 건축물(“신축공동주택등”)
① 30세대 이상의 공동주택
② 주택을 주택 외의 시설과 동일건축물로 건축하는 경우로서 주택이 30세대 이상인 건축물
(2) 허가권자의 환기설비 권장대상
① 위 (1)의 ①, ②의 건축물로서 30세대 미만인 건축물
② 단독주택

2 환기설비 기준

자연환기설비 또는 기계환기설비를 할 것

① 환기회수 : 시간당 0.5회 이상

② 자연환기설비

㉠ 위 환기횟수에 충족하는지에 대해 지방건축위원회의 심의를 받을 것

㉡ 한국산업표준에 따른 성능평가를 받은 자연환기설비를 별표 1의3에 따른 설치 길이 이상으로 설치하는 경우 지방건축위원회의 심의를 받지 않을 수 있음

㉢ 신축공동주택등 : 별표 1의4의 기준에 적합할 것 【앞 표 참조】

③ 기계환기설비

㉠ 신축공동주택등 : 별표 1의5의 기준에 적합할 것 【앞 표 참조】

㉡ 다중이용시설 : 별표 1의6의 기준에 적합할 것 【앞 표 참조】

④ 다중이용시설에 설치하는 기계환기설비의 구조 및 설치기준

1. 다중이용시설의 기계환기설비 용량기준은 시설이용 인원 당 환기량을 원칙으로 산정할 것
2. 기계환기설비는 다중이용시설로 공급되는 공기의 분포를 최대한 균등하게 하여 실내 기류의 편차가 최소화될 수 있도록 할 것
3. 공기공급체계·공기배출체계 또는 공기흡입구·배기구 등에 설치되는 송풍기는 외부의 기류로 인하여 송풍능력이 떨어지는 구조가 아닐 것
4. 바깥공기를 공급하는 공기공급체계 또는 공기흡입구는 입자형·가스형 오염물질의 제거·여과장치 등 외부로부터 오염물질이 유입되는 것을 최대한 차단할 수 있는 설비를 갖추어야 하며, 제거·여과장치 등의 청소 및 교환 등 유지관리가 쉬운 구조일 것
5. 공기배출체계 및 배기구는 배출되는 공기가 공기공급체계 및 공기흡입구로 직접 들어가지 아니하는 위치에 설치할 것
6. 기계환기설비를 구성하는 설비·기기·장치 및 제품 등의 효율과 성능 등을 판정하는데 있어 이 규칙에서 정하지 아니한 사항에 대하여는 해당항목에 대한 한국산업표준에 적합할 것

3 환기구의 안전기준

① **환기구** : 건축물의 환기설비에 부속된 급기 및 배기를 위한 건축구조물의 개구부(開口部)

② **안전기준**

1. 보행자 및 건축물 이용자의 안전이 확보되도록 바닥으로부터 2m 이상의 높이에 설치할 것

예외 1) 환기구를 벽면에 설치하는 등 사람이 올라설 수 없는 구조로 설치하는 경우 (배기를 위한 환기구는 배출되는 공기가 보행자 및 건축물 이용자에게 직접 닿지 않도록 설치할 것)

2) 안전울타리 또는 조경 등을 이용하여 접근을 차단하는 구조로 하는 경우

2. 모든 환기구에는 국토교통부장관이 정하여 고시하는 강도(强度) 이상의 덮개와 덮개 걸침턱 등 추락방지시설을 설치하여야 한다.

5 배연설비(영 제51조제2항)(설비규칙 제14조)

영 제51조【거실의 채광 등】 ① "생략"

② 법 제49조제2항에 따라 다음 각 호의 어느 하나에 해당하는 건축물의 거실(피난층의 거실은 제외한다)에는 배연설비를 해야 한다. <개정 2020.10.8.>

1. 6층 이상인 건축물로서 다음 각 목의 어느 하나에 해당하는 용도로 쓰는 건축물
   가. 제2종 근린생활시설 중 공연장, 종교집회장, 인터넷컴퓨터게임시설제공업소 및 다중생활시설(공연장, 종교집회장 및 인터넷컴퓨터게임시설제공업소는 해당 용도로 쓰는 바닥면적의 합계가 각각 300제곱미터 이상인 경우만 해당한다)
   나. 문화 및 집회시설
   다. 종교시설
   라. 판매시설
   마. 운수시설
   바. 의료시설(요양병원 및 정신병원은 제외한다)
   사. 교육연구시설 중 연구소
   아. 노유자시설 중 아동 관련 시설, 노인복지시설(노인요양시설은 제외한다)
   자. 수련시설 중 유스호스텔
   차. 운동시설
   카. 업무시설
   타. 숙박시설
   파. 위락시설
   하. 관광휴게시설
   거. 장례시설
2. 다음 각 목의 어느 하나에 해당하는 용도로 쓰는 건축물
   가. 의료시설 중 요양병원 및 정신병원
   나. 노유자시설 중 노인요양시설 · 장애인 거주시설 및 장애인 의료재활시설
   다. 제1종 근린생활시설 중 산후조리원 <신설 2020.10.8.>

③, ④ "생략"

설비규칙 제14조【배연설비】

① 법 제49조제2항에 따라 배연설비를 설치하여야 하는 건축물에는 다음 각 호의 기준에 적합하게 배연설비를 설치해야 한다. 다만, 피난층인 경우에는 그렇지 않다. <개정 2020.4.9.>

1. 영 제46조제1항에 따라 건축물이 방화구획으로 구획된 경우에는 그 구획마다 1개소 이상의 배연창을 설치하되, 배연창의 상변과 천장 또는 반자로부터 수직거리가 0.9미터 이내일 것. 다만, 반자높이가 바닥으로부터 3미터 이상인 경우에는 배연창의 하변이 바닥으로부터 2.1미터 이상의 위치에 놓이도록 설치하여야 한다.
2. 배연창의 유효면적은 별표 2의 산정기준에 의하여 산정된 면적이 1제곱미터 이상으로서 그 면적의 합계가 당해 건축물의 바닥면적(영 제46조제1항 또는 제3항의 규정에 의하여 방화구획이 설치된 경우에는 그 구획된 부분의 바닥면적을 말한다)의 100분의 1이상일 것. 이 경우 바닥면적의 산정에 있어서 거실바닥면적의 20분의 1 이상으로 환기창을 설치한 거실의 면적은 이에 산입하지 아니한다.
3. 배연구는 연기감지기 또는 열감지기에 의하여 자동으로 열 수 있는 구조로 하되, 손으로도 열고 닫을 수 있도록 할 것
4. 배연구는 예비전원에 의하여 열 수 있도록 할 것

5. 기계식 배연설비를 하는 경우에는 제1호 내지 제4호의 규정에 불구하고 소방관계법령의 규정에 적합하도록 할 것

② 특별피난계단 및 영 제90조제3항의 규정에 의한 비상용승강기의 승강장에 설치하는 배연설비의 구조는 다음 각호의 기준에 적합하여야 한다.

1. 배연구 및 배연풍도는 불연재료로 하고, 화재가 발생한 경우 원활하게 배연시킬 수 있는 규모로서 외기 또는 평상시에 사용하지 아니하는 굴뚝에 연결할 것
2. 배연구에 설치하는 수동개방장치 또는 자동개방장치(열감지기 또는 연기감지기에 의한 것을 말한다)는 손으로도 열고 닫을 수 있도록 할 것
3. 배연구는 평상시에는 닫힌 상태를 유지하고, 연 경우에는 배연에 의한 기류로 인하여 닫히지 아니하도록 할 것
4. 배연구가 외기에 접하지 아니하는 경우에는 배연기를 설치할 것
5. 배연기는 배연구의 열림에 따라 자동적으로 작동하고, 충분한 공기배출 또는 가압능력이 있을 것
6. 배연기에는 예비전원을 설치할 것
7. 공기유입방식을 급기가압방식 또는 급·배기방식으로 하는 경우에는 제1호 내지 제6호의 규정에 불구하고 소방관계법령의 규정에 적합하게 할 것

1 배연설비

구 분	내 용	설치위치
설치대상	① 6층 이상의 건축물로서 다음의 용도인 것 · 제2종 근린생활시설 중 공연장*, 종교집회장*, 인터넷컴퓨터게임시설제공업소* 및 다중생활시설 ·문화 및 집회시설·종교시설·판매시설·운수시설·의료시설(요양병원 및 정신병원 제외)·교육연구시설 중 연구소·노유자시설 중 아동관련시설, 노인복지시설(노인요양시설 제외)·수련시설 중 유스호스텔·운동시설·업무시설·숙박시설·위락시설·관광휴게시설·장례시설 * 해당 용도로 쓰는 바닥면적의 합계가 각각 300㎡ 이상인 경우만 해당 ② 다음 용도의 건축물(건축물의 층수와 무관) ·의료시설 중 요양병원 및 정신병원 ·노유자시설 중 노인요양시설·장애인 거주시설 및 장애인 의료재활시설 ·제1종 근린생활시설 중 산후조리원	해당용도의 거실에 설치 –피난층의 경우 제외
	③ 특별피난계단, 비상용승강기가 설치된 경우	특별피난계단 및 비상용승강기의 승강장에 설치

2 배연설비의 기준

【1】 거실 설치의 경우

배연구의 설치		그림해설
배연창의 위치	건축물이 방화구획으로 구획된 경우 –방화구획마다 1개소 이상의 배연창을 설치하되 배연창의 상변과 천장 또는 반자로부터 수직거리가 0.9m이내일 것. 다만, 반자높이가 3m이상인 경우 배연창의 하변이 바닥으로부터 2.1m 이상의 위치에 놓이도록 설치	천장또는 반자 0.9m이내 배연창의 상변 배연창의 하변 2.1m 이상 3m 이상 [일반적인 경우] [반자높이가 3m 이상인 경우]
배연창의 유효면적 [별표2]	1㎡ 이상으로서 그 면적의 합계가 당해 건축물의 바닥면적 1/100 이상일 것(방화구획이 설치된 경우는 구획부분의 바닥면적을 말함) –바닥면적 산정시 거실바닥면적의 1/20이상으로서 환기창을 설치한 거실면적 제외	• 배연창 : 배연창면적 1㎡ 이상으로서 바닥면적 합계의 1/100이상

배연구의 구조	배연구는 연기감지기 또는 열감지기에 의해 자동적으로 열수 있는 구조로 하되, 손으로도 열고, 닫을 수 있도록 할 것	- 자동식 : 연기감지기, 열감지기를 갖춘 것 - 수동식 : 손으로도 열고 닫을 수 있는 구조
	배연구는 예비전원에 의하여 열 수 있도록 할 것.	
■ 기계식 배연설비를 설치하는 경우 소방관계법령의 규정에 적합할 것		

【2】 특별피난계단·비상용 승강기의 승강장에 설치하는 경우

구 분	내 용
배연구·배연풍도	배연구 및 배연풍도는 불연재료로하고 화재가 발생한 경우 원활하게 배연시킬 수 있는 규모로서 외기 또는 평상시에 사용하지 아니하는 굴뚝에 연결한 것
배연구의 개방장치	수동 및 자동개방장치(열감지기 또는 연기감지기에 의한 것)는 손으로도 열고 닫을 수 있도록 할 것
배연구의 개폐상태	평상시 닫힌 상태를 유지하고, 연 경우 배연에 의한 기류로 인하여 닫히지 않도록 할 것
배연기의 설치 (배연구가 외기에 접하지 아니하는 경우)	- 배연구의 열림에 따라 자동적으로 작동하고, 충분한 공기 배출 또는 가압능력이 있을 것 - 배연기에는 예비전원을 설치할 것
■ 공기유압방식을 급기가압방식 또는 급·배기방식으로 하는 경우 위 규정에도 불구하고 소방관계법령의 규정에 적합하게 할 것	

[별표2] 배연창의 유효면적 산정기준(설비규칙 제14조제1항제2호관련)

1. 미서기창 : H×l

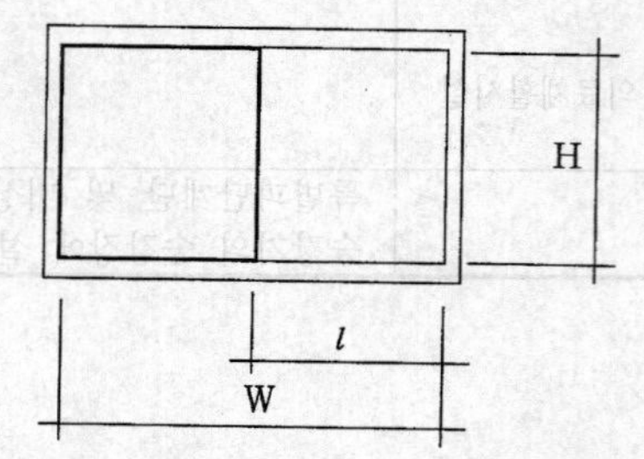

l : 미서기창의 유효폭
H : 창의 유효 높이
W : 창문의 폭

2. Pivot 종축창 : H×l'/2×2

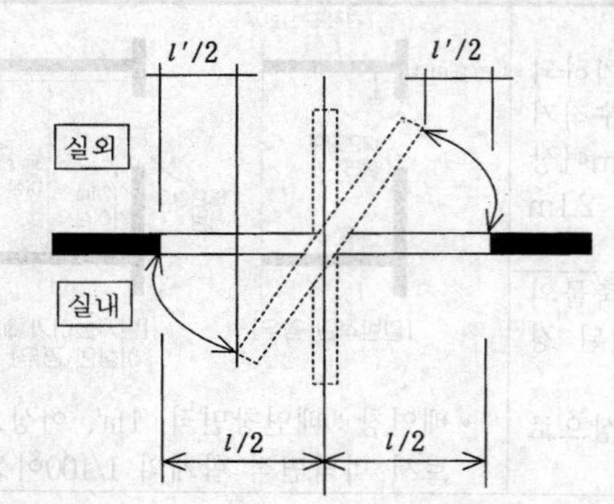

H : 창의 유효 높이
l : 90° 회전시 창호와 직각방향으로 개방된 수평거리
l' : 90° 미만 0° 초과시 창호와 직각방향으로 개방된 수평거리

3. Pivot 횡축창:$(W \times L_1) + (W \times L_2)$

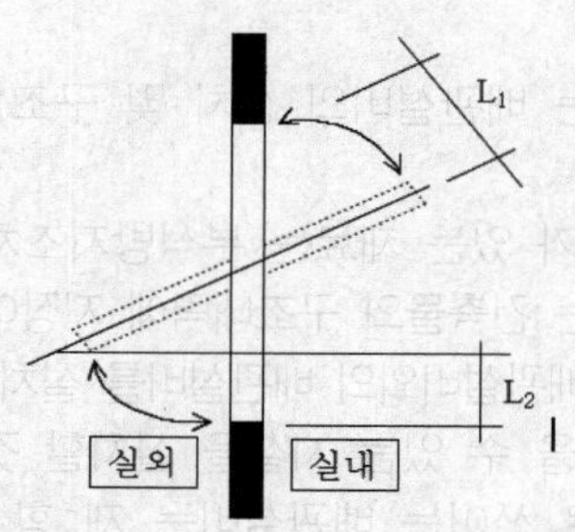

W : 창의 폭
L_1 : 실내측으로 열린 상부창호의 길이방향으로 평행하게 개방된 순거리
L_2 : 실외측으로 열린 하부창호로서 창틀과 평행하게 개방된 순수수평투영거리

4. 들창 : $W \times l_2$

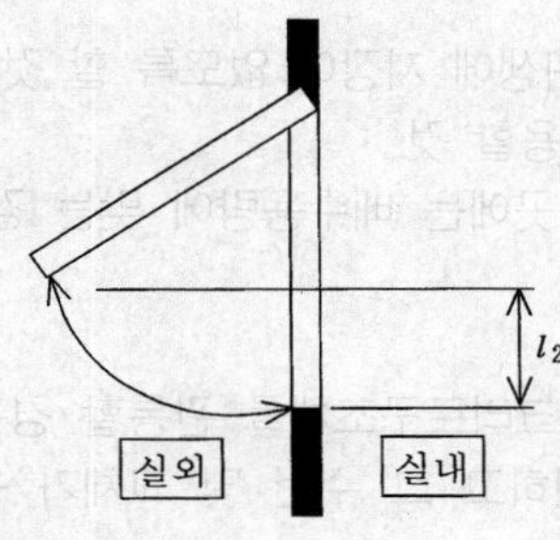

H : 창의 폭
l_2: 창틀과 평행하게 개방된 순수수평투명면적

5. 미들창 : 창이 실외측으로 열리는 경우:$W \times l$
창이 실내측으로 열리는 경우:$W \times l_1$
(단, 창이 천장(반자)에 근접하는 경우:$W \times l_2$)

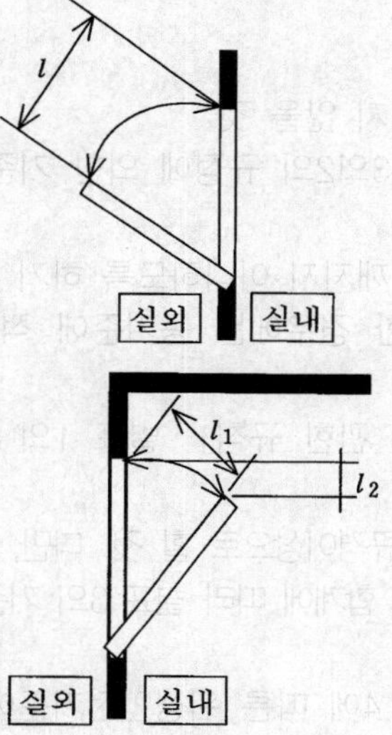

W : 창의 폭
l : 실외측으로 열린 상부창호의 길이방향으로 평행하게 개방된 순거리
l_1 : 실내측으로 열린 상호창호의 길이방향으로 개방된 순거리
l_2 : 창틀과 평행하게 개방된 순수수평투영면적
* 창이 천장(또는 반자)에 근접된 경우 창의 상단에서 천장면까지의 거리$\leq l_1$

6 배관설비(설비규칙 제17조, 제18조)

설비규칙 제17조【배관설비】

① 건축물에 설치하는 급수·배수등의 용도로 쓰는 배관설비의 설치 및 구조는 다음 각호의 기준에 적합하여야 한다.

1. 배관설비를 콘크리트에 묻는 경우 부식의 우려가 있는 재료는 부식방지조치를 할 것
2. 건축물의 주요부분을 관통하여 배관하는 경우에는 건축물의 구조내력에 지장이 없도록 할 것
3. 승강기의 승강로안에는 승강기의 운행에 필요한 배관설비외의 배관설비를 설치하지 아니할 것
4. 압력탱크 및 급탕설비에는 폭발등의 위험을 막을 수 있는 시설을 설치할 것

② 제1항의 규정에 의한 배관설비로서 배수용으로 쓰이는 배관설비는 제1항 각호의 기준외에 다음 각호의 기준에 적합하여야 한다.

1. 배출시키는 빗물 또는 오수의 양 및 수질에 따라 그에 적당한 용량 및 경사를 지게 하거나 그에 적합한 재질을 사용할 것
2. 배관설비에는 배수트랩·통기관을 설치하는 등 위생에 지장이 없도록 할 것
3. 배관설비의 오수에 접하는 부분은 내수재료를 사용할 것
4. 지하실등 공공하수도로 자연배수를 할 수 없는 곳에는 배수용량에 맞는 강제배수시설을 설치할 것
5. 우수관과 오수관은 분리하여 배관할 것
6. 콘크리트구조체에 배관을 매설하거나 배관이 콘크리트구조체를 관통할 경우에는 구조체에 덧관을 미리 매설하는 등 배관의 부식을 방지하고 그 수선 및 교체가 용이하도록 할 것

③ 삭제 <1996.2.9>

설비규칙 제18조【먹는물용 배관설비】

영 제87조제2항에 따라 건축물에 설치하는 음용수용 배관설비의 설치 및 구조는 다음 각 호의 기준에 적합해야 한다. <개정 2021.8.27>

1. 제17조제1항 각호의 기준에 적합할 것
2. 먹는물용 배관설비는 다른 용도의 배관설비와 직접 연결하지 않을 것
3. 급수관 및 수도계량기는 얼어서 깨지지 아니하도록 별표 3의2의 규정에 의한 기준에 적합하게 설치할 것
4. 제3호에서 정한 기준외에 급수관 및 수도계량기가 얼어서 깨지지 아니하도록 하기 위하여 지역실정에 따라 당해 지방자치단체의 조례로 기준을 정한 경우에는 동기준에 적합하게 설치할 것
5. 급수 및 저수탱크는 「수도시설의 청소 및 위생관리 등에 관한 규칙」 별표 1의 규정에 의한 저수조설치기준에 적합한 구조로 할 것
6. 먹는물의 급수관의 지름은 건축물의 용도 및 규모에 적정한 규격이상으로 할 것. 다만, 주거용 건축물은 해당 배관에 의하여 급수되는 가구수 또는 바닥면적의 합계에 따라 별표 3의 기준에 적합한 지름의 관으로 배관해야 한다.
7. 먹는물용 급수관은 「수도법 시행규칙」 제10조 및 별표 4에 따른 위생안전기준에 적합한 수도용 자재 및 제품을 사용할 것

[제목개정 2021.8.27]

1 배관설비의 설치 및 구조

구 분	내 용
1. 건축물에 설치하는 급수, 배수 등의 용도로 쓰이는 배관설비의 설치 및 구조	① 배관설비를 콘크리트에 묻는 경우 부식방지조치를 할 것(부식의 우려가 있는 재료) ② 건축물의 주요부분을 관통하여 배관하는 경우 건축물의 구조내력에 지장이 없도록 할 것 ③ 승강기의 승강로 안에는 승강기의 운행에 필요한 배관설비 외의 배관설비는 설치하지 아니할 것 ④ 압력탱크 및 급탕설비에는 폭발 등의 위험물을 막을 수 있는 시설을 할 것
2. 배수용 배관설비 기준 (위 1.의 기준에 적합할 것)	① 배출시키는 빗물 또는 오수의 양 및 수질에 따라 그에 적당한 용량 및 경사를 지게하거나 그에 적합한 재질을 사용할 것 ② 배관설비에는 배수트랩·통기관을 설치하는 등 위생에 지장이 없도록 할 것 ③ 배관설비의 오수에 접하는 부분은 내수재료를 사용할 것 ④ 지하실 등 공공하수도로 자연배수를 할 수 없는 곳에는 배수용량에 맞는 강제배수시설을 설치할 것 ⑤ 우수관과 오수관은 분리하여 배관할 것 ⑥ 콘크리구조체에 배관을 매설하거나 배관이 콘크리트구조체를 관통할 경우에는 구조체에 덧관을 미리 매설하는 등 배관의 부식을 방지하고 그 수선 및 교체가 용이하도록 할 것

2 먹는물용 배관

1. 먹는물용 배관의 설치 및 구조 (위 1-1.의 기준에 적합할 것)	① 음용수용 배관설비는 다른 용도의 배관설비와 직접 연결하지 않을 것 ② 급수관 및 수도계량기는 얼어서 깨지지 아니하도록 3. 급수관 및 수도계량기보호함의 설치기준에 의한 기준에 적합하게 설치할 것[별표 3의2] ③ 위 ②에서 정한 기준외에 급수관 및 수도계량기가 얼어서 깨지지 아니하도록 하기 위하여 지역실정에 따라 당해 지방자치단체의 조례로 기준을 정한 경우에는 동기준에 적합하게 설치할 것 ④ 급수 및 저수탱크는 「수도시설의 청소 및 위생관리 등에 관한 규칙」 별표 1*의 규정에 의한 저수조설치기준에 적합한 구조로 할 것 **【참고】** * 「수도시설의 청소 및 위생관리 등에 관한 규칙」이 폐지<2012.5.17.>되어 「수도법 시행규칙」 별표 3의2로 이관됨 ⑤ 먹는물의 급수관과 지름은 건축물의 용도 및 규모에 적당한 규격이상으로 할 것. 다만, 주거용 건축물은 해당 배관에 의하여 급수되는 가구수 또는 바닥면적의 합계에 따라 2. 주거용건축물의 급수관의 지름의 기준[별표 3]에 적합한 지름의 관으로 배관할 것 ⑥ 먹는물용 급수관은 「수도법 시행규칙」 제10조 및 별표 4*에 따른 위생안전기준에 적합한 수도용 자재 및 제품을 사용할 것 * 「수도용 자재와 제품의 위생안전기준 인증 등에 관한 규칙」이 제정<2011.5.25>되어 「수도법 시행규칙」에서 제10조 및 별표 4가 삭제되고, 제정된 규칙 제2조 및 별표 1로 이관됨

건 축 법
1. 총 칙
2. 건 축
3. 유지관리
4. 대지도로
5. 구조재료
6. 지역지구
7. 건축설비
8. 특별건축구역
9. 보 칙
10. 벌 칙
건 축 법 관련기준

2. 주거용건축물의 급수관의 지름 [별표 3]	

가구 또는 세대수	1	2·3	4·5	6~8	9~16	17이상
급수관 지름의 최소기준(㎜)	15	20	25	32	40	50

비고 ①. 가구 또는 세대의 구분이 불분명한 건축물에 있어서는 주거에 쓰이는 바닥면적의 합계에 따라 다음과 같이 가구수를 산정한다.

가. 바닥면적 85㎡이하 : 1가구
나. 바닥면적 85㎡초과 150㎡이하 : 3가구
다. 바닥면적 150㎡초과 300㎡이하 : 5가구
라. 바닥면적 300㎡초과 500㎡이하 : 16가구
마. 바닥면적 500㎡초과 : 17가구

② 가압설비등을 설치하여 급수되는 각 기구에서의 압력이 0.7kg/㎠ 이상인 경우에는 위 표의 기준을 적용하지 아니할 수 있다.

3. 급수관 및 수도계량기보호함의 설치기준 [별표 3의2]

① 급수관의 단열재 두께(단위 : ㎜)

설치장소 \ 관경(㎜, 외경)	설계용 외기온도(℃)	20미만	20이상~50미만	50이상~70미만	70이상~100미만	100이상
• 외기에 노출된 배관 • 옥상 등 그밖에 우려되는 건축물의 부위	-10미만	200(50)	50(25)	25(25)	25(25)	25(25)
	-5미만 ~ -10	100(50)	40(25)	25(25)	25(25)	25(25)
	0미만 ~ -5	40(25)	25(25)	25(25)	25(25)	25(25)
	0℃ 이상 유지	20				

㉠ ( )은 기온강하에 따라 자동으로 작동하는 전기 발열선이 설치하는 경우 단열재의 두께를 완화할 수 있는 기준

㉡ 단열재의 열전도율은 0.04kcal/㎡·h·℃이하인 것으로 한국산업표준제품을 사용할 것

㉢ 설계용 외기온도 : 건축물의 에너지 절약설계기준에 따를 것

② 수도계량기보호함(난방공간내에 설치하는 것 제외)

㉠ 수도계량기와 지수전 및 역지밸브를 지중 혹은 공동주택의 벽면 내부에 설치하는 경우에는 콘크리트 또는 합성수지제 등의 보호함에 넣어 보호할 것

㉡ 보호함내 옆면 및 뒷면과 전면판에 각각 단열재를 부착할 것(단열재는 밀도가 높고 열전도율이 낮은 것으로 한국산업표준제품을 사용할 것)

㉢ 보호함의 배관입출구는 단열재 등으로 밀폐하여 냉기의 침입이 없도록 할 것

㉣ 보온용 단열재와 계량기 사이 공간을 유리섬유 등 보온재로 채울 것

㉤ 보호통과 벽체사이틈을 밀봉재 등으로 채워 냉기의 침투를 방지할 것

관계법 저수조의 설치기준(「수도법 시행규칙」 제9조의2, 별표 3의2)

규칙 제9조의2 【저수조의 설치기준】 법 제18조제3항 본문에 따른 저수조의 설치기준은 별표 3의2와 같다.

[별표 3의2] 저수조설치기준 <개정 2022.7.12>

1. 저수조의 맨홀부분은 건축물(천정 및 보 등)으로부터 100센티미터 이상 떨어져야 하며, 그 밖의 부분은 60센티미터 이상의 간격을 띄울 것
2. 물의 유출구는 유입구의 반대편 밑부분에 설치하되, 바닥의 침전물이 유출되지 아니하도록 저수조의 바닥에서 띄워서 설치하고, 물칸막이 등을 설치하여 저수조 안의 물이 고이지 아니하도록 할 것
3. 각 변의 길이가 90센티미터 이상인 사각형 맨홀 또는 지름이 90센티미터 이상인 원형 맨홀을 1개 이상 설치하여 청소를 위한 사람이나 장비의 출입이 원활하도록 하여야 하고, 맨홀을 통하여 먼지나 그 밖의 이물질이 들어가지 아니하도록 할 것. 다만, 5세제곱미터 이하의 소규모 저수조의 맨홀은 각 변 또는 지름을 60센티미터 이상으로 할 수 있다.
4. 침전찌꺼기의 배출구를 저수조의 맨 밑부분에 설치하고, 저수조의 바닥은 배출구를 향하여 100분의 1 이상의 경사를 두어 설치하는 등 배출이 쉬운 구조로 할 것
5. 5세제곱미터를 초과하는 저수조는 청소 · 위생점검 및 보수 등 유지관리를 위하여 1개의 저수조를 둘 이상의 부분으로 구획하거나 저수조를 2개 이상 설치할 것 <개정 2022.7.12>
6. 저수조는 만수 시 최대수압 및 하중 등을 고려하여 충분한 강도를 갖도록 하고, 제5호에 따라 1개의 저수조를 둘 이상의 부분으로 구획하는 경우에는 한쪽의 물을 비웠을 때 수압에 견딜 수 있는 구조일 것 <신설 2022.7.12>
7. 저수조의 물이 일정 수준 이상 넘거나 일정 수준 이하로 줄어들 때 울리는 경보장치를 설치하고, 그 수신기는 관리실에 설치할 것
8. 건축물 또는 시설 외부의 땅밑에 저수조를 설치하는 경우에는 분뇨 · 쓰레기 등의 유해물질로부터 5미터 이상 띄워서 설치하여야 하며, 맨홀 주위에 다른 사람이 함부로 접근하지 못하도록 장치할 것. 다만, 부득이하게 저수조를 유해물질로부터 5미터 이상 띄워서 설치하지 못하는 경우에는 저수조의 주위에 차단벽을 설치하여야 한다.
9. 저수조 및 저수조에 설치하는 사다리, 버팀대, 물과 접촉하는 접합부속 등의 재질은 섬유보강플라스틱 · 스테인리스스틸 · 콘크리트 등의 내식성(耐蝕性) 재료를 사용하여야 하며, 콘크리트 저수조는 수질에 영향을 미치지 아니하는 재질로 마감할 것
10. 저수조의 공기정화를 위한 통기관과 물의 수위조절을 위한 월류관(越流管)을 설치하고, 관에는 벌레 등 오염물질이 들어가지 아니하도록 녹이 슬지 아니하는 재질의 세목(細木) 스크린을 설치할 것
11. 저수조의 유입배관에는 단수 후 통수과정에서 들어간 오수나 이물질이 저수조로 들어가는 것을 방지하기 위하여 배수용(排水用) 밸브를 설치할 것
12. 저수조를 설치하는 곳은 분진 등으로 인한 2차 오염을 방지하기 위하여 암 · 석면을 제외한 다른 적절한 자재를 사용할 것
13. 저수조 내부의 높이는 최소 1미터 80센티미터 이상으로 할 것. 다만, 옥상에 설치한 저수조는 제외한다.
14. 저수조의 뚜껑은 잠금장치를 하여야 하고, 출입구 부분은 이물질이 들어가지 않는 구조이어야 하며, 측면에 출입구를 설치할 경우에는 점검 및 유지관리가 쉽도록 안전발판을 설치할 것
15. 소화용수가 저수조에 역류되는 것을 방지하기 위한 역류방지장치가 설치되어야 한다.

7 물막이설비(설비규칙 제17조의2)

설비규칙 제17조2【물막이설비】

① 다음 각 호의 어느 하나에 해당하는 지역에서 연면적 1만제곱미터 이상의 건축물을 건축하려는 자는 빗물 등의 유입으로 건축물이 침수되지 않도록 해당 건축물의 지하층 및 1층의 출입구(주차장의 출입구를 포함한다)에 물막이판 등 해당 건축물의 침수를 방지할 수 있는 설비(이하 "물막이설비"라 한다)를 설치해야 한다. 다만, 허가권자가 침수의 우려가 없다고 인정하는 경우에는 그렇지 않다. <개정 2020.4.9., 2021.8.27>

1. 「국토의 계획 및 이용에 관한 법률」 제37조제1항제5호에 따른 방재지구
2. 「자연재해대책법」 제12조제1항에 따른 자연재해위험지구

② 제1항에 따라 설치되는 물막이설비는 다음 각 호의 기준에 적합해야 한다. <개정 2021.8.27>

1. 건축물의 이용 및 피난에 지장이 없는 구조일 것
2. 그 밖에 국토교통부장관이 정하여 고시하는 기준에 적합하게 설치할 것

[본조신설 2012.4.30][제목개정 2021.8.27]

해설 방재지구와 자연재해위험지구에서 폭우 등으로 빗물이 건축물 안으로 들어와 물에 잠기는 피해를 예방할 수 있도록 연면적 1만㎡ 이상의 대형건축물에 차수설비의 설치를 의무화하도록 차수설비의 규정이 신설(2012.4.30.)되었다. (차수설비⇒물막이설비/개정 2021.8.27.)

【1】 대상지역

대상지역	용어의 뜻	관계법규정
① 방재지구	풍수해, 산사태, 지반의 붕괴, 그 밖의 재해를 예방하기 위하여 필요한 지구	「국토의 계획 및 이용에 관한 법률」 제37조제1항제5호
② 자연재해위험지구	시장·군수·구청장은 상습침수지역, 산사태위험지역 등 지형적인 여건 등으로 인하여 재해가 발생할 우려가 있는 지역	「자연재해대책법」 제12조제1항

【2】 대상건축물

• 연면적 1만㎡ 이상의 건축물의 건축

【3】 물막이설비 설치 위치

• 지하층 및 1층의 출입구(주차장 출입구 포함)

【4】 물막이설비의 기준

① 빗물 등의 유입으로 건축물이 침수되지 않도록 물막이판 등을 설치

예외 허가권자가 침수의 우려가 없다고 인정하는 경우

② 건축물의 이용 및 피난에 지장이 없는 구조일 것

③ 기타 국토교통부장관이 정하여 고시하는 기준에 적합할 것

8 피뢰설비(설비규칙 제20조)

설비규칙 제20조【피뢰설비】

영 제87조제2항에 따라 낙뢰의 우려가 있는 건축물, 높이 20미터 이상의 건축물 또는 영 제118조제1항에 따른 공작물로서 높이 20미터 이상의 공작물(건축물에 영 제118조제1항에 따른 공작물을 설치하여 그 전체 높이가 20미터 이상인 것을 포함한다)에는 다음 각 호의 기준에 적합하게 피뢰설비를 설치해야 한다. <개정 2021.8.27>

1. 피뢰설비는 한국산업표준이 정하는 피뢰레벨 등급에 적합한 피뢰설비일 것. 다만, 위험물 저장 및 처리시설에 설치하는 피뢰설비는 한국산업표준이 정하는 피뢰시스템레벨 II 이상이어야 한다.
2. 돌침은 건축물의 맨 윗부분으로부터 25센티미터 이상 돌출시켜 설치하되, 「건축물의 구조기준 등에 관한 규칙」 제9조에 따른 설계하중에 견딜 수 있는 구조일 것
3. 피뢰설비의 재료는 최소 단면적이 피복이 없는 동선(銅線)을 기준으로 수뢰부, 인하도선 및 접지극은 50제곱밀리미터 이상이거나 이와 동등 이상의 성능을 갖출 것
4. 피뢰설비의 인하도선을 대신하여 철골조의 철골구조물과 철근콘크리트조의 철근구조체 등을 사용하는 경우에는 전기적 연속성이 보장될 것. 이 경우 전기적 연속성이 있다고 판단되기 위하여는 건축물 금속 구조체의 최상단부와 지표레벨 사이의 전기저항이 0.2옴 이하이어야 한다.
5. 측면 낙뢰를 방지하기 위하여 높이가 60미터를 초과하는 건축물 등에는 지면에서 건축물 높이의 5분의 4가 되는 지점부터 최상단부분까지의 측면에 수뢰부를 설치하여야 하며, 지표레벨에서 최상단부의 높이가 150미터를 초과하는 건축물은 120미터 지점부터 최상단부분까지의 측면에 수뢰부를 설치할 것. 다만, 건축물의 외벽이 금속부재(部材)로 마감되고, 금속부재 상호간에 제4호 후단에 적합한 전기적 연속성이 보장되며 피뢰시스템레벨 등급에 적합하게 설치하여 인하도선에 연결한 경우에는 측면 수뢰부가 설치된 것으로 본다.
6. 접지(接地)는 환경오염을 일으킬 수 있는 시공방법이나 화학 첨가물 등을 사용하지 아니할 것
7. 급수·급탕·난방·가스 등을 공급하기 위하여 건축물에 설치하는 금속배관 및 금속재 설비는 전위(電位)가 균등하게 이루어지도록 전기적으로 접속할 것
8. 전기설비의 접지계통과 건축물의 피뢰설비 및 통신설비 등의 접지극을 공용하는 통합접지공사를 하는 경우에는 낙뢰 등으로 인한 과전압으로부터 전기설비 등을 보호하기 위하여 한국산업표준에 적합한 서지보호장치[서지(surge: 전류·전압 등의 과도 파형을 말한다)로부터 각종 설비를 보호하기 위한 장치를 말한다]를 설치할 것
9. 그 밖에 피뢰설비와 관련된 사항은 한국산업표준에 적합하게 설치할 것

해설 낙뢰의 우려가 있는 건축물 또는 높이 20m 이상인 건축물의 경우 재해방지를 위해 피뢰설비를 설치하도록 규정하였으나,

낙뢰로 인한 인명·재산상의 피해를 예방하기 위하여 낙뢰의 우려가 큰 장식탑, 기념탑, 광고탑, 광고판, 철탑 등의 공작물 중 높이 20m 이상인 공작물과 건축물에 설치되어 건축물과 공작물의 전체 높이가 20m 이상인 공작물에도 피뢰설비를 설치하도록 개정(2012.4.20.)되었다.

■ 피뢰설비의 구조

■ 피뢰설비

구 분	내 용	비 고
1. 설치대상	① 낙뢰의 우려가 있는 건축물 ② 높이 20m 이상의 건축물 ③ 높이 20m 이상의 공작물* ④ 건축물에 공작물*을 설치하여 높이가 20m 이상인 것	* 영 제118조제1항에 따른 공작물을 말함
2. 규격	• 한국산업표준이 정하는 피뢰레벨 등급에 적합하게 설치 (위험물 저장 및 처리시설은 피뢰시스템레벨 Ⅱ 이상으로 설치)	–
3. 돌침의 돌출길이 및 구조	• 건축물의 맨 윗부분으로부터 25㎝ 이상으로 돌출시켜 설치하되, 설계하중에 견딜 수 있는 구조로 설치	• 건축물의 구조기준 등에 관한 규칙 제9조 참조
4. 피뢰설비의 최소단면적	• 수 뢰 부 • 인하도선 • 접 지 극 } 50㎟ 이상	• 최소단면적은 피복이 없는 동선(銅線)을 기준으로 함
5. 측면수뢰부의 설치	• 높이 60m를 초과하는 건축물	• 지면에서 건축물의 높이의 4/5가 되는 지점부터 최상단부분까지의 측면에 설치
	• 지표레벨에서 최상단부까지의 높이가 150m를 초과하는 건축물	• 120m 지점부터 최상단 부분까지 측면에 설치
	• 예외 건축물 외벽이 금속부재인 경우 금속부재 상호간에 전기적 연속성이 보장되고, 피뢰시스템레벨 등급에 적합하게 설치하여 인하도선에 연결된 경우	

■ 접지는 환경오염을 일으킬 수 있는 시공방법이나 화학첨가물을 사용하지 아니할 것
■ 급수 · 급탕 · 난방 · 가스 등을 공급하기 위하여 건축물에 설치하는 금속배관 및 금속재 설비는 전위가 균등하게 이루어지도록 전기적으로 접속하여야 함
■ 전기설비 접지계통과 건축물의 피뢰설비, 통신설비 등이 접지극을 공유하는 통합접지공사를 하는 경우 낙뢰등의 과전압으로부터 전기설비 등을 보호하기 위해 한국산업표준에 적합한 서지보호장치[서지(surge: 전류 · 전압 등의 과도 파형을 말한다)로부터 각종 설비를 보호하기 위한 장치를 말한다]를 설치할 것
■ 그 밖에 피뢰설비와 관련사항은 한국산업표준에 적합하게 설치하여야 함

9 건축물의 냉방설비 등(설비규칙 제23조)

설비규칙 제23조【건축물의 냉방설비 등】

① 삭제 <1999.5.11>

② 제2조제3호부터 제6호까지의 규정에 해당하는 건축물 중 산업통상자원부장관이 국토교통부장관과 협의하여 고시하는 건축물에 중앙집중냉방설비를 설치하는 경우에는 산업통상자원부장관이 국토교통부장관과 협의하여 정하는 바에 따라 축냉식 또는 가스를 이용한 중앙집중냉방방식으로 하여야 한다. <개정 2013.9.2>

③ 상업지역 및 주거지역에서 건축물에 설치하는 냉방시설 및 환기시설의 배기구와 배기장치의 설치는 다음 각 호의 기준에 모두 적합하여야 한다. <개정 2013.12.27>

1. 배기구는 도로면으로부터 2미터 이상의 높이에 설치할 것
2. 배기장치에서 나오는 열기가 인근 건축물의 거주자나 보행자에게 직접 닿지 아니하도록 할 것
3. 건축물의 외벽에 배기구 또는 배기장치를 설치할 때에는 외벽 또는 다음 각 목의 기준에 적합한 지지대 등 보호장치와 분리되지 아니하도록 견고하게 연결하여 배기구 또는 배기장치가 떨어지는 것을 방지할 수 있도록 할 것
   가. 배기구 또는 배기장치를 지탱할 수 있는 구조일 것
   나. 부식을 방지할 수 있는 자재를 사용하거나 도장(塗裝)할 것

[제목개정 2012.4.30]

【1】 축냉식 또는 가스를 이용한 중앙집중냉방방식 대상

건축설비분야 관계전문기술자의 협력을 받아야 하는 건축물 중 산업통상자원부장관과 국토교통부장관이 협의하여 고시 【참고】 하는 다음의 건축물

	용 도	해당 용도에 사용되는 바닥면적의 합계
1	• 목욕장(제1종 근린생활시설 중) • 실내 물놀이형 시설(운동시설 중) • 실내수영장(운동시설 중)	1,000㎡ 이상
2	• 기숙사(공동주택 중) • 의료시설 • 유스호스텔(수련시설 중) • 숙박시설	2,000㎡ 이상
3	• 판매시설 등 • 연구소(교육연구시설 중) • 업무시설	3,000㎡ 이상
4	• 문화 및 집회시설(동·식물원 제외) • 종교시설 • 교육연구시설(연구소 제외) • 장례식장	10,000㎡ 이상

【참고】 건축물의 냉방설비에 대한 설치 및 설계기준(산업통상자원부고시 제2021-151호, 2021.10.25.)

제1조 【목적】 이 고시는 에너지이용합리화를 위하여 건축물의 냉방설비에 대한 설치 및 설계기준과 이의 시행에 필요한 사항을 정함을 목적으로 한다.

제2조 【적용범위】 이 고시는 제4조의 규정에 따른 대상건물 중 신축, 개축, 재축 또는 별동으로 증축하는 건축물의 냉방설비에 대하여 적용한다.

제3조 【정의】 이 고시에서 사용하는 용어의 정의는 다음 각 호와 같다.

1. "축냉식 전기냉방설비"라 함은 심야시간에 전기를 이용하여 축냉재(물, 얼음 또는 포접화합물과 공융염 등의 상변화물질)에 냉열을 저장하였다가 이를 심야시간 이외의 시간(이하 "그 밖의 시간"이라 한다)에 냉방에 이용하는 설비로서 이러한 냉열을 저장하는 설비(이하 "축열조"라 한다) · 냉동기 · 브라인펌프 · 냉각수펌프 또는 냉각탑등의 부대설비(제6호의 규정에 의한 축열조 2차측 설비는 제외한다)를 포함하며, 다음 각목과 같이 구분한다.
   가. 빙축열식 냉방설비
   나. 수축열식 냉방설비
   다. 잠열축열식 냉방설비

10. "가스를 이용한 냉방방식"이라 함은 가스(유류포함)를 사용하는 흡수식 냉동기 및 냉 · 온수기, 액화석유가스 또는 도시가스를 연료로 사용하는 가스엔진을 구동하여 증기압축식 냉동사이클의 압축기를 구동하는 히트펌프식 냉 · 난방기(이하 "가스피트펌프" 하 한다)를 말한다.

제4조 【냉방설비의 설치대상 및 설비규모】 "건축물의 설비기준 등에 관한 규칙" 제23조 제2항의 규정에 따라 다음 각 호에 해당하는 건축물에 중앙집중 냉방설비를 설치할 때에는 해당 건축물에 소요되는 주간 최대 냉방부하의 60% 이상을 심야전기를 이용한 축냉식, 가스를 이용한 냉방방식, 집단에너지사업허가를 받은 자로부터 공급되는 집단에너지를 이용한 지역냉방방식, 소형 열병합발전을 이용한 냉방방식, 신재생에너지를 이용한 냉방방식, 그 밖에 전기를 사용하지 아니한 냉방방식의 냉방설비로 수용하여야 한다. 다만, 도시철도법에 의해 설치하는 지하철역사 등 산업통상자원부장관이 필요하다고 인정하는 건축물은 그러하지 아니한다.

1. 건축법 시행령 별표1 제7호의 판매시설, 제10호의 교육연구시설 중 연구소, 제14호의 업무시설로서 해당 용도에 사용되는 바닥면적의 합계가 3천제곱미터 이상인 건축물
2. 건축법 시행령 별표1 제2호의 공동주택 중 기숙사, 제9호의 의료시설, 제12호의 수련시설 중 유스호스텔, 제15호의 숙박시설로서 해당 용도에 사용되는 바닥면적의 합계가 2천제곱미터 이상인 건축물
3. 건축법 시행령 별표1 제3호의 제1종 근린생활시설 중 목욕장, 제13호의 운동시설 중 수영장(실내에 설치되는 것에 한정한다)으로서 해당 용도에 사용되는 바닥면적의 합계가 1천제곱미터 이상인 건축물
4. 건축법 시행령 별표1 제5호의 문화 및 집회시설(동 · 식물원은 제외한다), 제6호의 종교시설, 제10호의 교육연구시설(연구소는 제외한다), 제28호의 장례식장으로서 해당 용도에 사용되는 바닥면적의 합계가 1만제곱미터 이상인 건축물

【2】 건축물에 설치하는 냉방시설 및 환기시설의 배기구 등의 설치 기준

① 대상 지역 : 상업지역, 주거지역

② 설치 기준(다음 기준에 모두 적합할 것)
- 배기구는 도로면에서 2m 이상 높이에 설치
- 배기장치의 열기가 인근 건축물의 거주자나 보행자에게 직접 닿지 않도록 할 것
- 외벽 배기구 또는 배기장치는 외벽이나 다음 기준에 적합한 지지대 등 보호장치와 분리되지 않도록 견고하게 연결하여 떨어지지 않도록 설치할 것
  · 배기구 또는 배기장치를 지탱할 수 있는 구조
  · 부식을 방지할 수 있는 자재를 사용하거나 도장할 것

10 승강기(법 제64조)(영 제89조)(설비규칙 제5조, 제6조)

법 제64조【승강기】

① 건축주는 6층 이상으로서 연면적이 2천제곱미터 이상인 건축물(대통령령으로 정하는 건축물은 제외한다)을 건축하려면 승강기를 설치하여야 한다. 이 경우 승강기의 규모 및 구조는 국토교통부령으로 정한다.

② 높이 31미터를 초과하는 건축물에는 대통령령으로 정하는 바에 따라 제1항에 따른 승강기뿐만 아니라 비상용승강기를 추가로 설치하여야 한다. 다만, 국토교통부령으로 정하는 건축물의 경우에는 그러하지 아니하다.

③ 고층건축물에는 제1항에 따라 건축물에 설치하는 승용승강기 중 1대 이상을 대통령령으로 정하는 바에 따라 피난용승강기로 설치하여야 한다. <개정 2018.4.17.>

1 승용 승강기

영 제89조【승용 승강기의 설치】

법 제64조제1항 전단에서 "대통령령으로 정하는 건축물"이란 층수가 6층인 건축물로서 각 층 거실의 바닥면적 300제곱미터 이내마다 1개소 이상의 직통계단을 설치한 건축물을 말한다.

■ 승용승강기의 설치기준(설비규칙 제5조, 제6조)

설비규칙 제5조【승용승강기의 설치기준】

「건축법」(이하 "법"이라 한다) 제64조제1항에 따라 건축물에 설치하는 승용승강기의 설치기준은 별표 1의2와 같다. 다만, 승용승강기가 설치되어 있는 건축물에 1개층을 증축하는 경우에는 승용승강기의 승강로를 연장하여 설치하지 아니할 수 있다. <개정 2015.7.9.>

【별표1의2】 승용승강기의 설치기준<개정 2013.9.2>

건축물의 용도 \ 6층 이상의 거실면적의 합계		3천제곱미터 이하	3천제곱미터 초과
1.	가. 문화 및 집회시설(공연장·집회장 및 관람장만 해당한다) 나. 판매시설 다. 의료시설	2대	2대에 3천제곱미터를 초과하는 2천제곱미터 이내마다 1대의 비율로 가산한 대수
2.	가. 문화 및 집회시설(전시장 및 동·식물원만 해당한다) 나. 업무시설 다. 숙박시설 라. 위락시설	1대	1대에 3천제곱미터를 초과하는 2천제곱미터 이내마다 1대의 비율로 가산한 대수
3.	가. 공동주택 나. 교육연구시설 다. 노유자시설 라. 그 밖의 시설	1대	1대에 3천제곱미터를 초과하는 3천제곱미터 이내마다 1대의 비율로 가산한 대수

비고

1. 위 표에 따라 승강기의 대수를 계산할 때 8인승 이상 15인승 이하의 승강기는 1대의 승강기로 보고, 16인승 이상의 승강기는 2대의 승강기로 본다.

2. 건축물의 용도가 복합된 경우 승용승강기의 설치기준은 다음 각 목의 구분에 따른다.
가. 둘 이상의 건축물의 용도가 위 표에 따른 같은 호에 해당하는 경우: 하나의 용도에 해당하는 건축물로 보아 6층 이상의 거실면적의 총합계를 기준으로 설치하여야 하는 승용승강기 대수를 산정한다.
나. 둘 이상의 건축물의 용도가 위 표에 따른 둘 이상의 호에 해당하는 경우: 다음의 기준에 따라 산정한 승용승강기 대수 중 적은 대수
1) 각각의 건축물 용도에 따라 산정한 승용승강기 대수를 합산한 대수. 이 경우 둘 이상의 건축물의 용도가 같은 호에 해당하는 경우에는 가목에 따라 승용승강기 대수를 산정한다.
2) 각각의 건축물 용도별 6층 이상의 거실 면적을 모두 합산한 면적을 기준으로 각각의 건축물 용도별 승용승강기 설치기준 중 가장 강한 기준을 적용하여 산정한 대수

설비규칙 제6조【승강기의 구조】
법 제64조에 따라 건축물에 설치하는 승강기·에스컬레이터 및 비상용승강기의 구조는 「승강기시설 안전관리법」이 정하는 바에 따른다.

【1】 승용승강기의 설치

원 칙		해 설
6층 이상으로서 연면적이 2,000㎡ 이상인 건축물에 설치 －건축물에 설치하는 승강기·에스컬레이터 및 비상용 승강기의 구조는 「승강기 안전관리법」이 정하는 바에 따름 **관계법**	9 8 6층 이상 7 설치기준 6 5 5층 이하 4 설치기준 제외부분 3 2 1 B1 B2	•6층 이상으로서 연면적 2,000㎡는 건축물 전체 규모임 •설치기준은 6층 이상 부분의 거실바닥면적으로 산정 (5층 이하 제외)

■ 층수가 6층인 건축물로서 각 층 바닥면적 300㎡ 이내마다 1개소 이상의 직통계단을 설치한 경우 설치 대상에서 제외

【2】 설치 기준

구분	용 도	6층 이상의 거실 바닥면적의 합계(A㎡)		기 타
		① 3,000㎡ 이하 (기본대수)	② 3,000㎡ 초과부분 (가산대수)	
1	•공연장, 집회장, 관람장 •판매시설 •의료시설	2대	$\frac{A-3{,}000m^2}{2{,}000m^2}$(대)	•①의 대수와 ②의 대수의 합으로 설치대수 산정(①+②) •승강기 대수 산정시 8인승 이상 15인승 이하인 경우를 기준으로 하며, 16인승 이상의 경우 2대로 환산함
2	•전시장 및 동·식물원 •업무시설 •숙박시설 •위락시설	1대	$\frac{A-3{,}000m^2}{2{,}000m^2}$(대)	
3	•공동주택 •교육연구시설 •노유자시설 •그 밖의 시설	1대	$\frac{A-3{,}000m^2}{3{,}000m^2}$(대)	

【3】 복합용도의 경우 대수 산정 방법

(1) 둘 이상 용도가 위 표의 같은 호에 해당하는 경우:

하나의 용도에 해당하는 건축물로 보아 6층 이상의 거실면적의 총합계를 기준으로 설치하여야 하는 승용승강기 대수 산정

예시1 6층 이상층이 위락시설 및 업무시설인 복합용도의 건축물로서 용도별 6층 이상층의 거실바닥면적이 다음과 같을 때 승용승강기 산정 대수는?

- 위락시설 : 6층 이상층의 거실바닥면적 1,000㎡
- 업무시설 : 6층 이상층의 거실바닥면적 1,000㎡

1) 각 용도별 대수산정시 위락시설 1대, 업무시설 1대로 모두 2대이나,

2) 위락시설과 업무시설은 위 설치기준 제2호 용도로 모두 같은 호에 해당하므로 6층 이상의 거실바닥면적의 총합계 2,000㎡를 기준으로 산정하여 1대만 설치하면 된다.

(2) 둘 이상 용도가 위 표【2】의 둘 이상의 호에 해당하는 경우:

다음의 기준에 따라 산정한 승용승강기 대수 중 적은 대수

① 각각의 건축물 용도에 따라 산정한 승용승강기 대수를 합산한 대수

- 둘 이상의 건축물의 용도가 같은 호에 해당하는 경우: (1)의 방식으로 산정

② 각각의 건축물 용도별 6층 이상의 거실 면적을 모두 합산한 면적을 기준으로 각각의 건축물 용도별 승용승강기 설치기준 중 가장 강한 기준을 적용하여 산정한 대수

예시2 6층 이상층이 판매시설, 위락시설 및 업무시설인 복합용도의 건축물로서 용도별 6층 이상층의 거실바닥면적이 다음과 같을 때 승용승강기 산정 대수는?

- 판매시설 : 6층 이상층의 거실바닥면적 1,000㎡
- 위락시설 : 6층 이상층의 거실바닥면적 1,000㎡
- 업무시설 : 6층 이상층의 거실바닥면적 1,000㎡

1) 각각의 용도별 산정 대수를 합산한 대수

- 판매시설 :3,000㎡까지 2대,
- 위락시설+업무시설 : 같은 용도(합계 2,000㎡)로 보아 =1대 ∴2+1=3대

2) 가장 강한 기준 적용 용도(판매시설)로 산정한 대수

- 용도별 6층 이상의 거실바닥면적의 총합계=3,000㎡, ∴2대

1),2)중 적은 대수인 2대를 법정 승강기 대수로 한다.

관계법 승강기의 종류(「승강기 안전관리법」 제2조, 시행령 제3조, 시행규칙 제2조)

법 제2조【정의】이 법에서 사용하는 용어의 뜻은 다음과 같다. <개정 2017.7.26.>

1. "승강기"란 건축물이나 고정된 시설물에 설치되어 일정한 경로에 따라 사람이나 화물을 승강장으로 옮기는 데에 사용되는 설비(「주차장법」에 따른 기계식주차장치 등 대통령령으로 정하는 것은 제외한다)로서 구조나 용도 등의 구분에 따라 대통령령으로 정하는 설비를 말한다.

영 제3조【승강기의 종류】① 법 제2조제1호에서 "대통령령으로 정하는 설비"란 다음 각 호의 구분에 따른 설비를 말한다.

1. 엘리베이터: 일정한 수직로 또는 경사로를 따라 위·아래로 움직이는 운반구(運搬具)를 통해 사람이나 화물을 승강장으로 운송시키는 설비
2. 에스컬레이터: 일정한 경사로 또는 수평로를 따라 위·아래 또는 옆으로 움직이는 디딤판을 통해 사람이나 화물을 승강장으로 운송시키는 설비
3. 휠체어리프트: 일정한 수직로 또는 경사로를 따라 위·아래로 움직이는 운반구를 통해 휠체어에 탑승한 장애인 또는 그 밖의 장애인·노인·임산부 등 거동이 불편한 사람을 승강장으로 운송시키는 설비

규칙 제2조【승강기의 종류】① 「승강기 안전관리법 시행령」(이하 "영"이라 한다) 제3조제1항 각 호에 따라 구분된 승강기의 구조별 또는 용도별 세부종류는 별표 1과 같다.

[별표 1] 승강기의 구조별 또는 용도별 세부종류(제2조 관련) 〈개정 2023.7.26.〉

1. 구조별 승강기의 세부종류

구분	승강기의 세부종류	분류기준
가. 엘리베이터	1) 전기식 엘리베이터	로프나 체인 등에 매달린 운반구(運搬具)가 구동기에 의해 수직로 또는 경사로를 따라 운행되는 구조의 엘리베이터
	2) 유압식 엘리베이터	운반구 또는 로프나 체인 등에 매달린 운반구가 유압잭에 의해 수직로 또는 경사로를 따라 운행되는 구조의 엘리베이터
나. 에스컬레이터	1) 에스컬레이터	계단형의 발판이 구동기에 의해 경사로를 따라 운행되는 구조의 에스컬레이터
	2) 무빙워크	평면형의 발판이 구동기에 의해 경사로 또는 수평로를 따라 운행되는 구조의 에스컬레이터
다. 휠체어리프트	1) 수직형 휠체어리프트	휠체어의 운반에 적합하게 제작된 운반구(이하 "휠체어운반구"라 한다) 또는 로프나 체인 등에 매달린 휠체어운반구가 구동기나 유압잭에 의해 수직로를 따라 운행되는 구조의 휠체어리프트
	2) 경사형 휠체어리프트	휠체어운반구 또는 로프나 체인 등에 매달린 휠체어운반구가 구동기나 유압잭에 의해 경사로를 따라 운행되는 구조의 휠체어리프트

2. 용도별 승강기의 세부종류

구분	승강기의 세부종류	분류기준
가. 엘리베이터	1) 승객용 엘리베이터	사람의 운송에 적합하게 제조·설치된 엘리베이터
	2) 전망용 엘리베이터	승객용 엘리베이터 중 엘리베이터 내부에서 외부를 전망하기에 적합하게 제조·설치된 엘리베이터
	3) 병원용 엘리베이터	병원의 병상 운반에 적합하게 제조·설치된 엘리베이터로서 평상시에는 승객용 엘리베이터로 사용하는 엘리베이터
	4) 장애인용 엘리베이터	「장애인·노인·임산부 등의 편의증진 보장에 관한 법률」 제2조제1호에 따른 장애인등(이하 "장애인등"이라 한다)의 운송에 적합하게 제조·설치된 엘리베이터로서 평상시에는 승객용 엘리베이터로 사용하는 엘리베이터
	5) 소방구조용 엘리베이터	화재 등 비상시 소방관의 소화활동이나 구조활동에 적합하게 제조·설치된 엘리베이터(「건축법」 제64조제2항 본문 및 「주택건설기준 등에 관한 규정」 제15조제2항에 따른 비상용승강기를 말한다)로서 평상시에는 승객용 엘리베이터로 사용하는 엘리베이터
	6) 피난용 엘리베이터	화재 등 재난 발생 시 거주자의 피난활동에 적합하게 제조·설치된 엘리베이터로서 평상시에는 승객용으로 사용하는 엘리베이터
	7) 주택용 엘리베이터	「건축법 시행령」 별표 1 제1호가목에 따른 단독주택 거주자의 운송에 적합하게 제조·설치된 엘리베이터로서 편도 운행거리가 12미터 이하인 엘리베이터
	8) 승객화물용 엘리베이터	사람의 운송과 화물 운반을 겸용하기에 적합하게 제조·설치된 엘리베이터
	9) 화물용 엘리베이터	화물의 운반에 적합하게 제조·설치된 엘리베이터로서 조작자 또는 화물취급자가 탑승할 수 있는 엘리베이터(적재용량이 300킬로그램 미만인 것은 제외한다)
	10) 자동차용 엘리베이터	운전자가 탑승한 자동차의 운반에 적합하게 제조·설치된 엘리베이터

	11) 소형화물용 엘리베이터 (Dumbwaiter)	음식물이나 서적 등 소형 화물의 운반에 적합하게 제조·설치된 엘리베이터로서 사람의 탑승을 금지하는 엘리베이터(바닥면적이 0.5제곱미터 이하이고, 높이가 0.6미터 이하인 것은 제외한다)
나. 에스컬레이터	1) 승객용 에스컬레이터	사람의 운송에 적합하게 제조·설치된 에스컬레이터
	2) 장애인용 에스컬레이터	장애인등의 운송에 적합하게 제조·설치된 에스컬레이터로서 평상시에는 승객용 에스컬레이터로 사용하는 에스컬레이터
	3) 승객화물용 에스컬레이터	사람의 운송과 화물 운반을 겸용하기에 적합하게 제조·설치된 에스컬레이터
	4) 승객용 무빙워크	사람의 운송에 적합하게 제조·설치된 에스컬레이터
	5) 승객화물용 무빙워크	사람의 운송과 화물의 운반을 겸용하기에 적합하게 제조·설치된 에스컬레이터
다. 휠체어 리프트	1) 장애인용 수직형 휠체어리프트	운반구가 수직로를 따라 운행되는 것으로서 장애인등의 운송에 적합하게 제조·설치된 수직형 휠체어리프트
	2) 장애인용 경사형 휠체어리프트	운반구가 경사로를 따라 운행되는 것으로서 장애인등의 운송에 적합하게 제조·설치된 경사형 휠체어리프트

2 비상용 승강기의 설치(법 제64조제2항)(영 제90조)(설비규칙 제9조, 제10조)

법 제64조【승강기】

① "생략"

② 높이 31미터를 초과하는 건축물에는 대통령령으로 정하는 바에 따라 제1항에 따른 승강기뿐만 아니라 비상용승강기를 추가로 설치하여야 한다. 다만, 국토교통부령으로 정하는 건축물의 경우에는 그러하지 아니하다.

③ "생략"

영 제90조【비상용 승강기의 설치】

① 법 제64조제2항에 따라 높이 31미터를 넘는 건축물에는 다음 각 호의 기준에 따른 대수 이상의 비상용 승강기(비상용 승강기의 승강장 및 승강로를 포함한다. 이하 이 조에서 같다)를 설치하여야 한다. 다만, 법 제64조제1항에 따라 설치되는 승강기를 비상용 승강기의 구조로 하는 경우에는 그러하지 아니하다.

1. 높이 31미터를 넘는 각 층의 바닥면적 중 최대 바닥면적이 1천500제곱미터 이하인 건축물: 1대 이상
2. 높이 31미터를 넘는 각 층의 바닥면적 중 최대 바닥면적이 1천500제곱미터를 넘는 건축물: 1대에 1천500제곱미터를 넘는 3천 제곱미터 이내마다 1대씩 더한 대수 이상

② 제1항에 따라 2대 이상의 비상용 승강기를 설치하는 경우에는 화재가 났을 때 소화에 지장이 없도록 일정한 간격을 두고 설치하여야 한다.

③ 건축물에 설치하는 비상용 승강기의 구조 등에 관하여 필요한 사항은 국토교통부령으로 정한다.

설비규칙 제9조【비상용승강기를 설치하지 아니할 수 있는 건축물】

법 제64조제2항 단서에서 "국토교통부령이 정하는 건축물"이라 함은 다음 각 호의 건축물을 말한다. <개정 2017.12.4>

1. 높이 31미터를 넘는 각층을 거실외의 용도로 쓰는 건축물
2. 높이 31미터를 넘는 각층의 바닥면적의 합계가 500제곱미터 이하인 건축물
3. 높이 31미터를 넘는 층수가 4개층이하로서 당해 각층의 바닥면적의 합계 200제곱미터(벽 및 반자가 실내에 접하는 부분의 마감을 불연재료로 한 경우에는 500제곱미터)이내마다 방화구획(영 제46조제1항 본문에 따른 방화구획을 말한다. 이하 같다)으로 구획된 건축물

설비규칙 제10조【비상용승강기의 승강장 및 승강로의 구조】

법 제64조제2항에 따른 비상용승강기의 승강장 및 승강로의 구조는 다음 각 호의 기준에 적합하여야 한다.

1. 삭제 <1996.2.9>
2. 비상용승강기 승강장의 구조
 가. 승강장의 창문·출입구 기타 개구부를 제외한 부분은 당해 건축물의 다른 부분과 내화구조의 바닥 및 벽으로 구획할 것. 다만, 공동주택의 경우에는 승강장과 특별피난계단(「건축물의 피난·방화구조 등의 기준에 관한 규칙」 제9조의 규정에 의한 특별피난계단을 말한다. 이하 같다)의 부속실과의 겸용부분을 특별피난계단의 계단실과 별도로 구획하는 때에는 승강장을 특별피난계단의 부속실과 겸용할 수 있다.
 나. 승강장은 각층의 내부와 연결될 수 있도록 하되, 그 출입구(승강로의 출입구를 제외한다)에는 갑종방화문을 설치할 것. 다만, 피난층에는 갑종방화문을 설치하지 아니할 수 있다.
 다. 노대 또는 외부를 향하여 열 수 있는 창문이나 제14조제2항의 규정에 의한 배연설비를 설치할 것
 라. 벽 및 반자가 실내에 접하는 부분의 마감재료(마감을 위한 바탕을 포함한다)는 불연재료로 할 것
 마. 채광이 되는 창문이 있거나 예비전원에 의한 조명설비를 할 것
 바. 승강장의 바닥면적은 비상용승강기 1대에 대하여 6제곱미터 이상으로 할 것. 다만, 옥외에 승강장을 설치하는 경우에는 그러하지 아니하다.
 사. 피난층이 있는 승강장의 출입구(승강장이 없는 경우에는 승강로의 출입구)로부터 도로 또는 공지(공원·광장 기타 이와 유사한 것으로서 피난 및 소화를 위한 당해 대지에의 출입에 지장이 없는 것을 말한다)에 이르는 거리가 30미터 이하일 것
 아. 승강장 출입구 부근의 잘 보이는 곳에 당해 승강기가 비상용승강기임을 알 수 있는 표지를 할 것
3. 비상용승강기의 승강로의 구조
 가. 승강로는 당해 건축물의 다른 부분과 내화구조로 구획할 것
 나. 각층으로부터 피난층까지 이르는 승강로를 단일구조로 연결하여 설치할 것

【1】 설치기준

원 칙	설 치 기 준
높이 31m를 초과하는 건축물(승용승강기외에 비상용승강기를 추가 설치) -건축물에 설치하는 승강기·에스컬레이터 및 비상용 승강기의 구조는 「승강기 안전관리법」이 정하는 바에 따름 (31m)	바닥면적* 1,500㎡ 이하: 설치대수 1대 바닥면적* 1,500㎡ 초과: 설치대수 $1대 + \frac{바닥면적^{*} - 1,500m^2}{3,000m^2}$ *바닥면적은 높이 31m를 넘는 층 중 최대층(1개층) 바닥면적을 말함

바닥면적*	설치대수
1,500㎡ 이하	1대
1,500㎡ 초과	$1대 + \frac{바닥면적^{*} - 1,500m^2}{3,000m^2}$

- 승용승강기를 비상용 승강기의 구조로 하는 경우에는 별도설치를 하지 않을 수 있다.
- 2대 이상의 비상용 승강기를 설치하는 경우에는 화재시 소화에 지장이 없도록 일정한 간격을 두고 설치하여야 한다.

【2】 설치 제외의 경우

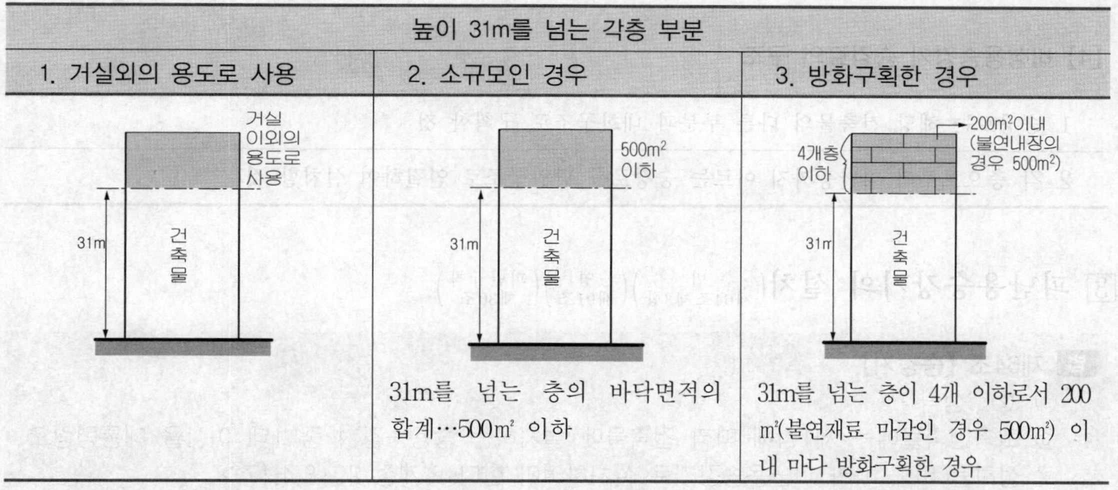

높이 31m를 넘는 각층 부분		
1. 거실외의 용도로 사용	2. 소규모인 경우	3. 방화구획한 경우
	31m를 넘는 층의 바닥면적의 합계…500㎡ 이하	31m를 넘는 층이 4개 이하로서 200㎡(불연재료 마감인 경우 500㎡) 이내 마다 방화구획한 경우

【3】 비상용승강기 승강장의 구조

내 용	조 치	구 조
1. 내화성능	승강장은 당해건축물의 다른 부분과 내화구조의 바닥 및 벽으로 구획 -창문, 출입구 기타 개구부 제외	■ 비상용 승강기의 승강장 배연설비 / 내화구조의 바닥, 벽 / 승강장 / 불연재료마감 / 60+, 60분 방화문
2. 각층 내부와의 연결부	승강장은 각층의 내부와 연결 되도록 하고 그 출입구에는 60+방화문 또는 60분방화문을 설치 **예외** 피난층에는 설치하지 않을 수 있음	

3. 배연설비	노대 또는 외부를 향하여 열수 있는 창문이나 배연설비의 설치	■공동주택의 경우 특별피난계단 / 배연설비 / 60+ 방화문 / 60분 방화문 / 승강장 •승강장을 특별피난계단의 부속실과 겸용할 수 있음 -특별피난계단의 계단실과 별도로 구획하는 경우
4. 내부 마감재료	벽 및 반자의 실내에 면하는 부분(마감 바탕 포함)은 불연재료로 마감	
5. 조명설비	채광이 되는 창문 또는 예비전원에 의한 조명설비 설치	
6. 승강장의 바닥면적	1대에 대하여 6㎡ 이상 -옥외설치시 제외	

■피난층에서의 거리 : 승강장의 출입구로부터 도로 또는 공지에 이르는 거리가 30m 이하일 것
■승강장의 출입구 부근의 잘 보이는 곳에 비상용 승강기임을 알 수 있는 표지를 할 것

【4】 비상용승강기 승강로의 구조

1. 승강로는 해당 건축물의 다른 부분과 내화구조로 구획할 것
2. 각 층으로부터 피난층까지 이르는 승강로를 단일구조로 연결하여 설치할 것

3 피난용승강기의 설치(법 제64조제3항)(영 제91조)(피난규칙 제30조)

법 제64조【승강기】

①, ② "생략"

③ 고층건축물에는 제1항에 따라 건축물에 설치하는 승용승강기 중 1대 이상을 대통령령으로 정하는 바에 따라 피난용승강기로 설치하여야 한다. <개정 2018.4.17.>

영 제91조【피난용승강기의 설치】

법 제64조제3항에 따른 피난용승강기(피난용승강기의 승강장 및 승강로를 포함한다. 이하 이 조에서 같다)는 다음 각 호의 기준에 맞게 설치하여야 한다.

1. 승강장의 바닥면적은 승강기 1대당 6제곱미터 이상으로 할 것
2. 각 층으로부터 피난층까지 이르는 승강로를 단일구조로 연결하여 설치할 것
3. 예비전원으로 작동하는 조명설비를 설치할 것
4. 승강장의 출입구 부근의 잘 보이는 곳에 해당 승강기가 피난용승강기임을 알리는 표지를 설치할 것
5. 그 밖에 화재예방 및 피해경감을 위하여 국토교통부령으로 정하는 구조 및 설비 등의 기준에 맞을 것

[본조신설 2018.10.16]

피난규칙 **제30조【피난용승강기의 설치기준】**

영 제91조제5호에서 "국토교통부령으로 정하는 구조 및 설비 등의 기준"이란 다음 각 호를 말한다. <개정 2021.3.26>

1. 피난용승강기 승강장의 구조

가. 승강장의 출입구를 제외한 부분은 해당 건축물의 다른 부분과 내화구조의 바닥 및 벽으로 구획할 것

나. 승강장은 각 층의 내부와 연결될 수 있도록 하되, 그 출입구에는 60+방화문 또는 60분방화문을 설치할 것. 이 경우 방화문은 언제나 닫힌 상태를 유지할 수 있는 구조이어야 한다.

다. 실내에 접하는 부분(바닥 및 반자 등 실내에 면한 모든 부분을 말한다)의 마감(마감을 위한 바탕을 포함한다)은 불연재료로 할 것

라.~바. 삭제 <2018.10.18>

사. 삭제 <2014.3.5.>

아.「건축물의 설비기준 등에 관한 규칙」 제14조에 따른 배연설비를 설치할 것. 다만, 「소방시설 설치·유지 및 안전관리에 법률 시행령」 별표 5 제5호가목에 따른 제연설비를 설치한 경우에는 배연설비를 설치하지 아니할 수 있다.

자. 삭제 <2014.3.5.>

2. 피난용승강기 승강로의 구조

가. 승강로는 해당 건축물의 다른 부분과 내화구조로 구획할 것

나. 삭제 <2018.10.18>

다. 승강로 상부에 「건축물의 설비기준 등에 관한 규칙」 제14조에 따른 배연설비를 설치할 것

3. 피난용승강기 기계실의 구조

가. 출입구를 제외한 부분은 해당 건축물의 다른 부분과 내화구조의 바닥 및 벽으로 구획할 것

나. 출입구에는 60+방화문 또는 60분방화문을 설치할 것

4. 피난용승강기 전용 예비전원

가. 정전시 피난용승강기, 기계실, 승강장 및 폐쇄회로 텔레비전 등의 설비를 작동할 수 있는 별도의 예비전원 설비를 설치할 것

나. 가목에 따른 예비전원은 초고층 건축물의 경우에는 2시간 이상, 준초고층 건축물의 경우에는 1시간 이상 작동이 가능한 용량일 것

다. 상용전원과 예비전원의 공급을 자동 또는 수동으로 전환이 가능한 설비를 갖출 것

라. 전선관 및 배선은 고온에 견딜 수 있는 내열성 자재를 사용하고, 방수조치를 할 것

[본조신설 2012.1.6]

해설 고층건축물 화재 시 신속한 피난을 위하여 승용승강기 중 1대 이상을 피난용승강기로 설치하도록 피난용 승강기 설치 기준 및 구조 규정이 신설되었다. <2012.1.6.>

비상용 승강기의 설치기준과 많은 부분이 유사하나,

① 승강로 상부에 배연설비 설치

② 승강기 기계실의 방화구획

③ 전용 예비전원의 확보 등의 규정이 추가되었다.

11 친환경건축물의 인증(법 제65조)

법 제65조【친환경건축물의 인증】
삭제 <2012.2.22>
※「녹색건축물 조성 지원법」 제정(2012.2.22)으로 삭제됨
▶ 건축법 제65조의 관련내용은 녹색건축물 조성 지원법 제 16조(녹색건축의 인증)로 이동함

▶「녹색건축물 조성 지원법」☞ 3권 건축법령집 참조

법 제16조【녹색건축의 인증】
① 국토교통부장관은 지속가능한 개발의 실현과 자원절약형이고 자연친화적인 건축물의 건축을 유도하기 위하여 녹색건축 인증제를 시행한다.
② 국토교통부장관은 제1항에 따른 녹색건축 인증제를 시행하기 위하여 운영기관 및 인증기관을 지정하고 녹색건축 인증 업무를 위임할 수 있다.
③ 국토교통부장관은 제2항에 따른 인증기관의 인증 업무를 주기적으로 점검하고 관리·감독하여야 하며, 그 결과를 인증기관의 재지정 시 고려할 수 있다. <신설 2019.4.30.>
④ 녹색건축의 인증을 받으려는 자는 제2항에 따른 인증기관에 인증을 신청하여야 한다. <개정 2019.4.30.>
⑤ 제2항에 따른 인증기관은 제4항에 따라 녹색건축의 인증을 신청한 자로부터 수수료를 받을 수 있다. <신설 2019.4.30>
⑥ 제1항에 따른 녹색건축 인증제의 운영과 관련하여 다음 각 호의 사항에 대하여는 국토교통부와 환경부의 공동부령으로 정한다. <개정 2019.4.30>
1. 인증 대상 건축물의 종류
2. 인증기준 및 인증절차
3. 인증유효기간
4. 수수료
5. 인증기관 및 운영기관의 지정 기준, 지정 절차 및 업무범위
6. 인증받은 건축물에 대한 점검이나 실태조사
7. 인증 결과의 표시 방법

【참고1】 녹색건축 인증에 관한 규칙(국토교통부령 제831호, 2021.3.24.) ☞ 3권 건축법령집 참조

【참고2】 녹색건축 인증 기준(국토교통부고시 제2023-329호, 2023.7.1.) ☞ 3권 건축법령집 참조

건축법 1. 총칙 2. 건축 3. 유지관리 4. 대지도로 5. 구조재료 6. 지역지구 7. 건축설비 8. 특별건축구역 9. 보칙 10. 벌칙 건축법 관련기준

12 건축물의 열손실 방지(법 제64조의2)

법 제64조의2【건축물의 열손실방지】
삭제 <2014.5.28.>
※「녹색건축물 조성 지원법」 제정(2012.2.22.)으로 삭제됨

설비규칙 제21조【건축물의 열손실방지】
삭제 <2013.9.2>
※「녹색건축물 조성 지원법」 제정(2012.2.22.)으로 삭제됨
▶ 건축물의 설비기준 등에 관한 규칙 제21조의 관련내용은 건축물의 에너지절약 설계기준 제2조(건축물의 열손실방지 등)로 이동함

【참고】 건축물의 에너지절약 설계기준(국토교통부고시 제2023-104호, 2023.2.28.)

제2조【건축물의 열손실방지 등】
① 건축물을 건축하거나 대수선, 용도변경 및 건축물대장의 기재내용을 변경하는 경우에는 다음 각 호의 기준에 의한 열손실방지 등의 에너지이용합리화를 위한 조치를 하여야 한다.
1. 거실의 외벽, 최상층에 있는 거실의 반자 또는 지붕, 최하층에 있는 거실의 바닥, 바닥난방을 하는 층간 바닥, 거실의 창 및 문 등은 별표1의 열관류율 기준 또는 별표3의 단열재 두께 기준을 준수하여야 하고, 단열조치 일반사항 등은 제6조의 건축부문 의무사항을 따른다.
2. 건축물의 배치 · 구조 및 설비 등의 설계를 하는 경우에는 에너지가 합리적으로 이용될 수 있도록 한다.
② 제1항에도 불구하고 열손실의 변동이 없는 증축, 대수선, 용도변경, 건축물대장의 기재내용 변경의 경우에는 관련 조치를 하지 아니할 수 있다. 다만 종전에 제3항에 따른 열손실방지 등의 조치 예외대상이었으나 조치대상으로 용도변경 또는 건축물대장 기재내용의 변경의 경우에는 관련 조치를 하여야 한다.
③ 다음 각 호의 어느 하나에 해당하는 건축물 또는 공간에 대해서는 제1항제1호를 적용하지 아니할 수 있다. 다만, 제1호 및 제2호의 경우 냉방 또는 난방 설비를 설치할 계획이 있는 건축물 또는 공간에 대해서는 제1항제1호를 적용하여야 한다. <개정 2022.1.28.>
1. 창고 · 차고 · 기계실 등으로서 거실의 용도로 사용하지 아니하고, 냉방 또는 난방 설비를 설치하지 아니하는 건축물 또는 공간
2. 냉방 또는 난방 설비를 설치하지 아니하고 용도 특성상 건축물 내부를 외기에 개방시켜 사용하는 등 열손실 방지조치를 하여도 에너지절약의 효과가 없는 건축물 또는 공간
3. 「건축법 시행령」 별표1 제25호에 해당하는 건축물 중 「원자력 안전법」 제10조 및 제20조에 따라 허가를 받는 건축물 <신설 2022.1.28.>

■ 건축물의 열손실 방지

건축물을 건축하거나 대수선, 용도변경 및 건축물대장의 기재내용을 변경하는 경우 열손실방지 등의 에너지이용합리화를 위한 조치를 하여야 한다.

【1】 열손실 방지 등의 기준

대 상	기 준
1. 거실의 외벽, 최상층에 있는 거실의 반자 또는 지붕, 최하층에 있는 거실의 바닥, 바닥난방을 하는 층간 바닥, 거실의 창 및 문 등	• 별표1의 열관류율 기준 준수할 것【참고1】 • 별표3의 단열재 두께기준 준수할 것【참고1】
2. 건축물의 배치·구조 및 설비 등의 설계를 하는 경우	에너지가 합리적으로 이용될 수 있도록 할 것

【2】 위 【1】 규정의 적용제외 대상

1. 열손실의 변동이 없는 증축, 대수선, 용도변경, 건축물대장의 기재내용 변경의 경우
2. 창고·차고·기계실 등으로서 거실의 용도로 사용하지 아니하고, 냉·난방시설을 설치하지 아니하는 건축물
3. 냉·난방 설비를 설치하지 아니하고 용도 특성상 건축물 내부를 외기에 개방시켜 사용하는 등 열손실 방지조치를 하여도 에너지절약의 효과가 없는 건축물 또는 공간

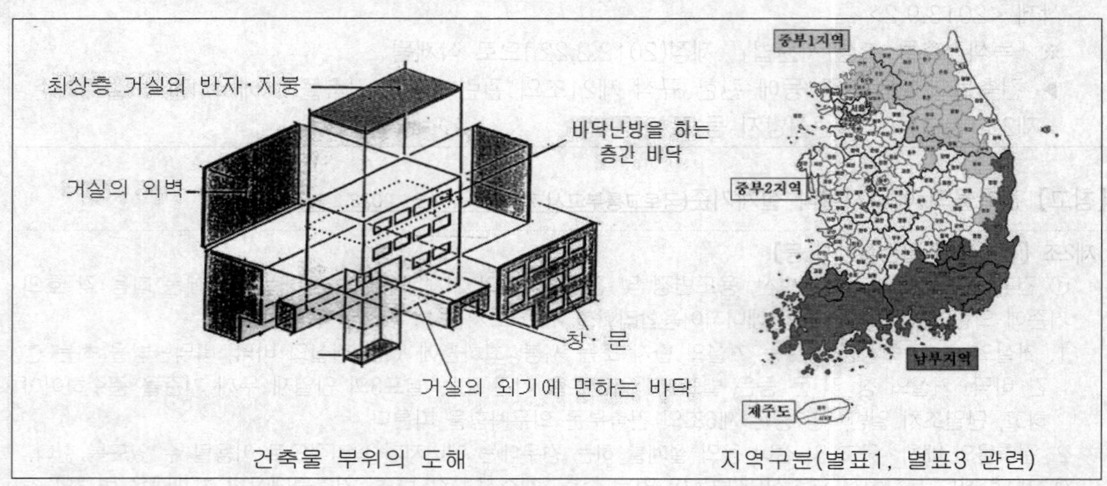

건축물 부위의 도해 지역구분(별표1, 별표3 관련)

【참고1】 지역별 건축물부위의 열관류율표(에너지 절약 설계기준 별표1)

(단위 : W/㎡·K)

건축물의 부위 \ 지역				중부1지역[1]	중부2지역[2]	남부지역[3]	제주도
거실의 외벽	외기에 직접 면하는 경우	공동주택		0.150 이하	0.170 이하	0.220 이하	0.290 이하
		공동주택 외		0.170 이하	0.240 이하	0.320 이하	0.410 이하
	외기에 간접 면하는 경우	공동주택		0.210 이하	0.240 이하	0.310 이하	0.410 이하
		공동주택 외		0.240 이하	0.340 이하	0.450 이하	0.560 이하
최상층에 있는 거실의 반자 또는 지붕	외기에 직접 면하는 경우			0.150 이하		0.180 이하	0.250 이하
	외기에 간접 면하는 경우			0.210 이하		0.260 이하	0.350 이하
최하층에 있는 거실의 바닥	외기에 직접 면하는 경우	바닥난방인 경우		0.150 이하	0.170 이하	0.220 이하	0.290 이하
		바닥난방이 아닌 경우		0.170 이하	0.200 이하	0.250 이하	0.330 이하
	외기에 간접 면하는 경우	바닥난방인 경우		0.210 이하	0.240 이하	0.310 이하	0.410 이하
		바닥난방이 아닌 경우		0.240 이하	0.290 이하	0.350 이하	0.470 이하
바닥난방인 층간바닥				0.810 이하			
창 및 문	외기에 직접 면하는 경우	공동주택		0.900 이하	1.000 이하	1.200 이하	1.600 이하
		공동주택 외	창	1.300 이하	1.500 이하	1.800 이하	2.200 이하
			문	1.500 이하			

	외기에 간접 면하는 경우	공동주택		1.300 이하	1.500 이하	1.700 이하	2.000 이하
		공동주택 외	창	1.600 이하	1.900 이하	2.200 이하	2.800 이하
			문	1.900 이하			
공동주택 세대현관문 및 방화문	외기에 직접 면하는 경우 및 방화문			1.400 이하			
	외기에 간접 면하는 경우			1.800 이하			

비 고

1) 중부1지역 : 강원도(고성, 속초, 양양, 강릉, 동해, 삼척 제외), 경기도(연천, 포천, 가평, 남양주, 의정부, 양주, 동두천, 파주), 충청북도(제천), 경상북도(봉화, 청송)

2) 중부2지역 : 서울특별시, 대전광역시, 세종특별자치시, 인천광역시, 강원도(고성, 속초, 양양, 강릉, 동해, 삼척), 경기도(연천, 포천, 가평, 남양주, 의정부, 양주, 동두천, 파주 제외), 충청북도(제천 제외), 충청남도, 경상북도(봉화, 청송, 울진, 영덕, 포항, 경주, 청도, 경산 제외), 전라북도, 경상남도(거창, 함양)

3) 남부지역 : 부산광역시, 대구광역시, 울산광역시, 광주광역시, 전라남도, 경상북도(울진, 영덕, 포항, 경주, 청도, 경산), 경상남도(거창, 함양 제외)

【참고2】 단열재의 등급분류(에너지 절약 설계기준 별표2)

등급분류	열전도율의 범위 (KS L 9016에 의한 20±5℃ 시험조건에서 열전도율) W/mK	㎉/mh℃	관련 표준	단열재 종류
가	0.034 이하	0.029 이하	KS M 3808	- 압출법보온판 특호, 1호, 2호, 3호 - 비드법보온판 2종 1호, 2호, 3호, 4호
			KS M 3809	- 경질우레탄폼보온판 1종 1호, 2호, 3호 및 2종 1호, 2호, 3호
			KS L 9102	- 그라스울 보온판 48K, 64K, 80K, 96K, 120K
			KS M ISO 4898	- 페놀 폼 Ⅰ종A, Ⅱ종A
			KS M 3871-1	- 분무식 중밀도 폴리우레탄 폼 1종(A, B), 2종(A, B)
			KS F 5660	- 폴리에스테르 흡음 단열재 1급
			기타 단열재로서 열전도율이 0.034 W/mK (0.029 ㎉/mh℃)이하인 경우	
나	0.035~0.040	0.030~0.034	KS M 3808	- 비드법보온판 1종 1호, 2호, 3호
			KS L 9102	- 미네랄울 보온판 1호, 2호, 3호 - 그라스울 보온판 24K, 32K, 40K
			KS M ISO 4898	- 페놀 폼 Ⅰ종B, Ⅱ종B, Ⅲ종A
			KS M 3871-1	- 분무식 중밀도 폴리우레탄 폼 1종(C)
			KS F 5660	- 폴리에스테르 흡음 단열재 2급
			기타 단열재로서 열전도율이 0.035~0.040 W/mK (0.030~ 0.034 ㎉/mh℃)이하인 경우	
다	0.041~0.046	0.035~0.039	KS M 3808	- 비드법보온판 1종 4호
			KS F 5660	- 폴리에스테르 흡음 단열재 3급
			기타 단열재로서 열전도율이 0.041~0.046 W/mK (0.035~0.039 ㎉/mh℃)이하인 경우	
라	0.047~0.051	0.040~0.044	기타 단열재로서 열전도율이 0.047~0.051 W/mK (0.040~0.044 ㎉/mh℃)이하인 경우	

※ 단열재의 등급분류는 단열재의 열전도율의 범위에 따라 등급을 분류한다.

【참고3】 단열재의 두께[에너지 절약 설계기준 별표3]

[중부1지역]

(단위 : ㎜)

건축물의 부위 \ 단열재의 등급			단열재 등급별 허용 두께			
			가	나	다	라
거실의 외벽	외기에 직접 면하는 경우	공동주택	220	255	295	325
		공동주택 외	190	225	260	285
	외기에 간접 면하는 경우	공동주택	150	180	205	225
		공동주택 외	130	155	175	195
최상층에 있는 거실의 반자 또는 지붕	외기에 직접 면하는 경우		220	260	295	330
	외기에 간접 면하는 경우		155	180	205	230
최하층에 있는 거실의 바닥	외기에 직접 면하는 경우	바닥난방인 경우	215	250	290	320
		바닥난방이 아닌 경우	195	230	265	290
	외기에 간접 면하는 경우	바닥난방인 경우	145	170	195	220
		바닥난방이 아닌 경우	135	155	180	200
바닥난방인 층간바닥			30	35	45	50

[중부2지역]

(단위 : ㎜)

건축물의 부위 \ 단열재의 등급			단열재 등급별 허용 두께			
			가	나	다	라
거실의 외벽	외기에 직접 면하는 경우	공동주택	190	225	260	285
		공동주택 외	135	155	180	200
	외기에 간접 면하는 경우	공동주택	130	155	175	195
		공동주택 외	90	105	120	135
최상층에 있는 거실의 반자 또는 지붕	외기에 직접 면하는 경우		220	260	295	330
	외기에 간접 면하는 경우		155	180	205	230
최하층에 있는 거실의 바닥	외기에 직접 면하는 경우	바닥난방인 경우	190	220	255	280
		바닥난방이 아닌 경우	165	195	220	245
	외기에 간접 면하는 경우	바닥난방인 경우	125	150	170	185
		바닥난방이 아닌 경우	110	125	145	160
바닥난방인 층간바닥			30	35	45	50

[남부지역]

(단위 : ㎜)

건축물의 부위 \ 단열재의 등급			단열재 등급별 허용 두께			
			가	나	다	라
거실의 외벽	외기에 직접 면하는 경우	공동주택	145	170	200	220
		공동주택 외	100	115	130	145
	외기에 간접 면하는 경우	공동주택	100	115	135	150
		공동주택 외	65	75	90	95
최상층에 있는 거실의 반자 또는 지붕	외기에 직접 면하는 경우		180	215	245	270
	외기에 간접 면하는 경우		120	145	165	180
최하층에 있는 거실의 바닥	외기에 직접 면하는 경우	바닥난방인 경우	140	165	190	210
		바닥난방이 아닌 경우	130	155	175	195
	외기에 간접 면하는 경우	바닥난방인 경우	95	110	125	140
		바닥난방이 아닌 경우	90	105	120	130
바닥난방인 층간바닥			30	35	45	50

[제주도]

(단위 : ㎜)

건축물의 부위 \ 단열재의 등급			단열재 등급별 허용 두께			
			가	나	다	라
거실의 외벽	외기에 직접 면하는 경우	공동주택	110	130	145	165
		공동주택 외	75	90	100	110
	외기에 간접 면하는 경우	공동주택	75	85	100	110
		공동주택 외	50	60	70	75
최상층에 있는 거실의 반자 또는 지붕	외기에 직접 면하는 경우		130	150	175	190
	외기에 간접 면하는 경우		90	105	120	130
최하층에 있는 거실의 바닥	외기에 직접 면하는 경우	바닥난방인 경우	105	125	140	155
		바닥난방이 아닌 경우	100	115	130	145
	외기에 간접 면하는 경우	바닥난방인 경우	65	80	90	100
		바닥난방이 아닌 경우	65	75	85	95
바닥난방인 층간바닥			30	35	45	50

비 고

1) 중부1지역 : 강원도(고성, 속초, 양양, 강릉, 동해, 삼척 제외), 경기도(연천, 포천, 가평, 남양주, 의정부, 양주, 동두천, 파주), 충청북도(제천), 경상북도(봉화, 청송)
2) 중부2지역 : 서울특별시, 대전광역시, 세종특별자치시, 인천광역시, 강원도(고성, 속초, 양양, 강릉, 동해, 삼척), 경기도(연천, 포천, 가평, 남양주, 의정부, 양주, 동두천, 파주 제외), 충청북도(제천 제외), 충청남도, 경상북도(봉화, 청송, 울진, 영덕, 포항, 경주, 청도, 경산 제외), 전라북도, 경상남도(거창, 함양)
3) 남부지역 : 부산광역시, 대구광역시, 울산광역시, 광주광역시, 전라남도, 경상북도(울진, 영덕, 포항, 경주, 청도, 경산), 경상남도(거창, 함양 제외)

【참고4】 창 및 문의 단열성능[에너지 절약 설계기준 별표4]

[단위 : W/㎡·K]

창 및 문의 종류				창틀 및 문틀의 종류별 열관류율								
				금속재						플라스틱 또는 목재		
				열교차단재[1] 미적용			열교차단재 적용					
유리의 공기층 두께[mm]				6	12	16 이상	6	12	16 이상	6	12	16 이상
창	복층창		일반복층창[2]	4.0	3.7	3.6	3.7	3.4	3.3	3.1	2.8	2.7
창	복층창		로이유리(하드코팅)	3.6	3.1	2.9	3.3	2.8	2.6	2.7	2.3	2.1
창	복층창		로이유리(소프트코팅)	3.5	2.9	2.7	3.2	2.6	2.4	2.6	2.1	1.9
창	복층창		아르곤 주입	3.8	3.6	3.5	3.5	3.3	3.2	2.9	2.7	2.6
창	복층창		아르곤 주입+ 로이유리(하드코팅)	3.3	2.9	2.8	3.0	2.6	2.5	2.5	2.1	2.0
창	복층창		아르곤 주입+ 로이유리(소프트코팅)	3.2	2.7	2.6	2.9	2.4	2.3	2.3	1.9	1.8
창	삼중창		일반삼중창[2]	3.2	2.9	2.8	2.9	2.6	2.5	2.4	2.1	2.0
창	삼중창		로이유리(하드코팅)	2.9	2.4	2.3	2.6	2.1	2.0	2.1	1.7	1.6
창	삼중창		로이유리(소프트코팅)	2.8	2.3	2.2	2.5	2.0	1.9	2.0	1.6	1.5
창	삼중창		아르곤 주입	3.1	2.8	2.7	2.8	2.5	2.4	2.2	2.0	1.9
창	삼중창		아르곤 주입+ 로이유리(하드코팅)	2.6	2.3	2.2	2.3	2.0	1.9	1.9	1.6	1.5
창	삼중창		아르곤 주입+ 로이유리(소프트코팅)	2.5	2.2	2.1	2.2	1.9	1.8	1.8	1.5	1.4
창	사중창		일반사중창[2]	2.8	2.5	2.4	2.5	2.2	2.1	2.1	1.8	1.7
창	사중창		로이유리(하드코팅)	2.5	2.1	2.0	2.2	1.8	1.7	1.8	1.5	1.4
창	사중창		로이유리(소프트코팅)	2.4	2.0	1.9	2.1	1.7	1.6	1.7	1.4	1.3
창	사중창		아르곤 주입	2.7	2.5	2.4	2.4	2.2	2.1	1.9	1.7	1.6
창	사중창		아르곤 주입+ 로이유리(하드코팅)	2.3	2.0	1.9	2.0	1.7	1.6	1.6	1.4	1.3
창	사중창		아르곤 주입+ 로이유리(소프트코팅)	2.2	1.9	1.8	1.9	1.6	1.5	1.5	1.3	1.2
창	단창			6.6			6.10			5.30		
문	일반문		단열 두께 20㎜ 미만	2.70			2.60			2.40		
문	일반문		단열 두께 20㎜ 이상	1.80			1.70			1.60		
문	유리문	단창문	유리비율[3] 50%미만	4.20			4.00			3.70		
문	유리문	단창문	유리비율 50%이상	5.50			5.20			4.70		
문	유리문	복층창문	유리비율 50%미만	3.20	3.10	3.00	3.00	2.90	2.80	2.70	2.60	2.50
문	유리문	복층창문	유리비율 50%이상	3.80	3.50	3.40	3.30	3.10	3.00	3.00	2.80	2.70

주1) 열교차단재 : 열교 차단재라 함은 창 및 문의 금속프레임 외부 및 내부 사이에 설치되는 폴리염화비닐 등 단열성을 가진 재료로서 외부로의 열흐름을 차단할 수 있는 재료를 말한다.

주2) 복층창은 단창+단창, 삼중창은 단창+복층창, 사중창은 복층창+복층창을 포함한다.

주3) 문의 유리비율은 문 및 문틀을 포함한 면적에 대한 유리면적의 비율을 말한다.

주4) 창 및 문을 구성하는 각 유리의 공기층 두께가 서로 다를 경우 그 중 최소 공기층 두께를 해당 창 및 문의 공기층 두께로 인정하며, 단창+단창, 단창+복층창의 공기층 두께는 6mm로 인정한다.

주5) 창 및 문을 구성하는 각 유리의 창틀 및 문틀이 서로 다를 경우에는 열관류율이 높은 값을 인정한다.

주6) 복층창, 삼중창, 사중창의 경우 한면만 로이유리를 사용한 경우, 로이유리를 적용한 것으로 인정한다.

주7) 삼중창, 사중창의 경우 하나의 창 및 문에 아르곤을 주입한 경우, 아르곤을 적용한 것으로 인정한다.

13 건축물에 관한 효율적 에너지 이용과 친환경 건축물의 활성화(법 제66조)

법 제66조【건축물에 관한 효율적인 에너지 이용과 친환경 건축물 건축의 활성화】
삭제 <2012.2.22>
※「녹색건축물 조성 지원법」 제정(2012.2.22)으로 삭제됨
▶ 건축법 제66조의 관련내용은 녹색건축물 조성 지원법 제14조(에너지 절약계획서 제출) 및 제15조(건축물에 대한 효율적인 에너지 관리와 녹색건축물 건축의 활성화)로 이동함

영 제91조【건축물에 관한 효율적인 에너지 이용과 친환경 건축물의 활성화】
삭제 <2013.2.20>
※「녹색건축물 조성 지원법 시행령」 제정(2013.2.20)으로 삭제됨

설비규칙 제22조【에너지절약계획서의 제출】
삭제 <2013.2.22>
※「녹색건축물 조성 지원법 시행규칙」 제정(2013.2.22)으로 삭제됨

규칙 제38조【건축물의 에너지이용과 폐자재의 활용】
삭제 <2013.2.22>
※「녹색건축물 조성 지원법 시행규칙」 제정(2013.2.22)으로 삭제됨

1 에너지 절약계획서의 제출

▶ 「녹색건축물 조성 지원법」

법 제14조【에너지 절약계획서 제출】
① 대통령령으로 정하는 건축물의 건축주가 다음 각 호의 어느 하나에 해당하는 신청을 하는 경우에는 대통령령으로 정하는 바에 따라 에너지 절약계획서를 제출하여야 한다. <개정 2016.1.19.>
1.「건축법」 제11조에 따른 건축허가(대수선은 제외한다)
2.「건축법」 제19조제2항에 따른 용도변경 허가 또는 신고
3.「건축법」 제19조제3항에 따른 건축물대장 기재내용 변경
② 제1항에 따라 허가신청 등을 받은 행정기관의 장은 에너지 절약계획서의 적절성 등을 검토하여야 한다. 이 경우 건축주에게 국토교통부령으로 정하는 에너지 관련 전문기관에 에너지 절약계획서의 검토 및 보완을 거치도록 할 수 있다. <개정 2014.5.28.>
③ 제2항에도 불구하고 국토교통부장관이 고시하는 바에 따라 사전확인이 이루어진 에너지 절약계획서를 제출하는 경우에는 에너지 절약계획서의 적절성 등을 검토하지 아니할 수 있다. <신설 2016.1.19.>
④ 국토교통부장관은 제2항에 따른 에너지 절약계획서 검토업무의 원활한 운영을 위하여 국토교통부령으로 정하는 에너지 관련 전문기관 중에서 운영기관을 지정하고 운영 관련 업무를 위임할 수 있다. <신설 2016.1.19.>
⑤ 제2항에 따른 에너지 절약계획서의 검토절차, 제4항에 따른 운영기관의 지정 기준 · 절차

와 업무범위 및 그 밖에 검토업무의 운영에 필요한 사항은 국토교통부령으로 정한다. <신설 2016.1.19.>
⑥ 에너지 관련 전문기관은 제2항에 따라 에너지 절약계획서의 검토 및 보완을 하는 경우 건축주로부터 국토교통부령으로 정하는 금액과 절차에 따라 수수료를 받을 수 있다. <개정 2016.1.19.>

▶ 「녹색건축물 조성 지원법 시행령」

영 제10조【에너지 절약계획서 제출 대상 등】

① 법 제14조제1항 각 호 외의 부분에서 "대통령령으로 정하는 건축물"이란 연면적의 합계가 500제곱미터 이상인 건축물을 말한다. 다만, 다음 각 호의 어느 하나에 해당하는 건축물을 건축하려는 건축주는 에너지 절약계획서를 제출하지 아니한다. <개정 2016.12.30.>

1. 「건축법 시행령」 별표 1 제1호에 따른 단독주택
2. 문화 및 집회시설 중 동·식물원
3. 「건축법 시행령」 별표 1 제17호부터 제26호까지의 건축물 중 냉방 및 난방 설비를 모두 설치하지 아니하는 건축물
4. 그 밖에 국토교통부장관이 에너지 절약계획서를 첨부할 필요가 없다고 정하여 고시하는 건축물

② 제1항 각 호 외의 부분 본문에 해당하는 건축물을 건축하려는 건축주는 건축허가를 신청하거나 용도변경의 허가신청 또는 신고, 건축물대장 기재내용의 변경 시 국토교통부령으로 정하는 에너지 절약계획서(전자문서로 된 서류를 포함한다)를 「건축법」 제5조제1항에 따른 허가권자(「건축법」 외의 다른 법령에 따라 허가·신고 권한이 다른 행정기관의 장에게 속하는 경우에는 해당 행정기관의 장을 말하며, 이하 "허가권자"라 한다)에게 제출하여야 한다. <개정 2016.12.30.>

▶ 「녹색건축물 조성 지원법 시행규칙」

규칙 제7조【에너지 절약계획서 등】

① 영 제10조제2항에서 "국토교통부령으로 정하는 에너지 절약계획서"란 다음 각 호의 서류를 첨부한 별지 제1호서식의 에너지 절약계획서를 말한다.

1. 국토교통부장관이 고시하는 건축물의 에너지 절약 설계기준에 따른 에너지 절약 설계 검토서
2. 설계도면, 설계설명서 및 계산서 등 건축물의 에너지 절약계획서의 내용을 증명할 수 있는 서류(건축, 기계설비, 전기설비 및 신·재생에너지 설비 부문과 관련된 것으로 한정한다)

② 법 제14조제2항후단에서 "국토교통부령으로 정하는 에너지 관련 전문기관"이란 다음 각 호의 기관(이하 "에너지 절약계획서 검토기관" 이라 한다)을 말한다. <개정 2020.12.11.>

1. 「에너지이용 합리화법」 제45조에 따른 한국에너지공단(이하 "한국에너지공단"이라 한다)
2. 「국토안전관리원법」에 따른 국토안전관리원
3. 「한국감정원법」에 따른 한국감정원(이하 "한국감정원" 이라 한다)
4. 그 밖에 국토교통부장관이 에너지 절약계획서의 검토업무를 수행할 인력, 조직, 예산 및 시설 등을 갖추었다고 인정하여 고시하는 기관 또는 단체

③ "이후 생략"

【참고】 **건축물의 에너지절약설계기준**(국토교통부고시 제2023-104호, 2023.2.28.)

제3조【에너지절약계획서 제출 예외대상 등】
① 영 제10조제1항에 따라 에너지절약계획서를 첨부할 필요가 없는 건축물은 다음 각 호와 같다
1.「건축법 시행령」 별표1 제3호 아목에 따른 시설 중 냉방 또는 난방 설비를 설치하지 아니하는 건축물
2.「건축법 시행령」 별표1 제13호에 따른 운동시설 중 냉방 또는 난방 설비를 설치하지 아니하는 건축물
3.「건축법 시행령」 별표1 제16호에 따른 위락시설 중 냉방 또는 난방 설비를 설치하지 아니하는 건축물
4.「건축법 시행령」 별표1 제27호에 따른 관광 휴게시설 중 냉방 또는 난방 설비를 설치하지 아니하는 건축물
5.「주택법」 제15조제1항에 따라 사업계획 승인을 받아 건설하는 주택으로서 주택건설기준 등에 관한 규정」 제64조제3항에 따라 「에너지절약형 친환경주택의 건설기준」에 적합한 건축물
② 영 제10조제1항에서 "연면적의 합계"는 다음 각 호에 따라 계산한다.
1. 같은 대지에 모든 바닥면적을 합하여 계산한다.
2. 주거와 비주거는 구분하여 계산한다.
3. 증축이나 용도변경, 건축물대장의 기재내용을 변경하는 경우 이 기준을 해당 부분에만 적용할 수 있다.
4. 연면적의 합계 500제곱미터 미만으로 허가를 받거나 신고한 후 「건축법」 제16조에 따라 허가와 신고사항을 변경하는 경우에는 당초 허가 또는 신고 면적에 변경되는 면적을 합하여 계산한다.
5. 제2조제3항에 따라 열손실방지 등의 에너지이용합리화를 위한 조치를 하지 않아도 되는 건축물 또는 공간, 주차장, 기계실 면적은 제외한다.
③ 제1항 및 영 제10조제1항제3호의 건축물 중 냉난방 설비를 설치하고 냉난방 열원을 공급하는 대상의 연면적의 합계가 500제곱미터 미만인 경우에는 에너지절약계획서를 제출하지 아니한다.

2 건축물에 대한 효율적인 에너지 이용과 녹색 건축물 건축의 활성화

▶ 「녹색건축물 조성 지원법」

법 제15조【건축물에 대한 효율적인 에너지 관리와 녹색건축물 건축의 활성화】
① 국토교통부장관은 건축물에 대한 효율적인 에너지 관리와 녹색건축물 건축의 활성화를 위하여 필요한 설계 · 시공 · 감리 및 유지 · 관리에 관한 기준을 정하여 고시할 수 있다.
②「건축법」 제5조제1항에 따른 허가권자(이하 "허가권자"라 한다)는 녹색건축물의 조성을 활성화하기 위하여 대통령령으로 정하는 기준에 적합한 건축물에 대하여 제14조제1항 또는 제14조의2를 적용하지 아니하거나 다음 각 호의 구분에 따른 범위에서 그 요건을 완화하여 적용할 수 있다. <개정 2014.5.28.>
1.「건축법」 제56조에 따른 건축물의 용적률: 100분의 115 이하
2.「건축법」 제60조 및 제61조에 따른 건축물의 높이: 100분의 115 이하
③ 지방자치단체는 제1항에 따른 고시의 범위에서 건축기준 완화 기준 및 재정지원에 관한 사항을 조례로 정할 수 있다.

▶ 「녹색건축물 조성 지원법 시행령」

영 제11조【녹색건축물 건축의 활성화 대상 건축물 및 완화기준】
① 법 제15조제2항에서 "대통령령으로 정하는 기준에 적합한 건축물"이란 다음 각 호의 어느 하나에 해당하는 건축물을 말한다. <개정 2016.12.30.>
1. 법 제15조제1항에 따라 국토교통부장관이 정하여 고시하는 설계 · 시공 · 감리 및 유지 ·

관리에 관한 기준에 맞게 설계된 건축물
2. 법 제16조에 따라 녹색건축의 인증을 받은 건축물
3. 법 제17조에 따라 건축물의 에너지효율등급 인증을 받은 건축물
3의2. 법 제17조에 따라 제로에너지건축물 인증을 받은 건축물
4. 법 제24조제1항에 따른 녹색건축물 조성 시범사업 대상으로 지정된 건축물
5. 건축물의 신축공사를 위한 골조공사에 국토교통부장관이 고시하는 재활용 건축자재를 100분의 15 이상 사용한 건축물

② 국토교통부장관은 제1항 각 호의 어느 하나에 해당하는 건축물에 대하여 허가권자가 법 제15조제2항에 따라 법 제14조제1항 또는 제14조의2를 적용하지 아니하거나 건축물의 용적률 및 높이 등을 완화하여 적용하기 위한 세부기준을 정하여 고시할 수 있다. <개정 2015.5.28.>

【참고1】 건축물의 에너지절약 설계기준(국토교통부고시 제2023-104호, 2023.2.28.)

제16조【완화기준】
영 제11조에 따라 건축물에 적용할 수 있는 완화기준은 별표9에 따르며, 건축주가 건축기준의 완화적용을 신청하는 경우에 한해서 적용한다.

제17조【완화기준의 적용방법】
① 완화기준의 적용은 당해 용도구역 및 용도지역에 지방자치단체 조례에서 정한 최대 용적률의 제한기준, 조경면적 기준, 건축물 최대높이의 제한 기준에 대하여 다음 각 호의 방법에 따라 적용한다.
1. 용적률 적용방법
「법 및 조례에서 정하는 기준 용적률」 × [1 + 완화기준]
2. 건축물 높이제한 적용방법 <개정 2023.2.28>
「법 및 조례에서 정하는 건축물의 최고높이」 × [1 + 완화기준]
② 삭제 <2023.2.28.>

[별표9] 세부 완화기준(건축물의 에너지 절약설계기준 제16조 관련) 〈개정 2023.2.28.〉

1) 녹색건축 인증에 따른 건축기준 완화비율(영 제11조제1항제2호 관련)

최대완화비율	완화조건	비고
6%	녹색건축 최우수 등급	
3%	녹색건축 우수 등급	

2) 건축물 에너지효율등급 및 제로에너지건축물 인증에 따른 건축기준 완화비율
(영 제11조제1항제3호 및 제3의2호 관련)

최대완화비율	완화조건	비고
15%	제로에너지건축물 1등급	
14%	제로에너지건축물 2등급	
13%	제로에너지건축물 3등급	
12%	제로에너지건축물 4등급	
11%	제로에너지건축물 5등급	
6%	건축물 에너지효율 1++등급	
3%	건축물 에너지효율 1+등급	

3) 녹색건축물 조성 시범사업 대상으로 지정된 건축물(영 제11조제1항제4호 관련)

최대완화비율	완화조건	비고
10%	녹색건축물 조성 시범사업	

4) 신축공사를 위한 골조공사에 재활용 건축자재를 사용한 건축물(영 제11조제1항제5호 관련)

- 이 경우 「재활용 건축자재의 활용기준」 제4조제2항에 따른다.

비고 1) 완화기준을 중첩 적용받고자 하는 건축물의 신청인은 법 제15조제2항에 따른 범위를 초과하여 신청할 수 없다.

2) 이 외 중첩 적용 최대한도와 관련된 사항은 「국토의 계획 및 이용에 관한 법률」 제78조제7항 및 「건축법」 제60조제4항에 따른다.

【참고2】 재활용 건축자재의 활용기준(국토교통부고시 제2022-833호, 2022.7.20)

제1조 【목적】 이 기준은 「녹색건축물 조성지원법」 제15조제1항 및 같은 법 시행령 제11조제1항제5호에 따라 건축물에 사용하는 재활용 자재의 사용비율에 따른 건축기준의 완화 적용에 관한 세부기준을 정함을 목적으로 한다.

제2조 【적용범위】 이 기준은 연면적 500제곱미터 이상으로서 「건축물의 에너지절약 설계기준」 제2조제1항 각 호에 해당하는 건축물로서 전용주거지역 또는 일반주거지역(제3종 일반주거지역을 제외한다)이 아닌 지역에 건축하는 철근콘크리트조 건축물에 대하여 적용한다.

제3조 【정의】 이 기준에서 사용되는 용어의 정의는 다음과 같다.

1. "재활용 건축자재"라 함은 「건설폐기물 재활용 촉진에 관한 법률」 제35조에 따라 국토교통부관이 고시하는 「순환골재 품질기준」에서 규정한 콘크리트용 순환골재를 말한다.
2. "골조공사"라 함은 기초, 기둥, 벽, 바닥, 보, 계단, 지붕 등 건축물의 구조체를 형성하는 뼈대를 축조하는 공사를 말한다.

제4조 【건축기준의 완화】 ① 「녹색건축물 조성지원법 시행령」 제11조제1항제5호에 따라 재활용 건축자재를 사용하여 용적률과 건축물의 높이를 완화 받고자 하는 자는 별지 제1호 서식의 건축기준의 완화 요청서를 「건축법」 제11조에 따른 허가권자(이하 "허가권자"라 한다)에게 제출하여야 한다.

② 허가권자는 제1항의 규정에 따른 완화요청이 있는 경우, 다음표에 따라 해당 건축물의 골조공사에 사용하는 골재량에 대한 재활용 건축자재 사용량의 용적비율에 따라 용적률 및 건축물의 높이를 완화하여 적용할 수 있다.

재활용 건축자재 사용량의 용적비율	기준 완화 적용 범위
15 퍼센트 이상 사용하는 경우	5 퍼센트
20 퍼센트 이상 사용하는 경우	10 퍼센트
25 퍼센트 이상 사용하는 경우	15 퍼센트

③ 재활용 건축자재를 사용하는 경우에는 콘크리트용 순환골재를 「순환골재 품질기준」에서 정한 규정에 적합하게 사용하여야 한다. <개정 2018.8.29.>

"이후 생략"

14 지능형 건축물의 인증(법 제65조의2)

법 제65조의2 【지능형 건축물의 인증】

① 국토교통부장관은 지능형건축물[Intelligent Building]의 건축을 활성화하기 위하여 지능형 건축물 인증제도를 실시한다.

② 국토교통부장관은 제1항에 따른 지능형건축물의 인증을 위하여 인증기관을 지정할 수 있다.

③ 지능형건축물의 인증을 받으려는 자는 제2항에 따른 인증기관에 인증을 신청하여야 한다.

④ 국토교통부장관은 건축물을 구성하는 설비 및 각종 기술을 최적으로 통합하여 건축물의 생산성과 설비 운영의 효율성을 극대화할 수 있도록 다음 각 호의 사항을 포함하여 지능형 건축물 인증기준을 고시한다.

1. 인증기준 및 절차
2. 인증표시 홍보기준
3. 유효기간
4. 수수료
5. 인증 등급 및 심사기준 등

⑤ 제2항과 제3항에 따른 인증기관의 지정 기준, 지정 절차 및 인증 신청 절차 등에 필요한 사항은 국토교통부령으로 정한다.

⑥ 허가권자는 지능형건축물로 인증을 받은 건축물에 대하여 제42조에 따른 조경설치면적을 100분의 85까지 완화하여 적용할 수 있으며, 제56조 및 제60조에 따른 용적률 및 건축물의 높이를 100분의 115의 범위에서 완화하여 적용할 수 있다.

[본조신설 2011.5.30]

【참고】 지능형건축물의 인증에 관한 규칙(국토교통부령 제413호, 2017.3.31.) ➡1권 2편 참조

【참고】 지능형건축물의 인증기준(국토교통부고시 제2020-1028호, 2020.12.10.) ➡1권 2편 참조

해설 국토교통부 지침으로 운영하였던 지능형건축물의 인증제도를 법제화(2011.5.30)하여, 건축물의 생산성과 설비운영의 효율성을 극대화한 지능형 건축물의 건축이 확대될 수 있도록 하였다. 건축법에 인증제도의 근거를 두었으며, 지능형건축물의 인증에 관한 규칙을 별도 제정(2011.11.30)하였고, 지능형건축물의 인증기준을 제정(2011.11.30)하여 운영하고 있다. 지능형건축물로 인증을 받은 건축물의 경우 조경설치면적, 용적률 및 건축물의 높이제한 규정에 있어 완화 적용을 받을 수 있다.

15 건축물의 에너지효율등급 인증(법 제66조의2)(영 제91조의2)

법 제66조의2 【건축물의 에너지효율등급 인증】

삭제 <2012.2.22>

※「녹색건축물 조성 지원법」 제정(2012.2.22)으로 삭제됨

▶ 건축법 제66조의2의 관련내용은 녹색건축물 조성 지원법 제17조(건축물의 에너지효율등급 인증)로 이동함

영 제91조의2 【건축물의 에너지효율등급 인증기관】

삭제 <2013.2.20>

※「녹색건축물 조성 지원법 시행령」 제정(2012.2.22)으로 삭제됨

▶ 건축법 시행령 제91조의2의 관련내용은 건축물 에너지효율등급 인증에 관한 규칙 제4조(건축물의 에너지효율등급 인증)로 이동함

▶ 「녹색건축물 조성 지원법」

법 제17조 【건축물의 에너지효율등급 인증 및 제로에너지건축물 인증】

① 국토교통부장관은 에너지성능이 높은 건축물을 확대하고, 건축물의 효과적인 에너지관리를 위하여 건축물 에너지효율등급 인증제 및 제로에너지건축물 인증제를 시행한다. <개정 2016.1.19.>

② 국토교통부장관은 제1항에 따른 건축물 에너지효율등급 인증제 및 제로에너지건축물 인증제를 시행하기 위하여 운영기관 및 인증기관을 지정하고, 건축물 에너지효율등급 인증 및 제로에너지건축물 인증 업무를 위임할 수 있다. <개정 2016.1.19.>

③ 건축물 에너지효율등급 인증을 받으려는 자는 대통령령으로 정하는 건축물의 용도 및 규모에 따라 제2항에 따른 인증기관에게 신청하여야 하며, 인증평가 업무는 인증기관에 소속되거나 등록된 건축물에너지평가사가 수행하여야 한다. <개정 2014.5.28.>

④ 제3항의 인증평가 결과가 국토교통부와 산업통상자원부의 공동부령으로 정하는 기준 이상인 건축물에 대하여 제로에너지건축물 인증을 받으려는 자는 제2항에 따른 인증기관에 신청하여야 한다. <신설 2016.1.19.>

⑤ 제1항에 따른 건축물 에너지효율등급 인증제 및 제로에너지건축물 인증제의 운영과 관련하여 다음 각 호의 사항에 대하여는 국토교통부와 산업통상자원부의 공동부령으로 정한다. <개정 2016.1.19.>

1. 인증 대상 건축물의 종류
2. 인증기준 및 인증절차
3. 인증유효기간
4. 수수료
5. 인증기관 및 운영기관의 지정 기준, 지정 절차 및 업무범위
6. 인증받은 건축물에 대한 점검이나 실태조사
7. 인증 결과의 표시 방법
8. 인증평가에 대한 건축물에너지평가사의 업무범위

⑥ 대통령령으로 정하는 건축물을 건축 또는 리모델링하려는 건축주는 해당 건축물에 대하

여 에너지효율등급 인증 또는 제로에너지건축물 인증을 받아 그 결과를 표시하고, 「건축법」 제22조에 따라 건축물의 사용승인을 신청할 때 관련 서류를 첨부하여야 한다. 이 경우 사용승인을 한 허가권자는 「건축법」 제38조에 따른 건축물대장에 해당 사항을 지체 없이 적어야 한다. <개정 2019.4.30.>
[제목개정 2016.1.19.]

▶ 「녹색건축물 조성 지원법 시행령」

영 제12조【건축물의 에너지효율등급 인증 및 제로에너지건축물 인증 대상 건축물 등】

① 법 제17조제3항에서 "대통령령으로 정하는 건축물의 용도 및 규모"란 다음 각 호의 용도 등을 말한다. <개정 2016.12.30.>

1. 「건축법 시행령」 별표 1 제2호가목부터 다목까지의 공동주택(이하 "공동주택"이라 한다)
2. 업무시설
3. 그 밖에 법 제17조제5항제1호에 따라 국토교통부와 산업통상자원부의 공동부령으로 정하는 건축물

② 법 제17조제6항 전단에서 "대통령령으로 정하는 건축물"이란 다음 각 호의 기준에 모두 해당하는 건축물을 말한다. <개정 2016.12.30.>

1. 제9조제2항 각 호의 기관이 소유 또는 관리하는 건축물일 것
2. 신축 · 재축 또는 증축하는 건축물일 것. 다만, 증축의 경우에는 기존 건축물의 대지에 별개의 건축물로 증축하는 경우로 한정한다.
3. 연면적이 3천제곱미터 이상일 것
4. 법 제14조제1항에 따른 에너지 절약계획서 제출 대상일 것
5. 법 제17조제5항제1호에 따라 국토교통부와 산업통상자원부의 공동부령으로 정하는 건축물에 해당할 것

[제목개정 2016.12.30.]

【참고1】 건축물 에너지효율등급 인증 및 제로에너지건축물 인증에 관한 규칙

(국토교통부령 제878호, 2021.8.23) ☞ 3권 건축법령집 참조

【참고2】 건축물 에너지효율등급 인증 및 제로에너지건축물 인증 기준

(국토교통부고시 제2020-574호, 2020.8.13.) ☞ 3권 건축법령집 참조

16 관계전문기술자(법 제67조)(영 제91조의3)(규칙 제36조의2)(설비규칙 제2조, 제3조)

법 제67조【관계전문기술자】

① 설계자와 공사감리자는 제40조, 제41조, 제48조부터 제50조까지, 제50조의2, 제51조, 제52조, 제62조 및 제64조와 「녹색건축물 조성 지원법」 제15조에 따른 대지의 안전, 건축물의 구조상 안전, 부속구조물 및 건축설비의 설치 등을 위한 설계 및 공사감리를 할 때 대통령령으로 정하는 바에 따라 다음 각 호의 어느 하나의 자격을 갖춘 관계전문기술자(「기술사법」 제21조제2호에 따라 벌칙을 받은 후 대통령령으로 정하는 기간이 지나지 아니한 자는 제외한다)의 협력을 받아야 한다. <개정 2020.6.9., 2021.3.16>

1. 「기술사법」 제6조에 따라 기술사사무소를 개설등록한 자
2. 「건설기술 진흥법」 제26조에 따라 건설엔지니어링사업자로 등록한 자
3. 「엔지니어링산업 진흥법」 제21조에 따라 엔지니어링사업자의 신고를 한 자
4. 「전력기술관리법」 제14조에 따라 설계업 및 감리업으로 등록한 자

② 관계전문기술자는 건축물이 이 법 및 이 법에 따른 명령이나 처분, 그 밖의 관계 법령에 맞고 안전·기능 및 미관에 지장이 없도록 업무를 수행하여야 한다.

영 제91조의3【관계전문기술자와의 협력】

① "생략" ➡ 제5장 해설 참조

② 연면적 1만제곱미터 이상인 건축물(창고시설은 제외한다) 또는 에너지를 대량으로 소비하는 건축물로서 국토교통부령으로 정하는 건축물에 건축설비를 설치하는 경우에는 국토교통부령으로 정하는 바에 따라 다음 각 호의 구분에 따른 관계전문기술자의 협력을 받아야 한다. <개정 2017.5.2.>

1. 전기, 승강기(전기 분야만 해당한다) 및 피뢰침: 「기술사법」에 따라 등록한 건축전기설비기술사 또는 발송배전기술사
2. 급수·배수(配水)·배수(排水)·환기·난방·소화·배연·오물처리 설비 및 승강기(기계 분야만 해당한다): 「기술사법」에 따라 등록한 건축기계설비기술사 또는 공조냉동기계기술사
3. 가스설비: 「기술사법」에 따라 등록한 건축기계설비기술사, 공조냉동기계기술사 또는 가스기술사

③ "생략" ➡ 제5장 해설 참조

④ "생략" ➡ 제5장 해설 참조

⑤ "생략" ➡ 제5장 해설 참조

⑥ "생략" ➡ 제5장 해설 참조

⑦ 제1항부터 제6항까지의 규정에 따라 설계자 또는 공사감리자에게 협력한 관계전문기술자는 공사 현장을 확인하고, 그가 작성한 설계도서 또는 감리중간보고서 및 감리완료보고서에 설계자 또는 공사감리자와 함께 서명날인하여야 한다. <개정 2018.12.4>

⑧ 제32조제1항에 따른 구조 안전의 확인에 관하여 설계자에게 협력한 건축구조기술사는 구조의 안전을 확인한 건축물의 구조도 등 구조 관련 서류에 설계자와 함께 서명날인하여야 한다. <개정 2018.12.4>

⑨ 법 제67조제1항 각 호 외의 부분에서 "대통령령으로 정하는 기간"이란 2년을 말한다. <개정 2018.12.4>

설비규칙 제2조【관계전문기술자의 협력을 받아야 하는 건축물】

「건축법 시행령」(이하 "영"이라 한다) 제91조의3제2항 각 호 외의 부분에서 "국토교통부령으로 정하는 건축물"이란 다음 각 호의 건축물을 말한다. <개정 2020.4.9.>

1. 냉동냉장시설 · 항온항습시설(온도와 습도를 일정하게 유지시키는 특수설비가 설치되어 있는 시설을 말한다) 또는 특수청정시설(세균 또는 먼지등을 제거하는 특수설비가 설치되어 있는 시설을 말한다)로서 당해 용도에 사용되는 바닥면적의 합계가 5백제곱미터 이상인 건축물
2. 영 별표 1 제2호가목 및 나목에 따른 아파트 및 연립주택
3. 다음 각 목의 어느 하나에 해당하는 건축물로서 해당 용도에 사용되는 바닥면적의 합계가 5백제곱미터 이상인 건축물
   가. 영 별표 1 제3호다목에 따른 목욕장
   나. 영 별표 1 제13호가목에 따른 물놀이형 시설(실내에 설치된 경우로 한정한다) 및 같은 호 다목에 따른 수영장(실내에 설치된 경우로 한정한다)
4. 다음 각 목의 어느 하나에 해당하는 건축물로서 해당 용도에 사용되는 바닥면적의 합계가 2천제곱미터 이상인 건축물
   가. 영 별표 1 제2호라목에 따른 기숙사
   나. 영 별표 1 제9호에 따른 의료시설
   다. 영 별표 1 제12호다목에 따른 유스호스텔
   라. 영 별표 1 제15호에 따른 숙박시설
5. 다음 각 목의 어느 하나에 해당하는 건축물로서 해당 용도에 사용되는 바닥면적의 합계가 3천제곱미터 이상인 건축물
   가. 영 별표 1 제7호에 따른 판매시설
   나. 영 별표 1 제10호마목에 따른 연구소
   다. 영 별표 1 제14호에 따른 업무시설
6. 다음 각 목의 어느 하나에 해당하는 건축물로서 해당 용도에 사용되는 바닥면적의 합계가 1만제곱미터 이상인 건축물
   가. 영 별표 1 제5호가목부터 라목까지에 해당하는 문화 및 집회시설
   나. 영 별표 1 제6호에 따른 종교시설
   다. 영 별표 1 제10호에 따른 교육연구시설(연구소는 제외한다)
   라. 영 별표 1 제28호에 따른 장례식장

설비규칙 제3조【관계전문기술자의 협력사항】

① 영 제91조의3제2항에 따른 건축물에 전기, 승강기, 피뢰침, 가스, 급수, 배수(配水), 배수(排水), 환기, 난방, 소화, 배연(排煙) 및 오물처리설비를 설치하는 경우에는 건축사가 해당 건축물의 설계를 총괄하고, 「기술사법」에 따라 등록한 건축전기설비기술사, 발송배전(發送配電)기술사, 건축기계설비기술사, 공조냉동기계기술사 또는 가스기술사(이하 "기술사"라 한다)가 건축사와 협력하여 해당 건축설비를 설계하여야 한다. <개정 2017.5.2.>

② 영 제91조의3제2항에 따라 건축물에 건축설비를 설치한 경우에는 해당 분야의 기술사가 그 설치상태를 확인한 후 건축주 및 공사감리자에게 별지 제1호서식의 건축설비설치확인서를 제출하여야 한다.

1 관계전문기술자의 협력

(1) 설계자 및 공사감리자는 다음의 내용에 의한 설계 및 공사감리를 함에 있어 관계전문기술자의 협력을 받아야 한다.

<table>
<tr><td>내 용</td><td colspan="4">대지의 안전, 건축물의 구조상 안전, 부속구조물 및 건축설비의 설치 등을 위한 설계 및 공사감리</td></tr>
<tr><td rowspan="8">세부관련 규정</td><td>법조항</td><td>내 용</td><td>법조항</td><td>내 용</td></tr>
<tr><td>법제40조</td><td>대지의 안전 등</td><td>법제50조</td><td>건축물의 내화구조와 방화벽</td></tr>
<tr><td>법제41조</td><td>토지 굴착부분에 대한 조치 등</td><td>법제50조의2</td><td>고층건축물의 피난 및 안전관리</td></tr>
<tr><td>법제48조</td><td>구조내력 등</td><td>법제51조</td><td>방화지구 안의 건축물</td></tr>
<tr><td>법제48조의2</td><td>건축물 내진등급의 설정</td><td>법제52조</td><td>건축물의 내부 마감재료</td></tr>
<tr><td>법제48조의3</td><td>건축물의 내진능력 공개</td><td>법제62조</td><td>건축설비기준 등</td></tr>
<tr><td>법제48조의4</td><td>부속건축물의 설치 및 관리</td><td>법제64조</td><td>승강기</td></tr>
<tr><td>법제49조</td><td>건축물의 피난시설 및 용도제한 등</td><td>녹색건축물조성 지원법 제15조</td><td>건축물에 대한 효율적인 에너지 관리와 녹색건축물 조성의 활성화</td></tr>
<tr><td>관계전문 기술자의 협력</td><td colspan="4">1. 안전상 필요하다고 인정하는 경우
2. 관계법령이 정하는 경우
3. 설계계약 또는 감리계약에 따라 건축주가 요청하는 경우</td></tr>
<tr><td>관계전문 기술자의 업무수행</td><td colspan="4">관계전문기술자는 건축물이 이 법 및 이 법에 따른 명령이나 처분, 그 밖의 관계 법령에 맞고 안전·기능 및 미관에 지장이 없도록 업무를 수행하여야 한다.</td></tr>
</table>

(2) 관계전문기술자의 자격

자 격	근거 법규정	비 고
1. 기술사사무소를 개설등록한 자	「기술사법」 제6조	「기술사법」 제21조 제2호의 벌칙을 받은 후 2년이 지나지 아니한 자는 제외
2. 건설엔지니어링업자로 등록한 자	「건설기술 진흥법」 제26조	
3. 엔지니어링사업자의 신고를 한 자	「엔지니어링산업 진흥법」 제21조	
4. 설계업 및 감리업으로 등록한 자	「전력기술관리법」 제14조	

관계법 「기술사법」, 「건설기술 진흥법」, 「엔지니어링산업 진흥법」, 「전력기술관리법」 ➡ 제5장 1 5 참조

2 건축설비관련기술사의 협력

다음에 관한 부속구조물 및 건축설비의 설치 등을 위한 건축물의 설계 및 공사감리를 할 때 설계자 및 공사감리자는 건축설비 분야별 관계전문기술자의 협력을 받아야 한다.

<table>
<tr><td rowspan="8">대상</td><td colspan="3">1. 연면적이 10,000㎡ 이상인 건축물(창고시설 제외한 모든 용도 해당)</td></tr>
<tr><td rowspan="7">2. 에너지를 대량으로 소비하는 건축물</td><td>용도</td><td>해당용도 바닥면적 합계</td></tr>
<tr><td>① 냉동냉장시설 · 항온항습시설(온도와 습도를 일정하게 유지시키는 특수설비가 설치된 시설) 또는 특수청정시설(세균 또는 먼지 등을 제거하는 특수설비가 설치된 시설)</td><td>500㎡ 이상</td></tr>
<tr><td>② 아파트 및 연립주택</td><td>-</td></tr>
<tr><td>③ 목욕장, 실내 물놀이형 시설, 실내 수영장</td><td>500㎡ 이상</td></tr>
<tr><td>④ 기숙사, 의료시설, 유스호스텔, 숙박시설</td><td>2,000㎡ 이상</td></tr>
<tr><td>⑤ 판매시설, 연구소, 업무시설</td><td>3,000㎡ 이상</td></tr>
<tr><td>⑥ 문화 및 집회시설(동 · 식물원 제외), 종교시설, 장례식장, 교육연구시설(연구소 제외) 등</td><td>10,000㎡ 이상</td></tr>
</table>

<table>
<tr><td rowspan="4">관계전문 기술자</td><td>구분</td><td>기술자격</td><td>설비분야</td></tr>
<tr><td>1. 전기</td><td>건축전기설비기술사
발송배전기술사</td><td>전기, 승강기(전기분야만 해당) 및 피뢰침</td></tr>
<tr><td>2. 기계</td><td>건축기계설비기술사
공조냉동기계기술사</td><td>급수·배수(配水)·배수(排水)·환기·난방·소화(消火)·배연(排煙)·오물처리의 설비 및 승강기(기계분야만 해당)</td></tr>
<tr><td>3. 가스</td><td>건축기계설비기술사
공조냉동기계기술사
가스기술사</td><td>가스설비</td></tr>
<tr><td>서명 날인</td><td colspan="3">▪ 설계자 및 공사감리자에게 협력한 기술사는 설계자 및 공사감리자가 작성한 설계도서 또는 감리중간보고서 및 감리완료보고서에 함께 서명 · 날인하여야 함.</td></tr>
<tr><td>협력 사항</td><td colspan="3">▪ 건축물에 전기 · 승강기 · 피뢰침 · 가스 · 급수 · 배수(配水) · 배수(排水) · 환기 · 난방 · 소화 · 배연 및 오물처리설비를 설치하는 경우에는 건축사가 해당 건축물의 설계를 총괄하고, 기술사가 건축사와 협력하여 설계를 하여야 함.
▪ 건축물에 건축설비를 설치한 경우에는 기술사가 그 설치상태를 확인한 후 건축주 및 공사감리자에게 건축설비설치확인서(설비규칙 별지 제1호서식)를 제출하여야 함.</td></tr>
</table>

3 건축구조기술사의 협력 【제5장 참조】

4 토목분야기술사의 협력 【제5장 참조】

17 기술적 기준(법 제68조)

법 제68조【기술적 기준】

① 제40조, 제41조, 제48조부터 제50조까지, 제50조의2, 제51조, 제52조, 제52조의2, 제62조 및 제64조에 따른 대지의 안전, 건축물의 구조상의 안전, 건축설비 등에 관한 기술적 기준은 이 법에서 특별히 규정한 경우 외에는 국토교통부령으로 정하되, 이에 따른 세부기준이 필요하면 국토교통부장관이 세부기준을 정하거나 국토교통부장관이 지정하는 연구기관(시험기관 · 검사기관을 포함한다), 학술단체, 그 밖의 관련 전문기관 또는 단체가 국토교통부장관의 승인을 받아 정할 수 있다. <개정 2014.5.28>

② 국토교통부장관은 제1항에 따라 세부기준을 정하거나 승인을 하려면 미리 건축위원회의 심의를 거쳐야 한다.

③ 국토교통부장관은 제1항에 따라 세부기준을 정하거나 승인을 한 경우 이를 고시하여야 한다.

④ 국토교통부장관은 제1항에 따른 기술적 기준 및 세부기준을 적용하기 어려운 건축설비에 관한 기술 · 제품이 개발된 경우, 개발한 자의 신청을 받아 그 기술 · 제품을 평가하여 신규성 · 진보성 및 현장 적용성이 있다고 판단하는 경우에는 대통령령으로 정하는 바에 따라 설치 등을 위한 기준을 건축위원회의 심의를 거쳐 인정할 수 있다. <신설 2020.4.7.>

영 제91조의4【신기술 · 신제품인 건축설비의 기술적 기준】

① 법 제68조제4항에 따라 기술적 기준을 인정받으려는 자는 국토교통부령으로 정하는 서류를 국토교통부장관에게 제출해야 한다.

② 국토교통부장관은 제1항에 따른 서류를 제출받으면 「과학기술분야 정부출연연구기관 등의 설립 · 운영 및 육성에 관한 법률」에 따른 한국건설기술연구원에 그 기술 · 제품이 신규성 · 진보성 및 현장 적용성이 있는지 여부에 대해 검토를 요청할 수 있다.

③ 국토교통부장관은 제1항에 따라 기술적 기준의 인정 요청을 받은 기술 · 제품이 신규성 · 진보성 및 현장 적용성이 있다고 판단되면 그 기술적 기준을 중앙건축위원회의 심의를 거쳐 인정할 수 있다.

④ 국토교통부장관은 제3항에 따라 기술적 기준을 인정할 때 5년의 범위에서 유효기간을 정할 수 있다. 이 경우 유효기간은 국토교통부령으로 정하는 바에 따라 연장할 수 있다.

⑤ 국토교통부장관은 제3항 및 제4항에 따라 기술적 기준을 인정하면 그 기준과 유효기간을 관보에 고시하고, 인터넷 홈페이지에 게재해야 한다.

⑥ 제1항부터 제5항까지에서 정한 사항 외에 법 제68조제4항에 따른 건축설비 기술 · 제품의 평가 및 그 기술적 기준 인정에 관하여 필요한 세부 사항은 국토교통부장관이 정하여 고시할 수 있다.

[본조신설 2021.1.8.]

규칙 제2조【신기술 · 신제품인 건축설비에 대한 기술적 기준 인정신청 등】

① 영 제91조의4제1항에서 "국토교통부령으로 정하는 서류"란 다음 각 호의 서류를 말한다.

1. 신기술 · 신제품인 건축설비의 구체적인 내용 · 기능과 해당 건축설비의 신규성 · 진보성 및 현장 적용성에 관한 내용을 적은 서류
2. 신기술 · 신제품인 건축설비와 관련된 다음 각 목의 증서 · 서류 등의 사본

가. 「건설기술 진흥법 시행령」 제33조제1항에 따라 발급받은 신기술 지정증서

나. 「특허법」 제86조에 따라 발급받은 특허증
다. 「산업기술혁신 촉진법 시행령」 제18조제6항에 따라 발급받은 신기술 인증서, 같은 영 제18조의4제2항에 따라 발급받은 신기술적용제품 확인서 및 같은 영 제18조의5제1항에서 준용하는 같은 영 제18조제6항에 따라 발급받은 신제품 인증서
라. 그 밖에 다른 법령에 따라 발급받은 증서·서류 등
3. 「산업표준화법」 제12조에 따른 한국산업표준 중 인정을 신청하는 신기술·신제품인 건축설비와 관련된 부분
4. 국제표준화기구(ISO)에서 정한 내용 중 인정을 신청하는 신기술·신제품인 건축설비와 관련된 부분
5. 그 밖에 신기술·신제품인 건축설비의 기술적 기준 인정에 필요한 서류로서 국토교통부장관이 정하여 고시하는 서류

② 영 제91조의4제1항에 따라 신기술·신제품인 건축설비의 기술적 기준에 대한 인정을 받으려는 자는 별지 제27호의2서식의 신기술·신제품인 건축설비의 기술적 기준 인정 신청서에 제1항 각 호의 증서·서류 등을 첨부하여 국토교통부장관에게 제출해야 한다. 이 경우, 제1항제2호부터 제5호까지의 증서·서류 등은 해당 증서·서류 등이 있는 경우에만 첨부한다.

③ 법 제68조제4항에 따라 신기술·신제품인 건축설비의 기술적 기준에 대한 인정을 받은 자가 영 제91조의4제4항 후단에 따라 유효기간을 연장받으려는 경우에는 유효기간 만료일의 6개월 전까지 별지 제27호의2서식의 신기술·신제품인 건축설비의 기술적 기준 유효기간 연장 신청서를 국토교통부장관에게 제출해야 한다.

④ 국토교통부장관은 영 제91조의4제4항 후단에 따라 유효기간을 연장하는 경우에는 5년의 범위에서 연장할 수 있다.
[본조신설 2021.12.31.]

【1】 국토교통부령으로 정할 기술적 기준

구분		
내 용	다음 규정에 따른 대지의 안전, 건축물의 구조상 안전, 건축설비 등에 관한 기술적 기준	
	• 법 제40조(대지의 안전 등) • 법 제41조(토지 굴착 부분에 대한 조치 등) • 법 제48조(구조내력 등) • 법 제48조의2(건축물 내진등급의 설정) • 법 제48조의3(건축물의 내진능력 공개) • 법 제48조의4(부속구조물의 설치 및 관리) • 법 제49조(건축물의 피난시설 및 용도제한 등)	• 법 제50조(건축물의 내화구조와 방화벽) • 법 제50조의2(고층건축물의 피난 및 안전관리) • 법 제51조(방화지구 안의 건축물) • 법 제52조(건축물의 마감재료) • 법 제52조의2(실내건축) • 법 제62조(건축설비기준 등) • 법 제64조(승강기)에 따른
기술적기준의 규정	국토교통부령으로 정함.	
세부기준의 규정	• 국토교통부장관이 정하거나 • 국토교통부장관이 지정하는 연구기관(시험기관·검사기관을 포함), 학술단체 그 밖의 관련전문기관 또는 단체가 국토교통부장관의 승인을 받아 정할 수 있음.	■ 국토교통부장관은 세부기준을 정하거나 승인을 하고자 할 때에는 미리 건축위원회의 심의를 거쳐야 함. ■ 국토교통부장관은 세부기준을 정하거나 승인을 한 경우에는 이를 고시하여야 함.

【참고】 국토교통부 장관이 정하거나 승인한 세부기준의 종류 ➡ 1권 2편 및 CD 참조

- 건축구조기준(국토교통부고시 제2022-570호, 2022.10.11., 전부개정)
- 건축자재등 품질인정 및 관리기준[국토교통부고시 제2023-24호, 2023.1.9.]
- 고강도 콘크리트 기둥·보의 내화성능 관리기준(국토교통부고시 제2008-334호, 2008.7.21.)
- 벽체의 차음구조 인정 및 관리기준(국토교통부고시 제2023-25호, 2023.1.12.)
- 소음방지를 위한 층간 바닥충격음 차단 구조기준(국토교통부고시 제2018-585호, 2018.9.21.)

【2】 신기술 · 신제품인 건축설비의 기술적 기준

① 국토교통부장관은 위 규정으로는 기술적 기준 및 세부기준을 적용하기 어려운 건축설비에 관한 기술 · 제품이 개발된 경우, 개발한 자의 신청을 받아 그 기술 · 제품을 평가하여 신규성 · 진보성 및 현장 적용성이 있다고 판단하는 경우 아래 절차에 따라 설치 등을 위한 기준을 건축위원회의 심의를 거쳐 인정할 수 있다.

▪건축설비의 기술적 기준 인정 절차	
1. 신청	기술적 기준을 인정받으려는 자는 서류(※)를 국토교통부장관에게 제출해야 한다.
2. 검토	국토교통부장관은 서류를 제출받으면 한국건설기술연구원에 그 기술 · 제품이 신규성 · 진보성 및 현장 적용성이 있는지 여부에 대해 검토를 요청할 수 있다.
3. 심의와 인정	국토교통부장관은 기술적 기준의 인정 요청을 받은 기술 · 제품이 신규성 · 진보성 및 현장 적용성이 있다고 판단되면 그 기술적 기준을 중앙건축위원회의 심의를 거쳐 인정할 수 있다.
4. 유효기간 지정	국토교통부장관은 기술적 기준을 인정할 때 5년의 범위에서 유효기간을 정할 수 있다. (유효기간은 국토교통부령으로 정하는 바에 따라 연장 가능)
5. 고시	국토교통부장관은 기술적 기준을 인정하면 그 기준과 유효기간을 관보에 고시하고, 인터넷 홈페이지에 게재해야 한다.

※ 제출서류

<table>
<tr><th colspan="4">• 신기술 · 신제품인 건축설비의 기술적 기준 인정 신청서(별지 제27호의2서식)와 아래의 첨부서류
* 아래 서류는 있는 경우에만 첨부</th></tr>
<tr><td colspan="4">1. 신기술 · 신제품인 건축설비의 구체적인 내용 · 기능과 해당 건축설비의 신규성 · 진보성 및 현장 적용성에 관한 내용을 적은 서류</td></tr>
<tr><td rowspan="7">2. 신기술 · 신제품인 건축설비와 관련된 우측란의 증서 · 서류 등의 사본</td><td>종류</td><td colspan="2">근거법령</td></tr>
<tr><td>① 신기술 지정증서</td><td colspan="2">「건설기술 진흥법 시행령」 제33조제1항</td></tr>
<tr><td>② 특허증</td><td colspan="2">「특허법」 제86조</td></tr>
<tr><td>③ 신기술 인증서</td><td rowspan="3">「산업기술혁신 촉진법 시행령」</td><td>제18조제6항</td></tr>
<tr><td>④ 신기술적용제품 확인서</td><td>제18조의4제2항</td></tr>
<tr><td>⑤ 신제품 인증서</td><td>제18조제6항</td></tr>
<tr><td>⑥ 그 밖에 다른 법령에 따라 발급받은 증서 · 서류 등</td><td colspan="2">-</td></tr>
<tr><td colspan="2">3. 한국산업표준 중 인정을 신청하는 신기술 · 신제품인 건축설비와 관련된 부분</td><td colspan="2">「산업표준화법」 제12조</td></tr>
<tr><td colspan="4">4. 국제표준화기구(ISO)에서 정한 내용 중 인정을 신청하는 신기술 · 신제품인 건축설비와 관련된 부분</td></tr>
<tr><td colspan="4">5. 그 밖에 신기술 · 신제품인 건축설비의 기술적 기준 인정에 필요한 서류로서 국토교통부장관이 정하여 고시하는 서류</td></tr>
</table>

② 앞 ①에서 정한 사항 외에 건축설비 기술 · 제품의 평가 및 그 기술적 기준 인정에 관하여 필요한 세부 사항은 국토교통부장관이 정하여 고시할 수 있다.

【3】 인정받은 기준의 유효기간 연장

① 기술적 기준에 대한 인정을 받은 자가 유효기간을 연장받으려는 경우 유효기간 만료일의 6개월 전까지 신기술·신제품인 건축설비의 기술적 기준 유효기간 연장 신청서(별지 제27호의2서식)를 국토교통부장관에게 제출해야 한다.

② 유효기간을 연장하는 경우 5년의 범위에서 연장할 수 있다.

18 건축물 구조 및 재료 등에 관한 기준의 관리(법 제68조의3)(영 제92조)

법 제68조의3【건축물 구조 및 재료 등에 관한 기준의 관리】

① 국토교통부장관은 기후 변화나 건축기술의 변화 등에 따라 제48조, 제48조의2, 제49조, 제50조, 제50조의2, 제51조, 제52조, 제52조의2, 제52조의4, 제53조의 건축물의 구조 및 재료 등에 관한 기준이 적정한지를 검토하는 모니터링(이하 이 조에서 "건축모니터링"이라 한다)을 대통령령으로 정하는 기간마다 실시하여야 한다. <개정 2019.4.23>

② 국토교통부장관은 대통령령으로 정하는 전문기관을 지정하여 건축모니터링을 하게 할 수 있다.

[본조신설 2015.1.6.]

영 제92조【건축모니터링의 운영】

① 법 제68조의3제1항에서 "대통령령으로 정하는 기간"이란 3년을 말한다.

② 국토교통부장관은 법 제68조의3제2항에 따라 다음 각 호의 인력 및 조직을 갖춘 자를 건축모니터링 전문기관으로 지정할 수 있다.

1. 인력: 「국가기술자격법」에 따른 건축분야 기사 이상의 자격을 갖춘 인력 5명 이상
2. 조직: 건축모니터링을 수행할 수 있는 전담조직

[본조신설 2015.7.6.]

【1】 건축모니터링 대상 규정

법조항	내 용	법조항	내 용
법제48조	구조내력 등	법제51조	방화지구 안의 건축물
법제48조의2	건축물 내진등급의 설정	법제52조	건축물의 내부 마감재료
법제49조	건축물의 피난시설 및 용도제한 등	법제52조의2	실내건축
법제50조	건축물의 내화구조와 방화벽	법제52조의4	건축자재의 품질관리 등
법제50조의2	고층건축물의 피난 및 안전관리	법제53조	지하층

【2】 건축물 구조 및 재료 등에 관한 기준의 관리

① 국토교통부장관은 기후 변화나 건축기술의 변화 등에 따라 건축물의 구조 및 재료 등에 관한 기준이 적정한지를 검토하는 모니터링을 3년마다 실시하여야 한다.

② 다음의 인력과 조직을 갖춘 전문기관을 지정하여 건축모니터링을 하게 할 수 있다.

- 인력 : 건축분야 기사 이상의 자격을 갖춘 인력 5명 이상
- 조직 : 건축모니터링을 수행할 수 있는 전담조직

19 질의회신 · 법령해석

■ 목차

1 난방설비

질의회신 온돌 및 난방설비 확인 관련

국토교통부 민원마당 FAQ 2019.5.24.

질의 건축물에 온돌 및 난방설비 시공자는 시공을 끝낸 후 온돌 및 난방설비 설치확인서를 공사감리자에게 제출하도록 하고 있는 바, 동 확인서를 관련협회(한국열관리시공협회)에서 반드시 받아야 하는지 여부

회신 건축물의 설비기준 등에 관한 규칙 제4조제2항에 따르면 건축물에 온돌 및 난방설비를 시공하는 자는 시공을 끝낸 후 별지 제2호서식의 온돌 및 난방설비 설치확인서를 공사감리자에게 제출하여야 하며,(다만, 제3조제2항에 따른 건축기계설비설치확인서를 제출한 경우와 공사감리자가 확인하는 경우에는 그러하지 아니함). 이는 온돌 및 난방설비가 방열장치 또는 열전달시스템 설비로서 규격미달, 불량자재 사용, 작업공정의 일부 생략 등 부실시공을 하는 경우 안전사고 및 불필요한 열손실 우려가 있어 이를 방지코자 공사감리자에게 제출하여 확인토록 한 것으로, 귀 질의와 같이 온돌 및 난방설비를 시공하는 경우, 동 설치확인서를 반드시 관련협회에 확인을 받아 공사감리자에게 제출하도록 하고 있지 아니함(*제4조 ⇒ 제12조, 2015.7.9. 개정)

질의회신 온돌 및 난방설비 설치확인 관련

국토교통부 민원마당 FAQ 2019.5.24.

질의 건축물에 온돌 및 난방설비 시공자는 시공을 끝낸 후 온돌 및 난방설비 설치확인서를 공사감리자에게 제출하여야 하며, 다만, 공사감리자가 그 설치를 확인한 경우에는 그러하지 아니하는 바, 이 경우 공사감리자가 그 설치를 확인할 경우 사용하는 서식은 무엇인지?

회신 「건축물의 설비기준 등에 관한 규칙」 제4조제2항에 따르면 건축물에 온돌 및 난방설비를 시공하는 자는 시공을 끝낸 후 별지 제2호서식의 온돌 및 난방설비 설치확인서를 공사감리자에게 제출하여야 하나 공사감리자가 직접 그 설치를 확인하는 경우에는 그러하지 아니함. 이 경우, 공사감리자는 「건축법 시행규칙」 〔별지 제21호서식〕 감리보고서에 난방설비 등의 적정여부를 확인토록 하고 있음(*제4조 ⇒ 제12조, 2015.7.9. 개정)

2 공동주택 및 다중이용시설의 환기설비기준 등

질의회신 기계환기설비 설치 시 배출 송풍기의 풍량 확인은?

국토교통부 민원마당 FAQ 2019.5.24.

질의 기계환기설비(제3종) 설치시 배출 송풍기의 풍량 등을 명시한 설계도서만으로 입증이 가능한지 아니면 별도로 시뮬레이션 등의 평가자료를 제출되어야 하는 지 여부

회신 질의의 환기설비가 「건축물의 설비기준 등에 관한 규칙」 제11조 제3항 관련 [별표 1의3] 제7호 다목에 해당하는 기계환기설비일 경우, 동 [별표 1의3] 에 따른 필요환기량 기준에 적합하여야 하며, 해당 기계환기설비의 환기량 입증은 송풍기 풍량 등을 명시한 설계도서로 가능할 것으로 판단됨

일반적으로 시뮬레이션 등의 평가자료는 법률상 제출토록 요구하는 자료는 아니나 급·배기 모두 자연환기설비로 하는 경우와 같이 객관적인 풍량(환기량) 계산 등이 곤란할 경우, 지방건축위원들의 객관적 심의를 위해 필요한 것임

질의회신 기계환기설비 설치 여부

국토교통부 민원마당 FAQ 2020.1.8.

질의 「유통산업발전법」 제2조 제3호에 의한 대규모점포를 건축함에 있어, 각 층 대다수 점포가 외부로부터 직접 진입이 가능하도록 설계하였으며, 외부진입이 불가능한 점포의 경우에는 충분한 환기면적을 확보한 창으로 계획하였는 바, 기계환기설비를 설치하여야 하는 지 여부

회신 「건축물의 설비기준 등에 관한 규칙」 제11조 제4항의 환기설비기준은 다중이 이용하는 시설로써 지하에 위치하거나 지상에 위치하더라도 공간 규모가 커서 외기에 접하는 면적이 상대적으로 작은 건축물의 경우에 창호 또는 자연환기설비만으로는 '건축물의 설비기준 등에 관한 규칙' 별표 1의3제2호에 의한 필요 환기량을 충족시킬 수가 없기 때문에 기계환기설비를 의무적으로 설치토록 규정됨.

질의회신 환기설비 기준에 적합하게 하여야 하는 지

국토교통부 민원마당 FAQ 2019.5.24.

질의 가.「건축물의 설비기준 등에 관한 규칙」 제11조의 100세대 이상 공동주택 기준이 사업범위에 포함된 단지 내 100세대 이상인지, 단일건물 내 100세대 이상인 지 여부

나.「건축물의 설비기준 등에 관한 규칙」 제11조의 시행시기는 '06.5.12 인 바, 동 규칙의 시행시기 이전에 발주된 사업도 동 규칙의 적용을 받아 환기설비를 기준에 맞도록 설치해야 하는 지 여부

다. 군 관사의 위치가 도심지에 위치하지 않고 도시 외곽이나 분리된 곳에 위치하여 상대적으로 도심지보다 공기질에 문제가 없을 것으로 판단되는 바, 해당지역도 동 규칙의 적용을 받아야 하는 지 여부

회신 가.「건축물의 설비기준 등에 관한 규칙」 제11조 제1항 제1호에서 규정한 공동주택은 건축법 제2조 제1항 제1호의 대지 내에서 신축하는 100세대 이상의 공동주택(하나의 대지 내에 여러 동의 공동주택이 있는 경우에는 동별 세대수 전체를 합한 것이 100세대 이상인 경우를 포함함)을 말함.

나.「건축물의 설비기준 등에 관한 규칙」 제11조 제1항의 규정은 2006.02.13 동 규칙의 일부 개정 시 신설(2006.02.13 시행)된 것으로 규칙의 부칙 제2항의 규정에 의하여 개정된 규칙 시행 당시 이미 건축허가를 신청중인 경우와 건축허가를 받았거나 건축신고를 하고 건축중인 경우에는 종전의 규칙을 적용하며, 건축허가 또는 건축신고가 의제되는 다른 법령에 의한 인·허가의 신청 등을 포함함

다.「건축물의 설비기준 등에 관한 규칙」 제11조의 규정은 건축물의 대지가 속하는 지역 또는 지역 등에 따라 적용대상을 달리 하지 아니하며 신축하는 공동주택이 위 "가"의 설명에 해당하는 경우에는 적용하는 것임

[* 100세대 ⇒ 30세대(「건축물의 설비기준 등에 관한 규칙」 제11조 2020.4.9 개정)]

질의회신 환기설비의 분산 설치 여부

국토교통부 민원마당 FAQ 2019.5.24.

질의 「건축물의 설비기준 등에 관한 규칙」 제11조 제1항 내지 제3항의 규정에 의하여 공동주택에 기계환기설비를 설치하는 경우 세대 내의 각 실에 환기설비를 설치하여야 하는지 아니면 각 세대에 필요한 환기량을 확보한 환기설비를 세대 안의 거실 중 어느 한 곳에만 설치하여도 되는 지

회신 「건축물의 설비기준 등에 관한 규칙」 제11조 제1항 내지 제4항의 규정에 의하여 공동주택에 환기설비를 설치하는 경우 일반적으로 공동주택의 단위세대는 거실, 침실 및 화장실 등 다수의 실로 구성되는 바, 각 세대내에 있는 다수의 실에 바깥공기(외부공기)를 공급할 경우의 필요환기량은 세내의 모든 실에 공급되는 필요환기량의 합계 이상이어야 하며, 각 실의 필요환기량을 최대한 균일하게 적용하면서 전체풍량에 맞추어야 하는 것임

질의회신 자연환기설비에 의한 환기횟수의 충족 여부

국토교통부 민원마당 FAQ 2019.5.24.

질의 자연환기설비에 의한 환기횟수는 창호를 닫은 상태로서 충족되어야 하는 것인지

회신 「건축물의 설비기준 등에 관한 규칙」 제11조 제1항 및 제2항의 규정에 의한 "자연환기설비"는 외부바람 및 실내외 압력차 등의 자연적인 구동력에 의해 환기횟수를 확보할 수 있도록 설치하는 환기구 또는 환기장치 등의 설비를 말하는 것으로서, 개폐가 가능한 일반적인 창호가 있는 경우 확보하여야 하는 환기횟수는 그 창호를 닫은 상태에서 충족되어야 하는 것임

3 배연설비

법령해석 배연설비 설치에 관한 질의

법제처 법령해석, 1995.4.24.

질의요지 ○ 「건축법시행령 제94조」 규정에 의하여 6층 이상 건축물로서 업무시설 등의 거실에는 건설부령이 정하는 바에 의하여 배연설비를 설치하여야 하며 「건축물의설비기준등에관한규칙 제14조제1항」을 보면 건축물에 방화구획이 설치된 경우에는 그 구획마다 배연설비를 설치하도록 되어 있는바,

○ 복도가 별도의 방화구획으로 구분된 경우, 거실이 아니더라도 방화구획에 따른 배연설비를 설치해야 하는지 여부.

<의견>

○ 갑설: 복도가 별도의 방화구획으로 구분된 경우, 「건축법시행령 제94조」에 의하여 복도는 거실이 아니므로 배연설비를 할 필요가 없다.

○ 을설: 「건축물의설비기준등에관한규칙 제14조제1항」에 의하여 복도라 할지라도 방화구획이 설치된 경우에는 배연설비를 설치하여야 한다.

<우리시 의견>

배연설비 설치 목적에 부합되는 을설이 타당할 것으로 사료됨.

회답 ○ 「건축법시행령 제94조」에 의하여 6층 이상의 건축물로서 관람집회시설 등의 거실에는 건설교통부령이 정하는바에 의하여 배연설비를 설치하여야 하는 것이며, 이에 따른 건설교통부령인 「건축물의설비기준등에관한규칙 제14조제1항」의 규정에 의하여 건축물에 방화구획이 설치된 경우에는 그 구획마다 1개소 이상의 배연구를 설치하도록 하고 있으므로 별도로 방화 구획된 복도의 경우 배연설비를 설치하는 것이 배연설비 설치 취지에 부합할 것임. (* 건축법 시행령 제94조 ⇒ 제51조)

질의회신 배연설비 설치 대상

국토교통부 민원마당 FAQ 2019.5.24.

질의 건축법상 배연설비를 설치하여야 하는 부분?

회신 「건축물의 설비기준 등에 관한 규칙」 제14조제1항의 규정에 의하면 「건축법시행령」 제87조제2항의 규정에 의하여 6층 이상의 건축물로서 문화 및 집회시설, 판매 및 영업시설, 의료시설, 교육연구 및 복지시설중 연구소·아동관련시설·노인복지시설 및 유스호스텔, 운동시설, 업무시설, 숙박시설, 위락시설, 관광휴게시설, 제2종 근린생활시설 중 고시원 및 장례식장에 쓰이는 거실에는 피난층을 제외하고 본문 각 호의 기준에 적합하게 배연설비를 설치하여야 하는 것이며, 기타 관계법령에도 적합하여야 할 것임(* 제87조 ⇒ 제51조)

질의회신 복합건물에서 배연설비를 업무시설부분에만 설치하는 것이 가능한지

건교부 건축 58070-1413, 2003.8.4.

질의 1층~5층 근린생활시설, 6층~10층 업무시설인 건축물에 대하여 배연설비를 6층부터 설치하는 것이 가능한지 여부

회신 건축물의설비기준등에관한규칙 제14조제1항의 규정에 의하여 6층이상의 건축물로서 문화 및 집회시설, 판매 및 영업시설, 업무시설 등에 쓰이는 거실에는 동조동항각호에 적합하게 배연설비를 설치하여야 하는 것인 바, 귀 문의의 경우에는 업무시설이 소재한 층수에 관계없이 업무시설에는 모두 배연설비를 설치하여야 하는 것이니 보다 구체적인 사항은 당해 허가권자에게 문의바람

질의회신 1/20 환기창을 설치한 경우 배연창 유효면적 산정 제외

건교부 건축기획팀-3236, 2006.5.23.

질의 「건축물의 설비기준 등에 관한 규칙」 제14조제1항제2호 규정에 의해 배연창의 유효면적 산정시 적용하는 바닥면적 산정에 있어서 “거실 바닥면적의 20분의 1이상으로서 환기창을 설치한 거실의 면적은 이에 산입하지 아니한다”에 대한 해석

회신 「건축물의 설비기준 등에 관한 규칙」 제14조제1항제2호 규정에 의해 배연창의 유효면적은 별표2의 산정기준에 의하여 산정한 면적이 1㎡ 이상으로서 그 면적의 합계가 당해 건축물의 바닥면적(영 제46조제1항 또는 제3항의 규정에 의하여 방화구획이 설치된 경우에는 그 구획된 부분의 바닥면적을 말한다)의 1/100 이상이어야 하며 이 경우 바닥면적의 산정에 있어서 거실 바닥면적의 1/20 이상으로 환기창을 설치한 거실의 면적은 이에 산입하지 아니함.

상기 규정에서 배연창의 유효면적은 일정규모 이상의 환기창을 설치하여 유효면적 산정을 위한 거실의 면적을 제외하고 산정한 결과와 관계없이 최소 1㎡ 이상이어야 하는 것이며, 배연창의 유효면적 산정을 위한 당해 건축물 바닥면적의 산정에 있어서 제외할 수 있는 거실의 면적을 환기창이 1/20 이상 설치된 것으로 규정한 것은 환기창이 최소한 동 규모이상이 되어야 배연기능을 일부 충족할 수 있는 것으로 보아 배연창 유효면적 산정시 완화하도록 하는 것인 바,

거실 바닥면적의 1/20 미만으로 환기창을 설치한 거실의 면적은 배연창 유효면적 산정을 위한 바닥면적에 모두 산입하여야 하는 것임

질의회신 배연창의 유효면적 산정

건교부 건축 58070-497, 2003.3.20.

질의 높이 1.2미터, 폭 2.0미터(개폐부분 폭 1.0미터)의 미서기형 배연창 2개가 바닥으로부터 천장까지의 높이 2.4미터의 벽체에 설치되어 있는 경우 배연창의 유효면적 산정에 대한 질의

회신 건축물에 설치하는 배연창은 건축물의설비기준등에관한규칙 제14조제1항제1호의 규정에 의하여 배연창의 상변과 천장 또는 반자로부터의 수직거리가 0.9미터이내어야 하는 것이며, 미서기형 배연창은 동규칙 별표2 제1호의 기준에 의하여 유효면적을 산정하는 것이나, 귀 질의의 경우 바닥에서 1미터미만의 높이에 위치한 배

연창의 부분은 연기의 원활한 배출을 위하여 유효면적 산정시 제외함이 타당할 것이니, 보다 구체적인 사항은 자세한 설계도서를 갖추어 허가권자에게 문의바람

4 배관설비

질의회신 건축물 음용수의 배관설비 관련

국토교통부 민원마당 FAQ 2022.6.21.

질의 주거용 건축물 급수관 지름과 관련한 질의회신(문서번호:건행 58070-958, '93.9.22) 내용이 현재까지도 유효한지 여부

회신 「건축물의 설비기준 등에 관한 규칙」 제18조제6호에 따르면 건축물에 설치하는 음용수의 급수관의 지름은 건축물의 용도 및 규모에 적정한 규격이상으로 하여야 하며, 다만, 주거용 건축물은 당해 배관에 의하여 급수되는 가구수 또는 바닥면적의 합계에 따라 별표 3의 기준에 적합한 지름의 관으로 배관하여야 하며, 이와 관련한 ［별표 3］ '주거용 건축물 급수관의 지름' 비고 2에 따르면 가압설비 등을 설치하여 급수되는 각 기구에서의 압력이 1센티미터당 0.7킬로그램 이상인 경우에는 동 표에서 정한 세대수별 급수관지름의 최소기준을 적용하지 않을 수 있는 것이나, 이 경우, 설계자는 음용수의 급수에 지장이 없는 적정규격의 배관으로 설계하여야 하는 바, 상기와 같은 귀 질의의 문서 내용은 현재까지 유효한 사항임

질의회신 사업계획승인 대상 아파트의 급수배관

국토교통부 민원마당 FAQ 2019.5.24.

질의 사업계획승인 대상 아파트에 설치하는 급수배관을 콘크리트구조체안에 매립할 수 있는지

회신 「주택건설기준 등에 관한 규정」 제43조에 따라 주택에 설치하는 급수·배수용 배관은 콘크리트구조체 안에 매설할 수 없으나, 그 배관이 주택의 바닥면 또는 벽면 등을 직각으로 관통하거나 주택의 구조안전에 지장이 없는 범위에서 콘크리트구조체 안에 덧관을 미리 매설하여 배관을 설치하는 경우 또는 콘크리트 구조체의 형태 등에 따라 배관의 매설이 부득이하다고 사업계획승인권자가 인정하는 경우로서 배관의 부식을 방지하고 그 수선 및 교체가 쉽도록 하여 배관을 설치하는 경우에는 콘크리트구조체 안에 매설할 수 있음

질의회신 근린생활시설에 주방 등 위생용기를 설치할 경우의 주택인정 여부

서울시 건지 58550-4454, 2000.12.13.

질의 가. 근린생활시설을 평면상의 변경없이 위생배관(주방기구설치)을 하였을 경우 이를 주택으로 보아야 하는지 여부 및 건축물의 4층, 5층이 1가구로 계획되어 있었으나 4, 5층에 각각 위생배관(주방기구설치등)을 설치하면 2가구로 볼 수 있는지 여부

나. 설계도면상에 위생배관이 없었으나 임의로 배관을 설치하였을 경우 이 내용을 준공시 일괄신고 하여야 하는지 여부

다. 공사감리자가 위생배관이 설계도면과 같이 시공되었는지 여부를 확인하여야 하는지 여부

라. 위생배관이 임의로 변경되었을 경우 이를 공사감리자가 의무를 소홀히 하였다고 볼 수 있는지 여부

회신 가. 건축법상 주택은 단독주택과 공동주택으로 구분하고 있으며, 주택 자체에 대하여 정의하고 있지는 않으나 일반적으로 가정(주거)생활을 영위하기 위한 건축시설로 가족이 휴식·수면·배설·영양섭취·생식 등의 신체적인 욕구와 단란·유희·공부등 정신적인 욕구를 채우기 위하여 준비된 공간이라 할 수 있으므로 근린생활시설 용도에 단순히 위생배관 설치 유무만으로 주택인지의 여부를 판단할 수 없는 것이며, 또한 가구의 구분도 단순히 위생배관의 구분설치 여부로만 판단할 수 없는 것이며 건축물의 구조·설비·이용형태 등을 종합적으로 조사·검토하여 당해 허가권자가 판단할 사항임을 알려드리니 구체적인 사항은 상세한 현황을 구비

하여 당해 허가권자와 상의 바람
나. 건축허가 또는 신고사항 중 사용승인시 변경사항을 일괄하여 신고할 수 있는 대상은 건축법시행령 제12조제3항의 규정을 따르는 것인바, 동 규정에서 위생배관의 설치에 관한 사항까지 규정하고 있지는 않지만, 건축허가나 신고를 득하고 시공중에 변경된 사항이 관계법령에 의한 변경 허가나 신고(일괄신고 포함)사항이 아니더라도 추후 건축물의 보수·증축 및 유지관리 등의 측면에서 최초 허가사항과 변경하여 시공된 사항(창호, 설비배관, 창호, 칸막이벽 등)이 있는 경우라면 건축법 제9조의2 제2항의 규정에 따라 건축관계자 상호간의 계약을 통하여 변경사항을 반영한 준공도면을 작성하는 것이 바람직할 것으로 사료되며,
다. 공사감리자는 건축물의 설비가 설계도서에 따라 적합하게 시공되고 있는지를 확인하여야 하며,
라. 위생배관의 임의변경이 공사감리자의 의무소홀에 해당하는 것인지의 여부에 관해서는 당해 건축물의 설계 및 시공내용, 변경사항에 대한 처리과정과 그로 인한 문제점 등 구체적인 사안을 고려해야 판단해야 할 것임

5 냉방설비

질의회신 외기냉방 관련

국토교통부 민원마당 FAQ 2012.12.27.

질의 업무시설 층별공조기 설치와 관련하여, 기계설비의 외기냉방을 실내온도를 수동으로 설정하여 외기도입이 제한되는 시스템과 실내온도 자동변경(설정) 기능을 적용하여 외기도입의 제약이 없도록 하는 방식 중 어느 방식이 외기냉방 방식에 적합한지 여부

회신 「건축물의 에너지절약 설계기준」(국토해양부고시 제2008-652, '08.11.18) 제7조제3호 가목에 따르면 기계부문의 권장사항 중 공조설비의 경우, 중간기 등에 외기도입에 의하여 냉방부하를 감소시키는 경우에는 실내공기질을 저하시키지 않는 범위내에서 이코노마이저시스템* 등 외기냉방시스템을 적용하며, 다만, 외기냉방시스템의 적용이 건축물의 총에너지비용을 감소시킬 수 없는 경우에는 그러하지 아니하도록 하고 있음
[* 이코노마이저시스템 : 중간기 또는 동계에 발생하는 냉방부하를 실내 기준온도보다 낮은 도입 외기에 의하여 제거 또는 감소시키는 시스템(동 기준 제3조제10호카목)]
따라서, 동 기준에서는 실내온도 자동설정기능과 관계없이 실내 냉방부하를 감소시키기 위하여 설치되는 것을 외기냉방시스템으로 정하고 있는 바, 질의의 기계설비에 대한 운전특성 및 효율성 등을 종합적으로 검토하여 판단할 사항으로, 이와 관련해서는 해당 건축물의 설계자, 감리자, 관계전문기술자 등과 협의하시기 바람

질의회신 도로변의 급·배기닥트 설치기준 위반시 제재 조치사항

건교부 건축기획팀-1097, 2005.11.1.

질의 급·배기닥트 설치기준과 법적사항 위반시 제재 조치사항에 대한 질의

회신 건축물의 설비기준 등에 관한 규칙 제23조제3항의 규정에 의거 상업지역 및 주거지역에서 법 제2조제1항제11호의 규정에 의한 도로(막다른 도로로서 그 길이가 10m 미만인 경우를 제외한다)에 접한 대지의 건축물에 설치하는 냉방시설 및 환기시설의 배기구는 도로면으로부터 2m 이상의 높이에 설치하거나 배기장치의 열기가 보행자에게 직접 닿지 아니하도록 설치하여야 하는 것이며, 이를 위반시 당해 행정관청에서 이행강제금을 부과하도록 되어있음

질의회신 시중에서 구입한 에어컨이 "냉방시설" 및 "환기시설"에 해당하는지 여부

건교부 고객만족센터-2003.7.19.

질의 건축물의 사용승인을 받은 후 별도 시중에서 구입하여 설치한 에어콘 실외기나 환풍기가 건축물의설비기준등에관한규칙 제23조제3항의 규정에 의한 "냉방시설" 및 "환기시설"에 해당하는지 여부

회신 건축물의설비기준등에관한규칙 제23조제3항의 규정에 의한 "냉방시설" 및 "환기시설"의 도로변 설치제한 규정은 건축물에 설치된 에어콘 실외기나 환풍기를 도로변에 아무 제한없이 설치함으로써 이들 설비에서

배출되는 열기 및 악취로 인해 보행자에게 불쾌감을 주지 아니하도록 하는 규정이며, 사용승인을 받은 후 별도로 설치하는 실외기나 환풍기도 상기 규정을 적용하여야 하는 것임

6 승강기

1. 승용승강기

법령해석 「건축물의 설비기준 등에 관한 규칙」에 따른 거실 면적의 합계를 산정하는 경우에 성능위주설계 대상 특정소방대상물에 해당하는 오피스텔 세대 내부에 설치한 대피공간의 면적도 거실 면적에 산입되는지 여부

「건축물의 설비기준 등에 관한 규칙」 별표 1의2 등 관련 법제처 법령해석 22-1005, 2023.2.2.

질의요지 「건축법」 제64조제1항 전단에서는 건축주는 6층 이상으로서 연면적이 2천제곱미터 이상인 건축물을 건축하려면 승강기를 설치하여야 한다고 규정하고 있고, 승강기의 규모 및 구조를 국토교통부령으로 정하도록 위임한 같은 항 후단에 따라 건축물에 설치하는 승용승강기의 설치기준을 정한 「건축물의 설비기준 등에 관한 규칙」(이하 "건축물설비기준규칙"이라 함) 제5조 및 별표 1의2에서는 건축물의 용도별로 6층 이상의 거실 면적의 합계를 기준으로 승용승강기의 설치 기준을 규정하고 있는바,

「건축법」 제64조제1항에 따라 건축물에 승강기를 설치하기 위해 건축물설비기준규칙 별표 1의2에 따른 "6층 이상의 거실 면적의 합계"를 산정하는 경우, 「건축법 시행령」 별표 1 제14호나목2)에 따른 오피스텔 중 「소방시설 설치 및 관리에 관한 법률」(이하 "소방시설법"이라 함) 제8조제1항에 따른 성능위주설계 대상 특정소방대상물(각주: 소방시설법 제2조제1항제3호에 따른 특정소방대상물을 말하며, 이하 같음.)에 해당하는 오피스텔(이하 "특정소방설계오피스텔"이라 함)의 6층 이상 세대 내부에 설치한 "대피공간(각주: 「건축법 시행령」 제46조제4항 각 호의 요건을 모두 갖춘 대피공간을 설치한 경우를 전제함.)의 면적"도 거실 면적에 산입되는지?

회답 「건축법」 제64조제1항에 따라 건축물에 승강기를 설치하기 위해 건축물설비기준규칙 별표 1의2에 따른 "6층 이상의 거실 면적의 합계"를 산정하는 경우, 특정소방설계오피스텔의 6층 이상 세대 내부에 설치한 "대피공간의 면적"은 거실 면적에 산입되지 않습니다.

이유 "생략"

법령해석 승용승강기 설치기준에서 "거실 면적의 합계"를 산정할 때 입주민 전용 주민복리시설 면적이 포함되는지 여부

「건축물의 설비기준 등에 관한 규칙」 제5조 및 별표 1의2 등 관련 법제처 법령해석 20-0025, 2020.4.21.

질의요지 공동주택(각주: 「주택법」 제15조에 따른 사업계획승인 대상이 아닌 공동주택을 말함.) 또는 주거용 오피스텔 등 주거 목적의 건축물을 건축하는 건축주가 「건축법」 제64조제1항에 따라 승강기를 설치하기 위해 「건축물의 설비기준 등에 관한 규칙」 별표 1의2에 따라 6층 이상의 거실 면적의 합계를 산정하는 경우, 입주민만 전용으로 사용하여 승용승강기를 이용하는 총 인원수에는 영향을 미치지 않는 주민복리시설(각주: 「건축법」 제2조제1항제6호에 따른 "거실"에 해당하는 경우를 전제함.)의 면적도 포함하여 산정해야 하는지?
<질의 배경> 민원인은 위 질의요지에 대한 국토교통부 회신내용에 이견이 있어 법제처에 법령해석을 요청함.

회답 이 사안의 경우 승용승강기를 이용하는 총 인원수에 영향을 미치지 않는 주민복리시설의 면적도 포함하여 거실 면적을 산정해야 합니다.

이유 "생략"

법령해석 **건축물의 용도가 복합된 경우 승강기 설치기준**

「건축법」 제64조제1항 등 관련 법제처 법령해석 18-0486, 2018.11.8.

질의요지 연면적이 2천제곱미터 이상이고 전체 층수가 6층 이상이며 그 중 1층부터 3층까지는 주택 외의 시설이고 4층 이상은 공동주택인 복합건축물이 「주택법」 제15조제1항에 따른 주택건설사업계획의 승인 대상 건축물에 해당하는 경우 「주택건설기준 등에 관한 규정」 제15조에 따라 해당 건축물의 1층 및 4층 이상을 연결하는 공동주택 전용 승강기를 설치한 것 외에 1층부터 3층까지에 대해서도 「건축법」 제64조제1항에 따라 별도의 승강기를 설치해야 하는지?

<질의 배경> 민원인은 부산광역시 진구 A 주상복합아파트의 상가를 분양받았는데, 해당 건축물에 공동주택 전용 승강기가 설치된 것과 별개로 1~3층(판매시설 및 업무시설) 전용 승강기를 별도로 설치해야 하는지 부산광역시 진구에 질의했고, 별도로 승강기를 설치할 의무가 없다는 회신을 받자 이견이 있어 법제처에 법령해석을 요청함.

회답 이 사안의 경우 별도의 승강기를 설치해야 하는 것은 아닙니다.

이유 "생략"

질의회신 **승용승강기 설치대상 공동주택의 거실면적 산정시 현관화장실 포함여부**

건교부 건축 58070-2298, 1998.6.30.

질의 건축법시행령 제89조 및 건축물의설비기준등에관한규칙 제5조 별표1 승용승강기의 설치기준을 적용함에 있어서 공동주택의 거실면적을 산정할 때 현관·화장실은 제외되는지

회신 건축법시행령 제89조제1항 및 건축물의설비기준등에관한규칙 제5조 별표1의 규정에 의한 승용승강기를 설치할 때의 거실면적을 산정함에 있어서 공용이 아닌 현관·화장실은 포함되는 것임

질의회신 **승강기 설치 바닥면적 산정 방법**

국토교통부 민원마당 FAQ 2019.5.24.

질의 건축법시행령 제90조 제1항 제1호의 규정에서 "높이 31m를 넘는 각층의 바닥면적"에서 높이 31m의 위치가 10층의 천정 속일 경우 바닥면적에 10층을 포함하는 지 여부

회신 질의의 경우 10층 부분의 바닥면적을 포함하여 산정하는 것임

2. 비상용승강기

법령해석 **비상용승강기의 설치 대수 산정기준인 "바닥면적"의 의미**

「건축법 시행령」 제90조제1항 등 관련 법제처 법령해석 21-0854, 2022.1.19./건축사협회 수정게시 2022.7.28.

질의요지 「건축법 시행령」 제90조제1항 각 호의 바닥면적은 거실의 바닥면적만을 의미하는지, 아니면 거실 외의 용도의 바닥면적도 포함하는지?

회답 「건축법 시행령」 제90조제1항 각 호의 바닥면적은 거실 외의 용도의 바닥면적을 포함

이유 「건축법」 제64조제2항 및 같은 법 시행령 제90조제1항에서는 높이 31미터를 넘는 건축물에는 높이 31미터를 넘는 각 층의 바닥면적 중 최대 바닥면적이 1천500제곱미터 이하인 경우 1대 이상, 높이 31미터를 넘는 각 층의 바닥면적 중 최대 바닥면적이 1천500제곱미터를 넘는 경우에는 1대에 1천500제곱미터를 넘는 3천제곱미터 이내마다 1대씩 더한 대수 이상의 비상용승강기를 설치하도록 규정하여, 비상용승강기 설치 대수의 산정기준으로 높이 31미터를 넘는 각 층의 바닥면적 중 최대 바닥면적을 규정하고 있는데, 바닥면적을 산정할 때 거실의 바닥면적으로만 제한하여 산정하도록 규정하고 있지 않음

아울러 바닥면적을 거실의 바닥면적만으로 축소하여 산정하면, 비상용승강기 설치 대수의 산정기준을 법령의 명시적 근거 없이 완화하여 적용하게 됨으로써, 화재 등 비상시의 소화·구조 활동을 위하여 비상용승강기를 설치하도록 한 입법취지에 반할 수 있음

법령해석 **건축물의 용도가 복합된 경우로서 각 용도로 쓰는 부분이 구조상 독립된 경우 비상용승강기의 설치 기준**

「건축법」 제64조제2항 등 관련 법제처 법령해석 21-0540, 2021.12.16./건축사협회 수정게시 2022.7.28.

질의요지 전체 건축물의 높이가 31미터를 초과하는 경우로서 1층부터 8층까지(8층까지의 높이는 31미터를 초과하지 않음)는 주택 외의 시설, 9층 이상은 공동주택(상업지역의 300세대 미만의 공동주택으로 「주택법」 상 사업계획승인 대상이 아닌 경우)으로 이루어진 복합 건축물의 경우(주택과 주택 외의 시설은 내화구조로 구획되고 통로 및 출입구 등이 분리되어 구조상 독립된 경우)에, 1층부터 8층까지에 대해서도 「건축법」 제64조제2항에 따라 비상용승강기를 설치해야 하는지 여부

회답 1층부터 8층까지에 대해서도 「건축법」 제64조제2항에 따라 비상용승강기를 설치해야 함

이유 건축법령에서는 건축물의 용도 구분이나 특성에 따라 제64조제2항에 대한 적용대상을 한정하고 있지 않으므로, 「건축법」 제64조제2항의 요건에 해당하는 건축물의 각 부분의 용도가 다르고 구조상 분리되어 있는 경우라 하더라도 그 일부에 대해서 비상용승강기 설치 의무 규정의 적용이 배제된다고 볼 수는 없음

아울러 명시적 규정 없이 비상용승강기의 설치 기준을 완화하여 건축물 내의 일부분에만 비상용승강기를 설치할 수 있다고 보는 것은 화재 등 비상시에 안전을 확보하기 위하여 비상용승강기를 설치하도록 한 입법취지에 반함

법령해석 **비상용승강기의 구조로 설치한 16인승 이상의 승용승강기 1대를 2대의 비상용승강기로 볼 수 있는지 여부**

「건축법」 제64조제2항 등 관련 법제처 법령해석 20-0219, 2020.6.22.

질의요지 「건축법」 제64조제2항 본문 및 같은 법 시행령 제90조제1항 각 호 외의 부분 단서에 따라 비상용승강기(각주: 비상용 승강기의 승강장 및 승강로를 포함하며, 이하 같음.)를 설치하는 대신 승용승강기(각주: 「건축법」 제64조제1항에 따라 설치하는 승강기를 말하며, 이하 같음.)를 비상용승강기의 구조로 하여 설치하는 경우, 16인승 이상의 승용승강기 1대당 2대의 비상용승강기를 설치한 것으로 볼 수 있는지?

<질의 배경> 민원인은 위 질의요지에 대해 법제처에 법령해석을 요청하였고 이후 소관 중앙행정기관인 국토교통부의 의견이 민원인과 대립됨을 확인함.

회답 이 사안의 경우 16인승 이상의 승용승강기 1대당 2대의 비상용승강기를 설치한 것으로 볼 수 없습니다.

이유 「건축법」 제64조에서는 건축주의 승강기 설치 의무를 규정하면서 제1항에서는 승용승강기의 설치 의무를, 제2항 본문에서는 승용승강기 외에 비상용승강기를 추가로 설치할 의무를 각각 구분하고 있는데, 「건축물의 설비기준 등에 관한 규칙」(이하 "건축물설비기준규칙"이라 함) 제5조 및 별표 1의2에서는 「건축법」 제64조제1항에 따라 건축물에 설치하는 "승용승강기"의 설치기준을 정하면서 같은 별표 비고 제1호에서는 승강기의 대수를 계산할 때 16인승 이상의 승강기는 2대의 승강기로 본다고 규정하고 있으므로, 해당 규정에 따른 승강기 대수를 계산하는 기준은 「건축법」 제64조제1항에 따른 승용승강기에 적용되는 것이 분명하고, 명문의 근거 없이 「건축법」 제64조제2항 본문에 따라 설치하는 비상용승강기의 설치 대수를 산정하는 경우에도 적용된다고 볼 수 없습니다.

그리고 건축물에 승용승강기를 설치하는 경우에는 「건축법」 제64조제1항, 같은 법 시행령 제89조, 건축물설비기준규칙 제5조 및 별표 1의2에 따른 설치기준을 준수해야 하는 반면, 비상용승강기를 설치하는 경우에는 「건축법」 제64조제2항, 같은 법 시행령 제90조 및 건축물설비기준규칙 제9조.제10조에 따른 설치기준을 준수해야 하는바, 이처럼 건축법령상 승용승강기와 비상용승강기의 설치기준은 명확히 구분됨을 고려하면, 「건축법 시행령」 제90조제1항 각 호 외의 부분 단서에 따라 승용승강기를 비상용승강기의 구조로 설치하는 경우에는 승용승강기 외에 추가로 설치하도록 한 비상용승강기가 설치된 것으로 보는 것일 뿐, 같은 항 제1호 및 제2호에서 규정한 비상용승강기의 설치대수 기준까지 배제하고 승용승강기의 설치기준이 적용된다고 볼 수는 없습니다.

또한 「건축법」 제2조제1항제3호 및 같은 법 시행령 제87조제1항에 따르면 건축물의 승강기는 건축설비로서 건축물의 안전·방화 등에 지장이 없도록 설치해야 하고, 특히 비상용승강기는 소방구조용 엘리베이터로서 화재 등 비상시 소방관의 소화활동이나 구조활동에 적합하게 제조·설치되며[「승강기 안전관리법 시행규칙」 별표 1 제2호가목5)], 2대 이상의 비상용승강기를 설치하는 경우에는 화재가 났을 때 소화에 지장이 없도록 일정한 간격을 두고 설치(「건축법 시행령」 제90조제2항)해야 함을 고려하면, 승강기에 탑승할 수 있는 인원의 규모를 감안하여 16인승 이상의 승용승강기 1대를 2대의 승용승강기로 보아 승강기 설치 부담을 완화하려는 건축물설비기준규칙 별표 1의2 비고 제1호의 규정을, 비상용승강기를 설치하는 경우까지 확대하여 적용하는 것은 화재 등 비상시 안전에 대비하여 비상용승강기에 관한 설치 기준을 둔 입법취지에도 반하는 해석입니다.

법령해석 벽 및 반자가 실내에 접하는 부분의 의미

「건축물의 설비기준 등에 관한 규칙」 제10조제2호라목 등 관련 법제처 법령해석 19-0509, 2019.11.25.

질의요지 「건축물의 설비기준 등에 관한 규칙」 제10조제2호라목에서는 비상용승강기 승강장의 구조가 갖추어야 하는 기준으로 "벽 및 반자[각주: 지붕 밑이나 위층 바닥 밑을 편평하게 하여 치장한 각 방의 윗면을 말함(표준국어대사전 참조)]가 실내에 접하는 부분의 마감재료(마감을 위한 바탕을 포함한다)는 불연재료로 할 것"을 규정하고 있는바, "벽 및 반자가 실내에 접하는 부분"에 승강장의 바닥도 포함되는지?

<질의 배경> 민원인은 위 질의요지에 대해 국토교통부에 질의하였고 승강장의 바닥이 실내에 접하는 부분도 마감재료를 불연재료로 해야 한다는 회신을 받자 이에 이견이 있어 법제처에 법령해석을 요청함.

회답 이 사안의 경우 "벽 및 반자가 실내에 접하는 부분"에 승강장의 바닥은 포함되지 않습니다.

이유 「건축물의 설비기준 등에 관한 규칙」 제10조제2호에서는 「건축법」 제64조제2항 본문 및 같은 법 시행령 제90조제1항에 따라 높이 31미터를 초과하는 건축물에 설치해야 하는 비상용승강기의 승강장 구조 기준의 하나로 "벽 및 반자가 실내에 접하는 부분의 마감재료(마감을 위한 바탕을 포함한다)는 불연재료로 할 것"(라목)을 규정하고 있는바, 해당 규정에 따르면 마감재료를 불연재료로 하도록 하는 대상은 "벽 및 반자가 실내에 접하는 부분"이고 벽 및 반자와 달리 "바닥이 실내에 접하는 부분"에 대해서는 규율하고 있지 않은 것이 문언상 명백합니다.

한편 「건축법」 제64조제3항 및 같은 법 시행령 제91조에 따라 고층건축물(각주: 층수가 30층 이상이거나 높이가 120미터 이상인 건축물을 말함(「건축법」 제2조제1항제19호 참조))에 설치해야 하는 피난용승강기의 설치기준을 정하고 있는 「건축물의 피난·방화구조 등의 기준에 관한 규칙」 제30조제1호다목에서는 피난용승강기 승강장의 구조 기준으로 "실내에 접하는 부분(바닥 및 반자 등 실내에 면한 모든 부분을 말한다)의 마감(마감을 위한 바탕을 포함한다)은 불연재료로 할 것"이라고 규정하여, 마감재료를 불연재료로 해야 하는 부분을 명시적으로 피난용승강기 승강장의 실내에 면한 모든 부분이라고 규정하고 있습니다.

그렇다면 「건축물의 설비기준 등에 관한 규칙」 제10조제2호라목에서 마감재료를 불연재료로 하도록 한 "벽 및 반자가 실내에 접하는 부분"은 승강장의 실내공간을 기준으로 벽 및 반자가 실내에 면한 부분을 의미한다고 보는 것이 해당 규정의 문언과 건축법령의 체계에 부합하는 해석인바, "벽 및 반자가 실내에 접하는 부분"에 벽이 접하게 되는 바닥 부분까지 포함된다고 확장하여 해석할 수는 없습니다.

※ 법령정비 권고사항

비상용승강기 승강장의 바닥의 마감재료도 불연재료로 할 필요가 있다면 피난용승강기의 구조 기준을 정하고 있는 「건축물의 피난·방화구조 등의 기준에 관한 규칙」 제30조제1호다목과 같이 불연재료로 해야 하는 비상용승강기 승강장의 구조 부분을 명확히 정비할 필요가 있습니다.

법령해석 층수는 10층 이상이면서 높이가 31미터를 초과하나, 높이 31미터를 넘는 각층을 거실외의 용도로 쓰는 공동주택의 경우, 「주택건설기준 등에 관한 규정」 제15조제2항에 따라 승용승강기를 비상용승강기의 구조로 하여야 하는지

「건축법」 제64조 등 관련 법제처 법령해석 12-0282, 2012.6.8.

질의요지 「건축법」 제64조제2항 및 「건축물의 설비기준 등에 관한 규칙」 제9조제1호에 따르면, 높이 31미터를 초과하는 건축물에는 승강기뿐만 아니라 비상용승강기를 추가로 설치하여야 하나, 높이 31미터를 넘는 각층을 거실외의 용도로 쓰는 건축물의 경우에는 비상용승강기를 설치하지 아니할 수 있도록 되어 있고, 「주택건설기준 등에 관한 규정」 제15조제2항에 따르면, 10층 이상인 공동주택의 경우에는 승용승강기를 비상용승강기의 구조로 하여야 한다고 되어 있는바,

층수는 10층 이상이면서 높이가 31미터를 초과하나, 높이 31미터를 넘는 각층을 거실외의 용도로 쓰는 공동주택의 경우, 「주택건설기준 등에 관한 규정」 제15조제2항에 따라 승용승강기를 비상용승강기의 구조로 하여야 하는지?

회답 층수는 10층 이상이면서 높이가 31미터를 초과하나, 높이 31미터를 넘는 각층을 거실외의 용도로 쓰는 공동주택의 경우, 「주택건설기준 등에 관한 규정」 제15조제2항에 따라 승용승강기를 비상용승강기의 구조로 하여야 할 것입니다.

이유 "중략"

그렇다면, 이 건 건축물의 경우 높이가 31미터를 초과하나, 높이 31미터를 넘는 각층을 거실외의 용도로 쓰는 건축물이므로, 「건축법」 제64조제2항 및 「건축물의 설비기준 등에 관한 규칙」 제9조제1호에 따른 요건에 해당하여 비상용승강기를 추가로 설치할 필요는 없다고 할 것이나, 「주택법」 제16조제1항에 따라 주택건설사업계획의 승인을 얻어 건설하는 10층 이상인 공동주택이므로, 「주택건설기준 등에 관한 규정」 제15조제2항에 따른 요건에 해당하여 승용승강기를 비상용구조로 하여야 할 것입니다.

따라서, 층수는 10층 이상이면서 높이가 31미터를 초과하나, 높이 31미터를 넘는 각층을 거실외의 용도로 쓰는 공동주택의 경우, 「주택건설기준 등에 관한 규정」 제15조제2항에 따라 승용승강기를 비상용승강기의 구조로 하여야 할 것입니다.

질의회신 승강기 설치기준

국토교통부 민원마당 FAQ 2019.5.24.

질의 사업계획승인을 받아 건설하는 주택의 비상용승강기 적용 기준은?

회신 「주택법」 제15조에 따라 사업계획승인을 받아 건설하는 공동주택은 「주택건설기준 등에 관한 규정」을 적용하는 바, 같은 기준 제15조제2항에 따라 10층 이상의 공동주택에 승용승강기를 설치하는 경우에는 비상용승강기의 구조로 설치하도록 규정하고 있으며, 같은 조 제5항에 따르면 승용승강기, 비상용승강기 및 화물용승강기의 구조 및 그 승강장의 구조는 「건축법」 제64조를 준용하도록 하고 있음.

질의회신 높이 31미터를 넘는 층이 8개층이며 각 1개층의 바닥면적이 400제곱미터인 경우 비상용승강기 설치 대상 여부?

국토교통부 민원마당 FAQ 2019.5.24.

질의 높이 31미터를 넘는 층이 8개층이며 각 1개층의 바닥면적이 400제곱미터인 경우 비상용승강기 설치 대상 여부?

회신 건축물의 설비기준 등에 관한 규칙 제9조에 따르면 높이 31미터를 넘는 각층의 바닥면적의 합계가 500제곱미터 이하인 건축물은 비상용승강기를 설치하지 아니할 수 있도록 규정하고 있으므로, 질의의 경우가 31미터를 넘는 모든 층의 바닥면적을 합한 면적이 500제곱미터를 초과하는 경우라면 비상용승강기를 설치하여야 할 것으로 사료됨

건 축 법
1. 총 칙
2. 건 축
3. 유지관리
4. 대지도로
5. 구조재료
6. 지역지구
7. 건축설비
8. 특별건축구역
9. 보 칙
10. 벌 칙
건 축 법 관련기준

질의회신 비상용승강기의 지하층 설치 여부

국토교통부 민원마당 FAQ 2020.1.8.

질의 지하 1~2층의 지하주차장을 갖춘 23층의 아파트에 비상용 승강기를 지하 1층에서부터 지상 23층까지만 설치하고 지하 2층에는 설치하지 않아도 되는 지 여부

회신 「건축법」 제64조 제2항의 규정에 의하여 높이 31미터를 초과하는 건축물에는 「같은법 시행령」 제90조제1항 각 호의 기준에 의한 대수이상의 비상용승강기(비상용승강기의 승강장 및 승강로를 포함한다)를 설치토록 하고 있음, 승강장은 각층의 내부와 연결될 수 있도록 하여야 함에 따라 지하주차장 등 모든공간에 연결될 수 있도록 하여야 함.

질의회신 비상용승강기의 승강장 겸용 사용 여부

국토교통부 민원마당 FAQ 2019.5.24.

질의 다중이용시설의 특별피난계단의 부속실과 비상용승강기의 승강장을 겸용으로 사용할 수 있는지 여부

회신 [건축물의 설비기준 등에 관한 규칙] 제10조의 규정에 의하면 비상용승강기의 승강장의 창문·출입구 기타 개구부를 제외한 부분은 당해 건축물의 다른 부분과 내화구조의 바닥 및 벽으로 구획하도록 규정(공동주택 제외)되어 있으므로, 귀 질의의 경우 특별피난계단의 부속실과 비상용승강기의 승강장을 겸용으로 사용하는 것은 불가함.

질의회신 주상복합건물의 경우 비상용승강기 승강장과 특별피난계단 부속실 겸용 가능 여부

국토교통부 민원마당 FAQ 2022.6.20.

질의 주상복합건물인 경우 비상용승강기의 승강장과 특별피난계단의 부속실을 겸용하여 사용할 수 있는 지 여부

회신 「건축물의 설비기준 등에 관한 규칙」 제10조제2호 가목 단서에 의하면, 공동주택의 경우에는 비상용승강기 승강장과 특별피난계단(「건축물의 피난·방화구조 등의 기준에 관한 규칙」 제9조에 의한 특별피난계단을 말한다)의 부속실과의 겸용부분을 특별피난계단의 계단실과 별도로 구획하는 때에는 비상용승강기 승강장을 특별피난계단의 부속실과 겸용할 수 있도록 규정하고 있음.

따라서, 공동주택이 아닌 경우에는 비상용승강기 승강장과 특별피난계단의 부속실을 겸용하여 설치할 수 없음.

질의회신 건축물 비상용승강기 관련

국토교통부 민원마당 FAQ 2022.6.21.

질의 하나의 건축물에 근린생활시설과 공동주택을 건축하는 경우 공동주택에 해당하는 부분의 특별피난계단 부속실과 비상용 승강기의 승강장을 겸용할 수 있는 지 여부

회신 「건축물의 설비기준 등에 관한 규칙」 제10조제2호가목에 따라 비상용승강기 설치시 공동주택의 경우에는 승강장과 특별피난계단(「건축물의 피난·방화구조 등의 기준에 관한 규칙」 제9조의 규정에 의한 특별피난계단을 말함)의 부속실과의 겸용부분을 특별피난계단의 계단실과 별도로 구획하는 때에는 승강장을 특별피난계단의 부속실과 겸용할 수 있도록 하고 있는 바, 동 규정에 해당하는 공동주택의 경우에만 특별피난계단 부속실과 비상용승강기 승강장을 겸용할 수 있을 것으로 사료됨

질의회신 건축물 비상용승강기내 일반승강기 승강로출입구 관련

국토교통부 민원마당 FAQ 2022.6.21.

질의 비상용승강기와 일반승강기의 승강장을 겸용으로 사용할 경우 비상용승강기와 일반승강기 승강로의 출입구를 갑종방화문으로 사용하지 않아도 되는 지 여부.

회신 「건축법 시행령」 제46조제1항에 따라, 주요구조부가 내화구조 또는 불연재료로 된 건축물로서 연면적이 1천 제곱미터를 넘는 것은 국토교통부령으로 정하는 기준에 따라 내화구조로 된 바닥·벽 및 제64조에 따른 갑종방화문으로 구획하여야 하나, 제2항제3호에 따라 계단실부분·복도 또는 승강기의 승강로 부분(해당 승강기

의 승강을 위한 승강로비 부분을 포함한다)으로서 그 건축물의 다른 부분과 방화구획으로 구획된 건축물의 부분에는 상기 기준을 완화하여 적용할 수 있음.

또한, 「건축물의 설비기준 등에 관한 규칙」 제10조제2호 나목에 따라 비상용승강기의 승강장의 출입구(승강로의 출입구 제외)는 갑종방화문을 설치하도록 규정하고 있음 따라서, 비상용승강기와 일반승강기의 승강장(승강로비)의 출입구가 방화구획된 경우 승강로의 출입구는 반드시 갑종방화문으로 설치하도록 의무화하고 있지 않습니다. 다만, 비상용승강기의 승강장을 경유하여 특별피난계단의 부속실을 이용하는 구조는 부적합함.

질의회신 비상용승강기 승강장 출입문 변경 가능 여부

국토교통부 민원마당 FAQ 2022.6.21.

질의 비상용승강기 승강장 출입문을 여닫이식 유리방화문에서 미닫이식 유리방화문으로 변경이 가능한 지 여부.

회신 「건축물의 설비기준 등에 관한 규칙」 제10조제2호 나목의 규정에 의하면, 비상용승강기의 승강장은 각 층의 내부와 연결될 수 있도록 하되, 그 출입구(승강로의 출입구를 제외한다)에는 갑종방화문을 설치하여야 하며, 이 경우 갑종방화문은 「건축물의 피난·방화구조 등의 기준에 관한 규칙」 제26조 및 「자동방화셔터 및 방화문의 기준」에 따른 성능기준에 적합한 경우 사용이 가능합니다. 따라서, 질의의 경우 특별피난계단의 부속실과 비상용승강기 승강장을 겸용하여 사용하는 경우가 아니라면 건축법령상 비상용승강기의 승강장 출입문 형식에 대해서는 별도로 규정하고 있지 않음

질의회신 공동주택에 설치하는 비상용승강기 설치기준

건교부 건축 58550-2668, 1999.7.12.

질의 가. 공동주택의 구조는 일반적으로 갓복도식과 계단식이 있으며 비상용승강기를 설치하여야할 때 승강장에 대한 설치기준(바닥면적, 갑종방화문 등)이 갓복도식과 계단식 모두 적합하여야 하는지 여부

나. 공동주택의 경우 비상용승강기 승강장과 특별피난계단의 부속실을 겸용할 때 면적을 얼마로 하여야 하는지 여부

회신 비상용승강기 승강장의 구조는 복도의 형식에 상관없이 건축물의설비기준등에관한규칙 제10조 제2호의 규정에 적합하여야 하는 것이며, 같은 규칙 같은 조 제2호 바목의 규정에 의하여 승강장의 바닥면적은 특별피난계단의 부속실과 겸용하더라도 비상용승강기 1대에 대하여 6제곱미터 이상(옥외에 승강장을 설치하는 경우 제외)으로 하면 되는 것임

질의회신 비상용승강기 승강로를 지상, 지하로 구획할 수 있는지.

건교부 건축 58550-5290, 1995.12.28

질의 비상용승강기의 승강로를 피난층을 중심으로 지상층과 지하층으로 구획하여 설치할 수 있는지

회신 건축법 제57조제2항의 규정에 의하여 높이 31미터를 초과하는 건축물에 설치하는 비상용승강기는 화재등 유사시 원활한 소방활동 및 피난을 목적으로 설치하는 것이므로 비상용승강기의 승강로는 전층이 연결되는 구조로 설치하여야 할 것임 (* 법 제57조 ⇒ 제64조, 2008.3.21 개정)

질의회신 전망용 엘리베이터를 비상용승강기로 할 수 있는지

건교부 건축 58550-1640, 1995.4.24

질의 승강기 및 승강로 벽을 밖을 내다볼 수 있도록 한 구조(일명 전망용 엘리베이터)인 경우 비상용승강기로 사용할 수 있는지

회신 비상용승강기는 화재시 소화 및 구급활동에 지장이 없어야 할 것이므로 전망용 엘리베이터는 비상용승강기로는 부적합할 것임

건 축 법
1. 총 칙
2. 건 축
3. 유지관리
4. 대지도로
5. 구조재료
6. 지역지구
7. 건축설비
8. 특별건축구역
9. 보 칙
10. 벌 칙
건 축 법 관련기준

3. 피난용승강기

법령해석 「주택건설기준 등에 관한 규정」 제15조제1항의 승용승강기를 「건축법」 제64조제3항에 따른 피난용승강기 구조로 할 수 있는지 여부

「건축법」 제64조 관련 법제처 법령해석 21-0151, 2021.5.4./건축사협회 수정게시 2022.7.28.

질의요지 「주택법」에 따른 주택건설사업계획 승인 대상인 공동주택이 「건축법」 제2조제1항제19호에 따른 고층건축물에 해당하여 「주택건설기준 등에 관한 규정」 제15조제2항에 따라 승용승강기를 비상용승강기 구조로 하고 「건축법」 제64조제3항에 따라 피난용승강기를 설치해야 하는 경우, 주택건설기준규정 및 「주택건설기준 등에 관한 규칙」에 따라 설치대수가 산정되는 승용승강기는 모두 비상용승강기의 구조로 해야 하는지 여부 (피난용승강기는 비상용승강기 구조로 할 수 없음을 전제)

회답 「주택건설기준 등에 관한 규정」 제15조제1항 및 주택건설기준규칙 제4조의 설치기준에 따라 설치대수가 산정되는 승용승강기는 모두 비상용승강기의 구조로 설치해야 함

이유 「주택건설기준 등에 관한 규정」 제15조제2항에서는 10층 이상인 공동주택의 경우 같은 조 제1항의 승용승강기를 비상용승강기의 구조로 해야 한다고 규정하여, 「주택건설기준 등에 관한 규정」 제15조제1항 및 「주택건설기준 등에 관한 규칙」 제4조의 설치기준에 따른 승용승강기는 비상용승강기 구조로 설치하도록 하고 있는데, 해당 공동주택이 고층건축물에 해당하여 「건축법」 제64조제3항에 따라 피난용승강기를 설치한다는 이유로, 피난용승강기를 승용승강기 대수에 포함하여 피난용승강기 대수를 제외한 승용승강기에 대해서만 비상용승강기 구조로 설치하면 된다고 보는 것은 명문 규정에 반함.

더불어 「주택건설기준 등에 관한 규정」 제15조제1항 및 「주택건설기준 등에 관한 규칙」 제4조에서는 6층 이상 공동주택에 설치해야 하는 승용승강기 규모 및 설치대수 기준을 정하고 있고, 「주택건설기준 등에 관한 규정」 제15조제5항에서는 동조 제1항-제3항에 따른 승용승강기·비상용승강기 및 화물용승강기의 구조와 승강장의 구조에 관해 「건축법」 제64조를 준용한다고 규정하고 있으므로, 승강기 및 승강장의 구조에 한정하여 「건축법」 제64조가 준용된다고 보아야 함.

법령해석 「건축법」 제64조제3항에 따른 피난용승강기 설치 대상에 「주택법」에 따라 건설·공급하는 공동주택이 포함되는지 여부

「건축법」 제64조제3항 등 관련 법제처 법령해석 20-0604, 2021.2.9.

질의요지 「주택법」 제15조에 따른 주택건설사업계획 승인을 받아 건설하는 10층 이상인 공동주택이 「건축법」 제2조제1항제19호에 따른 고층건축물에 해당하는 경우, 「건축법」 제64조제3항에 따라 해당 공동주택에 피난용승강기를 설치해야 하는지?

<질의 배경> 민원인은 위 질의요지에 대한 국토교통부의 회신 내용에 이견이 있어 법제처에 법령해석을 요청함.

회답 이 사안의 경우 「건축법」 제64조제3항에 따라 해당 공동주택에 피난용승강기를 설치해야 합니다.

이유 「건축법」은 건축물의 대지·구조·설비 기준 및 그 용도 등에 관한 일반적인 기준을 규정하고 있는 반면, 「주택법」은 건축물 중 주택의 건설·공급 등에 관한 사항을 규정하면서 제3조에서는 주택의 건설 및 공급에 관하여 다른 법률에 특별한 규정이 있는 경우를 제외하고는 같은 법에서 정하는 바에 따른다고 규정하고 있고, 「주택건설기준 등에 관한 규정」 제8조제3항에서는 주택의 건설기준, 부대시설·복리시설의 설치기준에 관하여 같은 영에서 규정한 사항 외에는 「건축법」 등이 정하는 바에 따른다고 규정하고 있는바, 주택법령에서 규정하고 있지 않은 일반적인 건축 기준은 건축법령을 적용하고, 건축법령에서 정한 사항과 동일한 사항에 대해 주택법령에서 특별히 달리 규정한 경우에는 건축법령의 적용이 배제된다고 보아야 합니다.(각주: 법제처 2017.3.23. 회신 17-0047 해석례 및 법제처 2018.4.11. 회신 18-0038 해석례 참조)

그런데 「건축법」 제64조에서는 6층 이상으로서 연면적이 2천제곱미터 이상인 건축물의 건축에 대해 승강기

설치 의무를 부과하면서(제1항) 높이 31미터를 초과하는 건축물에는 비상용승강기를 추가로 설치하도록 하고(제2항), 층수가 30층 이상이거나 높이가 120미터 이상인 고층건축물(이하 "고층건축물"이라 함)에 설치하는 승용승강기 중 1대 이상은 피난용승강기로 설치하도록 규정하여(제3항), 고층건축물을 대상으로 비상용승강기와 피난용승강기를 구분하여 피난용승강기를 별도로 설치하도록 기준을 정하고 있는 한편, 「주택건설기준 등에 관한 규정」 제15조에서는 6층 이상인 공동주택에 대해 승용승강기 설치 의무를 부과하면서(제1항), 10층 이상인 공동주택에는 승용승강기를 비상용승강기의 구조로 해야 한다고 규정하고 있을 뿐(제2항), 피난용승강기 설치에 대해서는 별도의 기준을 정하지 않고 있습니다.

그렇다면 앞에서 살펴본 「건축법」과 「주택법」의 관계에 비추어 「건축법」 제64조제3항의 피난용승강기 설치에 관한 규정은 주택법령에서 규정하지 않은 일반적인 건축 기준으로 보는 것이 타당한바, 「건축법」 제64조제3항이 적용되는 고층건축물의 범위에서 「주택법」 제15조에 따라 사업계획 승인을 받아 건설하는 공동주택을 제외하는 규정을 두고 있지 않는 한 공동주택에 대해서도 적용된다고 보아야 합니다.

아울러 「건축법」이 2018년 4월 17일 법률 제15594호로 개정되어 2018년 10월 18일 시행되기 전에는 구 「건축물의 피난·방화구조 등의 기준에 관한 규칙」(각주: 2018.10.18. 국토교통부령 제548호로 일부개정되기 전의 것을 말함) 제29조에서 고층건축물의 피난용승강기 설치 기준을 정하면서 준초고층 건축물(각주: 「건축법 시행령」 제2조제15호의2 참조)인 공동주택은 제외한다고 규정하였으나, 법률 제15594호 「건축법」 제64조제3항으로 상향입법하여 규정하면서 공동주택을 제외한다는 부분을 삭제한 것인바, 이는 「주택법」 제15조에 따라 사업계획 승인을 받아 건설하는 공동주택에도 「건축법」 제64조제3항을 적용하려는 취지로 보는 것이 타당합니다.(각주: 2018.4.17. 법률 제15594호로 일부개정되어 2018.10.18. 시행된 「건축법」 관련 국회 국토교통위원회 검토보고서 참조)

질의회신 피난용승강기 설치

국토교통부 민원마당 FAQ 2022.6.21.

질의 피난용승강기 설치

회신 비상용승강기의 구조로 한 승용승강기는 화재 시 소방관의 소화 및 구조활동에 사용될 수 있어 비상용승강기 및 피난용승강기 각각의 역할을 고려하였을 때 이를 겸용하는 경우에는 소방관의 동선 및 대피자의 동선에 간섭이 발생할 수 있으므로 비상용승강기의 구조에 적합한 승용승강기를 피난용승강기로 겸용할 수는 없는 것입니다.-

따라서, 건축법 시행령 제90조제1항 단서 및 주택건설기준 등에 관한 규정 제15조제2항에 따라 승용승강기를 비상용승강기의 구조로 하더라도 1대 이상의 피난용승강기를 추가 설치하여야 함

7 관계전문기술자

법령해석 「「건축법 시행령」 제91조의3제6항의 관계전문기술자의 자격

「건축법 시행령」 제91조의3제6항 등 관련 법제처 법령해석 22-0636, 2022.9.8.

질의요지 「건축법 시행령」 제91조의3제6항에서는 3층 이상인 필로티형식 건축물의 공사감리자는 같은 법 제48조에 따른 건축물의 구조상 안전을 위한 공사감리를 할 때, 공사가 같은 법 시행령 제18조의2제2항제3호나목에 따른 단계에 다다른 경우마다 같은 법 제67조제1항제1호부터 제3호까지의 규정에 따른 관계전문기술자의 협력을 받아야 한다고 규정하면서, 이 경우 관계전문기술자는 「건설기술 진흥법 시행령」 별표 1 제3호라목1)에 따른 건축구조 분야의 특급 또는 고급기술자의 자격요건을 갖춘 소속 기술자로 하여금 업무를 수행하게 할 수 있다고 규정하고 있는바,

「건축법 시행령」 제91조의3제6항의 '관계전문기술자'가 법인이 아닌 개인인 경우 「건설기술 진흥법 시행령」 별표 1 제3호라목1)에 따른 건축구조 분야의 특급 또는 고급기술자여야 하는 것은 아닌지?

회답 「건축법 시행령」 제91조의3제6항의 '관계전문기술자'는 같은 법 제67조제1항제1호부터 제3호까지의 규정에 해당하면 되고, 「건설기술 진흥법 시행령」 별표 1 제3호라목1)에 따른 건축구조 분야의 특급 또는 고급기술자일 필요는 없습니다.

이유 "생략"

법령해석 「건축법」 제67조제1항제3호 및 같은 법 시행령 제91조의3제1항 또는 제5항에 따른 협력 대상 관계전문기술자의 범위

「건축법」 제67조제1항 등 관련 법제처 법령해석 21-0427, 0530, 2021.11.11./건축사협회 수정게시 2022.7.28.

질의요지 엔지니어링사업자가 기술인력(엔지니어링산업법 시행령 제33조제1항 및 별표 3에 따른 기술인력을 말하며, 이하 같음)으로 건축구조기술사를 보유한 경우, 그 보유 인력인 건축구조기술사를 통해 「건축법」 제67조제1항제3호 및 같은 법 시행령 제91조의3제1항·제5항에 따라 협력 업무를 수행하는 것이 가능한지 여부

회답 엔지니어링사업자가 기술인력으로 건축구조기술사를 보유한 경우, 그 보유 인력인 건축구조기술사를 통해 「건축법」 제67조제1항제3호 및 같은 법 시행령 제91조의3제1항·제5항에 따라 협력 업무를 수행할 수 있음

이유 설계자 또는 공사감리자가 협력을 받아야 하는 건축구조기술사의 범위를 「건축법」 제67조제1항 각 호의 어느 하나의 자격 중 특정 자격을 갖춘 자로 한정하고 있지 않으므로, 엔지니어링사업자이면서 건축구조기술사인 자는 「건축법 시행령」 제91조의3제1항 및 제5항에 따라 설계자 또는 공사감리자가 협력을 받아야 하는 건축구조기술사에 해당한다고 할 수 있음

법령해석 「주택법」 제15조에 따른 사업계획 승인 대상인 건축물의 공사감리자가 공사감리를 할 때에 「건축법」 제67조에 따른 관계전문기술자의 협력을 받아야 하는지

「건축법」 제67조제1항 관련 법제처 법령해석 18-0513, 2018.11.16.

질의요지 「건축법」 제25조제10항에서는 「주택법」 제15조에 따른 사업계획 승인 대상인 건축물의 공사감리는 해당 법령으로 정하는 바에 따르도록 규정하고 있는데 「주택법」 제15조에 따른 사업계획 승인 대상인 건축물의 감리자가 감리를 할 때에 「건축법」 제67조제1항에 따라 관계전문기술자의 협력을 받아야 하는지?

<질의 배경> 민원인은 「주택법」 제15조에 따른 사업계획 승인 대상인 건축물의 공사감리는 공사감리자 및 다수의 공사감리원이 참여하는데도 불구하고 「건축법」 제67조에 따라 관계전문기술자가 협력하는 것이 불합리하다는 의문이 들어 국토교통부에 해당 사안에 대하여 질의하였고, 국토교통부가 「주택법」 제15조에 따른 사업계획 승인 대상인 건축물의 공사감리와 관련하여 「건축법」 제67조에 따른 관계전문기술자의 협력이 적용된다고 답변하자 법제처에 법령해석을 요청함.

회답 이 사안의 경우 관계전문기술자의 협력을 받아야 합니다.

이유 "생략"

질의회신 감리보고서 관계전문기술자 날인 문의

국토교통부 민원마당 전자민원 2021.9.29.

질의 1. 건축법시행규칙 제19조 제3항에 따라 감리보고서는 별지 제21호 서식으로 제출함

2. 건축법 제11조에 따라 건축허가 접수시에 건축사사무소와 협력하여 설계한 전기설계사무소, 기계설계사무소의 관계전문기술자는 별지 제21호 서식의 제1면의 관계전문기술자 날인을 해야 하는지 여부

회신 ㅇ 건축법시행령 제91조의3 제7항에 따르면 제1항부터 제6항까지의 규정에 따라 설계자 또는 공사감리자에게 협력한 관계전문기술자는 공사현장을 확인하고, 그가 작성한 설계도서 또는 감리중간보고서 및 감리완료보고서에 설계자 또는 공사감리자에게 함께 서명날인하여야 함

○ 이는 설계자에게 협력한 관계전문기술자는 설계도서에 설계자와 함께 서명날인하는 것이며, 공사감리자에게 협력한 관계전문기술자는 공사현장을 확인하고 감리중간보고서 및 감리완료보고서에 공사감리자와 함께 서명날인 하는 것임

질의회신 건축공사 관계전문기술자와의 협력

국토교통부 민원마당 FAQ 2023.6.15.

질의 구조 및 건축설비의 설치 등을 위한 설계에 대한 관계전문기술자와의 협력을 거쳐 건축허가를 득하고 설계자와는 별도로 공사감리자를 계약한 경우 착공신고시 기재하는 관계전문기술자란의 날인은 최초 협력한 관계전문기술자만 가능한 지 제3자의 관계전문기술자도 가능한 지 여부.

회신 「건축법 시행령」 제91조의3 제5항의 규정에 의하면, 설계자 또는 공사감리자에게 협력한 관계전문기술자는 그가 작성한 설계도서 또는 감리중간보고서 및 감리완료보고서에 설계자 또는 공사감리자와 함께 서명날인하여야 함

따라서, 설계자에게 협력한 관계전문기술자와 공사감리자에게 협력한 관계전문기술자가 상이할 경우 모든 관계전문기술자의 서명을 날인하여 착공신고서를 제출하여야 할 것임.

질의회신 건축구조기술사 업무내용

국토교통부 민원마당 FAQ 2022.6.21.

질의 가. 건축구조기술사가 할 수 있는 업무내용은?

나. 공사시공자가 시공 중 기초판, 잡석지정 등을 누락하거나 건축물의 설계도면에 지시된 두께보다 작게 시공하였음. 이에 대하여 건축구조기술가가 건축물의 안전에 지장이 없다고 하였는데 잘못된 것이 아닌 지

회신 가. 건축구조기술사는 개별 법령에서 건축구조기술사의 업무로 정하거나 건축구조기술사를 상대로 한 계약에 따라 업무를 수행할 수 있을 것임. 건축법령에서는 건축법 시행령 제81조 및 제91조의3에서 건축구조기술사의 업무를 규정하고 있으며 기술사법 제3조제1항의 규정에 의하면 기술사는 과학기술에 관한 전문적 응용능력을 필요로 하는 사항에 대하여 계획, 연구, 설계, 분석, 조사, 시험, 시공, 감리, 평가, 진단, 사업관리, 기술판단, 당해 건축물에 대하여 건축구조기술사가 건축법 제38조의 규정에 적합하게 구조안전을 확인하였다면 이를 잘못이라고 하기는 어려울 것이며 다만, 설계도면과 다르게 시공한 경우 공사시공자, 공사감리자는 사안별로 건축법 제19조의2 및 동법 제21조의 규정을 위반한 것이 될 수 있을 것으로 사료됨

(*법 제19조의2, 제21조, 제38조 ⇒ 제24조, 제25조, 제48조, 2008.3.21 개정)

질의회신 소방분야 관계전문기술자의 감리보고서 서명 · 날인 여부

건교부건축과-4721, 2005.8.17.

질의 공사감리에 참여한 소방분야 관계전문기술자가 감리보고서에 서명·날인을 하여야 하는지

회신 건축법 시행령 제91조의3제4항의 규정에 의하면 설계자 및 공사감리자는 안전상 필요하다고 인정하는 경우, 관계법령이 정하는 경우 및 설계계약 또는 감리계약에 의하여 건축주가 요청하는 경우에는 관계전문기술자의 협력을 받아야 하며, 이 경우 협력한 관계전문기술자는 동조제5항의 규정에 의하여 설계도서 또는 감리중간보고서 및 감리완료보고서에 설계자 또는 공사감리자와 함께 서명·날인하도록 규정하고 있으나 다른 법령에 의한 공사감리자와 이 법의 규정에 의하여 설계자 또는 공사감리자에게 협력한 관계전문기술자는 구별하여야 하는 것임

질의회신 관계전문기술자의 협력대상인 옹벽 높이

건교부 건축 58070-588, 1997.2.19.

질의 건축법시행령 제91조의3제3항의 규정에 의한 옹벽의 높이산정 방법은

회신 질의의 옹벽의 높이는 옹벽이 설치되는 지표면으로부터 옹벽의 상단까지의 높이를 말하는 것임

8 특별건축구역 등

- 특별건축구역: 조화롭고 창의적인 건축물의 건축을 통하여 도시경관의 창출, 건설기술 수준향상 및 건축 관련 제도개선을 도모하기 위하여 이 법 또는 관계 법령에 따른 일부 규정을 적용하지 아니하거나 완화 또는 통합하여 적용할 수 있도록 특별히 지정하는 구역
- 특별가로구역: 조화로운 도시경관의 창출을 위하여 국토교통부장관 또는 허가권자는 경관지구에서 도로에 접한 대지의 일정 구역을 특별가로구역으로 지정(2014.1.14. 건축법 개정)
- 건축협정제도: 도시 및 건축물의 정비를 토지소유자 등이 자발적으로 참여하여 효율적으로 추진할 수 있도록 토지소유자 등이 일정한 구역을 정하여 건축협정을 체결할 수 있도록 하는 제도(2014.1.14. 건축법 개정)
- 결합건축: 대지간의 최단거리가 100m 이내의 범위에서 대통령령으로 정하는 범위에 있는 2개의 대지의 건축주가 서로 합의한 경우 용적률을 개별 대지마다 적용하지 아니하고, 2개 이상의 대지를 대상으로 통합적용하여 건축물을 건축할 수 있도록 하는 제도(2016.1.19. 건축법 개정)

1 특별건축구역의 지정(법 제69조)(영 제105조)(규칙 제38조의2)

법 제69조【특별건축구역의 지정】

① 국토교통부장관 또는 시·도지사는 다음 각 호의 구분에 따라 도시나 지역의 일부가 특별건축구역으로 특례 적용이 필요하다고 인정하는 경우에는 특별건축구역을 지정할 수 있다. <개정 2014.1.14>

1. 국토교통부장관이 지정하는 경우
   가. 국가가 국제행사 등을 개최하는 도시 또는 지역의 사업구역
   나. 관계법령에 따른 국가정책사업으로서 대통령령으로 정하는 사업구역
2. 시·도지사가 지정하는 경우
   가. 지방자치단체가 국제행사 등을 개최하는 도시 또는 지역의 사업구역
   나. 관계법령에 따른 도시개발·도시재정비 및 건축문화 진흥사업으로서 건축물 또는 공간환경을 조성하기 위하여 대통령령으로 정하는 사업구역
   다. 그 밖에 대통령령으로 정하는 도시 또는 지역의 사업구역

② 다음 각 호의 어느 하나에 해당하는 지역·구역 등에 대하여는 제1항에도 불구하고 특별건축구역으로 지정할 수 없다. <개정 2016.2.3.>

1. 「개발제한구역의 지정 및 관리에 관한 특별조치법」에 따른 개발제한구역
2. 「자연공원법」에 따른 자연공원
3. 「도로법」에 따른 접도구역

건축법 1. 총칙 2. 건축 3. 유지관리 4. 대지도로 5. 구조재료 6. 지역지구 7. 건축설비 8. 특별건축구역 9. 보칙 10. 벌칙 건축법 관련기준

4. 「산지관리법」에 따른 보전산지
5. 삭제 <2016.2.3.>
③ 국토교통부장관 또는 시·도지사는 특별건축구역으로 지정하고자 하는 지역이 「군사기지 및 군사시설 보호법」에 따른 군사기지 및 군사시설 보호구역에 해당하는 경우에는 국방부장관과 사전에 협의하여야 한다. <신설 2016.2.3.>

영 제105조【특별건축구역의 지정】

① 법 제69조제1항제1호나목에서 "대통령령으로 정하는 사업구역"이란 다음 각 호의 어느 하나에 해당하는 구역을 말한다. <개정 2018.2.27>

1. 「신행정수도 후속대책을 위한 연기·공주지역 행정중심복합도시 건설을 위한 특별법」에 따른 행정중심복합도시의 사업구역
2. 「혁신도시 조성 및 발전에 관한 특별법」에 따른 혁신도시의 사업구역
3. 「경제자유구역의 지정 및 운영에 관한 특별법」 제4조에 따라 지정된 경제자유구역
4. 「택지개발촉진법」에 따른 택지개발사업구역
5. 「공공주택 특별법」 제2조제2호에 따른 공공주택지구
6. 삭제 <2014.10.14.>
7. 「도시개발법」에 따른 도시개발구역
8. 삭제 <2014.10.14.>
9. 삭제 <2014.10.14.>
10. 「아시아문화중심도시 조성에 관한 특별법」에 따른 국립아시아문화전당 건설사업구역
11. 「국토의 계획 및 이용에 관한 법률」 제51조에 따른 지구단위계획구역 중 현상설계(懸賞設計) 등에 따른 창의적 개발을 위한 특별계획구역
12. 삭제 <2014.10.14.>
13. 삭제 <2014.10.14.>

② 법 제69조제1항제2호나목에서 "대통령령으로 정하는 사업구역"이란 다음 각 호의 어느 하나에 해당하는 구역을 말한다. <신설 2014.10.14>

1. 「경제자유구역의 지정 및 운영에 관한 특별법」 제4조에 따라 지정된 경제자유구역
2. 「택지개발촉진법」에 따른 택지개발사업구역
3. 「도시 및 주거환경정비법」에 따른 정비구역
4. 「도시개발법」에 따른 도시개발구역
5. 「도시재정비 촉진을 위한 특별법」에 따른 재정비촉진구역
6. 「제주특별자치도 설치 및 국제자유도시 조성을 위한 특별법」에 따른 국제자유도시의 사업구역
7. 「국토의 계획 및 이용에 관한 법률」 제51조에 따른 지구단위계획구역 중 현상설계(懸賞設計) 등에 따른 창의적 개발을 위한 특별계획구역
8. 「관광진흥법」 제52조 및 제70조에 따른 관광지, 관광단지 또는 관광특구
9. 「지역문화진흥법」 제18조에 따른 문화지구

③ 법 제69조제1항제2호다목에서"대통령령으로 정하는 도시 또는 지역"이란 다음 각 호의 어느 하나에 해당하는 도시 또는 지역을 말한다. <개정 2014.10.14.>

1. 삭제 <2014.10.14.>
2. 건축문화 진흥을 위하여 국토교통부령으로 정하는 건축물 또는 공간환경을 조성하는 지역
2의2. 주거, 상업, 업무 등 다양한 기능을 결합하는 복합적인 토지 이용을 증진시킬 필요가 있는 지역으로서 다음 각 목의 요건을 모두 갖춘 지역

가. 도시지역일 것
나. 「국토의 계획 및 이용에 관한 법률 시행령」 제71조에 따른 용도지역 안에서의 건축제한 적용을 배제할 필요가 있을 것
3. 그 밖에 도시경관의 창출, 건설기술 수준향상 및 건축 관련 제도개선을 도모하기 위하여 특별건축구역으로 지정할 필요가 있다고 시·도지사가 인정하는 도시 또는 지역

규칙 제38조의2【특별건축구역의 지정】
영 제105조제3항제2호에서 "국토교통부령으로 정하는 건축물 또는 공간환경"이란 도시·군계획 또는 건축 관련 박물관, 박람회장, 문화예술회관, 그 밖에 이와 비슷한 문화예술공간을 말한다. <개정 2020.10.28.>

해설 국토교통부장관은 조화롭고 창의적인 건축물의 건축을 통하여 도시경관의 창출등을 도모하기 위하여 일부규정의 적용제외, 완화 등 특례적용이 필요하다고 인정하는 경우 도시나 지역의 일부를 특별건축구역으로 지정할 수 있다.

1 특별건축구역의 대상 사업구역

지정권자	대상사업구역 등	
국토교통부 장관	1. 국가가 국제행사 등을 개최하는 도시 또는 지역의 사업구역	
	2. 관계법령에 따른 국가정책사업으로서 다음 사업구역	① 「신행정수도 후속대책을 위한 연기·공주지역 행정중심복합도시 건설을 위한 특별법」에 따른 행정중심복합도시의 사업구역 ② 「혁신도시 조성 및 발전에 관한 특별법」에 따른 혁신도시의 사업구역 ③ 「경제자유구역의 지정 및 운영에 관한 특별법」에 따라 지정된 경제자유구역 ④ 「택지개발촉진법」에 따른 택지개발사업구역 ⑤ 「공공주택 특별법」에 따른 공공주택지구 ⑥ 「도시개발법」에 따른 도시개발구역 ⑦ 「아시아문화중심도시 조성에 관한 특별법」에 따른 국립아시아문화전당 건설사업구역 ⑧ 「국토의 계획 및 이용에 관한 법률」에 따른 지구단위계획구역 중 현상설계(懸賞設計) 등에 따른 창의적 개발을 위한 특별계획구역
시·도지사	1. 지방자치단체가 국제행사 등을 개최하는 도시 또는 지역의 사업구역	
	2. 관계법령에 따른 도시개발·도시재정비 및 건축문화 진흥사업으로서 건축물 또는 공간환경을 조성하기 위한 다음 사업구역	① 「경제자유구역의 지정 및 운영에 관한 특별법」 제4조에 따라 지정된 경제자유구역 ② 「택지개발촉진법」에 따른 택지개발사업구역 ③ 「도시 및 주거환경정비법」에 따른 정비구역 ④ 「도시개발법」에 따른 도시개발구역 ⑤ 「도시재정비 촉진을 위한 특별법」에 따른 재정비촉진구역 ⑥ 「제주특별자치도 설치 및 국제자유도시 조성을 위한 특별법」에 따른 국제자유도시의 사업구역 ⑦ 「국토의 계획 및 이용에 관한 법률」에 따른 지구단위계획구역 중 현상설계(懸賞設計) 등에 따른 창의적 개발을 위한 특별계획구역 ⑧ 「관광진흥법」에 따른 관광지, 관광단지 또는 관광특구 ⑨ 「지역문화진흥법」에 따른 문화지구

	3. 그 밖에 도시 또는 지역의 사업구역	① 건축문화 진흥을 위하여 국토교통부령으로 정하는 건축물 또는 공간환경을 조성하는 지역 ② 주거, 상업, 업무 등 다양한 기능을 결합하는 복합적인 토지 이용을 증진시킬 필요가 있는 지역으로서 다음 요건을 모두 갖춘 지역 - 도시지역일 것 -「국토의 계획 및 이용에 관한 법률」에 따른 용도지역 안에서의 건축제한 적용을 배제할 필요가 있을 것 ③ 그 밖에 도시경관의 창출, 건설기술 수준향상 및 건축 관련 제도개선을 도모하기 위하여 특별건축구역으로 지정할 필요가 있다고 시 · 도지사가 인정하는 도시 또는 지역

2 특별건축구역으로 지정할 수 없는 구역 등

【1】 특별건축구역으로 지정할 수 없는 지역 · 구역 등

1.「개발제한구역의 지정 및 관리에 관한 특별조치법」에 따른 개발제한구역
2.「자연공원법」에 따른 자연공원
3.「도로법」에 따른 접도구역
4.「산지관리법」에 따른 보전산지

【2】 특별건축구역 지정시 사전 협의

국토교통부장관 또는 시·도지사는 특별건축구역으로 지정하고자 하는 지역이 「군사기지 및 군사시설 보호법」에 따른 군사기지 및 군사시설 보호구역에 해당하는 경우 국방부장관과 사전에 협의하여야 한다.

2 특별건축구역의 특례사항 적용 대상 건축물(법 제70조)(영 제106조)

법 제70조【특별건축구역의 건축물】

특별건축구역에서 제73조에 따라 건축기준 등의 특례사항을 적용하여 건축할 수 있는 건축물은 다음 각 호의 어느 하나에 해당되어야 한다.

1. 국가 또는 지방자치단체가 건축하는 건축물
2.「공공기관의 운영에 관한 법률」 제4조에 따른 공공기관 중 대통령령으로 정하는 공공기관이 건축하는 건축물
3. 그 밖에 대통령령으로 정하는 용도 · 규모의 건축물로서 도시경관의 창출, 건설기술 수준향상 및 건축 관련 제도개선을 위하여 특례 적용이 필요하다고 허가권자가 인정하는 건축물

영 제106조【특별건축구역의 건축물】

① 법 제70조제2호에서 "대통령령으로 정하는 공공기관"이란 다음 각 호의 공공기관을 말한다. <개정 2020.9.10>

1.「한국토지주택공사법」에 따른 한국토지주택공사
2.「한국수자원공사법」에 따른 한국수자원공사

3. 「한국도로공사법」에 따른 한국도로공사
4. 삭제 <2009.9.21>
5. 「한국철도공사법」에 따른 한국철도공사
6. 「국가철도공단법」에 따른 국가철도공단
7. 「한국관광공사법」에 따른 한국관광공사
8. 「한국농어촌공사 및 농지관리기금법」에 따른 한국농어촌공사
② 법 제70조제3호에서 "대통령령으로 정하는 용도·규모의 건축물"이란 별표 3과 같다.

해설 특별건축구역에서는 대상 건축물에 대하여 건축기준 등의 특례사항을 적용하여 건축할 수 있다.

■ 대상건축물

【1】 국가 등이 건축하는 건축물

1. 국가 또는 지방자치단체가 건축하는 건축물	
2. 공공기관*이 건축하는 건축물 * 우측란의 공공기관	① 한국토지주택공사 ② 한국수자원공사 ③ 한국도로공사 ④ 한국철도공사 ⑤ 국가철도공단 ⑥ 한국관광공사 ⑦ 한국농어촌공사

【2】 위 【1】 외에 도시경관의 창출, 건설기술 수준향상 및 건축 관련 제도개선을 위하여 특례 적용이 필요하다고 허가권자가 인정하는 건축물(시행령 별표3)

	용 도		규모(연면적 또는 세대)
1.	문화 및 집회시설, 판매시설, 운수시설, 의료시설, 교육연구시설, 수련시설		2,000㎡ 이상
2.	운동시설, 업무시설, 숙박시설, 관광휴게시설, 방송통신시설		3,000㎡ 이상
3.	종교시설		-
4.	노유자시설		500㎡ 이상
5.	공동주택 (주거용 외의 용도와 복합된 건축물 포함)		100세대 이상
6.	단독주택	① 한옥 또는 한옥건축양식의 단독주택	10동 이상
		② 그 밖의 단독주택	30동 이상
7.	그 밖의 용도		1,000㎡ 이상

비고
1. 위의 용도에 해당하는 건축물은 허가권자가 인정하는 비슷한 용도의 건축물을 포함한다.
2. 위의 용도가 복합된 건축물의 경우 해당 용도의 연면적의 합한 값 이상이어야 한다.
(공동주택과 주거용 외의 용도가 복합된 경우 각각 해당 용도의 연면적 또는 세대 기준에 적합할 것)
3. 위 표 6.①의 건축물에는 허가권자가 인정하는 범위에서 단독주택 외의 용도로 쓰는 한옥 또는 한옥건축양식의 건축물을 일부 포함할 수 있다.

3 특별건축구역의 지정절차 등(법 제71조)(영 제107조, 제107조의2)(규칙 제38조의3, 4)

법 제71조【특별건축구역의 지정절차 등】

① 중앙행정기관의 장, 제69조제1항 각 호의 사업구역을 관할하는 시 · 도지사 또는 시장 · 군수 · 구청장(이하 이 장에서 "지정신청기관"이라 한다)은 특별건축구역의 지정이 필요한 경우에는 다음 각 호의 자료를 갖추어 중앙행정기관의 장 또는 시 · 도지사는 국토교통부장관에게, 시장 · 군수 · 구청장은 특별시장 · 광역시장 · 도지사에게 각각 특별건축구역의 지정을 신청할 수 있다. <개정 2014.1.14>

1. 특별건축구역의 위치 · 범위 및 면적 등에 관한 사항
2. 특별건축구역의 지정 목적 및 필요성
3. 특별건축구역 내 건축물의 규모 및 용도 등에 관한 사항
4. 특별건축구역의 도시 · 군관리계획에 관한 사항. 이 경우 도시 · 군관리계획의 세부 내용은 대통령령으로 정한다.
5. 건축물의 설계, 공사감리 및 건축시공 등의 발주방법 등에 관한 사항
6. 제74조에 따라 특별건축구역 전부 또는 일부를 대상으로 통합하여 적용하는 미술작품, 부설주차장, 공원 등의 시설에 대한 운영관리 계획서. 이 경우 운영관리 계획서의 작성방법, 서식, 내용 등에 관한 사항은 국토교통부령으로 정한다.
7. 그 밖에 특별건축구역의 지정에 필요한 대통령령으로 정하는 사항

② 제1항에 따른 지정신청기관 외의 자는 제1항 각 호의 자료를 갖추어 제69조제1항제2호의 사업구역을 관할하는 시 · 도지사에게 특별건축구역의 지정을 제안할 수 있다. <신설 2020.4.7.>

③ 제2항에 따른 특별건축구역 지정 제안의 방법 및 절차 등에 관하여 필요한 사항은 대통령령으로 정한다. <신설 2020.4.7.>

④ 국토교통부장관 또는 특별시장 · 광역시장 · 도지사는 제1항에 따라 지정신청이 접수된 경우에는 특별건축구역 지정의 필요성, 타당성 및 공공성 등과 피난 · 방재 등의 사항을 검토하고, 지정 여부를 결정하기 위하여 지정신청을 받은 날부터 30일 이내에 국토교통부장관이 지정신청을 받은 경우에는 국토교통부장관이 두는 건축위원회(이하 "중앙건축위원회"라 한다), 특별시장 · 광역시장 · 도지사가 지정신청을 받은 경우에는 각각 특별시장 · 광역시장 · 도지사가 두는 건축위원회의 심의를 거쳐야 한다. <개정 2020.4.7.>

⑤ 국토교통부장관 또는 특별시장 · 광역시장 · 도지사는 각각 중앙건축위원회 또는 특별시장 · 광역시장 · 도지사가 두는 건축위원회의 심의 결과를 고려하여 필요한 경우 특별건축구역의 범위, 도시 · 군관리계획 등에 관한 사항을 조정할 수 있다. <개정 2020.4.7.>

⑥ 국토교통부장관 또는 시 · 도지사는 필요한 경우 직권으로 특별건축구역을 지정할 수 있다. 이 경우 제1항 각 호의 자료에 따라 특별건축구역 지정의 필요성, 타당성 및 공공성 등과 피난 · 방재 등의 사항을 검토하고 각각 중앙건축위원회 또는 시 · 도지사가 두는 건축위원회의 심의를 거쳐야 한다. <개정 2020.4.7.>

⑦ 국토교통부장관 또는 시 · 도지사는 특별건축구역을 지정하거나 변경 · 해제하는 경우에는 대통령령으로 정하는 바에 따라 주요 내용을 관보(시 · 도지사는 공보)에 고시하고, 국토교통부장관 또는 특별시장 · 광역시장 · 도지사는 지정신청기관에 관계 서류의 사본을 송부하여야 한다. <개정 2020.4.7.>

⑧ 제7항에 따라 관계 서류의 사본을 받은 지정신청기관은 관계 서류에 도시 · 군관리계획의 결정사항

이 포함되어 있는 경우에는 「국토의 계획 및 이용에 관한 법률」 제32조에 따라 지형도면의 승인신청 등 필요한 조치를 취하여야 한다. <개정 2020.4.7.>

⑨ 지정신청기관은 특별건축구역 지정 이후 변경이 있는 경우 변경지정을 받아야 한다. 이 경우 변경지정을 받아야 하는 변경의 범위, 변경지정의 절차 등 필요한 사항은 대통령령으로 정한다. <개정 2020.4.7.>

⑩ 국토교통부장관 또는 시·도지사는 다음 각 호의 어느 하나에 해당하는 경우에는 특별건축구역의 전부 또는 일부에 대하여 지정을 해제할 수 있다. 이 경우 국토교통부장관 또는 특별시장·광역시장·도지사는 지정신청기관의 의견을 청취하여야 한다. <개정 2014.1.14., 2020.4.7.>

1. 지정신청기관의 요청이 있는 경우
2. 거짓이나 그 밖의 부정한 방법으로 지정을 받은 경우
3. 특별건축구역 지정일부터 5년 이내에 특별건축구역 지정목적에 부합하는 건축물의 착공이 이루어지지 아니하는 경우
4. 특별건축구역 지정요건 등을 위반하였으나 시정이 불가능한 경우

⑪ 특별건축구역을 지정하거나 변경한 경우에는 「국토의 계획 및 이용에 관한 법률」 제30조에 따른 도시·군관리계획의 결정(용도지역·지구·구역의 지정 및 변경은 제외한다)이 있는 것으로 본다. <개정 2020.4.7., 2020.6.9.>

영 제107조【특별건축구역의 지정 절차 등】

① 법 제71조제1항제4호에 따른 도시·군관리계획의 세부 내용은 다음 각 호와 같다.

1. 「국토의 계획 및 이용에 관한 법률」 제36조부터 제38조까지, 제38조의2, 제39조, 제40조 및 같은 법 시행령 제30조부터 제32조까지의 규정에 따른 용도지역, 용도지구 및 용도구역에 관한 사항
2. 「국토의 계획 및 이용에 관한 법률」 제43조에 따라 도시·군관리계획으로 결정되었거나 설치된 도시·군계획시설의 현황 및 도시·군계획시설의 신설·변경 등에 관한 사항
3. 「국토의 계획 및 이용에 관한 법률」 제50조부터 제52조까지 및 같은 법 시행령 제43조부터 제47조까지의 규정에 따른 지구단위계획구역의 지정, 지구단위계획의 내용 및 지구단위계획의 수립·변경 등에 관한 사항

② 법 제71조제1항제7호에서 "대통령령으로 정하는 사항"이란 다음 각 호의 사항을 말한다. <개정 2014.10.14.>

1. 특별건축구역의 주변지역에 「국토의 계획 및 이용에 관한 법률」 제43조에 따라 도시·군관리계획으로 결정되었거나 설치된 도시·군계획시설에 관한 사항
2. 특별건축구역의 주변지역에 대한 지구단위계획구역의 지정 및 지구단위계획의 내용 등에 관한 사항

2의2. 「건축기본법」 제21조에 따른 건축디자인 기준의 반영에 관한 사항

3. 「건축기본법」 제23조에 따라 민간전문가를 위촉한 경우 그에 관한 사항
4. 제105조제3항제2호의2에 따른 복합적인 토지 이용에 관한 사항(제105조제3항제2호의2에 해당하는 지역을 지정하기 위한 신청의 경우로 한정한다)

③ 국토교통부장관 또는 시·도지사는 법 제71조제7항에 따라 특별건축구역을 지정하거나 변경·해제하는 경우에는 다음 각 호의 사항을 즉시 관보(시·도지사의 경우에는 공보)에 고시해야 한다. <개정 2021.1.8.>

1. 지정·변경 또는 해제의 목적

2. 특별건축구역의 위치, 범위 및 면적
3. 특별건축구역 내 건축물의 규모 및 용도 등에 관한 주요 사항
4. 건축물의 설계, 공사감리 및 건축시공 등 발주방법에 관한 사항
5. 도시·군계획시설의 신설·변경 및 지구단위계획의 수립·변경 등에 관한 사항
6. 그 밖에 국토교통부장관 또는 시·도지사가 필요하다고 인정하는 사항

④ 특별건축구역의 지정신청기관이 다음 각 호의 어느 하나에 해당하여 법 제71조제9항에 따라 특별건축구역의 변경지정을 받으려는 경우에는 국토교통부령으로 정하는 자료를 갖추어 국토교통부장관 또는 특별시장·광역시장·도지사에게 변경지정 신청을 해야 한다. 이 경우 특별건축구역의 변경지정에 관하여는 법 제71조제4항 및 제5항을 준용한다. <개정 2021.1.8.>

1. 특별건축구역의 범위가 10분의 1(특별건축구역의 면적이 10만 제곱미터 미만인 경우에는 20분의 1) 이상 증가하거나 감소하는 경우
2. 특별건축구역의 도시·군관리계획에 관한 사항이 변경되는 경우
3. 건축물의 설계, 공사감리 및 건축시공 등 발주방법이 변경되는 경우
4. 그 밖에 특별건축구역의 지정 목적이 변경되는 등 국토교통부령으로 정하는 경우

⑤ 제1항부터 제4항까지에서 규정한 사항 외에 특별건축구역의 지정에 필요한 세부 사항은 국토교통부장관이 정하여 고시한다.

영 제107조의2【특별건축구역의 지정 제안 절차 등】

① 법 제71조제2항에 따라 특별건축구역 지정을 제안하려는 자는 같은 조 제1항의 자료를 갖추어 시장·군수·구청장에게 의견을 요청할 수 있다.

② 시장·군수·구청장은 제1항에 따라 의견 요청을 받으면 특별건축구역 지정의 필요성, 타당성, 공공성 등과 피난·방재 등의 사항을 검토하여 의견을 통보해야 한다. 이 경우 「건축기본법」 제23조에 따라 시장·군수·구청장이 위촉한 민간전문가의 자문을 받을 수 있다.

③ 법 제71조제2항에 따라 특별건축구역 지정을 제안하려는 자는 시·도지사에게 제안하기 전에 다음 각 호에 해당하는 자의 서면 동의를 받아야 한다. 이 경우 토지소유자의 서면 동의 방법은 국토교통부령으로 정한다.

1. 대상 토지 면적(국유지·공유지의 면적은 제외한다)의 3분의 2 이상에 해당하는 토지소유자
2. 국유지 또는 공유지의 재산관리청(국유지 또는 공유지가 포함되어 있는 경우로 한정한다)

④ 법 제71조제2항에 따라 특별건축구역 지정을 제안하려는 자는 다음 각 호의 서류를 시·도지사에게 제출해야 한다.

1. 법 제71조제1항 각 호의 자료
2. 제2항에 따른 시장·군수·구청장의 의견(의견을 요청한 경우로 한정한다)
3. 제3항에 따른 토지소유자 및 재산관리청의 서면 동의서

⑤ 시·도지사는 제4항에 따른 서류를 받은 날부터 45일 이내에 특별건축구역 지정의 필요성, 타당성, 공공성 등과 피난·방재 등의 사항을 검토하여 특별건축구역 지정여부를 결정해야 한다. 이 경우 관할 시장·군수·구청장의 의견을 청취(제4항제2호의 의견서를 제출받은 경우는 제외한다)한 후 시·도지사가 두는 건축위원회의 심의를 거쳐야 한다.

⑥ 시·도지사는 제5항에 따라 지정여부를 결정한 날부터 14일 이내에 특별건축구역 지정을 제안한 자에게 그 결과를 통보해야 한다.

⑦ 제5항에 따라 지정된 특별건축구역에 대한 변경지정의 제안에 관하여는 제1항부터 제6항까지의 규정을 준용한다.

⑧ 제1항부터 제7항까지에서 규정한 사항 외에 특별건축구역의 지정에 필요한 세부 사항은 국토교통부장관이 정하여 고시한다.
[본조신설 2021.1.8.]

규칙 제38조의3【특별건축구역의 지정 절차 등】
① 법 제71조제1항제6호에 따른 운영관리 계획서는 별지 제27호의3서식과 같다. <개정 2021.12.31>
② 제1항에 따른 운영관리 계획서에는 다음 각 호의 서류를 첨부하여야 한다.
1. 삭제 <2011.1.6>
2. 법 제74조에 따른 통합적용 대상시설(이하 "통합적용 대상시설"이라 한다)의 배치도
3. 통합적용 대상시설의 유지 · 관리 및 비용분담계획서
③ 영 제107조제4항 각 호 외의 부분에서 "국토교통부령으로 정하는 자료"란 법 제72조제1항에 따라 특별건축구역의 지정을 신청할 때 제출한 자료 중 변경된 내용에 따라 수정한 자료를 말한다.
④ 영 제107조제4항제4호에서 "지정 목적이 변경되는 등 국토교통부령으로 정하는 경우"란 다음 각 호의 어느 하나에 해당하는 경우를 말한다.
1. 특별건축구역의 지정 목적 및 필요성이 변경되는 경우
2. 특별건축구역 내 건축물의 규모 및 용도 등이 변경되는 경우(건축물의 규모변경이 연면적 및 높이의 10분의 1 범위 이내에 해당하는 경우 또는 영 제12조제3항 각 호에 해당하는 경우는 제외한다)
3. 통합적용 대상시설의 규모가 10분의 1이상 변경되거나 또는 위치 변경되는 경우

규칙 제38조의4【특별건축구역의 지정 제안 동의 방법 등】
① 영 제107조의2제3항 각 호 외의 부분 후단에 따른 토지소유자의 동의 방법은 별지 제27호의4서식의 특별건축구역 지정 제안 동의서에 지장을 날인하고 자필로 서명하는 방법으로 한다. 이 경우 토지소유자는 별지 제27호의4서식의 특별건축구역 지정 제안 동의서에 주민등록증 · 여권 등 신원을 확인할 수 있는 신분증명서의 사본을 첨부해야 한다. <개정 2021.12.31>
② 제1항에도 불구하고 토지소유자가 해외에 장기체류하거나 법인인 경우 등 불가피한 사유가 있다고 시 · 도지사가 인정하는 경우에는 토지소유자의 인감도장을 날인하는 방법으로 한다. 이 경우 토지소유자는 별지 제27호의4서식의 특별건축구역 지정 제안 동의서에 해당 인감증명서를 첨부해야 한다. <개정 2021.12.31>
③ 시 · 도지사는 영 제107조의2제4항에 따라 토지소유자의 특별건축구역 지정 제안 동의서를 받으면 행정정보의 공동이용을 통해 토지등기사항증명서를 확인해야 한다. 다만, 토지소유자가 확인에 동의하지 않는 경우에는 토지등기사항증명서를 첨부하도록 해야 한다.
[본조신설 2021.1.8.][종전 제38조의4는 제38조의5로 이동 <2021.1.8.>]

1 지정신청기관의 특별건축구역 지정 신청 등

- 공공이 특별건축구역 지정을 신청할 경우 지정 및 심의절차
  ⇨ 특별건축구역 운영 가이드라인(국토교통부 훈령 제1445호, 2021.11.3.) 참조

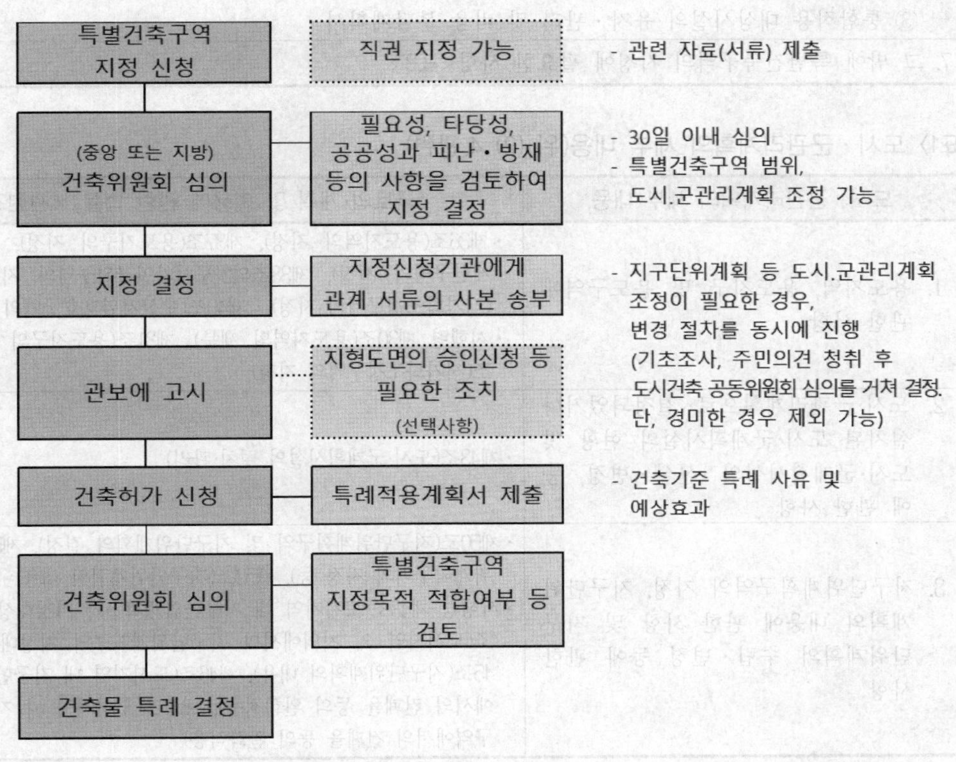

【1】 지정 신청기관의 특별건축구역 지정 신청

특별건축구역의 지정신청기관은 특별건축구역의 지정이 필요한 경우 자료를 갖추어 국토교통부장관또는 특별시장·광역시장·도지사에게 특별건축구역의 지정을 신청할 수 있다.

(1) 지정신청기관의 범위

1. 중앙행정기관의 장
2. 특별건축구역 지정대상 사업구역을 관할하는 시·도지사
3. 특별건축구역 지정대상 사업구역을 관할하는 시장·군수·구청장

(2) 지정 신청시 갖추어야 할 자료

1. 특별건축구역의 위치·범위 및 면적 등에 관한 사항
2. 특별건축구역의 지정 목적 및 필요성
3. 특별건축구역 내 건축물의 규모 및 용도 등에 관한 사항
4. 특별건축구역의 도시・군관리계획에 관한 사항
   이 경우 도시・군관리계획의 세부 내용은 아래 <표1>과 같다.
5. 건축물의 설계, 공사감리 및 건축시공 등의 발주방법 등에 관한 사항

6. 특별건축구역 전부 또는 일부를 대상으로 통합하여 적용하는 미술장식, 부설주차장, 공원 등의 시설에 대한 운영관리 계획서<규칙 별지 제27호의3 서식>와 다음의 첨부서류
   ① 통합적용 대상건축물의 평면도 및 단면도
   ② 통합적용 대상시설의 배치도
   ③ 통합적용 대상시설의 유지·관리 및 비용 분담계획서

7. 그 밖에 특별건축구역의 지정에 필요한 사항<표2>

〈표1〉 도시·군관리계획의 세부 내용(위 (2) 4.관련)

도시·군관리계획의 세부 내용	「국토의 계획 및 이용에 관한 법률」 관련조항
1. 용도지역, 용도지구 및 용도구역에 관한 사항	· 제36조(용도지역의 지정), 제37조(용도지구의 지정), 제38조(개발제한구역의 지정), 제38조의2(도시자연공원구역의 지정), 제39조(시가화조정구역의 지정), 제40조(수산자원보호구역의 지정) · 시행령 제30조(용도지역의 세분), 제31조(용도지구의 지정), 제32조(시가화조정구역의 지정)
2. 도시·군관리계획으로 결정되었거나 설치된 도시·군계획시설의 현황 및 도시·군계획시설의 신설·변경 등에 관한 사항	· 제43조(도시·군계획시설의 설치·관리)
3. 지구단위계획구역의 지정, 지구단위계획의 내용에 관한 사항 및 지구단위계획의 수립·변경 등에 관한 사항	· 제50조(지구단위계획구역 및 지구단위계획의 결정), 제51조(지구단위계획구역의 지정 등), 제52조(지구단위계획의 내용) · 시행령 제43조(도시지역 내 지구단위계획구역 지정대상지역), 제44조(도시지역 외 지역에서의 지구단위계획구역 지정대상지역), 제45조(지구단위계획의 내용), 제46조(도시지역 내 지구단위계획구역에서의 건폐율 등의 완화적용), 제47조(도시지역 외 지구단위계획구역에서의 건폐율 등의 완화적용)

〈표2〉 그 밖에 특별건축구역의 지정에 필요한 사항(위 (2) 7.관련)

1. 특별건축구역의 주변지역에 도시·군관리계획으로 결정되었거나 설치된 도시·군계획시설에 관한 사항
2. 특별건축구역의 주변지역에 대한 지구단위계획구역의 지정 및 지구단위계획의 내용 등에 관한 사항
3. 「건축기본법」에 따른 건축디자인 기준의 반영에 관한 사항 **관계법**
4. 「건축기본법」에 따라 민간전문가를 위촉한 경우 그에 관한 사항 **관계법**
5. 주거, 상업, 업무 등 다양한 기능을 결합하는 복합적인 토지 이용에 관한 사항

관계법 건축디자인 기준의 반영 및 민간전문가(「건축기본법」 제21조, 제23조, 영 제21조)

법 제21조【건축디자인 기준의 설정】① 국토교통부장관은 산업통상자원부와 협의하여 건축디자인(공공공간은 제외한다)의 기준을 설정할 수 있다. <개정 2020.6.9.>
② 국토교통부장관은 문화체육관광부장관 및 산업통상자원부와 협의하여 공공공간의 건축디자인 기준을 설정할 수 있다.
③ 시·도지사 또는 시장·군수·구청장은 제1항 및 제2항의 기준의 범위 안에서 지역 내 건축디자인 기준을 따로 정할 수 있다.

④ 지방자치단체의 장은 건축물 및 공간환경 시설물의 소유자·관리자 및 공공기관의 장에게 제1항부터 제3항까지의 규정에 따른 건축디자인 기준에 따르도록 권장할 수 있다.
⑤ 제1항부터 제3항까지의 규정에 따른 건축디자인 기준 설정에 대하여 필요한 사항은 대통령령으로 정한다.

【참고】 공공부문 건축디자인 업무기준(국토교통부고시 제2019-360호, 2019.7.4.)

법 제23조 **【민간전문가의 참여】** ① 중앙행정기관의 장 및 지방자치단체의 장은 건축 관련 민원, 설계공모 업무나 도시개발 사업 등을 시행하는 경우 민간전문가를 위촉하여 해당 업무의 일부를 진행·조정하게 할 수 있다. <개정 2020.6.9.>
② 제1항의 민간전문가의 자격·업무범위·보수 등 필요한 사항은 대통령령으로 정한다.

영 제21조 **【민간전문가의 참여】** ① 중앙행정기관의 장 또는 지방자치단체의 장은 법 제23조제1항에 따라 다음 각 호의 어느 하나에 해당하는 사람을 민간전문가로 위촉할 수 있다.
1. 「건축사법」에 따른 건축사
2. 건축·도시 또는 조경 관련 기술사(「국가기술자격법」에 따른 기술사를 말한다)
3. 대학에서 건축·도시 또는 조경 관련 학문을 전공한 사람으로서 「고등교육법」 제2조에 따른 학교 또는 이에 준하는 학교나 공인된 연구기관에서 부교수 이상의 직 또는 이에 상당하는 직에 있거나 있었던 사람

② 국가건축정책위원회는 제1항 각 호의 어느 하나에 해당하는 사람 중 건축분야에 풍부한 경험과 전문적 식견을 가졌다고 인정되는 사람을 민간전문가로 추천할 수 있다.
③ 제1항에 따라 위촉된 민간전문가의 업무범위는 다음 각 호와 같다.
1. 국가 또는 지방자치단체에서 시행하는 건축·도시 관련 기획 및 설계 업무에 대한 조정
2. 국가 또는 지방자치단체의 건축정책에 대한 자문과 건축민원 업무의 처리
3. 다수의 사업자 또는 설계자들이 참여하는 대규모 개발사업에 대한 총괄·조정 및 관리
4. 건축디자인에 대한 전반적인 자문과 건축디자인 시범사업 등에 대한 기획·설계 등

④ 제1항에 따라 위촉된 민간전문가의 보수는 예산의 범위에서 지급할 수 있다.

【2】 검토 및 심의

국토교통부장관은 위 ① 에 따라 지정신청이 접수된 경우에는 특별건축구역 지정의 필요성, 타당성 및 공공성 등과 피난·방재 등의 사항을 검토하고, 지정 여부를 결정하기 위하여 지정신청을 받은 날부터 30일 이내에 다음 구분에 따른 건축위원회의 심의를 거쳐야 한다.

① 국토교통부장관이 지정신청을 받은 경우 : 중앙건축위원회
② 특별시장·광역시장·도지사가 지정신청을 받은 경우 : 특별시장·광역시장·도지사가 두는 건축위원회

【3】 국토교통부장관의 조정 등

① 국토교통부장관 또는 특별시장·광역시장·도지사는 중앙건축위원회 또는 특별시·광역시·도에 두는 건축위원회의 심의 결과를 고려하여 필요한 경우 특별건축구역의 범위, 도시·군관리계획 등에 관한 사항을 조정할 수 있다.
② 국토교통부장관 또는 시·도지사는 지정신청이 없더라도 필요한 경우 직권으로 특별건축구역을 지정할 수 있다. 이 경우 ① -(2)의 자료에 따라 특별건축구역 지정의 필요성, 타당성 및 공공성 등과 피난·방재 등의 사항을 검토하고 각각 중앙건축위원회 또는 시·도지사가 두는 건축위원회의 심의를 거쳐야 한다.

【4】 지정·변경 및 해제의 고시

국토교통부장관 또는 시・도지사는 특별건축구역을 지정하거나 변경·해제하는 경우 다음 사항을 지체없이 관보(시・도지사는 공보)에 고시하고, 지정신청기관에 관계 서류의 사본을 송부하여야 한다.

■ 관보에 고시할 내용
1. 지정・변경 또는 해제의 목적
2. 특별건축구역의 위치, 범위 및 면적
3. 특별건축구역 내 건축물의 규모 및 용도 등에 관한 주요사항
4. 건축물의 설계, 공사감리 및 건축시공 등 발주방법에 관한 사항
5. 도시계획시설의 신설・변경 및 지구단위계획의 수립・변경 등에 관한 사항
6. 그 밖에 국토교통부장관 또는 시・도지사가 필요하다고 인정하는 사항

【5】 지형도면의 승인신청 등

지정・변경 또는 해제에 대한 관계 서류의 사본을 받은 지정신청기관은 관계 서류에 도시・군관리계획의 결정사항이 포함되어 있는 경우에는 「국토의 계획 및 이용에 관한 법률」에 따라 지형도면의 승인신청 등 필요한 조치를 취하여야 한다. **관계법**

관계법 지형도면의 작성, 고시 등(「국토의 계획 및 이용에 관한 법률」 제32조)

법 제32조【도시·군관리계획에 관한 지형도면의 고시 등】 ① 특별시장・광역시장・특별자치시장・특별자치도지사・시장 또는 군수는 제30조에 따른 도시・군관리계획 결정(이하 "도시・군관리계획결정"이라 한다)이 고시되면 지적(地籍)이 표시된 지형도에 도시・군관리계획에 관한 사항을 자세히 밝힌 도면을 작성하여야 한다. <개정 2013.7.16>

② 시장(대도시 시장은 제외한다)이나 군수는 제1항에 따른 지형도에 도시・군관리계획(지구단위계획구역의 지정・변경과 지구단위계획의 수립・변경에 관한 도시・군관리계획은 제외한다)에 관한 사항을 자세히 밝힌 도면(이하 "지형도면"이라 한다)을 작성하면 도지사의 승인을 받아야 한다. 이 경우 지형도면의 승인 신청을 받은 도지사는 그 지형도면과 결정・고시된 도시・군관리계획을 대조하여 착오가 없다고 인정되면 대통령령으로 정하는 기간에 그 지형도면을 승인하여야 한다. <개정 2013.7.16>

③ 국토교통부장관(제40조에 따른 수산자원보호구역의 경우 농림수산식품부장관을 말한다. 이하 이 조에서 같다)이나 도지사는 도시・군관리계획을 직접 입안한 경우에는 제1항과 제2항에도 불구하고 관계 특별시장・광역시장・특별자치시장・특별자치도지사・시장 또는 군수의 의견을 들어 직접 지형도면을 작성할 수 있다.

④ 국토교통부장관, 시・도지사, 시장 또는 군수는 직접 지형도면을 작성하거나 지형도면을 승인한 경우에는 이를 고시하여야 한다. <개정 2013.7.16>

⑤ 제1항 및 제3항에 따른 지형도면의 작성기준 및 방법과 제4항에 따른 지형도면의 고시방법 및 절차 등에 관하여는 「토지이용규제 기본법」 제8조제2항 및 제6항부터 제9항까지의 규정에 따른다. <개정 2013.7.16>

【6】 특별건축구역의 변경지정

지정신청기관은 특별건축구역 지정 이후 다음 사항의 변경이 있는 경우 변경지정을 받아야 한다. 이 경우 지정신청시 제출 자료 중 변경된 부분의 자료를 갖추어 국토교통부장관 또는 특별시장·광역시장·도지사에게 변경지정 신청을 하여야 한다.

■ 변경지정 대상
1. 특별건축구역의 범위가 1/10(특별건축구역의 면적이 10만㎡ 미만인 경우 1/20) 이상 증가 또는 감소하는 경우
2. 특별건축구역의 도시·군관리계획에 관한 사항이 변경되는 경우
3. 건축물의 설계, 공사감리 및 건축시공 등 발주방법이 변경되는 경우
4. 특별건축구역의 지정 목적 및 필요성이 변경되는 경우
5. 특별건축구역 내 건축물의 규모 및 용도 등이 변경되는 경우 (건축물의 규모변경이 연면적 및 높이의 1/10 범위 이내에 해당하는 경우 또는 사용승인 신청시 일괄신고에 해당하는 변경의 경우 제외)
6. 통합적용 대상시설의 규모가 1/10 이상 변경되거나 위치가 변경되는 경우

【7】 지정의 해제

국토교통부장관 또는 시 · 도지사는 다음의 경우 지정신청기관의 의견을 청취하여 특별건축구역의 전부 또는 일부에 대하여 지정을 해제할 수 있다.

1. 지정신청기관의 요청이 있는 경우
2. 거짓이나 그 밖의 부정한 방법으로 지정을 받은 경우
3. 특별건축구역 지정일부터 5년 이내에 특별건축구역 지정목적에 부합하는 건축물의 착공이 이루어지지 아니하는 경우
4. 특별건축구역 지정요건 등을 위반하였으나 시정이 불가능한 경우

2 지정신청기관 외의 자의 지정 제안 절차 등

■ 민간이 특별건축구역 지정을 제안할 경우의 지정 및 심의 절차

⇨ 특별건축구역 운영 가이드라인(국토교통부 훈령 제1445호, 2021.11.3.) 참조

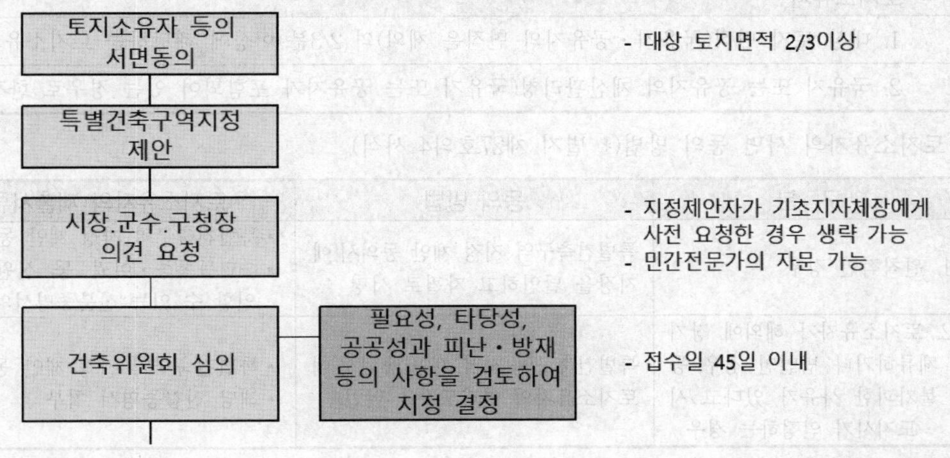

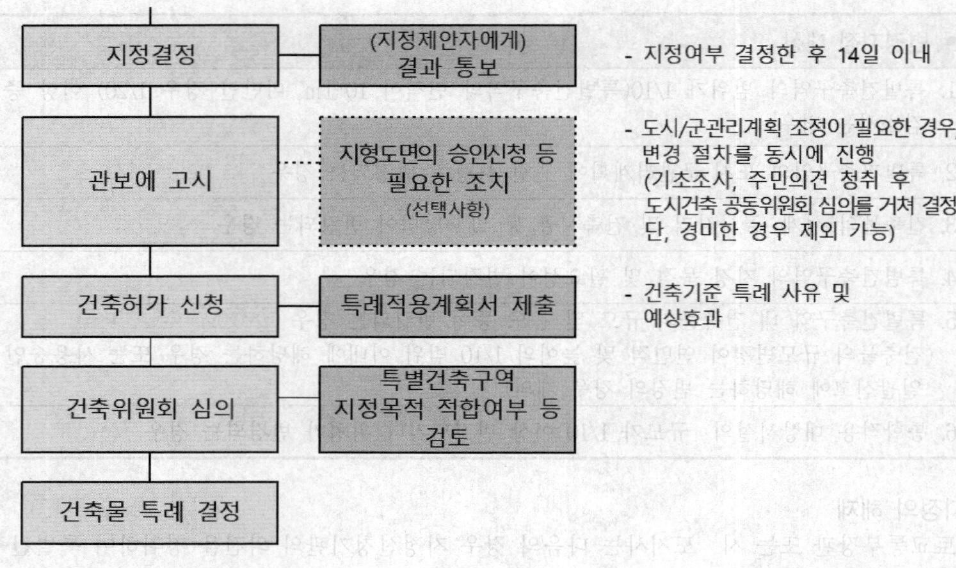

【1】 지정신청기관 외의 자의 지정 제안

① 지정신청기관 외의 자는 시·도지사가 지정하는 경우의 대상 사업구역을 관할하는 시·도지사에게 특별건축구역의 지정을 제안할 수 있다.

② 특별건축구역 지정을 제안하려는 자는 앞 1 (2)의 자료를 갖추어 시장·군수·구청장에게 의견을 요청할 수 있다.

【2】 검토의견의 통보

시장·군수·구청장은 의견 요청을 받으면 특별건축구역 지정의 필요성, 타당성, 공공성 등과 피난·방재 등의 사항을 검토하여 의견을 통보해야 한다.

* 이 경우 「건축기본법」에 따라 시장·군수·구청장이 위촉한 민간전문가의 자문을 받을 수 있다.

【3】 토지소유자의 서면 동의

① 특별건축구역 지정을 제안하려는 자는 시·도지사에게 제안 전 아래 토지소유자의 서면 동의를 받아야 한다.

■ 토지소유자
1. 대상 토지 면적(국유지·공유지의 면적은 제외)의 2/3분 이상에 해당하는 토지소유자
2. 국유지 또는 공유지의 재산관리청(국유지 또는 공유지가 포함되어 있는 경우로 한정)

② 토지소유자의 서면 동의 방법(* 별지 제27호의4 서식)

구 분	동의 방법	토지소유자의 제출서류
1. 원칙적인 경우	특별건축구역 지정 제안 동의서*에 지장을 날인하고 자필로 서명	▪ 특별건축구역 지정 제안 동의서* ▪ 주민등록증·여권 등 신원을 확인할 수 있는 신분증명서의 사본
2. 토지소유자가 해외에 장기 체류하거나 법인인 경우 등 불가피한 사유가 있다고 시·도지사가 인정하는 경우	특별건축구역 지정 제안 동의서*에 토지소유자의 인감도장을 날인	▪ 특별건축구역 지정 제안 동의서* ▪ 해당 인감증명서 첨부

【4】 제안 서류의 제출

특별건축구역 지정을 제안하려는 자는 다음의 서류를 시·도지사에게 제출해야 한다.

■ 제안시 제출 서류
1. 앞 1 (2)의 자료
2. 시장·군수·구청장의 의견(의견을 요청한 경우로 한정)
3. 토지소유자 및 재산관리청의 서면 동의서

【5】 토지등기사항증명서의 확인

시·도지사는 토지소유자의 특별건축구역 지정 제안 동의서를 받으면 행정정보의 공동이용을 통해 토지등기사항증명서를 확인해야 한다. **예외** 토지소유자가 확인에 동의하지 않는 경우 토지등기사항증명서를 첨부

【6】 심의 및 지정여부의 결정

① 시·도지사는 서류를 받은 날부터 45일 이내에 특별건축구역 지정의 필요성, 타당성, 공공성 등과 피난·방재 등의 사항을 검토하여 특별건축구역 지정여부를 결정해야 한다.

② 이 경우 관할 시장·군수·구청장의 의견을 청취(시장·군수·구청장의 의견서를 제출받은 경우는 제외)한 후 시·도지사가 두는 건축위원회의 심의를 거쳐야 한다.

【7】 결과의 통보

시·도지사는 지정여부를 결정한 날부터 14일 이내에 특별건축구역 지정을 제안한 자에게 그 결과를 통보해야 한다.

【8】 변경지정의 제안시 규정준용 등

① 지정된 특별건축구역에 대한 변경지정의 제안에 관하여는 앞(【1】~【7】)의 규정을 준용한다.

② 앞의 규정한 사항 외에 특별건축구역의 지정에 필요한 세부 사항은 국토교통부장관이 정하여 고시한다.

4 특별건축구역내 건축물의 심의 등(법 제72조)(영 제108조)(규칙 제38조의5)

법 제72조【특별건축구역 내 건축물의 심의 등】

① 특별건축구역에서 제73조에 따라 건축기준 등의 특례사항을 적용하여 건축허가를 신청하고자 하는 자(이하 이 조에서 "허가신청자"라 한다)는 다음 각 호의 사항이 포함된 특례적용계획서를 첨부하여 제11조에 따라 해당 허가권자에게 건축허가를 신청하여야 한다. 이 경우 특례적용계획서의 작성방법 및 제출서류 등은 국토교통부령으로 정한다.

1. 제5조에 따라 기준을 완화하여 적용할 것을 요청하는 사항
2. 제71조에 따른 특별건축구역의 지정요건에 관한 사항
3. 제73조제1항의 적용배제 특례를 적용한 사유 및 예상효과 등
4. 제73조제2항의 완화적용 특례의 동등 이상의 성능에 대한 증빙내용
5. 건축물의 공사 및 유지 · 관리 등에 관한 계획

② 제1항에 따른 건축허가는 해당 건축물이 특별건축구역의 지정 목적에 적합한지의 여부와 특례적용계획서 등 해당 사항에 대하여 제4조제1항에 따라 시 · 도지사 및 시장 · 군수 · 구청장이 설치하는 건축위원회(이하 "지방건축위원회"라 한다)의 심의를 거쳐야 한다.

③ 허가신청자는 제1항에 따른 건축허가 시 「도시교통정비 촉진법」 제16조에 따른 교통영향평가서의 검토를 동시에 진행하고자 하는 경우에는 같은 법 제16조에 따른 교통영향평가서에 관한 서류를 첨부하여 허가권자에게 심의를 신청할 수 있다. <개정 2015.7.24>

④ 제3항에 따라 교통영향평가서에 대하여 지방건축위원회에서 통합심의한 경우에는 「도시교통정비 촉진법」 제17조에 따른 교통영향분석 · 개선대책의 심의를 한 것으로 본다. <개정 2015.7.24.>

⑤ 제1항 및 제2항에 따라 심의된 내용에 대하여 대통령령으로 정하는 변경사항이 발생한 경우에는 지방건축위원회의 변경심의를 받아야 한다. 이 경우 변경심의는 제1항에서 제3항까지의 규정을 준용한다.

⑥ 국토교통부장관 또는 특별시장 · 광역시장 · 도지사는 건축제도의 개선 및 건설기술의 향상을 위하여 허가권자의 의견을 들어 특별건축구역 내에서 제1항 및 제2항에 따라 건축허가를 받은 건축물에 대하여 모니터링(특례를 적용한 건축물에 대하여 해당 건축물의 건축시공, 공사감리, 유지 · 관리 등의 과정을 검토하고 실제로 건축물에 구현된 기능 · 미관 · 환경 등을 분석하여 평가하는 것을 말한다. 이하 이 장에서 같다)을 실시할 수 있다. <개정 2016.2.3.>

⑦ 허가권자는 제1항 및 제2항에 따라 건축허가를 받은 건축물의 특례적용계획서를 심의하는 데에 필요한 국토교통부령으로 정하는 자료를 특별시장 · 광역시장 · 특별자치시장 · 도지사 · 특별자치도지사는 국토교통부장관에게, 시장 · 군수 · 구청장은 특별시장 · 광역시장 · 도지사에게 각각 제출하여야 한다. <개정 2016.2.3.>

⑧ 제1항 및 제2항에 따라 건축허가를 받은 「건설기술 진흥법」 제2조제6호에 따른 발주청은 설계의도의 구현, 건축시공 및 공사감리의 모니터링, 그 밖에 발주청이 위탁하는 업무의 수행 등을 위하여 필요한 경우 설계자를 건축허가 이후에도 해당 건축물의 건축에 참여하게 할 수 있다. 이 경우 설계자의 업무내용 및 보수 등에 관하여는 대통령령으로 정한다.

영 제108조【특별건축구역 내 건축물의 심의 등】

① 법 제72조제5항에 따라 지방건축위원회의 변경심의를 받아야 하는 경우는 다음 각 호와 같다.

1. 법 제16조에 따라 변경허가를 받아야 하는 경우
2. 법 제19조제2항에 따라 변경허가를 받거나 변경신고를 하여야 하는 경우
3. 건축물 외부의 디자인, 형태 또는 색채를 변경하는 경우

4. 그 밖에 법 제72조제1항 각 호의 사항 중 국토교통부령으로 정하는 사항을 변경하는 경우
② 법 제72조제8항 전단에 따라 설계자가 해당 건축물의 건축에 참여하는 경우 공사시공자 및 공사감리자는 특별한 사유가 있는 경우를 제외하고는 설계자의 자문 의견을 반영하도록 하여야 한다.
③ 법 제72조제8항 후단에 따른 설계자의 업무내용은 다음 각 호와 같다.
1. 법 제72조제6항에 따른 모니터링
2. 설계변경에 대한 자문
3. 건축디자인 및 도시경관 등에 관한 설계의도의 구현을 위한 자문
4. 그 밖에 발주청이 위탁하는 업무
④ 제3항에 따른 설계자의 업무내용에 대한 보수는 「엔지니어링산업 진흥법」 제31조에 따른 엔지니어링사업대가의 기준의 범위에서 국토교통부장관이 정하여 고시한다. <개정 2013.3.23>
⑤ 제1항부터 제4항까지에서 규정한 사항 외에 특별건축구역 내 건축물의 심의 및 건축허가 이후 해당 건축물의 건축에 대한 설계자의 참여에 관한 세부 사항은 국토교통부장관이 정하여 고시한다. <개정 2013.3.23>

규칙 제38조의5【특별건축구역 내 건축물의 심의 등】
① 법 제72조제1항 전단에 따른 특례적용계획서는 별지 제27호의5서식과 같다. <개정 2021.1.8., 2021.12.31.>
② 제1항에 따른 특례적용계획서에는 다음 각 호의 서류를 첨부하여야 한다.
1. 특례적용 대상건축물의 개략설계도서
2. 특례적용 대상건축물의 배치도
3. 특례적용 대상건축물의 내화 · 방화 · 피난 또는 건축설비도
4. 특례적용 신기술의 세부 설명자료
③ 영 제108조제1항제4호에서 "법 제72조제1항 각 호의 사항 중 국토교통부령으로 정하는 사항을 변경하는 경우"란 법 제73조제1항의 적용배제 특례사항 또는 같은 조 제2항의 완화적용 특례사항을 변경하는 경우를 말한다.
④ 법 제72조제7항에서 "국토교통부령으로 정하는 자료"란 제2항 각 호의 서류를 말한다.
[제38조의4에서 이동 <2021.1.8.>]

1 특별건축구역에서의 허가신청

특별건축구역에서 건축기준 등의 특례사항을 적용하여 건축허가를 신청하고자 하는 자(허가신청자)는 다음의 사항이 포함된 특례적용계획서(규칙 별지 제27호의5 서식)와 관련서류를 첨부하여 해당 허가권자에게 건축허가를 신청하여야 한다.

【1】 특례적용계획서에 포함될 사항

1. 기준을 완화하여 적용할 것을 요청하는 사항(법 제5조)
2. 특별건축구역의 지정요건에 관한 사항(법 제71조)
3. 적용배제 특례를 적용한 사유 및 예상효과 등(법 제73조제1항)
4. 완화적용 특례의 동등 이상의 성능에 대한 증빙내용(법 제73조제2항)
5. 건축물의 공사 및 유지·관리 등에 관한 계획

【2】 첨부서류

1. 특례적용 대상건축물의 개략설계도서
2. 특례적용 대상건축물의 배치도
3. 특례적용 대상건축물의 내화 · 방화 · 피난 또는 건축설비도
4. 특례적용 신기술의 세부 설명자료

2 건축허가시의 심의 등

(1) 건축허가는 해당 건축물이 특별건축구역의 지정 목적에 적합한지의 여부와 특례적용계획서등 해당 사항에 대하여 지방건축위원회의 심의를 거쳐야 한다.

(2) 허가신청자는 건축허가 시 교통영향평가서의 검토를 동시에 진행하고자 하는 경우 관련 서류를 첨부하여 허가권자에게 심의를 신청할 수 있다. 이에 따라 통합심의한 경우 교통영향평가서의 심의를 한 것으로 본다.

(3) 지방건축위원회에서 심의된 내용에 대하여 다음의 변경사항이 발생한 경우 지방건축위원회의 변경심의를 받아야 한다.

■ 지방건축위원회의 변경심의 대상

1. 건축허가등의 변경허가를 받아야 하는 경우
2. 용도 변경허가를 받거나 변경신고를 하여야 하는 경우
3. 건축물 외부의 디자인, 형태 또는 색채를 변경하는 경우
4. 특별건축구역에 건축하는 건축물의 적용배제특례 및 적용완화특례 사항을 변경하는 경우

3 모니터링 대상 건축물의 지정

(1) 국토교통부장관 또는 특별시장·광역시장·도지사는 건축제도의 개선 및 건설기술의 향상을 위하여 허가권자의 의견을 들어 특별건축구역 내에서 위 1, 2에 따라 건축허가를 받은 건축물 대하여 모니터링을 실시할 수 있다.

(2) 모니터링의 의미
특례를 적용한 건축물에 대하여 해당 건축물의 건축시공, 공사감리, 유지·관리 등의 과정을 검토하고 실제로 건축물에 구현된 기능·미관·환경 등을 분석하여 평가하는 것을 말함

4 허가권자의 자료제출 의무

(1) 허가권자는 특례적용계획서를 심의하는데 필요한 자료를 특별시장·광역시장·특별자치시장·도지사·특별자치도지사는 국토교통부장관에게, 시장·군수·구청장은 특별시장·광역시장·도지사에게 각각 제출하여야 한다.

(2) 심의에 필요한 자료

1. 특례적용 대상건축물의 개략설계도서
2. 특례적용 대상건축물의 배치도
3. 특례적용 대상건축물의 내화·방화·피난 또는 건축설비도
4. 특례적용 신기술의 세부 설명자료

5 건축허가를 받은 발주청의 조치 등

(1) 건축허가를 받은 「건설기술 진흥법」에 따른 발주청은 설계의도의 구현, 건축시공 및 공사감리의 모니터링, 그 밖에 발주청이 위탁하는 업무의 수행 등을 위하여 필요한 경우 설계자를 건축허가 이후에도 해당 건축물의 건축에 참여하게 할 수 있다.

(2) 설계자가 해당 건축물의 건축에 참여하는 경우 공사시공자 및 공사감리자는 특별한 사유가 있는 경우를 제외하고는 설계자의 자문의견을 반영하도록 하여야 한다.

(3) 건축에 참여하는 설계자의 업무내용

1. 모니터링(「건축법」 제72조제6항)	설계자 업무내용에 대한 보수는 엔지니어링사업대가의 기준의 범위에서 국토교통부장관이 정하여 고시한다.
2. 설계변경에 대한 자문	
3. 건축디자인 및 도시경관 등에 관한 설계의도의 구현을 위한 자문	
4. 그 밖에 발주청이 위탁하는 업무	

(4) 그 밖에 특별건축구역 내 건축물의 심의 및 건축허가 이후 해당 건축물의 건축에 대한 설계자의 참여에 관한 세부 사항은 국토교통부장관이 정하여 고시한다.

5 관계법령의 적용 특례 및 통합적용계획의 수립 등(법 제73조, 제74조)(영 제109조)

법 제73조【관계 법령의 적용 특례】

① 특별건축구역에 건축하는 건축물에 대하여는 다음 각 호를 적용하지 아니할 수 있다. <개정 2016.1.19., 2016.2.3.>

1. 제42조, 제55조, 제56조, 제58조, 제60조 및 제61조
2. 「주택법」 제35조 중 대통령령으로 정하는 규정

② 특별건축구역에 건축하는 건축물이 제49조, 제50조, 제50조의2, 제51조부터 제53조까지, 제62조 및 제64조와 「녹색건축물 조성 지원법」 제15조에 해당할 때에는 해당 규정에서 요구하는 기준 또는 성능 등을 다른 방법으로 대신할 수 있는 것으로 지방건축위원회가 인정하는 경우에만 해당 규정의 전부 또는 일부를 완화하여 적용할 수 있다. <개정 2014.1.14>

③ 「소방시설 설치 및 관리에 관한 법률」 제12조와 제13조에서 요구하는 기준 또는 성능 등을 대통령령으로 정하는 절차·심의방법 등에 따라 다른 방법으로 대신할 수 있는 경우 전부 또는 일부를 완화하여 적용할 수 있다.

법 제74조【통합적용계획의 수립 및 시행】

① 특별건축구역에서는 다음 각 호의 관계 법령의 규정에 대하여는 개별 건축물마다 적용하지 아니하고 특별건축구역 전부 또는 일부를 대상으로 통합하여 적용할 수 있다.

1.「문화예술진흥법」 제9조에 따른 건축물에 대한 미술작품의 설치
2.「주차장법」 제19조에 따른 부설주차장의 설치
3.「도시공원 및 녹지 등에 관한 법률」에 따른 공원의 설치
② 통합하여 적용하려는 경우에는 특별건축구역 전부 또는 일부에 대하여 미술작품, 부설주차장, 공원 등에 대한 수요를 개별법으로 정한 기준 이상으로 산정하여 파악하고 이용자의 편의성, 쾌적성 및 안전 등을 고려한 통합적용계획을 수립하여야 한다.
③ 지정신청기관이 제2항에 따라 통합적용계획을 수립하는 때에는 해당 구역을 관할하는 허가권자와 협의하여야 하며, 협의요청을 받은 허가권자는 요청받은 날부터 20일 이내에 지정신청기관에게 의견을 제출하여야 한다.
④ 지정신청기관은 도시·군관리계획의 변경을 수반하는 통합적용계획이 수립된 때에는 관련 서류를 「국토의 계획 및 이용에 관한 법률」 제30조에 따른 도시·군관리계획 결정권자에게 송부하여야 하며, 이 경우 해당 도시·군관리계획 결정권자는 특별한 사유가 없으면 도시·군관리계획의 변경에 필요한 조치를 취하여야 한다. <개정 2020.6.9.>

영 제109조【관계 법령의 적용 특례】
① 법 제73조제1항제2호에서 "대통령령으로 정하는 규정"이란 「주택건설기준 등에 관한 규정」 제10조, 제13조, 제29조, 제35조, 제37조, 제50조, 제52조 및 제53조를 말한다.
② 허가권자가 법 제73조제3항에 따라 「소방시설 설치 및 관리에 관한 법률」 제12조 및 제13조에 따른 기준 또는 성능 등을 완화하여 적용하려면 「소방시설공사업법」 제30조제2항에 따른 지방소방기술심의위원회의 심의를 거치거나 소방본부장 또는 소방서장과 협의를 하여야 한다. <개정 2017.1.26., 2022.11.29.>

1 관계 법령의 적용 특례

특별건축구역에 건축하는 건축물에 대한 법규정을 적용하지 않거나 완화하여 적용할 수 있다.

적용배제 가능한 규정	완화적용 가능한 규정[2]	기타 완화 가능한 규정
1. 대지의 조경(제42조) 2. 건축물의 건폐율(제55조) 3. 건축물의 용적률(제56조) 4. 대지 안의 공지(제58조) 5. 건축물의 높이 제한(제60조) 6. 일조 등의 확보를 위한 건축물의 높이 제한(제61조) 7.「주택법」 제35조 중 대통령령으로 정하는 규정[1]	1. 건축물의 피난시설 및 용도제한 등(제49조) 2. 건축물의 내화구조와 방화벽(제50조) 3. 고층건축물의 피난 및 안전관리(제50조의2) 4. 방화지구 안의 건축물(제51조) 5. 건축물의 내부 마감재료(제52조) 6. 실내건축(제52조의2) 7. 지하층(제53조) 8. 건축설비기준 등(제62조) 9. 승강기(제64조) 10. 건축물에 대한 효율적인 에너지 관리와 녹색건축물 건축의 활성화(녹색건축물 조성 지원법 제15조)	「소방시설 설치 및 관리에 관한 법률」 제12조와 제13조[3]에서 요구하는 기준 또는 성능 등을 지방소방기술심의위원회의 심의를 거치거나 소방본부장 또는 소방서장과 협의하여 다른 방법으로 대신할 수 있는 경우 전부 또는 일부를 완화 적용 가능

1) 「주택건설기준 등에 관한 규정」 제10조(공동주택의 배치), 제13조(기준척도), 제29조(조경시설등)/삭제2014.10.28, 제35조(비상급수시설), 제37조(난방설비 등), 제50조(근린생활시설 등) 및 제52조(유치원)
2) 특별건축구역에 건축하는 건축물이 해당 규정에서 요구하는 기준 또는 성능 등을 다른 방법으로 대신할 수 있는 것으로 지방건축위원회가 인정하는 경우에 한하여 해당 규정의 전부 또는 일부를 완화 적용 가능
3) 제12조(특정소방대상물에 설치하는 소방시설의 관리 등), 제13조(소방시설기준 적용의 특례)

2 통합적용계획의 수립 및 시행

(1) 특별건축구역에서는 다음의 관계 법령의 규정에 대하여는 개별 건축물마다 적용하지 아니하고 특별건축구역 전부 또는 일부를 대상으로 통합하여 적용할 수 있다.

대 상	관 계 법 관계법
1. 건축물에 대한 미술작품의 설치	「문화예술진흥법」 제9조
2. 부설주차장의 설치	「주차장법」 제19조
3. 공원의 설치	「도시공원 및 녹지 등에 관한 법률」

(2) 지정신청기관은 관계 법령의 규정을 통합하여 적용하려는 경우에는 특별건축구역 전부 또는 일부에 대하여 미술작품, 부설주차장, 공원 등에 대한 수요를 개별법에서 정한 기준 이상으로 산정하여 파악하고 이용자의 편의성, 쾌적성 및 안전 등을 고려한 통합적용계획을 수립하여야 한다.

(3) 지정신청기관이 통합적용계획을 수립하는 때에는 해당 구역을 관할하는 허가권자와 협의하여야 하며, 협의요청을 받은 허가권자는 요청받은 날부터 20일 이내에 지정신청기관에게 의견을 제출하여야 한다.

(4) 지정신청기관은 도시·군관리계획의 변경을 수반하는 통합적용계획이 수립된 때에는 관련 서류를 도시·군관리계획 결정권자에게 송부하여야 하며, 이 경우 해당 도시·군관리계획 결정권자는 특별한 사유가 없으면 도시·군관리계획의 변경에 필요한 조치를 취하여야 한다.

관계법 통합적용할 수 있는 규정(「문화예술진흥법」 제9조, 「주차장법」 제19조, 「도시공원 및 녹지 등에 관한 법률」 제15조)

1. 「문화예술진흥법」 제9조

법 제9조【건축물에 대한 미술작품의 설치 등】 ① 대통령령으로 정하는 종류 또는 규모 이상의 건축물을 건축하려는 자(이하 "건축주"라 한다)는 건축 비용의 일정 비율에 해당하는 금액을 사용하여 회화·조각·공예 등 건축물 미술작품(이하 "미술작품" 이라 한다)을 설치하여야 한다. <개정 2022.1.18.>

② 건축주(국가 및 지방자치단체는 제외한다)는 제1항에 따라 건축 비용의 일정 비율에 해당하는 금액을 미술작품의 설치에 사용하는 대신에 제16조에 따른 문화예술진흥기금에 출연할 수 있다.

③ 제1항 또는 제2항에 따라 미술작품의 설치 또는 문화예술진흥기금에 출연하는 금액 건축비용의 100분의 1 이하의 범위에서 대통령령으로 정한다.

④ 제1항에 따른 미술작품 설치에 사용하여야 하는 금액, 제2항에 따른 건축비용, 기금 출연의 절차 및 방법, 그 밖에 필요한 사항은 대통령령으로 정한다. <개정 2022.1.18.>

영 제12조【건축물에 대한 미술작품의 설치】 ① 법 제9조제1항에 따라 건축주가 설치해야 하는 건축물 미술작품(이하 "건축물미술작품"이라 한다)은 법 제9조의2에 따라 감정·평가를 거쳐 설치한 다음 각 호의 미술작품으로 한다. <개정 2022.7.19.>

1. 회화, 조각, 공예, 사진, 서예, 벽화, 미디어아트 등 조형예술물
2. 분수대 등 건축물미술작품으로 인정할 만한 공공조형물

② 법 제9조제1항에 따라 건축물미술작품을 설치하는 데에 건축비용의 일정 비율에 해당하는 금액을 사용해야 하는 건축물은 「건축법 시행령」 별표 1에 따른 용도별 건축물 중 다음 각 호의 어느 하나에 해당되는 건축물로서 연면적[「건축법 시행령」 제119조제1항제4호에 따른 연면적을 말하며, 주차장·기계실·전기실·변전실·발전실 및 공기조화실(환기 및 냉난방 조정실)의 면적은 제외한다. 이하 같다]이 1만 제곱미터(증축하는 경우에는 증축되는 부분의 연면적이 1만 제곱미터) 이상인 것으로 한다. 다만, 제1호에 따른 공동주택의 경우에는 각 동의 연면적의 합계가 1만 제곱미터 이상인 경우만을 말하며, 각 동이 위치한 단지 내의 특정한 장소에 건축물미술작품을 설치해야 한다. <개정 2022.7.19.>

1. 공동주택(기숙사 및 「공공주택 특별법」에 따른 공공건설임대주택은 제외한다)
2. 제1종 근린생활시설[「건축법 시행령」 별표 1 제3호바목, 사목 및 아목(도시가스배관시설은 제외한다)의 시설은 제외한다] 및 제2종 근린생활시설
3. 문화 및 집회시설 중 공연장·집회장 및 관람장

4. 판매시설
5. 운수시설(항만시설 중 창고기능에 해당하는 시설은 제외한다)
6. 의료시설 중 병원
7. 업무시설
8. 숙박시설
9. 위락시설
10. 방송통신시설(제1종 근린생활시설에 해당하는 것은 제외한다)

③ 법 제9조제1항에서 "건축"이란 「건축법 시행령」 제2조제1항제1호 및 제2호에 따른 신축 및 증축을 말한다. <개정 2022.7.19.>

④ 법 제9조제1항에 따른 건축비용(이하 "건축비용"이라 한다)은 「수도권정비계획법」 제14조제2항에 따라 국토교통부장관이 고시하는 표준건축비를 기준으로 연면적에 대하여 산정한 금액(설계변경을 한 경우에는 최종 설계변경시점의 연면적을 기준으로 산정한 금액)으로 말한다. 다만, 특별시 · 광역시를 제외한 지역의 경우에는 표준건축비의 100분의 95를 기준으로 연면적에 대하여 산정한 금액으로 한다. <개정 2022.7.19.>

⑤ 법 제9조제1항에 따라 건축물미술작품의 설치에 사용해야 하는 금액은 별표 2와 같다. <개정 2022.7.19.>

⑥ 법 제9조제3항에 따라 법 제16조제1항에 따른 문화예술진흥기금(이하 "기금"이라 한다)에 출연하는 금액은 별표 2에 따른 금액의 100분의 70에 해당하는 금액으로 한다.

[별표 2] 건축물미술작품 사용금액(영 제12조제5항 관련) 〈개정 2022.7.19〉

1. 제12조제1항제1호의 공동주택(건축주가 국가 또는 지방자치단체인 건축물은 제외한다): 건축비용의 1천분의 1 이상 1천분의 7 이하의 범위에서 시·도의 조례로 정하는 비율에 해당하는 금액
2. 제12조제1항제2호부터 제10호까지의 건축물(건축주가 국가 또는 지방자치단체인 건축물은 제외한다)

건축물 소재지	건축물미술작품 사용금액
가. 시(자치구가 설치되지 아니한 시를 말한다) · 군 지역에 소재하는 건축물	건축비용의 1천분의 5 이상 1천분의 7 이하의 범위에서 시·도의 조례로 정하는 비율에 해당하는 금액
나. 가목 외의 지역에 소재하는 건축물	1) 연면적 1만 제곱미터 이상 2만 제곱미터 이하인 건축물: 건축비용의 1천분의 7에 해당하는 금액 2) 연면적 2만 제곱미터 초과 건축물: 연면적 2만 제곱미터에 사용되는 건축비용의 1천분의 7에 해당하는 금액 + 2만 제곱미터를 초과하는 연면적에 대한 건축비용의 1천분의 5에 해당하는 금액

3. 제12조제1항제1호부터 제10호까지의 건축물로서 건축주가 국가 또는 지방자치단체인 건축물: 건축비용의 1백분의 1의 비율에 해당하는 금액

2. 「주차장법」 제19조

법 제19조 【부설주차장의 설치】 ① 「국토의 계획 및 이용에 관한 법률」에 따른 도시지역, 같은 법 제51조제3항에 따른 지구단위계획구역 및 지방자치단체의 조례로 정하는 관리지역에서 건축물, 골프연습장, 그 밖에 주차수요를 유발하는 시설(이하 "시설물"이라 한다)을 건축하거나 설치하려는 자는 그 시설물의 내부 또는 그 부지에 부설주차장(화물의 하역과 그 밖의 사업 수행을 위한 주차장을 포함한다. 이하 같다)을 설치하여야 한다.

② 부설주차장은 해당 시설물의 이용자 또는 일반의 이용에 제공할 수 있다.

③ 제1항에 따른 시설물의 종류와 부설주차장의 설치기준은 대통령령으로 정한다.

"이하생략"

3. 「도시공원 및 녹지 등에 관한 법률」

법 제15조 **【도시공원의 세분 및 규모】** ① 도시공원은 그 기능 및 주제에 따라 다음 각 호와 같이 세분한다. <개정 2020.2.4., 2021.1.12.>

1. 국가도시공원: 제19조에 따라 설치·관리하는 도시공원 중 국가가 지정하는 공원
2. 생활권공원: 도시생활권의 기반이 되는 공원의 성격으로 설치·관리하는 공원으로서 다음 각 목의 공원
   가. 소공원: 소규모 토지를 이용하여 도시민의 휴식 및 정서 함양을 도모하기 위하여 설치하는 공원
   나. 어린이공원: 어린이의 보건 및 정서생활의 향상에 이바지하기 위하여 설치하는 공원
   다. 근린공원: 근린거주자 또는 근린생활권으로 구성된 지역생활권 거주자의 보건·휴양 및 정서생활의 향상에 이바지하기 위하여 설치하는 공원
3. 주제공원: 생활권공원 외에 다양한 목적으로 설치하는 다음 각 목의 공원
   가. 역사공원: 도시의 역사적 장소나 시설물, 유적·유물 등을 활용하여 도시민의 휴식·교육을 목적으로 설치하는 공원
   나. 문화공원: 도시의 각종 문화적 특징을 활용하여 도시민의 휴식·교육을 목적으로 설치하는 공원
   다. 수변공원: 도시의 하천가·호숫가 등 수변공간을 활용하여 도시민의 여가·휴식을 목적으로 설치하는 공원
   라. 묘지공원: 묘지 이용자에게 휴식 등을 제공하기 위하여 일정한 구역에 「장사 등에 관한 법률」 제2조제7호에 따른 묘지와 공원시설을 혼합하여 설치하는 공원
   마. 체육공원: 주로 운동경기나 야외활동 등 체육활동을 통하여 건전한 신체와 정신을 배양함을 목적으로 설치하는 공원
   바. 도시농업공원: 도시민의 정서순화 및 공동체의식 함양을 위하여 도시농업을 주된 목적으로 설치하는 공원
   사. 방재공원: 지진 등 재난발생 시 도시민 대피 및 구호 거점으로 활용될 수 있도록 설치하는 공원
   아. 그 밖에 특별시·광역시·특별자치시·도·특별자치도(이하 "시·도"라 한다) 또는 「지방자치법」 제198조에 따른 서울특별시·광역시 및 특별자치시를 제외한 인구 50만 이상 대도시의 조례로 정하는 공원

② 제1항 각 호의 공원이 갖추어야 하는 규모는 국토교통부령으로 정한다.

[별표 3]도시공원의 설치 및 규모의 기준(규칙 제6조관련) 〈개정 2021.4.2〉

공원구분	설치기준	유치거리	규모
1. 생활권 공원			
가. 소공원	제한 없음	제한 없음	제한 없음
나. 어린이공원	제한 없음	250미터 이하	1천5백제곱미터 이상
다. 근린공원			
(1) 근린생활권 근린공원(주로 인근에 거주하는 자의 이용에 제공할 것을 목적으로 하는 근린공원)	제한 없음	500미터 이하	1만제곱미터 이상
(2) 도보권 근린공원(주로 도보권 안에 거주하는 자의 이용에 제공할 것을 목적으로 하는 근린공원)	제한 없음	1천미터 이하	3만제곱미터 이상
(3) 도시지역권 근린공원(도시지역 안에 거주하는 전체 주민의 종합적인 이용에 제공할 것을 목적으로 하는 근린공원)	해당도시공원의 기능을 충분히 발휘할 수 있는 장소에 설치	제한 없음	10만제곱미터 이상
(4) 광역권 근린공원(하나의 도시지역을 초과하는 광역적인 이	해당도시공원의 기능을 충분히 발휘할 수 있는 장소에 설치	제한 없음	100만제곱미터 이상

용에 제공할 것을 목적으로 하는 근린공원)			
2. 주제공원			
가. 역사공원	제한 없음	제한 없음	제한 없음
나. 문화공원	제한 없음	제한 없음	제한 없음
다. 수변공원	하천 · 호수 등의 수변과 접하고 있어 친수공간을 조성할 수 있는 곳에 설치	제한 없음	제한 없음
라. 묘지공원	정숙한 장소로 장래 시가화가 예상되지 아니하는 자연녹지지역에 설치	제한 없음	10만제곱미터 이상
마. 체육공원	해당도시공원의 기능을 충분히 발휘할 수 있는 장소에 설치	제한 없음	1만제곱미터 이상
바. 도시농업공원	제한 없음	제한 없음	1만제곱미터 이상
사. 법 제15조제1항제3호아목에 따른 공원	제한 없음	제한 없음	제한 없음

6 건축주, 허가권자 등의 의무(법 제75조, 제76조)

법 제75조【건축주 등의 의무】

① 특별건축구역에서 제73조에 따라 건축기준 등의 적용 특례사항을 적용하여 건축허가를 받은 건축물의 공사감리자, 시공자, 건축주, 소유자 및 관리자는 시공 중이거나 건축물의 사용승인 이후에도 당초 허가를 받은 건축물의 형태, 재료, 색채 등이 원형을 유지하도록 필요한 조치를 하여야 한다.

② 삭제 <2016.2.3.>

법 제76조【허가권자 등의 의무】

① 허가권자는 특별건축구역의 건축물에 대하여 설계자의 창의성 · 심미성 등의 발휘와 제도개선 · 기술발전 등이 유도될 수 있도록 노력하여야 한다.

② 허가권자는 제77조제2항에 따른 모니터링 결과를 국토교통부장관 또는 특별시장 · 광역시장 · 도지사에게 제출하여야 하며, 국토교통부장관 또는 특별시장 · 광역시장 · 도지사는 제77조에 따른 검사 및 모니터링 결과 등을 분석하여 필요한 경우 이 법 또는 관계 법령의 제도개선을 위하여 노력하여야 한다. <개정 2016.2.3.>

■ 건축주 및 허가권자 등의 의무

(1) 특별건축구역에서 건축기준 등의 적용 및 특례사항을 적용하여 건축허가를 받은 건축물의 공사감리자, 시공자, 건축주, 소유자 및 관리자는 시공 중이거나 건축물의 사용승인 이후에도 당초 허가를 받은 건축물의 형태, 재료, 색채 등이 원형을 유지하도록 필요한 조치를 하여야 한다.

(2) 허가권자는 특별건축구역의 건축물에 대하여 설계자의 창의성·심미성 등의 발휘와 제도개선·기술발전 등이 유도될 수 있도록 노력하여야 한다.

(3) 허가권자는 특별건축구역 건축물의 모니터링 결과를 국토교통부장관 또는 특별시장·광역시장·도지사에게 제출하여야 하며, 국토교통부장관 또는 특별시장·광역시장·도지사은 해당 모니터링 보고서와 검사 및 모니터링 결과 등을 분석하여 필요한 경우 이 법 또는 관계 법령의 제도개선을 위하여 노력하여야 한다.

7 특별건축구역 건축물의 검사 등(법 제77조)

법 제77조【특별건축구역 건축물의 검사 등】

① 국토교통부장관 및 허가권자는 특별건축구역의 건축물에 대하여 제87조에 따라 검사를 할 수 있으며, 필요한 경우 제79조에 따라 시정명령 등 필요한 조치를 할 수 있다. <개정 2014.1.14>

② 국토교통부장관 및 허가권자는 제72조제6항에 따라 모니터링을 실시하는 건축물에 대하여 직접 모니터링을 하거나 분야별 전문가 또는 전문기관에 용역을 의뢰할 수 있다. 이 경우 해당 건축물의 건축주, 소유자 또는 관리자는 특별한 사유가 없으면 모니터링에 필요한 사항에 대하여 협조하여야 한다. <개정 2016.2.3.>

(1) 국토교통부장관 및 허가권자는 특별건축구역의 건축물에 대하여 검사를 실시할 수 있으며, 필요한 경우 시정명령 등 필요한 조치를 취할 수 있다.

(2) 국토교통부장관 및 허가권자는 모니터링을 실시하는 건축물에 대하여 모니터링을 직접 시행하거나 분야별 전문가 또는 전문기관에 용역을 의뢰할 수 있다. 이 경우 건축주, 소유자 또는 관리자는 모니터링에 필요한 사항에 협조하여야 한다.

8 특별가로구역(법 제77조의2, 3)

■ **특별가로구역 제도의 신설[2014.1.14.]**

조화로운 도시경관의 창출을 위하여 국토교통부장관 또는 허가권자는 「국토의 계획 및 이용에 관한 법률」에 따른 경관지구에서 도로에 접한 대지의 일정 구역을 특별가로구역으로 지정하고 건축물에 대한 조경, 건폐율, 높이 제한 등에 특례를 정할 수 있도록 함.

1 특별가로구역의 지정(법 제77조의2)(영 제110조의2)(규칙 제38조의6)

법 제77조의2【특별가로구역의 지정】

① 국토교통부장관 및 허가권자는 도로에 인접한 건축물의 건축을 통한 조화로운 도시경관의 창출을 위하여 이 법 및 관계 법령에 따라 일부 규정을 적용하지 아니하거나 완화하여 적용할 수 있도록 다음 각 호의 어느 하나에 해당하는 지구 또는 구역에서 대통령령으로 정하는 도로에 접한 대지의 일정 구역을 특별가로구역으로 지정할 수 있다. <개정 2017.4.18.>

1. 삭제 <2017.4.18.>
2. 경관지구
3. 지구단위계획구역 중 미관유지를 위하여 필요하다고 인정하는 구역

② 국토교통부장관 및 허가권자는 제1항에 따라 특별가로구역을 지정하려는 경우에는 다음 각 호의 자료를 갖추어 국토교통부장관 또는 허가권자가 두는 건축위원회의 심의를 거쳐야 한다.

1. 특별가로구역의 위치 · 범위 및 면적 등에 관한 사항
2. 특별가로구역의 지정 목적 및 필요성
3. 특별가로구역 내 건축물의 규모 및 용도 등에 관한 사항
4. 그 밖에 특별가로구역의 지정에 필요한 사항으로서 대통령령으로 정하는 사항

③ 국토교통부장관 및 허가권자는 특별가로구역을 지정하거나 변경 · 해제하는 경우에는 국토교통부령으로 정하는 바에 따라 이를 지역 주민에게 알려야 한다.

영 제110조의2【특별가로구역의 지정】

① 법 제77조의2제1항에서 "대통령령으로 정하는 도로"란 다음 각 호의 어느 하나에 해당하는 도로를 말한다.

1. 건축선을 후퇴한 대지에 접한 도로로서 허가권자(허가권자가 구청장인 경우에는 특별시장이나 광역시장을 말한다. 이하 이 조에서 같다)가 건축조례로 정하는 도로
2. 허가권자가 리모델링 활성화가 필요하다고 인정하여 지정·공고한 지역 안의 도로
3. 보행자전용도로로서 도시미관 개선을 위하여 허가권자가 건축조례로 정하는 도로
4. 「지역문화진흥법」 제18조에 따른 문화지구 안의 도로
5. 그 밖에 조화로운 도시경관 창출을 위하여 필요하다고 인정하여 국토교통부장관이 고시하거나 허가권자가 건축조례로 정하는 도로

② 법 제77조의2제2항제4호에서 "대통령령으로 정하는 사항"이란 다음 각 호의 사항을 말한다.

1. 특별가로구역에서 이 법 또는 관계 법령의 규정을 적용하지 아니하거나 완화하여 적용하는 경우에 해당 규정과 완화 등의 범위에 관한 사항
2. 건축물의 지붕 및 외벽의 형태나 색채 등에 관한 사항
3. 건축물의 배치, 대지의 출입구 및 조경의 위치에 관한 사항
4. 건축선 후퇴 공간 및 공개공지등의 관리에 관한 사항
5. 그 밖에 특별가로구역의 지정에 필요하다고 인정하여 국토교통부장관이 고시하거나 허가권자가 건축조례로 정하는 사항

규칙 제38조의6【특별가로구역의 지정 등의 공고】

① 국토교통부장관 및 허가권자는 법 제77조의2제1항 및 제3항에 따라 특별가로구역을 지정하거나 변경 또는 해제하는 경우에는 이를 관보(허가권자의 경우에는 공보)에 공고하여야 한다.

② 국토교통부장관 및 허가권자는 제1항에 따라 특별가로구역을 지정, 변경 또는 해제한 경우에는 해당 내용을 관보 또는 공보에 공고한 날부터 30일 이상 일반이 열람할 수 있도록 하여야 한다. 이 경우 국토교통부장관, 특별시장 또는 광역시장은 관계 서류를 특별자치시장·특별자치도 또는 시장·군수·구청장에게 송부하여 일반이 열람할 수 있도록 하여야 한다.

[본조신설 2014.10.14.]

【1】 특별가로구역의 지정 목적

도로에 인접한 건축물의 건축을 통한 조화로운 도시경관의 창출

【2】 지정 대상

경관지구 등 대상구역(아래 표 <1>) 에서 대상 도로(아래 표 <2>) 에 접한 대지의 일정 구역

〈1〉 대상 구역	〈2〉 대상 도로
1. 경관지구 2. 지구단위계획구역 중 미관유지를 위하여 필요하다고 인정하는 구역	① 건축선을 후퇴한 대지에 접한 도로로서 허가권자(허가권자가 구청장인 경우 특별시장이나 광역시장)가 건축조례로 정하는 도로
	② 허가권자가 리모델링 활성화가 필요하다고 인정하여 지정·공고한 지역 안의 도로
	③ 보행자전용도로로서 도시미관 개선을 위하여 허가권자가 건축조례로 정하는 도로
	④ 「지역문화진흥법」 제18조에 따른 문화지구 안의 도로
	⑤ 그 밖에 조화로운 도시경관 창출을 위하여 필요하다고 인정하여 국토교통부장관이 고시하거나 허가권자가 건축조례로 정하는 도로

【3】 특별가로구역의 지정

(1) 지정권자

국토교통부장관, 허가권자

(2) 건축위원회의 심의

국토교통부장관 및 허가권자는 특별가로구역을 지정하려는 경우에는 다음 자료를 갖추어 국토교통부장관 또는 허가권자가 두는 건축위원회의 심의를 거쳐야 한다.

1. 특별가로구역의 위치·범위 및 면적 등에 관한 사항
2. 특별가로구역의 지정 목적 및 필요성
3. 특별가로구역 내 건축물의 규모 및 용도 등에 관한 사항
4. 특별가로구역에서 이 법 또는 관계 법령의 규정을 적용하지 아니하거나 완화하여 적용하는 경우에 해당 규정과 완화 등의 범위에 관한 사항
5. 건축물의 지붕 및 외벽의 형태나 색채 등에 관한 사항
6. 건축물의 배치, 대지의 출입구 및 조경의 위치에 관한 사항
7. 건축선 후퇴 공간 및 공개공지등의 관리에 관한 사항
8. 그 밖에 특별가로구역의 지정에 필요하다고 인정하여 국토교통부장관이 고시하거나 허가권자가 건축조례로 정하는 사항

【4】 지정 등의 공고

(1) 국토교통부장관 및 허가권자는 특별가로구역을 지정하거나 변경·해제하는 경우 관보(허가권자의 경우 공보)에 공고하여 지역주민에게 알려야 한다.

(2) 위 (1)의 경우 해당 내용을 관보 또는 공보에 공고한 날부터 30일 이상 일반이 열람할 수 있도록 하여야 한다.

(3) 국토교통부장관, 특별시장 또는 광역시장은 관계 서류를 특별자치시장·특별자치도 또는 시장·군수·구청장에게 송부하여 일반이 열람할 수 있도록 하여야 한다.

2 특별가로구역의 관리 및 건축물의 건축기준 적용 특례 등(법 제77조의3)(규칙 제38조의7)

법 제77조의3【특별가로구역의 관리 및 건축물의 건축기준 적용 특례 등】

① 국토교통부장관 및 허가권자는 특별가로구역을 효율적으로 관리하기 위하여 국토교통부령으로 정하는 바에 따라 제77조의2제2항 각 호의 지정 내용을 작성하여 관리하여야 한다.

② 특별가로구역의 변경절차 및 해제, 특별가로구역 내 건축물에 관한 건축기준의 적용 등에 관하여는 제71조제9항·제10항(각 호 외의 부분 후단은 제외한다), 제72조제1항부터 제5항까지, 제73조제1항(제77조의2제1항제3호에 해당하는 경우에는 제55조 및 제56조는 제외한다)·제2항, 제75조제1항 및 제77조제1항을 준용한다. 이 경우 "특별건축구역"은 각각 "특별가로구역"으로, "지정신청기관", "국토교통부장관 또는 시·도지사" 및 "국토교통부장관, 시·도지사 및 허가권자"는 각각 "국토교통부장관 및 허가권자"로 본다. <개정 2020.4.7.>

③ 특별가로구역 안의 건축물에 대하여 국토교통부장관 또는 허가권자가 배치기준을 따로 정하는 경우에는 제46조 및 「민법」 제242조를 적용하지 아니한다. <신설 2016.1.19.>

[본조신설 2014.1.14.]

규칙 제38조의7【특별가로구역의 관리】
① 국토교통부장관 및 허가권자는 법 제77의3제1항에 따라 특별가로구역의 지정 내용을 별지 제27호의6서식의 특별가로구역 관리대장에 작성하여 관리하여야 한다.
② 제1항에 따른 특별가로구역 관리대장은 전자적 처리가 불가능한 특별한 사유가 없으면 전자적 처리가 가능한 방법으로 작성하여 관리하여야 한다.
[본조신설 2014.10.14.]

【1】 특별가로구역의 관리

(1) 국토교통부장관 및 허가권자는 특별가로구역을 효율적으로 관리하기 위하여 국토교통부령으로 정하는 바에 따라 특별가로구역의 지정 내용을 특별가로구역관리대장에 작성하여 관리하여야 한다.

(2) 특별가로구역 관리대장은 전자적 처리가 불가능한 특별한 사유가 없으면 전자적 처리가 가능한 방법으로 작성하여 관리하여야 한다.

【2】 특별건축구역에 관한 기준의 준용 등

(1) 특별가로구역의 변경절차 및 해제, 특별가로구역 내 건축물에 관한 건축기준의 적용 등에 관하여는 다음 규정을 준용한다.

준용 규정 내용	근거 건축법 조항
1. 구역 지정의 변경 및 해제관련 규정	제71조제9항·제10항(각 호 외의 부분 후단 제외)
2. 구역내 건축물의 허가 및 심의	제72조제1항부터 제5항까지
3. 관계법령의 배제 및 완화 적용	제73조제1항*·제2항
4. 건축주 등의 유지 의무	제75조제1항
5. 허가권자 등의 의무	제77조제1항

* 지구단위계획구역 중 미관유지를 위하여 필요하다고 인정하는 구역(제77조의2제1항제3호)에 해당하는 경우 건폐율(제55조) 및 용적률(제56조) 규정은 제외한다.

(2) 특별가로구역 안의 건축물에 대하여 국토교통부장관 또는 허가권자가 배치기준을 따로 정하는 경우에는 제46조(건축선의 지정) 및「민법」제242조(경계선 부근의 건축)를 적용하지 아니한다.

관계법 적용제외 규정

1.「건축법」

법 제46조【건축선의 지정】① 도로와 접한 부분에 건축물을 건축할 수 있는 선[이하 "건축선(建築線)"이라 한다]은 대지와 도로의 경계선으로 한다. 다만, 제2조제1항제11호에 따른 소요 너비에 못 미치는 너비의 도로인 경우에는 그 중심선으로부터 그 소요 너비의 2분의 1의 수평거리만큼 물러난 선을 건축선으로 하되, 그 도로의 반대쪽에 경사지, 하천, 철도, 선로부지, 그 밖에 이와 유사한 것이 있는 경우에는 그 경사지 등이 있는 쪽의 도로경계선에서 소요 너비에 해당하는 수평거리의 선을 건축선으로 하며, 도로의 모퉁이에서는 대통령령으로 정하는 선을 건축선으로 한다.
② 특별자치시장 · 특별자치도지사 또는 시장 · 군수 · 구청장은 시가지 안에서 건축물의 위치나 환경을 정비하기 위하여 필요하다고 인정하면 제1항에도 불구하고 대통령령으로 정하는 범위에서 건축선을 따로 지정할 수 있다. <개정 2014.1.14.>
③ 특별자치시장 · 특별자치도지사 또는 시장 · 군수 · 구청장은 제2항에 따라 건축선을 지정하면 지체 없이 이를 고시하여야 한다. <개정 2014.1.14.>

2.「민법」

법 제242조【경계선부근의 건축】① 건물을 축조함에는 특별한 관습이 없으면 경계로부터 반미터 이상의 거리를 두어야 한다.
② 인접지소유자는 전항의 규정에 위반한 자에 대하여 건물의 변경이나 철거를 청구할 수 있다. 그러나 건축에 착수한 후 1년을 경과하거나 건물이 완성된 후에는 손해배상만을 청구할 수 있다.

9 건축협정제도(법 제77조의4~14)(영 제110조의3~7)(규칙 제38조의8~11)

■ 건축협정 제도 도입 및 지원제도의 신설[2014.1.14.]

도시 및 건축물의 정비를 토지소유자 등이 자발적으로 참여하여 효율적으로 추진할 수 있도록 토지소유자 등이 일정한 구역을 정하여 건축협정을 체결할 수 있도록 하고, 건축협정이 체결된 지역 등에 대하여는 필요한 지원을 할 수 있도록 하며, 건축협정을 맺은 경우 대지 분할면적, 건축물의 높이 제한 등에 대한 특례를 정함.

1 건축협정의 체결(법 제77조의4)(영 제110조의3)

법 제77조의4【건축협정의 체결】

① 토지 또는 건축물의 소유자, 지상권자 등 대통령령으로 정하는 자(이하 "소유자등"이라 한다)는 전원의 합의로 다음 각 호의 어느 하나에 해당하는 지역 또는 구역에서 건축물의 건축·대수선 또는 리모델링에 관한 협정(이하 "건축협정"이라 한다)을 체결할 수 있다. <개정 2017.4.18.>

1.「국토의 계획 및 이용에 관한 법률」 제51조에 따라 지정된 지구단위계획구역
2.「도시 및 주거환경정비법」 제2조제2호가목에 따른 주거환경개선사업을 시행하기 위하여 같은 법 제8조에 따라 지정·고시된 정비구역
3.「도시재정비 촉진을 위한 특별법」 제2조제6호에 따른 존치지역
4.「도시재생 활성화 및 지원에 관한 특별법」 제2조제1항제5호에 따른 도시재생활성화지역 <신설 2017.4.18.>
5. 그 밖에 시·도지사 및 시장·군수·구청장(이하 "건축협정인가권자"라 한다)이 도시 및 주거환경개선이 필요하다고 인정하여 해당 지방자치단체의 조례로 정하는 구역

② 제1항 각 호의 지역 또는 구역에서 둘 이상의 토지를 소유한 자가 1인인 경우에도 그 토지 소유자는 해당 토지의 구역을 건축협정 대상 지역으로 하는 건축협정을 정할 수 있다. 이 경우 그 토지 소유자 1인을 건축협정 체결자로 본다.

③ 소유자등은 제1항에 따라 건축협정을 체결(제2항에 따라 토지 소유자 1인이 건축협정을 정하는 경우를 포함한다. 이하 같다)하는 경우에는 다음 각 호의 사항을 준수하여야 한다.

1. 이 법 및 관계 법령을 위반하지 아니할 것
2.「국토의 계획 및 이용에 관한 법률」 제30조에 따른 도시·군관리계획 및 이 법 제77조의11제1항에 따른 건축물의 건축·대수선 또는 리모델링에 관한 계획을 위반하지 아니할 것

④ 건축협정은 다음 각 호의 사항을 포함하여야 한다.

1. 건축물의 건축·대수선 또는 리모델링에 관한 사항
2. 건축물의 위치·용도·형태 및 부대시설에 관하여 대통령령으로 정하는 사항

⑤ 소유자등이 건축협정을 체결하는 경우에는 건축협정서를 작성하여야 하며, 건축협정서에는 다음 각 호의 사항이 명시되어야 한다.
1. 건축협정의 명칭
2. 건축협정 대상 지역의 위치 및 범위
3. 건축협정의 목적
4. 건축협정의 내용
5. 제1항 및 제2항에 따라 건축협정을 체결하는 자(이하 "협정체결자"라 한다)의 성명, 주소 및 생년월일(법인, 법인 아닌 사단이나 재단 및 외국인의 경우에는 「부동산등기법」 제49조에 따라 부여된 등록번호를 말한다. 이하 제6호에서 같다)
6. 제77조의5제1항에 따른 건축협정운영회가 구성되어 있는 경우에는 그 명칭, 대표자 성명, 주소 및 생년월일
7. 건축협정의 유효기간
8. 건축협정 위반 시 제재에 관한 사항
9. 그 밖에 건축협정에 필요한 사항으로서 해당 지방자치단체의 조례로 정하는 사항

⑥ 제1항제4호에 따라 시·도지사가 필요하다고 인정하여 조례로 구역을 정하려는 때에는 해당 시장·군수·구청장의 의견을 들어야 한다. <신설 2016.2.3>
[본조신설 2014.1.14.]

영 제110조의3【건축협정의 체결】
① 법 제77조의4제1항 각 호 외의 부분에서 "토지 또는 건축물의 소유자, 지상권자 등 대통령령으로 정하는 자"란 다음 각 호의 자를 말한다.
1. 토지 또는 건축물의 소유자(공유자를 포함한다. 이하 이 항에서 같다)
2. 토지 또는 건축물의 지상권자
3. 그 밖에 해당 토지 또는 건축물에 이해관계가 있는 자로서 건축조례로 정하는 자 중 그 토지 또는 건축물 소유자의 동의를 받은 자

② 법 제77조의4제4항제2호에서 "대통령령으로 정하는 사항"이란 다음 각 호의 사항을 말한다.
1. 건축선
2. 건축물 및 건축설비의 위치
3. 건축물의 용도, 높이 및 층수
4. 건축물의 지붕 및 외벽의 형태
5. 건폐율 및 용적률
6. 담장, 대문, 조경, 주차장 등 부대시설의 위치 및 형태
7. 차양시설, 차면시설 등 건축물에 부착하는 시설물의 형태
8. 법 제59조제1항제1호에 따른 맞벽 건축의 구조 및 형태
9. 그 밖에 건축물의 위치, 용도, 형태 또는 부대시설에 관하여 건축조례로 정하는 사항

[본조신설 2014.10.14.]

【1】 건축협정

토지 또는 건축물의 소유자, 지상권자 등(이하 "소유자등")이 전원의 합의로 일정 지역 또는 구역에서 건축물의 건축·대수선 또는 리모델링에 관하여 체결하는 협정

【2】 소유자등의 범위

1. 토지 또는 건축물의 소유자(공유자를 포함)
2. 토지 또는 건축물의 지상권자
3. 그 밖에 해당 토지 또는 건축물에 이해관계가 있는 자로서 건축조례로 정하는 자 중 그 토지 또는 건축물 소유자의 동의를 받은 자

【3】 대상 지역

대상 구역 및 지역	관계법 관계법
1. 지구단위계획구역	「국토의 계획 및 이용에 관한 법률」 제51조
2. 주거환경개선사업을 시행하기 위하여 지정·고시된 정비구역	「도시 및 주거환경정비법」 제2조제2호가목, 제8조
3. 존치지역	「도시재정비 촉진을 위한 특별법」 제2조제6호
4. 도시재생활성화지역	「도시재생 활성화 및 지원에 관한 특별법」 제2조제1항제5호
5. 그 밖에 건축협정인가권자[1]가 도시 및 주거환경개선이 필요하다고 인정하여 해당 지방자치단체의 조례로 정하는 구역[2]	

※ 위 지역 또는 구역에서 둘 이상의 토지를 소유한 자가 1인인 경우에도 그 토지 소유자는 해당 토지의 구역을 건축협정 대상 지역으로 하는 건축협정을 정할 수 있다. 이 경우 그 토지 소유자 1인을 건축협정 체결자로 본다.

1) 건축협정인가권자: 시·도지사 및 시장·군수·구청장
2) 시·도지사가 필요하다고 인정하여 조례로 구역을 정하려는 때에는 해당 시장·군수·구청장의 의견을 들어야 한다.

관계법 건축협정 대상 구역 등

1.「국토의 계획 및 이용에 관한 법률」

법 제51조【지구단위계획구역의 지정 등】① 국토교통부장관, 시ㆍ도지사, 시장 또는 군수는 다음 각 호의 어느 하나에 해당하는 지역의 전부 또는 일부에 대하여 지구단위계획구역을 지정할 수 있다. <개정 2016.1.19., 2017.2.8.>

1. 제37조에 따라 지정된 용도지구
2. 「도시개발법」 제3조에 따라 지정된 도시개발구역
3. 「도시 및 주거환경정비법」 제8조에 따라 지정된 정비구역
4. 「택지개발촉진법」 제3조에 따라 지정된 택지개발지구
5. 「주택법」 제15조에 따른 대지조성사업지구
6. 「산업입지 및 개발에 관한 법률」 제2조제8호의 산업단지와 같은 조 제12호의 준산업단지
7. 「관광진흥법」 제52조에 따라 지정된 관광단지와 같은 법 제70조에 따라 지정된 관광특구
8. 개발제한구역ㆍ도시자연공원구역ㆍ시가화조정구역 또는 공원에서 해제되는 구역, 녹지지역에서 주거ㆍ상업ㆍ공업지역으로 변경되는 구역과 새로 도시지역으로 편입되는 구역 중 계획적인 개발 또는 관리가 필요한 지역

8의2. 도시지역 내 주거ㆍ상업ㆍ업무 등의 기능을 결합하는 등 복합적인 토지 이용을 증진시킬 필요가 있는 지역으로서 대통령령으로 정하는 요건에 해당하는 지역

8의3. 도시지역 내 유휴토지를 효율적으로 개발하거나 교정시설, 군사시설, 그 밖에 대통령령으로 정하

는 시설을 이전 또는 재배치하여 토지 이용을 합리화하고, 그 기능을 증진시키기 위하여 집중적으로 정비가 필요한 지역으로서 대통령령으로 정하는 요건에 해당하는 지역

9. 도시지역의 체계적 · 계획적인 관리 또는 개발이 필요한 지역

10. 그 밖에 양호한 환경의 확보나 기능 및 미관의 증진 등을 위하여 필요한 지역으로서 대통령령으로 정하는 지역

2. 「도시 및 주거환경정비법」

법 제2조【정의】이 법에서 사용하는 용어의 뜻은 다음과 같다. <개정 2021.1.5., 2021.4.13>

2. "정비사업"이란 이 법에서 정한 절차에 따라 도시기능을 회복하기 위하여 정비구역에서 정비기반시설을 정비하거나 주택 등 건축물을 개량 또는 건설하는 다음 각 목의 사업을 말한다.

가. 주거환경개선사업 : 도시저소득 주민이 집단거주하는 지역으로서 정비기반시설이 극히 열악하고 노후 · 불량건축물이 과도하게 밀집한 지역의 주거환경을 개선하거나 단독주택 및 다세대주택이 밀집한 지역에서 정비기반시설과 공동이용시설 확충을 통하여 주거환경을 보전 · 정비 · 개량하기 위한 사업

법 제8조【정비구역의 지정】① 특별시장 · 광역시장 · 특별자치시장 · 특별자치도지사 · 시장 또는 군수(광역시의 군수는 제외하며, 이하 "정비구역의 지정권자"라 한다)는 기본계획에 적합한 범위에서 노후 · 불량건축물이 밀집하는 등 대통령령으로 정하는 요건에 해당하는 구역에 대하여 제16조에 따라 정비계획을 결정하여 정비구역을 지정(변경지정을 포함한다)할 수 있다.

② 제1항에도 불구하고 제26조제1항제1호 및 제27조제1항제1호에 따라 정비사업을 시행하려는 경우에는 기본계획을 수립하거나 변경하지 아니하고 정비구역을 지정할 수 있다.

③ 정비구역의 지정권자는 정비구역의 진입로 설치를 위하여 필요한 경우에는 진입로 지역과 그 인접지역을 포함하여 정비구역을 지정할 수 있다.

④ 정비구역의 지정권자는 정비구역 지정을 위하여 직접 제9조에 따른 정비계획을 입안할 수 있다.

⑤ 자치구의 구청장 또는 광역시의 군수(이하 제9조, 제11조 및 제20조에서 "구청장등"이라 한다)는 제9조에 따른 정비계획을 입안하여 특별시장 · 광역시장에게 정비구역 지정을 신청하여야 한다. 이 경우 제15조제2항에 따른 지방의회의 의견을 첨부하여야 한다.

3. 「도시재정비 촉진을 위한 특별법」

법 제2조【정의】이 법에서 사용하는 용어의 뜻은 다음과 같다. <개정 2017.2.8., 2023.12.26./시행 2024.4.27>

1. "재정비촉진지구"란 도시의 낙후된 지역에 대한 주거환경의 개선, 기반시설의 확충 및 도시기능의 회복을 광역적으로 계획하고 체계적 · 효율적으로 추진하기 위하여 제5조에 따라 지정하는 지구(地區)를 말한다. 이 경우 지구의 특성에 따라 다음 각 목의 유형으로 구분한다.

가. 주거지형: 노후 · 불량 주택과 건축물이 밀집한 지역으로서 주로 주거환경의 개선과 기반시설의 정비가 필요한 지구

나. 중심지형: 상업지역, 공업지역 등으로서 토지의 효율적 이용과 도심 또는 부도심 등의 도시기능의 회복이 필요한 지구

다. 고밀복합형: 주요 역세권, 간선도로의 교차지 등 양호한 기반시설을 갖추고 있어 대중교통 이용이 용이한 지역으로서 도심 내 소형주택의 공급 확대, 토지의 고도이용과 건축물의 복합개발이 필요한 지구

2. "재정비촉진사업"이란 재정비촉진지구에서 시행되는 다음 각 목의 사업을 말한다.

가. 「도시 및 주거환경정비법」에 따른 주거환경개선사업, 재개발사업 및 재건축사업, 「빈집 및 소규모주택 정비에 관한 특례법」에 따른 가로주택정비사업 및 소규모재건축사업(→가로주택정비사업, 소규모재건축사업 및 소규모재개발사업)

나. 「도시개발법」에 따른 도시개발사업

다. 「도시재생 활성화 및 지원에 관한 특별법」에 따른 주거재생혁신지구의 혁신지구재생사업 <신설 2023.12.26./시행 2024.4.27>

라.「공공주택 특별법」에 따른 도심 공공주택 복합사업 <신설 2023.12.26./시행 2024.4.27>
다.(→마.)「전통시장 및 상점가 육성을 위한 특별법」에 따른 시장정비사업
라.(→바.)「국토의 계획 및 이용에 관한 법률」에 따른 도시·군계획시설사업
3. "재정비촉진계획"이란 재정비촉진지구의 재정비촉진사업을 계획적이고 체계적으로 추진하기 위한 제9조에 따른 재정비촉진지구의 토지 이용, 기반시설의 설치 등에 관한 계획을 말한다.
6. "존치지역"이란 재정비촉진지구에서 재정비촉진사업을 할 필요성이 적어 재정비촉진계획에 따라 존치하는 지역을 말한다.

4.「도시재생 활성화 및 지원에 관한 특별법」

법 제2조【정의】① 이 법에서 사용하는 용어의 뜻은 다음과 같다. <개정 2020.1.29, 2021.7.20>
1. "도시재생"이란 인구의 감소, 산업구조의 변화, 도시의 무분별한 확장, 주거환경의 노후화 등으로 쇠퇴하는 도시를 지역역량의 강화, 새로운 기능의 도입·창출 및 지역자원의 활용을 통하여 경제적·사회적·물리적·환경적으로 활성화시키는 것을 말한다.
2. "국가도시재생기본방침"이란 도시재생을 종합적·계획적·효율적으로 추진하기 위하여 수립하는 국가 도시재생전략을 말한다.
3. "도시재생전략계획"이란 전략계획수립권자가 국가도시재생기본방침을 고려하여 도시 전체 또는 일부 지역, 필요한 경우 둘 이상의 도시에 대하여 도시재생과 관련한 각종 계획, 사업, 프로그램, 유형·무형의 지역자산 등을 조사·발굴하고, 도시재생활성화지역을 지정하는 등 도시재생 추진전략을 수립하기 위한 계획을 말한다.
4. "전략계획수립권자"란 특별시장·광역시장·특별자치시장·특별자치도지사·시장 또는 군수(광역시 관할구역에 있는 군의 군수는 제외한다)를 말한다.
5. "도시재생활성화지역"이란 국가와 지방자치단체의 자원과 역량을 집중함으로써 도시재생을 위한 사업의 효과를 극대화하려는 전략적 대상지역으로 그 지정 및 해제를 도시재생전략계획으로 결정하는 지역을 말한다.

【4】 소유자등의 준수사항

1. 이 법 및 관계 법령을 위반하지 아니할 것
2. 도시·군관리계획을 위반하지 아니할 것(「국토의 계획 및 이용에 관한 법률」 제30조)
3. 건축물의 건축·대수선 또는 리모델링에 관한 계획을 위반하지 아니할 것
(「건축법」 제77조의11제1항)

【5】 건축협정에 포함사항

1. 건축물의 건축·대수선 또는 리모델링에 관한 사항
2. 건축선
3. 건축물 및 건축설비의 위치
4. 건축물의 용도, 높이 및 층수
5. 건축물의 지붕 및 외벽의 형태
6. 건폐율 및 용적률
7. 담장, 대문, 조경, 주차장 등 부대시설의 위치 및 형태
8. 차양시설, 차면시설 등 건축물에 부착하는 시설물의 형태
9. 맞벽 건축의 구조 및 형태(법 제59조제1항제1호)
10. 그 밖에 건축물의 위치, 용도, 형태 또는 부대시설에 관하여 건축조례로 정하는 사항

【6】 건축협정서에 명시할 사항

1. 건축협정의 명칭
2. 건축협정 대상 지역의 위치 및 범위
3. 건축협정의 목적
4. 건축협정의 내용
5. 협정체결자의 성명, 주소 및 생년월일(법인, 법인 아닌 사단이나 재단 및 외국인의 경우 「부동산등기법」 제49조에 따라 부여된 등록번호)
6. 건축협정운영회가 구성되어 있는 경우에는 그 명칭, 대표자 성명, 주소 및 생년월일
7. 건축협정의 유효기간
8. 건축협정 위반 시 제재에 관한 사항
9. 그 밖에 건축협정에 필요한 사항으로서 해당 지방자치단체의 조례로 정하는 사항

2 건축협정운영회의 설립(법 제77조의5)(규칙 제38조의8)

법 제77조의5【건축협정운영회의 설립】

① 협정체결자는 건축협정서 작성 및 건축협정 관리 등을 위하여 필요한 경우 협정체결자 간의 자율적 기구로서 운영회(이하 "건축협정운영회" 라 한다)를 설립할 수 있다.

② 제1항에 따라 건축협정운영회를 설립하려면 협정체결자 과반수의 동의를 받아 건축협정운영회의 대표자를 선임하고, 국토교통부령으로 정하는 바에 따라 건축협정인가권자에게 신고하여야 한다. 다만, 제77조의6에 따른 건축협정 인가 신청 시 건축협정운영회에 관한 사항을 포함한 경우에는 그러하지 아니하다.

[본조신설 2014.1.14.]

규칙 제38조의8【건축협정운영회의 설립 신고】

법 제77조의5제1항에 따른 건축협정운영회(이하 "건축협정운영회"라 한다)의 대표자는 같은 조 제2항에 따라 건축협정운영회를 설립한 날부터 15일 이내에 법 제77조의2제1항제5호에 따른 건축협정인가권자(이하 "건축협정인가권자"라 한다)에게 별지 제27호의7서식에 따라 신고해야 한다. <개정 2021.6.25>

[본조신설 2014.10.15.]

【1】 건축협정운영회의 설립

협정체결자는 건축협정서 작성 및 건축협정 관리 등을 위하여 필요한 경우 협정체결자 간의 자율적 기구로서 운영회(이하 "건축협정운영회"라 한다)를 설립할 수 있다.

【2】 건축협정운영회의 설립 신고

(1) 건축협정운영회를 설립하려면 협정체결자 과반수의 동의를 받아 건축협정운영회의 대표자를 선임하여야 한다.

(2) 건축협정운영회의 대표자는 건축협정운영회 설립한 날부터 15일 이내에 건축협정인가권자에게 건축협정운영회 설립신고서(별지 제27호의7서식)에 따라 신고하여야 한다.

3 건축협정 인가, 변경 등(법 제77조의6~8)(규칙 제38조의9,10)

법 제77조의6【건축협정의 인가】

① 협정체결자 또는 건축협정운영회의 대표자는 건축협정서를 작성하여 국토교통부령으로 정하는 바에 따라 해당 건축협정인가권자의 인가를 받아야 한다. 이 경우 인가신청을 받은 건축협정인가권자는 인가를 하기 전에 건축협정인가권자가 두는 건축위원회의 심의를 거쳐야 한다.

② 제1항에 따른 건축협정 체결 대상 토지가 둘 이상의 특별자치시 또는 시·군·구에 걸치는 경우 건축협정 체결 대상 토지면적의 과반(過半)이 속하는 건축협정인가권자에게 인가를 신청할 수 있다. 이 경우 인가 신청을 받은 건축협정인가권자는 건축협정을 인가하기 전에 다른 특별자치시장 또는 시장·군수·구청장과 협의하여야 한다.

③ 건축협정인가권자는 제1항에 따라 건축협정을 인가하였을 때에는 국토교통부령으로 정하는 바에 따라 그 내용을 공고하여야 한다.

[본조신설 2014.1.14.]

법 제77조의7【건축협정의 변경】

① 협정체결자 또는 건축협정운영회의 대표자는 제77조의6제1항에 따라 인가받은 사항을 변경하려면 국토교통부령으로 정하는 바에 따라 변경인가를 받아야 한다. 다만, 대통령령으로 정하는 경미한 사항을 변경하는 경우에는 그러하지 아니하다.

② 제1항에 따른 변경인가에 관하여는 제77조의6을 준용한다.

[본조신설 2014.1.14.]

법 제77조의8【건축협정의 관리】

건축협정인가권자는 제77조의6 및 제77조의7에 따라 건축협정을 인가하거나 변경인가하였을 때에는 국토교통부령으로 정하는 바에 따라 건축협정 관리대장을 작성하여 관리하여야 한다.

[본조신설 2014.1.14.]

규칙 제38조의9【건축협정의 인가 등】

① 법 제77조의4제1항 및 제2항에 따라 건축협정을 체결하는 자(이하 "협정체결자"라 한다) 또는 건축협정운영회의 대표자가 법 제77조의6제1항에 따라 건축협정의 인가를 받으려는 경우에는 별지 제27호의8서식의 건축협정 인가신청서를 건축협정인가권자에게 제출하여야 한다.

② 협정체결자 또는 건축협정운영회의 대표자가 법 제77조의7제1항 본문에 따라 건축협정을 변경하려는 경우에는 별지 제27호의8서식의 건축협정 변경인가신청서를 건축협정인가권자에게 제출하여야 한다.

③ 건축협정인가권자는 법 제77조의6 및 제77조의7에 따라 건축협정을 인가하거나 변경인가한 때에는 해당 지방자치단체의 공보에 공고하여야 하며, 건축협정서 등 관계 서류를 건축협정 유효기간 만료일까지 해당 특별자치시·특별자치도 또는 시·군·구에 비치하여 열람할 수 있도록 하여야 한다.

[본조신설 2014.10.15.]

규칙 제38조의10【건축협정의 관리】

① 건축협정인가권자는 법 제77조의6 및 제77조의7에 따라 건축협정을 인가하거나 변경인가한 경우에는 별지 제27호의9서식의 건축협정관리대장에 작성하여 관리하여야 한다.

② 제1항에 따른 건축협정관리대장은 전자적 처리가 불가능한 특별한 사유가 없으면 전자적 처리가 가능한 방법으로 작성하여 관리하여야 한다.

[본조신설 2014.10.15.]

건 축 법
1. 총 칙
2. 건 축
3. 유지관리
4. 대지도로
5. 구조재료
6. 지역지구
7. 건축설비
8. 특별건축구역
9. 보 칙
10. 벌 칙
건 축 법 관련기준

【1】 건축협정의 인가 등

(1) 인가신청

① 협정체결자 또는 건축협정운영회의 대표자는 건축협정서를 작성하여 건축협정인가신청서(건축협정 인가신청서)를 해당 건축협정인가권자에게 제출하여 인가를 받아야 한다.

② 인가신청을 받은 건축협정인가권자는 인가를 하기 전에 건축협정인가권자가 두는 건축위원회의 심의를 거쳐야 한다.

(2) 체결대상 토지가 둘 이상의 시 등에 걸칠 때의 조치

① 건축협정 체결 대상 토지가 둘 이상의 특별자치시 또는 시·군·구에 걸치는 경우 건축협정 체결 대상 토지면적의 과반(過半)이 속하는 건축협정인가권자에게 인가를 신청할 수 있다.

② 인가 신청을 받은 건축협정인가권자는 건축협정을 인가하기 전에 다른 특별자치시장 또는 시장·군수·구청장과 협의하여야 한다.

(3) 협정내용의 공고

① 건축협정인가권자는 건축협정을 인가하거나 변경인가한 때에는 그 내용을 공고하여야 한다.

② 건축협정서 등 관계 서류를 건축협정 유효기간 만료일까지 해당 특별자치시 · 특별자치도 또는 시 · 군 · 구에 비치하여 열람할 수 있도록 하여야 한다.

(4) 협정내용의 변경

① 협정체결자 또는 건축협정운영회의 대표자는 인가받은 사항을 변경하려면 건축협정 변경인가신청서(별지 제27호의8서식)를 건축협정인가권자에게 제출하여 변경인가를 받아야 한다. (경미한 사항의 변경은 제외)

② 변경인가에 관하여는 위 "건축협정의 인가 규정"을 준용한다.

【2】 건축협정의 관리

(1) 건축협정인가권자는 건축협정을 인가하거나 변경인가하였을 때에는 건축협정 관리대장(별지 제27호의9서식)을 작성하여 관리하여야 한다.

(2) 건축협정관리대장은 전자적 처리가 불가능한 특별한 사유가 없으면 전자적 처리가 가능한 방법으로 작성하여 관리하여야 한다.

4 건축협정 폐지 (법 제77조의9)(영 제110조의4)(규칙 제38조의11)

법 제77조의9【건축협정의 폐지】

① 협정체결자 또는 건축협정운영회의 대표자는 건축협정을 폐지하려는 경우에는 협정체결자 과반수의 동의를 받아 국토교통부령으로 정하는 바에 따라 건축협정인가권자의 인가를 받아야 한다. 다만, 제77조의13에 따른 특례를 적용하여 제21조에 따른 착공신고를 한 경우에는 대통령령으로 정하는 기간이 지난 후에 건축협정의 폐지 인가를 신청할 수 있다. <개정 2015.5.18., 2020.6.9.>

② 제1항에 따른 건축협정의 폐지에 관하여는 제77조의6제3항을 준용한다.

[본조신설 2014.1.14.]

영 제110조의4【건축협정의 폐지 제한 기간】

① 법 제77조의9제1항 단서에서 "대통령령으로 정하는 기간"이란 착공신고를 한 날부터 20년을 말한다.

② 제1항에도 불구하고 다음 각 호의 요건을 모두 갖춘 경우에는 제1항에 따른 기간이 지난 것으로 본다.

1. 법 제57조제3항에 따라 분할된 대지를 같은 조 제1항 및 제2항의 기준에 적합하게 할 것
2. 법 제77조의13에 따른 특례를 적용받지 아니하는 내용으로 건축협정 변경인가를 받고 그에 따라 건축허가를 받을 것. 다만, 법 제77조의13에 따른 특례적용을 받은 내용대로 사용승인을 받은 경우에는 특례를 적용받지 아니하는 내용으로 건축협정 변경인가를 받고 그에 따라 건축허가를 받은 후 해당 건축물의 사용승인을 받아야 한다.
3. 법 제77조의11제2항에 따라 지원받은 사업비용을 반환할 것

[본조신설 2016.5.17.] [종전 제110조의4는 제110조의5로 이동<2016.5.17.>]

규칙 제38조의11【건축협정의 폐지】

① 협정체결자 또는 건축협정운영회의 대표자가 법 제77조의9에 따라 건축협정을 폐지하려는 경우에는 별지 제27호의10서식의 건축협정 폐지인가신청서를 건축협정인가권자에게 제출하여야 한다.

② 건축협정인가권자는 법 제77조의9에 따라 건축협정의 폐지를 인가한 때에는 해당 지방자치단체의 공보에 공고하여야 한다.

[본조신설 2014.10.15.]

(1) 협정체결자 또는 건축협정운영회의 대표자는 건축협정을 폐지하려는 경우 협정체결자 과반수의 동의를 받아 건축협정 폐지인가신청서(별지 제27호의10서식)을 건축협정인가권자에게 제출하여 인가를 받아야 한다.

(2) 건축협정에 따른 특례를 적용하여 착공신고를 한 경우 착공신고한 날부터 20년이 지난 후에 건축협정의 폐지 인가를 신청할 수 있다.

예외 다음의 요건을 모두 갖춘 경우 20년이 지난 것으로 본다.

1. 건축협정이 인가되어 분할된 대지를 대지의 분할제한 규정의 기준에 적합하게 할 것
2. 건축협정 특례를 적용받지 아니하는 내용으로 건축협정 변경인가를 받고 그에 따라 건축허가를 받을 것.(특례적용을 받은 내용대로 사용승인을 받은 경우: 특례를 적용받지 아니하는 내용으로 건축협정 변경인가를 받고 그에 따라 건축허가를 받은 후 사용승인을 받아야 함)
3. 건축협정에 관한 계획 수립 및 지원에 관한 규정에 따라 지원받은 사업비용을 반환할 것

(3) 건축협정인가권자는 건축협정의 폐지를 인가한 때에는 해당 지방자치단체의 공보에 공고하여야 한다.

5 건축협정의 효력 및 승계 등(법 제77조의10~12)(영 제110조의4,5)

법 제77조의10【건축협정의 효력 및 승계】

① 건축협정이 체결된 지역 또는 구역(이하 "건축협정구역"이라 한다)에서 건축물의 건축·대수선 또는 리모델링을 하거나 그 밖에 대통령령으로 정하는 행위를 하려는 소유자등은 제77조의6 및 제77조의7에 따라 인가·변경인가된 건축협정에 따라야 한다.

② 제77조의6제3항에 따라 건축협정이 공고된 후 건축협정구역에 있는 토지나 건축물 등에 관한 권리를 협정체결자인 소유자등으로부터 이전받거나 설정받은 자는 협정체결자로서의 지위를 승계한다. 다만, 건축협정에서 달리 정한 경우에는 그에 따른다.

[본조신설 2014.1.14.]

법 제77조의11【건축협정에 관한 계획 수립 및 지원】

① 건축협정인가권자는 소유자등이 건축협정을 효율적으로 체결할 수 있도록 건축협정구역에서 건축물의 건축·대수선 또는 리모델링에 관한 계획을 수립할 수 있다.

② 건축협정인가권자는 대통령령으로 정하는 바에 따라 도로 개설 및 정비 등 건축협정구역 안의 주거환경개선을 위한 사업비용의 일부를 지원할 수 있다.

[본조신설 2014.1.14.]

법 제77조의12【경관협정과의 관계】

① 소유자등은 제77조의4에 따라 건축협정을 체결할 때 「경관법」 제19조에 따른 경관협정을 함께 체결하려는 경우에는 「경관법」 제19조제3항·제4항 및 제20조에 관한 사항을 반영하여 건축협정인가권자에게 인가를 신청할 수 있다.

② 제1항에 따른 인가 신청을 받은 건축협정인가권자는 건축협정에 대한 인가를 하기 전에 건축위원회의 심의를 하는 때에 「경관법」 제29조제3항에 따라 경관위원회와 공동으로 하는 심의를 거쳐야 한다.

③ 제2항에 따른 절차를 거쳐 건축협정을 인가받은 경우에는 「경관법」 제21조에 따른 경관협정의 인가를 받은 것으로 본다.

[본조신설 2014.1.14.]

영 제110조의5【건축협정에 따라야 하는 행위】

법 제77조의10제1항에서 "대통령령으로 정하는 행위"란 제110조의3제2항 각 호의 사항에 관한 행위를 말한다.

[본조신설 2014.10.14.]

영 제110조의6【건축협정에 관한 지원】

법 제77조의4제1항제4호에 따른 건축협정인가권자가 법 제77조의11제2항에 따라 건축협정구역 안의 주거환경개선을 위한 사업비용을 지원하려는 경우에는 법 제77조의4제1항 및 제2항에 따라 건축협정을 체결한 자(이하 "협정체결자"라 한다) 또는 법 제77조의5제1항에 따른 건축협정운영회(이하 "건축협정운영회"라 한다)의 대표자에게 다음 각 호의 사항이 포함된 사업계획서를 요구할 수 있다.

1. 주거환경개선사업의 목표

2. 협정체결자 또는 건축협정운영회 대표자의 성명
3. 주거환경개선사업의 내용 및 추진방법
4. 주거환경개선사업의 비용
5. 그 밖에 건축조례로 정하는 사항
[본조신설 2014.10.14.]

【1】 건축협정의 효력 및 승계

(1) 건축협정구역에서 다음에 관한 행위를 하려는 소유자등은 인가·변경인가된 건축협정에 따라야 한다.

1. 건축물의 건축·대수선 또는 리모델링에 관한 사항
2. 건축선
3. 건축물 및 건축설비의 위치
4. 건축물의 용도, 높이 및 층수
5. 건축물의 지붕 및 외벽의 형태
6. 건폐율 및 용적률
7. 담장, 대문, 조경, 주차장 등 부대시설의 위치 및 형태
8. 차양시설, 차면시설 등 건축물에 부착하는 시설물의 형태
9. 맞벽 건축의 구조 및 형태(법 제59조제1항제1호)
10. 그 밖에 건축물의 위치, 용도, 형태 또는 부대시설에 관하여 건축조례로 정하는 사항

(2) 건축협정이 공고된 후 건축협정구역에 있는 토지나 건축물 등에 관한 권리를 협정체결자인 소유자등으로부터 이전받거나 설정받은 자는 협정체결자로서의 지위를 승계한다.
예외 건축협정에서 달리 정한 경우에는 그에 따른다.

【2】 건축협정에 관한 계획 수립 및 지원

(1) 건축협정에 관한 계획 수립

건축협정인가권자는 소유자등이 건축협정을 효율적으로 체결할 수 있도록 건축협정구역에서 건축물의 건축·대수선 또는 리모델링에 관한 계획을 수립할 수 있다.

(2) 건축협정에 관한 지원

① 건축협정인가권자는 도로 개설 및 정비 등 건축협정구역 안의 주거환경개선을 위한 사업비용의 일부를 지원할 수 있다.

② 건축협정인가권자가 사업비용을 지원하려는 경우 협정체결자 또는 건축협정운영회의 대표자에게 다음 사항이 포함된 사업계획서를 요구할 수 있다.

1. 주거환경개선사업의 목표
2. 협정체결자 또는 건축협정운영회 대표자의 성명
3. 주거환경개선사업의 내용 및 추진방법
4. 주거환경개선사업의 비용
5. 그 밖에 건축조례로 정하는 사항

【3】 경관협정과의 관계

(1) 경관협정과 공동 인가 신청

소유자등은 건축협정을 체결할 때 경관협정을 함께 체결하려는 경우에는 경관협정 체결시 준수사항, 경관협정의 포함사항 및 경관협정운영회의 설립에 관한 사항(「경관법」 제19조, 제20조 관계법)을 반영하여 건축협정인가권자에게 인가를 신청할 수 있다.

(2) 건축위원회와 경관위원회의 공동심의

① 인가 신청을 받은 건축협정인가권자는 건축협정에 대한 인가를 하기 전에 건축위원회의 심의를 하는 때에 경관위원회와 공동으로 하는 심의(「경관법」 제29조제3항관계법)를 거쳐야 한다.

② 건축협정을 인가받은 경우에는 경관협정의 인가(「경관법」 제21조관계법)를 받은 것으로 본다.

관계법 경관협정(「경관법」 제19조, 제20조, 제21조, 제29조)

법 제19조【경관협정의 체결】① 토지소유자와 그 밖에 대통령령으로 정하는 자(이하 "토지소유자등"이라 한다)는 전원의 합의로 쾌적한 환경과 아름다운 경관을 형성하기 위한 협정(이하 "경관협정"이라 한다)을 체결할 수 있다. 이 경우 경관협정의 효력은 경관협정을 체결한 토지소유자등에게만 미친다.

② 일단의 토지 또는 하나의 토지의 소유자가 1인인 경우에도 그 토지의 소유자는 해당 토지의 구역을 경관협정 대상지역으로 하는 경관협정을 정할 수 있다. 이 경우 그 토지소유자 1인을 경관협정 체결자로 본다.

③ 토지소유자등은 제1항에 따라 경관협정을 체결(제2항에 따라 토지소유자 1인이 경관협정을 정하는 경우를 포함한다. 이하 같다)하는 경우 다음 각 호의 사항을 준수하여야 한다.

1. 이 법 및 관계 법령을 위반하지 아니할 것
2. 「국토의 계획 및 이용에 관한 법률」 제2조제6호에 따른 기반시설의 입지를 제한하는 내용을 포함하지 아니할 것

④ 경관협정은 다음 각 호의 사항을 포함할 수 있다. <개정 2016.1.6.>

1. 건축물의 의장(意匠)·색채 및 옥외광고물(「옥외광고물 등의 관리와 옥외광고산업 진흥에 관한 법률」 제2조제1호에 따른 옥외광고물을 말한다)에 관한 사항
2. 공작물[「건축법」 제83조제1항에 따라 특별자치도지사 또는 시장·군수(광역시 관할구역에 있는 군의 군수를 포함한다. 이하 제27조제4항 및 제28조제3항에서 같다)·구청장에게 신고하여 축조하는 공작물을 말한다. 이하 같다] 및 건축설비(「건축법」 제2조제1항제4호에 따른 건축설비를 말한다)의 위치에 관한 사항
3. 건축물 및 공작물 등의 외부 공간에 관한 사항
4. 토지의 보전 및 이용에 관한 사항
5. 역사·문화 경관의 관리 및 조성에 관한 사항
6. 그 밖에 대통령령으로 정하는 사항

⑤ 토지소유자등이 경관협정을 체결하는 경우에는 경관협정서를 작성하여야 하며, 경관협정서에는 다음 각 호의 사항이 명시되어야 한다.

1. 경관협정의 명칭
2. 경관협정 대상지역의 위치 및 범위
3. 경관협정의 목적
4. 경관협정의 내용
5. 제1항에 따라 경관협정을 체결하는 자(이하 "협정체결자"라 한다) 및 제20조제1항에 따른 경관협정 운영회의 성명·명칭과 주소
6. 경관협정의 유효기간
7. 경관협정 위반 시 제재에 관한 사항
8. 그 밖에 경관협정에 필요한 사항으로서 해당 지방자치단체의 조례로 정하는 사항

법 제20조【경관협정운영회의 설립】① 협정체결자는 경관협정서의 작성 및 경관협정의 관리 등을 위하여 필요한 경우 협정체결자 간의 자율적 기구로서 운영회(이하 "경관협정운영회"라 한다)를 설립할 수 있다.
② 경관협정운영회를 설립하려면 협정체결자 과반수의 동의를 받아 경관협정운영회의 대표자 및 위원을 선임하고, 대통령령으로 정하는 바에 따라 해당 시 · 도지사등에게 신고하여야 한다.

법 제21조【경관협정의 인가】① 협정체결자 또는 경관협정운영회의 대표자는 경관협정서를 작성하여 대통령령으로 정하는 바에 따라 해당 시 · 도지사등의 인가를 받아야 한다. 이 경우 인가신청을 받은 시 · 도지사등은 인가를 하기 전에 제29조제1항에 따라 해당 시 · 도지사등 소속으로 설치하는 경관위원회의 심의를 거쳐야 한다.
② 시 · 도지사등은 제1항에 따라 경관협정을 인가하였을 때에는 대통령령으로 정하는 바에 따라 그 내용을 공고하고 주민이 열람할 수 있게 하여야 한다.

법 제29조【경관위원회의 설치】① 경관과 관련된 사항에 대한 심의 또는 자문을 위하여 국토교통부장관 또는 시 · 도지사등 소속으로 경관위원회를 둔다. 다만, 경관위원회를 설치 · 운영하기 어려운 경우에는 대통령령으로 정하는 경관과 관련된 위원회가 그 기능을 수행할 수 있다.
② 시장 · 군수, 행정시장, 구청장등 또는 경제자유구역청장은 별도의 경관위원회를 구성하지 아니하고, 해당 지방자치단체(행정시 및경제자유구역청을 포함한다)가 속한 시 · 도에 설치된 경관위원회에서 심의하도록 시 · 도지사에게 요청할 수 있다.
③ 국토교통부장관 또는 시 · 도지사등은 경관 관련 사항의 심의가 필요한 경우 대통령령으로 정하는 바에 따라 다른 법률에 따라 설치된 위원회와 제1항에 따른 경관위원회(같은 항 단서에 따라 경관위원회의 기능을 대신하여 수행하는 경관과 관련된 위원회를 포함한다. 이하 같다)가 공동으로 하는 심의를 거칠 수 있다.

6 건축협정의 특례(법 제77조의13)(영 제110조의7)

법 제77조의13【건축협정에 따른 특례】
① 제77조의4제1항에 따라 건축협정을 체결하여 제59조제1항제1호에 따라 둘 이상의 건축물 벽을 맞벽으로 하여 건축하려는 경우 맞벽으로 건축하려는 자는 공동으로 제11조에 따른 건축허가를 신청할 수 있다.
② 제1항의 경우에 제17조, 제21조, 제22조 및 제25조에 관하여는 개별 건축물마다 적용하지 아니하고 허가를 신청한 건축물 전부 또는 일부를 대상으로 통합하여 적용할 수 있다.
③ 건축협정의 인가를 받은 건축협정구역에서 연접한 대지에 대하여는 다음 각 호의 관계 법령의 규정을 개별 건축물마다 적용하지 아니하고 건축협정구역의 전부 또는 일부를 대상으로 통합하여 적용할 수 있다. <개정 2016.1.19.>
1. 제42조에 따른 대지의 조경
2. 제44조에 따른 대지와 도로와의 관계
3. 삭제 <2016.1.19.>
4. 제53조에 따른 지하층의 설치
5. 제55조에 따른 건폐율 <개정 2016.1.19.>
6. 「주차장법」 제19조에 따른 부설주차장의 설치
7. 삭제 <2016.1.19.>
8. 「하수도법」 제34조에 따른 개인하수처리시설의 설치 <신설 2015.5.18.>

④ 제3항에 따라 관계 법령의 규정을 적용하려는 경우에는 건축협정구역 전부 또는 일부에 대하여 조경 및 부설주차장에 대한 기준을 이 법 및 「주차장법」에서 정한 기준 이상으로 산정하여 적용하여야 한다.
⑤ 건축협정을 체결하여 둘 이상 건축물의 경계벽을 전체 또는 일부를 공유하여 건축하는 경우에는 제1항부터 제4항까지의 특례를 적용하며, 해당 대지를 하나의 대지로 보아 이 법의 기준을 개별 건축물마다 적용하지 아니하고 허가를 신청한 건축물의 전부 또는 일부를 대상으로 통합하여 적용할 수 있다. <신설 2016.1.19.>
⑥ 건축협정구역에 건축하는 건축물에 대하여는 제42조, 제55조, 제56조, 제58조, 제60조 및 제61조와 「주택법」 제35조를 대통령령으로 정하는 바에 따라 완화하여 적용할 수 있다. 다만, 제56조를 완화하여 적용하는 경우에는 제4조에 따른 건축위원회의 심의와 「국토의 계획 및 이용에 관한 법률」 제113조에 따른 지방도시계획위원회의 심의를 통합하여 거쳐야 한다. <신설 2016.2.3.>
⑦ 제6항 단서에 따라 통합 심의를 하는 경우 통합 심의의 방법 및 절차 등에 관한 구체적인 사항은 대통령령으로 정한다. <신설 2016.2.3.>
⑧ 제6항 본문에 따른 건축협정구역 내의 건축물에 대한 건축기준의 적용에 관하여는 제72조제1항(제2호 및 제4호는 제외한다)부터 제5항까지를 준용한다. 이 경우 "특별건축구역"은 "건축협정구역"으로 본다. <신설 2016.2.3.>
[본조신설 2014.1.14.]

영 제110조의7【건축협정에 따른 특례】

① 건축협정구역에서 건축하는 건축물에 대해서는 법 제77조의13제6항에 따라 법 제42조, 제55조, 제56조, 제60조 및 제61조를 다음 각 호의 구분에 따라 완화하여 적용할 수 있다.

1. 법 제42조에 따른 대지의 조경 면적: 대지의 조경을 도로에 면하여 통합적으로 조성하는 건축협정구역에 한정하여 해당 지역에 적용하는 조경 면적기준의 100분의 20의 범위에서 완화
2. 법 제55조에 따른 건폐율: 해당 지역에 적용하는 건폐율의 100분의 20의 범위에서 완화. 이 경우 「국토의 계획 및 이용에 관한 법률」 제77조에 따른 건폐율의 최대한도를 초과할 수 없다.
3. 법 제56조에 따른 용적률: 해당 지역에 적용하는 용적률의 100분의 20의 범위에서 완화. 이 경우 「국토의 계획 및 이용에 관한 법률」 제78조에 따른 용적률의 최대한도를 초과할 수 없다.
4. 법 제60조에 따른 높이 제한: 너비 6미터 이상의 도로에 접한 건축협정구역에 한정하여 해당 건축물에 적용하는 높이 기준의 100분의 20의 범위에서 완화
5. 법 제61조에 따른 일조 등의 확보를 위한 건축물의 높이 제한: 건축협정구역 안에서 대지 상호간에 건축하는 공동주택에 한정하여 제86조제3항제1호에 따른 기준의 100분의 20의 범위에서 완화

② 허가권자는 법 제77조의13제6항 단서에 따라 법 제4조에 따른 건축위원회의 심의와 「국토의 계획 및 이용에 관한 법률」 제113조에 따른 지방도시계획위원회의 심의를 통합하여 하려는 경우에는 다음 각 호의 기준에 따라 통합심의위원회(이하 "통합심의위원회"라 한다)를 구성하여야 한다.

1. 통합심의위원회 위원은 법 제4조에 따른 건축위원회 및 「국토의 계획 및 이용에 관한

건 축 법
1. 총 칙
2. 건 축
3. 유지관리
4. 대지도로
5. 구조재료
6. 지역지구
7. 건축설비
8. 특별건축구역
9. 보 칙
10. 벌 칙
건 축 법 관련기준

법률」 제113조에 따른 지방도시계획위원회의 위원 중에서 시·도지사 또는 시장·군수·구청장이 임명 또는 위촉할 것
2. 통합심의위원회의 위원 수는 15명 이내로 할 것
3. 통합심의위원회의 위원 중 법 제4조에 따른 건축위원회의 위원이 2분의 1 이상이 되도록 할 것
4. 통합심의위원회의 위원장은 위원 중에서 시·도지사 또는 시장·군수·구청장이 임명 또는 위촉할 것
③ 제2항에 따른 통합심의위원회는 다음 각 호의 사항을 검토한다.
1. 해당 대지의 토지이용 현황 및 용적률 완화 범위의 적정성
2. 건축협정으로 완화되는 용적률이 주변 경관 및 환경에 미치는 영향
[본조신설 2016.7.19.]

【1】 맞벽건축시 공동 허가신청 및 규정의 통합 적용

(1) 건축협정을 체결하여 둘 이상의 건축물 벽을 맞벽으로 하여 건축하려는 경우 공동으로 건축허가를 신청할 수 있다.

(2) 위 (1)의 경우 다음 규정의 적용시 개별건축물마다 적용하지 않고 신청 건축물 일부 또는 전부를 대상으로 통합하여 적용할 수 있다.

규정 내용	법조항
1. 건축허가 등의 수수료	법 제17조
2. 착공신고 등	법 제21조
3. 건축물의 사용승인	법 제22조
4. 건축물의 공사감리	법 제25조

【2】 건축협정구역에서의 규정의 통합 적용

(1) 건축협정의 인가를 받은 건축협정구역에서 연접한 대지에 대하여 다음 규정을 개별 건축물마다 적용하지 아니하고 건축협정구역의 전부 또는 일부를 대상으로 통합하여 적용할 수 있다.

규정 내용	법조항
1. 대지의 조경	법 제42조
2. 대지와 도로와의 관계	법 제44조
3. 지하층의 설치	법 제53조
4. 건폐율	법 제55조
5. 부설주차장의 설치	「주차장법」 제19조
6. 개인하수처리시설의 설치	「하수도법」 제34조

(2) 위 (1)의 규정을 적용하려는 경우 건축협정구역 전부 또는 일부에 대하여 조경 및 부설주차장에 대한 기준을 「건축법」 및 「주차장법」에서 정한 기준 이상으로 산정하여 적용하여야 한다.

【3】 건축협정을 체결하여 둘 이상 건축물의 경계벽을 전체 또는 일부를 공유하여 건축하는 경우

앞 【1】 【2】의 특례를 적용하며, 해당 대지를 하나의 대지로 보아 이 법의 기준을 개별 건축물마다 적용하지 아니하고 허가를 신청한 건축물의 전부 또는 일부를 대상으로 통합 적용 할 수 있다.

【4】 건축협정구역에서의 규정의 완화 적용

(1) 완화 대상 및 범위

완화 대상	법조항	완화범위	제한 사항
1. 조경면적	제42조	20/100	대지의 조경을 도로에 면하여 통합적으로 조성하는 건축협정구역에 한정
2. 건폐율	제55조	20/100	「국토의 계획 및 이용에 관한 법률」 제77조에 따른 건폐율의 최대한도를 초과할 수 없음 * 완화 적용시 건축위원회, 지방도시계획위원회의 심의를 통합하여 거쳐야 함 ☞ 아래 (2) 참조
3. 용적률	제56조	20/100	「국토의 계획 및 이용에 관한 법률」 제78조에 따른 용적률의 최대한도를 초과할 수 없음
4. 높이제한	제60조	20/100	너비 6m 이상의 도로에 접한 건축협정구역에 한정
5. 일조 등의 확보를 위한 건축물의 높이 제한	제61조	20/100	건축협정구역 안에서 대지 상호간에 건축하는 공동주택에 한정하여 제86조제3항제1호(채광방향 높이제한)에 따른 기준

* 위 규정 이외에도 건축법 제58조(대지 안의 공지), 「주택법」 제35조(주택건설기준 등)가 완화대상으로 법에 규정되어 있으나 하위법령이 제정되지 않은 상태임

(2) 건폐율(위 표 2.) 완화 적용을 위한 통합심의위원회의 구성

① 건축위원회와 지방도시계획위원회의 심의를 통합하려는 경우 다음의 기준에 따라 통합심의위원회를 구성하여야 한다.

1. 통합심의위원회 위원은 건축위원회 및 지방도시계획위원회의 위원 중에서 시·도지사 또는 시장·군수·구청장이 임명 또는 위촉할 것
2. 통합심의위원회의 위원 수는 15명 이내로 할 것
3. 통합심의위원회의 위원 중 건축위원회의 위원이 1/2 이상 되도록 할 것
4. 통합심의위원회의 위원장은 위원 중에서 시·도지사 또는 시장·군수·구청장이 임명 또는 위촉할 것

② 통합심의위원회의 검토사항

1. 해당 대지의 토지이용 현황 및 용적률 완화 범위의 적정성
2. 건축협정으로 완화되는 용적률이 주변 경관 및 환경에 미치는 영향

【5】 건축협정구역내 건축물에 대한 건축기준의 적용

제72조(특별건축구역 내 건축물의 심의 등) 제1항(제2호, 제4호는 제외)부터 제5항까지를 준용하고, "특별건축구역"은 "건축협정구역"으로 본다.

7 건축협정 집중구역 지정 등(법 제77조의14)

법 제77조의14【건축협정 집중구역 지정 등】

① 건축협정인가권자는 건축협정의 효율적인 체결을 통한 도시의 기능 및 미관의 증진을 위하여 제77조의4제1항 각 호의 어느 하나에 해당하는 지역 및 구역의 전체 또는 일부를 건축협정 집중구역으로 지정할 수 있다.

② 건축협정인가권자는 제1항에 따라 건축협정 집중구역을 지정하는 경우에는 미리 다음 각 호의 사항에 대하여 건축협정인가권자가 두는 건축위원회의 심의를 거쳐야 한다.

1. 건축협정 집중구역의 위치, 범위 및 면적 등에 관한 사항
2. 건축협정 집중구역의 지정 목적 및 필요성
3. 건축협정 집중구역에서 제77조의4제4항 각 호의 사항 중 건축협정인가권자가 도시의 기능 및 미관 증진을 위하여 세부적으로 규정하는 사항
4. 건축협정 집중구역에서 제77조의13에 따른 건축협정의 특례 적용에 관하여 세부적으로 규정하는 사항

③ 제1항에 따른 건축협정 집중구역의 지정 또는 변경·해제에 관하여는 제77조의6제3항을 준용한다.

④ 건축협정 집중구역 내의 건축협정이 제2항 각 호에 관한 심의내용에 부합하는 경우에는 제77조의6제1항에 따른 건축위원회의 심의를 생략할 수 있다.

[본조신설 2017.4.18.][종전 제77조의14는 제77조의15로 이동]

【1】 건축협정 체결 대상 지역 등의 건축협정 집중구역 지정

건축협정인가권자는 건축협정의 효율적인 체결을 통한 도시의 기능 및 미관의 증진을 위하여 건축협정 체결 지역 및 구역(제77조의4제1항 각 호)의 전체 또는 일부를 건축협정 집중구역으로 지정할 수 있다.

【2】 건축협정 집중구역 지정시 사전 건축위원회 심의 등

(1) 건축협정인가권자는 제1항에 따라 건축협정 집중구역을 지정하는 경우 미리 다음 사항에 대한 건축위원회의 심의를 거쳐야 한다.

1. 건축협정 집중구역의 위치, 범위 및 면적 등에 관한 사항
2. 건축협정 집중구역의 지정 목적 및 필요성
3. 건축협정 집중구역에서 건축협정의 포함사항(제77조의4제4항 각 호) 중 건축협정인가권자가 도시의 기능 및 미관 증진을 위하여 세부적으로 규정하는 사항
4. 건축협정 집중구역에서 건축협정의 특례(제77조의13) 적용에 관하여 세부적으로 규정하는 사항

(2) 건축협정 집중구역 내의 건축협정이 위 각 호에 관한 심의내용에 부합하는 경우 건축협정 인가전 건축위원회의 심의(제77조의6제1항)를 생략할 수 있다.

【3】 건축협정 집중구역의 지정 또는 변경·해제시 내용의 공고

건축협정 인가시 그 내용의 공고 규정(제77조의6제3항)을 준용한다.

10 결합건축(법 제77조의15～17)

■ 결합건축제도의 신설[2016.1.19.]

1. 개별 건축물의 노후화가 빠르게 진행됨에 따라 노후건축물 대체 투자수요가 잠재되어 있으나 규제 및 인센티브 부족 등으로 건축투자로 연결되지 못하는 실정임.
2. 소규모 건축물 재건축 또는 리모델링 시 사업성을 높일 수 있도록 결합건축 제도를 신설하여 건축투자시장 활성화에 기여하도록 하려는 것임.
3. 노후건축물이 밀집되어 정비가 필요한 구역 내 건축주가 서로 합의한 경우 「건축법」 제56조에 따른 용적률을 개별 대지마다 적용하지 아니하고, 2개 이상의 대지 간 통합하여 적용하도록 함

1 결합건축 대상지(법 제77조의15)(영 제111조)

법 제77조의15【결합건축 대상지】

① 다음 각 호의 어느 하나에 해당하는 지역에서 대지간의 최단거리가 100미터 이내의 범위에서 대통령령으로 정하는 범위에 있는 2개의 대지의 건축주가 서로 합의한 경우 2개의 대지를 대상으로 결합건축을 할 수 있다. <개정 2020.4.7.>

1. 「국토의 계획 및 이용에 관한 법률」 제36조에 따라 지정된 상업지역
2. 「역세권의 개발 및 이용에 관한 법률」 제4조에 따라 지정된 역세권개발구역
3. 「도시 및 주거환경정비법」 제2조에 따른 주거환경개선사업의 시행을 위한 구역
4. 그 밖에 도시 및 주거환경 개선과 효율적인 토지이용이 필요하다고 대통령령으로 정하는 지역

② 다음 각 호의 어느 하나에 해당하는 경우에는 제1항 각 호의 어느 하나에 해당하는 지역에서 대통령령으로 정하는 범위에 있는 3개 이상 대지의 건축주 등이 서로 합의한 경우 3개 이상의 대지를 대상으로 결합건축을 할 수 있다. <신설 2020.4.7.>

1. 국가 · 지방자치단체 또는 「공공기관의 운영에 관한 법률」 제4조제1항에 따른 공공기관이 소유 또는 관리하는 건축물과 결합건축하는 경우
2. 「빈집 및 소규모주택 정비에 관한 특례법」 제2조제1항제1호에 따른 빈집 또는 「건축물관리법」 제42조에 따른 빈 건축물을 철거하여 그 대지에 공원, 광장 등 대통령령으로 정하는 시설을 설치하는 경우
3. 그 밖에 대통령령으로 정하는 건축물과 결합건축하는 경우

③ 제1항 및 제2항에도 불구하고 도시경관의 형성, 기반시설 부족 등의 사유로 해당 지방자치단체의 조례로 정하는 지역 안에서는 결합건축을 할 수 없다. <신설 2020.4.7.>

④ 제1항 또는 제2항에 따라 결합건축을 하려는 2개 이상의 대지를 소유한 자가 1명인 경우는 제77조의4제2항을 준용한다. <개정 2020.4.7.>

[본조신설 2016.1.19.][제77조의14에서 이동, 종전 제77조의15는 제77조의16으로 이동 <2017.4.18.>]

영 제111조【결합건축 대상지】

① 법 제77조의15제1항 각 호 외의 부분에서 "대통령령으로 정하는 범위에 있는 2개의 대지"란 다음 각 호의 요건을 모두 충족하는 2개의 대지를 말한다. <개정 2021.1.8.>

1. 2개의 대지 모두가 법 제77조의15제1항 각 호의 지역 중 동일한 지역에 속할 것
2. 2개의 대지 모두가 너비 12미터 이상인 도로로 둘러싸인 하나의 구역 안에 있을 것. 이 경우 그 구역 안에 너비 12미터 이상인 도로로 둘러싸인 더 작은 구역이 있어서는 아니 된다.

② 법 제77조의15제1항제4호에서 "대통령령으로 정하는 지역"이란 다음 각 호의 지역을 말한다. <개정 2019.10.22.>
1. 건축협정구역
2. 특별건축구역
3. 리모델링 활성화 구역
4. 「도시재생 활성화 및 지원에 관한 특별법」 제2조제1항제5호에 따른 도시재생활성화지역
5. 「한옥 등 건축자산의 진흥에 관한 법률」 제17조제1항에 따른 건축자산 진흥구역
③ 법 제77조의15제2항 각 호 외의 부분 본문에서 "대통령령으로 정하는 범위에 있는 3개 이상의 대지" 란 다음 각 호의 요건을 모두 충족하는 3개 이상의 대지를 말한다. <신설 2021.1.8.>
1. 대지 모두가 법 제77조의15제1항 각 호의 지역 중 같은 지역에 속할 것
2. 모든 대지 간 최단거리가 500미터 이내일 것
④ 법 제77조의15제2항제2호에서 "공원, 광장 등 대통령령으로 정하는 시설" 이란 다음 각 호의 어느 하나에 해당하는 시설을 말한다. <신설 2021.1.8.>
1. 공원, 녹지, 광장, 정원, 공지, 주차장, 놀이터 등 공동이용시설
2. 그 밖에 제1호의 시설과 비슷한 것으로서 건축조례로 정하는 시설
⑤ 법 제77조의15제2항제3호에서 "대통령령으로 정하는 건축물" 이란 다음 각 호의 건축물을 말한다. <신설 2021.1.8.>
1. 마을회관, 마을공동작업소, 마을도서관, 어린이집 등 공동이용건축물
2. 공동주택 중 「민간임대주택에 관한 특별법」 제2조제1호의 민간임대주택
3. 그 밖에 제1호 및 제2호의 건축물과 비슷한 것으로서 건축조례로 정하는 건축물
[본조신설 2016.7.19.]

【1】 결합건축

용적률을 개별 대지마다 적용하지 아니하고, 2개 이상의 대지를 대상으로 통합적용하여 건축물을 건축하는 것(법 제2조)

【2】 2개의 대지를 대상으로 한 결합건축

아래표의 대상지역(1)에서 대상대지 요건(2)의 범위에 있는 2개 대지의 건축주가 서로 합의한 경우 2개 대지를 대상으로 결합건축을 할 수 있다.

(1) 대상지역

대상지역		근거 법조항 관계법1
1. 상업지역		「국토의 계획 및 이용에 관한 법률」 제36조
2. 역세권개발구역		「역세권의 개발 및 이용에 관한 법률」 제4조
3. 정비구역 중 주거환경개선사업의 시행을 위한 구역		「도시 및 주거환경정비법」 제2조
4. 그 밖에 도시 및 주거환경 개선과 효율적인 토지이용이 필요한 지역	① 건축협정구역	「건축법」 제77조의10
	② 특별건축구역	「건축법」 제69조
	③ 리모델링 활성화 구역	「건축법 시행령」 제6조제1항제6호
	④ 도시재생활성화지역	「도시재생 활성화 및 지원에 관한 특별법」 제2조제1항제5호
	⑤ 건축자산 진흥구역	「한옥 등 건축자산의 진흥에 관한 법률」 제17조제1항

(2) 대상대지의 조건

대지간의 최단거리가 100m 이내의 범위에서 다음 범위에 있는 2개의 대지의 건축주가 서로 합의한 경우

1. 2개의 대지 모두가 위 (1) 각 호의 지역 중 동일한 지역에 속할 것
2. 2개의 대지 모두가 너비 12m 이상인 도로로 둘러싸인 하나의 구역 안에 있을 것 ＊ 그 구역 안에 너비 12m 이상인 도로로 둘러싸인 더 작은 구역이 있으면 안 됨

■ 대상지 조건의 도해

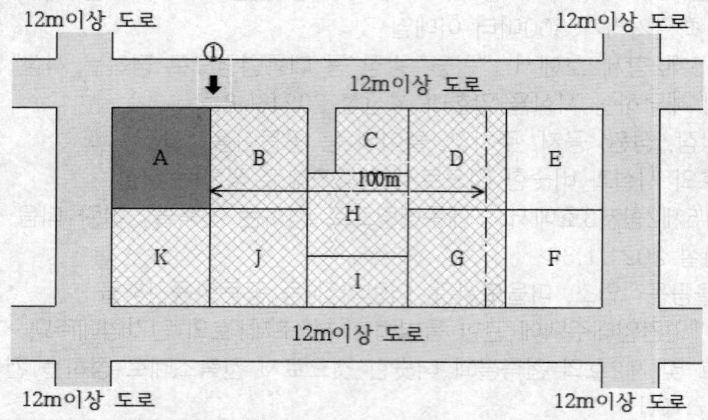

A대지와 결합건축할 수 있는 대지는 대지간 최단거리 100m 이내의 범위에 있는 대지(E, F를 제외한 모든 대지)이다.

■ 위 도면 ①에서 본 결합건축 개념도

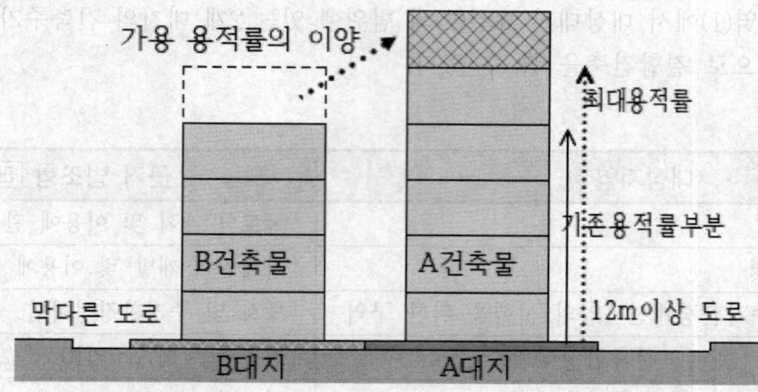

A, B 대지의 건축주가 결합건축하기로 합의한 경우 두 대지에 용적률 적용을 통합하여 할 수 있다. B건축물 부분의 법정 용적률 최대치 범위에서 용적률의 일부를 A건축물에 반영할 수 있다.

【3】 3개 이상의 대지를 대상으로 한 결합건축

아래 표의 대상건축물(1)의 경우 대상대지 요건(2)의 범위에 있는 3개 이상 대지의 건축주 등이 서로 합의한 경우 3개 이상의 대지를 대상으로 결합건축을 할 수 있다.

(1) 대상건축물

■ 대상건축물 구분	관련근거법령 관계법2
1. 국가·지방자치단체 또는 공공기관*이 소유 또는 관리하는 건축물과 결합건축하는 경우	*「공공기관의 운영에 관한 법률」 제4조제1항
2. 빈집[1] 또는 빈 건축물[2]을 철거한 대지에 다음 시설을 설치하는 경우 ㉠ 공원, 녹지, 광장, 정원, 공지, 주차장, 놀이터 등 공동이용시설 ㉡ ㉠과 비슷한 것으로서 건축조례로 정하는 시설	1)「빈집 및 소규모주택 정비에 관한 특례법」 제2조제1항제1호 2) 「건축물관리법」 제42조
3. 그 밖에 다음 건축물과 결합건축하는 경우 ㉠ 마을회관, 마을공동작업소, 마을도서관, 어린이집 등 공동이용건축물 ㉡ 공동주택 중 민간임대주택* ㉢ ㉠, ㉡과 비슷한 것으로서 건축조례로 정하는 건축물	*「민간임대주택에 관한 특별법」 제2조제1호

(2) 대상대지의 요건(1, 2를 모두 충족하는 3개 이상의 대지일 것)

1. 【1】의 (2) 대상지역의 각 호의 지역중 같은 지역에 속할 것
2. 모든 대지 간 최단거리가 500m 이내일 것

※ 3개 대지 이상의 경우 결합건축 개요도(국토교통부 보도자료, 2021.1.4.)

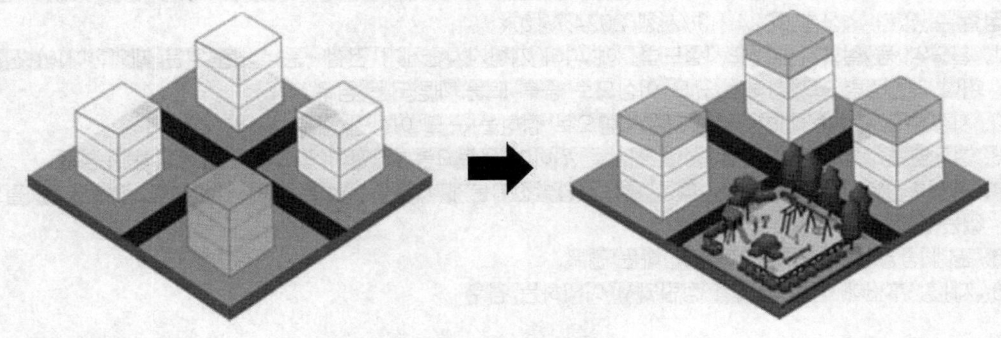

【4】 결합건축을 할 수 없는 경우

【2】, 【3】 에도 불구하고 도시경관의 형성, 기반시설 부족 등의 사유로 해당 지방자치단체의 조례로 정하는 지역 안에서는 결합건축을 할 수 없다.

【5】 대지소유자가 1인의 경우 건축협정 규정 준용(제77조의4제2항 참조)

【1】, 【2】 에서 결합건축을 하려는 2개 이상의 대지를 소유한 자가 1명인 경우에도 그 대지 소유자는 해당 대지의 구역을 결합건축 대상자로 할 수 있다. 이 경우 그 대지 소유자 1인을 결합건축 대상 건축주로 할 수 있다.

관계법1 【1】 대상지역 관련 근거규정

1. 「국토의 계획 및 이용에 관한 법률」

법 제36조 【용도지역의 지정】 ① 국토교통부장관, 시 · 도지사 또는 대도시 시장은 다음 각 호의 어느 하나에 해당하는 용도지역의 지정 또는 변경을 도시 · 군관리계획으로 결정한다.

1. 도시지역: 다음 각 목의 어느 하나로 구분하여 지정한다.
가. 주거지역: 거주의 안녕과 건전한 생활환경의 보호를 위하여 필요한 지역
나. 상업지역: 상업이나 그 밖의 업무의 편익을 증진하기 위하여 필요한 지역
다. 공업지역: 공업의 편익을 증진하기 위하여 필요한 지역
라. 녹지지역: 자연환경 · 농지 및 산림의 보호, 보건위생, 보안과 도시의 무질서한 확산을 방지하기 위하여 녹지의 보전이 필요한 지역

2. 「역세권의 개발 및 이용에 관한 법률」

법 제4조 【개발구역의 지정 등】 ① 특별시장 · 광역시장 또는 도지사(이하 "시 · 도지사"라 한다)는 역세권개발사업이 필요하다고 인정하는 경우에는 역세권개발구역(이하 "개발구역"이라 한다)을 지정할 수 있다. 다만, 다음 각 호의 어느 하나에 해당하는 경우에는 국토교통부장관이 개발구역을 지정할 수 있다. (→이 경우 역세권개발사업이 필요하다고 인정되는 지역이 둘 이상의 특별시 · 광역시 또는 도에 걸치는 경우에는 관계 시 · 도지사가 협의하여 개발구역을 지정할 자를 정한다.) <개정 2018.12.18., 2024.1.9./시행 2024.7.10.>

1. 철도역 등 철도시설(「도시철도법」에 따라 지방자치단체가 건설 · 운영하는 역은 제외한다)이 신설되거나 대통령령으로 정하는 규모 이상으로 증축 또는 개량되는 경우(→삭제 <2024.1.9.>
2. 지정하고자 하는 개발구역이 대통령령으로 정하는 규모 이상인 경우(→삭제 <2024.1.9.>
3. 철도역 등 철도시설의 체계적인 개발을 위하여 국토교통부장관이 필요하다고 인정하는 경우(→삭제 <2024.1.9.>

② 국토교통부장관은 다음 각 호의 어느 하나에 해당하는 경우에는 제1항에도 불구하고 개발구역을 지정할 수 있다. <신설 2024.1.9./시행 2024.7.10.>

1. 철도역 등 철도시설(「도시철도법」에 따라 지방자치단체가 건설 · 운영하는 역은 제외한다)이 신설되거나 대통령령으로 정하는 규모 이상으로 증축 또는 개량되는 경우
2. 지정하고자 하는 개발구역이 대통령령으로 정하는 규모 이상인 경우
3. 철도역 등 철도시설의 체계적인 개발을 위하여 국토교통부장관이 필요하다고 인정하는 경우
4. 「철도산업발전기본법」에 따른 철도산업발전기본계획과 연계하여 역세권개발사업을 실시할 필요가 있는 경우
5. 관계 중앙행정기관의 장이 요청하는 경우
6. 제1항 후단에 따른 협의가 성립되지 아니하는 경우

3. 「도시 및 주거환경정비법」

법 제2조 【정의】 이 법에서 사용하는 용어의 뜻은 다음과 같다. <개정 2023.7.18>

1. "정비구역"이란 정비사업을 계획적으로 시행하기 위하여 제16조에 따라 지정 · 고시된 구역을 말한다.
2. "정비사업"이란 이 법에서 정한 절차에 따라 도시기능을 회복하기 위하여 정비구역에서 정비기반시설을 정비하거나 주택 등 건축물을 개량 또는 건설하는 다음 각 목의 사업을 말한다.
가. 주거환경개선사업: 도시저소득 주민이 집단거주하는 지역으로서 정비기반시설이 극히 열악하고 노후 · 불량건축물이 과도하게 밀집한 지역의 주거환경을 개선하거나 단독주택 및 다세대주택이 밀집한 지역에서 정비기반시설과 공동이용시설 확충을 통하여 주거환경을 보전 · 정비 · 개량하기 위한 사업
나. 재개발사업: 정비기반시설이 열악하고 노후 · 불량건축물이 밀집한 지역에서 주거환경을 개선하거나 상업지역 · 공업지역 등에서 도시기능의 회복 및 상권활성화 등을 위하여 도시환경을 개선하기 위한 사업. 이 경우 다음 요건을 모두 갖추어 시행하는 재개발사업을 "공공재개발사업" 이라 한다. "요건 1), 2) 생략"

다. 재건축사업: 정비기반시설은 양호하나 노후·불량건축물에 해당하는 공동주택이 밀집한 지역에서 주거환경을 개선하기 위한 사업. 이 경우 다음 요건을 모두 갖추어 시행하는 재건축사업을 "공공재건축사업" 이라 한다. "요건 1), 2) 생략"

4. 「건축법 시행령」

영 제6조【적용의 완화】① 법 제5조제1항에 따라 완화하여 적용하는 건축물 및 기준은 다음 각 호와 같다. <개정 2020.5.12.>

6. 다음 각 목의 어느 하나에 해당하는 건축물인 경우: 법 제42조, 제43조, 제46조, 제55조, 제56조, 제58조, 제60조, 제61조제2항에 따른 기준
   가. 허가권자가 리모델링 활성화가 필요하다고 인정하여 지정·공고한 구역(이하 "리모델링 활성화 구역"이라 한다) 안의 건축물

5. 「도시재생 활성화 및 지원에 관한 특별법」

법 제2조【정의】① 이 법에서 사용하는 용어의 뜻은 다음과 같다. <개정 2020.1.29., 2021.7.20>

5. "도시재생활성화지역"이란 국가와 지방자치단체의 자원과 역량을 집중함으로써 도시재생을 위한 사업의 효과를 극대화하려는 전략적 대상지역으로 그 지정 및 해제를 도시재생전략계획으로 결정하는 지역을 말한다.

6. 「한옥 등 건축자산의 진흥에 관한 법률」

법 제17조【건축자산 진흥구역의 지정 등】① 시·도지사는 다음 각 호의 어느 하나에 해당하는 지역에 대하여 건축위원회와 「국토의 계획 및 이용에 관한 법률」 제113조에 따른 지방도시계획위원회가 공동으로 하는 심의를 거쳐 건축자산 진흥구역으로 지정할 수 있다. <개정 2017.8.9.>

1. 우수건축자산을 중심으로 지역 고유의 공간환경을 조성하기 위한 관리가 필요한 지역
2. 한옥마을, 전통사찰보존구역 등 건축자산이 밀집되어 있어 종합적인 관리가 필요한 지역

관계법2 【2】 대상건축물 관련 근거규정

1. 「공공기관의 운영에 관한 법률」

법 제4조【공공기관】① 기획재정부장관은 국가·지방자치단체가 아닌 법인·단체 또는 기관(이하 "기관"이라 한다)으로서 다음 각 호의 어느 하나에 해당하는 기관을 공공기관으로 지정할 수 있다. <개정 2020.6.9.>

1. 다른 법률에 따라 직접 설립되고 정부가 출연한 기관
2. 정부지원액(법령에 따라 직접 정부의 업무를 위탁받거나 독점적 사업권을 부여받은 기관의 경우에는 그 위탁업무나 독점적 사업으로 인한 수입액을 포함한다. 이하 같다)이 총수입액의 2분의 1을 초과하는 기관
3. 정부가 100분의 50 이상의 지분을 가지고 있거나 100분의 30 이상의 지분을 가지고 임원 임명권한 행사 등을 통하여 해당 기관의 정책 결정에 사실상 지배력을 확보하고 있는 기관
4. 정부와 제1호부터 제3호까지의 어느 하나에 해당하는 기관이 합하여 100분의 50 이상의 지분을 가지고 있거나 100분의 30 이상의 지분을 가지고 임원 임명권한 행사 등을 통하여 해당 기관의 정책 결정에 사실상 지배력을 확보하고 있는 기관
5. 제1호부터 제4호까지의 어느 하나에 해당하는 기관이 단독으로 또는 두개 이상의 기관이 합하여 100분의 50 이상의 지분을 가지고 있거나 100분의 30 이상의 지분을 가지고 임원 임명권한 행사 등을 통하여 해당 기관의 정책 결정에 사실상 지배력을 확보하고 있는 기관
6. 제1호부터 제4호까지의 어느 하나에 해당하는 기관이 설립하고, 정부 또는 설립 기관이 출연한 기관

2. 「빈집 및 소규모주택 정비에 관한 특례법」

법 제2조【정의】① 이 법에서 사용하는 용어의 뜻은 다음과 같다. <개정 2021.7.19., 2021.10.19.>

1. "빈집" 이란 특별자치시장·특별자치도지사·시장·군수 또는 자치구의 구청장(이하 "시장·군수등" 이라 한다)이 거주 또는 사용 여부를 확인한 날부터 1년 이상 아무도 거주 또는 사용하지 아니하는 주택을 말한다. 다만, 미분양주택 등 대통령령으로 정하는 주택은 제외한다.

2. "빈집정비사업" 이란 빈집을 개량 또는 철거하거나 효율적으로 관리 또는 활용하기 위한 사업을 말한다.

3. 「건축물관리법」

법 제42조【빈 건축물 정비】특별자치시장·특별자치도지사 또는 시장·군수·구청장은 사용 여부를 확인한 날부터 1년 이상 아무도 사용하지 아니하는 건축물(「농어촌정비법」 제2조제12호에 따른 빈집 및 「빈집 및 소규모주택 정비에 관한 특례법」 제2조제1항제1호에 따른 빈집은 제외하며, 이하 "빈 건축물" 이라 한다)이 다음 각 호의 어느 하나에 해당하면 건축위원회의 심의를 거쳐 해당 건축물의 소유자에게 해체 등 필요한 조치를 명할 수 있다. 이 경우 해당 건축물의 소유자는 특별한 사유가 없으면 60일 이내에 조치를 이행하여야 한다.
1. 공익상 유해하거나 도시미관 또는 주거환경에 현저한 장애가 된다고 인정하는 경우
2. 주거환경이나 도시환경 개선을 위하여 「도시 및 주거환경정비법」 제2조제4호 및 제5호에 따른 정비기반시설 및 공동이용시설의 확충에 필요한 경우

4. 「민간임대주택에 관한 특별법」

법 제2조【정의】이 법에서 사용하는 용어의 뜻은 다음과 같다. <개정 2020.8.18.>
1. "민간임대주택" 이란 임대 목적으로 제공하는 주택[토지를 임차하여 건설된 주택 및 오피스텔 등 대통령령으로 정하는 준주택(이하 "준주택" 이라 한다) 및 대통령령으로 정하는 일부만을 임대하는 주택을 포함한다. 이하 같다]으로서 임대사업자가 제5조에 따라 등록한 주택을 말하며, 민간건설임대주택과 민간매입임대주택으로 구분한다.

2 결합건축 절차(법 제77조의16)(영 제111조의2)(규칙 제38조의12)

법 제77조의16【결합건축 절차】

① 결합건축을 하고자 하는 건축주는 제11조에 따라 건축허가를 신청하는 때에는 다음 각 호의 사항을 명시한 결합건축협정서를 첨부하여야 하며 국토교통부령으로 정하는 도서를 제출하여야 한다.
1. 결합건축 대상 대지의 위치 및 용도지역
2. 결합건축협정서를 체결하는 자(이하 "결합건축협정체결자"라 한다)의 성명, 주소 및 생년월일(법인, 법인 아닌 사단이나 재단 및 외국인의 경우에는 「부동산등기법」 제49조에 따라 부여된 등록번호를 말한다)
3. 「국토의 계획 및 이용에 관한 법률」 제78조에 따라 조례로 정한 용적률과 결합건축으로 조정되어 적용되는 대지별 용적률
4. 결합건축 대상 대지별 건축계획서

② 허가권자는 「국토의 계획 및 이용에 관한 법률」 제2조제11호에 따른 도시·군계획사업에 편입된 대지가 있는 경우에는 결합건축을 포함한 건축허가를 아니할 수 있다.

③ 허가권자는 제1항에 따른 건축허가를 하기 전에 건축위원회의 심의를 거쳐야 한다. 다만, 결합건축으로 조정되어 적용되는 대지별 용적률이 「국토의 계획 및 이용에 관한 법률」 제78조에 따라 해당 대지에 적용되는 도시계획조례의 용적률의 100분의 20을 초과하는 경우에는 대통령령으로 정하는 바에 따라 건축위원회 심의와 도시계획위원회 심의를 공동으로 하여 거쳐야 한다.

④ 제1항에 따른 결합건축 대상 대지가 둘 이상의 특별자치시, 특별자치도 및 시·군·구에 걸치는 경우 제77조의6제2항을 준용한다.

[본조신설 2016.1.19.][제77조의15에서 이동, 종전 제77조의16은 제77조의17로 이동 <2017.4.18.>]

영 제111조의2【건축위원회 및 도시계획위원회의 공동 심의】
허가권자는 법 제77조의16제3항 단서에 따라 건축위원회의 심의와 도시계획위원회의 심의를 공동으로 하려는 경우에는 제110조의7제2항 각 호의 기준에 따라 공동위원회를 구성하여야 한다. <개정 2019.10.22.>
[본조신설 2016.7.19.]

규칙 제38조의12【결합건축협정서】
법 제77조의15제1항에 따른 결합건축협정서는 별지 제27호의11서식에 따른다.
[본조신설 2016.7.20.]

【1】 결합건축의 건축허가 신청시 첨부 서류

(1) 건축주가 건축허가 신청시 허가권자에게 건축결합협정서(별지 제27호의11 서식)를 첨부하여 하며, 국토교통부령으로 정하는 도서를 제출하여야 함

(2) 건축결합협정서에는 다음 사항을 명시하여야 한다.

1. 결합건축 대상 대지의 위치 및 용도지역
2. 결합건축협정서를 체결하는 자(이하 "결합건축협정체결자")의 성명, 주소 및 생년월일(법인, 법인 아닌 사단이나 재단 및 외국인의 경우 「부동산등기법」 제49조에 따라 부여된 등록번호)
3. 「국토의 계획 및 이용에 관한 법률」 제78조에 따라 조례로 정한 용적률과 결합건축으로 조정되어 적용되는 대지별 용적률
4. 결합건축 대상 대지별 건축계획서

【2】 결합건축 허가시 허가권자의 조치

(1) 도시·군계획사업에 편입된 대지가 있는 경우 결합건축을 포함한 건축허가를 아니할 수 있다.

(2) 허가권자는 제1항에 따른 건축허가를 하기 전에 건축위원회의 심의를 거쳐야 한다.

(3) 결합건축으로 조정되어 적용되는 대지별 용적률이 도시계획조례의 용적률의 20/100을 초과하는 경우 건축위원회와 도시계획위원회 심의를 공동으로 하는 다음 기준에 의한 공동위원회의 구성하여 심의를 거쳐야 한다.

1. 위원은 건축위원회 및 지방도시계획위원회의 위원 중에서 시·도지사 또는 시장·군수·구청장이 임명 또는 위촉할 것
2. 위원 수는 15명 이내로 할 것
3. 위원 중 건축위원회의 위원이 1/2 이상 되도록 할 것
4. 위원장은 위원 중에서 시·도지사 또는 시장·군수·구청장이 임명 또는 위촉할 것

【3】 대지 대상지가 둘 이상의 행정구역에 걸치는 경우의 준용 규정(제77조의6제2항 참조)

(1) 결합건축 대상 토지가 둘 이상의 특별자치시 또는 시·군·구에 걸치는 경우 결합건축 대상 토지면적의 과반(過半)이 속하는 결합건축 인가권자에게 인가를 신청할 수 있다.

(2) 인가 신청을 받은 결합건축인가권자는 결합건축을 인가하기 전에 다른 특별자치시장 또는 시장·군수·구청장과 협의하여야 한다.

건 축 법
1. 총 칙
2. 건 축
3. 유지관리
4. 대지도로
5. 구조재료
6. 지역지구
7. 건축설비
8. 특별건축구역
9. 보 칙
10. 벌 칙
건 축 법 관련기준

3 결합건축의 관리(법 제77조의17)(영 제111조의3)(규칙 제38조의13)

법 제77조의17【결합건축의 관리】

① 허가권자는 결합건축을 포함하여 건축허가를 한 경우 국토교통부령으로 정하는 바에 따라 그 내용을 공고하고, 결합건축 관리대장을 작성하여 관리하여야 한다.

② 허가권자는 제77조의15제1항에 따른 결합건축과 관련된 건축물의 사용승인 신청이 있는 경우 해당 결합건축협정서상의 다른 대지에서 착공신고 또는 대통령령으로 정하는 조치가 이행되었는지를 확인한 후 사용승인을 하여야 한다. <개정 2020.4.7.>

③ 허가권자는 결합건축을 허용한 경우 건축물대장에 국토교통부령으로 정하는 바에 따라 결합건축에 관한 내용을 명시하여야 한다.

④ 결합건축협정서에 따른 협정체결 유지기간은 최소 30년으로 한다. 다만, 결합건축협정서의 용적률 기준을 종전대로 환원하여 신축·개축·재축하는 경우에는 그러하지 아니한다.

⑤ 결합건축협정서를 폐지하려는 경우에는 결합건축협정체결자 전원이 동의하여 허가권자에게 신고하여야 하며, 허가권자는 용적률을 이전받은 건축물이 멸실된 것을 확인한 후 결합건축의 폐지를 수리하여야 한다. 이 경우 결합건축 폐지에 관하여는 제1항 및 제3항을 준용한다.

⑥ 결합건축협정의 준수 여부, 효력 및 승계에 대하여는 제77조의4제3항 및 제77조의10을 준용한다. 이 경우 "건축협정"은 각각 "결합건축협정"으로 본다.

[본조신설 2016.1.19.][제77조의16에서 이동<2017.4.18.>]

영 제111조의3【결합건축 건축물의 사용승인】

법 제77조의17제2항에서 "대통령령으로 정하는 조치"란 다음 각 호의 어느 하나에 해당하는 조치를 말한다. <개정 2019.10.22>

1. 법 제11조제7항 각 호 외의 부분 단서에 따른 공사의 착수기간 연장 신청. 다만, 착공이 지연된 것에 건축주의 귀책사유가 없고 착공 지연에 따른 건축허가 취소의 가능성이 없다고 인정하는 경우로 한정한다.
2. 「국토의 계획 및 이용에 관한 법률」에 따른 도시·군계획시설의 결정

[본조신설 2016.7.19.]

규칙 제38조의13【결합건축의 관리】

① 허가권자는 결합건축을 포함하여 건축허가를 한 경우에는 법 제77조의17제1항에 따라 그 내용을 30일 이내에 해당 지방자치단체의 공보에 공고하고, 별지 제27호의12서식의 결합건축 관리대장을 작성하여 관리관리해야 한다. <개정 2021.1.8.>

② 제1항에 따른 결합건축 관리대장은 전자적 처리가 불가능한 특별한 사유가 없으면 전자적 처리가 가능한 방법으로 작성하여 관리하여야 한다.

[본조신설 2016.7.20.]

【1】 결합건축의 허가시의 조치

(1) 허가권자는 결합건축을 포함하여 건축허가를 한 경우 그 내용을 30일 이내에 해당 지방자치단체의 공보에 공고하고, 결합건축 관리대장(별지 제27호의12서식)을 작성하여 관리하여야 한다.

(2) 허가권자는 결합건축을 허용한 경우 건축물대장에 결합건축에 관한 내용을 명시하여야 한다.

【2】 사용승인전 확인 사항

허가권자는 결합건축과 관련된 건축물의 사용승인 신청이 있는 경우 해당 결합건축협정서상의 다른 대지에서 착공신고 또는 다음 조치가 이행되었는지를 확인한 후 사용승인을 하여야 한다.

1. 건축허가 건축물의 공사의 착수기간 연장 신청 * 착공이 지연된 것에 건축주의 귀책사유가 없고 착공 지연에 따른 건축허가 취소의 가능성이 없다고 인정하는 경우로 한정
2. 도시·군계획시설의 결정

【3】 결합건축협정서

(1) 결합건축협정서에 따른 협정체결 유지기간은 최소 30년으로 한다.

예외 결합건축협정서의 용적률 기준을 종전대로 환원하여 신축·개축·재축하는 경우

(2) 결합건축협정서를 폐지하려는 경우 결합건축협정체결자 전원이 동의하여 허가권자에게 신고하여야 하며, 허가권자는 용적률을 이전받은 건축물이 멸실된 것을 확인한 후 결합건축의 폐지를 수리하여야 한다.

(3) 결합건축 폐지시 조치

1. 허가권자는 결합건축을 폐지시 그 내용을 30일 이내에 해당 지방자치단체의 공보에 공고하고, 결합건축 관리대장(별지 제27호의12서식)을 작성하여 관리해야 한다.
2. 허가권자는 결합건축을 폐지한 경우 건축물대장에 결합건축에 관한 내용을 명시하여야 한다.

【4】 결합건축협정의 준수 여부, 효력 및 승계시의 준용 규정

(1) 제77조의4(건축협정의 체결) 제3항 준용

소유자등은 건축결합협정을 체결(토지 소유자 1인이 건축협정을 정하는 경우 포함)하는 경우의 준수할 사항

1. 이 법 및 관계 법령을 위반하지 아니할 것
2. 도시·군관리계획 및 결합건축협정구역에서 건축물의 건축·대수선 또는 리모델링에 관한 계획을 위반하지 아니할 것

(2) 제77조의10(건축협정의 효력 및 승계) 준용

① 결합건축협정이 체결된 지역 또는 구역(이하 "결합건축협정구역")에서 건축물의 건축·대수선 또는 리모델링을 하거나 다음 사항에 관한 행위를 하려는 소유자등은 인가·변경인가된 결합건축협정에 따라야 한다.

1. 건축선	6. 담장, 대문, 조경, 주차장 등 부대시설의 위치 및 형태
2. 건축물 및 건축설비의 위치	7. 차양시설, 차면시설 등 건축물에 부착하는 시설물의 형태
3. 건축물의 용도, 높이 및 층수	8. 법 제59조제1항제1호에 따른 맞벽 건축의 구조 및 형태
4. 건축물의 지붕 및 외벽의 형태	9. 그 밖에 건축물의 위치, 용도, 형태 또는 부대시설에 관하여 건축조례로 정하는 사항
5. 건폐율 및 용적률	

② 결합건축협정이 공고된 후 결합건축협정구역에 있는 토지나 건축물 등에 관한 권리를 협정체결자인 소유자등으로부터 이전받거나 설정받은 자는 협정체결자로서의 지위를 승계한다.

예외 결합건축협정에서 달리 정한 경우에는 그에 따른다.

보 칙

1 감독 (법 제78조)(영 제112조, 제113조)(규칙 제39조)

법 제78조【감독】

① 국토교통부장관은 시·도지사 또는 시장·군수·구청장이 한 명령이나 처분이 이 법이나 이 법에 따른 명령이나 처분 또는 조례에 위반되거나 부당하다고 인정하면 그 명령 또는 처분의 취소·변경, 그 밖에 필요한 조치를 명할 수 있다.

② 특별시장·광역시장·도지사는 시장·군수·구청장이 한 명령이나 처분이 이 법 또는 이 법에 따른 명령이나 처분 또는 조례에 위반되거나 부당하다고 인정하면 그 명령이나 처분의 취소·변경, 그 밖에 필요한 조치를 명할 수 있다. <개정 2014.1.14>

③ 시·도지사 또는 시장·군수·구청장이 제1항에 따라 필요한 조치명령을 받으면 그 시정 결과를 국토교통부장관에게 지체 없이 보고하여야 하며, 시장·군수·구청장이 제2항에 따라 필요한 조치명령을 받으면 그 시정 결과를 특별시장·광역시장·도지사에게 지체 없이 보고하여야 한다. <개정 2014.1.14>

④ 국토교통부장관 및 시·도지사는 건축허가의 적법한 운영, 위법 건축물의 관리 실태 등 건축행정의 건실한 운영을 지도·점검하기 위하여 국토교통부령으로 정하는 바에 따라 매년 지도·점검 계획을 수립·시행하여야 한다.

⑤ 국토교통부장관 및 시·도지사는 제4조의2에 따른 건축위원회의 심의 방법 또는 결과가 이 법 또는 이 법에 따른 명령이나 처분 또는 조례에 위반되거나 부당하다고 인정하면 그 심의 방법 또는 결과의 취소·변경, 그 밖에 필요한 조치를 할 수 있다. 이 경우 심의에 관한 조사·시정명령 및 변경절차 등에 관하여는 대통령령으로 정한다. <신설 2016.1.19.>

영 제112조【건축위원회 심의 방법 및 결과 조사 등】

① 국토교통부장관은 법 제78조제5항에 따라 지방건축위원회 심의 방법 또는 결과에 대한 조사가 필요하다고 인정하면 시·도지사 또는 시장·군수·구청장에게 관련 서류를 요구하거나 직접 방문하여 조사를 할 수 있다.

② 시·도지사는 법 제78조제5항에 따라 시장·군수·구청장이 설치하는 지방건축위원회의 심의 방법 또는 결과에 대한 조사가 필요하다고 인정하면 시장·군수·구청장에게 관련 서류를 요구하거나 직접 방문하여 조사를 할 수 있다.

③ 국토교통부장관 및 시·도지사는 제1항 또는 제2항에 따른 조사 과정에서 필요하면 법 제4조의2에 따른 심의의 신청인 및 건축관계자 등의 의견을 들을 수 있다.

[본조신설 2016.7.19.]

영 제113조【위법 · 부당한 건축위원회의 심의에 대한 조치】

① 국토교통부장관 및 시 · 도지사는 제112조에 따른 조사 및 의견청취 후 건축위원회의 심의 방법 또는 결과가 법 또는 법에 따른 명령이나 처분 또는 조례(이하 이 조에서 "건축법규등"이라 한다)에 위반되거나 부당하다고 인정하면 다음 각 호의 구분에 따라 시 · 도지사 또는 시장 · 군수 · 구청장에게 시정명령을 할 수 있다.

1. 심의대상이 아닌 건축물을 심의하거나 심의내용이 건축법규등에 위반된 경우: 심의결과 취소
2. 건축법규등의 위반은 아니나 심의현황 및 건축여건을 고려하여 특별히 과도한 기준을 적용하거나 이행이 어려운 조건을 제시한 것으로 인정되는 경우: 심의결과 조정 또는 재심의
3. 심의 절차에 문제가 있다고 인정되는 경우: 재심의
4. 건축관계자에게 심의개최 통지를 하지 아니하고 심의를 하거나 건축법규등에서 정한 범위를 넘어 과도한 도서의 제출을 요구한 것으로 인정되는 경우: 심의절차 및 기준의 개선 권고

② 제1항에 따른 시정명령을 받은 시 · 도지사 또는 시장 · 군수 · 구청장은 특별한 사유가 없으면 이에 따라야 한다. 이 경우 제1항제2호 또는 제3호에 따라 재심의 명령을 받은 경우에는 해당 명령을 받은 날부터 15일 이내에 건축위원회의 심의를 하여야 한다.

③ 시 · 도지사 또는 시장 · 군수 · 구청장은 제1항에 따른 시정명령에 이의가 있는 경우에는 해당 심의에 참여한 위원으로 구성된 지방건축위원회의 심의를 거쳐 국토교통부장관 또는 시 · 도지사에게 이의신청을 할 수 있다.

④ 제3항에 따라 이의신청을 받은 국토교통부장관 및 시 · 도지사는 제112조에 따른 조사를 다시 실시한 후 그 결과를 시 · 도지사 또는 시장 · 군수 · 구청장에게 통지하여야 한다.

[본조신설 2016.7.19.]

규칙 제39조【건축행정의 지도 · 감독】

법 제78조제4항에 따라 국토교통부장관 또는 시 · 도지사는 연 1회 이상 건축행정의 건실한 운영을 지도 · 감독하기 위하여 다음 각 호의 내용이 포함된 지도 · 점검계획을 수립하여야 한다.

1. 건축허가 등 건축민원 처리실태
2. 건축통계의 작성에 관한 사항
3. 건축부조리 근절대책
4. 위반건축물의 정비계획 및 실적
5. 기타 건축행정과 관련하여 필요한 사항

해설 건축법의 목적은 법의 올바른 집행에 의한 공공복리의 증진에 있다. 반면에 행정청의 법의 시행에 있어 명령이나 처분이 부당하여 주민에게 불이익을 줄 수 있다. 이러한 경우, 상급기관에서 하급기관을 감독하여 부당한 명령 또는 처분의 취소를 명할 수 있도록 규정하고 있다.

1 감 독

감독기관	감독을 받는 기관	내 용
1. 국토교통부장관	• 시 · 도지사 • 시장 · 군수 · 구청장	시 · 도지사 또는 시장 · 군수 · 구청장이 필요한 조치 명령을 받은 경우 그 시정결과를 국토교통부장관에게 지체없이 보고하여야 한다.
2. 시·도지사	• 시장 · 군수 · 구청장	시장 · 군수 · 구청장이 필요한 조치 명령을 받은 경우, 그 시정결과를 시 · 도지사에게 지체없이 보고하여야 한다.

2 건축행정에 대한 지도·점검

지도·점검계획의 수립	국토교통부장관, 시·도지사가 연 1회 이상 수립
목 적	건축행정의 건실한 운영을 지도·점검하기 위함
내 용	1. 건축허가 등 건축민원 처리실태 2. 건축통계의 작성에 관한 사항 3. 건축부조리 근절 대책 4. 위반건축물의 정비계획 및 실적 5. 기타 건축행정과 관련하여 필요한 사항

3 건축위원회 심의 방법 및 결과 조사 등

【1】 실태조사의 실시

국토교통부장관 및 시·도지사는 건축위원회의 심의 방법 또는 결과가 이 법 또는 이 법에 따른 명령이나 처분 또는 조례에 위반되거나 부당하다고 인정하면 그 심의 방법 또는 결과의 취소·변경, 그 밖에 필요한 조치를 할 수 있다.

조사자	조사시기	조치내용
1. 국토교통부장관	지방건축위원회 심의 방법 또는 결과에 대한 조사가 필요하다고 인정시	시·도지사 또는 시장·군수·구청장에게 관련 서류를 요구하거나 직접 방문하여 조사를 할 수 있다.
2. 시·도지사	시장·군수·구청장이 설치하는 지방건축위원회의 심의 방법 또는 결과에 대한 조사가 필요하다고 인정시	시장·군수·구청장에게 관련 서류를 요구하거나 직접 방문하여 조사를 할 수 있다.
3. 국토교통부장관 및 시·도지사	1 또는 2의 조사 과정에서 필요시	건축위원회의 건축 심의의 신청인 및 건축관계자 등의 의견을 들을 수 있다.

【2】 위법·부당한 건축위원회의 심의에 대한 조치 등

(1) 건축법규등 위반시의 조치

국토교통부장관 및 시·도지사는 【1】의 조사 및 의견청취 후 건축위원회의 심의 방법 또는 결과가 법 또는 법에 따른 명령이나 처분 또는 조례(이하 이 조에서 "건축법규등"이라 한다)에 위반되거나 부당하다고 인정시 시·도지사 또는 시장·군수·구청장에게 시정명령을 할 수 있다.

(2) 시정명령의 구분

위반 내용 등	시정명령
1. 심의대상이 아닌 건축물을 심의하거나 심의내용이 건축법규등에 위반된 경우	심의결과 취소
2. 건축법규등의 위반은 아니나 심의현황 및 건축여건을 고려하여 특별히 과도한 기준을 적용하거나 이행이 어려운 조건을 제시한 것으로 인정되는 경우	심의결과 조정 또는 재심의
3. 심의 절차에 문제가 있다고 인정되는 경우	재심의

4. 건축관계자에게 심의개최 통지를 하지 아니하고 심의를 하거나 건축법규등에서 정한 범위를 넘어 과도한 도서의 제출을 요구한 것으로 인정되는 경우	심의절차 및 기준의 개선 권고

(3) 시정명령을 받은 시·도지사 또는 시장·군수·구청장은 특별한 사유가 없으면 이에 따라야 한다.

(4) (2)의 2. 또는 3.의 재심의 명령을 받은 경우 해당 명령을 받은 날부터 15일 이내에 건축위원회의 심의를 하여야 한다.

(5) 시·도지사 또는 시장·군수·구청장은 (2)에 따른 시정명령에 이의가 있는 경우 해당 심의에 참여한 위원으로 구성된 지방건축위원회의 심의를 거쳐 국토교통부장관 또는 시·도지사에게 이의신청을 할 수 있다.

(6) 이의신청을 받은 국토교통부장관 및 시·도지사는 【1】의 조사를 다시 실시한 후 그 결과를 시·도지사 또는 시장·군수·구청장에게 통지하여야 한다.

2 위반건축물 등에 대한 조치 등(법 제79조)(영 제114조, 제115조)(규칙 제40조)

법 제79조【위반건축물 등에 대한 조치 등】

① 허가권자는 이 법 또는 이 법에 따른 명령이나 처분에 위반되는 대지나 건축물에 대하여 이 법에 따른 허가 또는 승인을 취소하거나 그 건축물의 건축주 · 공사시공자 · 현장관리인 · 소유자 · 관리자 또는 점유자(이하 "건축주등"이라 한다)에게 공사의 중지를 명하거나 상당한 기간을 정하여 그 건축물의 해체 · 개축 · 증축 · 수선 · 용도변경 · 사용금지 · 사용제한, 그 밖에 필요한 조치를 명할 수 있다. <개정 2019.4.23., 2019.4.30.>

② 허가권자는 제1항에 따라 허가나 승인이 취소된 건축물 또는 제1항에 따른 시정명령을 받고 이행하지 아니한 건축물에 대하여는 다른 법령에 따른 영업이나 그 밖의 행위를 허가 · 면허 · 인가 · 등록 · 지정 등을 하지 아니하도록 요청할 수 있다. 다만, 허가권자가 기간을 정하여 그 사용 또는 영업, 그 밖의 행위를 허용한 주택과 대통령령으로 정하는 경우에는 그러하지 아니하다. <개정 2014.5.28.>

③ 제2항에 따른 요청을 받은 자는 특별한 이유가 없으면 요청에 따라야 한다.

④ 허가권자는 제1항에 따른 시정명령을 하는 경우 국토교통부령으로 정하는 바에 따라 건축물대장에 위반내용을 적어야 한다. <개정 2016.1.19.>

⑤ 허가권자는 이 법 또는 이 법에 따른 명령이나 처분에 위반되는 대지나 건축물에 대한 실태를 파악하기 위하여 조사를 할 수 있다. <신설 2019.4.23.>

⑥ 제5항에 따른 실태조사의 방법 및 절차에 관한 사항은 대통령령으로 정한다. <신설 2019.4.23.>

영 제114조【위반 건축물에 대한 사용 및 영업행위의 허용 등】

법 제79조제2항 단서에서 "대통령령으로 정하는 경우"란 바닥면적의 합계가 400제곱미터 미만인 축사와 바닥면적의 합계가 400제곱미터 미만인 농업용 · 임업용 · 축산업용 및 수산업용 창고를 말한다. <개정 2016.1.19>

영 제115조【위반 건축물 등에 대한 실태조사 및 정비】

① 허가권자는 법 제79조제5항에 따른 실태조사를 매년 정기적으로 하며, 위반행위의 예방 또는 확인을 위하여 수시로 실태조사를 할 수 있다.

② 허가권자는 제1항에 따른 조사를 하려는 경우에는 조사 목적·기간·대상 및 방법 등이 포함된 실태조사 계획을 수립해야 한다.
③ 제1항에 따른 조사는 서면 또는 현장조사의 방법으로 실시할 수 있다.
④ 허가권자는 제1항에 따른 조사를 한 경우 법 제79조에 따른 시정조치를 하기 위하여 정비계획을 수립·시행해야 하며, 그 결과를 시·도지사(특별자치시장 및 특별자치도지사는 제외한다)에게 보고해야 한다.
⑤ 허가권자는 위반 건축물의 체계적인 사후 관리와 정비를 위하여 국토교통부령으로 정하는 바에 따라 위반 건축물 관리대장을 작성·관리해야 한다. 이 경우 전자적 처리가 불가능한 특별한 사유가 없으면 법 제32조제1항에 따른 전자정보처리 시스템을 이용하여 작성·관리해야 한다. <개정 2021.11.2>
⑥ 제1항부터 제4항까지에서 규정한 사항 외에 실태조사의 방법·절차에 필요한 세부적인 사항은 건축조례로 정할 수 있다.
[전문개정 2020.4.21.]

규칙 제40조【위반건축물에 대한 실태조사】
① 허가권자는 영 제115조제1항에 따른 실태조사 결과를 기록·관리해야 한다.
② 영 제115조제5항 전단에 따른 위반 건축물 관리대장은 별지 제29호서식에 따른다.
[전문개정 2020.10.28.]

해설 허가권자는 대지 또는 건축물이 「건축법」 또는 「건축법」에 따른 명령이나 처분에 위반하여 도시환경 및 공공복리증진에 유해한 경우 다음과 같은 조치를 행할 수 있다.

1 위반건축물 등에 대한 조치

위반내용 및 대상	조 치 사 항
1. 「건축법」 또는 「건축법」에 따른 명령이나 처분에 위반된 대지나 건축물	• 건축허가 또는 승인의 취소 • 건축주등(건축주, 공사시공자, 현장관리인, 소유자, 관리자 또는 점유자)에 대한 조치 –공사의 중지를 명함 –상당한 기간을 정하여 건축물의 해체·개축·증축·수선·용도변경·사용금지·사용제한 등 필요한 조치
2. 위 1의 허가나 승인이 취소된 건축물 또는 시정명령을 받고 이행하지 않은 건축물	해당 건축물에 대하여 행할 다른 법령에 따른 영업이나 그 밖의 행위를 허가·면허·인가·등록·지정 등을 하지 아니하도록 요청할 수 있음 예외 –허가권자가 기간을 정하여 그 사용 또는 영업 등 행위를 허용한 주택 –바닥면적의 합계가 400㎡ 미만인 축사 –바닥면적의 합계가 400㎡ 미만인 농업·임업·축산업 또는 수산업용 창고

■ 위 2의 규정에 의한 요청을 받은 자는 특별한 이유가 없으면 이에 따라야 함
■ 허가권자는 위 1에 의한 시정명령을 하는 경우 건축물대장에 위반내용을 적어야 함
■ 허가권자는 위반되는 대지나 건축물에 대한 실태를 파악하기 위하여 조사를 할 수 있음

2 위반건축물 등에 대한 실태조사 및 정비

【1】 실태조사의 실시

① 허가권자는 실태조사를 매년 정기적으로 하며, 예방 또는 확인을 위하여 수시로 실태조사를 할 수 있다.

② 허가권자는 실태조사를 하려는 경우 조사 목적·기간·대상 및 방법 등이 포함된 실태조사 계획을 수립해야 한다.

③ 실태조사는 서면 또는 현장조사의 방법으로 실시할 수 있다.

④ 허가권자는 실태조사 결과를 기록·관리해야 한다.

【2】 정비계획의 수립·시행

허가권자는 실태조사를 한 경우 시정조치를 하기 위하여 정비계획을 수립·시행해야 하며, 그 결과를 시·도지사(특별자치시장 및 특별자치도지사는 제외)에게 보고해야 한다.

【3】 위반건축물 관리대장의 작성·비치 등

① 허가권자는 위반 건축물의 체계적인 사후 관리와 정비를 위하여 위반 건축물 관리대장(별지 제29호서식)을 작성·관리해야 한다

② 전자적 처리가 불가능한 특별한 사유가 없으면 전자정보처리 시스템을 이용하여 작성·관리해야 한다.

③ 규정사항 외에 실태조사의 방법·절차에 필요한 세부적인 사항은 건축조례로 정할 수 있다.

3 이행강제금(법 제80조, 제80조의2)(영 제115조의2~4)(규칙 제40조의2)

법 제80조【이행강제금】

① 허가권자는 제79조제1항에 따라 시정명령을 받은 후 시정기간 내에 시정명령을 이행하지 아니한 건축주등에 대하여는 그 시정명령의 이행에 필요한 상당한 이행기한을 정하여 그 기한까지 시정명령을 이행하지 아니하면 다음 각 호의 이행강제금을 부과한다. 다만, 연면적(공동주택의 경우에는 세대 면적을 기준으로 한다)이 60제곱미터 이하인 주거용 건축물과 제2호 중 주거용 건축물로서 대통령령으로 정하는 경우에는 다음 각 호의 어느 하나에 해당하는 금액의 2분의 1의 범위에서 해당 지방자치단체의 조례로 정하는 금액을 부과한다. <개정 2019.4.23.>

1. 건축물이 제55조와 제56조에 따른 건폐율이나 용적률을 초과하여 건축된 경우 또는 허가를 받지 아니하거나 신고를 하지 아니하고 건축된 경우에는 「지방세법」에 따라 해당 건축물에 적용되는 1제곱미터의 시가표준액의 100분의 50에 해당하는 금액에 위반면적을 곱한 금액 이하의 범위에서 위반 내용에 따라 대통령령으로 정하는 비율을 곱한 금액
2. 건축물이 제1호 외의 위반 건축물에 해당하는 경우에는 「지방세법」에 따라 그 건축물에 적용되는 시가표준액에 해당하는 금액의 100분의 10의 범위에서 위반내용에 따라 대통령령으로 정하는 금액

② 허가권자는 영리목적을 위한 위반이나 상습적 위반 등 대통령령으로 정하는 경우에 제1항에 따른 금액을 100분의 100의 범위에서 해당 지방자치단체의 조례로 정하는 바에 따라 가중하여야 한다. <개정 2020.12.8.>

③ 허가권자는 제1항 및 제2항에 따른 이행강제금을 부과하기 전에 제1항 및 제2항에 따른 이행강제금을 부과·징수한다는 뜻을 미리 문서로써 계고(戒告)하여야 한다. <개정 2015.8.11.>

④ 허가권자는 제1항 및 제2항에 따른 이행강제금을 부과하는 경우 금액, 부과 사유, 납부기한, 수납기관, 이의제기 방법 및 이의제기 기관 등을 구체적으로 밝힌 문서로 하여야 한다. <개정 2015.8.11.>
⑤ 허가권자는 최초의 시정명령이 있었던 날을 기준으로 하여 1년에 2회 이내의 범위에서 해당 지방자치단체의 조례로 정하는 횟수만큼 그 시정명령이 이행될 때까지 반복하여 제1항 및 제2항에 따른 이행강제금을 부과 · 징수할 수 있다. <개정 2019.4.23.>
⑥ 허가권자는 제79조제1항에 따라 시정명령을 받은 자가 이를 이행하면 새로운 이행강제금의 부과를 즉시 중지하되, 이미 부과된 이행강제금은 징수하여야 한다. <개정 2015.8.11.>
⑦ 허가권자는 제4항에 따라 이행강제금 부과처분을 받은 자가 이행강제금을 납부기한까지 내지 아니하면 「지방행정제재 · 부과금의 징수 등에 관한 법률」에 따라 징수한다. <개정 2015.8.11., 2020.3.24>

법 제80조의2【이행강제금 부과에 관한 특례】
① 허가권자는 제80조에 따른 이행강제금을 다음 각 호에서 정하는 바에 따라 감경할 수 있다. 다만, 지방자치단체의 조례로 정하는 기간까지 위반내용을 시정하지 아니한 경우는 제외한다.
1. 축사 등 농업용 · 어업용 시설로서 500제곱미터(「수도권정비계획법」 제2조제1호에 따른 수도권 외의 지역에서는 1천제곱미터) 이하인 경우는 5분의 1을 감경
2. 그 밖에 위반 동기, 위반 범위 및 위반 시기 등을 고려하여 대통령령으로 정하는 경우(제80조 제2항에 해당하는 경우는 제외한다)에는 2분의 1의 범위에서 대통령령으로 정하는 비율을 감경

② 허가권자는 법률 제4381호 건축법개정법률의 시행일(1992년 6월 1일을 말한다) 이전에 이 법 또는 이 법에 따른 명령이나 처분을 위반한 주거용 건축물에 관하여는 대통령령으로 정하는 바에 따라 제80조에 따른 이행강제금을 감경할 수 있다.
[본조신설 2015.8.11.]

영 제115조의2【이행강제금의 부과 및 징수】
① 법 제80조제1항 각 호 외의 부분 단서에서 "대통령령으로 정하는 경우"란 다음 각 호의 경우를 말한다. <개정 2011.12.30>
1. 법 제22조에 따른 사용승인을 받지 아니하고 건축물을 사용한 경우
2. 법 제42조에 따른 대지의 조경에 관한 사항을 위반한 경우
3. 법 제60조에 따른 건축물의 높이 제한을 위반한 경우
4. 법 제61조에 따른 일조 등의 확보를 위한 건축물의 높이 제한을 위반한 경우
5. 그 밖에 법 또는 법에 따른 명령이나 처분을 위반한 경우(별표 15 위반 건축물란의 제1호의2, 제4호부터 제9호까지 및 제13호에 해당하는 경우는 제외한다)로서 건축조례로 정하는 경우

② 법 제80조제1항제2호에 따른 이행강제금의 산정기준은 별표 15와 같다.
③ 이행강제금의 부과 및 징수 절차는 국토교통부령으로 정한다. <개정 2013.3.23.>

영 제115조의3【이행강제금의 탄력적 운영】
① 법 제80조제1항제1호에서 "대통령령으로 정하는 비율"이란 다음 각 호의 구분에 따른 비율을 말한다. 다만, 건축조례로 다음 각 호의 비율을 낮추어 정할 수 있되, 낮추는 경우에도 그 비율은 100분의 60 이상이어야 한다.

건 축 법
1. 총 칙
2. 건 축
3. 유지관리
4. 대지도로
5. 구조재료
6. 지역지구
7. 건축설비
8. 특별건축구역
9. 보 칙
10. 벌 칙
건 축 법 관련기준

1. 건폐율을 초과하여 건축한 경우: 100분의 80
2. 용적률을 초과하여 건축한 경우: 100분의 90
3. 허가를 받지 아니하고 건축한 경우: 100분의 100
4. 신고를 하지 아니하고 건축한 경우: 100분의 70

② 법 제80조제2항에서 "영리목적을 위한 위반이나 상습적 위반 등 대통령령으로 정하는 경우"란 다음 각 호의 어느 하나에 해당하는 경우를 말한다. 다만, 위반행위 후 소유권이 변경된 경우는 제외한다.

1. 임대 등 영리를 목적으로 법 제19조를 위반하여 용도변경을 한 경우(위반면적이 50제곱미터를 초과하는 경우로 한정한다)
2. 임대 등 영리를 목적으로 허가나 신고 없이 신축 또는 증축한 경우(위반면적이 50제곱미터를 초과하는 경우로 한정한다)
3. 임대 등 영리를 목적으로 허가나 신고 없이 다세대주택의 세대수 또는 다가구주택의 가구수를 증가시킨 경우(5세대 또는 5가구 이상 증가시킨 경우로 한정한다)
4. 동일인이 최근 3년 내에 2회 이상 법 또는 법에 따른 명령이나 처분을 위반한 경우
5. 제1호부터 제4호까지의 규정과 비슷한 경우로서 건축조례로 정하는 경우

[본조신설 2016.2.11.][종전 제115조의3은 제115조의5로 이동<2016.2.11.>]

영 제115조의4【이행강제금의 감경】

① 법 제80조의2제1항제2호에서 "대통령령으로 정하는 경우"란 다음 각 호의 어느 하나에 해당하는 경우를 말한다. 다만, 법 제80조제1항 각 호 외의 부분 단서에 해당하는 경우는 제외한다. <개정 2018.9.4>

1. 위반행위 후 소유권이 변경된 경우
2. 임차인이 있어 현실적으로 임대기간 중에 위반내용을 시정하기 어려운 경우(법 제79조제1항에 따른 최초의 시정명령 전에 이미 임대차계약을 체결한 경우로서 해당 계약이 종료되거나 갱신되는 경우는 제외한다) 등 상황의 특수성이 인정되는 경우
3. 위반면적이 30제곱미터 이하인 경우(별표 1 제1호부터 제4호까지의 규정에 따른 건축물로 한정하며, 「집합건물의 소유 및 관리에 관한 법률」의 적용을 받는 집합건축물은 제외한다)
4. 「집합건물의 소유 및 관리에 관한 법률」의 적용을 받는 집합건축물의 구분소유자가 위반한 면적이 5제곱미터 이하인 경우(별표 1 제2호부터 제4호까지의 규정에 따른 건축물로 한정한다)
5. 법 제22조에 따른 사용승인 당시 존재하던 위반사항으로서 사용승인 이후 확인된 경우
6. 법률 제12516호 가축분뇨의 관리 및 이용에 관한 법률 일부개정법률 부칙 제9조에 따라 같은 조 제1항 각 호에 따른 기간(같은 조 제3항에 따른 환경부령으로 정하는 규모 미만의 시설의 경우 같은 항에 따른 환경부령으로 정하는 기한을 말한다) 내에 「가축분뇨의 관리 및 이용에 관한 법률」 제11조에 따른 허가 또는 변경허가를 받거나 신고 또는 변경신고를 하려는 배출시설(처리시설을 포함한다)의 경우

6의2. 법률 제12516호 가축분뇨의 관리 및 이용에 관한 법률 일부개정법률 부칙 제10조의2에 따라 같은 조 제1항에 따른 기한까지 환경부장관이 정하는 바에 따라 허가신청을 하였거나 신고한 배출시설(개 사육시설은 제외하되, 처리시설은 포함한다)의 경우

7. 그 밖에 위반행위의 정도와 위반 동기 및 공중에 미치는 영향 등을 고려하여 감경이 필요한 경우로서 건축조례로 정하는 경우

② 법 제80조의2제1항제2호에서 "대통령령으로 정하는 비율"이란 다음 각 호의 구분에 따른 비율을 말한다. <개정 2018.9.4>

1. 제1항제1호부터 제6호까지 및 제6호의2의 경우: 100분의 50
2. 제1항제7호의 경우: 건축조례로 정하는 비율

③ 법 제80조의2제2항에 따른 이행강제금의 감경 비율은 다음 각 호와 같다.

1. 연면적 85제곱미터 이하 주거용 건축물의 경우: 100분의 80
2. 연면적 85제곱미터 초과 주거용 건축물의 경우: 100분의 60

[본조신설 2016.2.11.]

규칙 제40조의2【이행강제금의 부과 및 징수절차】

영 제115조의2제3항에 따른 이행강제금의 부과 및 징수절차는 「국고금관리법 시행규칙」을 준용한다. 이 경우 납입고지서에는 이의신청방법 및 이의신청기간을 함께 기재하여야 한다.

해설 허가권자는 대지나 건축물이 이 법 등의 규정에 위반되어 시정명령을 받은 후 시정기간 내에 시정명령을 이행하지 아니한 경우에는 건축주등에게 그 시정명령의 이행에 필요한 상당한 이행기한을 정하여 그 기한까지 시정명령을 이행하지 아니하면 이행강제금을 부과하여야 한다.

1 이행강제금의 부과

[1] 이행강제금의 부과 대상 및 금액

대 상	이행 강제금의 부과금액
1. 건폐율, 용적률을 초과하여 건축된 경우 2. 허가를 받지 아니하거나 신고를 하지 아니하고 건축된 경우	「지방세법」에 따라 해당 건축물에 적용되는 1㎡당 시가표준액의 50/100에 해당하는 금액에 위반면적을 곱한 금액 이하의 범위에서 위반 내용에 따라 다음의 비율【참고1】을 곱한 금액
3. 위 1, 2 이외의 위반건축물인 경우	「지방세법」에 따라 해당 건축물에 적용되는 시가표준액의 10/100의 범위에서 위반 내용에 따라 대통령령으로 정하는 금액【참고2】

【참고1】 이행강제금 산정 비율(건축법 시행령 제115조의3제1항)

위반 내용	비 율	비 고
1. 건폐율을 초과하여 건축한 경우	80/100	건축조례로 비율을 낮추어 정할 수 있되, 낮추는 경우에도 60/100 이상이어야 함
2. 용적률을 초과하여 건축한 경우	90/100	
3. 허가를 받지 아니하고 건축한 경우	100/100	
4. 신고를 하지 아니하고 건축한 경우	70/100	

【참고2】 이행강제금의 산정기준(건축법 시행령 별표15)

위반건축물	해당 법조문(건축법)	이행 강제금의 금액
1. 허가를 받지 않거나 신고를 하지 않고 다가구, 다세대주택의 경계벽을 증설 또는 해체로 대수선한 건축물	법 제11조 법 제14조	시가표준액의 10/100에 해당하는 금액
1호의2. 허가를 받지 아니하거나 신고하지 아니하고 용도변경을 한 건축물	법 제19조	허가를 받지 아니하거나 신고를 하지 아니하고 용도변경을 한 부분의 시가표준액의 10/100에 해당하는 금액
2. 사용승인을 받지 아니하고 사용중인 건축물	법 제22조	시가표준액의 2/100에 해당하는 금액
3. 대지의 조경에 관한 사항을 위반한 건축물	법 제42조	시가표준액(조경의무를 위반한 면적에 해당하는 바닥면적의 시가표준액)의 10/100에 해당하는 금액
4. 건축선에 적합하지 아니한 건축물	법 제47조	시가표준액의 10/100에 해당하는 금액
5. 구조내력기준에 적합하지 아니한 건축물	법 제48조	시가표준액의 10/100에 해당하는 금액
6. 피난시설, 건축물의 용도·구조의 제한, 방화구획, 계단, 거실의 반자높이, 거실의 채광·환기와 바닥의 방습 등이 법령등의 기준에 적합하지 아니한 건축물	법 제49조	시가표준액의 10/100에 해당하는 금액
7. 내화구조 및 방화벽이 법령 등의 기준에 적합하지 아니한 건축물	법 제50조	시가표준액의 10/100에 해당하는 금액
8. 방화지구 안의 건축물에 관한 법령등의 기준에 적합하지 아니한 건축물	법 제51조	시가표준액의 10/100에 해당하는 금액
9. 법령 등에 적합하지 않은 마감재료를 사용한 건축물	법 제52조	시가표준액의 10/100에 해당하는 금액
10. 높이제한을 위반한 건축물	법 제60조	시가표준액의 10/100에 해당하는 금액
11. 일조 등의 확보를 위한 높이 제한을 위반한 건축물	법 제61조	시가표준액의 10/100에 해당하는 금액
12. 건축설비의 설치·구조에 관한 기준과 그 설계 및 공사감리에 관한 법령등의 기준을 위반한 건축물	법 제62조	시가표준액의 10/100에 해당하는 금액
13. 그 밖에 이 법이나 이 법에 의한 명령이나 처분에 위반한 건축물	-	시가표준액의 3/100이하로서 위반행위의 종류에 따라 건축조례가 정하는 금액(건축조례가 제정되지 아니한 경우 3/100이하)

【2】 주거용 건축물의 특례

연면적(공동주택의 경우 세대 면적을 기준으로 함)이 60㎡ 이하인 주거용 건축물과 위 【1】 3. 위반 건축물 중 주거용 건축물로서 다음의 경우 위 【1】 에 해당하는 금액의 1/2의 범위에서 건축조례로 정하는 금액을 부과한다.

위반 내용	관련법조항 등
1. 사용승인을 받지 아니하고 건축물을 사용한 경우	법 제22조
2. 대지의 조경에 관한 사항을 위반한 경우	법 제42조
3. 건축물의 높이 제한을 위반한 경우	법 제60조
4. 일조 등의 확보를 위한 건축물의 높이 제한을 위반한 경우	법 제61조
5. 그 밖에 법 또는 법에 따른 명령이나 처분을 위반한 경우로서 건축조례로 정하는 경우	별표 15 위반 건축물란의 제1호의2, 제4호~제9호까지에 해당하는 경우 제외

【3】 이행강제금의 가중 부과

(1) 허가권자는 영리목적을 위한 위반이나 상습적 위반 등 다음의 경우에 위 【1】 에 해당하는 금액을 100/100의 범위에서 건축조례로 정하는 바에 따라 가중하여야 한다.

예외 위반행위 후 소유권이 변경된 경우 제외

위반 내용	범 위
1. 임대 등 영리를 목적으로 용도변경 규정(법 제19조)을 위반하여 용도변경을 한 경우	위반면적이 50㎡를 초과하는 경우로 한정
2. 임대 등 영리를 목적으로 허가나 신고 없이 신축 또는 증축한 경우	위반면적이 50㎡를 초과하는 경우로 한정
3. 임대 등 영리를 목적으로 허가나 신고 없이 다세대주택의 세대수 또는 다가구주택의 가구수를 증가시킨 경우	5세대 또는 5가구 이상 증가시킨 경우로 한정
4. 동일인이 최근 3년 내에 2회 이상 법 또는 법에 따른 명령이나 처분을 위반한 경우	–
5. 제1호부터 제4호까지의 규정과 비슷한 경우로서 건축조례로 정하는 경우	–

2 이행강제금의 부과 및 징수

(1) 허가권자가 이행강제금을 부과하기 전 부과·징수한다는 뜻을 미리 문서로써 계고하여야 한다.

(2) 허가권자는 이행강제금을 부과하는 경우 금액, 부과사유, 납부기한, 수납기관, 이의제기 방법 및 이의제기 기관 등을 구체적으로 밝힌 문서로 하여야 한다.

(3) 허가권자는 최초의 시정명령일을 기준으로 1년에 2회 이내의 범위에서 조례로 정하는 횟수만큼 이행될 때까지 반복하여 부과·징수할 수 있다.

(4) 허가권자는 시정명령을 받은 자가 이를 이행하면 새로운 이행강제금의 부과를 즉시 중지하되, 이미 부과된 이행강제금은 징수할 수 있다.

(5) 이행강제금 부과처분을 받은 자가 납부기한까지 내지 아니하면 「지방행정제재·부과금의 징수 등에 관한 법률」에 따라 징수한다.

(6) 이행강제금의 부과 및 징수절차는 「국고금관리법 시행규칙」을 준용한다. 이 경우 납입고지서에는 이의신청방법 및 이의신청기간을 함께 기재하여야 한다.

【참고】 국토해양부 해설(2006년 제4654호)

- 종전 이행강제금 규정(제83조)에서는 이의절차에 대하여 과태료규정(제82조)을 준용하여 비송사건절차법에 따라 처리를 해왔으나 개정 규정(2005.11.8 개정)에서는 준용규정이 삭제됨
- 이행강제금은 과거의 위반행위에 대한 형벌적 제재처분인 형벌 및 과태료와 달리 의무이행을 확보하기 위하여 의무를 부과하는 처분인 점에서 비송사건 절차가 아닌 일반적 불복절차를 따르도록 함이 타당하므로 별도 명기가 되지 않더라도 행정소송 또는 행정심판으로 처리 가능할 것임

3 이행강제금의 부과 특례

(1) 허가권자는 이행강제금을 다음에 따라 감경할 수 있다.

<table>
<tr><th colspan="2">대 상</th><th>감경정도</th></tr>
<tr><td>1. 축사 등 농업용·어업용 시설</td><td>500m² 이하</td><td>1/5</td></tr>
<tr><td>2. 축사 등 농업용·어업용 시설(수도권 외의 지역)</td><td>1,000m² 이하</td><td>1/5</td></tr>
<tr><td rowspan="8">3. 그 밖에 위반 동기, 위반범위 및 위반 시기 등을 고려하여 우측란에 해당하는 경우(앞 1의 【3】의 경우 제외)</td><td>① 위반행위 후 소유권이 변경된 경우</td><td rowspan="7">50/100</td></tr>
<tr><td>② 임차인이 있어 현실적으로 임대기간 중에 위반내용을 시정하기 어려운 경우(법 제79조제1항에 따른 최초의 시정명령 전에 이미 임대차계약을 체결한 경우로서 해당 계약이 종료되거나 갱신되는 경우 제외) 등 상황의 특수성이 인정되는 경우</td></tr>
<tr><td>③ 위반면적이 30m² 이하인 경우(별표 1 제1호부터 제4호까지의 규정에 따른 건축물로 한정하며, 「집합건물의 소유 및 관리에 관한 법률」의 적용을 받는 집합건축물 제외)</td></tr>
<tr><td>④ 「집합건물의 소유 및 관리에 관한 법률」의 적용을 받는 집합건축물의 구분소유자가 위반한 면적이 5m² 이하인 경우(단독주택, 공동주택, 제1종 및 제2종 근린생활시설로 한정)</td></tr>
<tr><td>⑤ 사용승인 당시 존재하던 위반사항으로서 사용승인 이후 확인된 경우</td></tr>
<tr><td>⑥ 법률 제12516호 가축분뇨의 관리 및 이용에 관한 법률 일부개정법률 부칙 제9조에 따라 같은 조 제1항 각 호에 따른 기간(같은 조 제3항에 따른 환경부령으로 정하는 규모 미만의 시설의 경우 같은 항에 따른 환경부령으로 정하는 기한) 내에 「가축분뇨의 관리 및 이용에 관한 법률」 제11조에 따른 허가 또는 변경허가를 받거나 신고 또는 변경신고를 하려는 배출시설(처리시설 포함)의 경우</td></tr>
<tr><td>⑦ 법률 제12516호 가축분뇨의 관리 및 이용에 관한 법률 일부개정법률 부칙 제10조의2에 따라 같은 조 제1항에 따른 기한까지 환경부장관이 정하는 바에 따라 허가신청을 하였거나 신고한 배출시설(개 사육시설은 제외하되, 처리시설은 포함)의 경우</td></tr>
<tr><td>⑧ 그 밖에 위반행위의 정도와 위반 동기 및 공중에 미치는 영향 등을 고려하여 감경이 필요한 경우로서 건축조례로 정하는 경우</td><td>1/2범위에서 건축조례로 정하는 비율</td></tr>
</table>

(2) 허가권자는 1992.6.1.이전에 위반한 주거용 건축물에 관하여는 다음에 정하는 바에 따라 이행강제금을 감경할 수 있다.

규 모	감경 비율
1. 연면적 85m² 이하 주거용 건축물의 경우	80/100
2. 연면적 85m² 초과 주거용 건축물의 경우	60/100

4 기존건축물에 대한 안전점검 및 시정명령(법 제81조)(영 제115조의5, 제116조)

법 제81조【기존의 건축물에 대한 안전점검 및 시정명령 등】

삭제<2019.4.30./시행 2020.5.1.>

※ 「건축물관리법」 제정으로 삭제됨

▶ 건축법 제81조의 관련내용은 「건축물관리법」 제41조(건축물에 대한 시정명령 등), 제14조(긴급점검의 실시), 제16조(안전진단의 실시) 등으로 이동하여 보완 제정됨

※ 여기서는 「건축법」에 있던 해당 규정에 대한 「건축물관리법」 제41조의 규정 내용을 해설함.(제14조, 제16조 등의 규정은 건축법 제3장의 해설을 참조)

■ 건축물에 대한 시정명령 등(건관법 제41조)(영 제30조)

▶ 「건축물관리법」

법 제41조【건축물에 대한 시정명령 등】

① 특별자치시장·특별자치도지사 또는 시장·군수·구청장은 건축물이 다음 각 호의 어느 하나에 해당하는 경우 해당 건축물의 해체·개축·증축·수선·사용금지·사용제한, 그 밖에 필요한 조치를 명할 수 있다.

1. 「군사기지 및 군사시설 보호법」 제2조제6호에 따른 군사기지 및 군사시설 보호구역에 있는 건축물로서 국가안보상 필요에 의하여 국방부장관이 요청하는 경우
2. 「건축법」 제72조제2항에 따른 지방건축위원회의 심의 결과 「건축법」 제40조부터 제48조까지, 제50조 또는 제52조를 위반하여 붕괴 또는 화재로 다중에게 위해를 줄 우려가 크다고 인정된 건축물인 경우
3. 그 밖에 대통령령으로 정하는 경우

② 특별자치시장·특별자치도지사 또는 시장·군수·구청장은 「국토의 계획 및 이용에 관한 법률」 제37조제1항제1호에 따른 경관지구 안의 건축물로서 도시미관이나 주거환경에 현저히 장애가 된다고 인정하면 건축위원회의 의견을 들어 개축, 수선 또는 그 밖에 필요한 조치를 하게 할 수 있다.

③ 특별자치시장·특별자치도지사 또는 시장·군수·구청장은 제1항에 따라 필요한 조치를 명하는 경우 대통령령으로 정하는 바에 따라 정당한 보상을 하여야 한다.

영 제30조【건축물에 대한 시정명령 등】

① 법 제41조제1항제3호에서 "대통령령으로 정하는 경우"란 「건축법 시행령」 제5조의5에 따른 지방건축위원회의 심의 결과 도로 등 공공시설의 설치에 장애가 된다고 판정된 건축물인 경우를 말한다.

② 특별자치시장·특별자치도지사 또는 시장·군수·구청장은 법 제41조제3항에 따라 보상을 하는 경우에는 같은 조 제1항에 따른 조치로 생길 수 있는 손실을 시가(時價)로 보상해야 한다.

③ 특별자치시장·특별자치도지사 또는 시장·군수·구청장은 제2항에 따른 보상금액에 대해 해당 건축물의 소유자와 협의가 성립되지 않은 경우 그 보상금액을 지급하거나 공탁하고 그 사실을 해당 건축물의 소유자에게 알려야 한다. 이 경우 그 소유자가 동의하는 경우에는 전자문서로 알릴 수 있다.

④ 제3항에 따른 보상금의 지급 또는 공탁에 불복하는 자는 제3항에 따라 지급 또는 공탁의 통지를 받은 날부터 20일 이내에 「공익사업을 위한 토지 등의 취득 및 보상에 관한 법률」 제51조에 따른 관할 토지수용위원회에 재결(裁決)을 신청할 수 있다.
⑤ 제4항에 따른 재결에 관하여는 「공익사업을 위한 토지 등의 취득 및 보상에 관한 법률」 제83조부터 제86조까지의 규정을 준용한다.

해설 시장 · 군수 · 구청장 등은 건축물이 국가보안상 필요시나 공중에게 위해를 줄 우려 등이 큰 건경우 해당 건축물의 해체 · 사용금지 · 사용제한 등의 조치를 명할 수 있다.

■ 건축물에 대한 시정명령 및 손실보상

특별자치시장·특별자치도지사 또는 시장·군수·구청장은 다음의 경우 시정명령 등의 조치를 할 수 있다.

구 분	내 용	
대상	1. 군사기지 및 군사시설 보호구역에 있는 건축물로서 국가안보상 필요에 의하여 국방부장관이 요청하는 경우	
	2. 지방건축위원회의 심의 결과 우측의 「건축법」 규정을 위반함으로써 붕괴 또는 화재로 다중에게 위해를 줄 우려가 크다고 인정된 건축물인 경우	제40조(대지의 안전등), 제41조(토지 굴착 부분에 대한 조치 등), 제42조(대지의 조경), 제43조(공개 공지 등의 확보), 제44조(대지와 도로의 관계), 제45조(도로의 지정·폐지 또는 변경), 제46조(건축선의 지정), 제47조(건축선에 따른 건축제한) 제48조(구조내력 등) 제50조(건축물의 내화구조와 방화벽) 제52조(건축물의 마감재료)
	3. 지방건축위원회의 심의 결과 도로 등 공공시설의 설치에 장애가 된다고 판정된 건축물인 경우	
시정명령	위의 경우 해당 건축물의 해체 · 개축 · 증축 · 수선 · 사용금지 · 사용제한, 그 밖에 필요한 조치를 명할 수 있음	
손실보상	특별자치시장·특별자치도지사 또는 시장·군수·구청장은 위의 조치를 명하는 경우 정당한 보상을 하여야 함. 1. 보상을 하는 경우 시정명령 등의 조치로 생길 수 있는 손실을 시가(時價)로 보상해야 함 2. 보상금액에 대해 해당 건축물의 소유자와 협의가 성립되지 않은 경우 그 보상금액을 지급하거나 공탁하고 그 사실을 해당 건축물의 소유자에게 알려야 함(소유자 동의시 전자문서로 통보 가능) 3. 상금의 지급 또는 공탁에 불복하는 자는 보상금액의 지급 또는 공탁의 통지를 받은 날부터 20일 이내에 관할 토지수용위원회에 재결(裁決)을 신청할 수 있음 4. 재결에 관하여는 「공익사업을 위한 토지 등의 취득 및 보상에 관한 법률」 제83조부터 제86조까지의 규정을 준용함 **관계법**	

■ 특별자치시장·특별자치도지사 또는 시장 · 군수 · 구청장은 경관지구 안의 건축물로서 도시미관이나 주거환경에 현저히 장애가 된다고 인정하면 건축위원회의 의견을 들어 개축, 수선 등 필요한 조치를 하게 할 수 있음

관계법 「공익사업을 위한 토지 등의 취득 및 보상에 관한 법률」(제83조~제86조)

법 제83조【이의의 신청】① 중앙토지수용위원회의 제34조에 따른 재결에 이의가 있는 자는 중앙토지수용위원회에 이의를 신청할 수 있다.

② 지방토지수용위원회의 제34조에 따른 재결에 이의가 있는 자는 해당 지방토지수용위원회를 거쳐 중앙토지수용위원회에 이의를 신청할 수 있다.

③ 제1항 및 제2항에 따른 이의의 신청은 재결서의 정본을 받은 날부터 30일 이내에 하여야 한다.

법 제84조【이의신청에 대한 재결】① 중앙토지수용위원회는 제83조에 따른 이의신청을 받은 경우 제34조에 따른 재결이 위법하거나 부당하다고 인정할 때에는 그 재결의 전부 또는 일부를 취소하거나 보상액을 변경할 수 있다.

② 제1항에 따라 보상금이 늘어난 경우 사업시행자는 재결의 취소 또는 변경의 재결서 정본을 받은 날부터 30일 이내에 보상금을 받을 자에게 그 늘어난 보상금을 지급하여야 한다. 다만, 제40조제2항제1호·제2호 또는 제4호에 해당할 때에는 그 금액을 공탁할 수 있다.

법 제85조【행정소송의 제기】① 사업시행자, 토지소유자 또는 관계인은 제34조에 따른 재결에 불복할 때에는 재결서를 받은 날부터 90일 이내에, 이의신청을 거쳤을 때에는 이의신청에 대한 재결서를 받은 날부터 60일 이내에 각각 행정소송을 제기할 수 있다. 이 경우 사업시행자는 행정소송을 제기하기 전에 제84조에 따라 늘어난 보상금을 공탁하여야 하며, 보상금을 받을 자는 공탁된 보상금을 소송이 종결될 때까지 수령할 수 없다. <개정 2018.12.31.>

② 제1항에 따라 제기하려는 행정소송이 보상금의 증감(增減)에 관한 소송인 경우 그 소송을 제기하는 자가 토지소유자 또는 관계인일 때에는 사업시행자를, 사업시행자일 때에는 토지소유자 또는 관계인을 각각 피고로 한다.

법 제86조【이의신청에 대한 재결의 효력】① 제85조제1항에 따른 기간 이내에 소송이 제기되지 아니하거나 그 밖의 사유로 이의신청에 대한 재결이 확정된 때에는 「민사소송법」상의 확정판결이 있은 것으로 보며, 재결서 정본은 집행력 있는 판결의 정본과 동일한 효력을 가진다.

② 사업시행자, 토지소유자 또는 관계인은 이의신청에 대한 재결이 확정되었을 때에는 관할 토지수용위원회에 대통령령으로 정하는 바에 따라 재결확정증명서의 발급을 청구할 수 있다.

5 빈집 정비(법 제81조의2,3)(영 제116조의2,3)

법 제81조의2 【빈집 정비】 삭제〈2019.4.30./시행 2020.5.1.〉
법 제81조의3 【빈집 정비 절차 등】 삭제〈2019.4.30./시행 2020.5.1.〉
※ 「건축물관리법」 제정으로 삭제됨

▶ 「건축법」 제81조의2와 제81조의3 관련내용은 「건축물관리법」 제42조(빈 건축물 정비), 제43조(빈 건축물 정비 절차 등)로 이동하여 보완 제정됨

※ 여기서는 「건축법」의 해당 규정에 대한 「건축물관리법」의 규정 내용을 해설함.

■ 빈 건축물 정비 등(건관법 제42조, 제43조)(영 제31조)(규칙 제21조)

▶ 「건축물관리법」

법 제42조 【빈 건축물 정비】
특별자치시장·특별자치도지사 또는 시장·군수·구청장은 사용 여부를 확인한 날부터 1년 이상 아무도 사용하지 아니하는 건축물(「농어촌정비법」 제2조제12호에 따른 빈집 및 「빈집 및 소규모주택 정비에 관한 특례법」 제2조제1항제1호에 따른 빈집은 제외하며, 이하 "빈 건축물"이라 한다)이 다음 각 호의 어느 하나에 해당하면 건축위원회의 심의를 거쳐 해당 건축물의 소유자에게 해체 등 필요한 조치를 명할 수 있다. 이 경우 해당 건축물의 소유자는 특별한 사유가 없으면 60일 이내에 조치를 이행하여야 한다.
1. 공익상 유해하거나 도시미관 또는 주거환경에 현저한 장애가 된다고 인정하는 경우
2. 주거환경이나 도시환경 개선을 위하여 「도시 및 주거환경정비법」 제2조제4호 및 제5호에 따른 정비기반시설 및 공동이용시설의 확충에 필요한 경우

법 제43조 【빈 건축물 정비 절차 등】
① 특별자치시장·특별자치도지사 또는 시장·군수·구청장이 제42조에 따라 빈 건축물의 해체를 명한 경우 그 빈 건축물의 소유자가 특별한 사유 없이 이에 따르지 아니하면 대통령령으로 정하는 바에 따라 직권으로 해당 건축물을 해체할 수 있다.
② 제1항에 따라 해체할 빈 건축물의 소유자의 소재를 알 수 없는 경우에는 해당 건축물에 대한 해체명령과 이를 이행하지 아니하면 직권으로 해체한다는 내용을 일간신문에 1회 이상 공고하고, 공고한 날부터 60일이 지난 날까지 빈 건축물의 소유자가 해당 건축물을 해체하지 아니하면 직권으로 해체할 수 있다.
③ 제1항 및 제2항의 경우 특별자치시장·특별자치도지사 또는 시장·군수·구청장은 대통령령으로 정하는 바에 따라 정당한 보상비를 빈 건축물의 소유자에게 지급하여야 한다. 이 경우 빈 건축물의 소유자가 보상비의 수령을 거부하거나 빈 건축물 소유자의 소재불명(所在不明)으로 보상비를 지급할 수 없을 때에는 이를 공탁하여야 한다.
④ 특별자치시장·특별자치도지사 또는 시장·군수·구청장이 제1항 또는 제2항에 따라 빈 건축물을 해체하였을 때에는 지체 없이 건축물대장을 정리하고 관할 등기소에 해당 빈 건축물이 이 법에 따라 해체되었다는 취지의 통지를 하고 말소등기를 촉탁하여야 한다.

영 제31조【빈 건축물 정비 절차 등】
① 특별자치시장·특별자치도지사 또는 시장·군수·구청장은 법 제42조제1항에 따른 빈 건축물(이하 "빈 건축물"이라 한다)을 법 제43조제1항에 따라 직권으로 해체하려는 경우 해체 사유 및 해체 예정일 등을 국토교통부령으로 정하는 해체통지서에 따라 해체 예정일 7일 전까지 그 빈 건축물의 소유자에게 알려야 한다.
② 특별자치시장·특별자치도지사 또는 시장·군수·구청장은 「감정평가 및 감정평가사에 관한 법률」에 따른 감정평가법인등 2인 이상(제3항 본문에 따라 추천받은 감정평가법인등 1인을 포함해야 한다)이 평가한 금액의 산술평균치를 법 제43조제3항에 따라 빈 건축물의 소유자에게 보상비로 지급해야 한다. <개정 2022.1.21>
③ 빈 건축물 소유자는 제1항에 따라 직권 해체 결정을 알게 된 날부터 14일 이내에 특별자치시장·특별자치도지사 또는 시장·군수·구청장에게 감정평가법인등 1인을 추천해야 한다. 다만, 빈 건축물 소유자의 소재를 알 수 없는 경우나 빈 건축물 소유자가 본문에 따른 기간 내에 감정평가법인등를 추천하지 않은 경우는 제외한다. <개정 2022.1.21>
④ 제2항에 따른 보상비의 산정은 제1항에 따라 특별자치시장·특별자치도지사 또는 시장·군수·구청장이 통보한 날 또는 법 제43조제2항에 따라 공고한 날을 기준으로 한다.
⑤ 제2항 및 제3항에서 규정한 사항 외에 감정평가법인등의 선정 절차 및 방법에 관하여 필요한 사항은 시·군·구 조례로 정한다. <개정 2022.1.21>

규칙 제21조【빈 건축물 해체 통지】
영 제31조제1항에서 "국토교통부령으로 정하는 해체통지서"란 별지 제14호서식의 빈 건축물 해체통지서를 말한다.

해설 시장·군수·구청장 등은 건축물이 국가보안상 필요시나 공중에게 위해를 줄 우려 등이 큰 건 경우 해당 건축물의 해체·사용금지·사용제한 등의 조치를 명할 수 있다.

【1】 빈 건축물 정비

(1) 빈 건축물의 정의

사용 여부를 확인한 날부터 1년 이상 아무도 사용하지 아니하는 건축물(「농어촌정비법」 제2조제12호에 따른 빈집 및 「빈집 및 소규모주택 정비에 관한 특례법」 제2조제1항제1호에 따른 빈집은 제외)

(2) 빈 건축물에 대한 조치

특별자치시장·특별자치도지사 또는 시장·군수·구청장은 다음의 빈 건축물의 경우 건축위원회의 심의를 거쳐 해당 건축물의 소유자에게 해체 등 필요한 조치를 명할 수 있다. 이 경우 빈 건축물의 소유자는 특별한 사유가 없으면 60일 이내에 조치를 이행하여야 한다.

1. 공익상 유해하거나 도시미관 또는 주거환경에 현저한 장해가 된다고 인정하는 경우
2. 주거환경이나 도시환경 개선을 위하여 「도시 및 주거환경정비법」 제2조에 따른 정비기반시설과 공동이용시설의 확충에 필요한 경우

【2】 빈 건축물 정비 절차 등

(1) 직권 해체

① 특별자치시장·특별자치도지사 또는 시장·군수·구청장이 빈 건축물의 해체를 명한 경우 그 빈건축물의 소유자가 특별한 사유 없이 따르지 않으면 직권으로 해당 건축물을 해체할 수 있다.

② 직권으로 빈 건축물을 해체하려는 경우 해체사유 및 해체 예정일 등을 빈 건축물 해체통지서(별지 제14호서식)에 따라 해체예정일 7일 전까지 그 빈 건축물의 소유자에게 알려야 한다.

(2) 빈 건축물 소유자의 소재 불명시의 조치

해체할 빈 건축물 소유자의 소재를 알 수 없는 경우 해당 건축물에 대한 해체명령과 이를 이행하지 않으면 직권으로 해체한다는 내용을 일간신문에 1회 이상 공고하고, 공고한 날부터 60일이 지난 날까지 빈 건축물의 소유자가 해체하지 아니하면 직권으로 해체할 수 있다.

(3) 보상비 지급

① 특별자치시장·특별자치도지사 또는 시장·군수·구청장은 정당한 보상비를 빈 건축물의 소유자에게 지급하여야 한다.

② 빈 건축물의 소유자가 보상비의 수령을 거부하거나 빈 건축물 소유자의 소재불명(所在不明)으로 보상비를 지급할 수 없을 때에는 이를 공탁하여야 한다.

③ 보상비는 감정평가법인등* 2인 이상(④의 추천받은 감정평가법인등 1인 포함)이 평가한 금액의 산술평균치를 빈 건축물의 소유자에게 보상비로 지급해야 한다.(*「감정평가 및 감정평가사에 관한 법률」 제2조제4호)

④ 빈 건축물 소유자는 직권 해체 결정을 알게 된 날부터 14일 이내에 특별자치시장 · 특별자치도지사 또는 시장 · 군수 · 구청장에게 감정평가법인등 1인을 추천해야 한다.

예외 1. 빈 건축물 소유자의 소재를 알 수 없는 경우
2. 빈 건축물 소유자가 본문에 따른 기간 내에 감정평가법인등를 추천하지 않은 경우

⑤ 보상비의 산정은 특별자치시장 · 특별자치도지사 또는 시장 · 군수 · 구청장이 통보 또는 공고한 날을 기준으로 한다.

⑥ 위 ③, ④에서 규정한 사항 외에 감정평가법인등의 선정 절차 및 방법에 관하여 필요한 사항은 시 · 군 · 구 조례로 정한다.

(4) 해체 후의 조치

특별자치시장·특별자치도지사 또는 시장·군수·구청장이 빈 건축물을 해체하였을 때에는 지체 없이 건축물대장을 정리하고 관할 등기소에 해당 빈 건축물이 이 법에 따라 해체되었다는 취지의 통지를 하고 말소등기를 촉탁하여야 한다.

6 권한의 위임과 위탁 등(법 제82조)(영 제117조)

법 제82조【권한의 위임과 위탁】

① 국토교통부장관은 이 법에 따른 권한의 일부를 대통령령으로 정하는 바에 따라 시 · 도지사에게 위임할 수 있다.

② 시 · 도지사는 이 법에 따른 권한의 일부를 대통령령으로 정하는 바에 따라 시장(행정시의 시장을 포함하며, 이하 이 조에서 같다) · 군수 · 구청장에게 위임할 수 있다.

③ 시장 · 군수 · 구청장은 이 법에 따른 권한의 일부를 대통령령으로 정하는 바에 따라 구청장(자치구가 아닌 구의 구청장을 말한다) · 동장 · 읍장 또는 면장에게 위임할 수 있다.

④ 국토교통부장관은 제31조제1항과 제32조제1항에 따라 건축허가 업무 등을 효율적으로 처리하기 위하여 구축하는 전자정보처리 시스템의 운영을 대통령령으로 정하는 기관 또는 단체에 위탁할 수 있다.

영 제117조【권한의 위임·위탁】

① 국토교통부장관은 법 제82조제1항에 따라 법 제69조 및 제71조(제6항은 제외한다)에 따른 특별건축구역의 지정, 변경 및 해제에 관한 권한을 시·도지사에게 위임한다. <개정 2021.1.8.>

② 삭제 <1999.4.30>

③ 법 제82조제3항에 따라 구청장(자치구가 아닌 구의 구청장을 말한다) 또는 동장·읍장·면장(「지방자치단체의 행정기구와 정원기준 등에 관한 규정」 별표 3 제2호 비고 제2호에 따라 행정안전부장관이 시장·군수·구청장과 협의하여 정하는 동장·읍장·면장으로 한정한다)에게 위임할 수 있는 권한은 다음 각 호와 같다. <개정 2017.7.26.>

1. 6층 이하로서 연면적 2천제곱미터 이하인 건축물의 건축·대수선 및 용도변경에 관한 권한
2. 기존 건축물 연면적의 10분의 3 미만의 범위에서 하는 증축에 관한 권한

④ 법 제82조제3항에 따라 동장·읍장 또는 면장에게 위임할 수 있는 권한은 다음 각 호와 같다. <개정 2018.9.4>

1. 법 제14조에 따른 건축물의 건축 및 대수선에 관한 권한
2. 법 제20조제3항에 따른 가설건축물의 축조 및 이 영 제15조의2에 따른 가설건축물의 존치기간 연장에 관한 권한
3. 삭제 <2018.9.4>
4. 법 제83조에 따른 옹벽 등의 공작물 축조 신고에 관한 권한

⑤ 법 제82조제4항에서 "대통령령으로 정하는 기관 또는 단체"란 다음 각 호의 기관 또는 단체 중 국토교통부장관이 정하여 고시하는 기관 또는 단체를 말한다. <개정 2013.11.20>

1. 「공공기관의 운영에 관한 법률」 제5조에 따른 공기업
2. 「정부출연연구기관 등의 설립·운영 및 육성에 관한 법률」 및 「과학기술분야 정부출연연구기관 등의 설립·운영 및 육성에 관한 법률」에 따른 연구기관

영 제119조의11【고유식별정보의 처리】

국토교통부장관(법 제82조에 따라 국토교통부장관의 권한을 위임받거나 업무를 위탁받은 자를 포함한다), 시·도지사, 시장, 군수, 구청장(해당 권한이 위임·위탁된 경우에는 그 권한을 위임·위탁받은 자를 포함한다)은 다음 각 호의 사무를 수행하기 위하여 불가피한 경우 「개인정보 보호법 시행령」 제19조에 따른 주민등록번호 또는 외국인등록번호가 포함된 자료를 처리할 수 있다. <개정 2021.1.8.>

1. 법 제11조에 따른 건축허가에 관한 사무
2. 법 제14조에 따른 건축신고에 관한 사무
3. 법 제16조에 따른 허가와 신고사항의 변경에 관한 사무
4. 법 제19조에 따른 용도변경에 관한 사무
5. 법 제20조에 따른 가설건축물의 건축허가 또는 축조신고에 관한 사무
6. 법 제21조에 따른 착공신고에 관한 사무
7. 법 제22조에 따른 건축물의 사용승인에 관한 사무
8. 법 제31조에 따른 건축행정 전산화에 관한 사무
9. 법 제32조에 따른 건축허가 업무 등의 전산처리에 관한 사무
10. 법 제33조에 따른 전산자료의 이용자에 대한 지도·감독에 관한 사무
11. 법 제38조에 따른 건축물대장의 작성·보관에 관한 사무
12. 법 제39조에 따른 등기촉탁에 관한 사무
13. 법 제71조제2항 및 이 영 제107조의2에 따른 특별건축구역의 지정 제안에 관한 사무

[본조신설 2017.3.27][제119조의10에서 이동 <2018.6.26.>]

해설 행정의 자율화 및 지역의 균형발전 등을 위하여 건축법에 의한 권한의 일부를 위임함으로써, 상급기관의 행정업무의 능률화와 건축물의 질적 향상을 도모하고자 함.

또한, 「개인정보 보호법」이 개정(2017.3.30. 시행)됨에 따라, 주민등록번호를 처리한 업무 중 반드시 주민등록번호 처리가 필요한 경우에 한정하여 대통령령에 그 근거를 마련하는 등 관련 규정이 개정됨.

【1】 권한의 위임

위 임 자	위임을 받은자	위 임 내 용
국토교통부장관	시 · 도지사	특별건축구역의 지정, 변경 및 해제에 관한 권한 예외 국토교통부장관 또는 시 · 도지사의 직권지정
시·도지사	시장(행정시 시장포함) · 군수 · 구청장	이 법에 의한 권한의 일부
시장·군수·구청장	구청장(자치구가 아닌 구)*	① 6층 이하로서 연면적이 2,000㎡이하인 건축물의 건축 · 대수선 및 용도변경에 관한 권한 ② 기존 건축물 연면적의 3/10미만의 범위에서 하는 증축에 관한 권한
	동장 · 읍장 · 면장	① 건축물의 건축 및 대수선에 관한 권한 ② 가설건축물의 축조 및 가설건축물의 존치기간 연장에 관한 권한 ③ 옹벽 등의 공작물 축조 신고에 관한 권한

■ 국토교통부장관은 건축허가업무 등의 효율적 처리를 위하여 구축하는 전자정보처리시스템의 운영을 공기업 또는 관련법에 따른 연구기관에 위탁할 수 있다.

* 행정자치부장관이 시장·군수·구청장과 협의하여 정하는 동장·읍장·면장(4급 일반직 지방공무원)으로 한정

【2】 고유식별 정보의 처리

국토교통부장관(위 【1】에 따라 국토교통부장관의 권한을 위임받거나 업무를 위탁받은 자를 포함), 시·도지사, 시장, 군수, 구청장(해당 권한이 위임·위탁된 경우에는 그 권한을 위임·위탁받은 자를 포함)은 다음의 사무를 수행하기 위하여 불가피한 경우 「개인정보 보호법 시행령」에 따른 주민등록번호 또는 외국인등록번호가 포함된 자료를 처리할 수 있다.

정보 처리자	관련 사무의 종류	
국토교통부장관 시·도지사, 시장·군수·구청장 * 권한이나 업무를 위임, 위탁받은 자 포함	1. 건축허가(제11조)	8. 건축행정 전산화(제31조)
	2. 건축신고(제14조)	9. 건축허가 업무 등의 전산처리(제32조)
	3. 허가와 신고사항의 변경(제16조)	10. 전산자료의 이용자에 대한 지도·감독(제33조)
	4. 용도변경(제19조)	11. 건축물대장의 작성·보관(제38조)
	5. 가설건축물의 건축허가 또는 축조신고(제20조)	12. 등기촉탁(제39조)
	6. 착공신고(제21조)	13. 특별건축구역의 지정 제안에 관한 사무(제71조제2항, 영 제107조의2)
	7. 건축물의 사용승인(제22조)	

7 옹벽 등 공작물에의 준용(법 제83조)(영 제118조)(규칙 제41조)

법 제83조【옹벽 등의 공작물에의 준용】

① 대지를 조성하기 위한 옹벽, 굴뚝, 광고탑, 고가수조(高架水槽), 지하 대피호, 그 밖에 이와 유사한 것으로서 대통령령으로 정하는 공작물을 축조하려는 자는 대통령령으로 정하는 바에 따라 특별자치시장·특별자치도지사 또는 시장·군수·구청장에게 신고하여야 한다. <개정 2014.1.14>

② 삭제 <2019.4.30.>

③ 제14조, 제21조 제5항, 제29조, 제40조제4항, 제41조, 제47조, 제48조, 제55조, 제58조, 제60조, 제61조, 제79조, 제84조, 제85조, 제87조와 「국토의 계획 및 이용에 관한 법률」 제76조는 대통령령으로 정하는 바에 따라 제1항의 경우에 준용한다. <개정 2019.4.30.>

영 제118조【옹벽 등의 공작물에의 준용】

① 법 제83조제1항에 따라 공작물을 축조(건축물과 분리하여 축조하는 것을 말한다. 이하 이 조에서 같다)할 때 특별자치시장·특별자치도지사 또는 시장·군수·구청장에게 신고를 해야 하는 공작물은 다음 각 호와 같다. <개정 2020.12.15.>

1. 높이 6미터를 넘는 굴뚝
2. 삭제<2020.12.15.>
3. 높이 4미터를 넘는 장식탑, 기념탑, 첨탑, 광고탑, 광고판, 그 밖에 이와 비슷한 것<개정 2020.12.15.>
4. 높이 8미터를 넘는 고가수조나 그 밖에 이와 비슷한 것
5. 높이 2미터를 넘는 옹벽 또는 담장
6. 바닥면적 30제곱미터를 넘는 지하대피호
7. 높이 6미터를 넘는 골프연습장 등의 운동시설을 위한 철탑, 주거지역·상업지역에 설치하는 통신용 철탑, 그 밖에 이와 비슷한 것
8. 높이 8미터(위험을 방지하기 위한 난간의 높이는 제외한다) 이하의 기계식 주차장 및 철골 조립식 주차장(바닥면이 조립식이 아닌 것을 포함한다)으로서 외벽이 없는 것
9. 건축조례로 정하는 제조시설, 저장시설(시멘트사일로를 포함한다), 유희시설, 그 밖에 이와 비슷한 것
10. 건축물의 구조에 심대한 영향을 줄 수 있는 중량물로서 건축조례로 정하는 것
11. 높이 5미터를 넘는 「신에너지 및 재생에너지 개발·이용·보급 촉진법」 제2조제2호 가목에 따른 태양에너지를 이용하는 발전설비와 그 밖에 이와 비슷한 것 <신설 2016.1.19.>

② 제1항 각 호의 어느 하나에 해당하는 공작물을 축조하려는 자는 공작물 축조신고서와 국토교통부령으로 정하는 설계도서를 특별자치시장·특별자치도지사 또는 시장·군수·구청장에게 제출(전자문서에 의한 제출을 포함한다)하여야 한다. <개정 2014.10.14>

③ 제1항 각 호의 공작물에 대하여는 법 제83조제3항에 따라 법 제14조, 제21조제3항, 제29조, 제40조제4항, 제41조, 제47조, 제48조, 제55조, 제58조, 제60조, 제61조, 제79조, 제84조, 제85조, 제87조 및 「국토의 계획 및 이용에 관한 법률」 제76조를 준용한다. 다만, 제1항제3호의 공작물로서 「옥외광고물 등의 관리와 옥외광고산업 진흥에 관한 법률」

에 따라 허가를 받거나 신고를 한 공작물에 대해서는 법 제14조를 준용하지 아니하고, 제1항제5호의 공작물에 대해서는 법 제58조를 준용하지 아니하며, 제1항제8호의 공작물에 대해서는 법 제55조를 준용하지 아니하고, 제1항제3호·제8호의 공작물에 대해서만 법 제61조를 준용한다. <개정 2020.4.28.>

④ 제3항 본문에 따라 법 제48조를 준용하는 경우 해당 공작물에 대한 구조 안전 확인의 내용 및 방법 등은 국토교통부령으로 정한다. <신설 2013.11.20>

⑤ 특별자치시장·특별자치도지사 또는 시장·군수·구청장은 제1항에 따라 공작물 축조신고를 받았으면 국토교통부령으로 정하는 바에 따라 공작물 관리대장에 그 내용을 작성하고 관리하여야 한다. <개정 2014.10.14>

⑥ 제4항에 따른 공작물 관리대장은 전자적 처리가 불가능한 특별한 사유가 없으면 전자적 처리가 가능한 방법으로 작성하고 관리하여야 한다. <개정 2013.11.20>

규칙 제41조【공작물축조신고】

① 법 제83조 및 영 제118조에 따라 옹벽 등 공작물의 축조신고를 하려는 자는 별지 제30호서식의 공작물축조신고서에 다음 각 호의 서류 및 도서를 첨부하여 특별자치시장·특별자치도지사 또는 시장·군수·구청장에게 제출(전자문서로 제출하는 것을 포함한다)해야 한다. 다만, 제6조제1항에 따라 건축허가를 신청할 때 건축물의 건축에 관한 사항과 함께 공작물의 축조신고에 관한 사항을 제출한 경우에는 공작물축조신고서의 제출을 생략한다. <개정 2020.10.28., 2021.12.31>

1. 공작물의 배치도
2. 공작물의 구조도
3. 「건축물의 구조기준 등에 관한 규칙」 별지 제2호서식의 구조안전 및 내진설계 확인서(높이가 8미터 이상인 공작물인 경우에만 첨부한다)
4. 별지 제30호의2서식의 공작물 내풍설계 확인서(높이가 8미터 이상인 공작물인 경우에만 첨부한다) <신설 2021.12.31>

② 특별자치시장·특별자치도지사 또는 시장·군수·구청장은 제1항에 따른 공작물축조신고서를 받은 때에는 영 제118조제4항에 따라 별지 제30호의3서식의 공작물의 구조 안전 점검표를 작성·검토한 후 별지 제31호서식의 공작물축조신고필증을 신고인에게 발급하여야 한다. <개정 2021.12.31>

③ 삭제 <2020.5.1.>

④ 영 제118조제5항의 규정에 의한 공작물관리대장은 별지 제32호서식에 의한다. <개정 2014.11.28.>

해설 「건축법」은 건축물에 관한 내용을 규정한 법이다. 따라서 사람이 거주하지 않는 공작물 등은 원칙적으로 「건축법」 적용에서 제외된다. 그러한 공작물이 구조상 안전하지 않은 경우, 건축선 및 미관을 저해하는 경우 등 주거환경 조성에 부적합한 경우가 발생하므로 「건축법」의 일부 규정을 준용하도록 하고 있다.

■ 축조신고 대상 및 공작물 축조(*건축물과 분리하여 축조하는 것) 신고 등

대지를 조성하기 위한 옹벽, 굴뚝, 광고탑, 고가수조, 지하대피호 등으로서 일정규모 이상의 공작물을 축조하고자 하는 자는 특별자치시장·특별자치도지사 또는 시장·군수·구청장에게 신고해야 함

<table>
<tr><th>구 분</th><th>내 용</th><th>규 모</th><th>기 타</th></tr>
<tr><td rowspan="10">공작물 종류</td><td>1. 옹벽 또는 담장</td><td>• 높이 2m를 넘는 것</td><td rowspan="10">■ 공작물을 축조하고자 하는 자는 공작물 축조신고서(별지 30호서식)에 다음 서류를 첨부하여 특별자치시장 · 특별자치도지사 또는 시장 · 군수 · 구청장에게 제출(전자문서에 의한 제출 포함)할 것
1. 공작물의 배치도
2. 공작물의 구조도
3. 구조안전 및 내진설계 확인서*
4. 공작물 내풍설계 확인서*
* 높이 8m 이상 공작물만 첨부
예외 건축허가신청시 건축물의 건축에 관한 사항과 함께 공작물의 축조신고에 관한 사항을 제출한 경우 공작물 축조신고서의 제출 생략
■ 특별자치시장 · 특별자치도지사 · 시장 · 군수 · 구청장은 공작물 축조신고서를 받은 때에는 공작물의 구조 안전 점검표를 작성 · 검토한 후 공작물축조신고필증(별지 제30호의3 서식)을 발급하여야 한다.</td></tr>
<tr><td>2. 광고탑 · 광고판 · 장식탑 · 기념탑 · 첨탑, 그 밖에 이와 비슷한 것</td><td>• 높이 4m를 넘는 것</td></tr>
<tr><td>3. 굴뚝</td><td rowspan="2">• 높이 6m를 넘는 것</td></tr>
<tr><td>4. 골프연습장 등의 운동시설을 위한 철탑과 주거지역 · 상업지역에 설치하는 통신용 철탑 그 밖에 이와 비슷한 것</td></tr>
<tr><td>5. 고가수조 기타 이와 비슷한 것</td><td>• 높이 8m를 넘는 것</td></tr>
<tr><td>6. 기계식 주차장 및 철골조립식 주차장으로(바닥면이 조립식 아닌 것 포함)서 외벽이 없는 것</td><td>• 높이 8m이하
(위험방지위한 난간높이 제외)</td></tr>
<tr><td>7. 지하 대피호</td><td>• 바닥면적 30㎡를 넘는 것</td></tr>
<tr><td colspan="2">8. 건축조례로 정하는 제조시설, 저장시설(시멘트사일로 포함), 유희시설, 그 밖에 이와 비슷한 것</td></tr>
<tr><td colspan="2">9. 건축물의 구조에 심대한 영향을 줄 수 있는 중량물로서 건축조례가 정하는 것</td></tr>
<tr><td colspan="2">10. 높이 5m를 넘는 「신에너지 및 재생에너지 개발·이용·보급 촉진법」에 따른 태양에너지를 이용하는 발전설비와 그 밖에 이와 비슷한 것</td></tr>
</table>

<table>
<tr><th></th><th>법조항</th><th>규 정 내 용</th><th>예 외 적 용</th></tr>
<tr><td rowspan="16">「건축법」 준용규정</td><td>제14조</td><td>건축신고</td><td rowspan="16">• 법 제14조 적용제외 : 위 2의 공작물로서 「옥외광고물 등 관리법」에 따라 허가 또는 신고를 받은 경우 **관계법**
• 법 제55조 적용제외 : 위 6의 공작물
• 법 제58조 적용제외 : 위 1의 공작물
• 법 제61조 : 위 2 및 6의 공작물의 경우만 적용</td></tr>
<tr><td>제21조제3항</td><td>건설업자의 시공</td></tr>
<tr><td>제29조</td><td>공용건축물에 대한 특례</td></tr>
<tr><td>제40조제4항</td><td>옹벽의 설치</td></tr>
<tr><td>제41조</td><td>토지 굴착 부분에 대한 조치 등</td></tr>
<tr><td>제47조</td><td>건축선에 따른 건축제한</td></tr>
<tr><td>제48조</td><td>구조내력 등</td></tr>
<tr><td>제55조</td><td>건축물의 건폐율</td></tr>
<tr><td>제58조</td><td>대지 안의 공지</td></tr>
<tr><td>제60조</td><td>건축물의 높이 제한</td></tr>
<tr><td>제61조</td><td>일조 등의 확보를 위한 건축물의 높이 제한</td></tr>
<tr><td>제79조</td><td>위반 건축물 등에 대한 조치</td></tr>
<tr><td>제84조</td><td>면적 · 높이 및 층수의 산정</td></tr>
<tr><td>제85조</td><td>「행정대집행법」 적용의 특례</td></tr>
<tr><td>제87조</td><td>보고와 검사 등</td></tr>
<tr><td>「국토 계획법」**</td><td>제76조</td><td>용도지역 또는 용도지구에서의 건축물의 건축제한</td><td>** 「국토 계획 및 이용에 관한 법률」의 약칭임</td></tr>
</table>

관계법 태양에너지를 이용한 발전설비(「신에너지 및 재생에너지 개발 · 이용 · 보급 촉진법」)

법 제2조【정의】 이 법에서 사용하는 용어의 뜻은 다음과 같다. <개정 2019.1.15.>

1. "신에너지"란 기존의 화석연료를 변환시켜 이용하거나 수소 · 산소 등의 화학 반응을 통하여 전기 또는 열을 이용하는 에너지로서 다음 각 목의 어느 하나에 해당하는 것을 말한다.
 가. 수소에너지
 나. 연료전지
 다. 석탄을 액화 · 가스화한 에너지 및 중질잔사유(重質殘渣油)를 가스화한 에너지로서 대통령령으로 정하는 기준 및 범위에 해당하는 에너지
 라. 그 밖에 석유 · 석탄 · 원자력 또는 천연가스가 아닌 에너지로서 대통령령으로 정하는 에너지
2. "재생에너지"란 햇빛 · 물 · 지열(地熱) · 강수(降水) · 생물유기체 등을 포함하는 재생 가능한 에너지를 변환시켜 이용하는 에너지로서 다음 각 목의 어느 하나에 해당하는 것을 말한다.
 가. 태양에너지 나. 풍력 다. 수력 라. 해양에너지 마. 지열에너지
 바. 생물자원을 변환시켜 이용하는 바이오에너지로서 대통령령으로 정하는 기준 및 범위에 해당하는 에너지
 사. 폐기물에너지(비재생폐기물로부터 생산된 것은 제외한다)로서 대통령령으로 정하는 기준 및 범위에 해당하는 에너지
 아. 그 밖에 석유 · 석탄 · 원자력 또는 천연가스가 아닌 에너지로서 대통령령으로 정하는 에너지
3. "신에너지 및 재생에너지 설비"(이하 "신 · 재생에너지 설비"라 한다)란 신에너지 및 재생에너지(이하 "신 · 재생에너지"라 한다)를 생산 또는 이용하거나 신 · 재생에너지의 전력계통 연계조건을 개선하기 위한 설비로서 산업통상자원부령으로 정하는 것을 말한다.

규칙 제2조【신 · 재생에너지 설비】 「신에너지 및 재생에너지 개발 · 이용 · 보급 촉진법」(이하 "법"이라 한다) 제2조제3호에서 "산업통상자원부령으로 정하는 것"이란 다음 각 호의 설비 및 그 부대설비(이하 "신 · 재생에너지 설비"라 한다)를 말한다. <개정 2019.10.1>

1. 수소에너지 설비: 물이나 그 밖에 연료를 변환시켜 수소를 생산하거나 이용하는 설비
2. 연료전지 설비: 수소와 산소의 전기화학 반응을 통하여 전기 또는 열을 생산하는 설비
3. 석탄을 액화 · 가스화한 에너지 및 중질잔사유(重質殘渣油)를 가스화한 에너지 설비: 석탄 및 중질잔사유의 저급 연료를 액화 또는 가스화시켜 전기 또는 열을 생산하는 설비
4. 태양에너지 설비
 가. 태양열 설비: 태양의 열에너지를 변환시켜 전기를 생산하거나 에너지원으로 이용하는 설비
 나. 태양광 설비: 태양의 빛에너지를 변환시켜 전기를 생산하거나 채광(採光)에 이용하는 설비
5. ~ 12. "생략"

관계법 광고물등의 허가 또는 신고(「옥외광고물 등의 관리와 옥외광고산업 진흥에 관한 법률」)

법 제2조【정의】 이 법에서 사용하는 용어의 정의는 다음과 같다.

1. "옥외광고물"이란 공중에게 항상 또는 일정 기간 계속 노출되어 공중이 자유로이 통행하는 장소에서 볼 수 있는 것(대통령령으로 정하는 교통시설 또는 교통수단에 표시되는 것을 포함한다)으로서 간판 · 디지털광고물(디지털 디스플레이를 이용하여 정보 · 광고를 제공하는 것으로서 대통령령으로 정하는 것을 말한다) · 입간판 · 현수막(懸垂幕) · 벽보 · 전단(傳單)과 그 밖에 이와 유사한 것을 말한다.
2. "게시시설"이란 광고탑 · 광고판과 그 밖의 인공구조물로서 옥외광고물(이하 "광고물"이라 한다)을 게시하거나 표시하기 위한 시설을 말한다.

법 제3조【광고물등의 허가 또는 신고】 ① 다음 각 호의 어느 하나에 해당하는 지역 · 장소 및 물건에 광고물 또는 게시시설(이하 "광고물등"이라 한다) 중 대통령령으로 정하는 광고물등을 표시하거나 설치하려는 자는 대통령령으로 정하는 바에 따라 특별자치시장 · 특별자치도지사 · 시장 · 군수 또는 자치구의 구청장(이하 "시장등"이라 한다)에게 허가를 받거나 신고하여야 한다. 허가 또는 신고사항을 변경하려는 경우에도 또한 같다. <개정 2016.1.6.>

1. 「국토의 계획 및 이용에 관한 법률」 제36조에 따른 도시지역
2. 「문화재보호법」에 따른 문화재 및 보호구역
3. 「산지관리법」에 따른 보전산지
4. 「자연공원법」에 따른 자연공원
5. 도로 · 철도 · 공항 · 항만 · 궤도(軌道) · 하천 및 대통령령으로 정하는 그 부근의 지역
6. 대통령령으로 정하는 교통수단
7. 그 밖에 아름다운 경관과 도시환경을 보전하기 위하여 대통령령으로 정하는 지역 · 장소 및 물건

② 제1항제6호의 교통수단이 둘 이상의 특별자치시 · 특별자치도 · 시 · 군 · 자치구에 걸쳐 운행되는 경우에는 해당 교통수단의 주된 사무소 소재지 또는 해당 교통수단이 등록된 주소지의 시장등에게 허가를 받거나 신고하여야 한다. 허가 또는 신고사항을 변경하려는 경우에도 또한 같다. <개정 2016.1.6.>

③ 제1항에 따른 광고물등의 종류 · 모양 · 크기 · 색깔, 표시 또는 설치의 방법 및 기간 등 허가 또는 신고의 기준에 관하여 필요한 사항은 대통령령으로 정한다.

④ 특별시장 · 광역시장 · 도지사(이하 "시 · 도지사"라 한다. 이 항에서 특별자치시장 및 특별자치도지사를 포함한다)는 아름다운 경관과 미풍양속을 보존하고 공중에 대한 위해를 방지하며 건강하고 쾌적한 생활환경을 조성하는 데 방해가 되지 아니한다고 인정하면 제1항 각 호의 지역으로서 상업지역 · 관광지 · 관광단지 등 대통령령으로 정하는 지역을 특정구역으로 지정하여 제3항에 따른 허가 또는 신고의 기준을 완화할 수 있다. <개정 2016.1.6.>

⑤ 시장등(특별자치시장 및 특별자치도지사는 제외한다)은 제4항에 따른 허가 또는 신고의 기준을 완화하여 적용하고자 하는 때에는 시 · 도지사에게 이를 요청할 수 있다. <개정 2016.1.6.>

⑥ 제4항에 따른 허가 또는 신고 기준의 완화에 필요한 사항은 대통령령으로 정한다.

⑦ 대통령령으로 정하는 일정 규모 이상의 건축물의 경우 그 건축물의 소유자 또는 관리자는 건축물에 대한 간판표시계획서(건축물의 배치도와 입면도에 광고물등의 위치 · 면적 · 크기 등을 표시한 설치 계획을 작성한 것을 말한다)를 대통령령으로 정하는 기한 내에 시장등에게 제출하여야 하며, 건축물에 광고물등을 표시하거나 설치하려는 자는 건축물의 소유자 또는 관리자가 제출한 간판표시계획서에 따라 허가를 받거나 신고하여야 한다. <개정 2016.1.6.>

영 **제4조【허가 대상 광고물 및 게시시설】** ① 법 제3조제1항 각 호 외의 부분 전단에 따라 허가를 받아 표시 또는 설치(이하 "표시"라 한다)를 해야 하는 광고물은 다음 각 호와 같다. <개정 2021.5.4., 2021.12.14., 2022.12.6>

1. 제3조제1호에 따른 벽면 이용 간판(이하 "벽면 이용 간판"이라 한다) 중 다음 각 목의 어느 하나에 해당하는 것
   가. 한 변의 길이가 10미터 이상인 것
   나. 건물의 4층 이상 층의 벽면 등에 설치하는 것으로서 타사광고(건물 · 토지 · 시설물 · 점포 등을 사용하고 있는 자와 관련이 없는 광고내용을 표시하는 광고물을 말한다. 이하 같다)를 표시하는 것
2. 제3조제3호에 따른 돌출간판(이하 "돌출간판"이라 한다). 다만, 다음 각 목의 어느 하나에 해당하는 것은 제외한다.
   가. 의료기관 · 약국의 표지등("+" 또는 "약"을 표시하는 표지등을 말한다. 이하 같다) 또는 이용업소 · 미용업소의 표지등을 표시하는 것
   나. 윗부분까지의 높이가 지면으로부터 5미터 미만인 것
   다. 한 면의 면적이 1제곱미터 미만인 것
3. 제3조제4호에 따른 공연간판(이하 "공연간판"이라 한다)으로서 최초로 표시하는 것
4. 제3조제5호에 따른 옥상간판(이하 "옥상간판"이라 한다)
5. 제3조제6호에 따른 지주 이용 간판(이하 "지주 이용 간판"이라 한다) 중 윗부분까지의 높이가 지면으로부터 4미터 이상인 것
6. 제3조제8호에 따른 애드벌룬(이하 "애드벌룬"이라 한다)
7. 제3조제11호에 따른 공공시설물 이용 광고물(이하 "공공시설물 이용 광고물"이라 한다). 다만, 제17조제1호다목에 따른 지정벽보판 및 현수막 지정게시대에 표시하는 것은 제외한다.
8. 제3조제12호에 따른 교통시설 이용 광고물(이하 "교통시설 이용 광고물"이라 한다). 다만, 지하도 · 지하철역 · 철도역 · 공항 또는 항만의 시설 내부에 표시하는 것은 제외한다.

9. 제3조제13호에 따른 교통수단 이용 광고물(이하 "교통수단 이용 광고물"이라 한다) 중 다음 각 목의 교통수단을 이용하는 것. 다만, 해당 교통수단(다목 중 비행선은 제외한다)에 제19조제5항제2호의 사항을 표시하는 것은 제외한다.
가.「여객자동차 운수사업법」에 따른 사업용 자동차(이하 "사업용 자동차"라 한다)
나.「화물자동차 운수사업법」에 따른 사업용 화물자동차(이하 "사업용 화물자동차"라 한다)
다. 항공기등
라.「자동차관리법」 제3조제1항제3호에 따른 화물자동차로서 이동용 음식판매 용도인 소형·경형화물자동차 또는 같은 항 제4호에 따른 특수자동차로서 이동용 음식판매 용도인 특수작업형 특수자동차(이하 "음식판매자동차"라 한다)
마. 대여자전거
10. 제3조제14호에 따른 선전탑(이하 "선전탑"이라 한다)
11. 제3조제15호에 따른 아치광고물(이하 "아치광고물"이라 한다)
12. 전기를 이용하는 광고물로서 다음 각 목의 어느 하나에 해당하는 광고물
가. 광원(光源)이 직접 노출되어 표시되는 네온류(유리관 내부에 수은·네온·아르곤 등의 기체를 집어넣어 문자 또는 모양을 나타내는 것을 말한다. 이하 같다) 광고물 또는 전광류[발광다이오드, 액정표시장치 등의 발광(發光) 장치를 이용한 것을 말한다. 이하 같다] 광고물 중 광고내용의 변화를 주지 아니하는 광고물
나. 네온류 또는 전광류 등을 이용하여 동영상 등 광고내용을 평면적으로 수시로 변화하도록 한 디지털광고물
다. 디지털홀로그램, 전자빔 등을 이용하여 광고내용을 공간적·입체적으로 수시로 변화하도록 한 디지털광고물
13. 제3조제17호에 따른 특정광고물(이하 "특정광고물"이라 한다)
② 법 제3조제1항 각 호 외의 부분 전단에 따라 허가를 받아 설치해야 하는 게시시설은 다음 각 호와 같다. <개정 2021.5.4>
1. 제1항 각 호의 광고물을 설치하기 위한 게시시설
2. 면적이 30제곱미터를 초과하는 현수막 게시시설

영 **제5조【신고 대상 광고물 및 게시시설】** ① 법 제3조제1항 각 호 외의 부분 전단에 따라 신고를 하고 표시해야 하는 광고물은 다음 각 호와 같다. <개정 2021.5.4>
1. 벽면 이용 간판 중 다음 각 목의 어느 하나에 해당하는 것. 다만, 제4조제1항제1호 및 제12호에 해당하는 것은 제외한다.
가. 면적이 5제곱미터 이상인 것. 다만, 건물의 출입구 양 옆에 세로 로 표시하는 것은 제외한다.
나. 건물의 4층 이상 층에 표시하는 것
2. 삭제 <2016.7.6.>
3. 최초로 표시하는 공연간판을 제외한 공연간판
4. 제4조제1항제2호 각 목의 어느 하나에 해당하는 돌출간판
5. 윗부분까지의 높이가 지면으로부터 4미터 미만인 지주 이용 간판
5의2. 제3조제6호의2에 따른 입간판
6. 현수막[가로등 현수기(懸垂旗)를 포함한다]
7. 제4조제1항제9호에 따른 허가 대상 교통수단 이용 광고물을 제외한 교통수단 이용 광고물
8. 벽보
9. 전단
② 법 제3조제1항 각 호 외의 부분 전단에 따라 신고를 하고 표시해야 하는 게시시설은 제1항 각 호의 광고물을 설치하기 위한 게시시설로 한다. 다만, 면적이 30제곱미터를 초과하는 현수막 게시시설은 제외한다. <개정 2021.5.4>

8 행정대집행법 적용의 특례(법 제85조)(영 제119조의2)

법 제85조【「행정대집행법」 적용의 특례】

① 허가권자는 제11조, 제14조, 제41조와 제79조제1항에 따라 필요한 조치를 할 때 다음 각 호의 어느 하나에 해당하는 경우로서 「행정대집행법」 제3조제1항과 제2항에 따른 절차에 의하면 그 목적을 달성하기 곤란한 때에는 해당 절차를 거치지 아니하고 대집행할 수 있다. <개정 2020.6.9.>

1. 재해가 발생할 위험이 절박한 경우
2. 건축물의 구조 안전상 심각한 문제가 있어 붕괴 등 손괴의 위험이 예상되는 경우
3. 허가권자의 공사중지명령을 받고도 따르지 아니하고 공사를 강행하는 경우
4. 도로통행에 현저하게 지장을 주는 불법건축물인 경우
5. 그 밖에 공공의 안전 및 공익에 매우 저해되어 신속하게 실시할 필요가 있다고 인정되는 경우로서 대통령령으로 정하는 경우

② 제1항에 따른 대집행은 건축물의 관리를 위하여 필요한 최소한도에 그쳐야 한다.

영 제119조의2【「행정대집행법」 적용의 특례】

법 제85조제1항제5호에서 "대통령령으로 정하는 경우"란 「대기환경보전법」에 따른 대기오염물질 또는 「물환경보전법」에 따른 수질오염물질을 배출하는 건축물로서 주변 환경을 심각하게 오염시킬 우려가 있는 경우를 말한다. <개정 2019.10.22.>

해설 위반 건축물이나 붕괴등 위험이 예상되는 건축물 등은 적법절차를 거쳐 조치를 하면 위법사항이 더욱 심화되거나 조치가 지연되어 더 위험할 수 있는 우려가 있다. 따라서 허가권자는 필요한 경우「행정대집행법」에 따른 절차를 거치지 않고 이를 대집행할 수 있다.

대집행절차를 거치지 않고 실행할 수 있는 특례대상을 명확히 규정하여 행정청의 재량남용을 방지하고 국민의 재산권보호에 기여하도록 개정(2009.4.1.)되었다.

■ 적용의 특례

다음의 경우 「행정대집행법」에 따른 절차를 거치지 않고 조치할 수 있다.

필요조치관련규정	대집행 대상	조 치
1. 건축허가(법 제11조) 2. 건축신고(법 제14조) 3. 토지굴착부분에 대한 조치 등(법 제41조) 4. 위반 건축물 등에 대한 조치 등(법 제79조 제1항)	1. 재해가 발생할 위험이 절박한 경우 2. 건축물의 구조 안전상 심각한 문제가 있어 붕괴 등 손괴의 위험이 예상되는 경우 3. 허가권자의 공사중지명령을 받고도 따르지 아니하고 공사를 강행하는 경우 4. 도로통행에 현저하게 지장을 주는 불법건축물인 경우 5. 그 밖에 공공의 안전 및 공익에 매우 저해되어 신속하게 실시할 필요가 있다고 인정되는 경우로 대기 및 수질오염물질 배출 건축물로서 주변환경을 심각하게 오염시킬 우려가 있는 경우	■ 「행정대집행법」 제3조 제1항 및 제2항의 절차를 거치지 않고 조치할 수 있음 관계법 ■ 대집행은 건축물의 관리를 위하여 필요한 최소한도로 할 것

관계법 「행정대집행법」

법 제2조【대집행과 그 비용징수】 법률(법률의 위임에 의한 명령, 지방자치단체의 조례를 포함한다. 이하 같다)에 의하여 직접명령되었거나 또는 법률에 의거한 행정청의 명령에 의한 행위로서 타인이 대신하여 행할 수 있는 행위를 의무자가 이행하지 아니하는 경우 다른 수단으로써 그 이행을 확보하기 곤란하고 또한 그 불이행을 방치함이 심히 공익을 해할 것으로 인정될 때에는 당해 행정청은 스스로 의무자가 하여야 할 행위를 하거나 또는 제삼자로 하여금 이를 하게 하여 그 비용을 의무자로부터 징수할 수 있다.

법 제3조【대집행의 절차】 ① 전조의 규정에 의한 처분(이하 대집행이라 한다)을 하려함에 있어서는 상당한 이행기한을 정하여 그 기한까지 이행되지 아니할 때에는 대집행을 한다는 뜻을 미리 문서로써 계고하여야 한다. 이 경우 행정청은 상당한 이행기한을 정함에 있어 의무의 성질·내용 등을 고려하여 사회통념상 해당 의무를 이행하는 데 필요한 기간이 확보되도록 하여야 한다. <개정 2015.5.18.>
② 의무자가 전항의 계고를 받고 지정기한까지 그 의무를 이행하지 아니할 때에는 당해 행정청은 대집행영장으로써 대집행을 할 시기, 대집행을 시키기 위하여 파견하는 집행책임자의 성명과 대집행에 요하는 비용의 개산에 의한 견적액을 의무자에게 통지하여야 한다.
③ 비상시 또는 위험이 절박한 경우에 있어서 당해 행위의 급속한 실시를 요하여 전2항에 규정한 수속을 취할 여유가 없을 때에는 그 수속을 거치지 아니하고 대집행을 할 수 있다.

9 청 문(법 제86조)

법 제86조【청문】
허가권자는 제79조에 따라 허가나 승인을 취소하려면 청문을 실시하여야 한다.

해설 청문은 행정기관이 규칙의 제정, 행정처분 등을 행함에 있어 이해관계인 등의 의견을 듣기 위한 절차로서, 부당한 행정처분 등에 따른 관계자 등의 불이익을 방지하고, 행정처분의 합리성을 부여하고자 함이다.

■ 청문의 대상
「건축법」 제79조(위반 건축물 등에 대한 조치 등) 제1항에 해당하는 경우.(앞의 **2** 해설 참조)
※ 허가권자는 대지나 건축물이 「건축법」 또는 「건축법」에 따른 명령이나 처분에 위반되는 경우 허가 또는 승인을 취소할 수 있다.(법 제79조제1항)

10 보고와 검사(법 제87조)(규칙 제42조)

법 제87조【보고와 검사 등】

① 국토교통부장관, 시 · 도지사, 시장 · 군수 · 구청장, 그 소속 공무원, 제27조에 따른 업무대행자 또는 제37조에 따른 건축지도원은 건축물의 건축주등, 공사감리자, 공사시공자 또는 관계전문기술자에게 필요한 자료의 제출이나 보고를 요구할 수 있으며, 건축물 · 대지 또는 건축공사장에 출입하여 그 건축물, 건축설비, 그 밖에 건축공사에 관련되는 물건을 검사하거나 필요한 시험을 할 수 있다. <개정 2016.2.3.>

② 제1항에 따라 검사나 시험을 하는 자는 그 권한을 표시하는 증표를 지니고 이를 관계인에게 내보여야 한다.

③ 허가권자는 건축관계자등과의 계약 내용을 검토할 수 있으며, 검토결과 불공정 또는 불합리한 사항이 있어 부실설계 · 시공 · 감리가 될 우려가 있는 경우에는 해당 건축주에게 그 사실을 통보하고 해당 건축물의 건축공사 현장을 특별히 지도 · 감독하여야 한다. <신설 2016.2.3.>

규칙 제42조【출입검사원증】

법 제87조제2항에 따른 검사나 시험을 하는 자의 권한을 표시하는 증표는 별지 제33호 서식과 같다.

해설 건축물의 올바른 시공을 위해 건축행정에 관계하는 자로 하여금 건축물 · 대지 또는 건축공사장에 출입하여 검사 또는 시험을 할 수 있게 하였고, 건축관계자등에게 필요한 자료를 제출하게 할 수 있도록 권한을 부여하였다.

【1】 보고 및 검사

국토교통부장관, 시 · 도지사 등은 다음에 관한 사항을 행할 수 있다.

권한보유자	국토교통부장관, 시 · 도지사, 시장 · 군수 · 구청장, 그 소속 공무원, 현장조사 · 검사 및 확인업무 대행자 또는 건축지도원
행위내용	1. 건축물의 건축주등 · 공사감리자 · 공사시공자 또는 관계전문기술자에게 필요한 자료의 제출 또는 보고를 요구 2. 건축물 · 대지 또는 건축공사장에 출입하여 건축물, 건축설비, 그 밖에 건축공사에 관련되는 물건을 검사하거나 필요한 시험을 할 수 있음

- 위 사항에 의한 검사나 시험을 하는 자는 그 권한을 표시하는 증표를 지니고 이를 관계인에게 보여야 한다.

【2】 계약내용의 검사

허가권자는 건축관계자등과의 계약 내용을 검토할 수 있으며, 검토결과 불공정 또는 불합리한 사항이 있어 부실설계·시공·감리가 될 우려가 있는 경우 해당 건축주에게 그 사실을 통보하고 건축공사 현장을 특별히 지도·감독하여야 한다.

11 지역건축안전센터 설립(법 제87조의2, 3)(영 제119조의3)(규칙 제43조의2)

법 제87조의2【지역건축안전센터 설립】

① 지방자치단체의 장은 다음 각 호의 업무를 수행하기 위하여 관할 구역에 지역건축안전센터를 설치하여야 하고, 그 외의 지방자치단체의 시장·군수·구청장은 관할 구역에 지역건축안전센터를 설치할 수 있다. <개정 2022.6.10.>

1. 제21조, 제22조, 제27조 및 제87조에 따른 기술적인 사항에 대한 보고·확인·검토·심사 및 점검

1의2. 제11조, 제14조 및 제16조에 따른 허가 또는 신고에 관한 업무 <신설 2020.4.7.>

2. 제25조에 따른 공사감리에 대한 관리·감독
3. 삭제 <2019.4.30.>
4. 그 밖에 대통령령으로 정하는 사항

② 제1항에도 불구하고 다음 각 호의 어느 하나에 해당하는 지방자치단체의 장은 관할 구역에 지역건축안전센터를 설치하여야 한다. <신설 2022.6.10.>

1. 시·도
2. 인구 50만명 이상 시·군·구
3. 국토교통부령으로 정하는 바에 따라 산정한 건축허가 면적(직전 5년 동안의 연평균 건축허가 면적을 말한다) 또는 노후건축물 비율이 전국 지방자치단체 중 상위 30퍼센트 이내에 해당하는 인구 50만명 미만 시·군·구

③ 체계적이고 전문적인 업무 수행을 위하여 지역건축안전센터에 「건축사법」 제23조제1항에 따라 신고한 건축사 또는 「기술사법」 제6조제1항에 따라 등록한 기술사 등 전문인력을 배치하여야 한다. <개정 2022.6.10.>

④ 제1항부터 제3항까지의 규정 제1항 및 제2항에 따른 지역건축안전센터의 설치·운영 및 전문인력의 자격과 배치기준 등에 필요한 사항은 국토교통부령으로 정한다. <개정 2022.6.10.>

[본조신설 2017.4.18.]

법 제87조의3【건축안전특별회계의 설치】

① 시·도지사 또는 시장·군수·구청장은 관할 구역의 지역건축안전센터 설치·운영 등을 지원하기 위하여 건축안전특별회계(이하 "특별회계"라 한다)를 설치할 수 있다.

② 특별회계는 다음 각 호의 재원으로 조성한다. <개정 2020.4.7>

1. 일반회계로부터의 전입금
2. 제17조에 따라 납부되는 건축허가 등의 수수료 중 해당 지방자치단체의 조례로 정하는 비율의 금액
3. 제80조에 따라 부과·징수되는 이행강제금 중 해당 지방자치단체의 조례로 정하는 비율의 금액
4. 제113조에 따라 부과·징수되는 과태료 중 해당 지방자치단체의 조례로 정하는 비율의 금액
5. 그 밖의 수입금

③ 특별회계는 다음 각 호의 용도로 사용한다.

1. 지역건축안전센터의 설치·운영에 필요한 경비
2. 지역건축안전센터의 전문인력 배치에 필요한 인건비
3. 제87조의2제1항 각 호의 업무 수행을 위한 조사·연구비
4. 특별회계의 조성·운용 및 관리를 위하여 필요한 경비
5. 그 밖에 건축물 안전에 관한 기술지원 및 정보제공을 위하여 해당 지방자치단체의 조례로 정하는 사업의 수행에 필요한 비용

[본조신설 2017.4.18.]

영 제119조의3【지역건축안전센터의 업무】

법 제87조의2제1항제4호에서 "대통령령으로 정하는 사항"이란 관할 구역 내 건축물의 안전에 관한 사항으로서 해당 지방자치단체의 조례로 정하는 사항을 말한다.

[본조신설 2018.6.26.][종전 제119조의3은 제119조의4로 이동 <2018.6.26.>]

규칙 제43조의2【지역건축안전센터의 설치 및 운영 등】

① 시·도지사 및 시장·군수·구청장이 법 제87조의2에 따라 설치하는 지역건축안전센터(이하 "지역건축안전센터"라 한다)에는 센터장 1명과 법 제87조의2제1항 각 호의 업무를 수행하는 데 필요한 전문인력을 둔다.

② 시·도지사 및 시장·군수·구청장은 해당 지방자치단체 소속 공무원 중에서 건축행정에 관한 학식과 경험이 풍부한 사람이 제1항에 따른 센터장(이하 "센터장"이라 한다)을 겸임하게 할 수 있다.

③ 센터장은 지역건축안전센터의 사무를 총괄하고, 소속 직원을 지휘·감독한다.

④ 제1항에 따른 전문인력(이하 "전문인력"이라 한다)은 다음 각 호의 어느 하나에 해당하는 자격을 갖춘 사람으로서 건축행정에 관한 학식과 경험이 풍부한 사람으로 한다. <개정 2021.6.25>

1. 「건축사법」 제2조제1호에 따른 건축사
2. 다음 각 목의 어느 하나에 해당하는 사람
   가. 「국가기술자격법」에 따른 건축구조기술사
   나. 「건설기술 진흥법 시행령」 별표 1에 따른 건설기술인 중 건축구조 분야 고급기술인 이상의 자격기준을 갖춘 사람
3. 「국가기술자격법」에 따른 건축시공기술사
4. 다음 각 목의 어느 하나에 해당하는 사람
   가. 「국가기술자격법」에 따른 건축기계설비기술사
   나. 「건설기술 진흥법 시행령」 별표 1에 따른 건설기술인 중 건축기계설비 분야 고급기술인 이상의 자격기준을 갖춘 사람
5. 다음 각 목의 어느 하나에 해당하는 사람
   가. 「국가기술자격법」에 따른 지질 및 지반기술사 또는 토질 및 기초기술사
   나. 「건설기술 진흥법 시행령」 별표 1에 따른 건설기술인 중 토질·지질 분야 고급기술인 이상의 자격기준을 갖춘 사람

⑤ 시·도지사 및 시장·군수·구청장은 별표 8에 따른 산정기준에 따라 지역건축안전센터의 전문인력을 확보하기 위하여 노력하여야 한다. 다만, 다음 각 호에 해당하는 전문인력(이하 "필수전문인력"이라 한다)은 각각 1명 이상 두어야 한다. <개정 2023.6.9./각호신설>

1. 제4항제1호에 따른 전문인력
2. 제4항제2호 또는 제3호에 따른 전문인력

⑥ 시장·군수·구청장이 지역의 규모·예산·인력 및 건축허가 등의 신청 건수를 고려하여 단독으로 지역건축안전센터를 설치·운영하는 것이 곤란하다고 판단하는 경우에는 둘 이상의 시·군·구가 공동으로 하나의 지역건축안전센터를 설치·운영할 수 있다. 이 경우 공동으로 지역건축안전센터를 설치·운영하려는 시장·군수·구청장은 지역건축안전센터의 공동 설치 및 운영에 관한 협약을 체결하여야 한다.

⑦ 국토교통부장관은 법 제87조의2제2항에 따라 지역건축안전센터를 설치해야 하는 지방자치단체를 5년마다 고시해야 한다. <신설 2023.6.9.>

⑧ 법 제87조의2제2항제3호에 따라 건축허가 면적 또는 노후건축물 비율은 다음 각 호의 구분에 따라 산정한다. <신설 2023.6.9.>

1. 건축허가 면적: 제7항에 따라 국토교통부장관이 고시하는 해의 직전연도부터 과거 5년 동안 법 제11조에 따라 건축허가(신축만 해당한다)를 받은 건축물의 연면적 합계를 5로 나눈 면적
2. 노후건축물 비율: 제7항에 따라 국토교통부장관이 고시하는 해의 직전연도의 전체 건축물 중 법 제22조에 따라 최초로 사용승인을 받은 후 30년 이상이 지난 건축물이 차지하는 비율

⑨ 제1항부터 제8항까지에서 규정한 사항 외에 지역건축안전센터의 조직 및 운영 등에 필요한 사항은 해당 지방자치단체의 조례로 정한다. <개정 2023.6.9.>

[본조신설 2018.6.15.][종전 제43조의2는 제43조의3으로 이동 <2018.6.15.>]

해설 지역건축안전센터를 설립하여 허가권자의 건축허가, 공사감리 등에 대한 관리·감독 업무 등을 지원할 수 있도록 하고, 지역건축안전센터의 안정적 운영을 위하여 건축안전특별회계를 설치하는 등 지방자치단체의 건축물 안전에 대한 전문적인 관리체계를 마련하기 위해 「건축법」 개정시 위 규정이 신설되어(2017.4.18.) 운영되고 있으나, 건축물 관련 사고에 대한 국민들의 불안을 해소하기 위해서는 광역자치단체나 대도시 외에도 건축허가 및 노후건축물 비율 등이 높은 지방자치단체에 지역건축안전센터를 선도적으로 설치할 필요성이 제기되고 있음.
이에 건축허가 면적 또는 노후건축물 비율이 전국 지방자치단체 중 상위 30퍼센트 이내에 해당하는 인구 50만명 미만의 시·군·구에 대해서도 지역건축안전센터의 설치를 의무화하려는 것임 (2022.6.10.,개정)

【1】 지역건축안전센터 설립

지방자치단체의 장은 ①의 업무를 수행하기 위하여 관할 구역에 지역건축안전센터를 설치해야 하고, 그 외의 지방자치단체의 시장·군수·구청장은 관할 구역에 지역건축안전센터를 설치할 수 있다.

(1) 지역건축안전센터의 의무 설치 <시행 2023.6.11.>

① 다음 각 호에 해당하는 지방자치단체의 장은 관할 구역에 지역건축안전센터를 설치해야 한다.

1. 시·도	
2. 인구 50만명 이상 시·군·구	
3. 인구 50만명 미만 시·군·구	① 건축허가 면적(직전 5년 동안의 연평균 건축허가 면적)이 전국 지방자치단체 중 상위 30% 이내
	② 노후건축물 비율이 전국 지방자치단체 중 상위 30% 이내

② 국토교통부장관은 지역건축안전센터를 설치해야 하는 지방자치단체를 5년마다 고시해야 한다.
③ 건축허가 면적 및 노후건축물 비율의 산정방법(위 ① 표 3. 관련)

1. 건축허가 면적	국토교통부장관이 고시하는 해의 직전연도부터 과거 5년 동안 건축허가(신축만 해당)를 받은 건축물의 연면적 합계를 5로 나눈 면적
2. 노후건축물 비율	국토교통부장관이 고시하는 해의 직전연도의 전체 건축물 중 최초로 사용승인을 받은 후 30년 이상이 지난 건축물이 차지하는 비율

(2) 업무 및 전문인력의 배치

① 지역건축안전센터의 업무

업무내용	관련규정(건축법)
1. 기술적인 사항에 대한 보고·확인·검토·심사 및 점검	제21조(착공신고 등), 제22조(건축물의 사용승인), 제27조(현장조사·검사 및 확인업무의 대행), 제87조(보고와 검사 등)
2. 허가 또는 신고에 관한 업무	제11조(건축허가), 제14조(건축신고), 제16조(허가와 신고사항의 변경)
3. 공사감리에 대한 관리·감독	제25조(건축물의 공사감리)
4. 관할 구역 내 건축물의 안전에 관한 사항으로서 해당 지방자치단체의 조례로 정하는 사항	

② 전문인력의 배치

체계적이고 전문적인 업무 수행을 위하여 지역건축안전센터에 건축사 또는 기술사 등 전문인력을 배치하여야 한다.

【2】 지역건축안전센터의 설치 및 운영 등

(1) 인력배치

센터장 1명과 업무를 수행하는 데 필요한 전문인력

① 센터장

1. 해당 지방자치단체 소속 공무원 중에서 건축행정에 관한 학식과 경험이 풍부한 사람이 센터장을 겸임하게 할 수 있다.

2. 센터장은 지역건축안전센터의 사무를 총괄하고, 소속 직원을 지휘·감독한다.

② 전문인력 : 다음 자격을 갖춘 사람으로서 건축행정에 관한 학식과 경험이 풍부한 사람

■ 전문자격	
1. 건축사	*건설기술인: 「건설기술 진흥법 시행령」 별표1
2. (건축구조 분야) ① 구조기술사 ② 건축구조 분야 고급기술인 이상의 자격 기준을 갖춘 건설기술인*	
3. 건축시공기술사	
4. (건축기계설비 분야) ① 건축기계설비기술사 ② 건축기계설비 분야 고급기술인 이상의 자격 기준을 갖춘 건설기술인*	
5. (토질·지질 분야) ①지질 및 지반기술사 ②토질 및 기초기술사 ③토질·지질 분야 고급기술인 이상의 자격 기준을 갖춘 건설기술인*	

③ 전문인력 인원 산정기준

시·도지사 및 시장·군수·구청장은 산정기준[별표 8]에 따라 지역건축안전센터의 전문인력을 확보하기 위하여 노력하여야 한다. 필수전문인력으로 위 ② 표 1.의 건축사 1명 이상과 2., 3.의 전문자격자 중에서 1명 이상을 두어야 한다. <개정 2023.6.9.>

【참고】 건축법 시행규칙 [별표 8] 〈신설 2018.6.15.〉

지역건축안전센터의 적정 전문인력 인원 산정기준(제43조의2제5항 관련)

1. 지역건축안전센터의 적정 전문인력 인원은 다음의 산정식에 따라 산정한다.

적정 전문인력 인원(명)	=	최근 3년간 연평균 건축 신고·허가 건수 / 1인당 연간 건축 신고·허가 처리가능 건수	×	필수 전문인력 인원(명)

2. 제1호의 산정식에 적용되는 용어의 정의
   가. "최근 3년간 연평균 건축 신고·허가 건수"란 최근 3년간 연평균 해당 지방자치단체의 건축 신고 건수에 해당 업무의 난이도를 가중한 값과 최근 3년간 연평균 해당 지방자치단체의 건축허가 건수에 해당 업무의 난이도를 가중한 값을 더한 값을 말한다.
   나. "1인당 연간 건축 신고·허가 처리가능 건수"란 해당 업무의 난이도를 고려하여 공무원 1명이 1일 동안 통상적으로 처리할 수 있는 건축 신고·허가 건수에 근무일수를 곱한 값을 말한다.
   다. "필수전문인력 인원"이란 제43조의2제5항 단서에 따라 지역건축안전센터에 필수적으로 두어야 하는 전문인력 인원으로 2명을 말한다.

3. 제1호의 산정식에 적용되는 산정기준: 다음 각 목의 구분에 따른다.
   가. 특별시·광역시·특별자치시·도, 특별시·광역시·경기도의 시 또는 자치구

적용용어	산정기준
최근 3년간 연평균 건축 신고·허가 건수	0.76(업무 난이도) × 최근 3년간 연평균 건축신고 건수 + 1.4(업무 난이도) × 최근 3년간 연평균 건축허가 건수
1인당 연간 건축 신고·허가 처리가능 건수	5건 × 21일 × 12개월 = 1,260

   나. 도(경기도는 제외한다)의 시·군·자치구, 특별자치도, 광역시·경기도의 군

적용용어	산정기준
최근 3년간 연평균 건축 신고·허가 건수	0.9(업무 난이도) × 최근 3년간 연평균 건축신고 건수 + 1.4(업무 난이도) × 최근 3년간 연평균 건축허가 건수
1인당 연간 건축 신고·허가 처리가능 건수	7건 × 21일 × 12개월 = 1,764

   다. 공통사항
      1) 적정 전문인력 인원은 소수점 첫째자리에서 반올림하여 산정한다.
      2) 적정 전문인력 인원은 제43조의2제4항에 따른 전문인력 인원만을 말한다.

(2) 지역건축안전센터의 공동 설치 등

① 시장・군수・구청장이 지역의 규모・예산・인력 및 건축허가 등의 신청 건수를 고려하여 단독으로 지역건축안전센터를 설치・운영하는 것이 곤란하다고 판단하는 경우 둘 이상의 시・군・구가 공동으로 하나의 지역건축안전센터를 설치・운영할 수 있다.

② 공동으로 지역건축안전센터를 설치・운영하려는 시장・군수・구청장은 지역건축안전센터의 공동 설치 및 운영에 관한 협약을 체결하여야 한다.

③ 위 규정 사항 외에 지역건축안전센터의 조직 및 운영 등에 필요한 사항은 해당 지방자치단체의 조례로 정한다.

【3】 건축안전특별회계의 설치

시·도지사 또는 시장·군수·구청장은 관할 구역의 지역건축안전센터 설치·운영 등을 지원하기 위하여 건축안전특별회계(이하 "특별회계")를 설치할 수 있다.

① 특별회계의 재원

1. 일반회계로부터의 전입금
2. 건축허가 등의 수수료 중 해당 지방자치단체의 조례로 정하는 비율의 금액
3. 이행강제금 중 해당 지방자치단체의 조례로 정하는 비율의 금액
4. 과태료 중 해당 지방자치단체의 조례로 정하는 비율의 금액
5. 그 밖의 수입금

② 특별회계의 용도

1. 지역건축안전센터의 설치·운영에 필요한 경비
2. 지역건축안전센터의 전문인력 배치에 필요한 인건비
3. 지역건축안전센터의 업무 수행을 위한 조사·연구비
4. 특별회계의 조성·운용 및 관리를 위하여 필요한 경비
5. 그 밖에 건축물 안전에 관한 기술지원 및 정보제공을 위하여 해당 지방자치단체의 조례로 정하는 사업의 수행에 필요한 비용

12 건축분쟁전문위원회(법 제88조~제104조의2)(영 제119조의4~제119조의10)(규칙 제43조의3~제43조의5)

법 제88조【건축분쟁전문위원회】

① 건축등과 관련된 다음 각 호의 분쟁(「건설산업기본법」 제69조에 따른 조정의 대상이 되는 분쟁은 제외한다. 이하 같다)의 조정(調停) 및 재정(裁定)을 하기 위하여 국토교통부에 건축분쟁전문위원회(이하 "분쟁위원회"라 한다)를 둔다.) <개정 2014.5.28>

1. 건축관계자와 해당 건축물의 건축등으로 피해를 입은 인근주민(이하 "인근주민"이라 한다) 간의 분쟁
2. 관계전문기술자와 인근주민 간의 분쟁
3. 건축관계자와 관계전문기술자 간의 분쟁
4. 건축관계자 간의 분쟁
5. 인근주민 간의 분쟁
6. 관계전문기술자 간의 분쟁
7. 그 밖에 대통령령으로 정하는 사항

②, ③ 삭제 <2014.5.28>

법 제89조【분쟁위원회의 구성】

① 분쟁위원회는 각각 위원장과 부위원장 각 1명을 포함한 15명 이내의 위원으로 구성한다. <개정 2014.5.28>

② 중앙건축분쟁전문위원회의 위원은 건축이나 법률에 관한 학식과 경험이 풍부한 자로서 다음 각 호의 어느 하나에 해당하는 자 중에서 국토교통부장관이 임명하거나 위촉한다. 이 경우 제4호에 해당하는 자가 2명 이상 포함되어야 한다. <개정 2014.1.14., 2014.5.28>

1. 3급 상당 이상의 공무원으로 1년 이상 재직한 자
2. 삭제 <2014.5.28>
3. 「고등교육법」에 따른 대학에서 건축공학이나 법률학을 가르치는 조교수 이상의 직(職)에 3년 이상 재직한 자
4. 판사, 검사 또는 변호사의 직에 6년 이상 재직한 자
5. 「국가기술자격법」에 따른 건축분야 기술사 또는 「건축사법」 제23조에 따라 건축사사무소개설신고를 하고 건축사로 6년 이상 종사한 자
6. 건설공사나 건설업에 대한 학식과 경험이 풍부한 자로서 그 분야에 15년 이상 종사한 자

③ 삭제 <2014.5.28>

④ 분쟁위원회의 위원장과 부위원장은 위원 중에서 호선한다. <개정 2014.5.28>

⑤ 공무원이 아닌 위원의 임기는 3년으로 하되, 연임할 수 있으며, 보궐위원의 임기는 전임자의 남은 임기로 한다.

⑥ 분쟁위원회의 회의는 재적위원 과반수의 출석으로 열고 출석위원 과반수의 찬성으로 의결한다. <개정 2014.5.28>

⑦ 다음 각 호의 어느 하나에 해당하는 자는 분쟁위원회의 위원이 될 수 없다. <개정 2014.5.28>

1. 피성년후견인, 피한정후견인 또는 파산선고를 받고 복권되지 아니한 자
2. 금고 이상의 실형을 선고받고 그 집행이 끝나거나(집행이 끝난 것으로 보는 경우를 포함한다)되거나 집행이 면제된 날부터 2년이 지나지 아니한 자
3. 법원의 판결이나 법률에 따라 자격이 정지된 자

⑧ 위원의 제척·기피·회피 및 위원회의 운영, 조정 등의 거부와 중지 등 그 밖에 필요한 사항은 대통령령으로 정한다. <신설 2014.5.28.>

법 제90조 삭제 <2014.5.28>

법 제91조【대리인】

① 당사자는 다음 각 호에 해당하는 자를 대리인으로 선임할 수 있다.
1. 당사자의 배우자, 직계존·비속 또는 형제자매
2. 당사자인 법인의 임직원
3. 변호사

② 삭제 <2014.5.28>
③ 대리인의 권한은 서면으로 소명하여야 한다.
④ 대리인은 다음 각 호의 행위를 하기 위하여는 당사자의 위임을 받아야 한다.
1. 신청의 철회
2. 조정안의 수락
3. 복대리인의 선임

법 제92조【조정등의 신청】

① 건축물의 건축등과 관련된 분쟁의 조정 또는 재정(이하 "조정등"이라 한다)을 신청하려는 자는 분쟁위원회에 조정등의 신청서를 제출하여야 한다. <개정 2014.5.28>
② 제1항에 따른 조정신청은 해당 사건의 당사자 중 1명 이상이 하며, 재정신청은 해당 사건 당사자 간의 합의로 한다. 다만, 분쟁위원회는 조정신청을 받으면 해당 사건의 모든 당사자에게 조정신청이 접수된 사실을 알려야 한다. <개정 2014.5.28>
③ 분쟁위원회는 당사자의 조정신청을 받으면 60일 이내에, 재정신청을 받으면 120일 이내에 절차를 마쳐야 한다. 다만, 부득이한 사정이 있으면 분쟁위원회의 의결로 기간을 연장할 수 있다. <개정 2014.5.28>

법 제93조【조정등의 신청에 따른 공사중지】

① 삭제 <2014.5.28.>
② 삭제 <2014.5.28>
③ 시·도지사 또는 시장·군수·구청장은 위해 방지를 위하여 긴급한 상황이거나 그 밖에 특별한 사유가 없으면 조정등의 신청이 있다는 이유만으로 해당 공사를 중지하게 하여서는 아니 된다.

법 제94조【조정위원회와 재정위원회】

① 조정은 3명의 위원으로 구성되는 조정위원회에서 하고, 재정은 5명의 위원으로 구성되는 재정위원회에서 한다.
② 조정위원회의 위원(이하 "조정위원"이라 한다)과 재정위원회의 위원(이하 "재정위원"이라 한다)은 사건마다 분쟁위원회의 위원 중에서 위원장이 지명한다. 이 경우 재정위원회에는 제89조제2항제4호에 해당하는 위원이 1명 이상 포함되어야 한다. <개정 2014.5.28>
③ 조정위원회와 재정위원회의 회의는 구성원 전원의 출석으로 열고 과반수의 찬성으로 의결한다.

법 제95조【조정을 위한 조사 및 의견청취】

① 조정위원회는 조정에 필요하다고 인정하면 조정위원 또는 사무국의 소속 직원에게 관계 서류를 열람하게 하거나 관계 사업장에 출입하여 조사하게 할 수 있다. <개정 2014.5.28>
② 조정위원회는 필요하다고 인정하면 당사자나 참고인을 조정위원회에 출석하게 하여 의견을 들을 수 있다.

③ 분쟁의 조정신청을 받은 조정위원회는 조정기간 내에 심사하여 조정안을 작성하여야 한다. <개정 2014.5.28>

법 제96조【조정의 효력】

① 조정위원회는 제95조제3항에 따라 조정안을 작성하면 지체 없이 각 당사자에게 조정안을 제시하여야 한다.

② 제1항에 따라 조정안을 제시받은 당사자는 제시를 받은 날부터 15일 이내에 수락 여부를 조정위원회에 알려야 한다.

③ 조정위원회는 당사자가 조정안을 수락하면 즉시 조정서를 작성하여야 하며, 조정위원과 각 당사자는 이에 기명날인하여야 한다.

④ 당사자가 제3항에 따라 조정안을 수락하고 조정서에 기명날인하면 조정서의 내용은 재판상 화해와 동일한 효력을 갖는다. 다만, 당사자가 임의로 처분할 수 없는 사항에 관한 것은 그러하지 아니하다. <개정 2020.12.22.>

법 제97조【분쟁의 재정】

① 재정은 문서로써 하여야 하며, 재정 문서에는 다음 각 호의 사항을 적고 재정위원이 이에 기명날인하여야 한다.
1. 사건번호와 사건명
2. 당사자, 선정대표자, 대표당사자 및 대리인의 주소 · 성명
3. 주문(主文)
4. 신청 취지
5. 이유
6. 재정 날짜

② 제1항제5호에 따른 이유를 적을 때에는 주문의 내용이 정당하다는 것을 인정할 수 있는 한도에서 당사자의 주장 등을 표시하여야 한다.

③ 재정위원회는 재정을 하면 지체 없이 재정 문서의 정본(正本)을 당사자나 대리인에게 송달하여야 한다.

법 제98조【재정을 위한 조사권 등】

① 재정위원회는 분쟁의 재정을 위하여 필요하다고 인정하면 당사자의 신청이나 직권으로 재정위원 또는 소속 공무원에게 다음 각 호의 행위를 하게 할 수 있다.
1. 당사자나 참고인에 대한 출석 요구, 자문 및 진술 청취
2. 감정인의 출석 및 감정 요구
3. 사건과 관계있는 문서나 물건의 열람 · 복사 · 제출 요구 및 유치
4. 사건과 관계있는 장소의 출입 · 조사

② 당사자는 제1항에 따른 조사 등에 참여할 수 있다.

③ 재정위원회가 직권으로 제1항에 따른 조사 등을 한 경우에는 그 결과에 대하여 당사자의 의견을 들어야 한다.

④ 재정위원회는 제1항에 따라 당사자나 참고인에게 진술하게 하거나 감정인에게 감정하게 할 때에는 당사자나 참고인 또는 감정인에게 선서를 하도록 하여야 한다.

⑤ 제1항제4호의 경우에 재정위원 또는 소속 공무원은 그 권한을 나타내는 증표를 지니고 이를 관계인에게 내보여야 한다.

건 축 법
1. 총 칙
2. 건 축
3. 유지관리
4. 대지도로
5. 구조재료
6. 지역지구
7. 건축설비
8. 특별건축구역
9. 보 칙
10. 벌 칙
건 축 법 관련기준

법 제99조【재정의 효력 등】
재정위원회가 재정을 한 경우 재정 문서의 정본이 당사자에게 송달된 날부터 60일 이내에 당사자 양쪽이나 어느 한쪽으로부터 그 재정의 대상인 건축물의 건축등의 분쟁을 원인으로 하는 소송이 제기되지 아니하거나 그 소송이 철회되면 조정서의 내용은 재판상 화해와 동일한 효력을 갖는다. 다만, 당사자가 임의로 처분할 수 없는 사항에 관한 것은 그러하지 아니하다. <개정 2020.12.22.>

법 제100조【시효의 중단】
당사자가 재정에 불복하여 소송을 제기한 경우 시효의 중단과 제소기간을 산정할 때에는 재정신청을 재판상의 청구로 본다. <개정 2020.6.9.>

법 제101조【조정 회부】
분쟁위원회는 재정신청이 된 사건을 조정에 회부하는 것이 적합하다고 인정하면 직권으로 직접 조정할 수 있다. <개정 2014.5.28>

법 제102조【비용부담】
① 분쟁의 조정등을 위한 감정·진단·시험 등에 드는 비용은 당사자 간의 합의로 정하는 비율에 따라 당사자가 부담하여야 한다. 다만, 당사자 간에 비용부담에 대하여 합의가 되지 아니하면 조정위원회나 재정위원회에서 부담비율을 정한다.
② 조정위원회나 재정위원회는 필요하다고 인정하면 대통령령으로 정하는 바에 따라 당사자에게 제1항에 따른 비용을 예치하게 할 수 있다.
③ 제1항에 따른 비용의 범위에 관하여는 국토교통부령으로 정한다. <개정 2014.5.28.>

법 제103조【분쟁위원회의 운영 및 사무처리 위탁】
① 국토교통부장관은 분쟁위원회의 운영 및 사무처리를 「국토안전관리원법」에 따른 국토안전관리원(이하 "국토안전관리원"이라 한다)에 위탁할 수 있다. <개정 2017.1.17., 2020.6.9.>
② 분쟁위원회의 운영 및 사무처리를 위한 조직 및 인력 등은 대통령령으로 정한다. <개정 2014.5.28>
③ 국토교통부장관은 예산의 범위에서 분쟁위원회의 운영 및 사무처리에 필요한 경비를 국토안전관리원에 출연 또는 보조할 수 있다. <개정 2020.6.9.>
[제목개정 2014.5.28.]

법 제104조【조정등의 절차】
제88조부터 제103조까지의 규정에서 정한 것 외에 분쟁의 조정등의 방법·절차 등에 관하여 필요한 사항은 대통령령으로 정한다.

법 제104조의2【건축위원회의 사무의 정보보호】
건축위원회 또는 관계 행정기관 등은 제4조의5의 민원심의 및 제92조의 분쟁조정 신청과 관련된 정보의 유출로 인하여 신청인과 이해관계인의 이익이 침해되지 아니하도록 노력하여야 한다.
[본조신설 2014.5.28]

영 제119조의4【분쟁조정】

① 법 제88조에 따라 분쟁의 조정 또는 재정(이하 "조정등"이라 한다)을 받으려는 자는 국토교통부령으로 정하는 바에 따라 신청 취지와 신청사건의 내용을 분명하게 밝힌 조정등의 신청서를 국토교통부에 설치된 건축분쟁전문위원회(이하 "분쟁위원회" 라 한다)에 제출(전자문서에 의한 제출을 포함한다)하여야 한다. <개정 2014.11.28>

② 조정위원회는 법 제95조제2항에 따라 당사자나 참고인을 조정위원회에 출석하게 하여 의견을 들으려면 회의 개최 5일 전에 서면(당사자 또는 참고인이 원하는 경우에는 전자문서를 포함한다)으로 출석을 요청하여야 하며, 출석을 요청받은 당사자 또는 참고인은 조정위원회의 회의에 출석할 수 없는 부득이한 사유가 있는 경우에는 미리 서면 또는 전자문서로 의견을 제출할 수 있다.

③ 법 제88조, 제89조 및 제91조부터 제104조까지의 규정에 따른 분쟁의 조정등을 할 때 서류의 송달에 관하여는 「민사소송법」 제174조부터 제197조까지를 준용한다. <개정 2014.11.28>

④ 조정위원회 또는 재정위원회는 법 제102조제1항에 따라 당사자가 분쟁의 조정등을 위한 감정 · 진단 · 시험 등에 드는 비용을 내지 아니한 경우에는 그 분쟁에 대한 조정등을 보류할 수 있다.

⑤ 삭제 <2014.11.28>

[제119조의3에서 이동, 종전 제119조의4는 제119조의5으로 이동 <2018.6.26.>]

영 제119조의5【선정대표자】

① 여러 사람이 공동으로 조정등의 당사자가 될 때에는 그 중에서 3명 이하의 대표자를 선정할 수 있다.

② 분쟁위원회는 당사자가 제1항에 따라 대표자를 선정하지 아니한 경우 필요하다고 인정하면 당사자에게 대표자를 선정할 것을 권고할 수 있다. <개정 2014.11.28>

③ 제1항 또는 제2항에 따라 선정된 대표자(이하 "선정대표자"라 한다)는 다른 신청인 또는 피신청인을 위하여 그 사건의 조정등에 관한 모든 행위를 할 수 있다. 다만, 신청을 철회하거나 조정안을 수락하려는 경우에는 서면으로 다른 신청인 또는 피신청인의 동의를 받아야 한다.

④ 대표자가 선정된 경우에는 다른 신청인 또는 피신청인은 그 선정대표자를 통해서만 그 사건에 관한 행위를 할 수 있다.

⑤ 대표자를 선정한 당사자는 필요하다고 인정하면 선정대표자를 해임하거나 변경할 수 있다. 이 경우 당사자는 그 사실을 지체 없이 분쟁위원회에 통지하여야 한다. <개정 2014.11.28.>

[제119조의4에서 이동, 종전 제119조의5는 제119조의6으로 이동 <2018.6.26.>]

영 제119조의6【절차의 비공개】

분쟁위원회가 행하는 조정등의 절차는 법 또는 이 영에 특별한 규정이 있는 경우를 제외하고는 공개하지 아니한다. <개정 2014.11.28.>

[제119조의5에서 이동, 종전 제119조의6은 제119조의7로 이동 <2018.6.26.>]

영 제119조의7【위원의 제척 등】

① 법 제89조제8항에 따라 분쟁위원회의 위원이 다음 각 호의 어느 하나에 해당하면 그 직무의 집행에서 제외된다.

1. 위원 또는 그 배우자나 배우자였던 자가 해당 분쟁사건(이하 "사건" 이라 한다)의 당사자가 되거나 그 사건에 관하여 당사자와 공동권리자 또는 의무자의 관계에 있는 경우

건 축 법
1. 총 칙
2. 건 축
3. 유지관리
4. 대지도로
5. 구조재료
6. 지역지구
7. 건축설비
8. 특별건축구역
9. 보 칙
10. 벌 칙
건 축 법 관련기준

2. 위원이 해당 사건의 당사자와 친족이거나 친족이었던 경우
3. 위원이 해당 사건에 관하여 진술이나 감정을 한 경우
4. 위원이 해당 사건에 당사자의 대리인으로서 관여하였거나 관여한 경우
5. 위원이 해당 사건의 원인이 된 처분이나 부작위에 관여한 경우

② 분쟁위원회는 제척 원인이 있는 경우 직권이나 당사자의 신청에 따라 제척의 결정을 한다.
③ 당사자는 위원에게 공정한 직무집행을 기대하기 어려운 사정이 있으면 분쟁위원회에 기피신청을 할 수 있으며, 분쟁위원회는 기피신청이 타당하다고 인정하면 기피의 결정을 하여야 한다.
④ 위원은 제1항이나 제3항의 사유에 해당하면 스스로 그 사건의 직무집행을 회피할 수 있다.
[본조신설 2014.11.28.][제119조의6에서 이동, 종전 제119조의7은 제119조의8로 이동 <2018.6.26.>]

영 제119조의8【조정등의 거부와 중지】
① 법 제89조제8항에 따라 분쟁위원회는 분쟁의 성질상 분쟁위원회에서 조정등을 하는 것이 맞지 아니하다고 인정하거나 부정한 목적으로 신청하였다고 인정되면 그 조정등을 거부할 수 있다. 이 경우 조정등의 거부 사유를 신청인에게 알려야 한다.
② 분쟁위원회는 신청된 사건의 처리 절차가 진행되는 도중에 한쪽 당사자가 소(訴)를 제기한 경우에는 조정등의 처리를 중지하고 이를 당사자에게 알려야 한다.
[본조신설 2014.11.28.][제119조의7에서 이동, 종전 제119조의8은 제119조의9로 이동 <2018.6.26.>]

영 제119조의9【조정등의 비용 예치】
법 제102조제2항에 따라 조정위원회 또는 재정위원회는 조정등을 위한 비용을 예치할 금융기관을 지정하고 예치기간을 정하여 당사자로 하여금 비용을 예치하게 할 수 있다.
[본조신설 2014.11.28.][제119조의8에서 이동, 종전 제119조의9는 제119조의10으로 이동 <2018.6.26.>]

영 제119조의10【분쟁위원회의 운영 및 사무처리】
① 국토교통부장관은 법 제103조제1항에 따라 분쟁위원회의 운영 및 사무처리를 한국시설안전공단에 위탁한다. <개정 2016.7.19.>
② 제1항에 따라 위탁을 받은 한국시설안전공단은 그 소속으로 분쟁위원회 사무국을 두어야 한다.
[본조신설 2014.11.28.][제119조의9에서 이동, 종전 제119조의10은 제119조의11로 이동 <2018.6.26.>]

규칙 제43조의3【분쟁조정의 신청】
① 영 제119조의4제1항에 따라 분쟁의 조정 또는 재정(이하 "조정등"이라 한다)을 받으려는 자는 다음 각 호의 사항을 기재하고 서명·날인한 분쟁조정등신청서에 참고자료 또는 서류를 첨부해 국토교통부에 설치된 건축분쟁전문위원회(이하 "분쟁위원회"라 한다)에 제출(전자문서로 제출하는 것을 포함한다)해야 한다. <개정 2021.6.25>
1. 신청인의 성명(법인의 경우에는 명칭) 및 주소
2. 당사자의 성명(법인의 경우에는 명칭) 및 주소
3. 대리인을 선임한 경우에는 대리인의 성명 및 주소

4. 분쟁의 조정등을 받고자 하는 사항
5. 분쟁이 발생하게 된 사유와 당사자간의 교섭경과
6. 신청연월일

② 제1항의 경우에 증거자료 또는 서류가 있는 경우에는 그 원본 또는 사본을 분쟁조정등신청서에 첨부하여 제출할 수 있다.

[제43조의2에서 이동, 종전 제43조의3은 제43조의4로 이동 <2018.6.15.>]

규칙 제43조의4【분쟁위원회의 회의 · 운영 등】

① 법 제88조에 따른 분쟁위원회의 위원장은 분쟁위원회를 대표하고 분쟁위원회의 총괄한다. <개정 2021.8.27>

② 분쟁위원회의 위원장은 분쟁위원회의 회의를 소집하고 그 의장이 된다. <개정 2014.11.28.>

③ 중앙분쟁전문위원회의 위원장이 부득이한 사유로 직무를 수행할 수 없는 때에는 부위원장이 그 직무를 대행한다. <개정 2014.11.28.>

④ 분쟁위원회의 사무를 처리하기 위하여 간사를 두되, 간사는 국토교통부 소속 공무원 중에서 분쟁위원회의 위원장이 지정한 자가 된다. <개정 2014.11.28.>

⑤ 분쟁위원회의 회의에 출석한 위원 및 관계전문가에 대하여는 예산의 범위 안에서 수당을 지급할 수 있다. 다만, 공무원인 위원이 그 소관 업무와 직접적으로 관련되어 출석하는 경우에는 그러하지 아니 하다. <개정 2014.11.28.>

[제43조의3에서 이동, 종전 제43조의4는 제43조의5로 이동 <2018.6.15.>]

규칙 제43조의5【비용부담】

법 제102조제3항에 따라 조정등의 당사자가 부담할 비용의 범위는 다음 각 호와 같다. <개정 2014.11.28.>

1. 감정 · 진단 · 시험에 소요되는 비용
2. 검사 · 조사에 소요되는 비용
3. 녹음 · 속기록 · 참고인 출석에 소요되는 비용, 그 밖에 조정등에 소요되는 비용. 다만, 다음 각 목의 어느 하나에 해당하는 비용을 제외한다.
   가. 분쟁위원회의 위원 또는 영 제119조의9제2항에 따른 사무국(이하 "사무국"이라 한다) 소속 직원이 분쟁위원회의 회의에 출석하는데 소요되는 비용
   나. 중앙분쟁전문위원회의 위원 또는 국토교통부 소속 직원의 출장에 소요되는 비용
   다. 우편료 및 전신료

[제43조의4에서 이동 <2018.6.15.>]

1 건축분쟁전문위원회

건축물의 건축등과 관련된 분쟁의 조정 및 재정을 하기 위하여 국토교통부 및 시 · 도(특별시 · 광역시 · 도 · 특별자치도)에 건축분쟁전문위원회를 설치 · 운영하였으나, 건축민원행정에 대한 만족도 제고와 건축분쟁의 원활한 조정을 위하여 국토교통부에 건축분쟁전문위원회를, 시 · 도에 광역지방건축민원전문위원회, 시 · 군 · 구에 기초지방건축민원전문위원회를 설치하여 운영하도록 하고 있다.(2014.5.28. 건축법 개정, 2014.11.28. 시행령 개정) ➡ 건축민원전문위원회는 제1장 건축위원회 해설 참조

건 축 법
1. 총 칙
2. 건 축
3. 유지관리
4. 대지도로
5. 구조재료
6. 지역지구
7. 건축설비
8. 특별건축구역
9. 보 칙
10. 벌 칙
건 축 법 관련기준

【1】 건축분쟁전문위원회(이하 "분쟁위원회")의 설치(법 제88조, 제89조)

구 분	내 용	기 타
1. 설치목적	• 건축등과 관련된 분쟁의 조정 및 재정을 하기 위함	-
2. 설치기관	• 국토교통부	-
3. 위원회의 구성	① 위원장과 부위원장 각 1명을 포함한 15명 이내 (아래 ㉰에 해당하는 위원 2명 이상 포함) ② 위원의 자격 및 임명 - 건축이나 법률에 관한 학식과 경험이 풍부한 아래 해당 자 중에서 국토교통부장관이 임명·위촉 ㉮ 3급 상당 이상의 공무원으로 1년 이상 재직한 자 ㉯ 대학에서 건축공학이나 법률학을 가르치는 조교수 이상으로 3년 이상 재직한 자 ㉰ 판사, 검사 또는 변호사의 직에 6년 이상 재직한 자 ㉱ 건축분야 기술사 또는 건축사사무소개설신고를 하고 건축사로 6년 이상 종사한 자 ㉲ 건설공사나 건설업에 대한 학식과 경험이 풍부한 자로서 그 분야에 15년 이상 종사한 자 ③ 공무원 아닌 위원의 임기 : 3년으로 하되 연임 가능	• 공무원은 임기제한을 두지않음 • 위원의 제척·기피·회피 및 위원회의 운영, 조정 등의 거부와 중지 등 그 밖에 필요한 사항은 대통령령으로 정함 • 위원장과 부위원장은 위원 중에서 국토교통부 장관이 임명 • 회의는 재적위원 과반수의 출석으로 열고 출석위원 과반수의 찬성으로 의결
	[조정위원회] 3명의 위원으로 구성 [재정위원회] 5명의 위원으로 구성(위 ㉰에 해당하는 위원 1명 이상 포함)	• 사건마다 분쟁위원회의 위원 중에서 위원장이 지명
4. 조정 및 재정 대상	① 건축관계자와 인근주민(해당 건축물의 건축등으로 인하여 피해를 입은 인근주민) 간의 분쟁 ② 관계전문기술자와 인근주민간의 분쟁 ③ 건축관계자와 관계전문기술자간의 분쟁 ④ 건축관계자 간의 분쟁 ⑤ 인근주민 간의 분쟁 ⑥ 관계전문기술자 간의 분쟁 ⑦ 그 밖에 대통령령으로 정하는 사항	• 「건설산업기본법」 제69조의 규정에 의한 건설업에 관한 분쟁의 조정을 제외 **관계법**
5. 절차	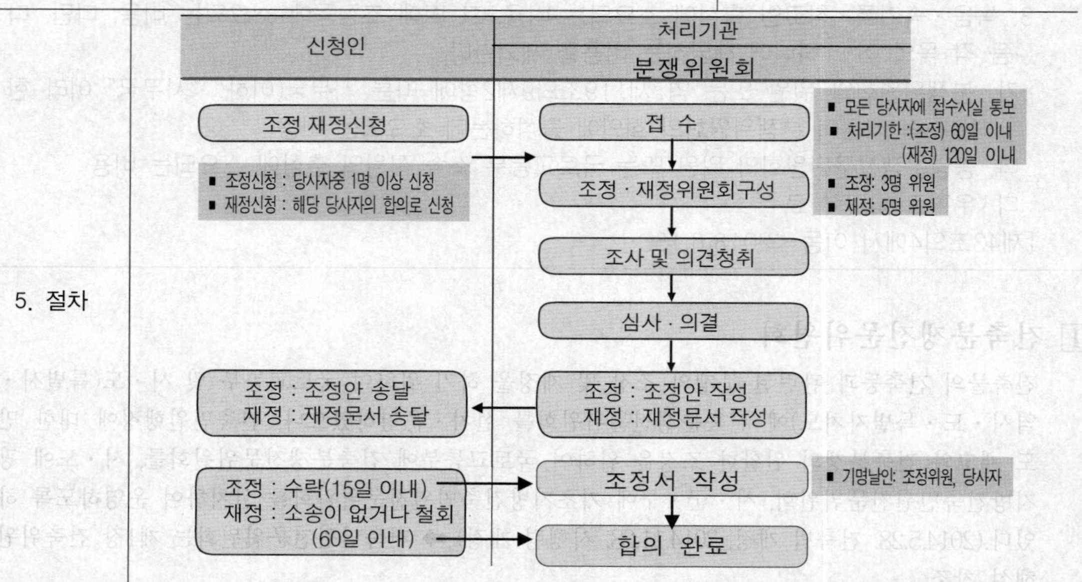	

관계법 건설분쟁 조정위원회의 설치(「건설산업기본법」 제69조, 영 제65조)

법 제69조【건설분쟁조정위원회의 설치】 ① 건설업 및 건설용역업에 관한 분쟁을 조정하기 위하여 국토교통부장관 소속으로 건설분쟁 조정위원회(이하 "위원회"라 한다)를 둔다. <개정 2013.8.6>

② 삭제 <2013.8.6>

③ 위원회는 당사자의 어느 한쪽 또는 양쪽의 신청을 받아 다음 각 호의 분쟁을 심사 · 조정한다. <개정 2013.8.6>

1. 설계, 시공, 감리 등 건설공사에 관계한 자 사이의 책임에 관한 분쟁
2. 발주자와 수급인 사이의 건설공사에 관한 분쟁. 다만, 「국가를 당사자로 하는 계약에 관한 법률」 및 「지방자치단체를 당사자로 하는 계약에 관한 법률」의 해석과 관련된 분쟁은 제외한다.
3. 수급인과 하수급인 사이의 건설공사의 하도급에 관한 분쟁. 다만, 「하도급거래 공정화에 관한 법률」을 적용받는 사항은 제외한다.
4. 수급인과 제3자 사이의 시공상의 책임 등에 관한 분쟁
5. 건설공사 도급계약의 당사자와 보증인 사이의 보증책임에 관한 분쟁
6. 기타 대통령령이 정하는 사항에 관한 분쟁

④ 위원회의 사무를 처리하기 위하여 위원회에 사무국을 두며, 위원회 위원의 조사업무를 보좌하기 위하여 사무국에 전문위원을 둘 수 있다. <신설 2013.8.6>

영 제65조【위원회의 기능】 법 제69조제3항제6호에서 "대통령령으로 정하는 사항에 관한 분쟁"이란 다음 각호의 분쟁을 말한다. <개정 2020.2.18.>

1. 수급인 또는 하수급인과 제3자간의 자재의 대금 및 건설기계사용대금에 관한 분쟁
2. 건설업의 양도에 관한 분쟁
3. 법 제28조의 규정에 의한 수급인의 하자담보책임에 관한 분쟁
4. 법 제44조에 따른 건설사업자의 손해배상책임에 관한 분쟁

【2】 분쟁의 조정 등

1. 건축물의 건축등과 관련된 분쟁의 조정등(분쟁의 조정 또는 재정)을 신청하려는 자는 국토교통부에 설치된 건축분쟁전문위원회(이하 "분쟁위원회")에 제출(전자문서에 의한 제출 포함)하여야 한다.
2. 조정신청은 해당 사건의 당사자 중 1명 이상이 하며, 재정신청은 해당 사건의 당사자 간에 합의로 한다. 다만, 분쟁위원회는 조정신청을 받은 경우 해당 사건의 모든 당사자에게 조정신청이 접수된 사실을 통보하여야 한다.
3. 분쟁위원회는 당사자의 조정신청을 받으면 60일 이내에, 재정신청을 받으면 120일 이내에 절차를 마쳐야 한다. 다만, 부득이한 사정이 있으면 분쟁위원회의 의결로 기간을 연장할 수 있다.
4. 조정위원회는 조정에 필요시 조정위원 또는 사무국의 소속 직원에게 관계서류의 열람, 관계사업장의 출입 · 조사하게 하거나 당사자나 참고인을 출석하게 하여 의견을 들을 수 있으며, 조정기간 내에 심사하여 조정안을 작성하여야 한다.
5. 조정위원회는 조정안을 작성한 때에는 지체없이 각 당사자에게 제시하여야 한다.
6. 조정안을 제시받은 당사자는 제시를 받은 날부터 15일 이내에 수락여부를 조정위원회에 알려야 한다.
7. 조정위원회는 당사자가 조정안을 수락하면 즉시 조정서를 작성하여야 하며, 조정위원과 각 당사자는 이에 기명날인하여야 한다.
8. 당사자가 조정안을 수락하고 조정서에 기명날인하면 조정서의 내용은 재판상 화해와 동일한 효력을 갖는다. 다만, 당사자가 임의로 처분할 수 없는 사항에 관한 것은 그러하지 아니하다.

9. 재정은 사건번호와 사건명 · 당사자 · 선정대표자 등의 주소 · 성명, 주문, 신청취지, 이유, 재정 날짜 등을 적은 문서로 하여야 하며, 재정위원이 기명 날인하여야 한다.

10. 재정위원회는 재정을 하면 지체없이 재정 문서의 정본을 당사자나 대리인에게 송달하여야 한다.

11. 재정위원회는 필요시 당사자의 신청이나 직권으로 당사자나 참고인에 대한 출석 요구 등과 사건 관련 장소의 출입 · 조사 등을 할 수 있다.

12. 재정위원회가 재정을 한 경우 재정문서의 정본이 당사자에게 송달된 날부터 60일 이내에 당사자로부터 재정대상 관련 소송이 제기되지 아니 하거나 철회되면 조정서의 내용은 재판상 화해와 동일한 효력을 갖는다. 다만, 당사자가 임의로 처분할 수 없는 사항에 관한 것은 그러하지 아니하다.

13. 당사자가 재정에 불복하여 소송을 제기한 경우 시효의 중단과 제소기간을 산정할 때에는 재정신청을 재판상의 청구로 본다.

14. 분쟁위원회는 재정신청이 된 사건을 조정에 회부하는 것이 적합하다고 인정하면 직권으로 직접 조정할 수 있다.

15. 분쟁의 조정등을 위한 감정·진단·시험 등에 드는 비용은 당사자 간의 합의로 정하는 비율에 따라 당사자가 부담하여야 한다.

16. 국토교통부장관은 분쟁위원회의 운영 및 사무처리를 국토안전관리원에 위탁할 수 있으며, 예산의 범위에서 분쟁위원회의 운영 및 사무처리에 필요한 경비를 국토안전관리원에 출연 또는 보조할 수 있다.

【참고법령】 「민사소송법」(제174~197조)

분쟁에 따른 서류의 송달에 관해서는「민사소송법」제174조 내지 197조의 규정을 준용함.

법조항	내 용	법조항	내 용
제174조	직권 송달의 원칙	제186조	보충송달 · 유치송달
제175조	송달사무를 처리하는 사람	제187조	우편송달
제176조	송달기관	제188조	송달함 송달
제177조	법원사무관등에 의한 송달	제189조	발신주의
제178조	교부송달의 원칙	제190조	공휴일 등의 송달
제179조	소송무능력자에게 할 송달	제191조	외국에서 하는 송달의 방법
제180조	공동대리인에게 할 송달	제192조	전쟁에 나간 군인 또는 외국에 주재하는 군관계인 등에게 할 송달
제181조	군관계인에게 할 송달	제193조	송달통지
제182조	구속된 사람 등에게 할 송달	제194조	공시송달의 요건
제183조	송달장소	제195조	공시송달의 방법
제184조	송달받을 장소의 신고	제196조	공시송달의 효력발생
제185조	송달장소변경의 신고의무	제197조	수명법관 등의 송달권한

13 벌칙 적용시의 공무원 의제 등(법 제105조)

법 제105조【벌칙 적용시의 공무원 의제】

다음 각 호의 어느 하나에 해당하는 사람은 공무원이 아니더라도 「형법」 제129조부터 제132조까지의 규정과 「특정범죄가중처벌 등에 관한 법률」 제2조와 제3조에 따른 벌칙을 적용할 때에는 공무원으로 본다. <개정 2019.4.23., 2022.6.10.>

1. 제4조에 따른 건축위원회의 위원

1의2. 제13조의2제2항에 따라 안전영향평가를 하는 자

1의3. 제52조의3제4항에 따라 건축자재를 점검하는 자

2. 제27조에 따라 현장조사 · 검사 및 확인업무를 대행하는 사람

3. 제37조에 따른 건축지도원

4. 제82조제4항에 따른 기관 및 단체의 임직원

5. 제87조의2제3항에 따라 지역건축안전센터에 배치된 전문인력

해설 공무원이 아닌 자로서 다음에 해당하는 자는「형법」제129조 내지 제132조「특정범죄 가중처벌 등에 관한 법률」제2조 및 제3조를 적용할 때 이를 공무원으로 본다. 【참고1】, 【참고2】

- 건축위원회 위원
- 건축물의 안전영향평가를 하는 자
- 건축자재를 점검하는 자
- 현장조사 · 검사 및 확인업무를 대행하는 자
- 건축지도원
- 전자정보처리시스템의 운영을 위탁 받은 기관 및 단체의 임직원
- 지역건축안전센터에 배치된 전문인력

【참고1】 형법(제129조~제132조)

법조항	내 용
제129조	수뢰, 사전수뢰(收賂, 事前收賂)
제130조	제삼자 뇌물제공(第三者 賂物提供)
제131조	수뢰후 부정처사, 사후수뢰(收賂後 不正處事, 事後收賂)
제132조	알선수뢰(斡旋收賂)

【참고2】 특정범죄 가중처벌 등에 관한 법률(제2조, 제3조)

법조항	내 용
제2조	뇌물죄의 가중처벌
제3조	알선수재

14 질의회신•법령해석

■ 목차

1 위반건축물에 대한 조치

법령해석 차면시설 설치의무 위반이 시정명령의 대상이 되는지 여부

「건축법」 제79조제1항 및 「건축법 시행령」 제55조 등 관련 법제처 법령해석 18-0323, 2018.11.2.

질의요지 「건축법 시행령」 제55조에 따른 차면시설(遮面施設) 설치 대상 건축물에 대하여 허가권자가 「건축법」 제22조에 따라 사용승인을 한 이후 해당 건축물의 건축주가 임의로 차면시설을 철거한 경우 허가권자는 이를 「건축법」 제79조제1항의 "이 법 또는 이 법에 따른 명령" 위반으로 보아 시정명령을 할 수 있는지?

<질의 배경> 제주특별자치도는 차면시설이 설치된 것을 확인하여 건축물의 사용승인을 하였으나 이후 건축주가 임의로 차면시설을 철거하여 민원이 접수된 사례가 있어, 이에 대한 시정명령이 가능한지 여부에 대하여 국토교통부에 질의하였고 회신 내용에 이견이 있어 해석을 요청한 사안임.

회답 이 사안의 경우 허가권자는 차면시설의 철거에 대하여 시정명령을 할 수 있습니다.

이유 「건축법」에서는 "건축설비"를 환기·굴뚝·방범시설 등 건축물에 설치하는 각종 설비를 지칭하는 것으로 규정하면서(제2조제4호) 건축설비의 설치 및 구조에 관한 기준 등에 관하여 필요한 사항은 대통령령으로 정한다고 포괄적으로 위임하고 있고(제62조), 같은 법 제62조의 위임에 따른 「건축법 시행령」에서는 건축설비 설치의 원칙을 정하면서(제87조) 건축설비 중 건축물에 설치하는 굴뚝의 기준에 관한 사항과 차면시설의 설치에 관한 사항을 각각 규정(제54조 및 제55조)하고 있는바, 이와 같은 건축법령의 규정체계를 고려하면 「건축법 시행령」 제55조는 「건축법」 제62조의 위임에 따라 이를 구체화하기 위한 규정으로 보아야 합니다.

또한 「건축법」 제22조제2항제1호에서는 허가권자가 사용승인을 할 때에 "사용승인을 신청한 건축물이 이 법에 따라 허가 또는 신고한 설계도서대로 시공되었는지 여부"를 확인하도록 하고 있으므로 같은 법 시행령 제55조 등 건축법령을 준수하여 같은 법 제22조에 따른 사용승인을 받은 이후에 임의로 차면시설을 철거한 것은 같은 법 제79조제1항에 따른 "이 법 또는 이 법에 따른 명령"을 위반한 것에 해당한다고 보는 것이 관련 규정체계에 부합하는 해석입니다.

아울러 「건축법」 제22조에 따라 건축물의 사용승인을 받은 이후 해당 건축물의 건축주가 「건축법 시행령」 제55조에 따른 차면시설을 철거한 경우에도 시정명령이 불가능한 것으로 본다면 차면시설을 임의로 철거하여도 이를 제재할 수단이 없으므로 해당 규정이 사실상 무력화된다는 점도 이 사안을 해석할 때 고려해야 합니다.

법령해석 시정명령 불이행 건축물에 대한 다른 법령에 따른 행위 허가 등의 제한 요청 규정의 적용 대상

「건축법」 제79조제2항 등 관련 법제처 법령해석 16-0663, 2017.1.23./건축사협회 수정게시 2022.9.19.

질의요지 「건축법」 제79조제2항에 따라 허가권자가 다른 법령에 따른 영업 등의 행위 허가 등을 하지 않도록 요청할 수 있는 경우에는 같은 조 제1항에 따른 시정명령을 받은 자가 해당 건축물에서 영업 등을 하기 위해 다른 법령에 따라 행위 허가 등을 신청한 경우뿐만 아니라, 같은 조 제1항에 따른 시정명령을 받은 자 외의 제3자가 해당 건축물 에서 영업 등을 하기 위해 다른 법령에 따라 행위 허가 등을 신청한 경우도 포함되는 것인지 여부

회답 시정명령을 받은 자가 해당 건축물에서 영업 등을 하기 위해 다른 법령에 따라 행위 허가 등을 신청한 경우뿐만 아니라, 같은 조 제1항에 따른 시정명령을 받은 자 외의 제3자가 해당 건축물 에서 영업 등을 하기 위해 다른 법령에 따라 행위 허가 등을 신청한 경우도 포함됨.

이유 「건축법」 제79조제2항은 위법 건축물에 대한 조치를 강화하고 시정명령의 실효성을 확보하기 위해 1972.12.30. 일부개정되어 1973.7.1. 시행 된 「건축법」 제42조제2항에서 신설된 규정으로, 그 당시에도 “건축물을 사용하여 행할 다른 법령에 의한 영업 기타 행위를 허가할 수 없다”고 규정함으로써 해당 건축물을 사용하여 영업 등을 하기 위해 허가 등을 신청한 자이기만 하면 그 자가 「건축법」을 위반하여 시정명령을 받은 자에 해당하는지 여부와 상관없이 해당 허가 등을 할 수 없도록 규정하고 있었고, 그 취지 및 내용 등에 본질적인 변경 없이 일부 표현 등의 수정을 거쳐 현재에 이르게 되었으므로 현행 「건축법」 제79조제2항을 해석할 때에도 해당 건축물을 기준으로 다른 법령에 따른 영업 등의 행위 허가 등을 하지 않도록 요청할 수 있는지 여부를 판단하여야 할 것임.

법령해석 「건축법」 제79조제1항에서 규정하는 “이 법 또는 이 법에 따른 명령이나 처분의 위반”에 「주차장법」 위반이 포함되는지?

「건축법」 제79조 등 관련 법제처 법령해석 14-0550, 2014.9.30./건축사협회 수정게시 2022.9.19.

질의요지 “이 법 또는 이 법에 따른 명령이나 처분의 위반”에 같은 법 제12조제1항에 따른 관계 법령인 「주차장법」 제19조 위반이 포함되는지 여부

회답 「건축법」 제79조제1항의 “이 법 또는 이 법에 따른 명령이나 처분의 위반”에는 같은 법 제12조제1항에 따른 관계 법령인 「주차장법」 제19조 위반은 포함되지 않는다고 할 것임.

이유 먼저, 법률의 본칙에서 관형사 “이”를 붙여 “이 법”이라고 지칭하면 문언적으로 해당 법률 그 자체를 가리키는 것으로 해석되므로 「건축법」 제79조제1항의 “이 법”이란 일단 「건축법」 자체를 가리키는 것으로 볼 수밖에 없는 것이고, 이러한 점은 같은 법 제12조제1항에서 「건축법」 이외의 법률에 대해서는 해당 법률의 제명을 직접 밝히거나 “관계 법령”이라는 표현으로 대신하고 있다는 점에서도 나타난다고 할 것임.

그리고, 「건축법」 제12조제1항에서 규정하는 건축복합민원 일괄협의회는 민원인의 편의를 위하여 복합민원과 관련된 모든 민원서류를 일괄하여 제출하게 하는 절차일 뿐, 이러한 협의회를 개최한다고 하여 다른 법률의 요건이 「건축법」에 따른 요건으로 전환되는 것이 아니므로, 「주차장법」 제19조 위반을 「건축법」 제79조제1항에서 규정하는 “이 법 또는 이 법에 따른 명령이나 처분의 위반”으로 볼 수는 없을 것임.

법령해석 건축물대장에 “위반건축물”의 표시 범위

「건축법」 제79조 등 관련 법제처 법령해석 13-0333, 2013.8.14./건축사협회 수정게시 2022.9.19.

질의요지 「주택법」 제42조제2항제4호, 같은 법 시행령 제47조제2항제2호 및 별표 3 제5호에 위반하여 허가를 받거나 신고를 하지 않고 비내력벽을 철거한 경우 건축물의 건축물대장에 “위반건축물”의 표시를 하여야 하는지 여부

회답 그 건축물의 건축물대장에 “위반건축물”의 표시를 하여야 하는 것은 아니라고 할 것임

이유 「건축법」 제79조제1항 및 제4항에 따르면 허가권자는 건축물이 같은 법 또는 같은 법에 따른 명령이나 처분에 위반되는 경우 국토교통부령으로 정하는 바에 따라 건축물대장에 위반내용을 적어야 한다고 규정 하고 있으며, 건축물대장규칙 제8조제1항에서는 「건축법」 제79조제4 항에 따라 건축물대장에 “위반건축물”이라는 표시를 하도록 규정하고 있는바, 「건축법」 또는 「건축법」에 따른 명령이나 처분에 위반된 경우가 아니라 「주택법」에 위반된 경우에는 건축물대장에 “위반건축물”의 표시를 강제할 법적 근거가 없음.

「주택법」 위반의 경우에도 건축물대장에 "위반건축물"의 표시를 하여야 한다는 의견이 있을 수 있으나, 「주택법」 제98조제6호 및 제101조제3항제5호에 따르면 허가를 받지 않고 비내력벽을 철거한 경우 1년 이하의 징역 또는 1천만원 이하의 벌금에 처하도록 규정하고, 신고를 하지 않고 비내력벽을 철거한 경우 5백만원 이하의 과태료를 부과하도록 규정하고 있는 등 「주택법」 제94조부터 제102조까지에서 「주택법」 위반에 대한 벌칙 규정을 두어 별도의 이행확보수단을 가지고 있는 점 등을 고려하면, 위와 같은 의견은 타당하지 않은 것으로 보임.

법령해석 시정명령의 대상

법제처 법령해석 05-0095, 2005.12.19.

질의요지 건축주 등의 의도적인 행위가 아닌 기상현상 등에 의하여 지표면이 침하되어 당초 지하층이 지상층이 되면서 건축물이 건축법령상 기준에 부적합하게 된 경우 「건축법 제69조」의 규정에 의하여 허가권자가 시정조치를 내릴 수 있는지 여부

회답 「「건축법」의 규정에 따라 적법하게 허가를 받아 건축된 건축물이 기상현상 등에 의하여 지표면이 침하되어 당초 허가받은 지하층이 지상층으로 바뀌어 건축물이 건축법령에 위반된 상태가 된 경우에도 건축허가권자는 「건축법 제69조제1항」의 규정에 따라 당해 건축물의 위법상태의 시정을 위해 필요한 조치를 명할 수 있다고 할 것임.

이유 "생략" (* 법 제8조, 제69조 ⇒ 제11조, 제79조, 2008.3.21 개정)

질의회신 집합건축물내 위반부분이 있는 경우 건축행위 가능 여부

국토교통부 민원마당 FAQ 2019.5.24.

질의 분할등기된 집합건축물 내 건축하고자 하는 부분은 건축법 및 관계법령에 적합하나 같은 건축물 내 다른 부분이 건축법을 위반하였고 건축하고자 하는 부분과 위반한 부분의 소유자가 동일인인 경우 건축행위가 가능한 지 여부

회신 귀 질의의 경우 건축하고자 하는 부분이 집합건축물 내 분할 등기된 부분으로서 건축법령 및 관계법령에 적합하다면 타인 소유로 분할 등기된 다른 부분이 건축법을 위한한 경우라도 건축행위가 가능하나, 건축변경을 하고자하는 부분과 건축법을 위반한 부분이 분할 등기되었더라도 소유자가 동일한 경우에는 위반사항을 해소한 후에라야 건축행위가 가능할 것임

질의회신 건축법 위반 여부

건교부 건축기획팀-6083, 2007.11.13.

질의 건축물의 옥상부분에 어린이 물놀이시설을 설치하여 수영장 부대시설로 영업행위를 하고 있는 바, 이 시설물이 건축법에 따른 사용승인을 득하지 아니하였다면 건축법 규정 위반으로 처벌할 수 있는 지 여부

회신 건축법 제2조 제1항 제2호 및 제5호에 따르면 "건축물"이란 토지에 정착하는 공작물중 지붕과 기둥 또는 벽이 있는 것과 이에 부수되는 시설물 등을 말하며 "거실"이란 건축물안에서 주거·집무·작업·집회·오락 기타 이와 유사한 목적을 위하여 사용되는 방으로서 구조안전, 방·내화, 피난, 기능에 지장이 없고 환경 및 미관 등을 향상시킴으로서 공공복리의 증진에 이바지하기 위하여 건축법 등 관계규정에 적합하게 건축허가 및 유지관리 등을 하여야 함

따라서, 건축물의 옥상에 수영장 부대시설 등을 설치하여 해당 옥상을 "거실"로 변경 사용할 경우에는 건축법령등의 제규정에 적합하게 하여야 할 것이며, 적법한 절차 등이 없이 무단으로 사용하는 경우에는 위법건축물로 보아 철거 등 필요한 조치를 하여야할 것임

질의회신 의제 건축허가 된 사항 중 다른 법률을 위반한 경우의 행정조치 방법

건교부 고객만족센터, 2007.9.6.

질의 복합민원으로 의제 건축허가 된 사항 중 산지관리법의 절.성토 위반(부지조성시 허가시계획보다 2m이상 절토)등 위법사항 발생되었다면 이를 개별법에 의거 협의부서에서 위반자 조치가 되어야 하는지 아니면 산지전용허가도 건축허가시 의제처리되었으므로 산지전용허가(협의) 담당부서의 위법사항 조치의견을 받아 건축부서에서 산지관리법 위반자 의법조치를 하여야 하는 지 여부

회신 종합행정을 하는 지방자치단체의 경우 행정행위는 해당부서에서 하는 것이지만 그 것은 단체장이 하는 행정행위로 볼 수 있는바, 직원 한 사람이 여러 법령을 담당할 수도 있고 한 부서에서 여러 법령에 의한 인.허가를 담당할 수도 있음

그리고, 행정자치부 복합민원의제처리관련 질의회신에 의하면 복합민원으로 의제처리 된 경우라도 그 사후관리는 당해 개별법령에서 하여야 할 것이라고 말하고 있으며, 개별법령에 위반이 있는 경우 그 각각의 법령에 의하여 조치되어야 함이 타당할 것으로 사료됨

질의회신 존치기간이 만료된 가설건축물에 대한 추인허가 가능여부

건교부 고객만족센터, 2007.8.26.

질의 도시계획시설(도로) 예정지에 가설건축물 허가를 득하여 사용승인을 받고 사용하고 있는 건물로서 존치기간이 만료된 상황이나 연장신고를 하지 않은 경우 추인이 가능한지 여부

회신 가설건축물의 존치기간이 만료되었으나, 연장신고를 하지 아니한 경우 건축법령의 위반으로 보아 건축법 제69조, 제69조의 제1항제1호, 제74조, 제79조 등의 벌칙의 적용이 가능한 것임을 알려드리며, 건축법령에는 추인제도를 별도로 마련해 두고 있지는 않으나, 불완전한 법률행위를 사후에 보충하여 확정적으로 유효하게 하는 일방적 의사표시로서 "추인"이란 민법상 제도가 있으며, 건축물이 단순히 건축법령이 정하는 절차(허가 또는 신고)를 이행하지 아니하였으나 현행 건축법령에 적합한 경우로서 당해 건축물을 철거 후 다시 건축하는 실익보다 당해 불법 건축물을 추인하여 얻어지는 실익이 큰 경우라고 당해 허가권자가 판단하는 경우에 이를 적용하여야 하는 것임 (* 법 제69조, 제74조, 제79조 ⇒ 제79조, 제85조, 제110조, 2008.3.21 개정)

질의회신 위반건축물의 사용승인

국토교통부 민원마당 FAQ 2019.5.24.

질의 상가용 집합건축물의 A점포 소유자(갑)가 용도변경 허가를 받아 공사를 진행 중에 B점포 소유자(을)가 집합건축물의 주차장 일부를 무단으로 용도변경한 행위에 대하여 시정지시를 하였으나 시정조치가 되지 않은 상태인 경우, 갑이 신청한 용도변경에 대하여 사용 승인을 할 수 있는 지 여부

회신 「건축법」 제79조제1항에 따라 허가권자는 대지나 건축물이 이 법 또는 이 법에 따른 명령이나 처분에 위반되면 이 법에 따른 허가 또는 승인을 취소하거나 그 건축물의 건축주·공사시공자·현장관리인·소유자·관리자 또는 점유자(이하 "건축주등"이라 한다)에게 공사의 중지를 명하거나 상당한 기간을 정하여 그 건축물의 철거·개축·증축·수선·용도변경·사용금지·사용제한, 그 밖에 필요한 조치를 명할 수 있도록 하고 있으며,

같은 조 제2항에 따라 허가권자는 제1항에 따라 허가나 승인이 취소된 건축물 또는 제1항에 따른 시정명령을 받고 이행하지 아니한 건축물에 대하여는 다른 법령에 따른 영업이나 그 밖의 행위를 허가하지 아니하도록 요청할 수 있도록 하고 있음

또한, 「주차장법」 제19조의4 제4항에 따라 부설주차장을 다른 용도로 사용하거나 부설주차장 본래의 기능을 유지하지 아니하는 경우에는 해당 시설물을 「건축법」 제79조제1항에 따른 위반 건축물로 보아 같은 조 제2항 본문을 적용하도록 하고 있음

따라서, 부설주차장의 불법용도 변경에 따른 행위제한에 대하여는 건축법령에서 정하고 있지 않음에 따라, 「주차장법」 위반여부 등을 검토하여 해당 건축허가권자가 판단할 사항으로 사료됨

질의회신 위반건축물 양성화방법

국토교통부 민원마당 FAQ 2019.5.24.

질의 건축허가를 받지 아니하거나 신고를 하지 아니하고 증축한 건축물에 대해 양성화가 가능한 지 여부.

회신 「건축법」 제79조제1항에 의하면 허가권자는 대지나 건축물이 건축법 또는 건축법에 따른 명령이나 처분에 위반되면 건축법에 따른 허가 또는 승인을 취소하거나 그 건축물의 건축주,공사시공자,현장관리인,소유자, 관리자 또는 점유자(이하 "건축주등"이라 한다)에게 공사의 중지를 명하거나 상당한 기간을 정하여 그 건축물의 철거,개축,증축,수선,용도변경,사용금지,사용제한 그 밖에 필요한 조치를 명할 수 있음

다만, 위반건축물이 현행 건축법령에 의한 건축기준 및 기타 관계법령에는 적합하나 건축허가(신고)절차만 이행하지 아니하고 위반한 경우라면 고발 및 이행강제금 1회 부과 등 행정조치를 선행한 후 새로운 건축허가를 하는 방안을 검토할 수 있을 것이니 이에 대한 구체적인 사항은 위반건축물 지도.단속업무를 담당하고 있는 관할 소재지의 시장·군수·구청장에게 문의하시기 바람

질의회신 위반건축물 관련(법적시효)

국토교통부 민원마당 FAQ 2019.5.24.

질의 불법건축물 단속.처벌 등의 법적시효가 있는지 여부

회신 「건축법」 제79조제1항에 따라 허가권자는 대지나 건축물이 이 법 또는 이 법에 따른 명령이나 처분에 위반되면 이 법에 따른 허가 또는 승인을 취소하거나 그 건축물의 건축주등에게 공사의 중지를 명하거나 상당한 기간을 정하여 그 건축물의 철거·개축·증축·수선·용도변경·사용금지·사용제한, 그 밖에 필요한 조치를 명할 수 있으며, 시정명령을 받은 후 시정기간 내에 시정명령을 이행하지 아니한 건축주등에 대하여는 그 시정명령의 이행에 필요한 상당한 이행기한을 정하여 그 기한까지 시정명령을 이행하지 아니하면 같은법 제80조에 따라 이행강제금을 부과하고 있음

또한, 건축법 위반행위에 대한 처벌의 시효를 별도로 규정하고 있지는 않으며, 위법건축물의 위법행위가 과거에 발생한 것이라 하더라도 해당 부분이 적법하게 시정되지 않는 한 위법성이 지속되고 있는 것으로 보아 시정명령 및 이행강제금 등의 조치가 가능할 것으로 판단됨

질의회신 위반건축물 관련(무허가주택)

국토교통부 민원마당 FAQ 2019.5.24.

질의 무허가주택이 이행강제금 부과대상이 되는지와 산정방법 및 시효소멸여부

회신 「건축법」 제79조제1항의 규정에 의하면 건축물이 건축법의 규정에 의한 명령이나 처분에 위반한 경우 허가권자는 당해 건축물의 건축주등에 대하여 시정(철거.사용금지 등)을 명할 수 있도록 규정하고 있고, 이를 이행하지 아니하는 건축주등에 대하여는 같은 법 제80조의 규정에 의거 이행강제금을 부과하도록 규정하고 있으며. 이와 관련 허가를 받지 아니하거나 신고를 하지 아니하고 건축된 경우에는 1제곱미터의 시가표준액의 100분의 50에 해당하는 금액에 위반면적을 곱한 금액이하를 부과하도록 규정하고 있음

또한, 건축법 위반행위에 대한 처벌의 시효를 별도로 규정하고 있지는 않으며, 위법건축물의 위법행위가 과거에 발생한 것이라 하더라도 해당 부분이 적법하게 시정되지 않는 한 위법성이 지속되고 있는 것으로 보아 시정명령 및 이행강제금 등의 조치가 가능할 것으로 판단되나, 허가권자의 최종 사실 판단이 필요함

질의회신 위반건축물 처분(시정명령)

국토교통부 민원마당 FAQ 2019.5.24.

질의 가. 건축법령상 위반건축물에 대한 시정명령은 누구에게 하여야 하는 지.

나. 소유자가 변경된 경우 이행강제금 납부의무자는.

다. 위반건축물의 표지 및 관리는 어떻게 하는 지.

회신 가.「건축법」 제79조제1항의 규정에 의하면 허가권자는 위반건축물의 건축주·공사시공자·현장관리

인·소유자·관리자 또는 점유자에게 시정조치 명령을 할 수 있도록 규정하고 있습니다. 따라서 시정명령을 누구에게 할 것인 지 여부는 허가권자가 해당 위반행위 현황, 시정명령 내용 및 현지의 구체적인 사안을 종합적으로 검토하여 판단할 사항임

나.「건축법」 제80조의 규정에 따라 이미 부과처분된 이행강제금은 당초 부과처분을 받은 자가 납부해야 할 것이며, 소유권 이전으로 소유자가 변경된 경우에는 새로운 소유자에게 다시 시정명령을 하고 시정명령 이행여부에 따라 이행강제금 부과여부를 결정해야 할 것으로 사료되니 구체적인 사실 확인은 위반건축물 지도·단속업무를 담당하고 있는 관할 소재지의 시장.군수.구청장에게 문의하시기 바람

다.「건축법」 제79조제4항의 규정에 의하여 허가권자는 제1항의 규정에 의한 시정명령을 하는 경우에는 국토해양부령이 정하는 표지를 그 위반건축물이나 그 대지에 설치하여야 하며,같은 법 시행령 제115조제2항의 규정에 의하여 허가권자는 위반건축물의 체계적인 사후관리와 정비를 위하여 위반건축물 관리대장을 작성하고 비치하여야 함

질의회신 위반건축물 관련(환기시설)

국토교통부 민원마당 FAQ 2019.5.24.

질의 인접대지 경계선을 침범한 환기시설이 불법건축물인지 여부 및 처리규정은?

회신 「건축법」 제79조제1항에 따라 허가권자는 대지나 건축물이 이 법 또는 이 법에 따른 명령이나 처분에 위반되면 이 법에 따른 허가 또는 승인을 취소하거나 그 건축물의 건축주등에게 공사의 중지를 명하거나 상당한 기간을 정하여 그 건축물의 철거·개축·증축·수선·용도변경·사용금지·사용제한, 그 밖에 필요한 조치를 명할 수 있으며, 시정명령을 받은 후 시정기간 내에 시정명령을 이행하지 아니한 건축주등에 대하여는 그 시정명령의 이행에 필요한 상당한 이행기한을 정하여 그 기한까지 시정명령을 이행하지 아니하면 같은법 제80조에 따라 이행강제금을 부과하고 있음

위반건축물에 대한 시정명령 등의 규정 적용은 행정처분의 신뢰성과 실익 등을 종합적으로 고려하여 해당 허가권자가 합리적인 판단에 의하여 결정될 수 있을 것이니 구체적인 사항은 위반건축물 지도·단속업무를 담당하고 있는 해당 허가권자에게 문의바람

질의회신 위반건축물의 처분(일조권 위반)

국토교통부 민원마당 FAQ 2019.5.24.

질의 지상3층 상가 건축물 중 3층 부분이 일조권 위반 및 불법 용도변경한 경우

-상기 사항으로 민원제기한 경우 처리절차 및 소요기한

- 위반건축물 표기방법 및 1층.2층 부분의 명의변경 가능 여부

-이행강제금 부과 횟수, 부과액, 언제까지 부과하는 지

회신 「건축법」 제79조 및 제80조의 규정에 의하면, 허가권자는 대지나 건축물이 건축법령에 위반한 경우 그 건축물의 건축주·공사시공자·현장관리인·소유자·관리자 또는 점유자(이하 "건축주등"이라 한다)에게 상당한 기간을 정하여 그 건축물의 철거.개축.증축.수선.용도변경.사용금지.사용제한, 그 밖에 필요한 조치(이하 “시정명령”이라 한다)를 할 수 있으며, 시정명령을 받은 후 시정기간 내 시정명령을 이행하지 아니한 건축주등에 대하여는 이행강제금을 부과함

이 경우 이행강제금은 건축물이 건폐율이나 용적률을 초과하여 건축된 경우 또는 허가를 받지 아니하거나 신고를 하지 아니하고 건축된 경우에는 「지방세법」에 따라 해당 건축물에 적용되는 1제곱미터의 시가표준액의 100분의 50에 해당하는 금액에 위반면적을 곱한 금액 이하, 상기 외의 위반 건축물에 해당하는 경우에는 「지방세법」에 따라 그 건축물에 적용되는 시가표준액에 해당하는 금액의 100분의 10의 범위에서 위반내용에 따라 대통령령으로 정하는 금액을 부과함

또한, 허가권자는 상기 규정에 따라 시정명령을 하는 경우 국토해양부령으로 정하는 바에 따라 건축물대장에

위반내용을 적어야 하며, 최초의 시정명령이 있었던 날을 기준으로 하여 1년에 2회 이내의 범위에서 그 시정명령이 이행될 때까지 반복하여 이행강제금을 부과.징수할 수 있음

따라서, 구체적인 적용은 위반건축물 지도.단속업무를 담당하고 있는 관할 소재지의 허가권자인 시장.군수.구청장에게 문의하시기 바람

질의회신 위반건축물 양성화시 난연2급 성능확인 서류 첨부 여부

국토교통부 민원마당 FAQ 2019.5.24.

질의 위반건축물 양성화시 난연2급 성능확인 서류를 첨부하여야 하는 지 여부

회신 「건축법」 제79조제1항에 따라 허가권자는 대지나 건축물이 건축법령에 위반되면 건축법에 따른 허가 또는 승인을 취소하거나 그 건축물의 건축주등에게 상당한 기간을 정하여 시정명령을 하고 있으며, 시정기한 내 시정명령을 이행하지 아니한 경우 같은 법 제80조에 따라 이행강제금을 부과하고 있음

다만, 허가권자가 위반건축물이 현행 건축법령에 의한 건축기준 및 기타 관계법령에는 적합하나 건축허가(신고)절차만 결한 경우에는 고발 및 이행강제금 1회 부과 등의 행정조치를 한 후 건축허가를 하는 방안이 있음

따라서, 질의의 건축물이 「건축법」 제52조에 따른 방화에 지장이 없는 재료를 사용하여야 하는 대상 건축물인 경우에는 허가권자가 방화에 지장이 없는 재료 사용 여부를 확인 후 상기 절차를 판단하여야 함.

질의회신 위반건축물 내에서 의약품도매상 허가가 가능한 지

국토교통부 민원마당 FAQ 2019.5.24.

질의 가. 위반건축물 내에서 의약품도매상 허가가 가능한 지

나. 위반건축물 내에서 치과의원의 의료기관 개설 신고처리가 가능한 지

회신 「건축법」 제69조 제2항에서 '허가'라 함은 당해 위반건축물을 사용하여 행할 다른 법령에 의한 영법 기타 행위의 '허가행위'를 말하며, 위반사실이 없고 해당법령이 요구하는 조건을 충족하여 효력이 발생하는 '신고행위'라면 처리가 가능할 것임 (*법 제69조 ⇒ 제79조, 2008.3.21. 개정)

질의회신 위반건축물 내 영업장 신고가 가능한 지 여부

국토교통부 민원마당 FAQ 2019.5.24.

질의 집합건축물 내 위반행위로 건축물대장에 위반건축물로 표기된 경우 판매시설에서 음식점이나 주점의 신고가 가능한 지 여부

회신 「건축법」 제79조제2항의 규정에 의하면, 허가권자는 위반건축물에 대하여 해당 건축물을 사용하여 행할 다른 법령에 의한 영업이나 기타 행위의 허가를 하지 아니하도록 요청할 수 있음.

이와 관련, "허가"라 함은 해당 위반건축물을 사용하여 행할 다른 법령에 의한 영업이나 기타 행위의 "허가행위"를 말하며, 관계법령이 요구하는 조건을 충족하여 효력이 발생하는 "신고행위"라면 처리가 가능할 것으로 사료되니, 보다 구체적인 사항은 위반건축물 지도·단속 업무를 담당하고 있는 관할 소재지의 허가권자인 시장.군수.구청장에게 문의하시기 바람

기타 「집합건물의 소유 및 관리에 관한 법률」에 관한 유권해석은 소관법령을 운용하고 있는 법무부에 직접 문의하시기 바람

질의회신 위반건축물 표시가 있는 건축물의 영업허가제한 여부

건교부 고객만족센터, 2007.12.27.

질의 건축법 제69조(위반건축물 등에 대한 조치 등)규정에 의하면 위반건축물에 대하여는 '다른 법령에 의한 영업 기타 행위의 허가를 하지 아니하도록 요청할 수 있다' 라고 규정하고 있는데, [허가를 하지 아니 하도록]의 의미가 신고 건으로 분류되는 영업대상은 위반건축물에서도 영업이 가능하고 허가 건에 해당되는 영업행위는 제한을 받는다는 의미인지 아니면 영업행위에 중점을 두어 영업행위에 관련된 것을 할 수 없다는 것인지?

(예를 들어 식품위생법상 유흥주점은 허가 건이고, 음식점은 신고 건이므로 위반건축물에 유흥주점은 영업행위의 제한을 받지만 음식점영업은 할 수 없는 것인지 아니며, 둘 다 영업행위이므로 둘 다 제한을 받는 것인지)

회신 질의의 경우 건축법령에 의하여 건축법령을 위반한 건축물에 있어 다른 법령에 의한 영업 기타 행위의 허가를 하지 아니하도록 요청할 수 있는 것이나, 그 요청의 수렴여부 및 허가 가능여부는 건축법령에서 검토·판단되어야 할 사항이 아니므로 영업허가 관련법령(식품위생법 등)에서 판단되어야 할 사항으로 사료됨 (* 법 제69조 ⇒ 제79조, 2008.3.21. 개정)

질의회신 집합건축물의 공유부분을 무단증축 시 다른 부분 임차인의 영업행위허가제한 가능 여부

국토교통부 민원마당 FAQ 2013.12.6.

질의 집합건축물의 공유부분을 무단 증축하여 「건축법」을 위반한 경우 위반사항이 없는 다른 부분에 대한 임차인의 영업행위의 허가제한을 요청할 수 있는 지

회신 가. 소유부분이 분리되어 있는 집합건축물에서 증축부분 위반이라 하더라도, 해당 건축물위 일부에 위반사항이 있는 경우라면 위반사항 시정을 위하여 해당 건축물 전체를 위반건축물로 보는 것이 원칙이나, 건축법 위반사항이 공유부분이 아니고 소유권 등에 있어서 직접적인 관련이 없다면 선의의 제3자의 소유부분은 제외할 수 있을 것임

나. 따라서, 질의의 집합건축물의 공유부분을 무단 증축하여 건축법령을 위반한 경우 건축물 전체를 위반건축물로 보아야 할 것으로 판단되며 「건축법」 제 69조 제2항에 따라 허가권자는 시정명령을 받고 이행하지 아니한 건축물을 사용하여 행할 다른 법령에 의한 영업 기타 행위의 허가를 하지 아니하도록 요청할 수 있을 것임 (* 법 제69조 ⇒ 제79조, 2008.3.21 개정)

질의회신 일단의 대지에 무단점유한 타인 소유 건축물에 대한 처리방안

건교부 건축기획팀-3047, 2006.5.16.

질의 일단의 대지에 무단점유한 타인 소유 건축물에 대한 처리방안 문의

회신 건축법 제69조에 의하면, 허가권자는 대지 또는 건축물이 이 법 또는 이 법의 규정에 의한 명령이나 처분에 위반한 경우에는 그 건축물의 소유자 등에게 위반 건축물의 철거 등 기타 필요한 조치를 명할 수 있다고 규정하고 있음. 따라서 질의의 경우가 이에 해당하는 경우라면 당해 허가권자에게 건축법령에서 정하는 바에 따라 위반 건축물의 철거 등 적의조치를 요청하거나, 토지 소유자로부터 토지매수 또는 동의 등 절차에 따라 처리할 사항임 (* 법 제69조 ⇒ 제79조, 2008.3.21 개정)

질의회신 공사 미완공된 상태에서 사용승인된 건축물의 승인취소 가능여부

건교부 건축기획팀-2312, 2006.4.13.

질의 사용승인을 얻고 사용 중인 건축물의 현황을 조사한 결과 공사가 완료되지 아니하였고 사용을 할 수 없는 경우 건축법 제69조제1항의 규정에 의한 승인 취소 등의 조치가 가능한지

회신 대지 또는 건축물이 건축법 또는 건축법의 규정에 의한 명령이나 처분에 위반한 경우 허가권자는 동법 제69조제1항의 규정에 의하여 이 법의 규정에 의한 허가 또는 승인을 취소하거나 그 건축물의 건축주·공사시공자·현장관리인·소유자·관리자 또는 점유자에 대하여 그 공사의 중지를 명하거나 상당한 기간을 정하여 그 건축물의 철거·개축·증축·수선·용도변경·사용금지·사용제한 기타 필요한 조치를 명할 수 있음. 질의에 관련한 건축물이 건축법에 위반하였는지 여부 기타 이후의 처리에 대하여는 상기 규정과 기타 관계법령에 따라 귀 시에서 적의 판단하시기 바람 (*법 제69조 ⇒ 제79조, 2008.3.21 개정)

질의회신 건축물대장 건축물현황도와 현장이 상이한 경우의 조치

건교부 건축기획팀-676, 2006.2.3.

질의 다가구주택(지하1층/지상3층)을 다세대주택으로 건축물대장 전환을 하면서 제출된 건축물현황도(지하1

건 축 법
1. 총 칙
2. 건 축
3. 유지관리
4. 대지도로
5. 구조재료
6. 지역지구
7. 건축설비
8. 특별건축구역
9. 보 칙
10. 벌 칙
건 축 법 관련기준

층 4세대에 내부 화장실 설치)와 실제 설치현황(세대별 내부화장실 미설치)이 일치하지 않고, 건축물 외부에 별도 화장실을 무단으로 설치한 경우 위반건축물 조치 가능 여부

회신 질의 다가구주택의 세대별 화장실 철거 및 외부 별도 화장실 설치가 「건축법」 에 규정된 적법한 절차없이 행하여진 것이라면 「건축법」 제69조 규정에 따라 위반건축물의 조치가 가능할 것이며, 위반사항이 시정되고 난 후 적합한 건축물현황도 등을 제출받아 시장·군수·구청장이 실제 현황과 합치되는지 여부를 확인한 후에야 다세대주택으로의 대장전환이 가능할 것임 (* 법 제69조 ⇒ 제79조, 2008.3.21 개정)

질의회신 위법건축물의 용도변경 가능여부

건교부 건축기획팀-397, 2006.1.20.

질의 위법건축물인 경우 당해 건축물의 용도를 변경할 수 있는지?

회신 건축법 제69조제1항의 규정에 의하여 허가권자는 대지 또는 건축물이 이 법 또는 이 법의 규정에 의한 명령이나 처분에 위반한 경우에는 이 법의 규정에 의한 허가 또는 승인을 취소하거나 그 건축물의 건축주·공사시공자·현장관리인·소유자·관리자 또는 점유자에 대하여 그 공사의 중지를 명하거나 상당한 기간을 정하여 그 건축물의 철거·개축·증축·수선·용도변경·사용금지·사용제한 기타 필요한 조치를 명할 수 있음. 따라서 건축물이 건축법령을 위반한 위법건축물인 경우에는 이 법령에 의한 허가·신고·변경 등을 제한할 수 있는 것임.
(* 법 제69조 ⇒ 제79조, 2008.3.21 개정)

질의회신 이행강제금 제도 도입 이전 위법건축물의 조치 방법

건교부 건축과-372, 2005.1.21.

질의 질의의 위반건축물은 건축법령에 의한 이행강제금 제도가 '91.5.31 개정되어 '92.6.1부터 시행되기 이전에 발생된 무허가 건축물로서 개정법령에 의한 경과조치규정에 의거 과태료 처분 후 현재까지 위법건축물로 존치되고 있다면 현행 건축법령에 의거 이행강제금을 부과하거나 행정대집행을 할 수 있는지 여부

회신 1992.5.31 이전에 발생한 위반건축물로서 경과규정 적용으로 과태료부과 처분후 위반건축물로 존치되고 있다면 건축법 제83조의 규정에 의한 이행강제금의 부과는 불가할 것이나, 현행 건축법령에 의한 위법사항이 시정완료 될 때까지 동법 제69조 등의 규정에 의한 조치가 가능한 것임
(* 법 제69조, 제83조 ⇒ 제79조, 제80조 2008.3.21 개정)

질의회신 집합건축물 소유자가 일부를 불법 증축한 경우 그 소유지분에 위법건축물 표시 가능여부

건교부건축기획팀-2050, 2005.12.20.

질의 집합건축물의 증축 부분이 건축법 위반이고 증축 부분의 건축주가 기존 건축물의 일부를 소유하고 있을 시, 해당 건축주가 소유한 기존 건축물의 일부의 건축물대장에도 위반건축물 표기를 할 수 있는지 여부

회신 「건축물대장의 기재 및 관리 등에 관한 규칙」 제12조제1항의 규정에 따라 시달된 「건축물대장 작성 세부기준」(건축58550-3321호, '98.9.16.)에 따르면「건축법」 제69조제1항의 규정에 의거 건축법령에 위반사항이 있는 경우 건축물대장에 "위반건축물"로 표기하여 자진시정을 유도토록 하고 있는바, 그 소유부분이 분리되어 있는 집합건축물의 증축부분 위반이라 하더라도, 해당 건축물의 일부에 위반사항이 있는 경우라면 위반사항 시정을 위하여 해당 건축물 전체를 위반건축물로 보아 건축물대장에 위반건축물 표기를 해야 하는 것이 원칙이나, 건축법 위반사항이 집합건축물의 공유부분이 아니고, 소유권 등에 있어서 직접적인 관련이 없다면 선의의 제3자의 소유부분은 제외할 수 있을 것으로 사료됨 (* 법 제69조 ⇒ 제79조, 2008.3.21. 개정)

질의회신 위반건축물이 있는 대지 안에서의 다른 적법 건축물의 개축가능 여부

건교부 건축기획팀-51, 2006.1.3.

질의 위반건축물과 재해로 훼손된 건축물이 함께 있는 대지 안에서 훼손된 건축물을 다시 건축할 수 있는지

회신 건축법 제69조제1항에 의하면 허가권자는 대지 또는 건축물이 이 법 또는 이 법의 규정에 의한 명령이나

건 축 법
1. 총 칙
2. 건 축
3. 유지관리
4. 대지도로
5. 구조재료
6. 지역지구
7. 건축설비
8. 특별건축구역
9. 보 칙
10. 벌 칙
건 축 법 관련기준

처분에 위반한 경우에는 이 법의 규정에 의한 허가 또는 승인을 취소할 수 있는 바, 대지 또는 건축물이 건축법에 위반한 경우에는 위반사항을 해소한 후에 건축물의 건축 등 건축법에 의한 행위가 가능한 것임
(* 법 제69조 ⇒ 제79조, 2008.3.21 개정)

질의회신 개발제한구역내의 위반건축물에 대한 행정조치

건교부 건축과-1056, 2005.3.2.

질의 개발제한구역내의 위반건축물에 대하여도 건축법 제74조를 적용할 수 있는지 여부

회신 건축법상 대수선 신고를 하여야 하는 경우로서 대수선 신고를 하지 아니하고 대수선한 경우라면 건축법령(법 제69조 및 제74조)에 따라 조치할 수 있을 것으로 사료됨
(* 법 제69조, 제74조 ⇒ 제79조, 제85조, 2008.3.21 개정)

질의회신 인접건축물이 대지경계를 침범한 경우 건축허가 가능 여부

건교부 건축과-1255, 2005.3.11.

질의 인접대지의 건축물이 경계를 침범한 경우 침범된 대지에 건축허가가 가능한 지 여부

회신 건축법 제69조 제1항에서 허가권자는 대지 또는 건축물이 건축법 또는 동법의 규정에 의한 명령이나 처분에 위반한 경우에는 건축법에 의한 허가 또는 승인을 취소하거나 그 건축물의 건축주·공사시공자·현장관리인·소유자·관리자 또는 점유자에 대하여 그 공사의 중지를 명하거나 상당한 기간을 정하여 그 건축물의 철거·개축·증축·수선·용도변경·사용금지·사용제한 기타 필요한 조치를 명하도록 하고 있고 동조 제2항에서 허가권자는 제1항의 규정에 의하여 허가 또는 승인이 취소된 건축물 또는 시정명령을 받고 이행하지 아니한 건축물에 대하여는 당해 건축물을 사용하여 행할 다른 법령에 의한 영업 기타 행위의 허가를 하지 아니하도록 규정하고 있어, 질의의 경우처럼 인접대지 건축물이 침범된 대지는 위반사항을 해소하여야만 건축허가가 가능한 것임
(* 법 제69조 ⇒ 제79조, 2008.3.21 개정)

질의회신 구청 직권으로 정정되어 기존건축물이 건폐율등 기준에 부적합하게 된 경우 위법건축물 해당여부

건교부 건축 58550-1340, 2003.7.25.

질의 기존건축물이 있는 대지의 지적도 지번이 구청의 직권으로 정정되어 대지면적이 축소됨에 따라 기존건축물이 건폐율 · 용적률 기준등에 부적합하게 된 경우 동 건축물이 위법건축물에 해당하는지의 여부

회신 기존건축물이 법령의 제 · 개정이나, 도시계획의 결정 · 변경등 건축법 제5조의2 및 동법시행령 제6조의2의 규정의 사유로 인하여 부적합한 경우가 아니라면 동 건축물은 위법건축물로 보아야 할 것임
(* 법 제5조의2 ⇒ 제6조 2008.3.21 개정)

2 이행강제금

법령해석 이행강제금의 금액 가중요건인 상습적 위반의 범위

「건축법 시행령」 제115조의3제2항제4호 등 관련 법제처 법령해석 21-0876, 2022.5.4./건축사협회 수정게시 2022.9.19.

질의요지 「건축법」 제79조제1항에 따른 시정명령을 받은 건축주 등이 그 시정 명령을 이행하지 않아 같은 법 제80조제5항에 따라 그 시정명령이 이행될 때까지 이행강제금을 반복하여 부과 받는 경우가 같은 법 시행령 제115조의3제2항제4호에 따른 이행강제금의 금액 가중요건에 해당하는지 여부

회답 이 사안의 경우 「건축법 시행령」 제115조의3제2항제4호에 따른 이행강제금의 금액 가중요건에 해당하지 않음

이유 시정명령의 원인이 되는 위반행위에 대해 시정이 이루어지지 않아 위 법상태가 지속됨에 따라 허가권자가 같은 법 제80조제5항에 따라 이행강제금을 반복하여 부과한 경우는 시정명령의 원인이 된 위반행위가 있은 후 추가적인 위반행위가 새로 발생한 경우는 아니므로 같은 법 시행령 제115조의3제2항제4호에 따른 이행강제금의 금액 가중요건에 해당하지 않는다고 할 것임.

그리고 「건축법」 제80조제1항에 따른 이행강제금은 시정명령을 이행 하지 않고 있는 건축주 등이 일정한 기한까지 시정명령을 이행하지 않을 때에는 일정한 금전적 부담을 과할 뜻을 미리 계고함으로써 의무자에게 심리적 압박을 주어 장래에 그 의무를 이행하게 하려는 행정상 간접적인 강제집행 수단으로서, 같은 조 제5항에서 허가권자가 최초의 시정명령이 있었던 날을 기준으로 하여 1년에 2회 이내의 범위에서 일정 횟수만큼 그 시정명령이 이행될 때까지 반복하여 이행강제금을 부과·징수할 수 있도록 규정한 것은 "최초의 시정명령"에 따른 의무 이행의 실효성을 확보하기 위한 취지라고 할 것인데, 이와 같은 이행강제금 제도 및 반복 부과 규정을 둔 취지에 비추어 볼 때 이행강제금을 반복하여 부과·징수할 때마다 최초의 시정명령과 다른 시정명령이 있는 것은 아니라고 할 것이므로, 이행강제금을 반복하여 부과·징수 했다고 하여 그 때마다 동일인이 새로운 위반행위를 했다고 보기도 어려움.

법령해석 건축물의 피난시설 등이 법령 등의 기준에 적합하지 않은 경우, 건축주 등에 대해 부과하는 이행강제금의 산정기준

「건축법」 제80조제1항 등 관련 법제처 법령해석 21-0233, 2021.6.8./건축사협회 수정게시 2022.9.19.

질의요지 「건축법」 제80조, 같은 법 시행령 제115조의2제2항 및 같은 영 별표 15 제6호에서는 피난시설, 건축물의 용도·구조의 제한, 방화구획, 계단, 거실의 반자 높이, 거실의 채광·환기와 바닥의 방습 등이 법령 등의 기준에 적합하지 아니한 건축물의 경우 시가표준액의 100분의 10에 해당하는 금액을 이행강제금으로 부과한다고 규정하고 있는바, 같은 호에 해당하는 건축물에 대한 이행강제금의 산정기준이 되는 "시가표준액"은 그 건축물 전체에 대한 시가표준액을 의미하는지, 아니면 법령 등의 기준에 적합하지 아니한 부분의 시가표준액을 의미 하는지 여부

회답 시가표준액은 건축물 전체에 대한 시가표준액을 의미함

이유 하위법령에서 "시가표준액"이라는 용어를 사용하면서 그 의미나 범위를 특별히 한정하고 있지 않으므로, 이 경우의 시가표준액은 법률에서 규정한 "그 건축물에 적용되는 시가표준액"을 의미한다고 보는 것이 건축법령의 체계에 부합하는 해석임.

또한 「건축법 시행령」 별표 15에서는 허가를 받지 않거나 신고를 하지 않고 용도변경을 한 건축물의 경우에는 "허가를 받지 아니하거나 신고를 하지 아니하고 용도변경을 한 부분의 시가표준액"의 100분의 10에 해당하는 금액을(제1호의2), 대지의 조경에 관한 사항을 위반한 건축물에 대해서는 "조경의무를 위반한 면적에 해당하는 바닥면적의 시가표준액"의 100분의 10에 해당하는 금액(제3호)을 각각 이행강제금의 금액으로 규정하고 있는 것에 비추어 볼 때, 같은 표 제6호에 해당 하는 건축물의 경우 명시적으로 이행강제금의 산정기준을 특정한 부분이나 면적으로 한정하지 않고 "시가표준액"만으로 정하고 있음에도 불구하고 그 의미를 임의로 제한하여 해석할 수는 없다고 할 것임.

법령해석 **「건축법」상 이행강제금의 부과 절차 등**

「건축법」 제80조 등 관련　　법제처 법령해석 21-0026, 2021.2.24./건축사협회 수정게시 2022.9.19.

질의요지 가.「건축법」 제80조제1항에 따라 이행강제금을 부과하기 위하여 시정명령의 이행에 필요한 상당한 기한을 정하여 통보하는 행위(이하 "이행기간의 부여"라 함)에 대해 「행정절차법」 제21조에 따른 사전 통지를 해야 하는지?

나.「건축법」 제80조제1항에 따른 이행기간의 부여는 반드시 같은 조 제3항에 따른 계고와 별개의 절차로 해야 하는지?

다.「건축법」 제80조제5항에 따라 허가권자가 이행강제금을 재부과하려는 경우 같은 법 제79조제1항에 따른 시정명령을 다시 거쳐야 하는지?

회답 가.「건축법」 제80조제1항에 따른 이행기간의 부여에 대해 「행정절차법」 제21조에 따른 사전 통지를 하지 않아도 됨

나.「건축법」 제80조제1항에 따른 이행기간의 부여는 같은 조 제3항에 따른 계고 절차에 포함하여 할 수 있음

다.「건축법」 제79조제1항에 따른 시정명령은 다시 거치지 않아도 됨

이유 가.「건축법」 제80조제1항에 따른 이행기간의 부여는 같은 법 제79조제 1항에 따른 시정명령을 통해 부여된 의무에 대해 일정 기간 내에 이행하지 않으면 이행강제금이 부과될 수 있다는 사실을 통지하는 것에 불과하고, 같은 법 제80조제1항에서 일정 기한까지 이행하도록 한 시정명령은 같은 법 제79조제1항에 따른 시정명령인바, 이행기간의 부여로 인해 새롭게 의무가 부과되는 것으로 볼 수 없음

나. 이행강제금을 부과하기 전에 이행기간의 부여와 계고를 이행하도록 하고 있으나 이행기간의 부여를 반드시 계고와 별도의 절차로 하도록 명시하고 있지는 않음.

다. 이행강제금의 부과 전에 이행기간의 부여를 통해 의무를 이행할 수 있는 기회를 제공한 이상 반복하여 이행강제금을 부과・징수할 때마다 시정명령 절차부터 다시 거쳐야 한다고 볼 수는 없음.(대법원 2013.12.12. 선고 2012두20397 판결례 참조)

법령해석 **소규모주택에 대한 이행강제금의 총 부과 횟수 제한 여부**

「건축법」 법률 제16380호 부칙 제3조 관련　　법제처 법령해석 20-0149, 2020.6.22./건축사협회 수정게시 2022.9.19.

질의요지 「건축법」이 2019년 4월 23일 법률 제16380호로 개정(이하 "개정 건축법"이라 함)되면서 소규모주택(각주: 「건축법」 제80조제1항 각 호 외의 부분 단서에 따라 이행강제금의 감경 대상이 되는 건축물을 말하며, 이하 같음.)에 대한 이행강제금의 총 부과 횟수를 5회의 범위에서 조례로 정할 수 있도록 한 종전의 제80조제5항 단서 부분이 삭제되었는바, 개정 건축법 제80조제5항이 시행된 2019년 4월 23일부터 소규모주택에 대한 이행강제금의 총 부과 횟수를 제한하던 지방자치단체의 조례가 개정되어 시행된 날까지의 기간 중에 소규모주택에 대해 최초로 부과된 이행강제금의 경우 총 부과 횟수가 제한되는지?(각주: 개정 건축법 시행 후에도 소규모주택에 대한 이행강제금의 총 부과 횟수를 제한하는 종전 조례 규정이 상당기간 계속 시행되다가 나중에 개정 건축법의 내용과 동일하게 조례가 개정된 경우를 전제함)

회답 이행강제금의 총 부과 횟수가 제한되지 않음

이유 부칙 제3조에서는 이미 구 건축법 규정에 따라 이행강제금을 부과 받던 대상자의 신뢰를 보호하고자 같은 법 시행 전 종전의 규정에 따라 부과되고 있는 이행강제금에 대해 제80조제5항의 개정규정에도 불구하고 종전의 규정에 따르도록 경과규정을 두었음

그렇다면 이 사안과 같이 2019년 4월 23일 이후에 최초로 부과된 이행강제금은 개정 건축법 부칙 제3조의 경과규정의 적용 대상에 해당하지 않는 것이 문언상 명백하므로, 이행강제금 부과 처분 당시 시행 중인 개정 건축법 제80조제5항에 따라 이행강제금의 총 부과 횟수가 제한되지 않음

또한 개정 건축법 제80조제5항에서는 건축물 종류의 제한 없이 "시정 명령이 이행될 때까지" 반복하여 이행강제금을 부과・징수할 수 있도록 하면서 1년에 2회 이내의 범위에서 부과할 수 있는 이행강제금의 횟수에 대해서만 조례에 위임하고 있을 뿐이므로, 이 사안과 같이 개정 건축법이 시행되었음에도 불구하고 구 건축법 제80조제5항 단서에 따라 소규모주택에 대한 이행강제금의 총 부과 횟수를 제한하던 조례가 개정되지 않은 경우 해당 조례의 규정은 법률의 위임이 없는 사항을 정한 것인바, 이를 근거로 이행강제금의 총 부과 횟수가 제한된다고 볼 수는 없음

법령해석 **부칙에 규정된 "종전의 규정에 따라 부과되고 있는 이행강제금"의 적용범위**

「건축법」 법률 제16380호 부칙 제3조 관련 법제처 법령해석 19-0468, 19-0617, 2019.11.11./건축사협회 수정게시 2022.9.19.

질의요지 가) 2019년 4월 23일 전에 구 「건축법」(2019. 4. 23. 법률 제16380호로 일부개정되어 같은 날 시행되기 전의 것을 말하며, 이하 같음) 제79조제1항에 따라 시정명령을 하였으나, 그 시정명령을 이행하지 아니하여 2019년 4월 23일 이후에 이행강제금을 부과하는 경우 구 「건축법」의 이행강 제금 규정이 적용되는지 여부
나) 2019년 4월 23일 전에 구 「건축법」 제80조제3항에 따른 계고를 하고, 2019년 4월 23일 이후에 이행강제금을 부과하는 경우 구 「건축법」의 이행강제금 규정이 적용되는지 여부

회답 가), 나) 구 「건축법」의 이행강제금 규정이 적용되지 않음

이유 가) 개정 「건축법」 부칙 제3조에서는 "부과되고 있는 이행강제금"으로 표현하고 있으므로 구 「건축법」이 적용되는 대상은 2019년 4월 23일 전에 구 「건축법」 제80조에 따라 이행강제금이 부과된 경우임이 문언상 명백하고, 「건축법」 제79조에 따라 허가권자가 위반 건축물의 건축주등에게 명할 수 있는 시정명령은 의무위반자에게 자발적으로 의무를 이행하도록 명하는 것으로서 의무를 이행하지 않을 경우 그 의무를 강제적으로 이행하도록 하기 위해 이행강제금을 부과하는 것과는 별개의 처분이므로 개정 「건축법」 부칙 제3조에 따른 경과조치를 구 「건축법」에 따라 시정명령을 한 경우까지 확대하여 적용하는 것은 문언에 반하는 해석임
나) 「건축법」 제80조제3항에 따르면 허가권자는 이행강제금을 부과하기 전에 이행강제금을 부과・징수한다는 뜻을 미리 문서로써 계고하여야 하는바, 이 때의 계고는 이행강제금 부과를 위한 절차 중 하나로 이행강제금을 부과・징수할 것을 미리 알려주는 동시에 실제 이행강제금이 부과되기 전까지 그 시정명령을 이행하도록 하려는 것으로서 이행강제금의 부과와는 구분되므로 개정 「건축법」 부칙 제3조에 따른 경과조치를 구 「건축법」에 따라 이행강제금을 부과・징수한다고 계고한 경우까지 확대하여 적용하는 것은 문언에 반하는 해석임

법령해석 **사용승인을 받지 않고 사용한 건축물에 대한 이행강제금 산정 기준**

「건축법」 법률 제16380호 부칙 제3조 관련 법제처 법령해석 18-0714, 2019.1.16./건축사협회 수정게시 2022.9.19.

질의요지 건축허가를 받고 건축공사가 완료되었으나 「건축법」 제22조에 따른 사용승인을 받지 않은 건축물 일부를 사용하는 경우(건축법 제22조제3항 각 호에 해당하지 아니하는 경우를 전제로 함.), 같은 법 제80조제1항제2호에 따른 이행강제금은 건축물 전체면적을 기준으로 산정해야 하는지 아니면 사용승인을 받지 않고 사용하는 면적을 기준으로 산정해야 하는지 여부

회답 이 사안의 경우 이행강제금은 사용승인을 받아야 하는 건축물 전체 면적을 기준으로 산정해야 함.

이유 「건축법」 제80조제1항제2호의 위임에 따라 위반내용에 따른 이행강제 금의 산정기준을 정하고 있는 「건축법 시행령」 별표 15에서는 허가를 받지 않거나 신고를 하지 않고 용도변경을 한 건축물의 경우에는 허가를 받지 않거나 신고를 하지 않고 "용도변경을 한 부분"의 시가표준액의 100분의 10에 해당하는 금액을(제1호의2), 유지·관리 상태가 「건축법」 제42조에 따른 기준에 적합하지 않은 건축물의 경우에는, "위반한 조경의 무면적에 해당하는 바닥면적"의 시가표준의 100분의 3 에 해당하는 금액을(제3호) 각각 이행강제금으로 산정하도록 규정하여 이행강제금의 부과 대상을 전체 건축물 중 위반행위가 존재하는 부분으로 한정하고 있는 반면, 사용승인을 받지 않고 사용 중인 건축물에 대해서는 "시가표준액의 100분의 2"에 해당하는 금액이라고 규정하여 그 부과 대상을 한정하고 있지 않음(제2호).

법령해석 **「건축법」 제80조의2에 따른 이행강제금 감경의 특례를 중첩적으로 적용할 수 있는지 여부**

「건축법」 제80조의2 등 관련 법제처 법령해석 18-0466, 2018.11.26./건축사협회 수정게시 2022.9.19.

질의요지 「건축법」 제80조의2제1항제2호에 따른 감경 요건과 같은 조 제2항에 따른 감경 요건을 동시에 충족하는 건축물의 경우 같은 법 시행령 제115조의4제2항의 이행강제금 감경 비율과 같은 조 제3항의 이행강제금 감경 비율을 중첩하여 적용할 수 있는지 여부

회답 이 사안의 경우 이행강제금 감경 비율을 중첩하여 적용할 수 없음

이유 「건축법」 제80조의2제1항 및 같은 조 제2항 중 어느 규정을 적용하여 이행강제금을 감경하더라도 "같은 법 제80조에 따른 이행강제금"이 그 기준이고 각각의 감경 규정을 중첩하여 적용할 수 있다는 명시적인 규정이 없으므로 같은 법 제80조에 따른 이행강제금을 기준으로 하여 같은 법 시행령 제115조의4제2항과 제3항

에서 정해진 감경 비율중 어느 하나를 적용하여 이행강제금을 감경할 수 있다고 보는 것이 원칙적으로 이행 강제 금을 부과하되 예외적으로 감경하고 있는 건축법령의 체계에 부합하는 해석임.
한편 「건축법」 제80조의2제1항제2호 및 같은 조 제2항을 중첩 적용하여 이행강제금을 감경할 수 있다고 본다면 같은 법 제80조의2제1항 본문에 따라 "같은 법 제80조에 따른 이행강제금"에 대해 같은 법 시행령 제115조의4제2항제1호에 따른 감경 비율인 "100분의 50"을 감경하면서, 추가로 같은 법 제80조의2제2항에 따라 "같은 법 제80조에 따른 이행강제금"을 기준으로 같은 법 시행령 제115조의4제2항제1호에 따른 감경 비율인 "100분의 60" 또는 "100분의 80" 만큼 감경할 수 있고 이를 합하여 적용하면 최대 "100분의 130"의 감경이 가능하게 되어 이행강제금의 전액 면제를 초과하는 비율로 감경하는 결과를 초래할 수 있다는 점도 이 사안을 해석할 때 고려해야 함.

법령해석 건축허가를 받았으나 건축물의 사용승인 신청 전에 건축면적 및 세대수를 변경한 경우에 대한 이행강제금 산정 기준

「건축법」 제80조제1항제1호 등 관련 법제처 법령해석 17-0664, 2018.4.16.

질의요지 건축면적이 180제곱미터인 3세대 다가구주택으로 건축허가를 받았으나, 건축물의 사용승인을 신청하기 전에 해당 건축물의 건축면적을 30제곱미터만큼 초과하여 건축(「건축법 시행령」 제12조제3항제1호, 제2호, 제4호, 제5호에 따른 일괄신고 사항에 해당하지 않는 경우로 한정하며, 이하 같음)하면서 건축허가를 받은 부분(180제곱미터)에 가구 간 경계벽을 증설하여 세대 수를 3세대에서 6세대로 변경한 건축주에게 허가권자가 이행강제금을 부과하려는 경우, 「건축법」 제80조제1항제1호에 따라 이행강제금을 산정할 때의 위반면적은 당초 건축허가를 받은 부분보다 초과하여 건축한 부분인지(30제곱미터), 아니면 건축물의 전체 면적인지(210제곱미터)?
<질의 배경> 건축면적이 180제곱미터인 3세대 다가구주택으로 건축허가를 받았으나 사용승인을 받기 전에 해당 건축물의 건축면적을 30제곱미터만큼 초과하여 건축하면서 가구 간 경계벽을 증설하여 세대 수를 3세대에서 6세대로 변경한 경우, 민원인은 건축물의 전체 면적(210제곱미터)을 위반면적으로 보아 「건축법」 제80조제1항제1호에 따른 이행강제금을 부과해야 한다는 생각에 국토교통부에 질의하였으나, 국토교통부에서 당초 건축허가를 받은 건축면적보다 초과하여 건축한 부분에 대해서만 같은 규정에 따라 이행강제금을 부과해야 한다는 취지로 답변하자, 이에 이의가 있어서 법령해석을 요청함.

회답 건축면적이 180제곱미터인 3세대 다가구주택으로 건축허가를 받았으나, 건축물의 사용승인을 신청하기 전에 해당 건축물의 건축면적을 30제곱미터만큼 초과하여 건축하면서 건축허가를 받은 부분(180제곱미터)에 가구 간 경계벽을 증설하여 세대 수를 3세대에서 6세대로 변경한 건축주에게 허가권자가 이행강제금을 부과하려는 경우, 「건축법」 제80조제1항제1호에 따라 이행강제금을 산정할 때의 위반면적은 당초 건축허가를 받은 부분보다 초과하여 건축한 부분(30제곱미터)입니다.

이유 "생략"

법령해석 「건축법」 제80조제1항에 따른 이행강제금 부과 방법의 결정

「건축법」 제80조제1항제1호 등 관련 법제처 법령해석 17-0039, 2017.3.20./건축사협회 수정게시 2022.9.19.

질의요지 건축주등이 건축허가 및 사용승인을 받은 다가구주택을 허가나 신고 없이 증축하면서 증축부분이 아닌 기존 다가구주택의 내력벽 및 가구 간 경계벽까지 해체하고 새로운 내력벽 및 가구 간 경계벽을 증설하여 「건축법」 제79조제1항에 따른 시정명령을 받고 이를 이행하지 않아 허가권자가 다시 정한 이행기한까지 시정명령을 이행하지 않은 경우, 허가권자는 해당 건축물의 전체가 허가를 받지 아니하거나 신고를 하지 아니하고 건축된 것으로 보아 전체 건축물의 면적을 위반면적으로 하여 같은 법 제80조제1항제1호에 따라 이행강제금을 부과하여야 하는지, 아니면 증축된 면적에 대해서는 같은 호에 따라 이행강제금을 부과하고 허가 또는 신고 없이 내력벽과 가구간 경계벽을해체 및 증설한 것은 같은 항 제2호에 따라 이행강제금을 부과하여야 하는지 여부

회답 허가권자는 증축된 면적에 대해서는 같은 법 제80조제1항제1호에 따라 이행강제금을 부과하고, 허가 또는 신고 없이 내력벽과 가구 간 경계벽을 해체 및 증설한 것에 대해서는 같은 항 제2호에 따라 이행강제금을 부과하여야 함.

이유 허가 또는 신고 없이 건축물을 증축하여 시정명령을 불이행한 경우는 같은 법 제80조제1항제1호에서 규정하고 있는 허가 또는 신고 없이 건축물이 건축된 경우로서 이행강제금은 해당 규정에 따라 위반면적, 즉 허가 또는 신고 없이 증축된 면적을 기준으로 산정된다고 할 것임.
이미 적법하게 건축허가 및 사용승인을 받은 기존 다가구주택 부분에서 이루어진 내력벽 및 가구 간 경계벽의 해체와 증설은 건축물의 증축· 개축 또는 재축에 해당하지 아니하는 대수선이라고 할 것이므로 같은 법 제80조제1항제2호에서 규정하고 있는 같은 항 제1호 외의 위반 건축물로서, 그 건축물에 대한 이행강제금은 같은 항 제2호에 따라 시가표준액에 해당하는 금액의 100분의 10의 범위에서 위반내용에 따라 대통령령으로 정하는 금액으로 산정된다고 할 것임.

법령해석 무허가 대수선에 대한 이행강제금 산정기준

「건축법」 제80조 등 관련 법제처 법령해석 16-0088, 2016.6.23./건축사협회 수정게시 2022.9.19.

질의요지 일부 층은 근린생활시설이고 나머지 층은 다가구주택인 건축물의 건축주가 그 건축물의 다가구주택에 해당하는 부분의 일부에 대해서 허가를 받지 않고 대수선(경계벽 증설)을 하여 시정명령을 받고 이를 이행하지 않은 경우, 건축주에 부과하는 이행강제금은 건축물 전체의 면적을 기준으로 산정 해야 하는지, 아니면 건축물의 다가구주택에 해당하는 부분 중 무허가 대수선이 이루어진 부분의 면적을 기준으로 산정해야 하는지 여부

회답 이행강제금은 건축물 전체의 면적을 기준으로 산정해야 함.

이유 「건축법 시행령」 별표 15에서는 위반행위의 종류에 따라 이행강제금의 부과 범위를 위반행위가 존재하는 부분으로 제한하려는 경우에는 그러한 취지를 명시하여 규정하고 있으므로, 같은 별표 제1호에서 무허가 대수선이 행해진 건축물에 대해서 이행강 제금의 부과 범위를 한정하는 별도의 문구 없이 "시가표준액의 100분의 10에 해당하는 금액"이라고만 규정하고 있는 것은 위반행위가 존재하는 부분만이 아니라 건축물 전체에 대해서 그 시가 표준액을 기준으로 이행강제금을 산정하라는 의미로 보는 것이 해당 규정의 문언에 충실한 해석이라고 할 것임.

법령해석 허가 등을 받지 않고 공동주택을 증축한 경우 「건축법」에 따른 이행 강제금을 부과할 수 있는지

「건축법」 제80조 등 관련 법제처 법령해석 15-0186, 2015.4.30./건축사협회 수정게시 2022.9.19.

질의요지 「주택법」 제42조제2항에 따른 증축 허가 및 「건축법」에 따른 건축 허가나 신고 없이 공동주택을 증축한 경우, 「주택법」 제98조에 따른 벌금 외에 「건축법」 제80조에 따른 이행강제금을 부과할 수 있는지 여부

회답 「주택법」 제98조에 따른 벌금 외에「건축법」 제80조에 따른 이행강제금을 부과할 수 있음.

이유 「주택법」 제42조제6항에서는 증축에 관하여 허가를 받은 경우 같은 법 제17조를 준용하여 「건축법」 제11조에 따른 건축허가와 같은 법 제14조에 따른 건축신고가 의제되도록 규정하고 있으므로, 「주택법」 제42조제2항에 따라 증축허가를 받게 되면 「건축법」에 따라 허가를 받거나 신고를 하지 않아도 그 허가를 받거나 신고를 한 것으로 처리되는 것임.
그런데, 이 사안의 경우와 같이 공동주택 증축에 대하여 의제하는 법령인 「주택법」 제42조제2항에 따른 허가를 받지 않았다면, 같은 조 제6항에 따른 인허가 의제의 효과가 발생할 여지가 없고, 따라서 이러한 경우는 「건축법」 제11조 또는 제14조에 따른 허가를 받거나 신고를 하지 않은 것이 되므로, 「주택법」 뿐만 아니라 「건축법」 위반에도 해당하게 됨.
그렇다면, 이 사안의 경우 행정청은 「주택법」 위반에 대하여 주택법령에 따른 제재처분을 하는 외에 「건축법」 위반에 대해서도 건축법령이 정하는 바에 따라 제재처분을 할 수 있다고 할 것임.

법령해석 **「주택법」 및 「건축법」에 따른 증축 허가 등을 받지 않고 공동주택을 증축한 경우 「건축법」에 따른 이행강제금을 부과할 수 있는지**

「주택법」 제42조 등 관련 법제처 법령해석 15-0186, 2015.4.30.

질의요지 「주택법」 제42조제2항에 따른 증축 허가 및 「건축법」에 따른 건축 허가나 신고 없이 공동주택을 증축한 경우, 「주택법」 제98조에 따른 벌금 외에 「건축법」 제80조에 따른 이행강제금을 부과할 수 있는지?

회답 「주택법」 제42조제2항에 따른 증축 허가 및 「건축법」에 따른 건축 허가나 신고 없이 공동주택을 증축한 경우, 「주택법」 제98조에 따른 벌금 외에 「건축법」 제80조에 따른 이행강제금을 부과할 수 있습니다.

이유 "중략"

그런데, 이 사안의 경우와 같이 공동주택 증축에 대하여 의제하는 법령인 「주택법」 제42조제2항에 따른 허가를 받지 않았다면, 같은 조 제6항에 따른 인허가 의제의 효과가 발생할 여지가 없고, 따라서 이러한 경우는 「건축법」 제11조 또는 제14조에 따른 허가를 받거나 신고를 하지 않은 것이 되므로 「주택법」 뿐만 아니라 「건축법」 위반에도 해당하게 됩니다. 그렇다면, 이 사안의 경우 행정청은 「주택법」 위반에 대하여 주택법령에 따른 제재처분을 하는 외에 「건축법」 위반에 대해서도 건축법령이 정하는 바에 따라 제재처분을 할 수 있다고 할 것입니다.

이상과 같은 점을 종합해 볼 때, 「주택법」 제42조제2항에 따른 증축 허가 및 「건축법」에 따른 건축 허가나 신고 없이 공동주택을 증축한 경우, 「주택법」 제98조에 따른 벌금 외에 「건축법」 제80조에 따른 이행강제금을 부과할 수 있다고 할 것입니다.

법령해석 **신고하지 아니한 건축물의 용도변경에 대한 이행강제금의 부과기준 면적**

법제처 법령해석 11-0016, 2011.2.24.

질의요지 건축물대장상 집합건축물이 아닌 건축물의 용도가 2층은 금융업소(근린생활시설군)로 되어 있고, 1층은 전시장(문화 및 집회시설군)으로 되어 있으며 각 층은 각각 약 250㎡ 정도의 면적으로서 합산하는 경우 500㎡ 이상 되는 상태에서 「건축법」에 따른 신고를 하지 아니하고 1층을 사무소 용도로 변경(주거업무시설군)한 경우, 신고 없이 행한 용도변경 행위에 대하여 당초 관리되던 용도대로 사용하라는 시정명령의 불이행에 따라 이행강제금을 부과할 때 실제 용도변경된 1층 면적만을 기준으로 해야 하는지, 아니면 같은 건축물 내의 사무소라는 용도에 중점을 두어 1층과 2층 면적 모두가 무단 용도변경된 것으로 보아 1층과 2층 면적을 합산하여 부과해야 하는지?

회답 건축물대장상 집합건축물이 아닌 건축물의 용도가 2층은 금융업소(근린생활시설군)로 되어 있고, 1층은 전시장(문화 및 집회시설군)으로 되어 있으며, 각 층은 각각 약 250㎡ 정도의 면적으로서 합산하는 경우 500㎡ 이상 되는 상태에서 「건축법」에 따른 신고를 하지 아니하고 1층을 사무소 용도로 변경(주거업무시설군)한 경우, 신고 없이 행한 용도변경 행위에 대하여 당초 관리되던 용도대로 사용하라는 시정명령의 불이행에 따라 이행강제금을 부과할 때에는 실제 용도변경된 1층 면적만을 기준으로 해야 합니다.

이유 "생략"

법령해석 **조경의무면적 위반 시 이행강제금의 산정 기준**

법제처 법령해석 09-0113, 2009.5.19.

질의요지 「건축법 시행령」 별표 15 제3호에 해당하는 건축물에 대한 이행강제금과 관련하여 "위반한 조경의무면적에 해당하는 바닥면적"은 위반면적인지, 아니면 조경의무면적 대비 위반면적 비율을 연면적에 곱하여 산출한 면적인지?

회답 「건축법 시행령」 별표 15 제3호에 해당하는 건축물에 대한 이행강제금에 있어서 "위반한 조경의무면적에 해당하는 바닥면적"은 위반면적을 말함

이유 "생략"

법령해석 **이행강제금 적용 대상 가설건축물에 대한 위반건축물 여부**

법제처 법령해석 07-0359, 2007.12.21.

질의요지 존치기간이 경과한 가설건축물에 대하여 「건축법」 제69조의2제1항에 따른 이행강제금의 부과요율을 적용함에 있어 그 가설건축물을 허가를 받지 아니하거나 신고를 하지 아니하고 건축된 경우로 볼 수 있는지?

회답 「건축법」 제15조 및 같은 법 시행령 제15조에 따른 존치기간이 경과한 가설건축물은 허가 또는 신고 당시 허용된 존치기간이 종료된 것으로서 이는 허가를 받지 아니하거나 신고를 하지 아니하고 건축된 위반건축물이 아니므로, 이에 대하여는 같은 법 제69조의2제1항제2호에 따라 「지방세법」에 의하여 당해 건축물에 적용되는 시가표준액에 상당하는 금액의 100분의 10의 범위 안에서 그 위반내용에 따라 대통령령이 정하는 금액의 이행강제금을 부과하여야 할 것임.

이유 "생략" (* 법 제15조, 제69조 ⇒ 제20조, 제79조 2008.3.21 개정)

법령해석 **이행강제금 부과 후 체납시 「국세징수법」에 의한 공매처분 가능 여부**

법제처 법령해석 07-0280, 2007.10.25.

질의요지 「건축법」 제69조의2제6항에 따르면, 위반건축물 등에 대한 이행강제금 부과처분을 받은 자가 이행강제금을 기한내에 납부하지 아니한 때에는 지방세 체납처분의 예에 따라 징수한다고 규정하고 있고, 「지방세법」 제28조제4항은 지방자치단체의 징수금의 체납처분에 관하여는 이 법에 특별한 규정이 있는 것을 제외하고는 국세체납처분의 예에 의한다고 규정하고 있는데, 이행강제금을 체납한 경우에 국세체납처분의 예에 따라 「국세징수법」 제61조제1항에 따른 공매처분을 할 수 있는지?

회답 「건축법」 제69조의2제1항에 따라 위반건축물 등에 대한 이행강제금 부과처분을 받은 자가 이행강제금을 기한내에 납부하지 아니한 때에는 「국세징수법」 제61조제1항에 따른 공매처분을 할 수 있음.

이유 "생략" (* 법 제69조의2 ⇒ 제80조, 2008.3.21 개정)

법령해석 **이행강제금의 소멸시효 대상 여부**

법제처 법령해석 07-0254, 2007.10.25.

질의요지 「건축법」 상 이행강제금이 부과된 경우 징수의 소멸시효기간에 대하여 명문의 규정이 없는바, 위 이행강제금이 소멸시효의 대상이 되는지 여부 및 소멸시효기간은 몇 년인지?

회답 「건축법」 상 부과된 이행강제금은 소멸시효의 대상이 되고, 소멸시효기간은 「지방재정법」 제82조제1항에 따라 5년이라 할 것임

이유 ○ 「민법」 상의 소멸시효제도는 권리자가 권리를 행사할 수 있음에도 불구하고 일정한 기간 동안 권리를 행사하지 않는 상태, 즉 권리불행사의 상태가 계속된 경우에, 법적 안정성을 위하여 그 자의 권리를 소멸시켜 버리는 제도를 말하는 것으로, 민사상 법률관계의 안정을 도모하고 증거보전의 곤란을 구제함으로써 민사분쟁의 적정한 해결을 위하여 존재하는 제도임(헌법재판소 1997.2.20 선고 96헌바24 결정 참조).

○ 한편, 「지방재정법」 제82조에서도 지방자치단체의 금전채권이나 지방자치단체에 대한 금전채권에 대하여 다른 법률에 규정이 없는 것은 5년의 단기소멸시효를 두고 있는바, 여기서 다른 법률의 규정이라 함은 5년의 소멸시효기간보다 짧은 기간의 소멸시효의 규정이 있는 경우를 가리키는 것으로, 이보다 긴 소멸시효를 규정하고 있는 것은 해당하지 않는 것임(대법원 2001.4.24 선고 2000다57865 판결 참조).

○ 「건축법」 상 부과된 이행강제금도 금전의 지급을 목적으로 하는 지방자치단체의 권리이므로, 「건축법」 및 그 밖의 다른 법률에서 그 이행강제금에 대한 소멸시효에 관하여 특별히 규정하고 있지 않는 한 「지방재정법」 제82조제1항이 적용되어야 할 것임

○ 따라서 「건축법」 상 부과된 이행강제금은 소멸시효의 대상이 되고, 소멸시효기간은 「지방재정법」 제82조제1항에 따라 5년이라 할 것임

법령해석 **무단용도변경 건축물에 대한 이행강제금의 기준**

법제처 법령해석 07-0172, 2007.7.6.

질의요지 1996년 무단용도변경으로 적발되어 당시 법령인 「건축법 시행령」(1995.12.30 대통령령 제14891호로 개정된 것) 제121조제1항 및 별표15제3호에 따라 과세시가표준액의 100분의 3에 해당하는 금액의 이행강제금을 부과받던 건축물에 대하여, 1999.4.30 「건축법 시행령」 개정 이후에는 같은 표 제1호에 따라 시가표준액의 100분의 10에 해당하는 금액을 부과하여야 하는지 아니면 종전과 같이 100분의 3에 해당하는 금액을 부과하여야 하는지?

회답 1996년 무단용도변경으로 적발되어 당시 법령인 「건축법 시행령」(1995.12.30 대통령령 제14891호로 개정된 것) 제121조제1항 및 별표15제3호에 따라 과세시가표준액의 100분의 3에 해당하는 금액의 이행강제금을 부과받던 건축물에 대하여는 1999.4.30 「건축법 시행령」 개정 이후에도 종전과 같이 100분의 3에 해당하는 금액을 부과하여야 함.

이유 "생략"

법령해석 **「건축법」 제83조제6항(국세 또는 지방세체납처분의 예) 관련**

법제처 법령해석 05-0070, 2006.1.6.

질의요지 「건축법」 제83조제6항 및 제82조제5항의 규정에 의하면, 이행강제금 등을 기간 내에 납부하지 아니한 경우에는 국세 또는 지방세체납처분의 예에 의하여 이를 징수한다고 규정되어 있는바, 체납된 이행강제금 등을 징수함에 있어 「국세징수법」 또는 「지방세법」 상 결손처분에 관한 규정도 적용되는지 여부

회답 「건축법」 제83조제6항 및 제82조제5항의 규정에 의하면, 이행강제금 등을 기간 내에 납부하지 아니한 경우에는 국세 또는 지방세체납처분의 예에 의하여 이를 징수한다고 규정되어 있는바, 이에 따라 「국세징수법」 또는 「지방세법」 상 결손처분에 관한 규정까지 적용된다고 볼 수는 없다고 할 것임.

이유 "생략" (* 법 제83조 ⇒ 제80조, 2008.3.21 개정)

질의회신 **건축물대장의 기재내용을 변경신청하도록 하였는 바, 기재내용을 신청하지 아니하고 사용한 경우 처벌은 ?**

국토교통부 민원마당 FAQ 2019.5.24.

질의 건축물대장의 기재내용을 변경신청하도록 하였는 바, 기재내용을 신청하지 아니하고 사용한 경우 처벌은?

회신 건축물대장 기재사항의 변경을 이행하지 아니한 건축주는 건축법 제108조 및 제110조의 규정에 의하여 처벌이 가능하며, 동법 제79조의 규정에 의한 시정명령 및 동법 제80조의 규정에 의한 이행강제금을 부과할 수 있는 것임.

질의회신 **공사중인 건축물에 대한 이행강제금 부과 여부**

국토교통부 민원마당 FAQ 2019.5.24.

질의 공사중인 건축물에 대하여 허가사항변경 미신청 등을 사유로 이행강제금 부과할 수 있는 지 여부

회신 이행강제금 제도는 건축법 위반에 따른 경제적 이익을 반복적으로 환수함으로써 건축주 등의 위반사항 자진 시정을 촉구하기 위한 행정벌로서 건축법 제79조에 의한 시정명령을 받은 후 시정명령을 이행하지 아니한 건축물의 건축주·공사시공자·현장관리인·소유자·관리자 또는 점유자(이하 "건축주등"이라 한다)에게 부과하는 것임 질의의 경우 공사 중에 있는 건축물로서 현재 사용할 수 없는 건축물이므로 건축법 위반에 따른 경제적 이익이 실재하지 않는 바, 허가사항변경 미신청 등을 사유로 이행강제금을 부과하는 것은 곤란 할 것으로 판단되며, 이 경우 시정명령을 이행하지 않는 건축주 등에 대하여는 건축법 제79조에 따라 필요한 조치를 하고 같은 법 제106조 내지 제111조에 따라 고발 등 벌칙을 부과할 수 있는 것임

질의회신 이행강제금의 부과권자

국토부 건축기획과-5537, 2008.11.20.

질의 사립학교 내 무허가건축물 추인과 관련하여 학교시설사업촉진법 제5조의2 제1항 및 제13조에 다라 학교시설의 경우 감독청(교육청)이 건축허가 및 준공검사(사용승인)토록 규정하고 있으며, 특히 동법 제5조의2 제5항에 의거 학교시설에 대하여 는 「건축법」 제16조, 제17조, 제20조 제1항·제2항, 제21조 제1항, 제25조, 제27, 제36조 제1항 및 제79조에도 불구하고 감독청이 그 규정에 따른 허가 등을 하도록 하고 있는 바 이행강제금 부과권자가 교육감인지 구청장인지 여부

회신 건축법 제80조에 의거 허가권자는 동법 제79조 제1항에 따라 시정명령을 받은 후 시저이간 내에 시정명령을 이행하지 아니한 건축주등에 대하여는 그 시정명령의 이행에 필요한 상당한 이행기한을 정하여 그 기한까지 시정명령을 이행하지 아니하면 이행강제금을 부과하여야 하는 것이며,

질의의 경우 학교시설사업촉진법 제5조의2 제5항의 규정을 보면 동조 제4항에 따라 건축허가 또는 건축신고가 있거나 협의한 것으로 보는 학교시설에 대하여는 「건축법」 제79조에도 불구하고 감독청이 그 규정에 따른 허가 및 관리측면의 시정명령 등을 하도록 하고 있는 바, 무허가 학교시설에 대한 이행강제금 부과권까지는 감독청의 업무로 볼 수 없다고 판단되므로 건축법 제79조 제1항에 따른 시정명령 및 제80조에 따른 이행강제금부과는 인·허가권자인 해당 구청장 등이 하여야 할 것임

질의회신 이행강제금 경감을 위한 연면적 적용

국토교통부 민원마당 FAQ 2019.5.24.

질의 하나의 대지안에 2동의 무허가 주거용 건축물이 있는 경우 이행강제금 경감을 위한 연면적 적용 시 해당 대지안의 건축물의 바닥면적의 전체 합인지 아니면 각각의 건축물별 바닥면적을 기준으로 하는 지 여부

회신 건축법 제80조 제1항의 단서규정에 따라 연면적이 85제곱미터 이하인 주거용 건축물의 경우에는 동조 각 호의 어느 하나에 해당하는 금액의 2분의 1의 범위에서 해당 지방자치단체의 조례로 정하는 금액을 부과하는 것이며, 질의의 경우 하나의 대지안에 여러 동의 위반건축물이 존재하며,

그 위반행위자가 동일한 경우 대지내 주거용 건축물들의 바닥면적 전체합계가 85제곱미터 이하인 경우에 경감규정을 적용할 수 있을 것임

질의회신 이행강제금 경감기준 관련

국토교통부 민원마당 FAQ 2019.5.24.

질의 「건축법」 제80조제1항('12.12.1 시행)규정에 의한 "공동주택의 경우에는 세대 면적을 기준으로 한다."에서 "세대 면적"이 전용면적인지 아니면 전용면적 + 공용면적인지 여부?

회신 「건축법」 제80조제1항 단서조항에서 이행강제금 경감을 위한 공동주택의 세대 면적기준은 주거전용면적을 말하는 것임

질의회신 이행강제금 부과 시 시가표준액 산정기준 시점

국토교통부 민원마당 FAQ 2019.5.24.

질의 건축법 제80조의 규정에 의한 이행강제금을 부과하는 경우 시가표준액산정은 위법행위 발생시점을 기준으로 하는 지 또는 부과시점을 기준으로 하는 지 여부

회신 건축법 제80조의 규정에 의한 이행강제금 제도는 건축법 위반에 다른 경제적 이익을 반복적으로 차감·환수함으로써 건축주 등의 위반사항 자진 시정을 촉구하기 위한 행정별로서 건축법 제79조에 의한 시정명령을 받은 후 시정명령을 이행하지 아니한 건축물의 건축주·공사시공자·현장관리인·소유자·관리자 또는 점유자(이하 "건축주 등"이라 한다)에게 부과하는 것임

이 경우 건축주 등이 건축법 위반을 통하여 얻는 경제적 이익은 현재시점을 기준으로 판단하여야 할 것으로 이행강제금을 부과하는 시점의 시가 표준액을 기준으로 산정하여야 할 것임

질의회신 이행강제금 시가표준액 산정 관련

국토교통부 민원마당 FAQ 2019.5.24.

질의 「건축법」 제80조에 따라 이행강제금 부과 시 주택부분에 대한 시가표준액 산정을 「지방세법」 개정전 방식(원가산정방식)으로 산정하여야 하는 지, 아니면 개정된 방식(개별주택가격에 의한 산정방식)으로 산정하여야 하는지

회신 「건축법」 제80조제1항에서 이행강제금은 「지방세법」에 따른 시가표준액을 기준으로 산정하도록 하고 있는 바,「지방세법」 개정으로 주택부분에 대한 지방세 산정방법이 변경된 경우에는 개정된 방식으로 시가표준액을 산정하는 것이 타당할 것임

질의회신 이행강제금 부과금액 산정시 해당 시설물은?

국토교통부 민원마당 FAQ 2019.5.24.

질의 건축물의 담장이 건축선을 위반하였을 경우 이행강제금 부과금액 산정시 건축물전체 시가표준액을 기준으로 하는 지 아니면 해당 시설물인 담장의 시가표준액을 기준으로 하는 지 여부

회신 건축법 시행령 [별표 15] 이행강제금의 산정기준 제5호에 의거 건축선에 적합하지 아니한 건축물의 경우 시가표준액의 100분의 10에 해당하는 금액을 부과하여야 하는 것으로 질의의 경우 건축선을 위반한 부분이 건축물이 아닌 담장임을 고려할 때 담장의 시가표준액을 기준으로 하여야할 것임

질의회신 일조규정 위반시 위반면적을 건축물 전체 연면적으로 산정하는지 여부

건교부 고객만족센터, 2007.4.6.

질의 일조권 위반에 따른 이행강제금산출시("건물과세시가표준액 *위반면적*산정율")위반면적만을 대상으로 해야 하는지, 아니면 건물 전체 연면적을 대상으로 해야 하는지 여부

회신 「건축법」 제53조의 규정에 의한 일조 등의 확보를 위한 높이제한에 위반한 건축물에 대한 이행강제금은 시가표준액의 10/100에 해당하는 금액을 부과하는 것이며, 이 경우 시가표준액은 「건축법」 제69조의2 제1항제2호의 규정에 의하여 당해 건축물에 적용되는 시가표준액에 상당하는 금액을 기준하는 것이므로 위반한 부분의 면적을 기준으로 산정하는 것이 아님 (* 법 제53조, 제69조의2 ⇒ 제61조, 제80조, 2008.3.21 개정)

질의회신 불법 대수선건물의 이행강제금 산정 기준

국토교통부 민원마당 FAQ 2019.5.24.

질의 불법으로 대수선한 건축물(구조 : 철근콘크리트조)에 대한 이행강제금 산정과 관련하여 행정안전부 건물시가표준액 조정기준에 따라 신축건물 시가표준액에 0.2를 곱한 금액에 100분의 3 에 해당하는 금액을 부과하는 것이 적정한 지 여부.

※ 행정안전부 건물시가표준액 조정기준 - 대수선 해당 건물에 대한 시가표준액은 "별표2"의 비율(20%)을 곱하여 산출한 금액을 ㎡당 시가표준액으로 한다. - 대수선 해당 건물에 대한 건축년도는 기존건축물의 건축년도에 대수선으로 인한 내용년수 증가분(대수선시점의 경과년수의 20%, 소수점이하 절사함)을 가산하여 계산한 년도를 신축년도로 본다.

회신 대수선을 위반한 건축물에 대한 이행강제금은 「건축법」 제80조제1항제2호 및 같은 법 시행령 별표15 제13호에 따라 「지방세법」에 따른 그 건축물에 적용되는 시가표준액의 100분의 3 이하로서 위반행위의 종류에 따라 건축조례로 정하는 금액을 부과하도록 규정하고 있음

따라서, 「지방세법」에 따른 해당 건축물 전체의 시가표준액을 산정하여 건축조례로 정하는 바에 따라 이행강제금을 부과하는 것이 타당할 것으로 사료 됨

다만, 「지방세법」에 따른 시가표준액 조정기준에 대한 법령해석은 법령소관부처인 행정안전부에 직접 문의하시기 바람

건 축 법
1. 총 칙
2. 건 축
3. 유지관리
4. 대지도로
5. 구조재료
6. 지역지구
7. 건축설비
8. 특별건축구역
9. 보 칙
10. 벌 칙
건 축 법 관련기준

질의회신 다세대주택의 공유부분이 위반한 경우의 이행강제금 부과방법

건교부건축과-5007, 2005.8.30.

질의 1) 다세대주택(12세대, 세대별 면적 85m²이하)의 1층 피로티부분 주차구획선 외 공간 또는 옥상을 무단증축하여 공동 사용하는 경우 위반 사용면적을 분할 합산하여 지자체가 정한 이행강제금액을 부과해야하는지 여부
2) 1세대가 공유부분에 무단증축하여 사용하였을 경우 사용세대에만 위반면적을 합산하여 85m²이하 경우 지방자치단체가 정하는 이행강제금액을 부과해야하는지 여부

회신 1) 건축법 제83조 규정에 의한 이행강제금은 위법 건축물의 시정을 목적으로 당해 위법 건축물의 건축주, 관리자, 소유자 등에게 부과하는 것으로 다세대주택은 소유자가 분리 등기되어 있고, 무단증축 공간을 묵인하에 공동으로 사용하고 있다면 각 세대별로 분할하여 부과하는 것이 타당할 것으로 판단됨
2) 1세대가 무단증축하여 사용하였을 경우 사용세대에만 부과하는 것이 타당하며 그 면적이 85m² 이하일 경우에는 경감규정을 적용할 수 있을 것임 (* 법 제83조 ⇒ 제80조, 2008.3.21. 개정)

질의회신 면적산정할 수 없는 경우 이행강제금 산정방법은?

국토교통부 민원마당 FAQ 2019.5.24.

질의 건축신고 위반상항에 대하여 이행강제금을 부과시 위반면적을 산정할 수 없는 경우 이행강제금 산정방법은?

회신 건축신고 위반사항에 대한 이행강제금은 건축법 제80조 제1항 제1호의 규정에 의하여 이행강제금을 부과해야 할 것이나, 이 경우 위반면적을 산정할 수 없는 경우라면 동법시행령 별표 15 이행강제금 산정기준표의 제13호를 적용할 수 있을 것임.

질의회신 가설건축물 관련 이행강제금

국토교통부 민원마당 FAQ 2019.5.24.

질의 ○ 가설건축물 존치기간 만료되어 연장신청을 하였으나 연장허가 불허가 처리된 경우 동 가설건축물을 철거하지 아니한 경우 이행강제금 산정 요율 문의.
○ 시가표준액 적용시기는 건축당시인지 현재 시점인지.
○ 이행강제금 납부 이후 가설건축물을 철거한 경우 환불해 주는 지.

회신 「건축법」 제80조제1항의 규정에 의하면, 건축물이 건폐율이나 용적률을 초과하여 건축된 경우 또는 허가를 받지 아니하거나 신고를 하지 아니하고 건축된 경우에는 「지방세법」에 따라 해당 건축물에 적용되는 1제곱미터의 시가표준액의 100분의 50에 해당하는 금액에 위반면적을 곱한 금액 이하를,
건축물이 상기 외의 위반 건축물에 해당하는 경우에는 「지방세법」에 따라 그 건축물에 적용되는 시가표준액에 해당하는 금액의 100분의 10의 범위에서 위반내용에 따라 대통령령으로 정하는 금액을 이행강제금으로 부과함.
따라서, 같은 법 제20조 및 같은 법 시행령 제15조에 따른 가설건축물이 건축(축조) 당시 허가를 받거나 신고를 하고 건축(축조)한 경우라면 이행강제금은 같은 법 시행령 별표15 제13호에 따라 산정하여야 할 것이며, 이행강제금 부과시 시가표준액은 부과시점을 기준으로 하며, 기 납부한 이행강제금은 환불 대상이 아님

질의회신 공사중인 건축물에 대한 이행강제금 부과 여부

국토교통부 민원마당 FAQ 2019.5.24.

질의 공사중인 건축물에 대하여 허가사항변경 미신청 등을 사유로 이행강제금 부과할 수 있는 지 여부

회신 이행강제금 제도는 건축법 위반에 다른 경제적 이익을 반복적으로 환수함으로써 건축주 등의 위반사항 자진시정을 촉구하기 위한 행정벌로서 건축법 제79조에 의한 시정명령을 받은 후 시정명령을 이행하지 아니한 건축물의 건축주·공사시공자·현장관리인·소유자·관리자 또는 점유자(이하 "건축주등")에게 부과하는 것임
질의의 경우 공사 중에 있는 건축물로서 현재 사용할 수 없는 건축물이므로 건축법 위반에 따른 경제적 이익이 실재하지 않는 바, 허가사항변경미신청 등을 사유로 이행강제금을 부과하는 것은 곤란할 것으로 판단되며, 이 경우 시정명령을 이행하지 않는 건축주등에 대하여는 건축법 제79조에 따라 필요한 조치를 하고 같은 법 제106

조 내지 제111조에 따라 고발 등 벌칙을 부과할 수 있는 것임

질의회신 비주거용과 함께 건축된 다가구주택에 대한 이행강제금 부과

건교부 건축기획팀-782, 2006.2.8.

질의 순수 주거용이 아닌 타 용도와 복합으로 건축된 건축물(소유자는 동일한 경우임)에 있는 다가구주택이 대수선 위반(가구수 증가)일 경우 이행강제금 산정기준 면적은?

회신 「건축법」 상 대수선 위반일 경우 허가를 받지 아니하거나 신고를 하지 아니한 경우를 제외하고는「건축법시행령」 별표15 제15호 규정에 따라 해당 건축물에 적용되는 시가표준액의 100분의 3이하로서 위반행위의 종류에 따라 건축조례가 정하는 금액으로 부과하여야 하는 것으로, 이 경우 이행강제금 산정은 건축물 전체면적을 기준으로 하여야 할 것임.

질의회신 주택의 이행강제금 산정시 시가표준액의 적용기준

건교부 건축기획팀-675, 2006.2.3.

질의 주택의 이행강제금 산정시 시가표준액의 적용기준은?

회신 개정된 「지방세법」 제111조 규정에 따르면 주택의 시가표준액은 건축물과 그 부속토지의 가액으로 하도록 되어 있으며, 「건축법」 제83조 규정에 따르면 이행강제금은 '지방세법에 의하여 해당 건축물에 적용되는 시가표준액'을 기준으로 산정하도록 되어 있으므로, 주택의 이행강제금 산정시 기준이 되는 시가표준액은 주택의 시가표준액(건축물+부속토지)을 안분계산하여 건축물만의 시가표준액을 산정하여 적용해야 할 것임
(* 법 제83조 ⇒ 제80조, 2008.3.21 개정)

질의회신 이행강제금 미납관련

국토교통부 민원마당 FAQ 2019.5.24.

질의 「건축법」 제83조제6항 및 제82조제5항의 규정에 의하면, 이행강제금 등을 기간 내에 납부하지 아니한 경우에는 국세 또는 지방세체납처분의 예에 의하여 이를 징수한다고 규정되어 있는바, 체납된 이행강제금 등을 징수함에 있어 「국세징수법」 또는 「지방세법」 상 결손처분에 관한 규정도 적용되는 지 여부

회신 「건축법」 제83조제6항 및 제82조제5항의 규정에 의하면, 이행강제금 등을 기간 내에 납부하지 아니한 경우에는 국세 또는 지방세체납처분의 예에 의하여 이를 징수한다고 규정되어 있는바, 이에 따라 「국세징수법」 또는 「지방세법」 상 결손처분에 관한 규정까지 적용된다고 볼 수는 없다고 할 것임(법제처 법령해석 참조, 안건번호 05-0070, 2006-01-06)
다만, 이행강제금이 체납된 이후 지방재정법 제82조제1항에 따른 소멸시효기간이 경과된 경우에는 지방세법 제30조의3 제1항제3호의 규정에 따라 결손처분을 가능할 것으로 사료됨

질의회신 이행강제금 부과 대상자

국토교통부 민원마당 FAQ 2019.5.24.

질의 적법하게 건축허가를 받은 기존의 건축물이 있는 대지에 소유자가 아닌 임차인이 건축허가(신고)를 받지 않고 별동의 건축물을 증축한 경우 건축물에 대한 시정명령 및 이행강제금 부과 대상자는 증축행위를 한 임차인인지, 아니면 기존 건축물이 있는 대지의 소유자인 지 여부

회신 이행강제금제도는 건축법 위반에 따른 경제적 이익을 반복적으로 환수함으로써 건축주 등의 위반사항 자진 시정을 촉구하기 위한 집행벌로서 건축법 제79조에 의한 시정명령을 받은후 시정명령을 이행하지 아니한 건축물의 건축주·공사시공자·현장관리인·소유자·관리자 또는 점유자(이하 "건축주등"이라 한다)에게 부과하는 것임
허가권자는 시정 의무가 있는 자, 시정할 수 있는 자 등에게 시정명령하는 것이므로 질의의 경우에는 당해 불법 증축한 임차인에게 시정명령을 하고 이행 여부에 따라 이행강제금을 부과함이 타당할 것임

질의회신 이행강제금 부과시 이의절차 명시 여부

국토교통부 민원마당 FAQ 2019.5.24.

질의 이행강제금 부과시 이의절차 명시 여부

회신 「건축법」 제69조의2 제3항에 따라 허가권자가 이행강제금을 부과하는 경우 이행강제금의 이의제기방법, 이의제기기관 등을 명시하여야 하며, 개정된 「건축법」 제69조의2에 따라 위반건축물의 이행강제금 부과시 이의절차에 대하여 별도의 규정이 없으나, 다른 법률에 특별한 규정이 있는 경우를 제외하고 행정처분에 대한 이의신청은 「행정심판법」에 다른 행정심판 또는「행정소송법」에 따른 행정소송의 청구가 가능할 것임

(* 법 제69조의2 ⇒ 제80조, 2008.3.21. 개정)

질의회신 위법 공작물에 대한 이행강제금 부과 여부

국토교통부 민원마당 FAQ 2019.5.24.

질의 위법 공작물에 대하여 이행강제금을 부과할 수 있는 지

회신 가. 건축법 제69조(위반건축물등에 대한 조치등) 제1항에 따르면 허가권자는 대지 또는 건축물이 이 법 또는 이 법의 규정에 의한 명령이나 처분에 위반한 경우에는 이 법의 규정에 의한 허가 또는 승인을 취소하거나 그 건축물의 건축주·공사시공자·현장관리인·소유자·관리자 또는 점유자(이하 "건축주등"이라 한다)에 대하여 그 공사의 중지를 명하거나 상당한 기간을 정하여 그 건축물의 철거·개축·증축·수선·용도변경·사용금지·사용제한 기타 필요한 조치를 명할 수 있고,

나. 동법 제69조의2 제1항에 따르면 허가권자는 제69조 제1항의 규정에 의하여 시정명령을 받은 후 시정기간 내에 당해 시정명령의 이행을 하지 아니한 건축주등에 대하여는 당해 시정명령의 이행에 필요한 상당한 이행기한을 정하여 그 기한까지 시정명령을 이행하지 아니하는 경우에는 이행강제금을 부과하도록 되어 있음

다. 또한, 건축법 제72조의 규정에 의한 공작물은 같은 법 제69조의 규정을 준용하도록 하고 있는 바, 상기 제72조를 위반한 공작물에 대하여 같은 법 제69조의 규정에 의한 시정명령 등의 조치를 명한 후, 상당한 기한까지 이행을 하지 아니한 경우에는 동법 제69조의2의 규정에 의한 이행강제금을 부과하는 것이 타당할 것임

(* 법 제69조 제72조 ⇒ 제79조, 제83조 2008.3.21 개정)

질의회신 수출용 컨테이너를 야적 및 간이창고로 사용할 경우 건축법 적용 여부

건교부 고객만족센터, 2007.7.25.

질의 수출용 컨테이너(창문이 없고, 이동 가능함)를 야적 및 간이창고로 사용할 경우 건축법적용 여부, 가설건축물에 해당하는지 여부와 위반시 이행강제금 부과 대상이 되는지 여부

회신 컨테이너를 적재 간이창고 등으로 사용하는 경우 건축물로 볼 수 있는바, 건축법 제8조 또는 제15조 등의 절차를 거치지 아니하고 설치. 사용하는 것은 건축법령의 위반으로 볼 수 있으므로 이행강제금등의 부과할 수도 있을 것으로 사료됨

질의회신 존치기간이 지난 가설건축물의 이행강제금 부과여부

건교부 건축기획팀-1330, 2007.3.14.

질의 건축법 제15조제1항에 의해 건축허가를 받아 도시계획시설 예정지안에 설치한 가설건축물(철골조, 견본주택)의 존치기간이 경과한 경우 이행강제금 산정 등 처리방법

회신 동법 제69조제1항의 규정에 의하여 시정명령을 받은 후 시정기간 내에 당해 시정명령의 이행을 하지 아니한 건축주등에 대하여는 동법 제69조의2(이행강제금)의 규정에 따라 이행강제금을 부과하여야 하는 바, 질의의 가설건축물이 존치기간 연장여부, 기간의 경과 등과 관련한 행정처리, 현지여건 등 종합검토 하여 판단하여야 할 것임 (* 법 제69조, 제69조의2 ⇒ 제79조, 제80조, 2008.3.21 개정)

질의회신 이행강제금 부과시 이의절차 명시 여부

건교부 건축기획팀-5430, 2006.9.5.

질의 가. 공개공지를 일부 훼손하여 타용도로 사용시 이행강제금 산정기준
나. 이행강제금 부과시 이의절차 명시 여부

회신 가. 공개공지를 일부 훼손하여 타용도로 사용하는 경우 「건축법」 제69조의2 제3항에 따라 허가권자가 이행강제금을 부과하는 경우 이행강제금의 이의제기방법, 이의제기기관 등을 명시하여야 하며, 개정된 「건축법」 제 69조의2에 따라 위반건축물의 이행강제금 부과시 이의절차에 대하여 별도의 규정이 없으나, 다른 법률에 특별한 규정이 있는 경우를 제외하고 행정처분에 대한 이의신청은 「행정심판법」에 다른 행정심판 또는 「행정소송법」에 따른 행정소송의 청구가 가능할 것임 (* 법 제69조의2 ⇒ 제80조, 2008.3.21. 개정)

질의회신 무단증축 건축물에 대한 이행강제금 부과 또는 행정대집행 방법

건교부 건축기획팀-2043, 2006.4.3.

질의 건축허가를 득하지 아니한 무단증축 건축물에 대한 이행강제금 부과 또는 행정대집행 방법

회신 「건축법」 제83조의 규정에 의하여 허가권자는 제69조제1항의 규정에 의하여 시정명령을 받은 후 시정기간내에 당해 시정명령의 이행을 하지 아니한 건축주등에 대하여는 이행강제금을 부과하며, 이 경우 이행강제금은 허가를 받지 아니하거나 신고를 받지 아니하고 건축된 경우에는 지방세법에 의하여 해당 건축물에 적용되는 1㎡당 시가표준액의 50/100에 상당하는 금액에 위반면적을 곱한 금액이하로 산정됨. 또한, 동법 제74조의 규정에 의하여 허가권자는 제8조, 제9조, 제31조 및 제69조 제1항의 규정에 의하여 필요한 조치를 함에 있어 특히 필요하다고 인정하는 경우에는 행정대집행법 제3조제1항 및 제2항의 규정에 의한 절차를 거치지 아니하고 이를 대집행할 수 있음. (* 법 제8조, 제9조, 제69조, 제74조, 제83조 ⇒ 제11조, 제14조, 제79조, 제85조, 제80조, 2008.3.21 개정)

질의회신 이행강제금 부과처분서(납부고지서)를 수령하지 못한 경우 효력 발생여부

국토교통부 민원마당 FAQ 2019.5.24.

질의 「건축법」 (2005. 11. 8. 법률 제7696호로 개정되기 전의 것) 제83조의 규정에 의한 이행강제금을 부과함에 있어서 부과처분서(납부고지서)는 송달되지 아니하였으나, 당해 건축주가 그 전에 이미 부과예고통지서를 수령하였고 그 후에 위 부과처분서와 동일한 내용(부과권자, 상대방, 부과근거, 납부액 등)의 독촉고지서를 송달받은 경우 이행강제금 부과처분의 효력이 발생하는 지 여부

회신 건축주가 이행강제금 부과처분서(납부고지서)를 수령하지 못한 경우에는 이행강제금 부과처분의 효력이 발생하지 아니함(법제처 법령해석 참조, 안건번호 06-0151, 2006-07-28)

질의회신 위반건축물 소유권 변경시 이행강제금 부과 대상

건교부 건축기획팀-2158, 2006.4.7.

질의 위반건축물 소유권 변경시 이행강제금 부과 대상은

회신 「건축법」 제83조의 규정에 의한 이행강제금은 위반건축물의 시정을 목적으로 동법 제69조 제1항의 규정에 의하여 시정명령을 받은 건축주등(건축주, 시공자, 현장관리인, 소유자, 관리자, 점유자)이 시정명령을 이행하지 아니한 경우 시장등은 동법에 규정된 이행강제금을 부과하는 것이며, 이 경우 "건축주등"이라 함은 위반사항에 대한 시정명령을 이행하여야 할 당해 건축물의 현재 소유권자를 말하는 것임
(* 법 제83조 ⇒ 제80조, 2008.3.21 개정)

질의회신 85m² 이하 주거용에 무단증축한 비주거용 건축물에 대한 이행강제금의 경감 가능여부

건교부 건축기획팀-2035, 2005.12.19.

질의 주용도가 주거용인 연면적 85m² 이하의 건축물로서 무단증축하여 증축부분을 주거용이 아닌 용도로 사용하는 위반건축물의 경우 건축법 제83조제1항 단서규정에 따라 이행강제금을 경감하여 부과할 수 있는지 여부

회신 건축법 제83조제1항 단서 규정의 "연면적 85 m² 이하의 주거용 건축물"이라 함은 연면적 85m² 이하(공동주택의 경우 분양면적 85m² 이하)의 소규모 주택으로서 순수 주거용도의 건축물을 의미하는 것인 바, 질의의 경우처럼 무단 증축한 부분을 주거용이 아닌 용도로 사용하는 경우에는 경감대상이 아님 (* 법 제83조 ⇒ 제80조, 2008.3.21. 개정)

질의회신 불법건축물을 분양받은 경우의 이행강제금 납부의무자

건교부 건축과-4028, 2005.7.14.

질의 불법건축물을 분양받은 경우의 이행강제금 납부의무자는

회신 건축법 제83조제1항의 규정에 의하여 허가권자는 제69조제1항의 규정에 의하여 시정명령을 받은 후 시정기간 내에 당해 시정명령의 이행을 하지 아니한 건축주 등에 대하여는 당해 시정명령의 이행에 필요한 상당한 이행기한을 정하여 그 기한까지 시정명령을 이행하지 아니하는 경우에는 이행강제금을 부과함
이 경우 이행강제금은 위법건축물의 시정을 목적으로 당해 위반건축물의 소유자 등에게 부과하는 것이며, 불법건축물의 분양과 관련하여 발생한 손해에 대하여는 민법의 절차에 따라 구제받아야 할 것으로 사료됨
(* 법 제69조, 제83조 ⇒ 제79조, 제80조, 2008.3.21 개정)

질의회신 이행강제금 부과시 사용 용도의 적용

국토교통부 민원마당 FAQ 2019.5.24.

질의 위반건축물에 대한 이행강제금 부과시 사용 용도의 적용

회신 건축물의 종류는 「건축법시행령」 제3조의4 관련 [별표 1]의 규정에 의하여 분류되는 것으로, 이행강제금 산정시 당해 건축물에 적용되는 용도는 사실상 사용되는 용도에 따라 부과되어야 할 것임

질의회신 회사의 부도 파산으로 관리주체가 없는 경우 이행강제금 부과대상

건교부 건축 58070-2333, 2003.12.16.

질의 건축법 제37조에 위반된 집합건축물의 관리주체 (주)베네시움에 대하여 시정명령을 하고 이행강제금을 부과하였으나 (주)베네시움이 부도이후 파산되어 관리주체가 없는 경우에 이행강제금 부과대상은

회신 대지 및 건축물이 건축법 또는 건축법의 규정에 의한 명령이나 처분에 위반한 경우에는 같은법 제69조의 규정에 의하여 그 건축물의 건축주·공사시공자·현장관리인·소유자·관리자 또는 점유자에게 시정명령을 하고 시정기간 내에 당해 시정명령을 이행하지 아니한 경우에 같은법 제83조의 규정에 의한 이행강제금을 부과할 수 있도록 하고 있는 바, 건축법 제83조의 규정에 의한 이행강제금은 위법건축물의 시정을 목적으로 당해 위법건축물의 건축주·관리자·소유자 등에게 부과하여야 할 것으로서 질의의 경우 실제 위법행위에 대한 시정이 가능한 자에게 부과할 수 있을 것으로 사료됨 (* 법 제37조, 제83조 ⇒ 제47조, 제80조, 2008.3.21. 개정)

질의회신 위반건축물에 대하여 고발 및 이행강제금이 부과되었을 경우 구제방안

건교부 건축 58070-398, 2003.3.3.

질의 위반건축물에 대하여 고발 및 이행강제금이 부과되었을 경우 구제방안은

회신 귀 질의의 건축물이 현행 건축법령에 의한 건축기준 및 기타 관계법령에는 적합하나 건축허가(신고)절차만 결한 경우에는 행정조치등을 선행후 새로운 허가가 가능함을 알려드리니, 기타 구체적인 사항은 당해 시장·군수·구청장에게 문의하기 바람

질의회신 이의없이 체납한 이행강제금의 경우 체납자 결손처분을 해야하는지 여부

건교부 건축 58070-2285, 2003.12.10.

질의 건축법 제83조제6항의 규정에 이행강제금의 징수 및 이의절차에 관하여는 동법 제82조제3항 내지 제5항의 규정을 준용토록 하고 있는 바, 이행강제금을 부과받은 자가 이의제기 기간내 이의를 제기하지 아니하고 체납한 경우에는 국세 또는 지방세 체납처분의 예에 의하여 징수할 수 있다고 규정되어 있으므로 지방재정법 제

건축법 1. 총 칙 2. 건 축 3. 유지관리 4. 대지도로 5. 구조재료 6. 지역지구 7. 건축설비 8. 특별건축구역 9. 보 칙 10. 벌 칙 건축법 관련기준

69조 내지 제70조의 규정을 준용하여 소멸시효가 완성된 건에 대해 체납자 결손처분을 하여야 하는지 여부

회신 건축법 제83조제6항의 규정에 이행강제금을 부과받은 자가 이의제기 기간내 이의를 제기하지 아니하고 체납한 경우에는 국세 또는 지방세 체납처분의 예에 의하여 이를 징수토록 하고 있는 바, 이는 건축법령상 이행강제금의 체납처분의 징수방법에 대하여 지방세법 등을 적용하도록 한 것으로서 결손처분에 관한 규정까지 준용토록 한 것은 아님 (* 법 제82조, 제83조 ⇒ 제113조, 제80조, 2008.3.21. 개정)

3 권한의 위임과 위탁

법령해석 「건축법」이 정한 위임 범위를 벗어나 「지방자치법」에 따른 위임을 할 수 있는지 여부

법제처 법령해석 08-0040, 2008.5.1

질의요지 「건축법」(2007.10.17 법률 제8662호로 일부개정된 것을 말함. 이하 같음) 제8조제1항 본문에 따르면, 건축물을 건축 또는 대수선하고자 하는 자는 시장·군수·구청장(자치구의 구청장을 말함. 이하 "자치구청장"이라 함)의 허가를 받아야 하고, 같은 법 제71조제3항 및 같은 법 시행령 제117조제3항에 따르면 시장은 자치구가 아닌 구의 구청장(이하 "비자치구청장"이라 함)에게 6층 이하로서 연면적이 2천 제곱미터 이하인 건축물의 건축·대수선 및 용도변경에 관한 권한을 위임할 수 있는바, 같은 법 제71조제3항 및 같은 법 시행령 제117조제3항에 따른 6층 이하로서 연면적이 2천 제곱미터 이하인 건축물 외의 건축물의 「건축법」 위반사항에 대하여 그 건축물의 건축주 등에게 공사의 중지명령 등의 시정명령(제69조) 및 이행강제금 부과(제69조의2)를 할 수 있는 권한을 「지방자치법」 제104조제1항(사무의 위임 등)에 따라 비자치구청장에게 위임할 수 있는지?

회답 「건축법」 제71조제3항 및 같은 법 시행령 제117조제3항에 따른 6층 이하로서 연면적이 2천 제곱미터 이하인 건축물 외의 건축물의 「건축법」 위반사항에 대하여 시장이 그 건축물의 건축주 등에게 공사의 중지명령 등의 시정명령을 할 수 있는 권한(제69조) 및 이행강제금을 부과할 수 있는 권한(제69조의2)을 「지방자치법」 제104조제1항에 따라 비자치구청장에게 위임할 수는 없음.

이유 "생략"

4 옹벽 등 공작물 등의 준용

공작물 중 '6m 넘는' 장식탑, 기념탑이 '4m 넘는'으로 기준이 강화되었습니다. 이전에 4m 넘는 광고탑, 광고판에 장식탑, 기념탑, 첨탑이 추가되어 운용되고 있습니다.(개정 2020.12.15.)

법령해석 자연녹지지역 안에 높이 4미터를 넘는 광고탑을 축조하려는 경우 일조 등의 확보를 위한 건축물의 높이 제한 적용 여부

「건축법 시행령」 제83조 등 관련 법제처 법령해석 20-0617, 2020.12.29.

질의요지 자연녹지지역(각주: 「국토의 계획 및 이용에 관한 법률 시행령」 제30조제1항제4호다목에 따른 자연녹지지역을 말하며, 이하 같음.) 안에서 높이 4미터를 넘는 광고탑을 축조하려는 경우 「건축법」 제83조제3항에 따라 같은 법 제61조를 준용하여 인접대지경계선으로부터 일정한 거리를 띄어야 하는지?

<질의 배경> 민원인은 위 질의요지에 대해 국토교통부에 문의하였고, 자연녹지지역 안에서 공작물을 축조하는 경우에는 「건축법」 제61조가 적용되지 않는다고 회신을 받자 이에 이견이 있어 법제처에 법령해석을 요청함.

회답 이 사안의 경우 「건축법」 제61조를 준용하여 인접 대지경계선으로부터 일정한 거리를 띄어야 하는 것은 아닙니다.

1. 총 칙
2. 건 축
3. 유지관리
4. 대지도로
5. 구조재료
6. 지역지구
7. 건축설비
8. 특별건축구역
9. 보 칙
10. 벌 칙
건 축 법 관련기준

이유 「건축법」 제61조제1항 및 같은 법 시행령 제86조제1항 각 호 외의 부분에서는 전용주거지역과 일반주거지역 안에서 건축물을 건축하는 경우 일조(日照) 등의 확보를 위해 건축물의 각 부분을 정북(正北) 방향으로의 인접 대지경계선으로부터 일정 거리 이상을 띄어 건축해야 한다고 규정하고 있는바, 일조 등 확보를 위한 인접 대지경계선으로부터의 이격 거리 제한은 전용주거지역이나 일반주거지역을 적용 대상으로 하고 있음이 문언상 명백합니다.

그리고 인접 대지경계선으로부터의 이격 거리 제한은 주거생활에 있어서 가장 중요한 일조·채광·통풍 등을 위해 인접한 건축물과의 사이에 일정한 공간을 확보하기 위한 취지(각주: 법제처 2011. 11. 24. 회신 11-0475 해석례 참조)임을 고려하여, 「건축법 시행령」 제86조제2항에서는 해당 건축제한의 적용이 배제되는 경우의 하나로 건축물 정북 방향의 인접 대지가 전용주거지역이나 일반주거지역이 아닌 용도지역에 해당하는 경우(제3호)를 규정한 것이므로, 전용주거지역 및 일반주거지역이 아닌 도시의 녹지공간 확보를 위한 자연녹지지역에서까지 일조 등 확보를 위한 건축제한 규정이 적용된다고 볼 수는 없습니다.

또한 준용이란 특정 조문을 그와 성질이 유사한 규율 대상에 대해 그 성질에 따라 다소 수정해 적용하는 것을 의미하는바, 「건축법」 제83조제3항 및 같은 법 시행령 제118조제3항에서 높이 4미터를 넘는 광고탑 등 같은 조 제1항 각 호의 공작물에 대해 같은 법 제61조를 준용한다고 규정한 것은, 공작물을 축조하려는 경우에도 건축물을 건축하려는 경우에 준하여 「건축법」 제61조 및 같은 법 시행령 제86조에 따른 일조 등 확보를 위한 건축제한을 적용하려는 취지입니다.

따라서 이 사안과 같이 자연녹지지역 안에서 높이 4미터를 넘는 광고탑을 축조하려는 경우에는 「건축법」 제61조가 준용되지 않으므로 인접 대지경계선으로부터 이격 거리 제한은 적용되지 않습니다.

법령해석 「건축법 시행령」 제118조제1항제8호에 따른 철골 조립식 주차장은 건축물과 반드시 이격하여 축조해야 하는지 여부

「건축법 시행령」 제118조제1항 등 관련 법제처 법령해석 18-0034, 2018.3.14.

질의요지 「건축법 시행령」 제118조제1항제8호에 따른 철골 조립식 주차장을 축조하려는 경우 반드시 건축물과 이격(離隔)하여 축조해야 하는지?

<질의 배경> 민원인은 자신이 거주하는 공동주택 근처에 있는 건축물에 연접하여 축조된 철골 조립식 주차장으로 인하여 조망권의 침해를 받게 되자, 「건축법 시행령」 제118조제1항제8호에 따른 신고대상 공작물인 철골 조립식 주차장의 범위는 건축물과 이격하여 축조하는 경우로 한정되는 것이므로 해당 주차장은 신고대상 공작물이 아니라 건축물의 증축에 해당한다고 생각하여 법령해석을 요청함.

회답 「건축법 시행령」 제118조제1항제8호에 따른 철골 조립식 주차장을 축조하려는 경우 반드시 건축물과 이격하여 축조해야 하는 것은 아닙니다.

이유 "생략"

법령해석 대지조성용이 아닌 옹벽 등에 대하여 건축법령이 적용되는지 여부

법제처 법령해석 09-0198, 2009.7.20.

질의요지 「건축법」 제83조제1항에서는 "대지를 조성하기 위한 옹벽"으로서 대통령령으로 정하는 것을 신고대상 공작물로서 규정하고 있고, 해당 위임에 따라 같은 법 시행령 제118조제1항제5호에서는 "높이 2미터를 넘는 옹벽 또는 담장"을 규정하고 있는바, 대지를 조성하기 위한 것이 아닌 용도, 예컨대 도로용이나 농지에 농지개량용으로 설치하는 옹벽에 대하여 건축법령이 적용되는지?

회답 대지를 조성하기 위한 것이 아닌 용도로 설치하는 옹벽에 대하여는 건축법령이 적용되지 않음

이유 "생략"

질의회신 공작물의 설계를 건축사가 하여야 하는 지

국토교통부 민원마당 FAQ 2023.6.15.

질의 높이 8m이하의 기계식 주차장 및 철골조립식 주차장으로서 외벽이 없는 공작물에 대해

가. 건축사가 반드시 설계해야 하는 지
나. "생략"

회신 가. 건축법 제23조에 건축허가, 건축신고 또는 리모델링을 하는 건축물의 건축을 위한 설계는 건축사가 아니면 할 수 없도록 규정하고 있고, 같은 법 제83조 제2항에 공작물이 건축법을 준용하도록 하는 규정에 제외되어 있는 바,
높이 8m이하의 기계식 주차장 및 철골조립식 주차장으로서 외벽이 없는 공작물은 건축사가 반드시 설계해야 하는 대상은 아님
나. "생략"

질의회신 공작물의 대지안의 공지 적용 여부

국토교통부 민원마당 FAQ 2023.6.15.

질의 높이 8m이하의 기계식 주차장 및 철골조립식 주차장으로서 외벽이 없는 공작물에 대해 건축법 제58조(대지안의 공지) 규정을 적용해야 하는 지

회신 ○건축법 제83조 제3항에서는 공작물이 준용하여야 하는 건축법상의 규정은 같은 법 시행령 제118조제3항으로 정하는 바에 따르도록 하고 있고, 같은 령 제118조 제3항에서는 공작물이 준용하여야 하는 규정으로 건축법 제58조(대지 안의 공지)를 별도 제외 규정 없이 명시하고 있음. ○ 따라서 높이 8m이하의 기계식 주차장 및 철골조립식 주차장으로서 외벽이 없는 공작물은 건축법 제58조 대지안의 공지 규정을 적용하여야 할 것으로 사료됨

질의회신 철골조립식주차장의 공작물 인정 여부

국토교통부 민원마당 FAQ 2019.5.24.

질의 가. 터파기한 대지에 흙막이 옹벽을 시공한 후 높이 8미터 이하의 철골조립식주차장을 설치할 경우 공작물로 인정받을 수 있는 지 여부
나. "가"의 철골조립식주차장의 차량 출입을 위해 흙막이 옹벽의 일부분과 철골조립식주차장을 연결하는 경우에도 공작물로 인정받을 수 있는 지 여부

회신 가. 건축법 제83조 제2항의 규정에 의하여 같은 조 제1항의 공작물에 대해서는 같은 법 제84조를 준용하므로 공작물의 높이는 당해 공작물이 접하는 지표면으로부터 당해 주차장의 상단까지의 높이로 할 수 있을 것임
나. 철골조립식주차장 이용을 위하여 흙막이 옹벽과 연결하여 통로를 설치하는 경우에도 공작물로 볼 수 있을 것으로 사료됨

질의회신 철골조립식주차장의 공작물 인정 여부

국토교통부 민원마당 FAQ 2023.6.15.

질의 그림과 같이 판매 및 영업시설인 건축물 중 지하층 위에 높이 8미터 이하인 철골조립식 주차장을 축조하는 경우 공작물 축조신고를 하고 축조할 수 있는 지

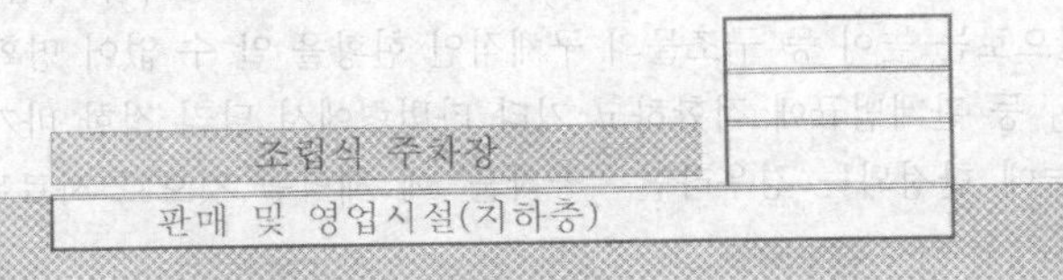

회신 건축법 제83조 및 같은 법 시행령 제118조 제1항 제8호의 규정에 의하여 높이 8미터(위험방지를 위한 난간의 높이 제외)이하의 기계식주차장 및 철골조립식 주차장(바닥면이 조립식이 아닌 것을 포함)으로서 외벽이 없는 것은 공작물에 해당하는 것이므로 질의하신 조립식 주차장이 이에 해당하는 경우라면 축조 전 신고하여야 하는 공작물이나, 이와 관련된 구체적인 사항은 관련 도서 등을 구비하여 해당지역 허가권자에게 문의 바람

질의회신 공작물 축조신고(철골조립식주차장)

국토교통부 민원마당 FAQ 2023.6.15.

질의 외벽이 없는 경량철골조립식 주차장(높이 2.7M, 가로 6M×세로 4M)을 설치하는 경우, 공작물의 축조신고로 가능한지 여부

회신 「「건축법」 제83조제1항 및 같은 법 시행령 제118조제1항제8호에 따르면 높이 8미터(위험을 방지하기 위한 난간의 높이는 제외) 이하의 철골조립식 주차장(바닥면이 조립식이 아닌 것을 포함)으로서 외벽이 없는 것은 축조 전 신고하여야 하는 공작물로 규정하고 있음

따라서, 질의 시설물의 구조, 규모, 형태 등이 상기 규정에 따른 공작물의 기준에 적합한 경우에는 공작물 축조신고로써 축조할 수 있는 것으로 판단됨

질의회신 건축물과 분리하여 축조되는 공작물 등

국토교통부 민원마당 FAQ 2023.6.15.

질의 기존 교회 옥상의 철탑(높이18m)의 폭우 및 낙뢰 등으로 인하여 기울어져 철거후 재설치하는 경우
가. 건축법 시행령 제118조 제1항의 규정에 의한 "건축물과 분리하여 축조하는 것을 말한다"의 명확한 의미
나. 기존 철탑의 철거후 재설치시 신규설치로 보아 현행 규정을 적용하여야 하는 지 여부

회신 가. 건축물과 분리하여 축조함의 의미는 단순히 공간적 분리만이 아닌 시간적 의미를 포함하는 개념으로 기존건축물에 철탑을 별도로 추가 설치하는 경우도 건축물과 분리하여 축조하는 것으로 볼 수 있는 것임
나. 개정된 건축법령의 적용은 부칙 등에서 별도 시행일이 규정되지 아니한 경우 법령 시행일부터 적용됨이 타당함, 질의의 철탑에 적용되어야 하는 규정에 관하여는 관련 도서 등을 구비하여 해당지역 허가권자에게 문의 바람

질의회신 항행안전무선시설이 건축법상의 공작물에 해당되는 지

국토교통부 민원마당 FAQ 2023.6.15.

질의 건축물이 없는 대지에 설치하는 항행안전무선시설이 건축법상의 공작물에 해당되어 허가권자에게 신고하여야 하는 지 여부

회신 건축법시행령 제118조 제1항 제7호의 규정에 의하면 "높이 6미터를 넘는 골프연습장의 운동시설을 위한 철탑과 주거지역 및 상업지역안에 설치하는 통신용 철탑 기타 이와 유사한 것"은 시장·군수·구청장에게 신고를 하여야 하는 공작물에 해당하는 것인 바, 항공법령상의 항행안전무선시설은 "통신용 철탑 기타 이와 유사한 것"으로 분류될 것이므로 축조 전 신고하여야 할 공작물로 사료됨

질의회신 '일주문'이 공작물에 해당하는 지 여부

건교부 건축기획팀-2642, 2006.4.28.

질의 전통 사찰 경내에 설치하는 '일주문'이 공작물에 해당하는 지 여부

회신 건축법 시행령 제118조제1항제2호에 의하면, 높이 6m를 넘는 장식탑·기념탑 기타 이와 유사한 것으로 규정하고 있으며, 질의만으로는 높이 등 구조물의 구체적인 현황을 알 수 없어 명확한 회신이 어려우나, 「도시공원 및 녹지 등에 법률」 등 관계법규에 적합하고 기타 타법령에서 달리 정한 바가 없이, 일주문이 높이 6m를 넘는 불교의 상징물 기능에 한정되는 경우라면 '공작물' 에 해당될 것으로 사료됨

질의회신 도로위에 설치되는 일주문 형태의 상징물이 공작물에 해당하는지

건교부 건축 58070-1350, 2003.7.28.

질의 도로위에 설치되는 높이 9.6미터의 기둥과 지붕으로 구성된 일주문 형태의 상징물이 공작물에 해당하는 지 여부

회신 귀 문의의 경우는 건축법시행령 제118조제1항제2호의 높이 6미터를 넘는 장식탑·기념탑 기타 이와 유사한 것에 해당하는 공작물로 보아야 할 것으로 판단되니 기타 구체적인 사항은 당해 허가권자에게 문의 바람

질의회신 교회 종탑이 광고탑인지 여부

건교부 건축기획팀-480, 2006.1.25.

질의 집합건물 옥상에 9m 높이의 종교를 상징하는 탑을 축조하고자 하는 경우 관련 절차 및 위 탑이 광고탑인지

회신 공작물의 이용목적 및 형태, 규모 등에 따라 장식탑, 또는 광고탑으로 볼 수 있을 것이며, 건축허가와 분리하여 축조되는 공작물은 건축법 시행령 제118조제1항 각호의 규정에 의한 공작물로서 이를 축조하고자 하는 자는 동법 제72조제1항의 규정에 의하여 시장·군수·구청장에게 신고하여야 하는 것임
(* 법 제72조 ⇒ 제83조, 2008.3.21 개정)

질의회신 공작물인 교회종탑에 대한 구조안전 확인여부

건교부 건축과-287, 2005.1.17.

질의 기존건축물 옥탑(높이 9.34m)에 높이가 12.8m인 교회종탑(철골조)의 공작물을 축조하고자 하는 경우 구조안전의 확인을 받아야 하는지 여부

회신 건축법 시행령 제118조제1항각호에 해당하는 공작물을 축조하고자 하는 경우 동법 시행령 동조제3항의 규정에 의하여 동법 제38조(구조내력등)의 규정을 준용하도록 규정하고 있음
(* 법 제38조 ⇒ 제48조, 2008.3.21 개정)

질의회신 옥외광고물 등 관리법을 적용받는 공작물 축조 관련

국토교통부 민원마당 FAQ 2023.6.15.

질의 옥외광고물 등 관리법을 적용받는 공작물(4미터이상 광고탑) 축조시 국토의 계획 및 이용에 관한 법률 제76조(용도지역 및 용도지구에서의 건축물의 건축제한 등)를 준용하지 않아도 되는지 여부

회신 「건축법 시행령」 제118조제1항제3호에 따르면 높이 4미터를 넘는 광고탑, 광고판 그 밖에 이와 비슷한 것은 축조하려는 자는 특별자치도지사 또는 시장.군수.구청장에게 신고하도록 하고 있으며, 같은 조 제3항에서는 제1항 각 호의 공작물에 대하여 「국토의 계획 및 이용에 관한 법률」 제76조 등을 준용하도록 규정하고 있음. 따라서, 질의의 공작물에 대해서는 상기규정에 따라 「국토의 계획 및 이용에 관한 법률」 제76조를 준용함이 타당할 것으로 사료됨

질의회신 굴뚝 공작물 해당여부 및 높이제한 규정

국토교통부 민원마당 FAQ 2023.6.15.

질의 폐기물처리시설의 건축물에 높이 80미터, 너비 6미터의 RC구조물 굴뚝을 설치하는 경우, 공작물 해당여부와 건축물의 높이제한 규정 적용여부

회신 「건축법」 제83조 및 같은법 시행령 제118조제1항제1호의 규정에 따르면 높이 6미터를 넘는 굴뚝을 축조할 때는 특별자치도지사 또는 시장·군수·구청장에게 신고를 하도록 하고 있으며, 같은 법 시행령 제118조 제3항에서는 제1항 각호의 공작물에 대하여 법 제60조(건축물의 높이 제한) 등을 준용하도록 하고 있음
따라서, 질의의 시설물은 상기 규정에 따라 공작물로 보는 것이 타당할 것으로 사료되며, 이에 따라 건축물의 높이제한 규정을 적용하여야 할 것으로 판단되나, 이에 대한 보다 구체적인 사항은 관련도서 등을 구비하여 해당 지역의 건축허가권자에게 문의 바람

질의회신 공작물 높이 산정시 피뢰설비도 포함되는지

국토교통부 민원마당 FAQ 2023.6.15.

질의 건축법 제72조의 적용을 받은 공작물 중 동법 시행령 제118조 제1항 제7호의 규정에 의한 통신용철탑의 높이를 산정하는 때에 건축물의 보호를 위한 피뢰설비도 높이에 포함되는 지

회신 건축법 제72조 제2항 및 동법 시행령 제118조 제3항의 규정에 의하여 영 제118조 제1항 각 호의 어느 하나에 해당하는 공작물을 건축허가와 분리하여 축조하는 경우 공작물에 대해서는 법 제73조의 규정을 준용하며 영 제118조 제1항 제7호의 규정에 의한 통신용 철탑(주거지역 및 상업지역안에 설치하는 것에 한함)을 건축물의 옥상에 설치하는 경우로서, 공작물의 높이는 기존 건축물의 옥상 바닥으로부터 철탑 상단까지의 높이로 하되 건축설비로서 철탑의 상부에 돌출되는 피뢰침은 영 제119조 제1항 제5호 라목의 옥상돌출물에 해당하는 것으로 보아 철탑의 범위에서 제외하되 철탑을 직접 구성하는 부분(통신용 안테나 등)까지를 공작물로 보아 옥상 바닥에서부터 높이를 산정하는 것임 (* 법 제72조, 제73조 ⇒ 제83조, 제84조, 2008.3.21.)

질의회신 옥상에 설치하는 체육시설용 철탑과 그물망에 대한 공작물 인정여부

건교부 건축기획팀- 131. 2005.9.8.

질의 옥상 체육시설의 주위를 철탑과 그물망으로 둘러치고자 하는 경우 건축법에서 규정한 절차와 규모산정 방법

회신 건축법 시행령 제118조제1항제7호의 규정에 의한 공작물로서 높이 6m를 넘는 골프연습장 등의 운동시설을 위한 철탑을 건축물과 분리하여(절차상 건축허가와 분리하는 것을 말함) 축조하고자 하는 경우에는 동법 제72조제1항의 규정에 의하여 공작물 축조신고를 하여야 하며, 공작물에 대하여는 동법 제73조의 규정을 준용하여 규모를 산정하되, 그물망으로 구성된 경우에는 바닥면적을 산정하지 아니하여도 될 것이며 동 공작물에 대하여는 법 제48조의 규정을 준용하지 아니하는 것임
(* 법 제48조, 제72조, 제73조 ⇒ 제56조, 제83조, 제84조, 2008.3.21 개정)

질의회신 관리지역에 축조하는 높이 4m 옹벽에 대한 공작물축조신고 여부

건교부 건축과-264. 2005.1.16.

질의 관리지역 내에서 건축허가나 신고 없이 건축할 수 있는 단독주택을 건축하기 위하여 높이 4m의 옹벽을 설치하는 경우, 옹벽에 대하여 공작물축조신고를 해야 하는지 여부

회신 건축법 시행령 제118조제5호의 규정에 의한 신고대상 규모에 해당하는 옹벽을 축조하는 경우에는 용도지역 및 건축물의 규모와 관계없이 공작물축조 신고 후 축조가 가능할 것임

질의회신 공작물축조신고를 한 후 설계변경을 하고자 하는 경우 절차에 대한 질의

건교부 건축 58070-2371, 2003.12.24.

질의 공작물축조신고를 한 후 설계변경을 하고자 하는 경우 절차에 대한 질의

회신 건축법시행령 제118조제1항의 규정에 의하여 신고한 공작물을 변경하고자 하는 경우에는 변경하기 전에 공작물의 변경부분에 대한 신고를 한 후 공작물을 축조하시기 바라며, 이에 대한 보다 구체적인 사항은 당해 건축허가권자에게 문의하기 바람

질의회신 공작물 축조 중 위치이동이 있는 경우 이를 신고해야 하는지

건교부 건축 58070-1278, 2003.7.15.

질의 공작물인 높이 9.68미터의 기념탑을 축조 중 약 0.9미터의 위치이동이 있는 경우 이를 신고하여야 하는지 여부

회신 귀 문의의 경우가 공작물의 종류, 규모 등을 변경하지 않고 위치만 0.9미터 이동하는 경우라면 사전에 변경된 배치도 등을 첨부하여 당해 허가권자에게 변경신고하는 것이 타당할 것으로 사료되니, 기타 개별법령의 적용 등 구체적인 사항은 당해 허가권자에게 문의하기 바람

질의회신 고도지구안에서 공작물을 축조할 경우 고도지구안의 건축제한 기준이 적용되는지

건교부 건축 58550-909, 2003.5.20.

질의 국토의계획및이용에관한법률에 의한 고도지구안에서 공작물(골프연습장)을 축조할 경우 고도지구안의 건축제한 기준이 적용되는지 여부

회신 가. 건축법시행령 제118조제3항의 규정에 의하면 동법에 의한 공작물은 국토의계획및이용에관한법률 제76조(용도지역 및 용도지구안에서의 건축물의 건축제한등)의 규정을 준용하도록 규정하고 있음.
나. 국토의계획및이용에관한법률시행령 제74조의 규정에 의하여 고도지구안에서는 도시관리계획으로 정하는 높이를 초과하거나 미달하는 건축물을 건축할 수 없고, 동법시행령 제83조제4항의 규정에 의하여 용도지역·용도지구 또는 용도구역안에서의 건축물이 아닌 시설의 용도·종류 및 규모등의 제한에 관하여는 제72조 내지 제77조의 규정에 의한 건축물에 관한 사항을 적용하는 것인 바, 고도지구안에서 도시관리계획으로 높이를 제한하는 경우에는 공작물의 경우에도 이에 따라야 할 것이나, 구체적인 사항은 고도지구 지정목적 및 공작물의 종류 등의 따라 당해 건축허가권자가 판단하여야 함

질의회신 인접대지간에 고저차가 있는 경우 공작물의 높이산정기준 지표면은?

건축 38070-111, 2003.1.17.

질의 건축법시행령 제118조 제1항 제8호의 높이 8미터이하의 기계식주차장 및 철골조립주차장을 축조하고자 하는 대지와 정북방향 인접대지간 고저차가 있는 경우, 동 주차장의 높이 8미터를 당해 대지의 지표면만을 기준으로 산정할 수 있는 지 여부

회신 건축법 제72조 제2항 및 같은 법 시행령 제118조 제3항의 규정에 의하여 건축법상 공작물에 대하여는 같은 법 제73조의 규정을 준용하도록 하고 있는바, 귀 문의의 경우는 같은 법시행령 제119조 제1항 제5호의 규정에 의하여 당해 대지의 지표면으로부터의 상단까지의 높이를 공작물 주차장 높이로 하여야 할 것임
(* 법 제72조, 제73조 ⇒ 제83조, 제84조, 2008.3.21 개정)

질의회신 기존 석축 위의 담장의 설치로 인하여 2m가 넘는 경우 공작물 축조신고 대상여부

건교부 건축 58550-2240, 2002.10.27.

질의 높이 150cm인 석축의 상부에 60cm를 성토한 후 170cm의 담장을 설치할 경우 공작물축조 신고 대상이 되는지 여부

회신 질의의 경우 기존 공작물인 석축 및 담장에 추가로 석축이나 담장을 설치하여 석축 등의 전체 높이가 2미터를 넘게 되는 경우라면 건축법시행령 제118조제1항의 규정에 의해 공작물 축조신고를 해야 할 것임

질의회신 건축물 옥상에 설치되는 철골조 주차장의 적용법규

서울시 건지 58550-507, 2002.2.7.

질의 건물의 옥상에 건축법시행령 제118조제1항제8호에 해당하는 철골조립식주차장을 설치할 수 있는지 여부 및 이 같은 철골조립식주차장이 동시행령에 의한 공작물에 해당되는지 여부

회신 건축법시행령 제119조제1항제8호의 규정에 의하면 높이 8m(위험방지를 위한 난간의 높이를 제외한다)이하의 기계식주차장 및 철골조립식주차장(바닥면이 조립식이 아닌 것을 포함한다)으로서 외벽이 없는 것은 공작물로서 건축법의 일부 규정을 준용하고 있으며, 이 경우 예외적으로 건축법 제47조(건폐율) 규정도 준용하지 아니하도록 하고 있는 바,
건축물의 옥상에 철골조립식주차장을 설치에 대하여 건축법령상 제한하고 있지는 않지만, 이러한 경우에는 법령의 취지상 건축법 제2조제1항제2호의 규정에 의한 건축물로 보아 관계법령을 적용하는 것이 타당한 것으로 사료됨 (* 법 제47조 ⇒ 제55조, 2008.3.21 개정)

질의회신 공작물의 건폐율 적용여부

건교부 건축 58070-2398, 1999.6.23.

질의 공작물의 건폐율 적용여부 및 그 적용범위.

회신 건축법시행령 제118조제1항 각호의 공작물은 건축법시행령 제118조제2항의 규정에 의하여 동법 제47조를 준용하도록 하고 있는 바, 이 경우 적용범위는 당해 공작물이 점유하는 수평투영면적(면적을 산정 할 수 없는 공작물은 제외)으로 하는 것임 (* 법 제47조 ⇒ 제55조, 2008.3.21. 개정)

질의회신 옥상에 설치하는 방음벽의 공작물 적용여부

건교부 건축 58070－2398, 1999.6.23.

질의 4층 옥상에 높이 5~7.25m의 방음벽을 지붕 없이 설치할 경우 공작물인지 및 지붕을 씌울 경우 축조신고 없이 행할 수 있는지

회신 높이 2m를 넘는 옹벽 또는 담장(방음벽 포함)은 건축법 제72조 및 동법시행령 제118조제1항제5호의 규정에 의하여 동법의 일부 규정을 준용하여 시장・군수・구청장에게 축조신고를 하여야 하는 공작물이나, 벽에 지붕이 있는 경우에는 건축법 제2조제2호의 건축물에 해당하여 그 규모・용도 등에 따라 허가(신고)후 건축해야 하는 것임 (* 법 제72조 ⇒ 제83조, 2008.3.21 개정)

질의회신 철골조립식 주차장 바닥재를 속빈 프리스트레스트 콘크리트패널로 할 경우 공작물여부

건교부 건축 58070－1477, 1999.4.24.

질의 높이 8m 이하의 외벽이 없는 철골조립식 주차장의 슬래브 바닥재를 철재류가 아닌 속빈프리스트레스트 콘크리트패널로 설치할 수 있는지

회신 건축법 제72조 및 동법시행령 제118조제1항제8호의 규정에 의한 공작물이라 함은 높이 8m 이하의 기계식주차장 및 철골조립식주차장으로서 외벽이 없는 것인 바, 골조가 철골구조인 경우라면 지붕 또는 바닥재료는 반드시 철재이어야 하는 것은 아니나 그 주요구조부는 모두 조립식이어야 하는 것임(* 법 제72조 ⇒ 제83조, 2008.3.21 개정)

질의회신 중고차량매매장을 위한 철골조립식 공작물로 축조할 수 있는지

건교부 건축 58070－573, 1999.2.12.

질의 중고자동차매매장 시설의 대지에 철골조립식 주차장을 공작물로 축조하여 매매차량전시장 및 고객주차장 등으로 사용할 수 있는지

회신 자동차매매업을 하고자 하는 경우 자동차관리법시행규칙 제118조제1항제1호의 규정에 의거 연면적 330m² 이상의 자동차전시용시설을 갖추도록 하고 있는 바, 자동차의 전시 등 자동차매매업의 시설로 사용하는 것은 건축법 제72조 및 동법시행령 제118조제1항제8호의 규정에 의한 공작물이 아닌 건축물로서 건축법 제8조의 규정에 의한 허가(신고)후 건축해야 하는 것임 (* 법 제72조 ⇒ 제83조, 2008.3.21 개정)

질의회신 공작물 축조신고의 의제처리

국토교통부 민원마당 FAQ 2019.5.24.

질의 국토의 계획 및 이용에 관한 법률에 의한 개발행위허가 또는 농지법에 의한 농지전용허가 시 공작물 축조사항이 기재되어 있었다면 건축법에 의한 공작물축조신고를 별도로 하지 아니하여도 되는 지

회신 건축허가와 분리하여 축조하는 경우로서 건축법 시행령 제118조 제1항 각 호의 어느 하나에 해당하는 공작물을 축조하고자 하는 경우에는 동법 제72조 제1항의 규정에 의하여 축조신고를 하여야 하는 것이므로, 관계법률에 의한 허가를 받은 때에 공작물축조신고의 의제를 받지 아니하였다면 위 규정에 의하여 시장·군수·구청장에게 신고하여야 함

질의회신 공작물에 해당하는 주차장인 경우 내화구조 규정 적용 여부

국토교통부 민원마당 FAQ 2023.6.15.

질의 건축법시행령 제118조의 규정에 의한 공작물에 해당하는 주차장인 경우 동법 제50조의 규정에 의한 내화구조 규정을 적용하여야 하는 지 여부

회신 건축법 제83조제3항 및 같은 법 시행령 제118조제3항으로 정하는 공작물의 건축법 준용 조항 중 법 제50조(건축물의 내화구조와 방화벽)에 대하여 별도로 정하고 있지 아니하므로 질의한 공작물은 해당 조항 적용 대상이 아닐 것으로 사료되나, 이와 관련된 구체적인 사항은 관련 도서 등을 구비하여 해당지역 허가권자에게 문의 바람

5 행정대집행법 적용의 특례

법령해석 행정대집행법 제2조 관련

법제처 법령해석 15-0203, 2015.6.29.

질의요지 행정청이 「행정대집행법」에 따라 대집행 계고 및 대집행영장 통지를 거쳐 대집행을 실행한 경우, 같은 법 제2조에 따라 그 비용을 의무자로부터 반드시 징수하여야 하는지?

회답 행정청이 「행정대집행법」에 따라 대집행 계고 및 대집행영장 통지를 거쳐 대집행을 실행한 경우, 특별한 사정이 없는 한 같은 법 제2조에 따라 그 비용을 의무자로부터 징수하여야 합니다.

이유 "생략"

질의회신 철거되어야 할 가설건축물에 대한 행정대집행 가부 결정

국토교통부 민원마당 FAQ 2019.5.24.

질의 도시계획시설부지에 가설건축물 건축허가를 받아 설치된 가설건축물(존치기간이 만료)을 도시계획시설 사업을 시행하기 위하여 자진철거이행을 통보하였으나 자진철거를 하지 않는 경우 가설건축물이 건축된 토지를 미취득한 상태에서 행정대집행이 가능한지

회신 국토의계획및이용에관한법률 제64조 제2항의 규정에 의하여 허가된 가설건축물은 동조 제3항의 규정에 의하여 원상회복에 필요한 조치를 명할 수 있으며, 제3항의 규정에 의한 원상회복명령을 받은자가 원상회복을 하지 않는 경우에는 동조 제4항의 규정에 의하여 행정대집행법에 의한 행정대집행으로 원상회복을 할 수 있음 이 경우 가설건축물이 건축된 토지의 취득여부에 따라 행정대집행 가부가 결정되는 것은 아님

질의회신 불법건축물 철거시 계고장 발부여부

건교부 건축 58070-1849, 1999.5.21.

질의 불법건축물 철거시 계고장 발부 후 청문 등의 절차 없이 강제철거할 수 있는지

회신 건축법 제74조의 규정에 의하여 허가권자는 제8조 · 제9조 · 제31조 및 제69조제1항의 규정에 의하여 필요한 조치를 함에 있어서 특히 필요하다고 인정하는 경우에는 행정대집행법 제3조제1항 및 제2항의 규정에 의한 절차를 거치지 아니하고 이를 대집행할 수 있는 것임

(※ 법 제8조, 제9조, 제31조, 제69조, 제74조 ⇒ 제11조, 제12조, 제41조, 제79조, 제85조, 2008.3.21 개정)

6 건축분쟁전문위원회

질의회신 지방건축분쟁조정위원회의 분쟁조정대상에 포함되는 지

국토교통부 민원마당 FAQ 2023.6.15.

질의 「건축법」 제76조2 제2항에 따르면 지방건축분쟁조정위원회는 시장·군수·구청장이 허가권자인 사항에 대해 관할한다고 규정되어 있고, 학교대상 건축물의 경우는 「학교시설촉진법」 제5조의2 제1항에 따라 학교시설의 건축 등을 하고자 하는 때는 「건축법」 제8조 및 제9조의 규정에 불구하고 대통령령이 정하는바에 따라 감독청의 승인을 얻거나 감독청에 신고하도록 하고 있는바,

이를 지방건축분쟁조정위원회의 분쟁조정대상에 포함하여 처리하여야 하는지 여부?

회신 「학교시설촉진법」 제5조의2 제1항에 의하면 학교시설사업 시행계획의 승인 또는 변경승인을 받은 자는 학교시설의 건축등을 하려면 「건축법」 제8조 및 제9조에도 불구하고 감독청의 승인을 받거나 감독청에 신고하여야 하고, 해당 감독청에서 승인(신고)사항을 시장·군수·구청장에게 통보한 때는「건축법」 제8조 또는 제9조의 규정에 의한 건축허가 또는 건축신고가 있는 것으로 본다는 취지 등을 감안할 때 해당 감독청에서 모든 행정행위를 하는 것이므로 지방건축분쟁조정위원회에서 처리하는 것은 바람직하지 아니할 것으로 사료됨
(* 법 제8조, 제9조, 제76조의2 ⇒ 제11조, 제14조, 제88조, 2008.3.21. 개정)

질의회신 사용승인 후 발생된 분쟁도 건축분쟁위원회의 조정 대상인 지

국토교통부 민원마당 FAQ 2023.6.15.

질의 가. 건축분쟁위원회의 조정 대상이 건축법 제18조 규정에 의한 사용승인 후 발생된 분쟁도 포함 되는 지 여부
나. 건축법 제76조의2에 구성된 분쟁조정위원회의 조정범위가 도시 및 주거환경정비법, 주택법 등 타법령에 의한 사업승인 또는 인가 대상도 분쟁조정위원회의 조정 등의 대상에 포함 되는 지 여부.

회신 가. 「건축법」 제76조2의 제1항에 의하면 "건축물의 건축 등에 관하여 다음 각 호의 분쟁의 조정 및 재정을 하기 위하여 건설교통부에 중앙건축분쟁조정위원회를 두고, 특별시·광역시·도에 지방건축분쟁조정위원회를 둔다"고 규정하고 있음. 위의 규정에서 "건축물의 건축"이라함은 착공에서부터 준공(사용승인, 사용검사) 까지의 건축물의 건축행위로서 건축분쟁조정위원회의 조정 등의 대상은 「건축법」 제76조의2제1항 각 호의 분쟁(건설산업기본법 제69조의 규정에 의한 조정의 대상이 되는 분쟁은 제외)을 의미하는 것으로 보아야 할 것임
나. "가"의 규정에서 분쟁의 조정 및 재정 대상이 되는 건축물의 범위는 건축법 제2조제1항2호에 의하면 "토지에 정착하는 공작물중 지붕과 기둥 또는 벽이 있는 것과 이에 부수되는 시설물, 지하 또는 고가의 공작물에 설치하는 사무소·공연장·창고·차고·점포 기타 대통령이 정하는 것"으로 규정하고 있음
따라서 건축법에서 정한 건축분쟁조정위원회의 대상이 되는 건축물은 도시 및 주거환경정비법, 주택법 등 타법령에 의한 사업승인 또는 인가대상도 착공에서부터 준공(사용승인, 사용검사) 까지의 건축물의 건축행위에 관하여 건축법 제76조의2의제1항에 의거 분쟁조정위원회의 조정 등의 대상에 포함 되어야 함이 타당할 것임
(* 법 제18조, 제76조의2 ⇒ 제22조, 제88조, 2008.3.21. 개정)

질의회신 건축분쟁 조정신청 관련

국토교통부 민원마당 FAQ 2023.6.15.

질의 착공 전 건축허가가 취소된 건설현장의 설계자가 건축주로부터 설계용역비 미지급을 이유로 건축분쟁조정신청을 요청함

회신 「건축법」 제88조에 따라 건축분쟁전문위원회는 건축물의 건축 등과 관련된 분쟁의 조정과 재정을 하도록 하고 있으며, 동 규정에서 "건축물의 건축"이라함은 착공에서부터 준공(사용승인 또는 사용검사)까지의 건축물의 건축행위를 의미함에 따라 착공 전에 건축허가가 취소된 경우에는 건축분쟁전문위원회의 분쟁조정 대상에서 제외됨
또한, 「건축법」 제15조제2항에 따라 건축관계자 간의 책임에 관한 내용과 그 범위는 이 법에서 규정한 것 이외는 건축주와 설계자, 건축주와 공사시공자, 건축주와 공사감리자 간의 계약으로 정하도록 하고 있음에 따라 귀하의 민원내용은 당사간의 계약에 따른 민법 등의 관련 규정에 따라야 할 것으로 사료됨

15 판례

대법원판례 시정명령처분취소

대법원 2021두45008, 2022.10.14.

판시사항 대지 또는 건축물의 위법상태를 시정할 수 있는 법률상 또는 사실상의 지위에 있지 않은 자가 구 건축법 제79조 제1항에 따른 시정명령의 상대방이 될 수 있는지 여부(소극)

판결요지 구 건축법(2019. 4. 23. 법률 제16380호로 개정되기 전의 것) 제79조 제1항에 따른 시정명령은 대지나 건축물이 건축 관련 법령 또는 건축 허가 조건을 위반한 상태를 해소하기 위한 조치를 명하는 처분으로, 건축 관련 법령 등을 위반한 객관적 사실이 있으면 할 수 있고, 원칙적으로 시정명령의 상대방에게 고의·과실을 요하지 아니하며 대지 또는 건축물의 위법상태를 직접 초래하거나 또는 그에 관여한 바 없다고 하더라도 부과할 수 있다. 그러나 건축법상 위법상태의 해소를 목적으로 하는 시정명령 제도의 본질상, 시정명령의 이행을 기대할 수 없는 자, 즉 대지 또는 건축물의 위법상태를 시정할 수 있는 법률상 또는 사실상의 지위에 있지 않은 자는 시정명령의 상대방이 될 수 없다고 보는 것이 타당하다. 시정명령의 이행을 기대할 수 없는 자에 대한 시정명령은 위법상태의 시정이라는 행정목적 달성을 위한 적절한 수단이 될 수 없고, 상대방에게 불가능한 일을 명령하는 결과밖에 되지 않기 때문이다.

대법원판례 기타이행강제금부과처분취소

대법원 2018두49642, 2019.4.25.

판시사항 1990.9.경 당시 시행되던 구 건축법에 따라 공작물 축조허가를 받아 설치된 광고탑에 대하여 공작물 축조허가 외에 구 광고물 등 관리법 등에 따른 게시시설 설치허가를 별도로 받아야 하는지 여부(소극)

판결요지 구 광고물 등 관리법(1990.8.1. 법률 제4242호 옥외광고물 등 관리법으로 전부 개정되기 전의 것)의 위임에 따른 구 서울특별시 광고물 등 관리법 시행규칙(1981.1.10. 서울특별시 규칙 제1885호로 개정되기 전의 것, 이하 '구 서울특별시 광고물법 시행규칙'이라 한다)이 제정된 1980.2.8. 당시에는 구 건축법(1991.3.8. 법률 제4364호로 개정되기 전의 것) 및 구 건축법 시행령(1991.1.14. 대통령령 제13249호로 개정되기 전의 것) 외에는 안전성과 미관의 측면에서 광고탑의 축조를 규제하는 법령이 존재하지 않았다. 광고물 또는 게시시설이 "다른 법령에 의하여 표시 또는 설치하거나 살포하는 것"에 해당하는 경우 광고물 또는 게시시설의 허가·신고에 관한 제2조의 규정을 적용하지 않는다고 정한 구 서울특별시 광고물법 시행규칙 제8조 제1호는 높이 4m를 넘는 광고탑에 관하여 공작물의 안전성과 미관의 측면에서 더 규제 강도가 높은 구 건축법령을 적용하고자 한 것으로 보아야 한다. 따라서 높이 4m를 넘는 광고탑에 관한 공작물 축조허가를 규율하는 구 건축법령은 구 서울특별시 광고물법 시행규칙 제8조 제1호에서 정한 '다른 법령'에 해당한다고 볼 수 있고, 구 건축법령에 따라 공작물 축조허가를 받은 경우에는 그보다 규제 강도가 낮은 구 서울특별시 광고물법 시행규칙 제2조에 따른 게시시설 허가·신고절차를 별도로 거칠 필요가 없다.

대법원판례 가설건축물존치기간연장신고반려처분취소등

대법원 2015두35116, 2018.1.25.

판시사항 [1] 가설건축물 존치기간을 연장하려는 건축주 등이 법령에 규정되어 있는 제반 서류와 요건을 갖추어 행정청에 연장신고를 한 경우, 행정청이 법령에서 요구하지 않은 '대지사용승낙서' 등의 서류가 제출되지 아니하였거나, 대지소유권자의 사용승낙이 없다는 등의 사유를 들어 연장신고의 수리를 거부할 수 있는지 여부(소극)

[2] 건축법상 이행강제금의 법적 성격(=행정상 간접강제) 및 시정명령을 받은 의무자가 시정명령에서 정한 기간이 지났으나 이행강제금이 부과되기 전에 의무를 이행한 경우, 이행강제금을 부과할 수 있는지 여부(소극) / 시정명령을 받은 의무자가 시정명령의 취지에 부합하는 의무를 이행하기 위한 정당한 방법으로 행정청에 신청 또는 신고를 하였으나 행정청이 위법하게 이를 거부 또는 반려함으로써 그 처분이 취소된 경우, 시정명령의 불이행을 이유로 이행강제금을 부과할 수 있는지 여부(원칙적 소극)

판결요지 [1] 가설건축물은 건축법상 '건축물'이 아니므로 건축허가나 건축신고 없이 설치할 수 있는 것이 원칙이지만 일정한 가설건축물에 대하여는 건축물에 준하여 위험을 통제하여야 할 필요가 있으므로 신고 대상으로 규율하고 있다. 이러한 신고제도의 취지에 비추어 보면, 가설건축물 존치기간을 연장하려는 건축주 등이 법령에 규정되어 있는 제반 서류와 요건을 갖추어 행정청에 연장신고를 한 때에는 행정청은 원칙적으로 이를 수리하여 신고필증을 교부하여야 하고, 법령에서 정한 요건 이외의 사유를 들어 수리를 거부할 수는 없다. 따라서 행정청으로서는 법령에서 요구하고 있지도 아니한 '대지사용승낙서' 등의 서류가 제출되지 아니하였거나, 대지소유권자의 사용승낙이 없다는 등의 사유를 들어 가설건축물 존치기간 연장신고의 수리를 거부하여서는 아니된다.

[2] 건축법상의 이행강제금은 시정명령의 불이행이라는 과거의 위반행위에 대한 제재가 아니라, 의무자에게 시정명령을 받은 의무의 이행을 명하고 그 이행기간 안에 의무를 이행하지 않으면 이행강제금이 부과된다는 사실을 고지함으로써 의무자에게 심리적 압박을 주어 의무의 이행을 간접적으로 강제하는 행정상의 간접강제 수단에 해당한다. 이러한 이행강제금의 본질상 시정명령을 받은 의무자가 이행강제금이 부과되기 전에 그 의무를 이행한 경우에는 비록 시정명령에서 정한 기간을 지나서 이행한 경우라도 이행강제금을 부과할 수 없다.
나아가 시정명령을 받은 의무자가 그 시정명령의 취지에 부합하는 의무를 이행하기 위한 정당한 방법으로 행정청에 신청 또는 신고를 하였으나 행정청이 위법하게 이를 거부 또는 반려함으로써 결국 그 처분이 취소되기에 이르렀다면, 특별한 사정이 없는 한 그 시정명령의 불이행을 이유로 이행강제금을 부과할 수는 없다고 보는 것이 위와 같은 이행강제금 제도의 취지에 부합한다.

대법원판례 이행강제금부과처분취소

대법원 2017두42453, 2017.8.23.

판시사항 건축법 제19조 제2항에 따라 관할 행정청의 허가를 받거나 신고해야 하는 용도변경에서 국토의 계획 및 이용에 관한 법률 제54조를 위반한 경우, 시정명령과 그 불이행에 따른 이행강제금 부과처분을 할 수 있는지 여부(적극) 및 건축법 제19조 제3항에 따라 건축물대장 기재 내용의 변경을 신청해야 하거나 임의로 용도변경을 할 수 있는 경우, '국토의 계획 및 이용에 관한 법률상 지구단위계획에 맞지 아니한 용도변경'이라는 이유로 시정명령과 그 불이행에 따른 이행강제금 부과처분을 할 수 있는지 여부(소극)

판결요지 건축법 제19조 제2항, 제3항, 제4항, 제7항, 제79조 제1항, 제80조 제1항, 건축법 시행령 제14조 제4항, 국토의 계획 및 이용에 관한 법률(이하 '국토계획법'이라 한다) 제54조의 내용과 체계 및 취지를 종합하면, 건축법 제19조 제7항에 따라 국토계획법 제54조가 준용되는 용도변경 즉, 건축법 제19조 제2항에 따라 관할 행정청의 허가를 받거나 신고하여야 하는 용도변경의 경우에는 국토계획법 제54조를 위반한 행위가 곧 건축법 제19조 제7항을 위반한 행위가 되므로, 이에 대하여 건축법 제79조, 제80조에 근거하여 시정명령과 그 불이행에 따른 이행강제금 부과처분을 할 수 있다. 그러나 국토계획법 제54조가 준용되지 않는 용도변경 즉, 건축법 제19조 제3항에 따라 건축물대장 기재 내용의 변경을 신청하여야 하는 경우나 임의로 용도변경을 할 수 있는 경우에는 국토계획법 제54조를 위반한 행위가 건축법 제19조 제7항을 위반한 행위가 된다고 볼 수는 없으므로 '국토계획법상 지구단위계획에 맞지 아니한 용도변경'이라는 이유만으로 건축법 제79조, 제80조에 근거한 시정명령과 그 불이행에 따른 이행강제금 부과처분을 할 수는 없다.

대법원판례 시정명령취소청구의소

대법원 2016두43640, 2016.10.27.

판시사항 건축법 제47조 제1항을 위반하여 설치된 담장이 '건물에 딸린 시설물'에 해당하는 경우, 같은 법 제79조 제1항에 의한 시정조치의 대상이 되는지 여부(적극) 및 이에 해당하지 아니하는 담장이 시정조치의 대상이 되는 경우

판결요지 건축법(이하 '법'이라 한다) 제2조 제1항 제2호, 제47조 제1항, 제79조 제1항, 제83조 제1항, 건축법 시행령 제118조 제1항 제5호, 제3항의 내용 및 체계 등을 종합하면, 법 제79조 제1항에서 정한 시정조치의 대상이 되는 '건축물'이란 법 제2조 제1항 제2호가 정의한 건축물만을 의미하므로, 법 제47조 제1항을 위반하여 설치된 담장이라도, 담장이 '토지에 정착하는 공작물 중 지붕과 기둥 또는 벽이 있는 것'(이하 '건물'이라 한다)과 물리

적 또는 기능적으로 일체가 되어 독립성을 상실한 것으로서 '건물에 딸린 시설물'에 해당하는 경우에는 건축법 제2조 제1항 제2호가 정한 '건축물'에 해당하므로 법 제79조 제1항에 의한 시정조치의 대상이 되나, 이에 해당하지 아니하는 담장은 법 제83조 제1항에 따라 축조신고 대상이 되는 공작물에 해당하는 경우에만 법 제83조 제3항의 준용규정에 따라 법 제79조 제1항에 의한 시정조치의 대상이 될 수 있다.

대법원판례 이행강제금부과처분무효확인등

대법원 2015두46598, 2016.7.14.

판시사항 구 건축법상 이행강제금의 법적 성격 / 건축주 등이 장기간 시정명령을 이행하지 아니하였으나 그 기간 중에 시정명령의 이행 기회가 제공되지 아니하였다가 뒤늦게 이행 기회가 제공된 경우, 이행 기회가 제공되지 아니한 과거의 기간에 대한 이행강제금까지 한꺼번에 부과할 수 있는지 여부(소극) 및 이를 위반하여 이루어진 이행강제금 부과처분의 하자가 중대·명백한지 여부(적극)

판결요지 구 건축법(2014.5.28. 법률 제12701호로 개정되기 전의 것, 이하 같다) 제79조 제1항, 제80조 제1항, 제2항, 제4항 본문, 제5항의 내용, 체계 및 취지 등을 종합하면, 구 건축법상 이행강제금은 시정명령의 불이행이라는 과거의 위반행위에 대한 제재가 아니라, 시정명령을 이행하지 않고 있는 건축주·공사시공자·현장관리인·소유자·관리자 또는 점유자(이하 '건축주 등'이라 한다)에 대하여 다시 상당한 이행기한을 부여하고 기한 안에 시정명령을 이행하지 않으면 이행강제금이 부과된다는 사실을 고지함으로써 의무자에게 심리적 압박을 주어 시정명령에 따른 의무의 이행을 간접적으로 강제하는 행정상의 간접강제 수단에 해당한다. 그리고 구 건축법 제80조 제1항, 제4항에 의하면 문언상 최초의 시정명령이 있었던 날을 기준으로 1년 단위별로 2회에 한하여 이행강제금을 부과할 수 있고, 이 경우에도 매 1회 부과 시마다 구 건축법 제80조 제1항 단서에서 정한 1회분 상당액의 이행강제금을 부과한 다음 다시 시정명령의 이행에 필요한 상당한 이행기한을 정하여 그 기한까지 시정명령을 이행할 수 있는 기회(이하 '시정명령의 이행 기회'라 한다)를 준 후 비로소 다음 1회분 이행강제금을 부과할 수 있다.
따라서 비록 건축주 등이 장기간 시정명령을 이행하지 아니하였더라도, 그 기간 중에는 시정명령의 이행 기회가 제공되지 아니하였다가 뒤늦게 시정명령의 이행 기회가 제공된 경우라면, 시정명령의 이행 기회 제공을 전제로 한 1회분의 이행강제금만을 부과할 수 있고, 시정명령의 이행 기회가 제공되지 아니한 과거의 기간에 대한 이행강제금까지 한꺼번에 부과할 수는 없다. 그리고 이를 위반하여 이루어진 이행강제금 부과처분은 과거의 위반행위에 대한 제재가 아니라 행정상의 간접강제 수단이라는 이행강제금의 본질에 반하여 구 건축법 제80조 제1항, 제4항 등 법규의 중요한 부분을 위반한 것으로서, 그러한 하자는 중대할 뿐만 아니라 객관적으로도 명백하다.

대법원판례 건축법위반 · 건축사법위반

대법원 2013도13062, 2014.7.24.

판시사항 '대지를 조성하기 위한 옹벽'이 건축물과 무관하게 미리 축조되거나 건축물이 건축된 이후 별도로 축조되는 경우, 건축물의 허가 또는 신고와 따로 신고를 하여야 하는지 여부(적극) / '대지를 조성하기 위한 옹벽'이 구 건축법 제23조 제1항에 규정된 건축물에 해당하는지 여부(소극)

판결요지 구 건축법(2014.1.14. 법률 제12246호로 개정되기 전의 것, 이하 '법'이라고 한다) 제2조 제1항 제2호, 제11조 제5항 제2호, 제23조 제1항, 제83조 제1항, 제106조 제1항, 제107조 제1항, 건축법 시행령 제118조 제1항 제5호, 건축사법 제4조 제1항, 제39조 제2호를 종합하여 볼 때, '대지를 조성하기 위한 옹벽'이 법 제2조 제1항 제2호에서 규정한 건축물과 함께 축조되는 경우에는 별도로 법 제83조에 따른 신고를 할 필요가 없지만, 건축물과 무관하게 미리 축조되거나 건축물이 건축된 이후 별도로 축조되는 경우에는 건축물의 허가 또는 신고와는 따로 신고를 하여야 한다고 해석되는데, '대지를 조성하기 위한 옹벽'은 법 제83조 제1항에 따라 신고대상이 되는 공작물에 해당할 뿐 법 제23조 제1항에서 규정된 건축물, 즉 법 제11조 제1항에 따라 건축허가를 받아야 하거나 제14조 제1항에 따라 건축신고를 하여야 하는 법 제2조 제1항 제2호의 건축물에 해당하지는 아니한다.

대법원판례 **이행강제금 부과처분 취소**

대법원 2011두10164, 2013.1.24.

판시사항 신고 대상 건축물에 대하여 건축법상 이행강제금을 부과할 수 있는지 여부(적극) 및 신고를 하지 않고 가설건축물을 축조한 경우에 적용할 이행강제금 부과에 관한 근거 규정

판결요지 이행강제금 부과 근거 규정인 건축법 제80조 제1항 제1호는 "건축물이 제55조와 제56조에 따른 건폐율이나 용적률을 초과하여 건축된 경우 또는 허가를 받지 아니하거나 신고를 하지 아니하고 건축된 경우에는 지방세법에 따라 해당 건축물에 적용되는 1㎡의 시가표준액의 100분의 50에 해당하는 금액에 위반면적을 곱한 금액 이하"의 이행강제금을 부과하도록 규정하고 있는바, 건축법이 이와 같이 건축물이 신고하지 않고 건축된 경우에도 이행강제금을 부과할 수 있도록 규정하고 있는 점에 비추어 보면, 건축법상의 이행강제금은 허가 대상 건축물뿐만 아니라 신고 대상 건축물에 대해서도 부과할 수 있고, 한편 신고를 하지 않고 가설건축물을 축조한 경우에는 건축법 제80조 제1항 제1호에 따라 '지방세법에 따라 해당 건축물에 적용되는 1㎡의 시가표준액의 100분의 50에 해당하는 금액에 위반면적을 곱한 금액 이하'의 이행강제금을 부과하여야 할 것이지 같은 항 제2호에 따라 이행강제금을 부과할 것이 아니다.

대법원판례 **이행강제금 부과처분 취소**

대법원 2010두8072, 2010.8.19.

판시사항 [1] 구 건축법상 용도변경신고의 대상은 아니지만 건축물대장 기재사항의 변경을 신청해야 하는 건축물의 용도를 변경하고 그에 관한 건축물대장 기재사항 변경신청을 하지 않은 경우, 그 용도변경이 위법한 것인지 여부(적극)

[2] 용도변경된 건축물을 사용하는 행위도 건축법상의 용도변경행위에 포함되는지 여부(적극) 및 용도변경으로 인한 위법상태의 법적 성격을 판단하는 기준이 되는 법령

[3] 구 건축법상 용도변경신고의 대상은 아니지만 건축물대장 기재사항의 변경을 신청해야 하는 근린생활시설에서 원룸으로 용도변경된 건물을 취득한 甲이 그 용도변경에 대하여 위 변경신청을 하지 않고 있던 중, 구 건축법이 개정되어 위 건물의 용도변경이 용도변경신고의 대상으로 됨에 따라 행정청이 甲에게 위 건물이 용도변경신고의무 위반의 위법건축물에 해당한다는 이유로 시정명령을 하고, 시정명령불이행에 따른 이행강제금을 부과한 사안에서, 그 처분이 적법함에도 이와 달리 본 원심판단에 법리오해의 위법이 있다고 한 사례

판결요지 [1] 구 건축법(2005.11.8. 법률 제7696호로 개정되기 전의 것) 제14조 제4항은 용도변경신고의 대상이 아닌 건축물의 용도를 변경하고자 하는 자는 시장·군수·구청장에게 건축물대장의 기재사항의 변경을 신청하여야 한다고 정하고 있다. 따라서 건축물에 관한 어떠한 용도변경이 건축물대장 기재사항 변경신청의 대상이라고 하더라도 그에 관한 건축물대장 기재사항 변경신청이 실제로 이루어지지 아니한 이상 그 용도의 변경이 적법하다고 할 수 없다.

[2] 건축법상의 용도변경행위에는 유형적인 용도변경행위뿐만 아니라 용도변경된 건축물을 사용하는 행위도 포함된다. 따라서 적법한 용도변경절차를 마치지 아니한 건축물은 원상회복되거나 적법한 용도변경절차를 마치기 전까지는 그 위법상태가 계속되고, 그 위법상태의 법적 성격은 특별한 사정이 없는 한 그 법적 성격 여하가 문제되는 시점 당시에 시행되는 건축법령에 의하여 판단되어야 한다.

[3] 구 건축법(2005.11.8. 법률 제7696호로 개정되기 전의 것)상 용도변경신고의 대상은 아니지만 건축물대장 기재사항의 변경을 신청해야 하는 근린생활시설에서 원룸으로 용도변경된 건물을 취득한 甲이 그 용도변경에 대하여 위 변경신청을 하지 않고 있던 중, 구 건축법이 개정되어 위 건물의 용도변경이 용도변경신고의 대상으로 됨에 따라 행정청이 甲에게 위 건물이 용도변경신고의무 위반의 위법건축물에 해당한다는 이유로 시정명령을 하고, 시정명령불이행에 따른 이행강제금을 부과한 사안에서, 甲이 구 건축법 시행 당시 용도기재변경신청을 실제로 하지 않은 이상 위 건물은 적법한 건축물이라고 할 수 없고, 그 위법상태는 위 건물을 원상복구하거나 적법한 용도변경절차를 마치기 전까지 유지되므로 그 처분이 적법함에도 이와 달리 본 원심판단에 법리오해의 위법이 있다고 한 사례.

대법원판례 위반건축물 원상복구 시정명령 처분

대법원 2007두5639 2008.7.24.

판시사항 명의만 빌려준 명목상 건축주가 구 건축법 제69조 제1항에 정한 위반건축물에 대한 시정명령의 상대방이 되는 '건축주'에 해당하는지 여부(적극)

판결요지 건축법의 관계 규정상 건축허가 혹은 건축신고시 관할 행정청에 명의상 건축주가 실제건축주인지 여부에 관한 실질적 심사권이 있다고 보기 어렵고, 또 명목상 건축주라도 그것이 자의에 의한 명의대여라면 당해 위반건축물에 대한 직접 원인행위자는 아니라 하더라도 명의대여자로서 책임을 부담함이 상당한 점, 만약 이와 같이 보지 않을 경우 건축주는 자신이 명목상 건축주에 불과하다고 주장하여 책임회피의 수단으로 악용할 가능성이 있고, 또 건축주 명의대여가 조장되어 행정법 관계를 불명확하게 하고 법적 안정성을 저해하는 요소로 작용할 수 있는 점 등을 종합적으로 고려하여 보면, 당해 위반건축물에 대해 건축주 명의를 갖는 자는 명의가 도용되었다는 등의 특별한 사정이 있지 않은 한 구 건축법(2008.3.21 개정 법률 제8974호로 전문 개정되기 전의 것) 제69조 제1항의 건축주에 해당한다고 보아야 한다.

대법원판례 건축법 위반 이의

대법원 2006마470, 2006.12.8.

판시사항 [1] 구 건축법상 이행강제금을 부과받은 사람이 이행강제금사건의 계속중 사망한 경우, 절차의 종료 여부(적극)

[2] 구 건축법상 이행강제금을 부과받은 사람이 이행강제금사건의 제1심결정 후 항고심결정이 있기 전에 사망한 경우, 사망자의 이름으로 제기된 재항고의 적법성(=부적법)

판결요지 [1] 구 건축법(2005.11.8 법률 제7696호로 개정되기 전의 것)상의 이행강제금은 구 건축법의 위반행위에 대하여 시정명령을 받은 후 시정기간 내에 당해 시정명령을 이행하지 아니한 건축주 등에 대하여 부과되는 간접강제의 일종으로서 그 이행강제금 납부의무는 상속인 기타의 사람에게 승계될 수 없는 일신전속적인 성질의 것이므로 이미 사망한 사람에게 이행강제금을 부과하는 내용의 처분이나 결정은 당연무효이고, 이행강제금을 부과받은 사람의 이의에 의하여 비송사건절차법에 의한 재판절차가 개시된 후에 그 이의한 사람이 사망한 때에는 사건 자체가 목적을 잃고 절차가 종료한다.

[2] 구 건축법상 이행강제금을 부과받은 사람이 이행강제금사건의 제1심결정 후 항고심결정이 있기 전에 사망한 경우, 항고심결정은 당연무효이고, 이미 사망한 사람의 이름으로 제기된 재항고는 보정할 수 없는 흠결이 있는 것으로서 부적법하다.

대법원판례 건축법 위반 이의

대법원 2004마953, 2006.5.22.

판시사항 건축법 부칙(1991.5.31) 제6조의 의미 및 시정명령을 이행하지 아니한 건축주에 대하여 구 건축법을 적용하여 '과태료'에 처할 것을 개정 건축법을 적용하여 '이행강제금'에 처한 조치의 위법 여부(적극)

판결요지 1991.5.31 법률 제4381호로 전문 개정되어 1992.6.1 부터 시행된 구 건축법(이하 '개정된 구 건축법'이라 한다) 부칙 제6조는 "이 법 시행 전에 종전의 규정에 위반한 건축물에 관한 처분에 관하여는 제83조(이행강제금)의 규정에 불구하고 종전의 규정에 의한다."고 규정하고 있는데, 이는 위와 같이 개정되기 전의 구 건축법(이하 '구 건축법'이라 한다)하에서 이미 위반행위가 이루어진 건축물을 '개정된 구 건축법'하에서 그대로 존치하거나 사용하는 것에 대하여 시정명령을 받고도 시정하지 아니하는 경우 구 건축법 제56조의2를 적용하여 과태료에 처한다는 것을 의미하는 것이라고 할 것인바, '개정된 구 건축법상'의 이행강제금에 관한 규정은 시정명령 불이행을 이유로 한 구 건축법상의 과태료에 관한 규정을 개선한 것이기는 하나 그 최고한도 및 부과횟수 등에 있어서 차이가 있으므로, 구 건축법상의 과태료에 처할 것을 '개정된 구 건축법'상의 이행강제금에 처하는 것은 위법하다.

대법원판례 **건축선 위반건축물 시정지시 취소**

대법원 2001두1512, 2002.11.8.

판시사항 건축허가 내용대로 상당한 정도로 공사가 진행된 상태에서 건축법이나 도시계획법에 위반되는 하자가 발견되었다는 이유로 건축물의 일부분의 철거를 명할 수 있는 경우

판결요지 1. 건축주와 그로부터 건축설계를 위임받은 건축사가 상세계획지침에 의한 건축한계선의 제한이 있다는 사실을 간과한 채 건축설계를 하고 이를 토대로 건축물의 신축 및 증축허가를 받은 경우, 그 신축 및 증축허가가 정당하다고 신뢰한 데에 귀책사유가 있다고 한 사례.
2. 건축주가 건축허가 내용대로 공사를 상당한 정도로 진행하였는데, 나중에 건축법이나 도시계획법에 위반되는 하자가 발견되었다는 이유로 그 일부분의 철거를 명할 수 있기 위하여는 그 건축허가를 기초로 하여 형성된 사실관계 및 법률관계를 고려하여 건축주가 입게 될 불이익과 건축행정이나 도시계획행정상의 공익, 제3자의 이익, 건축법이나 도시계획법 위반의 정도를 비교·교량하여 건축주의 이익을 희생시켜도 부득이하다고 인정되는 경우라야 한다.

대법원판례 **이행강제금 부과가 헌법에 위배되는지 여부**

대법원 2002마1022, 2002.8.16.

판시사항 건축법상 위법건축물 완공 후에도 시정명령을 할 수 있는지 여부(적극) 및 그 불이행에 대한 이행강제금의 부과가 헌법 제37조 제2항에 위배되는지 여부(소극)

판결요지 이행강제금은 국민의 자유와 권리를 제한한다는 의미에서 행정상 간접강제의 일종인 이른바 침익적 행정행위에 속하기는 하나, 위법건축물의 방치를 막고자 행정청이 시정조치를 명하였음에도 건축주 등이 이를 이행하지 아니한 경우에 행정명령의 실효성을 확보하기 위하여 시정명령 이행시까지 지속적으로 부과함으로써 건축물의 안전과 기능, 미관을 향상시켜 공공복리의 증진을 도모하기 위한 것이므로 그 목적의 정당성이 인정된다 할 것이고, 공무원들이 위법건축물임을 알지 못하여 공사 도중에 시정명령이 내려지지 않아 위법건축물이 완공되었다 하더라도, 공공복리의 증진이라는 위 목적의 달성을 위해서는 완공 후에라도 위법건축물임을 알게 된 이상 시정명령을 할 수 있다고 보아야 할 것이며, 만약 완공 후에는 시정명령을 할 수 없다면 위법건축물을 축조한 자가 일단 건물이 완공되었다는 이유만으로 그 시정을 거부할 수 있는 결과를 초래하게 될 것이므로, 공사기간 중에 위법건축물임을 알지 못하여 시정명령을 하지 않고 있다가 완공 후에 이러한 사실을 알고 시정명령을 하였다고 하여 부당하다고 볼 수는 없고, 시정명령을 내릴 수 있는 시점을 공사 도중이나 특정 시점까지만 할 수 있다고 정해두지 아니하였다고 하여 그 침해의 필요성이 없음에도 국민의 자유와 권리를 침해하고 있다거나, 국민의 자유와 권리에 대한 본질적인 내용을 침해한 것이라고 볼 수는 없다 할 것이므로, 건축법 제83조 제1항 및 제69조 제1항에서 시정명령을 내리도록 규정하면서 그 발령 시기를 규정하지 아니한 것이 헌법 제37조 제2항에 위반된다고도 볼 수 없다.

건 축 법
1. 총 칙
2. 건 축
3. 유지관리
4. 대지도로
5. 구조재료
6. 지역지구
7. 건축설비
8. 특별건축구역
9. 보 칙
10. 벌 칙
건 축 법 관련기준

벌 칙

1 벌 칙(법 제106조, 제107조)

법 제106조【벌칙】

① 제23조, 제24조제1항, 제25조제3항, 제52조의3제1항 및 제52조의5제2항을 위반하여 설계·시공·공사감리 및 유지·관리와 건축자재의 제조 및 유통을 함으로써 건축물이 부실하게 되어 착공 후 「건설산업기본법」 제28조에 따른 하자담보책임 기간에 건축물의 기초와 주요구조부에 중대한 손괴를 일으켜 일반인을 위험에 처하게 한 설계자·감리자·시공자·제조업자·유통업자·관계전문기술자 및 건축주는 10년 이하의 징역에 처한다. <개정 2019.4.23., 2020.12.22.>

② 제1항의 죄를 범하여 사람을 죽거나 다치게 한 자는 무기징역이나 3년 이상의 징역에 처한다.

법 제107조【벌칙】

① 업무상 과실로 제106조제1항의 죄를 범한 자는 5년 이하의 징역이나 금고 또는 5억원 이하의 벌금에 처한다. <개정 2016.2.3.>

② 업무상 과실로 제106조제2항의 죄를 범한 자는 10년 이하의 징역이나 금고 또는 10억원 이하의 벌금에 처한다. <개정 2016.2.3.>

1 10년 이하의 징역 등

건축물의 설계(법 제23조), 건축시공자의 성실시공(법 제24조제1항), 공사감리자의 위반사항에 대한 조치(법 제25조제3항), 건축자재의 제조 및 유통관리(제52조의3제1항) 및 건축자재등의 품질인정(법 제52조의5제2항) 규정을 위반하여 설계·시공·공사감리 및 유지·관리를 함으로써 건축물이 부실하게 되어 착공 후 하자담보책임 기간에 건축물의 기초와 주요구조부에 중대한 손괴를 일으켜 일반인을 위험에 처하게 한 설계자·감리자·시공자·제조업자·유통업자·관계전문기술자 및 건축주는 10년 이하의 징역에 처하며, 그 내용은 다음과 같다.

위반내용 및 행위	벌 칙 내 용		대상자	법인의 대표자, 법인 또는 개인의 대리인 · 사용인 기타 종업원이 그 법인 또는 개인의 업무에 관하여 위반행위를 한 경우*	
1. 건축설계, 시공, 건축자재의 제조 및 유통관리, 감리 및 유지·관리 규정을 위반함으로써 건축물이 부실하게 되어 하자담보책임기간에 건축물의 기초 및 주요구조부에 중대한 손괴를 일으켜 일반인을 위험에 처하게 한 경우	원칙	10년 이하의 징역	위법행위자(설계자·시공자·감리자·제조업자·유통업자·관계전문기술자·건축주)	행위자를 벌하는 외에 그 법인 또는 개인에	10억원 이하의 벌금에 처함
	업무상 과실로 인한 경우	5년 이하의 징역이나 금고 또는 5억원 이하의 벌금		〃	각 해당조의 벌금형을 과함
2. 위 1.의 죄를 범하여 사람을 사상에 이르게 한 경우	원칙	무기 또는 3년 이상의 징역	〃	〃	10억원 이하의 벌금에 처함
	업무상 과실로 인한 경우	10년 이하의 징역이나 금고 또는 10억원 이하의 벌금		〃	각 해당조의 벌금형을 과함

* 법 제112조(양벌규정)의 규정 내용임
* (예외) 법인 또는 개인이 그 위반행위를 방지하기 위하여 해당 업무에 관하여 상당한 주의와 감독을 게을리하지 아니한 때는 제외

【참고】 하자담보 책임기간(건설산업기본법 제28조)

구 조	하자담보 책임기간
벽돌쌓기식 구조·철근콘크리트 구조·철골구조·철골철근콘크리트 구조 그 밖에 이와 유사한 구조	건설공사 완공일과 목적물의 관리·사용을 개시한 날 중에서 먼저 도래한 날로부터 10년
위 이외의 구조	건설공사 완공일과 목적물의 관리·사용을 개시한 날 중에서 먼저 도래한 날로부터 5년

2 3년 이하의 징역 또는 5억원 이하의 벌금(법 제108조)

법 제108조【벌칙】

① 다음 각 호의 어느 하나에 해당하는 자는 3년 이하의 징역이나 5억원 이하의 벌금에 처한다. <개정 2019.4.23., 2020.12.22.>

1. 도시지역에서 제11조제1항, 제19조제1항 및 제2항, 제47조, 제55조, 제56조, 제58조, 제60조, 제61조 또는 제77조의10을 위반하여 건축물을 건축하거나 대수선 또는 용도변경을 한 건축주 및 공사시공자

2. 제52조제1항 및 제2항에 따른 방화에 지장이 없는 재료를 사용하지 아니한 공사시공자 또는 그 재료 사용에 책임이 있는 설계자나 공사감리자
3. 제52조의3제1항을 위반한 건축자재의 제조업자 및 유통업자
4. 제52조의4제1항을 위반하여 품질관리서를 제출하지 아니하거나 거짓으로 제출한 제조업자, 유통업자, 공사시공자 및 공사감리자
5. 제52조의5제1항을 위반하여 품질인정기준에 적합하지 아니함에도 품질인정을 한 자 <신설 2020.12.22.>

② 제1항의 경우 징역과 벌금은 병과(倂科)할 수 있다.

해설 도시지역에서 다음의 규정을 위반한 자는 3년 이하의 징역 또는 5억원 이하의 벌금에 처함.

<table>
<tr><th colspan="2">① 법규정</th><th rowspan="2">② 위반내용</th><th rowspan="2">③ 처벌대상자</th><th rowspan="2">④ 법인의 대표자, 법인 또는 개인의 대리인, 사용인 기타 종업원이 그 법인 또는 개인의 업무에 관하여 위반행위를 한 경우</th></tr>
<tr><th>법조항</th><th>내 용</th></tr>
<tr><td>제11조제1항</td><td>건축허가</td><td rowspan="9">도시지역에서 ①의 법규정을 위반하여 건축물을 건축, 대수선 또는 용도변경한 경우</td><td rowspan="9">• 건축주
• 공사시공자</td><td rowspan="13">행위자를 벌하는 외에 그 법인이나 개인에 에게도 각 해당조의 벌금형을 과함</td></tr>
<tr><td>제19조 제1항, 제2항</td><td>용도변경(허가, 신고)</td></tr>
<tr><td>제47조</td><td>건축선에 따른 건축제한</td></tr>
<tr><td>제55조</td><td>건축물의 건폐율</td></tr>
<tr><td>제56조</td><td>건축물의 용적률</td></tr>
<tr><td>제58조</td><td>대지 안의 공지</td></tr>
<tr><td>제60조</td><td>건축물의 높이 제한</td></tr>
<tr><td>제61조</td><td>일조 등의 확보를 위한 건축물의 높이 제한</td></tr>
<tr><td>제77조의10</td><td>건축협정의 효력 및 승계</td></tr>
<tr><td>제52조 제1항, 제2항</td><td>건축물의 마감재료</td><td>방화에 지장이 없는 재료를 사용하지 아니한 경우</td><td>• 공사시공자
• 설계자
• 공사감리자</td></tr>
<tr><td>제52조의3 제1항</td><td>건축자재의 제조 및 유통관리</td><td>건축자재의 제조, 보관 및 유통시 건축물의 안전과 기능 등에 지장이 있는 경우</td><td>• 제조업자
• 유통업자</td></tr>
<tr><td>제52조의4 제1항</td><td>건축자재의 품질관리 등</td><td>품질관리서 미제출 또는 거짓 제출한 경우</td><td>• 제조업자
• 유통업자
• 공사시공자
• 공사감리자</td></tr>
<tr><td>제52조의5 제1항</td><td>건축자재등의 품질인정</td><td>품질인정기준에 부적합함에도 품질인정한 경우</td><td>• 품질인정자</td></tr>
</table>

※ 위의 경우 징역형과 벌금형을 병과할 수 있다.

3 2년 이하의 징역 또는 2억원 이하의 벌금(법 제109조)

법 제109조【벌칙】

다음 각 호의 어느 하나에 해당하는 자는 2년 이하의 징역이나 2억원 이하의 벌금에 처한다. <개정 2016.2.3., 2017.4.18.>

1. 제27조제2항에 따른 보고를 거짓으로 한 자
2. 제87조의2제1항제1호에 따른 보고·확인·검토·심사 및 점검을 거짓으로 한 자

해설 현장 조사·검사 및 확인업무의 대행자의 서면보고 등을 거짓으로 한 자는 2년 이하의 징역 또는 2억원 이하의 벌금에 처함.

① 법규정		② 위반내용	③ 처벌대상자	④ 법인의 대표자, 법인 또는 개인의 대리인, 사용인 기타 종업원이 그 법인 또는 개인의 업무에 관하여 위반행위를 한 경우
법조항	내 용			
제27조제2항	현장 조사·검사 및 확인업무의 대행자의 서면보고	거짓 서면 보고	• 건축사 (업무 대행자)	행위자를 벌하는 외에 그 법인이나 개인에 에게도 각 해당조의 벌금형을 과함
제87조의2 제1항제1호	지역건축안전센터의 업무 내용 중 기술적 사항*에 대한 보고·확인·검토·심사 및 점검	보고, 확인 등을 거짓으로 한 행위	• 전문인력 등 (업무 수행자)	

* 관련 규정(건축법): 제11조(건축허가), 제14조(건축신고), 제16조(허가와 신고사항의 변경), 제21조(착공신고 등), 제22조(건축물의 사용승인), 제27조(현장조사·검사 및 확인업무의 대행), 제35조(건축물의 유지·관리)제3항(안전점검 등), 제81조(기존의 건축물에 대한 안전점검 및 시정명령 등) 및 제87조(보고와 검사 등)

4 2년 이하의 징역 또는 1억원 이하의 벌금(법 제110조)

법 제110조【벌칙】

다음 각 호의 어느 하나에 해당하는 자는 2년 이하의 징역 또는 1억원 이하의 벌금에 처한다. <개정 2017.4.18., 2019.4.23., 2019.4.30.>

1. 도시지역 밖에서 제11조제1항, 제19조제1항 및 제2항, 제47조, 제55조, 제56조, 제58조, 제60조, 제61조 또는 제77조의10을 위반하여 건축물을 건축하거나 대수선 또는 용도변경을 한 건축주 및 공사시공자

1의2. 제13조제5항을 위반한 건축주 및 공사시공자

2. 제16조(변경허가 사항만 해당한다), 제21조제5항, 제22조제3항 또는 제25조제7항을 위반한 건축주 및 공사시공자
3. 제20조제1항에 따른 허가를 받지 아니하거나 제83조에 따른 신고를 하지 아니하고 가설건축물을 건축하거나 공작물을 축조한 건축주 및 공사시공자
4. 다음 각 목의 어느 하나에 해당하는 자
   가. 제25조제1항을 위반하여 공사감리자를 지정하지 아니하고 공사를 하게 한 자
   나. 제25조제1항을 위반하여 공사시공자 본인 및 계열회사를 공사감리자로 지정한 자
5. 제25조제3항을 위반하여 공사감리자로부터 시정 요청이나 재시공 요청을 받고 이에 따르지 아니하거나 공사 중지의 요청을 받고도 공사를 계속한 공사시공자

6. 제25조제6항을 위반하여 정당한 사유 없이 감리중간보고서나 감리완료보고서를 제출하지 아니하거나 거짓으로 작성하여 제출한 자
7. 삭제 <2019.4.30.>
8. 제40조제4항을 위반한 건축주 및 공사시공자
8의2. 제43조제1항, 제49조, 제50조, 제51조, 제53조, 제58조, 제61조제1항 · 제2항 또는 제64조를 위반한 건축주, 설계자, 공사시공자 또는 공사감리자
9. 제48조를 위반한 설계자, 공사감리자, 공사시공자 및 제67조에 따른 관계전문기술자
9의2. 제50조의2제1항을 위반한 설계자, 공사감리자 및 공사시공자
9의3. 제48조의4를 위반한 건축주, 설계자, 공사감리자, 공사시공자 및 제67조에 따른 관계전문기술자
10. 삭제 <2019.4.23.>
11. 삭제 <2019.4.23.>
12. 제62조를 위반한 설계자, 공사감리자, 공사시공자 및 제67조에 따른 관계전문기술자

해설 다음의 위법행위자는 2년 이하의 징역 또는 1억원 이하의 벌금을 처함

구분	법규정		위반내용	처벌대상자	양벌규정	
	법조항	내용				
1	제11조제1항	건축허가	도시지역 밖에서 법규정을 위반하여 건축물을 건축 · 대수선 · 용도변경하는 경우	건축주 및 공사시공자	행위자를 벌하는 외에 당해 법인 또는 개인에	각 해당 조의 벌금형을 과함
	제19조 제1항, 제2항	용도변경(허가, 신고)				
	제47조	건축선에 따른 건축 제한				
	제55조	건축물의 건폐율				
	제56조	건축물의 용적률				
	제58조	대지 안의 공지				
	제60조	건축물의 높이 제한				
	제61조	일조 등의 확보를 위한 건축물의 높이제한				
	제77조의10	건축협정의 효력 및 승계				
1의2	제13조제5항	건축 공사현장 안전관리예치금 등	공사현장의 미관, 안전관리등의 개선명령	건축주 및 공사시공자	〃	〃
2	제16조	허가와 신고사항의 변경	법규정을 위반한 경우	건축주 및 공사시공자	〃	〃
	제21조제5항	건축물 규모에 따른 시공자 규제				
	제22조제3항	건축물 사용(사용승인후)				
	제25조제7항	공사감리자에 대한 불이익 금지				
3	제20조제1항	가설건축물의 건축허가	허가를 받지 않은 경우	건축주 및 공사시공자	〃	〃
4	제25조제1항	공사감리자의 지정의무	법규정을 위반한 경우	감리자 지정없이 공사하게 한 자		
		계열회사의 감리자지정	법규정을 위반한 경우	시공자 본인 및 계열회사를 감리자로 지정한 자		

5	제25조제3항	위반건축공사의 공사감리자의 지시 불이행	감리자로부터 시정 또는 재시공 요청을 받고 이에 따르지 않거나, 공사중지 요청을 받고 공사를 계속한 경우	공사시공자	〃	〃
6	제25조제6항	감리일지의 기록유지 및 감리보고서의 작성·제출	감리중간·감리완료보고서를 제출하지 아니하거나 거짓으로 작성하여 제출한 경우	공사감리자	〃	〃
6의2	제27조제2항	현장조사·검사 등의 업무 대행후 서면보고	법규정을 위반한 경우	현장조사·검사 등 대행 업무를 한 자	〃	〃
8	제40조제4항	옹벽의 설치 등	법규정을 위반한 경우	건축주 및 공사시공자	〃	〃
8의2	제43조제1항	공개 공지 등의 확보	법규정을 위반한 경우	건축주, 설계자, 공사감리자, 공사시공자	〃	〃
	제49조	피난시설, 용도제한 등				
	제50조	내화구조와 방화벽				
	제51조	방화지구안의 건축물				
	제53조	지하층				
	제58조	대지안의 공지				
	제61조제1항	일조높이제한				
	제61조제2항	채광방향 높이제한 등				
	제64조	승강기				
9	제48조	구조내력 등	법규정을 위반한 경우	설계자·공사감리자·공사시공자·관계전문기술자*	〃	〃
9의2	제50조의2 제1항	고층건축물의 피난 및 안전관리	법규정을 위반한 경우	설계자·공사감리자·공사시공자	〃	〃
9의3	제48조의4	부속구조물의 설치 및 관리	법규정을 위반한 경우	건축주·설계자·공사감리자·공사시공자·관계전문기술자*	〃	〃
12	제62조	건축설비기준 등	법규정을 위반한 경우	설계자·공사감리자·공사시공자·관계전문기술자*	〃	〃

* 관계전문기술자라 함은 (구조분야)건축구조기술사, (기계설비분야)건축기계설비기술사·공조냉동기계기술사, (전기설비분야)건축전기설비기술사·발송배전기술사, (가스분야)가스기술사, (토목분야)토목 분야 기술사·국토개발분야의 지질 및 지반기술사(법 제67조)로서 기술사법 등에 따라 등록한 자를 말함

5 5,000만원 이하의 벌금(법 제111조)

법 제111조【벌칙】

다음 각 호의 어느 하나에 해당하는 자는 5천만원 이하의 벌금에 처한다. <개정 2019.4.30.>

1. 제14조, 제16조(변경신고 사항만 해당한다), 제20조의제3항, 제21조제1항, 제22조제1항 또는 제83조제1항에 따른 신고 또는 신청을 하지 아니하거나 거짓으로 신고하거나 신청한 자
2. 제24조제3항을 위반하여 설계 변경을 요청받고도 정당한 사유 없이 따르지 아니한 설계자
3. 제24조제4항을 위반하여 공사감리자로부터 상세시공도면을 작성하도록 요청받고도 이를 작성하지 아니하거나 시공도면에 따라 공사하지 아니한 자

3의2. 제24조제6항을 위반하여 현장관리인을 지정하지 아니하거나 착공신고서에 이를 거짓

으로 기재한 자

3의3. 삭제 <2019.4.23.>

4. 제28조제1항을 위반한 공사시공자

5. 제41조나 제42조를 위반한 건축주 및 공사시공자

5의2. 제43조제4항을 위반하여 공개공지등의 활용을 저해하는 행위를 한 자

6. 제52조의2를 위반하여 실내건축을 한 건축주 및 공사시공자

6의2. 제52조의4제5항을 위반하여 건축자재에 대한 정보를 표시하지 아니하거나 거짓으로 표시한 자

7. 삭제 <2019.4.30.>

8. 삭제 <2009.2.6>

해설 다음의 위법행위자는 5,000만원 이하의 벌금에 처함

구분	법규정		위반내용	처벌대상자	양벌규정
	법조항	내 용			
1	법 제14조	건축신고	법규정에 의한 신고 또는 신청을 하지 아니하거나 거짓으로 신고 또는 신청한 경우	법규정을 위반한 신고 또는 신청자	행위자를 벌하는 외에 당해 법인 또는 개인에 각 해당 조의 벌금형을 과함
	제16조	제16조(변경신고 사항만 해당)			
	제20조제3항	가설건축물 신고 (재해복구용 등)			
	제21조제1항	착공신고			
	제22조제1항	건축물의 사용승인 신청			
	제83조제1항	옹벽 등 공작물에의 준용			
2	제24조제3항	설계변경 요청	설계변경을 요청받고 정당한 사유 없이 따르지 아니하는 경우	설계자	〃
3	제24조제4항	상세시공도면의 작성요청	공사감리자로부터 상세시공도면의 작성을 요청받고, 이를 작성하지 아니하거나 시공도면에 따라 공사를 하지 아니하는 경우	공사시공자	〃
3의2	제24조제6항	현장관리인 지정	현장관리인을 지정하지 아니하거나 착공신고서에 이를 거짓으로 기재한 자	건축주	〃
4	제28조제1항	공사현장의 위해 방지	법 규정에 위반한 경우	공사시공자	행위자를 벌하는 외에 당해 법인 또는 개인에 각 해당 조의 벌금형을 과함
5	제41조	토지굴착 부분에 대한 조치 등	법 규정을 위반한 경우	건축주 및 공사시공자	〃
	제42조	대지안의 조경			
5의2	제43조제4항	공개 공지 등의 확보	물건을 쌓아놓거나, 출입 차단시설 설치 등 활용저해 행위	행위자	〃
6	제52조의2	실내건축	법 규정에 위반한 경우	건축주 및 공사시공자	〃

6의2	제52조의4 제5항	건축자재의 품질관리 등	단열재의 표면에 건축자재 정보 표시의무	의무 위반자	〃
7	제81조제1항 및 제5항	기존건축물에 대한 시정명령	법 규정에 위반한 경우	명령에 위반한 자	〃
	제81조제4항	구조안전조사 및 결과의 보고		건축주등	〃

건축법
1. 총 칙
2. 건 축
3. 유지관리
4. 대지도로
5. 구조재료
6. 지역지구
7. 건축설비
8. 특별건축구역
9. 보 칙
10. 벌 칙
건축법 관련기준

6 양벌규정(법 제112조)

법 제112조【양벌규정】

① 법인의 대표자, 대리인, 사용인, 그 밖의 종업원이 그 법인의 업무에 관하여 제106조의 위반행위를 하면 행위자를 벌할 뿐만 아니라 그 법인에도 10억원 이하의 벌금에 처한다. 다만, 법인이 그 위반행위를 방지하기 위하여 해당 업무에 관하여 상당한 주의와 감독을 게을리하지 아니한 때에는 그러하지 아니하다.

② 개인의 대리인, 사용인, 그 밖의 종업원이 그 개인의 업무에 관하여 제106조의 위반행위를 하면 행위자를 벌할 뿐만 아니라 그 개인에게도 10억원 이하의 벌금에 처한다. 다만, 개인이 그 위반행위를 방지하기 위하여 해당 업무에 관하여 상당한 주의와 감독을 게을리하지 아니한 때에는 그러하지 아니하다.

③ 법인의 대표자, 대리인, 사용인, 그 밖의 종업원이 그 법인의 업무에 관하여 제107조부터 제111조까지의 규정에 따른 위반행위를 하면 행위자를 벌할 뿐만 아니라 그 법인에도 해당 조문의 벌금형을 과(科)한다. 다만, 법인이 그 위반행위를 방지하기 위하여 해당 업무에 관하여 상당한 주의와 감독을 게을리하지 아니한 때에는 그러하지 아니하다.

④ 개인의 대리인, 사용인, 그 밖의 종업원이 그 개인의 업무에 관하여 제107조부터 제111조까지의 규정에 따른 위반행위를 하면 행위자를 벌할 뿐만 아니라 그 개인에게도 해당 조문의 벌금형을 과한다. 다만, 개인이 그 위반행위를 방지하기 위하여 해당 업무에 관하여 상당한 주의와 감독을 게을리하지 아니한 때에는 그러하지 아니하다.

해설 양벌규정에 관한 내용을 정리하면 다음과 같다.

관련규정 및 벌칙기준			처벌대상자	양벌규정
법제106조	①	10년 이하의 징역	법인의 대표자, 대리인, 사용인 기타 종업원이 그 법인 또는 그 개인의 업무에 관하여 위반행위를 한 때	행위자를 벌하는 외에 법인 또는 개인을 10억원 이하의 벌금형을 과함*
	②	무기 또는 3년 이상의 징역(사람을 죽거나 다치게 한 자)		
법제107조	5년 이하의 징역이나 금고 또는 5천만원 이하의 벌금(업무상 과실로 위 ①의 죄를 범한자)			행위자를 벌하는 외에 법인 또는 개인에 대하여도 각 해당조의 벌금형을 과함*
	10년 이하의 징역이나 금고 또는 1억원 이하의 벌금(업무상 과실로 위 ②의 죄를 범한자)			
법 제108조	3년 이하의 징역 또는 5천만원 이하의 벌금			
법 제109조	2년 이하의 징역 또는 2천만원 이하의 벌금			
법 제110조	2년 이하의 징역 또는 1천만원 이하의 벌금			
법 제111조	200만원 이하의 벌금			

* 법인 또는 개인이 그 위반행위를 방지하기 위하여 해당 업무에 관하여 상당한 주의와 감독을 게을리하지 아니한 때에는 그러하지 아니하다.

2 과태료(법 제113조)(영 제121조)

법 제113조【과태료】

① 다음 각 호의 어느 하나에 해당하는 자에게는 200만원 이하의 과태료를 부과한다. <개정 2017.10.26., 2019.4.23., 2020.12.22.>

1. 제19조제3항에 따른 건축물대장 기재내용의 변경을 신청하지 아니한 자
2. 제24조제2항을 위반하여 공사현장에 설계도서를 갖추어 두지 아니한 자
3. 제24조제5항을 위반하여 건축허가 표지판을 설치하지 아니한 자
4. 제52조의3제2항 및 제52조의6제4항에 따른 점검을 거부·방해 또는 기피한 자
5. 제48조의3제1항 본문에 따른 공개를 하지 아니한 자

② 다음 각 호의 어느 하나에 해당하는 자에게는 100만원 이하의 과태료를 부과한다. <개정 2019.4.30.>

1. 제25조제3항을 위반하여 보고를 하지 아니한 공사감리자
2. 제27조제2항에 따른 보고를 하지 아니한 자
3. 삭제 <2019.4.30.>
4. 삭제 <2019.4.30.>
5. 삭제 <2016.2.3.>
6. 제77조제2항을 위반하여 모니터링에 필요한 사항에 협조하지 아니한 건축주, 소유자 또는 관리자
7. 삭제 <2016.1.19.>
8. 제83조제2항에 따른 보고를 하지 아니한 자 <신설 2014.5.28>
9. 제87조제1항에 따른 자료의 제출 또는 보고를 하지 아니하거나 거짓 자료를 제출하거나 거짓 보고를 한 자

③ 제24조제6항을 위반하여 공정 및 안전 관리 업무를 수행하지 아니하거나 공사 현장을 이탈한 현장관리인에게는 50만원 이하의 과태료를 부과한다. <신설 2016.2.3., 2018.8.14.>

④ 제1항부터 제3항까지에 따른 과태료는 대통령령으로 정하는 바에 따라 국토교통부장관, 시·도지사 또는 시장·군수·구청장이 부과·징수한다. <개정 2016.2.3.>

⑤ 삭제 <2009.2.6>

영 제121조【과태료의 부과기준】

법 제113조제1항부터 제3항까지의 규정에 따른 과태료의 부과기준은 별표 16과 같다. <개정 2017.2.3>

[본조신설 2013.5.31]

해설 의무위반 정도에 비해 과도한 행정형벌을 과태료로 전환하여 건축주 및 건축관계자의 불만해소 등 법 준수기반을 마련하고자 규정을 개정하였다.(2009.2.6.개정)

【1】 200만원 이하의 과태료 부과 대상

법규정		위반내용	대상자
법조항	내 용		
법 제19조제3항	용도변경시 건축물대장 기재 내용 변경 신청	건축물대장 기재내용 변경 미신청	용도변경을 하려는 자
법 제24조제2항	설계도서의 비치	공사현장에 설계도서 미비치	공사시공자
법 제24조제5항	건축허가 표지판의 설치	건축허가 표지판의 미설치	공사시공자
법 제52조의3제2항	건축자재의 제조 및 유통 관리	점검을 거부 · 방해 또는 기피	제조업자, 유통업자
법 제52조의6제4항	시험장소, 제조현장, 유통장소, 건축공사장 등의 점검	〃	건축자재 시험기관, 제조업자, 유통업자 등
법 제48조의3제1항	건축물의 내진능력 공개	미공개	건축물을 건축하려는 자

【2】 100만원 이하의 과태료 부과 대상

법규정		위반내용	대상자
법조항	내 용		
법 제25조제4항	건축물의 공사감리	위법 내용의 보고 불이행	공사감리자
법 제27조제2항	현장조사·검사 및 확인 업무의 대행	조사 · 검사 결과 보고 불이행	조사 · 검사 보고 대행자
법 제77조제2항	특별건축구역 건축물의 검사 등	모니터링에 필요한 사항에 협조하지 아니한 경우	건축주 · 소유자 · 관리자
법 제83조제2항	공작물의 유지·관리 상태 점검 및 결과 보고	보고하지 않은 경우	소유자 · 관리자
법 제87조제1항	자료의 제출 또는 보고의 요구	자료의 제출 또는 보고를 하지 아니하거나 거짓자료 제출 또는 거짓보고한 경우	건축주 · 공사시공자 · 공사감리자 등

【3】 50만원 이하의 과태료 부과 대상

법규정		위반내용	대상자
법조항	내 용		
법 제24조제6항	현장관리인의 지정 및 현장 이탈금지	공정 및 안전 관리 업무를 수행하지 아니하거나 공사 현장 이탈의 경우	현장관리인

【4】 과태료의 부과 및 징수

과태료는 다음 기준(별표 16)이 정하는 바에 따라 국토교통부장관, 시 · 도지사 또는 시장 · 군수 · 구청장이 부과 · 징수한다.

【참고】 과태료 부과 기준(건축법 시행령 별표16)〈개정 2021.12.21〉

1. 일반기준

가. 위반행위의 횟수에 따른 과태료의 가중된 부과기준은 최근 1년간 같은 위반행위로 과태료 부과처분을 받은 경우에 적용한다. 이 경우 기간의 계산은 위반행위에 대하여 과태료 부과처분을 받은 날과 그 처분 후 다시 같은 위반행위를 하여 적발된 날을 기준으로 한다.

나. 과태료 부과 시 위반행위가 둘 이상인 경우에는 부과금액이 많은 과태료를 부과한다.

다. 부과권자는 위반행위의 정도, 동기와 그 결과 등을 고려하여 제2호에 따른 과태료 금액의 2분의 1 범위에서 그 금액을 늘릴 수 있다. 다만, 과태료를 늘려 부과하는 경우에도 법 제113조제1항 및 제2항에 따른 과태료 금액의 상한을 넘을 수 없다.

라. 부과권자는 다음의 어느 하나에 해당하는 경우에는 제2호에 따른 과태료 금액의 2분의 1 범위에서 그 금액을 줄일 수 있다. 다만, 과태료를 체납하고 있는 위반행위자의 경우에는 그 금액을 줄일 수 없으며, 감경 사유가 여러 개 있는 경우라도 감경의 범위는 과태료 금액의 2분의 1을 넘을 수 없다.

1) 삭제<2020.10.8>

2) 위반행위가 사소한 부주의나 오류 등으로 인한 것으로 인정되는 경우

3) 위반행위자가 법 위반상태를 바로 정정하거나 시정하여 해소한 경우

4) 그 밖에 위반행위의 정도, 동기와 그 결과 등을 고려하여 줄일 필요가 있다고 인정되는 경우

2. 개별기준

(단위: 만원)

위반행위	근거 법조문	과태료 금액		
		1차 위반	2차 위반	3차 이상 위반
가. 법 제19조제3항에 따른 건축물대장 기재내용의 변경을 신청하지 않은 경우	법 제113조 제1항제1호	50	100	200
나. 법 제24조제2항을 위반하여 공사현장에 설계도서를 갖추어 두지 않는 경우	법 제113조 제1항제2호	50	100	200
다. 법 제24조제5항을 위반하여 건축허가 표지판을 설치하지 않는 경우	법 제113조 제1항제3호	50	100	200
라. 법 제24조제6항 후단을 위반하여 공정 및 안전 관리 업무를 수행하지 않거나 공사현장을 이탈한 경우	법 제113조 제3항	20	30	50
마. 법 제52조의3제2항 및 제52조의6제4항에 따른 점검을 거부·방해 또는 기피하는 경우	법 제113조 제1항제4호	50	100	200
바. 공사감리자가 법 제25조제4항을 위반하여 보고를 하지 않는 경우	법 제113조 제2항제1호	30	60	100
사. 법 제27조제2항에 따른 보고를 하지 않는 경우	법 제113조 제2항제2호	30	60	100
아. 삭제 <2020.4.28.>				
자. 삭제 <2020.4.28.>				
차. 법 제48조의3제1항 본문에 따른 공개를 하지 아니한 경우	법 제113조 제1항제5호	50	100	200
카. 건축주, 소유자 또는 관리자가 법 제77조제2항을 위반하여 모니터링에 필요한 사항에 협조하지 않는 경우	법 제113조 제2항제6호	30	60	100
타. 삭제 <2020.4.28.>				
파. 법 제87조제1항에 따른 자료의 제출 또는 보고를 하지 않거나 거짓 자료를 제출하거나 거짓 보고를 한 경우	법 제113조 제2항제9호	30	60	100

3 질의회신

■ 목차

건축법
1. 총 칙
2. 건 축
3. 유지관리
4. 대지도로
5. 구조재료
6. 지역지구
7. 건축설비
8. 특별건축구역
9. 보 칙
10. 벌 칙
건축법 관련기준

[1] 벌칙

질의회신 고발 및 이행강제금 부과

국토교통부 민원마당 FAQ 2019.5.24.

질의 사용승인 이전에 건축물을 사용한 경우 이행강제금 부과 및 고발조치 문의

회신 「건축법」 제79조의 규정에 의하면, 허가권자는 대지나 건축물이 건축법 또는 건축법에 따른 명령이나 처분에 위반되면 건축법에 따른 허가 또는 승인을 취소하거나 그 건축물의 건축주,공사시공자,현장관리인,소유자,관리자 또는 점유자(이하 "건축주등"이라 한다)에게 공사의 중지를 명하거나 상당한 기간을 정하여 그 건축물의 철거,개축,증축,수선,용도변경,사용금지,사용제한, 그 밖에 필요한 조치를 명할 수 있음 동법 제80조의 규정에 의하면, 허가권자는 상기 규정에 따라 시정명령을 받은 후 시정기간 내에 시정명령을 이행하지 아니한 건축주등에 대하여는 이행강제금을 부과하며, 이행강제금을 부과하는 경우 금액, 부과사유, 납부기한, 수납기관, 이의제기 방법 및 이의제기 기관 등을 구체적으로 밝힌 문서로써 계고하여야 함
아울러, 동법 제22조제3항에 따라 건축주는 사용승인을 받은 후가 아니면 건축물을 사용하거나 사용하게 할 수 없으며, 이를 위반한 경우 동법 제110조제2호에 따라 건축주 및 공사시공자는 2년 이하의 징역 또는 1천만원 이하의 벌금에 처하며, 동법 제112조제3항에 따라 법인의 대표자, 대리인, 사용인, 그 밖의 종업원이 그 법인의 업무에 관하여 제110조의 규정에 따른 위반행위를 하면 그 법인에도 동일 벌금형에 과하도록 규정하고 있음 따라서, 질의의 경우 사용승인을 받지 아니하고 건축물을 사용한 경우 상기 규정에 따라 위반건축물의 처분, 이행강제금 부과, 고발 등의 행정처분을 할 수 있는 바, 보다 구체적인 사항은 위반건축물의 지도・단속업무를 담당하고 있는 관할 소재지의 시장・군수・구청장에게 문의하시기 바람

질의회신 재고발 여부

국토교통부 민원마당 FAQ 2019.5.24.

질의 가. 건축물의 용도가 병원이고 지하 1층을 장례식장으로 사용하고 있으며 동 건축물의 위반사항을 조치하여 달라는 민원이 수년간 계속 제기되어 왔음
나. 2008.2.22 건축법 시행령이 개정되기 전 의료시설 내에 병원, 격리병원 장례식장으로 규정되어 있으며 동 규정이 개정되기 이전에는 건축법 제14조 제3항에 따라 동일한 시설군에서는 건축물 표시변경을 하도록 규정하고 있으므로 이를 건축법 위반으로 고발하기가 곤란함에 따라,
다. 국토의 계획 및 이용에 관한 법률 제76조, 동법시행령 제71조 규정에 의하면 제3종 일반주거지역안에서 건축할 수 있는 건축물중 도시계획조례가 정하는 바에 의하여 건축할 수 있는 건축물에 건축법 시행령 별표 1 제9호의 의료시설(격리병원 및 장례식장을 제외한다)용도만 가능하여 동 건축물에는 장례식장으로 사용할 수가 없어 2007.8.23 자 국토의 계획 및 이용에 관한 법률 제76조, 동법시행령 제71조 규정 위반으로 건축주를 고발조치 한 바, 2008.3.24 서울중앙검찰청으로부터 고소고발사건 처분결과(기소유예)통지를 받았으며 이후 위반사항을 시정하지 않고 계속 사용중에 있음
라. 2008.2.22건축법 시행령이 개정되면서 장례식장의 용도가 의료시설에서 별도로 분류되어 건축법 제19조 제1항 제2호에 의하여 용도변경 신고(건축물의 용도를 하위군에 해당하는 용도로 변경하는 경우)를 하도록 개정되었음

마. 상기 건에 대하여 이미 건축주를 국토의 계획 및 이용에 관한 법률 제76조, 동법 시행령 제71조 규정 위반으로 고발조치하여 기소유예 처분을 받은 바 있는 상황에서 건축법령의 개정에 따른 건축법 제19조(용도변경) 위반으로 재차 고발할 수 있는 지 여부

회신 가. 건축법상 허가를 받지 아니하거나 신고를 하지 아니한 경우 처벌의 대상이 되는 건축물의 용도변경 행위는 유형적으로 용도를 변경하는 행위뿐만 아니라 다른 용도로 사용하는 것까지를 포함하며, 이와 같이 허가를 받지 아니하거나 신고를 하지 아니한 채 건축물을 다른 용도로 계속 사용하는 한 가벌적 위법상태는 존재하는 것이고,

또한 일반적으로 계속범의 경우 실행행위가 종료되는 시점에서의 법률이 적용되어야 할 것이나, 법률이 개정되면서 그 부칙에서 "개정된 법 시행 전의 행위에 대한 벌칙의 적용에 있어서는 종전의 규정에 의한다."는 경과규정을 두고 있는 경우 개정된 법이 시행되기 전의 행위에 대해서는 개정 전의 법을, 그 이후의 행위에 대해서는 개정된 법을 각각 적용하여야 하는 것임.

나. 따라서, 건축물의 무단용도변경 위반에 대하여 국토의 계획 및 이용에 관한 법률 제76조 위반으로 고발조치하여 검찰의 기소유예 처분이 있었다 하더라도 위반행위를 시정하지 않고 계속 사용하고 있다면 다시 국토의 계획 및 이용에 관한 법률 위반으로 재차 고발하는 것이 가능하고, 용도변경행위가 계속되고 있으므로 신설된 건축물 규정에 의하여 그 적용시기부터의 용도변경위반행위에 대해서 다시 건축법 위반죄로 처벌하는 것이 가능하다고 사료됨

질의회신 건축법위반 시 양벌규정 관련

국토교통부 민원마당 FAQ 2019.5.24.

질의 개인 사업체의 대표(이하 "민원인"이라 한다)가 건축신고를 하지 아니하고 건축한 경우 법인도 처벌대상이 되는지 여부.

회신 「건축법」 제112조제3항의 규정에 의하면, 법인의 대표자, 대리인, 사용인, 그 밖의 종업원이 그 법인의 업무에 관하여 동법 제107조부터 제111조까지의 규정에 따른 위반행위를 하면 행위자를 벌할 뿐만 아니라 그 법인에도 해당 조문의 벌금형을 과하며, 다만, 법인이 그 위반행위를 방지하기 위하여 해당 업무에 관하여 상당한 주의와 감독을 게을리 하지 아니한 때에는 그러하지 아니하는 것으로 규정하고 있음

따라서, 질의의 경우는 민원인이 법인의 업무에 관하여 위반한 것인지 여부 등 현지의 구체적인 사실판단이 요구되는 사항이므로 구체적인 사항은 현지 여건을 잘 알 수 있는 관할 소재지의 허가권자에게 문의하기 바람

질의회신 시공자 처벌 여부

건교부 건축기획팀-4917, 2006.8.8.

질의 건축법 제79조 제2호의 규정에 의하여 법 제10조를 위반한 시공자를 처벌할 수 있는 지?

회신 건축법 제10조에서는 건축허가를 받았거나 신고를 한 건축주가 이를 변경하고자 하는 경우에 사전에 허가권자의 변경허가 등을 받도록 한 사항으로서 시공자는 위 규정에 의한 변경허가 등을 원천적으로 받을 수 없는 것인 바, 건축법 79조 제2호의 규정을 적용할 수는 없다고 판단됨

(* 법 제10조, 제79조 ⇒ 제16조, 제110조, 2008.3.21 개정)

질의회신 불법 시공업체에 대한 처벌기준

건교부 건축과-4920, 2005.8.25.

질의 불법을 시공한 업체에 대한 처벌이 가능한지

회신 건축법 제78조제1항의 규정에는 도시지역 안에서 제8조제1항·제14조·제37조·제47조 또는 제48조의 규정에 위반하여 건축물을 건축하거나 대수선 또는 용도변경한 건축주 및 공사시공자는 3년이하의 징역 또는 5천만원이하의 벌금에 처할 수 있도록 규정하고 있음 (* 법 제8조, 제14조, 제37조, 제47조, 제48조, 제78조 ⇒ 제11조, 제19조, 제47조, 제55조, 제56조, 제108조, 2008.3.21 개정)

질의회신 용도변경 위반 건축물의 현재 소유자에 대한 고발 가능여부

건교부 건축과-4859. 2005.8.23.

질의 건축법 제14조(용도변경)의 규정에 위반한 건축물의 현재 소유자에게 시정지시 등 행정명령 후, 소유주를 건축법 제78조(벌칙)의 규정에 의한 처벌대상자인 건축주로 보아 고발가능 여부

회신 건축물의 용도변경은 건축법 제14조 및 같은법시행령 제3조의4 별표1의 각항, 각호에서 정한 용도에서 다른 용도로 사용하는 행위까지도 포함되는 것이고, 승계인이 그 변경된 용도로 계속 사용하는 것도 용도변경 행위에 해당하는 것으로 사료되므로, 공무원은 그 직무를 행함에 있어 형사소송법 및 건축법에서 정하는 바에 따라 사법기관에 적의 고발하여야 할 것임

참고로, 용도변경과 관련된 대법원 판례(1992.9.22.선고 92도1647판결, 1995.12.22.선고 94도2148판결, 2001.9.25.선고 2001도3990판결, 2002.12.24.선고 2002도5396판결)를 안내 드리니 위반건축물 조치 등 건축행정업무에 참고하시기 바람(* 법 제14조, 제78조 ⇒ 제19조, 제108조, 2008.3.21 개정)

질의회신 허위 보고, 부실한 공사감리등을 한 건축사에 대한 처벌규정

건교부 건축과-184. 2005.1.12.

질의 건축법 제23조제2항과 동법 제21조제2항 및 제3항을 위반한 건축사의 처벌규정은

회신 건축법 제78조의2의 규정에 의거 건축법 제23조제2항의 규정에 의한 보고를 허위로 한 자는 2년 이하의 징역 또는 2천만원 이하의 벌금에 처하는 것이고, 건축법 제21조제2항 및 제3항의 규정을 위반한 건축사의 행정처분기준은 건축사법 시행령 제29조의2관련 별표1에서 규정하고 있는 바, 동 기준을 적용시 위반정도·동기·시정상태 등 제반상황을 종합적으로 검토하여 조치하여야 할 사항임

(* 법 제21조, 제23조, 제78조 ⇒ 제25조, 제27조, 제108조, 2008.3.21 개정)

질의회신 위반사항을 시정한 경우에도 처벌할 수 있는지

건교부 건축 58070-203, 1999.1.18.

질의 무허가로 증축하여 건축법 제69조제1항의 시정명령을 받고 이를 시정한 경우에도 동법 제78조의 처벌을 받게 되는지

회신 건축물은 건축법 및 관계법령에 따라 적합하게 건축해야 하는 것이며, 관계절차에 따라 착공신고 및 사용승인을 얻은 후 사용해야 하는 것입니다. 따라서, 적법한 절차를 거치지 않고 건축한 경우에는 사안에 따라 건축법 제78조·제79조 또는 제80조의 규정에 의하여 처벌을 하게 되고, 동 처벌과는 별도로 동법 제69조제1항의 규정에 의거 적법하게 시정토록 행정조치를 할 수 있음

(*제69조, 제78조, 제79조, 제80조 ⇒ 제79조, 제108조, 제109조, 제110조, 2008.3.21 개정)

2 과태료

질의회신 1987년에 재해로 인한 불법 재축된 건축물의 처벌 방법

건교부 건축기획팀-2129. 2005.12.23.

질의 1987년에 재해로 인한 불법 축조(재축)된 건축물의 처벌은

회신 '85.1.1～'92.5.31. 사이에 건축되어 위반시점이 객관적으로 증명이 가능하고 그 당시 법률에 의하여 과태료 처분을 받은 사실이 없는 경우에는 과태료를 부과할 수 있음

그 이유는 건축법 부칙 제4381호(1991.5.31) 제6조의 규정에 의하여 '이 법 시행 전에 종전의 규정에 위반한 건축물에 관한 처분에 관하여는 제83조의 규정에 불구하고 종전의 규정에 의하여야 하며' 그 당시의 법률에 의하여 불법사항을 이행하지 아니하는 경우에는 과태료에 처할 수 있는 것임 . 건축물은 당시 법령에 위반한 경우에는 법령의 개정으로 적법하게 되지 아니하는 한 그 불법사항이 계속하여 존재하므로 언제든지 그 법령(구법 제42조)에 의한 시정명령이 가능한 것이나, 당해 불법행위에 대한 형사처벌은 형사소송법이 정한 소멸시효가 지난 경우에는 그 처벌이 불가한 것임 (* 법 제6조 제83조 ⇒ 제9조, 제80조, 2008.3.21 개정)

4 판례

대법원판례 건축법위반

대법원 2017도13982, 2017.12.28.

판시사항 법인격 없는 사단에 고용된 사람이 구 건축법 제108조 제1항에 따른 위반행위를 한 경우, 법인격 없는 사단의 구성원 개개인이 같은 법 제112조 제4항 양벌규정에서 정한 '개인'의 지위에 있다 하여 그를 처벌할 수 있는지 여부(소극)

[2] 甲 교회의 총회 건설부장인 피고인이 관할시청의 허가 없이 건물 옥상층에 창고시설을 건축하는 방법으로 건물을 불법 증축하여 건축법 위반으로 기소된 사안에서, 甲 교회는 乙을 대표자로 한 법인격 없는 사단이고, 피고인은 甲 교회에 고용된 사람이므로, 乙을 구 건축법 제112조 제4항 양벌규정의 '개인'의 지위에 있다고 보아 피고인을 같은 조항에 의하여 처벌할 수는 없다고 한 사례

판결요지 [1] 구 건축법(2015. 7. 24. 법률 제13433호로 개정되기 전의 것) 제108조 제1항은 같은 법 제11조 제1항에 의한 허가를 받지 아니하고 건축물을 건축한 건축주를 처벌한다고 규정하고, 같은 법 제112조 제4항은 양벌규정으로서 "개인의 대리인, 사용인, 그 밖의 종업원이 그 개인의 업무에 관하여 제107조부터 제111조까지의 규정에 따른 위반행위를 하면 행위자를 벌할 뿐만 아니라 그 개인에게도 해당 조문의 벌금형을 과한다."라고 규정하고 있다. 그러나 법인격 없는 사단에 고용된 사람이 위반행위를 하였더라도 법인격 없는 사단의 구성원 개개인이 위 법 제112조에서 정한 '개인'의 지위에 있다 하여 그를 처벌할 수는 없다.

[2] 甲 교회의 총회 건설부장인 피고인이 관할시청의 허가 없이 건물 옥상층에 창고시설을 건축하는 방법으로 건물을 불법 증축하여 건축법 위반으로 기소된 사안에서, 甲 교회는 乙을 대표자로 한 법인격 없는 사단이고, 피고인은 甲 교회에 고용된 사람이므로, 乙을 구 건축법 제112조 제4항 양벌규정의 '개인'의 지위에 있다고 보아 피고인을 같은 조항에 의하여 처벌할 수는 없는데도, 이와 달리 피고인은 무허가 증축행위를 실제로 행한 사람으로서 구 건축법 제112조 제4항에서 정한 '같은 법 제108조 제1항에 따른 위반행위자'에 해당한다고 보아 유죄를 인정한 원심판단에 구 건축법 제112조의 양벌규정에 관한 법리오해의 위법이 있다고 한 사례.

대법원판례 양벌규정

대법원 2003도3984, 2005.12.22.

판시사항 [1] 형사소송법 제254조 제4항의 규정 취지 및 공소사실의 특정 정도

[2] 건축법 제81조 제2항의 양벌규정이 위반행위의 이익귀속주체인 업무주(業務主)에 대한 처벌규정임과 동시에 행위자의 처벌규정인지 여부(적극) 및 위 조항에서 정한 '법인 또는 개인'의 '개인'에 민법상 조합의 구성원인 조합원들이 포함되는지 여부(적극)

판결요지 [1] "생략"

[2] 건축법 제79조 제2호, 제10조 제1항의 벌칙규정에서 그 적용대상자를 건축주, 공사시공자 등 일정한 업무주(業務主)로 한정한 경우에 있어서, 같은 법 제81조 제2항의 양벌규정은 업무주가 아니면서 당해 업무를 실제로 집행하는 자가 있는 때에 위 벌칙규정의 실효성을 확보하기 위하여 그 적용대상자를 당해 업무를 실제로 집행하는 자에게까지 확장함으로써 그러한 자가 당해 업무집행과 관련하여 위 벌칙규정의 위반행위를 한 경우 위 양벌규정에 의하여 처벌할 수 있도록 한 행위자의 처벌규정임과 동시에 그 위반행위의 이익귀속주체인 업무주에 대한 처벌규정이라고 할 것이고, 또한 같은 법 제81조 제2항에서 정한 '법인 또는 개인'의 '개인'에는 민법상 조합의 구성원인 조합원들도 포함되는 것이므로 민법상 조합의 대표자로서 조합의 업무와 관련하여 실제 위반행위를 한 자는 위 양벌규정에 의한 죄책을 면할 수 없다.

대법원판례 과태료

대법원 98마2866, 1998.12.23.

판시사항 가. 관할 관청의 과태료부과통고의 취하·철회가 과태료 재판 개시·진행에 장애사유가 되는지 여부.

나. 구 건축법시행령 제103조 제4항 [별표 14] 소정의 과태료 산정 기준인 '과세시가표준액'을 당사자의 진술에

의하여 인정할 수 있는지 여부
다. 법원이 비송사건절차법에 따라 과태료 재판을 하는 경우, 행정관청내부의 부과 기준에 기속되는지 여부
산정 기준으로 삼고 있는 '과세시가표준액에 상당하는 금액' 내지 '과세시가표준액'에는 사건 본인이 위반행위 당시의 과세시가표준액으로 자인하는 금액도 포함된다
다. 법원이 비송사건절차법에 따라 과태료 재판을 함에 있어서는 관할 관청이 부과한 과태료처분에 대한 당부를 심판하는 행정소송절차가 아니므로 행정관청

판결요지 가. 과태료처분의 재판은 법원이 과태료에 처하여야 할 사실이 있다고 판단되면 비송사건 절차법에 의하여 직권으로 그 절차를 개시하는 것이고 관할 관청의 통고 또는 통지는 법원의 직권발동을 촉구하는 데에 지나지 아니하므로, 후에 관할 관청으로부터 이미 행한 통고 또는 통지의 취하 내지 철회가 있다고 하더라도 그 취하·철회는 비송사건절차법에 의한 법원의 과태료 재판을 개시·진행하는 데 장애가 될 수 없다
나. 구 건축법(1992. 6. 1. 법률 제4381호로 개정되기 전의 것) 제56조의2 제1항 제2호 및 동 규정의 위임에 의하여 과태료의 부과 기준을 규정하고 있는 구 건축법시행령(1992. 5. 30. 대통령령 제13655호로 전문 개정되기 전의 것) 제103조 제4항 [별표 14]에서 내부의 부과 기준에 기속됨이 없이 관계 법령에서 규정하는 과태료 상한의 범위 내에서 그 동기·위반의 정도·결과 등 여러 인자를 고려하여 재량으로 그 액수를 정할 수 있으며, 항고법원이 정한 과태료 액수가 법이 정한 범위 내에서 이루어진 이상 그것이 현저히 부당하여 재량권남용에 해당되지 않는 한 그 액수가 많다고 다투는 것은 적법한 재항고이유가 될 수 없다.

대법원판례 무허가 공사 시행

대법원 95도636, 1996.5.28.

판시사항 법인의 대표자 아닌 자가 허가 없이 공사를 시행한 경우 건축법 제79조 제2호의 처벌대상이 되는지 여부

판결요지 건축주 또는 공사시공자인 법인의 대표자 아닌 자가 설계변경의 허가 없이 공사를 시행하였다고 하더라도 그를 법인의 대표자와 공범으로 처벌할 수 있는 경우를 제외하고는 건축법 제79조 제2호에 의하여서는 처벌할 수 없다.

대법원판례 무허가 건축행위 처벌

대법원 96도263, 1996.4.9.

판시사항 가. 법인의 대표자를 건축법 제78조 제1항에 의하여 무허가 건축행위로 처벌하기 위한 요건
나. 당국의 허가 없이 자동차운전학원의 사무실을 신축하기 위하여 철골골조구조물을 건축한 행위가 건축법 제78조 제1항에 해당하는지 여부
다. 법인의 대표자 아닌 자가 허가 없이 건축행위를 한 경우 건축법 제78조 제1항의 처벌대상이 되는지 여부

판결요지 가. 법인의 대표자를 건축법 제78조 제1항에 의하여 무허가 건축행위로 처벌 하기 위하여는 그 법인의 대표자가 직접 무허가 건축행위를 하도록 지시하였거 나, 또는 그 법인의 대리인, 사용인 기타 종업원이 무허가 건축행위를 한다는 점을 알면서 이를 묵인 내지 방치한 사실이 인정되어야만 할 것이고, 단순히 그 법인의 대리인, 사용인 기타 종업원으로 하여금 무허가 건축행위를 하지 못하도 록 지휘·감독하여야 할 주의의무를 게을리함으로 말미암아 허가 없이 건축행위 가 이루어진데 불과한 경우에는 그 법인의 대표자를 위 제78조 제1항에 의하여 처벌할 수 없다.
나. 당국의 허가를 받지 아니하고 자동차운전학원의 사무실을 신축하기 위하 여 바닥면적 100평 정도에 5미터 높이의 철골골조구조물을 건축한 행위는 건축 법 제78조 제1항 소정의 허가 없이 건물을 건축하는 것에 해당한다
다. 건축법 제78조 제1항이 허가 없이 건축물을 건축한 행위에 대하여는 건축 주(건축주가 법인인 경우에는 그 대표자)만을 처벌대상으로 규정하고 있으므로, 건축주인 법인의 대표자 아닌 자가 허가 없이 건축행위를 하였다고 하더라도 그 를 법인의 대표자와 공범으로 처벌할 수 있는 경우를 제외하고는 건축법 제78조 제1항에 의하여서는 처벌할 수 없다.

대법원판례 **무단증축에 관한 건축법위반**

대법원 92도3055, 1994.8.26.

판시사항 무단증축에 관한 건축법위반죄와 이로 인한 높이제한에 관한 건축법위반죄의 죄수

판결요지 지층과 1, 2층의 연면적을 넓히는 무단증축을 하였을 뿐만 아니라 3층의 조적공사까지 일부하고 있다가 3층의 공사만 일시 중단한 후 곧 이를 다시 축조하였다면 건물의 지층 및 1, 2층의 연면적을 넓힌 증축행위와 3층을 추가로 축조한 증축행위는 처음부터 단일의사에 기한 것이므로 모든 증축행위는 이를 1개의 행위로 파악하여야 하고, 3층을 무단증축한 건축법위반죄와 그로 말미암아 높이제한 규정에 위반하게 된 건축법위반죄는 1개의 행위가 2개의 범죄로 되는 상상적 경합범 관계에 있다.

대법원판례 **건축법위반**

대법원 92도1163, 1992.7.28.

판시사항 가. 건축물을 임차하여 사용하는 자가 구 건축법(1986. 12. 31. 법률 제3904호) 제48조에 의하여 건축으로 보는 용도변경행위에 있어서 건축주에 해당하는지 여부

나. 위 건축법에 위반된 공사를 집행한 자가 건축주인 법인과 공범관계가 성립되지 아니한 경우의 죄책 유무

다. 위 건축법 제57조를 근거로 건축주에 해당하지 아니하는 실제의 위반행위자를 처벌할 수 있는지 여부

판결요지 가. 건축물을 임차하여 사용하는 자도 구 건축법(1986. 12. 31. 법률 제3904호) 제48조에 의하여 건축으로 보는 용도변경행위에 있어서는 건축주에 해당한다.

나. 위 건축법 제48조에 의하여 건축으로 보는 용도변경행위를 허가 없이한 경우에는 같은 법 제54조 제1항, 제5조 제1항 본문에 의하여 처벌되는데, 위 제54조 제1항에 의하면 허가 없이 건축물을 건축한 행위에 관하여는 그 건축주만을 처벌대상으로 하고 있고 법인의 경우에는 그 대표자를 건축주로 보고 있으므로 건축주가 아닌 자가 건축(건축으로 보는 용도변경 포함)공사를집행하였다 하더라도 동인과 건축주 사이에 공범관계가 성립되지 아니하는 한 당해 행위자는 건축법위반의 책임을 지지 아니한다

다. 위 건축법 제57조는 실제의 위반행위자 이외에 그 이익귀속주체인 법인또는 자연인이 별도로 있을 경우 그 법인 또는 자연인이 실제 위반행위를 분담하지 아니하였다 하더라도 그 법인 또는 자연인을 처벌할 수 있다는 규정일뿐 행위자처벌규정이라고 해석할 수 없으므로 이를 근거로 건축주에 해당하지아니하는 실제의 위반행위자를 처벌할 수는 없다.

대법원판례 **과태료**

대법원 90마699, 1990.10.20.

판시사항 가. 건축법 위반행위를 사후에 시정한 경우 같은 법 제56조의2에 의한 과태료 부과대상에서 제외되는지 여부

나. 행정청이 건축법 제56조의2에 의한 과태료를 부과하기 전에 같은법시행령 제103조에 따른 의견진술의 기회를 주지 아니하였다 하여 법원이 비송사건절차법에 따라 한 과태료 재판도 위법한지 여부

판결요지 가. 건축법 제56조의2에 따른 과태료는 행정관청의 시정명령 위반행위에 대하여 과하는 제재이므로 일단 그 위반행위가 이루어지면 과태료 부과 대상이 되는 것이고 그후에 이를 시정하였다 하여 과태료 부과 대상에서 당연히 벗어나는 것은 아니다.

나. 건축법 제56조의2에 의한 과태료 부과 처분에 대한 위반자의 불복으로 법원에서 비송사건절차법에 따라 과태료의 재판을 하는 절차는 부과권자인 행정관청이 부과한 과태료 처분에 대한 당부를 심판하는 행정소송절차가 아니므로 법원에서 비송사건절차법에 따라 당사자의 진술을 청취하고 적법한 절차에 따라 과태료의 재판을 한 이상 부과권자가 과태료를 부과하기 전에 건축법시행령 제103조의 규정에 따른 의견진술의 기회를 주지 아니하였다는 사유를 가지고 법원의 과태료 재판이 위법하다고 주장할 수 없다.

제 Ⅱ 편

건축법 관련 기준

1.2.1 건축물 면적, 높이 등 세부 산정기준

[시행 2021.12.30.] [국토교통부고시 제2021-1422호, 2021.12.30., 제정]

제1장 일반사항

1.1 목적

이 기준은 「건축법」 제84조 및 같은 법 시행령 제119조제5항에 따라 건축물의 면적, 높이 및 층수 등의 산정방법에 관한 구체적인 적용사례 및 적용방법 등을 참고할 수 있도록 하는데 그 목적이 있다.

제2장 건축물의 면적 산정기준

2.1. 대지 면적

2.1.1. 대지면적은 대지의 수평투영면적으로 한다.

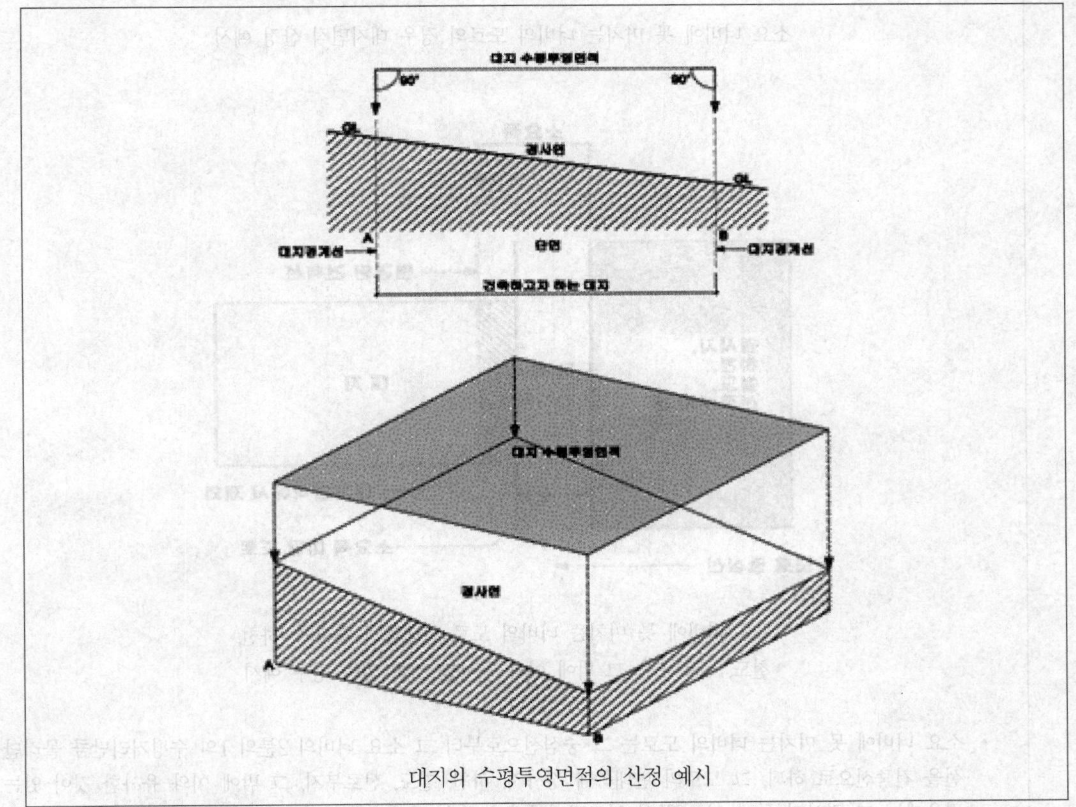

대지의 수평투영면적의 산정 예시

2.1.2. 다음 각 항목의 어느 하나에 해당하는 면적은 제외한다.

1) 「건축법」 제46조 제1항 단서에 따라 대지에 건축선이 정하여진 경우: 그 건축선과 도로 사이의 대지면적

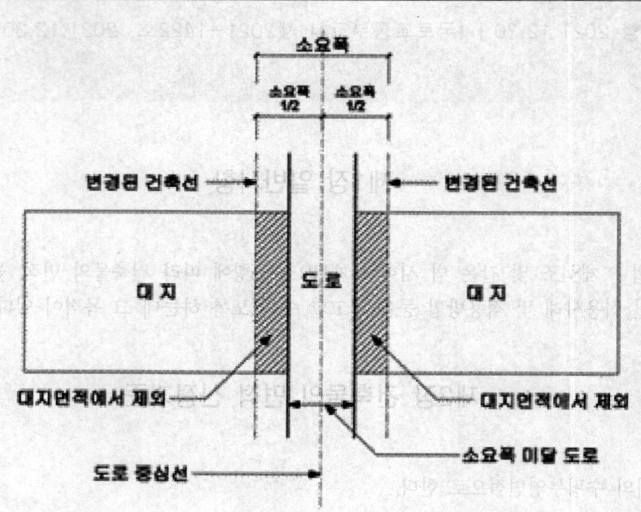

소요 너비에 못 미치는 너비의 도로의 경우 대지면적 산정 예시

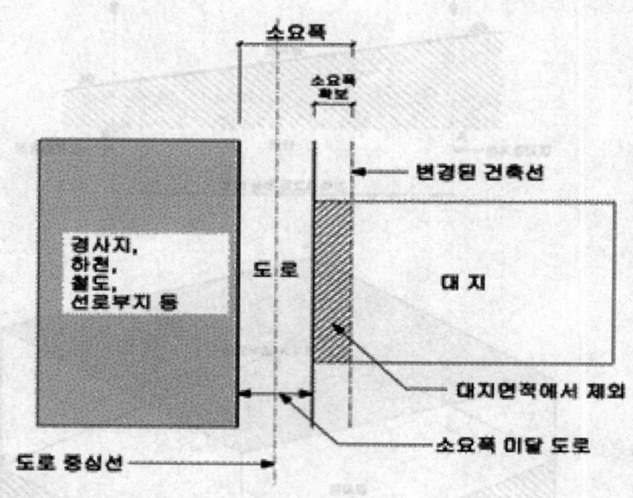

소요 너비에 못 미치는 너비의 도로 반대쪽에 경사지, 하천,
철도, 선로부지, 그 밖에 이와 유사한 것이 있는 경우 예시

- 소요 너비에 못 미치는 너비의 도로는 그 중심선으로부터 그 소요 너비의 2분의 1의 수평거리만큼 물러난 선을 건축선으로 하되, 그 도로의 반대쪽에 경사지, 하천, 철도, 선로부지, 그 밖에 이와 유사한 것이 있는 경우에는 그 경사지 등이 있는 쪽의 도로경계선에서 소요 너비에 해당하는 수평 거리의 선을 건축선으로 하고, 그 건축선과 도로 사이의 면적은 대지면적에서 제외함

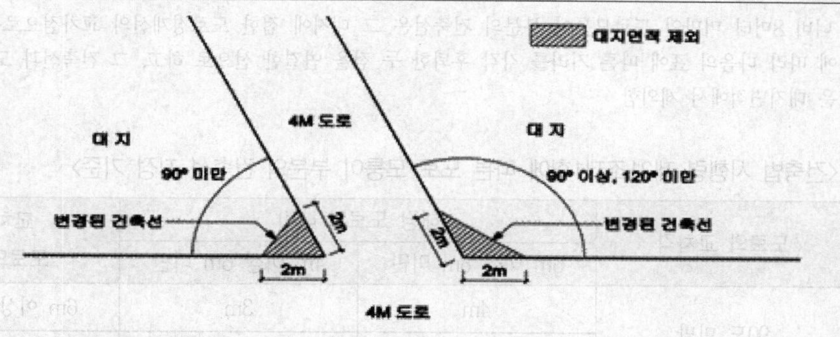

너비 4미터와 4미터 교차도로의 경우 대지면적(건축선 결정) 예시

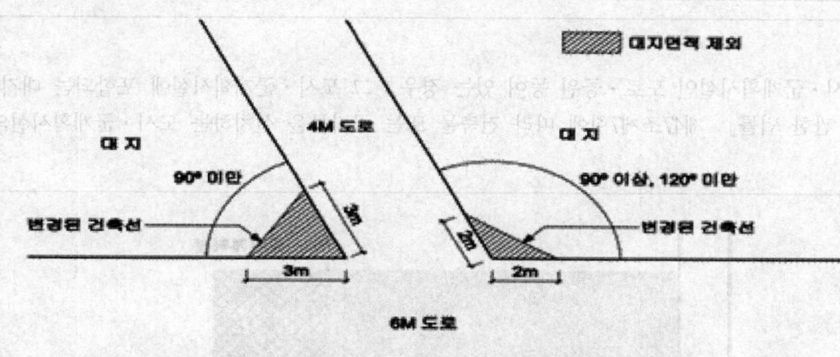

너비 4미터와 6미터 교차도로의 대지면적(건축선 결정) 예시

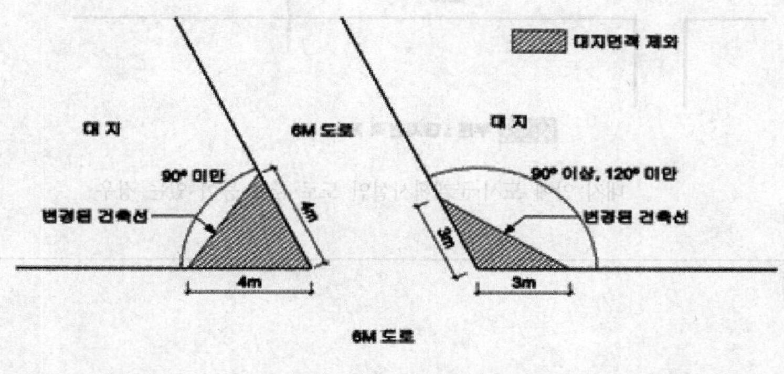

너비 6미터와 6미터 교차도로의 대지면적(건축선 결정) 예시

- 너비 8미터 미만인 도로모퉁이 부분의 건축선은 그 대지에 접한 도로경계선의 교차점으로부터 도로경계선에 따라 다음의 표에 따른 거리를 각각 후퇴한 두 점을 연결한 선으로 하고, 그 건축선과 도로 사이의 면적은 대지면적에서 제외함

〈건축법 시행령 제31조제1항에 따른 도로 모퉁이 부분의 건축선 지정 기준〉

도로의 교차각	해당 도로의 너비		교차되는 도로의 너비
	6m 이상 8m 미만	4m 이상 6m 미만	
90도 미만	4m	3m	6m 이상 8m 미만
	3m	2m	4m 이상 6m 미만
90도 이상 120도 미만	3m	2m	6m 이상 8m 미만
	2m	2m	4m 이상 6m 미만
120도 이상	적용하지 않음		

2) 대지에 도시 · 군계획시설인 도로 · 공원 등이 있는 경우 : 그 도시 · 군계획시설에 포함되는 대지(「국토의 계획 및 이용에 관한 법률」 제47조제7항에 따라 건축물 또는 공작물을 설치하는 도시 · 군계획시설의 부지는 제외) 면적

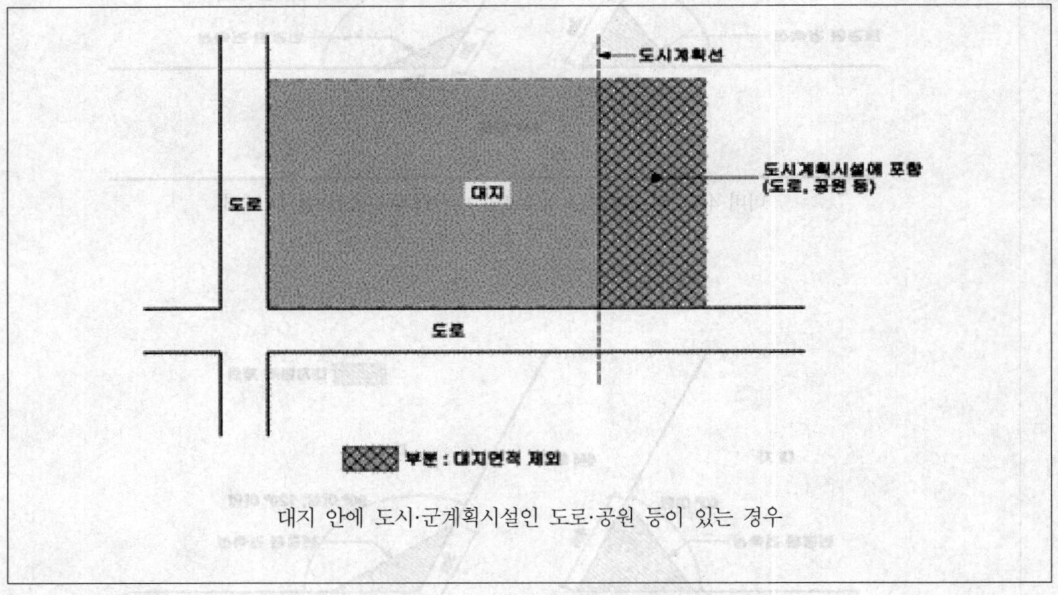

대지 안에 도시·군계획시설인 도로·공원 등이 있는 경우

2.2. 건축 면적

2.2.1. 건축면적은 건축물의 외벽(외벽이 없는 경우에는 외곽 부분의 기둥으로 한다)의 중심선으로 둘러싸인 부분의 수평투영면적으로 한다.

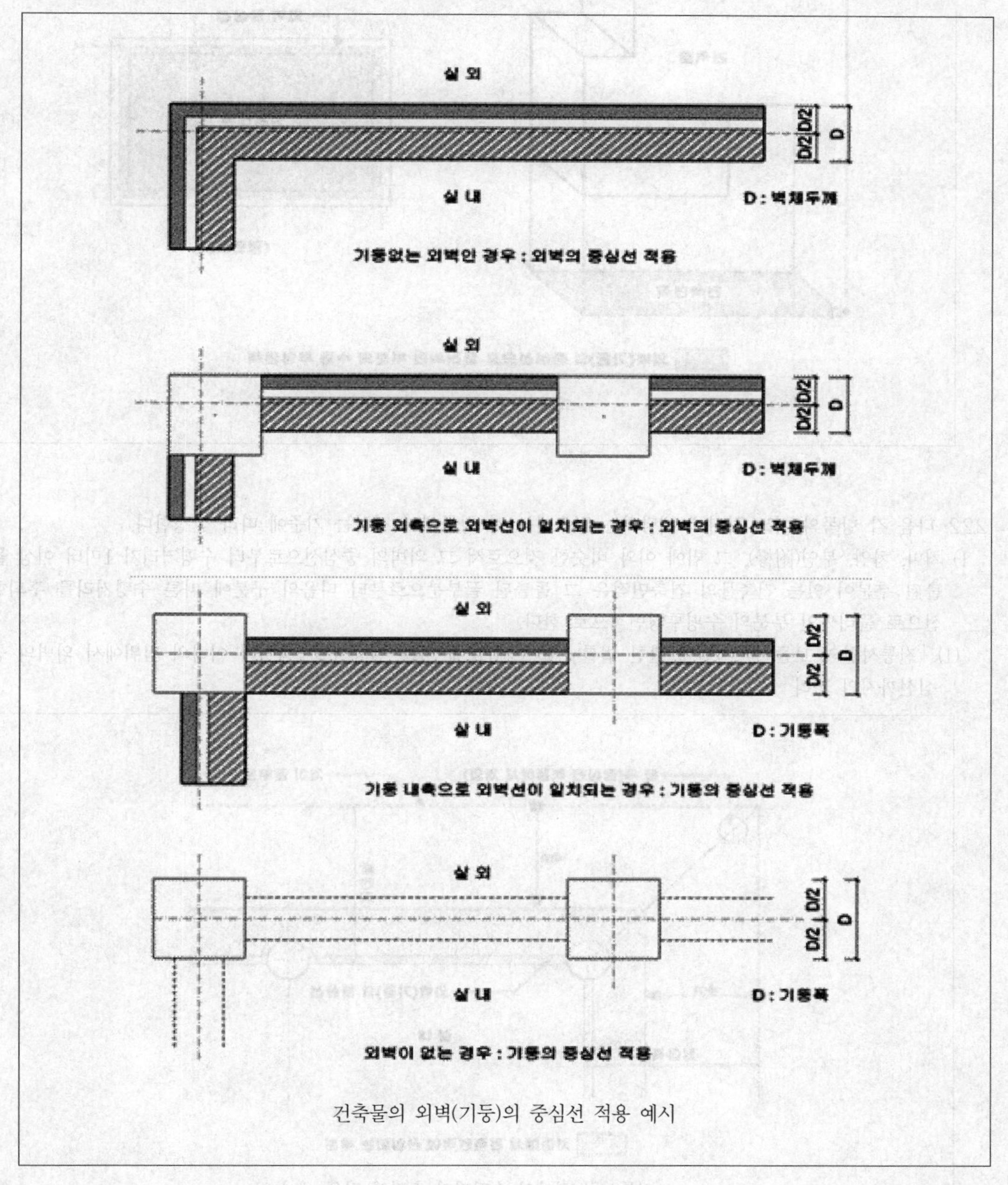

건축물의 외벽(기둥)의 중심선 적용 예시

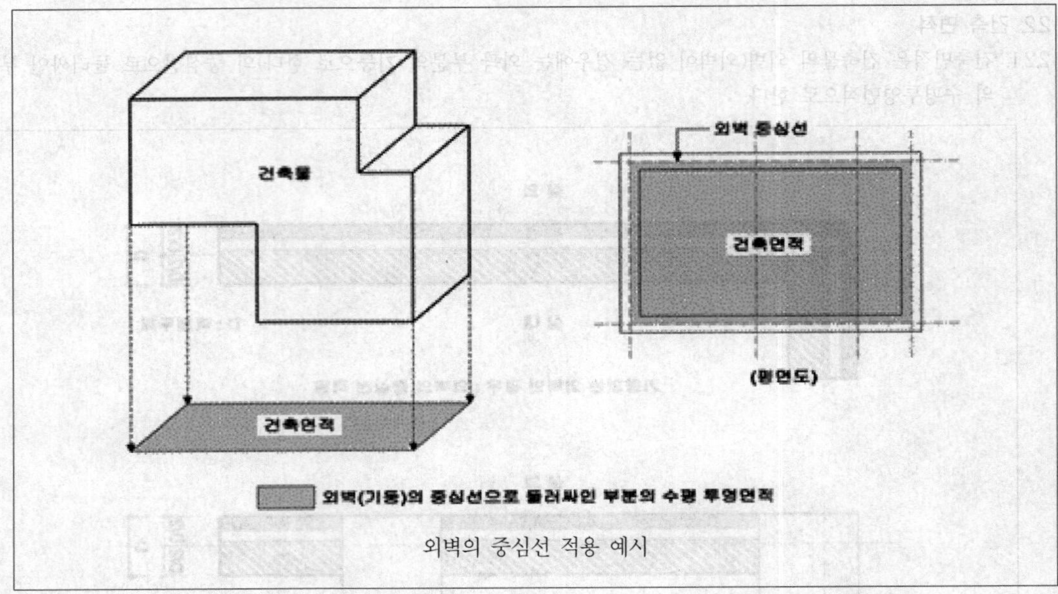

외벽의 중심선 적용 예시

2.2.2. 다음 각 항목의 어느 하나에 해당하는 경우에는 각 항목에서 정하는 기준에 따라 산정한다.

1) 처마, 차양, 부연(附椽), 그 밖에 이와 비슷한 것으로서 그 외벽의 중심선으로부터 수평거리가 1미터 이상 돌출된 부분이 있는 건축물의 건축면적은 그 돌출된 끝부분으로부터 다음의 구분에 따른 수평거리를 후퇴한 선으로 둘러싸인 부분의 수평투영면적으로 한다.

(1) 「전통사찰의 보존 및 지원에 관한 법률」 제2조제1호에 따른 전통사찰 : 4미터 이하의 범위에서 외벽의 중심선까지의 거리

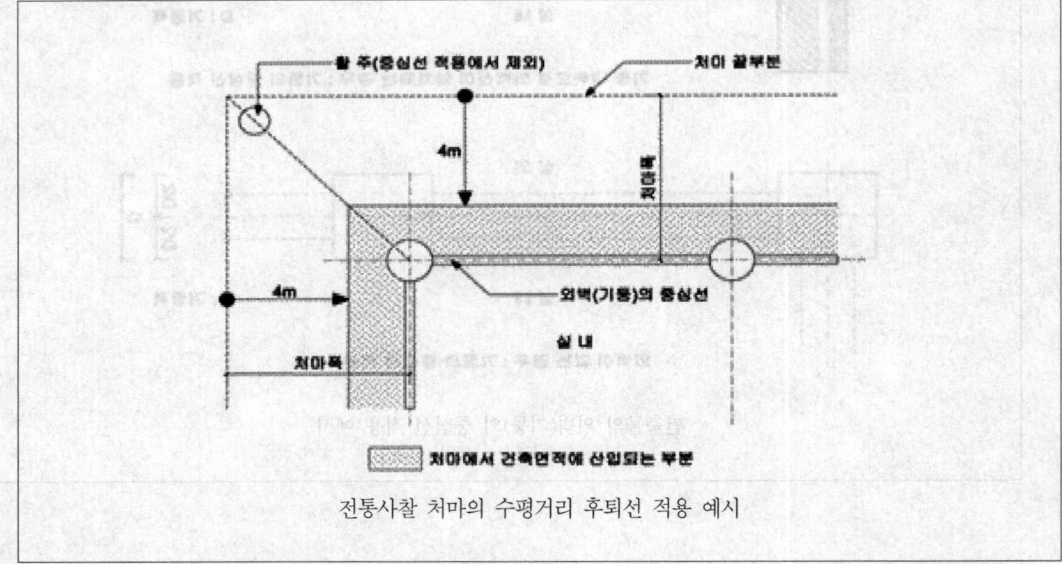

전통사찰 처마의 수평거리 후퇴선 적용 예시

(2) 사료 투여, 가축 이동 및 가축 분뇨 유출 방지 등을 위하여 처마, 차양, 부연, 그 밖에 이와 비슷한 것이 설치된 축사 : 3미터 이하의 범위에서 외벽의 중심선까지의 거리(두 동의 축사가 하나의 차양으로 연결된 경우에는 6미터 이하의 범위)

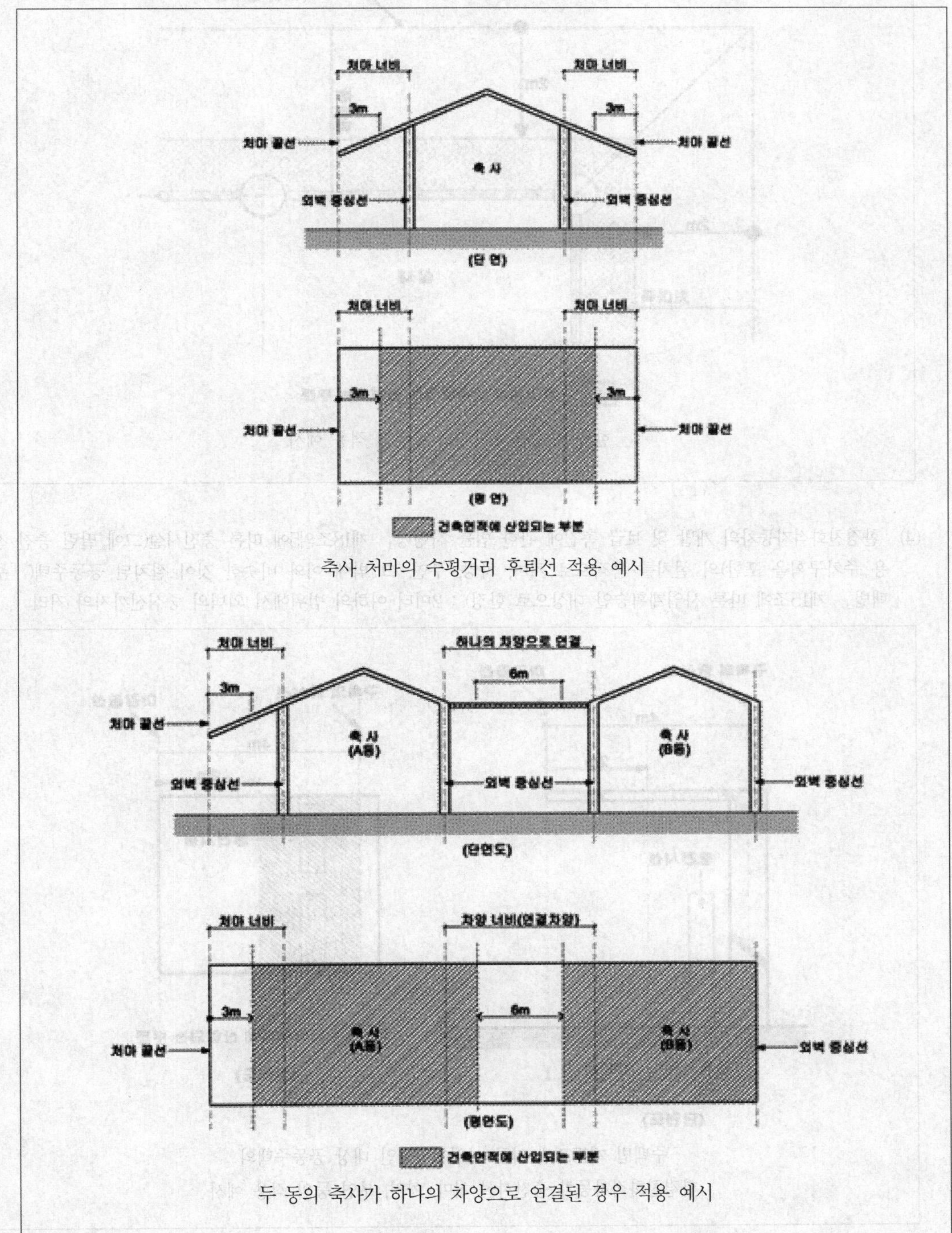

축사 처마의 수평거리 후퇴선 적용 예시

두 동의 축사가 하나의 차양으로 연결된 경우 적용 예시

(3) 한옥 : 2미터 이하의 범위에서 외벽의 중심선까지의 거리

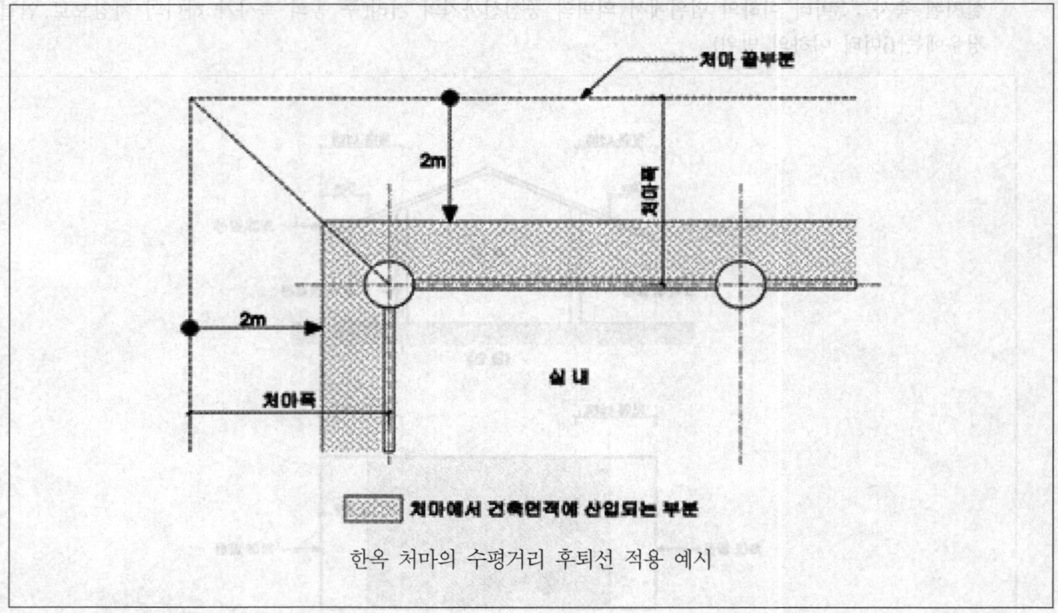

한옥 처마의 수평거리 후퇴선 적용 예시

(4) 「환경친화적자동차의 개발 및 보급 촉진에 관한 법률 시행령」 제18조의5에 따른 충전시설(그에 딸린 충전 전용 주차구획을 포함)의 설치를 목적으로 처마, 차양, 부연, 그 밖에 이와 비슷한 것이 설치된 공동주택(「주택법」 제15조에 따른 사업계획승인 대상으로 한정) : 2미터 이하의 범위에서 외벽의 중심선까지의 거리

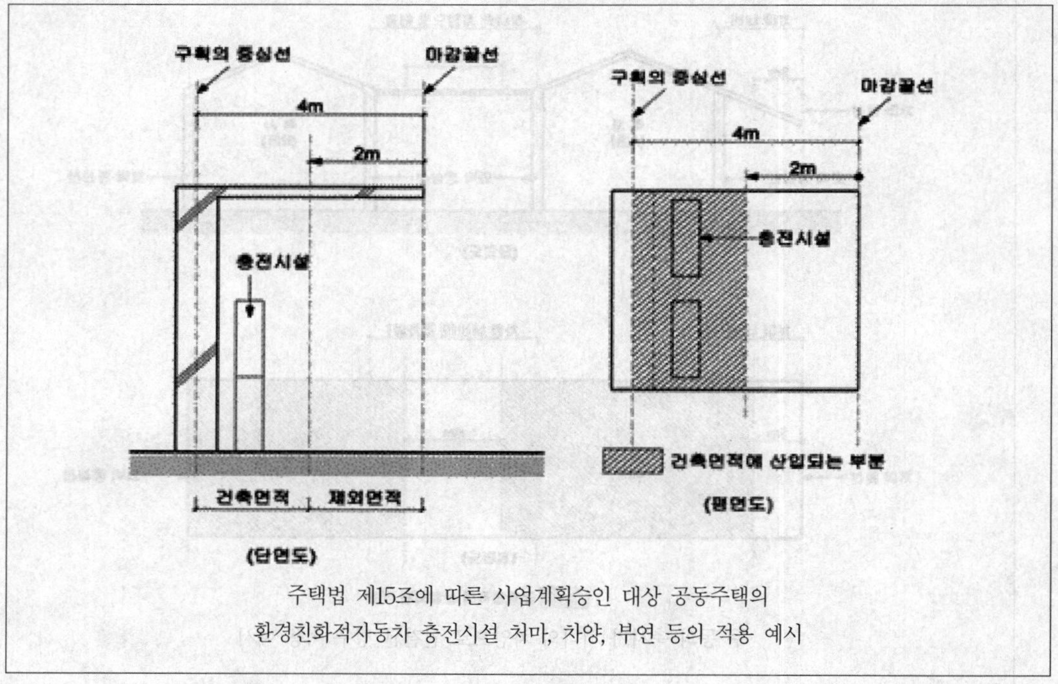

주택법 제15조에 따른 사업계획승인 대상 공동주택의

환경친화적자동차 충전시설 처마, 차양, 부연 등의 적용 예시

(5) 「신에너지 및 재생에너지 개발·이용·보급 촉진법」 제2조제3호에 따른 신·재생에너지 설비(신·재생에너지를 생산하거나 이용하기 위한 것만 해당)를 설치하기 위하여 처마, 차양, 부연, 그 밖에 이와 비슷한 것이 설치된 건축물로서 「녹색건축물 조성 지원법」 제17조에 따른 제로에너지건축물 인증을 받은 건축물 : 2미터 이하의 범위에서 외벽의 중심선까지의 거리

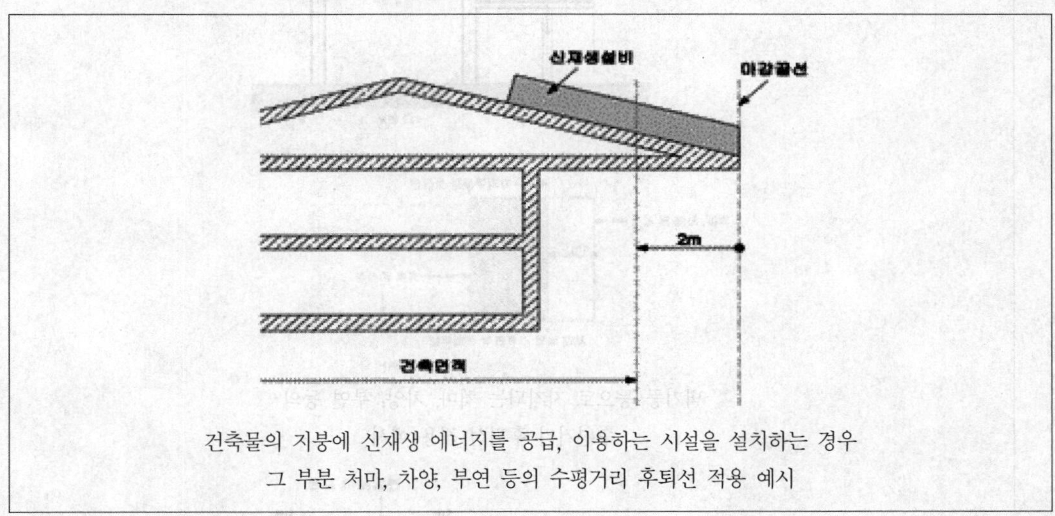

건축물의 지붕에 신재생 에너지를 공급, 이용하는 시설을 설치하는 경우
그 부분 처마, 차양, 부연 등의 수평거리 후퇴선 적용 예시

(6) 그 밖의 건축물 : 1미터 이하의 범위에서 외벽의 중심선까지의 거리

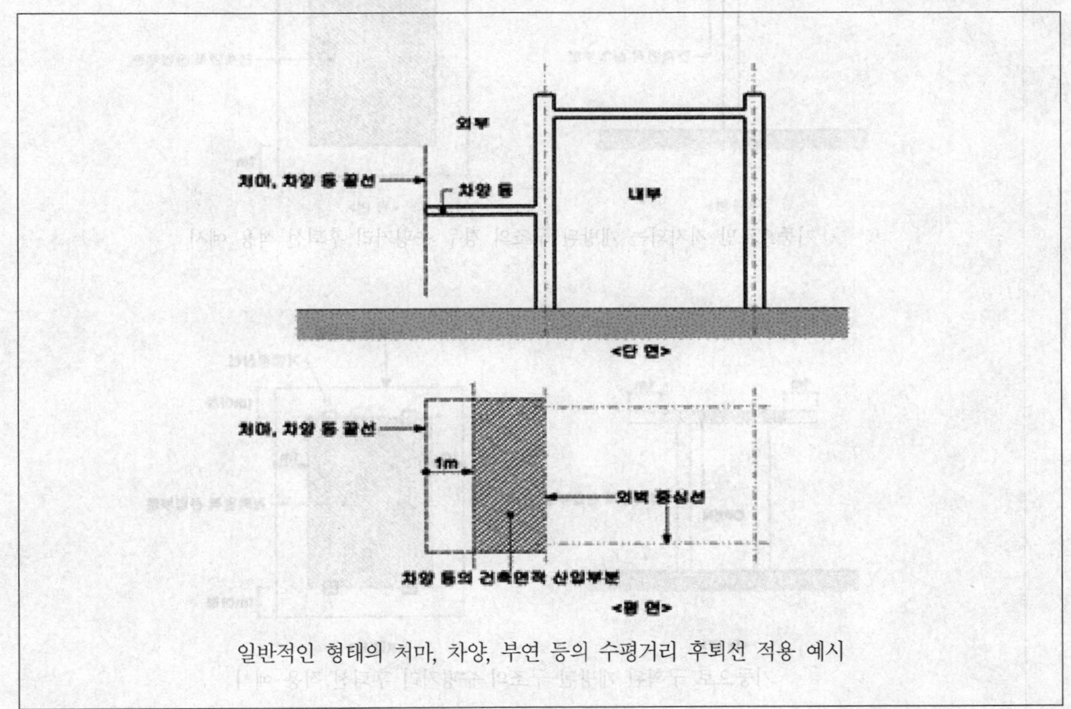

일반적인 형태의 처마, 차양, 부연 등의 수평거리 후퇴선 적용 예시

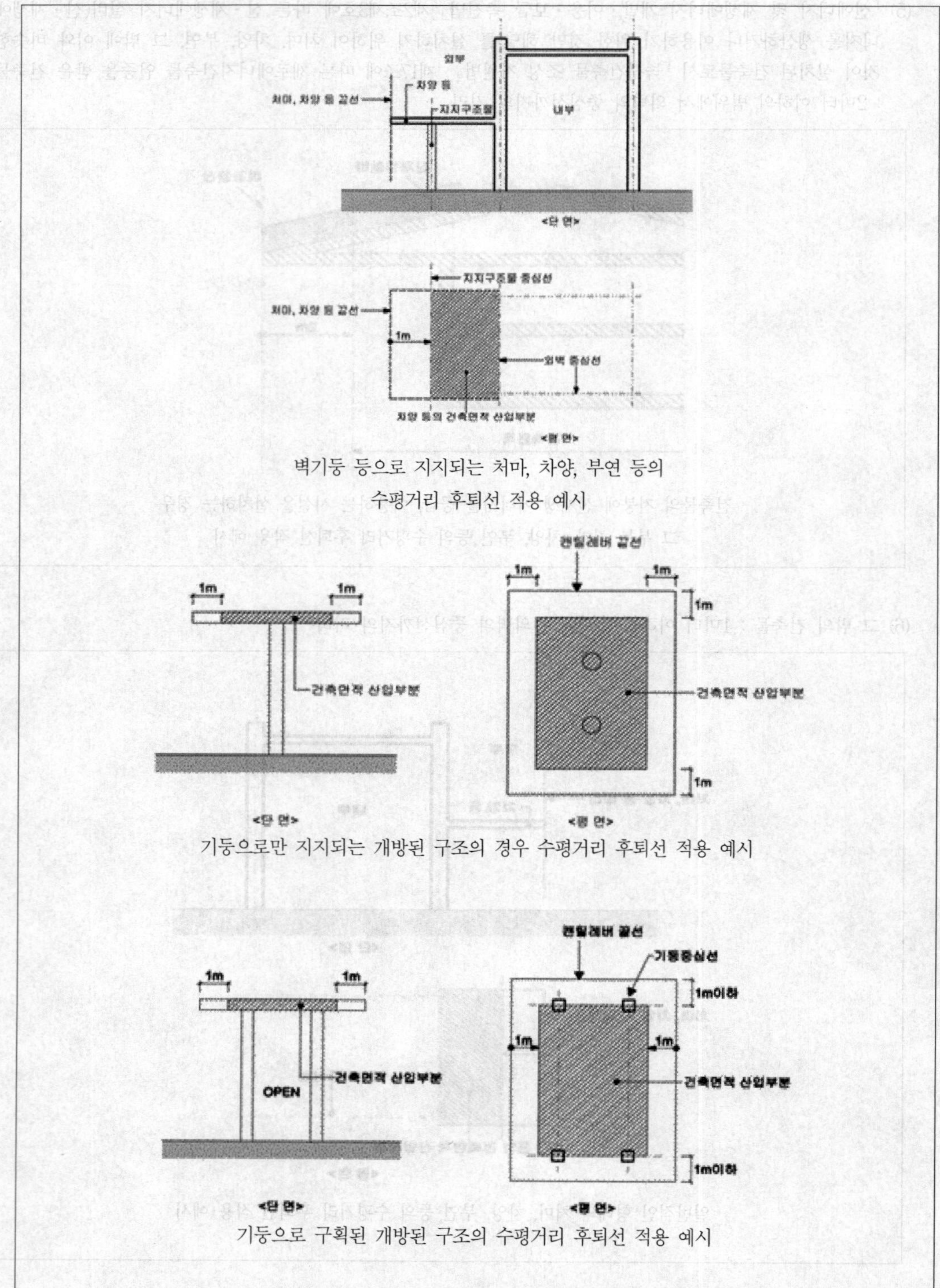

벽기둥 등으로 지지되는 처마, 차양, 부연 등의
수평거리 후퇴선 적용 예시

기둥으로만 지지되는 개방된 구조의 경우 수평거리 후퇴선 적용 예시

기둥으로 구획된 개방된 구조의 수평거리 후퇴선 적용 예시

- 지붕의 끝부분으로부터 1미터를 후퇴한 선으로 둘러싸인 부분의 수평투영면적을 건축면적으로 하되, 벽·기둥 등으로 구획을 형성하는 부분은 중심선으로 구획된 부분을 건축면적에 모두 산입함

2) 단열재를 구조체의 외기측에 설치하는 단열공법으로 건축된 건축물의 경우에는 건축물의 외벽 중 내측 내력벽의 중심선을 기준으로 산정한 면적을 건축면적으로 한다.

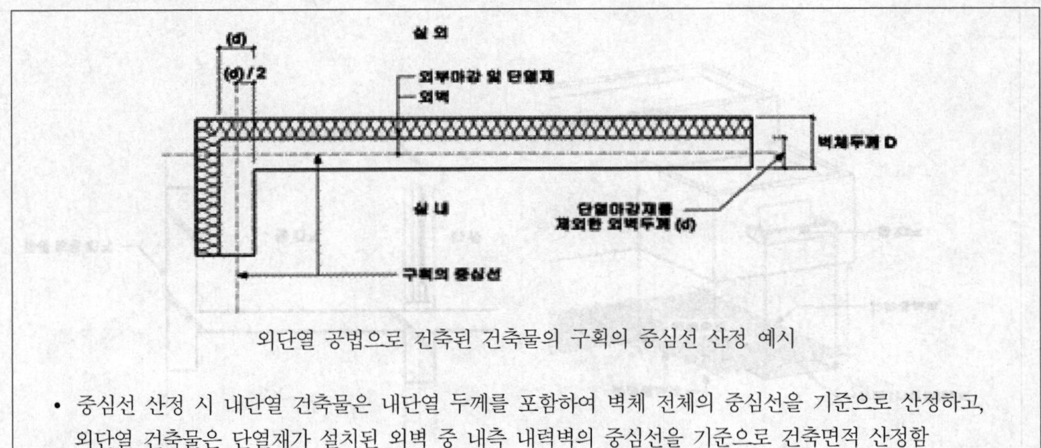

외단열 공법으로 건축된 건축물의 구획의 중심선 산정 예시

- 중심선 산정 시 내단열 건축물은 내단열 두께를 포함하여 벽체 전체의 중심선을 기준으로 산정하고, 외단열 건축물은 단열재가 설치된 외벽 중 내측 내력벽의 중심선을 기준으로 건축면적 산정함

3) 다음의 건축물의 건축면적은 각 항목에서 정하는 바에 따라 산정한다.

(1) 건축법 시행규칙 제43조제2항에 따라 창고 또는 공장 중 물품을 입출고하는 부위의 상부에 한쪽 끝은 고정되고 다른 쪽 끝은 지지되지 않는 구조로 된 돌출차양은 다음 각 호에 따라 산정한 면적 중 작은 값으로 한다.

1. 해당 돌출차양을 제외한 창고의 건축면적의 10퍼센트를 초과하는 면적
2. 해당 돌출차양의 끝부분으로부터 수평거리 6미터를 후퇴한 선으로 둘러싸인 부분의 수평투영면적

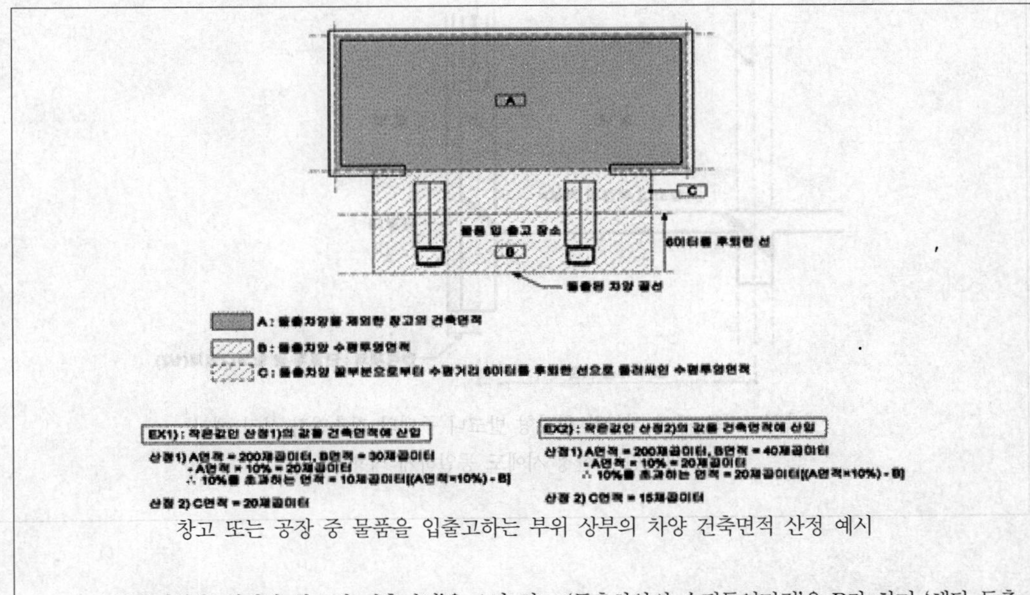

창고 또는 공장 중 물품을 입출고하는 부위 상부의 차양 건축면적 산정 예시

- ‘돌출차양을 제외한 창고의 건축면적’을 A라 하고 ‘돌출차양의 수평투영면적’을 B라 하며 ‘해당 돌출차양을 제외한 창고의 건축면적의 10퍼센트를 초과하는 면적’은 B－A×10%, 그리고 ‘해당 돌출차양의 끝부분으로부터 수평거리 6미터를 후퇴한 선으로 둘러싸인 부분의 수평투영면적’을 C, 이 때 (B－A×10%)＜C의 경우, 창고 또는 공장의 건축면적은 A+(B-A×10%)로 결정되며, (B－A×10%)＞C의 경우, 창고 또는 공장의 건축면적은 A+C로 결정함

(2) 노대 등은 건축면적에 모두 산입한다. 다만, 건축구조 기준 등에 적합한 확장형 발코니 주택은 발코니 외부에 단열재를 시공 시 일반건축물 벽체와 동일하게 건축면적을 산정한다.

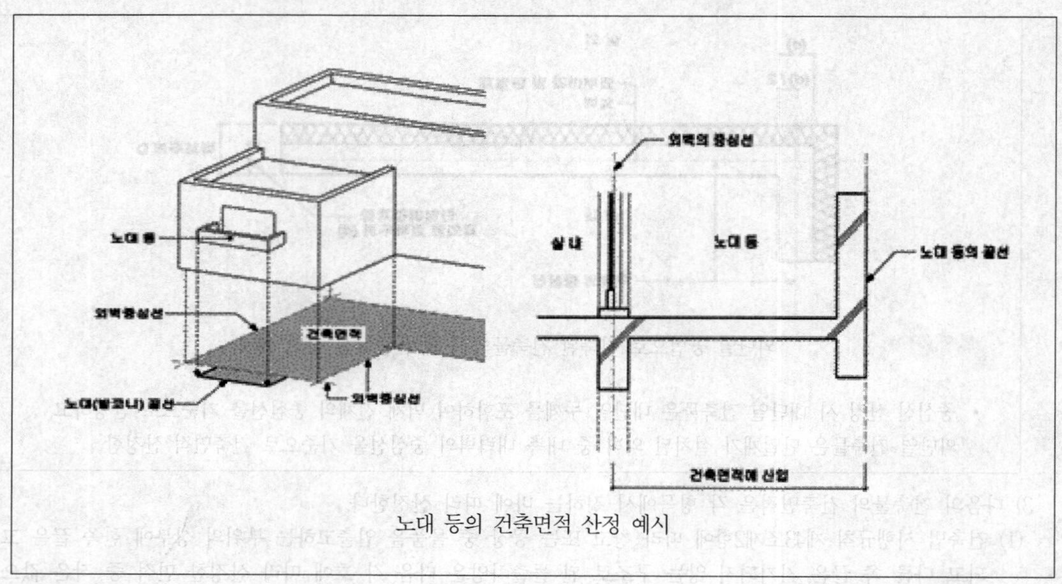

노대 등의 건축면적 산정 예시

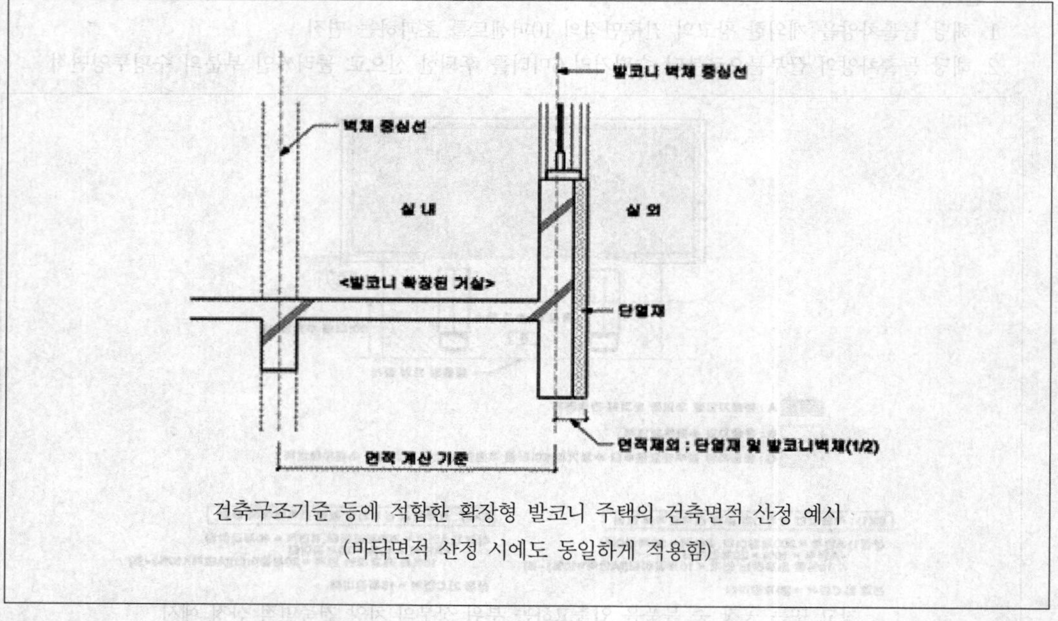

건축구조기준 등에 적합한 확장형 발코니 주택의 건축면적 산정 예시
(바닥면적 산정 시에도 동일하게 적용함)

4) 다음의 경우에는 건축면적에 산입하지 않는다.

(1) 지표면으로부터 1미터 이하에 있는 부분(창고 중 물품을 입출고하기 위하여 차량을 접안시키는 부분의 경우에는 지표면으로부터 1.5미터 이하에 있는 부분)

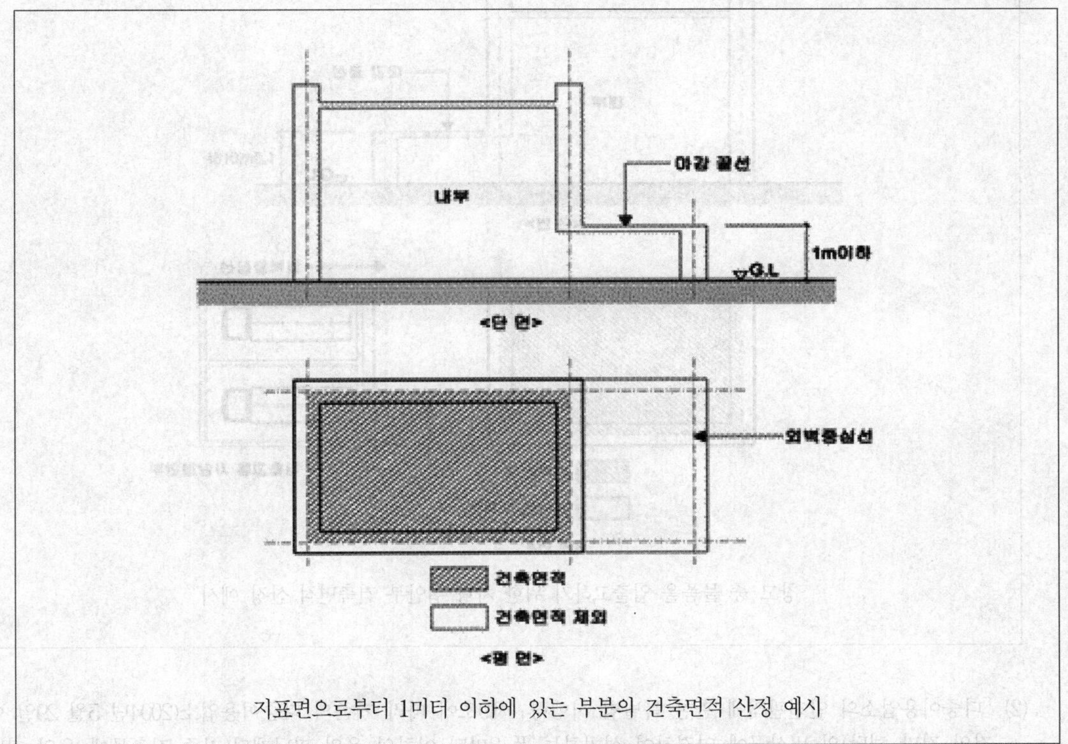

지표면으로부터 1미터 이하에 있는 부분의 건축면적 산정 예시

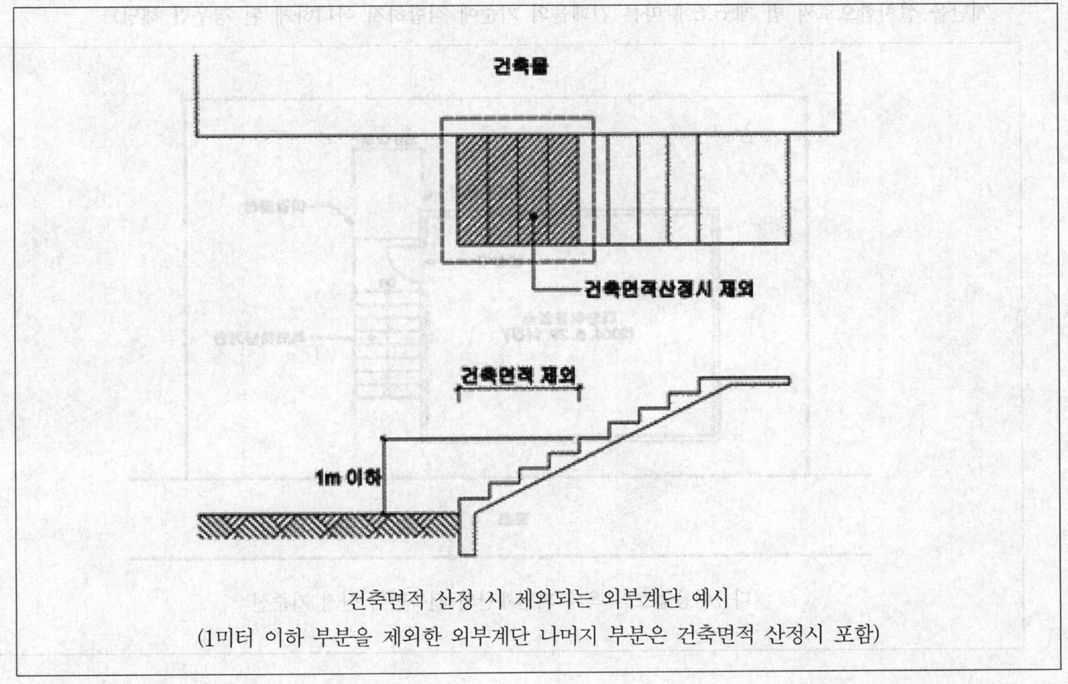

건축면적 산정 시 제외되는 외부계단 예시
(1미터 이하 부분을 제외한 외부계단 나머지 부분은 건축면적 산정시 포함)

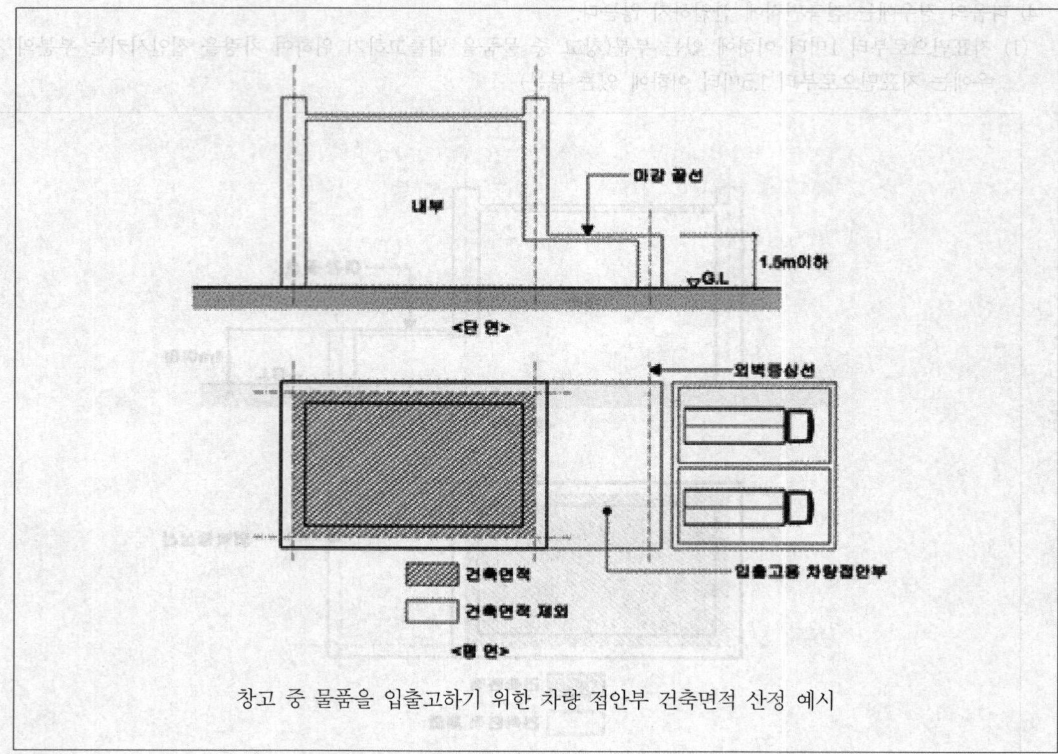

창고 중 물품을 입출고하기 위한 차량 접안부 건축면적 산정 예시

(2) 「다중이용업소의 안전관리에 관한 특별법 시행령」 제9조에 따라 기존의 다중이용업소(2004년 5월 29일 이전의 것만 해당)의 비상구에 연결하여 설치하는 폭 2미터 이하의 옥외 피난계단(기존 건축물에 옥외 피난계단을 설치함으로써 법 제55조에 따른 건폐율의 기준에 적합하지 아니하게 된 경우만 해당)

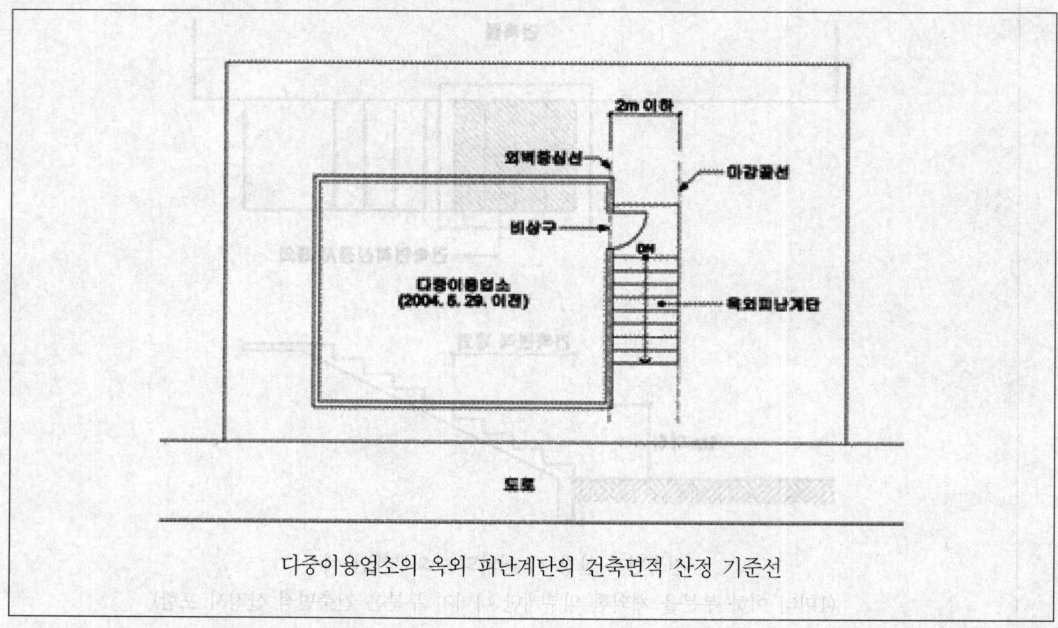

다중이용업소의 옥외 피난계단의 건축면적 산정 기준선

(3) 지하주차장의 경사로

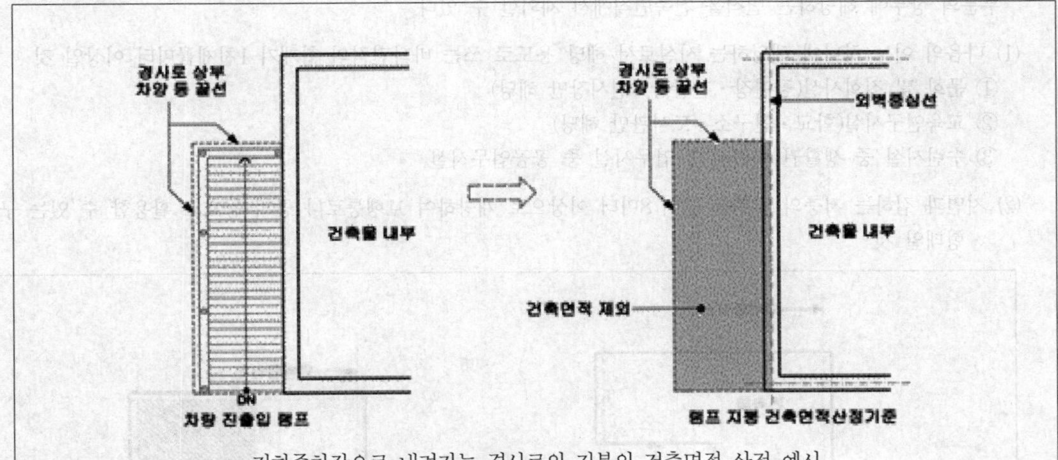

지하주차장으로 내려가는 경사로의 지붕의 건축면적 산정 예시

- 상부에 건축물 이용자의 편의를 위해 비나 눈, 먼지 등을 차단하기 위한 지붕을 설치하는 경우 기둥의 설치 유무 등과 관계없이 건축면적에 산입하지 않음

(4) 「장애인·노인·임산부 등의 편의증진 보장에 관한 법률 시행령」 별표 2의 기준에 따라 설치하는 장애인용 승강기, 장애인용 에스컬레이터, 휠체어리프트 또는 경사로

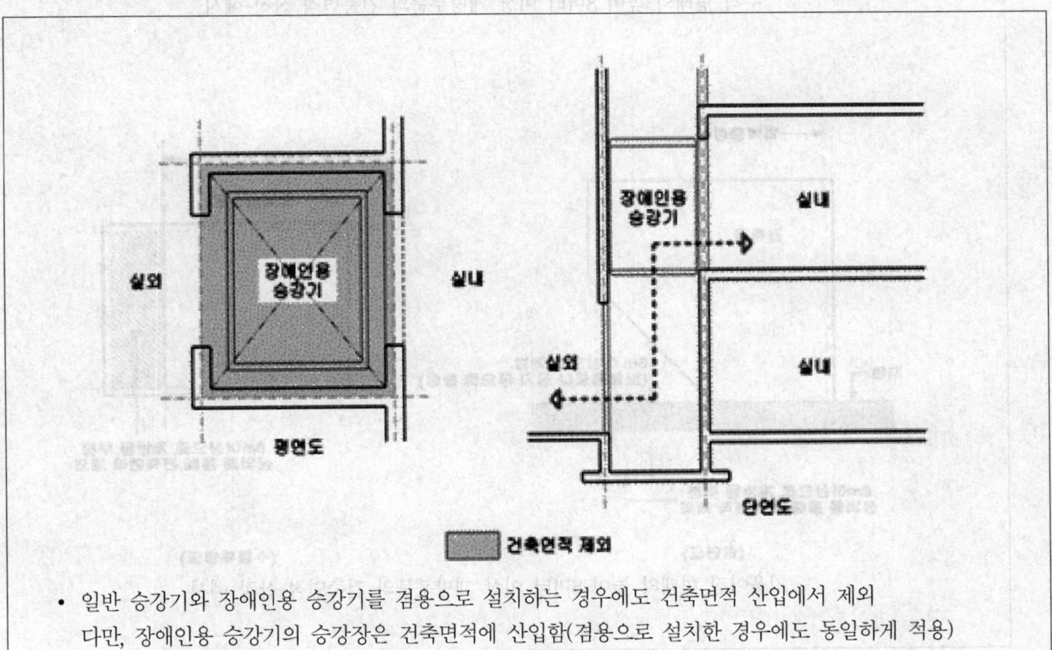

- 일반 승강기와 장애인용 승강기를 겸용으로 설치하는 경우에도 건축면적 산입에서 제외
  다만, 장애인용 승강기의 승강장은 건축면적에 산입함(겸용으로 설치한 경우에도 동일하게 적용)

5) 다음의 요건을 모두 갖춘 건축물의 건폐율을 산정할 때에는 지방건축위원회의 심의를 통해 (2)에 따른 개방부분의 상부에 해당하는 면적을 건축면적에서 제외할 수 있다.

(1) 다음의 어느 하나에 해당하는 시설로서 해당 용도로 쓰는 바닥면적의 합계가 1천제곱미터 이상일 것

① 문화 및 집회시설(공연장 · 관람장 · 전시장만 해당)

② 교육연구시설(학교 · 연구소 · 도서관만 해당)

③ 수련시설 중 생활권 수련시설, 업무시설 중 공공업무시설

(2) 지면과 접하는 저층의 일부를 높이 8미터 이상으로 개방하여 보행통로나 공지 등으로 활용할 수 있는 구조 · 형태일 것

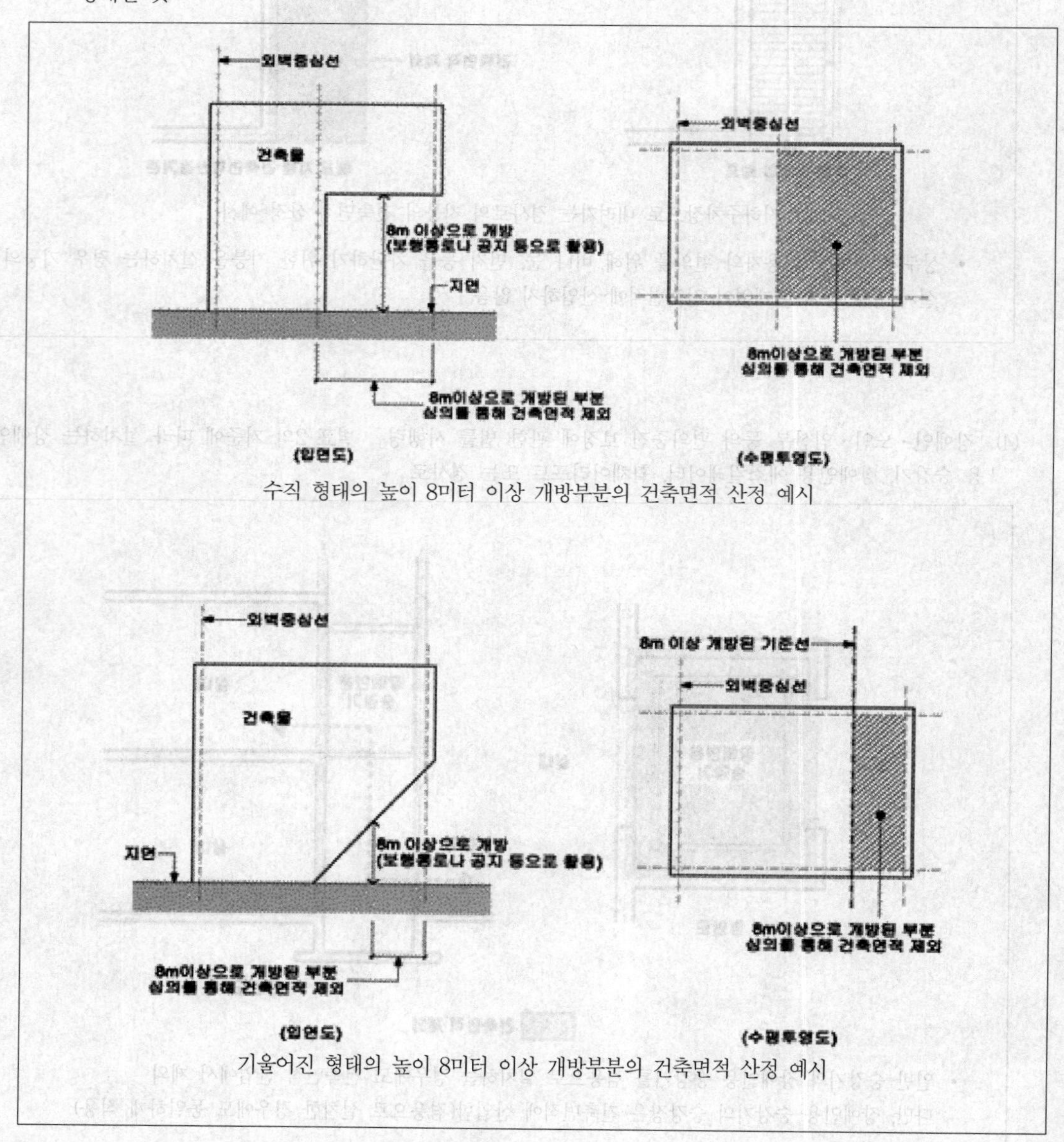

수직 형태의 높이 8미터 이상 개방부분의 건축면적 산정 예시

기울어진 형태의 높이 8미터 이상 개방부분의 건축면적 산정 예시

2.3. 바닥 면적

2.3.1. 건축물의 바닥면적은 건축물의 각 층 또는 그 일부로서 벽, 기둥, 그 밖에 이와 비슷한 구획의 중심선으로 둘러싸인 부분의 수평투영면적으로 산정한다.

2.3.2. 다음 각 항목의 어느 하나에 해당하는 경우에는 각 항목에서 정하는 바에 따른다.

1) 벽·기둥의 구획이 없는 건축물은 그 지붕 끝부분으로부터 수평거리 1미터를 후퇴한 선으로 둘러싸인 수평투영면적으로 한다.

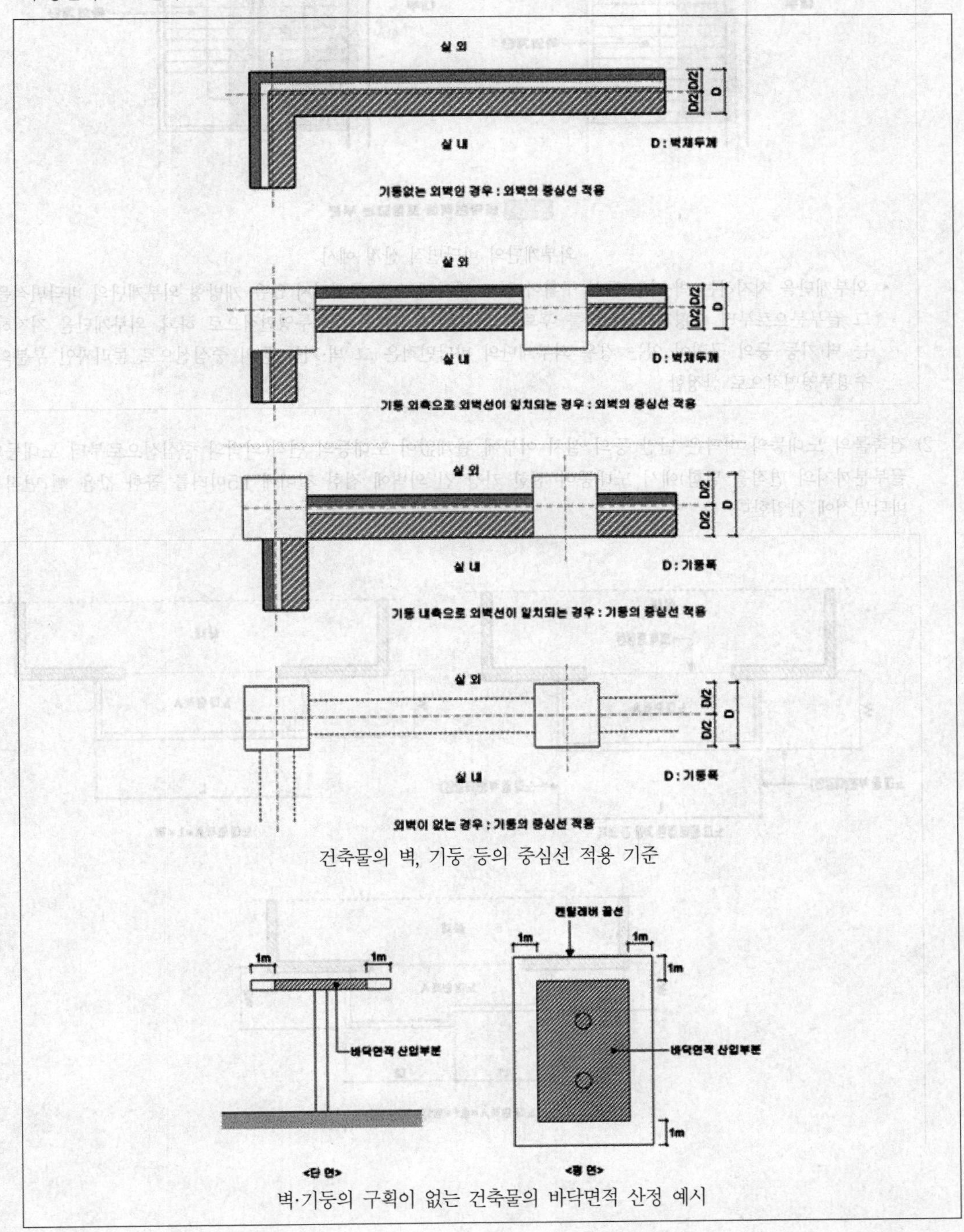

건축물의 벽, 기둥 등의 중심선 적용 기준

벽·기둥의 구획이 없는 건축물의 바닥면적 산정 예시

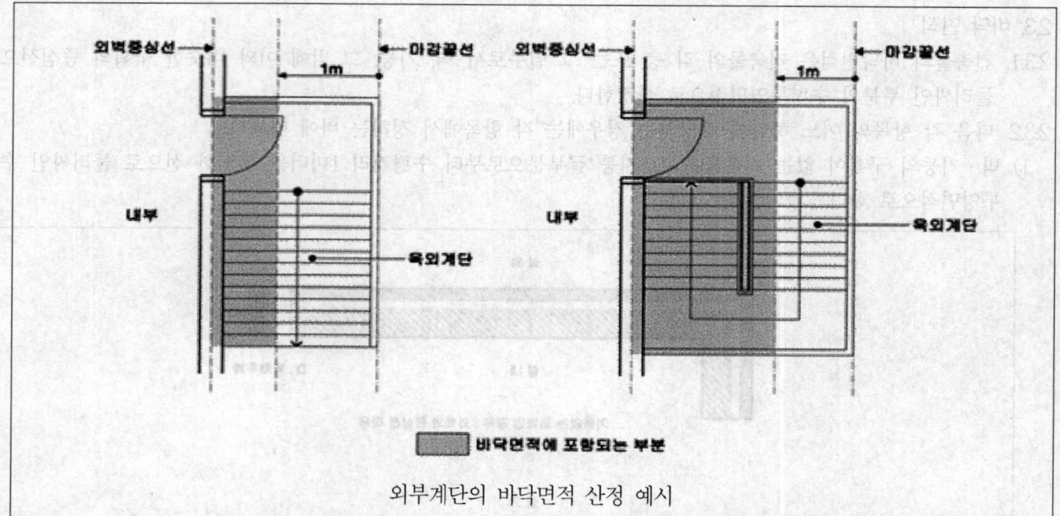

외부계단의 바닥면적 산정 예시

- 외부계단을 지지하는 벽·기둥 등의 구획이 없고 새시 등으로 구획되지 않은 개방형 외부계단의 바닥면적은 그 끝부분으로부터 수평거리 1미터를 후퇴한 선으로 둘러싸인 수평투영면적으로 하되, 외부계단을 지지하는 벽·기둥 등의 구획이 있는 경우 외부계단의 바닥면적은 그 벽·기둥 등의 중심선으로 둘러싸인 부분의 수평투영면적으로 산정함

2) 건축물의 노대등의 바닥은 난간 등의 설치 여부에 관계없이 노대등의 면적(외벽의 중심선으로부터 노대등의 끝부분까지의 면적을 말함)에서 노대등이 접한 가장 긴 외벽에 접한 길이에 1.5미터를 곱한 값을 뺀 면적을 바닥면적에 산입한다.

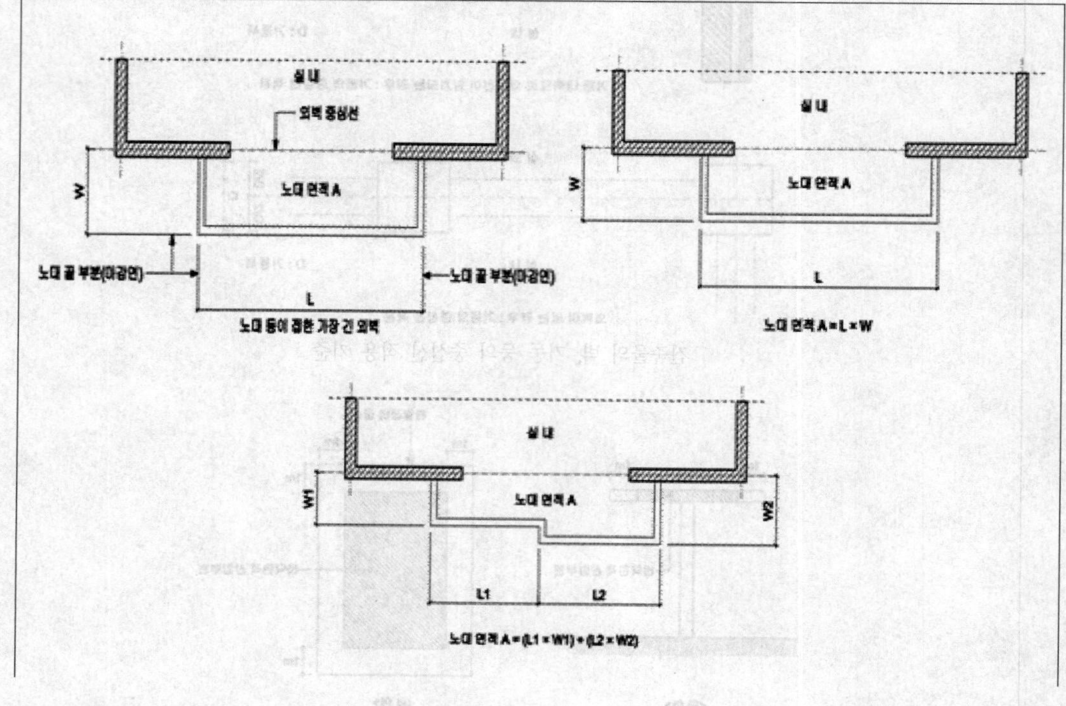

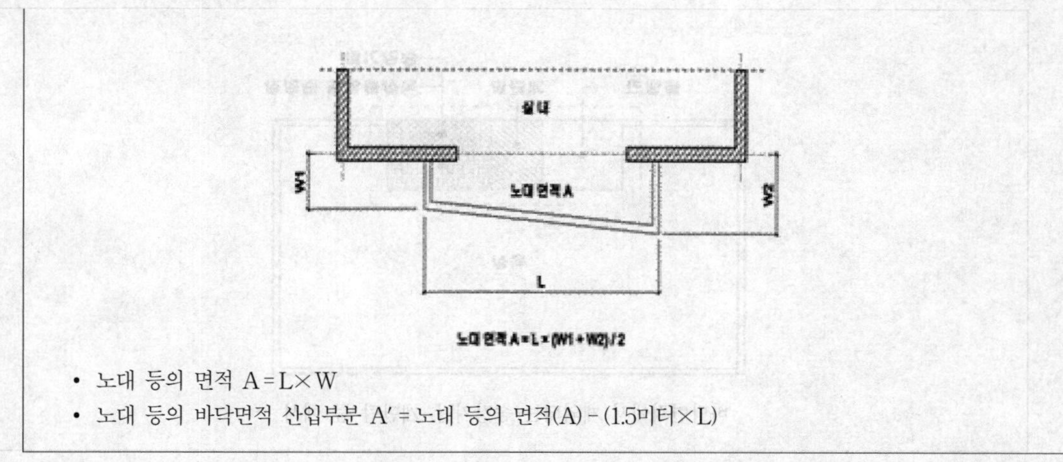

- 노대 등의 면적 A = L×W
- 노대 등의 바닥면적 산입부분 A' = 노대 등의 면적(A) - (1.5미터×L)

3) 필로티나 그 밖에 이와 비슷한 구조(벽면적의 2분의 1이상이 그 층의 바닥면에서 위층 바닥 아래면까지 공간으로 된 것만 해당)의 부분 : 그 부분이 공중의 통행이나 차량의 통행 또는 주차에 전용되는 경우와 공동주택의 경우에는 바닥면적에 산입하지 아니한다.

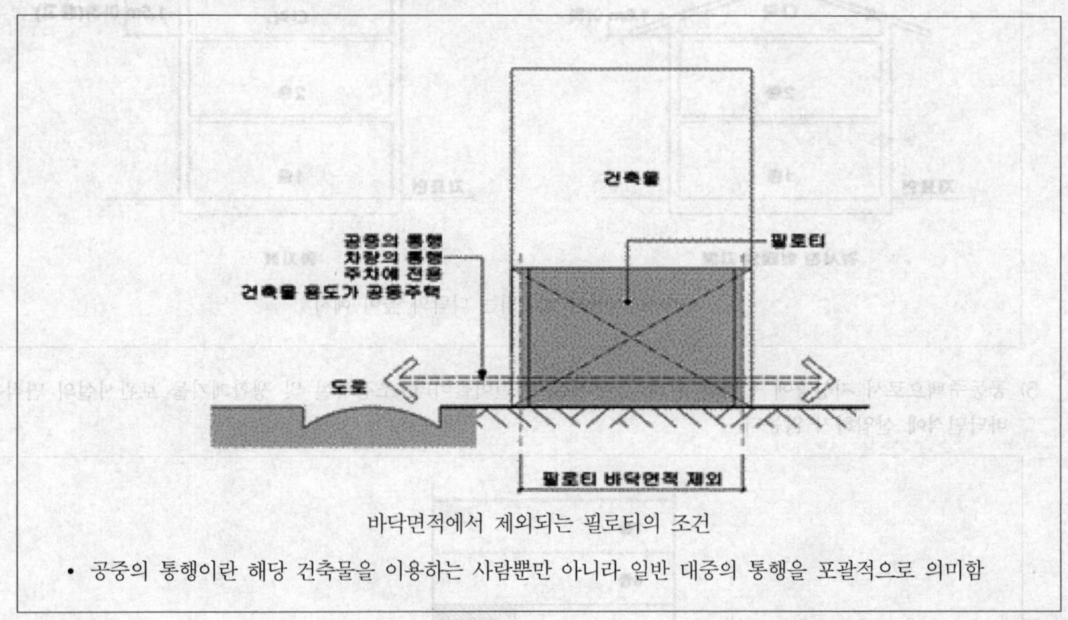

바닥면적에서 제외되는 필로티의 조건

- 공중의 통행이란 해당 건축물을 이용하는 사람뿐만 아니라 일반 대중의 통행을 포괄적으로 의미함

4) 승강기탑(옥상 출입용 승강장을 포함), 계단탑, 장식탑, 다락[층고가 1.5미터(경사진 형태의 지붕인 경우 1.8미터) 이하인 것만 해당], 건축물의 내부에 설치하는 냉방설비 배기장치 전용 설치공간(각 세대나 실별로 외부 공기에 직접 닿는 곳에 설치하는 경우로서 1제곱미터 이하로 한정), 건축물의 외부 또는 내부에 설치하는 굴뚝, 더스트슈트, 설비덕트, 그 밖에 이와 비슷한 것과 옥상·옥외 또는 지하에 설치하는 물탱크, 기름탱크, 냉각탑, 정화조, 도시가스 정압기, 그 밖에 이와 비슷한 것을 설치하기 위한 구조물과 건축물 간에 화물의 이동에 이용되는 컨베이어벨트만을 설치하기 위한 구조물은 바닥면적에 산입하지 아니한다.

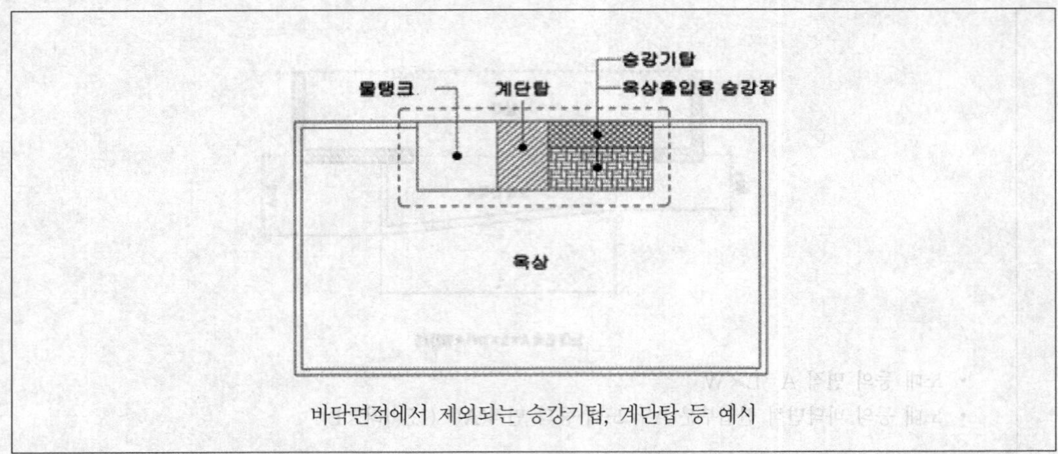

바닥면적에서 제외되는 승강기탑, 계단탑 등 예시

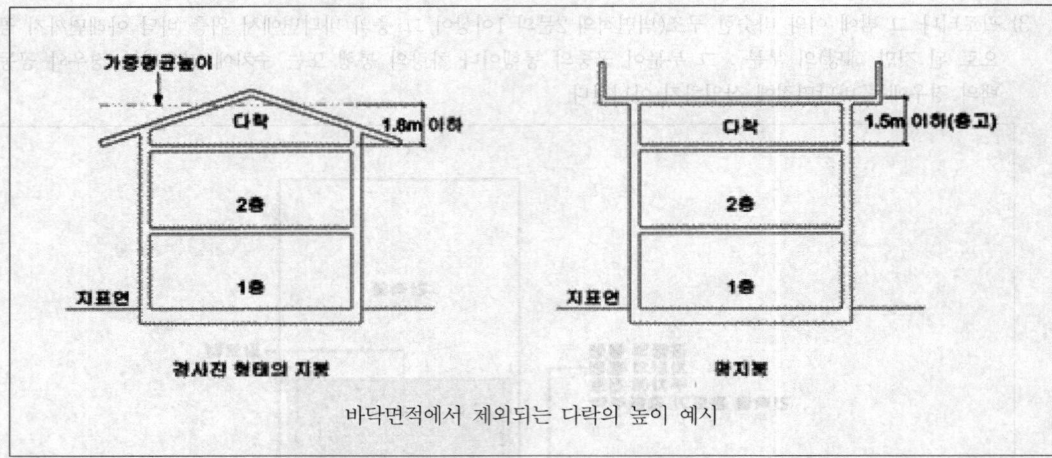

바닥면적에서 제외되는 다락의 높이 예시

5) 공동주택으로서 지상층에 설치한 기계실, 전기실, 어린이놀이터, 조경시설 및 생활폐기물 보관시설의 면적은 바닥면적에 산입하지 않는다.

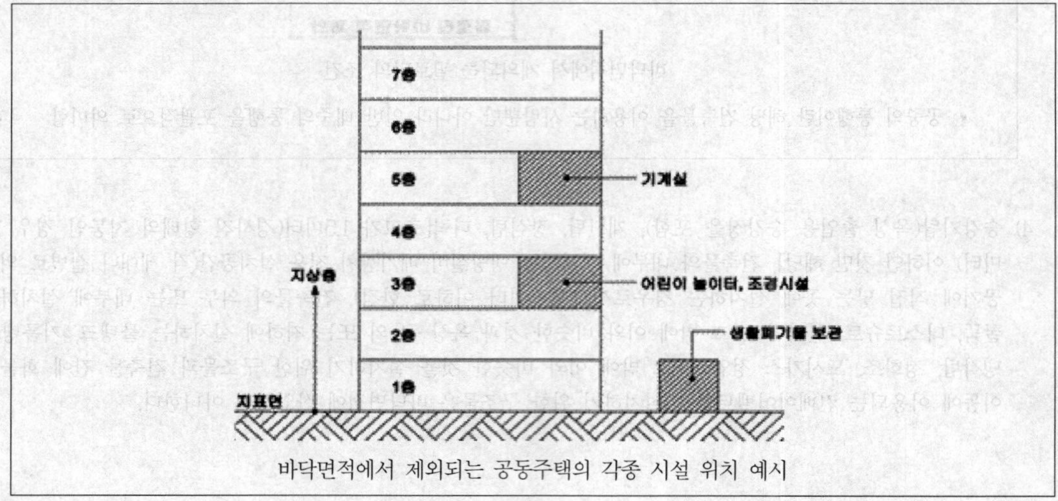

바닥면적에서 제외되는 공동주택의 각종 시설 위치 예시

6) 「건축법 시행령」 제6조제1항제6호에 따른 건축물을 리모델링하는 경우로서 미관 향상, 열의 손실 방지 등을 위하여 외벽에 부가하여 마감재 등을 설치하는 부분은 바닥면적에 산입하지 아니한다.

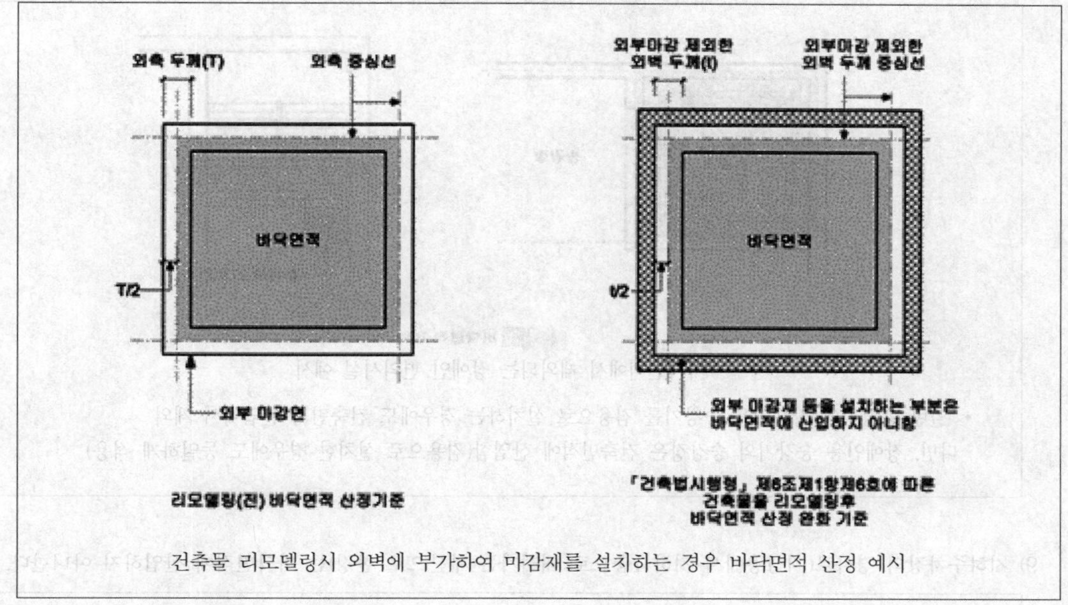

건축물 리모델링시 외벽에 부가하여 마감재를 설치하는 경우 바닥면적 산정 예시

7) 단열재를 구조체의 외기측에 설치하는 단열공법으로 건축된 건축물의 경우에는 단열재가 설치된 외벽 중 내측 내력벽의 중심선을 기준으로 산정한 면적을 바닥면적으로 한다.

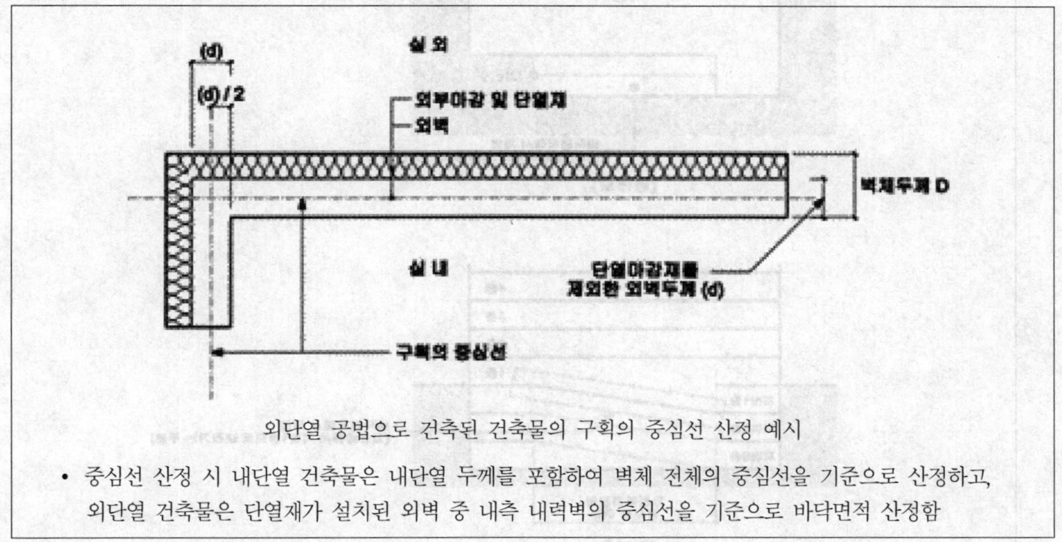

외단열 공법으로 건축된 건축물의 구획의 중심선 산정 예시

- 중심선 산정 시 내단열 건축물은 내단열 두께를 포함하여 벽체 전체의 중심선을 기준으로 산정하고, 외단열 건축물은 단열재가 설치된 외벽 중 내측 내력벽의 중심선을 기준으로 바닥면적 산정함

8) 「장애인·노인·임산부 등의 편의증진 보장에 관한 법률 시행령」 별표 2의 기준에 따라 설치하는 장애인용 승강기, 장애인용 에스컬레이터, 휠체어리프트 또는 경사로는 바닥면적에 산입하지 아니한다.

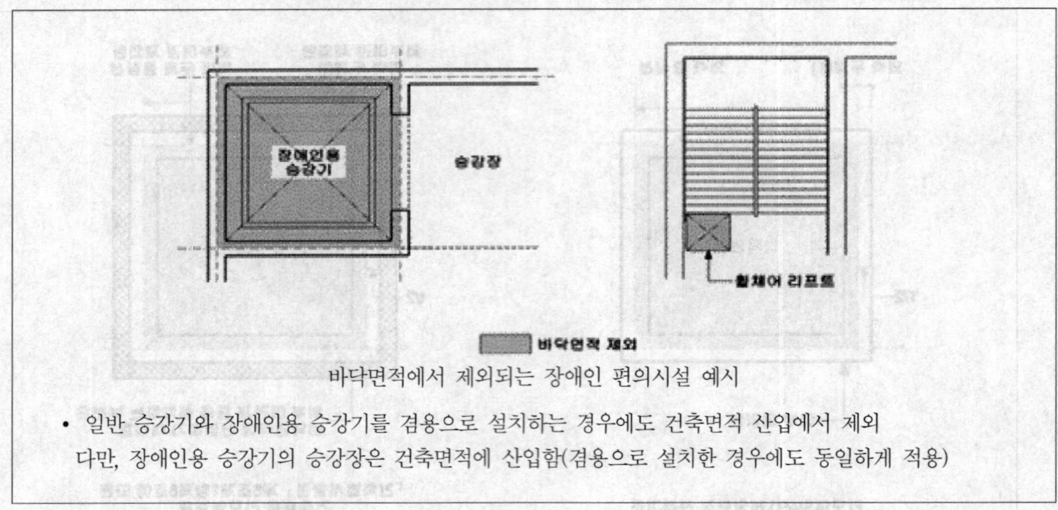

바닥면적에서 제외되는 장애인 편의시설 예시

• 일반 승강기와 장애인용 승강기를 겸용으로 설치하는 경우에도 건축면적 산입에서 제외
다만, 장애인용 승강기의 승강장은 건축면적에 산입함(겸용으로 설치한 경우에도 동일하게 적용)

9) 지하주차장의 경사로(지상층에서 지하 1층으로 내려가는 부분으로 한정)는 바닥면적에 산입하지 아니한다.

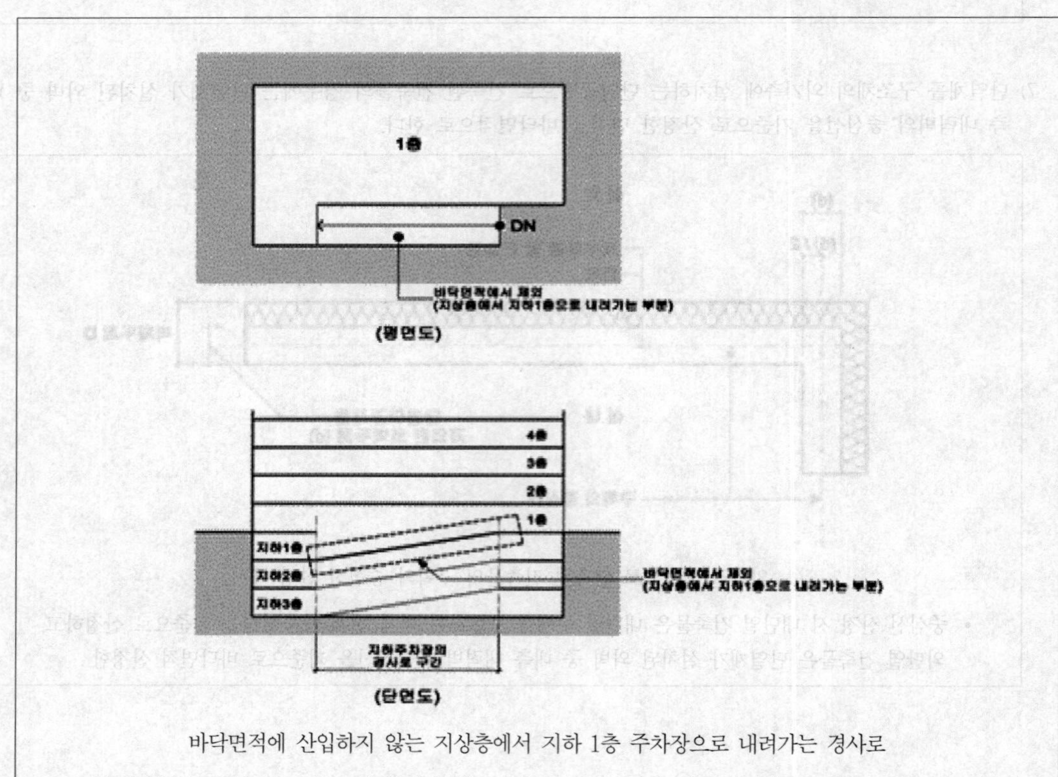

바닥면적에 산입하지 않는 지상층에서 지하 1층 주차장으로 내려가는 경사로

• 상부에 건축물 이용자 편의를 위해 비나 눈, 먼지 등을 차단하기 위한 지붕을 설치하는 경우 기둥의 설치 유무 등과 관계없이 바닥면적에 산입하지 않음

2.4. 연면적

2.4.1. 연면적은 하나의 건축물 각 층의 바닥면적의 합계로 한다.

1) 대지에 한 동의 건축물이 있을 경우, 연면적은 건축물 각 층의 바닥면적의 합계로 한다.

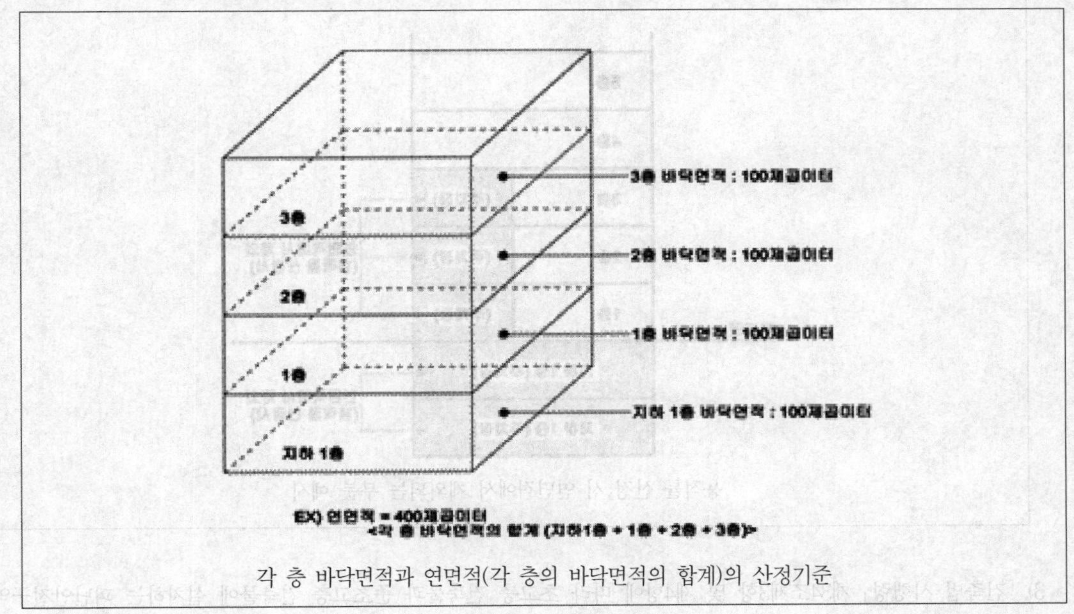

각 층 바닥면적과 연면적(각 층의 바닥면적의 합계)의 산정기준

2) 하나의 대지에 둘 이상의 건축물이 있는 경우, 각 동 건축물의 각 층의 바닥면적의 합계를 '연면적'으로 하고, 각 동 건축물의 연면적의 합을 '연면적의 합계'로 한다.

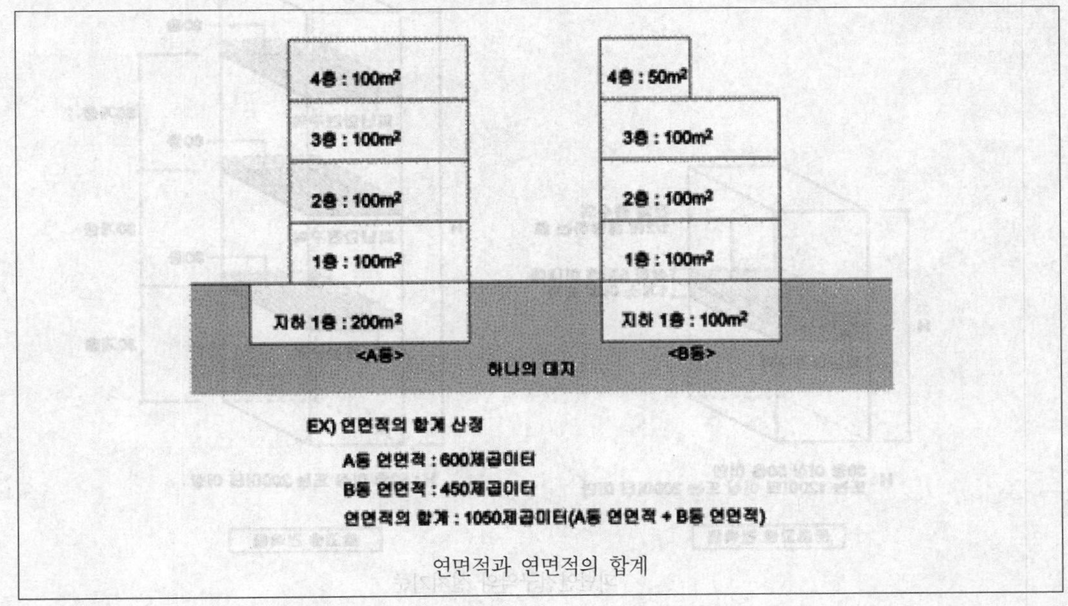

연면적과 연면적의 합계

2.4.2. 연면적은 하나의 건축물 각 층의 바닥면적의 합계로 한다.

1) 지하층의 면적

2) 지상층의 주차용(해당 건축물의 부속용도인 경우만 해당)으로 쓰는 면적

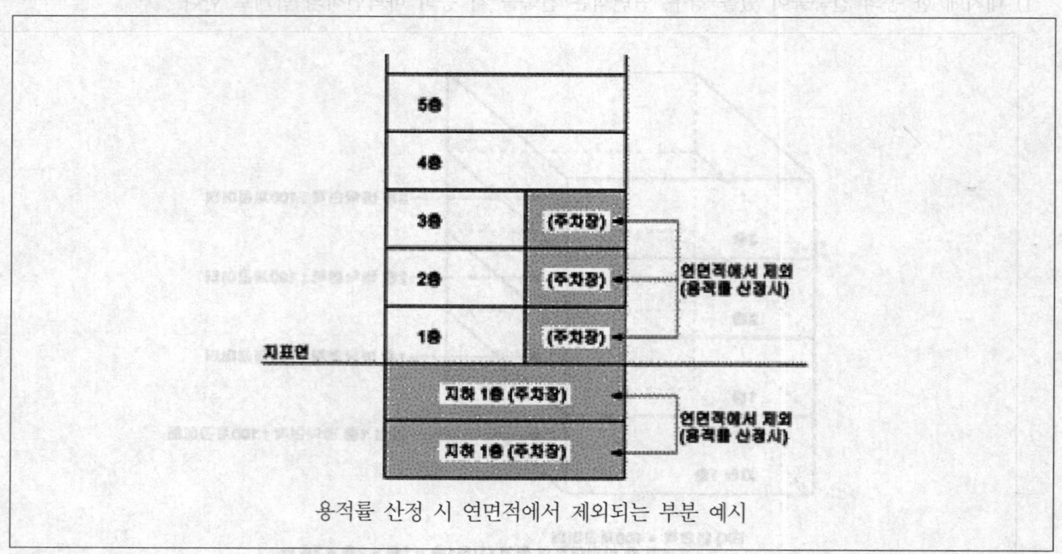

용적률 산정 시 연면적에서 제외되는 부분 예시

3) 「건축법 시행령」 제34조제3항 및 제4항에 따라 초고층 건축물과 준초고층 건축물에 설치하는 피난안전구역의 면적

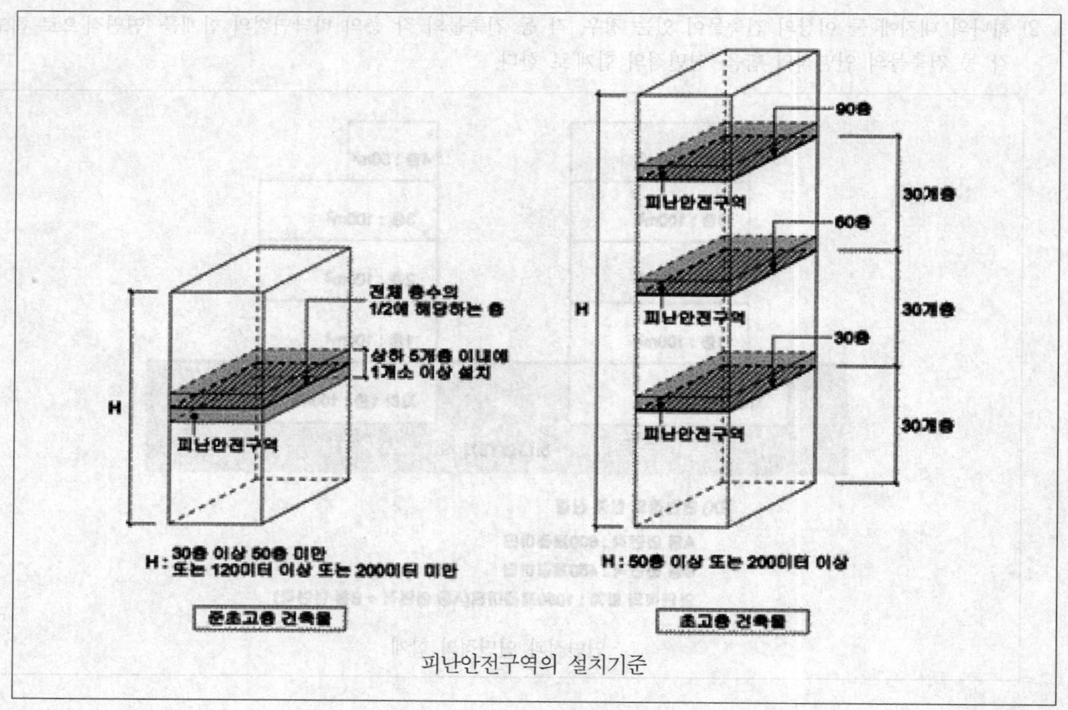

피난안전구역의 설치기준

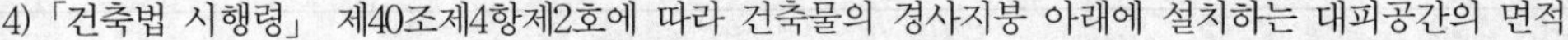

4) 「건축법 시행령」 제40조제4항제2호에 따라 건축물의 경사지붕 아래에 설치하는 대피공간의 면적

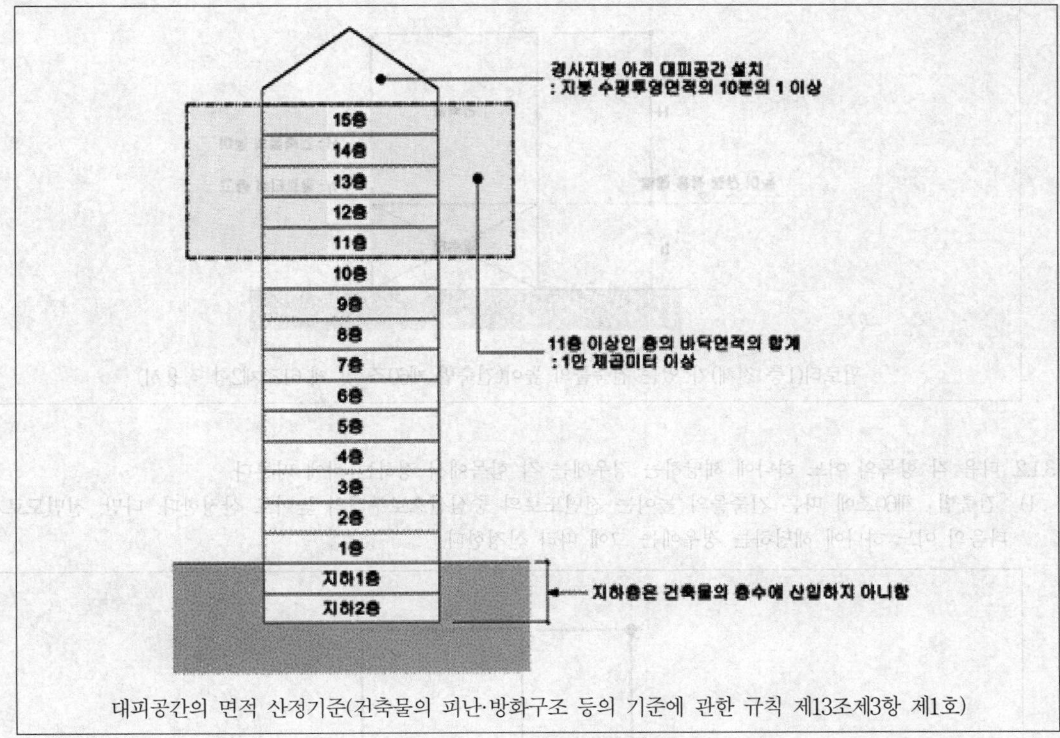

대피공간의 면적 산정기준(건축물의 피난·방화구조 등의 기준에 관한 규칙 제13조제3항 제1호)

제3장 건축물의 높이 및 층수 산정기준

3.1. 건축물의 높이

3.1.1. 건축물의 높이는 지표면으로부터 그 건축물의 상단까지의 높이[건축물의 1층 전체에 필로티(건축물을 사용하기 위한 경비실, 계단실, 승강기실, 그 밖에 이와 비슷한 것을 포함)가 설치되어 있는 경우에는 「건축법」 제60조 및 제61조제2항을 적용할 때 필로티의 층고를 제외한 높이]로 한다.

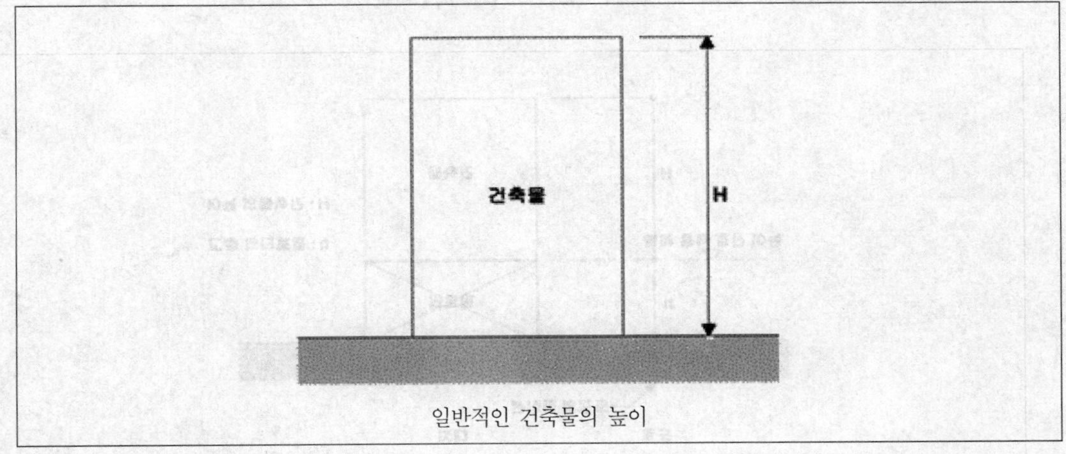

일반적인 건축물의 높이

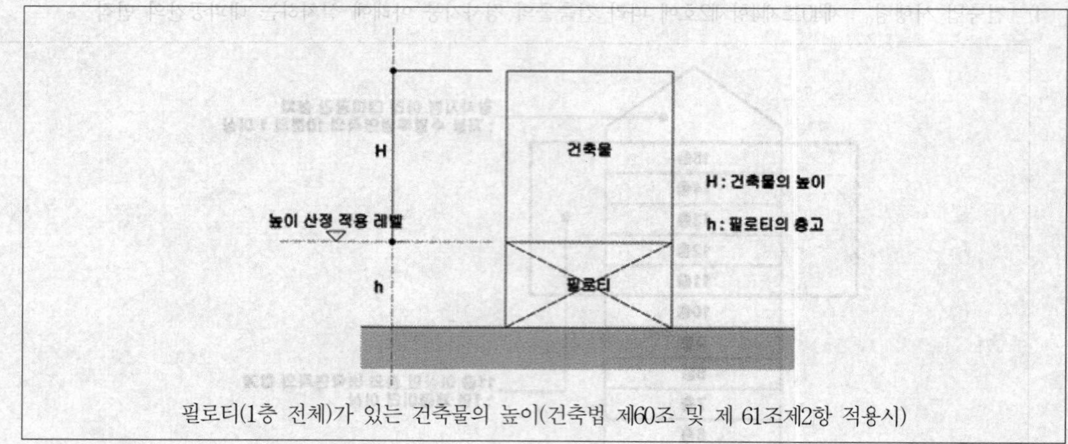

필로티(1층 전체)가 있는 건축물의 높이(건축법 제60조 및 제 61조제2항 적용시)

3.1.2. 다음 각 항목의 어느 하나에 해당하는 경우에는 각 항목에서 정하는 바에 따른다.

1) 「건축법」 제60조에 따른 건축물의 높이는 전면도로의 중심선으로부터의 높이로 산정한다. 다만, 전면도로가 다음의 어느 하나에 해당하는 경우에는 그에 따라 산정한다.

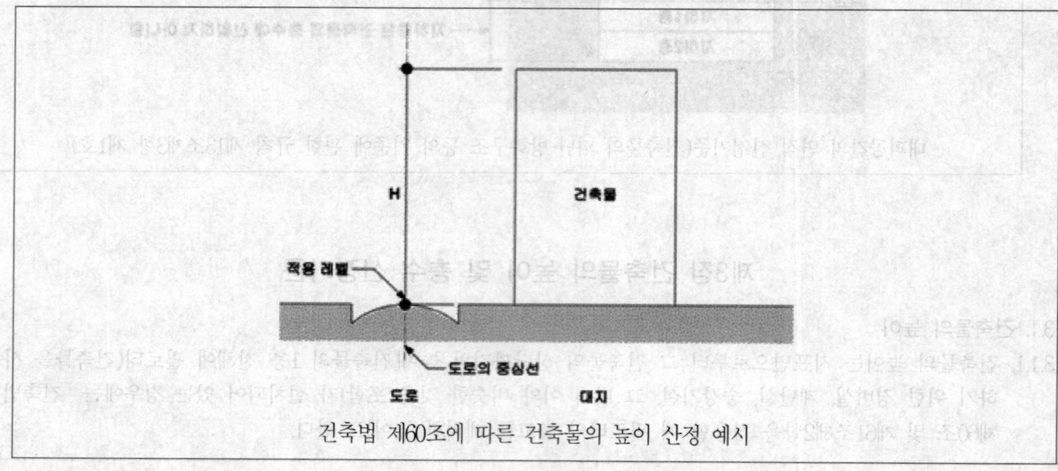

건축법 제60조에 따른 건축물의 높이 산정 예시

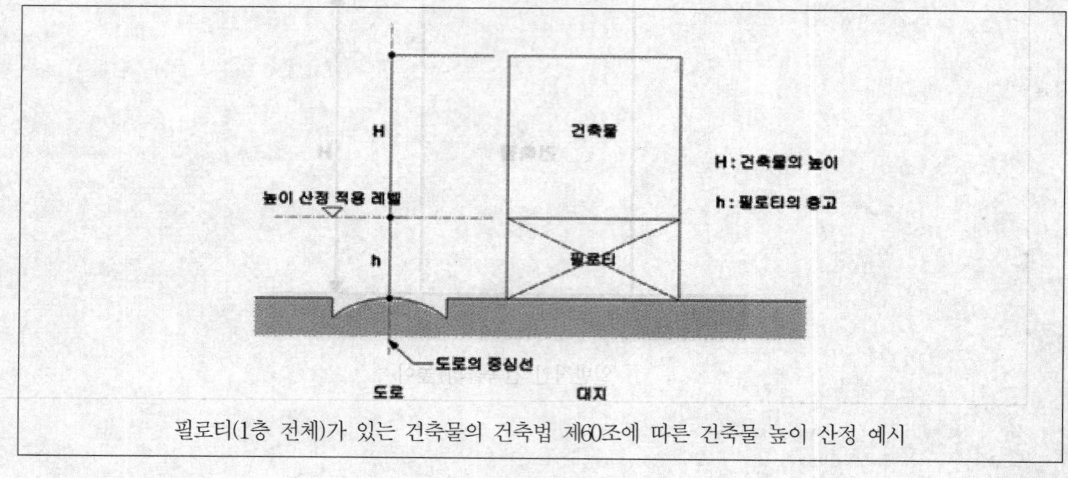

필로티(1층 전체)가 있는 건축물의 건축법 제60조에 따른 건축물 높이 산정 예시

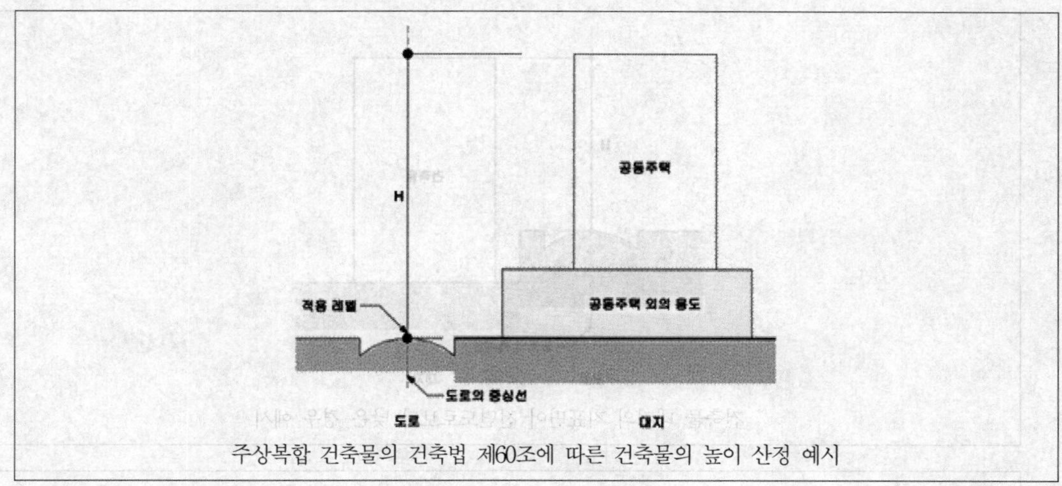

주상복합 건축물의 건축법 제60조에 따른 건축물의 높이 산정 예시

(1) 건축물의 대지에 접하는 전면도로의 노면에 고저차가 있는 경우에는 그 건축물이 접하는 범위의 전면도로 부분의 수평거리에 따라 가중 평균한 높이의 수평면을 전면도로면으로 본다.

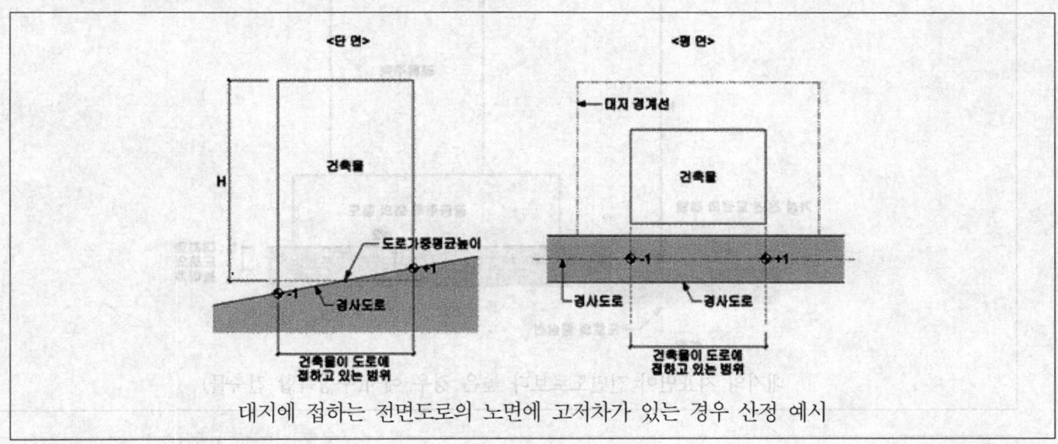

대지에 접하는 전면도로의 노면에 고저차가 있는 경우 산정 예시

(2) 건축물의 대지의 지표면이 전면도로보다 높은 경우에는 그 고저차의 2분의 1의 높이만큼 올라온 위치에 그 전면도로의 면이 있는 것으로 본다.

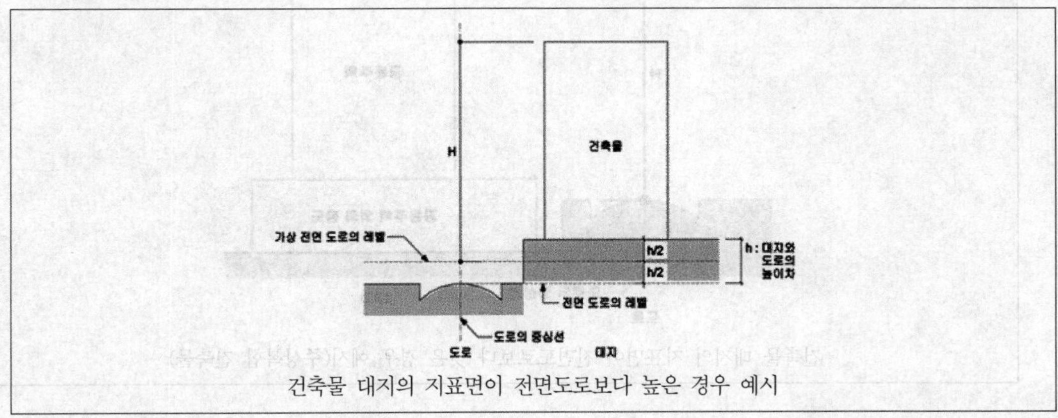

건축물 대지의 지표면이 전면도로보다 높은 경우 예시

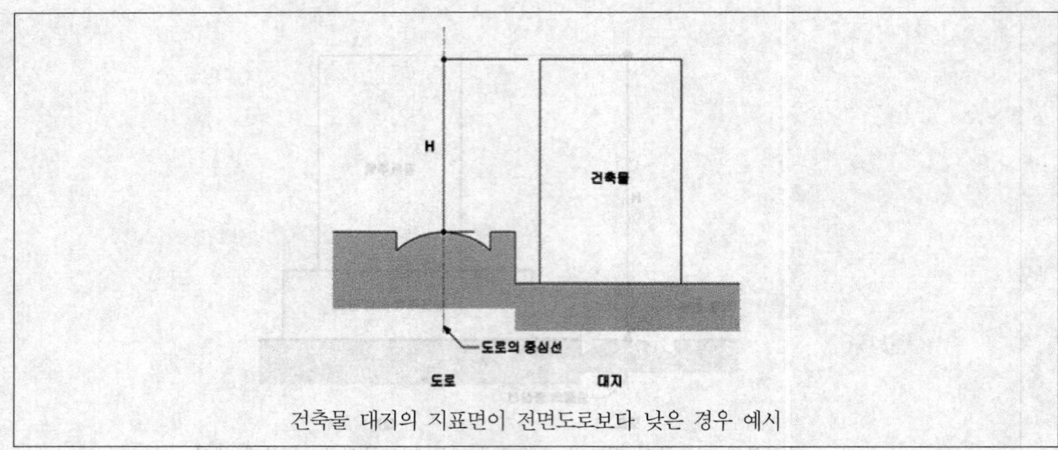

건축물 대지의 지표면이 전면도로보다 낮은 경우 예시

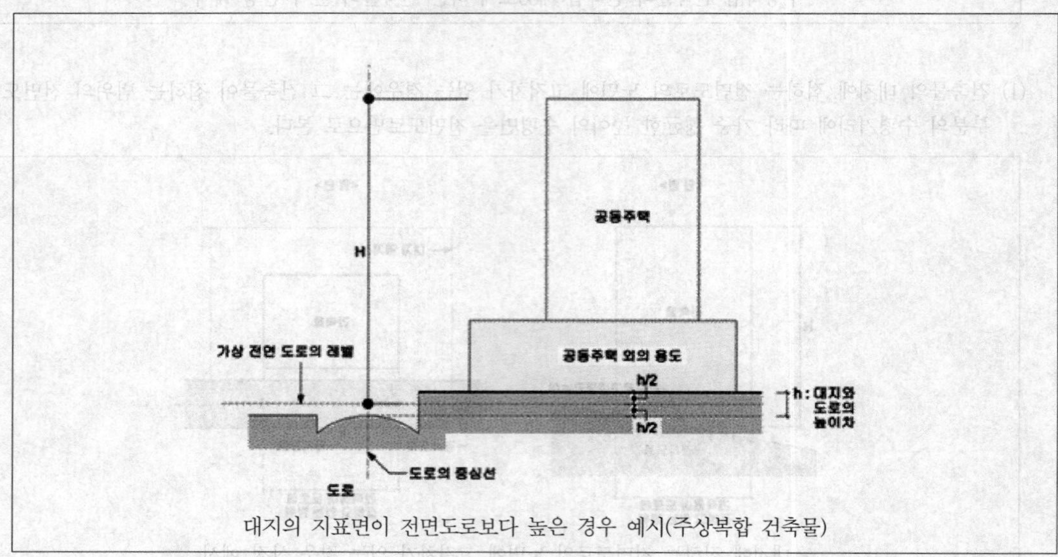

대지의 지표면이 전면도로보다 높은 경우 예시(주상복합 건축물)

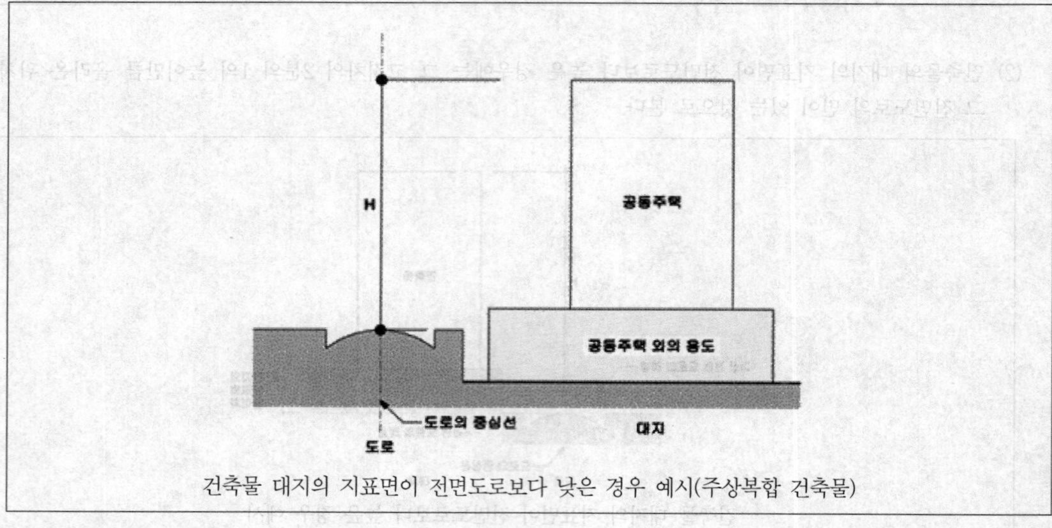

건축물 대지의 지표면이 전면도로보다 낮은 경우 예시(주상복합 건축물)

2)「건축법」 제61조에 따른 건축물 높이를 산정할 때 건축물 대지의 지표면과 인접 대지의 지표면 간에 고저차가 있는 경우에는 그 지표면의 평균 수평면을 지표면으로 본다. 다만, 「건축법」 제61조제2항에 따른 높이를 산정할 때 해당 대지가 인접 대지의 높이보다 낮은 경우에는 해당 대지의 지표면을 지표면으로 보고, 공동주택을 다른 용도와 복합하여 건축하는 경우에는 공동주택의 가장 낮은 부분을 그 건축물의 지표면으로 본다. (단서 규정은 법 제61조제2항에 따른 채광등 일조에만 적용되는 것으로 법 제61조제1항에 따른 정북방향 일조와 구분 필요)

※「건축법」 제61조제1항에 따른 정북방향 일조 적용 예시

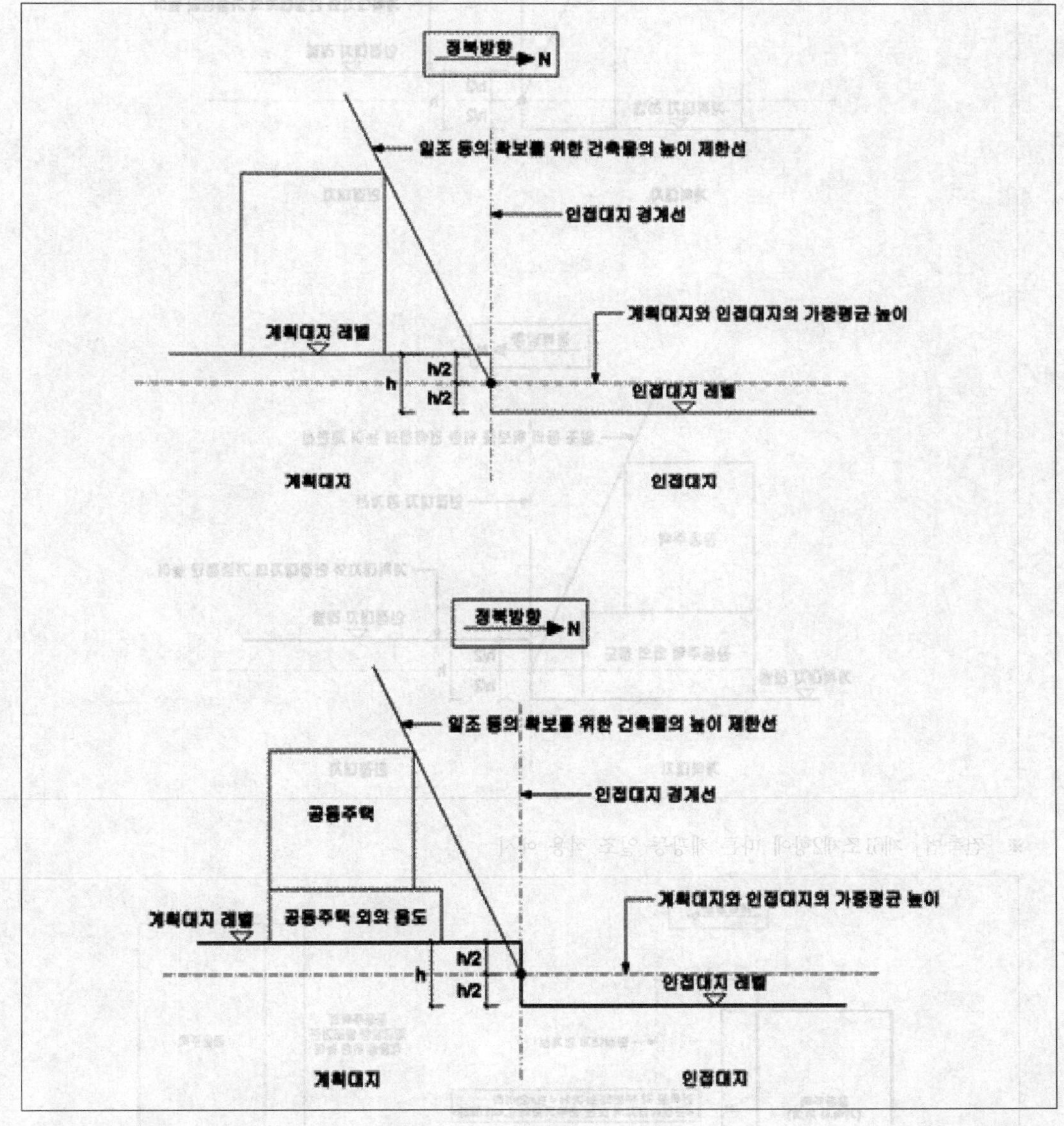

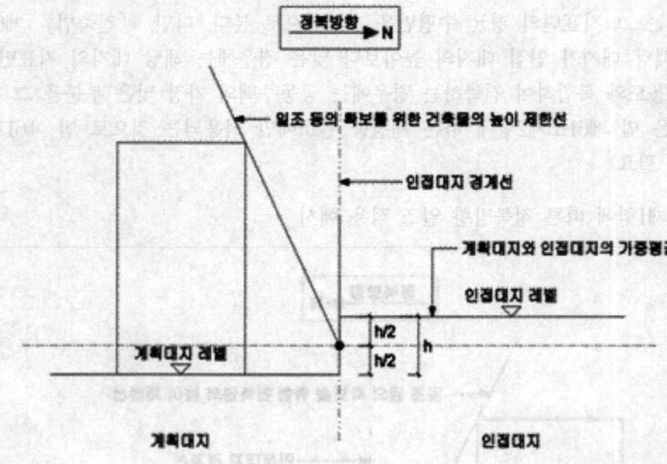

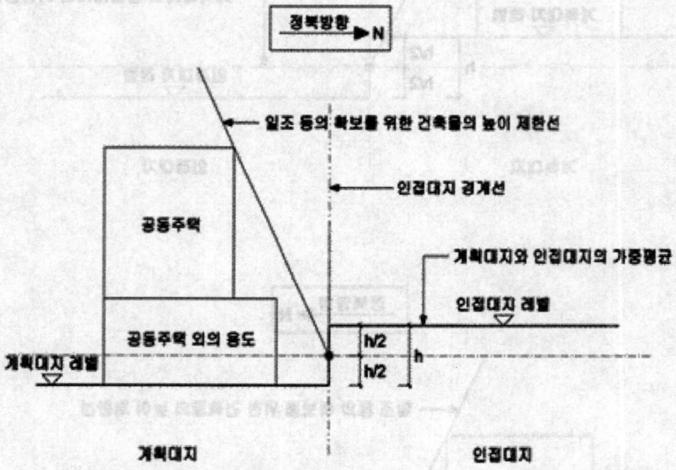

정북방향
N
일조 등의 확보를 위한 건축물의 높이 제한선
인접대지 경계선
계획대지와 인접대지의 가중평균 높이
인접대지 레벨
h/2
h
h/2
계획대지 레벨
계획대지
인접대지

정북방향
N
일조 등의 확보를 위한 건축물의 높이 제한선
인접대지 경계선
공동주택
계획대지와 인접대지의 가중평균 높이
인접대지 레벨
공동주택 외의 용도
h/2
h
h/2
계획대지 레벨
계획대지
인접대지

※「건축법」제61조제2항에 따른 채광등 일조 적용 예시

채광방향
L
인접대지 경계선
공동주택
(기숙사 제외)
H
건축물 각 부분의 높이 H = (L×2)이하
<근린상업지역 또는 준주거지역 (L×4) 이하>
GL
계획대지
인접대지
공동주택의
채광방향 일조기준
적용을 위한 높이
공동주택
공동주택 외의 용도

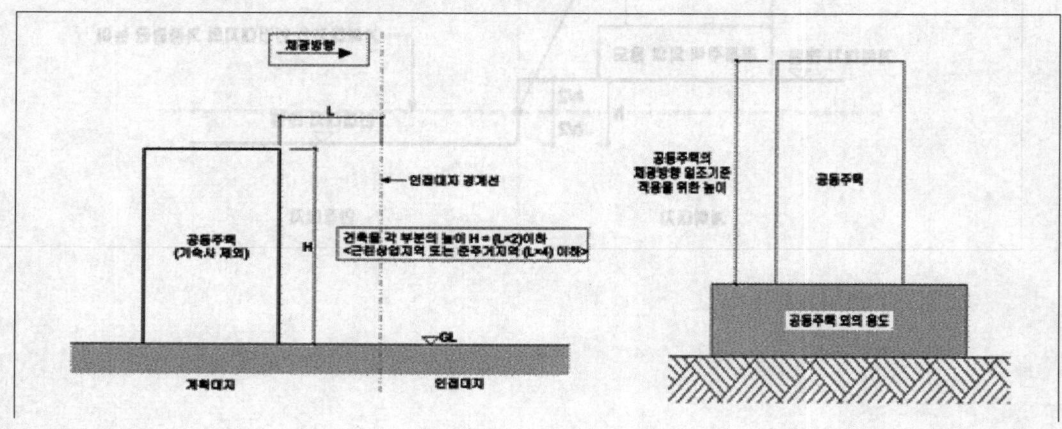

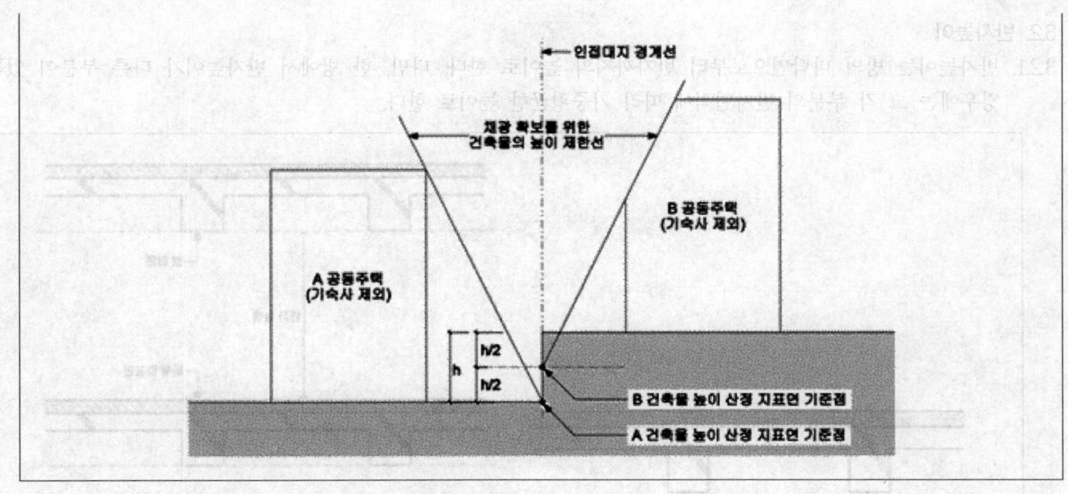

3) 건축물의 옥상에 설치되는 승강기탑·계단탑·망루·장식탑·옥탑 등으로서 그 수평투영면적의 합계가 해당 건축물 건축면적의 8분의 1(「주택법」 제15조제1항에 따른 사업계획승인 대상인 공동주택 중 세대별 전용면적이 85제곱미터 이하인 경우에는 6분의 1) 이하인 경우로서 그 부분의 높이가 12미터를 넘는 경우에는 그 넘는 부분만 해당 건축물의 높이에 산입한다.

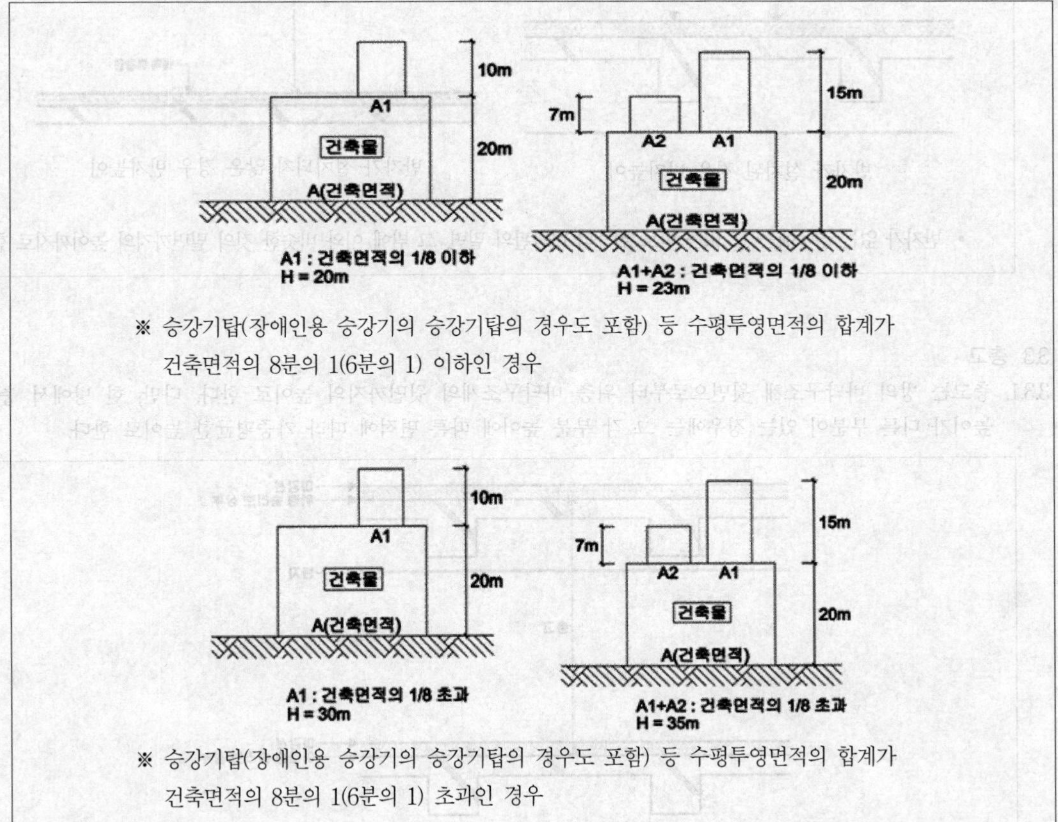

※ 승강기탑(장애인용 승강기의 승강기탑의 경우도 포함) 등 수평투영면적의 합계가 건축면적의 8분의 1(6분의 1) 이하인 경우

※ 승강기탑(장애인용 승강기의 승강기탑의 경우도 포함) 등 수평투영면적의 합계가 건축면적의 8분의 1(6분의 1) 초과인 경우

3.2. 반자높이

3.2.1. 반자높이는 방의 바닥면으로부터 반자까지의 높이로 한다. 다만, 한 방에서 반자높이가 다른 부분이 있는 경우에는 그 각 부분의 반자면적에 따라 가중평균한 높이로 한다.

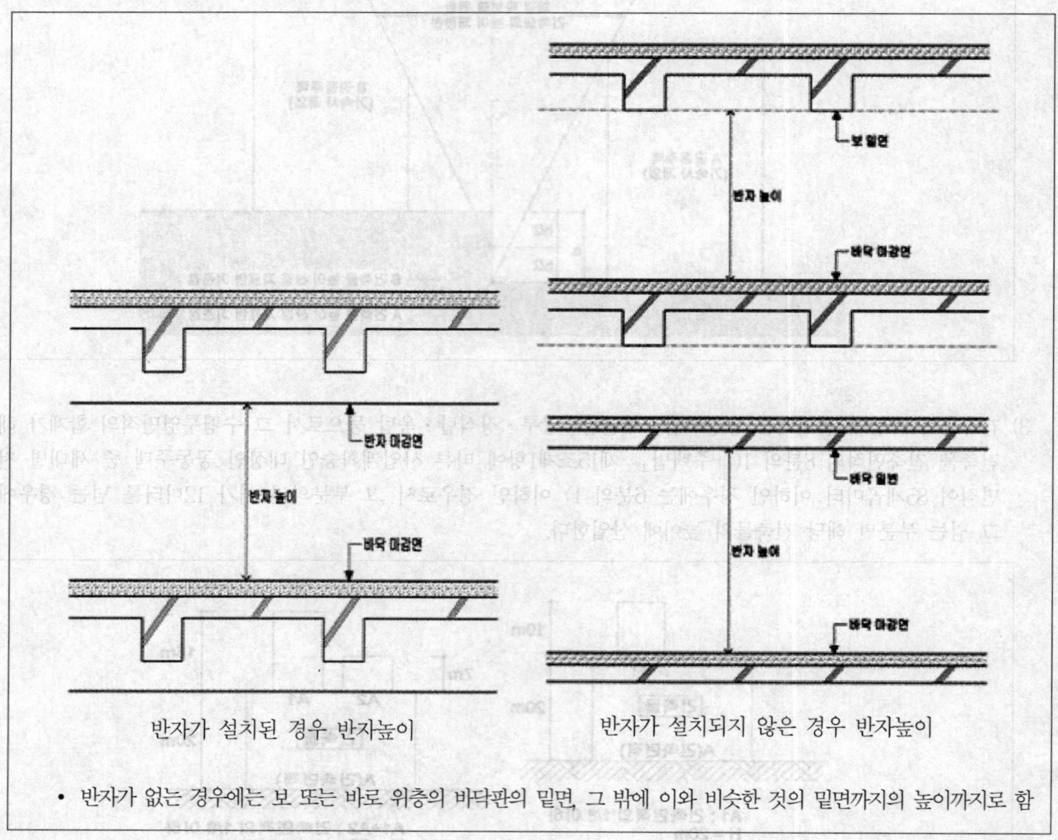

반자가 설치된 경우 반자높이 반자가 설치되지 않은 경우 반자높이

- 반자가 없는 경우에는 보 또는 바로 위층의 바닥판의 밑면, 그 밖에 이와 비슷한 것의 밑면까지의 높이까지로 함

3.3. 층고

3.3.1. 층고는 방의 바닥구조체 윗면으로부터 위층 바닥구조체의 윗면까지의 높이로 한다. 다만, 한 방에서 층의 높이가 다른 부분이 있는 경우에는 그 각 부분 높이에 따른 면적에 따라 가중평균한 높이로 한다.

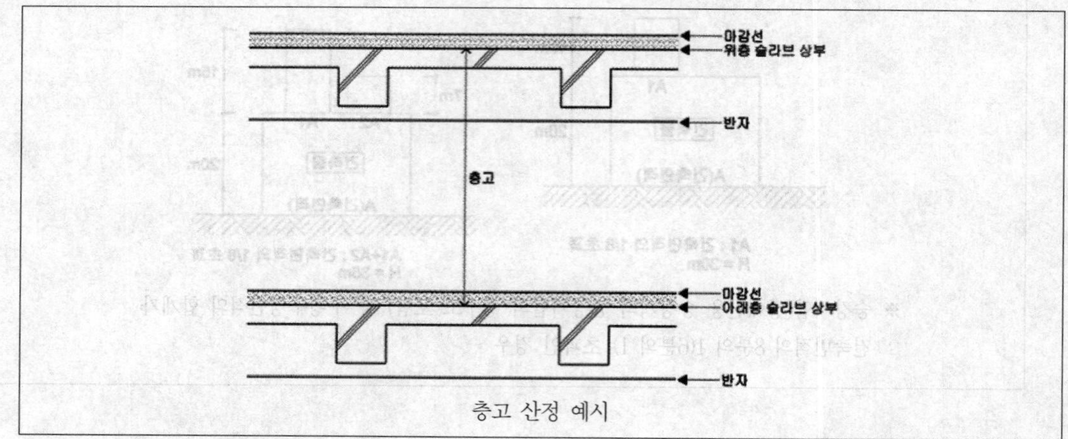

층고 산정 예시

3.4. 층수

3.4.1. 승강기탑(옥상 출입용 승강장을 포함), 계단탑, 망루, 장식탑, 옥탑, 그 밖에 이와 비슷한 건축물의 옥상 부분으로서 그 수평투영면적의 합계가 해당 건축물 건축면적의 8분의 1(「주택법」 제15조제1항에 따른 사업계획승인 대상인 공동주택 중 세대별 전용면적이 85제곱미터 이하인 경우에는 6분의 1) 이하인 것과 지하층은 건축물의 층수에 산입하지 아니한다.

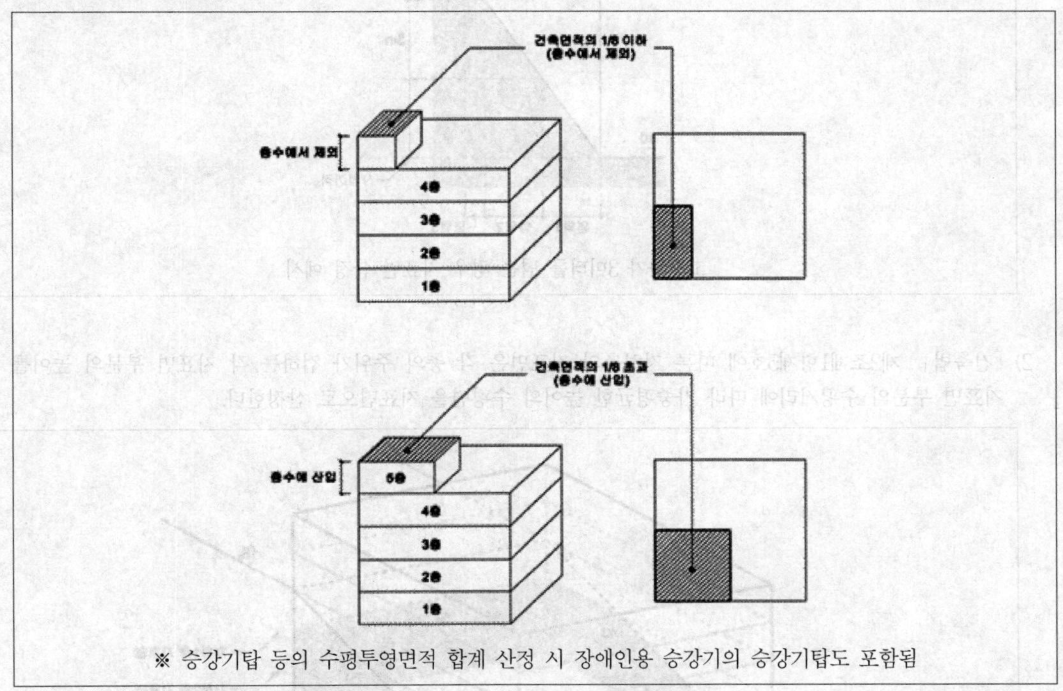

※ 승강기탑 등의 수평투영면적 합계 산정 시 장애인용 승강기의 승강기탑도 포함됨

3.4.2. 아래 각 항목에 해당하는 경우에는 각 항목에서 정하는 바에 따른다.

1) 층의 구분이 명확하지 아니한 건축물은 그 건축물의 높이 4미터마다 하나의 층으로 보고 그 층수를 산정한다.
2) 건축물이 부분에 따라 그 층수가 다른 경우에는 그 중 가장 많은 층수를 그 건축물의 층수로 본다.

3.5. 층고

3.5.1. 건축물의 면적·높이 및 층수 등을 산정할 때 지표면에 고저차가 있는 경우에는 건축물의 주위가 접하는 각 지표면 부분의 높이를 그 지표면 부분의 수평거리에 따라 가중평균한 높이의 수평면을 지표면으로 본다.

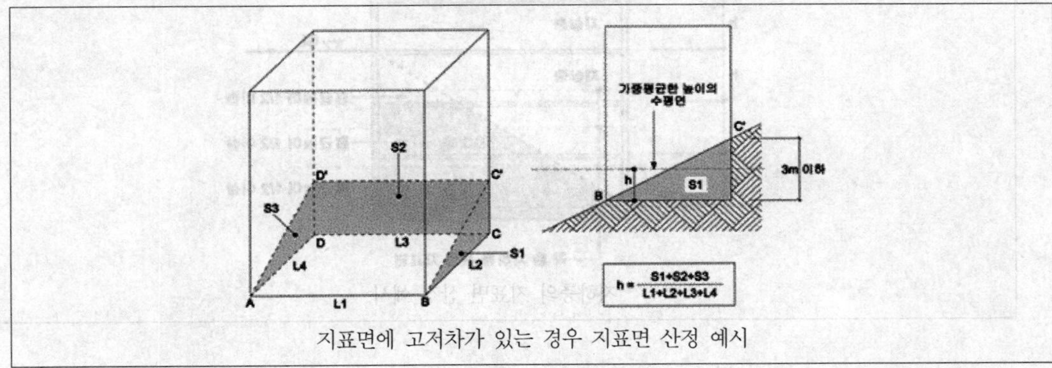

지표면에 고저차가 있는 경우 지표면 산정 예시

3.5.2. 다음 각 항목의 어느 하나에 해당하는 경우에는 해당 항목에서 정하는 기준에 따라 산정한다.

1) 지표면의 고저차가 3미터를 넘는 경우에는 그 고저차 3미터 이내의 부분마다 그 지표면을 정한다.

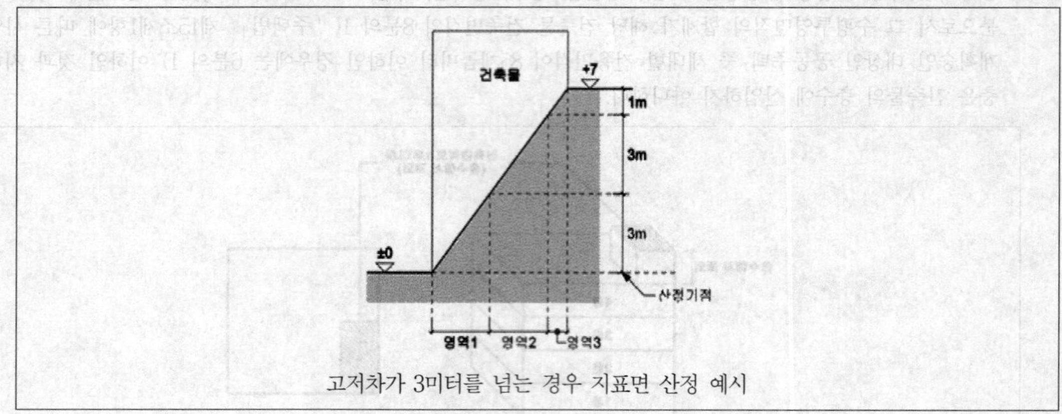

고저차가 3미터를 넘는 경우 지표면 산정 예시

2) 「건축법」 제2조제1항제5호에 따른 지하층의 지표면은 각 층의 주위가 접하는 각 지표면 부분의 높이를 그 지표면 부분의 수평거리에 따라 가중평균한 높이의 수평면을 지표면으로 산정한다.

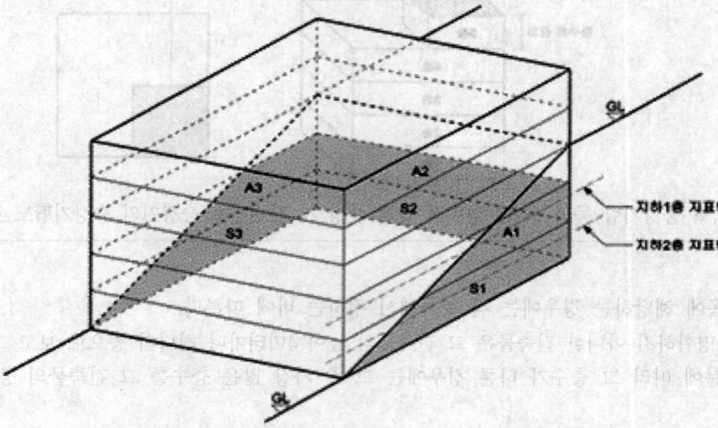

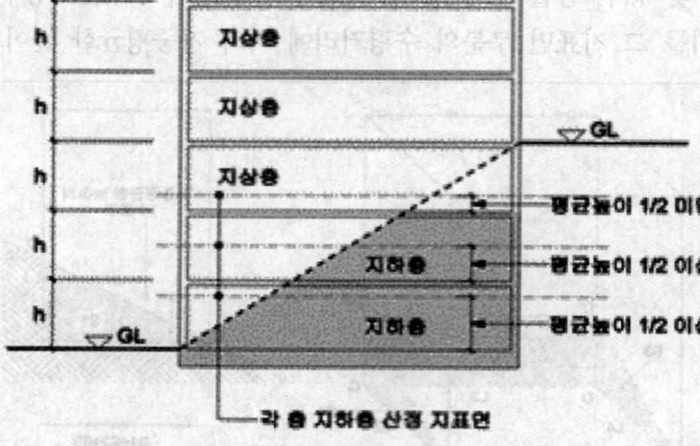

지하층의 지표면 산정 예시

제4장 재검토 기한

4.1. 국토교통부장관은 「훈령·예규 등의 발령 및 관리에 관한 규정」(대통령 훈령 제334호)에 따라 이 고시에 대하여 2022년 1월 1일 기준으로 매3년이 되는 시점(매 3년째의 12월 31일까지를 말한다)마다 그 타당성을 검토하여 개선 등의 조치를 하여야 한다.

부칙<제2021-1422호, 2021.12.30.>

제1조(시행일) 이 고시는 발령한 날부터 시행한다.

1.2.2 특별건축구역 운영 가이드라인

[시행 2021.11.3.] [국토교통부훈령 제1445호, 2021.11.3., 제정]

제1장 총 칙

제1조 【목적】 이 훈령은 특별건축구역의 지정 및 지정절차, 특별건축구역 내 건축물의 심의, 모니터링 등에 필요한 사항을 알기 쉽게 제공하여 도시경관의 창출, 건설기술 수준향상 및 건축 관련 제도개선에 이바지함을 목적으로 한다.

제2조 【정의】 ① 이 훈령에서 사용하는 용어의 뜻은 다음 각 호와 같다.

1. "특별건축구역"이란 조화롭고 창의적인 건축물의 건축을 통하여 도시경관의 창출, 건설기술 수준향상 및 건축 관련 제도개선을 도모하기 위하여 「건축법」 또는 관계 법령에 따라 일부 규정을 적용하지 아니하거나 완화 또는 통합하여 적용할 수 있도록 특별히 지정하는 구역을 말한다.
2. "특별건축구역의 건축물"이란 「건축법」 제70조에 따라 특별건축구역에서 건축기준 등의 특례사항을 적용하여 건축할 수 있는 건축물을 말한다.
3. "특례 적용"이란 「건축법」 제73조에 따라 「건축법」 및 관계 법령에 따른 규정을 적용하지 않거나 완화하여 적용하는 것을 말한다.
4. "적용배제 특례"란 「건축법」 제73조제1항에 따라 「건축법」 및 「주택법」 일부 규정을 적용하지 않는 것을 말한다.
5. "완화적용 특례"란 「건축법」 제73조제2항에 따라 「건축법」 및 「녹색건축물 조성 지원법」 일부 규정을 전부 또는 일부 완화하는 것을 말한다.
6. "통합적용"이란 「건축법」 제74조제1항에 따라 미술작품, 부설주차장, 공원 등의 시설에 대해 특별건축구역 전부 또는 일부를 대상으로 통합적으로 기준을 적용하는 것을 말한다.
7. "모니터링"이란 「건축법」 제72조제6항에 따라 적용배제 특례, 완화적용 특례, 통합적용 등 특례를 적용한 건축물에 대하여 해당 건축물의 건축시공, 공사감리, 유지·관리 등의 과정을 검토하고 실제로 건축물에 구현된 기능·미관·환경 등을 분석하여 평가하는 것을 말한다.
8. "지정권자"란 특별건축구역을 지정할 수 있는 자로서 국토교통부장관과 시·도지사를 말한다.
9. "지정신청기관"이란 중앙행정기관의 장, 「건축법」 제69조제1항 각호의 사업구역을 관할하는 시·도지사 또는 시장·군수·구청장과 같이 특별건축구역 지정을 신청할 수 있는 자를 말한다.
10. "지정제안자"란 「건축법」 제71조제2항에 따라 지정신청기관 외에 지정을 제안하는 자를 말한다.
11. "허가권자"란 「건축법」 제11조에 따라 시·도지사 또는 시장·군수·구청장를 말한다.

② 그 밖에 용어의 정의는 이 가이드라인에서 특별히 규정하는 경우를 제외하고는 「건축기본법」, 「건축법」 등 건축 관계 법령에서 정하는 바를 따른다.

제3조 【적용 범위】 ① 이 훈령은 「건축법」 제69조부터 제77조까지에 따른 특별건축구역 관련 규정 운영 시 적용한다.

② 이 훈령은 「건축법」 제71조제4항 및 제72조제2항에 따라 건축위원회의 심의 기준으로 활용한다.

③ 이 훈령은 「공공주택 특별법」에 따른 공공주택통합심의위원회 등 관련법에 따라 별도 위원회에서 특별건축구역 지정 및 건축물의 특례 심의를 하는 경우 심의 기준으로 활용한다.

④ 이 훈령의 내용 및 도표는 해당 지방자치단체의 여건에 맞게 달리 적용할 수 있다.

제4조 【다른 법령과의 관계】 ①「건축법」 제71조제11항에 따라 지정권자가 특별건축구역을 지정·변경한 경우에는 「국토의 계획 및 이용에 관한 법률」 제30조에 따른 도시·군관리계획의 결정(용도지역·지구·구역의 지정 및 변

경은 제외한다)이 있는 것으로 본다. 다만, 특별건축구역에 따라 지구단위계획 등 도시·군관리계획이 변경되는 경우 관계부서와 사전에 협의하여 양 계획간 상충이 발생하지 않도록 하며 가급적 양자의 절차는 동시에 진행하도록 한다.

② 특별건축구역에 따라 용적률 적용 배제 특례가 필요한 경우 「국토의 계획 및 이용에 관한 법률」 제78조제7항에 따라 해당 용도지역별 용적률 최대한도의 120퍼센트 이하까지 적용할 수 있다. 다만, 용적률 완화 규정을 중복 적용하여 완화되는 용적률이 같은 법 제78조제1항 및 제2항에 따라 대통령령에서 정하고 있는 해당 용도지역별 용적률 최대한도를 초과하는 경우에는 관할 특별시장·광역시장·특별자치시장·특별자치도지사·시장 또는 군수가 같은 법 제30조제3항 단서의 공동위원회 심의를 거쳐 기반시설의 설치 및 그에 필요한 용지의 확보가 충분하다고 인정하는 경우에만 적용한다.

③ 특별건축구역에 따라 건축물의 높이 제한 배제 특례가 필요한 경우 이웃 토지에 대해서는 「헌법」과 「민법」에 따라 일조권을 보호한다.

④ 이 밖에 특별건축구역의 운영에 관하여는 관계 법령에 특별한 규정이 있는 경우를 제외하고는 이 훈령에 따른다.

제2장 특별건축구역 운영 방향

제5조 【특별건축구역의 취지】 ① 특별건축구역은 「건축법」 또는 관계 법령에 따른 일부 규정을 적용하지 않음으로써 창의적이고 우수한 건축물 조성을 유도한다.

② 특별건축구역은 성능 중심 건축 기준을 적용함으로써 건축기술 수준을 향상을 도모한다.

③ 특별건축구역은 특례 적용에 대한 모니터링을 통해 건축 관련 제도 개선에 기여한다.

제6조 【특별건축구역 운영의 기본 원칙】 ① 특별건축구역은 건축물의 안전, 기능, 환경 및 미관을 향상시킴으로써 공공복리 증진에 이바지하는 「건축법」의 목적에 부합하도록 운영한다.

② 특별건축구역 운영을 통해 건축의 생활공간적·사회적·문화적 공공성을 실현하여 「건축기본법」에 따른 건축의 공공적 가치를 구현하는데 기여한다.

③ 특별건축구역 운영 시 도시경관 창출, 건설기술 수준향상, 건축 관련 제도 개선 등 특별건축구역 제도의 방향과 목적을 이해하고 적용한다.

④ 특별건축구역 운영 시 이웃 토지 주민의 쾌적하고 건강한 생활을 위해 일조권을 보호한다.

⑤ 특별건축구역 운영 시 관련 법령 및 선행되는 계획을 상호 발전적인 방향으로 검토한다.

제7조 【특별건축구역의 심의기구】 ① 국토교통부장관이 특별건축구역을 지정할 경우 중앙건축위원회가 검토·심의한다.

② 시·도지사가 특별건축구역을 지정할 경우 지방건축위원회가 검토·심의한다.

③ 제1항 및 제2항에도 불구하고 「공공주택 특별법」에 따른 공공주택통합심의위원회 등 관련법에 따라 건축위원회를 대신하는 위원회의 경우 특별건축구역 지정 및 특례 건축물에 대해 검토·심의할 수 있다.

④ 지정제안자가 시장·군수·구청장에게 특별건축구역 지정에 관하여 의견을 요청하면 시장·군수·구청장은 민간전문가를 위촉하여 자문 가능하다. 민간전문가 위촉에 관한 사항과 자격·업무범위·보수 등은 「건축기본법」 제23조와 같은 법 시행령 제21조를 따른다.

제3장 특별건축구역의 지정 및 심의 절차

제8조 【지정신청기관이 신청할 경우】 ① 지정신청기관은 「건축법」 제71조제1항에 따라 필요한 서류를 갖추어 지정권자에게 특별건축구역 지정을 신청할 수 있다.

② 제1항에 따라 특별건축구역 지정을 신청하는 경우, 중앙행정기관장 또는 시·도지사는 국토교통부장관에게 신청 가능하고, 시장·군수·구청장은 시·도지사(광역지자체)에 신청 가능하다. 이 경우 해당 서류에 대한 구체적인 작성방법은 별표 1과 같다.

<법 제71조제1항에 따라 지정에 필요한 서류>

제출자료	첨부 자료
1. 특별건축구역의 위치·범위 및 면적 등에 관한 사항	-
2. 특별건축구역의 지정 목적 및 필요성	-
3. 특별건축구역 내 건축물의 규모 및 용도 등에 관한 사항	-
4. 도시·군관리계획에 관한 사항 -「국토의 계획 및 이용에 관한 법률」 제36조부터 제38조까지, 제38조의2, 제39조, 제40조 및 같은 법 시행령 제30조부터 제32조까지의 규정에 따른 용도지역, 용도지구 및 용도구역에 관한 사항 -「국토의 계획 및 이용에 관한 법률」 제43조에 따라 도시·군관리계획으로 결정되었거나 설치된 도시·군계획시설의 현황 및 도시·군계획시설의 신설·변경 등에 관한 사항 -「국토의 계획 및 이용에 관한 법률」 제50조부터 제52조까지 및 같은 법 시행령 제43조부터 제47조까지의 규정에 따른 지구단위계획구역의 지정, 지구단위계획의 내용 및 지구단위계획의 수립·변경 등에 관한 사항	-
5. 건축물의 설계, 공사감리 및 건축시공 등의 발주방법 등에 관한 사항	-
6. 통합 적용 미술작품 등 시설운영관리계획서(별지 제27호의2서식)	-법 제74조에 따른 통합적용 대상시설(이하 "통합적용 대상시설"이라 한다)의 배치도 -통합적용 대상 시설의 유지·관리 및 비용분담계획서
7. 그 밖에 특별건축구역의 지정에 필요한 사항 -특별건축구역의 주변지역에 「국토의 계획 및 이용에 관한 법률」 제43조에 따라 도시·군관리계획으로 결정되었거나 설치된 도시·군계획시설에 관한 사항 -특별건축구역의 주변지역에 대한 지구단위계획구역의 지정 및 지구단위계획의 내용 등에 관한 사항 -「건축기본법」 제21조에 따른 건축디자인 기준의 반영에 관한 사항 -「건축기본법」 제23조에 따라 민간전문가를 위촉한 경우 그에 관한 사항 -제105조제3항제2호의2에 따른 복합적인 토지 이용에 관한 사항(제105조제3항제2호의2에 해당하는 지역을 지정하기 위한 신청의 경우로 한정)	-

③ 지정신청이 접수되면 지정권자는 특별건축구역 지정의 필요성·타당성 및 공공성 등과 피난·방재 등의 사항을 검토하여야 한다.

④ 지정권자는 특별건축구역 지정 여부를 결정하기 위하여 지정신청이 접수된 날부터 30일 이내 건축위원회의 심의를 거쳐 특별건축구역 지정여부를 결정한다. 이 경우 지정권자는 심의 결과에 따라 특별건축구역의 범위, 도시·군관리계획 등에 관한 사항을 조정할 수 있다.

⑤ 지정권자는 지정신청기관의 신청이 없어도 직권으로 지정여부 검토와 건축위원회 심의를 거쳐 특별건축구역 지정이 가능하다. 이 경우 건축위원회 심의 전 특별건축구역이 위치한 광역·기초 지방자치단체장의 의견을 청취할 수 있다.

⑥ 지정권자는 특별건축구역을 지정·변경·해제 시 즉시 그 내용을 관보에 고시하여야 하며, 지정신청기관에 관계 서류의 사본을 송부하여야 한다.

⑦ 지정신청기관은 관계 서류에 도시·군관리계획의 결정사항이 포함된 경우, 다음 각 호에 따라 필요한 조치를 해야 한다.

1. 지정신청기관이 통합적용계획을 수립하는 때에는 해당 구역을 관할하는 허가권자와 협의하여야 하며, 협의요청을 받은 허가권자는 요청받은 날부터 20일 이내에 지정신청기관에게 의견을 제출하여야 한다.
2. 지정신청기관은 도시·군관리계획의 변경을 수반하는 통합적용계획이 수립된 때에는 관련 서류를 「국토의 계획 및 이용에 관한 법률」 제30조에 따른 도시·군관리계획 결정권자에게 송부하여야 하며, 이 경우 해당 도시·군관리계획 결정권자는 특별한 사유가 없으면 도시·군관리계획의 변경에 필요한 조치를 취하여야 한다.

⑧ 지정신청기관은 지정 이후 변경이 있는 경우 변경지정을 받아야 하며, 이 경우 제3항과 제4항을 준용한다.

⑨ 지정권자는 다음 각 호의 어느 하나에 해당하는 경우 특별건축구역의 전부 또는 일부에 대하여 특별건축구역의 전부 또는 일부에 대하여 지정을 해제할 수 있다. 이 경우 지정신청기관의 의견을 청취하여야 한다.

1. 지정신청기관의 요청이 있는 경우
2. 거짓이나 그 밖의 부정한 방법 등으로 지정을 받은 경우
3. 지정일로부터 5년 이내 부합하는 건축물의 착공이 이루어지지 아니하는 경우
4. 지정요건 등을 위반하였으나 시정이 불가능한 경우

< 공공이 특별건축구역 지정을 신청할 경우 >

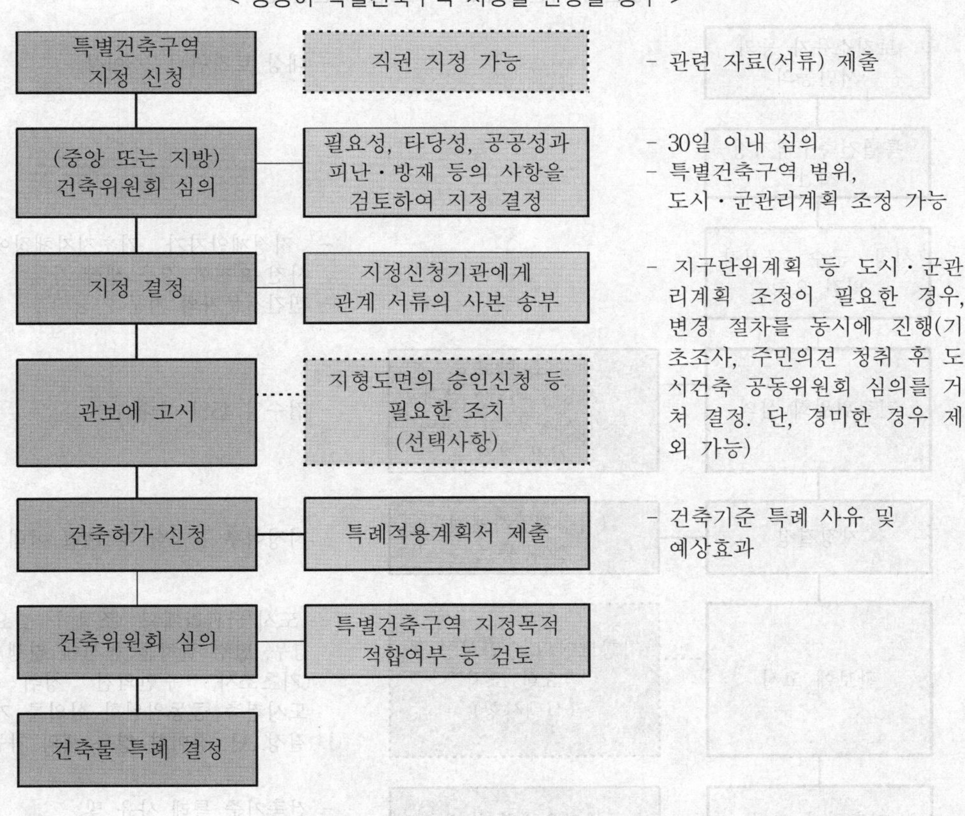

제9조【지정신청기관 외의 자가 제안할 경우】 ① 지정제안자가 특별건축구역 지정을 제안할 때에는 「건축법」 제71조 제1항 각 호의 자료를 갖추어 시장·군수·구청장에게 의견을 요청할 수 있다.

② 시장·군수·구청장은 특별건축구역 지정제안에 대한 의견을 요청 받으면 특별건축구역 지정의 필요성·타당성 및 공공성과 피난·방재 등의 사항을 검토하여 지정제안자에게 의견을 통보하여야 한다. 이 경우 시장·군수·구청장은 민간전문가를 위촉하여 자문을 받을 수 있다.

③ 지정제안자는 특별건축구역 지정을 시·도지사에게 제안하기 전에 대상 토지 면적(국유지·공유지의 면적은 제외한다)의 3분의2 이상에 해당하는 토지소유자와 국유지와 공유지가 포함된 경우 재산관리청의 서면 동의를 받아야 한다.

④ 제3항에 따른 서면 동의는 「건축법」 시행규칙 제38조의4에 따라 별지 제27호의3서식의 특별건축구역 지정 제안 동의서에 지장을 날인하고 자필로 서명하는 방법으로 한다.

⑤ 지정제안자는 법 제71조제1항 각 호의 자료, 시장·군수·구청장의 의견(사전에 요청한 경우로 한정한다), 토지소유자 및 재산관리청의 서면 동의서를 시·도지사에게 제출한다.

⑥ 시·도지사는 특별건축구역 지정 제안에 필요한 서류를 받은 날부터 45일 이내 지방건축위원회 심의를 거쳐 지정 여부를 결정하여야 한다.

⑦ 시·도지사는 특별건축구역 지정 여부를 결정하기 위하여 관할 시장·군수·구청장의 의견을 청취하여야 한다. 다만, 지정제안자가 사전에 시장·군수·구청장의 의견을 제출한 경우 제외한다.

⑧ 시·도지사는 시장·군수·구청장의 의견을 청취한 후 건축위원회의 심의를 거쳐 특별건축구역 지정 여부를 결정한다.

⑨ 시·도지사는 특별건축구역의 지정 여부를 결정한 날부터 14일 이내에 지정제안자에게 그 결과를 통보하여야 한다.

⑩ 지정된 특별건축구역에 대한 변경지정 제안은 제1항부터 제8항까지의 과정을 준용한다.

< 민간이 특별건축구역 지정을 제안할 경우 >

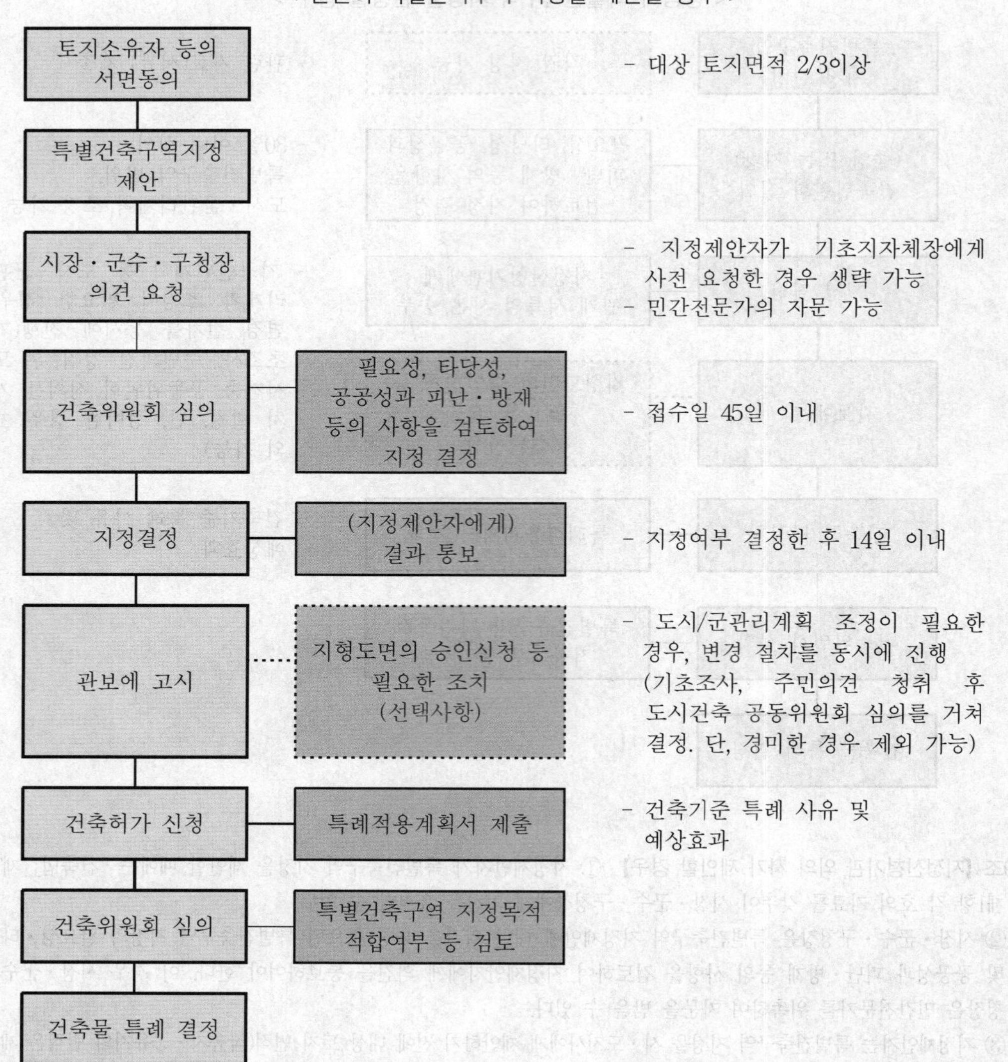

제10조【특별건축구역 지정 및 건축물의 심의 동시 진행 절차】 지정권자가 특별건축구역 지정과 건축물의 심의를 동시에 진행하는 것이 합리적이라고 판단한 사업에 대해서는 지정신청기관 또는 지정제안자가 특별건축구역 지정에 필요한 서류, 특례적용계획서 및 설계도서 등을 첨부하여 특별건축구역 지정 및 건축물 특례 부여에 대한 건축위원회 심의를 동시에 진행할 수 있다.

제4장 특별건축구역의 지정 시 검토사항

제11조【특별건축구역 지정 가능 대상 등】 ① 국토교통부장관 또는 시·도지사가 지정하는 경우 국가가 국제행사 등을 개최하는 도시 또는 지역의 사업구역 등 다음 각 호의 사업구역을 특별건축구역으로 지정할 수 있다.

1. 「신행정수도 후속대책을 위한 연기·공주지역 행정중심복합도시 건설을 위한 특별법」에 따른 행정중심복합도시의 사업구역
2. 「혁신도시 조성 및 발전에 관한 특별법」에 따른 혁신도시의 사업구역
3. 「경제자유구역의 지정 및 운영에 관한 특별법」 제4조에 따라 지정된 경제자유구역
4. 「택지개발촉진법」에 따른 택지개발사업구역
5. 「공공주택 특별법」 제2조제2호에 따른 공공주택지구
6. 「도시개발법」에 따른 도시개발구역
7. 「아시아문화중심도시 조성에 관한 특별법」에 따른 국립아시아문화전당 건설사업구역
8. 「국토의 계획 및 이용에 관한 법률」 제51조에 따른 지구단위계획구역 중 현상설계(懸賞設計) 등에 따른 창의적 개발을 위한 특별계획구역

② 시·도지사가 지정하는 경우 지방자치단체가 국제행사 등을 개최하는 도시 또는 지역의 사업구역과 도시개발·도시재정비 및 건축문화진흥사업으로서 건축물 또는 공간환경을 조성하기 위한 다음 각 호의 사업구역 등을 특별건축구역으로 지정할 수 있다.

1. 「경제자유구역의 지정 및 운영에 관한 특별법」 제4조에 따라 지정된 경제자유구역
2. 「택지개발촉진법」에 따른 택지개발사업구역
3. 「도시 및 주거환경정비법」에 따른 정비구역
4. 「도시개발법」에 따른 도시개발구역
5. 「도시재정비 촉진을 위한 특별법」에 따른 재정비촉진구역
6. 「제주특별자치도 설치 및 국제자유도시 조성을 위한 특별법」에 따른 국제자유도시의 사업구역
7. 「국토의 계획 및 이용에 관한 법률」 제51조에 따른 지구단위계획구역 중 현상설계(懸賞設計) 등에 따른 창의적 개발을 위한 특별계획구역
8. 「관광진흥법」 제52조 및 제70조에 따른 관광지, 관광단지 또는 관광특구
9. 「지역문화진흥법」 제18조에 따른 문화지구
10. 건축문화 진흥을 위하여 국토교통부령으로 정하는 건축물 또는 공간환경을 조성하는 지역
11. 주거, 상업, 업무 등 다양한 기능을 결합하는 복합적인 토지 이용을 증진시킬 필요가 있는 지역으로서 도시지역으로서 「국토의 계획 및 이용에 관한 법률 시행령」 제71조에 따른 용도지역 안에서의 건축제한 적용을 배제할 필요가 있을 것
12. 그 밖에 도시경관의 창출, 건설기술 수준향상 및 건축 관련 제도개선을 도모하기 위하여 특별건축구역으로 지정할 필요가 있다고 시·도지사가 인정하는 도시 또는 지역

③ 개발제한구역, 자연공원, 접도구역, 보전산지는 특별건축구역으로 지정할 수 없다.

④ 국토교통부장관 또는 시·도지사가 특별건축구역으로 지정하고자 하는 지역이 군사기지 및 군사시설 보호구역 안인 경우 사전에 국방부장관과 협의를 해야 한다.

<특별건축구역 지정 가능 대상>

<table>
<tr><th>지정주체</th><th colspan="2">지정 가능 대상</th><th>관계법령</th></tr>
<tr><td rowspan="9">국토교통부장관
(시·도지사)</td><td colspan="2">국가가 국제행사 등을 개최하는 도시 또는 지역의 사업구역</td><td>–</td></tr>
<tr><td rowspan="8">국가
정책사업</td><td>행정중심복합도시의 사업구역</td><td>「신행정수도 후속대책을 위한 연기·공주지역 행정중심복합도시 건설을 위한 특별법」</td></tr>
<tr><td>혁신도시의 사업구역</td><td>「혁신도시 조성 및 발전에 관한 특별법」</td></tr>
<tr><td>경제자유구역</td><td>「경제자유구역의 지정 및 운영에 관한 특별법」 제4조</td></tr>
<tr><td>택지개발사업구역</td><td>「택지개발촉진법」</td></tr>
<tr><td>공공주택지구</td><td>「공공주택 특별법」 제2조제2호</td></tr>
<tr><td>도시개발구역</td><td>「도시개발법」</td></tr>
<tr><td>국립아시아문화전당 건설사업구역</td><td>「아시아문화중심도시 조성에 관한 특별법」</td></tr>
<tr><td>지구단위계획구역 중 현상설계 등에 따른 특별계획구역</td><td>「국토의 계획 및 이용에 관한 법률」</td></tr>
<tr><td rowspan="12">시·도지사</td><td colspan="3">지방자치단체가 국제행사 등을 개최하는 도시 또는 지역의 사업구역</td></tr>
<tr><td rowspan="9">도시개발·
도시재정비
및 건축문화
진흥사업</td><td>경제자유구역</td><td>「경제자유구역의 지정 및 운영에 관한 특별법」 제4조</td></tr>
<tr><td>택지개발사업구역</td><td>「택지개발촉진법」</td></tr>
<tr><td>정비구역</td><td>「도시 및 주거환경정비법」</td></tr>
<tr><td>도시개발구역</td><td>「도시개발법」</td></tr>
<tr><td>재정비촉진구역</td><td>「도시재정비 촉진을 위한 특별법」</td></tr>
<tr><td>국제자유도시의 사업구역</td><td>「제주특별자치도 설치 및 국제자유도시 조성을 위한 특별법」</td></tr>
<tr><td>지구단위계획구역 중 현상설계 등에 따른 특별계획구역</td><td>「국토의 계획 및 이용에 관한 법률」 제51조</td></tr>
<tr><td>관광지, 관광단지 또는 관광특구</td><td>「관광진흥법」 제52조 및 제70조</td></tr>
<tr><td>문화지구</td><td>「지역문화진흥법」 제18조</td></tr>
<tr><td rowspan="2">기타</td><td colspan="2">건축문화 진흥을 위하여 국토교통부령으로 정하는 건축물 또는 공간환경을 조성하는 지역</td></tr>
<tr><td colspan="2">주거, 상업, 업무 등 다양한 기능을 결합하는 복합적인 토지 이용을 증진시킬 필요가 있는 지역으로서 도시지역이며, 「국토의 계획 및 이용에 관한 법률 시행령」 제71조에 따른 용도지역 안에서의 건축제한 적용을 배제할 필요가 있으며, 그 밖에 도시경관의 창출, 건설기술 수준향상 및 건축 관련 제도개선을 도모하기 위하여 특별건축구역으로 지정할 필요가 있다고 시·도지사가 인정하는 도시 또는 지역</td></tr>
</table>

제12조【특별건축구역 지정 시 고려사항】 ① 특별건축구역으로 지정하기 위해서는 특별건축구역 지정의 필요성, 타당성 및 공공성 등과 피난·방재 등의 사항을 검토하여야 한다. 이 경우 특별건축구역 지정 및 건축물의 심의를 위해 별표 2 및 별표 3을 활용할 수 있다.

② 특별건축구역 지정의 필요성 심의기준은 다음 각 호와 같다.

1. 국제행사를 개최하거나 건축문화 진흥을 위해 창의적인 건축물을 조성할 필요가 있을 때
2. 경관을 향상할 필요가 있거나 건설기술 발전을 위해 선진 기술을 적용하는 등 규제완화가 필요한 경우
3. 건축제도 개선이 필요한 경우
4. 원활한 주택공급 활성화 등을 위해 제도개선이 필요한 경우
5. 그 밖에 지정권자가 특별건축구역 지정이 필요하다고 인정하는 경우

③ 특별건축구역 지정의 타당성 심의기준은 다음 각 호와 같다.

1. 주변 개발계획 및 도시계획과 연계성 및 정합성을 검토한 경우
2. 기존 도시·군관리계획 조정을 통해 지속가능한 도시발전을 도모할 것으로 예상되는 경우
3. 그 밖에 지정권자가 특별건축구역 지정이 타당하다고 인정하는 경우

④ 특별건축구역 지정의 공공성 심의기준은 다음 각 호와 같다.

1. 「건축기본법」 제7조부터 제9조까지의 내용에 근거하여 건축의 '생활공간적 공공성', '사회적 공공성', '문화적 공공성' 에 해당하는 계획을 각각 최소 하나 이상씩 제시하는 경우
   가. 생활공간적 공공성은 안전한 생활을 위한 건축물과 공간을 조성하기 위한 계획으로서 세부 내용은 다음과 같다.
      1) 건축물 및 공간 환경을 안전하게 조성하고 안전수준을 지속적으로 유지하기 위한 방안 강구
      2) 사용자의 건강과 장애인·노약자·임산부 등 사회적 약자의 이용 배려
      3) 피난과 방재, 구조 적합성 검토
      4) 범죄 예방을 위한 공간 계획
   나. 사회적 공공성은 지속 가능한 미래를 위한 사회 문제 해결과 관련된 계획으로 세부 내용은 다음과 같다.
      1) 미래 사회의 문화적 요구 변화와 기술변화에 능동적으로 대응하기 위해 새로운 공간구성이나 건축기술 도입
      2) 자원 재이용·재생 촉진, 주변 경관 및 자연환경과 조화를 이루는 건축디자인 및 탄소 중립을 위한 건물 에너지 절감 등 환경에 대한 영향 최소화
      3) 임대주택 이미지 개선을 위한 디자인 특화. 임대주택에 대한 소셜믹스 구현
      4) 다양한 이해관계자들의 참여와 토론을 통한 의사결정. 이용자 수요에 대응하는 건축물 용도 및 종류 계획 등 다양한 요구와 다원적 문화 부응
      5) 단지 내 주민운동시설, 주차장 등 부대·복리시설을 외부인에게 개방·공유하여 지역 커뮤니티 기여
   다. 문화적 공공성은 창의적이고 조화로운 건축디자인을 제시하기 위한 계획으로서 세부 내용은 다음과 같다.
      1) 특수한 외관을 계획하거나 공동주택의 경우 다양한 주동 형태를 계획 하는 등 창의적인 디자인을 통해 건축의 문화적 가치를 향상
      2) 창의적인 건축물 조성을 위해 설계공모를 시행하는 등 관련 전문가의 창의성 존중
      3) 전통 한옥을 건축·보전하거나 지역의 역사문화경관을 보전하는 등 지역 풍토나 역사 또는 환경에 적합하게 조성
      4) 구역 내에 지역 개방 가로를 설치하는 등 기존 공간 환경과 조화롭고 균형 있는 계획을 수립하고 주변지역과 대상지 간 연계성을 검토하여 보행자 중심의 가로경관을 조성하거나 지역 주민과 공유하는 공지를 조성하는 등 지역 경관 및 맥락을 고려하고 활력 있는 가로 조성
2. 그 밖에 지정권자가 특별건축구역 지정을 통해 공공성을 확보했다고 인정하는 경우

제5장 특별건축구역 내 건축물의 특례 적용 시 검토사항

제13조【특별건축구역 내 특례 적용 가능 건축물】 적용배제 특례와 완화적용 특례를 적용할 수 있는 건축물은 다음 각 호의 어느 하나에 해당되어야 한다.

1. 국가 또는 지방자치단체가 건축하는 건축물

2. 공공기관 중 한국토지주택공사, 한국수자원공사, 한국도로공사, 한국철도공사, 국가철도공단, 한국관광공사, 한국농어촌공사 등이 건축하는 건축물
3. 그 밖에 다음 표의 용도와 규모의 건축물로 도시경관의 창출, 건설기술 수준향상 및 건축 관련 제도개선을 위하여 특례 적용이 필요하다고 허가권자가 인정하는 건축물

<특별건축구역의 특례사항 적용대상 건축물>

	용도	규모(연면적, 세대 또는 동)
특별건축구역의 특례사항 적용 대상 건축물 「건축법」시행령 별표3	1. 문화 및 집회시설, 판매시설, 운수시설, 의료시설, 교육연구시설, 수련시설	2천제곱미터 이상
	2. 운동시설, 업무시설, 숙박시설, 관광휴게시설, 방송통신시설	3천제곱미터 이상
	3. 종교시설	-
	4. 노유자시설	5백제곱미터 이상
	5. 공동주택(주거용 외의 용도와 복합된 건축물을 포함한다)	100세대 이상
	6. 단독주택 가. 「한옥 등 건축자산의 진흥에 관한 법률」 제2조제2호 또는 제3호의 한옥 또는 한옥건축양식의 단독주택 나. 그 밖의 단독주택	가) 10동 이상 나) 30동 이상
	7. 그 밖의 용도	1천제곱미터 이상

1. 위 표의 용도에 해당하는 건축물은 허가권자가 인정하는 비슷한 용도의 건축물을 포함한다.
2. 용도가 복합된 건축물의 경우에는 해당 용도의 연면적 합계가 기준 연면적을 합한 값 이상이어야 한다. 이 경우 공동주택과 주거용 외의 용도가 복합된 건축물의 경우에는 각각 해당 용도의 연면적 또는 세대 기준에 적합해야 한다.
3. 위 표 제6호가목의 건축물에는 허가권자가 인정하는 범위에서 단독주택 외의 용도로 쓰는 한옥 또는 한옥건축양식의 건축물을 일부 포함할 수 있다.

제14조【건축물의 적용배제 특례 시 고려사항】 ① 조경, 건폐율, 용적률, 공지, 높이, 주택건설기준 등 규정을 적용받지 않기 위해서는 적용배제 사유, 예상되는 효과를 기술해야 한다. 이 경우 현행법에 따른 계획(안)과 적용배제 특례 후 계획(안)을 비교하여 설명해야 한다.

② 일조와 관련된 규정을 적용받지 않기 위해서는 일조분석프로그램을 활용하여 단지 내 일조권 분석 결과와 인접필지의 일조권 분석(음영 가해) 결과도 함께 검토해야 한다.

③ 건축물의 적용배제 특례 심의 시 공통적으로 고려할 사항은 다음 각 호와 같다.
1. 건축디자인과 도시경관 창출에 기여했는지 여부
2. 특례적용의 필요성과 타당성
3. 특례적용을 통한 기대예상효과의 적정성
4. 상위계획과 정합성
5. 주변 환경과 조화, 구역 외 주택의 일조 등 환경권 침해 여부
6. 그 밖에 건축물의 적용배제 특례 심의 시 고려할 필요가 있다고 허가권자가 인정하는 사항

④ 각 규정별 적용배제 심의 시 고려사항은 별표 4와 같다.

제15조【건축물의 완화적용 특례 시 고려사항】 ① 피난, 설비, 승강기, 에너지 관리 등 건축물의 안전과 기능에 관련된 사항에 대해 완화적용을 받기 위해서는 해당 규정 완화 전과 비교하여 동등하거나 보다 높은 성능을 입증해야 한다. 이 경우 다음 각 호와 같이 전문기관을 통해 신기술에 대한 성능을 입증하거나 완화 적용 전·후 시뮬레이션 비교 또는 유사 사례분석을 통해 증빙해야 한다.
1. 신기술·신공법의 경우 「건축법 시행령」 제91조의4에 따른 한국건설기술연구원의 검토 결과를 통해 성능을 입증할 수 있다.

2. 건축자재의 경우 「건축법 시행령」 제63조에 따른 건축자재 성능 시험기관(한국건설기술연구원 등)의 검토 결과를 통해 성능을 입증할 수 있다.
3. 소방시설의 경우 한국소방산업기술원의 인증 또는 품질검사를 통해 완화 받고자 하는 소방시설에 대한 동등 이상 기능과 성능을 입증할 수 있다.

③ 건축물의 완화적용 특례 심의 시 고려할 사항은 다음 각 호와 같다.
1. 신기술·신공법 도입 여부
2. 특례 적용의 필요성과 타당성
3. 동등 이상의 성능 확보 여부
4. 이용자 안전
5. 관계기관과 사전협의 내용
6. 그 밖에 건축물의 완화적용 특례 심의 시 고려할 필요가 있다고 허가권자가 인정하는 사항

④ 각 규정별 완화적용 심의 시 고려사항은 별표 5와 같다.

제16조【특례적용계획서 자료 작성】 특례적용계획서에 대한 구체적인 작성내용 및 제출방법은 별표 6과 같다.

제6장 특별건축구역 내 건축물의 통합적용 시 검토사항

제17조【통합적용 가능 대상】 특별건축구역으로 지정된 경우 구역 내 모든 건축물 또는 일부 건축물을 대상으로 미술작품, 부설주차장, 공원 등을 통합적으로 계획하고 조성할 수 있다.

제18조【통합적용계획 심의 시 고려사항】 ① 제17조에 따른 통합적용을 하는 경우 해당 시설은 개별설치 기준과 같거나 그 보다 높은 기준으로 설치하여야 한다.

② 통합적용계획 심의 시 공통적으로 고려할 사항은 다음 각 호와 같다.
1. 구역 내 미관 및 환경 개선 도모 여부
2. 개별설치 기준 이상 충족 여부
3. 이용자 편의성 증진 및 지역주민의 접근성 등 광역적인 측면 고려 여부
4. 현실적인 운영계획 수립 여부
5. 그 밖에 건축물의 통합적용계획 심의 시 고려할 필요가 있다고 허가권자가 인정하는 사항

③ 각 규정별 심의 시 고려사항은 별표 7과 같다.

제19조【운영관리 계획서】 운영관리 계획서(「건축법 시행규칙」 별지 제27호의2서식)와 통합적용 대상시설 배치도, 통합적용 대상 시설의 유지·관리 및 비용분담계획서를 제출하여야 하며, 구체적인 작성내용은 별표 8과 같다.

제7장 특별건축구역 지정 이후 관리

제20조【구역 지정 변경 및 구역 지정 취소 등】 ① 다음과 같은 변경사항이 발생할 경우 해당 특별건축구역의 지정신청기관은 변경지정 신청을 해야 한다.
1. 특별건축구역 범위가 10분의 1(특별건축구역 면적이 10만 제곱미터 미만인 경우에는 20분의 1) 이상 증가하거나 감소하는 경우
2. 특별건축구역의 도시·군관리계획에 관한 사항이 변경되는 경우
3. 건축물의 설계, 공사감리 및 건축시공 등 발주방법이 변경되는 경우

② 국토교통부장관 또는 시·도지사는 다음 각 호의 어느 하나에 해당하는 경우 특별건축구역의 전부 또는 일부에 대하여 지정을 해제할 수 있다.
1. 지정신청기관의 요청이 있는 경우
2. 특별건축구역 지정일로부터 5년 이내에 특별건축구역 지정목적에 부합하는 건축물의 착공이 이루어지지 아니하는 경우
3. 특별건축구역 지정요건 등을 위반하였으나 시정이 불가능한 경우

4. 거짓이나 그 밖의 부정한 방법으로 지정을 받은 경우

③ 국토교통부장관 또는 시·도지사는 특별건축구역을 변경·해제하는 경우 주요 내용을 관보(시·도지사는 공보)에 고시하고, 국토교통부장관 또는 특별시장·광역시장·도지사는 지정신청기관에 관계 서류의 사본을 송부한다.

제21조【구역 지정 이후 원형 유지 관리】 ① 발주청(국가, 지방자치단체, 공기업·준정부기관, 지방공사·지방공단 등 「건설기술 진흥법」 제2조제6호를 말한다. 이하 이 조에서 "발주청"이라 한다)이 조성하는 건축물의 경우 계획의도 구현을 위해 건축허가 이후에도 설계자를 해당 건축물의 건축에 참여하게 할 수 있으며, 설계자의 업무내용은 다음 각 호와 같다.

1. 「건축법」 제72조제6항에 따른 모니터링
2. 설계변경에 대한 자문
3. 건축디자인 및 도시경관 등에 관한 설계의도의 구현을 위한 자문
4. 그 밖에 발주청이 위탁하는 업무

② 제1항에 따라 설계자가 해당 건축물의 건축에 참여하는 경우 시공자 및 감리자는 설계의도 구현을 위해 설계자의 의견을 반영하여야 한다.

③ 건축주는 건축물의 사용승인 이후에도 허가를 받은 건축물의 형태, 재료, 색채 등이 원형을 유지하도록 필요한 조치를 취하여야 한다.

④ 허가권자는 특별건축구역의 건축물에 대하여 설계자의 창의성·심미성 등의 발휘와 제도개선·기술발전 등이 유도될 수 있도록 노력하여야 한다.

제20조【검사 및 모니터링】 ① 국토교통부장관 또는 시·도지사는 허가권자의 의견을 들어 특별건축구역 내에서 특례적용 또는 통합적용을 받은 건축물을 모니터링 대상으로 지정할 수 있다.

② 국토교통부장관 및 허가권자는 모니터링 대상 건축물을 직접 모니터링하거나 분야별 전문가 또는 전문기관에 용역을 의뢰할 수 있다.

③ 특례 적용 건축물에 대한 건축시공 및 공사감리단계와 유지·관리 단계로 나누어 검사한다.

④ 건축물의 조성 이후 특례적용계획에서 수립한 내용을 기능·미관·환경·안전 등의 관점에서 분석하여 평가한다.

⑤ 모니터링 결과 보고서의 내용은 별표 9와 같다.

⑥ 허가권자는 모니터링 결과를 국토교통부장관 또는 시·도지사에게 제출해야 한다.

⑦ 제1항에 따라 모니터링 대상으로 지정된 건축물의 건축주, 소유자 또는 관리자는 모니터링과 관련해 협조해야 한다.

⑧ 제2항에 따른 검사 및 모니터링 비용은 해당 지자체가 예산의 범위 내에서 지급할 수 있다

⑨ 국토교통부장관 또는 시·도지사는 검사 및 모니터링 결과를 분석하여 필요한 경우 이 훈령 또는 관계법령의 제도개선을 위하여 노력하여야 한다.

제23조【위반 건축물에 대한 조치 등】 허가권자는 「건축법」 제79조에 따라 특별건축구역 검사 및 모니터링 결과에서 허가 사항과 다른 내용을 발견했을 경우 시정명령 및 건축물의 사용금지·사용제한 등 필요한 조치를 명할 수 있다.

제24조【유효기한】 ① 이 훈령은 「훈령·예규 등의 발령 및 관리에 관한 규정」에 따라 이 훈령을 발령한 후의 법령이나 현실 여건의 변화 등을 검토하여야 하는 2024년 10월 31일까지 효력을 가진다

부칙<국토교통부훈령 제1445호, 2021.11.3.>

이 훈령은 발령한 날부터 시행한다.

[별표 1]

특별건축구역 지정 신청 자료 세부작성방법

구분	내용	유의사항
1. 특별건축구역의 위치·범위 및 면적 등에 관한 사항	-구역 주소 -범위(위치도) -면적	-위치도에 도로망, 주요건물, 지역여건 등 주변 지역 현황을 함께 표현
2. 특별건축구역의 지정 목적 및 필요성	-구역 지정 목적 및 필요성	-법정 지정 가능 구역인 경우 해당 규정 내용 기재 -그 밖의 경우 필요성, 타당성, 공공성 측면에서 구역 지정 목적 서술(*필요한 경우 건축 계획(안)첨부)
3. 특별건축구역 내 건축물의 규모 및 용도 등에 관한 사항	-건축물의 규모(건축면적, 연면적, 높이, 층수 등) -건축물의 용도별 면적	-해당 구역 내 건축물 계획 개략 정보 기재
4. 특별건축구역의 도시·군관리계획에 관한 사항	-용도지역, 용도지구 및 용도구역 현황	-해당 구역 내 용도지역, 지구, 구역 현황 및 계획(안) 정리
	-도시·군관리계획으로 결정되었거나 설치된 도시·군계획시설의 현황 -도시·군계획시설의 신설·변경 등에 관한 사항	-해당 구역 내 도시·군관리계획 결정 내용 및 시설 현황 정리 -본 구역 신청 및 사업으로 인해 도시·군계획시설의 신설·변경이 필요한 경우 해당 내용 정리
	-지구단위계획구역의 지정, 지구단위계획의 내용 -지구단위계획의 수립·변경 등에 관한 사항	-해당 구역 관련 상위 및 관련 계획 내용 검토
5. 건축물의 설계, 공사감리 및 건축시공 등의 발주방법에 관한 사항	-발주방법 예: 수의계약, 설계경기, 입찰참가자격 사전심사제도 및 턴키제도 등	-특별건축구역 지정 목적 및 필요성을 지속적으로 유지하기 위한 방안이 있는 경우 서술
6. 통합적용하는 미술장식, 부설주차장, 공원 등의 시설 운영관리 계획서	-통합적용 시설의 종류 -해당 건축물의 개요 및 개별 시설 설치 시 법적 기준 -통합설치를 통한 시설물의 위치, 규모 등 -운영관리계획 -통합적용 효과	-해당사항이 있는 경우 작성 -개별 법적 설치기준 이상으로 계획하여야 함 -추후 건축물의 심의 단계에서 작성·제출 가능
7. 기타	-주변지역에 도시·군관리계획으로 결정 또는 설치된 도시·군관리계획시설	-해당 특별건축구역과 상호 영향을 주고받을 수 있는 도시·군관리계획 및 도시·군관리계획시설이 결정 또는 설치된 경우 검토, 요약 정리
	-주변지역에 대한 지구단위계획의 지정 및 지구단위계획의 내용 등	-해당 특별건축구역과 상호 영향을 주고받을 수 있는 지구단위계획의 지정 및 지구단위계획의 내용을 요약 정리
	-「건축기본법」제21조에 따른 건축디자인 기준의 반영에 관한 사항	-해당사항이 있는 경우 작성 -공공부문 건축디자인 업무기준(국토부 고시) 등 참고
	-복합적인 토지 이용에 관한 사항	-도시 지역 내 복합용도 건축물로서 용도, 종류, 규모 등 용도지역에 따른 건축제한 적용을 배제해야 하는 경우 작성

구분	내용	유의사항
8. 첨부(해당하는 경우)	-시장·군수·구청장 의견서	-지정신청기관 외의 자가 구역 지정을 제안하고, 시장·군수·구청장에게 의견을 요청한 경우에만 작성
	-민간전문가 의견서	-시·군·구청장이 「건축기본법」 제21조에 따른 민간전문가를 위촉한 경우에만 첨부
	-특별건축구역 지정 제안 동의서	-지정신청기관 외의 자가 제안할 경우 첨부 -토지소유자 신분증명서 사본첨부(주민등록증·여권 등 사본) 또는 인감증명서(토지소유자가 해외 장기체류하거나 법인인 경우) -토지등기사항증명서 첨부(토지소유자가 확인에 동의하지 않는 경우)
제출방법	-지정신청서 원문 및 그 외 서류는 해당과 방문 또는 우편·택배 제출	

[별표 2]

특별건축구역 지정 심의를 위한 체크리스트

구 분	검 토 사 항	적 합	부적합
공통사항	-특별건축구역 지정 가능대상에 해당 여부		
	-타위원회 심의 및 사전협의 내용에 부합하는지 여부		
	-토지소유자의 동의요건 충족 여부(민간제안인 경우)		
	-시장·군수·구청장 또는 민간전문가 의견서에 부합 여부 (민간제안인 경우)		
필요성	-국제행사를 개최하거나 건축문화 진흥을 위하여 창의적인 건축물 조성 필요		
	-경관 향상 필요		
	-선진기술 적용을 위해 규제 완화 필요		
	-불합리한 건축제도 개선 필요		
	-그 밖에 지정권자가 특별건축구역 지정이 필요하다고 인정하는 경우		
타당성	-주변 개발계획 및 도시계획과 연계성 및 정합성을 검토		
	-기존 도시·군관리계획 조정을 통해 지속가능한 도시발전을 도모		
	-그 밖에 지정권자가 특별건축구역 지정이 타당하다고 인정하는 경우		
공공성 - 생활 공간적 공공성	-건축물 및 공간 환경을 안전하게 조성하고 안전수준을 지속적으로 유지하기 위한 방안 강구		
	-사용자의 건강과 장애인·노약자·임산부 등 사회적 약자의 이용을 배려		
	-피난과 방재, 구조 적합성 검토		
	-범죄 예방을 위한 공간 계획		

구 분		검 토 사 항	적 합	부적합
공공성	사회적 공공성	-미래 사회의 문화적 요구 변화와 기술변화에 능동적으로 대응하기 위해 새로운 공간구성이나 건축기술을 도입		
		-자원 재이용·재생 촉진, 주변 경관 및 자연환경과 조화를 이루는 건축디자인 및 탄소 중립을 위한 건물 에너지 절감 등 환경에 대한 영향 최소화		
		-임대주택 이미지 개선을 위한 디자인 특화. 임대주택에 대한 소셜믹스 구현		
		-다양한 이해관계자들의 참여와 토론을 통한 의사결정. 이용자 수요에 대응하는 건축물 용도 및 종류 계획 등 다양한 요구와 다원적 문화에 부응		
		-단지 내 주민운동시설, 주차장 등 부대·복리시설을 외부인에게 개방·공유하여 지역 커뮤니티에 기여		
	문화적 공공성	-특수한 외관을 계획하거나 공동주택의 경우 다양한 주동 형태를 계획하는 등 창의적인 디자인을 통해 건축의 문화적 가치를 향상		
		-창의적인 건축물 조성을 위해 설계공모를 시행하는 등 관련 전문가의 창의성을 존중		
		-전통 한옥을 건축·보전하거나 지역의 역사문화경관을 보전하는 등 지역 풍토나 역사 또는 환경에 적합하게 조성		
		-구역 내에 지역 개방 가로를 설치하는 등 기존 공간 환경과 조화롭고 균형있는 계획을 수립하고 주변지역과 대상지 간 연계성을 검토. 보행자 중심의 가로경관을 조성하거나 지역 주민과 공유하는 공지를 조성하는 등 지역 경관 및 맥락을 고려하고 활력 있는 가로를 조성		
심의의견				
심의위원: (인)				

※ 필요성, 타당성, 생활 공간적 공공성, 사회적 공공성, 문화적 공공성의 각 세부 항목 중 최소 하나 이상씩 인정받는 것을 원칙으로 한다. 이 체크리스트 외에 지정권자가 세부 기준을 별도로 정할 수 있다.

[별표 3]

특별건축구역의 건축물 특례 및 통합적용 심의를 위한 체크리스트

구분		검토사항	적합	부적합
공 통 사 항				
공 통 사 항		-특별건축구역 지정 시 필요성, 타당성, 공공성 목적에 부합 여부		
		-특별건축구역 특례적용 대상 건축물 요건에 부합 여부		
		-타위원회 심의 및 사전협의 내용에 부합 여부		
적용 배제 특례				
「건축법」	제42조(대지의조경)	-대상지에서 공해를 배출하지 않거나, 공해 저감을 위해 노력할 것 -구역 주변으로 보행자 통행이 잦거나 지역에 영향을 미치는 중요한 위치인 경우 조경을 대신할 수 있는 경관 향상 방안을 제시 -구역 주변 지역의 녹지 분포를 고려할 것		
	제55조(건축물의 건폐율)	-주변 지역 일조 확보에 나쁜 영향을 미치지 않을 것 -이용자의 피난 통로를 확보할 것 -대상지 내 적절한 통풍, 채광, 개방감 등을 확보할 것		
	제56조(건축물의 용적률)	-도로, 학교, 상하수도 등 도시기반시설의 용량을 고려 -용적률 적용 배제 특례가 필요한 경우 「국토의 계획 및 이용에 관한 법률」 제78조제7항에 따라 해당 용도지역별 용적률 최대한도의 120퍼센트 이하까지 적용 가능. 용적률 완화 규정을 중복 적용하여 완화되는 용적률이 같은 법 제78조제1항 및 제2항에 따라 대통령령에서 정하고 있는 해당 용도지역별 용적률 최대한도를 초과하는 경우에는 관할 특별시장·광역시장·특별자치시장·특별자치도지사·시장 또는 군수가 같은 법 제30조제3항 단서의 공동위원회 심의를 거쳐 기반시설의 설치 및 그에 필요한 용지의 확보가 충분하다고 인정하는 경우에만 적용		
	제58조(대지 안의 공지)	-예상 통행량 및 대상지 주변지역의 공지(휴게 공간)까지 종합적으로 고려 -다음 사항에 대하여 영향을 미치지 않는 경우 대지안의 공지 배제 가능 • 채광 및 통풍 등을 통한 생활환경 조성 • 피난·소화활동과 화재 방지 • 위험물 취급 건축물에 대해 안전거리를 확보하는 등 위해 방지 • 건축물의 유지관리를 위한 공지 확보 • 인접대지경계선 경계분쟁으로 인한 민원 • 도로 소통 원활, 도로로부터의 소음 최소화		

	제60조(건축물의 높이 제한)	-주변지역 경관 고려 -주변지역이나 도로에서의 통풍, 채광, 개방광 등에 부정적인 영향을 미치지 않을 것		
	제61조(일조 등의 확보를 위한 건축물의 높이 제한)	-동간 이격 거리 산정 시 사생활 보호, 화재확산 방지 등 고려 -대지 내 일조 영향에 대해 분석할 것. 주변지역의 건축물을 주택으로 사용하고 있을 경우 거실창문으로 일조량을 검토하여 예상효과를 기술 -주택 거실창문의 일조량은 동지 기준 연속 2시간 이상 확보		
「주택법」 「주택건설기준 등에 관한 규정」	제10조(공동주택의 배치)	-사유와 예상효과 검토 -자동차로 인한 소음, 오염 등으로부터 주거환경 보호 -소방 활동에 지장이 없도록 주택 및 시설 배치 -주변경관과 조화로운 높이와 형태 계획		
	제13조(기준척도)	-사유와 예상효과 검토		
	제35조(비상급수시설)	-사유와 예상효과 검토 -지진, 가뭄, 배수시설 사고 등을 대비하여 재실자에게 충분한 음용수를 공급할 수 있도록 계획		
	제37조(난방설비 등)	-사유와 예상효과 검토 -재실자가 실내 쾌적성을 유지할 수 있도록 난방방식, 열원공급(지역난방 등) 등을 고려		
	제50조(근린생활시설 등)	-사유와 예상효과 검토 -주변지역 근린생활시설 및 유사 시설 현황과 수요 검토		
	제52조(유치원)	-사유와 예상효과 검토 -주변지역 유치원 및 유사시설 현황과 수요 검토		
완화 적용 특례				
「건축법」	제49조 (건축물의 피난시설 및 용도제한 등)	-재실자가 건물 내에서 피난층까지 막힘없이 안전하게 도달할 수 있도록 피난과 소화, 화재방호에 필요한 공간 및 시설 계획 검토 -노인, 어린이, 환자 등에 대한 피난 동선 및 피난 시간을 확보하고, 화재 위험성을 고려하여 용도 제한		
	제50조 (건축물의 내화구조와 방화벽)	-내화구조와 방화벽을 대체할 수 있는 계획 검토 -건축물의 구조부가 화재 시 일정 시간동안 구조적으로 유해한 변형 없이 견딜 수 있도록 내화성능 확보 -인근 건축물로의 화염 확산을 막을 수 있는 방화성능 확보		
	제50조의2 (고층건축물의 피난 및 안전관리)	-건축물의 높이 및 재실자 밀도, 소방차 대응가능 높이 등을 고려하여 고층건축물 이용자가 안전하게 피난할 수 있는 공간 및 설비 등 기술 확보		
	제51조 (방화지구 안의 건축물)	-건축물 밀집도, 이격거리 등을 고려하여 인근 건축물로 화재가 확산되지 않도록 내화 및 방화 기준에 준하는 성능 및 기술 확보		

	제52조 (건축물의 마감재료)	-방화와 안전을 위한 재료 선정 -재실자 유형(노약자 등) 및 재실자 밀도, 위험물질 취급 등을 고려하여 마감재료 화재성능 확보 -피난동선으로 이용되는 공간에 대해서는 피난시간 확보를 위해 마감재료의 충분한 내화성능 확보		
	제52조의2(실내건축)	-방화와 안전을 위한 재료 선정		
	제52조의3(건축자재의 제조 및 유통 관리)	-건축물의 안전과 기능에 적합한 자재 선정		
	제52조의4(건축자재의 품질관리 등)	-동등이상 성능 검토		
	제53조(지하층)	-지하층의 피난과 방화시설을 위한 성능 검토		
	제62조 (건축설비기준 등)	-완화 받고자 하는 설비 기준을 대체할 수 있는 기술 검토 -재실자 밀집도, 밀폐구조, 오염물질 발생 등을 고려하여 충분한 환기가 이루어질 수 있도록 환기 성능 확보 -화재로 인한 연기가 피난이나 소화 활동 등에 장애가 되지 않도록 배연 및 제연 성능 확보		
	제64조(승강기)	-해당 건축물의 예상되는 이용자 수를 예측하고 동선을 시뮬레이션하여 적정 수량을 산정 및 계획		
「녹색 건축물 조성 지원법」	제15조(건축물에 대한 효율적인 에너지 관리와 녹색건축물 조성의 활성화)	-지속가능한 개발이 가능하고 자원절약형 및 자연친화적인 건축물 계획 -완화하고자 하는 녹색건축 인증 기준에 대해 동등 이상 에너지 효율화를 실현할 수 있는지 검토		
「소방시설 설치·유지 및 안전관리에 관한 법률」	제9조(특정소방대상물에 설치하는 소방시설의 유지·관리 등)	-「소방시설 설치·유지 및 안전관리에 관한 법률」 제11조의2에 따른 소방기술심의위원회의 심의를 거쳐야 하며 소방본부장 또는 소방서장과 사전 협의 필요		
	제11조(소방시설기준 적용의 특례)	-건축물 완공 후 해당 시설이 화재안전에 적절히 대응하는지 관리·감독할 수 있는 계획 수립		
통합 적용 특례				
「문화예술진흥법」	제9조(건축물에 대한 미술작품의 설치 등)	-설치비용 또는 설치대상 등 개별법으로 정한 기준이상으로 산정하여 미술작품 설치 통합적용 구역을 정하고 계획 수립 -미술품 설치 주변 공간의 개방성 및 연계성 고려 -사후 관리 용이성(유지·관리 및 비용분담계획서) 검토		
「주차장법」	제19조(부설주차장의 설치·지정)	-각 시설별 부설주차장 규모 이상으로 설치하여야 함 -주차장 이용편의와 안전 고려 -사후 관리 용이성(유지·관리 및 비용분담계획서) 검토		
「도시공원 및 녹지 등에 관한 법률」	공원의 설치	-각 시설별 공원의 면적 이상으로 설치하여야 함 -주변지역의 도시공원 및 녹지 설치 현황을 함께 살펴보는 등 광역적 측면도 함께 고려 -사후 관리 용이성(유지·관리 및 비용분담계획서) 검토		

심의의견
심의위원: (인)

※ 이 체크리스트 외에 지정권자가 세부 기준을 별도로 정할 수 있다.

[별표 4]

특별건축구역의 건축물 적용배제 심의 시 고려사항

구분		고려사항
「건축법」	제42조(대지의 조경)	-대상지에서 공해를 배출하지 않거나, 공해 저감을 위해 노력할 것 -구역 주변으로 보행자 통행이 잦거나 지역에 영향을 미치는 중요한 위치인 경우 조경을 대신할 수 있는 경관 향상 방안을 제시 -구역 주변 지역의 녹지 분포를 고려할 것 -(예시)주변에 녹지가 풍부할 경우, 한옥 등 전통건축 구현을 위해 대지의 조경 적용배제 가능
	제55조(건축물의 건폐율)	-주변 지역 일조 확보에 나쁜 영향을 미치지 않을 것 -이용자의 피난 통로를 확보할 것 -대상지 내 적절한 통풍, 채광, 개방감 등을 확보할 것 -(예시)경사진 대지에 계단식으로 건축할 때 지면에서 각 세대가 있는 층으로 출입이 가능하고, 위층 세대가 아래층 세대의 지붕을 정원 등으로 활용하는 경우 지붕이자 정원의 면적은 건폐율 산정 제외 가능. 개방형발코니의 경우 바닥면적으로 산입 제외. 데크형 주차장을 설치하고 가로에 면한 부분에는 지역개방 공동이용시설이나 조경시설 등을 설치한 경우. 공동주택의 경우 휴먼스케일의 저층형 주동을 혼합하여 배치할 경우
	제56조(건축물의 용적률)	-도로, 학교, 상하수도 등 도시기반시설의 용량을 고려 -용적률 적용 배제 특례가 필요한 경우 「국토의 계획 및 이용에 관한 법률」 제78조제7항에 따라 해당 용도지역별 용적률 최대한도의 120퍼센트 이하까지 적용 가능. 용적률 완화 규정을 중복 적용하여 완화되는 용적률이 같은 법 제1항 및 제2항에 따라 대통령령에서 정하고 있는 해당 용도지역별 용적률 최대한도를 초과하는 경우에는 관할 특별시장・광역시장・특별자치시장・특별자치도지사・시장 또는 군수가 같은 법 제30조제3항 단서의 공동위원회 심의를 거쳐 기반시설의 설치 및 그에 필요한 용지의 확보가 충분하다고 인정하는 경우에만 적용 -(예시)대피공간, 지역개방 공동이용시설, 등은 연면적 산입에서 제외
	제58조(대지 안의 공지)	-예상 통행량 및 대상지 주변지역의 공지(휴게 공간)까지 종합적으로 고려 -다음 사항에 대하여 영향을 미치지 않는 경우 대지안의 공지 배제 가능 ・채광 및 통풍 등을 통한 생활환경 조성 ・피난·소화활동과 화재 방지 ・위험물 취급 건축물에 대해 안전거리를 확보하는 등 위해 방지 ・건축물의 유지관리를 위한 공지 확보 ・인접대지경계선 경계분쟁으로 인한 민원 ・도로 소통 원활, 도로로부터의 소음 최소화
	제60조(건축물의 높이 제한)	-주변지역 경관 고려 -주변지역이나 도로에서의 통풍, 채광, 개방광 등에 부정적인 영향을 미치지 않을 것 -(예시)다양한 높낮이를 적용하여 경관축을 확보하거나 인접대지 및 가로변에 영향을 최소화할 경우
	제61조(일조 등의 확보를 위한 건축물의 높이 제한)	-동간 이격 거리 산정 시 사생활 보호, 화재확산 방지, 민법상 이격거리, 인접대지 일조 영향 등 고려 -대지 내 일조 영향에 대해 분석할 것. 주변지역의 건축물을 주택으로 사용하고 있을 경우 거실창문으로 일조량을 검토하여 예상효과를 기술 -주택 거실창문의 일조량은 동지 기준 연속 2시간 이상 확보 -(예시) 창의적인 건축물 배치 및 다양한 건축물 형태와 높이 계획을 할 경우

구분			고려사항
「주택법」	제35조 주택건설기준 등 「주택건설기준 등에 관한 규정」	제10조(공동주택의 배치)	-사유와 예상효과 검토 -자동차로 인한 소음, 오염 등으로부터 주거환경 보호 -소방 활동에 지장이 없도록 주택 및 시설 배치 -주변경관과 조화로운 높이와 형태 계획
		제13조(기준척도)	-사유와 예상효과 검토
		제35조(비상급수시설)	-사유와 예상효과 검토 -지진, 가뭄, 배수시설 사고 등을 대비하여 재실자에게 충분한 음용수를 공급할 수 있도록 계획
		제37조(난방설비 등)	-사유와 예상효과 검토 -재실자의 실내 쾌적성을 유지할 수 있도록 난방방식, 열원공급(지역난방 등) 등을 고려하여 계획
		제50조(근린생활시설 등)	-사유와 예상효과 검토 -주변지역 근린생활시설 및 유사 시설 현황과 수요 검토
		제52조(유치원)	-사유와 예상효과 검토 -주변지역 유치원 및 유사시설 현황과 수요 검토

[별표 5]

특별건축구역의 건축물 완화적용 심의 시 고려사항

구분		고려사항
「건축법」	제49조(건축물의 피난시설 및 용도제한 등)	-재실자가 건물 내에서 안전한 곳까지 막힘없이 안전하게 도달할 수 있도록 피난과 소화, 방화에 필요한 공간 및 시설 계획 검토 -노인, 어린이, 환자 등에 대한 피난 동선 및 피난 시간을 확보하고 화재 위험성을 고려하여 용도 제한 고려
	제50조(건축물의 내화구조와 방화벽)	-내화구조와 방화벽을 대체할 수 있는 계획 검토 -건축물의 구조부가 화재 시 일정 시간 동안 구조적으로 유해한 변형 없이 견딜 수 있도록 내화성능 확보 -인근 건축물로의 화염 확산을 막을 수 있는 방화성능 확보
	제50조의2(고층건축물의 피난 및 안전관리)	-건축물의 높이 및 재실자 밀도, 소방차 대응가능 높이 등을 고려하여 고층건축물 이용자가 안전하게 피난할 수 있는 공간 및 설비 등 기술 확보
	제51조(방화지구 안의 건축물)	-건축물 밀집도, 이격거리 등을 고려하여 인근 건물로 화재가 확산되지 않도록 내화 및 방화 기준에 준하는 성능과 기술 확보
	제52조(건축물의 마감재료)	-방화 성능과 안전을 위한 재료 선정 -재실자 유형(노약자 등) 및 재실자 밀도, 위험물질 취급 등을 고려하여 마감재료 화재성능 확보 -피난 동선으로 이용되는 공간에 대해서는 피난시간 확보를 위해 마감재료의 충분한 내화성능 확보
	제52조의2(실내건축)	-방화 성능과 안전을 위한 재료 선정
	제52조의3(건축자재의 제조 및 유통 관리)	-건축물의 안전과 기능에 적합한 자재 선정

<table>
<tr><th colspan="2">구분</th><th>고려사항</th></tr>
<tr><td rowspan="4"></td><td>제52조의4(건축 자재의 품질관리 등)</td><td>-동등이상 성능 검토</td></tr>
<tr><td>제53조(지하층)</td><td>-지하층의 피난과 방화시설을 위한 성능 검토</td></tr>
<tr><td>제62조
(건축설비기준 등)</td><td>-완화 받고자 하는 설비 기준을 대체할 수 있는 기술 검토
-재실자 밀집도, 밀폐구조, 오염물질 발생 등을 고려하여 충분한 환기가 이루어질 수 있도록 환기성능 확보
-화재로 인한 연기가 피난이나 소화 활동 등에 장애가 되지 않도록 배연 및 제연 성능 확보</td></tr>
<tr><td>제64조(승강기)</td><td>-해당 건축물의 예상되는 이용자 수를 예측하고 동선을 시뮬레이션하여 적정 수량을 산정 및 계획</td></tr>
<tr><td>「녹색건축물 조성 지원법」</td><td>제15조
건축물에 대한 효율적인 에너지 관리와 녹색건축물 조성의 활성화</td><td>-지속가능한 개발이 가능하고 자원절약형 및 자연친화적인 건축물을 계획
-완화하고자 하는 녹색건축 인증 기준에 대해 동등 이상 에너지 효율화를 실현할 수 있는지 검토</td></tr>
<tr><td rowspan="2">「소방시설 설치·유지 및 안전관리에 관한 법률」</td><td>제9조
특정소방대상물에 설치하는 소방시설의 유지·관리 등</td><td rowspan="2">-「소방시설 설치·유지 및 안전관리에 관한 법률」 제11조의2에 따른 소방기술심의위원회의 심의를 거쳐야 하며 소방본부장 또는 소방서장과 사전 협의 필요
-건축물 완공 후 해당 시설이 화재안전에 적절히 대응하는지 관리·감독할 수 있는 계획 수립</td></tr>
<tr><td>제11조
소방시설기준 적용의 특례</td></tr>
</table>

[별표 6]

특별건축구역의 건축물 특례적용계획서 작성내용

<table>
<tr><th colspan="2">구분</th><th>내용</th></tr>
<tr><td rowspan="4">제출내용</td><td>특례적용 대상건축물 개략설계도서</td><td>-특례적용 받는 건축물에 대한 평면, 입면, 단면 등
-일조 관련 기준 완화 시 일조 시뮬레이션 결과 첨부
-건축물 특례 적용 사유 및 내용을 구체적으로 명시</td></tr>
<tr><td>특례적용 대상건축물 배치도</td><td>-전체 특별건축구역의 건축물의 배치도에 특례적용 건축물을 표시하고 각각 특례적용 받는 규정을 표기
-건축물 배치 관련 특례 적용에 따른 예상 통경축 및 도시경관 제시</td></tr>
<tr><td>특례적용 대상건축물 내화·방화·피난 또는 건축설비도</td><td>-특례적용 대상건축물의 내화, 방화, 피난을 위한 계획내용 (건축물 재료, 피난통로 등)
-내화, 방화, 피난 관련 건축설비계획</td></tr>
<tr><td>신기술 세부 설명자료</td><td>-신기술 적용을 받기 위해 적용 배제 또는 완화 규정
-신기술에 대한 세부 설명 기술
-신기술 적용을 통한 예상효과
-신기술에 대한 신규성·진보성 및 현장 적용성에 대한 전문기관 검토의견</td></tr>
</table>

[별표 7]

특별건축구역의 건축물 통합적용 심의 시 고려사항

구분		고려사항
「문화 예술 진흥법」	제9조 건축물에 대한 미술작품의 설치	-설치비용 또는 설치대상 등 개별법으로 정한 기준이상으로 산정하여 미술작품 설치 통합적용구역을 정하고 계획 수립 -미술품 설치 주변 공간의 개방성 및 연계성 고려 -사후 관리 용이성(유지·관리 및 비용분담계획서) 검토
「주차장법」	제19조 부설주차장의 설치	-각 시설별 부설주차장 규모 이상으로 설치하여야 함 -주차장 이용편의와 안전 고려 -사후 관리 용이성(유지·관리 및 비용분담계획서) 검토
「도시공원 및 녹지 등에 관한 법률」	공원의 설치	-각 시설별 공원의 면적 이상으로 설치하여야 함 -주변지역의 도시공원 및 녹지 설치 현황을 함께 살펴보는 등 광역적 측면도 함께 고려 -사후 관리 용이성(유지·관리 및 비용분담계획서) 검토

[별표 8]

특별건축구역의 건축물 통합적용 시 운영관리계획서 작성내용

구분		내용
제출내용	운영관리계획서 [건축법 시행규칙 별지 제27호의2서식]	-통합적용 지역현황 -통합적용 대상건축물 개요 -통합적용 대상시설물 -통합적용 사항 등
	통합적용 대상시설 배치도	-특별건축구역 내 통합적용 대상 시설의 배치도 (필요한 경우 주변지역 현황을 함께 표기)
	통합적용 대상 시설의 유지·관리 및 비용분담계획서	-유지·관리계획서(운영·관리 인력 배치, 안내표지판 설치 계획, 재난·안전 계획 등) -비용분담계획서(설치비용 산정 및 설치비용 분담계획, 관리비 산정 및 관리비 분담계획, 장기수선충당금 운용계획 등)

[별표 9]

특별건축구역의 지정 이후 모니터링 결과 보고서 작성 내용

단계	현황 조사·평가 항목
건축시공 및 공사감리	- 특례적용 등 계획 이행 여부 조사 - 건축사, 민간전문가(해당하는 경우), 건축주, 허가권자 등 관계자와 계획 이행을 위한 협의 과정(협의 내용) 조사
유지·관리 (건축물 조성이후)	- 지정 목적 달성 여부 조사 - 실제로 건축물에 구현된 기능·미관·환경 등 분석 평가 - 특례적용계획 이행 여부 조사 - 공공성 확보 계획 이행 여부 조사 (지역커뮤니티개방계획을 수립했다면 이행 여부 등) - 특례적용 효과 조사·평가(일조량 조사 등) - 구역 내·외 거주자 면담을 통한 사용자 만족도 조사

[별표 10]

특별건축구역 특례적용 예시

1 대상지 1 : 저층주거지 인접 구역 내 공동주택 유형 - 가상 부지

■ 사례 특성

- 저층주거지내 대규모 공동주택단지 재개발 사례

■ 주요 검토 내용

- 급격한 도시환경 변화나 대규모 단지로 인한 단절감 지양
- 구역 주변 주거 환경에 대한 영향을 최소화하기 위해 경계에 위치한 건축물의 규모나 형태를 조정

■ 일반현황

일반 현황	
- 면적: 17,760㎡ - 노후도: 86% - 現 용도지역: 제2종 일반주거지역 - 공급규모: 472세대 - 대상지 동측은 생활환경이 우수하며, 서측은 저층주거지 밀집지역 - 대상지 동측에 지하철역 위치하여 대중교통이용에 편리함 - 간선도로가 근거리에 위치하여 도심 및 수도권과의 교통연계성 우수	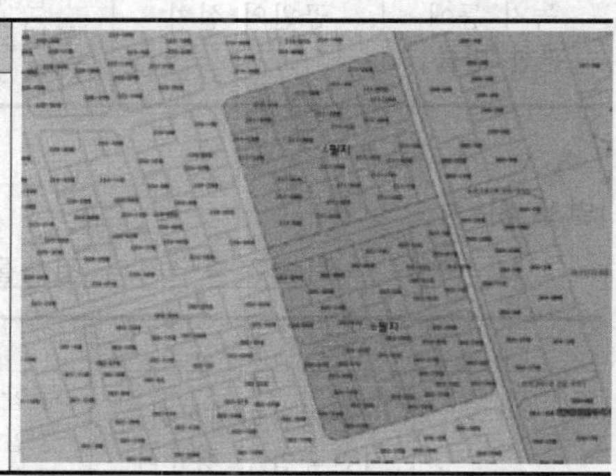

■ 개발계획 검토(안)

구분	현행	시뮬레이션 계획수립(안)
지역지구	제2종 일반주거지역	제2종 일반주거지역
건폐율(%)	관계법 및 조례에서 허용되는 건폐율	60% (서울시 도시계획조례 제54조)
용적률(%)	관계법 및 조례에서 허용되는 용적률	200% (서울시 도시계획조례 제55조)
		200% (현행법령 적용안)
		230% (특별건축구역 지정안)
높 이	관계법 및 조례에서 허용되는 높이	+20%

■ 특례적용

건축법 특례적용 가능 조항		적용 여부	적용 취지 및 범위
배제 완화	제61조 일조 등의 확보를 위한 건축물의 높이 제한	○	남향세대 및 주변경관을 고려한 주택단지 계획
	제56조 건축물의 용적률	○	가로공간에 대응하는 주택단지 계획, 사업성 및 공공성 확보
	제60조 건축물의 높이 제한	○	주변과 어우러지는 층수계획으로 다양한 주거 유형 제시

■ 제2종 일반주거지역에서 특별건축구역 적용(안)

구분	현행 법규 적용		특별건축구역 적용(안)	
지역지구	A필지	B필지	A필지	B필지
용적률(%)	199.57%	199.94%	229.60%	229.79%
세대수	134세대	156세대	155세대	180세대
높이/층수	최고높이 / 12층		최고높이(+20%) / 14층	
층수(평균)	12층		12층(12.2층)	

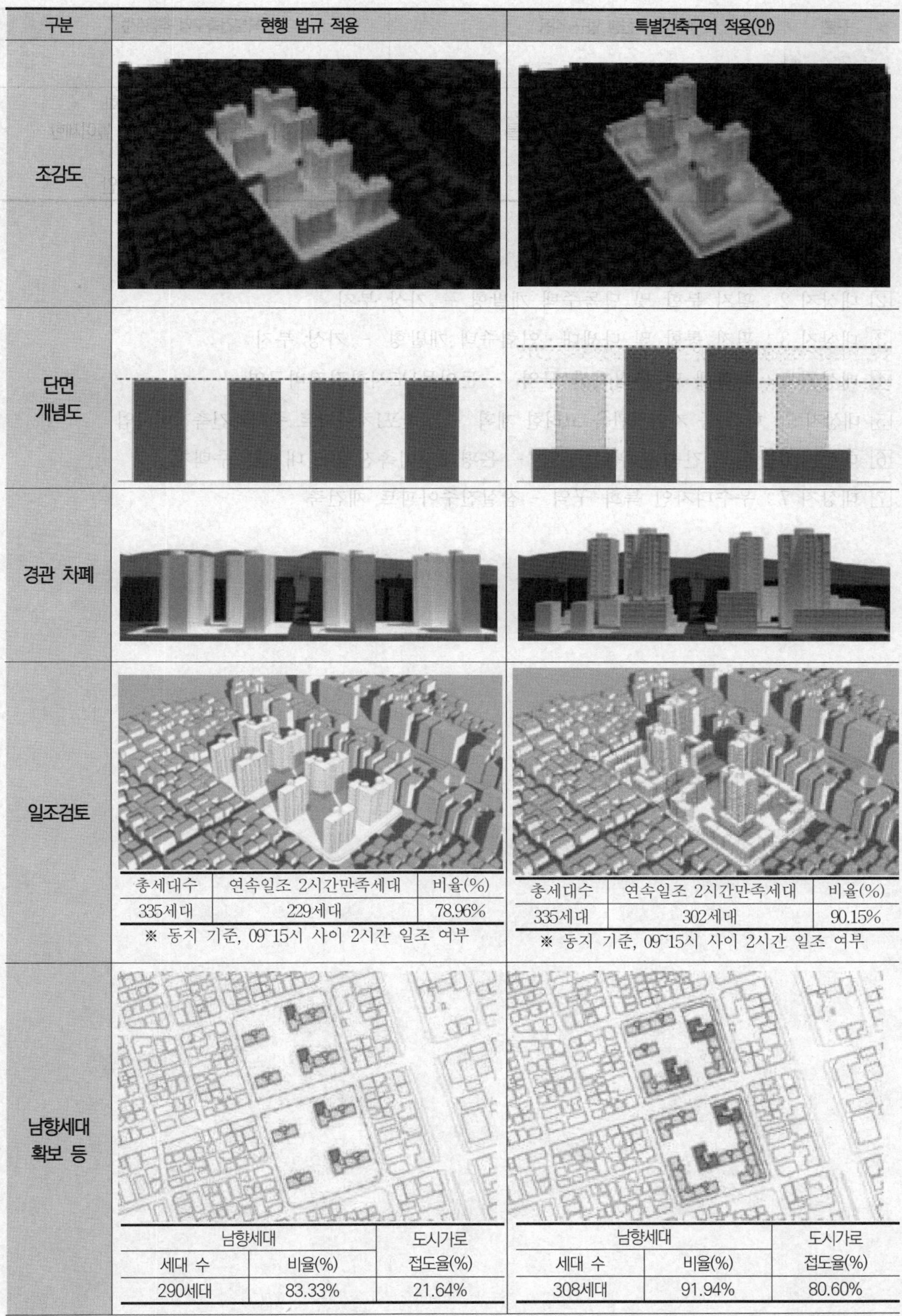

구분	현행 법규 적용	특별건축구역 적용(안)
조감도		
단면 개념도		
경관 차폐		
일조검토		
남향세대 확보 등		

일조검토 – 현행 법규 적용

총세대수	연속일조 2시간만족세대	비율(%)
335세대	229세대	78.96%

※ 동지 기준, 09~15시 사이 2시간 일조 여부

일조검토 – 특별건축구역 적용(안)

총세대수	연속일조 2시간만족세대	비율(%)
335세대	302세대	90.15%

※ 동지 기준, 09~15시 사이 2시간 일조 여부

남향세대 확보 등 – 현행 법규 적용

남향세대		도시가로
세대 수	비율(%)	접도율(%)
290세대	83.33%	21.64%

남향세대 확보 등 – 특별건축구역 적용(안)

남향세대		도시가로
세대 수	비율(%)	접도율(%)
308세대	91.94%	80.60%

구분	현행 법규 적용	특별건축구역 적용(안)
주요내용	· 최소동수 계획으로 최적의 사업비를 고려한 계획	· 특별건축구역으로 계획하여 높이완화 · 건축법 개정안_공동주택 인동간격·높이제한 개선 적용 · 경관을 고려한 입체적 도시계획 제안

※ 아래 대상지 2~7 의 경우는 CD 참조

2 대상지 2 : 필지 분할 및 단독주택 개발형 - 가상 부지

3 대상지 3 : 필지 통합 및 다세대·연립주택 개발형 - 가상 부지

4 대상지 4 : 문화재 및 문화자산 구역 - 돈의문1도시환경정비구역

5 대상지 5 : 한강 등 자연경관을 고려한 계획 - 신반포1차아파트 주택재건축정비사업

6 대상지 6 : 한옥 건축을 위한 구역 - 은평재정비촉진지구 내 단독주택지

7 대상지 7 : 우수디자인 특화 구역 - 잠실진주아파트 재건축

[별표 11]

특별건축구역 지정 절차 예시

① 공공주택특별법

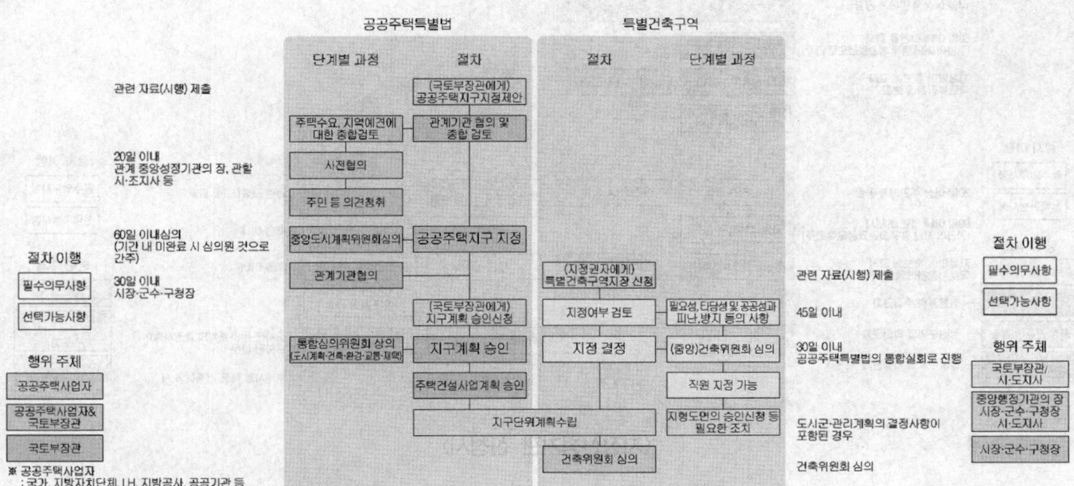

〈지정신청기관 신청시〉

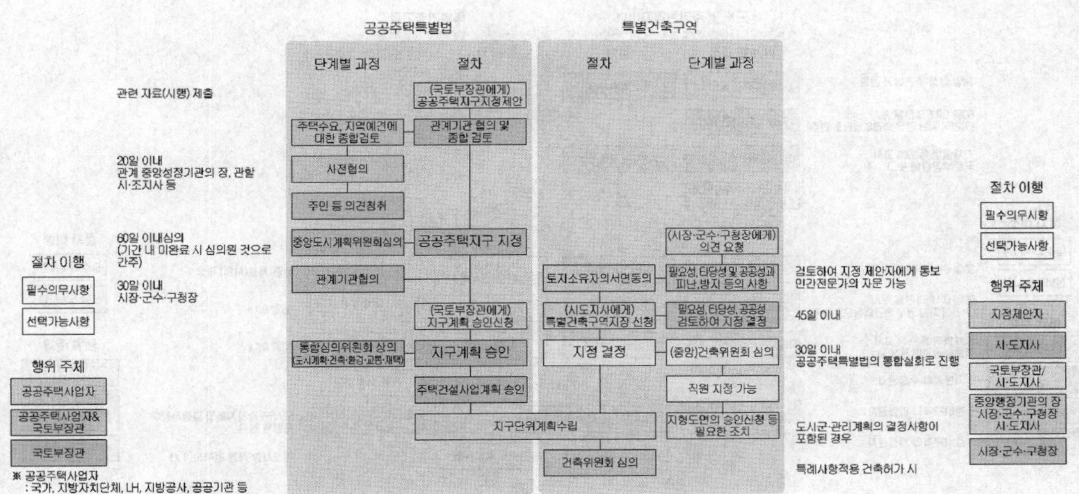

〈지정신청기관 외 제안시〉

2 도시 및 주거환경정비법

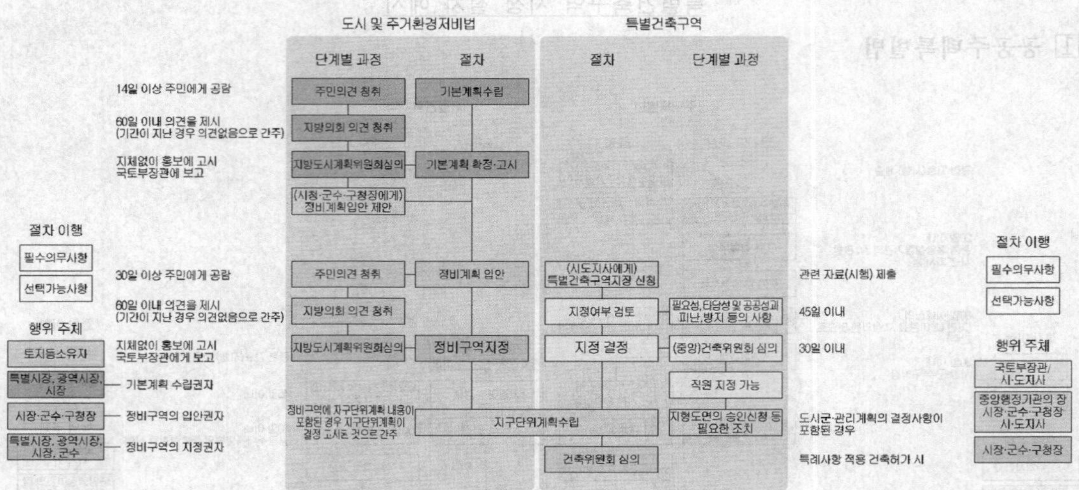

〈지정신청기관 신청시〉

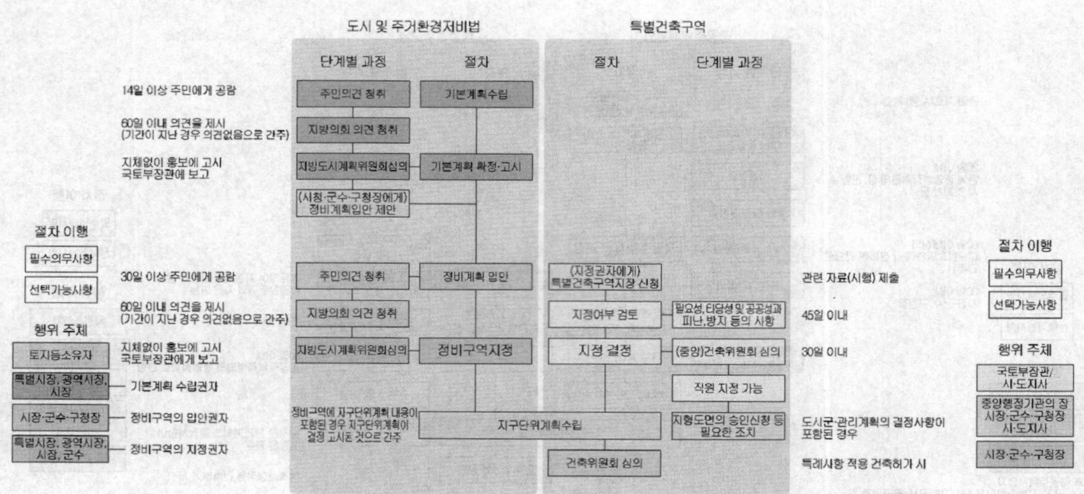

〈지정신청기관 외 제안시〉

③ 빈집 및 소규모주택 정비에 관한 특례법 (단, 가로주택정비와 소규모재건축사업)

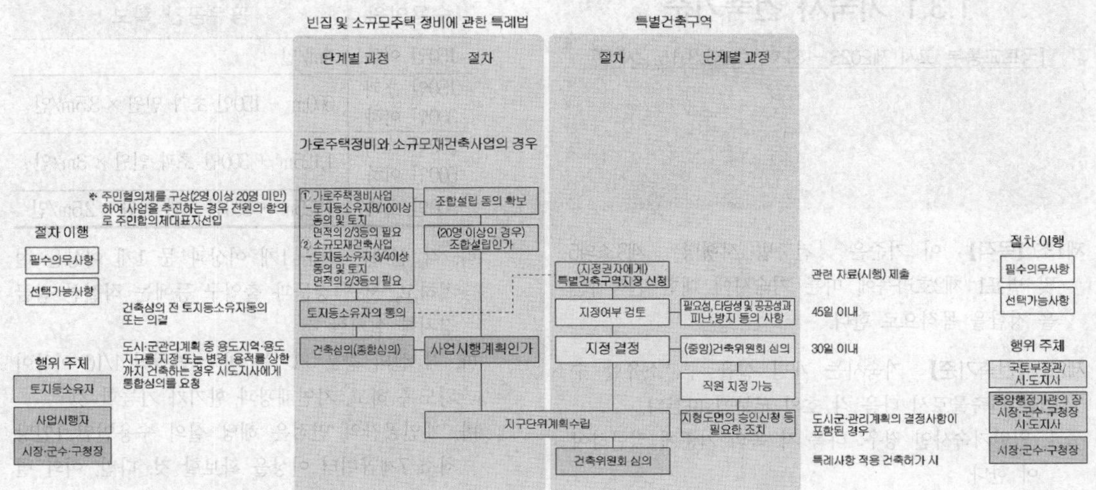

〈지정신청기관 신청시〉

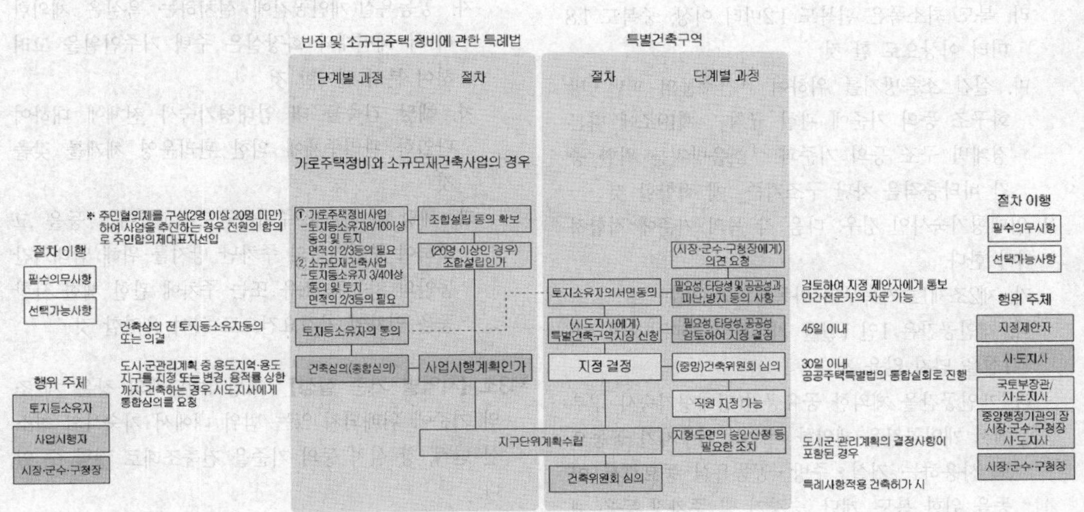

〈지정신청기관 외 제안시〉

1.3.1 기숙사 건축기준

[국토교통부 고시 제2023-151호, 2023.3.15., 제정]

제1조【목적】 이 기준은 「건축법 시행령」 제3조의5 및 별표1 제2호라목에 따른 기숙사에 대한 건축기준을 정함을 목적으로 한다.

제2조【건축기준】 기숙사는 개별 실을 구분소유할 수 없는 건축물로서 다음 각 호의 구분에 따른다.

1. 일반기숙사인 경우: 다음 각 목의 기준에 적합하여야 한다.
   가. 기숙사 개인공간(침실 등 개인이 거주하는 공간. 이하 같다)을 지하층에 두지 말 것
   나.화장실과 세면·목욕시설, 채광·환기 설비, 냉·난방 설비 또는 기구 등을 적절하게 갖출 것
   다. 2층 이상의 층으로서 바닥으로부터 높이 1.2미터 이하 부분에 여닫을 수 있는 창문(0.5제곱미터 이상)이 있는 경우 그 부분에 높이 1.2미터 이상의 난간이나 이와 유사한 추락방지를 위한 안전시설을 설치할 것
   라. 복도 최소폭은 편복도 1.2미터 이상, 중복도 1.8미터 이상으로 할 것
   마. 실간 소음방지를 위하여 「건축물의 피난·방화구조 등의 기준에 관한 규칙」 제19조에 따른 경계벽 구조 등의 기준과 「소음방지를 위한 층간 바닥충격음 차단 구조기준」에 적합할 것
2. 임대형기숙사인 경우: 다음 각 목의 기준에 적합하여야 한다.
   가. 제2조제1호가목부터 마목까지의 기준
   나. 개인공간은 1인 1실을 기본으로 하며, 최대 3인 1실을 넘지 않을 것
   다. 개인공간을 제외한 공유공간(임대형기숙사 내부에서 개인공간을 제외한 다수의 거주자가 공동으로 사용하는 거실·주방·공동욕실 등으로서 이동을 위한 복도, 계단, 승강기 및 주차장 등을 제외한다. 이하 같다)의 면적은 수용인원을 고려하여 아래의 면적 이상을 확보하며, 개인공간과 공유공간 면적의 합은 1인당 14제곱미터 이상을 확보할 것(확보해야 하는 개인공간의 면적과 공유공간의 면적은 건축물의 외벽의 내부선을 기준으로 산정한다. 이하 같다)

수용인원	공유공간 확보
150인 이하	4㎡/인
150인 초과 300인 이하	600㎡ + 150인 초과 인원 × 3.5㎡/인
300인 초과 500인 이하	1,125㎡ + 300인 초과 인원 × 3㎡/인
500인 초과	1,725㎡ + 500인 초과 인원 × 2.5㎡/인

   라. 각 실에는 창문 1개 이상과 문 1개 이상을 설치하고, 모든 창문과 출입구 등에는 적절한 잠금장치를 설치할 것
   마. 각 실의 창문 크기는 바닥 면적의 1/10 이상이 되도록 하고, 자연채광과 환기가 가능할 것
   바. 개인공간의 면적은 해당 실의 수용인원 1인당 최소 7제곱미터 이상을 확보할 것. 다만, 이와 별개로 개인공간에 설치하는 욕실의 면적은 2.5제곱미터 이상을 확보할 것(확보해야 하는 욕실의 면적은 외벽의 내부선을 기준으로 산정한다.)
   사. 개인공간의 한 변의 길이는 2.2미터 이상을 확보할 것(건축물의 외벽의 내부선을 기준으로 산정한다.)
   아. 공유공간으로서 거실, 주방 외에도 거주자간의 공동생활지원을 위한 다목적실, 취미실 등의 공간을 갖출 것
   자. 공동욕실(개인공간에 설치하는 욕실은 제외한다)의 세면대와 화장실은 주택 거주인원을 고려하여 분리 설치할 것
   차. 해당 건축물 내 임대형기숙사 전체에 대하여 단일한 관리주체에 의한 관리운영 체계를 갖출 것
   카. 해당 건축물의 주차장규모·교통여건 등을 고려하여 주변지역의 주차난 방지를 위해 임대기간 동안의 자동차 소유 또는 주차에 관한 제한 사항 등을 임차인 자격요건으로 하여 운영할 것

제3조【지역별 기준 설정】 지방자치단체의 장은 제2조의 기준에 위배되지 않는 범위 내에서 기숙사의 최소 실 면적, 창 설치 등의 기준을 건축조례로 정할 수 있다.

제4조【재검토기한】 국토교통부장관은 「훈령·예규 등의 발령 및 관리에 관한 규정」에 따라 이 고시에 대하여 2024년 1월 1일 기준으로 매3년이 되는 시점(매 3년째의 12월 31일까지를 말한다)마다 그 타당성을 검토하여 개선 등의 조치를 하여야 한다.

부칙<제2023-151호, 2023.3.15.>

제1조(시행일) 이 고시는 발령한 날부터 시행한다.

제2조(적용례) 「이 고시는 이 고시 시행 이후 다음 각 호의 신청이나 신고를 하는 경우부터 적용한다.

1. 법 제11조에 따른 건축허가의 신청(건축허가를 신청하기 위해 법 제4조의2제1항에 따라 건축위원회에 심의를 신청하는 경우를 포함한다)
2. 법 제14조에 따른 건축신고
3. 법 제19조에 따른 용도변경허가의 신청(같은 조에 따른 용도변경신고 또는 건축물대장 기재내용의 변경신청을 포함한다)
4. 제1호부터 제3호까지의 규정에 따른 허가나 신고가 의제되는 다른 법률에 따른 허가·인가·승인 등의 신청 또는 신고

1.3.2 오피스텔 건축기준

[국토교통부 고시 제2023-758호, 2023.12.13]

일부개정 건설교통부 고시 제2006-635호, 2006.12.30
전부개정 국토해양부 고시 제2010-351호, 2010. 6. 9
일부개정 국토교통부 고시 제2013-789호, 2013.12.13
일부개정 국토교통부 고시 제2015-266호, 2015. 4.30
일부개정 국토교통부 고시 제2017-279호, 2017. 5.23
일부개정 국토교통부 고시 제2021-1141호, 2021.10.14.
일부개정 국토교통부 고시 제2021-1227호, 2021.11.12.
일부개정 국토교통부 고시 제2023- 758호, 2023.12.13.

제1조 【목적】 「건축법 시행령」 제3조의5 및 별표1 제14호나목에 따른 오피스텔에 대한 건축기준을 정함을 목적으로 한다. <개정 2021.10.14>

제2조 【오피스텔의 건축기준】 오피스텔은 다음 각호의 기준에 적합한 구조이어야 한다. <개정 2023.12.13>

1. 각 사무구획별 노대(발코니)를 설치하지 아니할 것
2. 다른 용도와 복합으로 건축하는 경우(지상층 연면적 3천제곱미터 이하인 건축물은 제외한다)에는 오피스텔의 전용출입구를 별도로 설치할 것. 다만, 단독주택 및 공동주택을 복합으로 건축하는 경우에는 건축주가 주거기능 등을 고려하여 전용출입구를 설치하지 아니할 수 있다.
3. 사무구획별 전용면적이 120제곱미터를 초과하는 경우 온돌·온수온돌 또는 전열기 등을 사용한 바닥난방을 설치하지 아니할 것 <개정 2021.11.12>
4. 전용면적의 산정방법은 건축물의 외벽의 내부선을 기준으로 산정한 면적으로 하고, 2세대 이상이 공동으로 사용하는 부분으로서 다음 각목의 어느 하나에 해당하는 공용면적을 제외하며, 바닥면적에서 전용면적을 제외하고 남는 외벽면적은 공용면적에 가산한다. <신설 2015.4.30>
   가. 복도·계단·현관 등 오피스텔의 지상층에 있는 공용면적
   나. 가목의 공용면적을 제외한 지하층·관리사무소 등 그 밖의 공용면적
5. 오피스텔 거주자의 생활을 지원하는 시설로서 경로당, 어린이집은 오피스텔에 부수시설로 설치할 수 있다. <신설 2023.12.13>

제3조 【오피스텔의 피난 및 설비기준】 오피스텔은 화재 등 유사시 피난을 위하여 다음 각 호의 기준에 적합하여야 한다. <개정 2023.12.13>

1. 주요구조부가 내화구조 또는 불연재료로 된 16층 이상인 오피스텔의 경우 16층 이상인 층에 대하여는 피난층외의 층에서 피난층 또는 지상으로 통하는 직통계단을 거실의 각 부분으로부터 계단에 이르는 보행거리가 40미터 이하가 되도록 설치할 것 <개정 2023.12.13>
2. 각 사무구획별 경계벽은 내화구조로 하고 「건축물의 피난·방화구조 등의 기준에 관한 규칙」 제19조제2항에 따른 벽두께 이상으로 하거나 45dB 이상의 차음성능이 확보되도록 할 것

제4조 【배기설비 권고기준】 허가권자는 오피스텔에 설치하는 배기설비에 대하여 「주택건설기준 등에 관한 규칙」 제11조 각 호의 기준 중 전부 또는 일부를 적용할 것을 권고할 수 있다. <신설 2021.11.12>

제5조 【재검토기한】 국토교통부장관은 「훈령·예규 등의 발령 및 관리에 관한 규정」에 따라 이 고시에 대하여 2022년 1월 1일 기준으로 매3년이 되는 시점(매 3년째의 6월 30일까지를 말한다)마다 그 타당성을 검토하여 개선 등의 조치를 하여야 한다. <개정 2021.11.12>

부칙<제2021-1141호, 2021.10.14.>

제1조(시행일) 이 고시는 발령한 날부터 시행한다.

제2조(생활숙박시설 용도변경에 관한 특례) 「건축법」 제19조에 따라 「건축법 시행령」 별표1 제15호가목의 생활숙박시설을 제14호나목2)의 오피스텔로 용도변경하거나, 이 고시 시행일 이전에 분양공고를 한 생활숙박시설에 대하여 「건축법」 제16조에 따라 허가 또는 신고사항을 변경하는 경우 2021년 10월 14일부터 2023년 10월 14일까지는 이 기준 제2조제1호부터 제4호까지의 규정을 적용하지 않는다.

부칙<제2021-1227호, 2021.11.12.>

제1조(시행일) 이 고시는 발령한 날부터 시행한다.

부칙<제2023-758호, 2023.12.13.>

제1조(시행일) 이 고시는 발령한 날부터 시행한다.

1.3.3 다중생활시설 건축기준

[국토교통부고시 제2021-951호, 2021.7.14.]

일부개정 국토교통부 고시 제2020-248호, 2020. 3. 4.
일부개정 국토교통부 고시 제2021-951호, 2021. 7. 14.

제1조【목적】 이 기준은 「건축법 시행령」 제3조의5 및 별표1 제4호거목에 따른 다중생활시설에 대한 건축기준을 정함을 목적으로 한다.

제2조【건축기준】 다중생활시설은 「다중이용업소의 안전관리에 관한 특별법」에 따른 다중이용업 중 고시원업의 시설로서 다음 각 호의 기준에 적합한 구조이어야 한다.

1. 각 실별 취사시설 및 욕조 설치는 설치하지 말 것(단, 샤워부스는 가능)
2. 다중생활시설(공용시설 제외)을 지하층에 두지 말 것
3. 각 실별로 학습자가 공부할 수 있는 시설(책상 등)을 갖출 것
4. 시설내 공용시설(세탁실, 휴게실, 취사시설 등)을 설치할 것
5. 2층 이상의 층으로서 바닥으로부터 높이 1.2미터 이하 부분에 여닫을 수 있는 창문(0.5제곱미터 이상)이 있는 경우 그 부분에 높이 1.2미터이상의 난간이나 이와 유사한 추락방지를 위한 안전시설을 설치할 것
6. 복도 최소폭은 편복도 1.2미터이상, 중복도 1.5미터 이상으로 할 것
7. 실간 소음방지를 위하여 「건축물의 피난·방화구조 등의 기준에 관한 규칙」 제19조에 따른 경계벽 구조 등의 기준과 「소음방지를 위한 층간 바닥충격음 차단 구조기준」에 적합할 것
8. 범죄를 예방하고 안전한 생활환경 조성을 위하여 「범죄예방 건축기준」에 적합할 것

제3조【지역별 기준 설정】 지방자치단체의 장은 제2조의 기준에 위배되지 않는 범위 내에서 다중생활시설의 최소실 면적, 창 설치 등의 기준을 <u>건축조례로 정할 수 있다.</u> <신설 2020.3.4., <u>2021.7.14</u>>

제4조【재검토기한】 국토교통부장관은 「훈령·예규 등의 발령 및 관리에 관한 규정」(대통령 훈령 334호)에 따라 이 고시에 대하여 2019년 1월 1일 기준으로 매3년이 되는 시점(매 3년째의 12월 31일까지를 말한다)마다 그 타당성을 검토하여 개선 등의 조치를 하여야 한다. <개정 2018.12.7., 2020.3.4.>

부칙<제2015-897호, 2015.12.4.>

제1조(시행일) 이 고시는 고시한 날부터 시행한다.

제2조(적용례) 이 기준 시행 후 건축허가를 신청(건축허가를 신청하기 위하여 「건축법」 제4조에 따른 건축위원회에 심의를 신청한 경우와 「건축법」 제16조에 의한 변경허가를 신청하는 경우를 포함한다)하는 경우부터 적용한다.

부칙 <제2018-773호, 2018.12.7.>

이 고시는 발령한 날부터 시행한다.

부칙 <제2020-248호, 2020.3.4.>

이 고시는 공포한 날부터 시행한다.

부칙 <제2021-951호, 2021.7.14.>

이 고시는 발령한 날부터 시행한다.

1.3.4 생활숙박시설 건축기준

[제2021-1204호, 2021.11.2., 제정]

제1조 【목적】 「건축법 시행령」 제3조의4 및 별표1 제15호 가목에 따른 생활숙박시설에 대한 건축기준을 정함을 목적으로 한다.

제2조 【적용】 건축관련법령과 생활숙박시설 건축기준이 상이하거나 의미가 다른 경우, 건축관련법령을 우선하여 적용한다.

제3조 【생활숙박시설의 건축기준】 생활숙박시설은 다음 각호의 기준에 적합한 구조이어야 한다.

1. 「공중위생관리법 시행규칙」 별표1에서 규정하고 있는 생활숙박업 설비기준에 적합할 것.
2. 프런트데스크, 로비(공용 화장실을 포함한다)를 설치할 것.
3. 린넨실(침구, 시트, 수건 등 천 종류를 수납하는 방을 말한다)을 30객실당 1개소 이상을 설치할 것
4. 관광객을 위한 식음료시설(레스토랑 등)을 설치할 것
5. 객실의 출입제어, 보안 등을 확인할 수 있는 객실관리(제어)시스템을 도입하여 설계도서에 포함할 것
6. 각 구획별 발코니를 설치할 경우 외기에 개방된 노대 형태로 설치하여야 하며, 발코니 설치 시 「건축물 피난·방화구조 등의 기준에 관한 규칙」 제17조제4항에 따른 추락방지를 위한 안전시설을 설치할 것

제4조 【재검토기한】 국토교통부장관은 「훈령·예규 등의 발령 및 관리에 관한 규정」에 따라 이 고시에 대하여 2022년 1월 1일 기준으로 매3년이 되는 시점(매3년째의 6월 30일까지를 말한다)마다 그 타당성을 검토하여 개선 등의 조치를 하여야 한다.

부칙<제2021-1204호, 2021.11.2.>

제1조(시행일) 이 고시는 발령한 날로부터 시행한다.

제2조(경과조치) 이 고시는 시행 이후 다음 각 호의 신청이나 신고를 하는 건축물부터 적용한다.

1. 법 제11조에 따른 건축허가(법 제16조에 따른 변경허가 및 변경신고를 포함한다)의 신청(건축허가를 신청하기 위하여 법 제4조의2제1항에 따라 건축위원회에 심의를 신청하는 경우를 포함한다)
2. 법 제14조에 따른 건축신고(법 제16조에 따른 변경허가 및 변경신고를 포함한다)
3. 법 제19조에 따른 용도변경 허가의 신청(같은 조에 따른 용도변경 신고 또는 건축물대장 기재내용의 변경신청을 포함한다)

1.3.5 특수구조 건축물 대상기준

[국토교통부고시 제2018-777호, 2018.12.7.]

제1조【목적】 이 기준은 「건축법 시행령」 제2조제18호 다목에 따라 특수구조 건축물의 종류를 정하는 것을 목적으로 한다.

제2조【특수구조 건축물】 특수구조 건축물은 다음 각 호의 어느 하나에 해당하는 건축물을 말한다.

1. 건축물의 주요구조부가 공업화박판강구조(PEB : Pre-Engineered Metal Building System), 강관 입체트러스(스페이스프레임), 막 구조, 케이블 구조, 부유식구조 등 설계·시공·공법이 특수한 구조형식인 건축물
2. 6개층 이상을 지지하는 기둥이나 벽체의 하중이 슬래브나 보에 전이되는 건축물(전이가 있는 층의 바닥면적 중 50퍼센트 이상에 해당하는 면적이 필로티 등으로 상하부 구조가 다르게 계획되어 있는 경우로 한정한다.)
3. 건축물의 주요구조부에 면진 · 제진장치를 사용한 건축물
4. 건축구조기준에 따른 허용응력설계법, 허용강도설계법, 강도설계법 또는 한계상태설계법에 의하여 설계되지 않은 건축물
5. 건축구조기준의 지진력 저항시스템 중 다음 각 목의 어느 하나에 해당하는 시스템을 적용한 건축물
   가. 철근콘크리트 특수전단벽
   나. 철골 특수중심가새골조
   다. 합성 특수중심가새골조
   라. 합성 특수전단벽
   마. 철골 특수강판전단벽
   바. 철골 특수모멘트골조
   사. 합성 특수모멘트골조
   아. 철근콘크리트 특수모멘트골조
   자. 특수모멘트골조를 가진 이중골조 시스템

제3조【규제의 재검토】 국토교통부장관은 「행정규제기본법」 제8조 및 「훈령·예규 등의 발령 및 관리에 관한 규정」(대통령 훈령 334호)에 따라 이 고시에 대하여 2019년 1월 1일 기준으로 매3년이 되는 시점(매 3년째의 12월 31일까지를 말한다)마다 그 타당성을 검토하여 개선 등의 조치를 하여야 한다. <개정 2018.12.7>

부칙<제2015-729호, 2015.10.6.>

제1조(시행일) 이 기준은 발령한 날부터 시행한다.

제2조(특수구조 건축물에 대한 적용례) 제2조의 규정은 이 기준 시행 이후 「건축법」 제11조에 따른 건축허가를 신청(건축허가를 신청하기 위하여 제5조의5에 따른 건축위원회에 심의를 신청한 경우 및 법 제14조에 따른 건축신고를 한 경우를 포함한다)하거나 같은 법 제19조에 따른 용도변경 허가를 신청(용도변경 신고 및 건축물대장 기재내용의 변경 신청을 포함한다)하는 경우부터 적용한다.

부칙 <제2018-777호, 2018.12.7.>

이 고시는 발령한 날부터 시행한다.

1.3.6 범죄예방 건축기준

[국토교통부고시 제2021-930호, 2021.7.1.]

제1장 총칙

제1조 【목적】 이 기준은 「건축법」 제53조의2 및 「건축법 시행령」 제63조의2에 따라 범죄를 예방하고 안전한 생활환경을 조성하기 위하여 건축물, 건축설비 및 대지에 대한 범죄예방 기준을 정함을 목적으로 한다. <개정 2021.7.1>

제2조 【용어의 정의】 이 기준에서 사용하는 용어의 정의는 다음과 같다. <개정 2019.7.24>

1. "자연적 감시"란 도로 등 공공 공간에 대하여 시각적인 접근과 노출이 최대화되도록 건축물의 배치, 조경, 조명 등을 통하여 감시를 강화하는 것을 말한다.
2. "접근통제"란 출입문, 담장, 울타리, 조경, 안내판, 방범시설 등(이하 "접근통제시설"이라 한다)을 설치하여 외부인의 진·출입을 통제하는 것을 말한다.
3. "영역성 확보"란 공간배치와 시설물 설치를 통해 공적공간과 사적공간간의 소유권 및 관리와 책임 범위를 명확히 하는 것을 말한다.
4. "활동의 활성화"란 일정한 지역에 대한 자연적 감시를 강화하기 위하여 대상 공간 이용을 활성화 시킬 수 있는 시설물 및 공간 계획을 하는 것을 말한다.
5. "건축주"란 「건축법」 제2조제1항제12호에 따른 건축주를 말한다.
6. "설계자"란 「건축법」 제2조제1항제13호에 따른 설계자를 말한다.

제3조 【적용대상】 ① 이 기준을 적용하여야 하는 건축물은 다음 각 호의 어느 하나에 해당하는 건축물을 말한다. <개정 2019.7.24>

1. 「건축법 시행령」(이하 "영"이라 한다) 별표 1 제2호의 공동주택(다세대주택, 연립주택, 아파트)
2. 영 별표 1 제3호가목의 제1종근린생활시설(일용품 판매점)
3. 영 별표 1 제4호거목의 제2종근린생활시설(다중생활시설)
4. 영 별표 1 제5호의 문화 및 집회시설(동·식물원을 제외한다)
5. 영 별표 1 제10호의 교육연구시설(연구소, 도서관을 제외한다.)
6. 영 별표 1 제11호의 노유자시설
7. 영 별표 1 제12호의 수련시설
8. 영 별표 1 제14호나목2)의 업무시설(오피스텔)
9. 영 별표 1 제15호다목의 숙박시설(다중생활시설)
10. 영 별표 1 제1호의 단독주택(다가구주택)

② 삭제 <2019.7.24>

제2장 범죄예방 공통기준

제4조 【접근통제의 기준】 ① 보행로는 자연적 감시가 강화되도록 계획되어야 한다. 다만, 구역적 특성상 자연적 감시 기준을 적용하기 어려운 경우에는 영상정보처리기기, 반사경 등 자연적 감시를 대체할 수 있는 시설을 설치하여야 한다. <개정 2019.7.24>

② 대지 및 건축물의 출입구는 접근통제시설을 설치하여 자연적으로 통제하고, 경계 부분을 인지할 수 있도록 하여야 한다.

③ 건축물의 외벽에 범죄자의 침입을 용이하게 하는 시설은 설치하지 않아야 한다.

제5조 【영역성 확보의 기준】 ① 공적(公的) 공간과 사적(私的) 공간의 위계(位階)를 명확하게 인지할 수 있도록 설계하여야 한다.

② 공간의 경계 부분은 바닥에 단(段)을 두거나 바닥의 재료나 색채를 달리하거나 공간 구분을 명확하게 인지할 수 있도록 안내판, 보도, 담장 등을 설치하여야 한다. <개정 2019.7.24>

제6조 【활동의 활성화 기준】 ① 외부 공간에 설치하는 운동시설, 휴게시설, 놀이터 등의 시설(이하 "외부시설"이라 한다)은 상호 연계하여 이용할 수 있도록 계획하여야 한다.

② 지역 공동체(커뮤니티)가 증진되도록 지역 특성에 맞는 적정한 외부시설을 선정하여 배치하여야 한다.

제7조 【조경 기준】 ① 수목은 사각지대나 고립지대가 발생하지 않도록 식재하여야 한다.

② 건축물과 일정한 거리를 두고 수목을 식재하여 창문을 가리거나 나무를 타고 건축물 내부로 범죄자가 침입할 수 없도록 하여야 한다.

제8조 【조명 기준】 ① 출입구, 대지경계로부터 건축물 출입구까지 이르는 진입로 및 표지판에는 충분한 조

명시설을 계획하여야 한다.

② 보행자의 통행이 많은 구역은 사물의 식별이 쉽도록 적정하게 조명을 설치하여야 한다.

③ 조명은 색채의 표현과 구분이 가능한 것을 사용해야 하며, 빛이 제공되는 범위와 각도를 조정하여 눈부심 현상을 줄여야 한다.

제9조【영상정보처리기기 안내판의 설치】 ① 이 기준에 따라 영상정보처리기기를 설치하는 경우에는 「개인정보보호법」 제25조제4항에 따라 안내판을 설치하여야 한다. <개정 2019.7.24>

② 제1항에 따른 안내판은 주·야간에 쉽게 식별할 수 있도록 계획하여야 한다.

제3장 건축물의 용도별 범죄예방 기준

제10조【100세대 이상 아파트에 대한 기준】 ① 대지의 출입구는 다음 각 호의 사항을 고려하여 계획하여야 한다. <개정 2019.7.24>

1. 출입구는 영역의 위계(位階)가 명확하도록 계획하여야 한다.
2. 출입구는 자연적 감시가 쉬운 곳에 설치하며, 출입구 수는 효율적인 관리가 가능한 범위에서 적정하게 계획하여야 한다.
3. 조명은 출입구와 출입구 주변에 연속적으로 설치하여야 한다.

② 담장은 다음 각 호에 따라 계획하여야 한다.

1. 사각지대 또는 고립지대가 생기지 않도록 계획하여야 한다.
2. 자연적 감시를 위하여 투시형으로 계획하여야 한다.
3. 울타리용 조경수를 설치하는 경우에는 수고 1미터에서 1.5미터 이내인 밀생 수종을 일정한 간격으로 식재하여야 한다.

③ 부대시설 및 복리시설은 다음 각 호와 같이 계획하여야 한다. <개정 2019.7.24>

1. 부대시설 및 복리시설은 주민 활동을 고려하여 접근과 자연적 감시가 용이한 곳에 설치하여야 한다.
2. 어린이놀이터는 사람의 통행이 많은 곳이나 건축물의 출입구 주변 또는 각 세대에서 조망할 수 있는 곳에 배치하고, 주변에 경비실을 설치하거나 영상정보처리기기를 설치하여야 한다.

④ 경비실 등은 다음 각 호와 같이 계획하여야 한다. <개정 2019.7.24>

1. 경비실은 필요한 각 방향으로 조망이 가능한 구조로 계획하여야 한다.
2. 경비실 주변의 조경 등은 시야를 차단하지 않도록 계획하여야 한다.
3. 경비실 또는 관리사무소에 고립지역을 상시 관망할 수 있는 영상정보처리기기 시스템을 설치하여야 한다.
4. 경비실·관리사무소 또는 단지 공용공간에 무인 택배보관함의 설치를 권장한다.

⑤ 주차장은 다음 각 호와 같이 계획하여야 한다. <개정 2019.7.24>

1. 주차구역은 사각지대가 생기지 않도록 하여야 한다.
2. 주차장 내부 감시를 위한 영상정보처리기기 및 조명은 「주차장법 시행규칙」에 따른다.
3. 차로와 통로 및 출입구의 기둥 또는 벽에는 경비실 또는 관리사무소와 연결된 비상벨을 25미터 이내마다 설치하고, 비상벨을 설치한 기둥(벽)의 도색을 차별화하여 시각적으로 명확하게 인지될 수 있도록 하여야 한다.
4. 여성전용 주차구획은 출입구 인접지역에 설치를 권장한다.

⑥ 조경은 주거 침입에 이용되지 않도록 식재하여야 한다. <개정 2019.7.24>

⑦ 건축물의 출입구는 다음 각 호와 같이 계획하여야 한다. <개정 2019.7.24>

1. 출입구는 접근통제시설을 설치하여 접근통제가 용이하도록 계획하여야 한다.
2. 출입구는 자연적 감시를 할 수 있도록 하되, 여건상 불가피한 경우 반사경 등 대체 시설을 설치하여야 한다.
3. 출입구에는 주변보다 밝은 조명을 설치하여 야간에 식별이 용이하도록 하여야 한다.
4. 출입구에는 영상정보처리기기 설치를 권장한다.

⑧ 세대 현관문 및 창문은 다음 각 호와 같이 계획하여야 한다.

1. 세대 창문에는 별표 1 제1호의 기준에 적합한 침입방어 성능을 갖춘 제품과 잠금장치를 설치하여야 한다.
2. 세대 현관문은 별표 1 제2호의 기준에 적합한 침입방어 성능을 갖춘 제품과 도어체인을 설치하되, 우유투입구 등 외부 침입에 이용될 수 있는 장치의 설치는 금지한다.

⑨ 승강기·복도 및 계단 등은 다음 각 호와 같이 계획하여야 한다. <개정 2019.7.24>

1. 지하층(주차장과 연결된 경우에 한한다) 및 1층 승강장, 옥상 출입구, 승강기 내부에는 영상정보처리기기를 설치하여야 한다.
2. 계단실에는 외부공간에서 자연적 감시가 가능하도

록 창호를 설치하고, 계단실에 영상정보처리기기를 1개소 이상 설치하여야 한다.

3. 삭제 <2019.7.24>

⑩ 건축물의 외벽은 침입에 이용될 수 있는 요소가 최소화되도록 계획하고, 외벽에 수직 배관이나 냉난방 설비 등을 설치하는 경우에는 지표면에서 지상 2층으로 또는 옥상에서 최상층으로 배관 등을 타고 오르거나 내려올 수 없는 구조로 하여야 한다. <신설 2019.7.24>

⑪ 건축물의 측면이나 뒷면, 정원, 사각지대 및 주차장에는 사물을 식별할 수 있는 적정한 조명을 설치하되, 여건상 불가피한 경우 반사경 등 대체 시설을 설치하여야 한다. <신설 2019.7.24>

⑫ 전기·가스·수도 등 검침용 기기는 세대 외부에 설치한다. 다만, 외부에서 사용량을 검침할 수 있는 경우에는 그러하지 아니한다. <신설 2019.7.24>

⑬ 세대 창문에 방범시설을 설치하는 경우에는 화재 발생 시 피난에 용이한 개폐가 가능한 구조로 설치하는 것을 권장한다. <신설 2019.7.24>

제11조 【다가구주택, 다세대주택, 연립주택, 100세대 미만의 아파트, 오피스텔 등에 관한 사항】 다가구주택, 다세대주택, 연립주택, 아파트(100세대 미만) 및 오피스텔은 다음의 범죄예방 기준에 적합하도록 하여야 한다. <개정 2019.7.24>

1. 세대 창호재는 별표 1의 제1호의 기준에 적합한 침입 방어성능을 갖춘 제품을 사용한다.
2. 세대 출입문은 별표 1의 제2호의 기준에 적합한 침입 방어 성능을 갖춘 제품의 설치를 권장한다.
3. 건축물 출입구는 자연적 감시를 위하여 가급적 도로 또는 통행로에서 볼 수 있는 위치에 계획하되, 부득이 도로나 통행로에서 보이지 않는 위치에 설치하는 경우에 반사경, 거울 등의 대체시설 설치를 권장한다.
4. 건축물의 외벽은 침입에 이용될 수 있는 요소가 최소화되도록 계획하고, 외벽에 수직 배관이나 냉난방 설비 등을 설치하는 경우에는 지표면에서 지상 2층으로 또는 옥상에서 최상층으로 배관 등을 타고 오르거나 내려올 수 없는 구조로 하여야 한다.
5. 건축물의 측면이나 뒤면, 출입문, 정원, 사각지대 및 주차장에는 사물을 식별할 수 있는 적정한 조명 또는 반사경을 설치한다.
6. 전기·가스·수도 등 검침용 기기는 세대 외부에 설치하는 것을 권장한다. 다만, 외부에서 사용량을 검침할 수 있는 경우에는 그러하지 아니한다.
7. 담장은 사각지대 또는 고립지대가 생기지 않도록 계획하여야 한다. <신설 2019.7.24>
8. 주차구역은 사각지대가 생기지 않도록 하고, 주차장 내부 감시를 위한 영상정보처리기기 및 조명은 「주차장법 시행규칙」에 따른다. <신설 2019.7.24>
9. 건축물의 출입구, 지하층(주차장과 연결된 경우에 한한다), 1층 승강장, 옥상 출입구, 승강기 내부에는 영상정보처리기기 설치를 권장한다. <신설 2019.7.24>
10. 계단실에는 외부공간에서 자연적 감시가 가능하도록 창호 설치를 권장한다. <신설 2019.7.24>
11. 세대 창문에 방범시설을 설치하는 경우에는 화재 발생 시 피난에 용이한 개폐가 가능한 구조로 설치하는 것을 권장한다. <신설 2019.7.24>
12. 단독주택(다가구주택을 제외한다)은 제1호부터 제11호까지의 규정 적용을 권장한다. <신설 2019.7.24>

제12조 【문화 및 집회시설·교육연구시설·노유자시설·수련시설에 대한 기준】 ① 출입구 등은 다음 각 호와 같이 계획하여야 한다.

1. 출입구는 자연적 감시를 고려하고 사각지대가 형성되지 않도록 계획하여야 한다.
2. 출입문, 창문 및 셔터는 별표 1의 기준에 적합한 침입 방어 성능을 갖춘 제품을 설치하여야 한다. 다만, 건축물의 로비 등에 설치하는 유리출입문은 제외한다.

② 주차장의 계획에 대하여는 제10조제5항을 준용한다.

③ 차도와 보행로가 함께 있는 보행로에는 보행자등을 설치하여야 한다.

제13조 【일용품 소매점에 대한 기준】 ① 영 별표 1 제3호의 제1종 근린생활시설 중 24시간 일용품을 판매하는 소매점에 대하여 적용한다.

② 출입문 또는 창문은 내부 또는 외부로의 시선을 감소시키는 필름이나 광고물 등을 부착하지 않도록 권장한다.

③ 출입구 및 카운터 주변에 영상정보처리기기를 설치하여야 한다.

④ 카운터는 배치계획상 불가피한 경우를 제외하고 외부에서 상시 볼 수 있는 위치에 배치하고 경비실, 관리사무소, 관할 경찰서 등과 직접 연결된 비상연락시설을 설치하여야 한다. <개정 2019.7.24>

제14조 【다중생활시설에 대한 기준】 ① 출입구에는 출입자 통제 시스템이나 경비실을 설치하여 허가받지 않은 출입자를 통제하여야 한다.

② 건축물의 출입구에 영상정보처리기기를 설치한다. <개정 2019.7.24>

③ 다른 용도와 복합으로 건축하는 경우에는 다른 용

도로부터의 출입을 통제할 수 있도록 전용출입구의 설치를 권장한다. 다만, 오피스텔과 복합으로 건축하는 경우 오피스텔 건축기준(국토교통부고시)에 따른다.

제15조 【재검토기한】 국토교통부장관은 「훈령·예규 등의 발령 및 관리에 관한 규정」(대통령 훈령 제431호)에 따라 이 고시에 대하여 2021년 7월 1일 기준으로 매3년이 되는 시점(매 3년째의 6월 30일까지를 말한다)마다 그 타당성을 검토하여 개선 등의 조치를 하여야 한다. <개정 2021.7.1>

부칙<제2015-198호, 2015.4.1.>

제1조(시행일) 이 기준은 고시한 날부터 시행한다.

제2조(적용례) 이 기준은 시행 후 「건축법」 제11조에 따라 건축허가를 신청하거나 「건축법」 제14조에 따라 건축신고를 하는 경우 또는 「주택법」 제16조에 따라 주택사업계획의 승인을 신청하는 경우부터 적용한다. 다만, 「건축법」 제4조의2에 따른 건축위원회의 심의 대상인 경우에는 「건축법」 제4조의2에 따른 건축위원회의 심의를 신청하는 경우부터 적용한다.

부칙<제2019-394호, 2019.7.24.>

제1조(시행일) 이 고시는 2019년 7월 31일부터 시행한다.

제2조(적용례) 이 기준은 시행 후 「건축법」 제11조에 따라 건축허가를 신청하거나 「건축법」 제14조에 따라 건축신고를 하는 경우 또는 「주택법」 제15조에 따라 주택사업계획의 승인을 신청하는 경우부터 적용한다. 다만, 「건축법」 제4조의2에 따른 건축위원회의 심의 대상인 경우에는 「건축법」 제4조의2에 따른 건축위원회의 심의를 신청하는 경우부터 적용한다.

부칙<제2021-930호, 2021.7.1.>

제1조(시행일) 이 고시는 공포한 날부터 시행한다.

제2조(적용례) 이 기준은 시행 후 「건축법」 제11조에 따라 건축허가를 신청하거나 「건축법」 제14조에 따라 건축신고를 하는 경우 또는 「주택법」 제15조에 따라 주택사업계획의 승인을 신청하는 경우부터 적용한다. 다만, 「건축법」 제4조의2에 따른 건축위원회의 심의 대상인 경우에는 「건축법」 제4조의2에 따른 건축위원회의 심의를 신청하는 경우부터 적용한다.

[별표 1]

건축물 창호의 침입 방어 성능기준

(제10조제8항제1호 및 제2호, 제11조제1호 및 제3호, 제12조제1항제2호, 제14조제3항 관련)

1. 창문의 침입 방어 성능기준은 다음과 같다.
   가. KS F 2637(문, 창, 셔터의 침입저항 시험 방법 - 동하중 재하시험)에 따라 연질체 충격원을 300mm 높이에서 낙하하여, 시험체가 완전히 열리거나, 10mm 이상의 공간이 발생하지 않아야 하고, 시험체의 부품 또는 잠금장치가 분리되지 않도록 하여야 한다.
   나. KS F 2638(문, 창, 셔터의 침입저항 시험 방법 - 정하중 재하시험)에 따라 하중점 F1(1kN으로 재하)는 변형량 10mm 이하, 하중점 F2(1.5kN으로 재하)는 변형량 20mm 이하, 하중점 F3(1.5kN으로 재하)는 변형량 15mm 이하 이여야 한다.

2. 출입문의 침입 방어 성능기준은 다음과 같다.
   가. KS F 2637(문, 창, 셔터의 침입저항 시험 방법 - 동하중 재하시험)에 따라 강성체 충격원을 165mm, 연질체 충격원을 800mm 높이에서 낙하하여, 시험체가 완전히 열리거나, 10mm 이상의 공간이 발생하지 않아야 하고, 시험체의 부품 또는 잠금장치가 분리되지 않도록 하여야 한다.
   나. KS F 2638(문, 창, 셔터의 침입저항 시험 방법 - 정하중 재하시험)에 따라 하중점 F1(3kN으로 재하)는 변형량 10mm 이하, 하중점 F2(3kN으로 재하) 변형량 20mm 이하, 하중점 F3(3kN으로 재하)는 변형량 10mm 이하 이여야 한다.

3. 셔터의 침입 방어 성능기준은 다음과 같다.
   가. KS F 2637(문, 창, 셔터의 침입저항 시험 방법 - 동하중 재하시험)에 따라 강성체 충격원을 165mm, 연질체 충격원을 800mm 높이에서 낙하하여, 시험체가 완전히 열리거나 시험체에 10mm 이상의 공간이 발생하지 않아야 하며, 시험체의 부품 또는 잠금장치가 분리되지 않도록 하여야 한다.

1.3.7 실내건축의 구조 · 시공방법 등에 관한 기준

[국토교통부고시 제2020-742호, 2020.10.22.]

제1조【목적】 이 기준은 건축물 실내의 안전하고 효율적인 사용을 위하여「건축법 시행규칙」 제26조의5에 따라 실내건축의실내건축의 구조·시공방법 등에 관한 기준을 정함을 목적으로 한다.

제2조【적용대상 및 범위】 ① 이 기준은「건축법」제52조의2 및「건축법 시행령」제61조의2에 따른 건축물로서 다음 각 호의 구분에 따라 적용한다. <개정 2020.10.22.>

1.「건축법 시행령」제2조제17호에 따른 다중이용 건축물: 제9조제3항을 제외한 모든 기준 적용
2.「건축물의 분양에 관한 법률」제3조에 따른 건축물 : 제9조제3항을 제외한 모든 기준 적용
3. 「건축법 시행령」 별표 1 제3호나목 및 같은 표 제4호아목에 따른 건축물(칸막이로 거실의 일부를 가로로 구획하거나 가로 및 세로로 구획하는 경우만 해당한다) : 제3조 및 제9조 기준 적용

② 허가권자는 제1항에 해당하지 않는 건축물로서 단독주택, 공동주택, 제1종 근린생활시설, 제2종 근린생활시설, 문화 및 집회시설, 종교시설, 판매시설, 운수시설, 의료시설, 교육연구시설, 노유자시설, 수련시설, 운동시설, 업무시설, 숙박시설, 위락시설 용도에 해당하는 건축물에 대하여 건축주에게 이 기준(제2항제1호 및 제2호의 건축물에 적용하는 기준에 한정한다)의 전부 또는 일부를 적용할 것을 권고할 수 있다. <개정 2020.10.22.>

제3조【정의】 이 기준에서 사용하는 용어의 뜻은 다음과 같다. <개정 2016.12.30>

1. "거실"은 「건축법」제2조제1항에 따른 거실을 말한다.
2. "안전유리"는 「주택건설기준 등에 관한 규정」제16조의2에 따른 안전유리를 말한다.
3. "난연재료"는 「건축물의 피난·방화구조 등의 기준에 관한 규칙」제5조에 따른 난연재료를 말한다.
4. "불연재료"는 「건축물의 피난·방화구조 등의 기준에 관한 규칙」제6조에 따른 불연재료를 말한다.
5. "준불연재료"는 「건축물의 피난·방화구조 등의 기준에 관한 규칙」제7조에 따른 준불연재료를 말한다.

제4조【불연재료 등의 사용】 ① 제2조 각 호의 건축물로서「건축법 시행령」제61조제1항에 따른 건축물 거실의 벽과 반자, 그 거실에서 지상으로 통하는 주된 복도·계단 기타 통로의 벽과 반자 및 거실 등을 지하층 또는 지하의 공작물에 설치한 경우 그 거실 등의 벽과 반자의 실내에 접하는 부분의 마감은 「건축물의 피난·방화구조 등의 기준에 관한 규칙」제24조에 따른 건축물 마감재료 기준에 적합하게 설치한다. <개정 2016.12.30>

② 제1항에 따른 건축물의 거실, 복도·계단외의 부분으로서 위생, 물품저장, 주차, 그 밖에 이와 비슷한 시설의 벽 및 반자의 실내에 접하는 부분의 마감은 불연재료·준불연재료 또는 난연재료로 한다. <개정 2016.12.30>

제5조【바닥마감재 등】 실내에서 일어나는 미끄럼사고 방지를 위하여 실내의 바닥 마감재 시공기준은 다음 각 호와 같다. <개정 2016.12.30>

1. 건축물 진입부분, 공용 복도, 경사로 등의 바닥은 미끄럼을 방지할 수 있는 구조 및 재료로 하여야 하며, 공용 계단의 발판은 논슬립패드 등 미끄럼방지 처리를 한다.
2. 화장실, 욕실, 샤워실, 조리실 등 물 쓰는 공간의 바닥표면은 물에 젖어도 미끄러지지 아니하는 재질로 하여야 하며, 도자기질 타일로 마감하는 경우에는 미끄럼을 방지할 수 있도록「산업표준화법」에 따른 한국산업표준(KS L 1001)의 미끄럼 저항성 마찰기준에 적합한 재료를 사용한다.
3. 피난계단 또는 특별피난계단의 논슬립 패드는 눈에 잘 띄도록 밝은 색상이나 형광색 등으로 한다.
4. 공용 계단, 복도, 경사로 등의 바닥 끝부분에는 낙하 또는 미끄럼을 방지할 수 있도록 방지턱 또는 홈 등을 설치할 수 있다. <신설 2016.12.30>
5. 실내 바닥에 단차가 있는 경우 낙상 또는 미끄럼 등을 방지할 수 있도록 쉽게 식별할 수 있는 형태로 시공하거나 표시 등을 할 수 있다. <신설 2016.12.30>

제6조【안전난간】 ① 실내에서 일어나는 추락사고 방지를 위해 공용 계단 및 공용 복도 등에 설치되는 난간은 다음 각 호의 기준에 따른다. <개정 2016.12.30>

1. 두 개층 이상 개방된 계단 및 복도 등에 설치하는 난간은 높이 120cm 이상으로 하고, 난간의 재료는 강도 및 내구성이 있는 재료로 하여야 하며 유리난

간은 안전유리로 설치한다.

2. 실내공간의 난간은 영유아 및 어린이가 짚고 올라갈 수 없는 구조로 하되 난간 사이 간격이 있는 경우 그 간격은 10cm이하로 한다.

3. 제2호에 따른 난간에는 사용자의 신체치수를 고려하여 보조 손잡이를 추가로 설치한다.

② 추락 등의 위험이 있는 공간에 면하여 창호 등을 설치하는 경우 창호 등의 개폐시 추락 등을 방지하기 위하여 안전시설을 설치할 수 있다. <신설 2016.12.30>

제7조【완충재료】 ① 실내공간의 요철부나 모서리면 등은 충돌사고 방지를 위해 다음 각 호와 같이 설치한다. <개정 2016.12.30>

1. 실내에 어린이나 노약자를 위한 시설이 있는 경우 해당 공간의 기둥이나 벽 등의 모서리는 바닥에서 150cm이상의 높이로 완충재를 설치하거나 모서리면을 둥글게 처리한다.

2. 실내에 설치하는 놀이터의 바닥 및 벽면은 뛰거나 넘어질 때 충격을 줄일 수 있도록 완충재를 설치한다.

② 실내에서 일어나는 충돌사고 방지를 위해 유리로 마감되는 부분은 다음 각호와 같이 시공한다. <개정 2016.12.30>

1. 유리문은 안전유리로 하고, 출입 시 유리를 식별할 수 있는 형태로 시공하거나 표시 등을 설치한다.

2. 욕실에 설치하는 샤워부스의 재료가 유리인 경우에는 안전유리로 한다.

제8조【실내 출입문】 ① 거실의 출입구의 유효너비는 80cm 이상으로 하되 편의성, 구조, 특성 등이 고려되어야 하는 특수한 경우를 제외하고는 바닥 문턱이 돌출되지 않도록 한다. <개정 2020.3.9.>

② 실내에 설치하는 출입문 등으로 인한 끼임사고 방지를 위해 다음 각 호의 기준에 적합하도록 시공한다.

1. 출입문은 비상재해 시 대피하기 쉽도록 복도 또는 넓은 공간에 직접 연결되도록 한다.

2. 건축물 내부로 들어가는 출입문(거실 내부의 문은 제외한다. 이하 같다)에는 급격한 개폐에 의한 끼임 등의 사고를 방지할 수 있는 속도제어장치를 설치한다.

3. 출입문이 양쪽으로 개폐되는 구조인 경우 개폐에 의한 끼임 등의 사고를 방지할 수 있는 부드러운 재질의 끼임 방지용 완충재(자동문의 경우 끼임 및 충격 방지용 완충재)를 설치한다.

4. 거실 내부에 설치하는 출입문의 고정부 모서리면에는 손끼임 방지장치를 설치하여야 한다.

③ 건축물 내부로 들어가는 출입문이 자동문인 경우에는 출입문이 자동으로 작동하지 아니할 경우에 대비하여 시설관리자 등을 호출할 수 있는 벨을 자동문 옆에 설치할 수 있다. <개정 2020.3.9.>

④ 실내에 설치되는 자동문에는 비상시 수동으로 문을 개방할 수 있는 버튼을 조작하기 쉬운 장소에 설치하고, 바닥으로부터 0.8m 이상 1.5m 이하의 높이에 설치할 것. 다만, 당해 공간의 특성을 고려하여 재실자의 안전 상 불리하다고 판단되는 경우에는 설치 위치를 변경할 수 있다. <신설 2020.3.9.>

제9조【거실 내부 칸막이 등】 ① 거실 내부에 고정식 칸막이를 설치하는 경우 통로(공동주택, 오피스텔은 제외한다)의 유효너비는 피난등을 위해 120cm이상으로 하고, 칸막이 재료를 유리로 하는 경우에는 안전유리로 설치한다. <개정 2016.12.30., 2020.10.22.>

② 구획된 실로부터 출입구 등으로의 통로는 비상시 이용이 용이하도록 가능한 꺾이지 않는 구조로 한다.

③ 제2조 제3호에 따라 일부 용도의 건축물 거실 내부를 칸막이로 구획하는 경우 다음 각 호의 기준에 적합하게 설치한다. <신설 2020.10.22.>

1. 구획하는 공간은 상·하 2개 이하로 하고, 그 바닥면에서 천장면까지의 높이는 1.7미터 이하로 할 것

2. 칸막이는 기둥·보 등의 주요구조부와 구조적으로 영속적이지 않으며, 분리·해체 등이 가능한 구조로 할 것

3. 구획하는 가로 칸막이의 수평투영면적(외벽 중심선으로부터 칸막이 끝부분까지의 면적)은 그 층의 해당 용도로 쓰는 바닥면적의 30/100 이내일 것(최대 100제곱미터를 초과할 수 없다)

4. 칸막이는 구조적으로 안전할 것(「건축사법」에 따라 등록한 건축사 또는 「기술사법」에 따라 등록한 건축구조기술사의 구조안전에 관한 확인을 받아야 한다)

5. 구획하는 공간은 열린공간구조로 하여 피난에 지장이 없을 것

6. 구획하는 칸막이의 내부 마감재료는 「건축물의 피난·방화구조 등의 기준에 관한 규칙」 제24조에 따른 불연재료, 준불연재료 또는 난연재료로 할 것. 다만, 건축물의 주요구조부가 내화구조로서 스프링클러나 그 밖에 이와 비슷한 자동식 소화설비를 설치한 경우 그러하지 아니한다.

7. 구획하는 공간의 돌출부 등에는 충돌·끼임 등 안전사고를 방지할 수 있는 완충재료를 사용하거나 모서리면을 둥글게 처리할 것

8. 계단, 경사로 등은 미끄럼사고 등을 방지하기 위해 미끄럼 방지 또는 식별표시 처리는 제5조 제1호, 제

4호 및 제5호를 준용할 것

9. 구획하는 공간에서 추락사고 방지하기 위해 안전난간 및 안전시설의 설치는 제6조를 준용할 것. 이 경우 안전난간의 높이는 구획된 공간의 바닥면에서 천장까지 높이의 2분의 1이상으로 완화할 수 있다.

④ 건축물의 평면도, 단면도 등에 구획하는 부분의 경계선 또는 음영 등의 표시를 하여 「건축법」 제11조, 제14조, 제16조, 제22조에 따른 건축 허가, 신고, 사용승인 신청하거나 「건축물대장의 기재 및 관리 등에 관한 규칙」 제18조에 따라 건축물대장의 표시사항 변경을 할 수 있다. <신설 2020.10.22.>

제10조【설비 배관 등】 ① 급수·배수 등의 배관설비를 콘크리트에 묻는 경우 부식의 우려가 있는 재료는 부식방지 조치를 하는 등 「건축물의 설비기준등에 관한 규칙」 제17조 기준에 적합하게 설치한다. <개정 2016.12.30>

② 환기시설은「건축물의 설비기준등에 관한 규칙」 제11조에 따른 환기설비기준 등에 적합하게 설치하여야 한다.

③ 가스사용 시설의 배관은「도시가스사업법 시행규칙」 제17조제7호 관련「별표」 7(가스사용시설의 시설·기술·검사기준)에서 정한 배관 및 배관설비 기준에 적합하게 설치하여야 한다.

제11조【피난·유도설비 등】 경보, 피난, 유도설비 등의 대피에 필요한 설비를 실내에 설치해야 하는 경우 「화재예방, 소방시설 설치·유지 및 안전관리에 관한 법률」, 「장애인·노인·임산부 등의 편의증진 보장에 관한 법률 시행규칙」 제2조제1항 기준에 적합하게 설치한다.

[본조신설 2016.12.30.]

제12조【재검토기한】「국토교통부장관은 「훈령·예규 등의 발령 및 관리에 관한 규정」에 따라 이 고시에 대하여 2017년 1월 1일 기준으로 매 3년이 되는 시점(매 3년째의 12월 31일까지를 말한다)마다 그 타당성을 검토하여 개선 등의 조치를 한다. <개정 2016.12.30>

부칙<제2015-759호, 2015.10.28>

제1조(시행일) 이 고시는 고시한 날부터 시행한다.

제2조(적용례) 기준은 이 기준 시행 후 최초로 「건축법」 제11조에 따라 건축허가를 신청하거나 「건축법」 제14조에 따라 건축신고를 하는 경우 부터 적용한다. 다만,「건축법」 제4조의2에 따른 건축위원회의 심의 대상인 경우에는 「건축법」 제4조의2에 따른 건축위원회의 심의를 최초로 신청(건축허가를 신청하기 전에 심의를 신청한 경우로 한정한다)하는 경우부터 적용한다.

부칙<제2016-1024호, 2016.12.30.>

제1조(시행일) 이 고시는 공포한 날부터 시행한다.

제2조(적용례) 개정기준은 이 기준 시행 후 최초로 「건축법」 제11조에 따라 건축허가를 신청하거나 「건축법」 제14조에 따라 건축신고를 하는 경우 부터 적용한다. 다만,「건축법」 제4조의2에 따른 건축위원회의 심의 대상인 경우에는 「건축법」 제4조의2에 따른 건축위원회의 심의를 최초로 신청(건축허가를 신청하기 전에 심의를 신청한 경우로 한정한다)하는 경우부터 적용한다.

부칙<제2020-240호, 2020.3.9.>

제1조(시행일) 이 고시는 발령한 날부터 시행한다. 다만, 제8조제4항의 개정규정은 발령 후 3개월이 경과한 날부터 시행한다.

제2조(자동문 수동 개방 버튼에 관한 적용례) 제8조제4항의 개정규정은 시행 후 건축허가를 신청(건축허가를 신청하기 위하여 제4조에 따른 건축위원회에 심의를 신청한 경우를 포함한다)하거나 건축신고를 하는 경우부터 적용한다.

부칙<제2020-742호, 2020.10.22.>

제1조(시행일) 이 고시는 2020년 10월 22일부터 시행한다.

제2조(거실 내부 칸막이 등에 관한 적용례) 이 고시 시행 전에 내부 칸막이를 설치·시공한 경우 영 부칙(제30626호, 2020. 4. 21.)에 따라 이 고시 시행일부터 1년 이내에 제2조 및 제9조제3항의 개정기준에 적합하도록 해야 한다.

1.3.8 한국건축규정

[국토교통부공고 제2023-144호, 2023.3.20.]

제1조【목적】이 공고는 「건축기본법」 제25조에 따라 건축물의 설계, 시공, 공사감리 및 유지·관리 등과 관련된 「건축법」 및 그 관계 법령, 행정규칙 및 조례 등의 규정(이하 "건축물 관련 규정"이라 한다)을 종합적으로 안내하고, 합리적으로 운용하기 위하여 건축물 관련 규정을 관장하는 중앙행정기관의 장 및 지방자치단체의 장과 협의하여 건축물 관련 규정을 통합한 한국건축규정(이하 "한국건축규정"이라 한다)을 공고함으로서 위법 건축물을 방지하고 신속한 업무처리 지원을 통한 민원인의 편익 증진을 목적으로 한다.

제2조【한국건축규정】① 한국건축규정은 별표 1과 같다.

② 민원인 및 허가권자는 한국건축규정 준수여부를 확인하기 위하여 별표 2를 활용할 수 있다.

③ 국토교통부장관은 한국건축규정에 대한 상세한 내용을 「건축기본법」 제25조제2항에 따른 한국건축규정 정보체계(이하 "정보체계"라 한다)에 반영하여야 한다.

④ 국토교통부장관은 건축물 관련 규정이 제정, 개정 또는 폐지되는 경우 해당 내용을 정보체계에 수시 반영하여야 한다.

제3조【적용방법】이 공고는 공고 시점 당시 관계법령의 내용에 기초로 한 것으로, 민원인 및 허가권자는 실제 적용 시점에 맞춰 정보체계에 반영된 한국건축규정을 적용한다. 다만, 다음 각 호에 해당하여 정보체계와 건축물 관련 규정이 상이한 경우 해당 건축물 관련 규정을 적용한다.

1. 「건축기본법」 제25조제4항 및 「건축기본법 시행령」 제22조제2항에 따라 중앙행정기관의 장 및 지방자치단체의 장이 건축물 관련 규정의 제정, 개정 또는 폐지와 관련된 사항을 국토교통부장관에게 전자문서로 즉시 송부하지 않은 경우
2. 기술적인 사유 등으로 인해 정보체계 반영에 시간이 소요되는 경우

제4조【재검토기한】 국토교통부장관은 「훈령·예규 등의 발령 및 관리에 관한 규정」에 따라 이 고시에 대하여 2022년 1월 1일 기준으로 매3년이 되는 시점(매 3년째의 12월 31일까지를 말한다)마다 그 타당성을 검토하여 개선 등의 조치를 하여야 한다.

부칙 <제2021-1466호, 2021.12.26.>

제1조(시행일) 이 공고는 발령한 날부터 시행한다.

제2조(다른 규정의 폐지) 「건축관련 통합기준」은 폐지한다.

부칙 <제2023-144호, 2023.3.20.>

이 고시는 발령한 날부터 시행한다.

[별표1] 한국건축규정 <*아래 내용은 목차만 수록한 것임. 전체내용은 CD참조>

Ⅰ. 건축허가 시 반드시 확인해야 하는 법령 [137개]

□ 입지관련 법령 (68개)

1-1 개발제한구역의 지정 및 관리에 관한 특별조치법 제12조(개발제한구역에서의 행위제한)
1-2 개발제한구역의 지정 및 관리에 관한 특별조치법 제13조(존속중인 건축물 등에 대한 특례)
1-3 개발제한구역의 지정 및 관리에 관한 특별조치법 제15조(취락지구에 대한 특례)
2-1 건축법 제55조(건축물의 건폐율)
2-2 건축법 제56조(건축물의 용적률)
3-1 고도보존 및 육성에 관한 특별법 제11조(지정지구에서의 행위제한)
4-1 공유수면 관리 및 매립에 관한 법률 제8조(공유수면의 점용·사용허가)
5-1 공항시설법 제10조(행위 등의 제한)
5-2 공항시설법 제34조(장애물의 제한 등)
6-1 교육환경 보호에 관한 법률 제9조(교육환경보호구역에서의 금지행위 등)
7-1 국토의 계획 및 이용에 관한 법률 제54조(지구단위계획구역 안에서의 건축 등)
7-2 국토의 계획 및 이용에 관한 법률 제58조(개발행위허가의 기준)
7-3 국토의 계획 및 이용에 관한 법률 제63조(개발행위허가의 제한)
7-4 국토의 계획 및 이용에 관한 법률 제64조(도시 군 계획 시설 부지에서의 개발 행위)
7-5 국토의 계획 및 이용에 관한 법률 제76조(용도지역 및 용도지구에서의 건축물의 건축 제한 등)
7-6 국토의 계획 및 이용에 관한 법률 제77조(용도지역에서의 건폐율)
7-7 국토의 계획 및 이용에 관한 법률 제78조(용도지역에서의 용적률)
7-8 국토의 계획 및 이용에 관한 법률 제79조(용도지역 미정 또는 미세분지역에서의 행위 제한 등)
7-9 국토의 계획 및 이용에 관한 법률 제80조(개발제한구역 안에서의 행위 제한 등)
7-10 국토의 계획 및 이용에 관한 법률 제80조의2(도시자연공원구역에서의 행위 제한 등)
7-11 국토의 계획 및 이용에 관한 법률 제80조의3(입지 규제 최소구역에서의 행위 제한)
7-12 국토의 계획 및 이용에 관한 법률 제81조(시가화조정구역 안에서의 행위 제한 등)
7-13 국토의 계획 및 이용에 관한 법률 제84조(둘 이상의 용도지역·용도구역에 걸치는 대지에 대한 적용 기준)
8-1 군사기지 및 군사시설 보호법 제13조(행정기관의 처분에 관한 협의 등)
9-1 급경사지 재해예방에 관한 법률 제10조(붕괴위험지역에서의 행위 협의)
10-1 농어촌마을 주거환경 개선 및 리모델링 촉진을 위한 특별법 제10조(행위제한 등)
10-2 농어촌마을 주거환경 개선 및 리모델링 촉진을 위한 특별법 제29조(대지의 용도)
11-1 농어촌정비법 제69조(조성용지의 용도)
11-2 농어촌정비법 제111조(마을정비구역 등에서의 행위 등의 제한)
12-1 농지법 제32조(용도구역에서의 행위제한)
12-2 농지법 제37조(농지전용허가 등의 제한)
13-1 댐 주변지역 친환경 보전 및 활용에 관한 특별법 제8조(행위 등의 제한)
14-1 도로법 제27조(행위제한 등)
14-2 도로법 제40조(접도구역의 지정 및 관리)
15-1 도시공원 및 녹지 등에 관한 법률 제16조(공원조성계획의 입안)
15-2 도시공원 및 녹지 등에 관한 법률 제38조(녹지의 점용허가 등)
16-1 독도 등 도서지역의 생태계 보전에 관한 특별법 제8조(행위제한)
17-1 마리나항만의 조성 및 관리 등에 관한 법률 제12조(행위 등의 제한)
18-1 매장문화재 보호 및 조사에 관한 법률 제6조(매장문화재 지표조사)
18-2 매장문화재 보호 및 조사에 관한 법률 제8조(매장문화재 유존지역에서의 개발사업 협의)
19-1 물류시설의 개발 및 운영에 관한 법률 제25조(행위제한 등)
20-1 산림보호법 제9조(산림보호구역에서의 행위 제한)
21-1 산림자원의 조성 및 관리에 관한 법률 제36조(입목벌채등의 허가 및 신고 등)
22-1 산지관리법 제10조(산지전용, 일시사용 제한지역에서의 행위제한)
22-2 산지관리법 제12조(보전산지에서의 행위제한)
22-3 산지관리법 제18조(산지전용허가기준 등)
23-1 세계유산의 보존·관리 및 활용에 관한 특별법 제11조(세계유산지구의 보호)

24-1 수도권정비계획법 제7조(과밀억제권역의 행위 제한)
24-2 수도권정비계획법 제8조(성장관리권역의 행위 제한)
24-3 수도권정비계획법 제9조(자연보전권역의 행위 제한)
25-1 수도법 제7조(상수원보호구역 지정 등)
26-1 습지보전법 제13조(행위 제한)
27-1 어촌특화발전 지원 특별법 제18조(행위제한 등)
28-1 역사문화권 정비 등에 관한 특별법 제16조(행위 등의 제한)
29-1 역세권의 개발 및 이용에 관한 법률 제11조(행위 등의 제한)
30-1 연구개발특구의 육성에 관한 특별법 제36조(건축행위의 규제 등)
31-1 자연공원법 제20조(공원관리청이 아닌 자의 공원사업의 시행 및 공원시설의 관리)
31-2 자연공원법 제71조(허가에 관한 협의 등)
32-1 자연환경보전법 제15조(생태·경관보전지역에서의 행위제한 등)
32-2 자연환경보전법 제26조(시·도 생태·경관보전지역의 행위제한 등)
33-1 전통사찰의 보존 및 지원에 관한 법률 제10조(전통사찰 역사보존구역의 지정 등)
34-1 전파법 제52조(무선방위측정장치)
35-1 철도안전법 제45조(철도보호지구에서의 행위제한 등)
36-1 친수구역 활용에 관한 특별법 제09조(행위제한 등)
37-1 택지개발촉진법 제06조(행위제한 등)
38-1 동·서·남해안 및 내륙권 발전 특별법 제10조(행위 등의 제한)
39-1 혁신도시 조성 및 발전에 관한 특별법 제09조(행위 등의 제한)
40-1 환경정책기본법 제38조(특별종합대책의 수립)

□ 건축물 관련 법령 (69개)

1-1 건축법 제19조의2(복수 용도의 인정)
1-2 건축법 제23조(건축물의 설계)
1-3 건축법 제40조(대지의 안전 등)
1-4 건축법 제42조(대지의 조경)
1-5 건축법 제43조(공개공지 등의 확보)
1-6 건축법 제44조(대지와 도로의 관계)
1-7 건축법 제46조(건축선의 지정)
1-8 건축법 제47조(건축선에 따른 건축제한)
1-9 건축법 제48조(구조내력 등)
1-10 건축법 제48조의4(부속구조물의 설치 및 관리)
1-11 건축법 제49조(건축물의 피난시설 및 용도제한 등)
1-12 건축법 제50조(건축물의 내화구조와 방화벽)
1-13 건축법 제50조의2(고층건축물의 피난 및 안전관리)
1-14 건축법 제51조(방화지구 안의 건축물)
1-15 건축법 제52조(건축물의 마감재료)
1-16 건축법 제52조의2(실내건축)
1-17 건축법 제53조(지하층)
1-18 건축법 제53조의2(건축물의 범죄예방)
1-19 건축법 제54조(건축물의 대지가 지역·지구 또는 구역에 걸치는 경우의 조치)
1-20 건축법 제57조(대지의 분할 제한)
1-21 건축법 제58조(대지 안의 공지)
1-22 건축법 제59조(맞벽 건축과 연결복도)
1-23 건축법 제60조(건축물의 높이 제한)
1-24 건축법 제61조(일조 등의 확보를 위한 건축물의 높이 제한)
1-25 건축법 제62조(건축설비기준 등)
1-26 건축법 제64조(승강기)
1-27 건축법 제68조(기술적 기준)

1-28 건축법 제84조(면적 · 높이 및 층수의 산정)
2-1 공중화장실 등에 관한 법률 제7조(공중화장실 등의 설치기준)
2-2 공중화장실 등에 관한 법률 제7조의2(어린이용 대·소변기의 설치 등)
3-1 공항시설법 제36조(항공장애 표시등의 설치 등)
4-1 교통약자의 이동편의 증진법 제10조(이동편의시설의 설치기준)
5-1 녹색건축물 조성 지원법 제14조(에너지 절약계획서 제출)
5-2 녹색건축물 조성 지원법 제14조의2(건축물의 에너지 소비 절감을 위한 차양 등의 설치)
5-3 녹색건축물 조성 지원법 제15조(건축물에 대한 효율적인 에너지 관리와 녹색건축물 조성의 활성화)
6-1 다중이용업소의 안전관리에 관한 특별법 제09조(다중이용업소의 안전관리기준 등)
7-1 문화예술진흥법 제09조(건축물에 대한 미술작품의 설치 등)
8-1 문화재보호법 제35조(허가사항)
9-1 물의 재이용 촉진 및 지원에 관한 법률 제08조(빗물이용시설의 설치 · 관리)
9-2 물의 재이용 촉진 및 지원에 관한 법률 제09조(중수도의 설치 · 관리)
10-1 부동산개발업의 관리 및 육성에 관한 법률 제04조(부동산개발업의 등록 등)
11-1 소음 · 진동관리법 제07조(공장 소음·진동배출허용기준)
11-2 소음 · 진동관리법 제09조(방지시설의 설치)
11-3 소음 · 진동관리법 제12조(공동 방지시설의 설치 등)
11-4 소음 · 진동관리법 제40조(방음시설의 성능과 설치 기준 등)
12-1 수도법 제15조(절수설비 등의 설치)
12-2 수도법 제18조(시설 기준 등)
13-1 신에너지 및 재생에너지 개발 · 이용 · 보급 촉진법 제12조(신·재생에너지사업에의 투자권고 및 신·재생에너지 이용의무화 등)
14-1 연구개발특구의 육성에 관한 특별법 제44조(국토의 계획 및 이용에 관한 법률의 특례)
15-1 위험물안전관리법 제05조(위험물의 저장 및 취급의 제한)
16-1 전력기술관리법 제10조(기술기준의 준수)
17-1 자전거 이용 활성화에 관한 법률 제11조(자전거 주차장의 설치 · 운영)
18-1 장애인 · 노인 · 임산부 등의 편의증진 보장에 관한 법률 제08조(편의시설의 설치기준)
18-2 장애인 · 노인 · 임산부 등의 편의증진 보장에 관한 법률 제17조(장애인전용주차구역 등)
19-1 주거기본법 제18조(최저주거기준 미달 가구에 대한 우선 지원 등)
20-1 주차장법 제06조(주차장설비기준 등)
20-2 주차장법 제12조(노외주차장의 설치 등)
20-3 주차장법 제12조의2(다른 법률과의 관계)
20-4 주차장법 제19조(부설주차장의 설치)
20-5 주차장법 제19조의2(부설주차장 설치계획서)
20-6 주차장법 제19조의4(부설주차장의 용도변경 금지 등)
20-7 주차장법 제19조의5(기계식주차장의 설치기준 등)
21-1 청소년활동 진흥법 제18조(수련시설의 안전점검 등)
22-1 초고층 및 지하연계 복합건축물 재난관리에 관한 특별법 제16조(종합방재실의 설치·운영)
22-2 초고층 및 지하연계 복합건축물 재난관리에 관한 특별법 제18조(피난안전구역 설치)
23-1 소방기본법 제21조의2(소방자동차 전용구역 등)
24-1 소방시설 설치 및 관리에 관한 법률 제6조(건축허가등의 동의)
24-2 소방시설 설치 및 관리에 관한 법률 제8조(성능위주설계)
25-1 환경친화적 자동차의 개발 및 보급 촉진에 관한 법률 제11조의2(환경친화적 자동차의 전용주차구역 등)

II. 의제처리 법령 [29개]

1-1 가축분뇨의 관리 및 이용에 관한 법률 제11조(배출시설의 설치)
2-1 건축법 제20조(가설건축물)
2-2 건축법 제83조(옹벽 등의 공작물에의 준용)
3-1 국토의 계획 및 이용에 관한 법률 제56조(개발행위의 허가)
3-2 국토의 계획 및 이용에 관한 법률 제86조(도시·군계획시설사업의 시행자)
3-3 국토의 계획 및 이용에 관한 법률 제88조(실시계획의 작성 및 인가 등)

4-1 농지법 제34조(농지의 전용허가·협의)
4-2 농지법 제35조(농지전용신고)
4-3 농지법 제43조(농지전용허가의 특례)
5-1 대기환경보전법 제23조(배출시설의 설치 허가 및 신고)
6-1 도로법 제36조(도로관리청이 아닌 자의 도로공사 등)
6-2 도로법 제52조(도로와 다른 시설의 연결)
6-3 도로법 제61조(도로의 점용 허가)
7-1 도시공원 및 녹지 등에 관한 법률 제24조(도시공원의 점용허가)
8-1 물환경보전법 제33조(배출시설의 설치 허가 및 신고)
9-1 사도법 제4조(개설허가 등)
10-1 산지관리법 제14조(산지전용 허가)
10-2 산지관리법 제15조(산지전용 신고)
10-3 산지관리법 제15조의2(산지일시사용허가·신고)
11-1 소음·진동관리법 제8조(배출시설의 설치 신고 및 허가 등)
12-1 수도법 제38조(공급규정)
13-1 수산자원관리법 제52조(수산자원보호구역에서의 행위제한 등)
14-1 자연공원법 제23조(행위허가)
15-1 전기안전관리법 제8조(자가용전기설비의 공사계획의 인가 또는 신고)
16-1 초지법 제23조(초지의 전용 등)
17-1 토양환경보전법 제12조(특정토양오염관리대상시설의 신고 등)
18-1 하수도법 제27조(배수설비의 설치 등)
18-2 하수도법 제34조(개인하수처리시설의 설치)
19-1 하천법 제33조(하천의 점용허가 등)

III. 추가 확인이 필요한 법령 [235개]

□ 심의관련 법령 (16개)

1-1 건축법 제4조의2(건축위원회의 건축 심의 등)
2-1 경관법 제28조(건축물의 경관 심의)
3-1 고도보존 및 육성에 관한 특별법 제05조(고도보존육성중앙심의위원회)
4-1 관광진흥법 제17조(관광숙박업 등의 등록심의위원회)
5-1 국토의 계획 및 이용에 관한 법률 제113조(지방도시계획위원회)
5-2 국토의 계획 및 이용에 관한 법률 제59조(개발행위에 대한 도시계획위원회의 심의)
6-1 도시공원 및 녹지 등에 관한 법률 제50조(도시공원위원회)
6-2 도시교통정비 촉진법 제17조(교통영향평가서의 심의)
6-3 도시교통정비 촉진법 제18조(승인등을 받지 아니하는 사업자의 교통영향평가서 심의)
7-1 산지관리법 제22조(산지관리위원회의 설치 · 운영)
8-1 신항만건설 촉진법 제10조(신항만건설심의위원회)
9-1 에너지 이용합리화법 제10조(에너지사용계획의 협의)
10-1 옥외광고물 등의 관리와 옥외광고산업 진흥에 관한 법률 제07조(옥외광고심의위원회)
11-1 인공조명에 의한 빛공해 방지법 제06조(빛공해방지위원회)
12-1 소방시설 설치 및 관리에 관한 법률 제18조(소방기술심의위원회)
13-1 새만금사업 추진 및 지원에 관한 특별법 제71조(「건축법」 및 「건축기본법」에 관한 특례)

□ 인증 및 평가관련 법령(21개)

1-1 건축법 제13조의2(건축물 안전영향평가)
1-2 건축법 제65조의2(지능형건축물의 인증)
2-1 교육환경 보호에 관한 법률 제06조(교육환경평가서의 승인 등)

3-1 녹색건축물 조성 지원법 제16조(녹색건축의 인증)
3-2 녹색건축물 조성 지원법 제17조(건축물의 에너지효율등급 인증 및 제로에너지건축물 인증)
4-1 도시교통정비 촉진법 제15조(교통영향평가의 실시대상 지역 및 사업)
5-1 자연재해대책법 제04조(재해영향평가등의 협의)
6-1 장애인・노인・임산부 등의 편의증진 보장에 관한 법률 제10조의2(장애물 없는 생활환경 인증)
7-1 주한미군기지 이전에 따른 평택시 등의 지원 등에 관한 특별법 제06조(영향평가 등의 실시)
8-1 지진・화산재해대책법 제14조(내진설계기준의 설정)
9-1 지하안전관리에 관한 특별법 제14조(지하안전영향평가의 실시 등)
9-2 지하안전관리에 관한 특별법 제23조(소규모 지하안전영향평가의 실시 등)
10-1 초고속정보통신건물인증 업무처리 지침 초고속정보통신 건물 및 홈네트워크 건물 인증
10-2 초고층 및 지하연계 복합건축물 재난관리에 관한 특별법 제06조(사전재난영향성검토협의)
11-1 환경영향평가법 제06조(환경영향평가등의 대상지역)
11-2 환경영향평가법 제09조(전략환경영향평가의 대상)
11-3 환경영향평가법 제10조(전략환경영향평가 대상 제외)
11-4 환경영향평가법 제22조(환경영향평가의 대상)
11-5 환경영향평가법 제23조(환경영향평가 대상 제외)
11-6 환경영향평가법 제42조(시·도의 조례에 따른 환경영향평가)
11-7 환경영향평가법 제43조(소규모 환경영향평가의 대상)

□ 입지 관련 특례법령 (28개)

1-1 건축법 제77조의13(건축협정에 따른 특례)
1-2 건축법 제77조의3(특별가로구역의 관리 및 건축물의 건축기준 적용 특례 등)
2-1 국토의 계획 및 이용에 관한 법률 제83조의2(입지규제최소구역에서의 다른 법률의 적용 특례)
3-1 규제자유특구 및 지역특화발전특구에 관한 규제특례법 제57조(「건축법」에 관한 특례)
3-2 규제자유특구 및 지역특화발전특구에 관한 규제특례법 제93조(「건축법」에 관한 특례)
4-1 기업활동 규제완화에 관한 특별조치법 제12조(사도 개설허가에 관한 특례)
5-1 농지법 제53조(농업진흥구역과 농업보호구역에 걸치는 한 필지의 토지등에 대한 행위제한의 특례)
6-1 도시 및 주거환경정비법 제58조(사업시행계획인가의 특례)
6-2 도시 및 주거환경정비법 제66조(용적률에 관한 특례)
6-3 도시 및 주거환경정비법 제68조(건축규제의 완화 등에 관한 특례)
7-1 도시개발법 제71조의2(결합개발 등에 관한 적용 기준 완화의 특례)
8-1 도시공원 및 녹지 등에 관한 법률 제28조(취락지구에 대한 특례)
9-1 도시재생 활성화 및 지원에 관한 특별법 제32조(건축규제의 완화 등에 관한 특례)
10-1 도시재정비 촉진을 위한 특별법 제19조(건축규제의 완화 등에 관한 특례)
11-1 동・서・남해안 및 내륙권 발전 특별법 제20조의3(해양관광진흥지구에서의 관계 법률의 적용 특례)
12-1 민간인 통제선 이북지역의 산지관리에 관한 특별법 제21조(보전산지에서의 행위제한에 관한 특례)
12-2 민간인 통제선 이북지역의 산지관리에 관한 특별법 제22조(산지전용허가기준에 관한 특례)
13-1 민간임대주택에 관한 특별법 제35조(촉진지구에서의 공공지원민간임대주택 건설에 관한 특례)
14-1 벤처기업육성에 관한 특별조치법 제21조(건축금지 등에 대한 특례)
15-1 빈집 및 소규모주택 정비에 관한 특례법 제46조(빈집정비사업에 대한 특례)
15-2 빈집 및 소규모주택 정비에 관한 특례법 제47조(정비구역의 행위제한에 관한 특례)
15-3 빈집 및 소규모주택 정비에 관한 특례법 제48조(건축규제의 완화 등에 관한 특례)
16-1 산업기술단지 지원에 관한 특례법 제12조(건축 등에 대한 특례)
17-1 신항만건설 촉진법 제11조(신항만건설사업의 촉진 및 품질향상 등을 위한 특례)
18-1 신행정수도 후속대책을 위한 연기・공주지역 행정중심복합도시 건설을 위한 특별법 제08조(개발행위허가 및 건축허가 제한의 특례)
18-2 신행정수도 후속대책을 위한 연기・공주지역 행정중심복합도시 건설을 위한 특별법 제60조의4(건축허가 등에 관한 특례)
19-1 전통시장 및 상점가 육성을 위한 특별법 제51조(용적률에 관한 특례)
19-2 전통시장 및 상점가 육성을 위한 특별법 제52조(건폐율에 관한 특례)

□ 건축물 관련 특례법령 (19개)

1-1 건축법 제03조(적용 제외)
1-2 건축법 제05조(적용의 완화)
1-3 건축법 제06조(기존의 건축물 등에 관한 특례)
1-4 건축법 제06조의2(특수구조 건축물의 특례)
1-5 건축법 제06조의3(부유식 건축물의 특례)
1-6 건축법 제08조(리모델링에 대비한 특례 등)
1-7 건축법 제29조(공용건축물에 대한 특례)
2-1 공공주택 특별법 제40조의6(건축기준 등에 대한 특례)
3-1 공사중단 장기방치 건축물의 정비 등에 관한 특별조치법 제12조의4(방치건축물 정비사업에 대한 특례 등)
4-1 국토의 계획 및 이용에 관한 법률 제82조(기존 건축물에 대한 특례)
5-1 노인복지법 제55조(「건축법」에 대한 특례)
6-1 녹색건축물 조성 지원법 제25조(녹색건축물 조성사업에 대한 지원·특례 등)
7-1 도시공원 및 녹지 등에 관한 법률 제21조의2(도시공원 부지에서의 개발행위 등에 관한 특례)
8-1 문화재보호법 제57조(국가등록문화재의 건폐율과 용적률에 관한 특례)
9-1 장애인·노인·임산부 등의 편의증진 보장에 관한 법률 제15조(적용의 완화)
10-1 전통시장 및 상점가 육성을 위한 특별법 제53조(일조 등의 확보를 위한 건축물의 높이제한에 관한 특례)
10-2 전통시장 및 상점가 육성을 위한 특별법 제53조의2(대지의 공지에 관한 특례)
11-1 한옥 등 건축자산의 진흥에 관한 법률 제26조(한옥에 대한 관계 법령의 특례)
12-1 소방시설 설치 및 관리에 관한 법률 제13조(소방시설기준 적용의 특례)

□ 개별용도 시설기준(26개 시설, 146개)

○ 공장
1-1 산업집적활성화 및 공장설립에 관한 법률
2-1 건강기능식품에 관한 법률
3-1 먹는물관리법
4-1 식품위생법
5-1 원자력안전법

○ 관광 휴게시설
1-1 문화예술진흥법
2-1 자연공원법
3-1 공연법
4-1 도시공원 및 녹지 등에 관한 법률
5-1 관광진흥법
6-1 수목원·정원의 조성 및 진흥에 관한 법률

○ 교육연구시설
1-1 유아교육법
2-1 초·중등교육법
3-1 고등교육법
4-1 학교시설사업 촉진법
5-1 사립학교법
6-1 학원의 설립·운영 및 과외교습에 관한 법률
7-1 도서관법
8-1 경제자유구역 및 제주국제자유도시의 외국교육기관 설립·운영에 관한 특별법
9-1 국방과학연구소법
10-1 국민평생 직업능력 개발법
11-1 평생교육법
12-1 학교용지 확보 등에 관한 특례법
13-1 영유아보육법

14-1 제약산업 육성 및 지원에 관한 특별법
15-1 학교급식법
○ 교정 및 군사 시설
1-1 민영교도소 등의 설치 · 운영에 관한 법률
2-1 국방 · 군사시설 사업에 관한 법률
3-1 군사기지 및 군사시설 보호법
4-1 군 공항 이전 및 지원에 관한 특별법
○ 근린생활시설
1-1 식품위생법
2-1 공중위생 관리법
3-1 의료법
4-1 체육시설의 설치 · 이용에 관한 법률
5-1 아동복지법
6-1 건강기능식품에 관한 법률
7-1 약사법
8-1 관광진흥법
9-1 식품위생법
10-1 체육시설의 설치 · 이용에 관한 법률
11-1 공연법
12-1 게임산업 진흥에 관한 법률
13-1 영화 및 비디오물의 진흥에 관한 법류
14-1 제약산업 육성 및 지원에 관한 특별법
15-1 건설기계관리법
16-1 성매매방지 및 피해자보호 등에 관련한 법률
17-1 스포츠산업 진흥법
18-1 다중이용업소의 안전관리에 관한 특별법
19-1 주세법
20-1 대기환경보전법
21-1 물환경보전법
22-1 소음진동관리법
23-1 수의사법
○ 노유자시설
1-1 아동복지법
2-1 영유아보육법
3-1 노인복지법
4-1 사회복지사업법
5-1 장애인복지법
6-1 성폭력범죄의 처벌 등에 관한 특례법
7-1 성매매방지 및 피해자보호 등에 관한 법률
8-1 청소년기본법
9-1 장애아동 복지지원법
10-1 장애인고용촉진 및 직업재활법
11-1 장애인 · 노인 · 임산부 등의 편의증진 보장에 관한 법률
12-1 청소년 복지 지원법
13-1 한부모 가족 지원법
14-1 가정폭력방지 및 피해자보호 등에 관한 법률 시행규칙
15-1 장애인 · 고령자 등 주거약자 지원에 관한 법률
16-1 보호관찰 등에 관한 법률
○ 동물 및 식물 관련 시설
1-1 축산법
2-1 축산물 위생관리법

3-1 농지법
○ 묘지 관련 시설
1-1 장사 등에 관한 법률
○ 문화 및 집회시설
1-1 공연법
2-1 영화 및 비디오물의 진흥에 관한 법률
3-1 문화예술진흥법
4-1 한국마사회법
5-1 경륜 · 경정법
6-1 박물관 및 미술관 진흥법
7-1 과학관의 설립 · 운영 및 육성에 관한 법률
8-1 지방문화원진흥법
9-1 국제회의산업 육성에 관한 법률
10-1 문화산업진흥기본법
11-1 전시산업발전법
○ 발전시설
1-1 집단에너지사업법
2-1 전기사업법
○ 방송통신시설
1-1 방송통신발전 기본법
2-1 전기통신 사업법
3-1 정보통신산업 진흥법
○ 수련시설
1-1 청소년 활동진흥법
2-1 문화예술진흥법
3-1 관광진흥법
○ 숙박시설
1-1 관광진흥법
2-1 농어촌정비법
3-1 공중위생 관리법
○ 야영장 시설
1-1 관광진흥법
○ 업무시설
1-1 정부청사관리규정
2-1 지방문화원진흥법
○ 운동시설
1-1 체육시설의 설치 · 이용에 관한 법률
2-1 국민체육진흥법
3-1 생활체육진흥법
4-1 학교체육진흥법
○ 운수시설
1-1 여객자동차운수사업법
2-1 항만법
3-1 유통산업발전법
4-1 공항시설법
5-1 도시철도법
6-1 공항시설법
7-1 화물자동차운수사업법
○ 위락시설
1-1 식품위생법
2-1 풍속영업의 규제에 관한 법률

3-1 사행행위 등 규제 및 처벌특례법
4-1 관광진흥법
○ 위험물 저장 및 처리 시설
1-1 석유 및 석유대체연료 사업법
2-1 액화석유가스의 안전관리 및 사업법
3-1 고압가스 안전관리법
4-1 도시가스사업법
5-1 사격 및 사격장 안전관리에 관한 법률
6-1 위험물안전관리법
7-1 총포 · 도검 · 화학류 등의 안전관리에 관한 법률
8-1 화학물질관리법
○ 의료시설
1-1 의료법
2-1 감염병의 예방 및 관리에 관한 법률
3-1 마약류 관리에 관한 법률
4-1 마약류중독자 치료보호규정
○ 자동차관련시설
1-1 자동차관리법
2-1 주차장법
3-1 건설기계관리법
4-1 여객자동차 운수 사업법
5-1 화물자동차 운수사업법
○ 자원순환 관련 시설
1-1 폐기물처리시설 설치촉진 및 주변지역지원 등에 관한 법률
2-1 하수도법
3-1 악취방지법
○ 장례식장
1-1 장사 등에 관한 법률
○ 주택
1-1 주택법
2-1 공공주택 특별법
3-1 민간임대 주택에 관한 특별법
4-1 소방시설 설치 및 관리에 관한 법률
5-1 장기공공임대주택 입주자 삶의 질 향상 지원법
6-1 장애인 · 고령자 등 주거약자 지원에 관한 법률
○ 창고시설
1-1 물류시설의 개발 및 운영에 관한 법률
2-1 유통산업발전법
3-1 물류정책기본법
○ 판매시설
1-1 농수산물 유통 및 가격안정에 관한 법률
2-1 게임산업진흥에 관한 법률
3-1 유통산업발전법

□ 기타 법령(5개)

1-1 건축법 제67조(관계전문기술자)
2-1 토지이용규제 기본법 별표1 토지이용규제를 하는 지역지구 등
2-2 토지이용규제 기본법 별표2 사업지구에 해당하는 지역지구 등
3-1 한옥 등 건축자산의 진흥에 관한 법률 제13조(우수건축자산의 증축 · 개축 및 철거 등)
3-2 한옥 등 건축자산의 진흥에 관한 법률 제27조(한옥 건축 등에 관한 기준 고시)

[별표2] 한국건축규정 체크리스트(☞ 별표 1의 확인법령에 대한 체크리스트로 전체내용은 CD에서 확인)

[별표 2]

한국건축규정 체크리스트

Ⅰ. 건축허가 시 반드시 확인해야 하는 법령 (137개)

□ 입지관련 법령 (68개)

번호	법령	체크항목		체크	비 고
1-1	개발제한 구역법 제12조 (개발제한 구역에서의 행위제한)	개발 제한 구역 행위 제한	개발제한구역의 행위제한 □ 허가대상(1항 : □1호 □1의2호 □2호 □3호 □3의2호 □4호 □5호 □6호 □7호 □8호 □9호) □ 신고대상 □ 허가·신고 제외대상 □ 허가갈음대상		
		허가 또는 신고 기준	행위 허가 또는 신고의 기준 □ 적 합 □ 부적합		
		관리 계획 수립	관리계획의 수립대상 □ 해당있음 □ 해당없음		
		관계 기관 협의	관계기관 협의대상 □ 해당있음 □ 해당없음		
1-2	개발제한 구역법 제13조 (존속중인 건축물 등에대한 특례)	존속 건축 물 특례	존속건축물의 건축이나 공작물의 설치와 토지형질변경 허가 □ 해당있음 □ 해당없음		
1-3	개발제한 구역법 제15조 (취락지구에 대 한 특 례)	취락 지구 특례	국토계획법에 따른 취락지구 특례적용 □ 해당있음 (3항의 특례적용) □ 해당없음		
2-1	건축법 제55조 (건축물의 건폐율)	건폐 율 기준	「국토계획법」에 따른 건폐율 최대한도 기준 □ 적 합 □ 부적합		
		건폐 율 특례	「국토계획법」에 따른 건폐율의 특례 적용 □ 완화대상 □ 강화대상		

※ 이후 내용 " 생략"

Ⅱ. 의제처리 법령 (29개)

번호	법령	체크항목		체크	비 고
1-1	가축분뇨법 제11조 (배출시설의 설치)	배출시설 설치	□ 허가대상 □ 신고대상 □ 변경허가대상 □ 변경신고대상		
2-1	건축법 제20조 (가설건축물)	가설건축물 건축	□ 허가대상 □ 허가제한대상 (2항 : □1호 □2호 □3호 □4호) □ 신고대상		
2-2	건축법 제83조 (옹벽 등의 공작물에의 준용)	공작물 축조 신고	□ 해당있음 □ 해당없음		
3-1	국토계획법 제56조 (개발행위의 허가)	개발행위 허가	□ 허가대상 (1항 : □ 1호 □ 2호 □ 3호 □ 4호 □ 5호) □ 변경허가대상 □ 타법적용대상 (3항 단서 : □ 산림자원조성법/사방사업법 □ 산지관리법) □ 허가제외대상 [(4항 : □ 1호 □ 2호 □ 3호) □1항 단서] □ 신고대상 (4항 : 1호의 경우 1개월 이내 신고)		
3-2	국토계획법 제86조 (도시·군계획시설사업의 시행자)	도시·군 계획 시설 사업 시행	□ 해당있음 □ 해당없음		
3-3	국토계획법 제88조 (실시계획의 작성 및 인가 등)	실시 계획	□ 인가대상 □ 인가제외대상 □ 인가변경대상 □ 인가폐지대상		
4-1	농지법 제34조 (농지의 전용허가·협의)	농지 전용	□ 허가대상 □ 변경허가대상 □ 허가제외대상 (1항 : □ 1호 □ 2호 □ 3호 □ 4호 □ 5호) □ 협의대상 (2항 : □ 1호 □ 1의2호 □ 2호) □ 협의제외대상 (2항 : 1호단서)		

※ 이후 내용 " 생략"

1.3.9 건축공사 감리세부기준

[국토교통부고시 제2020-1011호, 2020.12.24.]

일부개정 2013. 4.18. 국토교통부고시 제2013- 31호
일부개정 2015. 9.25. 국토교통부고시 제2015- 723호
일부개정 2016. 4. 8. 국토교통부고시 제2016- 193호
일부개정 2017. 2. 4. 국토교통부고시 제2017- 63호
일부개정 2018.12. 7. 국토교통부고시 제2018- 769호
일부개정 2020.12.24. 국토교통부고시 제2020-1011호

제1장 일반사항

1.1. 목적

이 기준은 건축법 제25조에 따라 감리자가 건축물의 공사감리를 수행함에 있어 필요한 사항을 규정함으로써 건축물의 안전과 질적 향상을 도모함을 목적으로 한다.

1.2 적용범위

이 기준은 「건축법」(이하 "법"이라 한다)제25조에 따라 지정된 공사감리자가 「건축법시행령」(이하 "영"이라 한다) 제19조 및 제19조의2에 따른 건축물의 공사감리업무를 수행함에 있어 일반적으로 적용할 수 있는 기준으로서 「건축법」, 「건축사법」 등 관계법령에 따로 정한 사항을 제외하고는 이 기준에 따른다.

1.3 용어의 정의

이 기준에서 사용하는 용어의 정의는 다음과 같다.

1. "공사감리"라 함은 법에서 정하는 바에 따라 건축물 및 건축설비 또는 공작물이 설계도서의 내용대로 시공되는지 여부를 확인하고, 품질관리·공사관리 및 안전관리 등에 대하여 지도·감독하는 행위로서 비상주감리, 상주감리, 책임상주감리로 구분한다.
2. "공사감리자"라 함은 자기 책임하에(보조자의 조력을 받는 경우를 포함한다) 법이 정하는 바에 의하여 건축물·건축설비 또는 공작물이 설계도서의 내용대로 시공되는지의 여부를 확인하고 품질관리·공사관리 및 안전관리 등에 대하여 지도·감독하는 자를 말한다.
3. "공사시공자"라 함은 건설산업기본법 제2조제4호에 따른 건설공사를 하는 자, 주택법 제9조에 따른 등록업자, 착공신고서에 명기된 공사시공자로서 건축물의 건축 등에 관한 공사를 행하는 자를 말한다.
4. "현장관리인"이라 함은 건축주로부터 위임 등을 받아 건설산업기본법이 적용되지 아니하는 공사를 관리하는 자를 말한다.
5. "비상주감리"라 함은 법에서 정하는 바에 따라 공사감리자가 당해 공사의 설계도서, 기타 관계서류의 내용대로 시공되는지의 여부를 확인하고, 수시로 또는 필요할 때 시공과정에서 건축 공사현장을 방문하여 확인하는 행위를 한다.
6. "상주감리"라 함은 법에서 정하는 바에 따라 공사감리자가 당해 공사의 설계도서, 기타 관계서류의 내용대로 시공되는지의 여부를 확인하고, 건축분야의 건축사보 한 명 이상을 전체 공사기간 동안 배치하여 건축 공사의 품질관리·공사관리 및 안전관리 등에 대한 기술지도를 하는 행위를 말한다.
7. "책임상주감리"라 함은 법에서 정하는 바에 따라 공사감리자가 다중이용 건축물에 대하여 당해 공사의 설계도서, 기타 관계서류의 내용대로 시공되는지 여부를 확인하고, 「건설기술 진흥법」에 따른 건설기술용역업자(공사시공자 본인이거나 「독점규제 및 공정거래에 관한 법률」 제2조에 따른 계열회사인 건설기술용역업자는 제외한다)나 건축사(「건설기술 진흥법 시행령」 제60조에 따라 건설사업관리기술자를배치하는 경우만 해당한다)를 전체 공사기간동안 배치하여 품질관리, 공사관리, 안전관리 등에 대한 기술지도를 하며, 건축주의 권한을 대행하는 감독업무를 하는 행위를 말한다.
8. "확인"이라 함은 공사시공자가 설계도서대로 시공하고 있는지의 여부 또는 지시, 조정, 승인, 검사 이후 실행한 결과에 대하여 건축주 또는 공사감리자가 원래의 의도와 규정대로 시행되었는지를 확인하는 행위를 말한다.
9. "검토"라 함은 공사감리자가 공사시공자가 수행하는 주요사항과 해당 건설공사와 관련된 건축주의 요구사항에 대해 설계도서, 공사시공자 작성자료, 현장실정 등을 숙지하고 공사감리자의 경험과 기술을 바탕으로 하여 타당성 여부를 파악하는 행위를 말한다. 공사감리자는 필요한 경우 검토의견을 건축주 또는 시공자에게 제출하여야 한다.
10. "지도"라 함은 적절한 시공이 이루어질 수 있도록 관련 기술을 지도하는 행위를 말한다.
11. "감독"이라 함은 공사감리자가 건축주를 대신하여 공사시공자가 공사기간동안 당초 계약내용에 따라 적합하게 당해공사가 진행되도록 지휘하는 행위를 말한다.
12. "상세시공도면"이라 함은 시공에 적용되는 자재, 공법 등에 관한 현치도, 가공도, 설치도, 조립도, 제품안내서등을 말한다.

1.4 건축주공사감리자설계자시공자의 기본 책무 등

1. 건축주는 감리계약에 규정된 바에 따른 공사감리 이행에 필요한 다음 각 호 사항을 지원, 협력하여야 한다.
   1) 공사감리에 필요한 설계도면, 문서 등의 제공
   2) 공사감리 계약 이행에 필요한 시공자의 문서, 도면, 자재 등에 대한 자료제출 및 조사 보장
   3) 공사감리자가 보고한 설계변경, 기타 현장실정보고 등 방침요구사항에 대하여 감리업무수행에 지장이 없도록 의사를 결정하여 통보
   4) 건축주는 정당한 사유 없이 감리원의 업무 수행을 방해하거나 공사감리자의 권한을 침해할 수 없다.
2. 공사감리자는 다음 각 호에 따라 기본 임무를 수행하여야한다
   1) 건축주와 체결된 공사감리 계약 내용에 따라 공사감리자는 당해 공사가 설계도서 및 기타 관계서류의 내용대로 시공되는지의 여부를 확인하고 품질관리, 공정관리, 안전관리 등에 대하여 지도감독한다.
   2) 공사감리자는 공사감리체크리스트에 따라 설계도서에서 정한 규격 및 치수 등에 대하여 시설물의 각 공종마다 도서를 검토확인하고, 육안검사입회시험 등의 방법으로 공사감리업무를 수행하여야 한다.
   3) 공사감리자는 법률과 이에 따른 명령 및 공공복리에 어긋나는 어떠한 행위도 하지 아니하며 성실친절공정청렴결백의 자세로 업무를 수행해야하며, 건축공사의 안전 및 품질향상을 위하여 노력하여야 한다.
   4) 건축법 제25조제2항에 의해 건축허가권자가 공사감리자를 지정하는 건축물의 공사 감리자는 당해 건축물을 설계하는 설계자의 설계의도 구현을 위하여 설계자의 적정한 참여가 이루어질 수 있도록 협조하여야 하며, 시공과정 중에 발생되는 설계변경 사항에 대하여 협의한다.
3. 시공자는 다음 각 호의 기본 임무를 수행하여야 한다.
   1) 시공자는 공사계약문서에서 정하는 바에 따라 현장작업, 시공방법에 대하여 책임을 지고 신의와 성실의 원칙에 입각하여 시공하고 정해진 기간 내에 완성하여야 한다.
   2) 시공자는 착공계를 제출하기 전에 건축물의 품질관리공사관리 및 안전관리 등의 내용을 포함한 공사계획서를 작성하여 건축주에게 제출하여한다. 건축주는 공사계획서를 공사감리자로 하여금 검토하도록 한다.
   3) 시공자는 공사계약문서에서 정하는 바에 따라 공사감리자의 업무에 적극 협조하여야 한다.
   4) 건축법 제25조제2항에 의해 건축허가권자가 공사감리자를 지정하는 건축물의 공사 시공자는 설계자의 설계의도 구현을 위하여 설계자의 적정한 참여가 이루어질 수 있도록 정당한 사유 없이 방해하여서는 아니 된다.
4. 설계자는 다음 각 호의 기본 임무를 수행하여야 한다.
   1) 건축물의 설계자는 설계의도가 구현될 수 있도록 건축주시공자감리자등에게 설계의도 구현을 위한 다음 각 호에 대한 사항을 제안할 수 있다.
      (1) 설계도서의 해석 및 자문
      (2) 현장여건 변화 및 업체선정에 따른 자재와 장비의 치수위치재질질감색상 등의 선정 및 변경에 대한 검토보완
   2) 설계자는 시공과정 중에서 발생되는 설계변경사항 등을 검토하고, 이에 대한 동의서를 건축주에게 제출한다.

1.5 공사감리대상 건축물

1. 법 제11조에 따라 건축허가를 받아야 하는 건축물(법 제14조에 따른 건축신고 대상 건축물은 제외한다)을 건축하고자 하는 경우, 영 제6조제1항제6호에 따른 건축물을 리모델링하는 경우, 다중이용건축물을 건축하는 경우에는 공사감리자를 지정하여야 한다. 단, 주택법 제15조에 따른 사업계획승인 대상 및 건설기술진흥법 제39조제2항에 따른 건설사업관리에 대하여는 당해 법령이 정하는 바에 따른다.
2. 법 제14조에 따른 신고대상 건축물이라 하더라도 건축주가 건축물의 품질관리 등을 위하여 필요로 하는 경우에는 공사감리자를 지정 할 수 있다.

1.6 관계전문기술자의 협력

1. 공사감리자는 대지의 안전, 건축물의 구조상 안전, 건축설비의 설치 등을 위한 공사감리를 함에 있어서는 법 제67조 및 영 제91조의3에 따라 관계전문기술자의 협력을 받아야 한다.
2. 공사감리자에게 협력한 관계전문기술자는 그가 작성한 감리중간보고서 및 감리완료보고서에 공사감리자와 함께 서명날인한다.

제2장 공사감리업무

2.1 공사감리의 일반적 업무

공사감리자가 수행하여야 하는 감리업무는 영 제19조제6항 및 시행규칙 제19조의2에서 정하는 업무로 하

되, 공사의 질적 향상을 위하여 필요한 세부사항은 공사감리 계약으로 정할 수 있다.

2.2 공사감리자의 지정등

1. 공사감리자의 자격

1) 법 제25조제1항에 따라 영 제19조제1항 각 호의 건축물을 건축하는 경우에는 건축사를 공사감리자로 지정하되, 다중이용건축물을 건축하는 경우에는 건설기술진흥법에 의한 건설기술용역업자(공사시공자 본인이거나 「독점규제 및 공정거래에 관한 법률」 제2조에 따른 계열회사인 건설기술용역업자는 제외한다) 또는 건축사(「건설기술 진흥법 시행령」 제60조에 따라 건설사업관리기술자를 배치하는 경우만 해당한다)를 공사감리자로 지정한다. 다만, 다중이용건축물을 건축하는 경우로서 건설기술진흥법 시행령 제60조에 따라 감리원을 배치하는 경우에는 건축사를 공사감리자로 지정할 수 있다.

2) 상기 규정에 의하여 다중이용건축물의 공사감리자를 지정하는 경우 감리원의 배치기준 및 감리대가는 건설기술진흥법이 정하는 바에 의한다.

2. 공사감리자의 지정 방법

1) 건축법 제25조제1항에 따라 건축주는 영 제19조제1항 각 호의 건축물을 건축하는 경우에 공사감리자를 지정하여야 한다.

2) 단, 1)에도 불구하고 건축법 제25조제2항에 따라 허가권자가 해당 건축물의 설계에 참여하지 아니한 자 중에서 공사감리자를 지정하여야 하는 건축물은 다음과 같다.

(1) 「건설산업기본법」 제41조제1항 각 호에 해당하지 아니하는 건축물로서 건축주가 직접 시공하는 건축물(영 별표 1 제1호가목의 단독주택은 제외한다)

(2) 분양을 목적으로 하는 다음 각 목의 어느 하나에 해당하는 건축물(30세대 미만으로 한정한다)

가. 아파트

나. 연립주택

다. 다세대 주택

3) 2)항에 따른 공사감리자 모집 및 선정

(1) 「건축법 시행령」 제19조의2에 따라 시도지사는 모집공고를 거쳐 법 제25조제2항에 따라 공사감리자로 지정될 수 있는 건축사의 명부를 작성하고 관리하여야 한다.

(2) 허가권자는 제1호에 따른 명부에서 공사감리자를 지정하여야 한다.

4) 2)에도 불구하고 다음 각 호 어느 하나에 해당하는 건축물의 건축주는 허가권자에게 신청하여 건축물을 설계한 자를 공사감리자로 지정할 수 있다.

(1) 「건설기술 진흥법」 제14조에 따른 신기술을 적용하여 설계한 건축물

(2) 「건축서비스산업 진흥법」 제13조제4항에 따른 역량 있는 건축사가 설계한 건축물

(3) 설계공모를 통하여 설계한 건축물

3. 공사감리 계약 및 감리비용

1) 건축법 제25조제2항에 따라 허가권자가 감리자를 지정하는 건축물에 해당하는 경우 건축주와의 세부감리업무를 협의하여 건축법 제15조제3항의 규정에 따라 건축물의 공사감리 표준계약서에 의거하여 감리계약서를 작성하여야 한다.

2) 허가권자가 공사감리자를 지정하는 건축물에 해당하는 경우 건축주는 제21조에 따라 착공신고를 하는 때에 감리비용이 명시된 감리계약서를 허가권자에게 제출하여야 하고, 제22조에 따른 사용승인을 신청하는 때에는 감리용역 계약내용에 따라 감리비용이 지불되었는지를 확인할 수 있는 감리비용 입금내역서, 세금계산서, 통장 사본 등의 증빙서류를 제출하여야 한다.

3) 허가권자는 감리비용에 관한 기준을 해당 지방자치단체의 조례로 정할 수 있다.

2.3 공사감리업무의 수행방법

1. 공사감리자는 수시 또는 필요한 때 공사현장에서 감리업무를 수행하여야 하며, 아래의 건축 등의 공사감리에 있어서는 「건축사법」 제2조의제2호에 따른 건축사보(「기술사법」 제6조에 따른 기술사 사무소 또는 「건축사법」 제23조제8항 각 호의 건설기술용역업 등에 소속되어 있는 자로서 「국가기술자격법」에 따른 해당 분야 기술계 자격을 취득한 자와 「건설기술진흥법 시행령」 제4조에 따른 건설사업 관리를 수행할 자격이 있는 자를 포함한다)중 건축분야의 건축사보 1인 이상을 전체 공사기간동안, 토목·전기·기계분야의 건축사보 1인 이상을 각 분야별 해당 공사기간동안 각각 공사현장에서 감리업무를 수행하게 하여야 한다. 이 경우 건축사보는 해당분야 건축공사의 설계, 시공, 시험, 검사, 공사감독 또는 감리업무 등에 2년 이상 종사한 경력이 있는 자이어야 한다.

1) 바닥면적의 합계가 5천 제곱미터 이상인 건축공사. 다만, 축사 또는 작물재배사의 건축공사는 제외한다.

2) 연속된 5개층 이상(지하층을 포함한다)으로서 바

닥면적의 합계가 3천제곱미터 이상인 건축공사

3) 아파트의 건축공사

4) 준다중이용 건축물 건축공사

2. 건축물의 규모별 구분에 따른 감리업무의 세부내용 및 전기, 통신, 소방분야 등 공사감리자가 공사현장에서 수행하여야 하는 당해 공사감리의 범위는 [별표1] 건축공사감리 체크리스트의 해당사항에 따른다. 단, 「전력기술관리법」, 「정보통신공사업법」, 「소방시설 공사업법」에 의해 별도 감리업무를 수행하는 경우는 각 개별법령에 따른다.

3. 비상주 감리시 다음 각 호에 따라 감리업무를 수행하여야 한다. <신설 2020.12.24>

1) 깊이 10미터 이상의 토지 굴착공사 또는 높이 5미터 이상의 옹벽 등의 공사(「산업집적활성화 및 공장설립에 관한 법률」 제2조제14호에 따른 산업단지에서 바닥면적 합계가 2천제곱미터 이하인 공장을 건축하는 경우는 제외한다)를 감리하는 경우에는 건축사보 중 건축 또는 토목 분야의 건축사보 한 명 이상을 해당 공사기간 동안 공사현장에서 감리업무를 수행하게 해야 한다. 이 경우 건축사보는 해당 공사의 시공·감독 또는 감리업무 등에 2년 이상 종사한 경력이 있는 사람이어야 한다.

2) 아래의 경우 현장을 방문하여 공사감리를 수행하여야 한다.

(1) 공사착공 시 공사현장과 건축허가 도서 비교확인

(2) 터파기 및 규준틀 확인

(3) 각층 바닥 철근 배근 완료

(4) 단열 및 창호공사 완료 시

(5) 마감공사 완료 시

(6) 사용검사 신청 전

2.4 공사 전 단계업무

2.4.1 감리업무 착수준비

1. 공사착수 전에 다음 중 당해공사와 관련된 사항을 건축주로부터 인수받고 숙지한다.

1) 건축허가 필증 사본 및 허가조건 등 관련 문서 사본

2) 지장물 철거 등에 관한 자료

3) 허가시 제출한 관련서류 및 건축법 시행규칙 [별표2] 에 해당하는 설계도서 사본

4) 착공 신고서류 사본 및 건축법 시행규칙 [별표4의2] 에 해당하는 설계도서 사본

5) 공사시방서

6) 공사계획서

7) 지반 및 지질 조사서

8) 기타 감리업무 수행에 필요한 사항

2. 감리사무실에는 다음의 사항을 비치한다.

1) 공사 시공자 등으로부터 제공받은 공사추진 현황

2) 감리업무 수행내용

3) 공사감리자 지정신고서 및 경력사항 확인서

4) 공사감리자 조직 구성 내용과 공사감리자별 투입기간 및 담당업무

3. 2.에도 불구하고 비상주감리 대상 건축물인 경우 감리현장에 관련 서류 등의 비치는 제외한다.

2.4.2 설계도서 검토

1. 설계도면, 시방서, 구조계산서, 각종 부하계산서 등 설계도서 상호간에 불일치한 사항, 관계법령에 의거하여 설계도서 중 누락, 오류 등의 사항은 건축주에게 보고한다.

2. 구조도와 관련된 설계도서 검토

1) 건물 층고의 확인

2) 보의 위치 및 크기의 확인(특히, 창호 크기와의 관계)

3) 벽체의 위치 및 두께의 확인, 바닥의 고저와 마감두께 확인

4) 구조도면과 구조계산서의 대조

3. 특기시방서 검토

4. 공사여건 확인

5. 공법 확인

6. 관련설비공사의 내용 확인

7. 설계도서에 사용 재료 및 자재 명기 여부 확인검토

8. 관련 별도공사 확인

2.4.3 공사계획서등의 검토확인(해당 건축물에 한함)

공사감리자는 공사시공자가 작성한 공사계획서에 대하여 다음 사항을 검토확인하고, 검토서를 작성하여 건축주에게 보고한다.

1. 건축허가 내용과 부합되는지 여부

2. 현장기술자 자격, 경력 및 배치계획

3. 건설공사 공정 예정표 및 관련설비 공사 등 타 공정과의 상호 부합여부

1) 공사감리자는 공사시공자의 공정관리계획이 공사의 종류, 특성, 공기 및 현장 실정등을 감안하여 수립되었는지를 검토, 확인하고 시공의 경제성과 품질확보의 적합성 등을 검토한다.

2) 공사감리자는 계약된 공기내에 건설공사가 완료될 수 있도록 공사시공자의 세부 공정계획, 공

사시공자의 현장기술자 및 장비 확보사항, 기타 공사계획에 관한 사항을 검토하여 공사 진행상 문제가 있다고 판단되는 경우에는 건축주에게 의견을 제시한다.

(1) 세부 공정계획

(2) 공사시공자의 현장기술자 및 장비 확보사항

(3) 기타 공사계획에 관한 사항

4. 각종 품질관리 및 시험계획서 검토(시방서 및 관계법령에 따라 수행해야 하는 시험 포함)

1) 공사감리자는 공사시공자로부터 「건설기술진흥법」 제55조에 따라 수립하여야 하는 품질관리계획 또는 품질시험계획을 제출받아 적정하게 작성되었는지를 검토하고 보완지시할 수 있다.

2) 품질관리 계획 검토대상과 품질시험계획 검토대상은 각 호와 같다.

(1) 품질관리계획 검토 대상은 「건설기술 진흥법 시행령」 제89조제1항에 따른 건설공사로 한다.

(2) 품질시험계획 검토(시방서 및 관계법령에 따라 수행해야 하는 시험 포함) 대상은 「건설기술 진흥법 시행령」 제89조제2항에 따른 건설공사로 한다.

5. 안전관리계획서 검토

1) 공사감리자는 공사시공자로부터 「건설기술진흥법」 제62조에 따라 수립하여야 하는 안전관리계획을 제출받아 적정하게 작성되었는지를 검토하고 보완지시할 수 있다.

(1) 공사시공자의 안전조직 편성 및 임무

(2) 시공계획과 연계된 안전계획

(3) 현장 안전관리 규정

2) 안전관리계획 검토 대상은 「건설기술 진흥법 시행령」 제98조제1항에 따른 건설공사로 한다.

6. 설계계약서 사본, 시공 계약서 사본 및 산출내역서 첨부 여부

2.4.4 공사착공전 현장 조사

1. 현장조사 및 피해방지 대책 사항에 대하여 공사착공전에 시공자가 조사, 대책을 수립한 사항에 대하여 검토·협의 한다.

1) 지반 및 지질상태, 진입도로 현황, 매설물 및 장애물(공사용수 인입 및 배수상태) 등 공사여건 조사

2) 인근 시설물 피해 대책, 통행지장 대책, 소음, 진동 대책, 지반침하 대책, 지하매설물, 인근 도로, 교통시설물 등의 손괴, 하수로 인한 피해 대책, 우기 기간중 배수대책, 분진, 악취 대책, 폐기물 및 쓰레기 처리대책 등에 대한 안전관리 대책 사항의 검토확인

2. 현장확인 결과 당초설계 내용의 변경이 필요한 경우에는 건축주에게 보고한다.

3. 공사감리자는 측량의 결과를 확인한다.

2.4.5 상세시공도면의 작성 요청 및 검토확인

1. 공사감리자는 법 제25조제5항 및 영 제19조제4항에 따라 연면적의 합계가 5천제곱미터 이상인 건축공사로서 필요하다고 인정하는 경우에는 공사시공자에게 상세시공도면을 작성하도록 요청할 수 있다.

2. 공사감리자는 작성된 상세시공도면에 대해 아래와 같은 사항을 반드시 확인검토하여 의견을 제시한다

1) 설계도면 및 시방서 또는 관계규정에 일치하는지 여부(설계기준은 개정된 최신 설계기준에 따름)

2) 현장기술자, 기능공이 명확하게 이해할 수 있는지 여부(실시설계도면을 기준으로 각 공종별, 형식별 세부사항들이 표현되도록 현장여건을 반영)

3) 실제 시공이 가능한지 여부(현장여건과 공종별 시공계획을 최대한 반영하여 시공시 문제점이 발생하지 않도록 각종 구조물의 시공상세도 작성)

4) 안전성의 확보 여부(주철근의 경우, 철근의 길이나 겹이음의 위치 등 철근상세에 관한 변경이 필요한 경우 반드시 전문기술사의 검토확인을 거쳐 공사감독관의 승인을 받아야 함)

5) 가시설공 시공상세도의 경우, 구조계산서 첨부 여부(관련 기술사의 서명날인 포함)

6) 계산의 정확성

7) 제도의 품질 및 선명성, 도면작성 표준에 일치 여부

8) 도면으로 표시 곤란한 내용은 시공 시 유의사항으로 작성되었는지 등을 검토

2.5 공사 단계

2.5.1. 하도급 적정성 검토(해당 건축물에 한함)

1. 공사감리자는 시공자가 도급받은 건설공사를 「건설산업기본법」 제29조, 「(계약예규)공사계약일반조건」 제42조 규정에 따라 하도급 하고자 건축주에게 승낙을 요청하는 사항에 대해서는 다음 각 호의 사항에 관한 적정성 여부를 검토하여 건축주에게 보고한다.

1) 하도급자 자격의 적정성 검토

2) 저가 하도급에 대한 검토의견서 등

2. 공사감리자는 제1항에 따라 처리된 하도급에 대해서는 시공자가 「건설산업기본법」 제34조부터 제38조까지 및 「하도급거래 공정화에 관한 법률」에 규정된 사항을 이행하도록 지도확인하여야 한다.

3. 공사감리자는 시공자가 하도급 사항을 제1항 및 제2항에 따라 처리하지 않고 위장 하도급 하거나, 무면허자에게 하도급 하는 등 불법적인 행위를 하지 않도록 지도한다.

2.5.2 공정관리

1. 주요공종 관리
공사감리자는 공사시공자가 제출하는 예정공정표상에 주공정선 표시, 주요공종에 대한 착수, 종료시점 및 소요기간 등의 명시 등을 검토한다.

2. 공사 준비사항 사전 점검
주요공종 공사착수 전에 시공준비 상태를 점검하여야 하며, 미흡한 사항에 대하여 공사시공자에게 개선을 촉구하고 협의한 내용의 이행 여부를 문서로 확인한다.

3. 공사관리
공사시공자로부터 주요공종에 대하여 다음의 공사추진 세부계획서를 제출받아 검토한다.
1) 공사추진계획(월별)
2) 자재 수급 및 인력동원계획
3) 장비투입계획(필요 공종에 한함)
4) 기 타

4. 동시작업 금지 <신설 2020.12.24>
동일한 건축물 안에서 화재위험이 높은 공정(용접작업과 유증기를 다루는 작업)은 동시작업을 금지한다. 다만, 환기 또는 안전장치(유증기 회수 기계장치 등)설치로 동시작업에 지장이 없다고 공사 공사 감리자가 인정하는 경우에는 제외한다.

2.5.3 공사감리자의 시공지도 및 시공확인
건축물 및 대지가 설계도서에 적합하도록 시공지도 및 확인하고, 부적합경우에는 건축주에게 보고한다.

1. 건축물의 위치 및 배치, 건폐율, 용적률
2. 도로, 인접대지경계선, 인접대지 건축물과 관련되는 건축물의 높이
3. 동일 대지안의 건축물 상호간에 띄어야 할 거리와 건축물의 높이
4. 기초 및 구조체의 규격 또는 단면적, 철근의 가공 및 배근, 콘크리트의 배합 타설 및 양생 등
5. 피난시설, 내화구조, 방화구조, 방화구획, 방화문 등
6. 토지의 굴착부분에 대한 정리
7. 주요 구조부용 자재
8. 바닥구조, 세대간 경계벽구조, 객실간 경계벽구조
9. 화장실 급배수 소음 저감공법 시공여부(해당 건축물에 한함)
10. 침수방지 및 방수를 위한 구조 및 시설 설치 및 적정성 여부(해당 건축물에 한함)
11. 실내건축의 적절한 설치 및 시공여부 검사(해당 건축물에 한함)
12. 빗물이용시설 및 중수도 설치 여부(해당 건축물에 한함)
13. 피난안전구역피난시설 또는 대피공간에 피난용도 사용 표시여부 확인(해당 건축물에 한함)
14. 에너지절약 이행검토서대로 시공여부 확인(해당 건축물에 한함)

2.5.4 현장시공관리

1. 시공확인
1) 지적 측량 결과를 확인한다.
2) 공사감리자는 주요공종별, 단계별로 시공 규격 및 수량이 설계도서의 내용과 일치하는지를 검사하고 확인된 부분에 대하여 다음 공정을 착수하게 한다. 설계도서의 내용과 서로 다른 경우에는 시정사항을 기록, 시정하도록 통보하고 공사시공자가 지적사항을 조치 완료한 후 그 결과를 공사감리자가 재확인하여 다음 공정을 착수하게 한다. 다만, 비상주감리 시 감리자가 직접 현장에서 재확인하는 것이 불가능한 사유가 있는 경우 주요 공정외의 공정에 대해 사진·동영상 등으로 확인할 수 있다.
3) 공사감리자는 정기적으로 공사시공자의 공사일지를 확인하도록 한다.
4) 공사감리자는 적합한 사용자재, 시공품질 등의 검사항목을 도출하고 이에 따라 시공과정 또는 완료상태와 자재시험 결과를 적정하게 시행되었는지 확인하여 불합격된 부분은 공사시공자에게 시정통보한다.
5) 주요 공종의 검사, 확인결과는 해당공종의 공사가 종료되는 즉시 공사시공자로부터 제출받아 문서화하여 기록을 유지한다.

2. 주요공종 입회
공사감리자는 건설공사의 품질확보를 위하여 품질관리가 요구되는 주요공종의 시공과정에 입회 확인한다.

3. 공사중 사진 및 동영상 촬영
1) 공사감리자는 공사의 공정이 다음 각 호의 어느 하나에 해당하는 경우에는 공사시공자로부터 주요구조부 시공과정의 사진 및 동영상 촬영 기록을 제출받아 건축주에게 제출하여야 한다. 건축주는 제출받은 사진 및 동영상을 보관하여야 한다.
2) 사진 및 동영상 촬영 공정
(1) 영 제19조제3항에서 정하는 진도에 다다른 경우

(2) 주요구조부가 매몰되는 경우

(3) 그 밖에 공사감리자가 필요하다고 인정하는 경우

3) 사진 및 동영상 촬영, 보관 사진 및 동영상 촬영 공정

(1) 촬영 시 촬영 개시시각과 종료시각을 표시하여 공사 연속성과 공기 등을 파악 할 수 있도록 한다.

(2) 공정 경과에 따른 촬영 전후 상황을 알 수 있도록 가능한 동일 장소에서 촬영위치를 선정하도록 한다.

(3) 촬영내용은 Digital 파일, CD 등의 저장 매체를 이용하여 제출한다.

(4) 기타 사항은 별표 2의 적용을 권장한다.

4. 시공현장 공사감리 체크리스트 작성

5. 공사감리자의 사전 확인이 필요한 작업계획서 확인·검토 <신설 2020.12.24>

공사 감리자는 다음 각 호의 공정에 대해서는 공사 시행 전 공사 시공자의 안전조치 이행여부를 확인하여야 하며, 이 경우 시공자에게 해당공정에 대한 작업계획서(별지6호서식)를 요구하여야 한다. 다만, 시공자는 작업조건이 동일하게 반복(작업계획서상 작업조건)되어 안전에 영향이 없다고 공사감리자가 인정하는 경우에는 작업계획서 제출 후 작업을 착수 할 수 있다.

1) 가설공사, 철골공사, 승강기 설치공사 등 추락위험이 있는 공정

2) 도장공사, 단열공사 등 화재 위험이 있는 공정

3) 거푸집, 토공사 등 붕괴위험이 있는 공정

4) 공사 시행 전 안전조치 확보가 필요하다고 공사감리자가 인정하는 경우

2.5.5 품질관리

1. 각종 재료의 확인

공사감리자는 시공 전에 설계도서의 각종 재료를 확인한 후 이의 변경이 필요한 경우에는 건축주 또는 공사시공자와 협의한다.

2. 자재의 확인

1) 공사감리자는 공사시공자에게 자재반입에 관한 사항을 제출하게 하여 설계도서와의 적합성 여부(규격, 품질, 색상 등)를 검토확인 한다.

2) 선정된 견본품은 반입되는 자재의 검수기준으로 활용하기 위하여 감리사무실에 비치한다.

3) 반입된 자재가 견본품과 일치하는지 여부를 확인(시험성적서 및 품질관리 시험 포함)후 사용하도록 한다.

4) 공사감리자는 자재의 품질확인에 관한 기록을 보관한다.

3. 자재품질관리(해당건축물에 한함)

1) 공사감리자는 공사시공자가 작성한 품질관리계획 또는 품질관리 시험계획에 따라 품질시험검사가 실시되었는지를 확인검토한다.

2) 공사감리자는 공사시공자가 품질관리계획에 따라 품질관리 업무를 적정하게 수행하였는지 여부를 확인검토한다.

3) 복합자재의 품질관리서를 확인검토한다.

4) 공사감리자는 공사시공자가 철골구조의 품질관리 업무를 적정하게 수행하였는지 여부를 확인·검토한다.

2.5.6 안전관리(해당 건축물에 한함)

1. 안전관리의 확인

공사감리자는 공사전반에 대한 안전관리계획의 사전검토, 실시확인 및 평가, 자료의 기록유지 등 공사시공자가 사고예방을 위한 안전관리를 취하도록 한다.

2. 사전검토 및 확인

1) 공사시공자의 안전조직 편성 및 임무

2) 시공계획과 연계된 안전계획

3) 현장 안전관리 규정

3. 재해예방전문지도기관의 기술지도 여부 확인

4. 안전관리자의 공사현장 배치여부 확인

5. 실시 확인

1) 안전관리 계획의 실시 및 여건 변동시 계획

2) 안전점검 계획 수립 및 실시 여부

3) 위험장소 및 작업에 대한 안전조치

4) 안전표지 부착, 안전통로, 자재의 적치 및 정리정돈

6. 기록유지

공사감리자는 공사현장의 안전관리를 위하여 다음 자료들의 기록 여부를 확인한다.

1) 안전업무 일지

2) 안전점검 실시

3) 안전교육

4) 각종 사고 보고

5) 월간 안전 통계

7. 사고처리

공사감리자는 현장에서 사고가 발생하였을 경우에는 공사시공자에게 즉시 필요한 응급조치를 취하도록 하고 이를 건축주에게 보고하게 한다.

8. 작업계획서 확인·검토 준수여부 확인·검토 <신설 2020.12.24>

9. 동일건축물 안에서 화재위험이 높은 공정(용접작업

과 유증기를 다루는 작업)의 동시작업 금지 확인·검토[환기 또는 안전장치 (유증기 회수 기계장치 등) 설치 시 동시 작업에 지장유무 검토 포함] <신설 2020.12.24>

2.5.7 설계변경 적정여부의 검토확인

1. 공사감리자는 현지확인 결과 당초설계 내용의 변경이 필요한 경우에는 시공자, 건축주, 설계자와 설계변경에 관련된 내용을 협의한다.
2. 공사감리자와 설계자는 시공자가 공사비 절감과 건설공사 품질향상 등을 위해 설계변경사유서, 설계변경 도면, 개략적인 수량증감내역 및 공사비 증감내역 등의 서류를 제출하면 이에 대한 적합여부를 검토확인하여야 한다.
3. 공사감리자는 설계변경원인이 설계의 하자라고 판단되는 경우에는 이를 건축주에게 보고하고, 건축주는 설계자에게 설계변경을 지시하여 조치하도록 한다.

2.5.8 공사비 중간 기성공사 검토확인(해당건축물에 한함)

시공자가 제출한 공사비 중간지불청구서를 검토확인한다.

2.6 공사완료 단계

2.6.1 사용승인 등의 신청

공사감리자는 건축주가 사용승인 또는 임시사용승인을 신청하는 경우 설계도서 및 품질관리기준 등에 따라 적합 시공 여부를 검사한 후 감리중간보고서 및 감리완료보고서를 첨부토록 한다.

1. 사용승인시 검사
   1) 설계도면 및 시방서에 대한 적합한 시공상태
   2) 주요자재의 사용
   3) 건축공사용 시설, 잉여자재, 폐기물, 가건물의 제거 및 기타 주변의 원상복구 정리사항
   4) 제반 서류 및 각종 검사합격필증
2. 임시사용승인 검사
   1) 설계도면 및 시방서에 대한 적합한 시공상태
   2) 주요자재의 사용
   3) 임시사용 신청부분의 각종 검사 합격필증
3. 사용승인 현장조사검사 및 확인에 따른 조치결과 확인

   공사감리자는 각종 검사와 관련하여 시정할 사항이 있을 때에는 건축주에게 그 내용을 보고하고, 즉시 공사시공자로 하여금 보완시공 또는 재시공하도록 하여 다시 검사·확인한다.

2.6.2 공사비 최종 기성공사 검토확인(해당 건축물에 한함)

사용승인서 교부에 의한 공사비 최종지불 청구서를 검토확인한다.

2.6.3 건축물 시운전 및 유지관리 협력

1. 공사감리자는 공사시공자로 하여금 시설장비기능에서 시험가동이 가능한 경우에는 사용승인 신청 이전에 예비 및 정상상태 시운전을 완료하도록 하되, 정상상태에서 시험가동이 불가능할 경우에는 예비 시운전만 시행하고 정상상태에서의 시험가동은 건축주와 협의, 별도의 기간을 정하여 실시하도록 한다.
2. 공사감리자는 사용승인 완료후 공사시공자가 당해 시설물을 관리할 자에게 인계하도록 협의하여야 하며, 당해 현장에서 특수한 재료 혹은 공법을 적용하였을 경우 시공 부위, 방법, 특성, 공사시공자 관리상의 주의점 등에 대한 기록을 인계하도록 하여 유지관리, 점검이 용이하도록 협력하여야 한다.

제3장 공사감리업무의 보고기록 등

3.1 공사감리중간보고서

1. 제출시기

   법 제25조 및 영 제19조에 따라 당해 건축공사가 다음의 공정에 다다른 때

구 조	공 정
-철근콘크리트, 철골조, 철골·철근콘크리트조, 조적조, 보강콘크리트블럭조인 경우	-기초공사시 철근배치를 완료한 때 -지붕슬래브 배근을 완료한 때 -5층 이상 건축물인 경우 지상 5개 층마다 상부 슬래브 배근을 완료한 때
- 철골구조인 경우	-기초공사시 철근배치를 완료한 때 -지붕철골 조립을 완료한 때 -3층 이상 건축물인 경우 지상 3개 층마다 또는 높이 20미터마다 주요 구조부의 조립을 완료한 때
- 상기 구조 이외의 경우	-기초공사에 있어 거푸집 또는 주춧돌의 설치를 완료한 때

2. 제출방법

   공사감리자는 상기 규정에 의하여 공사 진척사항을 공사시공자로부터 제출받아 공정을 검토·확인하여 건축주에게 제출한다.
3. 제출서류
   1) 공사감리중간보고서(별지 제1호 서식)
   2) 건축공사감리 체크리스트(별표 1, 단계별 감리업무 체크리스트는 해당 단계에 한함)

3) 공사감리일지(별지 제2호 서식)
4) 공사현황 사진 및 동영상(해당 건축물에 한함)
5) 기타 공사감리자가 필요시 별지로 의견 및 자료 첨부

3.2 공사감리완료보고서

1. 제출방법

공사감리자는 공사를 완료한 때에는 완료된 사항을 검토·확인하여 건축주에게 제출하고, 건축주는 이를 허가권자 등에게 제출한다.

2. 제출서류

1) 공사감리완료보고서(별지 제1호 서식)
2) 건축공사감리 체크리스트(별표 1)
3) 공사감리 일지(별지 제2호 서식)
4) 공사추진 실적 및 설계변경 종합 (별지 제3호 서식)
5) 품질시험성과 총괄표(별지 제4호 서식)
6) KS자재 및 국토교통부장관 인정자재 사용 총괄표(별지 제5호 서식)
7) 공사현황 사진 및 동영상(해당 건축물에 한함)
8) 기타 공사감리자가 필요시 별지로 의견 및 자료 첨부

3.3 공사감리일지의 작성

공사감리자는 법 제25조제6항에 따라 감리일지를 기록·유지한다.

3.4 위법보고 등

1. 공사감리자는 당해 공사감리를 함에 있어 법 및 이 법의 규정에 의한 명령이나 처분 기타 관계법령의 규정에 위반된 사항을 발견하거나 공사시공자가 설계도서대로 공사를 하지 아니하는 경우에는 이를 건축주에게 통지한 후 공사시공자로 하여금 이를 시정 또는 재시공하도록 요청하여야 하며, 공사시공자가 이에 따라 시정 또는 재시공하지 아니하는 경우에는 서면으로 당해 건축공사를 중지하도록 요청할 수 있다.
2. 공사감리자는 상기 규정에 의하여 공사시공자가 시정 또는 재시공 요청을 받은 후 이에 따르지 아니하거나 공사중지 요청을 받은 후 공사를 계속하는 경우에는 허가권자에게 위법 공사보고서를 제출한다.

3.5 기준의 해석

이 기준의 해석에 이의가 있을 경우에는 대한건축사협회 이사회의 해석에 따른다.

3.6 재검토 기한

국토교통부장관은 「훈령·예규 등의 발령 및 관리에 관한 규정」(대통령 훈령 334호)에 따라 이 고시에 대하여 2019년 1월 1일 기준으로 매3년이 되는 시점(매 3년째의 12월 31일까지를 말한다)마다 그 타당성을 검토하여 개선 등의 조치를 하여야 한다. <개정 2018.12.7.>

부칙<제2016-193호,2016.4.8.>

(재검토 기한 변경을 위한 자동방화셔터 및 방화문의 기준 등 일부개정)

이 고시는 발령한 날부터 시행한다.

부칙<제2017-63호, 2017.2.4.>

제1조(시행일) 이 기준은 2017년 2월4일부터 시행한다.

제2조(공사감리 체크리스트 및 공사중 동영상 촬영 적용례) 2.5.4. 3.공사중 사진 및 동영상 촬영, 별표1 공사감리 체크리스트의 개정규정은 이 기준 시행 이후 법 제11조에 따른 건축허가를 신청(법 제4조의2에 따른 건축위원회에 심의를 신청한 경우를 포함한다)하는 경우부터 적용한다.

부칙<제2018-769호, 2018.12.7.>

이 고시는 발령한 날부터 시행한다.

부칙<제2020-1011호, 2020.12.24.>

제1조(시행일) 이 고시는 발령한 날로부터 시행한다.

제2조(공사감리업무에 관한 적용례) 2.3.3.2), 2.5.2.4, 2.5.4.5, 2.5.6.8~9의 개정규정은 이 기준 시행 이후 법 제11조에 따른 건축허가를 신청(법 제4조의2에 따른 건축위원회에 심의를 신청한 경우를 포함한다)하는 경우부터 적용한다.

[별표1] <개정 2017.2.4.>

단계별 감리 체크리스트 대장

〈*아래 내용은 목차이며, 상세내용은 CD참조〉

■ 단계별 감리 체크리스트 대장 <신설>

■ 단계별 감리업무 Check List

■ 공종별 감리 체크리스트 총괄표 <신설>

■ 공종별 감리 체크리스트 대장 <신설>

■ 비상주 공사감리 체크리스트

1. 가설공사
2. 토공사
3. 지정 및 기초공사
   3-1. 말뚝공사
   3-2. 지정공사
4. 거푸집 공사
5. 철근 콘크리트 공사
6. 철골 공사
7. 벽돌·블록 및 ALC 패널 공사
   7-1. 벽돌공사
   7-2. 블록공사
   7-3. ALC공사
8. 석공사
9. 타일 및 테라코타 공사
10. 목공사
11. 단열공사
12. 방수공사
13. 지붕 및 홈통공사
14. 금속공사
15. 미장공사
16. 창호공사
17. 유리공사
18. 커튼월공사
19. 도장공사
20. 수장공사
21. 조경공사
22. 잡공사
23. 건물주위 공사

○ 기계설비 공사감리 체크리스트

1. 승강설비 및 기계식주차 설비공사
2. 급배수위생 설비공사
3. 공기 조화설비공사
4. 배관설비공사
5. 덕트설비공사
6. 자동제어 설비공사
7. 신재생에너지 설비공사
8. 냉동냉장 설비공사
9. 클린룸 설비공사
10. 가스설비공사
11. 방음방진 및 내진 설비공사

○ 전기설비 공사 감리 체크리스트

1.옥외공사
2. 수변전(인입공사) 설비공사
3. 예비전원 설비공사
4. 옥내배선공사
5. 조명설비공사
6. 동력 설비공사
7. 감시제어설비공사
8. 피뢰 및 접지 설비공사
9. 통신설비공사
10. 약전설비공사

○ 소화 소방 설비 공사감리 체크리스트

1. 기계소방설비공사
2. 전기소방설비공사

■ 상주 공사감리 체크리스트

1. 가설공사
2. 토공사
3. 지정 및 기초공사
   3-1. 말뚝공사
   3-2. 지정공사
4. 거푸집 공사
5. 철근 콘크리트 공사
6. 철골 공사
7. 벽돌·블록 및 ALC 패널 공사
   7-1. 벽돌공사
   7-2. 블록공사
   7-3. ALC공사
8. 석공사
9. 타일 및 테라코타 공사
10. 목공사
11. 단열공사
12. 방수공사
13. 지붕 및 홈통공사
14. 금속공사
15. 미장공사
16. 창호공사
17. 유리공사
18. 커튼월공사
19. 도장공사
20. 수장공사
21. 조경공사
22. 잡공사
23. 건물주위 공사

○ 기계설비 공사감리 체크리스트

1. 승강설비 및 기계식주차 설비공사
2. 급배수위생 설비공사
3. 공기 조화설비공사
4. 배관설비공사
5. 덕트설비공사
6. 자동제어 설비공사
7. 신재생에너지 설비공사
8. 냉동냉장 설비공사
9. 클린룸 설비공사
10. 가스설비공사
11. 방음방진 및 내진 설비공사

○ 전기설비 공사 감리 체크리스트

1.옥외공사
2. 수변전(인입공사) 설비공사
3. 예비전원 설비공사
4. 옥내배선공사
5. 조명설비공사
6. 동력 설비공사
7. 감시제어설비공사
8. 피뢰 및 접지 설비공사

○ 통신 및 약전설비 공사감리 체크리스트

1. 통신설비공사
2. 약전설비공사

○ 소화 소방 설비 공사감리 체크리스트

1. 기계소방설비공사
2. 전기소방설비공사

■ 책임상주 공사감리 체크리스트

1. 가설공사
2. 토공사
3. 지정 및 기초공사
   3-1. 말뚝공사
   3-2. 지정공사
4. 거푸집 공사
5. 철근 콘크리트 공사
6. 철골 공사
7. 벽돌·블록 및 ALC 패널 공사
   7-1. 벽돌공사
   7-2. 블록공사
   7-3. ALC공사
8. 석공사
9. 타일 및 테라코타 공사
10. 목공사
11. 단열공사
12. 방수공사
13. 지붕 및 홈통공사
14. 금속공사
15. 미장공사
16. 창호공사
17. 유리공사
18. 커튼월공사
19. 도장공사
20. 수장공사
21. 조경공사
22. 잡공사
23. 건물주위 공사

○ 기계설비 공사감리 체크리스트

1. 승강설비 및 기계식주차 설비공사
2. 급배수위생 설비공사
3. 공기 조화설비공사
4. 배관설비공사
5. 덕트설비공사
6. 자동제어 설비공사
7. 신재생에너지 설비공사
8. 냉동냉장 설비공사
9. 클린룸 설비공사
10. 가스설비공사
11. 방음방진 및 내진 설비공사

○ 전기설비 공사 감리 체크리스트

1.옥외공사
2. 수변전(인입공사) 설비공사
3. 예비전원 설비공사
4. 옥내배선공사
5. 조명설비공사
6. 동력 설비공사
7. 감시제어설비공사
8. 피뢰 및 접지 설비공사

○ 통신 및 약전설비 공사감리 체크리스트

1. 통신설비공사
2. 약전설비공사

○ 소화 소방 설비 공사감리 체크리스트

1. 기계소방설비공사
2. 전기소방설비공사

[별표 2] <제정 2017.2.4.>

사진 및 동영상 촬영, 보관, 제출 방법

1. 사진 및 동영상 촬영, 보관 방법
   - 촬영대상의 시공위치, 규격, 시공품질, 구조체와의 상관관계를 알 수 있도록 촬영
   - 공정의 경과에 따라 촬영 내용의 전후 상황을 알 수 있도록 촬영위치를 한곳으로 하여 연속보기 가능하도록 함
   - 시공의 연속성과 공기 등을 확인할 수 있도록 촬영일시를 명확하게 표시
   - 카메라의 촬상소자(CCD 또는 COMS)는 최저 100만 화소 이상인 제품 사용을 권장
   - 카메라의 조도는 어두운 곳에서 촬영할 수 있도록 최저 0.001 lux 이하로 하여 주·야간 구분 없이 최적의 영상을 제공할 수 있어야 함.(단, 화질이 100만 화소 이상인 카메라는 0.01 lux 까지 가능)
   - 촬영시간은 3~5분 분량의 단위로 제작
   - 영상압축 방식은 MPEG-4, MJPEG 등을 지원하여야 함
   - 영상저장 품질은 압축방식에 관계없이 최저 720×480ppi, 10fps 이상으로 저장하여야 함. 단, 화질이 100만 화소 이상인 카메라는 최저 1280×720ppi, 10fps 이상으로 저장할 것을 권장함
   - 녹화장치의 저장용량은 해당공사기간 동안 보관할 수 있는 용량을 확보하여야 함
   - 수시 검토·확인 할 수 있도록 보관함

2. 사진 및 동영상 제출방법
   - 촬영부위를 쉽게 확인 가능 하도록 공종명과 시공일자, 위치, 시공내용 등을 기재하여 제출
   - 사진 및 시공 동영상 디지털 파일을 USB, CD, DVD 등(필요시 촬영한 비디오 테이프)의 저장 매체를 이용하여 제출

1.3.10 조경기준

[국토교통부고시 제2021-1778호, 2022.1.7.]

제 정 건설교통부 고시 제2000-159호, 2000. 6.20.
일부개정 국토교통부 고시 제2013- 46호. 2013. 4.15.
일부개정 국토교통부 고시 제2014- 46호. 2014. 3. 5.
일부개정 국토교통부 고시 제2015-787호. 2015.11. 5.
일부개정 국토교통부 고시 제2018-413호. 2018. 7. 3.
일부개정 국토교통부 고시 제2021-923호. 2021. 7. 1.
일부개정 국토교통부 고시 제2021-1778호. 2022. 1. 7.

제1조 【목적】 이 기준은 건축법(이하 "법"이라 한다) 제42조제2항의 규정에서 위임된 사항과 그 시행에 필요한 사항을 규정함을 목적으로 한다.

제2조 【적용범위】 삭제<2009.1.23>

제3조 【정의】 이 기준에서 사용하는 용어의 뜻은 다음 각 호와 같다.

1. "조경"이라 함은 경관을 생태적, 기능적, 심미적으로 조성하기 위하여 식물을 이용한 식생공간을 만들거나 조경시설을 설치하는 것을 말한다.
2. "조경면적"이라 함은 이 고시에서 정하고 있는 조경의 조치를 한 부분의 면적을 말한다.
3. "조경시설"이라 함은 조경과 관련된 파고라·벤치·환경조형물·정원석·휴게·여가·수경·관리 및 기타 이와 유사한 것으로 설치되는 시설, 생태연못 및 하천, 동물 이동통로 및 먹이공급시설 등 생물의 서식처 조성과 관련된 생태적 시설을 말한다.
4. "조경시설공간"이라 함은 조경시설을 설치한 이 고시에서 정하고 있는 일정 면적 이상의 공간을 말한다.
5. "식재"라 함은 조경면적에 수목(기존수목 및 이식수목을 포함한다)이나 잔디·초화류 등의 식물을 이 기준에서 정하는 바에 따라 배치하여 심는 것을 말한다.
6. 삭제 <2009.1.23>
7. "벽면녹화"라 함은 건축물이나 구조물의 벽면을 식물을 이용해 전면 혹은 부분적으로 피복 녹화하는 것을 말한다.
8. "자연지반"이라 함은 하부에 인공구조물이 없는 자연상태의 지층 그대로인 지반으로서 공기, 물, 생물 등의 자연순환이 가능한 지반을 말한다.
9. "인공지반조경"이라 함은 건축물의 옥상(지붕을 포함한다)이나 포장된 주차장, 지하구조물 등과 같이 인위적으로 구축된 건축물이나 구조물 등 식물생육이 부적합한 불투수층의 구조물 위에 자연지반과 유사하게 토양층을 형성하여 그 위에 설치하는 조경을 말한다.
10. "옥상조경"이라 함은 인공지반조경 중 지표면에서 높이가 2미터 이상인 곳에 설치한 조경을 말한다. 다만, 발코니에 설치하는 화훼시설은 제외한다.
11. "투수성 포장구조"라 함은 투수성 콘크리트 등의 투수성 포장재료를 사용하거나 조립식 포장방식 등을 사용하여 포장면 상단에서 지하의 지반으로 물이 침투될 수 있도록 한 포장구조를 말한다.
12. "수고"라 함은 지표면으로부터 수목 상단부까지의 수직높이를 말한다.
13. "흉고경"이라 함은 지표면으로부터 높이 120센티미터 지점에서의 수목 줄기의 직경을 말한다.
14. "근원직경"이라 함은 지표면에서의 수목 줄기의 직경을 말한다.
15. "수관폭"이라 함은 수목의 녹엽 부분을 수평면에 수직으로 투영한 최대 지름을 말한다.
16. "지하고"라 함은 수목의 줄기에 있는 가장 아래 가지에서 지표면까지의 수직거리를 말한다.
17. "교목"이라 함은 다년생 목질인 곧은 줄기가 있고, 줄기와 가지의 구별이 명확하여 중심줄기의 신장생장이 뚜렷한 수목을 말한다.
18. "상록교목"이라 함은 소나무·잣나무·측백나무 등 사계절 내내 푸른 잎을 가지는 교목을 말한다.
19. "낙엽교목"이라 함은 참나무·밤나무 등과 같이 가을에 잎이 떨어져서 봄에 새잎이 나는 교목을 말한다.
20. "관목"이라 함은 교목보다 수고가 낮고, 나무 줄기가 지상부에서 다수로 갈라져 원줄기와 가지의 구별이 분명하지 않은 수목을 말한다.
21. "초화류"라 함은 옥잠화·수선화·백합 등과 같이 초본(草本)류 중 식물의 개화 상태가 양호한 식물을 말한다.
22. "지피식물"이라 함은 잔디·맥문동 등 주로 지표면을 피복하기 위해 사용되는 식물을 말한다.
23. "수경(水景)"이라 함은 분수·연못·수로 등 물을 주 재료로 하는 경관시설을 말한다.

제2장 대지안의 식재기준

제4조 【조경면적의 산정】 조경면적은 식재된 부분의 면적과 조경시설공간의 면적을 합한 면적으로 산정하며 다음 각 호의 기준에 적합하게 배치하여야 한다.

1. 식재면적은 당해 지방자치단체의 조례에서 정하는 조경면적(이하 "조경의무면적"이라 한다)의 100분의

50 이상(이하 "식재의무면적"이라 한다)이어야 한다.
2. 하나의 식재면적은 한 변의 길이가 1미터 이상으로서 1제곱미터 이상이어야 한다.
3. 하나의 조경시설공간의 면적은 10제곱미터 이상이어야 한다.

제5조 【조경면적의 배치】 ① 대지면적중 조경의무면적의 10퍼센트 이상에 해당하는 면적은 자연지반이어야 하며, 그 표면을 토양이나 식재된 토양 또는 투수성 포장구조로 하여야 한다. 다만, 법 제5조제1항의 허가권자(이하 "허가권자"라 한다)가 자연지반에 설치할 수 없다고 인정하는 경우에는 그러하지 아니하다

② 대지의 인근에 보행자전용도로·광장·공원 등의 시설이 있는 경우에는 조경면적을 이러한 시설과 연계되도록 배치하여야 한다.

③ 너비 20미터이상의 도로에 접하고 2,000제곱미터 이상인 대지 안에 설치하는 조경은 조경의무면적의 20퍼센트 이상을 가로변에 연접하게 설치하여야 한다. 다만, 도시설계 등 계획적인 개발계획이 수립된 구역은 그에 따르며, 허가권자가 가로변에 연접하여 설치하는 것이 불가능하다고 인정하는 경우에는 그러하지 아니하다.

제6조 【그늘식재】 삭제 <2009.1.23>

제7조 【식재수량 및 규격】 ① 조경면적에는 다음 각호의 기준에 적합하게 식재하여야 한다.
1. 조경면적 1제곱미터마다 교목 및 관목의 수량은 다음 각목의 기준에 적합하게 식재하여야 한다. 다만 조경의무면적을 초과하여 설치한 부분에는 그러하지 아니하다.
가. 상업지역 : 교목 0.1주 이상, 관목 1.0주 이상
나. 공업지역 : 교목 0.3주 이상, 관목 1.0주 이상
다. 주거지역 : 교목 0.2주 이상, 관목 1.0주 이상
라. 녹지지역 : 교목 0.2주 이상, 관목 1.0주 이상
2. 식재하여야 할 교목은 흉고직경 5센티미터 이상이거나 근원직경 6센티미터 이상 또는 수관폭 0.8미터 이상으로서 수고 1.5미터 이상이어야 한다.

② 수목의 수량은 다음 각호의 기준에 의하여 가중하여 산정한다.
1. 낙엽교목으로서 수고 4미터 이상이고, 흉고직경 12센티미터 또는 근원직경 15센티미터 이상, 상록교목으로서 수고 4미터 이상이고, 수관폭 2미터 이상인 수목 1주는 교목 2주를 식재한 것으로 산정한다.
2. 낙엽교목으로서 수고 5미터 이상이고, 흉고직경 18센티미터 또는 근원직경 20센티미터 이상, 상록교목으로서 수고 5미터 이상이고, 수관폭 3미터 이상인 수목 1주는 교목 4주를 식재한 것으로 산정한다.
3. 낙엽교목으로서 흉고직경 25센티미터 이상 또는 근원직경 30센티미터 이상, 상록교목으로서 수관폭 5미터 이상인 수목 1주는 교목 8주를 식재한 것으로 산정한다.

제8조 【식재수종】 ① 상록수 및 지역 특성에 맞는 수종 등의 식재비율은 다음 각호 기준에 적합하게 하여야 한다.
1. 상록수 식재비율 : 교목 및 관목 중 규정 수량의 20퍼센트 이상
2. 지역에 따른 특성수종 식재비율 : 규정 식재수량 중 교목의 10퍼센트 이상

② 식재 수종은 지역의 향토종을 우선으로 사용하고, 자연조건에 적합한 것을 선택하여야 하며, 특히 대기오염물질이 발생되는 지역에서는 대기오염에 강한 수종을 식재하여야 한다.

③ 허가권자가 제1항의 규정에 의한 식재비율에 따라 식재하기 곤란하다고 인정하는 경우에는 제1항의 규정에 의한 식재비율을 적용하지 아니할 수 있다.

④ 건축물 구조체 등으로 인해 항상 그늘이 발생하거나 향후 수목의 성장에 따라 일조량이 부족할 것으로 예상되는 지역에는 양수 및 잔디식재를 금하고, 음지에 강한 교목과 그늘에 강한 지피류(맥문동, 수호초 등)를 선정하여 식재한다.

⑤ 메타세콰이어나 느티나무와 같이 뿌리의 생육이 왕성한 수목의 식재로 인해 건물 외벽이나 지하 시설물에 대한 피해가 예상되는 경우는 다음의 조치를 시행한다.
1. 외벽과 지하 시설물 주위에 방근 조치를 실시하여 식물 뿌리의 침투를 방지한다.
2. 방근 조치가 어려운 경우 뿌리가 강한 수종의 식재를 피하고, 식재한 식물과 건물 외벽 또는 지하 시설물과의 간격을 최소 5m 이상으로 하여 뿌리로 인한 피해를 예방한다.

제8조의2 【식재수종의 품질】 ① 식재하려는 수목의 품질기준은 다음 각 호와 같다.
1. 상록교목은 줄기가 곧고 잔 가지의 끝이 손상되지 않은 것으로서 가지가 고루 발달한 것이어야 한다.
2. 상록관목은 가지와 잎이 치밀하여 수목 상부에 큰 공극이 없으며, 형태가 잘 정돈된 것이어야 한다.
3. 낙엽교목은 줄기가 곧고, 근원부에 비해 줄기가 급격히 가늘어지거나 보통 이상으로 길고 연하게 자라지 않는 등 가지가 고루 발달한 것이어야 한다.
4. 낙엽관목은 가지와 잎이 충실하게 발달하고 합본되

지 않은 것이어야 한다.

② 식재하려는 초화류 및 지피식물의 품질기준은 다음 각 호와 같다.

1. 초화류는 가급적 주변 경관과 쉽게 조화를 이룰 수 있는 향토 초본류를 채택하여야 하며, 이 때 생육지속기간을 고려하여야 한다.
2. 지피식물은 뿌리 발달이 좋고 지표면을 빠르게 피복하는 것으로서, 파종식재의 경우 파종적기의 폭이 넓고 종자발아력이 우수한 것이어야 한다.

제3장 조경시설의 설치

제9조【혐오시설 등의 차폐】쓰레기보관함 등 환경을 저해하는 혐오시설에 대해서는 차폐식재를 하여야 한다. 다만, 차폐시설을 한 경우에는 차폐식재를 하지 않을 수 있으나 미관 향상을 위하여 추가적으로 차폐식재를 하는 것을 권장한다.

제10조【휴게공간의 바닥포장】휴게공간에는 그늘식재 또는 차양시설을 설치하여 직사광선을 충분히 차단하여야 하며, 복사열이 적은 재료를 사용하고 투수성 포장구조로 한다.

제11조【보행포장】보행자용 통행로의 바닥은 물이 지하로 침투될 수 있는 투수성 포장구조이어야 한다. 다만, 허가권자가 인정하는 경우에는 그러하지 아니하다.

제4장 옥상조경 및 인공지반 조경

제12조【옥상조경 면적의 산정】옥상조경의 면적은 다음의 각호의 기준에 따라 산정한다.

1. 지표면에서 2미터 이상의 건축물이나 구조물의 옥상에 식재 및 조경시설을 설치한 부분의 면적. 다만, 초화류와 지피식물로만 식재된 면적은 그 식재면적의 2분의 1에 해당하는 면적. 또한, 초화류와 지피식물이 식재된 상부에 태양광 발전설비를 병행설치한 경우 식재면적의 2분의 1에 해당하는 면적을 조경면적으로 인정하나, 태양광 발전설비 하단의 영구음지 부분은 조경면적 산정시 제외한다. <개정 2022.1.7>
2. 지표면에서 2미터 이상의 건축물이나 구조물의 벽면을 식물로 피복한 경우, 피복면적의 2분의 1에 해당하는 면적. 다만, 피복면적을 산정하기 곤란한 경우에는 근원경 4센티미터 이상의 수목에 대해서만 식재수목 1주당 0.1제곱미터로 산정하되, 벽면녹화면적은 식재의무면적의 100분의 10을 초과하여 산정하지 않는다.
3. 건축물이나 구조물의 옥상에 교목이 식재된 경우에는 식재된 교목 수량의 1.5배를 식재한 것으로 산정한다.

제13조【옥상 및 인공지반의 식재】옥상 및 인공지반에는 고열, 바람, 건조 및 일시적 과습 등의 열악한 환경에서도 건강하게 자랄 수 있는 식물종을 선정하여야 하므로 관련 전문가의 자문을 구하여 해당 토심에 적합한 식물종을 식재하여야 한다.

제14조【구조적인 안전】① 인공지반조경(옥상조경을 포함한다)을 하는 지반은 수목 ·토양 및 배수시설 등이 건축물의 구조에 지장이 없도록 설치하여야 한다.

② 기존건축물에 옥상조경 또는 인공지반조경을 하는 경우 건축사 또는 건축구조기술사로부터 건축물 또는 구조물이 안전한지 여부를 확인 받아야 한다.

제15조【식재토심】① 옥상조경 및 인공지반 조경의 식재 토심은 배수층의 두께를 제외한 다음 각호의 기준에 의한 두께로 하여야 한다.

1. 초화류 및 지피식물 : 15센티미터 이상 (인공토양 사용시 10센티미터 이상)
2. 소관목 : 30센티미터 이상 (인공토양 사용시 20센티미터 이상)
3. 대관목 : 45센티미터 이상 (인공토양 사용시 30센티미터 이상)
4. 교목 : 70센티미터 이상 (인공토양 사용시 60센티미터 이상)

② 새로운 녹화공법이 개발되어 토양 소재나 관수 방법 등이 제1항의 식재토심 규정과 맞지 않다고 조경기술사 등 관련 전문가의 검토의견이 제시될 경우 제1항의 식재토심 규정을 적용하지 아니할 수 있다.

제16조【관수 및 배수】옥상조경 및 인공지반 조경에는 수목의 정상적인 생육을 위하여 건축물이나 구조물의 하부시설에 영향을 주지 아니하도록 관수 및 배수시설을 설치하여야 한다.

제17조【방수 및 방근】옥상 및 인공지반의 조경에는 방수조치를 하여야 하며, 식물의 뿌리가 건축물이나 구조물에 침입하지 않도록 하여야 한다.

제18조【유지관리】옥상조경지역에는 이용자의 안전을 위하여 다음 각호의 기준에 적합한 구조물을 설치하여 관리하여야 한다.

1. 높이 1.2미터 이상의 난간 등의 안전구조물을 설치하여야 한다.

2. 수목은 바람에 넘어지지 않도록 지지대를 설치하여야 한다.
3. 안전시설은 정기적으로 점검하고, 유지관리하여야 한다.
4. 식재된 수목의 생육을 위하여 필요한 가지치기·비료주기 및 물주기 등의 유지관리를 하여야 한다.

제19조【옥상조경의 지원】국토교통부장관 또는 지방자치단체의 장은 옥상·발코니·측벽 등 건축물녹화를 촉진하기 위하여 건물녹화 설계기준 및 권장설계도서를 작성·보급할 수 있다. <개정 2013.4.15>

제20조【재검토기한】 국토교통부장관은 「훈령·예규 등의 발령 및 관리에 관한 규정」(대통령 훈령 제334호)에 따라 이 고시에 대하여 2021년 7월 1일 기준으로 매3년이 되는 시점(매 3년째의 6월 30일까지를 말한다)마다 그 타당성을 검토하여 개선 등의 조치를 하여야 한다. <개정 2018.7.3., 2021.7.1>

부칙 <제2015-787호, 2015.11.5.>

제1조(시행일) 이 고시는 고시한 날부터 시행한다.

부칙 <제2018-413호, 2018.7.3.>

이 고시는 발령한 날부터 시행한다.

부칙 <제2021-923호, 2021.7.1.>

이 고시는 발령한 날부터 시행한다.

부칙 <제2021-1778호, 2022.1.7>

이 고시는 발령한 날부터 시행한다.

1.3.11 건축물 안전영향평가 세부기준

[국토교통부고시 제2021-1382호, 2021.12.23.]

제1조【목적】 이 기준은 「건축법」 제13조의2 및 「건축법 시행령」 제10조의3, 「건축법 시행규칙」 제9조의2 규정에 따른 건축물 안전영향평가 시 안전영향평가기관, 제출도서, 평가절차 및 검토항목 등 필요한 사항을 정하는 것을 목적으로 한다.

제2조【안전영향평가 기관】 ① 건축법 제13조의2제2항에 따른 안전영향평가기관(이하 "평가기관"이라 한다)은 다음 각 호와 같다. <개정 2021.12.23>

1. 「국토안전관리원법」 에 따른 국토안전관리원
2. 「과학기술분야 정부출연연구기관 등의 설립·운영 및 육성에 관한 법률」 제8조에 따른 한국건설기술연구원
3. 「한국토지주택공사법」 에 따른 한국토지주택공사
4. 「한국부동산원법」 에 따른 한국부동산원

② 제1항의 평가기관이 당해 안전영향평가 대상 건축물의 발주·설계·시공·감리 등 건설과정에 직·간접적으로 관계되는 경우에는 해당 건축물의 안전영향평가에 참여할 수 없다.

③ 제1항에 따른 평가기관은 효율적이고 일원화된 평가업무 수행을 위해 각각의 평가기관이 공동으로 참여하는 운영협의회를 운영할 수 있다.

④ 제3항에 따른 운영협의회는 안전영향평가 업무와 관련된 구체적인 방법이나 실시 요령, 평가 비용 등을 정할 수 있으며, 운영협의회에서 결정된 사항은 국토교통부장관에게 통보하여야 한다.

⑤ 국토교통부장관은 운영협의회에서 결정된 사항에 대해 시정조치를 요구할 수 있다.

제3조【제출서류】 「건축법 시행령」 제10조의3제2항제3호에 따른 국토교통부장관이 정하여 고시하는 자료는 다음 각 호와 같다. <개정 2020.12.22>

1. [별표 1]의 도서
2. 설계하중에 대해 주요 구조부재의 응력 및 변위를 산정한 구조해석 전산파일

제4조【검토항목】 「건축법 시행령」 제10조의3제3항에 따른 안전영향평가 검토항목에 대한 세부사항은 [별표 2]와 같다. <개정 2020.12.22>

제5조【검토방법】 ① 평가기관은 허가권자가 안전영향평가 시 제출한 서류를 참고하여 [별표 2]의 항목에 대한 안전영향평가를 실시한다.

② 안전영향평가는 건축법령 및 관계법령에서 정하는 기준에 적합하게 실시되어야 한다. 다만 건축법령 및 관계법령에서 정하는 기준에서 정하고 있지 않은 사항에 대해서는 허가권자가 제출한 서류에서 제시한 관련 설계근거를 참고하여 검토를 실시한다.

제6조【관련 자료의 보완】 ① 평가기관은 다음 각 호의 어느 하나에 해당하는 경우 허가권자에게 안전영향평가에 필요한 자료의 보완을 요구할 수 있다.

1. 건축법 시행규칙 제9조의2제1항의 도서와 도서의 표시사항이 누락되었거나 현저히 결여되어 있는 경우
2. 제출된 서류에서 제5조의 검토항목에 대한 내용이 누락·결여되어 있는 경우
3. 그 밖에 보완이 되지 아니하면 평가결과를 제시할 수 없는 등 평가기관이 중요하다고 판단되는 사항이 있는 경우

② 제1항에 따라 보완을 요구받은 허가권자는 특별한 사유가 없으면 요구받은 자료를 제출하여야 한다.

제7조【전문가 자문】 ① 평가기관은 안전영향평가를 수행함에 있어 공정성과 전문성을 확보하기 위하여 자문단을 구성·운영할 수 있으며, 자문위원은 건축구조, 지반공학, 토질 및 기초기술 분야 등의 전문가로 학식과 경험이 풍부한 자를 포함하여 구성할 수 있다.

② 평가기관은 사업별 특성을 고려하여 전문가에게 자문을 요청하되, 특정 위원에게 자문요청이 편중되지 않도록 중립성과 공정성이 유지되도록 하여야 한다.

③ 자문단의 구성·운영에 대한 세부사항은 평가기관이 별도로 정한다.

제8조【재검토 기한】 국토교통부장관은 「훈령·예규 등의 발령 및 관리에 관한 규정」 에 따라 이 고시에 대하여 2021년 1월 1일 기준으로 매3년이 되는 시점(매 3년째의 12월 31일까지를 말한다)마다 그 타당성을 검토하여 개선 등의 조치를 하여야 한다. <개정 2020.12.22>

부칙<제2021-1382호, 2021.12.23.>

제1조(시행일) 이 고시는 발령한 날부터 시행한다.

제2조(적용례) 이 기준은 시행 후 법 제13조의2에 따라 허가권자가 건축물 안전영향평가를 안전영향평가기관에 의뢰하는 경우부터 적용한다.

[별표 1] <개정 2020.12.22., 2021.12.23>

건축물 안전영향평가 제출서류(제3조제1호 관련)

1. 대상 건축물

분야	도서종류	표시하여야 할 사항
구조 등	구조도	○ 구조내력상 주요한 부분의 평면 및 단면 ○ 주요한 부분의 상세도면
	구조계산서	○ 중력/횡력저항시스템 선정 및 검토내용 ○ 기초/지하구조시스템의 선정 및 검토내용 ○ 구조내력상 주요한 부분의 응력 및 단면 산정 과정 ○ 내진설계 및 내풍설계의 내용
	풍동실험보고서*	○ 주골조에 대한 풍력실험 결과 ○ 창호, 외벽패널 등 외장재에 대한 풍압실험 결과 ○ 주골조에 대한 공기력진동실험 결과 ○ 대상 건축물 대지 내의 풍환경실험 결과 ○ 대상 건축물 주변 지표부근의 풍환경실험 결과
	피난계획**	○ 대상 건축물의 피난유도계획 및 피난동선도
지반	지질조사서	○ 최소 2공 이상의 지반조사(전단파시험 포함) ○ 각종 토질시험내용 ○ 지내력 산출근거 ○ 지하수 흐름 분석결과 ○ 지하물리탐사(지하 20미터 이상 터파기 공사시) ○ 흙, 암반의 분류 및 물성치
	흙막이가시설계획서	○ 토지굴착계획 ○ 흙막이공법 선정사유 ○ 흙막이 구조 관련 설계도면 ○ 흙막이 구조계산 내역 ○ 지반굴착으로 인한 지반침하 영향 검토 ○ 흙막이 설치에 따른 지하수위 변화 분석

* 주골조에 대한 풍력실험과 공기력진동실험은 건축구조기준에 따른 특별풍하중 산정대상에 따르며, 그 외 외장재 풍압실험과 풍환경실험 결과는 필수 제출사항임

** 「초고층 및 지하연계 복합건축물 재난관리에 관한 특별법」에 따른 사전재난영향성검토협의를 받은 경우 해당 항목의 평가를 받은 것으로 보고 제출을 생략할 수 있음

2. 인접 대지

분야	도서종류	표시하여야 할 사항
인접 대지 건축물	건축계획서	건축법 시행규칙 [별표 2] 의 건축계획서
	배치도	건축법 시행규칙 [별표 2] 의 배치도
인접 대지 지반	지하시설물 현황도 및 영향 검토서	○ 지하시설물*의 현황도 ○ 굴착공사에 따른 지반안전성 영향분석 결과 ○ 주변 시설물의 안전성 분석 결과

* "지하시설물"이란 상수도, 하수도, 전력시설물, 전기통신설비, 가스공급시설, 공동구, 지하차도, 지하철 등 지하를 개발·이용하는 시설물을 말한다.

[별표 2] <개정 2020.12.22, 2021.12.23>

건축물 안전영향평가 검토항목(제5조 관련)

1. 건축구조기준에서 규정하고 있는 사항

분야	검토항목	검토내용
구조 등	설계기준 및 하중의 적정성	○ 하중기준의 적정성 ○ 주요 부재 설계기준의 적정성 ○ 하중 산정의 적정성
	사용재료의 적정성	○ 재료의 특성 ○ 내진구조용 재료 적합성
	하중저항시스템의 해석 및 설계 적정성	○ 중력저항시스템의 적정성 ○ 횡력저항시스템의 적정성 ○ 기초 및 지하구조시스템의 적정성
	구조안전성	○ 구조해석 모델의 적정성 ○ 구조내력상 주요한 부분의 응력 및 단면 산정 과정의 적정성 ○ 구조도면의 적정성
	풍동실험의 적정성	○ 풍동실험 기준의 적정성 ○ 주골조에 대한 풍력실험 결과 및 설계반영의 적정성 ○ 창호, 외벽패널 등 외장재에 대한 풍압실험 결과 및 설계반영의 적정성 ○ 주골조에 대한 공기력진동실험 결과 및 설계반영의 적정성 ○ 대상 건축물 대지 내의 풍환경실험 결과 및 설계반영의 적정성 ○ 대상 건축물 주변 지표부근의 풍환경실험 결과 및 설계반영의 적정성
지반	지반조사 및 지내력 산정결과의 적정성	○ 지반조사 방법 및 결과의 적합성 ○ 지내력 산정근거의 적정성 ○ 지하수위 산정의 적정성
	흙막이 설계의 적정성	○ 흙막이공법 선정 및 설계 과정의 적정성 ○ 흙막이 설치에 따른 지하수위 변동 분석 결과

2. 건축구조기준에서 규정하지 않은 사항

분야	검토항목	검토내용
구조	신재료 및 규격지정 외 재료의 강도	○ 건축구조기준에서 구체적으로 규정하지 않은 재료에 대한 강도 결정의 적합성
	특수한 공법의 안전성	○ 건축구조기준과 일치하지 않는 공법과 설계방법의 적정성 및 안전성
	규정되지 않은 횡력저항시스템의 설계	○ 규정되지 않은 횡력저항시스템의 선정 및 설계 과정의 적정성
	피난계획의 적정성	○ 방화구획 설치의 적정성 ○ 직통·피난·특별피난·옥외계단 및 피난용승강기 설치의 적정성 ○ 최대 피난 보행거리, 옥상광장, 헬리포트 및 피난안전구역 설치의 적정성 ○ 막다른 복도 길이의 적정성 ○ 대상 건축물의 피난유도계획 및 피난동선도의 적정성
지반	인접 대지 지반안전성	○ 지형 및 지질 현황조사의 적정성 ○ 지하수 변화에 의한 영향 검토 결과 ○ 굴착공사에 따른 지반안전성 영향 분석 결과 ○ 주변 시설물 안전성 영향 분석 결과

1.3.12 발코니 등의 구조변경절차 및 설치기준

[국토교통부고시 제2018-775호, 2018.12.7.]

일부개정 2012.11. 5. 국토해양부 고시 제2012-745호
일부개정 2015.11.25. 국토교통부 고시 제2015-845호
일부개정 2018.12. 7. 국토교통부 고시 제2018-775호

제1조【목적】 이 기준은 건축법 시행령 제2조제14호 및 제46조제4항제4호의 규정에 따라 주택의 발코니 및 대피공간의 구조변경절차 및 설치기준을 정함을 목적으로 한다.

제2조【단독주택의 발코니설치 범위】 단독주택(다가구주택 및 다중주택은 제외한다)의 발코니는 외벽 중 2면 이내의 발코니에 대하여 변경할 수 있다. <개정 2012.11.05>

제3조【대피공간의 구조】 ① 건축법 시행령 제46조제4항의 규정에 따라 설치되는 대피공간은 채광방향과 관계없이 거실 각 부분에서 접근이 용이하고 외부에서 신속하고 원활한 구조활동을 할 수 있는 장소에 설치하여야 하며, 출입구에 설치하는 갑종방화문은 거실쪽에서만 열 수 있는 구조(대피공간임을 알 수 있는 표지판을 설치할 것)로서 대피공간을 향해 열리는 밖여닫이로 하여야 한다. <개정 2012.11.05>

② 대피공간은 1시간 이상의 내화성능을 갖는 내화구조의 벽으로 구획되어야 하며, 벽·천장 및 바닥의 내부마감재료는 준불연재료 또는 불연재료를 사용하여야 한다.

③ 대피공간은 외기에 개방되어야 한다. 다만, 창호를 설치하는 경우에는 폭 0.7미터 이상, 높이 1.0미터 이상(구조체에 고정되는 창틀 부분은 제외한다)은 반드시 외기에 개방될 수 있어야 하며, 비상시 외부의 도움을 받는 경우 피난에 장애가 없는 구조로 설치하여야 한다.

④ 대피공간에는 정전에 대비해 휴대용 손전등을 비치하거나 비상전원이 연결된 조명설비가 설치되어야 한다.

⑤ 대피공간은 대피에 지장이 없도록 시공·유지관리되어야 하며, 대피공간을 보일러실 또는 창고 등 대피에 장애가 되는 공간으로 사용하여서는 아니된다. 다만, 에어컨 실외기 등 냉방설비의 배기장치를 대피공간에 설치하는 경우에는 다음 각 호의 기준에 적합하여야 한다.

1. 냉방설비의 배기장치를 불연재료로 구획할 것
2. 제1호에 따라 구획된 면적은 건축법 시행령 제46조제4항제3호에 따른 대피공간 바닥면적 산정시 제외할 것

제4조【방화판 또는 방화유리창의 구조】 ① 아파트 2층 이상의 층에서 스프링클러의 살수범위에 포함되지 않는 발코니를 구조변경하는 경우에는 발코니 끝부분에 바닥판 두께를 포함하여 높이가 90센티미터 이상의 방화판 또는 방화유리창을 설치하여야 한다.

② 제1항의 규정에 의하여 설치하는 방화판과 방화유리창은 창호와 일체 또는 분리하여 설치할 수 있다. 다만, 난간은 별도로 설치하여야 한다.

③ 방화판은 「건축물의 피난·방화구조 등의 기준에 관한 규칙」제6조의 규정에서 규정하고 있는 불연재료를 사용할 수 있다. 다만, 방화판으로 유리를 사용하는 경우에는 제5항의 규정에 따른 방화유리를 사용하여야 한다.

④ 제1항부터 제3항까지에 따라 설치하는 방화판은 화재시 아래층에서 발생한 화염을 차단할 수 있도록 발코니 바닥과의 사이에 틈새가 없이 고정되어야 하며, 틈새가 있는 경우에는 「건축물의 피난·방화구조 등의 기준에 관한 규칙」 제14조제2항제2호에서 정한 재료로 틈새를 메워야 한다.

⑤ 방화유리창에서 방화유리(창호 등을 포함한다)는 한국산업표준 KS F 2845(유리구획부분의 내화시험방법)에서 규정하고 있는 시험방법에 따라 시험한 결과 비차열 30분 이상의 성능을 가져야 한다.

⑥ 입주자 및 사용자는 관리규약을 통해 방화판 또는 방화유리창 중 하나를 선택할 수 있다.

제5조【발코니 창호 및 난간등의 구조】 ① 발코니를 거실등으로 사용하는 경우 난간의 높이는 1.2미터 이상이어야 하며 난간에 난간살이 있는 경우에는 난간살 사이의 간격을 10센티미터 이하의 간격으로 설치하는 등 안전에 필요한 조치를 하여야 한다.

② 발코니를 거실등으로 사용하는 경우 발코니에 설치하는 창호 등은 「건축법 시행령」 제91조제3항에 따른 「건축물의 에너지절약 설계기준」 및「건축물의 구조기준 등에 관한 규칙」제3조에 따른「건축구조기준」에 적합하여야 한다.

③ 제4조에 따라 방화유리창을 설치하는 경우에는 추락 등의 방지를 위하여 필요한 조치를 하여야 한다. 다만, 방화유리창의 방화유리가 난간높이 이상으로 설치되는 경우는 그러하지 아니하다.

제6조【발코니 내부마감재료 등】 스프링클러의 살수범위에 포함되지 않는 발코니를 구조변경하여 거실등으로 사용하는 경우 발코니에 자동화재탐지기를 설치(단독주택은 제외한다)하고 내부마감재료는 「건축물의 피난·방화구조 등의 기준에 관한 규칙」제24조의 규정에 적합하여야 한다.

제7조【발코니 구조변경에 따른 소요비용】 ① 주택법 제2조제7호의 규정에 따른 사업주체(이하 "사업주체"라 한다)는 발코니를 거실등으로 사용하고자 하는 경우에는 다음 각 호에 해당하는 일체의 비용을 「주택법」 제38조에 따른 주택공급 승인을 신청하는 때에 분양가와 별도로 제출하여야 한다.

1. 단열창 설치 및 발코니 구조변경에 소요되는 부위별 개조비용
2. 구조변경을 하지 않는 경우 발코니 창호공사 및 마감공사비용으로서 분양가에 이미 포함된 비용

② 사업주체는 주택의 공급을 위한 모집공고를 하는 때에 제1항의 규정에 따라 신청 및 승인된 비용 일체를 공개하여야 한다.

제8조【건축허가시 도면】 건축주(주택법 제2조제7호에 따른 사업주체를 포함한다. 이하 같다)는 건축법 제11조에 따른 건축허가(주택법 제16조의 규정에 의한 사업계획승인신청을 포함한다)시 제출하는 평면도에 발코니 부분을 명시하여야 하며, 동법 제22조의 건축물의 사용승인(주택법 제29조에 따른 사용검사를 포함한다. 이하 "사용승인"이라 한다)시 제출하는 도면에도 발코니를 명시하여 제출하여야 한다.

제9조【건축물대장 작성방법】 시장·군수 또는 구청장은 건축허가(설계가 변경된 경우 변경허가를 포함한다)시 제출되는 허가도서(발코니 부분이 명시된 도서를 말한다)대로 건축물대장을 작성하여야 한다. 이 경우 도면상 발코니는 거실과 구분되도록 표시하고 구조변경여부를 별도로 표시한다. 이 경우 발코니 구조변경으로 인한 주거전용면적은 주택법령에 따라 당초 외벽의 내부선을 기준으로 산정한 면적으로 한다.

제10조【준공전 변경】 건축주는 사용승인을 하기 전에 발코니를 거실등으로 변경하고자 하는 경우 주택의 소유자(주택법 제38조의 규정에 의한 세대별 입주예정자를 포함한다)의 동의를 얻어야 한다.

제11조【사용승인】 사용승인권자는 사용승인을 하는 때에 제2조부터 제8조까지의 규정에 위반여부를 확인하여야 한다.

제12조【준공후 변경】 ① 건축주는 발코니를 구조변경하고자 하는 경우 제2조부터 제6조까지 및 제8조의 규정에 대하여 건축사의 확인을 받아 허가권자에게 신고하여야 한다.

② 제1항의 규정에 의하여 건축사의 확인을 받아 신고하는 경우의 신고서 양식은 건축법시행규칙 제12조의 규정에 의한 별지 제6호 서식에 의하되, 동조 각호의 규정에 의한 첨부서류의 제출은 생략한다.

③ 제1항 및 제2항의 규정에 불구하고 주택법 적용대상인 주택의 발코니를 구조변경하고자 하는 경우 주택법 제42조의 규정에 따라야 한다.

제13조【재검토기한】 국토교통부장관은 「훈령·예규 등의 발령 및 관리에 관한 규정」(대통령 훈령 334호)에 따라 이 고시에 대하여 2019년 1월 1일 기준으로 매3년이 되는 시점(매 3년째의 12월 31일까지를 말한다)마다 그 타당성을 검토하여 개선 등의 조치를 하여야 한다. <개정 2018.12.7>

부칙<제 2010-622호, 2010.9.10>

제1조(시행일) 이 기준은 고시한 날부터 시행한다.

제2조(일반적 경과조치) 이 고시 시행 당시 건축허가를 신청(건축위원회의 심의를 신청한 것을 포함한다)한 경우와 건축허가를 받거나 건축신고를 하고 건축중인 경우에는 종전의 기준에 따른다. 다만, 종전의 규정이 개정규정에 비하여 건축주·시공자 또는 공사감리자에게 불리한 경우에는 개정규정에 따른다.

부칙<제 2012-745호, 2012.11.05>

제1조(시행일) 이 기준은 고시한 날부터 시행한다.

부칙<제 2015-845호, 2015.11.25>

제1조(시행일) 이 기준은 고시한 날부터 시행한다.

부칙 <제2018-775호, 2018.12.7.>

이 고시는 발령한 날부터 시행한다.

1.3.13 리모델링이 용이한 공동주택 기준

[국토교통부고시 제2018-774호, 2018.12.7.]

제1장 총 칙

제1조 【목적】 이 기준은 「건축법」 제8조 및 「건축법 시행령」 제6조의5의 규정에 따라 공동주택에 대한 리모델링이 용이한 구조의 판단을 위한 세부적인 기준 등에 대하여 정함을 목적으로 한다. <개정 2018.12.7>

제2조 【적용범위】 이 기준은 「건축법 시행령」 별표1 제2호 공동주택(다세대주택 및 기숙사는 제외한다. 이하 같다)을 신축하는 경우에 적용한다.

제3조 【정의】 이 기준에서 사용하는 용어의 정의는 다음과 같다.

1. “내구성”이란 건축물 또는 그 부위의 열화에 대한 저항성을 말한다.
2. “내구연한”이란 건축물 또는 그 부위의 열화에 대한 저항성의 한계에 이르기까지의 기간을 말한다.
3. “가변성”이란 건축물의 구조적 안전성을 유지하면서 평면계획이나 설비 등을 변화하거나 다양화 할 수 있는 성능과 새로운 변화에 적응할 수 있는 환경을 만들어 갈 수 있는 성능을 통합한 개념을 의미한다.
4. “설비”란 건축물에 설치하는 전기·전화·초고속 정보통신·지능형 홈네트워크·가스·급수·배수·환기·난방·소화·배연 및 오물처리 등을 위한 배선, 배관 등을 말한다.

제4조 【기본 원칙】 ① 리모델링이 용이한 공동주택은 반영구적인 장수명, 내구성, 안전성, 가변성, 친환경성 등의 성능과 품질 등을 확보할 수 있도록 설계, 시공, 감리 및 유지관리가 이루어져야 한다.

② 허가권자는 향후 리모델링을 대비하고, 이 기준의 효율적 운영과 목적 달성을 위하여 다음 각 호의 사항을 권장할 수 있다.

1. 건축물의 내구연한 설정 및 내구성 확보를 위한 사항
2. 리모델링에 필요한 설계도서(「건축법」 제2조 제1항 제14호 규정에 따른 설계도서를 말한다)의 보존
3. 리모델링 취지 등을 고려하여 노후화 억제, 기능향상 등을 기하고 자원의 절약 및 건설폐기물 최소화 등 친환경성이 지속적으로 유지되도록 관리
4. 향후 리모델링시 발코니, 주차장 등 추가설치와 관련, 창의적이고 실현가능한 설계가 되도록 조치

③ 국가와 지방자치단체는 리모델링의 설계, 시공 및 유지관리 등에 대해 창의적 설계 및 신공법, 재료, 자재 등의 성능 및 품질을 높이기 위하여 지속적인 연구를 통해 리모델링이 용이한 건축물이 조기에 정착되도록 해야 한다.

제5조 【건축허가 또는 사업계획승인 신청】 ① 리모델링이 용이한 구조로 인정받고자 신청하는 자(「건축법」에 따른 건축주, 「주택법」에 따른 사업주체 등을 말한다. 이하 “건축주등”이라 한다)는 「건축법」(이하 “법”이라 한다)제11조 또는 같은 법 제16조에 따라 건축허가(「주택법」 제15조에 의한 사업계획승인을 포함한다. 이하 같다)를 신청하거나 허가사항을 변경하는 경우에 별지 제1호 서식의 리모델링이 용이한 공동주택 인정신청서(이하 “인정신청서”라 한다), 별지 제2호 서식의 리모델링이 용이한 공동주택 판단평가서(이하 “판단평가서”라 한다)를 첨부하여 허가권자에게 제출하여야 한다. <개정 2018.12.7>

② 허가권자는 건축주등에게 판단평가서에 대한 평가근거자료를 따로 요청할 수 있다. 이 경우 건축주등은 특별한 사유가 없는 한 평가근거자료를 허가권자에게 제출하여야 한다.

③ 건축주등은 제1항에 따른 인정신청서 제출 시 제6조 제1항에 따른 별표의 평가항목에 대한 종합적인 의견, 항목별의 검토의견 및 관련서류 등을 첨부하여야 한다.

제6조 【평가 및 승인】 ① 리모델링이 용이한 구조의 판단에 대한 세부적인 평가방법 및 기준은 [별표]를 따른다.

② 건축위원회에서 제5조에 따라 제출한 인정신청서와 판단평가서를 심의하여 그 결과 평가점수 합계가 80점 이상인 경우에 용적률 등에 대하여 완화가 가능하며, 허가권자는 상 · 하수도 등 기반시설을 고려하여 이를 승인할 수 있다.

③ 필요한 경우 허가권자는 제2항에 따른 건축위원회와는 별도로 분야별 전문 소위원회를 구성하여 판단평가서의 적정성 여부 등에 대해 심의를 하게 할 수 있다.

④ 허가권자는 건축주등이 제5조에 따라 제출한 서류가 미비하거나, 사실과 다를 경우에는 건축주등에게 보완을 요청할 수 있다. 이 경우 허가권자는 특별한 경우를 제외하고 건축주등이 보완요청을 20일 이내에

이행하지 아니한 경우에는 신청을 반려할 수 있다.

제7조【허가사항 변경 등】 제6조에 따라 리모델링이 용이한 구조로 승인받은 공동주택으로서 법 제16조에 따라 건축허가를 받은 사항을 변경하고자 하는 경우에는 변경사항에 대한 신청·평가 및 승인 등에 대해서는 제5조 및 제6조를 준용한다. <개정 2018.12.7>

제8조【건축조례 제·개정 기본원칙】「건축법 시행령」 제6조의5 제2항 단서규정에 따라 건축조례에서 비율을 강화하는 경우에는 리모델링의 활성화 취지에 맞도록 시·군·구별 지역적 특성 등을 고려하여 기준을 정할 수 있다. <개정 2018.12.7>

제9조【시행 세칙】 이 기준에 대한 세부적인 사항은 국토교통부장관이 운영지침으로 정하여 시행할 수 있다. <개정 2018.12.7>

제10조【재검토기한】 국토교통부장관은 「훈령·예규 등의 발령 및 관리에 관한 규정」(대통령 훈령 334호)에 따라 이 고시에 대하여 2019년 1월 1일 기준으로 매3년이 되는 시점(매 3년째의 12월 31일까지를 말한다)마다 그 타당성을 검토하여 개선 등의 조치를 하여야 한다. <신설 2018.12.7>

부 칙 <제2007-456호, 2007.11.1.>

이 기준은 고시한 날부터 시행한다.

부칙<제2018-774호, 2018.12.7.>

이 고시는 발령한 날부터 시행한다.

[별표]

리모델링이 용이한 공동주택 평가항목 및 기준

평가항목		평가기준	평가점수
1. 세대 가변성	① 구조형식	가. 라멘구조	38~40
		나. 무량판구조	33~37
		다. 혼합구조	28~30
2. 구조체와 건축설비 분리	① 전용설비의 분리	가. 배관과 배선을 위한 세대내부에 독립 공간 확보	18~20
		나. 배관을 위한 세대내부에 독립 공간 확보	13~17
	② 공용설비의 분리	가. 유지관리가 용이한 공용공간 또는 주동외주부에 위치 + 예비 샤프트 설치	18~20
		나. 유지관리가 용이한 공용공간 또는 주동외주부에 위치	13~17
3. 세대내부 가변성	① 세대내부내력벽 및 기둥의 길이 비율	가. 세대내부 내력벽 및 기둥의 길이비율 10%미만	18~20
		나. 세대내부 내력벽 및 기둥의 길이비율 10%이상 40%미만	13~17
		다. 세대내부 내력벽 및 기둥의 길이비율 40%이상 70%미만	8~12
4. 친환경성	① 소음·진동,·차음, 에너지절약,실내공기질 등	가. 관계 법령에서 정한 기준 등 이상 적용	필수

<비고>

1. 세대 가변성 평가방법

① 「건축법」제38조에 따른 구조안전에 적합해야 한다.

② 라멘구조는 이중골조방식과 모멘트골조방식으로 구분할 수 있으며, "이중골조방식"이라 함은 횡력의 25% 이상을 부담하는 모멘트 연성골조가 전단벽이나 가새골조와 조합되어 있는 골조방식을 말하고, "모멘트골조방식"이라 함은 수직하중과 횡력을 보와 기둥으로 구성한 라멘골조가 부담하는 방식을 말한다. 이 경우 라멘구조는 수평 또는 수직방향 세대간 통합이 가능해야 한다.

③ 무량판구조는 보가 없이 기둥과 슬래브만으로 하중을 저항하는 구조이다. 혼합구조는 벽체의 일부분을 기둥으로 바꾸거나 부분적으로 보를 활용하는 구조이다. 이 경우 무량판구조와 혼합구조는 수평 또는 수직방향 세대간 통합이 가능해야 한다.

2. 구조체와 건축설비 분리 평가방법

① 전용설비의 분리

가. 전용설비는 전용공간에서 구조체에 영향을 미치지 않고 점검, 청소, 보수, 교환·갱신을 할 수 있어야 한다.

나. 전용배관과 배선이 공용공간에서 전용공간으로 인입할 때 수반되는 벽, 바닥, 기둥, 보 등의 부분을 국부적으로 관통하는 경우를 제외하고 구조체 속에 매설해서는 안 된다. 다만, 구조체에 영향을 미치지 않도록 관통부분에 슬리브 등 필요한 조치를 해야 하며, 아울러 이중배관·배선 등을 사용한 경우 구조체 속에 매설하지 않은 것으로 본다.

② 공용설비의 분리

가. 공용배관과 배선은 공용공간 또는 주동 외주부 등에 설치하고, 구조체에 영향을 미치지 않고 점검, 청소, 보수, 교환·갱신을 할 수 있어야 한다.

나. 공용배관과 배선이 벽, 바닥, 기둥, 보 등을 국부적으로 관통하는 경우를 제외하고는 구조체 속에 매설해서는 안 된다. 다만, 구조체에 영향을 미치지 않도록 관통부분에 슬리브 등 필요한 조치를 해야 하며, 아울러 이중배관·배선 등을 사용한 경우 구조체 속에 매설하지 않은 것으로 본다.

다. "예비 샤프트 설치"란 향후의 공간 변화 등에 따라 배관 등이 추가로 설치 용이하도록 공용공간 또는 주동 외주부 등에 별도로 1개소이상 확보하는 것을 말한다. 단, 이 경우에도 구조체에 영향을 미치지 않고 점검, 청소, 보수, 교환·갱신을 할 수 있어야 한다.

3. 세대내부 가변성 평가방법

① 세대내부 내력벽 및 기둥의 길이 비율 산정식

$$\text{세대내부 내력벽 및 기둥의 길이 비율(\%)} = \frac{\text{세대내부 내력벽 및 기둥길이}}{\text{세대내부 전체벽 및 기둥길이}} \times 100$$

* "세대내부 내력벽 및 기둥의 길이"라 함은 세대내부의 내력벽 및 기둥의 장변의 길이를 말함

4. 친환경성

소음·진동·차음·에너지절약·실내공기질 등에 대한 친환경적 성능, 품질 등을 확보하기 위해「주택건설기준 등에 관한 규정」제9조 및 제14조 제3항,「건축물의 설비기준 등에 관한 규칙」제11조 제1항,「건축물의 에너지절약 설계기준」,「벽체의 차음구조 인정 및 관리기준」,「건축폐자재의 활용기준」등과 환경 관련 법령에서 정한 기준과 동등이상이 되어야 리모델링이 용이한 공동주택으로 본다.

1.4 표준설계도서등의 운영에 관한 규칙

[국토교통부령 제94호, 개정 2014.5.22]

전부개정 1991. 4. 8 건설부2령 제477호
일부개정 2000. 6. 3 건설교통부령 제240호
타법개정 2008. 3.14 국토해양부령 제4호
타법개정 2013. 3.23 국토교통부령 제1호
타법개정 2014. 5.22 국토교통부령 제94호

제1조 【목적】 이 규칙은 건축법 제19조제4항의 규정에 의한 표준설계도서 및 특수한 공법을 적용한 설계도서(이하 "표준설계도서등"이라 한다)의 작성·인정·보급 및 관리에 관하여 필요한 사항을 규정함을 목적으로 한다. <개정 1996.2.9>

제1조의2 【정의】 이 규칙에서 사용하는 용어의 정의는 다음과 같다. <개정 2008.3.1., 2013.3.23>

1. "표준설계도서"라 함은 국토교통부장관이 작성한 설계도서와 중앙행정기관의 장이 작성하거나 특별시장·광역시장 또는 도지사(이하 "시·도지사"라 한다)나 대한주택공사의 장이 작성한 설계도서로서 이 규칙이 정하는 바에 따라 국토교통부장관이 인정한 것을 말한다.
2. "특수한 공법을 적용한 설계도서"라 함은 다음 각목의 1에 해당하는 것으로서 국토교통부장관이 인정한 설계도서를 말한다.
   가. 건축물의구조기준등에관한규칙을 적용하기 곤란한 구조의 건축물(건축물의 일부를 포함한다)에 관한 것
   나. 조립식공법으로서 공사비의 절감, 공사기간의 단축 또는 대량건설에 기여할 수 있는 공법에 관한 것

제2조 【표준설계도서등의 인정】 ① 표준설계도서등은 당해 표준설계도서등을 이용하여 다음 각호의1에 해당하는 건축물을 20동이상 건축하게되는 경우로서 시공의 표준화 및 자재의 규격화를 유도할 수 있는 경우에 한하여 이를 인정한다.<개정 2000.6.3>

1. 연면적 200제곱미터 미만의 주택
2. 연면적 1천700제곱미터 미만의 축사 또는 연면적 1천제곱미터 미만의 농업용저장고
3. 연면적 1천500제곱미터 미만의 군사시설
4. 6학급 이하의 학교 또는 학교의 부속용도로 사용되는 화장실·창고 등
5. 연면적 1천제곱미터 미만의 파출소, 우체국 또는 읍·면· 동사무소
6. 제1호 내지 제5호에 해당되지 아니하는 연면적 330제곱미터 미만의 건축물

② 표준설계도서등의 인정을 받고자 하는 자는 별지 제1호서식에 의한 인정신청서에 다음 각호의 도서 및 서류를 첨부하여 국토교통부장관에게 제출하여야 한다. <개정 2008.3.14, 2013.3.23>

1. 국토교통부장관이 정하는 기준에 따라 작성한 기본설계도서
2. 보급 및 관리계획을 기재한 서류
3. 특수한 공법을 적용한 설계도서인 경우에는 특수한 공법을 증명할 수 있는 서류

③ 국토교통부장관은 제2항의 규정에 의한 신청서를 받은 경우에는 다음 각호의 구분에 의한 심의위원회(이하 "심의위원회"라 한다)에 당해 기본설계도서의 심의를 요청하여야 한다. <개정 2013.3.23., 2014.5.22>

1. 국토교통부장관 또는 대한주택공사의 장이 작성한 것은 건축법시행령 제5조제1항의 규정에 의한 중앙건축위원회
2. 국방부장관이 작성한 것은 「건설기술 진흥법」 제5조제2항에 따른 특별건설기술심의위원회
3. 제1호 및 제2호외의 중앙행정기관의 장이 작성한 것은 「건설기술 진흥법」 제6조에 따른 기술자문위원회
4. 시·도지사가 작성한 것은 건축법시행령 제5조제4항의 규정에 의한 지방건축위원회

④ 심의위원회는 제3항의 규정에 의하여 심의를 요청받은 경우에는 기본설계도서에 대한 심의를 마친후 국토교통부장관에게 그 결과를 통보하여야 한다. <개정 2008.3.14, 2013.3.23>

⑤ 국토교통부장관은 제4항의 규정에 의하여 심의결과를 통보받은 경우에는 신청인에게 이를 지체없이 통지하여 신청인으로 하여금 국토교통부장관이 정하는 기준에 따라 작성한 실시설계도서를 국토교통부장관에게 제출하도록 하여야 한다. <개정 2008.3.14, 2013.3.23>

⑥ 국토교통부장관은 제5항의 규정에 의하여 신청인으로부터 실시설계도서를 받은 경우에는 당해실시설계도서에 대하여 심의위원회에 심의를 요청하여야 한다. <개정 2008.3.14, 2013.3.23>

⑦ 제4항의 규정은 제6항의 규정에 의한 실시설계도서의 심의에 관하여 이를 준용한다.

제2조의2【표준설계도서등의 공고】국토교통부장관은 표준설계도서등을 작성·인정·변경 또는 폐지하고자 할 때에는 이를 관보에 공고하여야 한다. <개정 2008.3.14, 2013.3.23>

제3조【표준설계도서등의 표시】국토교통부장관이 작성하거나 국토교통부장관으로부터 인정받은 표준설계도서등에는 도면마다 도서의 명칭, 공고번호 및 공고일자를 명시하여야 한다. <개정 2008.3.14, 2013.3.23>

제4조【주택에 관한 표준설계도서등의 보급】① 국토교통부장관이 주택에 관한 표준설계도서등을 작성한 경우 또는 제2조의 규정에 의하여 주택에 관한 표준설계도서등의 인정을 신청한 자가 국토교통부장관으로부터 그 인정을 받은 경우에는 국토교통부장관 또는 당해 신청인은 표준설계도서등의 원도와 기본도서(평면도 및 투시도를 말한다. 이하 같다)를 그 보급에 필요한 수량만큼 시·도지사에게 송부하고 그 송부를 받은 시·도지사는 건축허가관청에 송부하여야 한다. <개정 2008.3.14, 2013.3.23>

② 제1항의 규정에 의하여 주택에 관한 표준설계도서등을 송부받은 건축허가관청은 그 중 기본도서는 일반이 항상 열람할 수 있도록 하여야하며, 원도는 당해 표준설계도서등에 의하여 건축허가를 받고자 하는 자의 신청에 따라 이를 복사하여 실비로 판매한다.

③ 건축허가관청은 제2항의 규정에 의하여 주택에 관한 표준설계도서등의 보급 및 관리를 위하여 특히 필요하다고 인정하는 경우에는 건축사사무소를 등록한 자를 지정하여 그 원도를 교부하고 이를 복사하여 실비로 판매하게 할 수 있다.

제5조【주택외의 건축물에 관한 표준설계도서등의 보급】국토교통부장관이 주택외의 건축물에 관한 표준설계도서등을 작성한 경우 또는 제2조의 규정에 의하여 주택외의 건축물에 관한 표준설계도서등의 인정을 신청한 자가 국토교통부장관으로부터 그 인정을 받은 경우에는 국토교통부장관 또는 당해신청인은 표준설계도서등의 보급 및 관리에 관한 계획에 따라 이를 보급·관리하여야 한다. <개정 2008.3.14, 2013.3.23>

제6조【표준설계도서등의 관리대장】국토교통부장관, 건축허가관청, 제4조제3항의 규정에 의하여 지정된 자(이하 "표준설계도서등의 관리자"라 한다) 및 주택외의 건축물에 관한 표준설계도서등을 작성하여 국토교통부장관으로부터 그 인정을 받은 자는 별지 제2호서식에 의한 관리대장을 작성·비치하여야 한다. <개정 2008.3.14, 2013.3.23>

제7조【활용실적보고】① 표준설계도서등의 관리자는 매반기 말일을 기준으로 그 다음 달 15일까지 표준설계도서등의 활용실적을 건축허가관청에 제출하여야 한다. <개정 1996.2.9>

② 건축허가관청은 매년 1월 15일까지 표준설계도서등의 활용실적을 시·도지사에게 보고하여야 한다.<개정 1996.2.9>

③ 시·도지사 및 주택외의 건축물에 관한 표준설계도서등을 작성하여 국토교통부장관으로부터 그 인정을 받은 자는 매년 1월 20일까지 표준설계도서등의 활용실적을 국토교통부장관에게 보고하여야 한다. <개정 2008.3.14, 2013.3.23>

④ 제1항 내지 제3항의 규정에 의한 표준설계도서등의 활용실적보고서는 별지 제3호서식에 의한다.

제8조【표준설계도서등에 관한 의견제출】① 표준설계도서등을 작성하여 국토교통부장관으로부터 그 인정을 받은 자는 인정받은 날부터 5년마다 표준설계도서등에 대한 다음 각호의 검토사항과 당해표준설계도서등에 대한 폐지 또는 보완여부에 관한 의견을 국토교통부장관에게 제출하여야 한다. <개정 2008.3.14, 2013.3.23>

1. 건축법등 관계법령에 대한 적합여부
2. 활용도 및 표준화
3. 건축물의 구조, 기능등의 현실에의 적합여부

② 국토교통부장관은 제1항의 규정에 의하여 표준설계도서등의 작성자로부터 보완요청이 있는 경우에는 그 보완사항에 대하여 심의위원회에 심의를 요청하여야 한다. <개정 2008.3.14, 2013.3.23>

③ 제2조제4항의 규정은 제2항의 보완사항의 심의에 관하여 이를 준용한다. <신설 1996.2.9>

④ 국토교통부장관은 표준설계도서등이 목적에 부합되지 아니하게 사용되거나 활용도가 없다고 인정하는 때에는 표준설계도서등의 작성자와 협의하여 이를 폐지할 수 있다. <개정 2008.3.14, 2013.3.23>

부칙<제240호,2000.6.3>

① (시행일)이 규칙은 공포한 날부터 시행한다.

② (기존의 표준설계도서등에 관한 경과조치)이 규칙 시행전에 표준설계도서 및 특수한 공법을 적용한 설계도서로 인정받은 것은 이 규칙에 의한 표준설계도서등으로 인정받은 것으로 본다.

③ (인정신청중인 표준설계도서등에 관한 경과조치)이 규칙 시행당시 인정신청중에 있는 표준설계도서등은 종전의 규정에 의한다.

부칙<제4호,2008.3.14>

(정부조직법의 개정에 따른 감정평가에 관한 규칙 등 일부 개정령)

이 규칙은 공포한 날부터 시행한다.

부칙 <국토교통부령 제1호, 2013.3.23>

(국토교통부와 그 소속기관 직제 시행규칙)

제1조(시행일) 이 규칙은 공포한 날부터 시행한다. 다만, 부칙 제6조제121항은 2013년 7월 1일부터 시행한다.

제2조부터 제5조까지 생략

제6조(다른 법령의 개정) ①부터 ⑭까지 생략

⑮ 표준설계도서등의운영에관한규칙 일부를 다음과 같이 개정한다.

제1조의2제1호, 같은 조 제2호 각 목 외의 부분, 제2조제2항 각 호 외의 부분, 같은 항 제1호, 같은 조 제3항 각 호 외의 부분, 같은 항 제1호, 같은 조 제4항부터 제6항까지, 제2조의2, 제3조, 제4조제1항, 제5조, 제6조, 제7조제3항, 제8조제1항 각 호 외의 부분, 같은 조 제2항·제4항 및 별지 제1호서식 앞면 중 "국토해양부장관"을 각각 "국토교통부장관"으로 한다.

별지 제1호서식 뒷면 처리기관란 중 "국토해양부"를 "국토교통부"로 한다.

별지 제2호서식 중 "국토해양부공고"를 "국토교통부공고"로 한다.

⑯부터 ⑫⑥까지 생략

제7조 및 제8조 생략

부칙<국토교통부령 제94호,2014.5.22>

제1조(시행일) 이 규칙은 2014년 5월 23일부터 시행한다.

제2조부터 제6조까지 생략

제7조(다른 법령의 개정) ①부터 ⑧까지 생략

⑨ 표준설계도서등의운영에관한규칙 일부를 다음과 같이 개정한다.

제2조제3항제2호 중 "건설기술관리법 제5조제1항 단서의 규정에 의한 특별건설기술심의위원회"를 "「건설기술 진흥법」 제5조제2항에 따른 특별건설기술심의위원회"로 하고, 같은 항 제3호 중 "건설기술관리법시행령 제21조의 규정에 의한 설계자문위원회"를 "「건설기술 진흥법」 제6조에 따른 기술자문위원회"로 한다.

1.5 건축물대장의 기재 및 관리 등에 관한 규칙

[국토교통부령 제1235호, 일부개정 2023.8.1.]

제　　정 1992. 6. 1 건 설 부 령 제507호
전부개정 2007. 1.16 건설교통부령 제547호
일부개정 2016. 7.20 국토교통부령 제345호
일부개정 2017. 1.20 국토교통부령 제398호
일부개정 2017. 7.18 국토교통부령 제435호
일부개정 2018.12. 4 국토교통부령 제563호
타법개정 2020. 3. 2 국토교통부령 제704호
타법개정 2020. 5. 1 국토교통부령 제722호
일부개정 2021. 7.12 국토교통부령 제871호
타법개정 2021. 8.27 국토교통부령 제882호
일부개정 2023. 8. 1 국토교통부령 제1235호

제1장 총 칙

제1조 【목적】 이 규칙은 「건축법」 제38조·제39조 및 동법 시행령 제25조에 따라 건축물대장의 서식·기재내용·기재절차·관리 및 등기촉탁의 절차 등에 관하여 필요한 사항을 규정함을 목적으로 한다. <개정 2009.1.20>

제2조 【용어의 정의】 이 규칙에서 사용하는 용어의 정의는 다음과 같다. <개정 2014.1.14., 2020.5.1>

1. "생성"이라 함은 건축물이 신축·개축(전부를 개축하는 경우에 한한다)·재축·증축(기존 건축물과 별개의 동으로 증축한 것에 한한다) 등에 의하여 대지에 건축물의 건축공사가 완료된 후 건축물대장을 새로이 작성하는 것을 말한다.
2. "집합건축물"이라 함은 「집합건물의 소유 및 관리에 관한 법률」의 적용을 받는 건축물을 말한다.
3. "일반건축물"이라 함은 "집합건축물"외의 건축물을 말한다.
4. "건축물대장의 기재내용"이라 함은 건축물의 표시 및 소유자 현황에 관한 사항을 말한다.
5. "건축물대장의 전환"이라 함은 "일반건축물대장"이 "집합건축물대장"으로 되는 것을 말한다.
6. "건축물대장의 합병"이라 함은 "집합건축물대장"이 "일반건축물대장"으로 되는 것을 말한다.
7. "말소"라 함은 해체·멸실 등으로 인하여 건축물의 전부 또는 일부가 없어진 경우에 해당 건축물대장을 제23조에 따른 방법으로 "말소"표시를 하고 더 이상 사용하지 아니하거나 건축물대장의 해당 사항을 지우는 것을 말한다.
8. "이기"라 함은 기존 건축물 공부(가옥대장, 건축물관리대장 등)를 건축물대장으로 새로이 작성함을 말한다.
9. "폐쇄"라 함은 건축물대장의 전환·합병, 이기·재작성 등에 의하여 건축물대장을 새로이 작성한 경우 기존 건축물대장을 제23조에 따른 방법으로 "폐쇄"표시를 하고 더 이상 사용하지 아니하는 것을 말한다.
10. "건축물현황도"란 [대지의 경계, 대지의 조경면적, 「건축법」(이하 "법"이라 한다) 제43조에 따른 공개 공지 또는 공개 공간, 건축선(법 제46조제1항 단서에 따라 건축선이 정해지는 경우에는 건축선 후퇴면적 및 건축선 후퇴거리를 포함한다), 건축물의 배치현황, 대지 안 옥외주차 현황, 대지에 직접 접한 도로를 포함한 도면을 말한다)], 각 층 평면도 또는 단위세대평면도 등 건축물 및 그 대지의 현황을 표시하는 도면을 말한다. <개정 2021.7.12>

제3조 【건축물대장의 기재】 「건축법 시행령」(이하 "영"이라 한다) 제25조제3호에서 "국토교통부령으로 정하는 경우"란 다음 각 호의 어느 하나에 해당하는 경우를 말한다. <개정 2021.7.12>

1. 건축물의 증축·개축·재축·이전·대수선 및 용도변경에 의하여 건축물의 표시에 관한 사항이 변경된 경우
2. 건축물의 소유권에 관한 사항이 변경된 경우
3. 법 및 관계 법령에 따른 조사·점검 등에 따른 건축물의 현황과 건축물대장의 기재내용이 일치하지 않는 경우 <신설 2021.7.12>

제2장 건축물대장

제4조 【건축물대장의 종류】 건축물대장은 건축물의 종류에 따라 다음 각 호와 같이 구분한다.

1. 일반건축물대장 : 일반건축물에 해당하는 건축물 및 대지에 관한 현황을 기재한 건축물대장
2. 집합건축물대장 : 집합건축물에 해당하는 건축물 및 대지에 관한 현황을 기재한 건축물대장

제5조 【건축물대장의 작성방법】 ① 건축물대장은 건축물 1동을 단위로 하여 각 건축물마다 별표에 따라 작성하고, 부속건축물이 있는 경우 부속건축물은 주된 건축물대장에 포함하여 작성한다. <개정 2021.7.12>

② 집합건축물대장은 표제부와 전유부(전유부)로 나누어 작성한다.

③ 하나의 대지에 2 이상의 건축물(부속건축물을 제외한다)이 있는 경우에는 총괄표제부를 작성하여야 한다.

④ 건축물대장에는 건축물현황도가 포함된다.

⑤ 건축물이 다가구주택인 경우에는 다가구주택의 호(가구)별 면적대장을 작성해야 한다. <신설 2018.12.4>

제6조【대지와 건축물대장의 관계】동일 대지에 기존 건축물대장이 존재하는 경우에는 그 대장을 말소하거나 폐쇄하기 전에는 새로운 건축물대장을 작성할 수 없다. 다만, 제2조제1호에 따른 증축의 경우에는 그러하지 아니하다

제7조【건축물대장의 서식】① 일반건축물대장은 별지 제1호서식에 따르며, 동 서식의 각 기재란이 부족한 경우에는 다음 각 호의 기재사항 구분에 따라 해당 서식에 나머지 사항을 기재한다.

1. 건축물현황: 별지 제2호서식
2. 소유자현황: 별지 제2호의2서식
3. 변동사항: 별지 제2호의3서식
4. 그 밖의 사항: 별지 제2호의4서식

② 집합건축물대장의 표제부는 별지 제3호서식에 따르며, 동 서식의 각 기재란이 부족한 경우에는 다음 각 호의 기재사항 구분에 따라 해당 서식에 나머지 사항을 기재한다.

1. 건축물현황: 별지 제4호서식
2. 변동사항: 별지 제4호의2서식
3. 그 밖의 사항: 별지 제4호의3서식

③ 집합건축물대장의 전유부는 별지 제5호서식에 따르며, 동 서식의 각 기재란이 부족한 경우에는 다음 각 호의 기재사항 구분에 따라 해당 서식에 나머지 사항을 기재한다.

1. 소유자현황: 별지 제6호서식
2. 변동사항: 별지 제6호의2서식
3. 그 밖의 사항: 별지 제6호의3서식

④ 건축물대장의 총괄표제부는 별지 제7호서식에 따르며, 동 서식의 각 기재란이 부족한 경우에는 다음 각 호의 기재사항 구분에 따라 해당 서식에 나머지 사항을 기재한다.

1. 건축물현황: 별지 제8호서식
2. 변동사항: 별지 제8호의2서식
3. 그 밖의 사항: 별지 제8호의3서식

⑤ 다가구주택의 호(가구)별 면적대장은 별지 제9호서식에 따른다. <신설 2018.12.4>

[전문개정 2017.1.20]

제7조의2【정기점검 및 수시점검에 관한 사항의 기재】 삭제 <2021.7.12>

제7조의3【건축물의 구조내력에 관한 정보】 법 제38조제1항 각 호 외의 부분에서 "국토교통부령으로 정하는 건축물의 구조내력(構造耐力)에 관한 정보"란 다음 각 호의 정보를 말한다. <개정 2017.1.20., 2018.12.4.>

1. 지하수위
2. 기초형식
3. 설계지내력
4. 구조설계 해석법
5. 내진설계 적용 여부
6. 법 제48조의3에 따른 내진능력
7. 영 제2조제18호에 따른 특수구조 건축물(이하 "특수구조 건축물"이라 한다) 해당 여부
8. 특수구조 건축물의 유형

[본조신설 2015.7.7.]

제7조의4【특별건축구역 등에서 건축하는 건축물의 기재】 ① 허가권자는 법 제73조에 따라 특별건축구역에서 건축기준 등의 적용 특례사항을 적용하여 건축하는 건축물에 대해서는 건축물대장에 다음 각 호의 사항을 적어야 한다.

1. 특별건축구역의 지정 고시명, 고시번호 및 고시일자
2. 법 제73조에 따라 적용된 특례사항

② 허가권자는 법 제77조의3제2항에 따라 특별가로구역에서 건축기준 등의 적용 특례사항을 적용하여 건축하는 건축물에 대해서는 건축물대장에 다음 각 호의 사항을 적어야 한다.

1. 특별가로구역의 지정 공고명, 공고번호 및 공고일자
2. 법 제77조의3제2항에 따라 적용된 특례사항

③ 제1항 각 호 및 제2항 각 호의 사항은 별지 제1호서식, 별지 제3호서식, 별지 제5호서식 및 별지 제7호서식의 그 밖의 기재사항란에 적어야 한다.

[본조신설 2023.8.1.][종전 제7조의4는 제7조의6으로 이동 <2023.8.1.>]

제7조의5【건축협정을 체결하여 건축하는 건축물의 기재】 ① 허가권자는 법 제77조의4제1항 또는 제2항에 따라 건축협정을 체결하여 건축하는 건축물에 대해서는 건축물대장에 다음 각 호의 사항을 적어야 한다.

1. 건축협정의 명칭
2. 건축협정 인가 공고번호, 공고일자 및 유효기간
3. 건축협정 대상 지역의 위치
4. 건축협정의 내용
5. 법 제77조의13에 따라 적용된 특례사항

② 제1항 각 호의 사항은 별지 제1호서식, 별지 제3호서식, 별지 제5호서식 및 별지 제7호서식의 그 밖의 기재사항란에 적어야 한다.

[본조신설 2023.8.1.]

제7조의6【결합건축의 기재】 ① 허가권자는 법 제77조

의15제1항 또는 제2항에 따른 결합건축(이하 "결합건축"이라 한다)을 적용한 건축물에 대해서는 법 제77조의17제3항에 따라 건축물대장에 다음 각 호의 사항을 적어야 한다. <개정 2021.7.12.>

1. "결합건축"이라는 표시
2. 결합건축 대상 대지의 위치
3. 결합건축 대상 대지별 다음 각 목에 따른 용적률
   가. 「국토의 계획 및 이용에 관한 법률」 제78조에 따라 조례로 정한 용적률
   나. 결합건축으로 조정되어 적용되는 용적률
4. 결합건축 허가 날짜 및 유효기간

② 제1항 각 호의 사항은 별지 제1호서식, 별지 제3호서식, 별지 제5호서식 및 별지 제7호서식의 그 밖의 기재사항란에 기재하여야 한다.

[본조신설 2016.7.20.][제7조의4에서 이동 <2023.8.1.>]

제8조 【위반건축물의 기재】 ① 허가권자는 법 제79조제4항에 따라 시정명령을 할 때마다 건축물대장에 다음 각 호의 사항을 기재하여야 한다. <개정 2014.1.14>

1. "위반건축물"이라는 표시
2. 위반일자
3. 위반내용
4. 시정명령한 내용

② 제1항제1호의 "위반건축물"의 표시는 별지 제1호서식·제3호서식·제5호서식 및 제7호서식의 첫째면 장번호란 위에 하여야 한다.

③ 건축물대장의 변동사항란에 다음 각 호의 사항을 기재하여야 한다.

1. "위반건축물"이라는 표기를 한 사실
2. 제1항제2호 내지 제4호의 내용
3. 제1항의 위반내용이 시정되거나 관계 법령 등의 변경으로 적법하게 된 경우 그 내용

④ 제3항제3호의 경우에는 제2항의 "위반건축물"의 표시를 삭제하여야 한다.

제9조 【건축물현황도의 작성자】 ① 제12조에 따라 건축물대장을 생성하는 경우에 첨부하는 건축물현황도는 다음 각 호의 어느 하나에 해당하는 자가 작성한다. 이 경우 건축물현황도를 작성한 자는 건축물현황도에 기명·날인하여야 한다. 다만, 법 제23조제1항 단서에 따른 건축물의 경우에는 해당 건축물의 건축주나 그 밖의 사람이 작성할 수 있다. <개정 2014.1.14., 2017.1.20., 2018.12.4., 2020.3.2.>

1. 건축사법 제2조제1호의 건축사
2. 「건축사법」 제2조제2호의 건축사보(건축분야 해당자에 한한다)
3. 「국가기술자격법」에 따른 건축분야의 기술사와 건축기사 또는 건축산업기사 자격취득자
4. 국가·지방자치단체(국가 또는 지방자치단체가 건축한 건축물에 한한다)
5. 해당 특별자치시·특별자치도 또는 시·군·구(자치구에 한한다. 이하 같다)의 건축직 공무원 그 밖에 도면작성 능력을 가진 공무원 중 특별자치시장·특별자치도지사 또는 시장·군수·구청장(자치구의 구청장을 말한다. 이하 같다)이 인정한 자
6. 「공공기관의 운영에 관한 법률」 제4조에 따른 공공기관(해당 공공기관이 건축한 건축물로 한정한다)
7. 「건설산업기본법」에 따른 일반건설사업자(해당 일반건설사업자가 건축한 건축물에 한한다)
8. 「주택법」에 의한 주택건설사업자(해당 주택건설사업자가 건축한 건축물에 한한다)

② 제1항에 따른 건축물현황도 작성자는 법 제23조제2항 및 이 규칙 별표 제5호에 따라 건축물현황도를 작성하고, 건축물현황도에 서명・날인해야 한다. <신설 2018.12.4., 2021.7.12>

③ 제12조에 따라 건축물대장을 생성하는 경우 외에 건축물현황도를 제출하여야 하는 경우 특별자치시장・특별자치도지사 또는 시장・군수・구청장은 건축물현황도를 제출하려는 자에게 건축물현황도 작성에 도움을 줄 수 있는 건축사사무소, 건축지도원 및 건축기술자 등에 대한 정보를 충분히 제공하여야 한다. <개정 2017.1.20., 2018.12.4.>

제10조 【건축물대장의 보존】 건축물대장은 영구히 보존하여야 한다. 건축물대장이 말소·폐쇄된 때에도 또한 같다.

제11조 【건축물대장 초·등본의 교부 및 열람】 ① 건축물대장의 등본·초본을 발급받거나 열람하려는 자는 다음 각 호 중 필요한 부분을 선택해 특별자치시장·특별자치도지사, 시장·군수·구청장(자치구가 아닌 구의 구청장을 포함한다) 또는 읍·면·동장(이하 "등본·초본발급 또는 열람기관의 장"이라 한다)에게 신청해야 하고, 등본·초본발급 또는 열람기관의 장은 그에 따라 건축물대장의 등본·초본을 발급하거나 열람하게 하여야 한다. 다만, 건축물대장이 「공공기관의 정보공개에 관한 법률」 제9조제1항제2호 및 제4호(이 조 제3항제7호에 따라 신청하는 경우에는 「공공기관의 정보공개에 관한 법률」 제9조제1항 각 호를 말한다)에 해당하는 비공개대상정보인 경우에는 그렇지 않다. <개정 2017.1.20., 2018.12.4., 2021.7.12>

1. 별지 제1호서식의 첫째면(별지 제2호서식, 별지 제

2호의2서식, 별지 제2호의3서식 및 별지 제2호의4서식을 포함한다), 별지 제3호서식의 첫째면(별지 제4호서식, 별지 제4호의2서식 및 별지 제4호의3서식을 포함한다), 별지 제5호서식의 첫째면(별지 제6호서식, 별지 제6호의2서식 및 별지 제6호의3서식을 포함한다), 별지 제7호서식의 첫째면(별지 제8호서식, 별지 제8호의2서식 및 별지 제8호의3서식을 포함한다) 또는 별지 제9호서식

2. 각 서식의 전체면(건축물현황도를 제외한다)

3. 건축물현황도

② 제1항제1호 및 제2호의 경우 소유자 현황은 신청인이 신청하는 사항과 현 소유자만을 표시하며, 소유자 현황의 일부만을 발급하거나 열람하게 하는 경우에는 "이 초본은 현 소유자만을 표시한 것입니다." 또는 "이 초본은 현 소유자와 소유자현황의 일부만을 표시한 것입니다."라고 표기하여 발급하거나 열람하게 한 건축물대장이 전부가 아님을 나타내어야 한다. <개정 2011.9.16>

③ 제1항에 따라 발급하거나 열람하게 하는 건축물현황도 중 평면도 및 단위세대평면도는 건축물 소유자의 동의를 얻거나 다음 각 호의 어느 하나에 해당하는 경우에만 발급하거나 열람하게 할 수 있다. <개정 2021.7.12>

1. 건축물 소유자의 배우자와 직계 존·비속 및 그 배우자가 신청하는 경우
2. 국가 또는 지방자치단체가 신청하는 경우
3. 건축물이 경매·공매 중이거나 건축물에 대한 법원의 감정 촉탁이 있는 경우
4. 건축물 소유자로부터 건축물의 설계·시공 또는 중개 등을 의뢰받은 자가 그 사실을 증명할 수 있는 서류를 첨부해 신청하는 경우
5. 해당 건축물에 거주하는 임차인(賃借人)이 신청하는 경우
6. 건축물 소유자 또는 건축물 소유자를 위해 금융기관, 공공사업의 시행자 등으로부터 감정평가를 의뢰받은 「감정평가 및 감정평가사에 관한 법률」 제2조제4호의 감정평가법인등이 그 사실을 증명할 수 있는 서류를 첨부해 신청하는 경우 <신설 2021.7.12.>
7. 영 제2조제17호가목의 다중이용 건축물(주거용으로 사용하는 층은 제외한다)로서 이용자의 안전, 장애인 등의 이용 편의, 그 밖의 공익 목적을 위해 별지 제9호의2서식에 따라 신청하는 경우 <신설 2021.7.12.>

④ 제3항에도 불구하고 등본·초본발급 또는 열람기관의 장은 재난의 예방 및 재난 발생 시 국민 또는 주민의 안전 확보 등을 위해 필요한 경우 국가 또는 지방자치단체가 건축물현황도를 직접 열람 또는 출력하게 할 수 있다. <신설 2021.7.12.>

⑤ 등본·초본발급 또는 열람기관의 장은 건축물대장의 등본·초본의 첫째 장에 "이 등(초)본은 건축물대장의 원본내용과 틀림없음을 증명합니다."는 문구와 담당자의 성명과 연락처를 표기하고 관인을 날인하여야 한다. <개정 2021.7.12.>

⑥ 등본·초본발급 또는 열람기관의 장은 건축물대장을 열람하게 하는 경우에는 건축물대장 담당자의 면전에서 컴퓨터 모니터 화면을 보게 하거나 건축물대장 사본을 출력하되 제4항에 따른 표기와 관인 날인을 하지 아니한다. 이 경우 열람용으로 사본을 출력하는 경우에는 다음 각호의 표기를 하여야 한다. <개정 2021.7.12.>

1. 건축물대장 사본 각 장마다 중앙에 "열람용"으로 표기
2. 건축물대장 사본 마지막 장에 "이 건축물대장은 열람용이므로 출력하신 건축물대장은 법적 효력이 없습니다."라고 표기

⑦ 등본·초본발급 또는 열람기관의 장은 제1항에 따라 건축물소유자 외의 자에게 건축물대장을 발급하거나 열람하게 하는 경우에는 건축물대장에 기재된 주민등록번호의 일부를 표시하지 않는다. 다만, 건축물 소유자의 동의를 받거나 다음 각 호의 어느 하나에 해당하는 자가 신청하는 경우에는 주민등록번호를 모두 표시할 수 있다. <개정 2018.12.4., 2021.7.12.>

1. 건축물 소유자의 배우자
2. 건축물 소유자의 직계 존속 및 비속과 그 배우자
3. 국가 또는 지방자치단체

⑧ 등본·초본발급 또는 열람기관의 장은 건축물대장 등본·초본 및 건축물현황도를 인터넷을 통해 발급하거나 열람하게 할 수 있다. <개정 2021.7.12.>

⑨ 건축물대장 등본·초본을 발급받거나 열람하려는 자는 수수료를 납부하여야 한다. <개정 2021.7.12.>

제3장 건축물대장 생성 및 관리

제12조【건축물대장의 생성】 ① 특별자치시장·특별자치도지사 또는 시장·군수·구청장은 다음 각 호의 구분에 따라 건축물대장을 생성하여야 한다. 다만, 법 제20조에 따른 가설건축물은 제외한다. <개정 2011.9.16., 2017.1.20>

1. 법 제22조제2항에 따라 사용승인(다른 법령에 따라 사용승인으로 의제되는 준공검사·준공인가 등을 포함한다. 이하 같다)을 하는 경우: 사용승인된 내용

에 따라 생성
2. 법 제29조에 따른 공용건축물의 공사완료를 통보받은 경우: 영 제22조제3항 및 「건축법 시행규칙」 제22조제2항에 따라 제출된 서류에 따라 생성
3. 「주한미군기지 이전에 따른 평택시 등의 지원 등에 관한 특별법」 제8조에 따라 반환되는 공여구역의 건축물에 대하여 국방부장관의 요청이 있는 경우: 해당 건축물에 대한 국유재산대장부본 및 건물배치도에 따라 생성

② 제1항 외의 건축물의 공사를 완료한 자는 별지 제10호서식의 건축물대장 생성·재작성 신청서에 다음 각 호의 서류를 첨부하여 특별자치시장·특별자치도지사 또는 시장·군수·구청장에게 신청하여야 한다. <개정 2017.1.20., 2018.12.4.>
1. 대지의 범위와 그 대지의 사용에 관한 권리를 증명하는 서류
2. 건축물현황도
3. 현황측량성과도(경계복원측량도로 갈음할 수 있다)

③ 제2항에 따라 건축물대장생성 신청을 받은 특별자치시장·특별자치도지사 또는 시장·군수·구청장은 신청내용이 건축물 및 대지의 실제 현황과 합치되고 건축법령이 정한 건축기준 및 관계 법령 등의 규정에 적합한 건축물에 대하여 건축물대장을 생성하여야 한다. <개정 2017.1.20>

④ 특별자치시장·특별자치도지사 또는 시장·군수·구청장은 제2항에 따른 건축물대장생성 신청이 없는 경우에는 건축주 또는 소유자에게 건축물대장생성의 신청을 권고하거나 제3항의 기준에 따라 직권으로 해당 건축물에 대한 건축물대장을 생성할 수 있다. 직권으로 건축물대장을 생성하는 경우에 특별자치시장·특별자치도지사 또는 시장·군수·구청장은 해당 건축물의 건축주 또는 소유자에게 그 사실을 통지하여야 한다. <개정 2017.1.20>

⑤ 제4항 후단에 따른 통지를 하려는 특별자치시장·특별자치도지사 또는 시장·군수·구청장이 통지받는 자의 주소 또는 거소를 알 수 없는 때에는 건축물대장 생성 사실을 해당 특별자치시·특별자치도 또는 시·군·구의 게시판에 게시하거나 특별자치시·특별자치도 또는 시·군·구의 공보나 일간신문에 게재함으로써 건축주 또는 소유자에게 통지된 것으로 본다. <개정 2017.1.20>

제13조 【건축물이 있는 대지의 변동에 따른 건축물대장 변경】 ① 건축물의 소유자는 건축물이 있는 대지의 분할이나 합병에 따라 건축물대장을 나누거나 합치려는 경우 또는 대지가 「공간정보의 구축 및 관리 등에 관한 법률」에 따라 이미 분할이나 합병된 경우에는 별지 제11호서식의 건축물대장의 분리·결합신청서에 다음 각 호의 서류를 첨부하여 특별자치시장·특별자치도지사 또는 시장·군수·구청장에게 신청하여야 한다. <개정 2015.6.4, 2017.1.20., 2018.12.4.>
1. 건축물현황도(건축물현황도의 내용이 변경된 경우에 한한다)
2. 현황측량성과도(「공간정보의 구축 및 관리 등에 관한 법률」 제23조제1항에 따라 지적측량을 실시하여야 하는 경우에 한정하며, 경계복원측량도로 갈음할 수 있다)
3. 토지 등기사항증명서(등기필증의 제시로 갈음할 수 있다)

② 특별자치시장·특별자치도지사 또는 시장·군수·구청장은 「건축법」, 「국토의 계획 및 이용에 관한 법률」, 「공간정보의 구축 및 관리 등에 관한 법률」, 「집합건물의 소유 및 관리에 관한 법률」 등 관계 법령에 적합한 때에만 제1항에 따라 건축물대장을 나누거나 합칠 수 있다. <개정 2015.6.4, 2017.1.20>

③ 특별자치시장·특별자치도지사 또는 시장·군수·구청장은 제1항의 신청에 의하여 건축물대장을 나누거나 합친 때에는 기존 건축물대장을 폐쇄하여야 한다. 다만, 분할이나 합병된 대지에 있는 건축물에 대한 건축물대장 중 하나는 기존 건축물대장의 기재내용을 변경하는 방법으로 작성할 수 있으며, 이 경우에는 기재내용이 변경된 건축물대장을 폐쇄하지 아니한다. <개정 2017.1.20>

제14조 【건축물대장의 재작성】 ① 건축물의 소유자는 제12조제1항의 사용승인 신청서류 또는 동조제2항의 건축물대장생성 신청서류와 다르게 일반건축물에 대하여 집합건축물대장이 작성되었거나 집합건축물에 대하여 일반건축물대장이 작성되었음을 발견한 때에는 별지 제10호서식의 건축물대장 생성·재작성 신청서에 건축물대장이 잘못 작성되었음을 증명하는 서류를 첨부하여 특별자치시장·특별자치도지사 또는 시장·군수·구청장에게 건축물대장의 재작성을 신청하여야 한다. <개정 2017.1.20., 2018.12.4.>

② 특별자치시장·특별자치도지사 또는 시장·군수·구청장은 제1항의 신청에 의하여 건축물대장이 잘못 작성된 것으로 확인되면 건축물대장을 재작성하고 기존 건축물대장을 폐쇄하여야 한다. <개정 2017.1.20>

제15조 【건축물대장의 전환】 ① 건축물의 소유자는 건축물대장의 전환을 하려는 경우에는 별지 제12호서식의 건축물대장전환신청서에 다음 각 호의 서류를 첨부하여 특별자치시장·특별자치도지사 또는 시장·군수·구청장에게 해당 건축물대장의 전환을 신청하여야 한다. <개정

2017.1.20>

1. 전환하려는 건축물의 건축물현황도(건축물현황도의 내용이 변경된 경우에 한한다)

2. 전환하려는 건축물의 등기사항증명서(등기필증의 제시로 갈음할 수 있다)

3. 해당 건축물에 거주하는 임차인에게 그 건축물의 용도변경으로 인하여 동 번호 및 호수 등이 변경된다는 사실을 통지하였음을 증명하는 서류

② 특별자치시장·특별자치도지사 또는 시장·군수·구청장은 건축물대장을 전환하는 경우에는 「집합건물의 소유 및 관리에 관한 법률」 등 관계 법령에 적합한지를 검토하여야 한다. <개정 2017.1.20>

③ 특별자치시장·특별자치도지사 또는 시장·군수·구청장은 제1항의 신청에 의하여 건축물대장을 전환한 때에는 기존 건축물대장을 폐쇄하여야 한다. <개정 2017.1.20>

제16조 【건축물대장의 합병】 ① 건축물의 소유자는 건축물대장의 합병을 하려는 경우에는 별지 제13호서식의 건축물대장 합병신청서에 다음 각 호의 서류를 첨부하여 특별자치시장·특별자치도지사 또는 시장·군수·구청장에게 해당 건축물대장의 합병을 신청하여야 한다. <개정 2017.1.20>

1. 합병하려는 건축물의 건축물현황도(건축물현황도의 내용이 변경된 경우에 한한다)

2. 합병하려는 건축물의 등기사항증명서(등기필증의 제시로 갈음할 수 있다)

② 제1항에 불구하고 「부동산등기법」 제42조제1항에 따라 합병의 등기를 할 수 없는 건축물의 건축물대장은 합병할 수 없다. <개정 2012.11.16>

③ 제15조제2항은 제1항에 따른 건축물대장의 합병에 관하여 준용한다

④ 특별자치시장·특별자치도지사 또는 시장·군수·구청장은 제1항의 신청에 의하여 건축물대장의 합병을 한 때에는 기존 건축물대장을 폐쇄하여야 한다. <개정 2017.1.20.>

제17조 【집합건축물대장의 전유부의 변경】 ① 건축물의 소유자는 집합건축물의 전유부분을 두 개 이상으로 분할하거나 두 개 이상의 전유부분을 합병하려는 경우에는 별지 제14호서식의 집합건축물대장 전유부변경(분할·합병)신청서에 다음 각 호의 서류를 첨부하여 특별자치시장·특별자치도지사 또는 시장·군수·구청장에게 신청하여야 한다. <개정 2017.1.20>

1. 건축물현황도 중 해당 층의 평면도 및 단위세대평면도

2. 건물 등기사항증명서(등기필증의 제시로 갈음할 수 있다)

② 특별자치시장·특별자치도지사 또는 시장·군수·구청장은 신청내용을 확인한 후 집합건축물대장의 전유부를 변경하는 경우에는 건축물대장 중 전유부의 해당부분을 폐쇄하고 변경된 내용에 따라 새로이 작성하는 방법에 의하여야 한다. 다만, 분할하거나 합병하는 전유부분의 호 명칭이 기존의 호 명칭과 동일한 경우에는 건축물대장의 기재내용을 변경하는 방법에 따를 수 있다. <개정 2017.1.20>

③ 제15조제2항·제16조제2항은 제1항에 따른 집합건축물대장의 전유부 변경에 관하여 준용한다.

제18조 【건축물대장의 표시사항 변경】 ① 건축물의 소유자는 건축물대장의 기재내용 중 건축물 표시사항을 변경(지번의 변경은 제20조에 따르고, 도로명주소의 변경은 제20조의2에 따른다)하려는 때에는 별지 제15호서식의 건축물표시 변경신청서에 다음 각 호의 서류를 첨부하여 특별자치시장·특별자치도지사 또는 시장·군수·구청장에게 신청하여야 한다. 다만, 법 제22조제2항에 따라 사용승인된 경우에는 특별자치시장·특별자치도지사 또는 시장·군수·구청장이 직권으로 사용승인서에 따라 변경한다. <개정 2017.1.20>

1. 건축물현황도(건축물현황도의 내용이 변경된 경우에 한한다)

2. 건축물의 표시에 관한 사항이 변경되었음을 증명하는 서류

② 특별자치시장·특별자치도지사 또는 시장·군수·구청장은 제1항에 따른 건축물표시 변경신청에 의하여 건축물의 표시에 관한 사항을 변경하려는 때에는 신청내용이 건축물 및 대지의 실제현황과 합치되는지 여부를 대조·확인하여야 한다. <개정 2017.1.20.>

제19조 【건축물대장의 소유자 변경】 ① 특별자치시장·특별자치도지사 또는 시장·군수·구청장은 등기관서로부터 소유권 변동자료가 통지된 때에는 건축물대장의 소유자에 관한 사항을 정리하여야 한다. <개정 2017.1.20>

② 건축물의 소유자는 특별자치시장·특별자치도지사 또는 시장·군수·구청장에게 별지 제16호서식의 건축물소유자 변경신청서에 등기사항증명서를 첨부(등기필증 제시를 포함한다)하여 건축물대장의 변경을 신청할 수 있다. <개정 2017.1.20>

③ 건축물의 소유자는 건축물대장이 건축법령에 적합하게 생성되었으나 「부동산등기법」 제29조제2호에 해당하여 소유권보존등기를 할 수 없는 건축물의 경우에는 제2항에도 불구하고 별지 제16호서식의 건축물소유자 변

경·정정 신청서에 소유자가 변경되었음을 증명하는 다음 각 호의 서류를 첨부하여 특별자치시장·특별자치도지사 또는 시장·군수·구청장에게 그 건축물과 관련된 행정행위를 위한 기재내용의 변경을 신청할 수 있다. <개정 2017.1.20., 2018.12.4.>

1. 「부동산등기법」에 따라 등기가 되지 않는 것을 증명하는 서류(특별자치시장·특별자치도지사 또는 시장·군수·구청장이 「부동산등기규칙」 제166조에 따른 대법원예규로 확인할 수 있는 경우에는 그 확인으로 갈음할 수 있다)
2. 건축물의 소유권에 관한 사항이 변경되었음을 증명하는 서류
3. 「공증인법」 제50조에 따른 증서의 등본 또는 같은 법 제57조에 따른 인증된 사서증서의 등본(「부동산 거래신고 등에 관한 법률」에 따른 부동산거래의 신고를 하고, 매매대금이 완납된 경우에는 같은 법에 따른 신고필증으로 갈음할 수 있다)

제20조【건축물대장의 지번 변경】① 건축물의 소유자는 건축물대장의 기재내용 중 지번에 관한 사항을 변경하려는 때에는 별지 제17호서식의 건축물지번 변경신청서에 다음 각 호의 서류를 첨부하여 특별자치시장·특별자치도지사 또는 시장·군수·구청장에게 신청하여야 하며, 특별자치시장·특별자치도지사 또는 시장·군수·구청장은 이를 확인한 후 그 지번을 변경하여야 한다. <개정 2015.6.4, 2017.1.20>

1. 토지대장 또는 임야대장
2. 현황측량성과도(「공간정보의 구축 및 관리 등에 관한 법률」 제23조제1항에 따라 지적측량을 실시하는 경우에 한정하며, 경계복원측량도로 갈음할 수 있다)
3. 대지 소유자의 동의서(변경되는 대지의 소유권자와 건축물의 소유권자가 다른 경우에 한한다)

② 특별자치시장·특별자치도지사 또는 시장·군수·구청장은 건축물 소유자의 신청에 의하는 경우 외에 지번이 변경되었음을 증명하는 서류(토지이동정리결의서와 토지·임야 분할·합병신청서 사본 등을 말한다)가 첨부된 지적공부 소관청의 지적정리통지에 의하여 건축물대장의 지번을 직권으로 변경할 수 있다. <개정 2017.1.20>

③ 특별자치시장·특별자치도지사 또는 시장·군수·구청장은 제2항에 따라 건축물대장의 지번을 직권으로 변경한 경우에는 해당 건축물의 소유자에게 그 사실을 알려야 한다. 이 경우 제12조제5항을 준용한다. <개정 2017.1.20>

제20조의2【건축물대장의 도로명주소 변경】① 건축물의 소유자는 건축물대장의 기재내용 중 도로명주소에 관한 사항을 변경하려는 때에는 별지 제17호의2서식의 건축물대장 도로명주소 변경신청서에 다음 각 호의 서류를 첨부하여 특별자치시장·특별자치도지사 또는 시장·군수·구청장에게 신청하여야 하며, 특별자치시장·특별자치도지사 또는 시장·군수·구청장은 이를 확인한 후 그 도로명주소를 변경하여야 한다. <개정 2017.1.20>

1. 도로명주소개별대장
2. 건축물 소유자의 동의서(변경되는 건축물의 소유자와 거주자가 다르면서 거주자가 신청하는 경우에 한정한다)

② 특별자치시장·특별자치도지사 또는 시장·군수·구청장은 제1항에 따라 건축물 소유자가 신청하는 경우 외에 도로명주소개별대장이 첨부된 도로명주소 소관청의 도로명주소정리통지에 따라 건축물대장의 도로명주소를 직권으로 변경할 수 있다. <개정 2017.1.20>

③ 특별자치시장·특별자치도지사 또는 시장·군수·구청장은 제2항에 따라 건축물대장의 도로명주소를 직권으로 변경한 경우에는 해당 건축물의 소유자에게 그 사실을 알려야 한다. 이 경우 제12조제5항을 준용한다. <개정 2017.1.20>
[본조신설 2011.9.16.]

제21조【건축물대장 기초자료의 관리 및 건축물대장의 기재내용 정정】① 특별자치시장·특별자치도지사 또는 시장·군수·구청장은 건축물대장의 기재누락이나 소유권 불일치와 같은 오류사항 등을 조사하여 건축물대장 기초자료를 작성·관리할 수 있으며, 국토교통부장관은 이에 필요한 세부기준을 정할 수 있다. <개정 2017.1.20>

② 특별자치시장·특별자치도지사 또는 시장·군수·구청장은 제1항의 건축물대장 기초자료 등을 통해 건축물대장의 기재내용에 잘못이 있거나 기재내용이 누락되어 있음을 발견한 경우에는 그 사실을 확인한 후 직권으로 이를 정정하거나 기재할 수 있다. 이 경우 특별자치시장·특별자치도지사 또는 시장·군수·구청장은 지체 없이 그 내용을 건축물의 소유자에게 통지하여야 한다. <개정 2017.1.20>

③ 건축물의 소유자는 건축물대장의 기재내용에 잘못이 있음을 발견한 경우에는 별지 제15호서식의 건축물표시 정정신청서, 별지 제16호서식의 건축물소유자 정정신청서, 별지 제17호서식의 건축물지번 정정신청서 또는 별지 제17호의2서식의 건축물도로명주소 정정신청서에 다음 각 호의 서류를 첨부하여 그 잘못된 부분의 정정을 신청할 수 있다. <개정 2015.6.4>

1. 건축물대장의 표시사항을 정정하려는 경우에는 잘못이 있는 부분의 건축물현황도면과 이를 증명하는 서류
2. 건축물대장의 소유자에 관한 사항을 정정하려는 경우에는 건물 등기사항증명서(등기필증의 제시로 갈음할 수 있다)
3. 건축물대장의 지번에 관한 사항을 정정하려는 경우에는 토지대장 또는 임야대장. 이 경우 건축물의 대지위치에 관한 사항일 경우에는 현황측량성과도(「공간정보의 구축 및 관리 등에 관한 법률」 제23조제1항에 따라 지적측량을 실시하는 경우에 한정하며, 경계복원측량도로 갈음할 수 있다)를 포함한다.
4. 건축물대장에 도로명주소에 관한 사항을 정정하려는 경우에는 도로명주소개별대장

④ 특별자치시장·특별자치도지사 또는 시장·군수·구청장은 제3항에 따라 건축물의 기재내용을 정정하려는 때에는 신청내용이 건축물 및 대지의 실제 현황과 합치되는지 여부를 대조·확인하여야 한다. <개정 2017.1.20>

⑤ 제12조제5항은 제2항 후단의 통지에 관하여 준용한다. <개정 2009.1.20>

제22조【건축물의 철거·멸실 등에 따른 건축물대장의 말소】① 건축물의 소유자나 관리자는 건축물의 전부 또는 일부가 해체·멸실 등으로 없어진 경우에는 별지 제18호서식의 건축물대장 말소신청서를 작성하여 특별자치시장·특별자치도지사 또는 시장·군수·구청장에게 건축물대장의 말소를 신청하여야 한다. 다만, 「건축물관리법」 제30조에 따라 해체허가를 받거나 해체신고를 한 경우 또는 같은 법 제34조에 따라 멸실신고를 한 경우에는 그러하지 아니하다. <개정 2017.1.20, 2020.5.1>

② 제1항에 불구하고 법 제29조에 따른 공용건축물의 경우에는 해당 기관의 장이 해체·멸실 등으로 없어진 건축물의 개요, 해체·멸실 등의 사유 및 해체·멸실 등 전·후 사진(영 제22조제1항 단서에 따라 설계도서의 제출을 생략할 수 있는 건축물의 경우에는 해당 기관장의 확인서로 사진을 갈음할 수 있다)을 첨부하여 문서로 요청하여야 한다. <개정 2020.5.1>

③ 특별자치시장·특별자치도지사 또는 시장·군수·구청장은 건축물이 해체·멸실되었음에도 소유자나 관리자가 건축물대장의 말소 신청을 하지 아니하거나 「건축물관리법」 제30조에 따라 해체허가를 받지 않거나 해체신고를 하지 않은 경우 또는 같은 법 제34조에 따라 멸실신고를 하지 않은 경우에는 직권으로 해당 건축물대장을 말소할 수 있다. 이 경우 특별자치시장·특별자치도지사 또는 시장·군수·구청장은 지체없이 그 내용을 건축물의 소유자에게 통지하여야 한다. <개정 2017.1.20, 2020.5.1>

④ 제12조제5항은 제3항 후단의 통지에 관하여 준용한다.

제23조【건축물대장의 말소·폐쇄 방법】특별자치시장·특별자치도지사 또는 시장·군수·구청장은 기존 건축물대장을 말소하거나 폐쇄하려는 때에는 건축물대장 변동사항란에 그 사유 및 말소·폐쇄일자를 기재하고, 건축물대장의 첫째면에 "말소" 또는 "폐쇄" 표시를 하여야 한다. 다만, 건축물의 일부가 해체 또는 멸실된 경우에는 건축물대장의 해당 사항을 지우고 변동사항란에 그 사유 및 말소일자를 기재하여야 한다. <개정 2017.1.20, 2020.5.1>

제24조【건축물대장정리결정서 등의 작성】특별자치시장·특별자치도지사 또는 시장·군수·구청장은 건축물대장을 생성·재작성·전환·합병 또는 말소하거나 그 기재내용을 변경·정정하려는 때에는 별지 제19호서식의 건축물대장정리결정서를 작성한 후 그 내용을 별지 제20호서식 또는 별지 제21호서식에 의한 건축물대장정리부에 기재하여야 한다. <개정 2017.1.20>

제25조【건축물부존재증명서의 발급 등】① 건물 등기사항증명서에 적힌 건축물이 해당 대지에 존재하지 않는 경우 대지의 소유자 또는 건축물의 소유명의인은 건물멸실등기의 신청을 위해 특별자치시장·특별자치도지사 또는 시장·군수·구청장에게 별지 제22호서식의 건축물부존재증명 발급신청서에 건물 등기사항증명서를 첨부해 건축물부존재증명을 신청할 수 있다. 다만, 건축물대장이 작성되어 있는 경우에는 그렇지 않다. <개정 2017.1.20., 2018.12.4., 2021.7.12>

② 제1항에 따른 건축물부존재증명 발급신청을 받은 특별자치시장·특별자치도지사 또는 시장·군수·구청장은 현지조사 등을 실시하여 해당 대지에 등기된 건축물이 존재하지 아니함을 확인한 후 별지 제23호서식에 의한 건축물부존재증명서를 발급하여야 한다. <개정 2017.1.20>

③ 특별자치시장·특별자치도지사 또는 시장·군수·구청장이 건축물부존재증명서를 발급한 경우에는 별지 제24호서식의 건축물부존재증명서발급대장에 기재하여야 한다. <개정 2017.1.20>

제26조【등기촉탁의 절차 등】① 법 제39조제1항에 따른 등기촉탁 대상 건축물의 소유자 또는 건축주는 사용승인서를 교부받은 날 또는 건축물대장이 말소된 날부터 7일 이내에 다음 각 호의 서류를 특별자치시장·특별자치도지사 또는 시장·군수·구청장에게 제출하여

야 한다. 다만, 해당 건축물에 대한 등기가 없는 경우에는 그러하지 아니하다. <개정 2011.9.16, 2012.11.16, 2017.1.20., 2017.7.18.>

1. 등록면허세영수필 확인서 및 통지서(「지방세법」 제26조제1항 본문에 따라 등록면허세 부과가 면제되는 경우는 제외한다)
2. 건물 등기사항증명서 등 등기에 필요한 서류

② 제1항에 따른 서류를 제출받은 특별자치시장·특별자치도지사 또는 시장·군수·구청장은 건축물대장을 변경한 날 또는 건축물대장을 말소한 날부터 1월 이내에 별지 제25호서식의 건물표시변경 등기촉탁서에 다음 각 호의 서류를 첨부하여 관할 등기소에 등기를 촉탁하여야 한다. <개정 2017.1.20., 2017.7.18.>

1. 건축물대장 등본
2. 등기촉탁서 부본
3. 등록면허세영수필 확인서 및 통지서(「지방세법」 제26조제1항 본문에 따라 등록면허세 부과가 면제되는 경우는 제외한다)
4. 삭제 <2017.7.18.>

③ 특별자치시장·특별자치도지사 또는 시장·군수·구청장은 제2항에 따른 등기촉탁 내용을 별지 제26호서식의 건물표시변경등기촉탁대장에 기재하여야 한다. <개정 2017.1.20., 2017.7.18.>

제27조【그 밖의 건축물관리부의 생성】특별자치시장·특별자치도지사 또는 시장·군수·구청장은 제12조에 따라 건축물대장을 생성할 수 없는 건축물에 대하여 행정목적을 위하여 별도로 건축물관리부를 생성할 수 있다. 이 경우 건축물관리부에 위반건축물에 준하는 항목과 대지면적, 연면적, 건축면적을 포함하여 작성하여야 한다. <개정 2017.1.20.>

제4장 전산처리 등

제28조【서류 등의 전자문서로의 제출】이 규칙에 따른 각종 신청서, 서류 등을 정보통신망을 이용하여 전자문서로 제출한 경우에 이 규칙에 따라 제출한 것으로 본다.

제29조【전자정보처리시스템에 의한 건축물대장 사무처리 등】① 법 제32조제1항에 따른 전자정보처리시스템(이하 "전자정보처리시스템"이라 한다)을 이용하여 건축허가업무 등의 사무를 처리하여 보조기억장치(자기디스크, 자기테이프, 그 밖에 이와 유사한 방법에 의하여 일정한 건축물정보사항을 확실하게 기록·보관할 수 있는 전자적 정보저장매체를 포함한다. 이하 같다)에 건축물대장정보를 전자적 형태로 기록한 경우 그 전산기록을 건축물대장으로 본다. <개정 2009.1.20>

②전자정보처리시스템에 의하여 건축물대장 사무를 처리하는 경우에는 건축물대장 부본을 별도의 보조기억장치에 기록하여 작성한다. 이 경우 건축물대장 부본은 건축물대장과 동일하게 관리하여야 한다.

③ 제1항 및 제2항의 건축물대장 및 건축물대장 부본은 특별자치시장·특별자치도지사 또는 시장·군수·구청장이 정하는 장소에서 안전하게 보관·관리하고, 소유자의 개인정보 보호 및 사용자의 신원을 관리하는 등 필요한 보안조치를 하여야 한다. <개정 2017.1.20>

제30조【장부의 비치 등】전자정보처리시스템에 의하여 건축물대장 사무를 처리하는 경우에는 제24조에 따른 건축물대장정리결정서 등을 작성하지 아니할 수 있다. 이 경우 전자정보처리시스템에 의하여 건축물대장정리결정 내용을 기록·관리하여야 한다.

제31조【건축물대장의 복구】특별자치시장·특별자치도지사 또는 시장·군수·구청장은 건축물대장의 전부 또는 일부가 손상된 때에는 제29조제2항에 따른 건축물대장 부본에 의하여 복구할 수 있다. <개정 2017.1.20>

제32조【건축물대장의 전산화에 관한 특례】① 특별자치시장·특별자치도지사 또는 시장·군수·구청장은 종이문서로 관리하고 있는 기존 건축물대장을 전자정보처리시스템에 의하여 보조기억장치에 기록하거나 원형 그대로 복사한 후 데이터베이스화하여 저장할 수 있다. <개정 2017.1.20>

② 제1항에 따라 건축물대장을 전자정보처리시스템에 의하여 보조기억 장치에 기록하는 방법으로 전산화한 경우에는 종전의 건축물대장을 폐쇄할 수 있다.

③ 제1항에 따라 전자정보처리시스템에 의하여 보조기억장치에 기록하는 방법으로 전산화한 건축물대장은 종전의 건축물대장을 제2항에 따라 폐쇄한 때부터 건축물대장으로 본다.

④ 제2항에 따라 폐쇄한 기존 건축물대장을 원형 그대로 복사하고 데이터베이스화한 경우에는 제10조에 불구하고 폐쇄된 기존 건축물대장을 정부기록보존소로 이관할 수 있다.

제33조【전산정보자료의 교환 등】전자정보처리시스템에 의하여 건축물대장 사무를 처리하는 경우에는 건축물대장 정보의 송부, 건축물대장의 교부나 열람, 등기필의 통지, 지적정리의 통지 등을 정보통신망에 의하여 그 내용을 전송하는 방법으로 처리할 수 있다.

제5장 보칙

제34조【수수료】① 제11조제9항에 따라 건축물대장 등본·초본의 발급 수수료는 1건당 500원(다만, 건축물현황도는 1면당 100원)으로 하고, 열람 수수료는 1건당 300원으로 한다. <개정 2021.7.12>

② 제1항에도 불구하고 다음 각 호의 어느 하나에 해당하는 경우에는 수수료를 무료로 한다. <개정 2021.7.12>

1. 국가 또는 지방자치단체가 건축물대장 등본·초본의 발급이나 열람을 신청하는 경우
2. 제11조제8항에 따른 인터넷에 의한 건축물대장 등본·초본 및 건축물현황도를 발급하는 경우
3. 제32조에 따라 전산화한 건축물대장을 열람하게 하는 경우

③ 특별자치시장·특별자치도지사 또는 시장·군수·구청장은 해당 지역의 여건을 고려하여 조례로 정하는 바에 따라 제1항에서 정하는 수수료를 인하하여 적용할 수 있다. <개정 2011.9.16, 2017.1.20>

④ 제1항의 수수료는 해당 특별자치시·특별자치도 또는 시·군·구의 수입증지로 납부하여야 하며, 납부한 수수료는 반환하지 아니한다. 다만, 특별자치시장·특별자치도지사또는 시장·군수·구청장은 정보통신망을 이용하여 전자화폐·전자결제 등의 방법으로 수수료를 납부하게 할 수 있다. <개정 2017.1.20>

제35조【행정정보 공동이용을 통한 첨부서류에의 갈음】특별자치시장·특별자치도지사 또는 시장·군수·구청장이 건축물대장의 생성·변경·정정 등의 사무처리를 위하여 필요한 첨부서류(제12조제2항제1호, 제13조제1항제3호, 제15조제1항제2호, 제16조제1항제2호, 제17조제1항제2호, 제19조제2항, 제20조제1항제1호, 제20조의2제1항제1호·제2항, 제21조제3항제2호부터 제4호까지 및 제26조제1항의 도로명주소개별대장·등기사항증명서·토지대장·임야대장을 말한다)의 정보를 「전자정부법」 제36조제1항에 따른 에 따른 행정정보의 공동이용을 통하여 확인할 수 있는 경우에는 그 확인으로 해당 첨부서류의 제출을 갈음한다. <개정 2017.1.20>

제36조【건축물대장의 작성 및 운영에 관한 세부기준 등】① 국토교통부장관은 이 규칙에서 정한 사항 외에 건축물대장의 작성에 관하여 필요한 세부기준을 정할 수 있다. <개정 2013.3.23>

② 전자정보처리시스템에 의하여 건축물대장사무를 처리하는 경우의 건축물대장의 관리, 건축물대장사무의 처리절차, 문서의 서식, 건축물대장의 등본·초본 발급이나 열람 방법 등에 관하여 필요한 세부사항은 국토교통부장관이 정한다. <개정 2011.9.16, 2013.3.23>

③ 특별자치도지사 또는 시장·군수·구청장은 건축물대장의 관리·운영에 관하여 필요한 세부기준을 정할 수 있다. <개정 2009.1.20.>

부칙<국토교통부령 제871호, 2021.7.12.>

이 규칙은 공포 후 1개월이 경과한 날부터 시행한다.

부칙<국토교통부령 제882호, 2021.8.27.>
(어려운 법령용어 정비를 위한 80개 국토교통부령 일부개정령)

이 규칙은 공포한 날부터 시행한다. <단서 생략>

부칙<국토교통부령 제1235호, 2023.8.1.>

제1조(시행일) 이 규칙은 공포 후 6개월이 경과한 날부터 시행한다. 다만, 제11조제3항제4호 · 제5호, 제22조, 제26조제1항 · 제2항, 별지 제9호의2서식, 별지 제11호서식부터 별지 제14호서식까지 및 별지 제16호서식의 개정규정은 공포한 날부터 시행한다.

제2조(건축물대장의 기재사항에 관한 적용례) 제7조의4 및 제7조의5의 개정규정은 이 규칙 시행 이후 건축물대장을 생성하는 경우부터 적용한다.

[별표] <신설 2021.7.12., 2023.8.1>

건축물대장의 작성방법(제5조제1항 관련)

1. 일반건축물대장

(별지 제1호서식, 별지 제2호서식 및 별지 제2호의2서식부터 별지제2호의4서식까지)

항목	작성요령
가. 대지위치	1) 해당 시·도, 시·군·구, 법정동(法定洞)·법정리(法定里)를 적을 것 2) 법정동·법정리가 둘 이상인 경우 대표되는 1개 동·리를 적고, 나머지는 "지번 관련 주소"란에 적을 것
나. 지번	1) 건축물이 소재한 대지의 지번을 적을 것 2) 대지가 둘 이상의 필지로 이루어진 경우에는 "대표되는 지번 외 ○건"으로 하나만 적고, "외 ○건"은 지번 관련 주소"란"에 적을 것 3) 지번이 부여되지 않은 경우 지번을 임의로 "본번(本番) - 부번(副番)"의 형식으로 적되, 지번이 부여되면 정정하여 적을 것
다. 명칭	1) 일반적으로 불리는 건축물의 명칭 또는 동번호 등을 적거나 제9조제1항에 따른 작성자가 임의로 10자 이내로 적을 것 2) 건축물이 2동 이상인 경우 별지 제7호서식의 건축물대장 총괄표제부에 작성된 "건축물 명칭"과 각 동별 명칭 및 번호를 모두 적을 것
라.호수/가구수/세대수	집합건축물인 경우 호수를 적고, 영 별표 1에 따른 단독주택인 경우 가구수를 적으며, 같은 표에 따른 공동주택인 경우 세대수를 적을 것
마. 도로명 주소	1) 건축물의 도로명주소를 적을 것 2) 도로명주소가 둘 이상인 경우 대표적인 도로명주소를 적고, 나머지는 "도로명주소 관련 주소"란에 적을 것 3) 도로명주소를 적을 때 상세주소 및 참고항목은 적지 않을 수 있음
바. 대지면적	대지의 면적을 영 제119조제1항제1호에 따라 산정한 후 소수점 둘째 자리에서 반올림해 소수점 첫째 자리까지 적을 것
사. 건축면적	영 제119조제1항제2호에 따라 산정한 건축면적을 적을 것
아. 건폐율	법 제55조에 따른 건폐율을 적을 것
자. 연면적	영 제119조제1항제4호에 따라 산정한 연면적을 적을 것
차. 용적률 산정용 연면적	영 제119조제1항제4호에 따른 용적률을 산정할 때의 연면적을 적을 것
카. 용적률	법 제56조에 따른 용적률을 적을 것
타. 지역, 지구, 구역	1) 대지가 속한 법 또는 다른 법률에 따른 지역·지구·구역의 명칭을 각각 적을 것 2) 지역·지구·구역이 둘 이상인 경우에는 법 제54조에 따라 적용되는 지역·지구·구역을 적고, 나머지 지역·지구·구역은 "그 밖의 기재사항"란에 적을 것
파. 주구조	건축물의 주요 구조를 적되, 하나의 동이 둘 이상의 구조로 된 경우에는 대표적인 구조 하나만 적을 것
하. 주용도	1) 건축물의 용도를 영 별표 1의 구분에 따라 적되, 하나의 동이 둘 이상의 용도에 해당하는 경우 주된 용도만 적을 것 2) 「주택법」 제15조에 따른 사업계획승인을 받은 경우에는 같은 법 제2조제2호·제3호·제13호 및 제14호의 단독주택·공동주택·부대시설 및 복리시설 중 어느 하나를 적을 것
거. 층수	주된 건축물의 층수를 지하 및 지상으로 구분하여 영 제119조제1항제9호에 따라 산정하여 적을 것
너. 높이	건축물의 높이를 영 제119조제1항제5호에 따라 산정하여 적을 것
더. 지붕	지붕의 재료 또는 형태를 적되, 하나의 동이 둘 이상의 재료 또는 형태로 되어 있는 경우에는 대표적인 것 하나만 적을 것
러. 부속건축물	1) 부속건축물의 동수와 연면적(두 동 이상인 경우 각각의 동의 연면적의 합계를 말한다)을 적고, 세부 현황은 "건축물 현황"란에 적을 것 2) 주된 건축물이 두 동 이상인 경우 별지 제7호서식의 건축물대장 총괄표제부에 부속건축물의 동수와 연면적의 합계를 적고 별지제3호서식의 집합건축물대장의 표제부에는 적지 않을 것

머. 조경면적, 공개 공지·공간 면적	법 제42조에 따른 조경면적과 법 제43조제1항에 따른 공개 공지 또는 공개 공간의 면적을 적을 것
버. 건축선 후퇴면적, 건축선 후퇴거리	법 제46조 및 영 제31조에 따른 건축선 후퇴면적 및 건축선 후퇴거리를 적을 것
서. 건축물 현황	1) 구분: 주된 건축물은 "주" 부속건축물은 "부"로 적을 것. 이 경우 부속건축물이 둘 이상인 경우 "부1"·"부2"·"부3" 등으로 적는다. 2) 층별: 지하층은 "지1", "지2", "지3" 등으로, 지상층은 "1층", "2층", "3층" 등으로 적되, 가장 아래부터 순차적으로 적을 것 3) 구조: 해당 층 부분의 구조가 표시될 수 있도록 적되, 증축 등으로 새로운 구조가 발생하는 경우 다음 난에 적을 것 4) 용도 가) 층·구조·용도별로 영 별표 1에 따른 용도를 적고 괄호 안에 구체적인 명칭을 적되, 영 별표 1에 규정되어 있지 않은 용도인 경우에는 영 별표 1에 규정된 용도 중 가장 유사한 용도를 적을 것 예) 제2종 근린생활시설(일반음식점) 나)「주택법」 제15조에 따른 사업계획승인을 받은 경우 같은 법 제2조제2호·제3호·제13호 및 제14호의 단독주택·공동주택·부대시설 및 복리시설 중 해당하는 용도를 적을 것 5) 면적: 구분별·층별·구조별·용도별로 영 제119조제1항제3호에 따라 산정한 바닥면적을 적을 것
어. 소유자 현황	1) 성명(명칭): 건축물의 건축주 또는 소유자를 적되, 소유자가 변경된 경우에는 건물 등기사항증명서 등에 따라 변경할 것 2) 주민(법인)등록번호(부동산등기용등록번호): 사람인 경우에는 주민등록번호를 적고, 법인인 경우에는 법인등록번호를 적으며, 그 밖의 경우에는 부동산등기용등록번호를 적을 것 3) 주소 가) 사람인 경우에는 주민등록표상의 주소를 적고, 법인인 경우 및 그 밖의 경우에는 사무소 등의 소재지를 적을 것 나) 주소가 변경된 경우에는 그에 따라 변경된 주소를 적을 것 4) 소유권 지분: 건물 등기사항증명서에 따라 소유자별 지분을 적을 것 5) 변동일·변동원인 가) 최초 작성시에는 신축한 건축물과 그 밖의 건축물로 구분하여 신축한 건축물의 경우 변경일란에 사용승인일을 적고, 변동원인란에는 "소유권 취득"으로 적으며, 그 밖의 건축물의 경우에는 변경일란에 건축물대장 생성 신청일을 적고 변동원인란에는 건축물대장 생성 신청의 원인을 적을 것 나) 변경하는 경우에는 건물 등기사항증명서에 따른 등기접수일과 변경의 원인을 적을 것
저.건축주·설계자·공사감리자·공사시공자(현장관리인)	해당하는 자가 다수인 경우에는 "대표자 ○○외 ○인"으로 적을 것
처.주차장·승강기·하수처리시설	1) 주차대수 및 면적, 승강기대수 및 하수처리시설·급수설비(저수조)의 형식과 용량, 급수설비(「수도법」 제3조제24호에 따른 급수설비를 말한다) 중 저수조의 설치위치에 따른 수량 및 총 용량(㎥)을 적을 것 2) 시설의 추가·변경·말소 등의 경우에는 "변동사항"란에 그 사유와 내용을 적을 것
커. 허가일	1) 최초 건축허가일 또는 건축신고일을 적을 것 2)「주택법」 제15조에 따른 사업계획승인 대상 건축물은 사업계획승인일을 적을 것
터. 착공일	「건축법 시행규칙」 별지 제13호서식의 착공신고서에 적힌 착공예정일자를 적되, 착공일이 변경된 경우에는 실제 착공일을 적을 것
퍼. 사용승인일	1)「건축법 시행규칙」 별지 제18호서식의 사용승인서에 적힌 사용승인일을 적을 것 2) 법 제22조제1항에 따라 동별 사용승인을 받은 경우 동별 사용승인일을 적고, 별지 제7호서식의 총괄표제부 중 "그 밖의 기재사항"란에 동별 사용승인 표시를 하며, 최종 사용승인일을 적을 것 3) 사용승인 대상 건축물이 아닌 경우에는 실제 공사완료일자를 적을 것

허. 건축물 인증 현황	제로에너지건축물 인증, 건축물 에너지효율등급 인증, 에너지소비총량, 에너지성능지표(EPI) 점수, 녹색건축 인증 및 지능형건축물 인증 등 관계 법령에서 규정한 건축물 인증명, 유효기간 및 성능을 적을 것
고. 내진설계 적용 여부	영 제32조제2항에 따라 구조 안전의 확인 서류를 허가권자에게 제출한 경우 "적용"으로 적고, 그 밖의 경우에는 "비적용"으로 적을 것
노. 내진능력	1) 「건축법」 제48조의3제1항에 따른 내진능력을 적을 것 2) 내진능력의 표기는 「건축물의 구조기준 등에 관한 규칙」 별표 13 제1호에 따를 것
도. 특수구조 건축물	특수구조 건축물 해당 여부를 "해당(유형:)" 또는 "미해당"으로 적고, 해당인 경우 영 제2조제18호 각 목의 어느 하나에 해당하는지 유형을 적을 것
로. 지하수위	「건축법 시행규칙」 별지 제17호서식의 (임시)사용승인 신청서에 적힌 지하수위를 적을 것
모. 기초형식	지내력(地耐力)기초와 파일기초 중에 해당하는 것을 적고, 지내력기초로 적은 경우 설계지내력을 t/㎡ 단위로 적을 것
보. 구조설계 해석법	등가정적해석법과 동적해석법 중 해당하는 것을 적을 것
소. 관리계획 수립 여부	1) 「건축물관리법」 제11조에 따른 건축물관리계획 수립 여부를 "해당" 또는 "미해당"으로 적을 것 2) 「건축물관리법」(2019.4.30. 법률 제16416호로 제정되어 2020.5.1. 시행된 것) 부칙 제4조에 따른 수립을 포함할 것
오. 건축물 관리점검 현황	1) 종류: 「건축물관리법」 제13조 및 제15조에 따른 정기점검 및 소규모 노후 건축물등 점검 중 최근 실시한 건축물 관리점검의 명칭을 적을 것 2) 점검유효기간: 「건축물관리법」 제13조 및 제15조에 따라 향후 실시해야 하는 건축물 관리점검 기한을 적을 것 3) 건축물 관리점검 현황이 변경되는 경우 기존 관리점검 현황은 "변동사항"란에 그 내용을 적을 것
조. 변동사항 (변동일, 변동내용 및 원인)	1) 소유권 변동 외의 변동사항만 적을 것 2) 옮겨 적는 경우에는 기존 건축물 공부(가옥대장, 건축물관리대장 등)에 적힌 변동내용을 건축물대장에 모두 적을 것
초. 그 밖의 기재사항	법 위반 내용, 타목2)에 해당하는 경우, 특별건축구역·특별가로구역·건축협정·결합건축 중 건축기준의 특례를 적용한 사항(제7조의4제1항 각 호 및 제2항 각 호, 제7조의5제1항 각 호 및 제7조의6제1항 각 호) 및 그 밖에 건축물대장의 유지·관리에 직접 영향이 있는 사항으로서 별도로 적을 해당 난이 없는 경우 적을 것

2. 집합건축물대장

(별지 제3호서식, 별지 제4호서식, 별지 제4호의2서식, 별지 제4호의3서식, 별지 제5호서식, 별지 제6호서식, 별지 제6호의2서식 및 별지 제6호의3서식)

항목	작성요령
가. 건축물 현황	1) 층별: 구분별 각 층을 가장 아래부터 위로 순차적으로 적을 것 2) 구조: 구분별, 층별로 주구조를 적을 것 3) 용도 가) 층·구조·용도별로 영 별표 1에 따른 용도를 적고, 괄호 안에 구체적인 명칭을 적되, 영 별표 1에 규정되어 있지 않은 용도인 경우에는 영 별표 1에 규정된 용도 중 가장 유사한 용도를 적을 것 예) 제2종 근린생활시설(일반음식점) 나) 부속용도 건축물이 별도의 건축물로 구분되는 경우에는 "부속(부설)○○"로 적을 것

나. 호명칭	각 호실 번호 또는 명칭을 적되, 층수를 표시할 때는 숫자와 한글로만 적을 것
다.전유부분·공용부분	1) 용도란에는 전유부분 또는 공용부분별로 세부적으로 적을 것 2) 「집합건물의 소유 및 관리에 관한 법률」 제1조의2제1항에 따른 구분점포인 경우로서 경계벽이 없는 경우에는 전유부분의 구조란에 "경계벽 없음"으로 적을 것 3) 공용부분의 면적에 대해 별도의 구분이나 신청이 없는 경우에는 해당 전유부분에 공용되는 면적에 따라서 비례 배분한 면적을 적을 것
라.공동주택(아파트) 가격	건축물의 용도가 영 별표 1 제2호가목의 아파트인 경우에만 적되,「부동산 가격공시에 관한 법률」 제18조에 따라 공시된 공동주택가격을 적을 것
마. 그 밖의 항목	제1호에 해당하는 항목이 있을 경우 그 작성요령에 따라 작성할 것

3. 건축물대장 총괄표제부

(별지 제7호서식, 별지 제8호서식, 별지 제8호의2서식 및 별지 제8호의3서식)

항목	작성요령
가. 연면적·용적률 산정용연면적	하나의 대지에 두 동 이상의 건축물이 있는 경우에는 각 건축물의연면적의 합계를 적을 것
나. 건축물 수	주된 건축물의 총 동수를 적을 것
다. 주용도	주된 건축물의 주용도를 적을 것
라. 총 호수/가구수/세대수	하나의 대지에서 구분되는 각 호실의 총 호수/가구수/세대수의 합계를 적을 것
마. 총 주차대수	하나의 대지에 설치된 총 주차대수의 합계를 적을 것
바. 건축물 현황	1) 명칭: 동별 건축물의 명칭 및 번호를 적을 것 2) 건축물 주구조: 동별 건축물의 주구조를 적을 것 3) 건축물 지붕: 지붕의 재료 또는 형태를 적을 것 4) 층수: 동별 층수를 지하와 지상으로 구분하여 적을 것
사. 특이사항	건축물에 대해 특별히 내용을 알 필요가 있는 사항을 적을 것
아. 그 밖의 항목	제1호 또는 제2호에 해당하는 항목이 있을 경우 그 작성요령에 따라 적을 것

4. 다가구주택의 호(가구)별 면적대장(별지 제9호서식)

항목	작성요령
가.호(가구)별 전용면적	호(가구)별로「주택법 시행규칙」 제2조제1호에 따라 산정한 주거전용면적을 적을 것

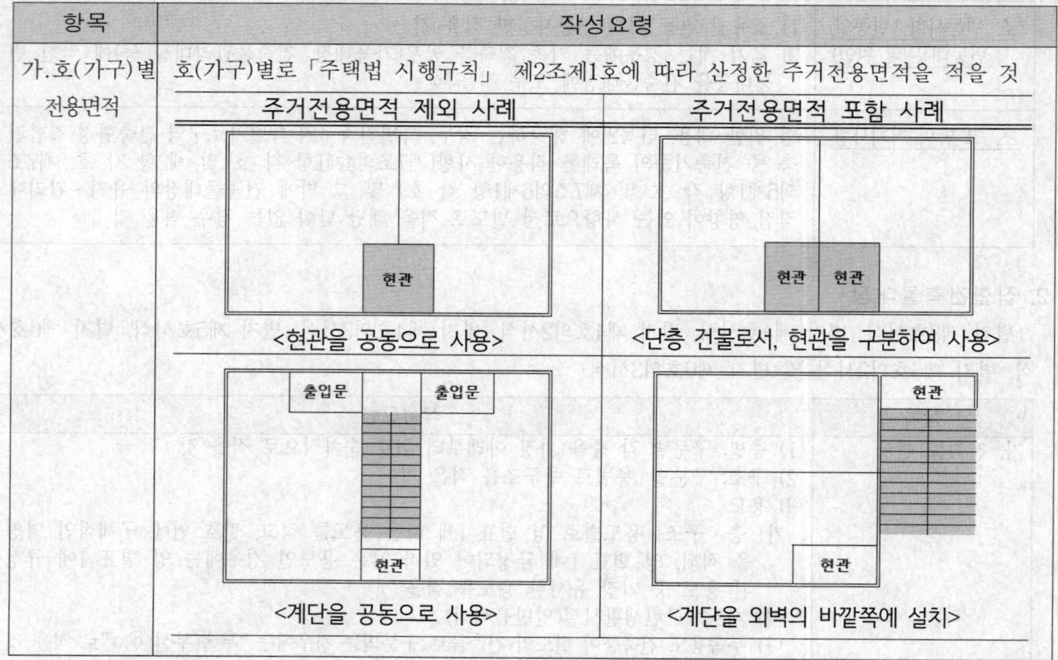

<현관을 공동으로 사용>
<단층 건물로서, 현관을 구분하여 사용>
<계단을 공동으로 사용>
<계단을 외벽의 바깥쪽에 설치>

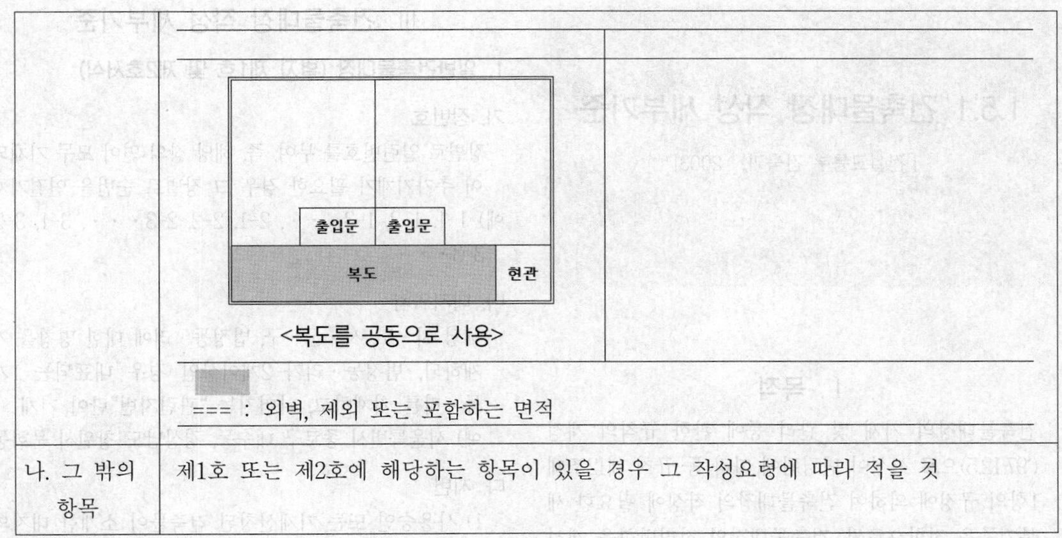

나. 그 밖의 항목	제1호 또는 제2호에 해당하는 항목이 있을 경우 그 작성요령에 따라 적을 것

5. 건축물현황도

항목	작성요령
가. 작성방법	1) 배치도·평면도 및 주차장도(주차장도가 배치도 또는 평면도에 표기되는 경우 주차장도는 제외한다)로 구분하여 적을 것. 이 경우 하나의 용지에 한꺼번에 작성할 수 있음 2) 평면도는 각 층마다 별도의 용지로 작성할 수 있으며, 각 층의 평면도를 작성할 때 여러 층이 동일한 평면인 경우에는 해당 층의 범위를 적어 하나의 도면으로 작성하거나 1층 평면도는 배치도에 포함하여 작성할 수 있음 3) 법 제43조제1항에 따른 공개 공지 또는 공개 공간의 면적, 법 제42조에 따른 조경면적, 영 제31조에 따른 건축선 후퇴면적의 외곽선은 굵은 점선으로 표시하고, 지시선을 이용해 면적(건축선 후퇴면적의 경우에는 건축선 후퇴거리를 포함한다)과 시설물을 문자 또는 문자와 그림을 혼용해 표기하되, 그림으로만 표기하지 말 것 4) 집합건축물 전유부 대장에는 해당 전유부분이 있는 각 층의 평면도(해당 전유부분의 위치 표시를 포함한다)와 전유부분인 단위세대 평면도를 작성하되, 단위세대의 구조가 매우 간단한 경우에는 전유부분 평면도를 생략할 수 있음 5) 집합건축물의 전유부분이 많거나 전유부분의 형태가 여러 개로 통일된 경우에는 해당 집합 건축물대장의 마지막에 각 층 평면도(전유부분별 번호를 적을 것)와 전유부분 형태별 도면을 한꺼번에 편철하고 각 전유부분 대장에는 편철된 도면의 번호와 형태를 적는 것으로 갈음할 수 있음 6) 도면에는 기둥간격, 벽체의 길이, 전체 건축물의 각 변 길이 등 주요 치수를 ㎜단위로 적고, 방화구획 및 방화문의 위치를 표시할 것 7) 기존 건축물을 증축·개축 또는 재축하는 경우에는 기존 건축물 공부(가옥대장, 건축물관리대장 등)를 폐쇄하고 그 내용을 증축·개축 또는 재축의 내용과 합하여 신규 건축물 대장에 옮겨 적을 것 8) 도면의 축척은 1/50, 1/100, 1/200, 1/300, 1/500, 1/600, 1/1,000, 1/1,200, 1/2,000, 1/5,000 중 어느 하나를 적용하되, 지나치게 크거나 작은 건축물인 경우 등 특별한 사유가 있는 경우에는 별도의 축척을 적용할 수 있으며, 평면도 등 같은 종류의 도면에 적용하는 축척은 동일하게 할 것 9) 제9조에 따른 도면작성자의 소속·직급(또는 직위)과 이름을 적고 서명 또는 날인할 것
나. 기재사항	1) 배치도: 대지경계, 대지의 조경면적, 법 제43조제1항에 따른 공개 공지 또는 공개 공간, 건축선(법 제46조제1항 단서에 따라 건축선이 정해지는 경우에는 건축선 후퇴면적 및 건축선 후퇴거리를 포함한다), 건축물의 배치현황, 주차장, 대지에 직접 접한 도로, 주출입구·부출입구, 대지의 옹벽, 정화조 등 주요 시설물, 그 밖에 건축물의 특정에 필요한 사항을 적을 것 2) 평면도 및 단위세대평면도: 각 층의 평면 형태, 내부 주요칸막이, 객실용도, 승강기·화장실·방화구획 등과 주요 설비, 내부 주요 치수 등을 적을 것

1.5.1 건축물대장 작성 세부기준

[건설교통부 건축과, 2003]

Ⅰ. 목적

건축물대장의 기재 및 관리 등에 관한 규칙의 개정('97.12.5)으로 서식이 변경됨에 따라 동 규칙 제12조제1항의 규정에 의하여 건축물대장의 작성에 필요한 세부기준을 정함으로써, 건축물대장의 정리방향을 제시하고 기재용어 등을 표준화하여 행정능률의 제고 및 민원 편익의 증진을 도모하며, 나아가 앞으로 추진될 건축행정 전산화의 기틀을 마련하기 위함.

Ⅱ. 적용범위 및 원칙

가. 적용범위

이 기준은 "건축물대장의기재및관리등에관한규칙"(이하 "대장규칙"이라 함)에 의한 건축물대장 별지 제1호 내지 제6호 서식의 작성·전환·합병·변경·정정·말소 또는 이기시에 적용함

나. 적용원칙

1) 「건축물대장 작성 세부기준」(이하 "세부기준"이라 함)에 의한 대장작성은 건축허가(신고) 또는 기재신청된 내용에 따르되, 건축법(이하 "법"이라 함)·건축법시행령(이하 "영"이라 함)·건축법시행규칙(이하 "규칙"이라 함) 또는 대장규칙에 적합해야 함

2) 건축법령 및 대장규칙과 세부기준에 정하지 아니한 사항은 신청인의 신청에 따르되, 민법·부동산등기법 또는 집합건물의 소유및관리에관한법률 등 관계법령에 적합해야 함

3) 일반건축물대장 작성 세부기준의 해당 항목은 집합건축물대장작성 세부기준 및 총괄표제부 작성 세부기준의 해당 항목에 이를 준용함

Ⅲ. 건축물대장 작성 세부기준

1. 일반건축물대장 (별지 제1호 및 제2호서식)

가. 장번호

장별로 일련번호를 부여. 즉, 해당 장의 면이 모두 기재되어 추가기재가 필요한 경우 그 장별로 순번을 연결기재

예) 1-1, 1-2, 1-3···, 2-1, 2-2, 2-3···, 3-1, 3-2, 3-3···

나. 대지위치

해당 시·도, 시·군·구, 법정동·리에 대한 명칭을 기재하되, 법정동·리가 2개이상인 경우 대표되는 1개 동·리를 기재하고, 나머지는 "관련지번"란이 기재

예) 서울특별시 종로구 내수동, 경상남도 창원시 문화동

다. 지번

1) 사용승인 또는 기재신청된 건축물이 소재한 대지의 지번을 기재.

2) 대지가 2개이상의 필지로 이루어진 경우에는 그중 "대표되는 지번 외○"로 하나만 기재하고, "외○"은 "관련지번"란에 기재

* 대표지번은 가급적 선순위 지번으로 하되, 건축물의 건축주 또는 소유자가 요구하는 경우에는 관계법령에 저촉이 없는 한 요구대로기재

- 선순위 지번은 주건축물의 소재지번, 편입면적이 많은 토지지번 순으로 함

* 토지구획정리지구의 경우 블록-롯트의 가지번을 우선 기재하되, 본지번이 부여된 때에는 이를 정정 기재

라. 명칭 및 번호

1) 일반적으로 불리는 건축물의 명칭 또는 동번호 등을 기재하거나 신청에 의하여 작성(10자이내, 초과시 약식 정리)

예) 대한빌딩, 아리랑아파트 101동, 단군빌라 A동, 한국호텔 별동, ㅇㅇ대학교 생활관,
□□문화센타 전시관,
진주마을 3차 917동 (←강남 개포단지 진주마을 3차아파트 917동) 등

2) 건축물이 2동 이상인 경우 건축물대장 총괄표제부에 작성된 "건축물 명칭"에 각동별 "명칭 및 번호"를 모두기재

마. 특이사항

건축법령에 위반사항이 있는 경우 "위반건축물"로 기재(위반근거 및 위반내용은 "기타 기재사항"란에 기재)

바. 대지면적

사용승인 또는 기재신청된 대지(필지가 아님)면적을 소수점 1째 자리까지 기재(법 제2조제1호 및 영 제3조제1

항, 지적법시행령 제7조 참조)

※ 면적, 길이(높이)관련 자리수의 표기

따로 명시하지 않는 한 소수점 이하 2째자리까지 표기하는 것을 원칙으로하되 건폐율·용적률 등 건축기준에 위반이 되는 경우나 집합건축물의 전유·공유부분의 계산, 소유자·이해관계자의 요구 등 특별한 사유가 있는 경우에는 예외 가능

사. 건축면적

사용승인 또는 기재신청된 건축물의 건축면적을 기재(영 제119조제1항제2호 참조)

아. 건폐율

사용승인 또는 기재신청된 건축물의 건폐율(건축면적÷대지면적)을 기재 (법 제47조 참조)

자. 연면적

사용승인 또는 기재신청된 건축물의 연면적을 기재(영 제119조제1항제3호 및 제4호 참조)

차. 용적률 산정용 연면적

사용승인시 내용이나 기재신청된 건축물의 연면적에서 지하층 바닥면적 또는 지상층의 부속 주차용 면적을 제외한 연면적을 기재(법 제48조 및 영 제119조제1항제4호 참조)

카. 용적률

사용승인 또는 기재신청된 건축물의 용적률(용적률 산정용 연면적÷대지면적)을 기재 (법 제48조 참조)

타. 지역, 지구, 구역

1) 사용승인 또는 기재신청된 대지가 속한 지역·지구·구역을 각각 기재.
2) 지역·지구·구역이 2개이상인 경우에는 그 중 대표되는 "지역 외○"로 기재하고, "외○"은 "기타 기재사항"란에 기재(지구·구역도 같은 방법으로 기재) (법 제45조·제46조 및 도시계획법·국토이용관리법 등 관계법령 참조)

파. 주구조

사용승인 또는 기재신청된 내용에 따라 건축물의 주요구조를 아래 예와 같이 기재하되 하나의 동이 2이상의 구조로 된 경우에는 대표적인 구조 하나만 기재

종 류	기 재 방 법
조적구조	벽돌구조, 블록구조, 석구조, 기타조적 (○○)구조
콘크리트 구조	무근콘크리트구조, 철근콘크리트구조, 철골콘크리트구조, 철골철근콘크리트구조, 기타콘크리트(○○)구조
강구조	일반철골구조, 경량철골구조, 강관구조, 기타강(○○)구조
나무구조	일반나무구조, 통나무구조, 기타나무(○○)구조
조립식 구조	프리캐스트콘크리트구조, 샌드위치패널구조, 기타조립식 (○○)구조
나머지 구조	기타(○○)구조

하. 주용도

1) 건축물의 대표적인 용도를 건축법시행령 별표1 각호(32개용도)의 구분에 다라 기재하되 하나의 동이 2이상의 용도로 구성된 경우 대표적인 용도 하나만 기재(영 제2조제1항제13호 및 별표1 참조)

예) 공동주택, 근린생활시설, 노유자시설, 업무시설, 판매시설 및 위락시설, 공장, 창고시설, 동물관련시설, 묘지관련시설 및 관광휴게시설 등

2) 주택건설촉진법에 의한 사업계획승인 대상인 경우에는 "단독주택"·"공동주택"·"부대시설" 및 "복리시설"중 하나를 기재(주택건설촉진법 제3조제2호·제3호·제6호 및 제7호 참조)

거. 층수

사용승인 또는 기재신청된 주 건축물의 층수(지하 및 지상으로 구분)를 기재 (영 제119조제1항제9호 참조)

너. 높이

사용승인 또는 기재신청된 건축물의 높이를 기재(건축허가서의 최고높이)(영 제119조제1항제5호 참조)

* 건축물의 높이산정 기준
- 지표면에 고저차가 있는 경우에는 그 건축물의 주위가 접하는 부분을 가중평균
- 옥탑 등으로서 그 수평투영면적의 합계가 건축면적의 8분의 1이하인 경우에는 그 12미터를 넘는 부분만 산입
- 지붕마루장식·굴뚝 또는 방화벽의 옥상돌출부 등과 벽면적의 2분의 1이상이 공간인 난간벽은 높이에 산입하지 아니함

더. 지붕

지붕의 재료 또는 형태를 표시하되 하나의 동이 2이상으로 되어 있는 경우에는 대표적인 것 하나만 기재

종류	기 재 방 법
콘크리트	콘크리트평슬래브, 콘크리트경사슬래브, 기타(ㅇㅇ)슬래브
금속	철판지붕, 동판지붕, 기타금속(ㅇㅇ)지붕
아스팔트싱글, 합성수지 총칭	비닐지붕
기타	기와지붕, 유리지붕, 슬레이트지붕, 초가지붕, 나무지붕, 기타(ㅇㅇ)지붕

러. 부속건축물

1) 부속용도에 해당하는 별동의 건축물이 있는 경우 그 동수와 연면적(2동이상인 경우 그 연면적 합계)을 기재하고 세부현황은 건축물 현황란에 구분기재(영 제2조제1항제12호 및 제14호 참조)

2) 주된 건축물이 2동이상인 경우 총괄표제부에 부속건축물 동수의 합계와 연면적의 합계를 기재하고 표제부("갑"지)에는 별도로 기재하지 않음

머. 건축물현황

1) 구분

주된 건축물은 "주" 부속건축물은 "부"(2이상인 경우 "부1"·"부2"·"부3"···으로 기재)

2) 층별

지하층은 "지1", "지2", "지3"···으로, 지상층은 "1층", "2층", "3층"···으로 기재하되, 가장 아래부터 순차적으로 기재 (지하층을 "B"로, 4층을 "F"등으로 기재하는 사례가 없을 것)

3) 구조

당해 층 부분의 구조가 표시될 수 있도록 기재하되, 증축등으로 새로운 구조 발생시 다음 란에 기재.

예) "하"의 "주구조"의 예와 같은 방법으로 기재

4) 용도

가) 층·구조·용도별로 건축법시행령 별표1 각호의 구분에 따른 용도를 기재하고 괄호안에 각목의 1의 구체적인 명칭을 기재하되, 이에 분류되지 않은 용도는 가장 유사한 용도에 해당하는 각호의 1의 용도만 기재(영 제2조제1항제13호 및 별표1 참조)

예) 단독주택(다가구용), 공동주택(연립주택), 근린생활시설(소매점), 근린생활시설(일반음식점), 근린생활시설(제조업), 판매시설(소매시장), 전시시설(식물원), 자동차관련시설(폐차장), 관광휴게시설(어린이회관) 등

＊사유 : 앞으로 용도는 대분류만 할 예정이나, 기재시 이해관계나 민원 등을 방지하기 위하여 잠정적으로 괄호안에 세부용도를 표기함

나) 주택건설촉진법에 의한 사업계획승인 대상은 다음의 1에 해당하는 용도를 기재(주택건설촉진법 제3조 제2호·제3호·제6호 및 제7호, 동법시행령 제2조제1항 및 주택건설기준등에 관한규정 제2조·제4조·제5조·제6조 참조)

종 류	기 재 방 법
주택	단독주택, 다세대주택, 연립주택, 아파트
부대시설	주차장, 관리사무소, 경비실, 공중변소, 대피시설 등
복리시설	생활편익시설, 의료시설, 주민운동시설, 유치원, 새마을유아원, 보육시설, 노인정, 청소년수련시설, 근린공공시설, 공동작업장, 아파트형공장, 사회복지관, 입주자집회소, 일반 목욕장, 주민공동시설, 문고 등

5) 면적 : 구분별·층별·구조별·용도별로 사용승인 또는 기재신청된 면적을 기재 (영 제119조제1항제3호 참조)

버. 소유자현황

1) 성명

사용승인시 건축물의 건축주 또는 소유자(개인 또는 법인)를 기재하되, 소유권변경이 있는 경우에는 등기필통지서 등에 의하여 정리

※ 관리청이 있는 국가소유 건축물의 경우에는 관리청을 기재

2) 주민등록번호

자연인의 경우에는 '주민등록번호'를, 법인의 경우에는 '법인등록번호'를, 그 외 비법인은 '부동산 등기용 등록번호'를 기재

3) 주소

가) 사용승인 또는 기재신청시의 주민등록상 주소를 기재

나) 등기 또는 주민등록 등에 의한 주소변경이 있는 경우에는 그에 따라 변경된 주소를 정리

4) 소유권지분

소유권의 지분표시나 변경은 등기필통지서에 의거 정리

5) 변동일자·변동원인

최초 작성시는 사용승인 건축물과 기재신청 건축물을 구분하여 "사용승인일"과 "소유자등록" 등으로 기재하고, 변경시에는 등기필통지에 의한 "등기접수일"과 "원일"을 기재

구분		최초작성		변동내용 작성
		사용승인 건축물	건축물대장 기재신청 건축물	건축물대장이 있는 건축물
기재방법	변동일자	사용승인 일자	건축물대장 기재신청 처리일자	등기접수일자
	변동원인	소유자 등록	기재신청	등기 제ㅇㅇ호 (등기필 통지에 의거 작성)

서. 건축주 · 설계자 · 공사감리자 · 공사시공자(현장관리인)

사용승인시 내용이나 기재신청을 받은 자를 기재하되, 해당자가 다수인 경우 대표자"○○외 ○인"으로 기재

구분		최초작성		증축등 건축행위 후 작성	
		성명 또는 명칭	면허(등록) 번호	성명 또는 명칭	면허 (등록) 번호
기재방법	건축주	○○○외 ○인	주민등록번호	변경하지 않음	변경하지 않음
	설계자	○○건축 사무소 ○○○외 ○인	등록번호 및 면허번호	변경하지 않음	변경하지 않음
	공사 감리자	○○건축 사무소 ○○○외 ○인	등록번호 및 면허번호	변경하지 않음	변경하지 않음
	공사 시공자 (현장 관리인)	○○건설 (○○○외 ○인)	면허(등록 · 지정 또는 주민등록)번호	변경하지 않음	변경하지 않음

※ 증축등으로 인한 공사관계자의 변동사항은 별도로 기재하지 아니함(필요한 경우 허가 · 신고번호)에 따라 허가 · 신고서류를 통해 확인)

어. 주차장 · 승강기 · 오수정화시설

1) 사용승인시 내용이나 기재신청된 주차대수 및 면적, 승강기 대수, 오수정화시설의 형식이 그 용량(㎥)인 경우 인용으로 환산)을 기재

* 오수처리시설의 구분

오수정화시설, 분뇨처리시설, 단독정화조, 합병정화조, 기타(○○)정화조

2) 시설의 추가 · 변경 · 말소 등의 경우에는 변동사항란에 그 사유와 내용을 기재

저. 허가일자

1) 변경허가(신고)를 받은 경우에도 최초 허가(신고)일자를 기재

2) 주택건설촉진법에 의한 사업계획승인 대상은 사업계획승인일

처. 착공일자

착공신고서의 착공예정일자를 기재하되, 착공일자의 변경이 잇는 경우에는 그 실제 착공일자를 기재

커. 사용승인일자

1) 사용승인서 상의 사용승인일자를 기재(임시사용승인일자가 아님)

2) 동별 사용승인을 받은 경우 당해 동은 동별 사용승인일자를 기재하고, 총괄표제부의 "기타기재사항"란에는 동별 사용승인 표시를 하고 최종사용승인일자를 기재

3) 사용승인 대상 건축물이 아닌 경우에는 실제 공사완료일자

터. 변동사항(변동일자, 변동내용 및 원인)

소유권 외의 변동사항에 한하여 기재하되 기존건축물공부에 기기재된 변동내용이 있는 경우에는 이를 모두 이기

구분		변동일자	변동내용 및 원인
기재방법	최초등재	대장기재 결정일자	사용승인일자, 소유자등록 (허가 · 신고번호)
	증축허가 (신고)	대장기재 결정일자	사용승인일자, ○○㎡증축 (허가 · 신고번호)
	용도변경 허가	대장기재 결정일자	사용승인일자, 용도변경 (허가번호)
	기재사항 변경	대장기재 결정일자	기재신청일자, ○○기재신청

퍼. 관련지번

제1면의 대표지번 외에 다른 필지 또는 다른 법정동 · 리가 있는 경우 그 나머지를 추가 기재

허. 기타 기재사항

건축법 위반내용과 앞의 "특이사항", "지역 · 지구 · 구역", 기타 건축물대장의 유지 · 관리에 직접 영향이 있는 기재사항으로서, 별도로 기재할 해당란이 없는 경우 기재

예) -위반내용 : 건폐율 초과, 무단증축
　　-외1지역 : 자연녹지지역
　　-외1지구 : 풍치지구
　　-구분소유 · 분양제한(다가구용단독주택의 경우) 등

고. 건축물현황도

1) 도면의 종류

배치도 · 평면도 또는 주차장도로 구분 기재(단, 주차장도가 배치도 · 평면도에 표기되는 경우 대체가능)하고 1개용지에 수개도면을 적절히 배치하여 작성 가능함

2) 축척

아래 축척을 기본으로 당해 도면의 축척을 기재하되, 과다하게 크고 작은 건축물등 특별 한 사유가 잇는 경우에는 별도의 축척으로도 기재가능하며 평면도등 같은 종류의 축척은 통일시킴

기본축척) 1/50, 1/100, 1/200, 1/300, 1/500, 1/600, 1/1,000, 1/1,200, 1/2,000, 1/5,000

3) 도면작성자

규칙 제5조의2 규정에 의한 실제 도면작성자의 소속 · 직급(또는 직위)과 성명 기재 및 서명(또는 날인)

예) ○○건축 건축사 아무개 (인), □□구청 7급 홍길동

(서명), DD건설(주) 대표 유명해 (인), PP공사 건축기사1급 무명씨 (서명) · · ·

2. 집합건축물대장 (별지 제3호 내지 제5호서식)

가. "1"의 해당란의 작성 세부기준을 준용

나. 호수

한 동의 구분되는 각 호실의 총 호수(전체 실수)를 기재

* 주상복합 건축물인 경우에는 "주택○세대/기타○호"로 구분기재

다. 건축물현황

1) 층별

구분별 각 층을 가장 아래부터 위로 순차적으로 기재

2) 구조

구분별, 층별 주구조를 기재

3) 용도

구분별, 층별, 구조별 주용도를 기재하되, 부속용도만 별도로 구분하는 경우에는 "부속(부설)ㅇㅇ"으로 기재

*작성예

건 축 물 현 황				
구분	층별	구조	용도	면적(㎡)
주	지2	철근콘크리트	부설주차장	500
	지1	〃	〃	480
	지1	〃	부속주차관리소	20
	1층	〃	판매시설	350
	2층	〃	〃	350
	3층	〃	업무시설	350
	4층	〃	〃	350
	5층	벽돌조	단독주택	85
	5층	철근콘크리트조	부속옥탑	55
⋮	⋮	⋮	⋮	⋮

라. 호명칭

사용승인인 또는 신청에 따른 각 호실 번호 또는 명칭을 기재하되, F는 4층으로, B는 지하층 등으로 기재

예) 101호, 403호, 지하1층 2호, 지하3층 1호, 태극실, 매실, 란실 · · ·

마. 전유부분 · 공용부분

1) 용도는 전유부분 또는 공용부분 별로 세부적으로 기재

2) 면적은 사용승인 또는 신청내용에 따라 기재하되, 공용부분에 대하여 별도의 구분이나 신청이 없는 경우에는 해당 전유부분에 공용되는 면적에 따라서 비례배분한 면적을 기재

※ 전용부분의 면적과 공용부분의 바닥면적의 합이 당해 용도를 결정

3. 총괄표제부 (별지 제6호서식)

가. "1" 및 "2"의 해당란의 작성 세부기준을 준용

나. 연면적 · 용적률산정용연면적

모든 건축물의 총 연면적(연면적의 합계)을 기재

* 총괄표제부의 "건축면적" · "건폐율" · "용적률"도 그 합계를 말함

다. 건축물수

주된 건축물의 총 동수를 기재(부속건축물 수는 해당란에 기재)

라. 주용도

주된 건축물의 주용도만 기재

마. 총호수

하나의 대지안에 구분되는 각 호실의 총 호수(전체 실수)의 합계를 기재

* 주상복합 건물인 경우에는 "주택○세대/기타○호"로 구분기재

바. 총주차대수

하나의 대지 안에 설치된 총 주차대수의 합계를 기재

사. 건축물현황

1) 건축물명칭

동별 건축물의 명칭 및 번호를 그대로 기재

2) 건축물주구조 · 지붕

동별 건축물의 주구조 · 지붕을 그대로 기재

3) 층수

동별 층수를 "지하/지상"으로 구분 기재

4. 건축물현황도

가. 현황도면 작성방법

1) 각층의 평면도를 작성함에 있어 수개층이 동일한 평면인 경우에는 해당 층의 범위를 기입한 1개의 도면으로 작성할 수 있으며 1층 평면도는 배치도에 포함하여 작성할 수 있음.

2) 집합건축물 전유부분대장에는 당해 전유부분이 있는 층의 평면도(당해 전유부분의 위치 표시)와 전유부분의 평면도를 작성하되, 전유부분의 구조가 매우 간단한 경우에는 전유부분 평면도를 생략할 수 있음.

3) 집합건축물의 전유부분이 많거나 전유부분의 형태가 수개로 통일된 경우에는 대장마다 도면작성을 할 필요없이 당해 집합 건축물대장의 맨 뒤에 각층 평면도와 (전유부분별 번호를 기입) 전유부분 형태별 도면을 일

괄편철하고 각 전유부분대장에는 일괄편철된 도면의 번호와 형태를 기입하는 것으로 갈음할 수 있음.

4) 잉크등 지워지지 아니하는 필기구로 자를 대어 작성하되 준공도면을 축소복사하여 붙이는 것은 가급적 지양하고 서식용지에 직접 작성.

5) 벽체는 단선으로 표시하고 출입구를 제외한 공간은 표시하지 아니할 수 있음

6) 도면에는 기둥간격, 벽체의 길이, 전체 건축물의 각변 길이등 주요치수를 ㎜단위로 기입

7) 기존건축물에 대한 증·개축시에는 건축물관리대장 등 기존 유사대장을 폐쇄하고 그 내용을 증축내용과 합하여 신규 건축물 대장에 기재(전체건축물의 도면 등)함.

8) 도면이 편철된 신규대장에 건축행위가 발생될 경우, 새로운 도면을 추가로 편철하여야 하나 경미한 변경의 경우에는 원도면을 수정할 수 있음(추가 도면제출 불요)

나. 도면 기재사항

1) 배치도

대지경계선, 주차장, 조경부분, 건축물 외곽선, 주출입구·부출입구, 대지의 옹벽, 정화조 등 주요시설물, 기타 건축물의 특정에 필요한 사항

2) 평면도

각층의 평면형태, 내부 주요칸막이, 객실용도, 승강기·화장실·방화구획등 주요설비, 내부주요치수

다. 건축물현황도 작성자 및 관리

1) 허가대상 건축물

건축허가에 의거 사용승인된 도면에 따라 관계공무원이 서식에 작성·관리(대장규칙 제5조의2의 자격자가 서식에 의거 작성·제출한 경우 그대로 관리 가능)

2) 신고대상 건축물

건축신고에 의거 사용승인된 도면에 따라 관계공무원이 서식에 작성·관리(건축신고 취지에 따라 대장규칙 제5조의2의 자격자가 작성·제출하도록 요구하지 않을 것)

3) 비허가(신고) 대상 건축물

대장규칙 제5조의2의 자격자가 작성·제출한 도면에 따라 관계공무원이 서식에 작성하거나 서식에 작성·제출된 경우 그대로 관리 가능

Ⅳ. 부칙

1. 이 기준은 시행일부터 적용한다.
2. 건축물대장의 현황도면과 관련한 업무처리 지침 (건설교통부 건행58550-605, 1993.6.22)은 폐지한다.

1.5.2 건축물대장 정리 및 정비요령

[건설교통부 훈령 건축과-1047, 제정 2004.3.15]

1. 목 적

건축물대장의기재및관리등에관한규칙 및 건축물대장 작성 세부기준에 의하여 작성된 건축물대장의 부실한 내용을 정비할 수 있는 근거를 마련함으로서 건축정책 수립의 기초자료로 활용하고 있는 대장의 내용이 보다 내실화 될 수 있도록 하기 위함.

2. 용어의 정의

가. 정리

"정리"라 함은 건축물대장의 신규작성 및 건축물표시변경, 소유권변동 등이 발생시 대장에 반영하는 사무처리를 말함.

나. 정비

"정비"라 함은 건축물대장의 내용 중 오류, 누락된 부분을 수정·보완하는 사무처리를 말함.

다. 말소

"말소"라 함은 철거·멸실 등으로 인하여 건축물이 없어진 경우에 당해 건축물대장을 정리하는 것을 말함.

라. 멸실

"멸실"이라 함은 건축물 소유자의 의사에 관계없이 천재지변 등에 의하여 건축물이 소실되는 것을 말함.

마. 폐쇄

"폐쇄"라 함은 건축물의 전환, 합병, 이기 등에 의거 대장이 정리되는 것을 말함.

바. 이기

"이기"라 함은 기존 건축물 공부(가옥대장, 건축물관리대장 등)를 건축물대장으로 새로이 작성함을 말함.

3. 건축물대장 정리

가. 소유자에 관한 사항은 반드시 등기사항(등기권리증, 등기필통지서, 건물등기부등·초본 등)에 의거 정리

※ 매매계약서, 세금영수증 등에 의하여 변경불가

나. 대장의 "(을)" 서식은 "(갑)" 서식에서 정리 못한 내역을 연결하여 정리

다. 집합건축물의 전유부의 표시변경정리 사항이 발생시 표제부 및 총괄표제부에도 동시에 정리

라. 집합건축물의 표제부 및 일반건축물의 표시변경정리 사항이 발생시 총괄표제부에도 동시에 정리

마. 무허가 건축물은 신규작성이 불가(위반건축물 관리부서로 하여금 위반건축물관리대장을 작성토록 통보)하고 이미 작성되어 있는 건축물대장의 내용 변경도 불가(단, 시정조치를 위한 변경은 가능)

바. 건축법령에 위반(무단 용도변경, 무단 증축 등)되게 건축한 사항에 대하여는 건축물대장의 기타 기재사항란에 위반현황을 기재하되 위반된 내용대로 건축물대장의 변경은 불가

사. 대장정리시 변동사항란에 변동내용을 반드시 기재

아. 신규 대장 작성 : 건축물대장 작성 세부기준에 의거 작성

자. 건축법 제25조의 규정에 의한 협의대상 건축물(대한주택공사 및 도시개발공사에서 건축한 건축물 포함)은 사업시행자로부터 건축물대장기재신청서(배치도 및 평면도 포함) 및 공사완료통보서를 제출받아 그 내역에 의거 대장 작성

차. 건물등기부가 있으나 대장이 없는 경우 대장 작성

(1) 관련서류(사용승인서 등) 확인 또는 현지조사 실시 후 관계법령에 적법하게 건축된 건축물에 한하여 신규작성

(2) 관련서류(사용승인서 등) 확인 또는 현지조사 결과 등기부와 불일치시에는 사용승인된 서류 또는 현지조사 결과에 의거 신규작성하고 불일치 사항에 대하여 건축물 소유자에게 변경등기토록 통지

※ 관련서류와 현지조사 된 내용이 상이한 경우에는 관련서류에 의하여 작성

(3) 법 시행일 이전에 건물등기부에 등재된 경우 기존건축물공부(가옥대장, 건축물관리대장 등)가 있으면 공부의 내용에 따라 이기하되, 기존 건축물공부가 없으면 현장조사 실시 후 현행 관계법령에 적합한 경우 신규 작성

※ 개발제한구역내건축물관리대장은 기존 건축물공부로 보지 아니함.

(4) 사용승인을 득하지 않고 판결, 화해 및 인락 등에 의하여 건물등기부에 등록된 경우에는 신규작성 불가

카. 전환 및 합병

전환 또는 합병신청이 있는 경우 건축물의 소유자 또는 건축주가 작성한 건축물대장전환신청서 또는 건축물대장합병신청서와 건축물현황도 및 소유권 증빙서류에 의거 건축법 및 집합건물의소유및관리에관한법률 등 관계법령에 적합 여부를 확인한 후

일반건축물대장(집합건축물대장)을 폐쇄하고 대장을 작성

타. 변경

(1) 표시사항의 변경(용도변경 등)

건축물표시사항변경신청의 원인행위(증축, 개축, 용도변경 등)가 완료된 경우로서 건축물표시변경신청서에 의한 변경신청이 있는 경우, 관계법령에 적합 여부와 실제현황의 일치 여부를 대조·확인하고 건축물표시사항을 변경정리

(2) 소유자사항의 변경

건축물 소유자 또는 건축주가 작성한 건축물소유자(변경·정정) 신청서와 건물등기부등본·등기필증 및 부동산등기법 제68조의 2의 규정에 의한 관할 등기소의 등기필통지에 따라 대장의 소유자사항을 변경정리

(3) 미등기 건축물의 소유자주소 변경

미등기 건축물의 소유자 주소를 변경정리하고자 할 때에는 주민등록등·초본 등 관계 증빙서류를 첨부하여 동일인임이 확인될 경우 최초 소유자에 한하여 주소변경 정리

파. 정정

(1) 표시사항의 정정

건축물 소유자 또는 관리자가 작성한 건축물표시정정신청서에 의해 정정신청이 있는 경우에는 관련자료를 확인하여 해당 사항을 정정 정리

(2) 미등기 건축물의 소유자 성명, 주민등록번호, 주소정정

미등기 건축물의 소유자 성명, 주민등록번호, 주소를 정정하고자 할 때에는 호적·제적부 등 관계 증빙서류를 첨부하여 동일인임이 확인될 경우 정정 정리

(4) 기타 사용승인서의 착오 작성 등으로 인한 정정

건축물의 소유자 또는 관리자가 제출한 표시정정신청서를 검토하여 정정

하. 말소

(1) 건축물의 철거·멸실신고에 따른 말소

건축물의 철거·멸실 여부 등을 확인한 후 대장의 말소 사유 및 철거·멸실일자 정리

(2) 건축물의 철거·멸실에 따른 일부 말소

주된 건축물과 부속건축물 중 주된 건축물이 철거·멸실 되어 새로이 대장을 작성함이 타당하다고 판단될 경우 기존 대장을 말소 정리한 후 폐쇄하고 부속건축물은 이기하여 새로이 대장을 작성하며, 부속건축물이 멸실된 경우에는 일부 말소 정리

(3) 건축물의 철거·멸실 신고대상 외의 말소의 경우에는 대장규칙에 의함.

4. 건축물대장 정비

가. 공통사항

(1) 건축물대장의 항목이 공란으로 되어 있거나 기재되어 있는 내용이 불분명한 경우에는 사용승인서류 등 관련서류에 의하여 내용을 정비하되 동 서류가 없는 경우에는 담당자가 직접 현지조사 후 정비

(2) 현지조사 현황이 대장의 내용과 상이한 때에는 건축법 등 기타 관계법령에 적합한 경우에 한하여 건축물대장의 내용을 정비

(3) 건축물대장 정리 및 정비요령에 의하여 대장을 신규 작성하거나 대장의 내용을 변경하는 경우에는 변동사항란에 변동일자, 변동내역 및 원인 등을 기재하고 난 후 소유자에게 변경된 내역을 통보

(4) 신규작성 및 표시변경이 있는 건축물대장은 우선적으로 정비

나. 사례별 정비기준

(1) 중복 작성된 건축물대장은 건축허가(신고) 또는 사용승인서류 등 관련서류와 현지확인을 통하여 하나의 대장만 보관하고 나머지 대장은 말소 정리 후 폐쇄

(2) 하나의 건축물대장에 2동 이상의 주 건축물이 표시된 경우 동별로 건축물대장을 신규작성하고 이전 건축물대장은 폐쇄하며 총괄표제부를 신규작성

(3) 시장·군수 또는 구청장이 직권으로 총괄표제부 또는 건축물대장을 분리 작성하는 경우에는 건축허가(신고) 또는 사용승인서류 등 관련서류와 현지확인을 하여야 하며, 건축물소유자 또는 관리자에게 건축물대장의 변경내용을 통지하여 변경등기 하도록 권고

(4) 건축물대장 변동현황에 소유자에 대한 사항이 기재되어있는 경우 소유자현황을 확인한 후 변동사항의 소유자 기재부분을 정비

(5) 집합건축물대장 표제부가 없이 전유부만 존재하는 경우 건축허가(신고) 및 사용승인서류 등 관련서류를 참조하여 표제부를 신규작성

(6) 전유부 없이 표제부만 존재하는 경우 건축허가(신고) 및 사용승인서류 등 관련서류를 참조하여 전유부를 신규작성

다. 항목별 정비기준

(1) 고유번호 : 건축물단위로 대표지번까지만 정비(19자리)

<예시>

행정구역코드(10자리) - 대장구분(1자리) - 대표지번(8자리)

· 행정구역코드번호 : 법정동 · 리 코드번호 활용

· 건축물대장코드번호

구분	토지	임야(산)	무지번
일반건축물	1	2	0
집합건축물	3	4	5

(2) 대지위치(건축물 소재지)의 경우 법정동으로 정비

(3) 지번

㈎ 관련증빙자료(허가, 신고, 사용승인, 및 과세자료, 현황측량성과도 등) 확인 및 현지실사 후 소유권 등이 일치할 경우 지번변경

㈏ 건축물대장상 지번과 건축물이 실제 위치한 지번이 다른 경우 건축물대지의 범위와 그 소유 또는 사용에 관한 권원이 증명된 경우 지번 변경

㈐ 지번이 없거나 지번변경 이전 지번사용대장은 해당 지번확인 및 지번변경 이전 현황을 확인한 후 지번변경

㈑ 지적법에 의한 토지이동으로 지번이 변경된 경우에는 직권으로 변경

(4) 대지면적

내용이 없는 경우 관련서류(허가, 신고, 사용승인 및 토지대장 등) 참조하여 정비

(5) 연면적

내용이 없는 경우 층별 바닥면적을 합산하여 정비

(6) 지역/지구/구역

토지이용계획확인서 및 관련부서의 자료 협조를 받아 정비

(7) 용적률 산정연면적

내용이 없는 경우는 연면적에서 지하층의 면적과 지상층의 주차용(당해 건축물의 부속용도인 경우에 한한다)으로 사용되는 면적을 제외하고 정비

(8) 주구조

㈎ 주구조는 건축행정정보시스템운영규정의 대분류(조적구조, 콘크리트구조, 철골구조, 철골철근콘크리트구조, 목구조, 기타구조 중 1개) 내용을 기재

㈏ 지붕+구조 내용이 표시된 부분은 지붕과 구조를 분리하여 정비

㈐ 복합구조인 경우는 가장 많은 면적을 갖는 대표구조로 정비

㈑ 주구조의 내용이 없는 경우에는 층별 구조현황을 참조하여 주구조를 정비

(9) 주용도

㈎ 주용도는 건축법 시행령 별표 1 각호의 구분에 따른 용도를 기재(예 : 단독주택, 제1종 근린생활시설, 문화및집회시설, 의료시설 등 21개 용도)

㈏ 주용도+(기타사항 : 세부용도, 세대수, 상가수 등)로 표시된 것은 주용도만 기재

㈐ 주용도가 다수인 경우는 가장 많은 면적을 갖는 대표용도로 기재하고 나머지 용도는 기타기재사항란에 기재

㈑ 주용도의 내용이 없는 경우는 층별 용도현황을 참조하여 주용도 정비

(10) 층수

층수가 없는 경우 층별 현황을 참조하여 정비

(11) 건폐율/용적률

내용이 없는 경우 건축면적, 연면적 및 대지면적을 참고하여 계산 후 정비

(12) 높이

하나 이상의 높이가 기재된 경우는 높은 것을 우선하여 정비

(13) 지붕

㈎ 지붕구조는 건축행정정보시스템운영규정의 지붕구조 분류표((철근)콘크리트, 기와, 슬레이트, 기타지붕 중 1개)를 참조하여 기재

㈏ 주구조 내용에서 지붕부분이 있는 경우 별도로 추출하여 정비

㈐ 지붕이 다수인 경우에는 가장 많은 면적을 갖는 대표지붕을 표시

(14) 호수

호수가 없는 경우 건축물현황을 참조하여 정비

예) 주택 ○세대/기타○호, 주택 ○세대, 기타○호

(15) 부속건축물

㈎ 내용이 없는 경우 건축물현황을 참조하여 정비

㈏ 면적은 연면적 정비요령과 동일

(16) 건축물현황

㈎ 주부구분

내용이 없는 경우 주건축물, 부속건축물로 구분하여 정비

<예>

주건축물 ⇒ 주

부속건축물 ⇒ 부(2 이상인 경우 부1, 부2, 부3 …)

(나) 층구분

층별 현황을 참조하여 정비

<예>

· 지하층 ⇒ 지1, 지2 …….
· 지상층 ⇒ 1층, 2층 …….
· From-to, 1층-12층 또는 전층 ⇒ 층별로 분리하여 재정비
· 옥탑, 승강기탑, 망루 등 ⇒ 건축법 시행령 제119조 제1항 제9호에 의하여 층수에 산정되지 않는 경우에는 최상층의 층수를 기재
· 중간층 ⇒ 건축법 시행령 제119조 제1항 제9호에 의하여 정비(중층 또는 중간층으로 기재된 것이 없도록 함)
· 가동1층 ⇒ 가동의 경우는 건축물 명칭 및 번호에 정리하고 1층만 기재
· 층별에 계단탑, 승강기탑, 망루 등 용도내용으로 표기되어 있는 경우에는 내용을 추출하여 용도 항목에 기재
· 집합건축물대장 전유부의 공용부분의 경우 각층 또는 전층 기재 가능(일부공용인 경우 일부층을 기재)

(다) 세부구조

· 내용이 없는 부분은 주구조를 참조하여 정비
· 건축행정정보시스템운영규정의 소분류 내용을 참조하여 정비
· 지붕+구조 내용이 표시된 것은 주구조와 동일하게 정비

(라) 세부용도

· 내용이 없는 부분은 주용도를 참조하여 정비
· 건축법 시행령 별표 1의 세부용도(다가구주택, 다세대주택, 수퍼마켓, 의원, 학교, 병원, 주차장, 고물상 등)를 기재
· 세부용도+(기타사항 : 세대수, 상가수…) 내용이 표시된 것은 세부용도로만 정비

(마) 면적

면적단위가 ○○평인 경우 제곱미터(m^2)로 환산하여 정비

(17) 소유자 현황

(가) 등기된 건축물의 소유자현황은 등기부등본 또는 등기필통지에 의하여 정리하고 건축물대장작성권자 임의대로 정비 불가

(나) 소유자 성명 또는 명칭

소유자를 대표할 수 있는 명칭으로 정비 : 소유자주소, 대표이사 등 기타사항은 삭제(등기부대조)

(다) 주민등록번호(부동산 등기용 등록번호)

주민등록번호 및 등록번호가 기입되어 있지 않은 경우 등기부대조 후 내용 정비

(라) 주소

대지위치와 소유자 주소가 같은 경우에도 번지 또는 동(리)과 번지만 기재하지 말고 주소 전체를 기재

(마) 변동일자

소유자등록은 사용승인일자 및 기재신청일자로 정비하고 등기필된 소유권 변동일자는 등기일자로 정비하며 미등기일 경우는 처리일자를 기준으로 정비 단, 변동일자가 없는 경우에는 등기부를 대조하여 정비

(바) 변동원인

소유권 변동에 따른 변동원인을 찾아 정비하며 미등기 시에는 정정, 변경으로 정비

5. 행정사항

가. 보고

건축물대장정비실적<별지 제1호 서식>, 건축물현황도전산입력현황<별지 제2호 서식>, 일반건축물대장정리실적<별지 제3호 서식>과 집합건축물대장정리실적<별지 제4호 서식>을 시 · 군 · 구는 매월 3일까지 광역시 · 도로 보고하고 광역시 · 도는 건설교통부로 매월 6일까지 보고할 것

나. 지도 · 점검

감사 또는 업무지도점검시 본 요령 이행 여부 확인(중앙, 시 · 도)

1.6 건축물의 구조기준 등에 관한 규칙

[국토교통부령 제919호, 일부개정 2021.12.9.]

제　　정 1982.11.16 건설교통부령 제341호
전문개정 2005. 4. 6 건설교통부령 제433호
일부개정 2015.12.21 국토교통부령 제260호
일부개정 2017. 1.20 국토교통부령 제397호
일부개정 2017. 2. 3 국토교통부령 제394호
일부개정 2017.10.24 국토교통부령 제458호
일부개정 2018. 6. 1 국토교통부령 제517호
일부개정 2018.11. 9 국토교통부령 제555호
일부개정 2020. 2.12 국토교통부령 제688호
일부개정 2020.11. 9 국토교통부령 제777호
타법개정 2021. 8.27 국토교통부령 제882호
일부개정 2021.12. 9 국토교통부령 제919호

제1장 총칙

제1조 【목적】 이 규칙은 「건축법」 제48조 및 같은 법 시행령 제32조에 따라 건축물의 구조내력(構造耐力)의 기준 및 구조계산의 방법과 그에 사용되는 하중(荷重) 등 구조안전에 관하여 필요한 사항을 규정함을 목적으로 한다. <개정 2009.12.31>

제2조 【정의】 이 규칙에서 사용하는 용어의 정의는 다음과 같다. <개정 2018.11.9.>

1. "구조부재(構造部材)"란 건축물의 기초・벽・기둥・바닥판・지붕틀・토대(土臺)・사재(사재 : 가새・버팀대・귀잡이 그 밖에 이와 유사한 것을 말한다)・가로재(보・도리 그 밖에 이와 유사한 것을 말한다) 등으로 건축물에 작용하는 제9조에 따른 설계하중에 대하여 그 건축물을 안전하게 지지하는 기능을 가지는 건축물의 구조내력상 주요한 부분을 말한다.
2. "부재력(部材力)"이란 하중 및 외력에 의하여 구조부재에 생기는 축방향력(軸方向力)・휨모멘트・전단력(剪斷力)・비틀림 등을 말한다.
3. 삭제 <2009.12.31>
4. "구조내력"이란 구조부재 및 이와 접하는 부분 등이 견딜 수 있는 부재력을 말한다.
5. "벽"이라 함은 두께에 직각으로 측정한 수평치수가 그 두께의 3배를 넘는 수직부재를 말한다.
6. "기둥"이라 함은 높이가 최소단면치수의 3배 혹은 그 이상이고 주로 축방향의 압축하중을 지지하는 데에 쓰이는 부재를 말한다.
7. "비구조요소"란 다음 각 목의 것으로서 국토교통부장관이 정하여 고시하는 것을 말한다. <신설 2018.11.9.>
   가. 건축비구조요소: 구조내력을 부담하지 아니하는 건축물의 구성요소로서 배기구, 부착물, 비구조벽체 등의 부재
   나. 기계·전기비구조요소: 건축물에 설치하는 기계 및 전기 시스템과 이를 지지하는 부착물 및 장비
8. ~ 12. 삭제 <2009.12.31>
13. "구조계획서"란 건축물의 사용목적과 하중조건 및 지반특성 등을 고려하여 구조부재의 재료와 형상, 개략적인 크기 등을 결정하고, 구조적으로 안전한 공간을 만드는 구조설계 초기과정의 도서를 말한다.
14. "구조설계도"란 구조설계의 최종결과물로서 구조부재의 구성, 형상, 접합상세 등을 표현하는 도면을 말한다.
15. "구조설계도서"란 구조계획서, 구조설계도, 구조계산서, 구조분야의 공사시방서를 말한다.

제3조 【적용범위 등】 ① 이 규칙은 「건축법」(이하 "법"이라 한다) 제48조에 따라 건축물이 안전한 구조를 갖기 위한 최소기준으로 법 제23조부터 제25조까지 및 제35조에 따른 건축물의 설계, 시공, 공사감리 및 유지・관리에 적용하여야 한다.

② 이 규칙에 규정된 사항 외의 세부적인 기준은 법 제68조 및 이 규칙의 위임에 의하여 국토교통부장관이 고시하는 다음 각 호의 구분에 따른 기준에 따른다. <개정 2017.2.3., 2018.6.1.>

1. 소규모건축물[2층 이하이면서 연면적 500제곱미터 미만인 건축물로서 「건축법 시행령」(이하 "영"이라 한다) 제32조제2항제3호부터 제8호까지의 어느 하나에도 해당하지 아니하는 건축물을 말한다. 이하 같다] 외 건축물의 경우: 건축구조기준
2. 소규모건축물의 경우: 건축구조기준 또는 소규모건축구조기준

③ 제21조부터 제55조까지의 규정에 따른 구조안전에 관한 기준은 소규모건축물에 대하여만 적용된다. <개정 2014.11.28., 2017.2.3.>

④ 연구기관・학술단체 또는 전문용역기관의 구조계산 또는 시험에 의하여 설계되고 「건축법」 제4조의 규정에 의한 건축위원회 또는 「건설기술 진흥법」 제5조에 따른 건설기술심의위원회의 심의를 거쳐 이 규칙에 의한 기술적 기준과 동등 이상의 안전

성이 있다고 확인된 것으로서 특별시장·광역시장 또는 시장·군수·구청장(자치구의 구청장을 말한다. 이하 같다)이 인정하는 경우에는 그에 의할 수 있다. <개정 2014.5.22.>

[전문개정 2009.12.31.]

제2장 구조설계 <개정 2009.12.31>

제1절 구조설계의 원칙 <개정 2009.12.31>

제4조【구조설계의 원칙】① 건축물의 구조에 관한 설계는 건축물의 용도·규모·구조의 종별과 지반의 상황 등을 고려하여 기초·기둥·보·바닥·벽·비구조요소 등을 유효하게 배치하여 건축물 전체가 이에 작용하는 제9조에 따른 설계하중에 대하여 구조내력상 안전하도록 하여야 한다. <개정 2018.11.9.>

② 구조부재인 벽은 건축물에 작용하는 횡력(橫力)에 대하여 유효하게 견딜 수 있도록 균형있게 배치하여야 한다. <개정 2009.12.31>

③ 건축물의 구조는 그 지반의 부동침하(不同沈下), 떠오름, 미끄러짐, 전도(顚倒) 또는 동해(凍害)에 대하여 구조내력에 지장이 없어야 한다.

[제목개정 2009.12.31]

제5조【구조부재의 강성 및 내구성】① 건축물의 구조부재는 사용에 지장이 되는 변형이나 진동이 생기지 아니하도록 필요한 강성(剛性)을 확보하여야 하며, 순간적인 파괴현상이 생기지 아니하도록 인성(靭性)의 확보를 고려하여야 한다. <개정 2009.12.31>

② 구조부재로서 특히 부식이나 닳아 없어질 우려가 있는 것에 대하여는 이를 방지할 수 있는 재료를 사용하는 등 필요한 조치를 하여야 한다. <개정 2009.12.31>

③ 구조부재로 사용되는 목재로서 벽돌·콘크리트·흙 그 밖에 이와 유사한 함수성(含水性)의 물체에 접하는 부분에는 방부제를 바르거나 이와 동등 이상의 효과를 가진 방부조치를 하여야 한다.

④ 건축물의 벽으로서 직접 흙과 접하는 부분은 대문·담장 그 밖에 이와 유사한 공작물 또는 건축물을 제외하고는 내수재료를 사용하여야 한다.

[제목개정 2009.12.31]

제6조 삭제 <2009.12.31>

제7조 삭제 <2009.12.31.>

제2절 설계하중

제8조【적용범위】① 건축물에 작용하는 각종 설계하중의 산정은 이 절의 규정에 의한다. <개정 2009.12.31>

② 건축물이 건축되는 지역, 건축물의 용도 그 밖의 환경 등의 실제의 하중조건에 대한 조사분석에 의하여 설계하중을 산정할 때에는 이 절의 규정을 적용하지 아니할 수 있다. 이 경우 그 산정근거를 명시하여야 한다. <개정 2009.12.31>

제9조【설계하중】① 건축물의 구조설계에 적용되는 설계하중은 다음 각 호와 같다. <개정 2020.11.9>

1. 고정하중
2. 활하중(活荷重)

2의2. 지붕활하중

3. 적설하중
4. 풍하중
5. 지진하중
6. 토압 및 지하수압
7. 삭제 <2009.12.31>
8. 유체압 및 용기내용물하중
9. 운반설비 및 부속장치 하중
10. 그 밖의 하중

② 제1항에 따른 설계하중의 산정기준 및 방법은 「건축구조기준」에서 정하는 바에 의한다. <개정 2009.12.31>

③ 건축물의 구조설계를 할 때에는 제1항 각 호의 하중과 이들의 조합에 따른 영향을 건축물의 실제상태에 따라 고려하여야 한다. <개정 2009.12.31>

[제목개정 2009.12.31]

제3절 구조계산 등 <신설 2009.12.31>

제9조의2【구조계산】 법 제48조제2항에 따라 구조의 안전을 확인하여야 하는 건축물의 구조계산은 「건축구조기준」에서 정하는 바에 따른다.

[본조신설 2009.12.31]

제9조의3【건축물의 규모제한】 주요구조부가 비보강조적조인 건축물은 지붕높이 15미터 이하, 처마높이 11미터 이하 및 3층 이하로 해야 한다.

[전문개정 2020.11.9.]

제10조 ~ 제17조 삭제 <2009.12.31>

제4절 기초의 구조기준 <신설 2009.12.31>

제18조【허용지내력】 지반의 허용지내력(許容地耐力)

은 「건축구조기준」에 따른 지반조사 및 하중시험에 의하여 정하여야 한다. 다만, 지반조사 및 하중시험에 의하지 아니하는 경우에는 별표 8에 따른 값으로 할 수 있다. <개정 2009.12.31>
[제목개정 2009.12.31]

제19조【기초】① 직접기초는 상부구조의 하중을 기초지반에서 직접 부담하되, 기초밑면의 지반에 작용하는 압력이 허용지내력을 초과하지 아니하도록 하여야 한다. <개정 2009.12.31>

② 말뚝기초는 말뚝의 부재력이 말뚝의 허용지지력을 초과하지 않도록 하여야 하며, 침하 등에 의하여 상부구조에 유해한 영향을 미치지 아니하도록 하여야 한다. <개정 2009.12.31>

제20조 삭제 <2009.12.31.>

제3장 소규모건축물의 구조기준

제1절 통칙

제21조【목적】이 장은 소규모건축물의 구조안전을 확보하기 위하여 필요한 사항 및 이와 관련한 구조기준 등을 정함을 목적으로 한다.

제22조【적용범위】소규모건축물에 해당하는 목구조·조적식구조(組積式構造)·보강블록구조·콘크리트구조 건축물의 기술적 기준은 이 장이 정하는 바에 따른다. 다만, 「건축구조기준」에 따라 설계하는 경우에는 이 장의 규정을 적용하지 않을 수 있다. <개정 2009.12.31>

제2절 목구조

제23조【적용범위】이 절의 규정은 목구조의 건축물이나 목구조와 조적식구조 그 밖의 구조를 병용하는 건축물에서 목구조로 된 부분에 이를 적용한다. 다만, 정자(亭子) 그 밖에 이와 유사한 건축물 또는 연면적 10제곱미터 이하인 광·창고 그 밖에 이와 유사한 건축물에 대하여는 그러하지 아니한다.

제24조【압축재의 최소단면 및 모서리에 설치하는 기둥】① 목재로 된 구조부재인 압축재의 단면적은 4,500제곱밀리미터 이상으로 하여야 한다. <개정 2009.12.31>

② 2층 이상인 건축물에 있어서는 모서리에 설치하는 기둥 또는 이에 준하는 기둥은 통재기둥(通材기둥: 이음 없이 하나로 만들어진 기둥을 말한다)으로 해야 한다. 다만, 이은기둥의 경우 그 이은 부분을 통재기둥과 동등 이상의 내력을 가지도록 보강한 경우에는 그렇지 않다. <개정 2021.8.27>

제25조【가새】① 인장력을 받는 가새는 두께 15밀리미터 이상이고 폭 90밀리미터 이상인 목재 또는 이와 동등 이상의 강도를 가지는 강재를 사용하여야 한다.

② 압축력을 받는 가새는 두께 35밀리미터 이상이고 골조기둥의 3분의 1쪽에 해당하는 두께인 목재를 사용하여야 한다.

③ 가새는 그 두 끝부분을 기둥·보 그 밖의 구조부재인 가로재와 잇도록 하여야 한다. <개정 2009.12.31>

④ 가새에는 파내기 그 밖에 이와 유사한 손상을 주어 그 내력에 지장을 가져오게 하여서는 아니된다.

제26조【바닥틀 및 지붕틀】바닥틀 및 지붕틀의 모서리에는 귀잡이를 사용하고, 지붕틀에는 가새를 설치하여야 한다.

제27조【방부조치】①구조부재에 사용하는 목재로서 벽돌·콘크리트·흙 그 밖에 이와 유사한 함수성 물체에 접하는 부분에는 방부제를 바르거나 이와 동등 이상의 효과를 가지는 방부조치를 하여야 한다. <개정 2009.12.31>

②지표면상 1미터 이하의 높이에 있는 기둥·가새 및 토대 등 부식의 우려가 있는 부분은 방부제를 바르거나 이와 동등 이상의 방부효과를 가지는 구조로 하여야 한다.

제3절 조적식구조

제28조【적용범위】① 이 절의 규정은 벽돌구조·돌구조·콘크리트블록구조 그 밖의 조적식구조(보강블록구조를 제외한다. 이하 이 절에서 같다)의 건축물이나 조적식구조와 목구조 그 밖의 구조를 병용하는 건축물의 조적식구조로 된 부분에 이를 적용한다.

② 높이 4미터 이하이고 연면적 20제곱미터 이하인 건축물에 대하여는 제29조·제30조·제35조·제36조·제38조 및 제40조의 규정에 한하여 이를 적용한다.

③ 구조부재가 아닌 조적식구조의 경계벽으로서 그 높이가 2미터 이하인 것에 대하여는 제29조·제30조·제33조 및 제35조제3항만 적용한다. <개정 2014.11.28.>

제29조【조적식구조의 설계】① 조적재는 통줄눈이 되지 아니하도록 설계하여야 한다.

②조적식구조인 각층의 벽은 편심하중이 작용하지

아니하도록 설계하여야 한다.

제30조【기초】① 조적식구조인 내력벽의 기초(최하층의 바닥면 이하에 해당하는 부분을 말한다)는 연속기초로 하여야 한다.

② 제1항의 규정에 의한 기초중 기초판은 철근콘크리트구조 또는 무근콘크리트구조로 하고, 기초벽의 두께는 250밀리미터 이상으로 하여야 한다.

제31조【내력벽의 높이 및 길이】① 조적식구조인 건축물중 2층 건축물에 있어서 2층 내력벽의 높이는 4미터를 넘을 수 없다.

② 조적식구조인 내력벽의 길이[대린벽(對隣壁: 서로 직각으로 교차되는 벽을 말한다) 경우에는 그 접합된 부분의 각 중심을 이은 선의 길이를 말한다. 이하 이 절에서 같다]는 10미터를 넘을 수 없다. <개정 2021.8.27>

③ 조적식구조인 내력벽으로 둘러쌓인 부분의 바닥면적은 80제곱미터를 넘을 수 없다.

제32조【내력벽의 두께】① 조적식구조인 내력벽의 두께(마감재료의 두께는 포함하지 아니한다. 이하 이 절에서 같다)는 바로 윗층의 내력벽의 두께 이상이어야 한다.

② 조적식구조인 내력벽의 두께는 그 건축물의 층수·높이 및 벽의 길이에 따라 각각 다음 표의 두께 이상으로 하되, 조적재가 벽돌인 경우에는 당해 벽높이의 20분의 1이상, 블록인 경우에는 당해 벽높이의 16분의 1이상으로 하여야 한다.

건축물의 높이		5미터 미만		5미터 이상 11미터 미만		11미터 이상	
벽의 길이		8미터 미만	8미터 이상	8미터 미만	8미터 이상	8미터 미만	8미터 이상
층별 두께	1층	150 밀리미터	190 밀리미터	190 밀리미터	190 밀리미터	190 밀리미터	190 밀리미터
	2층	−	−	190 밀리미터	190 밀리미터	190 밀리미터	190 밀리미터

③ 제2항의 규정을 적용함에 있어서 그 조적재가 돌이거나, 돌과 벽돌 또는 블록 등을 병용하는 경우에는 내력벽의 두께는 제2항의 두께에 10분의 2를 가산한 두께 이상으로 하되, 당해 벽높이의 15분의 1이상으로 하여야 한다.

④ 조적식구조인 내력벽으로 둘러싸인 부분의 바닥면적이 60제곱미터를 넘는 경우에는 그 내력벽의 두께는 각각 다음 표의 두께 이상으로 하되, 조적식구조의 재료별 내력벽 두께에 관하여는 제2항 및 제3항의 규정을 준용한다.

건축물의 층수		1층	2층
층별 두께	1층	190밀리미터	290밀리미터
	2층	−	190밀리미터

⑤ 토압을 받는 내력벽은 조적식구조로 하여서는 아니된다. 다만, 토압을 받는 부분의 높이가 2.5미터를 넘지 아니하는 경우에는 조적식구조인 벽돌구조로 할 수 있다.

⑥ 제5항 단서의 경우 토압을 받는 부분의 높이가 1.2미터 이상인 때에는 그 내력벽의 두께는 그 바로 윗층의 벽의 두께에 100밀리미터를 가산한 두께 이상으로 하여야 한다.

⑦ 조적식구조인 내력벽을 이중벽으로 하는 경우에는 제1항 내지 제6항의 규정은 당해 이중벽중 하나의 내력벽에 대하여 적용한다. 다만, 건축물의 최상층(1층인 건축물의 경우에는 1층을 말한다)에 위치하고 그 높이가 3미터를 넘지 아니하는 이중벽인 내력벽으로서 그 각벽 상호간에 가로·세로 각각 400밀리미터 이내의 간격으로 보강한 내력벽에 있어서는 그 각벽의 두께의 합계를 당해 내력벽의 두께로 본다.

제33조【경계벽 등의 두께】① 조적식구조인 경계벽(내력벽이 아닌 그 밖의 벽을 포함한다. 이하 이 절에서 같다)의 두께는 90밀리미터 이상으로 하여야 한다. <개정 2014.11.28.>

② 조적식구조인 경계벽의 바로 윗층에 조적식구조인 경계벽이나 주요 구조물을 설치하는 경우에는 해당 경계벽의 두께는 190밀리미터 이상으로 하여야 한다. 다만, 제34조의 규정에 의한 테두리보를 설치하는 경우에는 그러하지 아니하다. <개정 2014.11.28.>

③ 제32조의 규정은 조적식구조인 경계벽의 두께에 관하여 이를 준용한다. <개정 2014.11.28.>

[제목개정 2014.11.28.]

제34조【테두리보】건축물의 각층의 조적식구조인 내력벽 위에는 그 춤이 벽두께의 1.5배 이상인 철골구조 또는 철근콘크리트구조의 테두리보를 설치하여야 한다. 다만, 1층인 건축물로서 벽두께가 벽의 높이의 16분의 1이상이거나 벽길이가 5미터 이하인 경우에는 목조의 테두리보를 설치할 수 있다.

제35조【개구부】① 조적식구조인 벽에 있는 창·출입구 그 밖의 개구부(開口部)의 구조는 다음 각호의 기준에 의한다.

1. 각층의 대린벽으로 구획된 각 벽에 있어서 개구부의 폭의 합계는 그 벽의 길이의 2분의 1이하로 하여야 한다.

2. 하나의 층에 있어서의 개구부와 그 바로 윗층에 있는 개구부와의 수직거리는 600밀리미터 이상으로 하여야 한다. 같은 층의 벽에 상하의 개구부가 분리되어 있는 경우 그 개구부 사이의 거리도 또한 같다.

② 조적식구조인 벽에 설치하는 개구부에 있어서는 각층마다 그 개구부 상호간 또는 개구부와 대린벽의 중심과의 수평거리는 그 벽의 두께의 2배 이상으로 하여야 한다. 다만, 개구부의 상부가 아치구조인 경우에는 그러하지 아니하다.

③ 폭이 1.8미터를 넘는 개구부의 상부에는 철근콘크리트구조의 위 인방(引枋: 문이나 창의 아래나 위로 가로질러 설치하여, 상부 무게를 받치도록 하는 구조물을 말한다)을 설치해야 한다. <개정 2021.8.27>

④ 조적식구조인 내어민창 또는 내어쌓기창은 철골 또는 철근콘크리트로 보강하여야 한다.

제36조【벽의 홈】조적식구조인 벽에 그 층의 높이의 4분의 3이상인 연속한 세로홈을 설치하는 경우에는 그 홈의 깊이는 벽의 두께의 3분의 1이하로 하고, 가로홈을 설치하는 경우에는 그 홈의 깊이는 벽의 두께의 3분의 1이하로 하되, 길이는 3미터 이하로 하여야 한다.

제37조【목골조적식구조 또는 철골조적식구조인 벽】목골조적식구조 또는 철골조적식구조인 벽의 조적식구조의 부분은 목골 또는 철골의 골조에 볼트·꺾쇠 그 밖의 철물로 고정시켜야 한다.

제38조【난간 및 난간벽】난간 또는 난간벽을 설치하는 경우에는 철근 등으로 보강하되, 그 밑부분을 테두리보 또는 바닥판(최상층에 있어서는 옥상 바닥판을 포함한다. 이하 같다)에 정착시켜야 한다.

제39조【조적식구조인 담】조적식구조인 담의 구조는 다음 각호의 기준에 의한다.

1. 높이는 3미터 이하로 할 것
2. 담의 두께는 190밀리미터 이상으로 할 것. 다만, 높이가 2미터 이하인 담에 있어서는 90밀리미터 이상으로 할 수 있다.
3. 담의 길이 2미터 이내마다 담의 벽면으로부터 그 부분의 담의 두께 이상 튀어나온 버팀벽을 설치하거나, 담의 길이 4미터 이내마다 담의 벽면으로부터 그 부분의 담의 두께의 1.5배 이상 튀어나온 버팀벽을 설치할 것. 다만, 각 부분의 담의 두께가 제2호의 규정에 의한 담의 두께의 1.5배 이상인 경우에는 그러하지 아니하다.

제40조【구조부재의 받침방법】조적식구조인 구조부재는 목구조인 구조부분으로 받쳐서는 아니된다. <개정 2009.12.31>
[제목개정 2009.12.31]

제4절 보강블록구조

제41조【적용범위】① 이 절의 규정은 보강블록구조의 건축물이나 보강블록구조와 철근콘크리트구조 그 밖의 구조를 병용하는 건축물의 보강블록구조인 부분에 이를 적용한다.

② 높이 4미터 이하이고, 연면적 20제곱미터 이하인 건축물에 대하여는 제42조 및 제45조의 규정에 한하여 이를 적용한다.

제42조【기초】보강블록구조인 내력벽의 기초(최하층 바닥면 이하의 부분을 말한다)는 연속기초로 하되 그 중 기초판 부분은 철근콘크리트구조로 하여야 한다.

제43조【내력벽】① 건축물의 각층에 있어서 건축물의 길이방향 또는 너비방향의 보강블록구조인 내력벽의 길이(대린벽의 경우에는 그 접합된 부분의 각 중심을 이은 선의 길이를 말한다. 이하 이 절에서 같다)는 각각 그 방향의 내력벽의 길이의 합계가 그 층의 바닥면적 1제곱미터에 대하여 0.15미터 이상이 되도록 하되, 그 내력벽으로 둘러쌓인 부분의 바닥면적은 80제곱미터를 넘을 수 없다.

② 보강블록구조인 내력벽의 두께(마감재료의 두께를 포함하지 아니한다. 이하 이절에서 같다)는 150밀리미터 이상으로 하되, 그 내력벽의 구조내력에 주요한 지점간의 수평거리의 50분의 1이상으로 하여야 한다.

③ 보강블록구조의 내력벽은 그 끝부분과 벽의 모서리부분에 12밀리미터 이상의 철근을 세로로 배치하고, 9밀리미터 이상의 철근을 가로 또는 세로 각각 800밀리미터 이내의 간격으로 배치하여야 한다.

④ 제3항의 규정에 의한 세로철근의 양단은 각각 그 철근지름의 40배 이상을 기초판 부분이나 테두리보 또는 바닥판에 정착시켜야 한다.

제44조【테두리보】보강블록구조인 내력벽의 각층의 벽위에는 춤이 벽두께의 1.5배 이상인 철근콘크리트구조의 테두리보를 설치하여야 한다. 다만, 최상층의 벽으로서 그 벽위에 철근콘크리트구조의 옥상바닥판이 있는 경우에는 그러하지 아니하다.

제45조【보강블록구조의 담】보강블록구조인 담의 구조는 다음 각호의 기준에 의한다.

1. 담의 높이는 3미터 이하로 할 것
2. 담의 두께는 150밀리미터 이상으로 할 것. 다만, 높이가 2미터 이하인 담에 있어서는 90밀리미터 이상으로 할 수 있다.
3. 담의 내부에는 가로 또는 세로 각각 800밀리미터 이내의 간격으로 철근을 배치하고, 담의 끝 및 모서리부분에는 세로로 직경 9밀리미터 이상의 철근을 배치할 것

제46조 【준용규정】 제35조제2항 내지 제4항, 제36조, 제38조 및 제40조의 규정은 보강블록구조의 건축물이나 보강블록구조와 그 밖의 구조를 병용하는 건축물의 경우 그 보강블록구조인 부분에 대하여 이를 준용한다.

제5절 콘크리트구조

제47조 【적용범위】 ① 이 절의 규정은 철근콘크리트구조의 건축물이나 철근콘크리트구조와 조적식구조 그 밖의 구조를 병용하는 건축물의 경우 그 철근콘크리트구조인 부분에 이를 적용한다.
② 높이가 4미터 이하이고 연면적이 30제곱미터 이하인 건축물이나 높이가 3미터 이하인 담에 대하여는 제49조 및 제51조의 규정에 한하여 이를 적용한다.

제48조 【콘크리트의 배합】 ① 철근콘크리트구조에 사용하는 콘크리트의 4주(週) 압축강도는 15메가파스칼(경량골재를 사용하는 경우에는 11메가파스칼) 이상이어야 한다.
② 콘크리트는 설계기준강도에 맞도록 골재 및 시멘트의 배합비와 물 및 시멘트의 배합비를 정하여 배합하여야 한다.

제49조 【콘크리트의 양생】 콘크리트는 시공중 및 시공후 콘크리트의 압축강도가 5메가파스칼 이상일 때까지(콘크리트의 압축강도 시험을 실시하여 압축강도를 확인하지 아니할 경우 5일간) 콘크리트의 온도가 섭씨 2도 이상이 유지되도록 하고, 콘크리트의 응고 및 경화가 건조나 진동 등으로 인하여 영향을 받지 아니하도록 양생하여야 한다.

제50조 【거푸집 및 받침기둥의 제거】 ① 구조부재의 거푸집 및 받침기둥은 콘크리트의 자체중량 및 시공중에 받는 하중으로 인한 변형·균열 그 밖에 구조내력에 영향을 주지 않을 정도로 응고 또는 경화될 때까지는 이를 제거해서는 안 된다. <개정 2021.8.27>
② 제1항의 규정에 의한 거푸집 및 받침기둥을 존치시켜야 할 기간은 당해 건축물의 부분 또는 위치, 시멘트의 종류, 콘크리트 양생의 방법 및 환경 그 밖의 조건 등을 고려하여 정한다.

제51조 【철근을 덮는 두께】 철근을 덮는 콘크리트의 두께는 다음 각호의 기준에 의한다.
1. 흙에 접하거나 옥외의 공기에 직접 노출되는 콘크리트의 경우
가. 직경 29밀리미터 이상의 철근 : 60밀리미터 이상
나. 직경 16밀리미터 초과 29밀리미터 미만의 철근 : 50밀리미터 이상
다. 직경 16밀리미터 이하의 철근 : 40밀리미터 이상
2. 옥외의 공기나 흙에 직접 접하지 않는 콘크리트의 경우
가. 슬래브, 벽체, 장선 : 20밀리미터 이상
나. 보, 기둥 : 40밀리미터 이상

제52조 【보의 구조】 구조부재인 보는 복근(複筋)으로 배근하되, 주근(主筋)은 직경 12밀리미터 이상의 것을 사용하여야 한다. 다만, 늑근(肋筋)은 직경 6밀리미터 이상의 것을 사용하여야 하며, 그 배치간격은 보춤의 4분의 3이하 또는 450밀리미터 이하이어야 한다. <개정 2009.12.31>

제53조 【콘크리트슬래브의 구조】 구조부재인 콘크리트슬래브(기성콘크리트제품인 것을 제외한다)의 구조는 다음 각호의 기준에 의한다. <개정 2009.12.31>
1. 콘크리트슬래브의 두께는 80밀리미터 이상으로서 별표 9에 의하여 산정한 두께 이상이어야 한다.
2. 최대휨모멘트를 받는 부분에 있어서의 인장철근의 간격은 단변방향은 200밀리미터 이하로 하고 장변방향은 300밀리미터 이하로 하되, 슬래브의 두께의 3배 이하로 하여야 한다.

제54조 【내력벽의 구조】 구조부재인 콘크리트벽체는 다음 각호의 기준에 적합하여야 한다. <개정 2009.12.31>
1. 내력벽의 최소두께는 벽의 최상단에서 4.5미터까지는 150밀리미터 이상이어야 하며, 각 3미터 내려감에 따라 10밀리미터씩의 비율로 증가시켜야 한다. 다만, 두께가 120밀리미터 이상의 경우로서 구조계산에 의하여 안전하다고 확인된 경우에는 그러하지 아니하다.
2. 내력벽의 배근은 9밀리미터 이상의 것을 450밀리미터 이하의 간격으로 하고, 벽두께의 3배 이하이어야 한다. 이 경우 벽의 두께가 200밀리미터 이상일 때에는 벽 양면에 복근으로 하여야 한다.

제55조 【무근콘크리트 구조】 무근(無根)콘크리트로 된 구조의 건축물이나 무근(無根)콘크리트로 된 구조와

조적식구조 그 밖의 구조를 병용하는 건축물의 무근(無根)콘크리트로 된 구조부분에 대하여는 제3절(제29조제1항 및 제30조제2항을 제외한다)의 규정과 제49조의 규정을 준용한다. <개정 2009.12.31>

제4장 구조안전의 확인

<신설 2009.12.31>

제56조【적용범위】 ① 영 제32조제1항에 따른 각 단계별 구조안전(지진에 대한 구조안전을 포함한다)확인의 절차, 내용 및 방법은 제57조에서 제59조까지에 따른다. <개정 2014.11.28.>

② 영 제32조제2항제6호에서 "국토교통부령으로 정하는 건축물"이란 별표 11에 따른 중요도 특 또는 중요도 1에 해당하는 건축물을 말한다. <개정 2014.11.28., 2017.10.24.>

③ 영 제32조제2항제7호에서 "국가적 문화유산으로 보존할 가치가 있는 건축물로서 국토교통부령이 정하는 것"이란 국가적 문화유산으로 보존할 가치가 있는 박물관·기념관 그 밖에 이와 유사한 것으로서 연면적의 합계가 5천제곱미터 이상인 건축물을 말한다. <개정 2014.11.28.>

[본조신설 2009.12.31]

제57조【구조설계도서의 작성】 구조설계도서는 이 규칙에 적합하도록 작성하여야 하며 구조설계도서에 포함할 내용과 구조안전 확인의 기술적 기준은 「건축구조기준」 또는 「소규모건축구조기준」에서 정하는 바에 따른다. <개정 2017.2.3.>

[본조신설 2009.12.31]

제58조【구조안전확인서 제출】 영 제32조제2항 각 호의 어느 하나에 해당하는 건축물로서 같은 조 제1항에 따라 구조안전의 확인(지진에 대한 구조안전을 포함한다)을 한 건축물에 대해서는 법 제21조에 따른 착공신고를 하는 경우에 다음 각 호의 구분에 따른 구조안전 및 내진설계 확인서를 작성하여 제출하여야 한다. <개정 2014.11.28., 2017.2.3.>

1. 6층 이상 건축물: 별지 제1호서식에 따른 구조안전 및 내진설계 확인서
2. 소규모건축물: 별지 제2호서식에 따른 구조안전 및 내진설계 확인서 또는 별지 제3호서식에 따른 구조안전 및 내진설계 확인서
3. 제1호 및 제2호 외의 건축물: 별지 제2호서식에 따른 구조안전 및 내진설계 확인서

[본조신설 2009.12.31]

제59조【공사단계의 구조안전확인】 공사감리자는 건축물의 착공신고 또는 실제 착공일 전까지 구조부재와 관련된 상세시공도면이 적정하게 작성되었는지와 구조계산서 및 구조설계도서에 적합하게 작성되었는지에 대하여 검토하여 확인하여야 한다.

[본조신설 2009.12.31]

제60조【건축물의 내진등급기준】 법 제48조의2제2항에 따른 건축물의 내진등급기준은 별표 12와 같다.

[본조신설 2014.2.7.]

제60조의2【건축물의 내진능력 산정 기준 및 공개 방법】 ① 법 제48조의3제1항에 따른 내진능력(이하 "내진능력"이라 한다)의 산정 기준은 별표 13과 같다.

② 법 제48조의3제1항에 따른 건축물에 대하여 법 제22조에 따라 사용승인을 신청하는 자는 제1항에 따라 산정한 내진능력을 신청서에 적어 제출하여야 한다. 이 경우 별표 13 제2호나목의 방식으로 내진능력을 산정한 경우에는 건축구조기술사가 날인한 근거자료를 함께 제출하여야 한다.

③ 법 제48조의3제1항에 따른 내진능력의 공개는 내진능력을 건축물대장에 기재하는 방법으로 한다.

[본조신설 2017.1.20.]

제61조【건축구조기술사와의 협력】 영 제91조의3제1항 제5호에 따라 건축물의 설계자가 해당 건축물에 대한 구조의 안전을 확인하는 경우 건축구조기술사의 협력을 받아야 하는 건축물은 별표 10에 따른 지진구역 Ⅰ의 지역에 건축하는 건축물로서 별표 11에 따른 중요도가 특에 해당하는 건축물로 한다.

[전문개정 2015.12.21.]

부칙<국토교통부령 제397호, 2017.1.20.>

제1조(시행일) 이 규칙은 2017년 1월 20일부터 시행한다.

제2조(지진구역 및 지역계수에 관한 경과조치) 다음 각 호의 어느 하나에 해당하는 경우에는 별표 10의 개정규정에도 불구하고 종전의 규정에 따른다.

1. 이 규칙 시행 전에 법 제11조에 따른 건축허가·대수선허가, 법 제14조에 따른 건축신고 또는 법 제19조에 따른 용도변경 허가·신고를 받거나 수리된 경우
2. 이 규칙 시행 전에 법 제11조에 따른 건축허가·대수선허가의 신청(법 제11조에 따른 건축허가 또는 대수선허가를 신청하기 위하여 법 제4조의2에 따른 건축위원회 심의를 신청한 경우를 포함한다), 법 제14조에 따른 건축신고, 법 제19조에 따른 용도변경 허가의 신청 또는 같은 조에 따른 용도변경 신고를 한 경우
3. 이 규칙 시행 이후 제1호 및 제2호에 따라 받은 건축허가, 대수선허가 또는 건축신고에 대하여 변경허가를 받거나 변경신고를 하는 경우

부칙<국토교통부령 제394호, 2017.2.3.>

이 규칙은 2017년 2월 4일부터 시행한다.

부칙<국토교통부령 제458호, 2017.10.24.>

이 규칙은 2017년 12월 1일부터 시행한다.

부칙<국토교통부령 제517호, 2018.6.1.>

이 규칙은 공포한 날부터 시행한다.

부칙<국토교통부령 제555호, 2018.11.9.>

제1조(시행일) 이 규칙은 공포한 날부터 시행한다.

제2조(구조안전 및 내진설계 확인서에 관한 적용례) 별지 제1호서식부터 별지 제3호서식까지의 개정규정은 이 규칙 시행 이후 제58조에 따라 구조안전 및 내진설계 확인서를 제출하는 경우부터 적용한다.

부칙<국토교통부령 제688호, 2020.2.12.>

제1조(시행일) 이 규칙은 공포한 날부터 시행한다.

제2조(구조안전 및 내진설계 확인서에 관한 적용례) 별지 제3호서식의 개정규정은 이 규칙 시행 이후 제58조에 따라 구조안전 및 내진설계 확인서를 제출하는 경우부터 적용한다.

부칙<국토교통부령 제777호, 2020.11.9.>

이 규칙은 공포한 날부터 시행한다.

부칙<국토교통부령 제882호, 2021.8.27.> (어려운 법령용어 정비를 위한 80개 국토교통부령 일부개정령)

이 규칙은 공포한 날부터 시행한다. <단서 생략>

부칙<국토교통부령 제919호, 2021.12.9.>

제1조(시행일) 이 규칙은 공포한 날부터 시행한다.

제2조(건축물의 중요도 및 중요도계수에 관한 적용례) 별표 11의 개정규정은 이 규칙 시행 이후 법 제11조에 따른 건축허가나 대수선허가(법 제16조에 따른 변경허가 및 변경신고는 제외한다)의 신청(건축허가나 대수선허가를 신청하기 위하여 법 제4조의2제1항에 따라 건축위원회에 심의를 신청한 경우를 포함한다) 또는 법 제14조에 따른 건축신고(법 제16조에 따른 변경허가 및 변경신고는 제외한다)를 하는 경우부터 적용한다.

[별표 1] ~ [별표 7] 삭제 <2009.12.31.>

[별표 8] <개정 2009.12.31>

지반의 허용지내력(제18조 관련)

(단위 : kN/㎡)

지 반		장기응력에 대한 허용지내력	단기응력에 대한 허용지내력
경암반	화강암·석록암·편마암·안산암 등의 화성암 및 굳은 역암 등의 암반	4000	각각 장기응력에 대한 허용지내력 값의 1.5배로 한다.
연암반	판암·편암 등의 수성암의 암반	2000	
	혈암·토단반 등의 암반	1000	
자갈		300	
자갈과 모래와의 혼합물		200	
모래섞인 점토 또는 롬토		150	
모래 또는 점토		100	

[별표 9] <개정 2009.12.31>

콘크리트슬래브의 최소두께(제53조제1호 관련)

(단위 : ㎜)

지지조건	주변이 고정된 슬래브	캔틸레버 슬래브
$\beta \leq 2$의 경우 (2방향 슬래브)	$\ell_n / (36 + 9\beta)$	-
$\beta > 2$의 경우 (1방향 슬래브)	$\ell / 28$	$\ell / 10$

비고 β : 슬래브의 단변에 대한 장변의 순경간(純徑間) 비

ℓn : 2방향슬래브 장변의 순경간(㎜)

ℓ : 1방향슬래브 단변의 보 중심간 거리(㎜)

[별표 10] 〈개정 2017.1.20., 2017.10.24.〉

지진 구역 및 지역계수(제61조 관련)

지진구역	행정구역		지진구역계수
I	시	서울특별시, 부산광역시, 인천광역시, 대구광역시, 대전광역시, 광주광역시, 울산광역시, 세종특별자치시	0.22g
	도	경기도, 강원도 남부[주1], 충청북도, 충청남도, 전라북도, 전라남도, 경상북도, 경상남도	
Ⅱ	도	강원도 북부[주2], 제주도	0.14g

비고
주1) 강원도 남부: 강릉시, 동해시, 삼척시, 원주시, 태백시, 영월군, 정선군
주2) 강원도 북부: 속초시, 춘천시, 고성군, 양구군, 양양군, 인제군, 철원군, 평창군, 화천군, 홍천군, 횡성군

[별표 11] 〈개정 2021.12.9〉

중요도 및 중요도계수(제56조제2항 관련)

중요도	특	1	2	3
건축물의 용도 및 규모	1. 연면적 1,000m^2이상인 위험물 저장 및 처리시설·국가 또는 지방자치단체의 청사·외국공관·소방서·발전소·방송국·전신전화국·국가 또는 지방자치단체의 데이터센터 2. 종합병원, 수술시설이나 응급시설이 있는 병원	1. 연면적 1,000m^2미만인 위험물 저장 및 처리시설·국가 또는 지방자치단체의 청사·외국공관·소방서·발전소·방송국·전신전화국·중요도(특)에 해당하지 않는 데이터센터 2. 연면적 5,000m^2이상인 공연장·집회장·관람장·전시장·운동시설·판매시설·운수시설(화물터미널과 집배송시설은 제외함) 3. 아동관련시설·노인복지시설·사회복지시설·근로복지시설 4. 5층 이상인 숙박시설·오피스텔·기숙사·아파트·교정시설 5. 학교 6. 수술시설과 응급시설 모두 없는 병원, 기타 연면적 1,000m^2 이상인 의료시설로서 중요도(특)에 해당하지 않는 건축물	1. 중요도 (특), (1), (3)에 해당하지 않는 건축물	1. 농업시설물, 소규모창고 2. 가설구조물
중요도계수	1.5	1.2	1.0	1.0

비고 중요도(특)에 해당하는 데이터센터는 국가 또는 지방자치단체가 구축이나 운영에 관한 권한 또는 업무를 위임·위탁한 데이터센터를 포함한다.

[별표 12] <신설 2014.2.7>

건축물의 내진등급기준(제60조 관련)

건축물의 내진등급	건축물의 중요도	중요도계수(I_E)
특	별표 11에 따른 중요도 특	1.5
Ⅰ	별표 11에 따른 중요도 1	1.2
Ⅱ	별표 11에 따른 중요도 2 및 3	1.0

[별표 13] <신설 2017.1.20.>

내진능력 산정 기준(제60조의2 관련)

1. 내진능력 표기방법

내진능력은 수정 메르칼리 진도 등급(MMI 등급)과 최대지반가속도를 함께 표기하되, 최대지반가속도는 소수점 이하 4번째 자리에서 반올림하여 소수점 이하 3번째 자리까지 표기한다. (예시 : Ⅶ-0.150g)

2. 건축물의 최대지반가속도는 다음 각 목의 어느 하나에 해당하는 방법으로 산정한다.

가. 응답 스펙트럼 방식: 최대지반가속도(g) = $\frac{2}{3} \times S \times I \times F_a$

S : 지진구역계수(별표 10에 따른 지진구역계수 또는 「건축구조기준」 그림 0306.3.1상의 지진구역계수를 말한다)

I : 중요도계수(별표 11에 따른 중요도계수를 말한다)

F_a : 지반증폭계수(「건축구조기준」 표 0306.3.3에 따른다)

나. 능력 스펙트럼 방식: 다음 1)부터 3)까지의 절차에 따라 산정한다.

1) 하중의 점진적 증가에 상응하여 비선형 정적해석으로 구한 건축물의 최상층 변위와 지진력과의 관계곡선(이하 "능력곡선"이라 한다)을 구한다.

2) 능력곡선 위에 건축물이 지진력에 의해 변형을 일으키더라도 인명의 손상이 발생되지 않는 변위의 한계점(이하 "인명안전 한계점"이라 한다)을 구한다.

3) 가속도와 주기의 응답 스펙트럼 관계를 가속도와 변위관계로 변환하여 구해진 상관곡선(이하 "요구곡선"이라 한다)이 능력곡선의 인명안전 한계점과 교차할 때의 요구곡선 가속도를 최대지반가속도로 한다.

3. 건축물의 수정 메르칼리 진도 등급(MMI 등급)은 아래의 표에서 제2호에 따라 산정한 최대지반가속도가 해당되는 범위에 대응하는 수정 메르칼리 진도 등급(MMI 등급)으로 한다.

최대지반가속도(g)	내진능력(MMI 등급)
0.002 이상 0.004 미만	Ⅰ
0.004 이상 0.008 미만	Ⅱ
0.008 이상 0.017 미만	Ⅲ
0.017 이상 0.033 미만	Ⅳ
0.033 이상 0.066 미만	Ⅴ
0.066 이상 0.133 미만	Ⅵ
0.133 이상 0.264 미만	Ⅶ
0.264 이상 0.528 미만	Ⅷ
0.528 이상 1.050 미만	Ⅸ
1.050 이상 2.100 미만	Ⅹ
2.100 이상 4.191 미만	Ⅺ
4.191 이상	Ⅻ

■ 건축물의 구조기준 등에 관한 규칙 [별지 제1호서식] <개정 2018. 11. 9.>

구조안전 및 내진설계 확인서(6층 이상의 건축물)

항목					비고
1) 공사명					
2) 대지위치	/ 지역계수				
3) 용도					
4) 중요도					
5) 규모	연면적	m^2	층수 (높이)	/ (m)	
6) 사용설계기준					
7) 구조계획	*구조시스템에 대한 공통분류 체계 마련*				
8) 지반 및 기초	지반분류		지하수위		
	기초 형식				
	지내력 기초	설계지내력 fe= t/m^2	파일기초	적용파일직경= fp = ton	
9) 풍하중 개요	기본풍속	V_0=(m/sec)	노풍도	*A, B, C, D*	
		G_f	중요도계수	I_w=	
10) 풍하중 해석 결과		X 방향	Y 방향		
	최고층 변위	*δx-max*	*δy-max*		
	최대층간변위	Δx,max	Δy,max		
11) 내진설계 개요	「건축물의 구조기준에 관한 규칙」 및 「건축구조기준」에 따른 지진하중 산정 시 필요사항				
	해석법	내진설계범주(*A,B,C,D*)			
		등가정적해석법, 동적해석법			
	중요도계수	I_E=	건물유효 중량	W=	
12) 기본 지진 저항 시스템		X 방향	Y 방향		*구조시스템에 대한 공통분류 체계 마련*
	횡력저항시스템				
	반응수정계수	R_x=	R_y=		
	초과강도계수	Ωox=	Ωoy=		
	변위증폭계수	C_{dx}=	C_{dy}=		
	허용층간변위	$\Delta ax = (0.010\ h_s, 0.015h_s, 0.020h_s)$			
13) 내진설계 주요 결과		X 방향	Y 방향		
	지진응답계수	C_{Sx}=	C_{Sy}=		
	밑면전단력	V_{Sx}=	V_{Sy}=		
	근사고유주기	T_{ax}=	T_{ay}=		
	최대층간변위	*Δx,max*	*Δy,max*		
14) 고유치 해석 (동적해석 시)		진동주기	질량참여율		
	1^{st}모드	*Sec*	%		
	2^{nd}모드	*Sec*	%		
	3^{rd}모드	*Sec*	%		
15) 구조요소 내진 설계 검토사항	특별지진하중 적용 여부	피로티	*유, 무*		
		면외어긋남	*유, 무*		
		횡력저항 수직요소의 불연속	*유, 무*		
	수직시스템 불연속		*유, 무*		
16) 비구조요소	건축비구조요소				공사단계에서 확인이 필요한 비구조요소 기재
	기계·전기 비구조요소				
17) 특이사항					

「건축법」 제48조 및 같은 법 시행령 제32조에 따라 대상 건축물의 구조안전 및 내진설계 확인서를 제출합니다.

년 월 일

작성자: 건축구조기술사 ㊞ 설계자: 건 축 사 ㊞

주 소: 주 소:

연락처: 연락처:

210㎜×297㎜[백상지(80g/㎡)]

※ 이 후 서식 "생략"

1.6.1 건축구조 기준

[국토교통부고시 제2022-570호, 2022.10.11.]

■ 구조기준 code ☞ 내용은 CD참조

KDS 41 10 05 건축구조기준 총칙
KDS 41 10 10 건축구조기준 구조검사 및 실험
KDS 41 12 00 건축물 설계하중
KDS 41 17 00 건축물 내진설계기준
KDS 41 19 00 건축물 기초구조 설계기준
KDS 41 20 00 건축물 콘크리트구조 설계기준
KDS 41 30 10 건축물 강구조 설계기준
KDS 41 30 20 건축물 강합성구조 설계기준
KDS 41 30 30 냉간성형강 설계기준
KDS 41 30 40 냉간성형 스테인리스강 설계기준
KDS 41 40 10 건축물 강-콘크리트합성구조 설계기준
KDS 41 40 20 합성목구조 설계기준
KDS 41 50 05 목구조 일반
KDS 41 50 10 목구조 재료 및 허용응력
KDS 41 50 15 목구조 설계요구사항
KDS 41 50 20 목구조 부재설계
KDS 41 50 30 목구조 접합부의 설계
KDS 41 50 40 목구조 내구계획 및 공법
KDS 41 50 50 목구조 방화설계
KDS 41 50 60 목구조 전통목구조
KDS 41 50 70 목구조 경골목구조
KDS 41 50 80 목구조 중목구조
KDS 41 60 05 조적식구조 일반
KDS 41 60 10 조적식구조 재료의 기준
KDS 41 60 15 조적식구조 설계 일반
KDS 41 60 20 조적식구조 허용응력설계법
KDS 41 60 30 조적식구조 강도설계법
KDS 41 60 40 조적식구조 경험적 설계법
KDS 41 60 50 조적식구조 조적조문화재
KDS 41 60 60 고온고압증기양생기포콘크리트구조 강도설계법
KDS 41 80 10 알루미늄구조 설계기준
KDS 41 80 20 유리구조 설계기준
KDS 42 10 00 소규모건축구조기준 일반사항
KDS 42 19 00 소규모건축 기초 및 지하구조
KDS 42 20 00 소규모건축 콘크리트구조
KDS 42 30 00 소규모건축 강구조
KDS 42 50 10 소규모건축 목구조
KDS 42 50 20 소규모건축 전통목구조
KDS 42 60 00 소규모건축 조적식구조
KDS 43 10 10 막구조 설계기준
KDS 43 10 20 케이블구조 설계기준
KDS 43 20 00 부유식 건축물 기준

건축구조기준 총칙(KDS 41 10 05)

1 일반사항

1.1 목적

KDS 41 00 00은 건축법과 주택법 등의 관련 법령에 따라 건축물 및 공작물의 구조에 대한 설계, 검사 및 검증, 설계하중, 재료별 설계방법, 재료강도, 제작 및 설치, 시공, 품질관리 등의 기술적 사항을 규정함으로써 건축물 및 공작물의 안전성, 사용성, 내구성 및 친환경성을 확보하는 것을 그 목적으로 한다.

1.2 적용범위

건축법과 주택법 등에 따라 신축・증축・개축・재축・이전 등 건축하거나 대수선 및 유지・관리하는 건축물 및 공작물(이하 '건축구조물'이라 한다)의 구조체와 부구조체 및 비구조요소, 그리고 이들의 공사를 위한 가설구조물 등의 설계・시공・공사감리・유지・관리업무는 KDS 41 00 00에 따라야 한다. 또한, KDS 43 00 00의 특수목적 건축구조물은 이 기준과 KDS 43 00 00의 해당 기준을 함께 적용하여야 한다.

1.3 규정내용

KDS 41 10 05에서는 이 기준의 목적, 적용범위, 구성, 용어의 정의, 건축물의 중요도 분류, 구조설계, 각종 검사와 실험 및 구조재료의 성능검증, 구조안전의 확인, 책임구조기술자에 관한 사항을 규정한다.

1.4 기준의 구성 ☞ 내용은 CD 참조

KDS 41 00 00의 내용은 다음과 같다.

KDS 41 10 00	일반사항
KDS 41 12 00	건축물 설계하중
KDS 41 17 00	건축물 내진설계기준
KDS 41 19 00	건축물 기초구조 설계기준
KDS 41 20 00	건축물 콘크리트구조 설계기준
KDS 41 30 00	건축물 강구조 설계기준
KDS 41 40 00	건축물 합성구조 설계기준
KDS 41 50 00	목구조 설계기준

KDS 41 60 00 조적식 구조 설계기준
KDS 41 80 00 기타 재료구조 설계기준

1.5 참조 기준

다음 ①~⑤의 국토교통부에서 제정, 고시 또는 공고한 최근의 기준 및 시방서는 필요한 경우, 이 기준의 일부로 사용한다. 그러나 설계·시공·재료물성에서 다음 각 호의 기준이나 이와 관련된 다른 기준 및 시방서의 내용이 이 기준과 상충될 경우에는 이 기준에 따른다.

① KDS 14 20 00 콘크리트구조 설계기준
② KDS 14 30 00 강구조설계(허용응력설계법)
③ KDS 14 31 00 강구조설계(하중저항계수설계법)
④ KDS 11 50 00 기초설계기준
⑤ KCS 41 00 00 건축공사표준시방서

2 용어의 정의 "생략" ☞ **내용은 CD 참조**

3 건축물의 중요도 분류

건축물의 중요도는 용도 및 규모에 따라 다음과 같이 중요도(특), 중요도(1), 중요도(2) 및 중요도(3)으로 분류한다.

3.1 중요도(특)

(1) 연면적 1,000 m^2 이상인 위험물 저장 및 처리시설
(2) 연면적 1,000 ㎡ 이상인 국가 또는 지방자치단체의 청사·외국공관·소방서·발전소·방송국·전신전화국, 데이터센터
(3) 종합병원, 수술시설이나 응급시설이 있는 병원
(4) 지진과 태풍 또는 다른 비상시의 긴급대피수용시설로 지정한 건축물
(5) 중요도(특)으로 분류된 건축물의 기능을 유지하는데 필요한 부속 건축물 및 공작물

3.2 중요도(1)

(1) 연면적 1,000 m^2 미만인 위험물 저장 및 처리시설
(2) 연면적 1,000 ㎡ 미만인 국가 또는 지방자치단체의 청사·외국공관·소방서·발전소·방송국·전신전화국, 데이터센터
(3) 연면적 5,000㎡이상인 공연장·집회장·관람장·전시장·운동시설·판매시설·운수시설(화물터미널과 집배송시설은 제외함)
(4) 아동관련시설·노인복지시설·사회복지시설·근로복지시설
(5) 5층 이상인 숙박시설·오피스텔·기숙사·아파트
(6) 학교
(7) 수술시설과 응급시설 모두 없는 병원, 기타 연면적 1,000㎡이상인 의료시설로서 중요도(특)에 해당하지 않는 건축물

3.3 중요도(2)

(1) 중요도(특), (1), (3)에 해당하지 않는 건축물

3.3 중요도(3)

(1) 농업시설물, 소규모창고
(2) 가설구조물

4 구조설계

4.1 구조설계의 원칙

건축구조물은 안전성, 사용성, 내구성을 확보하고 친환경성을 고려하여야 한다.

4.1.1 안전성

건축구조물은 유효적절한 구조계획을 통하여 건축구조물 전체가 KDS 41 12 00과 KDS 41 17 00에 따른 각종 하중에 대하여 이 기준에 따라 구조적으로 안전하도록 한다.

4.1.2 사용성

건축구조물은 사용에 지장이 되는 변형이나 진동이 생기지 아니하도록 충분한 강성과 인성의 확보를 고려한다.

4.1.3 내구성

구조부재로서 특히 부식이나 마모훼손의 우려가 있는 것에 대해서는 모재나 마감재에 이를 방지할 수 있는 재료를 사용하는 등 필요한 조치를 취한다.

4.1.4 친환경성

건축구조물은 저탄소 및 자원순환 구조부재를 사용하고 피로저항성능, 내화성, 복원가능성 등 친환경성의 확보를 고려한다.

4.2 구조설계법

구조설계는 강도설계법, 한계상태설계법, 허용응력설계법, 허용강도설계법 또는 성능기반설계법에 따르거나 국토교통부장관이 이와 동등 이상의 성능을 확보할 수 있다고 인정하는 구조설계법에 따른다.

4.2.1 강도설계법 또는 한계상태설계법

강도설계법 또는 한계상태설계법에 따라 구조부재의 설계를 할 때에는 다음 방법에 따른다.

① 구조부재는 KDS 41 12 00과 KDS 41 17 00에 따른 하중 및 외력을 사용하여 산정한 부재력을 KDS 41 12 00(1.7.1)에 따라 하중계수를 곱하여 조합한

소요강도 중 가장 불리한 값으로 설계한다.

② 구조부재의 계수하중에 따른 소요강도는 그 부재 단면의 공칭강도에 강도감소계수를 곱한 설계강도를 초과하지 않도록 한다.

4.2.2 허용응력설계법 또는 허용강도설계법

허용응력설계법 또는 허용강도설계법에 따라 구조부재의 설계를 할 때에는 다음 방법에 따른다.

① 구조부재는 KDS 41 12 00과 KDS 41 17 00을 사용하여 산정한 부재력을 KDS 41 12 00(1.7.2)에 따라 조합하여 가장 불리한 값으로 설계한다.

② ①의 설계하중 및 하중조합에 따른 구조부재의 응력 또는 부재력은 KDS 41 19 00, KDS 41 50 00 및 KDS 41 60 00의 허용응력 또는 허용강도 이하가 되도록 한다.

4.2.3 성능설계법

성능기반설계법에 따라 구조부재의 설계를 할 때에는 다음 방법에 따른다.

① 구조물은 적절한 수준의 신뢰성과 경제성을 확보하면서 목표하는 사용수명 동안 발생가능한 모든 하중과 환경에 대하여 요구되는 구조적 안전성능, 사용성능, 내구성능 및 친환경성능을 갖도록 설계한다.

② 구조부재의 설계는 의도하는 성능수준에 적합한 하중조합에 근거하여야하며, 재료 및 구조물 치수에 대한 적절한 설계 값을 선택한 후 합리적인 거동이론을 적용하여 구한 구조성능이 요구되는 한계기준을 만족한다는 것을 검증한다. 구조부재의 강성·강도와 감쇠·물성치는 관련기준 또는 실험결과를 기초로 한다.

③ 실험절차는 KDS 41 10 10에 따른다.

④ 구조부재, 비구조부재 및 그 연결부는 해석 또는 실험과 해석에 의하여 강도설계법에 따라 설계된 부재에서 기대되는 신뢰성 이상의 강도·강성을 보유한 것이 입증되어야한다.

4.3 구조설계의 단계

4.3.1 구조계획

(1) 건축구조물의 구조계획에는 건축구조물의 용도, 사용재료 및 강도, 지반특성, 하중조건, 구조형식, 장래의 증축 여부, 용도변경이나 리모델링 가능성 등을 고려한다.

(2) 기둥과 보의 배치는 건축평면계획과 잘 조화되도록 하며, 보춤을 결정할 때는 기둥간격 외에 층고와 설비계획도 함께 고려한다.

(3) 지진하중이나 풍하중 등 수평하중에 저항하는 구조요소는 평면상 균형뿐만 아니라 입면상 균형도 고려한다.

(4) 구조형식이나 구조재료를 혼용할 때는 강성이나 내력의 연속성에 유의하며, 사용성에 영향을 미치는 진동과 변형도 미리 검토한다.

4.3.2 골조해석 및 부재설계

(1) 골조해석은 탄성해석을 원칙으로 하되 필요한 경우 비선형해석도 함께 수행하여 실제구조물의 거동에 가까운 부재력이 산출되도록 노력한다.

(2) 부재설계는 4.2(구조설계법)에 따른다.

4.3.3 구조설계서의 작성

구조설계서에는 최소한 다음의 내용을 포함하여야한다. 단, 4.3.2(골조해석 및 부재설계)를 수행한 책임구조기술자가 4.3.4(구조설계도의 작성)을 직접 수행하거나 6.1(구조설계도서의 구조안전 확인)을 수행하는 경우에는 이 조항에 따른 구조설계서 작성을 생략할 수 있다.

① 구조설계개요

구조형식에 대한 설명, 사용재료 및 강도, 하중조건 등 4.3.1(구조계획)에서 검토하고 고려한 사항들을 기술한다.

② 구조특기사항

구조안전에 꼭 필요하여 구조체공사시방서에 반영하여야 할 주요사항을 기술한다.

③ 구조설계요약

구조계산결과를 책임구조기술자의 경험과 기술력으로 평가·조정하여 경제적이고 시공성이 우수한 구조체가 되도록 구조평면, 부재단면, 접합의 유형을 스케치하고, 구조계산으로는 산정할 수 없으나 구조실험이나 경험으로 구조안전이 확인된 상세와 이 기준에 규정한 구조세칙 등을 표현한다.

④ 구조계산

골조해석과 이 기준의 재료별 설계법에 따른 계산결과를 싣는다.

4.3.4 구조설계도의 작성

(1) 구조설계도는 구조평면도와 구조계산에 의하여 산정된 부재의 단면 및 접합부 상세를 표현하고, 아울러 구조계산에는 포함되지 않았으나, 이 기준에 규정한 구조세칙과 구조실험이나 경험 등으로 구조안전이 확인된 관련 상세까지도 표현하여 구조설계취지에 부합하도록 작성하여야한다.

(2) 구조설계도는 설계의 진척도에 따라 계획설계, 중간설계, 실시설계의 3단계로 나누어 작성할 수 있다.

(3) 구조설계도에 포함할 내용은 다음과 같다.

① 구조기준
② 활하중 등 주요설계하중
③ 구조재료강도
④ 구조부재의 크기 및 위치
⑤ 철근과 앵커의 규격, 설치 위치
⑥ 철근정착길이, 이음의 위치 및 길이
⑦ 강부재의 제작·설치와 접합부 설계에 필요한 전단력·모멘트·축력 등의 접합부 소요강도
⑧ 기둥중심선과 오프셋, 워킹 포인트
⑨ 접합의 유형
⑩ 치올림이 필요할 경우 위치, 방향 및 크기
⑪ 부구조체의 시공상세도 작성에 필요한 경우 상세기준
⑫ 기타 구조시공상세도 작성에 필요한 상세와 자료
⑬ 책임구조기술자, 자격명 및 소속회사명, 연락처
⑭ 구조설계 연월일

4.3.5 구조체공사시방서의 작성

구조체공사시방서는 해당 장의 관련부분을 포함하고, 별도의 특기시방서를 통하여 구조설계도면에 나타낼 수 없는 골조공사의 특기사항을 기술함으로써 구조설계취지에 부합하도록 작성하여야한다.

5 각종 검사와 검증

구조설계에 적용한 재료 및 제작물 등의 품질확인, 성능검증의 절차 및 방법과 기준지정 외 재료 사용 또는 특수한 해석, 설계 및 시공공법을 적용할 경우의 사용승인을 위한 기술적 방법, 내진성능 구조실험 등에 필요한 사항은 KDS 41 10 10에 따라야 한다.

6 구조안전의 확인

건축구조물의 안전성, 사용성, 내구성을 확보하고 친환경성을 고려하기 위해서는 설계단계에서부터 시공, 감리 및 유지·관리·단계에 이르기까지 이 기준에 적합하여야하며, 이를 위한 각 단계별 구조적합성과 구조안전의 확인사항은 다음과 같다.

6.1 구조설계도서의 구조안전 확인

건축구조물의 구조체에 대한 구조설계도서는 책임구조기술자가 이 기준에 따라 작성하여 구조적합성과 구조안전이 확보되도록 설계하였음을 확인하여야한다.

6.2 시공상세도서의 구조안전 확인

시공자가 작성한 시공상세도서 중 이 기준의 규정과 구조설계도서의 의도에 적합한지에 대하여 책임구조기술자로부터 구조적합성과 구조안전의 확인을 받아야 할 도서는 다음과 같다.

① 구조체 배근시공도
② 구조체 제작·설치도(강구조 접합부 포함)
③ 구조체 내화상세도
④ 부구조체(커튼월·외장재·유리구조·창호틀·천정틀·돌붙임골조 등) 시공도면과 제작·설치도
⑤ 건축 비구조요소의 설치상세도(구조적합성과 구조안전의 확인이 필요한 경우만 해당)
⑥ 건축설비(기계·전기 비구조요소)의 설치상세도
⑦ 가설구조물의 구조시공상세도
⑧ 건설가치공학(V.E.) 구조설계도서
⑨ 기타 구조안전의 확인이 필요한 도서

6.3 시공 중 구조안전 확인

시공과정에서 구조적합성과 구조안전을 확인하기 위하여 책임구조기술자가 이 기준에 따라 수행해야하는 업무의 종류는 다음과 같다.

① 구조물 규격에 관한 검토·확인
② 사용구조자재의 적합성 검토·확인
③ 구조재료에 대한 시험성적표 검토
④ 배근의 적정성 및 이음·정착 검토
⑤ 설계변경에 관한 사항의 구조검토·확인
⑥ 시공하자에 대한 구조내력검토 및 보강방안
⑦ 기타 시공과정에서 구조의 안전이나 품질에 영향을 줄 수 있는 사항에 대한 검토을 줄 수 있는 사항에 대한 검토

6.4 시공 중 구조안전 확인

유지·관리 중에 이 기준에 따라 구조안전을 확인하기 위하여 건축주 또는 관리자가 책임구조기술자에게 의뢰하는 업무의 종류는 다음과 같다.

① 안전진단
② 리모델링을 위한 구조검토
③ 용도변경을 위한 구조검토
④ 증축을 위한 구조검토

7 책임구조기술자

7.1 책임구조기술자의 자격

책임구조기술자는 건축구조물의 구조에 대한 설계, 시공, 감리, 안전진단 등 관련 업무를 각각 책임지고 수행하는 기술자로서, 책임구조기술자의 자격은 건축 관련 법령에 따른다.

7.2 책임구조기술자의 책무

이 기준의 적용을 받는 건축구조물의 구조에 대한 구조설계도서(구조계획서, 구조설계서, 구조설계도 및

구조체공사시방서)의 작성, 시공, 시공상세도서의 구조적합성 검토, 공사단계에서의 구조적합성과 구조안전의 확인, 유지·관리 단계에서의 구조안전확인, 구조감리 및 안전진단 등은 해당 업무별 책임구조기술자의 책임아래 수행하여야한다.

7.3 책임구조기술자의 서명・날인

(1) 구조설계도서와 구조시공상세도서, 구조분야 감리보고서 및 안전진단보고서 등은 해당 업무별 책임구조기술자의 서명·날인이 있어야 유효하다.

(2) 건축주와 시공자 및 감리자는 책임구조기술자가 서명·날인한 설계도서와 시공상세도서 등으로 각종 인·허가행위 및 시공·감리를 하여야한다.

☞ 기타 기준에 대한 내용은 CD참조

1.6.2 필로티 건축물 구조설계 체크리스트(설계·감리)[국토교통부 정책자료, 2018.8.7.]

☞ 필로티 건축물 구조설계 가이드라인 및 구조도 예시는 CD참조

※ '필로티 건축물 구조설계 가이드라인'은 법적 기준이 아니므로 가이드라인은 '필로티 건축물 구조설계 체크리스트' 작성을 위한 참고자료로 활용 바람. ('필로티 건축물 구조설계 체크리스트'는 '건축구조기준'에 따라 설계한 필로티 구조 건축물의 구조적 안전성을 중복 확인 시 활용) <국토교통부 건축정책과>

1 설계자 및 허가권자 내진설계 체크리스트

공사명		문서번호	
건축주		발행일시	
공사단계		업무구분	설계자 및 허가권자

구조형식	검토항목	세부검토사항	검토결과		검토의견
			적합	부적합	
철근콘크리트구조	설계도면	① 평면상 코어벽의 위치 [1)] ㅁ중심코어 채택여부 ㅁ편심코어의 경우 대칭성확보를 위한 추가적인 전단벽 설치			
		② 내진설계 특별지진하중 준수여부 [2)] ㅁ필로티층 기둥 및 벽체의 면적비(수치기입) - x방향 : - y방향 :			
		③ 전이보 또는 전이슬래브 설치 여부 [3)] ㅁ전이보 최소깊이 550mm 이상 ㅁ전이슬래브 최소두께 300mm 이상			
		④ 기초형식의 적정성 여부 ㅁ지하층이 없는 경우 온통기초 사용 ㅁ연약지반의 경우 말뚝기초사용			
	철근상세	① 필로티층 기둥 철근 상세도 [4)] ㅁ후프 수직간격 150mm 이하, 135°갈고리정착 또는 대안정착 여부 ㅁ연결철근(내부타이철근) 수직간격 150mm 이하, 수평간격 200mm 이하			
		② 필로티층 벽체 철근 상세도 [5)] ㅁ복배근(2열 배근) 및 수직철근·수평철근(D13) 150mm 이하 간격 ㅁ벽체 모서리 단부 U형 철근 보강 ㅁ개구부 주위 철근 보강			
비구조재		① 화단벽과 기둥의 이격 [6)] ㅁ화단벽 높이(h)의 h/30 이상 이격			
		② 기둥측면에 수벽의 이격 [6)]			
		③ 배관 공간의 별도 설치 여부 [7)]			

- 상기와 같이 필로티 건물의 내진설계 검토 사항을 확인하여 제출합니다.

설계자 : (인)

1) 사용 가능한 코어벽 배치 유형 (중심코어 및 중심대칭 벽체)

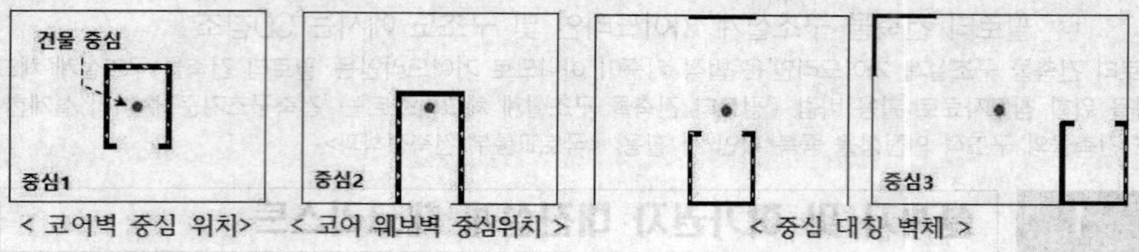

2) 내진설계 특별지진하중 준수여부

✓ 구조설계 책임기술자가 구조 계산한 자료가 없는 경우, 필로티층 기둥과 벽체는 아래의 필로티 기둥과 벽체의 면적비를 만족하도록 설계하여야 한다.

✓ 필로티층에서 전단벽과 기둥은 지진하중을 저항할 수 있도록 충분한 단면적으로 설계하여야 한다. 5층 이하의 필로티 구조에서는 다음 조건을 만족하여야 한다.

(지진구역 1, 지진구역 2를 제외한 지역)

벽체면적비/0.0045 + 기둥면적비/0.0112 ≥ 1.0 식 (2-1)

(지진구역 2, 강원북부 및 제주)

벽체면적비/0.0028 + 기둥면적비/0.0071 ≥ 1.0 식 (2-2)

① 평면상 두 직각방향 (x방향, y방향) 각각에 대하여 위의 조건을 만족해야 한다.

② 벽체면적비 = 필로티층 해당 벽체단면적의 합 / 건물연면적
기둥면적비 = 필로티 기둥단면적의 합 /건물연면적

③ 기둥면적비 계산에서는 방향과 관계없이 모든 기둥의 단면적 합을 고려한다.

✓ 자세한 사항은 필로티 설계지침 2장의 지침 내용과 예제를 참고한다. (예시 그림 2-3, 그림 2-4)

3) 전이보 또는 전이슬래브 설치 여부

✓ 전이보의 깊이가 600mm 이상일 때 폭은 400mm 이상이어야 되며, 전이보의 깊이가 그 이하일 때는 폭이 500mm 이상이어야 한다. 전이보의 최소 깊이는 550mm 이상이어야 한다. 전이보 횡철근 간격은 200mm 이하이어야 한다.

✓ 전이슬래브의 두께는 300mm 이상이어야 한다.

4) 필로티층 기둥 철근 상세도

✓ 기둥 후프 상세는 135도 갈고리 정착상세나 90도 갈고리가 콘크리트 내부로 정착되는 상세를 사용한다.

✓ 기둥 횡철근은 후프와 연결철근으로 구성하며, 연결철근의 정착을 위하여 한쪽은 135도 갈고리 정착을 다른 쪽은 90도 갈고리 정착을 사용한다. 135도 갈고리 정착의 위치는 수직적으로 수평적으로 교차로 배치한다.

✓ 기둥 횡철근 수직간격은 전 기둥 길이에 걸쳐서 150mm 이하로 한다.

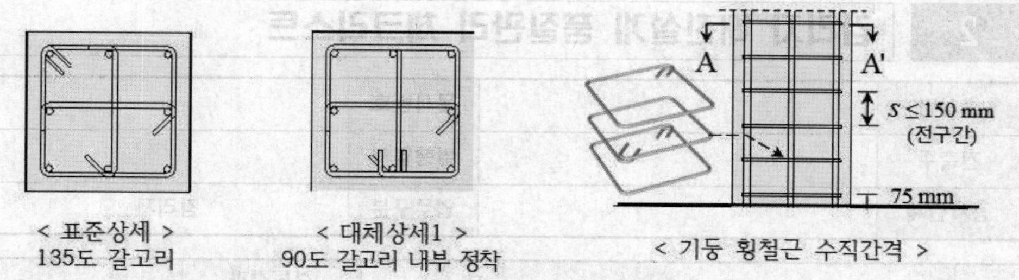

< 표준상세 >
135도 갈고리

< 대체상세1 >
90도 갈고리 내부 정착

< 기둥 횡철근 수직간격 >

5) 필로티층 벽체 철근 상세도

✓ 벽체 수직철근과 수평철근의 간격은 D13, 150mm 이하이어야 한다. 벽체 단부는 길이 300mm 이상의 U형 철근으로 보강되어야 한다.

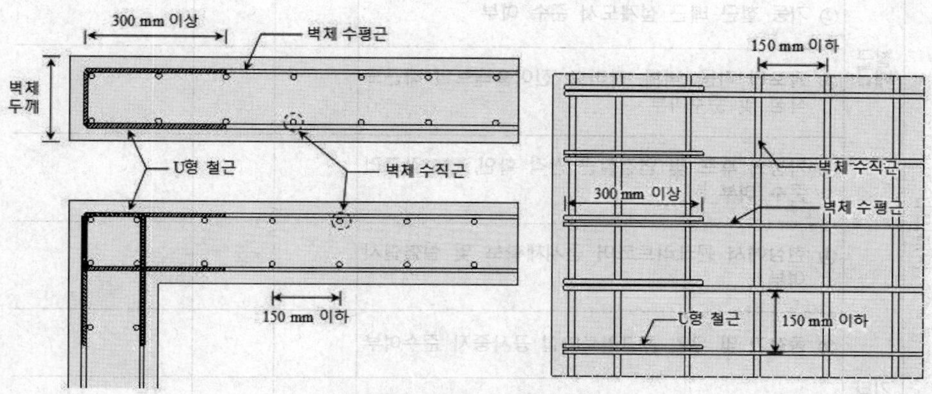

< 필로티층 벽체의 철근 표준상세 >

6) 화단벽 및 수벽의 기둥과의 이격

✓ 기둥의 단주효과를 유발할 수 있는 수벽, 화단옹벽, 조적벽 등 비구조요소를 기둥으로부터 이격시키거나 설치를 지양한다.

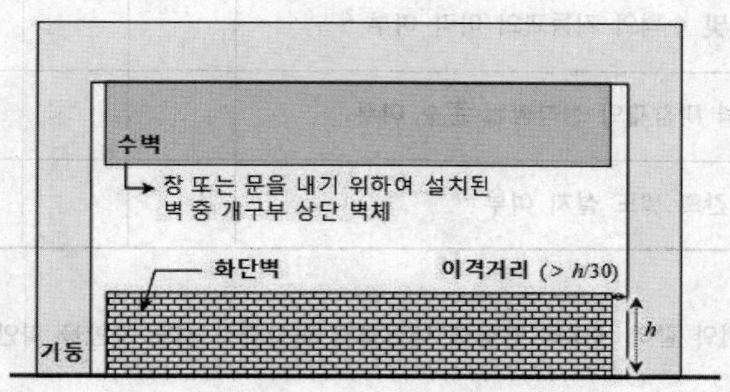

< 화단벽 및 수벽의 기둥과의 이격 >

7) 배관공간의 별도 설치여부

✓ 구조부재 내부 또는 관통하여 건축마감, 설비, 배관 등을 설치하는 것은 원칙적으로 금지되며, 불가피할 경우에는 반드시 구조설계자의 검토와 동의를 받아야 한다.

✓ 기둥, 코어벽, 전단벽등의 주요 수직 구조부재 내부에는 우수관 등 비구조재를 삽입할 수 없다.

2 감리자 내진설계 품질관리 체크리스트

공사명		문서번호	
건축주		발행일시	
공사단계		업무구분	감리자

구조형식	검토항목	세부검토사항	검토결과 적합	검토결과 부적합	검토의견
철근콘크리트구조	철근배근	① 기초 철근 배근 설계도서 준수 여부			
		② 기둥 철근 배근 설계도서 준수 여부			
		③ 필로티 기둥, 벽체, 전이보, 전이슬래브의 배근도 작성 및 준수여부			
		④ 기둥의 후프 및 연결철근 간격 확인, 135°갈고리 준수 여부 [1]			
	기타	① 현장에서 콘크리트코어 공시체확보 및 실험실시 여부			
		② 동절기 및 우기 콘크리트타설 공사중지 준수여부			
		③ 필로티 기둥 및 전이층 철근배치 후 책임구조기술자의 확인여부			
		④ 필로티 기둥 및 전이층 철근배치, 콘크리트 타설시 동영상 확보여부			
비구조재		① 화단벽 및 수벽의 기둥과의 이격 여부 [2]			
		② 건축외벽 마감재의 정착방법 준수 여부			
		③ 배관 공간의 별도 설치 여부 [3]			

- 상기와 같이 필로티 건물의 내진설계 품질관리 검토 사항을 확인하여 제출합니다.

감리자 : (인)

1) 필로티 기둥 상세도

- ✓ 기둥 후프 상세는 135도 갈고리 정착상세나 90도 갈고리가 콘크리트 내부로 정착되는 상세를 사용한다.

- ✓ 기둥 횡철근은 후프와 연결철근으로 구성하며, 연결철근의 정착을 위하여 한쪽은 135도 갈고리 정착을 다른 쪽은 90도 갈고리 정착을 사용한다. 135도 갈고리 정착의 위치는 수직적으로 수평적으로 교차로 배치한다.

- ✓ 기둥 횡철근 수직간격은 전 기둥 길이에 걸쳐서 150mm 이하로 한다.

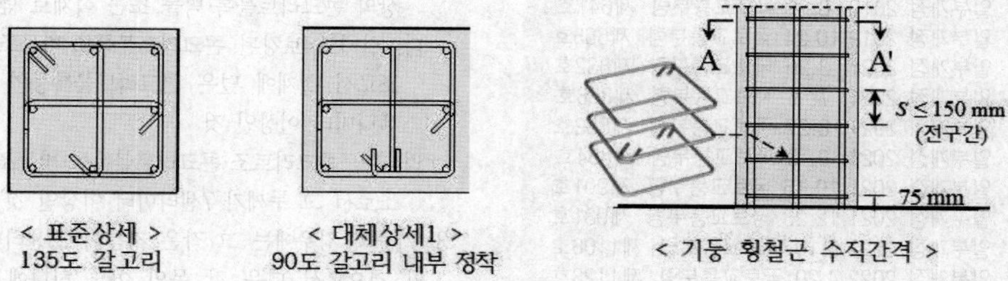

< 표준상세 > 135도 갈고리 　 < 대체상세1 > 90도 갈고리 내부 정착 　 < 기둥 횡철근 수직간격 >

2) 화단벽 및 수벽의 기둥과의 이격

- ✓ 기둥의 단주효과를 유발할 수 있는 수벽, 화단옹벽, 조적벽 등 비구조요소를 기둥으로부터 이격시키거나 설치를 지양한다.

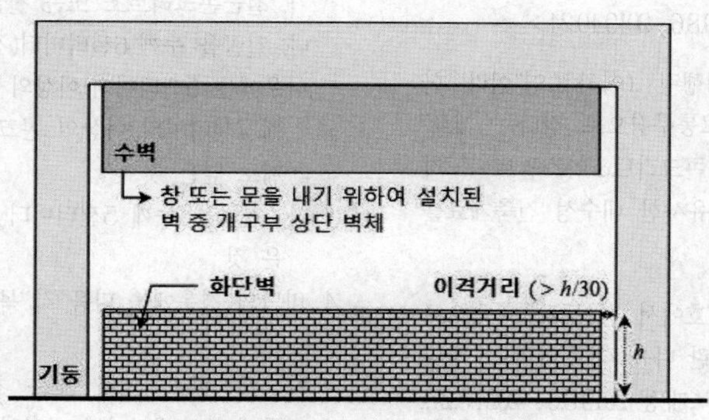

< 화단벽 및 수벽의 기둥과의 이격 >

3) 배관공간의 별도 설치여부

- ✓ 구조부재 내부 또는 관통하여 건축마감, 설비, 배관 등을 설치하는 것은 원칙적으로 금지되며, 불가피할 경우에는 반드시 구조설계자의 검토와 동의를 받아야 한다.

- ✓ 기둥, 코어벽, 전단벽등의 주요 수직 구조부재 내부에는 우수관 등 비구조재를 삽입할 수 없다.

1.7. 건축물의 피난·방화구조 등의 기준에 관한 규칙

[국토교통부령 제1147호, 일부개정 2023.8.31.]

제 정 1999. 5. 7 건설교통부령 제184호
일부개정 2015. 4. 6 국토교통부령 제193호
일부개정 2015. 7. 9 국토교통부령 제220호
일부개정 2015.10. 7 국토교통부령 제238호
일부개정 2018.10.18 국토교통부령 제548호
일부개정 2019. 8. 6 국토교통부령 제641호
일부개정 2019.10.24 국토교통부령 제665호
일부개정 2021. 3.26 국토교통부령 제832호
일부개정 2021. 7. 5 국토교통부령 제868호
일부개정 2021. 8.27 국토교통부령 제882호
일부개정 2021. 9. 3 국토교통부령 제884호
일부개정 2021.10.15 국토교통부령 제901호
일부개정 2021.12.23 국토교통부령 제931호
일부개정 2022.2.10 국토교통부령 제1106호
일부개정 2022.4.29 국토교통부령 제1123호
일부개정 2023.8.31 국토교통부령 제1247호

제1조【목적】이 규칙은 「건축법」 제49조, 제50조, 제50조의2, 제51조, 제52조, 제52조의4, 제53조 및 제64조에 따른 건축물의 피난·방화 등에 관한 기술적 기준을 정함을 목적으로 한다. <개정 2019.8.6., 2019.10.24.>

제2조【내수재료】「건축법 시행령」(이하 "영"이라 한다) 제2조제6호에서 "국토교통부령으로 정하는 재료"란 벽돌 · 자연석 · 인조석 · 콘크리트 · 아스팔트 · 도자기질재료 · 유리 기타 이와 유사한 내수성 건축재료를 말한다. <개정 2019.8.6.>

제3조【내화구조】영 제2조제7호에서 "국토교통부령으로 정하는 기준에 적합한 구조"란 다음 각 호의 어느 하나에 해당하는 것을 말한다. <개정 2019.8.6., 2021.8.27., 2021.12.23>

1. 벽의 경우에는 각 목의 어느 하나에 해당하는 것
   가. 철근콘크리트조 또는 철골철근콘크리트조로서 두께가 10센티미터 이상인 것
   나. 골구를 철골조로 하고 그 양면을 두께 4센티미터 이상의 철망모르타르(그 바름바탕을 불연재료로 한 것으로 한정한다. 이하 이 조에서 같다) 또는 두께 5센티미터 이상의 콘크리트블록·벽돌 또는 석재로 덮은 것
   다. 철재로 보강된 콘크리트블록조·벽돌조 또는 석조로서 철재에 덮은 콘크리트블록등의 두께가 5센티미터 이상인 것
   라. 벽돌조로서 두께가 19센티미터 이상인 것
   마. 고온·고압의 증기로 양생된 경량기포 콘크리트패널 또는 경량기포 콘크리트블록조로서 두께가 10센티미터 이상인 것
2. 외벽 중 비내력벽인 경우에는 제1호에도 규정에 불구하고 다음 각 목의 어느 하나에 해당하는 것
   가. 철근콘크리트조 또는 철골철근콘크리트조로서 두께가 7센티미터 이상인 것
   나. 골구를 철골조로 하고 그 양면을 두께 3센티미터 이상의 철망모르타르 또는 두께 4센티미터 이상의 콘크리트블록·벽돌 또는 석재로 덮은 것
   다. 철재로 보강된 콘크리트블록조·벽돌조 또는 석조로서 철재에 덮은 콘크리트블록등의 두께가 4센티미터 이상인 것
   라. 무근콘크리트조·콘크리트블록조·벽돌조 또는 석조로서 그 두께가 7센티미터 이상인 것
3. 기둥의 경우에는 그 작은 지름이 25센티미터 이상인 것으로서 다음 각 목의 어느 하나에 해당하는 것. 다만, 고강도 콘크리트(설계기준강도가 50MPa 이상인 콘크리트를 말한다. 이하 이 조에서 같다)를 사용하는 경우에는 국토교통부장관이 정하여 고시하는 고강도 콘크리트 내화성능 관리기준에 적합해야 한다.
   가. 철근콘크리트조 또는 철골철근콘크리트조
   나. 철골을 두께 6센티미터(경량골재를 사용하는 경우에는 5센티미터)이상의 철망모르타르 또는 두께 7센티미터 이상의 콘크리트블록·벽돌 또는 석재로 덮은 것
   다. 철골을 두께 5센티미터 이상의 콘크리트로 덮은 것
4. 바닥의 경우에는 다음 각 목의 어느 하나에 해당하는 것
   가. 철근콘크리트조 또는 철골철근콘크리트조로서 두께가 10센티미터 이상인 것
   나. 철재로 보강된 콘크리트블록조·벽돌조 또는 석조로서 철재에 덮은 콘크리트블록등의 두께가 5센티미터 이상인 것
   다. 철재의 양면을 두께 5센티미터 이상의 철망모르타르 또는 콘크리트로 덮은 것
5. 보(지붕틀을 포함한다)의 경우에는 다음 각 목의 어느 하나에 해당하는 것. 다만, 고강도 콘크리트를 사용하는 경우에는 국토교통부장관이 정하여 고시하는 고강도 콘크리트내화성능 관리기준에 적합해야 한다.
   가. 철근콘크리트조 또는 철골철근콘크리트조
   나. 철골을 두께 6센티미터(경량골재를 사용하는 경

우에는 5센티미터)이상의 철망모르타르 또는 두께 5센티미터 이상의 콘크리트로 덮은 것

다. 철골조의 지붕틀(바닥으로부터 그 아랫부분까지의 높이가 4미터 이상인 것에 한한다)로서 바로 아래에 반자가 없거나 불연재료로 된 반자가 있는 것

6. 지붕의 경우에는 다음 각 목의 어느 하나에 해당하는 것

가. 철근콘크리트조 또는 철골철근콘크리트조

나. 철재로 보강된 콘크리트블록조·벽돌조 또는 석조

다. 철재로 보강된 유리블록 또는 망입유리(두꺼운 판유리에 철망을 넣은 것을 말한다)로 된 것

7. 계단의 경우에는 다음 각 목의 어느 하나에 해당하는 것

가. 철근콘크리트조 또는 철골철근콘크리트조

나. 무근콘크리트조·콘크리트블록조·벽돌조 또는 석조

다. 철재로 보강된 콘크리트블록조·벽돌조 또는 석조

라. 철골조

8. 「과학기술분야 정부출연연구기관 등의 설립·운영 및 육성에 관한 법률」 제8조에 따라 설립된 한국건설기술연구원의 장(이하 "한국건설기술연구원장"이라 한다)이 국토교통부장관이 정하여 고시하는 방법에 따라 품질을 시험한 결과 별표 1에 따른 성능기준에 적합할 것 <개정 2021.12.23.>

가. 생산공장의 품질 관리 상태를 확인한 결과 국토교통부장관이 정하여 고시하는 기준에 적합할 것

나. 가목에 따라 적합성이 인정된 제품에 대하여 품질시험을 실시한 결과 별표 1에 따른 성능기준에 적합할 것

9. 다음 각 목의 어느 하나에 해당하는 것으로서 한국건설기술연구원장이 국토교통부장관으로부터 승인받은 기준에 적합한 것으로 인정하는 것

가. 한국건설기술연구원장이 인정한 내화구조 표준으로 된 것

나. 한국건설기술연구원장이 인정한 성능설계에 따라 내화구조의 성능을 검증할 수 있는 구조로 된 것

10. 한국건설기술연구원장이 제27조제1항에 따라 정한 인정기준에 따라 인정하는 것

제4조 【방화구조】 영 제2조제8호에서 "국토교통부령으로 정하는 기준에 적합한 구조"란 다음 각 호의 어느 하나에 해당하는 것을 말한다. <개정 2019.8.6., 2022.2.10>

1. 철망모르타르로서 그 바름두께가 2센티미터 이상인 것
2. 석고판 위에 시멘트모르타르 또는 회반죽을 바른 것으로서 그 두께의 합계가 2.5센티미터 이상인 것
3. 시멘트모르타르 위에 타일을 붙인 것으로서 그 두께의 합계가 2.5센티미터 이상인 것
4. 삭제 <2010.4.7>
5. 삭제 <2010.4.7>
6. 심벽에 흙으로 맞벽치기한 것
7. 「산업표준화법」에 따른 한국산업표준(이하 "한국산업표준"이라 한다)에 따라 시험한 결과 방화 2급 이상에 해당하는 것

제5조 【난연재료】 영 제2조제1항제9호에서 "국토교통부령으로 정하는 기준에 적합한 재료"란 한국산업표준에 따라 시험한 결과 가스 유해성, 열방출량 등이 국토교통부장관이 정하여 고시하는 난연재료의 성능기준을 충족하는 것을 말한다. <개정 2019.8.6., 2022.2.10>

제6조 【불연재료】 영 제2조제1항제10호에서 "국토교통부령으로 정하는 기준에 적합한 재료"란 다음 각 호의 어느 하나에 해당하는 것을 말한다. <개정 2014.5.22., 2019.8.6., 2022.2.10>

1. 콘크리트·석재·벽돌·기와·철강·알루미늄·유리·시멘트모르타르 및 회. 이 경우 시멘트모르타르 또는 회 등 미장재료를 사용하는 경우에는 「건설기술 진흥법」 제44조제1항제2호에 따라 제정된 건축공사표준시방서에서 정한 두께 이상인 것에 한한다.
2. 한국산업표준에 따라 정하는 바에 의하여 시험한 결과 질량감소율 등이 국토교통부장관이 정하여 고시하는 불연재료의 성능기준을 충족하는 것
3. 그 밖에 제1호와 유사한 불연성의 재료로서 국토교통부장관이 인정하는 재료. 다만, 제1호의 재료와 불연성재료가 아닌 재료가 복합으로 구성된 경우를 제외한다.

제7조 【준불연재료】 영 제2조제1항제11호에서 "국토교통부령으로 정하는 기준에 적합한 재료"란 한국산업표준에 따라 시험한 결과 가스 유해성, 열방출량 등이 국토교통부장관이 정하여 고시하는 준불연재료의 성능기준을 충족하는 것을 말한다. <개정 2019.8.6., 2022.2.10>

제7조의2 【건축사보 배치 대상 마감재료 설치공사】 영 제19조제7항 전단에서 "국토교통부령으로 정하는 경우"란 제24조제3항에 따라 불연재료·준불연재료 또는 난연재료가 아닌 단열재를 사용하는 경우로서 해당 단열재가 외기(外氣)에 노출되는 경우를 말한다. [본조신설 2021.9.3.]

제8조 【직통계단의 설치기준】 ① 영 제34조제1항 단서에서 "국토교통부령으로 정하는 공장"이란 반도체 및

디스플레이 패널을 제조하는 공장을 말한다. <개정 2019.8.6>

② 영 제34조제2항에 따라 2개소 이상의 직통계단을 설치하는 경우 다음 각 호의 기준에 적합해야 한다. <개정 2019.8.6.>

1. 가장 멀리 위치한 직통계단 2개소의 출입구 간의 가장 가까운 직선거리(직통계단 간을 연결하는 복도가 건축물의 다른 부분과 방화구획으로 구획된 경우 출입구 간의 가장 가까운 보행거리를 말한다)는 건축물 평면의 최대 대각선 거리의 2분의 1 이상으로 할 것. 다만, 스프링클러 또는 그 밖에 이와 비슷한 자동식 소화설비를 설치한 경우에는 3분의 1이상으로 한다.
2. 각 직통계단 간에는 각각 거실과 연결된 복도 등 통로를 설치할 것

제8조의2【피난안전구역의 설치기준】 ① 영 제34조제3항 및 제4항에 따라 설치하는 피난안전구역(이하 "피난안전구역"이라 한다)은 해당 건축물의 1개층을 대피공간으로 하며, 대피에 장애가 되지 아니하는 범위에서 기계실, 보일러실, 전기실 등 건축설비를 설치하기 위한 공간과 같은 층에 설치할 수 있다. 이 경우 피난안전구역은 건축설비가 설치되는 공간과 내화구조로 구획하여야 한다. <개정 2012.1.6>

② 피난안전구역에 연결되는 특별피난계단은 피난안전구역을 거쳐서 상·하층으로 갈 수 있는 구조로 설치하여야 한다.

③ 피난안전구역의 구조 및 설비는 다음 각 호의 기준에 적합하여야 한다. <개정 2014.11.19., 2017.7.26., 2019.8.6>

1. 피난안전구역의 바로 아래층 및 위층은 「녹색건축물 조성 지원법」 제15조제1항에 따라 국토교통부장관이 정하여 고시한 기준에 적합한 단열재를 설치할 것. 이 경우 아래층은 최상층에 있는 거실의 반자 또는 지붕 기준을 준용하고, 위층은 최하층에 있는 거실의 바닥 기준을 준용할 것
2. 피난안전구역의 내부마감재료는 불연재료로 설치할 것
3. 건축물의 내부에서 피난안전구역으로 통하는 계단은 특별피난계단의 구조로 설치할 것
4. 비상용 승강기는 피난안전구역에서 승하차 할 수 있는 구조로 설치할 것
5. 피난안전구역에는 식수공급을 위한 급수전을 1개소 이상 설치하고 예비전원에 의한 조명설비를 설치할 것
6. 관리사무소 또는 방재센터 등과 긴급연락이 가능한 경보 및 통신시설을 설치할 것
7. 별표 1의2에서 정하는 기준에 따라 산정한 면적 이상일 것
8. 피난안전구역의 높이는 2.1미터 이상일 것
9. 「건축물의 설비기준 등에 관한 규칙」 제14조에 따른 배연설비를 설치할 것
10. 그 밖에 소방청장이 정하는 소방 등 재난관리를 위한 설비를 갖출 것

[본조신설 2010.4.7]

제9조【피난계단 및 특별피난계단의 구조】 ① 영 제35조제1항 각 호 외의 부분 본문에 따라 건축물의 5층 이상 또는 지하 2층 이하의 층으로부터 피난층 또는 지상으로 통하는 직통계단(지하 1층인 건축물의 경우에는 5층 이상의 층으로부터 피난층 또는 지상으로 통하는 직통계단과 직접 연결된 지하 1층의 계단을 포함한다)은 피난계단 또는 특별피난계단으로 설치해야 한다. <개정 2019.8.6., 2021.3.26>

② 제1항에 따른 피난계단 및 특별피난계단의 구조는 다음 각호의 기준에 적합해야 한다. <개정 2019.8.6.>

1. 건축물의 내부에 설치하는 피난계단의 구조
   가. 계단실은 창문·출입구 기타 개구부(이하 "창문등"이라 한다)를 제외한 당해 건축물의 다른 부분과 내화구조의 벽으로 구획할 것
   나. 계단실의 실내에 접하는 부분(바닥 및 반자 등 실내에 면한 모든 부분을 말한다)의 마감(마감을 위한 바탕을 포함한다)은 불연재료로 할 것
   다. 계단실에는 예비전원에 의한 조명설비를 할 것
   라. 계단실의 바깥쪽과 접하는 창문등(망이 들어 있는 유리의 붙박이창으로서 그 면적이 각각 1제곱미터 이하인 것을 제외한다)은 당해 건축물의 다른 부분에 설치하는 창문등으로부터 2미터 이상의 거리를 두고 설치할 것
   마. 건축물의 내부와 접하는 계단실의 창문등(출입구를 제외한다)은 망이 들어 있는 유리의 붙박이창으로서 그 면적을 각각 1제곱미터 이하로 할 것
   바. 건축물의 내부에서 계단실로 통하는 출입구의 유효너비는 0.9미터 이상으로 하고, 그 출입구에는 피난의 방향으로 열 수 있는 것으로서 언제나 닫힌 상태를 유지하거나 화재로 인한 연기 또는 불꽃을 감지하여 자동적으로 닫히는 구조로 된 제26조에 따른 영 제64조제1항제1호의 60+ 방화문(이하 "60+방화문"이라 한다) 또는 같은 항 제2호의 방화문(이하 "60분방화문"이라 한다)을 설치할 것. 다만, 연기 또는 불꽃을 감지하여 자동적으로 닫히는 구조로 할 수 없는 경우에는 온도를 감지하

여 자동적으로 닫히는 구조로 할 수 있다. <개정 2021.3.26>

사. 계단은 내화구조로 하고 피난층 또는 지상까지 직접 연결되도록 할 것

2. 건축물의 바깥쪽에 설치하는 피난계단의 구조

가. 계단은 그 계단으로 통하는 출입구외의 창문등(망이 들어 있는 유리의 붙박이창으로서 그 면적이 각각 1제곱미터 이하인 것을 제외한다)으로부터 2미터 이상의 거리를 두고 설치할 것

나. 건축물의 내부에서 계단으로 통하는 출입구에는 제26조에 따른 60+방화문 또는 60분방화문을 설치할 것 <개정 2021.3.26>

다. 계단의 유효너비는 0.9미터 이상으로 할 것

라. 계단은 내화구조로 하고 지상까지 직접 연결되도록 할 것

3. 특별피난계단의 구조

가. 건축물의 내부와 계단실은 노대를 통하여 연결하거나 외부를 향하여 열 수 있는 면적 1제곱미터 이상인 창문(바닥으로부터 1미터 이상의 높이에 설치한 것에 한한다) 또는 「건축물의 설비기준 등에 관한 규칙」 제14조의 규정에 적합한 구조의 배연설비가 있는 부속실을 통하여 연결할 것

나. 계단실·노대 및 부속실(「건축물의 설비기준 등에 관한 규칙」 제10조제2호 가목의 규정에 의하여 비상용승강기의 승강장을 겸용하는 부속실을 포함한다)은 창문등을 제외하고는 내화구조의 벽으로 각각 구획할 것

다. 계단실 및 부속실의 실내에 접하는 부분(바닥 및 반자 등 실내에 면한 모든 부분을 말한다)의 마감(마감을 위한 바탕을 포함한다)은 불연재료로 할 것

라. 계단실에는 예비전원에 의한 조명설비를 할 것

마. 계단실·노대 또는 부속실에 설치하는 건축물의 바깥쪽에 접하는 창문등(망이 들어 있는 유리의 붙박이창으로서 그 면적이 각각 1제곱미터이하인 것을 제외한다)은 계단실·노대 또는 부속실외의 당해 건축물의 다른 부분에 설치하는 창문등으로부터 2미터 이상의 거리를 두고 설치할 것

바. 계단실에는 노대 또는 부속실에 접하는 부분외에는 건축물의 내부와 접하는 창문등을 설치하지 아니할 것

사. 계단실의 노대 또는 부속실에 접하는 창문등(출입구를 제외한다)은 망이 들어 있는 유리의 붙박이창으로서 그 면적을 각각 1제곱미터 이하로 할 것

아. 노대 및 부속실에는 계단실외의 건축물의 내부와 접하는 창문등(출입구를 제외한다)을 설치하지 아니할 것

자. 건축물의 내부에서 노대 또는 부속실로 통하는 출입구에는 60+방화문 또는 60분방화문을 설치하고, 노대 또는 부속실로부터 계단실로 통하는 출입구에는 60+방화문, 60분방화문 또는 영 제64조제1항제3호의 30분 방화문을 설치할 것. 이 경우 방화문은 언제나 닫힌 상태를 유지하거나 화재로 인한 연기 또는 불꽃을 감지하여 자동적으로 닫히는 구조로 해야 하고, 연기 또는 불꽃으로 감지하여 자동적으로 닫히는 구조로 할 수 없는 경우에는 온도를 감지하여 자동적으로 닫히는 구조로 할 수 있다. <개정 2021.3.26>

차. 계단은 내화구조로 하되, 피난층 또는 지상까지 직접 연결되도록 할 것

카. 출입구의 유효너비는 0.9미터 이상으로 하고 피난의 방향으로 열 수 있을 것

③ 영 제35조제1항 각 호 외의 부분 본문에 따른 피난계단 또는 특별피난계단은 돌음계단으로 해서는 안 되며, 영 제40조에 따라 옥상광장을 설치해야 하는 건축물의 피난계단 또는 특별피난계단은 해당 건축물의 옥상으로 통하도록 설치해야 한다. 이 경우 옥상으로 통하는 출입문은 피난방향으로 열리는 구조로서 피난시 이용에 장애가 없어야 한다. <개정 2019.8.6.>

④ 영 제35조제2항에서 "갓복도식 공동주택"이라 함은 각 층의 계단실 및 승강기에서 각 세대로 통하는 복도의 한쪽 면이 외기에 개방된 구조의 공동주택을 말한다. <개정 2021.9.3>

제10조【관람실 등으로부터의 출구의 설치기준】 ① 영 제38조 각 호의 어느 하나에 해당하는 건축물의 관람석 또는 집회실로부터 바깥쪽으로의 출구로 쓰이는 문은 안여닫이로 해서는 안 된다. <개정 2019.8.6.>

② 영 제38조에 따라 문화 및 집회시설 중 공연장의 개별 관람실(바닥면적이 300제곱미터 이상인 것만 해당한다)의 출구는 다음 각 호의 기준에 적합하게 설치해야 한다. <개정 2019.8.6.>

1. 관람실별로 2개소 이상 설치할 것
2. 각 출구의 유효너비는 1.5미터 이상일 것
3. 개별 관람실 출구의 유효너비의 합계는 개별 관람실의 바닥면적 100제곱미터마다 0.6미터의 비율로 산정한 너비 이상으로 할 것

[제목개정 2019.8.6]

제11조【건축물의 바깥쪽으로의 출구의 설치기준】 ① 영 제39조제1항의 규정에 의하여 건축물의 바깥쪽으로 나가는 출구를 설치하는 경우 피난층의 계단으로부터 건축물의 바깥쪽으로의 출구에 이르는 보행거리(가장 가까운 출구와의 보행거리를 말한다. 이하 같다)는 영 제34조제1항의 규정에 의한 거리이하로 하여야 하며, 거실(피난에 지장이 없는 출입구가 있는 것을 제외한다)의 각 부분으로부터 건축물의 바깥쪽으로의 출구에 이르는 보행거리는 영 제34조제1항의 규정에 의한 거리의 2배 이하로 하여야 한다.

② 영 제39조제1항에 따라 건축물의 바깥쪽으로 나가는 출구를 설치하는 건축물중 문화 및 집회시설(전시장 및 동·식물원을 제외한다), 종교시설, 장례식장 또는 위락시설의 용도에 쓰이는 건축물의 바깥쪽으로의 출구로 쓰이는 문은 안여닫이로 하여서는 아니 된다. <개정 2010.4.7>

③ 영 제39조제1항에 따라 건축물의 바깥쪽으로 나가는 출구를 설치하는 경우 관람실의 바닥면적의 합계가 300제곱미터 이상인 집회장 또는 공연장은 주된 출구 외에 보조출구 또는 비상구를 2개소 이상 설치해야 한다. <개정 2019.8.6.>

④ 판매시설의 용도에 쓰이는 피난층에 설치하는 건축물의 바깥쪽으로의 출구의 유효너비의 합계는 해당 용도에 쓰이는 바닥면적이 최대인 층에 있어서의 해당 용도의 바닥면적 100제곱미터마다 0.6미터의 비율로 산정한 너비 이상으로 하여야 한다. <개정 2010.4.7>

⑤ 다음 각 호의 어느 하나에 해당하는 건축물의 피난층 또는 피난층의 승강장으로부터 건축물의 바깥쪽에 이르는 통로에는 제15조제5항에 따른 경사로를 설치하여야 한다. <개정 2010.4.7>

1. 제1종 근린생활시설 중 지역자치센터·파출소·지구대·소방서·우체국·방송국·보건소·공공도서관·지역건강보험조합 기타 이와 유사한 것으로서 동일한 건축물안에서 당해 용도에 쓰이는 바닥면적의 합계가 1천제곱미터 미만인 것
2. 제1종 근린생활시설 중 마을회관·마을공동작업소·마을공동구판장·변전소·양수장·정수장·대피소·공중화장실 기타 이와 유사한 것
3. 연면적이 5천제곱미터 이상인 판매시설, 운수시설
4. 교육연구시설 중 학교
5. 업무시설중 국가 또는 지방자치단체의 청사와 외국공관의 건축물로서 제1종 근린생활시설에 해당하지 아니하는 것
6. 승강기를 설치하여야 하는 건축물

⑥ 「건축법」(이하 "법"이라 한다) 제49조제1항에 따라 영 제39조제1항 각 호의 어느 하나에 해당하는 건축물의 바깥쪽으로 나가는 출입문에 유리를 사용하는 경우에는 안전유리를 사용하여야 한다. <개정 2015.7.9>

제12조【회전문의 설치기준】 영 제39조제2항의 규정에 의하여 건축물의 출입구에 설치하는 회전문은 다음 각 호의 기준에 적합하여야 한다. <개정 2005.7.22>

1. 계단이나 에스컬레이터로부터 2미터 이상의 거리를 둘 것
2. 회전문과 문틀사이 및 바닥사이는 다음 각 목에서 정하는 간격을 확보하고 틈 사이를 고무와 고무펠트의 조합체 등을 사용하여 신체나 물건 등에 손상이 없도록 할 것
   가. 회전문과 문틀 사이는 5센티미터 이상
   나. 회전문과 바닥 사이는 3센티미터 이하
3. 출입에 지장이 없도록 일정한 방향으로 회전하는 구조로 할 것
4. 회전문의 중심축에서 회전문과 문틀 사이의 간격을 포함한 회전문날개 끝부분까지의 길이는 140센티미터 이상이 되도록 할 것
5. 회전문의 회전속도는 분당회전수가 8회를 넘지 아니하도록 할 것
6. 자동회전문은 충격이 가하여지거나 사용자가 위험한 위치에 있는 경우에는 전자감지장치 등을 사용하여 정지하는 구조로 할 것

제13조【헬리포트 및 구조공간 설치 기준】 ① 영 제40조제4항제1호에 따라 건축물에 설치하는 헬리포트는 다음 각 호의 기준에 적합해야 한다. <개정 2021.3.26>

1. 헬리포트의 길이와 너비는 각각 22미터이상으로 할 것. 다만, 건축물의 옥상바닥의 길이와 너비가 각각 22미터이하인 경우에는 헬리포트의 길이와 너비를 각각 15미터까지 감축할 수 있다.
2. 헬리포트의 중심으로부터 반경 12미터 이내에는 헬리콥터의 이·착륙에 장애가 되는 건축물, 공작물, 조경시설 또는 난간 등을 설치하지 아니할 것
3. 헬리포트의 주위한계선은 백색으로 하되, 그 선의 너비는 38센티미터로 할 것
4. 헬리포트의 중앙부분에는 지름 8미터의 "ⓗ"표지를 백색으로 하되, "H"표지의 선의 너비는 38센티미터로, "○"표지의 선의 너비는 60센티미터로 할 것
5. 헬리포트로 통하는 출입문에 영 제40조제3항 각 호외의 부분에 따른 비상문자동개폐장치(이하 "비상문자동개폐장치"라 한다)를 설치할 것 <신설 2021.3.26>

② 영 제40조제4항제1호에 따라 옥상에 헬리콥터를 통하여 인명 등을 구조할 수 있는 공간을 설치하는

경우에는 직경 10미터 이상의 구조공간을 확보해야 하며, 구조공간에는 구조활동에 장애가 되는 건축물, 공작물 또는 난간 등을 설치해서는 안 된다. 이 경우 구조공간의 표시기준 및 설치기준 등에 관하여는 제1항제3호부터 제5호까지의 규정을 준용한다. <개정 2021.3.26>

③ 영 제40조제4항제2호에 따라 설치하는 대피공간은 다음 각 호의 기준에 적합해야 한다. <개정 2021.3.26>

1. 대피공간의 면적은 지붕 수평투영면적의 10분의 1 이상 일 것
2. 특별피난계단 또는 피난계단과 연결되도록 할 것
3. 출입구·창문을 제외한 부분은 해당 건축물의 다른 부분과 내화구조의 바닥 및 벽으로 구획할 것
4. 출입구는 유효너비 0.9미터 이상으로 하고, 그 출입구에는 60+방화문 또는 60분방화문을 설치할 것

4의2. 제4호에 따른 방화문에 비상문자동개폐장치를 설치할 것 <신설 2021.3.26>

5. 내부마감재료는 불연재료로 할 것
6. 예비전원으로 작동하는 조명설비를 설치할 것
7. 관리사무소 등과 긴급 연락이 가능한 통신시설을 설치할 것

[제목개정 2010.4.7]

제14조【방화구획의 설치기준】① 영 제46조제1항 각 호외의 부분 본문에 따라 건축물에 설치하는 방화구획은 다음 각 호의 기준에 적합해야 한다. <개정 2019.8.6., 2021.3.26>

1. 10층 이하의 층은 바닥면적 1천제곱미터(스프링클러 기타 이와 유사한 자동식 소화설비를 설치한 경우에는 바닥면적 3천제곱미터)이내마다 구획할 것
2. 매층마다 구획할 것. 다만, 지하 1층에서 지상으로 직접 연결하는 경사로 부위는 제외한다.
3. 11층 이상의 층은 바닥면적 200제곱미터(스프링클러 기타 이와 유사한 자동식 소화설비를 설치한 경우에는 600제곱미터)이내마다 구획할 것. 다만, 벽 및 반자의 실내에 접하는 부분의 마감을 불연재료로 한 경우에는 바닥면적 500제곱미터(스프링클러 기타 이와 유사한 자동식 소화설비를 설치한 경우에는 1천500제곱미터)이내마다 구획하여야 한다.
4. 필로티나 그 밖에 이와 비슷한 구조(벽면적의 2분의 1 이상이 그 층의 바닥면에서 위층 바닥 아래면까지 공간으로 된 것만 해당한다)의 부분을 주차장으로 사용하는 경우 그 부분은 건축물의 다른 부분과 구획할 것 <신설 2019.8.6.>

② 제1항에 따른 방화구획은 다음 각 호의 기준에 적합하게 설치해야 한다. <개정 2019.8.6., 2021.3.26., 2021.12.23.>

1. 영 제46조에 따른 방화구획으로 사용하는 60+방화문 또는 60분방화문은 언제나 닫힌 상태를 유지하거나 화재로 인한 연기 또는 불꽃을 감지하여 자동적으로 닫히는 구조로 할 것. 다만, 연기 또는 불꽃을 감지하여 자동적으로 닫히는 구조로 할 수 없는 경우에는 온도를 감지하여 자동적으로 닫히는 구조로 할 수 있다.
2. 외벽과 바닥 사이에 틈이 생긴 때나 급수관·배전관 그 밖의 관이 방화구획으로 되어 있는 부분을 관통하는 경우 그로 인하여 방화구획에 틈이 생긴 때에는 그 틈을 별표 1 제1호에 따른 내화시간(내화채움성능이 인정된 구조로 메워지는 구성 부재에 적용되는 내화시간을 말한다) 이상 견딜 수 있는 내화채움성능이 인정된 구조로 메울 것 <개정 2021.3.26., 2021.12.23.>
   가. 삭제 <2021.3.26>
   나. 삭제 <2021.3.26>
3. 환기·난방 또는 냉방시설의 풍도가 방화구획을 관통하는 경우에는 그 관통부분 또는 이에 근접한 부분에 다음 각 목의 기준에 적합한 댐퍼를 설치할 것. 다만, 반도체공장건축물로서 방화구획을 관통하는 풍도의 주위에 스프링클러헤드를 설치하는 경우에는 그렇지 않다. <개정 2019.8.6>
   가. 화재로 인한 연기 또는 불꽃을 감지하여 자동적으로 닫히는 구조로 할 것. 다만, 주방 등 연기가 항상 발생하는 부분에는 온도를 감지하여 자동적으로 닫히는 구조로 할 수 있다.
   나. 국토교통부장관이 정하여 고시하는 비차열(非遮熱) 성능 및 방연성능 등의 기준에 적합할 것
   다. 삭제<2019.8.6.>
   라. 삭제 <2019.8.6.>
4. 영 제46조제1항제2호 및 제81조제5항제5호에 따라 설치되는 자동방화셔터는 다음 각 목의 요건을 모두 갖출 것. 이 경우 자동방화셔터의 구조 및 성능기준 등에 관한 세부사항은 국토교통부장관이 정하여 고시한다. <개정 2021.3.26., 2021.12.23.>
   가. 피난이 가능한 60분+ 방화문 또는 60분 방화문으로부터 3미터 이내에 별도로 설치할 것
   나. 전동방식이나 수동방식으로 개폐할 수 있을 것
   다. 불꽃감지기 또는 연기감지기 중 하나와 열감지기를 설치할 것
   라. 불꽃이나 연기를 감지한 경우 일부 폐쇄되는 구조일 것
   마. 열을 감지한 경우 완전 폐쇄되는 구조일 것

③ 영 제46조제1항제2호에서 "국토교통부령으로 정하

는 기준에 적합한 것"이란 한국건설기술연구원장이 국토교통부장관이 정하여 고시하는 바에 따라 다음 각 호의 사항을 모두 인정한 것을 말한다. <신설 2019.8.6., 2021.12.23.>

1. 생산공장의 품질 관리 상태를 확인한 결과 국토교통부장관이 정하여 고시하는 기준에 적합할 것
2. 해당 제품의 품질시험을 실시한 결과 비차열 1시간 이상의 내화성능을 확보하였을 것

④ 영 제46조제5항제3호에 따른 하향식 피난구(덮개, 사다리, 승강식피난기 및 경보시스템을 포함한다)의 구조는 다음 각 호의 기준에 적합하게 설치해야 한다. <개정 2019.8.6., 2021.3.26., 2022.4.29>

1. 피난구의 덮개(덮개와 사다리, 승강식피난기 또는 경보시스템이 일체형으로 구성된 경우에는 그 사다리, 승강식피난기 또는 경보시스템을 포함한다)는 품질시험을 실시한 결과 비차열 1시간 이상의 내화성능을 가져야 하며, 피난구의 유효 개구부 규격은 직경 60센티미터 이상일 것
2. 상층·하층간 피난구의 수평거리는 15센티미터 이상 떨어져 있을 것
3. 아래층에서는 바로 위층의 피난구를 열 수 없는 구조일 것
4. 사다리는 바로 아래층의 바닥면으로부터 50센티미터 이하까지 내려오는 길이로 할 것
5. 덮개가 개방될 경우에는 건축물관리시스템 등을 통하여 경보음이 울리는 구조일 것
6. 피난구가 있는 곳에는 예비전원에 의한 조명설비를 설치할 것

⑤ 제2항제2호에 따른 건축물의 외벽과 바닥 사이의 내화채움방법에 필요한 사항은 국토교통부장관이 정하여 고시한다. <개정 2019.8.6., 2021.3.26.>

⑥ 법 제49조제2항 단서에 따라 영 제46조제7항에 따른 창고시설 중 같은 조 제2항제2호에 해당하여 같은 조 제1항을 적용하지 않거나 완화하여 적용하는 부분에는 다음 각 호의 구분에 따른 설비를 추가로 설치해야 한다. <신설 2022.4.29>

1. 개구부의 경우: 「화재예방, 소방시설 설치·유지 및 안전관리에 관한 법률」 제9조제1항 전단에 따라 소방청장이 정하여 고시하는 화재안전기준(이하 이 조에서 "화재안전기준"이라 한다)을 충족하는 설비로서 수막(水幕)을 형성하여 화재확산을 방지하는 설비
2. 개구부 외의 부분의 경우: 화재안전기준을 충족하는 설비로서 화재를 조기에 진화할 수 있도록 설계된 스프링클러

제14조의2【복합건축물의 피난시설 등】 영 제47조제1항 단서의 규정에 의하여 같은 건축물안에 공동주택·의료시설·아동관련시설 또는 노인복지시설(이하 이 조에서 "공동주택등"이라 한다)중 하나 이상과 위락시설·위험물저장 및 처리시설·공장 또는 자동차정비공장(이하 이 조에서 "위락시설등"이라 한다)중 하나 이상을 함께 설치하고자 하는 경우에는 다음 각 호의 기준에 적합하여야 한다. <개정 2005.7.22>

1. 공동주택등의 출입구와 위락시설등의 출입구는 서로 그 보행거리가 30미터 이상이 되도록 설치할 것
2. 공동주택등(당해 공동주택등에 출입하는 통로를 포함한다)과 위락시설등(당해 위락시설등에 출입하는 통로를 포함한다)은 내화구조로 된 바닥 및 벽으로 구획하여 서로 차단할 것
3. 공동주택등과 위락시설등은 서로 이웃하지 아니하도록 배치할 것
4. 건축물의 주요 구조부를 내화구조로 할 것
5. 거실의 벽 및 반자가 실내에 면하는 부분(반자돌림대·창대 그 밖에 이와 유사한 것을 제외한다. 이하 이 조에서 같다)의 마감은 불연재료·준불연재료 또는 난연재료로 하고, 그 거실로부터 지상으로 통하는 주된 복도·계단 그밖에 통로의 벽 및 반자가 실내에 면하는 부분의 마감은 불연재료 또는 준불연재료로 할 것

[본조신설 2003.1.6]

제15조【계단의 설치기준】 ① 영 제48조의 규정에 의하여 건축물에 설치하는 계단은 다음 각호의 기준에 적합하여야 한다. <개정 2015.4.6>

1. 높이가 3미터를 넘는 계단에는 높이 3미터이내마다 유효너비 120센티미터 이상의 계단참을 설치할 것
2. 높이가 1미터를 넘는 계단 및 계단참의 양옆에는 난간(벽 또는 이에 대치되는 것을 포함한다)을 설치할 것
3. 너비가 3미터를 넘는 계단에는 계단의 중간에 너비 3미터 이내마다 난간을 설치할 것. 다만, 계단의 단높이가 15센티미터 이하이고, 계단의 단너비가 30센티미터 이상인 경우에는 그러하지 아니하다.
4. 계단의 유효 높이(계단의 바닥 마감면부터 상부 구조체의 하부 마감면까지의 연직방향의 높이를 말한다)는 2.1미터 이상으로 할 것

② 제1항에 따라 계단을 설치하는 경우 계단 및 계단참의 너비(옥내계단에 한정한다), 계단의 단높이 및 단너비의 칫수는 다음 각 호의 기준에 적합해야 한다. 이 경우 돌음계단의 단너비는 그 좁은 너비의

끝부분으로부터 30센티미터의 위치에서 측정한다. <개정 2015.4.6., 2019.8.6.>

1. 초등학교의 계단인 경우에는 계단 및 계단참의 유효너비는 150센티미터 이상, 단높이는 16센티미터 이하, 단너비는 26센티미터 이상으로 할 것
2. 중·고등학교의 계단인 경우에는 계단 및 계단참의 유효너비는 150센티미터 이상, 단높이는 18센티미터 이하, 단너비는 26센티미터 이상으로 할 것
3. 문화 및 집회시설(공연장·집회장 및 관람장에 한한다)·판매시설 기타 이와 유사한 용도에 쓰이는 건축물의 계단인 경우에는 계단 및 계단참의 유효너비를 120센티미터 이상으로 할 것
4. 제1호부터 제3호까지의 건축물 외의 건축물의 계단으로서 다음 각 목의 어느 하나에 해당하는 층의 계단인 경우에는 계단 및 계단참은 유효너비를 120센티미터 이상으로 할 것
   가. 계단을 설치하려는 층이 지상층인 경우: 해당 층의 바로 위층부터 최상층(상부층 중 피난층이 있는 경우에는 그 아래층을 말한다)까지의 거실 바닥면적의 합계가 200제곱미터 이상인 경우
   나. 계단을 설치하려는 층이 지하층인 경우: 지하층 거실 바닥면적의 합계가 100제곱미터 이상인 경우
5. 기타의 계단인 경우에는 계단 및 계단참의 유효너비를 60센티미터 이상으로 할 것
6. 「산업안전보건법」에 의한 작업장에 설치하는 계단인 경우에는 「산업안전 기준에 관한 규칙」에서 정한 구조로 할 것

③ 공동주택(기숙사를 제외한다)·제1종 근린생활시설·제2종 근린생활시설·문화 및 집회시설·종교시설·판매시설·운수시설·의료시설·노유자시설·업무시설·숙박시설·위락시설 또는 관광휴게시설의 용도에 쓰이는 건축물의 주계단·피난계단 또는 특별피난계단에 설치하는 난간 및 바닥은 아동의 이용에 안전하고 노약자 및 신체장애인의 이용에 편리한 구조로 하여야 하며, 양쪽에 벽등이 있어 난간이 없는 경우에는 손잡이를 설치하여야 한다. <개정 2010.4.7>

④ 제3항의 규정에 의한 난간·벽 등의 손잡이와 바닥마감은 다음 각호의 기준에 적합하게 설치하여야 한다.

1. 손잡이는 최대지름이 3.2센티미터 이상 3.8센티미터 이하인 원형 또는 타원형의 단면으로 할 것
2. 손잡이는 벽등으로부터 5센티미터 이상 떨어지도록 하고, 계단으로부터의 높이는 85센티미터가 되도록 할 것
3. 계단이 끝나는 수평부분에서의 손잡이는 바깥쪽으로 30센티미터 이상 나오도록 설치할 것

⑤ 계단을 대체하여 설치하는 경사로는 다음 각호의 기준에 적합하게 설치하여야 한다. <개정 2010.4.7>

1. 경사도는 1 : 8을 넘지 아니할 것
2. 표면을 거친 면으로 하거나 미끄러지지 아니하는 재료로 마감할 것
3. 경사로의 직선 및 굴절부분의 유효너비는 「장애인·노인·임산부등의 편의증진보장에 관한 법률」이 정하는 기준에 적합할 것

⑥ 제1항 각호의 규정은 제5항의 규정에 의한 경사로의 설치기준에 관하여 이를 준용한다.

⑦ 제1항 및 제2항에도 불구하고 영 제34조제4항 단서에 따라 피난층 또는 지상으로 통하는 직통계단을 설치하는 경우 계단 및 계단참의 유효너비는 다음 각 호의 구분에 따른 기준에 적합하여야 한다. <개정 2015.4.6>

1. 공동주택: 120센티미터 이상
2. 공동주택이 아닌 건축물: 150센티미터 이상

⑧ 승강기기계실용 계단, 망루용 계단 등 특수한 용도에만 쓰이는 계단에 대해서는 제1항부터 제7항까지의 규정을 적용하지 아니한다. <개정 2012.1.6>

제15조의2 【복도의 너비 및 설치기준】 ① 영 제48조의 규정에 의하여 건축물에 설치하는 복도의 유효너비는 다음 표와 같이 하여야 한다.

구분	양옆에 거실이 있는 복도	기타의 복도
유치원 · 초등학교 중학교 · 고등학교	2.4미터 이상	1.8미터 이상
공동주택 · 오피스텔	1.8미터 이상	1.2미터 이상
당해 층 거실의 바닥면적 합계가 200제곱미터 이상인 경우	1.5미터 이상 의료시설의 복도는 1.8미터 이상	1.2미터 이상

② 문화 및 집회시설(공연장·집회장·관람장·전시장에 한정한다), 종교시설 중 종교집회장, 노유자시설 중 아동 관련 시설·노인복지시설, 수련시설 중 생활권수련시설, 위락시설 중 유흥주점 및 장례식장의 관람실 또는 집회실과 접하는 복도의 유효너비는 제1항에도 불구하고 다음 각 호에서 정하는 너비로 해야 한다. <개정 2019.8.6.>

1. 해당 층에서 해당 용도로 쓰는 바닥면적의 합계가 500제곱미터 미만인 경우 1.5미터 이상
2. 해당 층에서 해당 용도로 쓰는 바닥면적의 합계가 500제곱미터 이상 1천제곱미터 미만인 경우 1.8미터 이상
3. 해당 층에서 해당 용도로 쓰는 바닥면적의 합계가

1천제곱미터 이상인 경우 2.4미터 이상

③ 문화 및 집회시설중 공연장에 설치하는 복도는 다음 각 호의 기준에 해야 한다. <개정 2019.8.6.>

1. 공연장의 개별 관람실(바닥면적이 300제곱미터 이상인 경우에 한정한다)의 바깥쪽에는 그 양쪽 및 뒤쪽에 각각 복도를 설치할 것
2. 하나의 층에 개별 관람실(바닥면적이 300제곱미터 미만인 경우에 한정한다)을 2개소 이상 연속하여 설치하는 경우에는 그 관람실의 바깥쪽의 앞쪽과 뒤쪽에 각각 복도를 설치할 것

④ 법 제19조에 따라 「공공주택 특별법 시행령」 제37조제1항제3호에 해당하는 건축물을 「주택법 시행령」 제4조의 준주택으로 용도변경하려는 경우로서 다음 각 호의 요건을 모두 갖춘 경우에는 용도변경한 건축물의 복도 중 양 옆에 거실이 있는 복도의 유효너비는 제1항에도 불구하고 1.5미터 이상으로 할 수 있다. <신설 2021.10.15>

1. 용도변경의 목적이 해당 건축물을 「공공주택 특별법」 제43조제1항에 따라 공공매입임대주택으로 공급하려는 공공주택사업자에게 매도하려는 것일 것
2. 둘 이상의 직통계단이 지상까지 직접 연결되어 있을 것
3. 건축물의 내부에서 계단실로 통하는 출입구의 유효너비가 0.9미터 이상일 것

[본조신설 2005.7.22]

제16조 【거실의 반자높이】 ① 영 제50조의 규정에 의하여 설치하는 거실의 반자(반자가 없는 경우에는 보 또는 바로 윗층의 바닥판의 밑면 기타 이와 유사한 것을 말한다. 이하같다)는 그 높이를 2.1미터 이상으로 하여야 한다.

② 문화 및 집회시설(전시장 및 동·식물원은 제외한다), 종교시설, 장례식장 또는 위락시설 중 유흥주점의 용도에 쓰이는 건축물의 관람실 또는 집회실로서 그 바닥면적이 200제곱미터 이상인 것의 반자의 높이는 제1항에도 불구하고 4미터(노대의 아랫부분의 높이는 2.7미터)이상이어야 한다. 다만, 기계환기장치를 설치하는 경우에는 그렇지 않다. <개정 2019.8.6.>

제17조 【채광 및 환기를 위한 창문등】 ① 영 제51조에 따라 채광을 위하여 거실에 설치하는 창문등의 면적은 그 거실의 바닥면적의 10분의 1 이상이어야 한다. 다만, 거실의 용도에 따라 별표 1의3에 따라 조도 이상의 조명장치를 설치하는 경우에는 그러하지 아니하다. <개정 2012.1.6>

② 영 제51조의 규정에 의하여 환기를 위하여 거실에 설치하는 창문등의 면적은 그 거실의 바닥면적의 20분의 1 이상이어야 한다. 다만, 기계환기장치 및 중앙관리방식의 공기조화설비를 설치하는 경우에는 그러하지 아니하다.

③ 제1항 및 제2항의 규정을 적용함에 있어서 수시로 개방할 수 있는 미닫이로 구획된 2개의 거실은 이를 1개의 거실로 본다.

④ 영 제51조제3항에서 "국토교통부령으로정하는 기준"이란 높이 1.2미터 이상의 난간이나 그 밖에 이와 유사한 추락방지를 위한 안전시설을 말한다. <개정 2013.3.23>

제18조 【거실등의 방습】 ① 영 제52조의 규정에 의하여 건축물의 최하층에 있는 거실바닥의 높이는 지표면으로부터 45센티미터 이상으로 하여야 한다. 다만, 지표면을 콘크리트바닥으로 설치하는 등 방습을 위한 조치를 하는 경우에는 그러하지 아니하다.

② 영 제52조에 따라 다음 각 호의 어느 하나에 해당하는 욕실 또는 조리장의 바닥과 그 바닥으로부터 높이 1미터까지의 안쪽벽의 마감은 이를 내수재료로 해야 한다. <개정 2021.8.27>

1. 제1종 근린생활시설중 목욕장의 욕실과 휴게음식점의 조리장
2. 제2종 근린생활시설중 일반음식점 및 휴게음식점의 조리장과 숙박시설의 욕실

제18조의2 【소방관 진입창의 기준】 법 제49조제3항에서 "국토교통부령으로 정하는 기준"이란 다음 각 호의 요건을 모두 충족하는 것을 말한다.

1. 2층 이상 11층 이하인 층에 각각 1개소 이상 설치할 것. 이 경우 소방관이 진입할 수 있는 창의 가운데에서 벽면 끝까지의 수평거리가 40미터 이상인 경우에는 40미터 이내마다 소방관이 진입할 수 있는 창을 추가로 설치해야 한다.
2. 소방차 진입로 또는 소방차 진입이 가능한 공터에 면할 것
3. 창문의 가운데에 지름 20센티미터 이상의 역삼각형을 야간에도 알아볼 수 있도록 빛 반사 등으로 붉은색으로 표시할 것
4. 창문의 한쪽 모서리에 타격지점을 지름 3센티미터 이상의 원형으로 표시할 것
5. 창문의 크기는 폭 90센티미터 이상, 높이 1.2미터 이상으로 하고, 실내 바닥면으로부터 창의 아랫부분까지의 높이는 80센티미터 이내로 할 것
6. 다음 각 목의 어느 하나에 해당하는 유리를 사용할 것

가. 플로트판유리로서 그 두께가 6밀리미터 이하인 것

나. 강화유리 또는 배강도유리로서 그 두께가 5밀리미터 이하인 것

다. 가목 또는 나목에 해당하는 유리로 구성된 이중 유리로서 그 두께가 24밀리미터 이하인 것

[본조신설 2019.8.6.]

제19조【경계벽 등의 구조】① 법 제49조제4항에 따라 건축물에 설치하는 경계벽은 내화구조로 하고, 지붕밑 또는 바로 위층의 바닥판까지 닿게 해야 한다. <개정 2019.8.6.>

② 제1항에 따른 경계벽은 소리를 차단하는데 장애가 되는 부분이 없도록 다음 각 호의 어느 하나에 해당하는 구조로 하여야 한다. 다만, 다가구주택 및 공동주택의 세대간의 경계벽인 경우에는 「주택건설기준 등에 관한 규정」 제14조에 따른다. <개정 2014.11.28>

1. 철근콘크리트조·철골철근콘크리트조로서 두께가 10센티미터이상인 것
2. 무근콘크리트조 또는 석조로서 두께가 10센티미터(시멘트모르타르·회반죽 또는 석고플라스터의 바름두께를 포함한다)이상인 것
3. 콘크리트블록조 또는 벽돌조로서 두께가 19센티미터 이상인 것
4. 제1호 내지 제3호의 것외에 국토교통부장관이 정하여 고시하는 기준에 따라 국토교통부장관이 지정하는 자 또는 한국건설기술연구원장이 실시하는 품질시험에서 그 성능이 확인된 것
5. 한국건설기술연구원장이 제27조제1항에 따라 정한 인정기준에 따라 인정하는 것

③ 법 제49조제3항에 따른 가구·세대 등 간 소음방지를 위한 바닥은 경량충격음(비교적 가볍고 딱딱한 충격에 의한 바닥충격음을 말한다)과 중량충격음(무겁고 부드러운 충격에 의한 바닥충격음을 말한다)을 차단할 수 있는 구조로 하여야 한다. <신설 2014.11.28.>

④ 제3항에 따른 가구·세대 등 간 소음방지를 위한 바닥의 세부 기준은 국토교통부장관이 정하여 고시한다. <신설 2014.11.28.>

[제목개정 2014.11.28.]

제19조의2【침수 방지시설】 법 제49조제5항제2호에서 "국토교통부령으로 정하는 침수 방지시설"이란 다음 각 호의 시설을 말한다.

1. 차수판(遮水板)
2. 역류방지 밸브

[본조신설 2015.7.9.]

제20조【건축물에 설치하는 굴뚝】영 제54조에 따라 건축물에 설치하는 굴뚝은 다음 각호의 기준에 적합하여야 한다. <개정 2010.4.7>

1. 굴뚝의 옥상 돌출부는 지붕면으로부터의 수직거리를 1미터 이상으로 할 것. 다만, 용마루·계단탑·옥탑등이 있는 건축물에 있어서 굴뚝의 주위에 연기의 배출을 방해하는 장애물이 있는 경우에는 그 굴뚝의 상단을 용마루·계단탑·옥탑등보다 높게 하여야 한다.
2. 굴뚝의 상단으로부터 수평거리 1미터 이내에 다른 건축물이 있는 경우에는 그 건축물의 처마보다 1미터 이상 높게 할 것
3. 금속제 굴뚝으로서 건축물의 지붕속·반자위 및 가장 아랫바닥밑에 있는 굴뚝의 부분은 금속외의 불연재료로 덮을 것
4. 금속제 굴뚝은 목재 기타 가연재료로부터 15센티미터 이상 떨어져서 설치할 것. 다만, 두께 10센티미터 이상인 금속외의 불연재료로 덮은 경우에는 그러하지 아니하다.

제20조의2【내화구조의 적용이 제외되는 공장건축물】영 제56조제1항제4호 단서에서 "국토교통부령이 정하는 공장"이라 함은 별표 2의 업종에 해당하는 공장으로서 주요구조부가 불연재료로 되어 있는 2층 이하의 공장을 말한다. <개정 2013.3.23>

[본조신설 2000.6.3]

제21조【방화벽의 구조】① 영 제57조제2항에 따라 건축물에 설치하는 방화벽은 각 호의 기준에 적합해야 한다. <개정 2021.3.26>

1. 내화구조로서 홀로 설 수 있는 구조일 것
2. 방화벽의 양쪽 끝과 윗쪽 끝을 건축물의 외벽면 및 지붕면으로부터 0.5미터 이상 튀어 나오게 할 것
3. 방화벽에 설치하는 출입문의 너비 및 높이는 각각 2.5미터 이하로 하고, 해당 출입문에는 60+방화문 또는 60분방화문을 설치할 것 <개정 2021.3.26>

② 제14조제2항의 규정은 제1항의 규정에 의한 방화벽의 구조에 관하여 이를 준용한다.

제22조【대규모 목조건축물의 외벽등】① 영 제57조제3항의 규정에 의하여 연면적이 1천제곱미터 이상인 목조의 건축물은 그 외벽 및 처마밑의 연소할 우려가 있는 부분을 방화구조로 하되, 그 지붕은 불연재료로 하여야 한다.

② 제1항에서 "연소할 우려가 있는 부분"이라 함은 인접대지경계선·도로중심선 또는 동일한 대지안에 있는 2동 이상의 건축물(연면적의 합계가 500제곱미터

이하인 건축물은 이를 하나의 건축물로 본다) 상호의 외벽간의 중심선으로부터 1층에 있어서는 3미터 이내, 2층 이상에 있어서는 5미터 이내의 거리에 있는 건축물의 각 부분을 말한다. 다만, 공원·광장·하천의 공지나 수면 또는 내화구조의 벽 기타 이와 유사한 것에 접하는 부분을 제외한다.

제22조의2【고층건축물 피난안전구역 등의 피난 용도 표시】 영법 제50조의2제2항에 따라 고층건축물에 설치된 피난안전구역, 피난시설 또는 대피공간에는 다음 각 호에서 정하는 바에 따라 화재 등의 경우에 피난 용도로 사용되는 것임을 표시하여야 한다.

1. 피난안전구역
   가. 출입구 상부 벽 또는 측벽의 눈에 잘 띄는 곳에 "피난안전구역" 문자를 적은 표시판을 설치할 것
   나. 출입구 측벽의 눈에 잘 띄는 곳에 해당 공간의 목적과 용도, 다른 용도로 사용하지 아니할 것을 안내하는 내용을 적은 표시판을 설치할 것
2. 특별피난계단의 계단실 및 그 부속실, 피난계단의 계단실 및 피난용 승강기 승강장
   가. 출입구 측벽의 눈에 잘 띄는 곳에 해당 공간의 목적과 용도, 다른 용도로 사용하지 아니할 것을 안내하는 내용을 적은 표시판을 설치할 것
   나. 해당 건축물에 피난안전구역이 있는 경우 가목에 따른 표시판에 피난안전구역이 있는 층을 적을 것
3. 대피공간: 출입문에 해당 공간이 화재 등의 경우 대피장소이므로 물건적치 등 다른 용도로 사용하지 아니할 것을 안내하는 내용을 적은 표시판을 설치할 것

[본조신설 2015.7.9.]

제23조【방화지구안의 지붕·방화문 및 외벽등】① 법 제51조제3항에 따라 방화지구 내 건축물의 지붕으로서 내화구조가 아닌 것은 불연재료로 하여야 한다. <개정 2015.7.9>

② 법 제51조제3항에 따라 방화지구 내 건축물의 인접대지경계선에 접하는 외벽에 설치하는 창문등으로서 제22조제2항에 따른 연소할 우려가 있는 부분에는 다음 각 호의 방화설비를 설치해야 한다. <개정 2021.3.26>

1. 60+방화문 또는 60분방화문
2. 소방법령이 정하는 기준에 적합하게 창문등에 설치하는 드렌처
3. 당해 창문등과 연소할 우려가 있는 다른 건축물의 부분을 차단하는 내화구조나 불연재료로 된 벽·담장 기타 이와 유사한 방화설비
4. 환기구멍에 설치하는 불연재료로 된 방화커버 또는 그물눈이 2밀리미터 이하인 금속망

제24조【건축물의 마감재료】① 법 제52조제1항에 따라 영 제61조제1항 각 호의 건축물에 대하여는 그 거실의 벽 및 반자의 실내에 접하는 부분(반자돌림대·창대 기타 이와 유사한 것을 제외한다. 이하 이 조에서 같다)의 마감재료(영 제61조제1항제4호에 해당하는 건축물의 경우에는 단열재를 포함한다)는 불연재료·준불연재료 또는 난연재료를 사용해야 한다. 다만, 다음 각 호에 해당하는 부분의 마감재료는 불연재료 또는 준불연재료를 사용해야 한다. <개정 2021.9.3.>

1. 거실에서 지상으로 통하는 주된 복도·계단, 그 밖의 벽 및 반자의 실내에 접하는 부분
2. 강판과 심재(心材)로 이루어진 복합자재를 마감재료로 사용하는 부분

② 영 제61조제1항 각 호의 건축물 중 다음 각 호의 어느 하나에 해당하는 거실의 벽 및 반자의 실내에 접하는 부분의 마감은 제1항에도 불구하고 불연재료 또는 준불연재료로 하여야 한다. <개정 2010.12.30>

1. 영 제61조제1항 각 호에 따른 용도에 쓰이는 거실 등을 지하층 또는 지하의 공작물에 설치한 경우의 그 거실(출입문 및 문틀을 포함한다)
2. 영 제61조제1항제6호에 따른 용도에 쓰이는 건축물의 거실

③ 제1항 및 제2항에도 불구하고 영 제61조제1항제4호에 해당하는 건축물에서 단열재를 사용하는 경우로서 해당 건축물의 구조, 설계 또는 시공방법 등을 고려할 때 단열재로 불연재료·준불연재료 또는 난연재료를 사용하는 것이 곤란하여 법 제4조에 따른 건축위원회(시·도 및 시·군·구에 두는 건축위원회를 말한다)의 심의를 거친 경우에는 단열재를 불연재료·준불연재료 또는 난연재료가 아닌 것으로 사용할 수 있다. <신설 2021.9.3.>

④ 법 제52조제1항에서 "내부마감재료"란 건축물 내부의 천장·반자·벽(경계벽 포함)·기둥 등에 부착되는 마감재료를 말한다. 다만, 「다중이용업소의 안전관리에 관한 특별법 시행령」 제3조에 따른 실내장식물을 제외한다. <개정 2021.9.3>

⑤ 영 제61조제1항제1호의2에 따른 공동주택에는 「다중이용시설 등의 실내공기질관리법」 제11조제1항 및 같은 법 시행규칙 제10조에 따라 환경부장관이 고시한 오염물질방출 건축자재를 사용해서는 안 된다. <개정 2021.3.26., 2021.9.3>

⑥ 영 제61조제2항제1호부터 제3호까지의 규정 및 제5

호에 해당하는 건축물의 외벽에는 법 제52조제2항 후단에 따라 불연재료 또는 준불연재료를 마감재료(단열재, 도장 등 코팅재료 및 그 밖에 마감재료를 구성하는 모든 재료를 포함한다. 이하 이 조에서 같다)로 사용해야 한다. 다만, 다음 각 호의 어느 하나에 해당하는 경우 난연재료(제2호의 경우 단열재만 해당한다)를 사용할 수 있다. 다만, 국토교통부장관이 정하여 고시하는 화재 확산 방지구조 기준에 적합하게 마감재료를 설치하는 경우에는 난연재료(강판과 심재로 이루어진 복합자재가 아닌 것으로 한정한다)를 사용할 수 있다. <개정 2015.10.7., 2019.8.6., 2021.9.3, 2022.2.10>

⑦ 제6항에도 불구하고 영 제61조제2항제1호·제3호 및 제5호에 해당하는 건축물로서 5층 이하이면서 높이 22미터 미만인 건축물의 경우 난연재료(강판과 심재로 이루어진 복합자재가 아닌 것으로 한정한다)를 마감재료로 할 수 있다. 다만, 건축물의 외벽을 국토교통부장관이 정하여 고시하는 화재 확산 방지구조 기준에 적합하게 설치하는 경우에는 난연성능이 없는 재료(강판과 심재로 이루어진 복합자재가 아닌 것으로 한정한다)를 마감재료로 사용할 수 있다. <개정 2015.10.7., 2019.8.6., 2021.9.3, 2022.2.10>

⑧ 제6항 및 제7항에 따른 마감재료가 둘 이상의 재료로 제작된 것인 경우 해당 마감재료는 다음 각 호의 요건을 모두 갖춘 것이어야 한다. <신설 2022.2.10., 2023.8.31.>

1. 마감재료를 구성하는 재료 전체를 하나로 보아 국토교통부장관이 정하여 고시하는 기준에 따라 실물모형시험(실제 시공될 건축물의 구조와 유사한 모형으로 시험하는 것을 말한다. 이하 같다)을 한 결과가 국토교통부장관이 정하여 고시하는 기준을 충족할 것
2. 마감재료를 구성하는 각각의 재료에 대하여 난연성능을 시험한 결과가 국토교통부장관이 정하여 고시하는 기준을 충족할 것. 다만, 제6조제1호에 따른 불연재료 사이에 다른 재료(두께가 5밀리미터 이하인 경우만 해당한다)를 부착하여 제작한 재료의 경우에는 해당 재료 전체를 하나의 재료로 보고 난연성능을 시험할 수 있으며, 같은 호에 따른 불연재료에 0.1밀리미터 이하의 두께로 도장을 한 재료의 경우에는 불연재료의 성능기준을 충족한 것으로 보고 난연성능 시험을 생략할 수 있다. <개정 2023.8.31./단서신설>

⑨ 영 제14조제4항 각 호의 어느 하나에 해당하는 건축물 상호 간의 용도변경 중 영 별표 1 제3호다목(목욕장만 해당한다)·라목, 같은 표 제4호가목·사목·카목·파목(골프연습장, 놀이형시설만 해당한다)·더목·러목, 같은 표 제7호다목2) 및 같은 표 제16호가목·나목에 해당하는 용도로 변경하는 경우로서 스프링클러 또는 간이 스크링클러의 헤드가 창문등으로부터 60센티미터 이내에 설치되어 건축물 내부가 화재로부터 방호되는 경우에는 제6항부터 제8항까지의 규정을 적용하지 않을 수 있다. <신설 2021.7.5, 2021.9.3, 2022.2.10>

⑩ 영 제61조제2항제4호에 해당하는 건축물의 외벽[필로티 구조의 외기에 면하는 천장 및 벽체를 포함한다] 중 1층과 2층 부분에는 불연재료 또는 준불연재료를 마감재료로 해야 한다. <신설 2019.8.6., 2021.7.5., 2021.9.3, 2022.2.10.>

⑪ 강판과 심재로 이루어진 복합자재를 마감재료로 사용하는 경우 해당 복합자재는 다음 각 호의 요건을 모두 갖춘 것이어야 한다. <신설 2022.2.10.>

1. 강판과 심재 전체를 하나로 보아 국토교통부장관이 정하여 고시하는 기준에 따라 실물모형시험을 실시한 결과가 국토교통부장관이 정하여 고시하는 기준을 충족할 것
2. 강판: 다음 각 목의 구분에 따른 기준을 모두 충족할 것
   가. 두께[도금 이후 도장(塗裝) 전 두께를 말한다]: 0.5밀리미터 이상
   나. 앞면 도장 횟수: 2회 이상
   다. 도금의 부착량: 도금의 종류에 따라 다음의 어느 하나에 해당할 것. 이 경우 도금의 종류는 한국산업표준에 따른다.
      1) 용융 아연 도금 강판: 180g/㎡ 이상
      2) 용융 아연 알루미늄 마그네슘 합금 도금 강판: 90g/㎡ 이상
      3) 용융 55% 알루미늄 아연 마그네슘 합금 도금 강판: 90g/㎡ 이상
      4) 용융 55% 알루미늄 아연 합금 도금 강판: 90g/㎡ 이상
      5) 그 밖의 도금: 국토교통부장관이 정하여 고시하는 기준 이상
3. 심재: 강판을 제거한 심재가 다음 각 목의 어느 하나에 해당할 것
   가. 한국산업표준에 따른 그라스울 보온판 또는 미네랄울 보온판으로서 국토교통부장관이 정하여 고시하는 기준에 적합한 것
   나. 불연재료 또는 준불연재료인 것

⑫ 법 제52조제4항에 따라 영 제61조제2항 각 호에 해당하는 건축물의 인접대지경계선에 접하는 외벽에

설치하는 창호(窓戶)와 인접대지경계선 간의 거리가 1.5미터 이내인 경우 해당 창호는 방화유리창[한국산업표준 KS F 2845(유리구획 부분의 내화 시험방법)에 규정된 방법에 따라 시험한 결과 비차열 20분 이상의 성능이 있는 것으로 한정한다]으로 설치해야 한다. 다만, 스프링클러 또는 간이 스프링클러의 헤드가 창호로부터 60센티미터 이내에 설치되어 건축물 내부가 화재로부터 방호되는 경우에는 방화유리창으로 설치하지 않을 수 있다. <신설 2021.7.5, 2021.9.3, 2022.2.10>

[제목개정 2010.12.30]

제24조의2【화재 위험이 적은 공장과 인접한 건축물의 마감재료】 ① 영 제61조제2항제1호나목에서 "국토교통부령으로 정하는 화재위험이 적은 공장"이란 별표 3의 업종에 해당하는 공장을 말한다. 다만, 공장의 일부 또는 전체를 기숙사 및 구내식당의 용도로 사용하는 건축물을 제외한다. <개정 2021.9.3>

② 삭제 <2021.9.3.>

③ 삭제 <2021.9.3.>

[본조신설 2005.7.22][제목개정 2021.9.3]

제24조의3【건축자재의 품질관리】 ① 영 제62조제1항제4호에서 "국토교통부령으로 정하는 건축자재"란 영 제46조 및 이 규칙 제14조에 따라 방화구획을 구성하는 내화구조, 자동방화셔터, 내화채움성능이 인정된 구조 및 방화댐퍼를 말한다. <개정 2021.3.26., 2021.12.23.>

② 법 제52조의4제1항에서 "국토교통부령으로 정하는 사항을 기재한 품질관리서"란 다음 각 호의 구분에 따른 서식을 말한다. 이 경우 다음 각 호에서 정한 서류를 첨부한다. <개정 2021.3.26., 2021.12.23, 2022.2.10>

1. 영 제62조제1항제1호의 경우: 별지 제1호서식. 이 경우 다음 각 목의 서류를 첨부할 것.
   가. 난연성능이 표시된 복합자재(심재로 한정한다) 시험성적서[법 제52조의5제1항에 따라 품질인정을 받은 경우에는 법 제52조의6제7항에 따라 국토교통부장관이 정하여 고시하는 품질인정서(이하 "품질인정서"라 한다)] 사본
   나. 강판의 두께, 도금 종류 및 도금 부착량이 표시된 강판생산업체의 품질검사증명서 사본
   다. 실물모형시험 결과가 표시된 복합자재 시험성적서(법 제52조의5제1항에 따라 품질인정을 받은 경우에는 품질인정서) 사본 <신설 2021.12.23., 2022.2.10>
2. 영 제62조제1항제2호의 경우: 별지 제2호서식. 이 경우 다음 각 목의 서류를 첨부할 것 <개정 2021.12.23./각목신설>
   가. 난연성능이 표시된 단열재 시험성적서 사본. 이 경우 단열재가 둘 이상의 재료로 제작된 경우에는 각 재료별로 첨부해야 한다.
   나. 실물모형시험 결과가 표시된 단열재 시험성적서(외벽의 마감재료가 둘 이상의 재료로 제작된 경우만 첨부한다) 사본
3. 영 제62조제1항제3호의 경우: 별지 제3호서식. 이 경우 연기, 불꽃 및 열을 차단할 수 있는 성능이 표시된 방화문 시험성적서(법 제52조의5제1항에 따라 품질인정을 받은 경우에는 품질인정서) 사본을 첨부할 것

3의2. 내화구조의 경우: 별지 제3호의2서식. 이 경우 내화성능 시간이 표시된 시험성적서(법 제52조의5제1항에 따라 품질인정을 받은 경우에는 품질인정서) 사본을 첨부할 것 <신설 2021.12.23>

4. 자동방화셔터의 경우: 별지 제4호서식. 이 경우 연기 및 불꽃을 차단할 수 있는 성능이 표시된 자동방화셔터 시험성적서(법 제52조의5제1항에 따라 품질인정을 받은 경우에는 품질인정서) 사본을 첨부할 것
5. 내화채움성능이 인정된 구조의 경우: 별지 제5호서식. 이 경우 연기, 불꽃 및 열을 차단할 수 있는 성능이 표시된 내화채움구조 시험성적서(법 제52조의5제1항에 따라 품질인정을 받은 경우에는 품질인정서) 사본을 첨부할 것
6. 방화댐퍼의 경우: 별지 제6호서식. 이 경우 「산업표준화법」에 따른 한국산업규격에서 정하는 방화댐퍼의 방연시험방법에 적합한 것을 증명하는 시험성적서 사본을 첨부할 것

③ 공사시공자는 법 제52조의4제1항에 따라 작성한 품질관리서의 내용과 같게 별지 제7호서식의 건축자재 품질관리서 대장을 작성하여 공사감리자에게 제출해야 한다.

④ 공사감리자는 제3항에 따라 제출받은 건축자재 품질관리서 대장의 내용과 영 제62조제3항에 따라 제출받은 품질관리서의 내용이 같은지를 확인하고 이를 영 제62조제4항에 따라 건축주에게 제출해야 한다.

⑤ 건축주는 제4항에 따라 제출받은 건축자재 품질관리서 대장을 영 제62조제4항에 따라 허가권자에게 제출해야 한다.

[전문개정 2019.10.24.]

제24조의4【건축자재 품질관리 정보 공개】 ① 법 제52조의4제2항에 따라 건축자재의 성능시험을 의뢰받은 시험기관의 장(이하 "건축자재 성능시험기관의 장"이라 한다)은 건축자재의 종류에 따라 국토교통부장관

이 정하여 고시하는 사항을 포함한 시험성적서(이하 "시험성적서"라 한다)를 성능시험을 의뢰한 제조업자 및 유통업자에게 발급해야 한다.

② 제1항에 따라 시험성적서를 발급한 건축자재 성능 시험기관의 장은 그 발급일부터 7일 이내에 국토교통부장관이 정하여 고시하는 기관 또는 단체(이하 "기관 또는 단체"라 한다)에 시험성적서의 사본을 제출해야 한다. 다만, 다음 각 호의 어느 하나에 해당하는 경우에는 제외한다.

1. 건축자재의 성능시험을 의뢰한 제조업자 및 유통업자가 건축물에 사용하지 않을 목적으로 의뢰한 경우
2. 법에서 정하는 성능에 미달하여 건축물에 사용할 수 없는 경우

③ 제1항에 따라 시험성적서를 발급받은 건축자재의 제조업자 및 유통업자는 시험성적서를 발급받은 날부터 1개월 이내에 성능시험을 의뢰한 건축자재의 종류, 용도, 색상, 재질 및 규격을 기관 또는 단체에 통보해야 한다. 다만, 제2항 각 호의 어느 하나에 해당하는 경우는 제외한다.

④ 기관 또는 단체는 법 제52조의4제4항에 따라 다음 각 호의 사항을 해당 기관 또는 단체의 홈페이지 등에 게시하여 일반인이 알 수 있도록 해야 한다.

1. 제2항에 따라 제출받은 시험성적서의 사본
2. 제3항에 따라 통보받은 건축자재의 종류, 용도, 색상, 재질 및 규격

⑤ 기관 또는 단체는 국토교통부장관이 정하여 고시하는 시험성적서의 유효기간이 만료되기 1개월 전에 해당 시험성적서를 발급한 건축자재 성능시험기관의 장에게 그 사실을 알려야 한다.

⑥ 기관 또는 단체는 제5항에 따른 유효기간이 지난 시험성적서는 그 사실을 표시하여 해당 기관 또는 단체의 홈페이지 등에 게시해야 한다.

⑦ 기관 또는 단체는 제4항 및 제6항에 따른 정보 공개의 실적을 국토교통부장관에게 분기별로 보고해야 한다.

[본조신설 2019.10.24.]

제24조의5【건축자재 표면에 정보를 표시해야 하는 단열재】 법 제52조의4제5항에서 "국토교통부령으로 정하는 단열재"란 영 제62조제1항제2호에 따른 단열재를 말한다.

[본조신설 2019.10.24.]

제24조의6【품질인정 대상 복합자재 등】 ① 영 제63조의2제1호에서 "국토교통부령으로 정하는 강판과 심재로 이루어진 복합자재"란 강판과 단열재로 이루어진 복합자재를 말한다.

② 영 제63조의2제4호에서 "국토교통부령으로 정하는 건축자재와 내화구조"란 제3조제8호부터 제10호까지의 규정에 따른 내화구조를 말한다.

[본조신설 2021.12.23.]

제24조의7【건축자재등의 품질인정 기준】 법 제52조의5제1항에서 "국토교통부령으로 정하는 기준"이란 다음 각 호의 기준을 말한다.

1. 신청자의 제조현장을 확인한 결과 품질인정 또는 품질인정 유효기간의 연장을 신청한 자가 다음 각 목의 사항을 준수하고 있을 것
   가. 품질인정 또는 품질인정 유효기간의 연장 신청 시 신청자가 제출한 다음 각 목에 관한 기준(유효기간 연장 신청의 경우에는 인정받은 기준을 말한다)
      1) 원재료・완제품에 대한 품질관리기준
      2) 제조공정 관리 기준
      3) 제조・검사 장비의 교정기준
   나. 법 제52조의5제1항에 따른 건축자재등(이하 "건축자재등"이라 한다)에 대한 로트번호 부여
2. 건축자재등에 대한 시험 결과 건축자재등이 다음 각 목의 구분에 따른 품질기준을 충족할 것
   가. 영 제63조의2제1호의 복합자재: 제24조에 따른 난연성능
   나. 영 제63조의2제2호가목의 자동방화셔터: 제14조제2항제4호에 따른 자동방화셔터 설치기준
   다. 영 제63조의2제2호나목의 내화채움성능이 인정된 구조: 별표 1 제1호에 따른 내화시간(내화채움성능이 인정된 구조로 메워지는 구성 부재에 적용되는 내화시간을 말한다) 기준
   라. 영 제63조의2제3호의 방화문: 영 제64조제1항 각 호의 구분에 따른 연기, 불꽃 및 열 차단 시간
   마. 제24조의6제2항에 따른 내화구조: 별표 1에 따른 내화시간 성능기준
3. 그 밖에 국토교통부장관이 정하여 고시하는 품질인정과 관련된 기준을 충족할 것

[본조신설 2021.12.23.]

제24조의8【건축자재등 품질인정 수수료】 ① 법 제52조의6제2항에 따른 수수료의 종류는 다음 각 호와 같다.

1. 품질인정 신청 수수료
2. 품질인정 유효기간 연장 신청 수수료

② 제1항에 따른 수수료는 별표 4와 같다.

③ 품질인정 또는 품질인정 유효기간의 연장을 신청하려는 자는 다음 각 호의 구분에 따른 시기에 수수료를 내야 한다.

1. 수수료 중 기본비용 및 추가비용: 품질인정 또는

품질인정 유효기간의 연장 신청을 하는 때
2. 수수료 중 출장비용 및 자문비용: 한국건설기술연구원장이 고지하는 납부시기
④ 한국건설기술연구원장은 다음 각 호의 어느 하나에 해당하는 경우에는 납부된 수수료의 전부 또는 일부를 반환해야 한다.
1. 품질인정 또는 품질인정 유효기간의 연장을 위한 시험·검사 등을 실시하기 전에 신청자가 신청을 철회한 경우
2. 신청을 반려한 경우
3. 수수료를 과오납(過誤納)한 경우
⑤ 수수료의 납부·반환 방법 및 반환 금액 등 수수료의 납부 및 반환에 필요한 세부사항은 국토교통부장관이 정하여 고시한다.
[본조신설 2021.12.23.]

제24조의9【품질인정자재등의 제조업자 등에 대한 점검】 ① 한국건설기술연구원장은 법 제52조의6제4항에 따라 매년 1회 이상 법 제52조의4제2항에 따른 시험기관의 시험장소, 법 제52조의6제4항에 따른 제조업자의 제조현장, 유통업자의 유통장소 및 건축공사장을 점검해야 한다.
② 한국건설기술연구원장은 제1항에 따라 제조현장 등을 점검하는 경우 다음 각 호의 사항을 확인해야 한다.
1. 법 제52조의4제2항에 따른 시험기관이 품질인정자재등과 관련하여 작성한 원시 데이터, 시험체 제작 및 확인 기록
2. 법 제52조의6제3항에 따른 품질인정자재등(이하 "품질인정자재등"이라 한다)의 품질인정 유효기간 및 품질인정표시
3. 제조업자가 작성한 납품확인서 및 품질관리서
4. 건축공사장에서의 시공 현황을 확인할 수 있는 다음 각 목의 서류
가. 품질인정자재등의 세부 인정내용
나. 설계도서 및 작업설명서
다. 건축공사 감리에 관한 서류
라. 그 밖에 시공 현황을 확인할 수 있는 서류로서 국토교통부장관이 정하여 고시하는 서류
③ 제1항에 따른 점검의 세부 절차 및 방법은 국토교통부장관이 정하여 고시한다.
[본조신설 2021.12.23.]

제25조【지하층의 구조】 ① 법 제53조에 따라 건축물에 설치하는 지하층의 구조 및 설비는 다음 각 호의 기준에 적합하여야 한다. <개정 2010.12.30>
1. 거실의 바닥면적이 50제곱미터 이상인 층에는 직통계단외에 피난층 또는 지상으로 통하는 비상탈출구 및 환기통을 설치할 것. 다만, 직통계단이 2개소 이상 설치되어 있는 경우에는 그러하지 아니하다.
1의2. 제2종근린생활시설 중 공연장·단란주점·당구장·노래연습장, 문화 및 집회시설중 예식장·공연장, 수련시설 중 생활권수련시설·자연권수련시설, 숙박시설중 여관·여인숙, 위락시설중 단란주점·유흥주점 또는 「다중이용업소의 안전관리에 관한 특별법 시행령」 제2조에 따른 다중이용업의 용도에 쓰이는 층으로서 그 층의 거실의 바닥면적의 합계가 50제곱미터 이상인 건축물에는 직통계단을 2개소 이상 설치할 것
2. 바닥면적이 1천제곱미터 이상인 층에는 피난층 또는 지상으로 통하는 직통계단을 영 제46조의 규정에 의한 방화구획으로 구획되는 각 부분마다 1개소 이상 설치하되, 이를 피난계단 또는 특별피난계단의 구조로 할 것
3. 거실의 바닥면적의 합계가 1천제곱미터 이상인 층에는 환기설비를 설치할 것
4. 지하층의 바닥면적이 300제곱미터 이상인 층에는 식수공급을 위한 급수전을 1개소이상 설치할 것
② 제1항제1호에 따른 지하층의 비상탈출구는 다음 각호의 기준에 적합하여야 한다. 다만, 주택의 경우에는 그러하지 아니하다. <개정 2010.4.7>
1. 비상탈출구의 유효너비는 0.75미터 이상으로 하고, 유효높이는 1.5미터 이상으로 할 것
2. 비상탈출구의 문은 피난방향으로 열리도록 하고, 실내에서 항상 열 수 있는 구조로 하여야 하며, 내부 및 외부에는 비상탈출구의 표시를 할 것
3. 비상탈출구는 출입구로부터 3미터 이상 떨어진 곳에 설치할 것
4. 지하층의 바닥으로부터 비상탈출구의 아랫부분까지의 높이가 1.2미터 이상이 되는 경우에는 벽체에 발판의 너비가 20센티미터 이상인 사다리를 설치할 것
5. 비상탈출구는 피난층 또는 지상으로 통하는 복도나 직통계단에 직접 접하거나 통로 등으로 연결될 수 있도록 설치하여야 하며, 피난층 또는 지상으로 통하는 복도나 직통계단까지 이르는 피난통로의 유효너비는 0.75미터 이상으로 하고, 피난통로의 실내에 접하는 부분의 마감과 그 바탕은 불연재료로 할 것
6. 비상탈출구의 진입부분 및 피난통로에는 통행에 지장이 있는 물건을 방치하거나 시설물을 설치하지 아니할 것
7. 비상탈출구의 유도등과 피난통로의 비상조명등의 설치는 소방법령이 정하는 바에 의할 것

제26조【방화문의 구조】 영 제64조제1항에 따른 방화문

은 한국건설기술연구원장이 국토교통부장관이 정하여 고시하는 바에 따라 품질을 시험한 결과 영 제64조제1항 각 호의 기준에 따른 성능을 확보한 것이어야 한다. <개정 2021.12.23>

1. 삭제 <2021.12.23.>
2. 삭제 <2021.12.23.>

[전문개정 2021.3.26]

제27조【신제품에 대한 인정기준에 따른 인정】 ① 한국건설기술연구원장은 제3조 및 제19조에 따라 성능기준을 판단하기 어려운 신개발품 또는 규격 이외 제품(이하 "신제품"이라 한다)에 대하여 성능인정을 하려는 경우에는 자문위원회(이하 "위원회"라 한다)의 심의를 거친 기준을 성능을 확인하기 위한 기준으로 정할 수 있다.

② 제1항에 따른 자문에 응하기 위하여 한국건설기술연구원에 관계 전문가로 구성된 위원회를 둔다.

③ 한국건설기술연구원장은 제1항에 따라 결정된 인정기준을 해당 신청인에게 지체 없이 통보하여야 하고, 한국건설기술연구원의 인터넷 홈페이지에 게시하여야 한다.

④ 제1항부터 제3항까지의 규정에 따른 성능인정 기준 및 절차, 위원회 운영 및 구성, 그 밖에 필요한 구체적인 사항은 한국건설기술연구원장이 정하는 바에 따른다.

[본조신설 2010.4.7]

제28조【인정기준의 제정·개정 신청】 ① 제27조에 따른 기준에 따라 성능인정을 받고자 하는 자는 한국건설기술연구원장에게 신제품에 대한 인정기준의 제정 또는 개정을 신청할 수 있다.

② 제1항에 따라 인정기준에 대한 제정 또는 개정 신청이 있는 경우에는 한국건설기술연구원장은 신청내용을 검토하여 신청일부터 30일 내에 제정·개정 추진 여부를 신청인에게 통보하여야 한다. 이 경우 인정기준을 제정·개정하지 않기로 한 경우에는 신청인에게 그 사유를 알려야 하며, 신청인이 이의가 있는 경우에는 다시 검토해 줄 것을 요청할 수 있다.

[본조신설 2010.4.7.]

제29조 삭제 <2018.10.18>

제30조【피난용 승강기의 설치기준】 영 제91조제5호에서 "국토교통부령으로 정하는 구조 및 설비 등의 기준"이란 다음 각 호를 말한다. <개정 2014.3.5., 2018.10.18., 2021.3.26>

1. 피난용승강기 승강장의 구조
   가. 승강장의 출입구를 제외한 부분은 해당 건축물의 다른 부분과 내화구조의 바닥 및 벽으로 구획할 것
   나. 승강장은 각 층의 내부와 연결될 수 있도록 하되, 그 출입구에는 60+방화문 또는 60분방화문을 설치할 것. 이 경우 방화문은 언제나 닫힌 상태를 유지할 수 있는 구조이어야 한다.
   다. 실내에 접하는 부분(바닥 및 반자 등 실내에 면한 모든 부분을 말한다)의 마감(마감을 위한 바탕을 포함한다)은 불연재료로 할 것
   라. ~ 바. 삭제 <2018.10.18.>
   사. 삭제 <2014.3.5.>
   아. 「건축물의 설비기준 등에 관한 규칙」 제14조에 따른 배연설비를 설치할 것. 다만, 「소방시설 설치·유지 및 안전관리에 법률 시행령」 별표 5 제5호가목에 따른 제연설비를 설치한 경우에는 배연설비를 설치하지 아니할 수 있다.
   자. 삭제 <2014.3.5.>
2. 피난용승강기 승강로의 구조
   가. 승강로는 해당 건축물의 다른 부분과 내화구조로 구획할 것
   나. 삭제 <2018.10.18.>
   다. 승강로 상부에 「건축물의 설비기준 등에 관한 규칙」 제14조에 따른 배연설비를 설치할 것
3. 피난용승강기 기계실의 구조
   가. 출입구를 제외한 부분은 해당 건축물의 다른 부분과 내화구조의 바닥 및 벽으로 구획할 것
   나. 출입구에는 60+방화문 또는 60분방화문을 설치할 것
4. 피난용승강기 전용 예비전원
   가. 정전시 피난용승강기, 기계실, 승강장 및 폐쇄회로 텔레비전 등의 설비를 작동할 수 있는 별도의 예비전원 설비를 설치할 것
   나. 가목에 따른 예비전원은 초고층 건축물의 경우에는 2시간 이상, 준초고층 건축물의 경우에는 1시간 이상 작동이 가능한 용량일 것
   다. 상용전원과 예비전원의 공급을 자동 또는 수동으로 전환이 가능한 설비를 갖출 것
   라. 전선관 및 배선은 고온에 견딜 수 있는 내열성 자재를 사용하고, 방수조치를 할 것

[본조신설 2012.1.6.]

제31조 삭제 <2015.10.7.>

부칙<국토교통부령 제548호, 2018.10.18>

이 규칙은 2018년 10월 18일부터 시행한다.

부칙<국토교통부령 제641호, 2019.8.6.>

제1조(시행일) 이 규칙은 공포한 날부터 시행한다. 다만, 다음 각 호의 개정규정은 다음 각 호의 구분에 따른 날부터 시행한다.

1. 제8조제1항·제2항, 제9조제2항제1호바목, 같은 항 제3호자목, 제14조제1항제2호 본문, 같은 항 제4호, 같은 조 제2항제1호 및 제24조제5항부터 제7항까지의 개정규정: 공포 후 3개월이 경과한 날
2. 제14조제2항제3호, 같은 조 제3항 및 제26조의 개정규정: 공포 후 2년이 경과한 날
3. 제18조의2의 개정규정: 2019년 10월 24일

제2조(직통계단의 설치기준에 관한 적용례) 제8조제2항의 개정규정은 부칙 제1조제1호에 따른 시행일 이후 법 제11조에 따른 건축허가(증축에 대한 건축허가는 영 제2조제2호의 증축 중 건축면적을 늘리는 경우에 대한 건축허가로 한정한다. 이하 이 조에서 같다)를 신청(건축허가를 신청하기 위해 법 제4조의2제1항에 따라 건축위원회에 심의를 신청하는 경우를 포함한다)하거나 법 제14조에 따른 건축신고를 하는 경우부터 적용한다.

제3조(피난계단 및 특별피난계단의 구조에 관한 적용례) 제9조제2항제1호바목 및 같은 항 제3호자목의 개정규정은 부칙 제1조제1호에 따른 시행일 이후 법 제11조에 따른 건축허가를 신청(건축허가를 신청하기 위해 법 제4조의2제1항에 따른 건축위원회에 심의를 신청하는 경우를 포함한다)하거나 법 제14조에 따른 건축신고를 하는 경우부터 적용한다.

제4조(방화구획의 설치기준에 관한 적용례) 제14조제1항제2호 본문, 같은 항 제4호 및 같은 조 제2항제1호·제3호의 개정규정은 부칙 제1조제1호 및 제2호에 따른 시행일 이후 법 제11조에 따른 건축허가 또는 대수선허가를 신청(건축허가 또는 대수선허가를 신청하기 위해 법 제4조의2제1항에 따라 건축위원회에 심의를 신청하는 경우를 포함한다)하거나 법 제14조에 따른 건축신고를 하는 경우부터 적용한다.

제5조(방화문의 기준에 관한 적용례) 제26조의 개정규정은 부칙 제1조제2호에 따른 시행일 이후 법 제11조에 따른 건축허가 또는 대수선허가를 신청(건축허가 또는 대수선허가를 신청하기 위해 법 제4조의2제1항에 따라 건축위원회에 심의를 신청하는 경우를 포함한다)하거나 법 제14조에 따른 건축신고를 하는 경우부터 적용한다.

부칙<국토교통부령 제665호, 2019.10.24.>

이 규칙은 공포한 날부터 시행한다. 다만, 다음 각 호의 구분에 따른 개정규정은 다음 각 호에서 정한 날부터 시행한다.

1. 제24조의2제3항의 개정규정: 공포 후 3개월이 경과한 날
2. 별표 1의 개정규정(지붕 관련 부분만 해당한다): 2020년 8월 15일

부칙<국토교통부령 제832호, 2021.3.26.>

제1조(시행일) 이 규칙은 2021년 8월 7일부터 시행한다. 다만, 다음 각 호의 개정규정은 각 호에서 정한 날부터 시행한다.

1. 제13조제1항·제2항 및 같은 조 제3항 각 호 외의 부분 및 같은 항 제4호의2의 개정규정: 2021년 4월 9일
2. 제14조제2항제2호, 같은 조 제4항, 제24조의3제1항, 같은 조 제2항제5호 및 별지 제5호서식의 개정규정: 공포 후 3개월이 경과한 날
3. 제14조제2항제4호의 개정규정: 2022년 1월 31일
4. 제24조제4항의 개정규정: 공포한 날

제2조(방화문 및 비상문자동개폐장치에 관한 적용례) 다음 각 호의 개정규정은 각 호의 구분에 따른 시행일 이후 법 제11조에 따른 건축허가의 신청(건축허가를 신청하기 위하여 법 제4조의2제1항에 따라 건축위원회에 심의를 신청하는 경우를 포함한다), 법 제14조에 따른 건축신고 또는 법 제19조에 따른 용도변경 허가(같은 조에 따른 용도변경 신고 또는 건축물대장 기재내용의 변경신청을 포함한다)의 신청을 하는 경우부터 적용한다.

1. 방화문에 관한 제9조제2항제1호바목, 같은 항 제2호나목, 같은 항 제3호자목, 제13조제3항제4호, 제14조제2항제1호, 제21조제1항제3호, 제23조제2항제1호, 제30조제1호나목 전단, 같은 조 제3호나목, 별지 제3호서식 및 별지 제4호서식의 개정규정: 2021년 8월 7일
2. 비상문자동개폐장치에 관한 제13조제1항제5호, 같은 조 제2항 후단 및 같은 조 제3항 각 호 외의 부분 및 같은 항 제4호의2의 개정규정: 2021년 4월 9일

부칙<국토교통부령 제868호, 2021.7.5.>

제1조(시행일) 이 규칙은 공포한 날부터 시행한다.

제2조(건축물의 방화유리창 설치에 관한 적용례) 제24조제9항의 개정규정은 이 규칙 시행 이후 법 제11조에 따른 건축허가의 신청(건축허가를 신청하기 위해 법 제4조의2제1항에 따라 건축위원회에 심의를 신청하는 경우를 포함한다), 법 제14조에 따른 건축신고 또는 법 제19조에 따른 용도변경 허가를 신청(같은 조에 따른 용도변경 신고 및 건축물대장 기재내용의 변경신청을 포함한다)하는 경우부터 적용한다.

부칙<국토교통부령 제882호, 2021.8.27.>

(어려운 법령용어 정비를 위한 80개 국토교통부령 일부개정령)

이 규칙은 공포한 날부터 시행한다. <단서 생략>

부칙<국토교통부령 제884호, 2021.9.3.>

제1조(시행일) 이 규칙은 2022년 2월 11일부터 시행한다.

제2조(건축물의 마감재료에 관한 적용례) 제24조제1항·제3항 및 제6항부터 제11항까지의 개정규정은 이 규칙 시행 이후 법 제11조에 따른 건축허가(법 제16조에 따른 변경허가 및 변경신고는 제외한다)의 신청(건축허가를 신청하기 위해 법 제4조의2제1항에 따라 건축위원회에 심의를 신청하는 경우를 포함한다), 법 제14조에 따른 건축신고(법 제16조에 따른 변경허가 및 변경신고는 제외한다) 또는 법 제19조에 따른 용도변경 허가(같은 조에 따른 용도변경 신고 또는 건축물대장 기재내용의 변경신청을 포함한다)의 신청을 하는 경우부터 적용한다. <개정 2022.2.10>

부칙<국토교통부령 제901호, 2021.10.15.>

이 규칙은 공포한 날부터 시행한다.

부칙<국토교통부령 제931호, 2021.12.23.>

제1조(시행일) 이 규칙은 2021년 12월 23일부터 시행한다. 다만, 제14조제2항제4호의 개정규정은 2022년 1월 31일부터 시행한다.

제2조(품질관리서의 첨부서류에 관한 적용례) 제24조의3제2항제1호다목 및 제2호나목의 개정규정은 이 규칙 시행 이후 실물모형시험을 하는 복합자재 및 단열재에 대한 품질관리서를 제출하는 경우부터 적용한다.

부칙<국토교통부령 제1106호, 2022.2.10.>

이 규칙은 2022년 2월 11일부터 시행한다.

부칙<국토교통부령 제1123호, 2022.4.29>

제1조(시행일) 이 규칙은 공포한 날부터 시행한다.

제2조(피난구 덮개의 구조기준에 관한 적용례) 제14조제4항제1호의 개정규정은 이 규칙 시행 이후 다음 각 호의 신청이나 신고를 하는 경우부터 적용한다.

1. 법 제11조에 따른 건축허가 또는 대수선허가(법 제16조에 따른 변경허가 및 변경신고를 포함한다)의 신청(건축허가 또는 대수선허가를 신청하기 위하여 법 제4조의2제1항에 따라 건축위원회에 심의를 신청한 경우를 포함한다)
2. 법 제14조에 따른 건축신고(법 제16조에 따른 변경허가 및 변경신고를 포함한다)

부칙<국토교통부령 제1247호, 2023.8.31.>

이 규칙은 공포한 날부터 시행한다.

[별표 1] 〈신설 2010.4.7., 2019.10.24.〉

내화구조의 성능기준(제3조제8호 관련)

1. 일반기준

(단위 : 시간)

용도 \ 구성 부재				벽						보·기둥	바닥	지붕·지붕틀
				외벽			내벽					
				내력벽	비내력벽		내력벽	비내력벽				
용도구분		용도규모 층수 / 최고 높이(m)			연소우려가 있는 부분	연소우려가 없는 부분		간막이벽	승강기·계단실의 수직벽			
일반시설	제1종 근린생활시설, 제2종 근린생활시설, 문화 및 집회시설, 종교시설, 판매시설, 운수시설, 교육연구시설, 노유자시설, 수련시설, 운동시설, 업무시설, 위락시설, 자동차관련시설(정비공장 제외), 동물 및 식물 관련 시설, 교정 및 군사 시설, 방송통신시설, 발전시설, 묘지관련시설, 관광 휴게시설, 장례시설	12/50	초과	3	1	0.5	3	2	2	3	2	1
			이하	2	1	0.5	2	1.5	1.5	2	2	0.5
		4/20 이하		1	1	0.5	1	1	1	1	1	0.5
주거시설	단독주택, 공동주택, 숙박시설, 의료시설	12/50	초과	2	1	0.5	2	2	2	3	2	1
			이하	2	1	0.5	2	1	1	2	2	0.5
		4/20 이하		1	1	0.5	1	1	1	1	1	0.5
산업시설	공장, 창고시설, 위험물저장 및 처리시설, 자동차 관련시설 중 정비공장, 자연순환 관련 시설	12/50	초과	2	1.5	0.5	2	1.5	1.5	3	2	1
			이하	2	1	0.5	2	1	1	2	2	0.5
		4/20 이하		1	1	0.5	1	1	1	1	1	0.5

2. 적용기준

가. 용도

1) 건축물이 하나 이상의 용도로 사용될 경우 위 표의 용도구분에 따른 기준 중 가장 높은 내화시간의 용도를 적용한다.

2) 건축물의 부분별 높이 또는 층수가 다를 경우 최고 높이 또는 최고 층수를 기준으로 제1호에 따른 구성 부재별 내화시간을 건축물 전체에 동일하게 적용한다.

3) 용도규모에서 건축물의 층수와 높이의 산정은 「건축법 시행령」 제119조에 따른다. 다만, 승강기탑, 계단탑, 망루, 장식탑, 옥탑 그 밖에 이와 유사한 부분은 건축물의 높이와 층수의 산정에서 제외한다.

나. 구성 부재

1) 외벽 중 비내력벽으로서 연소우려가 있는 부분은 제22조제2항에 따른 부분을 말한다.

2) 외벽 중 비내력벽으로서 연소우려가 없는 부분은 제22조제2항에 따른 부분을 제외한 부분을 말한다.

3) 내벽 중 비내력벽인 간막이벽은 건축법령에 따라 내화구조로 해야 하는 벽을 말한다.

다. 그 밖의 기준

1) 화재의 위험이 적은 제철·제강공장 등으로서 품질확보를 위해 불가피한 경우에는 지방건축위원회의 심의를 받아 주요구조부의 내화시간을 완화하여 적용할 수 있다.

2) 외벽의 내화성능 시험은 건축물 내부면을 가열하는 것으로 한다.

[별표 1의2] 〈신설 2012.1.6〉

피난안전구역의 면적 산정기준(제8조의2제3항제7호 관련)

1. 피난안전구역의 면적은 다음 산식에 따라 산정한다.

(피난안전구역 윗층의 재실자 수 × 0.5) × 0.28㎡

가. 피난안전구역 윗층의 재실자 수는 해당 피난안전구역과 다음 피난안전구역 사이의 용도별 바닥면적을 사용 형태별 재실자 밀도로 나눈 값의 합계를 말한다. 다만, 문화·집회용도 중 벤치형 좌석을 사용하는 공간과 고정좌석을 사용하는 공간은 다음의 구분에 따라 피난안전구역 윗층의 재실자 수를 산정한다.

1) 벤치형 좌석을 사용하는 공간: 좌석길이 / 45.5㎝

2) 고정좌석을 사용하는 공간: 휠체어 공간 수 + 고정좌석 수

나. 피난안전구역 설치 대상 건축물의 용도에 따른 사용 형태별 재실자 밀도는 다음 표와 같다.

용 도	사용 형태별		재실자 밀도
문화·집회	고정좌석을 사용하지 않는 공간		0.45
	고정좌석이 아닌 의자를 사용하는 공간		1.29
	벤치형 좌석을 사용하는 공간		-
	고정좌석을 사용하는 공간		-
	무대		1.40
	게임제공업 등의 공간		1.02
운동	운동시설		4.60
교육	도서관	서고	9.30
		열람실	4.60
	학교 및 학원	교실	1.90
보육	보호시설		3.30
의료	입원치료구역		22.3
	수면구역		11.1
교정	교정시설 및 보호관찰소 등		11.1
주거	호텔 등 숙박시설		18.6
	공동주택		18.6
업무	업무시설, 운수시설 및 관련 시설		9.30
판매	지하층 및 1층		2.80
	그 외의 층		5.60
	배송공간		27.9
저장	창고, 자동차 관련 시설		46.5
산업	공장		9.30
	제조업 시설		18.6

※ 계단실, 승강로, 복도 및 화장실은 사용 형태별 재실자 밀도의 산정에서 제외하고, 취사장·조리장의 사용 형태별 재실자 밀도는 9.30으로 본다.

2. 피난안전구역 설치 대상 용도에 대한 「건축법 시행령」 별표 1에 따른 용도별 건축물의 종류는 다음 표와 같다.

용도	용도별 건축물
문화·집회	문화 및 집회시설(공연장·집회장·관람장·전시장만 해당한다), 종교시설, 위락시설, 제1종 근린생활시설 및 제2종 근린생활시설 중 휴게음식점·제과점·일반음식점 등 음식·음료를 제공하는 시설, 제2종 근린생활시설 중 공연장·종교집회장·게임제공업 시설, 그 밖에 이와 비슷한 문화·집회시설
운동	운동시설, 제1종 근린생활시설 및 제2종 근린생활시설 중 운동시설
교육	교육연구시설, 수련시설, 자동차 관련 시설 중 운전학원 및 정비학원, 제2종 근린생활시설 중 학원·직업훈련소·독서실, 그 밖에 이와 비슷한 교육시설
보육	노유자시설, 제1종 근린생활시설 중 지역아동센터
의료	의료시설, 제1종 근린생활시설 중 의원, 치과의원, 한의원, 침술원, 접골원(接骨院), 조산원 및 안마원
교정	교정 및 군사시설
주거	공동주택 및 숙박시설
업무	업무시설, 운수시설, 제1종 근린생활시설과 제2종 근린생활시설 중 지역자치센터·파출소·사무소·이용원·미용원·목욕장·세탁소·기원·사진관·표구점, 그 밖에 이와 비슷한 업무시설
판매	판매시설(게임제공업 시설 등은 제외한다), 제1종 근린생활시설 중 수퍼마켓과 일용품 등의 소매점
저장	창고시설, 자동차 관련 시설(운전학원 및 정비학원은 제외한다)
산업	공장, 제2종 근린생활시설 중 제조업 시설

[별표 1의3] <개정 2012.1.6>

거실의 용도에 따른 조도기준(제17조제1항관련)

거실의 용도구분 \ 조도구분		바닥에서 85센티미터의 높이에 있는 수평면의 조도(룩스)
1. 거주	독서·식사·조리	150
	기타	70
2. 집무	설계·제도·계산	700
	일반사무	300
	기타	150
3. 작업	검사·시험·정밀검사·수술	700
	일반작업·제조·판매	300
	포장·세척	150
	기타	70
4. 집회	회의	300
	집회	150
	공연·관람	70
5. 오락	오락일반	150
	기타	30
6. 기타		1란 내지 5란 중 가장 유사한 용도에 관한 기준을 적용한다.

[별표 2] <개정 2010.12.30>

내화구조의 적용이 제외되는 공장의 업종(제20조의2 관련)

분류번호	업 종
10301	과실 및 채소 절임식품 제조업
10309	기타 과일·채소 가공 및 저장처리업
11201	얼음 제조업
11202	생수 제조업
11209	기타 비알콜음료 제조업
23110	판유리 제조업
23122	판유리 가공품 제조업
23221	구조용 정형내화제품 제조업
23229	기타 내화요업제품 제조업
23231	점토벽돌, 블록 및 유사 비내화 요업제품 제조업
23232	타일 및 유사 비내화 요업제품 제조업
23239	기타 구조용 비내화 요업제품 제조업
23911	건설용 석제품 제조업
23919	기타 석제품 제조업
24111	제철업
24112	제강업
24113	합금철 제조업
24119	기타 제철 및 제강업
24211	동 제련, 정련 및 합금 제조업
24212	알루미늄 제련, 정련 및 합금 제조업
24213	연 및 아연 제련, 정련 및 합금 제조업
24219	기타 비철금속 제련, 정련 및 합금 제조업
24311	선철주물 주조업
24312	강주물 주조업
24321	알루미늄주물 주조업
24322	동주물 주조업
24329	기타 비철금속 주조업
28421	운송장비용 조명장치 제조업
29172	공기조화장치 제조업
30310	자동차 엔진용 부품 제조업
30320	자동차 차체용 부품 제조업
30391	자동차용 동력전달 장치 제조업
30392	자동차용 전기장치 제조업

주: 분류번호는 「통계법」 제17조에 따라 통계청장이 고시하는 한국표준산업분류에 의한 분류번호를 말한다.

[별표 3] 〈개정 2014.3.5〉

화재위험이 적은 공장(제24조의2제1항관련)

분류번호	업 종
10121	가금류 가공 및 저장처리업
10129	기타 육류 가공 및 저장처리업
10211	수산동물 훈제, 조리 및 유사 조제식품 제조업
10212	수산동물 건조 및 염장품 제조업
10213	수산동물 냉동품 제조업
10219	기타 수산동물 가공 및 저장처리업
10220	수산식물 가공 및 저장처리업
10301	과실 및 채소 절임식품 제조업
10309	기타 과일·채소 가공 및 저장처리업
10743	장류 제조업
11201	얼음 제조업
11202	생수 생산업
11209	기타 비알콜음료 제조업
23110	판유리 제조업
23122	판유리 가공품 제조업
23192	포장용 유리용기 제조업
23221	구조용 정형내화제품 제조업
23229	기타 내화요업제품 제조업
23231	점토 벽돌, 블록 및 유사 비내화 요업제품 제조업
23232	타일 및 유사 비내화 요업제품 제조업
23239	기타 구조용 비내화 요업제품 제조업
23311	시멘트 제조업
23312	석회 및 플라스터 제조업
23323	플라스터 제품 제조업
23325	콘크리트 타일, 기와, 벽돌 및 블록 제조업
23326	콘크리트관 및 기타 구조용 콘크리트제품 제조업
23329	그외 기타 콘크리트 제품 및 유사제품 제조업
23911	건설용 석제품 제조업
23919	기타 석제품 제조업
24111	제철업
24112	제강업
24113	합금철 제조업
24119	기타 제철 및 제강업
24211	동 제련, 정련 및 합금 제조업
24212	알루미늄 제련, 정련 및 합금 제조업
24213	연 및 아연 제련, 정련 및 합금 제조업
24219	기타 비철금속 제련, 정련 및 합금 제조업
24311	선철주물 주조업
24312	강주물 주조업
24321	알루미늄주물 주조업
24322	동주물 주조업
24329	기타 비철금속 주조업
25112	구조용 금속판제품 및 금속공작물 제조업
25113	금속 조립구조재 제조업
25119	기타 구조용 금속제품 제조업
28421	운송장비용 조명장치 제조업
29172	공기조화장치 제조업
30310	자동차 엔진용 부품 제조업
30320	자동차 차체용 부품 제조업
30391	자동차용 동력전달 장치 제조업
30392	자동차용 전기장치 제조업

비고: 분류번호는 「통계법」 제17조에 따라 통계청장이 고시하는 한국표준산업분류에 따른 분류번호를 말한다.

[별표 4] <신설 2021.12.23>

건축자재등 품질인정 수수료(제24조의8제2항관련)

1. 품질인정 신청 수수료
   가. 복합자재·방화문 및 자동방화셔터: 다음의 금액을 합산한 금액
      1) 기본비용: 다음의 금액을 합산한 금액
         (1) 특급기술자의 노임단가에 8.7을 곱한 금액과 고급기술자의 노임단가에 16.2를 곱한 금액 및 중급기술자의 노임단가에 5.8을 곱한 금액을 모두 합산한 금액
         (2) 시험·검사 등에 드는 비용으로서 국토교통부장관이 정하여 고시하는 금액
      2) 추가비용: 기본비용에 0.6을 곱한 금액
      3) 출장비용: 출장자가 소속된 기관의 여비 규정에 따른 금액
      4) 자문비용: 특급기술자의 노임단가에 5.2를 곱한 금액과 고급기술자의 노임단가에 20.8을 곱한 금액과 중급기술자의 노임단가에 1.0을 곱한 금액 모두를 합산한 금액
   나. 내화구조 및 내화채움구조: 다음의 금액을 합산한 금액
      1) 기본비용: 다음의 금액을 합산한 금액
         (1) 특급기술자의 노임단가에 9.0을 곱한 금액과 고급기술자의 노임단가에 23.2를 곱한 금액 및 중급기술자의 노임단가에 5.8을 곱한 금액을 모두 합산한 금액
         (2) 시험·검사 등에 드는 비용으로서 국토교통부장관이 정하여 고시하는 금액
      2) 추가비용: 기본비용에 0.6을 곱한 금액
      3) 출장비용: 가목3)에 따른 비용
      4) 자문비용: 가목4)에 따른 비용

2. 품질인정 유효기간 연장 신청 수수료
   가. 복합자재·방화문 및 자동방화셔터: 다음의 금액을 합산한 금액
      1) 기본비용: 다음의 금액을 합산한 금액
         (1) 특급기술자의 노임단가에 6.2를 곱한 금액과 고급기술자의 노임단가에 11.3을 곱한 금액 및 중급기술자의 노임단가에 5.8을 곱한 금액을 모두 합산한 금액
         (2) 시험·검사 등에 드는 비용으로서 국토교통부장관이 정하여 고시하는 금액
      2) 추가비용: 기본비용에 0.6을 곱한 금액
      3) 출장비용: 제1호가목3)에 따른 비용
      4) 자문비용: 제1호가목4)에 따른 비용
   나. 내화구조 및 내화채움구조: 다음의 금액을 합산한 금액
      1) 기본비용: 다음의 금액을 합산한 금액
         (1) 특급기술자의 노임단가에 7.2를 곱한 금액과 고급기술자의 노임단가에 15.0을 곱한 금액 및 중급기술자의 노임단가에 5.8을 곱한 금액을 모두 합산한 금액
         (2) 시험·검사 등에 드는 비용으로서 국토교통부장관이 정하여 고시하는 금액
      2) 추가비용: 기본비용에 0.6을 곱한 금액
      3) 출장비용: 제1호가목3)에 따른 비용
      4) 자문비용: 제1호가목4)에 따른 비용

비고

1. 노임단가는 「통계법」 제27조제1항에 따라 한국엔지니어링진흥협회가 조사·공표하는 임금단가를 8시간으로 나눈 금액을 말한다.
2. 추가비용은 둘 이상의 건축자재등에 대해 품질인정 또는 품질인정 유효기간의 연장을 신청하는 경우의 두 번째 건축자재등부터 산정하여 합산한다.
3. 자문비용은 품질인정 과정에서 외부 전문가의 자문을 받은 경우에만 합산한다.

1.7.1 건축자재등 품질인정 및 관리기준

[국토교통부고시 제2023-15호, 2023.1.9]

제1장 총 칙

제1조【목적】이 기준은 화재 발생 시 건축물의 구조적 안전을 도모하고 화재 확산 및 유독가스 발생 등을 방지하는 등 인명과 재산을 보호하기 위하여 「건축법」 제52조의5 및 제52조의6에 따라 건축자재등의 인정 절차, 품질관리 등에 필요한 사항을 정하고, 「건축물의 피난·방화구조 등의 기준에 관한 규칙」 제3조, 제5조, 제6조, 제7조, 제14조, 제24조, 제24조의7, 제24조의8, 제24조의9, 제26조에서 정한 기준에 따라 건축자재등의 시험방법 및 성능기준 등의 세부사항을 정함을 목적으로 한다.

제2조【정의】이 기준에서 사용하는 용어의 정의는 다음과 같다.

1. "건축자재등"이란 「건축법 시행령」(이하 "영"이라 한다) 제63조의2에 따른 건축자재와 내화구조를 말한다.
2. "품질인정자재등"이란 제1호에 따른 건축자재등 중 「건축법」(이하 "법"이라 한다) 제52조의5 및 제52조의6에 따라 품질인정을 받은 건축자재등을 말한다.
3. "내화구조"란 화재에 견딜 수 있는 성능을 가진 구조로서 「건축물의 피난·방화구조 등의 기준에 관한 규칙」(이하 "규칙"이라 한다) 제3조에 따른 구조를 말한다.
4. "복합자재"란 강판과 단열재로 이루어진 자재로서 법 제56조의6제1항에 따라 품질인정 업무를 수행하는 기관으로 지정된 기관(이하 "건축자재등 품질인정기관"이라 한다)이 이 기준에 적합하다고 인정한 제품을 말한다.
5. "방화문"이란 화재의 확대, 연소를 방지하기 위해 방화구획의 개구부에 설치하는 문으로서 건축자재등 품질인정기관이 이 기준에 적합하다고 인정한 제품을 말한다.
6. "자동방화셔터"란 내화구조로 된 벽을 설치하지 못하는 경우 화재 시 연기 및 열을 감지하여 자동 폐쇄되는 셔터로서 건축자재등 품질인정기관이 이 기준에 적합하다고 인정한 제품을 말한다.
7. "내화채움구조"란 방화구획의 설비관통부 등 틈새를 통한 화재 확산을 방지하기 위해 설치하는 구조로서 건축자재등 품질인정기관이 이 기준에 적합하다고 인정한 제품을 말한다.
8. "품질시험"이란 건축자재등의 품질인정에 필요한 내화시험, 실물모형시험 및 부가시험을 말한다.
9. "제조업자"란 법 제52조의5 및 제52조의6에 따라 건축자재등의 품질인정을 받아야 하는 주요 재료·제품의 생산 및 제조를 업으로 하는 자를 말한다.
10. "시공자"란 법 제52조의5 및 제52조의6에 따라 품질인정을 받아야 하는 건축자재등을 사용하여 건축물을 건축하고자 하는 자로서 「건설산업기본법」 제9조의 규정에 따라 등록된 건설업을 영위하는 자(직영공사인 경우에는 건축주를 말한다)를 말한다.
11. "신청자"란 이 기준에 의하여 건축자재등의 품질인정을 받고자 신청하는 자를 말한다.
12. "인정업자"란 이 기준에 따라 건축자재등 품질인정기관으로 부터 구조 또는 제품을 인정받은 자를 말한다.
13. "품목"이란 건축자재를 구분하는데 있어 그 구성제품의 종류에 따라 유사한 재료 성분 및 형태로 묶어 분류한 것을 말한다.
14. "방화댐퍼"란 환기·난방 또는 냉방시설의 풍도가 방화구획을 관통하는 경우 그 관통부분 또는 이에 근접한 부분에 설치하는 댐퍼를 말한다.
15. "하향식 피난구"란 아파트 대피공간 대체시설로 규칙 제14조제4항에 따른 구조를 갖추어 발코니 바닥에 설치하는 피난설비를 말한다.

제2장 건축자재등 품질인정 절차 및 일반사항

제3조【운영위원회의 구성·운영】① 법 제52조의6에 따라 지정된 건축자재등 품질인정기관은 법 제52조의5 및 제52조의6에 따른 건축자재등 품질인정의 공정한 수행을 위해 운영위원회(이하 "위원회"라 한다)를 운영하여야 한다.

② 건축자재등 품질인정기관은 한국건설기술연구원, 관련학회 등의 전문가 15인 이상으로 위원회를 구성

·운영한다.

③ 건축자재등 품질인정기관은 다음 각 호의 사항에 대하여 위원회의 심의를 받아야 한다.

1. 건축자재등 품질인정 업무 연간 운영계획
2. 제39조에 따라 국토교통부장관이 승인하는 품질인정 및 관리업무 세부운영지침에 관한 사항
3. 시험기관 위탁 업무에 관한 사항
4. 규칙 제27조에 따른 신제품에 대한 인정기준에 따른 인정 업무에 관한 사항
5. 그 밖에 건축자재등 품질인정기관이 인정업무를 운영함에 있어 필요하다고 판단하는 사항

④ 건축자재등 품질인정기관은 제3항제4호 및 제5호 관련 기술 자문이 필요할 경우에는 시험기관, 관련단체 및 산업계 등을 특별 자문위원으로 선정하여 위원회를 운영할 수 있다.

제4조【인정 신청】① 법 제52조의5 및 영 제63조의2에 따라 건축자재등의 품질인정을 받고자 하는 경우, 신청자는 별지 제1호서식의 품질인정 신청서에 별표 1에서 정한 서류를 첨부하여 건축자재등 품질인정기관에게 신청하여야 한다.

② 제1항의 신청자는 인정 신청 시 별표 1에서 정한 첨부 서류 내용의 변경 요청을 할 수 있다. 다만, 품질관리 설명서의 내용 변경 신청은 1회에 한하며, 제6조제1항에 따른 건축자재등 품질인정기관이 보완 요청한 사항에 대한 내용 변경은 신청자 변경 요청 제한을 적용받지 아니한다.

③ 제1항의 신청자는 제조업자로 한다. 다만, 내화구조 또는 복합자재는 시공자도 품질인정을 신청할 수 있다.

④ 제3항 단서에 따라 시공자가 인정 신청을 하는 경우, 신청자는 인정을 받고자 하는 해당 건축공사 현장별로 내화구조 또는 복합자재 공사 착공 전에 인정을 신청하여야 한다.

⑤ 제1항의 신청자가 2인 이상인 경우 공동으로 신청(이하 "공동신청"이라 한다)할 수 있으며, 대표자를 선정하여 인정 신청을 진행하여야 한다. 이 경우, 각 신청자별로 공통 품질관리 설명서 등을 갖추어야 하며, 인정 신청구조 또는 제품이 동일한 재료로 제조되어 그 품질이 기준의 범위 내로 관리되고 있음을 증빙하는 서류를 첨부하여야 한다.

⑥ 둘 이상의 주요 재료가 복합된 제품 또는 주요 제품이 복합된 구조의 경우, 구성하는 주요 재료 또는 제품 중 신청자가 제조하지 않는 재료 또는 제품에 대해서는 신청자가 제15조제1항제1호부터 제3호까지에 따른 품질을 관리할 수 있도록 제조업자와 협약하는 경우에 한하여 인정 신청을 할 수 있다.

⑦ 건축자재등 품질인정기관이 인정하는 부득이한 경우에는 제조업자의 위임을 받은 자(이하 "대리신청인"이라 한다)가 대리 신청을 할 수 있다.

⑧ 건축자재등 품질인정기관은 제1항에 따른 제출서류 중 원재료 및 구성재료 배합비 등 신청자가 영업활동을 위해 비밀보장을 요구하는 서류에 대하여는 비밀을 유지하여야 한다.

⑨ 제1항의 신청자는 인정 절차를 진행 중인 구조 또는 제품의 인정이 완료되기 이전에 해당 구조 또는 제품을 판매하거나 시공할 수 없다.

제5조【인정 신청 등의 제한】① 제4조제1항의 신청자는 인정 절차를 진행 중인 건축자재등과 동일 성능의 동일 품목에 대하여 새로이 신청할 경우 이전 품목의 신청일로부터 6개월이 지난 후에 신청할 수 있다. 다만, 인정받고자 하는 성능이 서로 다르거나 동일 성능 중 품목이 서로 다른 경우에는 연속으로 신청할 수 있다.

② 법 제52조의6제3항에 따라 품질인정이 취소된 자(해당 품질인정을 구성하는 재료의 생산·제조 공장을 포함한다)가 동일 성능의 동일 품목에 대하여 새로이 인정 신청하는 경우에는 인정 신청이 제한되며, 인정 취소 사유에 따른 신청 제한 기간은 별표 2에 따른다.

③ 별표 2의 인정 취소 사유 이외에 제6조제2항제2호의 사유로 인정 신청이 반려된 자(해당 품질인정을 구성하는 재료의 생산·제조 공장을 포함한다)가 동일 성능의 동일 품목에 대하여 인정 신청을 새로이 하는 경우에는 품질능력 확보 기간을 위하여 인정 신청이 반려된 날로부터 3개월 후, 제6조제2항제4호에 해당하는 경우에는 24개월이 지난 후에 하여야 한다.

④ 건축자재등 품질인정이 유효하거나 취소된 구조명 및 제품명은 사용할 수 없다.

⑤ 품질인정을 받은 자가 다음 각 호에 해당하는 경우, 동일 품목에 대하여 인정을 신청할 수 없다.

1. 제8조에 따른 제조현장의 품질관리상태 확인 점검 중인 경우(점검 개시일부터 결과 보고일까지로 하되, 제20조에 따른 개선요청의 경우 조치완료일까지로 한다)
2. 제18조 및 제19조에 따른 제조현장 및 건축공사장 확인결과 제20조에 따라 품질인정이 일시정지 중인 경우
3. 제13조에 따라 유효기간 연장을 위하여 품질시험을 실시 중인 경우(품질시험 개시일로부터 결과조치 완료일까지로 한다)

제6조【신청의 보완 및 반려】 ① 건축자재등 품질인정기관은 다음 각 호에 해당되는 경우, 신청자에게 보완을 요청하여야 한다.

1. 신청자가 제4조제1항의 인정 신청 시 별표 1에 따라서 제출한 첨부서류의 내용이 부실하거나, 사실과 상이한 문서를 제출한 경우
2. 제8조에 의한 제조현장의 품질관리상태 확인 결과 제39조의 세부운영지침에 부합하지 않거나, 신청내용과 상이한 경우

② 건축자재등 품질인정기관은 다음 각 호에 해당되는 경우에는 신청을 반려하고, 반려 사실을 신청자에게 통보하여야 한다.

1. 신청자가 인정 신청 반려를 요청하는 경우
2. 건축자재등 품질인정기관이 제1항에 따라 보완 요청을 3회 이상 하였음에도 보완사항이 미흡하다고 판단되는 경우(1회당 30일 이내 보완, 총 90일 이내 보완 완료)
3. 제9조에 의한 품질시험 결과, 요구 성능이 확보되지 않는 경우
4. 제9조의 품질시험을 위하여 시험체를 제작 시 부정한 방법으로 신청내용과 상이하게 제작한 경우
5. 제7조제1항의 품질 인정절차에 따른 신청수수료 통보일로부터 30일 이내에 수수료를 납부하지 않는 경우
6. 제7조제1항의 품질인정절차에 따른 서류 검토 중 제4조 및 제5조 각 항의 신청자격 제한 사유를 확인한 경우

제7조【인정절차 및 처리기간】 ① 건축자재등 품질인정기관은 별표 3의 인정 절차에 따라 건축자재등의 품질인정을 실시하며, 업무처리 기간은 별표 4에서 정한 기간에 따른다.

② 건축자재등 품질인정기관은 품질 인정 및 관리 업무 수행 상 불가피한 사유로 인하여 업무처리 기간이 연장되어야 할 경우에는 15일 이내의 범위에서 1회에 한하여 연장할 수 있으며, 신청자에게 그 사유를 통보하여야 한다.

제8조【제조현장의 품질관리상태 확인 및 시료채취】 ① 건축자재등 품질인정기관은 규칙 제24조의7제1호의 기준에 따라 제조현장에서 품질관리가 적합하게 실시되고 있는지를 확인하기 위해 규칙 제24조의7제1호가목 및 나목의 준수사항을 확인하여야 한다. 이 경우 제조현장 품질관리상태 확인 점검사항은 별표 5에 따른다.

② 건축자재등 품질인정기관은 인정 신청된 구조 또는 제품의 품질시험 실시 등을 위하여 제조현장 점검 중 「산업표준화법」 제5조의 규정에 따라 제정한 한국산업표준(이하 "한국산업표준"이라 한다)이 정하는 바에 따라 시료 또는 시험편을 채취하고, 다음 각 호의 사항을 확인하여야 한다. 다만, 한국산업표준에서 시료채취방법을 따로 정하고 있지 아니하는 경우에는 건축자재등 품질인정기관이 정하는 기준에 따른다.

1. 원재료 품질규격 및 구성배합비 등
2. 제조공정 및 제품의 품질규격 등
3. 구조의 상세도면과의 동일 여부 등

제9조【품질시험】 ① 건축자재등 품질인정기관은 규칙 제24조의7제2호의 품질기준을 충족하는지 확인하기 위하여 한국산업표준이 정하는 바에 따른 품질시험 결과를 확인하여야 한다. 다만, 한국산업표준에 따라 내화성능이 인정된 구조로 된 것은 품질시험을 생략할 수 있으며, 품질시험 방법을 별도로 정하고 있지 아니하는 경우에는 운영위원회의 심의를 거쳐 건축자재등 품질인정기관이 정하는 기준에 따른다.

② 제1항에 따른 품질시험은 법 제52조의4제2항에 따라 건축자재 성능 시험기관(이하 "시험기관"이라 한다)에서 실시하되, 신청자는 희망하는 시험기관 2곳 이상을 지정하여 요청할 수 있다. 이 경우 건축자재등 품질인정기관은 품질시험을 실시하는 시험기관의 장에게 신청자료 등을 제공하여야 한다.

③ 제2항에도 불구하고 신청자가 희망하는 시험기관에서 품질시험 수행이 불가능하거나 60일 이상의 대기가 필요할 경우 건축자재등 품질인정기관은 신청자와 재협의하여 시험기관을 결정할 수 있다.

④ 시험기관의 장은 제2항에 따른 품질시험을 실시하는 동안 다음 각 호에 해당하는 사실이 발생하여 품질인정 결과의 신뢰성에 영향을 미칠 것으로 판단되는 경우, 건축자재등 품질인정기관에 이를 즉시 알려야 한다.

1. 제8조제2항의 채취한 시료와 다른 재료를 사용하여 시험체를 제작한 경우
2. 측정센서에 이물질을 피복하는 등 제9조에 따른 품질시험을 방해하는 경우
3. 시험기관에서 확인한 시험체를 신청자 등이 임의로 수정한 경우
4. 영 제63조제2호 및 제3호에 해당하는 기관이 일시정지 및 취소 등 자격의 변경이 발생되었을 경우
5. 그 밖에 고의로 신청내용 또는 인정내용과 다르게 시험체를 제작한 경우

⑤ 건축자재등 품질인정기관은 규칙 제24조의9제1항에 따라 시험기관의 시험장소를 점검한 결과 다음 각

호에 해당할 경우 개선요청을 하여야 하며, 시험기관이 각 호의 사항을 30일 이내에 개선하지 못한 경우에는 건축자재등에 대한 품질시험을 일시정지 하여야 한다. 이 경우, 건축자재등 품질인정기관이 시험기관의 시험장소 점검에 필요한 세부절차 및 방법은 제39조에 따라 국토교통부장관이 승인한 세부운영지침에서 정한다.

1. 규칙 제24조의9제2항제1호에 따라 시험기관이 작성한 원시 데이터, 시험체 제작 및 확인기록이 누락·오기 등 관리 상태가 미비한 경우
2. 제4항 각 호의 사항을 건축자재등 품질인정기관에 알리지 아니하여 품질인정 결과의 신뢰성에 영향을 미친 경우

⑥ 건축자재등 품질인정기관은 규칙 제24조의9제1항에 따른 시험기관의 시험장소 점검 결과 다음 각 호에 해당할 경우 운영위원회 심의를 통해 해당 시험기관을 품질인정 업무 수행을 위한 품질시험 기관에서 제외할 수 있다.

1. 규칙 제24조의9제1항에 따라 건축자재등 품질인정기관의 시험기관 점검을 고의로 방해하였을 경우
2. 규칙 제24조의9제1항에 따라 시험기관 품질관리상태를 확인하였을 시, 품질시험결과를 허위로 기재하거나 부정한 방법으로 품질시험결과를 제출하는 등 위법사실이 확인된 경우

⑦ 신청자는 본인 또는 「독점규제 및 공정거래에 관한 법률」 제4조에 따른 신청자의 계열회사에서 품질시험을 하여서는 아니 된다.

⑧ 제1항에 따른 품질시험을 법 제52조의4제2항 및 영 제63조에 따른 건축자재 성능 시험기관에서 수행하는 것이 곤란하다고 인정되는 경우에는 건축자재등 품질인정기관의 입회하에 신청자가 원하는 시험기관에서 실시할 수 있다.

⑨ 시험기관은 제1항에 따른 품질시험을 실시할 경우, 제8조제2항에 따라 채취한 시료로 인정 신청 시 제출한 구조 및 시공방법 등에 따라 시험체를 제작하도록 관리하여야 하며, 건축자재등 품질인정기관에 시험결과 통보 시 시험결과보고서, 시험체 확인기록과 제작일지 등을 제출하여야 한다.

제10조【인정 심사】 ① 건축자재등 품질인정기관은 인정 신청된 건축자재등에 대하여 규칙 제24조의7에 따라 다음 각 호의 기준에 적합한지를 심사하여 인정여부를 결정하여야 한다.

1. 신청된 건축자재등의 품질시험 방법·결과의 적정성
2. 신청된 건축자재등의 내구성 및 안전성
3. 신청된 건축자재등의 제조·품질관리, 시공의 적정성
4. 신청된 건축자재등의 상세 설명서(원재료, 부자재, 제품 포함), 시방서, 품질규격 및 현장품질관리의 적정성 등

② 제9조제1항 단서에 따라 품질시험이 생략되는 구조에 대해서는 제1항제1호 기준을 적용하지 않는다.

③ 건축자재등 품질인정기관은 현장시공오차 및 시공기술자의 숙련도 등을 고려하여 10%(시간일 경우 10분)이내의 범위에서 안전율을 적용하여 인정할 수 있으며, 품질인정자재별 안전율 적용 관련 세부 기준은 제39조에 따라 국토교통부장관이 승인한 세부운영지침에서 정한다.

④ 건축자재등 품질인정기관은 규칙 제14조제3항 또는 제26조에서 정하는 내화성능 보다 나은 성능을 확보한 방화문 또는 자동방화셔터에 대해서는 30분 단위로 추가하여 인정할 수 있다.

⑤ 건축자재등 품질인정기관은 규칙 제3조제9호가목의 내화구조 표준을 제외한 품질인정자재 등에 대하여 국토교통부의 승인을 받아 표준으로 인정할 수 있으며, 인정절차 등 세부사항은 제39조에 따라 국토교통부장관이 승인한 세부운영지침에서 정한다.

제11조【인정 결과 등의 통보】 ① 건축자재등 품질인정기관이 제4조에 따라 인정 신청된 건축자재등의 구조 또는 제품을 인정하는 경우와 제13조에 따라 유효기간을 연장하는 경우에는 다음 각 호에서 정하는 사항을 해당 업체에 통보하여야 한다. 다만, 시공자가 품질인정을 받은 경우에는 해당 건축공사에 한하여 인정함을 표시하여 통보하여야 한다.

1. 공고내용(상세도면, 시방서, 현장품질 검사 방법과 기준 등에 관한 세부내용)
2. 인정서(별지 제2호서식)
3. 제품품질관리 사항

② 건축자재등 품질인정기관은 제1항의 건축자재등 인정 및 유효기간을 연장하는 사항을 기관 홈페이지에 공고하여야 한다.

제3장 건축자재등 품질인정의 관리

제12조【인정의 표시】 ① 품질인정을 받은 제조업자(이하 "인정업자"라 한다)는 규칙 제24조의9제2항제2호에 따라 건축자재등 품질인정기관이 인정 표시의 관리가 적합하게 실시되고 있는지 확인할 수 있도록 제품 표면 또는 포장에 별표 6에 따른 인정의 표시를 하여야 한다.

② 인정 표시의 모양, 색상, 재질 등은 재료의 특성을 고려하여 제39조 세부운영지침에 따라 건축자재등 품질인정기관이 달리 인정할 수 있다.

③ 인정되지 않은 제품 표면 또는 포장에 별표 6에 따른 인정 표시와 동일하거나 유사한 표시를 하여서는 아니 된다.

제13조【인정의 유효기간】 ① 제10조의 인정심사를 거쳐 인정을 받은 건축자재등의 품질인정 유효기간은 인정 또는 연장 받은 날부터 별표 7에 따른 기간을 원칙으로 하되, 품질이 안정적이라고 판단되는 구조 및 품목에 한하여 제3조의 운영위원회 심의를 거쳐 유효기간을 조정할 수 있다. 다만, 시공자가 품질 인정을 받은 구조 또는 제품에 대해서는 유효기간을 적용하지 않는다.

② 인정업자가 유효기간의 연장을 받고자 할 경우에는 건축자재등 품질인정기관에 인정 연장 신청을 하여야 하며, 이 경우 건축자재등 품질인정기관은 제조현장 품질관리상태를 확인한 후 제조현장 생산 과정을 입회하여 시료를 채취하여야 한다.

③ 인정업자가 유효기간이 만료되기 12개월 전부터 6개월 전까지의 기간에 건축자재등 품질인정기관에 연장 의사를 통보하지 아니한 경우에는 인정 연장 의사가 없음으로 간주하고, 인정을 유효기간까지로 한다.

④ 한국산업표준의 품질시험 방법 변경 등으로 제9조제1항 단서 조항에 따라 품질시험을 생략한 건축자재등에 대하여 성능 확인이 필요하다고 판단되는 경우, 제8조제2항에 따른 시료채취 및 제9조의 품질시험을 실시하여 해당 구조 또는 제품의 유효기간을 연장할 수 있다.

⑤ 건축자재등 품질인정기관은 제4항의 시료 채취방법은 제39조에 따라 국토교통부장관이 승인한 세부운영지침에서 정한다.

⑥ 품질시험을 실시하는 시험기관의 장은 유효기간 연장을 위한 시험 신청을 받은 경우, 품질시험 결과를 건축자재등 품질인정기관에게 즉시 제출하여야 한다.

⑦ 제2항에도 불구하고 연장 대상 품질인정자재등이 제18조, 제19조의 제조현장 및 건축공사장 품질관리 점검결과로 일시정지 중인 경우 유효기간 연장신청을 할 수 없다.

제14조【인정변경 및 양도·양수】 인정업자는 다음 각 호에 해당하는 변경 사유가 발생한 경우, 변경 내용을 상세히 작성한 서류를 첨부하여 건축자재등 품질인정기관에게 인정 변경 신청을 하고 확인을 받아야 한다. 이 경우, 인정 변경 신청은 변경 사유가 발생한 날부터 60일 이내에 하여야 하고, 요구 성능에 영향을 미치는 사항에 대해서는 변경을 신청할 수 없으며, 품질인정자재별 요구 성능에 영향을 미치는 사항은 제39조에 따라 국토교통부장관이 승인한 세부운영지침에서 정한다.

1. 업체명 또는 대표자의 변경(양도·양수, 상속 등 재산권 변동사항을 포함한다)
2. 제조현장의 이전 또는 주요시설의 변경
3. 성능에 영향을 미치지 않는 경미한 세부인정 내용의 변경

제15조【인정업자 등의 자체품질관리】 ① 인정업자는 품질 인정을 받은 내용과 동일한 생산·제조를 위하여 자체 품질관리를 다음 각 호에 따라 실시하고, 그 결과를 기록·보존하여야 한다. 다만, 제4조제7항에 따른 대리 신청인은 제조업자의 위임을 받아 자체 품질관리 결과를 보전·관리할 수 있다.

1. 구성재료·원재료 등의 검사
2. 제조공정에 있어서의 중간검사 및 공정관리
3. 제품검사 및 제조설비의 유지관리
4. 제품생산, 판매실적 및 제품을 판매한 건축공사장 등에 대한 상세 내역 등

② 인정업자는 품질인정자재등의 건축공사장 반입 및 시공, 현장 품질관리 등을 위해 영제62조제2항의 품질관리서와 건축공사장의 점검시 확인하는 규칙 제24조의9제2항제4호가목 및 나목의 서류를 건축자재유통업자나 공사시공자에게 제출하여야 한다.

제16조【생산 ·판매실적 관리 및 제출】 ① 인정업자(제4조제7항에 의한 대리신청인을 포함한다)는 영 제63조의5제1호부터 제4호까지에 따른 품질인정자재등의 생산 및 판매실적, 시공실적, 품질관리서 등을 관리하여야 하며, 매 분기별로 다음 월 10일까지 건축자재등 품질인정기관에게 제출하여야 한다.

② 품질인정을 받은 자가 시공자일 경우 시공 종료일 이후에는 공사 현장품질관리 확인점검을 생략할 수 있다.

제4장 건축자재등 품질인정기관의 품질관리 확인점검

제17조【품질인정업무 운영】 영 제63조의3의 건축자재등 품질인정기관은 품질인정업무를 수행하기 위하여 별표 8과 같은 인력을 편성하여 운영하여야 한다.

제18조【제조현장 품질관리 확인점검】 ① 건축자재등 품질인정기관은 규칙 제24조의9제1항에 따라 품질인

정자재등의 제조현장에 대하여 제12조부터 제16조까지의 사항이 적합하게 품질관리를 실시하고 있는지를 확인하기 위하여 제8조제1항을 준용하여 제조현장을 점검하되, 인정업자에게 사전 통보 없이 점검을 실시할 수 있다. 다만, 확인점검일 기준으로 최근 1년 이내에 제4조에 따른 인정신청 및 제13조에 따른 유효기간 신청으로 인하여 제조현장 품질관리 확인점검 실적이 있는 경우에는 해당 제조현장의 동일품목에 대한 확인점검을 생략할 수 있다.

② 건축자재등 품질인정기관은 다음 각 호에 해당하는 경우, 제조현장에 대한 점검을 추가로 실시할 수 있다.

1. 점검일 기준으로 최근 5년 동안 2회 이상 제20조 및 제21조의 일시정지 및 인정 취소의 위반 사항이 발견된 경우 또는 품질 관리의 개선이 필요하다고 판단되는 경우
2. 국가 또는 지방자치단체의 장이 제조현장의 품질관리 상태 확인을 요청할 경우

③ 인정업자는 건축자재등 품질인정기관이 제조현장 품질관리 상태를 확인하는 경우에는 시료채취·시험체 제작 등 품질인정의 품질관리상태 확인 업무에 협조하여야 한다.

④ 건축자재등 품질인정기관은 필요 시 시험기관과 협의하여 제조현장 품질관리 상태 점검 업무 일부를 지원받을 수 있으며, 이 때 시험기관은 영 제63조의 건축자재성능 시험기관으로 영 제63조의2의 건축자재와 내화구조 품질시험 시험 경력이 5년 이상인 비영리 기관이어야 한다.

제19조【건축공사장 품질관리 확인점검】 ① 건축자재등 품질인정기관은 규칙 제24조의9제1항에 따라 유통장소 및 건축공사장 등의 품질 관리상태 확인 점검을 하여야 하며, 같은 조 제3항의 세부절차 및 방법은 제39조에 따라 국토교통부장관이 승인한 세부운영지침에서 정한다.

② 건축자재등 품질인정기관은 다음 각 호에 해당하는 경우, 건축공사장에 대한 점검을 추가로 실시할 수 있다.

1. 제20조 및 제21조의 개선요청, 일시정지 및 인정취소의 위반사항이 연속으로 3회이상 발견된 경우
2. 국가 또는 지방자치단체의 장이 건축공사장의 품질관리상태 확인을 요청할 경우

③ 유통업자, 건축관계자등 및 인정업자는 제1항 및 제2항에 따라 건축자재등 품질인정기관이 유통장소, 건축공사장 등을 점검하는 경우에는 시료채취·시험체 제작 등 품질관리 상태 확인 업무에 협조하여야 한다.

④ 건축자재등 품질인정기관은 필요 시 시험기관과 협의하여 유통장소, 건축공사장 등의 품질관리 상태 점검 업무 일부를 지원받을 수 있으며, 이 때 시험기관은 영 제63조의 건축자재성능 시험기관으로 영 제63조의2의 건축자재와 내화구조 품질시험 경력이 5년 이상인 비영리 기관이어야 한다.

제5장 건축자재등 품질인정의 개선 및 취소 등

제20조【인정의 개선요청 및 일시정지】 ① 건축자재등 품질인정기관은 별표 2에 따라 인정업자에게 개선요청 또는 품질인정의 일시정지를 할 수 있다.

② 제1항에 따라 개선요청을 받은 자는 요청을 받은 날로부터 30일 이내에 개선요청 사항을 이행하고 그 사실을 건축자재등 품질인정기관에게 확인 받아야 한다.

③ 제1항에 따라 품질인정의 일시정지를 받은 자는 일시정지일부터 30일 이내에 일시정지 사유를 해소하고, 그 결과를 건축자재등 품질인정기관에게 제출하여야 한다.

④ 인정이 일시 정지된 품질인정자재등은 일시정지된 날부터 정지가 해제된 날까지 판매 및 시공을 할 수 없다.

⑤ 건축자재등 품질인정기관은 제2항의 개선요청 또는 제3항의 일시정지의 시정조치 결과의 적정성을 서면 또는 제조현장·유통현장·건축공사장 점검 등으로 이를 확인하여야 하며, 인정의 일시정지 사유가 해소된 때에는 즉시 일시정지를 해제하여야 한다.

제21조【인정의 취소】 ① 건축자재등 품질인정기관은 별표 2에 따라 인정의 취소사유에 해당되는 경우에는 인정을 취소할 수 있다.

② 인정업자는 다음 각 호에 해당하는 경우에는 인정 취소를 요구할 수 없다.

1. 제13조에 따른 유효기간 연장을 위한 시료채취가 이루어진 경우
2. 제18조 또는 제19조의 품질관리 상태 확인 점검 중인 경우

③ 인정이 취소된 건축자재등은 취소된 날부터 판매 및 시공을 할 수 없다.

제22조【인정 조치 등의 통보】 ① 건축자재등 품질인정기관은 제20조 및 제21조에 따라 품질인정의 일시정지 또는 일시정지 사유가 해소 및 인정을 취소하는 경우에는 품질인정자재등의 구조명 또는 제품명, 일시

정지 또는 취소 사유 등을 해당업체에 통보하고, 이를 공고하여야 한다.

② 건축자재등 품질인정기관은 제1항의 품질인정자재등의 일시정지 또는 인정 취소를 하는 경우에는 기관 홈페이지에 공고하여야 한다.

제6장 건축물 마감재료의 성능기준 및 화재 확산 방지구조

제23조【불연재료의 성능기준】 규칙 제6조제2호에 따른 불연재료는 다음 각 호의 성능시험 결과를 만족하여야 한다.

1. 한국산업표준 KS F ISO 1182(건축 재료의 불연성 시험 방법)에 따른 시험 결과, 제28조제1항제1호에 따른 모든 시험에 있어 다음 각 목을 모두 만족하여야 한다.
   가. 가열시험 개시 후 20분간 가열로 내의 최고온도가 최종평형온도를 20K 초과 상승하지 않을 것(단, 20분 동안 평형에 도달하지 않으면 최종 1분간 평균온도를 최종평형온도로 한다)
   나. 가열종료 후 시험체의 질량 감소율이 30% 이하일 것
2. 한국산업표준 KS F 2271(건축물의 내장 재료 및 구조의 난연성 시험방법) 중 가스유해성 시험 결과, 제28조제3항제2호에 따른 모든 시험에 있어 실험용 쥐의 평균행동정지 시간이 9분 이상이어야 한다.
3. 강판과 심재로 이루어진 복합자재의 경우, 강판과 강판을 제거한 심재는 규칙 제24조제11항제2호 및 제3호에 따른 기준에 적합하여야 하며, 규칙 제24조제11항제1호에 따른 실물모형시험을 실시한 결과 제26조에서 정하는 기준에 적합하여야 한다.
4. 규칙 제24조제6항 및 제7항에 따른 외벽 마감재료 또는 단열재가 둘 이상의 재료로 제작된 경우, 규칙 제24조제8항제2호에 따라 각각의 재료는 제1호 및 제2호에 따른 시험 결과를 만족하여야 하며, 규칙 제24조제8항제1호에 따른 실물모형시험을 실시한 결과 제27조에서 정하는 기준에 적합하여야 한다.

제24조【준불연재료의 성능기준】 규칙 제7조에 따른 준불연재료는 다음 각 호의 성능시험 결과를 만족하여야 한다.

1. 한국산업표준 KS F ISO 5660-1[연소성능시험-열 방출, 연기 발생, 질량 감소율-제1부 : 열 방출률(콘 칼로리미터법)]에 따른 가열시험 결과, 제28조제2항제1호에 따른 모든 시험에 있어 다음 각 목을 모두 만족하여야 한다.
   가. 가열 개시 후 10분간 총방출열량이 8MJ/㎡ 이하일 것
   나. 10분간 최대 열방출률이 10초 이상 연속으로 200kW/㎡ 를 초과하지 않을 것
   다. 10분간 가열 후 시험체를 관통하는 방화상 유해한 균열(시험체가 갈라져 바닥면이 보이는 변형을 말한다), 구멍(시험체 표면으로부터 바닥면이 보이는 변형을 말한다) 및 용융(시험체가 녹아서 바닥면이 보이는 경우를 말한다) 등이 없어야 하며, 시험체 두께의 20%를 초과하는 일부 용융 및 수축이 없어야 한다.
2. 한국산업표준 KS F 2271(건축물의 내장 재료 및 구조의 난연성 시험방법) 중 가스유해성 시험 결과, 제28조제3항제2호에 따른 모든 시험에 있어 실험용 쥐의 평균행동정지 시간이 9분 이상이어야 한다.
3. 강판과 심재로 이루어진 복합자재의 경우, 강판과 강판을 제거한 심재는 규칙 제24조제11항제2호 및 제3호에 따른 기준에 적합하여야 하며, 규칙 제24조제11항제1호에 따른 실물모형시험을 실시한 결과 제26조에서 정하는 기준에 적합하여야 한다. 다만, 한국산업표준 KS L 9102(인조광물섬유 단열재)에서 정하는 바에 따른 그라스울 보온판, 미네랄울 보온판으로서 제2호에 따른 시험 결과를 만족하는 경우 제1호에 따른 시험을 실시하지 아니할 수 있다.
4. 규칙 제24조제6항 및 제7항에 따른 외벽 마감재료 또는 단열재가 둘 이상의 재료로 제작된 경우, 규칙 제24조제8항제2호에 따라 각각의 재료는 제1호 및 제2호에 따른 시험 결과를 만족하여야 하며, 규칙 제24조제8항제1호에 따른 실물모형시험을 실시한 결과 제27조에서 정하는 기준에 적합하여야 한다.

제25조【난연재료의 성능기준】 규칙 제5조에 따른 난연재료는 다음 각 호의 성능시험 결과를 만족하여야 한다.

1. 한국산업표준 KS F ISO 5660-1[연소성능시험-열 방출, 연기 발생, 질량 감소율-제1부 : 열 방출률(콘 칼로리미터법)]에 따른 가열시험 결과, 제28조제2항제1호에 따른 모든 시험에 있어 다음 각 목을 모두 만족하여야 한다.
   가. 가열 개시 후 5분간 총방출열량이 8MJ/㎡ 이하일 것
   나. 5분간 최대 열방출률이 10초 이상 연속으로 200kW/㎡ 를 초과하지 않을 것
   다. 5분간 가열 후 시험체를 관통하는 방화상 유해한 균열(시험체가 갈라져 바닥면이 보이는 변형

을 말한다), 구멍(시험체 표면으로부터 바닥면이 보이는 변형을 말한다) 및 용융(시험체가 녹아서 바닥면이 보이는 경우를 말한다) 등이 없어야 하며, 시험체 두께의 20%를 초과하는 일부 용융 및 수축이 없어야 한다.

2. 한국산업표준 KS F 2271(건축물의 내장 재료 및 구조의 난연성 시험방법) 중 가스유해성 시험 결과, 제28조제3항제2호에 따른 모든 시험에 있어 실험용 쥐의 평균행동정지 시간이 9분 이상이어야 한다.
3. 규칙 제24조제6항 및 제7항에 따른 외벽 마감재료 또는 단열재가 둘 이상의 재료로 제작된 경우, 규칙 제24조제8항제2호에 따라 각각의 재료는 제1호 및 제2호에 따른 시험 결과를 만족하여야 하며, 규칙 제24조제8항제1호에 따른 실물모형시험을 실시한 결과 제27조에서 정하는 기준에 적합하여야 한다.

제26조【복합자재의 실물모형시험】 강판과 심재로 이루어진 복합자재는 한국산업표준 KS F ISO 13784-1(건축용 샌드위치패널 구조에 대한 화재 연소 시험방법)에 따른 실물모형시험 결과, 다음 각 호의 요건을 모두 만족하여야 한다. 다만, 복합자재를 구성하는 강판과 심재가 모두 규칙 제6조에 해당하는 불연재료인 경우에는 실물모형시험을 제외한다.

1. 시험체 개구부 외 결합부 등에서 외부로 불꽃이 발생하지 않을 것
2. 시험체 상부 천정의 평균 온도가 650℃를 초과하지 않을 것
3. 시험체 바닥에 복사 열량계의 열량이 25㎾/㎡를 초과하지 않을 것
4. 시험체 바닥의 신문지 뭉치가 발화하지 않을 것
5. 화재 성장 단계에서 개구부로 화염이 분출되지 않을 것

제27조【외벽 복합 마감재료의 실물모형시험】 외벽 마감재료 또는 단열재가 둘 이상의 재료로 제작된 경우 마감재료와 단열재 등을 포함한 전체 구성을 하나로 보아 한국산업표준 KS F 8414(건축물 외부 마감 시스템의 화재 안전 성능 시험방법)에 따라 시험한 결과, 다음의 각 호에 적합하여야 한다. 다만, 외벽 마감재료 또는 단열재를 구성하는 재료가 모두 규칙 제6조에 해당하는 불연재료인 경우에는 실물모형시험을 제외한다.

1. 외부 화재 확산 성능 평가 : 시험체 온도는 시작시간을 기준으로 15분 이내에 레벨 2(시험체 개구부 상부로부터 위로 5m 떨어진 위치)의 외부 열전대 어느 한 지점에서 30초 동안 600℃를 초과하지 않을 것
2. 내부 화재 확산 성능 평가 : 시험체 온도는 시작시간을 기준으로 15분 이내에 레벨 2(시험체 개구부 상부로부터 위로 5m 떨어진 위치)의 내부 열전대 어느 한 지점에서 30초 동안 600℃를 초과하지 않을 것

제28조【시험체 및 시험횟수 등】 ① 제23조의 규정에 의하여 한국산업표준 KS F ISO 1182에 따라 시험을 하는 경우에 다음 각 호에 따른다.

1. 시험체는 총 3개이며, 각각의 시험체에 대하여 1회씩 총 3회의 시험을 실시하여야 한다.
2. 복합자재의 경우, 강판을 제거한 심재를 대상으로 시험하여야 하며, 심재가 둘 이상의 재료로 구성된 경우에는 각 재료에 대해서 시험하여야 한다.
3. 액상 재료(도료, 접착제 등)인 경우에는 지름 45㎜, 두께 1㎜ 이하의 강판에 사용두께 만큼 도장 후 적층하여 높이 (50±3)㎜가 되도록 시험체를 제작하여야 하며, 상세 사항을 제품명에 포함하도록 한다.

② 제24조 및 제25조에 따라 한국산업표준 KS F ISO 5660-1의 시험을 하는 경우에는 다음 각 호에 따라야 한다.

1. 시험은 시험체가 내부마감재료의 경우에는 실내에 접하는 면에 대하여 3회 실시하며, 외벽 마감재료의 경우에는 앞면, 뒷면, 측면 1면에 대하여 각 3회 실시한다. 다만, 다음 각 목에 해당하는 외벽 마감재료는 각 목에 따라야 한다.
   가. 단일재료로 이루어진 경우 : 한면에 대해서만 실시
   나. 각 측면의 재질 등이 달라 성능이 다른 경우 : 앞면, 뒷면, 각 측면에 대하여 각 3회씩 실시
2. 복합자재의 경우, 강판을 제거한 심재를 대상으로 시험하여야 하며, 심재가 둘 이상의 재료로 구성된 경우에는 각 재료에 대해서 시험하여야 한다.
3. 가열강도는 50kW/㎡ 로 한다.

③ 제23조부터 제25조까지에 따라 한국산업표준 KS F 2271 중 가스유해성 시험을 하는 경우에는 다음 각 호에 따라야 한다.

1. 시험은 시험체가 내부마감재료인 경우에는 실내에 접하는 면에 대하여 2회 실시하며, 외벽 마감재료인 경우에는 외기(外氣)에 접하는 면에 대하여 2회 실시한다.
2. 시험은 시험체가 실내에 접하는 면에 대하여 2회 실시한다.
3. 복합자재의 경우, 강판을 제거한 심재를 대상으로 시험하여야 하며, 심재가 둘 이상의 재료로 구성된

경우에는 각 재료에 대해서 시험하여야 한다.

제29조【단일재료 시험성적서】 ① 시험기관은 의뢰인이 제시한 시험시료의 재질, 주요성분 및 시험체 가열면 등 세부적인 내용을 확인하여 시험성적서에 명확히 기록하여야 하며, 시험의뢰인은 필요한 자료를 제공하여야 한다.

② 시험성적서 갑지는 다음 각 호의 사항을 포함하여 발급한다. 이 경우 시험성적서 표준서식은 제39조에 따라 국토교통부장관이 승인한 세부운영지침에서 정하며, 각 호의 사항 중 시험대상품, 시험규격, 시험결과, 유효기간은 굵은 글씨로 표기하여야 한다.

1. 신청자 : 회사명, 주소, 접수일자
2. 시험대상품 : 시료명, 모델명, 제품번호
3. 시험규격 : 국토교통부 고시에 의한 시험임을 명확히 기록
4. 성적서 용도
5. 시험기간
6. 시험환경
7. 시험결과 : 불연, 준불연, 난연, 불합격에 해당하는지를 명확히 기록. 다만, 이와 별도로 불연, 준불연, 난연 등 시험결과는 기울기 315(45), HY 견명조 사이즈 22, 회색투명도 50%로 제39조에 따라 국토교통부장관이 승인한 세부운영지침에서 정하는 시험성적서 표준서식에 따라 표시
8. 시험성적서 진위 여부 확인을 위한 QR 코드, 문서위변조 방지 장치, 진위 확인을 위한 홈페이지 주소

③ 시험성적서 을지는 다음 각 호의 사항을 포함하여 발급한다.

1. 제품의 주요성분, 두께, 가열면 등이 표기된 구성도
2. 재질 및 규격, 제조사, 모델명 등이 포함된 제품 및 시스템의 구성 목록
3. 시험체의 밀도(복합자재의 경우 심재의 밀도를 측정)

④ 시험성적서는 발급일로부터 3년간 유효한 것으로 한다.

⑤ 성능시험을 실시하는 시험기관의 장은 시험체 및 시험에 관한 기록을 유지·관리하여야 한다.

제30조【복합재료 실물모형시험 성적서】 ① 외벽 복합 마감재료의 실물모형시험 성적서 갑지는 다음 각 호의 사항을 포함하여 발급한다. 이 경우 시험성적서 표준서식은 제39조에 따라 국토교통부장관이 승인한 세부운영지침에서 정하며, 각 호의 사항 중 시험대상품, 시험규격, 시험결과, 유효기간은 굵은 글씨로 표기하여야 한다.

1. 신청자 : 회사명, 주소, 접수일자
2. 시험대상품 : 시료명, 모델명, 제품번호, 시스템명(표준명이 있을 경우 표기)
3. 시험체 : 설치에 이용된 재료, 부품, 고정 상태 포함된 시험체 설명 및 시스템의 설치 및 고정 방법(시방)의 설명 및 설계도서
4. 시험규격 : 국토교통부 고시에 의한 시험임을 명확히 기록
5. 성적서 용도
6. 시험기간
7. 시험환경
8. 시험결과 : 각 레벨에서 측정한 온도와 내부 및 외부에서의 화재 확산 성능이 불합격에 해당하는지 명확히 기록. 단, 이와 별도로 화염, 기계적 반응을 포함한 시험 진행 동안의 육안 관찰 및 사진 기록
9. 시험성적서 진위 여부 확인을 위한 QR 코드, 문서위변조 방지 장치, 진위 확인을 위한 홈페이지 주소

② 실물모형시험 성적서 을지는 다음 각 호의 사항을 포함하여 발급한다.

1. 시스템에 사용된 각 제품의 주요성분, 두께, 밀도(단열재), 중공층 두께 등이 표기된 구성도
2. 재질 및 규격, 제조사, 모델명 등이 포함된 제품 및 시스템의 구성 목록 및 난연성능 시험성적서(필요시)
3. 시험체의 밀도(복합자재의 경우 심재의 밀도를 측정) 및 난연성능 성능 및 시험성적서 첨부

③ 외벽 복합 마감재료의 실물모형 시험성적서는 발급일로부터 3년간 유효한 것으로 한다.

제31조【화재 확산 방지구조】 ① 규칙 제24조제6항에서 "국토교통부장관이 정하여 고시하는 화재 확산 방지구조"는 수직 화재확산 방지를 위하여 외벽마감재와 외벽마감재 지지구조 사이의 공간(별표 9에서 "화재확산방지재료" 부분)을 다음 각 호 중 하나에 해당하는 재료로 매 층마다 최소 높이 400mm 이상 밀실하게 채운 것을 말한다.

1. 한국산업표준 KS F 3504(석고 보드 제품)에서 정하는 12.5mm 이상의 방화 석고 보드
2. 한국산업표준 KS L 5509(석고 시멘트판)에서 정하는 석고 시멘트판 6mm 이상인 것 또는 KS L 5114(섬유강화 시멘트판)에서 정하는 6mm 이상의 평형 시멘트판인 것
3. 한국산업표준 KS L 9102(인조 광물섬유 단열재)에서 정하는 미네랄울 보온판 2호 이상인 것
4. 한국산업표준 KS F 2257-8(건축 부재의 내화 시험 방법-수직 비내력 구획 부재의 성능 조건)에

따라 내화성능 시험한 결과 15분의 차염성능 및 이면온도가 120K 이상 상승하지 않는 재료

② 제1항에도 불구하고 영 제61조제2항제1호 및 제3호에 해당하는 건축물로서 5층 이하이면서 높이 22미터 미만인 건축물의 경우에는 화재확산방지구조를 매 두 개 층마다 설치할 수 있다.

제32조【단열재 표면 정보 표시】① 단열재 제조·유통업자는 다음 각 호의 순서대로 단열재의 성능과 관련된 정보를 일반인이 쉽게 식별할 수 있도록 단열재 표면에 표시하여야 한다.

1. 제조업자 : 한글 또는 영문
2. 제품명, 단 제품명이 없는 경우에는 단열재의 종류
3. 밀도 : 단위 K
4. 난연성능 : 불연, 준불연, 난연
5. 로트번호 : 생산일자 등 포함

② 제1항의 정보는 시공현장에 공급하는 최소 포장 단위별로 1회 이상 표기하되, 단열재의 성능에 영향을 미치지 않은 표면에 표기하여야 하며, 표기하는 글자의 크기는 2.0㎝ 이상이어야 한다.

③ 단열재의 성능정보는 반영구적으로 표기될 수 있도록 인쇄, 등사, 낙인, 날인의 방법으로 표기하여야 한다.(라벨, 스티커, 꼬리표, 박음질 등 외부 환경에 영향을 받아 지워지거나, 떨어질 수 있는 표기방식은 제외한다)

제7장 방화문 및 자동방화셔터의 성능 기준

제33조【방화문 성능기준 및 구성】① 건축물 방화구획을 위해 설치하는 방화문은 건축물의 용도 등 구분에 따라 화재 시의 가열에 규칙 제14조제3항 또는 제26조에서 정하는 시간 이상을 견딜 수 있어야 한다. 화재감지기가 설치되는 경우에는 「자동화재탐지설비 및 시각경보장치의 화재안전기준(NFSC 203)」 제7조의 기준에 적합하여야 한다.

② 차연성능, 개폐성능 등 방화문이 갖추어야 하는 세부 성능에 대해서는 제39조에 따라 국토교통부장관이 승인한 세부운영지침에서 정한다.

③ 방화문은 항상 닫혀있는 구조 또는 화재발생시 불꽃, 연기 및 열에 의하여 자동으로 닫힐 수 있는 구조이어야 한다.

제34조【자동방화셔터 성능기준 및 구성】① 건축물 방화구획을 위해 설치하는 자동방화셔터는 건축물의 용도 등 구분에 따라 화재 시의 가열에 규칙 제14조제3항에서 정하는 성능 이상을 견딜 수 있어야 한다.

② 차연성능, 개폐성능 등 자동방화셔터가 갖추어야 하는 세부 성능에 대해서는 제39조에 따라 국토교통부장관이 승인한 세부운영지침에서 정한다.

③ 자동방화셔터는 규칙 제14조제2항제4호에 따른 구조를 가진 것이어야 하나, 수직방향으로 폐쇄되는 구조가 아닌 경우는 불꽃, 연기 및 열감지에 의해 완전 폐쇄가 될 수 있는 구조여야 한다. 이 경우 화재감지기는 「자동화재탐지설비 및 시각경보장치의 화재안전기준(NFSC 203)」 제7조의 기준에 적합하여야 한다.

④ 자동방화셔터의 상부는 상층 바닥에 직접 닿도록 하여야 하며, 그렇지 않은 경우 방화구획 처리를 하여 연기와 화염의 이동통로가 되지 않도록 하여야 한다.

제8장 그 밖에 건축자재등의 성능기준

제35조【방화댐퍼 성능기준 및 구성】① 규칙 제14조제2항제3호에 따라 방화댐퍼는 다음 각 호의 성능을 확보하여야 하며, 성능 확인을 위한 시험은 영 제63조에 따른 건축자재 성능 시험기관에서 할 수 있다.

1. 별표 10에 따른 내화성능시험 결과 비차열 1시간 이상의 성능
2. KS F 2822(방화 댐퍼의 방연 시험 방법)에서 규정한 방연성능

② 제1항의 방화댐퍼의 성능 시험은 다음의 기준을 따라야 한다.

1. 시험체는 날개, 프레임, 각종 부속품 등을 포함하여 실제의 것과 동일한 구성·재료 및 크기의 것으로 하되, 실제의 크기가 3미터 곱하기 3미터의 가열로 크기보다 큰 경우에는 시험체 크기를 가열로에 설치할 수 있는 최대크기로 한다.
2. 내화시험 및 방연시험은 시험체 양면에 대하여 각 1회씩 실시한다. 다만, 수평부재에 설치되는 방화댐퍼의 경우 내화시험은 화재노출면에 대해 2회 실시한다.
3. 내화성능 시험체와 방연성능 시험체는 동일한 구성·재료로 제작되어야 하며, 내화성능 시험체는 가장 큰 크기로, 방연성능 시험체는 가장 작은 크기로 제작되어야 한다.

③ 시험성적서는 2년간 유효하다. 다만, 시험성적서와 동일한 구성 및 재질로서 내화성능 시험체 크기와 방연성능 시험체 크기 사이의 것인 경우에는 이미 발급된 성적서로 그 성능을 갈음할 수 있다.

④ 방화댐퍼는 다음 각 호에 적합하게 설치되어야 한다.

1. 미끄럼부는 열팽창, 녹, 먼지 등에 의해 작동이 저

해받지 않는 구조일 것

2. 방화댐퍼의 주기적인 작동상태, 점검, 청소 및 수리 등 유지·관리를 위하여 검사구·점검구는 방화댐퍼에 인접하여 설치할 것
3. 부착 방법은 구조체에 견고하게 부착시키는 공법으로 화재시 덕트가 탈락, 낙하해도 손상되지 않을 것
4. 배연기의 압력에 의해 방재상 해로운 진동 및 간격이 생기지 않는 구조일 것

제36조【하향식 피난구 성능시험 및 성능 기준】 ① 규칙 제14조제4항에 따른 하향식 피난구는 다음 각 호의 성능을 확보하여야 하며, 성능 확인을 위한 시험은 영 제63조에 따른 건축자재 성능 시험기관에서 할 수 있다.

1. KS F 2257-1(건축부재의 내화시험방법-일반요구사항)에 적합한 수평가열로에서 시험한 결과 KS F 2268-1(방화문의 내화시험방법)에서 정한 비차열 1시간 이상의 내화성능이 있을 것. 다만, 하향식 피난구로서 사다리가 피난구에 포함된 일체형인 경우에는 모두를 하나로 보아 성능을 확보하여야 한다.
2. 사다리는 「소방시설설치유지 및 안전관리에 관한 법률 시행령」 제37조에 따른 '피난사다리의 형식승인 및 제품검사의 기술기준'의 재료기준 및 작동시험기준에 적합할 것
3. 덮개는 장변 중앙부에 637N/0.2㎡의 등분포하중을 가했을 때 중앙부 처짐량이 15밀리미터 이하일 것

② 시험성적서는 3년간 유효하다.

제37조【창호 성능시험 기준】 ① 규칙 제24조제12항에 따른 방화유리창의 성능 확인을 위한 시험은 영 제63조에 따른 건축자재 성능 시험기관에서 할 수 있으며, 차연성능, 개폐성능 등 방화유리창이 갖추어야 하는 세부 성능에 대해서는 제39조에 따라 국토교통부장관이 승인한 세부운영지침에서 정한다.

② 시험성적서는 3년간 유효하다.

제9장 기타

제38조【연간 운영계획 보고】 건축자재등 품질인정기관은 인정 업무를 수행하기 위해 다음 각 호의 사항을 포함한 연간 운영계획을 매년 초 운영위원회 검토 후 국토교통부에 보고하여야 한다.

1. 전년도 제조현장 및 건축공사장 품질관리 상태 확인점검 결과
2. 해당연도 제조현장 및 건축공사장 품질관리 상태 확인점검 계획 등

제39조【세부운영지침】 ① 건축자재등 품질인정기관은 품질인정과 관련하여 다음의 내용이 포함된 세부운영지침을 작성하여야 하며, 세부운영지침은 각 품질인정자재등에 대해 별도로 정할 수 있다.

1. 인정업무 품목, 처리문서, 기간, 절차, 기준, 구비서류, 서식, 규칙 제 24조의8제5항의 수수료관련 세부사항, 시료채취방법, 품질시험방법 및 세부기재사항
2. 제조현장 품질관리 및 건축공사장 관리 확인 점검의 기준, 서식, 점검방법, 점검 결과 판정 등 점검에 대한 세부사항
3. 제품의 원재료 및 구성재료 배합비 관리절차 등 그 밖의 필요한 사항
4. 시험기관 확인점검에 필요한 점검 기준, 방법 및 결과에 따른 조치 등 그 밖에 필요한 사항

② 제1항에 따른 세부운영지침의 제·개정 시에는 국토교통부장관의 승인을 득하여야 한다.

제40조【건축자재 품질관리정보 구축기관 지정】 「건축사법」 제31조에 따라 설립된 건축사협회는 제23조, 제24조 및 제25조에 따라 불연, 준불연, 난연 성능을 갖추어야 하는 건축물의 마감재료, 제33조 및 제34조에 따른 성능을 갖추어야 하는 방화문, 자동방화셔터, 규칙 제14조제2항제2호에 따른 내화채움구조 및 제35조에 따른 방화댐퍼의 품질관리에 필요한 정보를 홈페이지 등에 게시하여 일반인이 알 수 있도록 하여야 한다.

제41조【건축모니터링 전문기관 운영】 법 제68조의3 및 영 제92조에 따라 건축물의 구조 및 재료 등의 분야에 대한 건축모니터링 전문기관이 지정된 경우, 전문기관은 이 고시 관련 기준·설계·현장 등 모니터링의 범위, 모니터링 위원회 구성 등 운영 지침을 정하여 국토교통부장관의 승인을 득하여야 한다.

제42조【규제의 재검토】 국토교통부장관은 제26조 및 제27조에 따른 복합자재의 실물모형시험에 대하여 2022년 2월 11일을 기준으로 2년이 되는 시점(매 2년이 되는 해의 2월 11일 전까지를 말한다)마다 그 타당성을 검토하여 개선 등의 조치를 하여야 한다.

제43조【재검토기한】 국토교통부장관은 이 고시에 대하여 「훈령·예규 등의 발령 및 관리에 관한 규정」에 따라 2022년 1월 1일 기준으로 3년이 되는 시점(매 3년이 되는 해의 12월 31일까지를 말한다)마다 그 타당성을 검토하여 개선 등의 조치를 하여야 한다.

부칙<제2022-84호, 2022.2.11.>

제1조(시행일) 이 고시는 발령한 날부터 시행한다.

제2조(다른 고시의 폐지) 다음 각 호의 고시는 각각 폐지한다.

1. 「내화구조의 인정 및 관리기준」
2. 「건축물 마감재료의 난연성능 및 화재 확산 방지구조 기준」
3. 「방화문 및 자동방화셔터의 인정 및 관리기준」

제3조(품질인정자재등에 관한 경과조치) ① 국토교통부령 제931호의 시행일인 2021년 12월 23일 전에 「내화구조의 인정 및 관리기준」의 내화채움구조와 「건축물 마감재료의 난연성능 및 화재 확산 방지구조 기준」의 마감재료 중 품질인정 대상 자재가 각 기준의 성능을 만족하여 시험성적서를 발급 받아 유효기간이 도래하지 않은 경우에는, 제3조부터 제22조까지의 개정규정에도 불구하고 해당 시험성적서의 유효기간까지 종전의 규정에 따른다.

② 국토교통부령 제931호의 시행일인 2021년 12월 23일 전에 법 제11조에 따른 건축허가 또는 대수선허가의 신청(건축허가 또는 대수선허가를 신청하기 위하여 법 제4조의2제1항에 따라 건축위원회에 심의를 신청하는 경우를 포함한다) 및 법 제14조에 따른 건축신고 또는 법 제19조에 따른 용도변경 허가(같은 조에 따른 용도변경 신고 또는 건축물대장 기재내용의 변경신청을 포함한다)의 신청을 한 건축물에 적용하는 「내화구조의 인정 및 관리기준」의 내화채움구조와 「건축물 마감재료의 난연성능 및 화재 확산 방지구조 기준」의 마감재료 중 품질인정 대상 자재에 대하여는 제3조부터 제22조까지의 개정규정에도 불구하고 종전의 규정에 따른다.

③ 국토교통부고시 제2021-1009호의 시행일인 2021년 8월 7일 전에 법 제11조에 따른 건축허가 또는 대수선허가의 신청(건축허가 또는 대수선허가를 신청하기 위하여 법 제4조의2제1항에 따라 건축위원회에 심의를 신청하는 경우를 포함한다) 및 법 제14조에 따른 건축신고를 한 건축물에 적용하는 방화문 및 자동방화셔터의 대하여는 제3조부터 제22조까지의 개정규정에도 불구하고 종전의 규정을 따를 수 있다. <개정 2023.1.9>

제4조(마감재료 시험성적서에 관한 경과조치) ① 둘 이상의 재료로 제작된 마감재료(강판과 심재로 이루어진 복합자재는 포함하지 않는다) 또는 단열재가 국토교통부 고시 제2022-84호의 시행일인 2022년 2월 11일 전에 「건축물 마감재료의 난연성능 및 화재 확산 방지구조 기준」에 따라 시험성적서를 발급 받아 유효기간이 도래하지 않은 경우에는, 제23조부터 제25조까지 및 제27조부터 제30조까지의 개정규정에도 불구하고 해당 시험성적서의 유효기간까지 종전의 규정에 따른다. <개정 2023.1.9.>

② 국토교통부고시 제2022-84호의 시행일인 2022년 2월 11일 전에 법 제11조에 따른 건축허가 또는 대수선허가의 신청(건축허가 또는 대수선허가를 신청하기 위하여 법 제4조의2제1항에 따라 건축위원회에 심의를 신청하는 경우를 포함한다) 및 법 제14조에 따른 건축신고 또는 법 제19조에 따른 용도변경 허가(같은 조에 따른 용도변경 신고 또는 건축물대장 기재내용의 변경신청을 포함한다)의 신청을 한 건축물에 적용하는 국토교통부고시 제2020-1053호「건축물 마감재료의 난연성능 및 화재 확산 방지구조 기준」의 마감재료 중 둘 이상의 재료로 제작된 마감 재료(강판과 심재로 이루어진 복합자재는 포함하지 않는다) 또는 단열재에 대하여는 제23조부터 제25조까지 및 제27조부터 제30조까지의 개정규정에도 불구하고 국토교통부고시 제2020-1053호 「건축물 마감재료의 난연성능 및 화재 확산 방지구조 기준」을 따를 수 있다. <신설 2023.1.9>

제5조(종전의 고시에 따른 처분 및 계속 중인 행위에 관한 경과조치) 이 고시 시행 전 종전의 「내화구조의 인정 및 관리기준」, 「건축물 마감재료의 난연성능 및 화재 확산 방지구조 기준」 및 「방화문 및 자동방화셔터의 인정 및 관리기준」에 따라 행정기관이 행한 행정처분 및 그 밖의 행위와 행정기관에 대하여 행한 신청 및 그 밖의 행위는 그에 해당하는 이 고시에 따라 행한 행정기관의 행위 또는 행정기관에 대한 행위로 본다

부칙<제2023-15호, 2023.1.9.>

제1조(시행일) 이 고시는 발령한 날부터 시행한다..

[별표1]

건축자재등 품질인정 신청 첨부서류

신 청 도 서	기 재 사 항
1. 설계도서	○ 구조설명도(구조의 형상, 크기, 구성도 등) ○ 구성재료 설명서 ○ 시방서
2. 품질관리 설명서	○ 제품 및 원재료 품질관리항목 및 품질기준(배합비 포함) ○ 공정 및 제품관리에 관한 사항 ○ 제조·검사설비 목록(주요설비 표시) ○ 시공 및 현장품질관리에 관한 사항(검사기준 포함)
3. 신청자의 사업개요	○ 연혁, 공장주소 및 생산·판매실적 ○ 품질관리자(품질관리 전담인력의 자격증, 경력증명서 및 품질 교육 이수 증빙자료)
4. 기타자료	○ 법인등기부등본, 사업자등록증, 공장등록증명서 ○ 제조설비를 갖추고 제품을 생산할 수 있는 능력을 보유하고 있음을 증명할 수 있는 서류 ○ 제품 및 원재료 시험성적서 (KS제품인 경우 생략가능) ○ 사내규정 목차(규격번호 및 개정번호 포함) ○ 품질시험 희망 기관
5. 대리신청인의 경우	○ 대리신청자 연혁 ○ 신청자와의 관계를 증명하는 서류 ○ 기타 필요한 서류
6. 신청자가 시공자인 경우	○ 대지현황 : 대지위치, 대치면적, 지역·지구 ○ 규모 : 용도, 규모, 구조, 건축면적, 건폐율, 연면적, 용적율, 높이 ○ 건축공사장 책임자의 동의서 ○ 설계도면

[별표2]

품질인정의 취소, 일시정지, 개선요청에 관한 세부기준

행 위	관련 규정	1차 제재조치 (기한)	2차 제재조치 (기한)	3차 제재조치 이상	취소후 신청제한 기간
1. 인정업체의 부정행위 및 연장시 성능 미확보가 확인된 경우 : 즉시 취소					
1-1. 신청 또는 인정 내용과 상이하게 시험체를 제작하여 품질시험을 합격한 후 인정받은 것이 확인된 경우 #	제9조	인정취소	-	-	24개월
1-2. 세부 인정내용의 원재료의 품질기준과 상이한 원재료로 만들어진 인정제품으로 판매한 경우 #	제15조	인정취소	-	-	24개월
1-3. 인정받지 않은 일반제품을 인정제품으로 판매하는 경우 #	제15조	인정취소	-	-	24개월
1-4. 인정내용의 배합비와 상이한 배합비로 만들어진 제품을 인정제품으로 판매한 경우 #	제15조	인정취소	-	-	24개월
1-5. 일시정지 중인 제품을 인정제품으로 판매한 경우 #	제15조 제18조 제21조	인정취소	-	-	12개월
1-6. 유효기간의 연장을 위한 품질시험 결과 성능이 확보되지 않는 경우	제13조	인정취소	-	-	6개월
2. 인정업체 자체 품질관리를 허위로 하거나 품질점검을 방해 또는 거부하는 경우 : 일시정지					
2-1. 자체 품질관리의 실시 결과를 허위기재 또는 누락하는 경우	제15조	일시정지 (30일)	인정취소	-	12개월
2-2. 인정제품에 인정 표시를 허위기재 또는 누락하는 경우	제12조	일시정지 (30일)	인정취소	-	12개월
2-3. 공장 또는 건축공사장 품질관리 확인점검을 방해 또는 거부하는 경우	제18조 제19조	일시정지 (30일)	인정취소	-	12개월
3. 인정업체의 품질관리 개선 등 경미한 사항이 확인된 경우 : 개선요청					
3-1. 공장 또는 건축공사장 품질관리 확인점검결과 품질개선이 필요하다고 인정되는 경우	제18조 제19조	개선요청 (30일)	일시정지 (30일)	인정취소	6개월
3-2. 인정 변경 등에 대한 확인신청을 하지 않는 경우	제14조	개선요청 (30일)	일시정지 (30일)	인정취소	6개월
3-3. 현장품질관리를 위한 생산 및 판매실적을 제출하지 않는 경우	제16조	개선요청 (30일)	일시정지 (30일)	인정취소	6개월

※ # 표시의 경우는 제3조 운영위원회에서 결정

※ 위반 횟수는 해당 위반행위에 대하여 개선조치 등이 기간내에 이루어지지 않는 경우, 추가조치를 의미함

예) 3-1 사항을 위반한 경우 1차 개선요청, 30일 이내에 개선요청 사항을 해소하지 않는 경우 2차 일시정지, 30일 이내에 일시정지 사항을 해소하지 않는 경우 3차 인정취소

[별표3]

건축자재등 품질인정업무 절차

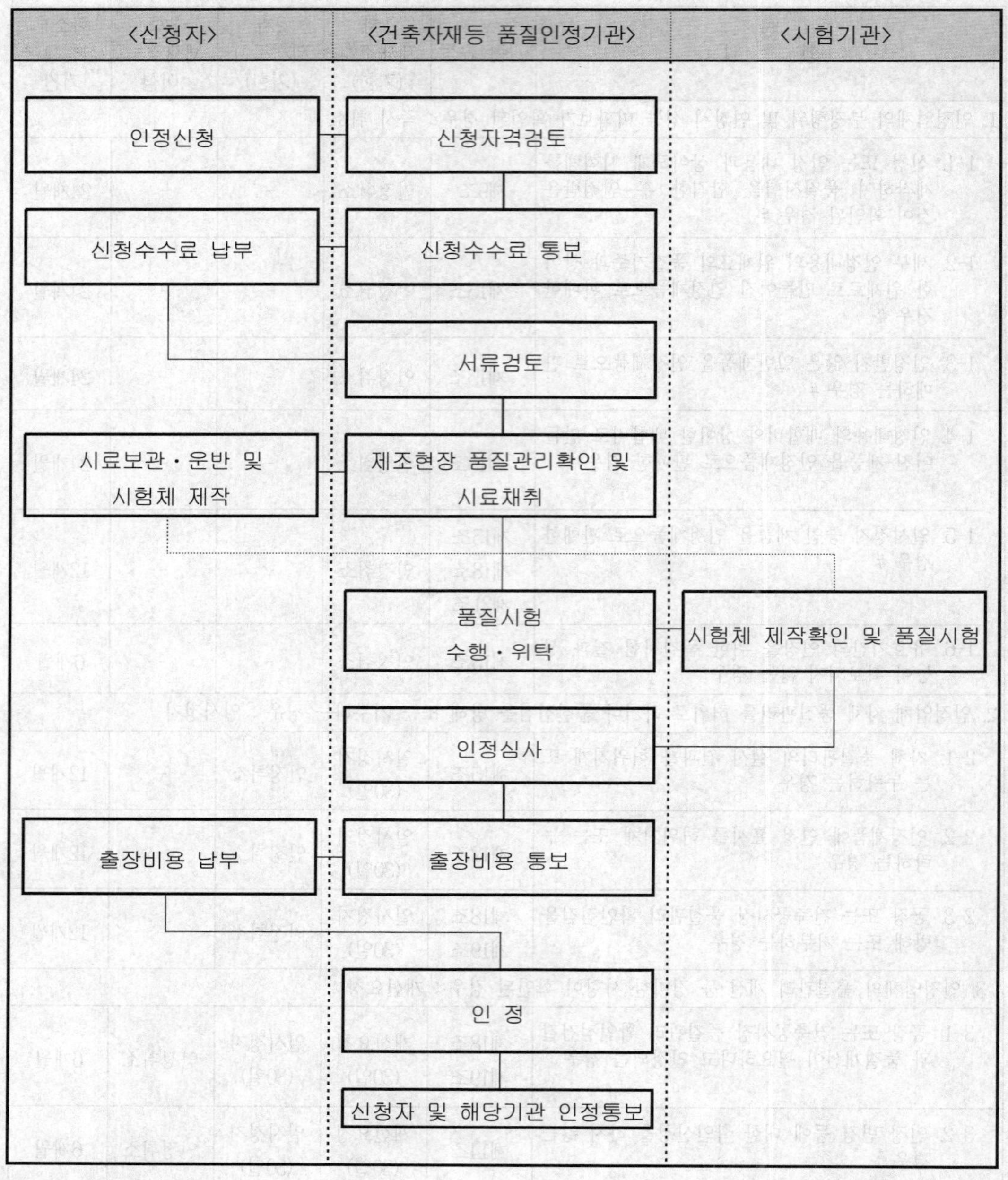

[별표4]

품질인정 업무 및 처리기간

순번	업 무 명	처 리 내 용
1	신청자격검토	• 신청자격 및 제한조건 검토
2	수수료통보	• 수수료납부요청
3	신청서류 검토	• 인정신청시 첨부도서내용 확인 및 검토 • 운영위원회 실시여부 결정
4	제조현장 품질관리 확인 및 시료채취	• 제조현장 품질관리상태확인 및 시료채취 • 심사결과 정리 및 보고
5	품질시험성적서 검토	• 품질시험성적서 검토 • 인정심사표 작성
6	인정 및 공고	• 인정서 및 세부인정내용 작성 • 인정 공고안 작성 • 신청업체에 인정서 발급 • 관련기관 통보
	처리기간	25일

※ 1개 구조 또는 1개 공장이 추가마다 처리기간은 7일씩 증가

※ 위원회를 실시하는 경우 민원기간 10일 증가

※ 다음 각 호에 해당하는 기간은 처리기간으로 산입하지 아니한다.

1. 신청자가 업무진행의 보류 요청에 따라 업무가 진행되지 않은 기간
2. 천재지변 등 불가피한 사유가 발생하여 업무가 진행되지 않은 기간
3. 수수료 통보에서 납부에 소요되는 기간
4. 제17조의 규정에 의한 보완 등에 소요되는 기간
5. 공장이 해외에 위치하여 공장품질관리확인 및 시료채취를 위한 비자 또는 여권발급 소요되는 기간
6. 시료채취이후부터 시험성적서 제출일까지의 기간

[별표5]

제조현장 품질관리상태 확인 점검표

신 청 자		신청(인정)업체	
주 소		전 화	
신 청 일 자		확 인 일 자	
확 인 자			
점 검 자 종합 의 견			
점 검 자	소속 :	직급 :	성명 : (인)
	소속 :	직급 :	성명 : (인)
신청(인정)업체	소속 :	직급 :	성명 : (인)

※ 신청자가 시공자인 경우, 제3항(제품 품질관리) 및 제5항(검사 설비 관리) 확인

1. 원재료 품질관리

구 분	점검 확인 내용
원재료 품질항목 및 기준	2.1 각 원재료에 대한 품질항목, 기준 및 시험방법이 사규 등 문서로 명시되어 있으며, 신청서(또는 인정) 내용과 일치하는가
원 재 료 수입검사	2.2 원재료 수입검사에 대한 검사가 이루어지고 있으며, 외부기관성적서, 수입검사 성적서, 제조처성적서를 관리하고 있는가
원 재 료 자재관리	2.3 재료 수불대장을 관리하고 있으며, 수입량 · 사용량 · 잔량이 확인 가능한가

2. 제조공정 품질관리

구 분	점검 확인 내용
제조공정 기록관리	3.1 제조공정에 대한 제조절차/관리방법 등이 사규 등 문서로 명시되어 있으며 신청서 (또는 인정) 내용과 일치하는가
	3.2 공정관리일지 등 제조공정기록(배합관리, 원재료 투입량 및 로트 포함)을 작성 및 유지 관리하는가
부적합품 및 불만처리	3.3 원재료/공정/제품의 품질관리에 따라 발생하는 부적합품에 대한 관리방안(반품 등)이 사규 또는 문서로 명시되어 있고, 이를 관리하고 있는가
	3.4 소비자 불만 처리에 관한 내용이 사규 등 문서에 명시되어 있으며 이에 대한 조치를 실시하고 있는가

3. 제품 품질관리

구 분	점검 확인 내용
제품의 품질항목 및 기준	3.1 제품에 대한 품질항목, 기준 및 시험방법이 사규 등 문서로 명시되어 있으며 신청서 내용과 일치하는가
제품검사	3.2 제품검사에 대한 검사항목별 주기(시기), 로트 크기 등 검사방법이 사규 등 문서로 명시되어 있으며, 이에 따라 제품 성적서를 작성 및 관리하고 있는가
제품관리	3.3 제품의 출하대장 등 판매기록에 대하여 발주처/시공현장명/주소/시공량/제품 로트번호 등을 관리 및 유지를 하고 있는가

4. 제조설비 관리

구 분	점검내용 및 확인내용
제조설비 관리절차	4.1 제조설비 목록이 사규 등 문서에 명시되어 있으며, 신청서 내용과 일치하는가
설비점검	4.2 제조설비별 이력이 작성 및 유지 관리되고 있는가
교정관리	4.3 제조설비 중 교정설비 구분, 교정주기를 문서로 명시하고 교정을 실시하였는가

5. 검사설비 관리

구 분	점검 확인 내용
검사설비 관리절차	5.1 검사설비 목록 및 관리방법이 사규 등 문서에 명시되어 있으며, 신청서 내용과 일치하는가
설비점검	5.2 검사 설비별 이력이 작성 및 유지 관리되고 있는가
교정관리	5.3 검사설비 중 교정설비 구분, 교정주기가 문서로 명시하고 교정을 실시하였는가

6. 로트번호 부여 및 인정관리

구 분	점검 확인 내용
로트관리	6.1 제품 및 원재료의 로트부여/관리에 대한 내용이 사규 등 문서로 명시되어 있는가
	6.2 제16조에 따른 품질인정자재등의 생산· 판매실적을 분기별로 원장에게 제출하는가
	6.3 품질인정자재등의 판매된 실적에 대하여 로트추적이 가능한가 (구조별로 1개 현장 이상씩 확인, 1년이내에 확인실적이 있을 경우 생략)
	6.4 품질인정자재등에 대해 [별표2]의 1호의 부정행위(1-1~1-5)를 한 경우가 있는가
인정표시	6.5 업체명 또는 대표자의 변경, 제조현장 주소변경, 주요시설의 변경의 변경내용에 대하여 적정하게 변경신청을 하였는가
	6.7 인정표시의 내용이 「건축자재등 품질 인정 및 관리기준」 제12조에 따른 [별표6]와 일치하는가

[별표6]

건축자재등 품질인정 표시

인정제품 표면에 인정마크, 인정번호, 사용부위, 내화성능시간, 인정업체명, 제조현장주소를 기재하여야 함.

(인정마크)	한국건설기술연구원장 인정
	(인정번호)
	(사용부위)1)
	(내화성능시간)2)
	(회 사 명)
	(제조현장주소)

1) 사용부위는 인정받은 구조 또는 제품이 사용되는 부위를 말한다.
2) 내화성능시간은 성능이 확보된 시간을 표시하고, 방화문의 경우 추가로 차열 또는 비차열을 표시한다.

[별표7]

품질인정자재등 인정 유효기간

내화구조	방화문	자동방화셔터	내화채움구조	복합자재
5년	5년	5년	5년	3년

[별표8]

건축자재등 품질인정업무 담당자의 자격기준

구 분	자 격 기 준 (각호 중 하나에 해당되는 자)	인원수
가. 관 리 책임자	1) 건축, 토목, 기계, 안전 또는 화학 분야 기술사의 자격을 취득한 자 2) 건축, 토목, 기계, 안전 또는 화학 분야 기사의 자격을 취득한 자로서 인정분야 7년 이상의 경력을 가진 자 3) 건축, 토목, 기계, 안전 또는 화학 분야 학사 이상의 학위를 취득하고 인정분야 10년 이상의 경력을 가진 자	1명 이상
나. 인 정 담당자	1) 건축, 토목, 기계, 안전 또는 화학 분야 기사의 자격을 취득한 자로서 인정분야 4년 이상의 경력을 가진 자 2) 건축, 토목, 기계, 안전 또는 화학 분야 산업기사의 자격을 취득한 자로서 인정분야 7년 이상의 경력을 가진 자 3) 건축, 토목, 기계, 안전 또는 화학 분야 학사 이상의 학위를 취득하고 인정분야 4년 이상의 경력을 가진 자	5명 이상
다. 인 정 보조자	1) 건축, 토목, 기계, 안전 또는 화학 분야 학사이거나 산업기사 이상의 자격을 취득한 자로서 인정분야 2년 이상의 경력을 가진 자 2) 학사이상의 학위를 취득하고, 인정분야 업무 수행 능력을 판단하여 관리책임자가 승인한 자	5명 이상

[별표9]

화재 확산 방지구조의 예(제31조 관련)

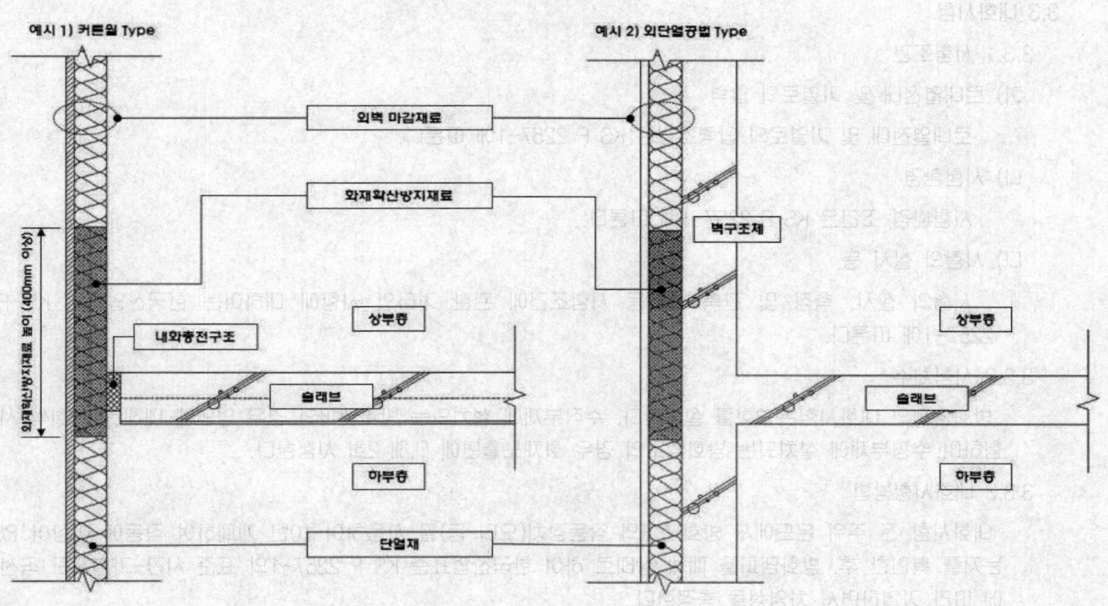

[별표10]

방화댐퍼의 내화시험 방법(제35조제1항 관련)

1. 개 요

1.1 목 적

이 방화댐퍼의 내화시험방법(이하 "내화시험방법"이라 한다)은 제35조제1항의 내화성능 확인을 위한 시험방법을 정하는 것을 목적으로 한다.

1.2 적용범위

이 내화시험방법은 「산업표준화법」에 따른 한국산업표준(KS)에 우선하여 적용하며, 이 내화시험방법에서 정하지 않은 사항은 한국산업표준(KS)에 따른다. 단, 이 내화시험방법에서 적용하는 한국산업표준은 최신 표준을 적용하여야 한다.

2. 용어의 정의

이 내화시험방법에서 사용하는 용어는 한국산업표준에서 정한 정의를 적용한다.

3. 시험 방법

3.1 시험체 제작

3.1.1 시험체는 연결되는 덕트 등을 제외한 방화댐퍼 본체만을 대상으로 하며, 시험체 제작은 한국산업표준

KS F 2257-1(건축 부재의 내화 시험방법 - 일반 요구사항) 및 시험신청내용에 따라 가능한 현장 시공조건과 동일하게 제작하여야 한다.

3.1.2 시험체의 크기 등 시험체 제작과 관련된 사항은 한국산업표준 KS F 2257-1에 따른다.

3.2 시험체 양생

시험체의 양생은 일반적인 사용 조건 및 한국산업표준 KS F 2257-1에 따른다.

3.3 내화시험

3.3.1 시험조건

가) 로내열전대 및 가열로의 압력

로내열전대 및 가열로의 압력조건은 KS F 2257-1에 따른다.

나) 시험환경

시험환경 조건은 KS F 2257-1에 따른다.

다) 시험의 실시 등

시험의 실시, 측정 및 관측사항 등 시험조건에 관한 기타의 사항에 대하여는 한국산업표준 KS F 2257-1에 따른다.

3.3.2 시험체수

방화댐퍼의 내화시험은 2회를 실시한다. 수직부재에 설치되는 방화댐퍼의 경우 양면에 대해 각 1회씩 시험하며 수평부재에 설치되는 방화댐퍼의 경우 화재노출면에 대해 2회 시험한다.

3.3.3 내화시험방법

내화시험 전 주위 온도에서 방화댐퍼의 작동장치(모터 등)를 사용하여 10번 개폐하여 작동에 이상이 없는지를 확인한 후, 방화댐퍼를 폐쇄 상태로 하여 한국산업표준 KS F 2257-1의 표준 시간-가열온도 곡선에 따라 가열하면서 차염성을 측정한다.

3.4 판정기준

내화성능은 한국산업표준 KS F 2257-1의 차염성 성능기준에 의하여 결정되어야 한다. 단, 면 패드는 적용하지 않는다.

4. 시험결과의 표현

시험성적서에는 신청 내화등급을 표시하고 합・부 표기를 하여야 한다. 기타 시험결과의 표현 및 시험성적서에 명시되어야 할 사항으로서 고시에서 정하지 않은 사항은 한국산업표준 KS F 2257-1에 따른다.

1.7.2 벽체의 차음구조 인정 및 관리기준

[국토교통부고시 제2023-25호, 2023.1.12.]

제1장 총 칙

제1조 【목적】 이 기준은 건축법 시행령 제53조, 건축물의 피난·방화구조 등의 기준에 관한 규칙(이하"규칙"이라 한다) 제19조제2항제4호 및 주택건설기준 등에 관한 규정 제14조의 규정에 의하여 건축물의 경계벽 및 간막이벽에 대한 차음구조의 인정 및 관리에 관한 기준을 정함을 목적으로 한다.

제2조 【용어의 정의】 이 기준에서 사용하는 용어의 정의는 다음과 같다.

1. "차음구조"라 함은 이 기준에 따라 실시된 품질시험의 결과로부터 한국건설기술연구원장(이하"원장"이라 한다)이 차음성능을 확인하여 인정한 구조를 말한다.
2. "품질시험"이라 함은 차음구조의 인정에 필요한 시험을 말한다.
3. "제조업자"라 함은 차음구조를 구성하는 주요 재료·제품의 생산 및 제조를 업으로 하는 자를 말한다.
4. "시공자"라 함은 차음구조를 사용하여 건축물을 건축하고자 하는 자로서 건설산업기본법 제9조의 규정에 따라 등록된 일반건설업을 영위하는 자(직영공사인 경우에는 건축주를 말한다)를 말한다.
5. "신청자"라 함은 이 기준에 의하여 차음성능의 인정을 받고자 신청하는 자를 말한다.
6. "차음품목"이라 함은 차음구조를 구분하는데 있어 그 구성 제품의 종류에 따라 유사한 재료성분 및 형태로 묶어 분류한 것을 말한다.

제2장 차음구조의 성능기준과 인정절차

제3조 【성능기준】 건축물에 사용하는 차음구조의 경계벽 및 간막이벽은 별표1에서 정하는 기준 이상의 차음성능을 확보하여야 한다.

제4조 【차음구조의 인정신청】 ① 신청자가 차음구조로 인정을 받고자 하는 경우, 별지 제1호서식의 차음구조 인정신청서에 별표2에서 정한 도서를 첨부하여 원장에게 신청하여야 한다.

② 제1항의 규정에 의한 신청자는 제조업자 및 시공자로 하되 원장이 인정하는 부득이한 경우에는 제조업자의 위임을 받은 자(이하 "대리신청인"이라 한다)가 신청을 할 수 있으며, 신청자가 2인 이상인 경우에는 공동명의로 신청할 수 있다.

③ 신청자가 2인 이상인 경우, 대표자를 선정하여 신청자 공통품질관리 설명서 등을 갖추어야 하며, 각 신청자별로 차음구조가 동일한 재료로 제조되어 그 품질이 기준의 범위 내로 관리되고 있는 증빙서류를 첨부하여야 한다.

④ 시공자는 차음구조 인정을 받고자 하는 당해 시공현장별로 차음구조 공사착공 전에 차음구조 인정을 신청하여야 한다.

⑤ 인정신청시 인정이 유효하거나 취소된 구조와 동일한 차음구조명을 사용할 수 없다.

⑥ 차음구조 인정이 제18조의1에 의한 일시정지(이하 "일시정지"라 한다)중인 경우는 동일품목에 대한 신규 인정신청을 할 수 없다.

제5조 【차음구조의 인정절차 및 처리기간】 ① 원장은 제4조의 규정에 의하여 신청된 차음구조에 대하여 별표3의 차음구조 인정절차에 따라 업무를 진행하고, 처리기간은 별표4에서 정한 기간으로 한다.

② 원장은 차음구조 인정 및 관리업무 수행상 불가피한 사유로 인하여 처리기간이 연장되어야 할 경우에는 1회에 한하여 15일 이내의 범위를 정하여 연장할 수 있으며, 신청자에게 그 사유를 통보하여야 한다.

제6조 【공장의 품질관리상태 확인】 원장은 제4조의 규정에 의하여 신청된 차음구조에 대하여 [별표2]의 인정신청시 첨부도서에 대한 생산공장 품질관리상태를 확인하여야 한다.

제7조 【시료채취 및 시험체 제작】 ① 원장은 제4조의 규정에 의하여 신청된 구조의 품질시험을 위한 시료 또는 시험편에 대하여 다음 각호의 사항을 확인하여야 한다. 다만, 시료채취방법은 원장이 정하는 기준에 따른다.

1. 원재료 품질규격 및 구성배합비 등
2. 제조공정 및 제품의 품질규격 등
3. 구조의 상세 도면과의 동일 여부 등

② 원장은 신청자가 품질시험 실시기관을 지정하는 경우에 품질시험을 실시하는 시험기관의 장에게 신청자료 등을 제공하여야 한다.

③ 품질시험을 실시하는 시험기관의 장은 시험을 위하여 운반된 시료 또는 시험편이 제1항에 의하여 채취된 것임을 확인하고, 제4조의 규정에 의한 신청자로 하여금 신청시 제출한 구조 및 시공방법과 동일하게 시험체를 제작하게 하여 신청자 등과 함께 시험체를 확인하여야 한다.

④ 품질시험을 실시하는 시험기관의 장은 시료채취 및 시험체 제작과정에서 신청내용과 상이하게 생산 또는 제작되거나 부정한 행위를 확인하는 즉시 원장에게 보고하여야 한다.

제8조【품질시험】① 품질시험을 실시하는 시험기관의 장은 신청된 구조의 품질시험을 실시하되, 품질시험방법은 한국산업표준화법에 따른 한국산업규격이 정하는 바에 따라 실시하여야 한다.

② 품질시험은 다음 각호의 시험기관에서 할 수 있으며, 품질시험을 실시하는 시험기관의 장은 시험체 제작 및 시험에 관한 일정과 제작과정을 기록하고 이를 유지·관리하며 시험결과는 원장에게 즉시 제출하여야 한다. <개정 2023.1.12>

1. 건설기술진흥법 제60조에 따른 국립·공립 시험기관 또는 건설엔지니어링사업자
2. 한국산업규격(KS A 17025) 또는 ISO/IEC 17025에 적합한 것으로 인정받은 국내 공인시험기관

③ 원장은 제2항의 시험기관이 시험결과를 부정발급한 사실을 확인한 경우에는 해당 시험기관에 대하여 국토해양부장관 등 관계기관에 부정사실을 즉시 보고하여야 한다.

④ 제4조의 규정에 의한 신청자는 당해 구조에 대한 품질시험을 실시함에 있어 제2항의 규정에 의한 시험기관이 될 수 없다.

제9조【인정심사 및 자문위원회의 구성】① 원장은 제4조의 규정에의하여 신청된 차음구조에 대하여 다음 각 호의 사항을 심사한 후 인정여부를 결정하여야 한다.

1. 신청 차음구조의 품질시험방법과 결과의 적정성
2. 신청된 차음구조의 제조·품질관리, 시공의 적정성 등
3. 신청구조의 구조설명서 및 시방서, 재료의 품질규격 및 현장품질관리의 적정성 등

② 원장은 건축재료·구조 및 차음 전문가로 구성된 15인 이상의 자문위원회를 두어야 하며, 제1항에 해당하는 사항에 대하여 필요한 경우 신청자의 의견수렴과 자문위원회의 자문을 거칠 수 있으며, 자문위원회에서는 다음 각호의 사항에 대하여 원장에게 의견을 제시할 수 있다.

1. 제1항의 규정에 대한 적정성 여부
2. 제4조의 규정에 의한 인정신청시 제출된 현장시공상태 검사기준에 대한 사항
3. 차음구조의 인정 및 품질관리업무에 관련된 제반사항

제10조【인정 등의 통보】① 원장은 제4조의 규정에 의하여 신청된 차음구조를 인정하는 경우 또는 제13조의 규정에 의하여 차음구조의 유효기간을 연장하는 경우에는 다음 각호에서 정한 사항을 해당업체에 통보하고, 이를 공고하여야 하며, 국토해양부장관, 시·도지사와 건축사협회장, 대한건설협회장 등 건설관련 단체장에게 제1호의 내용을 통보하여야 한다.

1. 차음구조의 공고내용(상세도면, 공사방법, 현장품질검사 방법과 기준 등에 관한 세부인정내용)
2. 차음구조의 인정서(별지제2호서식)
3. 차음구조의 제품품질관리 사항

② 원장은 차음구조 인정의 일시정지를 하는 경우 또는 일시정지를 해소하는 경우와 제19조에 의하여 차음구조 인정을 취소하는 경우에는 차음구조명 및 일시정지 또는 취소 사유 등을 해당업체에 통보하고 이를 공고하여야 하며, 국토해양부장관, 시·도지사와 대한건축사협회장, 대한건설협회장 등 건설관련단체장에게 공고내용을 통보하여야 한다.

제11조【인정의 표시】① 제10조의 규정에 의하여 차음구조로 인정을 받은 자는 차음구조 인정제품, 구조 또는 그 포장에 인정 차음구조를 나타내는 별표5 의 표시를 하여야 한다.

② 제1항에서 규정한 인정표시는 인정 차음구조가 아닌 제품 또는 포장에 동일하거나, 유사한 표시를 하여서는 아니된다.

③ 시공자가 차음구조로 인정을 받았을 경우에는 당해 건축공사에 한하며, 또한 당해 건축공사에 사용되는 것에 한하여 제1항의 인정표시를 하여야 한다.

제3장 차음구조의 관리

제12조【인정변경 및 양도·양수】제10조의 규정에 의하여 차음구조의 인정을 받은 자는 다음 각 호에 해당하는 변경사유가 발생 시에는 변경내용을 상세히 작성한 도서를 첨부하여 원장에게 인정변경 신청을 하고 확인을 받아야 한다. 다만, 인정변경신청은 변경사유가 발생한 날로부터 60일 이내에 하여야 하며, 인정차음구조의 변경 등 차음성능에 영향을 미치는 사항에 대해서는 변경할 수 없다.

1. 상호의 변경 및 대표자의 변경(양도 양수, 상속 등 재산권 변동사항을 포함한다)

2. 공장의 이전 또는 주요시설의 변경
3. 차음성능에 영향을 미치지 않는 경미한 세부내용의 변경

제13조 【차음구조의 유효기간 및 유효기간 연장】 ① 인정받은 차음구조의 유효기간은 인정 또는 연장받은 날로부터 3년을 원칙으로 한다. 다만, 유효기간 내 품질관리확인점검 결과가 적정한 동일 차음구조에 대하여는 차음구조 인정을 연장할 경우 차기 유효기간을 5년으로 한다.

② 제10조의 규정에 의하여 차음구조의 인정을 받은 자가 차음구조 유효기간의 연장을 받고자 할 경우에는 유효기간이 만료되기 6개월 이전에 원장에게 인정기간 연장을 위한 시료채취를 요청하여야 하며, 채취된 시료에 대해서 제8조에 의한 품질시험기관에 품질시험을 요청하고, 유효기간 만료 15일 전까지 품질시험결과를 원장에게 제출하여야 한다.

③ 원장은 제2항의 시험을 위한 시료 또는 시험편의 채취를 제7조의 규정에 따라 실시하되, 공사현장에서 채취하는 것을 원칙으로 하여야 하고, 부득이한 경우에는 공장에서 인정당시의 시료 또는 시험편의 생산과정을 확인한 후 채취하여야 한다.

④ 품질시험을 실시하는 시험기관의 장은 유효기간 연장을 위한 시험신청을 받은 사실을 원장에게 알려야 하며 품질시험의 실시결과를 원장에게 즉시 제출하여야 한다.

⑤ 차음구조의 인정이 일시정지중인 경우는 당해구조의 유효기간 연장신청을 할 수 없다.

제14조 【인정업자 등의 자체품질관리】 ① 제10조의 규정에 의하여차음구조의 인정을 받은 자는 차음구조를 생산·제조를 위하여 자체 품질관리를 다음 각 호에 따라 실시하고, 그 결과를 기록·보존하여야 한다.

1. 구성재료·원재료 등의 검사
2. 제조공정에 있어서의 중간검사 및 공정관리
3. 제품검사 및 제조설비의 유지관리
4. 제품생산, 판매실적 및 제품을 판매한 시공현장 등에 대한 상세내역 등

② 제4조의 규정에 의한 대리신청인은 제조업자의 위임을 받아 제1항의 자체품질관리 결과를 보전·관리할 수 있다.

③ 제10조의 규정에 의하여 차음구조로 인정을 받은 자는 시공업자및 감리자에게 인정받은 차음구조의 내용과 현장시공방법 및 검사방법등을 제출하여 적정한 시공과 품질관리가 이루어질 수 있도록 하여야 한다.

제15조 【차음구조 시공실적의 제출】 원장은 제10조 규정에 의하여 차음구조로 인정을 받은 자(제14조제2항에 의한 대리신청인을 포함한다)에게 인정된 차음구조의 생산 및 판매실적을 요구할 수 있으며, 요청을 받은 자는 요구된 자료를 즉시 제출하여야 한다.

제16조 【공장 및 공사현장 품질관리 확인점검】 ① 원장은 제10조의 규정에 의하여 인정된 차음구조에 대하여 연 1회 이상 제14조의 규정에 따른 품질관리상태의 확인점검을 실시 할 수 있다. 다만, 확인점검일 기준으로 12개월 이내에 공장품질관리확인을 실시한 경우에는 해당 공장의 동일 차음품목에 대한 확인점검을 생략할 수 있다.

② 원장은 제1항에 의한 공장품질관리 확인점검결과 원장이 필요하다고 판단되는 경우에는 공사현장품질관리확인을 실시할 수 있으며, 다음 각호에 해당하는 경우에는 즉시 공장 및 공사현장품질관리 확인점검을 실시하여야 한다.

1. 인정 차음구조의 품질에 대한 민원이 제기되는 경우
2. 국가기관 또는 국토해양부장관으로부터 확인요청이 있는 경우

③ 원장은 제2항의 규정에 의하여 공사현장을 확인한 경우에는 그 결과를 당해 건축물의 감리자에게 통보하여야 한다.

제4장 차음구조 신청보완, 인정의 개선 및 취소

제17조 【신청의 보완 또는 반려】 ① 원장은 다음 각 호에 해당되는 경우에는 신청자에게 보완을 요청하여야 한다.

1. 제4조 규정에 의하여 신청자가 첨부하여야 할 도서의 내용이 부실하거나, 사실과 상이한 문서를 제출한 경우
2. 제6조에 의한 신청자의 품질관리확인 결과 제20조의 세부운영지침에 부합하지 않거나, 신청내용과 상이한 경우

② 원장은 다음 각호에 해당되는 경우에는 신청을 반려하고, 반려사실을 신청자에게 통보하여야 한다.

1. 신청자가 차음구조의 인정신청을 반려요청하는 경우
2. 신청자가 제1항의 보완요청을 90일 이내에 이행하지 않는 경우
3. 제8조에 의한 품질시험결과 차음성능이 확보되지 않는 경우
4. 제20조의 규정에 의한 수수료를 통보일로부터 30일 이내에 납부하지 않는 경우

제18조 【차음구조의 개선요청】 원장은 다음 각호에 해당되는 경우에는 제10조의 규정에 의하여 차음구조로 인정을 받은 자에게 개선요청을 할 수 있으며, 개선요청을 받은 자는 30일 이내에 개선요청사항을 이행하고 그 사실을 원장에게 보고하여야 한다.

1. 제12조에 따른 인정변경 등에 대한 확인신청을 하지 않는 경우
2. 제15조에 따른 차음구조의 생산 및 판매실적을 제출하지 않는 경우
3. 제13조 및 제16조에 의한 공장 또는 현장품질관리 확인점검결과 품질개선이 필요하다고 인정되는 경우

제18조의1 【차음구조 인정의 일시정지】 ① 원장은 다음 각호에 해당되는 경우에는 차음구조 인정을 일시정지 한다. 이 경우, 차음구조 인정의 일시정지 사유가 해소된 때에는 즉시 일시정지 조치를 해제한다.

1. 제13조에 따른 차음구조 유효기간의 재연장을 위한 품질시험결과가 제출되지 않는 경우
2. 제16조에 따른 품질관리 확인점검을 거부하는 경우
3. 제18조에 따른 개선요청사항을 이행하지 않는 경우
4. 제13조제5항에 따른 품질관리확인점검이 유효기간 내에 이루어 지지 않는 경우
5. 인정 차음구조를 나타내는 인정의 표시가 제11조와 다르게 된 경우
6. 제14조제1항 각호에 대하여 자체 품질관리의 실시결과를 허위로 기재하거나 누락하는 경우

② 인정이 일시정지된 차음구조는 일시정지된 날로부터 차음구조로의 판매 및 시공을 할 수 없다.

제19조 【차음구조 인정의 취소】 ① 원장은 다음 각호에 해당하는 경우 차음구조의 인정을 취소하고 공고하여야 한다.

1. 제10조의 규정에 의하여 차음구조로 인정을 받은 자가 인정취소를 요구하는 경우
2. 제13조에 따른 차음구조 유효기간의 연장을 위한 품질시험결과 성능이 확보되지 않는 경우
3. 인정 유효기간까지 인정의 연장 의사가 없는 경우
4. 인정 차음구조의 성능에 영향을 미칠 수 있는 상이한 제품을 차음구조로 판매 및 시공한 경우

② 제7조 또는 제13조의 규정에 따른 품질시험을 위한 시료채취 및 시험체 제작과정에서 신청내용과 상이하게 생산·제작된 경우 또는 부정한 행위를 한 경우에는 당해 차음구조에 대한 인정신청 및 인정을 즉시 취소한다.

③ 제1항 또는 제2항에 의하여 인정이 취소된 차음구조는 취소된 날로부터 차음구조로의 판매 및 시공을 할 수 없다.

제5장 차음구조 인정 및 관리업무의 지도·감독

제20조 【세부운영지침】 ① 원장은 차음구조 인정과 관련된 업무범위에 따라 처리문서, 기간, 절차, 기준, 구비서류, 서식, 수수료, 인력편성, 시료채취방법 및 시험방법 등을 구분하여 상세하게 명시한 세부운영지침을 작성하여야 한다.

② 원장은 제1항에 규정한 세부운영지침의 제·개정시에는 국토해양부장관의 승인을 득하여야 한다.

제21조 【재검토 기한】 국토교통부장관은 이 고시에 대하여 「훈령·예규 등의 발령 및 관리에 관한 규정」에 따라 2023년 1월 1일 기준으로 매3년이 되는 시점(매 3년째의 12월 31일까지를 말한다)마다 그 타당성을 검토하여 개선 등의 조치를 하여야 한다. <개정 2023.1.12>

부칙<제2016-417호, 2016.6.30.>

제1조(시행일) 이 고시는 2016년 8월 1일부터 시행한다.

제2조(적용례) 개정규정은 이 고시 시행 이후 최초로 제4조에 따라 차음구조 인정 신청을 한 것부터 적용한다.

제3조(차음구조 유효기간에 관한 경과조치) 이 고시 시행 전 인정받은 차음구조로서 종전 규정에 따라 유효기간이 만료되지 않은 경우에 한하여 해당 구조의 유효기간을 5년으로 한다.

부칙<제2018-776호, 2018.12.7.>

이 고시는 발령한 날부터 시행한다.

부칙<제2023-25호, 2023.1.12>

이 고시는 발령한 날부터 시행한다.

[별표 1]

차음구조 성능기준

등급	등급기준 (dB)
1급	58 ≤ Rw + C
2급	53 ≤ Rw + C < 58
3급	48 ≤ Rw + C < 53

※ Rw : KS F 2808에 따라 실험실에서 측정한 음향감쇠계수(음향투과손실)를 KS F 2862에 따라 평가한 단일수치평가량

C : KS F 2862에서 규정하고 있는 스펙트럼조정항으로서 특정주파수대역에서 차음성능이 저하하는 것을 평가하기 위해 적용

[별표 2]

차음구조 인정신청시 첨부도서

신 청 도 서	기 재 사 항
1. 차음구조 설계도서	○ 구조설명도(구조의 형상, 크기, 구성건축 재료명 등) ○ 제품 및 재료설명서(제품 및 구성재료의 품질관리항목 및 품질기준) ○ 제품의 원재료 및 구성재료 배합비 ○ 공정 및 제품관리에 관한 사항 ○ 시방서(시공방법 등) ○ 시공관리 및 기타 필요한 사항
2. 신청자의 사업개요	○ 신청자 연혁 ○ 법인등기부등본, 사업자등록증, 공장등록증 등 ○ 신청자 생산 및 판매실적 ○ 품질관리 조직(인력포함) ○ 제조·검사설비 리스트 및 관리기준 ※ 대리신청인 경우 추가제출 서류 ○ 대리신청자 연혁 ○ 신청자와의 관계를 증명하는 서류 ○ 기타 필요한 서류
3. 품질관리 설명서	□ 제품 및 재료의 품질기준 ○ 물리적 성능 및 화학적 성능 시험방법 ○ 제품 및 원재료 시험성적서 ○ 차음구조의 시공 및 현장품질관리에 관한 사항(검사기준 포함) □ 사내 규격 ○ 작업표준 및 공정관리 관련 사내규격
4. 기타자료	○ 품질시험 희망기관(연락처 포함) ○ 제품의 특성을 검토한 설명서(필요시) ○ 기타 필요한 사항
5. 시공건축물 개요(신청자가 시공자인 경우에 한함)	○ 소재지, 층수 및 연면적, 구조 등 당해시공건축물 일반사항 ○ 차음구조 공사물량

※ 다만 제4조에 의하여 시공자가 인정 신청하는 경우에는 세부지침에 따라 품질관리설명서 등 일부 사항은 생략할 수 있다.

[별표 3]

차음구조인정업무절차

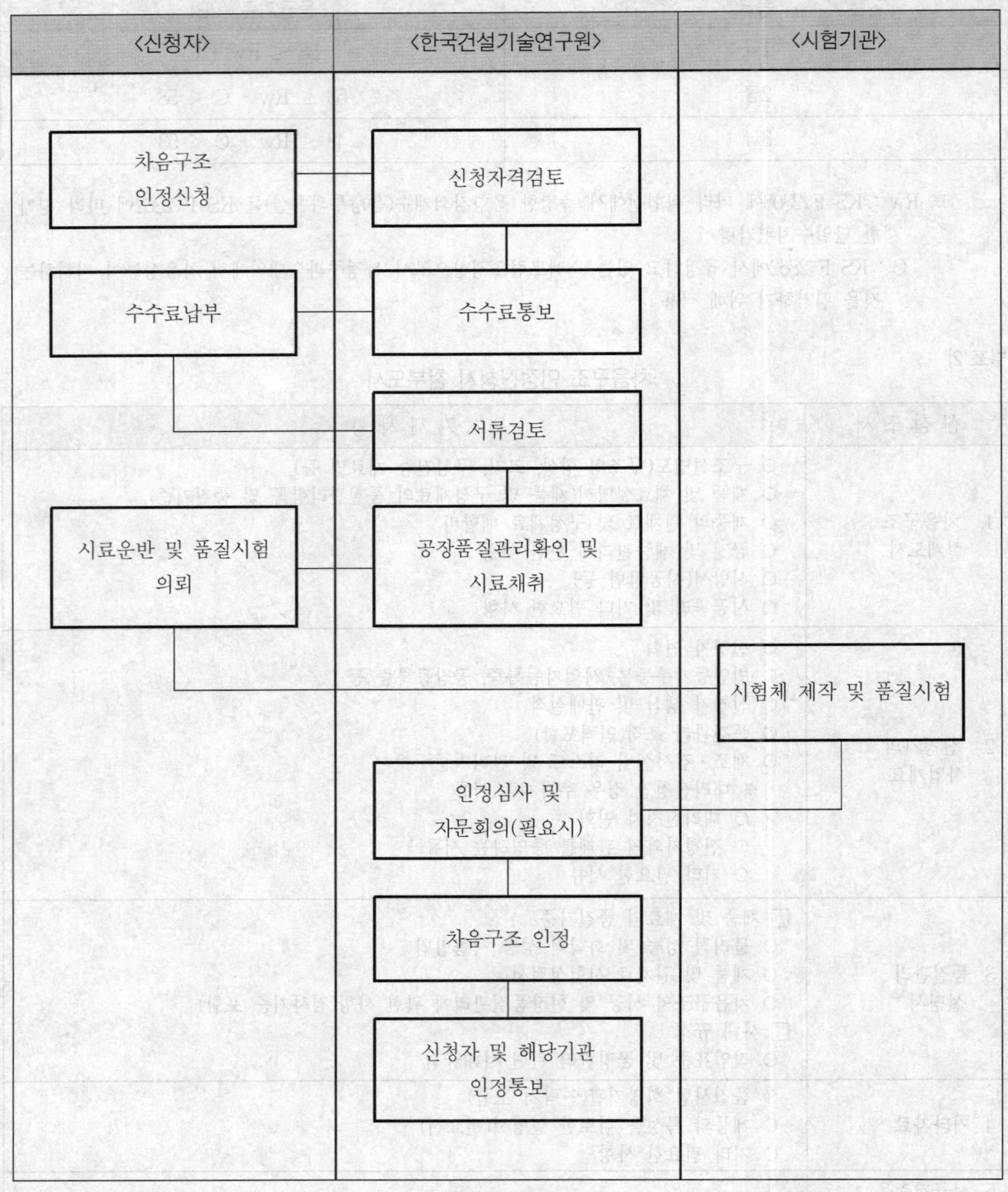

[별표 4]

차음구조 인정업무 처리기간

순번	업 무 명	처리기간	처 리 내 용	비 고
1	신청자격검토	7일	○ 신청자격 및 제한조건 검토	
2	수수료통보		○ 수수료납부요청	
3	신청서류 검토		○ 인정신청시 첨부도서내용 확인 및 검토 1. 차음구조 설계도서 - 구조설명서, 재료설명서 - 시방서(시공방법 등) 시공관리 2. 신청자의 영업개요 3. 품질관리 설명서 ○ 자문회의 실시여부 결정	
4	공장품질관리 확인 및 시료채취	6일	○ 공장품질관리심사 및 시료채취 1. 공장품질관리확인 - 신청자의 자본 및 시설 - 구조의 제조 및 품질관리에 관한 사항 - 구조의 시공에 관한 사항 2. 시료채취 - 신청된 구조의 배합비 등 확인 - 시험에 필요한 시료채취 - 시험기관에 시료 전달 ○ 심사결과 정리 및 보고	
5	품질시험성적서 검토	3일	○ 시험체제작 및 시험실시 ○ 품질시험성적서 검토	
6	수수료정산요청	3일	○ 수수료정산	
7	차음구조 인정 및 공고	6일	○ 인정 및 세부인정내용 작성 ○ 인정 공고안 작성 ○ 관련기관 통보 ○ 신청업체에 차음구조 인정서 발급	
	계	25일	※ 1개 구조가 추가될 경우 처리기간은 7일씩 증가	자문회의를 실시하는 경우 민원기간 10일 증가

[별표 5]

인정 차음구조의 표시

한국건설기술연구원장 인정
(인 정 번 호)
(사 용 부 위) 1)
(차 음 성 능)
(회 사 명)

5~10cm

5~10cm

※ 비고. 1)

- 사용부위는 사용 가능한 건축물의 부분 및 바탕재 등을 표시한다.

1.7.3 소음방지를 위한 층간 바닥충격음 차단 구조기준

[국토교통부고시 제2018-585호, 2018.9.21.]

제1조 【목적】 이 기준은 「건축법」 제49조제3항 및 「건축물의 피난·방화구조 등의 기준에 관한 규칙」 제19조제4항에 따라 가구·세대 등 간 소음방지를 위한 층간 바닥충격음 차단 구조기준을 제시하여 이웃간의 층간소음 관련 분쟁으로 인한 인명 및 재산 피해를 사전에 예방하고 쾌적한 생활환경을 조성하는 것을 목적으로 한다.

제2조 【정의】 이 기준에서 사용하는 용어의 뜻은 다음과 같다. <개정 2018.9.21.>

1. "바닥충격음 차단구조"란 「주택법」 제41조제1항에 따라 바닥충격음 차단구조의 성능등급을 인정하는 기관의 장이 차단구조의 성능[중량충격음(무겁고 부드러운 충격에 의한 바닥충격음을 말한다) 50데시벨 이하, 경량충격음(비교적 가볍고 딱딱한 충격에 의한 바닥충격음을 말한다) 58 데시벨 이하]을 확인하여 인정한 바닥구조를 말한다.
2. "표준바닥구조"란 중량충격음 및 경량충격음을 차단하기 위하여 콘크리트 슬라브, 완충재, 마감 모르타르, 바닥마감재 등으로 구성된 일체형 바닥구조를 말한다.

제3조 【적용범위】 이 기준은 다음 각 호의 건축물에 대하여 적용한다. <개정 2018.9.21.>

1. 「건축법 시행령」(이하 "영"이라 한다) 별표1 제1호다목에 따른 다가구주택
2. 영 별표1 제2호에 따른 공동주택(「주택법」 제15조에 따른 주택건설사업계획승인 대상은 제외한다)
3. 영 별표1 제14호나목에 따른 오피스텔
4. 영 별표1 제4호거목에 따른 다중생활시설
5. 영 별표1 제15호다목에 따른 다중생활시설

제4조 【바닥구조】 ① 30세대 이상의 공동주택(기숙사는 제외한다)·오피스텔의 세대 내 층간바닥은 바닥충격음 차단구조로 하거나 별표1에 따른 표준바닥구조(Ⅰ형식)에 적합하여야 한다.

② 30세대 미만의 공동주택(기숙사는 제외한다)·오피스텔, 기숙사, 다가구주택, 다중생활시설의 세대 내 층간바닥은 바닥충격음 차단구조로 하거나 별표1에 따른 표준바닥구조(Ⅱ형식)에 적합하여야 한다.

③ 제1항 및 제2항에도 불구하고 다음 각 호에 해당하는 부분은 제1항 및 제2항의 기준을 적용하지 아니할 수 있다.

1. 발코니(거주목적으로 발코니를 구조변경한 경우 제외), 현관, 세탁실, 대피공간, 벽으로 구획된 창고
2. 아래층의 공간이 비거주 공간(주차장, 기계실 등)이나 지면에 면해 있는 바닥, 최상층 천정 등과 같이 윗층 또는 아래층을 거실로 사용하지 않는 공간
3. 제1호 및 제2호와 비슷한 공간으로서 허가권자가 층간소음으로 인한 피해 가능성이 적어 이 기준 적용이 불필요하다고 인정하는 부분

제5조 【규제의 재검토】 국토교통부장관은 「훈령·예규 등의 발령 및 관리에 관한 규정」(대통령훈령 제334호)에 따라 이 고시에 대하여 2019년 1월 1일을 기준으로 매 3년이 되는 시점(매 3년째의 12월 31일까지를 말한다)마다 그 타당성을 검토하여 개선 등의 조치를 하여야 한다. <개정 2018.9.21>

부칙<제2015-319호, 2015.5.21.>

제1조(시행일) 이 기준은 고시한 날부터 시행한다.

제2조(적용례) 이 기준은 이 기준 시행 후 최초로 「건축법」 제11조에 따라 건축허가를 신청하거나 「건축법」 제14조에 따라 건축신고를 하는 경우부터 적용한다. 다만, 「건축법」 제4조의2에 따른 건축위원회의 심의 대상인 경우에는 「건축법」 제4조의2에 따른 건축위원회의 심의를 최초로 신청(건축허가를 신청하기 전에 심의를 신청한 경우로 한정한다)하는 경우부터 적용한다.

부칙<제2018-585호, 2018.9.21.>

이 기준은 고시한 날부터 시행한다.

[별표 1]

표준바닥구조의 종류

가. 표준바닥구조 1

단면 상세

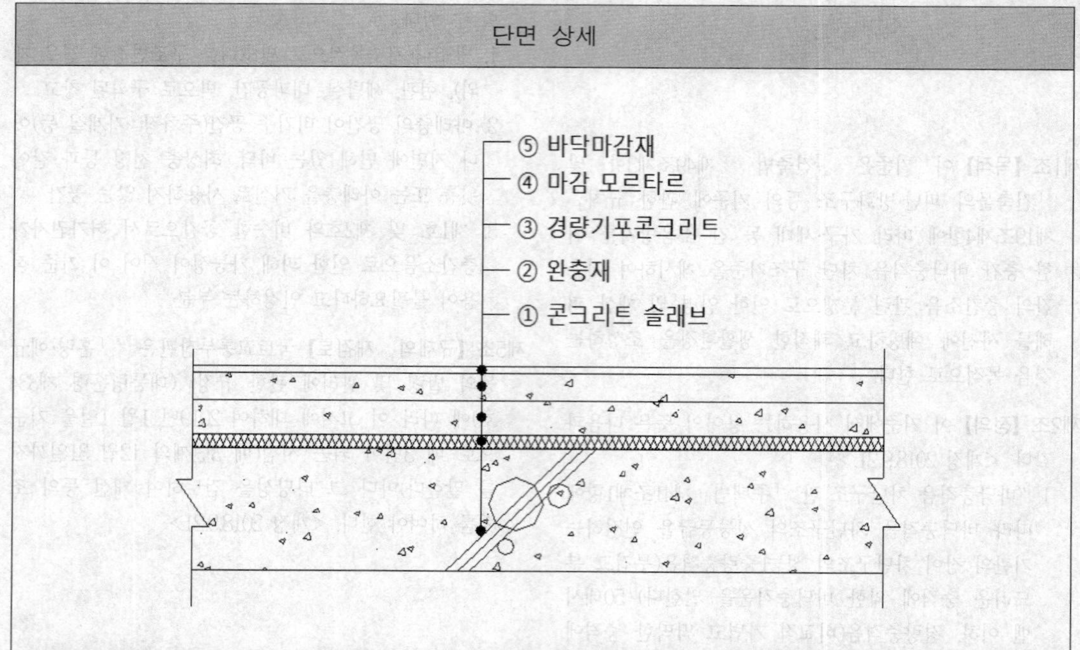

형식·구조별 표준바닥구조 기준

<table>
<tr><th>형식</th><th>구조</th><th>① 콘크리트슬래브</th><th>② 완충재</th><th>③ 경량기포콘크리트</th><th>④ 마감 모르타르</th></tr>
<tr><td rowspan="3">Ⅰ</td><td>벽식 및 혼합구조</td><td>210㎜ 이상</td><td rowspan="3">20㎜ 이상</td><td rowspan="3">40㎜ 이상</td><td rowspan="3">40㎜ 이상</td></tr>
<tr><td>라멘구조</td><td>150㎜ 이상</td></tr>
<tr><td>무량판구조</td><td>180㎜ 이상</td></tr>
<tr><td rowspan="3">Ⅱ</td><td>벽식 및 혼합구조</td><td>210㎜ 이상</td><td rowspan="3">20㎜ 이상</td><td rowspan="3">-</td><td rowspan="3">40㎜ 이상</td></tr>
<tr><td>라멘구조</td><td>150㎜ 이상</td></tr>
<tr><td>무량판구조</td><td>180㎜ 이상</td></tr>
</table>

나. 표준바닥구조 2

단면 상세

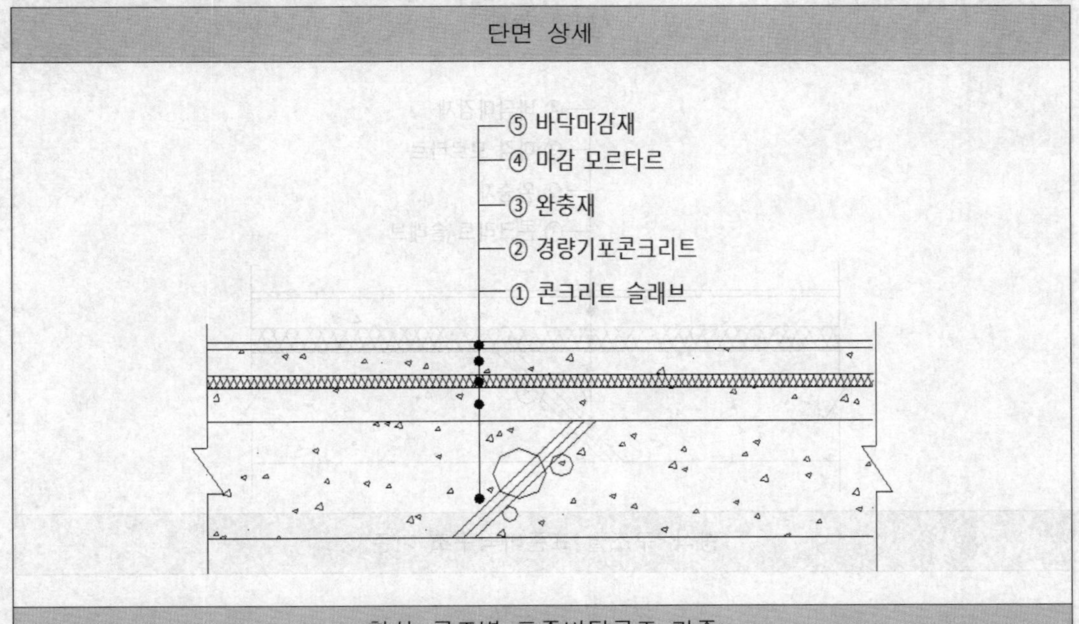

형식·구조별 표준바닥구조 기준

형식	구조	① 콘크리트슬래브	② 경량기포콘크리트	③ 완충재	④ 마감 모르타르
I	벽식 및 혼합구조	210㎜ 이상	40㎜ 이상	20㎜ 이상	40㎜ 이상
	라멘구조	150㎜ 이상			
	무량판구조	180㎜ 이상			
II	벽식 및 혼합구조	210㎜ 이상	-	20㎜ 이상	40㎜ 이상
	라멘구조	150㎜ 이상			
	무량판구조	180㎜ 이상			

다. 표준바닥구조 3

단면 상세

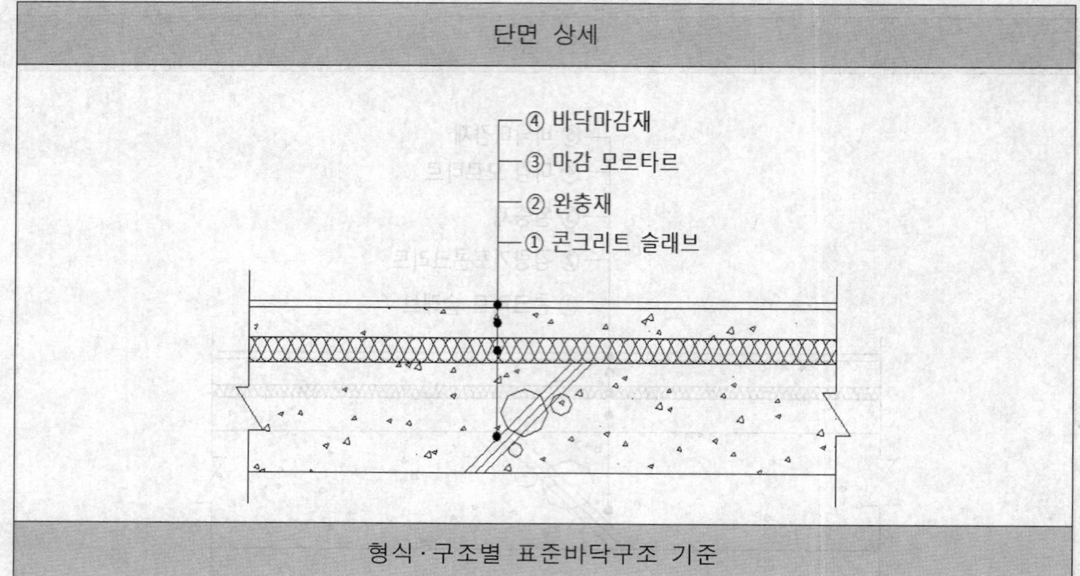

형식·구조별 표준바닥구조 기준

형식	구조	① 콘크리트슬래브	② 완충재	③ 마감 모르타르
I	벽식 및 혼합구조	210㎜ 이상	40㎜ 이상	50㎜ 이상
	라멘구조	150㎜ 이상		
	무량판구조	180㎜ 이상		

<비고>

1. "벽식 구조"란 수직하중과 횡력을 전단벽이 부담하는 구조를 말한다.
2. "무량판구조"란 보가 없이 기둥과 슬래브만으로 중력하중을 저항하는 구조방식을 말한다.
3. "혼합구조"란 "벽식구조"에서 벽체의 일부분을 기둥으로 바꾸거나 부분적으로 보를 활용하는 구조를 말한다.
4. "라멘구조"란 보와 기둥을 통해서 내력이 전달되는 구조를 말한다.
5. "바닥마감재"란 온돌층 상부표면에 최종 마감되는 재료(발포비닐계 장판지 · 목재 마루 등)를 말한다.
6. 경량기포콘크리트의 품질 및 시공방법은 KS F 4039(현장 타설용 기포콘크리트) 규정에 따른다.
7. "완충재"란 충격음을 흡수하기 위하여 바닥구조체 위에 설치하는 재료를 말하며, 성능평가기준 및 시공방법 등은 「공동주택 바닥충격음 차단구조 인정 및 관리기준」 제32조 및 제33조에 따른다.
8. 온돌층이 벽체와 접하는 부위에는 측면완충재를 적용한다.

1.8 건축물의 설비기준 등에 관한 규칙

[국토교통부령 제882호, 2021.8.27, 타법개정]

제 정 1992. 6. 1 건 설 부 령 제506호
일부개정 2011.11.30 국토해양부령 제408호
일부개정 2012. 4.30 국토해양부령 제458호
일부개정 2013. 9. 2 국토교통부령 제 23호
일부개정 2015. 7. 9 국토교통부령 제219호
일부개정 2017. 5. 2 국토교통부령 제420호
일부개정 2017.12. 4 국토교통부령 제467호
타법개정 2020. 3. 2 국토교통부령 제704호
일부개정 2020. 4. 9 국토교통부령 제715호
타법개정 2021. 8.27 국토교통부령 제882호

제1조【목적】 이 규칙은 「건축법」 제49조, 제62조, 제64조, 제67조 및 제68조와 같은 법 시행령 제87조, 제89조, 제90조 및 제91조의3에 따른 건축설비의 설치에 관한 기술적 기준 등에 필요한 사항을 규정함을 목적으로 한다. <개정 2013.2.22, 2013.9.2., 2015.7.9., 2020.4.9.>

제2조【관계전문기술자의 협력을 받아야 하는 건축물】 「건축법 시행령」(이하 "영"이라 한다) 제91조의3제2항 각 호 외의 부분에서 "국토교통부령으로 정하는 건축물"이란 다음 각 호의 건축물을 말한다. <개정 2013.3.23, 2013.9.2., 2020.4.9.>

1. 냉동냉장시설·항온항습시설(온도와 습도를 일정하게 유지시키는 특수설비가 설치되어 있는 시설을 말한다) 또는 특수청정시설(세균 또는 먼지등을 제거하는 특수설비가 설치되어 있는 시설을 말한다)로서 당해 용도에 사용되는 바닥면적의 합계가 5백제곱미터 이상인 건축물
2. 영 별표 1 제2호가목 및 나목에 따른 아파트 및 연립주택
3. 다음 각 목의 어느 하나에 해당하는 건축물로서 해당 용도에 사용되는 바닥면적의 합계가 5백제곱미터 이상인 건축물
   가. 영 별표 1 제3호다목에 따른 목욕장
   나. 영 별표 1 제13호가목에 따른 물놀이형 시설(실내에 설치된 경우로 한정한다) 및 같은 호 다목에 따른 수영장(실내에 설치된 경우로 한정한다)
4. 다음 각 목의 어느 하나에 해당하는 건축물로서 해당 용도에 사용되는 바닥면적의 합계가 2천제곱미터 이상인 건축물
   가. 영 별표 1 제2호라목에 따른 기숙사
   나. 영 별표 1 제9호에 따른 의료시설
   다. 영 별표 1 제12호다목에 따른 유스호스텔
   라. 영 별표 1 제15호에 따른 숙박시설
5. 다음 각 목의 어느 하나에 해당하는 건축물로서 해당 용도에 사용되는 바닥면적의 합계가 3천제곱미터 이상인 건축물
   가. 영 별표 1 제7호에 따른 판매시설
   나. 영 별표 1 제10호마목에 따른 연구소
   다. 영 별표 1 제14호에 따른 업무시설
6. 다음 각 목의 어느 하나에 해당하는 건축물로서 해당 용도에 사용되는 바닥면적의 합계가 1만제곱미터 이상인 건축물
   가. 영 별표 1 제5호가목부터 라목까지에 해당하는 문화 및 집회시설
   나. 영 별표 1 제6호에 따른 종교시설
   다. 영 별표 1 제10호에 따른 교육연구시설(연구소는 제외한다)
   라. 영 별표 1 제28호에 따른 장례식장

제3조【관계전문기술자의 협력사항】 ① 영 제91조의3제2항에 따른 건축물에 전기, 승강기, 피뢰침, 가스, 급수, 배수(配水), 배수(排水), 환기, 난방, 소화, 배연(排煙) 및 오물처리설비를 설치하는 경우에는 건축사가 해당 건축물의 설계를 총괄하고, 「기술사법」에 따라 등록한 건축전기설비기술사, 발송배전(發送配電)기술사, 건축기계설비기술사, 공조냉동기계기술사 또는 가스기술사(이하 "기술사"라 한다)가 건축사와 협력하여 해당 건축설비를 설계하여야 한다. <개정 2010.11.5., 2017.5.2.>

② 영 제91조의3제2항에 따라 건축물에 건축설비를 설치한 경우에는 해당 분야의 기술사가 그 설치상태를 확인한 후 건축주 및 공사감리자에게 별지 제1호서식의 건축설비설치확인서를 제출하여야 한다. <개정 2010.11.5>

제4조
[종전 제4조는 제12조로 이동 <2015.7.9.>]

제5조【승용승강기의 설치기준】「건축법」(이하 "법"이라 한다) 제64조제1항에 따라 건축물에 설치하는 승용승강기의 설치기준은 별표 1의2와 같다. 다만, 승용승강기가 설치되어 있는 건축물에 1개층을 증축하는 경우에는 승용승강기의 승강로를 연장하여 설치하지 아니할 수 있다. <개정 2015.7.9>

제6조【승강기의 구조】 법 제64조에 따라 건축물에 설치하는 승강기·에스컬레이터 및 비상용승강기의 구조는 「승강기시설 안전관리법」이 정하는 바에 따른다. <개정 2010.11.5>

제7조 삭제 <1996.2.9>

제8조 삭제 <1996.2.9>

제9조 【비상용승강기를 설치하지 아니할 수 있는 건축물】 법 제64조제2항 단서에서 "국토교통부령이 정하는 건축물"이라 함은 다음 각 호의 건축물을 말한다. <개정 2013.3.23., 2017.12.4.>

1. 높이 31미터를 넘는 각층을 거실외의 용도로 쓰는 건축물
2. 높이 31미터를 넘는 각층의 바닥면적의 합계가 500제곱미터 이하인 건축물
3. 높이 31미터를 넘는 층수가 4개층이하로서 당해 각층의 바닥면적의 합계 200제곱미터(벽 및 반자가 실내에 접하는 부분의 마감을 불연재료로 한 경우에는 500제곱미터)이내마다 방화구획(영 제46조제1항 본문에 따른 방화구획을 말한다. 이하 같다)으로 구획된 건축물

제10조 【비상용승강기의 승강장 및 승강로의 구조】 법 제64조제2항에 따른 비상용승강기의 승강장 및 승강로의 구조는 다음 각 호의 기준에 적합하여야 한다.

1. 삭제 <1996.2.9>
2. 비상용승강기 승강장의 구조
   가. 승강장의 창문·출입구 기타 개구부를 제외한 부분은 당해 건축물의 다른 부분과 내화구조의 바닥 및 벽으로 구획할 것. 다만, 공동주택의 경우에는 승강장과 특별피난계단(「건축물의 피난·방화구조 등의 기준에 관한 규칙」 제9조의 규정에 의한 특별피난계단을 말한다. 이하 같다)의 부속실과의 겸용부분을 특별피난계단의 계단실과 별도로 구획하는 때에는 승강장을 특별피난계단의 부속실과 겸용할 수 있다.
   나. 승강장은 각층의 내부와 연결될 수 있도록 하되, 그 출입구(승강로의 출입구를 제외한다)에는 갑종방화문을 설치할 것. 다만, 피난층에는 갑종방화문을 설치하지 아니할 수 있다.
   다. 노대 또는 외부를 향하여 열 수 있는 창문이나 제14조제2항의 규정에 의한 배연설비를 설치할 것
   라. 벽 및 반자가 실내에 접하는 부분의 마감재료(마감을 위한 바탕을 포함한다)는 불연재료로 할 것
   마. 채광이 되는 창문이 있거나 예비전원에 의한 조명설비를 할 것
   바. 승강장의 바닥면적은 비상용승강기 1대에 대하여 6제곱미터 이상으로 할 것. 다만, 옥외에 승강장을 설치하는 경우에는 그러하지 아니하다.
   사. 피난층이 있는 승강장의 출입구(승강장이 없는 경우에는 승강로의 출입구)로부터 도로 또는 공지(공원·광장 기타 이와 유사한 것으로서 피난 및 소화를 위한 당해 대지에의 출입에 지장이 없는 것을 말한다)에 이르는 거리가 30미터 이하일 것
   아. 승강장 출입구 부근의 잘 보이는 곳에 당해 승강기가 비상용승강기임을 알 수 있는 표지를 할 것
3. 비상용승강기의 승강로의 구조
   가. 승강로는 당해 건축물의 다른 부분과 내화구조로 구획할 것
   나. 각층으로부터 피난층까지 이르는 승강로를 단일구조로 연결하여 설치할 것

제11조 【공동주택 및 다중이용시설의 환기설비기준 등】 ① 영 제87조제2항의 규정에 따라 신축 또는 리모델링하는 다음 각 호의 어느 하나에 해당하는 주택 또는 건축물(이하 "신축공동주택등"이라 한다)은 시간당 0.5회 이상의 환기가 이루어질 수 있도록 자연환기설비 또는 기계환기설비를 설치해야 한다. <개정 2013.9.2., 2013.12.27., 2020.4.9.>

1. 30세대 이상의 공동주택(기숙사를 제외한다)
2. 주택을 주택 외의 시설과 동일건축물로 건축하는 경우로서 주택이 30세대 이상인 건축물

② 신축공동주택등에 자연환기설비를 설치하는 경우에는 자연환기설비가 제1항에 따른 환기횟수를 충족하는지에 대하여 법 제4조에 따른 지방건축위원회의 심의를 받아야 한다. 다만, 신축공동주택등에 「산업표준화법」에 따른 한국산업표준(이하 "한국산업표준"이라 한다)의 자연환기설비 환기성능 시험방법(KSF 2921)에 따라 성능시험을 거친 자연환기설비를 별표 1의3에 따른 자연환기설비 설치 길이 이상으로 설치하는 경우는 제외한다. <개정 2010.11.5., 2015.7.9.>

③ 신축공동주택등에 자연환기설비 또는 기계환기설비를 설치하는 경우에는 별표 1의4 또는 별표 1의5의 기준에 적합하여야 한다. <개정 2009.12.31>

④ 특별시장·광역시장·특별자치시장·특별자치도지사 또는 시장·군수·구청장(자치구의 구청장을 말하며, 이하 "허가권자"라 한다)은 30세대 미만인 공동주택과 주택을 주택 외의 시설과 동일 건축물로 건축하는 경우로서 주택이 30세대 미만인 건축물 및 단독주택에 대해 시간당 0.5회 이상의 환기가 이루어질 수 있도록 자연환기설비 또는 기계환기설비의 설치를 권장할 수 있다. <신설 2020.4.9.>

⑤ 다중이용시설을 신축하는 경우에 기계환기설비를 설치하여야 하는 다중이용시설 및 각 시설의 필요 환기량은 별표 1의6과 같으며, 설치해야 하는 기계환기설비의 구조 및 설치는 다음 각 호의 기준에 적합해야 한다. <개정 2010.11.5., 2020.4.9.>

1. 다중이용시설의 기계환기설비 용량기준은 시설이용

인원 당 환기량을 원칙으로 산정할 것

2. 기계환기설비는 다중이용시설로 공급되는 공기의 분포를 최대한 균등하게 하여 실내 기류의 편차가 최소화될 수 있도록 할 것

3. 공기공급체계·공기배출체계 또는 공기흡입구·배기구 등에 설치되는 송풍기는 외부의 기류로 인하여 송풍능력이 떨어지는 구조가 아닐 것

4. 바깥공기를 공급하는 공기공급체계 또는 바깥공기가 도입되는 공기흡입구는 다음 각 목의 요건을 모두 갖춘 공기여과기 또는 집진기(集塵機) 등을 갖출 것

가. 입자형·가스형 오염물질을 제거 또는 여과하는 성능이 일정 수준 이상일 것

나. 여과장치 등의 청소 및 교환 등 유지관리가 쉬운 구조일 것

다. 공기여과기의 경우 한국산업표준(KS B 6141)에 따른 입자 포집률이 계수법으로 측정하여 60퍼센트 이상일 것

5. 공기배출체계 및 배기구는 배출되는 공기가 공기공급체계 및 공기흡입구로 직접 들어가지 아니하는 위치에 설치할 것

6. 기계환기설비를 구성하는 설비·기기·장치 및 제품 등의 효율과 성능 등을 판정하는데 있어 이 규칙에서 정하지 아니한 사항에 대하여는 해당항목에 대한 한국산업표준에 적합할 것

[본조신설 2006.2.13.]

제11조의2【환기구의 안전 기준】① 영 제87조제2항에 따라 환기구[건축물의 환기설비에 부속된 급기(給氣) 및 배기(排氣)를 위한 건축구조물의 개구부(開口部)를 말한다. 이하 같다]는 보행자 및 건축물 이용자의 안전이 확보되도록 바닥으로부터 2미터 이상의 높이에 설치해야 한다. 다만, 다음 각 호의 어느 하나에 해당하는 경우에는 예외로 한다. <개정 2021.8.27>

1. 환기구를 벽면에 설치하는 등 사람이 올라설 수 없는 구조로 설치하는 경우. 이 경우 배기를 위한 환기구는 배출되는 공기가 보행자 및 건축물 이용자에게 직접 닿지 아니하도록 설치되어야 한다.

2. 안전울타리 또는 조경 등을 이용하여 접근을 차단하는 구조로 하는 경우

② 모든 환기구에는 국토교통부장관이 정하여 고시하는 강도(强度) 이상의 덮개와 덮개 걸침턱 등 추락방지시설을 설치하여야 한다.

[본조신설 2015.7.9.]

제12조【온돌의 설치기준】① 영 제87조제2항에 따라 건축물에 온돌을 설치하는 경우에는 그 구조상 열에너지가 효율적으로 관리되고 화재의 위험을 방지하기 위하여 별표 1의7의 기준에 적합하여야 한다.

② 제1항에 따라 건축물에 온돌을 시공하는 자는 시공을 끝낸 후 별지 제2호서식의 온돌 설치확인서를 공사감리자에게 제출하여야 한다. 다만, 제3조제2항에 따른 건축설비설치확인서를 제출한 경우와 공사감리자가 직접 온돌의 설치를 확인한 경우에는 그러하지 아니하다.

[본조신설 2015.7.9.]

제13조【개별난방설비 등】① 영 제87조제2항의 규정에 의하여 공동주택과 오피스텔의 난방설비를 개별난방방식으로 하는 경우에는 다음 각호의 기준에 적합하여야 한다. <개정 2001.1.17., 2017.12.4.>

1. 보일러는 거실외의 곳에 설치하되, 보일러를 설치하는 곳과 거실사이의 경계벽은 출입구를 제외하고는 내화구조의 벽으로 구획할 것

2. 보일러실의 윗부분에는 그 면적이 0.5제곱미터 이상인 환기창을 설치하고, 보일러실의 윗부분과 아랫부분에는 각각 지름 10센티미터 이상의 공기흡입구 및 배기구를 항상 열려있는 상태로 바깥공기에 접하도록 설치할 것. 다만, 전기보일러의 경우에는 그러하지 아니하다.

3. 삭제 <1999.5.11>

4. 보일러실과 거실사이의 출입구는 그 출입구가 닫힌 경우에는 보일러가스가 거실에 들어갈 수 없는 구조로 할 것

5. 기름보일러를 설치하는 경우에는 기름저장소를 보일러실외의 다른 곳에 설치할 것

6. 오피스텔의 경우에는 난방구획을 방화구획으로 구획할 것

7. 보일러의 연도는 내화구조로서 공동연도로 설치할 것

② 가스보일러에 의한 난방설비를 설치하고 가스를 중앙집중공급방식으로 공급하는 경우에는 제1항의 규정에 불구하고 가스관계법령이 정하는 기준에 의하되, 오피스텔의 경우에는 난방구획마다 내화구조로 된 벽·바닥과 갑종방화문으로 된 출입문으로 구획하여야 한다. <신설 1999.5.11.>

③ 허가권자는 개별 보일러를 설치하는 건축물의 경우 소방청장이 정하여 고시하는 기준에 따라 일산화탄소 경보기를 설치하도록 권장할 수 있다. <신설 2020.4.9.>

[제목개정 2020.4.9.]

제14조【배연설비】① 법 제49조제2항에 따라 배연설비를 설치하여야 하는 건축물에는 다음 각 호의 기준에 적합하게 배연설비를 설치해야 한다. 다만, 피난층인

경우에는 그렇지 않다. <개정 2017.12.4., 2020.4.9.>

1. 영 제46조제1항에 따라 건축물이 방화구획으로 구획된 경우에는 그 구획마다 1개소 이상의 배연창을 설치하되, 배연창의 상변과 천장 또는 반자로부터 수직거리가 0.9미터 이내일 것. 다만, 반자높이가 바닥으로부터 3미터 이상인 경우에는 배연창의 하변이 바닥으로부터 2.1미터 이상의 위치에 놓이도록 설치하여야 한다.
2. 배연창의 유효면적은 별표 2의 산정기준에 의하여 산정된 면적이 1제곱미터 이상으로서 그 면적의 합계가 당해 건축물의 바닥면적(영 제46조제1항 또는 제3항의 규정에 의하여 방화구획이 설치된 경우에는 그 구획된 부분의 바닥면적을 말한다)의 100분의 1이상일 것. 이 경우 바닥면적의 산정에 있어서 거실바닥면적의 20분의 1 이상으로 환기창을 설치한 거실의 면적은 이에 산입하지 아니한다.
3. 배연구는 연기감지기 또는 열감지기에 의하여 자동으로 열 수 있는 구조로 하되, 손으로도 열고 닫을 수 있도록 할 것
4. 배연구는 예비전원에 의하여 열 수 있도록 할 것
5. 기계식 배연설비를 하는 경우에는 제1호 내지 제4호의 규정에 불구하고 소방관계법령의 규정에 적합하도록 할 것

② 특별피난계단 및 영 제90조제3항의 규정에 의한 비상용승강기의 승강장에 설치하는 배연설비의 구조는 다음 각호의 기준에 적합하여야 한다. <개정 1999.5.11>

1. 배연구 및 배연풍도는 불연재료로 하고, 화재가 발생한 경우 원활하게 배연시킬 수 있는 규모로서 외기 또는 평상시에 사용하지 아니하는 굴뚝에 연결할 것
2. 배연구에 설치하는 수동개방장치 또는 자동개방장치(열감지기 또는 연기감지기에 의한 것을 말한다)는 손으로도 열고 닫을 수 있도록 할 것
3. 배연구는 평상시에는 닫힌 상태를 유지하고, 연 경우에는 배연에 의한 기류로 인하여 닫히지 아니하도록 할 것
4. 배연구가 외기에 접하지 아니하는 경우에는 배연기를 설치할 것
5. 배연기는 배연구의 열림에 따라 자동적으로 작동하고, 충분한 공기배출 또는 가압능력이 있을 것
6. 배연기에는 예비전원을 설치할 것
7. 공기유입방식을 급기가압방식 또는 급·배기방식으로 하는 경우에는 제1호 내지 제6호의 규정에 불구하고 소방관계법령의 규정에 적합하게 할 것

제15조 삭제 <1996.2.9>

제16조 삭제 <1999.5.11>

제17조【배관설비】① 건축물에 설치하는 급수·배수등의 용도로 쓰는 배관설비의 설치 및 구조는 다음 각호의 기준에 적합하여야 한다.

1. 배관설비를 콘크리트에 묻는 경우 부식의 우려가 있는 재료는 부식방지조치를 할 것
2. 건축물의 주요부분을 관통하여 배관하는 경우에는 건축물의 구조내력에 지장이 없도록 할 것
3. 승강기의 승강로안에는 승강기의 운행에 필요한 배관설비외의 배관설비를 설치하지 아니할 것
4. 압력탱크 및 급탕설비에는 폭발등의 위험을 막을 수 있는 시설을 설치할 것

② 제1항의 규정에 의한 배관설비로서 배수용으로 쓰이는 배관설비는 제1항 각호의 기준외에 다음 각호의 기준에 적합하여야 한다. <개정 1996.2.9>

1. 배출시키는 빗물 또는 오수의 양 및 수질에 따라 그에 적당한 용량 및 경사를 지게 하거나 그에 적합한 재질을 사용할 것
2. 배관설비에는 배수트랩·통기관을 설치하는 등 위생에 지장이 없도록 할 것
3. 배관설비의 오수에 접하는 부분은 내수재료를 사용할 것
4. 지하실등 공공하수도로 자연배수를 할 수 없는 곳에는 배수용량에 맞는 강제배수시설을 설치할 것
5. 우수관과 오수관은 분리하여 배관할 것
6. 콘크리트구조체에 배관을 매설하거나 배관이 콘크리트구조체를 관통할 경우에는 구조체에 덧관을 미리 매설하는 등 배관의 부식을 방지하고 그 수선 및 교체가 용이하도록 할 것

③ 삭제 <1996.2.9>

제17조의2【물막이설비】① 다음 각 호의 어느 하나에 해당하는 지역에서 연면적 1만제곱미터 이상의 건축물을 건축하려는 자는 빗물 등의 유입으로 건축물이 침수되지 않도록 해당 건축물의 지하층 및 1층의 출입구(주차장의 출입구를 포함한다)에 물막이판 등 해당 건축물의 침수를 방지할 수 있는 설비(이하 "물막이설비"라 한다)를 설치해야 한다. 다만, 허가권자가 침수의 우려가 없다고 인정하는 경우에는 그렇지 않다. <개정 2020.4.9., 2021.8.27>

1. 「국토의 계획 및 이용에 관한 법률」 제37조제1항제5호에 따른 방재지구
2. 「자연재해대책법」 제12조제1항에 따른 자연재해위험지구

② 제1항에 따라 설치되는 물막이설비는 다음 각 호

의 기준에 적합해야 한다. <개정 2021.8.27>

1. 건축물의 이용 및 피난에 지장이 없는 구조일 것
2. 그 밖에 국토교통부장관이 정하여 고시하는 기준에 적합하게 설치할 것

[본조신설 2012.4.30]

제18조【먹는물용 배관설비】 영 제87조제2항에 따라 건축물에 설치하는 먹는물용 배관설비의 설치 및 구조는 다음 각 호의 기준에 적합해야 한다. <개정 2021.8.27>

1. 제17조제1항 각호의 기준에 적합할 것
2. 먹는물용 배관설비는 다른 용도의 배관설비와 직접 연결하지 않을 것
3. 급수관 및 수도계량기는 얼어서 깨지지 아니하도록 별표 3의2의 규정에 의한 기준에 적합하게 설치할 것
4. 제3호에서 정한 기준외에 급수관 및 수도계량기가 얼어서 깨지지 아니하도록 하기 위하여 지역실정에 따라 당해 지방자치단체의 조례로 기준을 정한 경우에는 동기준에 적합하게 설치할 것
5. 급수 및 저수탱크는 「수도시설의 청소 및 위생관리 등에 관한 규칙」 별표 1의 규정에 의한 저수조 설치기준에 적합한 구조로 할 것
6. 먹는물의 급수관의 지름은 건축물의 용도 및 규모에 적정한 규격이상으로 할 것. 다만, 주거용 건축물은 해당 배관에 의하여 급수되는 가구수 또는 바닥면적의 합계에 따라 별표 3의 기준에 적합한 지름의 관으로 배관해야 한다.
7. 먹는물용 급수관은 「수도법 시행규칙」 제10조 및 별표 4에 따른 위생안전기준에 적합한 수도용 자재 및 제품을 사용할 것

제19조 삭제 <1999.5.11>

제20조【피뢰설비】 영 제87조제2항에 따라 낙뢰의 우려가 있는 건축물, 높이 20미터 이상의 건축물 또는 영 제118조제1항에 따른 공작물로서 높이 20미터 이상의 공작물(건축물에 영 제118조제1항에 따른 공작물을 설치하여 그 전체 높이가 20미터 이상인 것을 포함한다)에는 다음 각 호의 기준에 적합하게 피뢰설비를 설치해야 한다. <개정 2021.8.27>

1. 피뢰설비는 한국산업표준이 정하는 피뢰레벨 등급에 적합한 피뢰설비일 것. 다만, 위험물저장 및 처리시설에 설치하는 피뢰설비는 한국산업표준이 정하는 피뢰시스템레벨 II 이상이어야 한다.
2. 돌침은 건축물의 맨 윗부분으로부터 25센티미터 이상 돌출시켜 설치하되, 「건축물의 구조기준 등에 관한 규칙」 제9조에 따른 설계하중에 견딜 수 있는 구조일 것
3. 피뢰설비의 재료는 최소 단면적이 피복이 없는 동선(銅線)을 기준으로 수뢰부, 인하도선 및 접지극은 50제곱밀리미터 이상이거나 이와 동등 이상의 성능을 갖출 것
4. 피뢰설비의 인하도선을 대신하여 철골조의 철골구조물과 철근콘크리트조의 철근구조체 등을 사용하는 경우에는 전기적 연속성이 보장될 것. 이 경우 전기적 연속성이 있다고 판단되기 위하여는 건축물 금속 구조체의 최상단부와 지표레벨 사이의 전기저항이 0.2옴 이하이어야 한다.
5. 측면 낙뢰를 방지하기 위하여 높이가 60미터를 초과하는 건축물 등에는 지면에서 건축물 높이의 5분의 4가 되는 지점부터 최상단부분까지의 측면에 수뢰부를 설치하여야 하며, 지표레벨에서 최상단부의 높이가 150미터를 초과하는 건축물은 120미터 지점부터 최상단부분까지의 측면에 수뢰부를 설치할 것. 다만, 건축물의 외벽이 금속부재(部材)로 마감되고, 금속부재 상호간에 제4호 후단에 적합한 전기적 연속성이 보장되며 피뢰시스템레벨 등급에 적합하게 설치하여 인하도선에 연결한 경우에는 측면 수뢰부가 설치된 것으로 본다.
6. 접지(接地)는 환경오염을 일으킬 수 있는 시공방법이나 화학 첨가물 등을 사용하지 아니할 것
7. 급수·급탕·난방·가스 등을 공급하기 위하여 건축물에 설치하는 금속배관 및 금속재 설비는 전위(電位)가 균등하게 이루어지도록 전기적으로 접속할 것
8. 전기설비의 접지계통과 건축물의 피뢰설비 및 통신설비 등의 접지극을 공용하는 통합접지공사를 하는 경우에는 낙뢰 등으로 인한 과전압으로부터 전기설비 등을 보호하기 위하여 한국산업표준에 적합한 서지보호장치[서지(surge: 전류·전압 등의 과도 파형을 말한다)로부터 각종 설비를 보호하기 위한 장치를 말한다]를 설치할 것
9. 그 밖에 피뢰설비와 관련된 사항은 한국산업표준에 적합하게 설치할 것

[전문개정 2006.2.13]

제20조의2【전기설비 설치공간 기준】 영 제87조제6항에 따른 건축물에 전기를 배전(配電)하려는 경우에는 별표 3의3에 따른 공간을 확보하여야 한다.

[본조신설 2010.11.5]

제21조 삭제 <2013.9.2>

제22조 삭제 <2013.2.22>

제23조【건축물의 냉방설비】 ① 삭제 <1999.5.11>

② 제2조제3호부터 제6호까지의 규정에 해당하는 건축물 중 산업통상자원부장관이 국토교통부장관과 협의하여 고시하는 건축물에 중앙집중냉방설비를 설치하는 경우에는 산업통상자원부장관이 국토교통부장관과 협의하여 정하는 바에 따라 축냉식 또는 가스를 이용한 중앙집중냉방방식으로 하여야 한다. <개정 2012.4.30, 2013.3.23, 2013.9.2>

③ 상업지역 및 주거지역에서 건축물에 설치하는 냉방시설 및 환기시설의 배기구와 배기장치의 설치는 다음 각 호의 기준에 모두 적합하여야 한다. <개정 2012.4.30., 2013.12.27.>

1. 배기구는 도로면으로부터 2미터 이상의 높이에 설치할 것
2. 배기장치에서 나오는 열기가 인근 건축물의 거주자나 보행자에게 직접 닿지 아니하도록 할 것
3. 건축물의 외벽에 배기구 또는 배기장치를 설치할 때에는 외벽 또는 다음 각 목의 기준에 적합한 지지대 등 보호장치와 분리되지 아니하도록 견고하게 연결하여 배기구 또는 배기장치가 떨어지는 것을 방지할 수 있도록 할 것
   가. 배기구 또는 배기장치를 지탱할 수 있는 구조일 것
   나. 부식을 방지할 수 있는 자재를 사용하거나 도장(塗裝)할 것

제24조 삭제 <2020.4.9.>

부칙 <국토교통부령 제420호, 2017.5.2.>

이 규칙은 공포 후 3개월이 경과한 날부터 시행한다.

부칙 <국토교통부령 제467호, 2017.12.4.>

제1조(시행일) 이 규칙은 공포한 날부터 시행한다.

제2조(공기여과기 등의 입자 포집률 기준에 관한 경과조치) 이 규칙 시행 전에 법 제11조에 따른 건축허가를 신청(건축허가를 신청하기 위하여 법 제4조의2제1항에 따라 건축위원회의 심의를 신청한 경우를 포함한다)하거나 법 제14조에 따른 건축신고를 한 경우에는 별표 1의4 및 별표 1의5의 개정규정에도 불구하고 종전의 규정에 따른다.

부칙<국토교통부령 제704호, 2020.3.2.> (건설산업기본법 시행규칙)

제1조(시행일) 이 규칙은 공포한 날부터 시행한다. <단서 생략>

제2조 및 제3조 생략

제4조(다른 법령의 개정) ① 및 ② 생략

③ 건축물의 설비기준 등에 관한 규칙 일부를 다음과 같이 개정한다.

별지 제2호서식의 작성방법 제1호 중 "건설업자"를 "건설사업자"로 한다.

④부터 ⑪까지 생략

부칙<국토교통부령 제715호, 2020.4.9.>

제1조(시행일) 이 규칙은 공포 후 6개월이 경과한 날부터 시행한다.

제2조(환기설비를 설치해야 하는 신축 공동주택 등에 관한 경과조치) 이 규칙 시행 전에 법 제11조에 따른 건축허가를 신청(건축허가를 신청하기 위해 법 제4조의2제1항에 따라 건축위원회의 심의를 신청한 경우를 포함한다)하거나 법 제14조에 따른 건축신고를 한 경우에는 제11조제1항제1호 및 제2호의 개정규정에도 불구하고 종전의 규정에 따른다.

제3조(공기여과기의 입자 포집률에 관한 경과조치) 이 규칙 시행 전에 법 제11조에 따른 건축허가를 신청(건축허가를 신청하기 위해 법 제4조의2제1항에 따라 건축위원회의 심의를 신청한 경우를 포함한다)하거나 법 제14조에 따른 건축신고를 한 경우에는 제11조제5항제4호다목, 별표 1의4 제5호나목, 별표 1의5 제8호다목의 개정규정에도 불구하고 종전의 규정에 따른다.

제4조(기계환기설비를 설치해야 하는 시설에 관한 경과조치) 이 규칙 시행 전에 법 제11조에 따른 건축허가를 신청(건축허가를 신청하기 위해 법 제4조의2제1항에 따라 건축위원회의 심의를 신청한 경우를 포함한다)하거나 법 제14조에 따른 건축신고를 한 경우에는 별표 1의6 제1호나목, 사목, 아목 및 카목의 개정규정에도 불구하고 종전의 규정에 따른다.

부칙<국토교통부령 제882호, 2021.8.27.> (어려운 법령용어 정비를 위한 80개 국토교통부령 일부개정령)

이 규칙은 공포한 날부터 시행한다. <단서 생략>

[별표 1] [별표 1의7]로 이동 <2015.7.9.>

[별표 1의2] <개정 2008.7.10, 2013.9.2>

승용승강기의 설치기준(제5조관련)

건축물의 용도 \ 6층 이상의 거실면적의 합계		3천제곱미터 이하	3천제곱미터 초과
1.	가. 문화 및 집회시설(공연장·집회장 및 관람장만 해당한다) 나. 판매시설 다. 의료시설	2대	2대에 3천제곱미터를 초과하는 2천제곱미터 이내마다 1대의 비율로 가산한 대수
2.	가. 문화 및 집회시설(전시장 및 동·식물원만 해당한다) 나. 업무시설 다. 숙박시설 라. 위락시설	1대	1대에 3천제곱미터를 초과하는 2천제곱미터 이내마다 1대의 비율로 가산한 대수
3.	가. 공동주택 나. 교육연구시설 다. 노유자시설 라. 그 밖의 시설	1대	1대에 3천제곱미터를 초과하는 3천제곱미터 이내마다 1대의 비율로 가산한 대수

비고 :

1. 위 표에 따라 승강기의 대수를 계산할 때 8인승 이상 15인승 이하의 승강기는 1대의 승강기로 보고, 16인승 이상의 승강기는 2대의 승강기로 본다.
2. 건축물의 용도가 복합된 경우 승용승강기의 설치기준은 다음 각 목의 구분에 따른다.
 가. 둘 이상의 건축물의 용도가 위 표에 따른 같은 호에 해당하는 경우: 하나의 용도에 해당하는 건축물로 보아 6층 이상의 거실면적의 총합계를 기준으로 설치하여야 하는 승용승강기 대수를 산정한다.
 나. 둘 이상의 건축물의 용도가 위 표에 따른 둘 이상의 호에 해당하는 경우: 다음의 기준에 따라 산정한 승용승강기 대수 중 적은 대수
  1) 각각의 건축물 용도에 따라 산정한 승용승강기 대수를 합산한 대수. 이 경우 둘 이상의 건축물의 용도가 같은 호에 해당하는 경우에는 가목에 따라 승용승강기 대수를 산정한다.
  2) 각각의 건축물 용도별 6층 이상의 거실 면적을 모두 합산한 면적을 기준으로 각각의 건축물 용도별 승용승강기 설치기준 중 가장 강한 기준을 적용하여 산정한 대수

[별표 1의3] <개정 2017.12.4., 2021.8.27>

자연환기설비 설치 길이 산정방법 및 설치 기준(제11조제2항 관련)

1. 설치 대상 세대의 체적 계산

- 필요한 환기횟수를 만족시킬 수 있는 환기량을 산정하기 위하여, 자연환기설비를 설치하고자 하는 공동주택 단위세대의 전체 및 실별 체적을 계산한다.

2. 단위세대 전체와 실별 설치길이 계산식 설치기준

- 자연환기설비의 단위세대 전체 및 실별 설치길이는 한국산업표준의 자연환기설비 환기성능 시험방법(KSF 2921)에서 규정하고 있는 자연환기설비의 환기량 측정장치에 의한 평가 결과를 이용하여 다음 식에 따라 계산된 설치길이 L값 이상으로 설치하여야 하며, 세대 및 실 특성별 가중치가 고려되어야 한다.

$$L = \frac{V \times N}{Q_{ref}} \times F$$

여기에서,

L : 세대 전체 또는 실별 설치길이(유효 개구부길이 기준, m)

V : 세대 전체 또는 실 체적(m^3)

N : 필요 환기횟수(0.5회/h)

Q_{ref} : 자연환기설비의 환기량 측정장치에 의해 평가된 기준 압력차 (2Pa)에서의 환기량(m^3/h · m)

F : 세대 및 실 특성별 가중치**

<비고>

* 일반적으로 창틀에 접합되는 부분(endcap)과 실제로 공기유입이 이루어지는 개구부 부분으로 구성되는 자연환기설비에서, 유효 개구부길이(설치길이)는 창틀과 결합되는 부분을 제외한 실제 개구부 부분을 기준으로 계산한다.

** 주동형태 및 단위세대의 설계조건을 고려한 세대 및 실 특성별 가중치는 다음과 같다.

구분	조건	가중치
세대 조건	1면이 외부에 면하는 경우	1.5
	2면이 외부에 평행하게 면하는 경우	1
	2면이 외부에 평행하지 않게 면하는 경우	1.2
	3면 이상이 외부에 면하는 경우	1
실 조건	대상 실이 외부에 직접 면하는 경우	1
	대상 실이 외부에 직접 면하지 않는 경우	1.5

단, 세대조건과 실 조건이 겹치는 경우에는 가중치가 높은 쪽을 적용하는 것을 원칙으로 한다.

*** 일방향으로 길게 설치하는 형태가 아닌 원형, 사각형 등에는 상기의 계산식을 적용할 수 없으며, 지방건축위원회의 심의를 거쳐야 한다.

[별표 1의4] 〈개정 2017.12.4., 2020.4.9.〉

신축공동주택등의 자연환기설비 설치 기준(제11조제3항 관련)

제11조제1항에 따라 신축공동주택등에 설치되는 자연환기설비의 설계·시공 및 성능평가방법은 다음 각 호의 기준에 적합하여야 한다.

1. 세대에 설치되는 자연환기설비는 세대 내의 모든 실에 바깥공기를 최대한 균일하게 공급할 수 있도록 설치되어야 한다.
2. 세대의 환기량 조절을 위하여 자연환기설비는 환기량을 조절할 수 있는 체계를 갖추어야 하고, 최대개방상태에서의 환기량을 기준으로 별표 1의5에 따른 설치길이 이상으로 설치되어야 한다.
3. 자연환기설비는 순간적인 외부 바람 및 실내외 압력차의 증가로 인하여 발생할 수 있는 과도한 바깥공기의 유입 등 바깥공기의 변동에 의한 영향을 최소화할 수 있는 구조와 형태를 갖추어야 한다.
4. 자연환기설비의 각 부분의 재료는 충분한 내구성 및 강도를 유지하여 작동되는 동안 구조 및 성능에 변형이 없어야 하며, 표면결로 및 바깥공기의 직접적인 유입으로 인하여 발생할 수 있는 불쾌감(콜드드래프트 등)을 방지할 수 있는 재료와 구조를 갖추어야 한다.
5. 자연환기설비는 다음 각 목의 요건을 모두 갖춘 공기여과기를 갖춰야 한다.
   가. 도입되는 바깥공기에 포함되어 있는 입자형·가스형 오염물질을 제거 또는 여과하는 성능이 일정 수준 이상일 것
   나. 한국산업표준(KS B 6141)에 따른 입자 포집률이 질량법으로 측정하여 70퍼센트 이상일 것
   다. 청소 또는 교환이 쉬운 구조일 것
6. 자연환기설비를 구성하는 설비·기기·장치 및 제품 등의 효율과 성능 등을 판정함에 있어 이 규칙에서 정하지 아니한 사항에 대하여는 해당 항목에 대한 한국산업표준에 적합하여야 한다.
7. 자연환기설비를 지속적으로 작동시키는 경우에도 대상 공간의 사용에 지장을 주지 아니하는 위치에 설치되어야 한다.
8. 한국산업표준(KS B 2921)의 시험조건하에서 자연환기설비로 인하여 발생하는 소음은 대표길이 1미터(수직 또는 수평 하단)에서 측정하여 40dB 이하가 되어야 한다.
9. 자연환기설비는 가능한 외부의 오염물질이 유입되지 않는 위치에 설치되어야 하고, 화재 등 유사시 안전에 대비할 수 있는 구조와 성능이 확보되어야 한다.
10. 실내로 도입되는 바깥공기를 예열할 수 있는 기능을 갖는 자연환기설비는 최대한 에너지 절약적인 구조와 형태를 가져야 한다.
11. 자연환기설비는 주요 부분의 정기적인 점검 및 정비 등 유지관리가 쉬운 체계로 구성하여야 하고, 제품의 사양 및 시방서에 유지관리 관련 내용을 명시하여야 하며, 유지관리 관련 내용이 수록된 사용자 설명서를 제시하여야 한다.
12. 자연환기설비는 설치되는 실의 바닥부터 수직으로 1.2미터 이상의 높이에 설치하여야 하며, 2개 이상의 자연환기설비를 상하로 설치하는 경우 1미터 이상의 수직간격을 확보하여야 한다.

[별표 1의5] <개정 2013.9.2, 2017.12.4., 2020.4.9.>

신축공동주택등의 기계환기설비의 설치기준(제11조제3항 관련)

제11조제1항의 규정에 의한 신축공동주택등의 환기횟수를 확보하기 위하여 설치되는 기계환기설비의 설계·시공 및 성능평가방법은 다음 각 호의 기준에 적합하여야 한다.

1. 기계환기설비의 환기기준은 시간당 실내공기 교환횟수(환기설비에 의한 최종 공기흡입구에서 세대의 실내로 공급되는 시간당 총 체적 풍량을 실내 총 체적으로 나눈 환기횟수를 말한다)로 표시하여야 한다.
2. 하나의 기계환기설비로 세대 내 2 이상의 실에 바깥공기를 공급할 경우의 필요 환기량은 각 실에 필요한 환기량의 합계 이상이 되도록 하여야 한다.
3. 세대의 환기량 조절을 위하여 환기설비의 정격풍량을 최소·적정·최대의 3단계 또는 그 이상으로 조절할 수 있는 체계를 갖추어야 하고, 적정 단계의 필요 환기량은 신축공동주택등의 세대를 시간당 0.5회로 환기할 수 있는 풍량을 확보하여야 한다.
4. 공기공급체계 또는 공기배출체계는 부분적 손실 등 모든 압력 손실의 합계를 고려하여 계산한 공기공급능력 또는 공기배출능력이 제11조제1항의 환기기준을 확보할 수 있도록 하여야 한다.
5. 기계환기설비는 신축공동주택등의 모든 세대가 제11조제1항의 규정에 의한 환기횟수를 만족시킬 수 있도록 24시간 가동할 수 있어야 한다.
6. 기계환기설비의 각 부분의 재료는 충분한 내구성 및 강도를 유지하여 작동되는 동안 구조 및 성능에 변형이 없도록 하여야 한다.
7. 기계환기설비는 다음 각 목의 어느 하나에 해당되는 체계를 갖추어야 한다.
   가. 바깥공기를 공급하는 송풍기와 실내공기를 배출하는 송풍기가 결합된 환기체계
   나. 바깥공기를 공급하는 송풍기와 실내공기가 배출되는 배기구가 결합된 환기체계
   다. 바깥공기가 도입되는 공기흡입구와 실내공기를 배출하는 송풍기가 결합된 환기체계
8. 바깥공기를 공급하는 공기공급체계 또는 바깥공기가 도입되는 공기흡입구는 다음 각 목의 요건을 모두 갖춘 공기여과기 또는 집진기 등을 갖춰야 한다. 다만, 제7호다목에 따른 환기체계를 갖춘 경우에는 별표 1의4 제5호를 따른다.
   가. 입자형·가스형 오염물질을 제거 또는 여과하는 성능이 일정 수준 이상일 것
   나. 여과장치 등의 청소 및 교환 등 유지관리가 쉬운 구조일 것
   다. 공기여과기의 경우 한국산업표준(KS B 6141)에 따른 입자 포집률이 계수법으로 측정하여 60퍼센트 이상일 것
9. 기계환기설비를 구성하는 설비·기기·장치 및 제품 등의 효율 및 성능 등을 판정함에 있어 이 규칙에서 정하지 아니한 사항에 대하여는 해당 항목에 대한 한국산업표준에 적합하여야 한다.
10. 기계환기설비는 환기의 효율을 극대화할 수 있는 위치에 설치하여야 하고, 바깥공기의 변동에 의한 영향을 최소화할 수 있도록 공기흡입구 또는 배기구 등에 완충장치 또는 석쇠형 철망 등을 설치하여야 한다.
11. 기계환기설비는 주방 가스대 위의 공기배출장치, 화장실의 공기배출 송풍기 등 급속 환기 설비와 함께 설치할 수 있다.
12. 공기흡입구 및 배기구와 공기공급체계 및 공기배출체계는 기계환기설비를 지속적으로 작동시키는 경우에도 대상 공간의 사용에 지장을 주지 아니하는 위치에 설치되어야 한다.
13. 기계환기설비에서 발생하는 소음의 측정은 한국산업규격(KS B 6361)에 따르는 것을 원칙으로 한다. 측정위치는 대표길이 1미터(수직 또는 수평 하단)에서 측정하여 소음이 40dB이하가 되어야 하며, 암소음(측정대상인 소음 외에 주변에 존재하는 소음을 말한다)은 보정하여야 한다. 다만, 환기설비 본체(소음원)가 거주공간 외부에 설치될 경우에는 대표길이 1미터(수직 또는 수평 하단)에서 측정하여 50dB 이하가 되거나, 거주공간 내부의 중

앙부 바닥으로부터 1.0~1.2미터 높이에서 측정하여 40dB 이하가 되어야 한다.

14. 외부에 면하는 공기흡입구와 배기구는 교차오염을 방지할 수 있도록 1.5미터 이상의 이격거리를 확보하거나, 공기흡입구와 배기구의 방향이 서로 90도 이상 되는 위치에 설치되어야 하고 화재 등 유사 시 안전에 대비할 수 있는 구조와 성능이 확보되어야 한다.
15. 기계환기설비의 에너지 절약을 위하여 열회수형 환기장치를 설치하는 경우에는 한국산업표준(KS B 6879)에 따라 시험한 열회수형 환기장치의 유효환기량이 표시용량의 90퍼센트 이상이어야 하고, 열회수형 환기장치의 안과 밖은 물 맺힘이 발생하는 것을 최소화할 수 있는 구조와 성능을 확보하도록 하여야 한다.
16. 기계환기설비는 송풍기, 열회수형 환기장치, 공기여과기, 공기가 통하는 관, 공기흡입구 및 배기구, 그 밖의 기기 등 주요 부분의 정기적인 점검 및 정비 등 유지관리가 쉬운 체계로 구성되어야 하고, 제품의 사양 및 시방서에 유지관리 관련 내용을 명시하여야 하며, 유지관리 관련 내용이 수록된 사용자 설명서를 제시하여야 한다.
17. 실외의 기상조건에 따라 환기용 송풍기 등 기계환기설비를 작동하지 아니하더라도 자연환기와 기계환기가 동시 운용될 수 있는 혼합형 환기설비가 설계도서 등을 근거로 필요 환기량을 확보할 수 있는 것으로 객관적으로 입증되는 경우에는 기계환기설비를 갖춘 것으로 인정할 수 있다. 이 경우, 동시에 운용될 수 있는 자연환기설비와 기계환기설비가 제11조제1항의 환기기준을 각각 만족할 수 있어야 한다.
18. 중앙관리방식의 공기조화설비(실내의 온도·습도 및 청정도 등을 적정하게 유지하는 역할을 하는 설비를 말한다)가 설치된 경우에는 다음 각 목의 기준에도 적합하여야 한다.
    가. 공기조화설비는 24시간 지속적인 환기가 가능한 것일 것. 다만, 주요 환기설비와 분리된 별도의 환기계통을 병행 설치하여 실내에 존재하는 국소 오염원에서 발생하는 오염물질을 신속히 배출할 수 있는 체계로 구성하는 경우에는 그러하지 아니하다.
    나. 중앙관리방식의 공기조화설비의 제어 및 작동상황을 통제할 수 있는 관리실 또는 기능이 있을 것

[별표 1의6] <개정 2013.12.27., 2020.4.9., 2021.8.27>

기계환기설비를 설치해야 하는 다중이용시설 및 각 시설의 필요 환기량

(제11조제5항 관련)

1. 기계환기설비를 설치하여야 하는 다중이용시설
    가. 지하시설
        1) 모든 지하역사(출입통로 · 대기실 · 승강장 및 환승통로와 이에 딸린 시설을 포함한다)
        2) 연면적 2천제곱미터 이상인 지하도상가(지상건물에 딸린 지하층의 시설 및 연속되어 있는 둘 이상의 지하도상가의 연면적 합계가 2천제곱미터 이상인 경우를 포함한다)
    나. 문화 및 집회시설
        1) 연면적 2천제곱미터 이상인 「건축법 시행령」 별표 1 제5호라목에 따른 전시장(실내 전시장으로 한정한다)
        2) 연면적 2천제곱미터 이상인 「건전가정의례의 정착 및 지원에 관한 법률」에 따른 혼인예식장
        3) 연면적 1천제곱미터 이상인 「공연법」 제2조제4호에 따른 공연장(실내 공연장으로 한정한다)
        4) 관람석 용도로 쓰는 바닥면적이 1천제곱미터 이상인 「체육시설의 설치 · 이용에 관한 법률」 제2조제1호에 따른 체육시설
        5) 「영화 및 비디오물의 진흥에 관한 법률」 제2조제10호에 따른 영화상영관
    다. 판매시설
        1) 「유통산업발전법」 제2조제3호에 따른 대규모점포
        2) 연면적 300제곱미터 이상인 「게임산업 진흥에 관한 법률」 제2조제7호에 따른 인터넷컴퓨터게임시설제공업의 영업시설
    라. 운수시설
        1) 「항만법」 제2조제5호에 따른 항만시설 중 연면적 5천제곱미터 이상인 대기실

2) 「여객자동차 운수사업법」 제2조제5호에 따른 여객자동차터미널 중 연면적 2천제곱미터 이상인 대기실

3) 「철도산업발전기본법」 제3조제2호에 따른 철도시설 중 연면적 2천제곱미터 이상인 대기실

4) 「공항시설법」 제2조제7호에 따른 공항시설 중 연면적 1천5백제곱미터 이상인 여객터미널

마. 의료시설: 연면적이 2천제곱미터 이상이거나 병상 수가 100개 이상인 「의료법」 제3조에 따른 의료기관

바. 교육연구시설

1) 연면적 3천제곱미터 이상인 「도서관법」 제2조제1호에 따른 도서관

2) 연면적 1천제곱미터 이상인 「학원의 설립·운영 및 과외교습에 관한 법률」 제2조제1호에 따른 학원

사. 노유자시설

1) 연면적 430제곱미터 이상인 「영유아보육법」 제2조제3호에 따른 어린이집

2) 연면적 1천제곱미터 이상인 「노인복지법」 제34조제1항제1호에 따른 노인요양시설

아. 업무시설: 연면적 3천제곱미터 이상인 「건축법 시행령」 별표 1 제14호에 따른 업무시설

자. 자동차 관련 시설: 연면적 2천제곱미터 이상인 「주차장법」 제2조제1호에 따른 주차장(실내주차장으로 한정하며, 같은 법 제2조제3호에 따른 기계식주차장은 제외한다)

차. 장례식장: 연면적 1천제곱미터 이상인 「장사 등에 관한 법률」 제28조의2제1항 및 제29조에 따른 장례식장(지하에 설치되는 경우로 한정한다)

카. 그 밖의 시설

1) 연면적 1천제곱미터 이상인 「공중위생관리법」 제2조제1항제3호에 따른 목욕장업의 영업시설

2) 연면적 5백제곱미터 이상인 「모자보건법」 제2조제10호에 따른 산후조리원

3) 연면적 430제곱미터 이상인 「어린이놀이시설 안전관리법」 제2조제2호에 따른 어린이놀이시설 중 실내 어린이놀이시설 <신설 2020.4.9.>

2. 필요 환기량

구 분		필요 환기량(m^3/인·h)	비 고
가. 지하시설	1) 지하역사	25이상	
	2) 지하도상가	36이상	매장(상점) 기준
나. 문화 및 집회시설		29이상	
다. 판매시설		29이상	
라. 운수시설		29이상	
마. 의료시설		36이상	
바. 교육연구시설		36이상	
사. 노유자시설		36이상	
아. 업무시설		29이상	
자. 자동차 관련 시설		27이상	
차. 장례식장		36이상	
카. 그 밖의 시설		25이상	

※ 비고

가. 제1호에서 연면적 또는 바닥면적을 산정할 때에는 실내공간에 설치된 시설이 차지하는 연면적 또는 바닥면적을 기준으로 산정한다.

나. 필요 환기량은 예상 이용인원이 가장 높은 시간대를 기준으로 산정한다.

다. 의료시설 중 수술실 등 특수 용도로 사용되는 실(室)의 경우에는 소관 중앙행정기관의 장이 달리 정할 수 있다.

라. 제1호자목의 자동차 관련 시설의 필요 환기량은 단위면적당 환기량(m^3/m^2·h)으로 산정한다.

[별표 1의7] 〈개정 2015.7.9〉

온돌 설치기준(제12조제1항 관련)

1. 온수온돌

가. 온수온돌이란 보일러 또는 그 밖의 열원으로부터 생성된 온수를 바닥에 설치된 배관을 통하여 흐르게 하여 난방을 하는 방식을 말한다.

나. 온수온돌은 바탕층, 단열층, 채움층, 배관층(방열관을 포함한다) 및 마감층 등으로 구성된다.

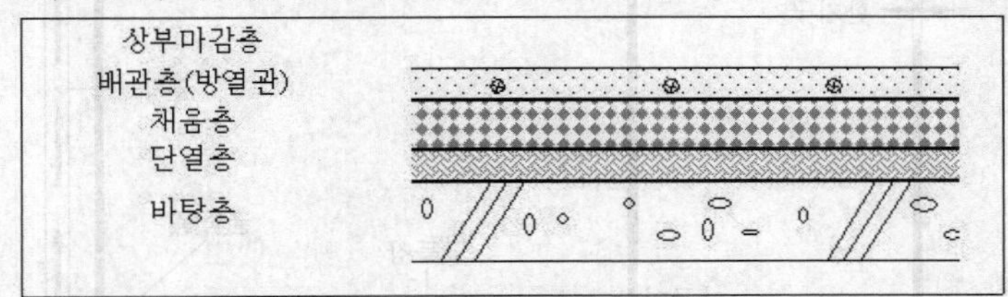

1) 바탕층이란 온돌이 설치되는 건축물의 최하층 또는 중간층의 바닥을 말한다.
2) 단열층이란 온수온돌의 배관층에서 방출되는 열이 바탕층 아래로 손실되는 것을 방지하기 위하여 배관층과 바탕층 사이에 단열재를 설치하는 층을 말한다.
3) 채움층이란 온돌구조의 높이 조정, 차음성능 향상, 보조적인 단열기능 등을 위하여 배관층과 단열층 사이에 완충재 등을 설치하는 층을 말한다.
4) 배관층이란 단열층 또는 채움층 위에 방열관을 설치하는 층을 말한다.
5) 방열관이란 열을 발산하는 온수를 순환시키기 위하여 배관층에 설치하는 온수배관을 말한다.
6) 마감층이란 배관층 위에 시멘트, 모르타르, 미장 등을 설치하거나 마루재, 장판 등 최종 마감재를 설치하는 층을 말한다.

다. 온수온돌의 설치 기준

1) 단열층은 「녹색건축물 조성 지원법」 제15조제1항에 따라 국토교통부장관이 고시하는 기준에 적합하여야 하며, 바닥난방을 위한 열이 바탕층 아래 및 측벽으로 손실되는 것을 막을 수 있도록 단열재를 방열관과 바탕층 사이에 설치하여야 한다. 다만, 바탕층의 축열을 직접 이용하는 심야전기이용 온돌(「한국전력공사법」에 따른 한국전력공사의 심야전력이용기기 승인을 받은 것만 해당하며, 이하 "심야전기이용 온돌"이라 한다)의 경우에는 단열재를 바탕층 아래에 설치할 수 있다.
2) 배관층과 바탕층 사이의 열저항은 층간 바닥인 경우에는 해당 바닥에 요구되는 열관류저항의 60% 이상이어야 하고, 최하층 바닥인 경우에는 해당 바닥에 요구되는 열관류저항이 70% 이상이어야 한다. 다만, 심야전기이용 온돌의 경우에는 그러하지 아니하다.
3) 단열재는 내열성 및 내구성이 있어야 하며 단열층 위의 적재하중 및 고정하중에 버틸 수 있는 강도를 가지거나 그러한 구조로 설치되어야 한다.
4) 바탕층이 지면에 접하는 경우에는 바탕층 아래와 주변 벽면에 높이 10센티미터 이상의 방수처리를 하여야 하며, 단열재의 윗부분에 방습처리를 하여야 한다.
5) 방열관은 잘 부식되지 아니하고 열에 견딜 수 있어야 하며, 바닥의 표면온도가 균일하도록 설치하여야 한다.
6) 배관층은 방열관에서 방출된 열이 마감층 부위로 최대한 균일하게 전달될 수 있는 높이와 구조를 갖추어야 한다.
7) 마감층은 수평이 되도록 설치하여야 하며, 바닥의 균열을 방지하기 위하여 충분하게 양생하거나 건조시켜 마감재의 뒤틀림이나 변형이 없도록 하여야 한다.
8) 한국산업규격에 따른 조립식 온수온돌판을 사용하여 온수온돌을 시공하는 경우에는 1)부터 7)까지의 규정을 적용하지 아니한다.
9) 국토교통부장관은 1)부터 7)까지에서 규정한 것 외에 온수온돌의 설치에 관하여 필요한 사항을 정하여 고시할 수 있다.

2. 구들온돌

가. 구들온돌이란 연탄 또는 그 밖의 가연물질이 연소할 때 발생하는 연기와 연소열에 의하여 가열된 공기를 바닥 하부로 통과시켜 난방을 하는 방식을 말한다.

나. 구들온돌은 아궁이, 온돌환기구, 공기흡입구, 고래, 굴뚝 및 굴뚝목 등으로 구성된다.

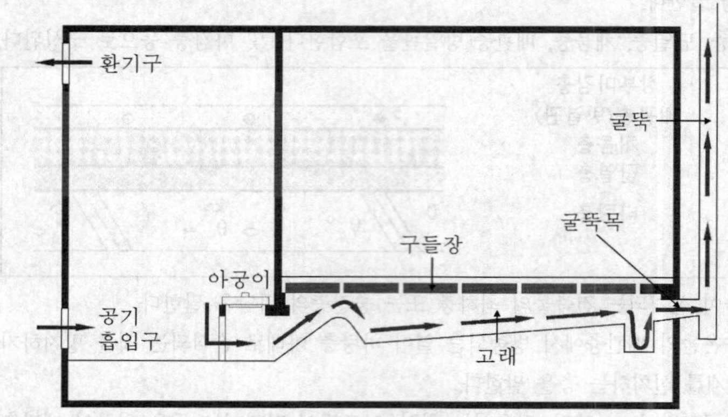

1) 아궁이란 연탄이나 목재 등 가연물질의 연소를 통하여 열을 발생시키는 부위를 말한다.

2) 온돌환기구란 아궁이가 설치되는 공간에서 연탄 등 가연물질의 연소를 통하여 발생하는 가스를 원활하게 배출하기 위한 통로를 말한다.

3) 공기흡입구란 아궁이가 설치되는 공간에서 연탄 등 가연물질의 연소에 필요한 공기를 외부에서 공급받기 위한 통로를 말한다.

4) 고래란 아궁이에서 발생한 연소가스 및 가열된 공기가 굴뚝으로 배출되기 전에 구들 아래에서 최대한 균일하게 흐르도록 하기 위하여 설치된 통로를 말한다.

5) 굴뚝이란 고래를 통하여 구들 아래를 통과한 연소가스 및 가열된 공기를 외부로 원활하게 배출하기 위한 장치를 말한다.

6) 굴뚝목이란 고래에서 굴뚝으로 연결되는 입구 및 그 주변부를 말한다.

다. 구들온돌의 설치 기준

1) 연탄아궁이가 있는 곳은 연탄가스를 원활하게 배출할 수 있도록 그 바닥면적의 10분의 1이상에 해당하는 면적의 환기용 구멍 또는 환기설비를 설치하여야 하며, 외기에 접하는 벽체의 아랫부분에는 연탄의 연소를 촉진하기 위하여 지름 10센티미터 이상 20센티미터 이하의 공기흡입구를 설치하여야 한다.

2) 고래바닥은 연탄가스를 원활하게 배출할 수 있도록 높이/수평거리가 1/5 이상이 되도록 하여야 한다.

3) 부뚜막식 연탄아궁이에 고래로 연기를 유도하기 위하여 유도관을 설치하는 경우에는 20도 이상 45도 이하의 경사를 두어야 한다.

4) 굴뚝의 단면적은 150제곱센티미터 이상으로 하여야 하며, 굴뚝목의 단면적은 굴뚝의 단면적보다 크게 하여야 한다.

5) 연탄식 구들온돌이 아닌 전통 방법에 의한 구들을 설치할 경우에는 1)부터 4)까지의 규정을 적용하지 아니한다.

6) 국토교통부장관은 1)부터 5)까지에서 규정한 것 외에 구들온돌의 설치에 관하여 필요한 사항을 정하여 고시할 수 있다.

[별표 2] 〈신설 2002.8.31〉

배연창의 유효면적 산정기준(제14조제1항제2호관련)

1. 미서기창 : H×l

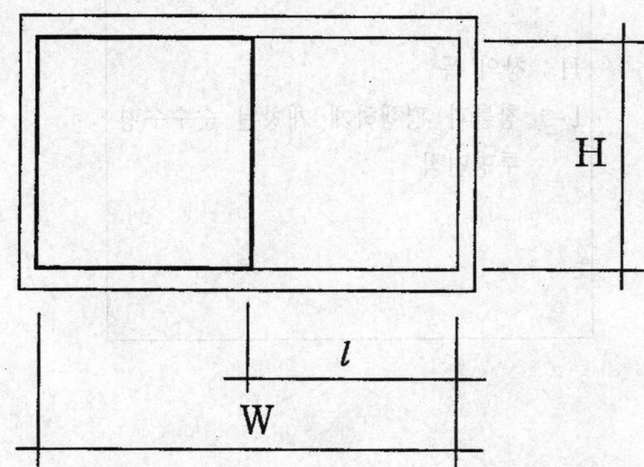

l : 미서기창의 유효폭
H : 창의 유효 높이
W : 창문의 폭

2. Pivot 종축창 : H×l′/2×2

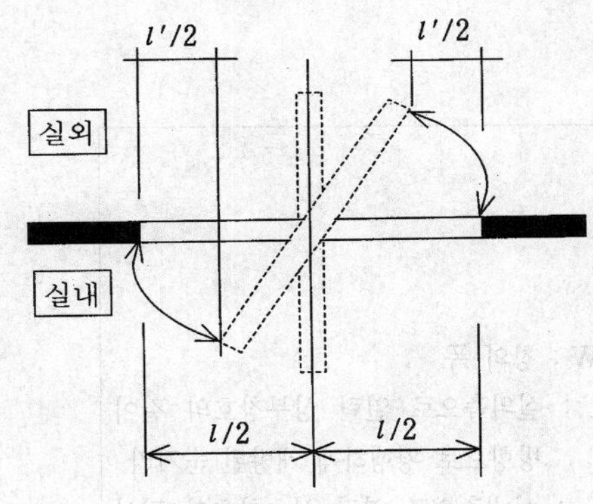

H : 창의 유효 높이
l : 90° 회전시 창호와 직각방향으로 개방된 수평거리
l′ : 90° 미만 0° 초과시 창호와 직각 방향으로 개방된 수평거리

3. Pivot 횡축창:(W× ℓ1)+(W× ℓ2)

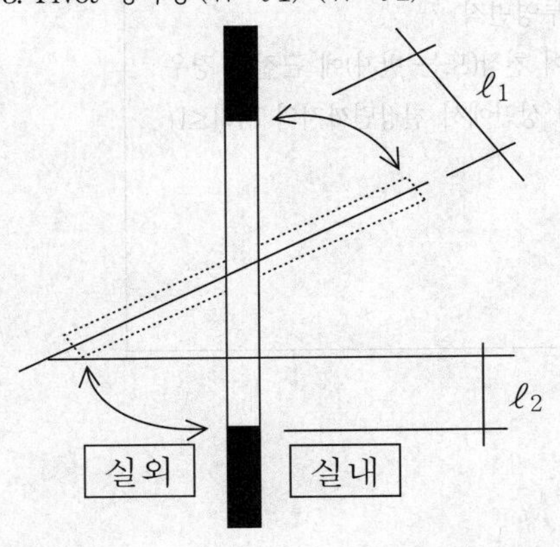

W : 창의 폭
ℓ_1 : 실내측으로 열린 상부창호의 길이방향으로 평행하게 개방된 순거리
ℓ_2 : 실외측으로 열린 하부창호로서 창틀과 평행하게 개방된 순수수평투영거리

4. 들창 : $W \times l_2$

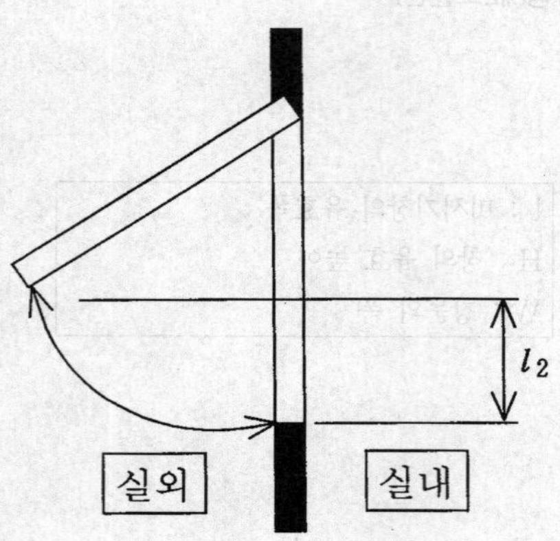

H : 창의 폭

l_2 : 창틀과 평행하게 개방된 순수수평 투명면적

5. 미들창 : 창이 실외측으로 열리는 경우:$W \times l$
창이 실내측으로 열리는 경우:$W \times l_1$
(단, 창이 천장(반자)에 근접하는 경우:$W \times l_2$)

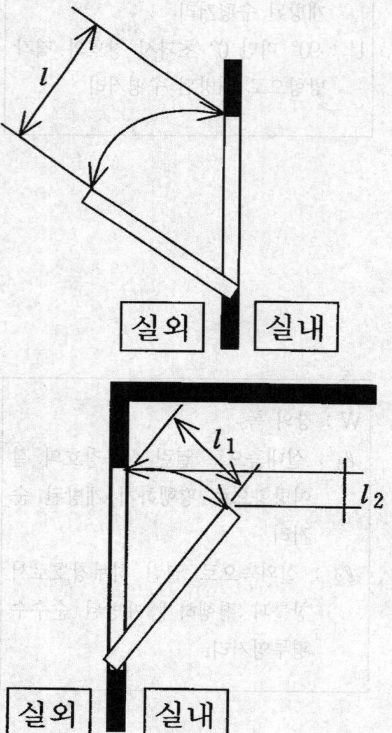

W : 창의 폭

l : 실외측으로 열린 상부창호의 길이 방향으로 평행하게 개방된 순거리

l_1 : 실내측으로 열린 상호창호의 길이 방향으로 개방된 순거리

l_2 : 창틀과 평행하게 개방된 순수수평 투영면적

* 창이 천장(또는 반자)에 근접된 경우 창의 상단에서 천장면까지의 거리$\leq l_1$

[별표 3] 〈개정 1999.5.11〉

주거용 건축물 급수관의 지름(제18조관련)

가구 또는 세대수	1	2·3	4·5	6~8	9~16	17이상
급수관 지름의 최소기준 (밀리미터)	15	20	25	32	40	50

비고

1. 가구 또는 세대의 구분이 불분명한 건축물에 있어서는 주거에 쓰이는 바닥면적의 합계에 따라 다음과 같이 가구수를 산정한다.
   가. 바닥면적 85제곱미터 이하 : 1가구
   나. 바닥면적 85제곱미터 초과 150제곱미터 이하 : 3가구
   다. 바닥면적 150제곱미터 초과 300제곱미터이하 : 5가구
   라. 바닥면적 300제곱미터 초과 500제곱미터이하 : 16가구
   마. 바닥면적 500제곱미터 초과 : 17가구
2. 가압설비 등을 설치하여 급수되는 각 기구에서의 압력이 1센티미터당 0.7킬로그램 이상인 경우에는 위 표의 기준을 적용하지 아니 할 수 있다.

[별표 3의2] 〈개정 2010.11.5〉

급수관 및 수도계량기보호함의 설치기준(제18조제3호관련)

1. 급수관의 단열재 두께(단위:mm)

설치장소 \ 관경(mm, 외경)	설계용 외기온도(℃)	20 미만	20 이상 ~ 50 미만	50 이상 ~ 70 미만	70 이상 ~ 100 미만	100 이상
· 외기에 노출된 배관 · 옥상 등 그밖에 동파가 우려되는 건축물의 부위	-10미만	200 (50)	50 (25)	25 (25)	25 (25)	25 (25)
	-5 미만 ~ -10	100 (50)	40 (25)	25 (25)	25 (25)	25 (25)
	0 미만 ~ -5	40 (25)	25 (25)	25 (25)	25 (25)	25 (25)
	0 이상 유지	20				

1) ( )은 기온강하에 따라 자동으로 작동하는 전기 발열선이 설치하는 경우 단열재의 두께를 완화할 수 있는 기준
2) 단열재의 열전도율은 0.04㎉/㎡·h·℃ 이하인 것으로 한국산업표준제품을 사용할 것
3) 설계용 외기온도:법 제59조제2항의 규정에 의한 에너지 절약설계기준에 따를 것

2. 수도계량기보호함(난방공간내에 설치하는 것을 제외한다)
   가. 수도계량기와 지수전 및 역지밸브를 지중 혹은 공동주택의 벽면 내부에 설치하는 경우에는 콘크리트 또는 합성수지제 등의 보호함에 넣어 보호할 것
   나. 보호함내 옆면 및 뒷면과 전면판에 각각 단열재를 부착할 것(단열재는 밀도가 높고 열전도율이 낮은 것으로 한국산업표준제품을 사용할 것)
   다. 보호함의 배관입출구는 단열재 등으로 밀폐하여 냉기의 침입이 없도록 할 것
   라. 보온용 단열재와 계량기 사이 공간을 유리섬유 등 보온재로 채울 것
   마. 보호통과 벽체사이틈을 밀봉재 등으로 채워 냉기의 침투를 방지할 것

[별표 3의3] <신설 2010.11.5, 2013.9.2>

전기설비 설치공간 확보기준(제20조의2 관련)

수전전압	전력수전 용량	확보면적
특고압 또는 고압	100킬로와트 이상	가로 2.8미터, 세로 2.8미터
저압	75킬로와트 이상 150킬로와트 미만	가로 2.5미터, 세로 2.8미터
	150킬로와트 이상 200킬로와트 미만	가로 2.8미터, 세로 2.8미터
	200킬로와트 이상 300킬로와트 미만	가로 2.8미터, 세로 4.6미터
	300킬로와트 이상	가로 2.8미터 이상, 세로 4.6미터 이상

비고

1. "저압", "고압" 및 "특고압"의 정의는 각각 「전기사업법 시행규칙」 제2조제8호, 제9호 및 제10호에 따른다.
2. 전기설비 설치공간은 배관, 맨홀 등을 땅속에 설치하는데 지장이 없고 전기사업자의 전기설비 설치, 보수, 점검 및 조작 등 유지관리가 용이한 장소이어야 한다.
3. 전기설비 설치공간은 해당 건축물 외부의 대지상에 확보하여야 한다. 다만, 외부 지상공간이 좁아서 그 공간확보가 불가능한 경우에는 침수우려가 없고 습기가 차지 아니하는 건축물의 내부에 공간을 확보할 수 있다.
4. 수전전압이 저압이고 전력수전 용량이 300킬로와트 이상인 경우 등 건축물의 전력수전 여건상 필요하다고 인정되는 경우에는 상기 표를 기준으로 건축주와 전기사업자가 협의하여 확보면적을 따로 정할 수 있다.
5. 수전전압이 저압이고 전력수전 용량이 150킬로와트 미만이 경우로서 공중으로 전력을 공급받는 경우에는 전기설비 설치공간을 확보하지 않을 수 있다.

[별표 4] 삭제 <2013.9.2>

[별표 5] 삭제 <2001.1.17>

1.8.1 건축물의 냉방설비에 대한 설치 및 설계기준

[산업통상자원부고시 제2021-151호, 20121.10.25.]

제1장 총 칙

제1조 【목적】 이 고시는 에너지이용합리화를 위하여 건축물의 냉방설비에 대한 설치 및 설계기준과 이의 시행에 필요한 사항을 정함을 목적으로 한다.

제2조 【적용범위】 이 고시는 제4조의 규정에 따른 대상건물 중 신축, 개축, 재축 또는 별동으로 증축하는 건축물의 냉방설비에 대하여 적용한다.

제3조 【정의】 이 고시에서 사용하는 용어의 정의는 다음과 같다.

1. "축냉식 전기냉방설비"라 함은 심야시간에 전기를 이용하여 축냉재(물, 얼음 또는 포접화합물과 공융염 등의 상변화물질)에 냉열을 저장하였다가 이를 심야시간 이외의 시간(이하 "그 밖의 시간"이라 한다)에 냉방에 이용하는 설비로서 이러한 냉열을 저장하는 설비(이하 "축열조"라 한다)·냉동기·브라인펌프·냉각수펌프 또는 냉각탑등의 부대설비(제6호의 규정에 의한 축열조 2차측 설비는 제외한다)를 포함하며, 다음 각목과 같이 구분한다.
   가. 빙축열식 냉방설비
   나. 수축열식 냉방설비
   다. 잠열축열식 냉방설비
2. "빙축열식 냉방설비"라 함은 심야시간에 얼음을 제조하여 축열조에 저장하였다가 그 밖의 시간에 이를 녹여 냉방에 이용하는 냉방설비를 말한다.
3. "수축열식 냉방설비"라 함은 심야시간에 물을 냉각시켜 축열조에 저장하였다가 그 밖의 시간에 이를 냉방에 이용하는 냉방설비를 말한다.
4. "잠열축열식 냉방설비"라 함은 포접화합물(Clathrate)이나 공융염(Eutectic Salt) 등의 상변화물질을 심야시간에 냉각시켜 동결한 후 그 밖의 시간에 이를 녹여 냉방에 이용하는 냉방설비를 말한다.
5. "심야시간"이라 함은 23:00부터 다음날 09:00까지를 말한다. 다만 한국전력공사에서 규정하는 심야시간이 변경될 경우는 그에 따라 상기 시간이 변경된다.
6. "2차측 설비"라 함은 저장된 냉열을 냉방에 이용할 경우에만 가동되는 냉수순환펌프, 공조용 순환펌프 등의 설비를 말한다.
7. "축냉방식"이라 함은 그 밖의 시간에 필요하여 냉방에 이용하는 열량("이하 "냉방열량"이라 한다)의 전부를 심야시간에 생산하여 축열조에 저장하였다가 이를 이용("이하 "전체축냉"이라 한다)하거나 냉방열량의 일부를 심야시간에 생산하여 축열조에 저장하였다가 이를 이용("이하 "부분축냉"이라 한다)하는 냉방방식을 말한다.
8. "축열률"이라 함은 통계적으로 연중 최대냉방부하를 갖는 날을 기준으로 그 밖의 시간에 필요한 냉방열량 중에서 이용이 가능한 냉열량이 차지하는 비율을 말하며 백분율(%)로 표시한다.
9. "이용이 가능한 냉열량"이라 함은 축열조에 저장된 냉열량 중에서 열손실 등을 차감하고 실제로 냉방에 이용할 수 있는 열량을 말한다.
10. "가스를 이용한 냉방방식"이라 함은 가스(유류포함)를 사용하는 흡수식 냉동기 및 냉·온수기, 액화석유가스 또는 도시가스를 연료로 사용하는 가스엔진을 구동하여 증기압축식 냉동사이클의 압축기를 구동하는 히트펌프식 냉·난방기(이하 "가스피트펌프"하 한다)를 말한다.
11. "지역냉방방식"이라 함은 집단에너지사업법에 의거 집단에너지사업허가를 받은 자가 공급하는 집단에너지를 주열원으로 사용하는 흡수식냉동기를 이용한 냉방방식과 지역냉수를 이용한 냉방방식을 말한다.
12. "신재생에너지를 이용한 냉방방식"이란 「신에너지 및 재생에너지 개발·이용·보급 촉진법」 제2조에 의해 정의된 신재생에너지를 이용한 냉방방식을 말한다.
13. "소형 열병합을 이용한 냉방방식"이라함은 소형 열병합발전을 이용하여 전기를 생산하고, 폐열을 활용하여 냉방 등을 하는 설비를 말한다.

제2장 냉방설비의 설치기준

제4조 【냉방설비의 설치대상 및 설비규모】 "건축물의 설비기준 등에 관한 규칙" 제23조 제2항의 규정에 따라 다음 각 호에 해당하는 건축물에 중앙집중 냉방설비를 설치할 때에는 해당 건축물에 소요되는 주간 최대 냉방부하의 60% 이상을 심야전기를 이용한 축냉식, 가스를 이용한 냉방방식, 집단에너지사업허가를 받은 자로부터 공급되는 집단에너지를 이용한 지역냉방방식, 소형 열병합발전을 이용한 냉방방식, 신재생에너지를 이용한 냉방방식, 그 밖에 전기를 사용하지 아니한 냉방방식의 냉방설비로 수용하여야 한다. 다만, 도시철도법에 의해 설치하

는 지하철역사 등 산업통상자원부장관이 필요하다고 인정하는 건축물은 그러하지 아니한다.

1. 건축법 시행령 별표1 제7호의 판매시설, 제10호의 교육연구시설 중 연구소, 제14호의 업무시설로서 해당 용도에 사용되는 바닥면적의 합계가 3천제곱미터 이상인 건축물
2. 건축법 시행령 별표1 제2호의 공동주택 중 기숙사, 제9호의 의료시설, 제12호의 수련시설 중 유스호스텔, 제15호의 숙박시설로서 해당 용도에 사용되는 바닥면적의 합계가 2천제곱미터 이상인 건축물
3. 건축법 시행령 별표1 제3호의 제1종 근린생활시설 중 목욕장, 제13호의 운동시설 중 수영장(실내에 설치되는 것에 한정한다)으로서 해당 용도에 사용되는 바닥면적의 합계가 1천제곱미터 이상인 건축물
4. 건축법 시행령 별표1 제5호의 문화 및 집회시설(동·식물원은 제외한다), 제6호의 종교시설, 제10호의 교육연구시설(연구소는 제외한다), 제28호의 장례식장으로서 해당 용도에 사용되는 바닥면적의 합계가 1만제곱미터 이상인 건축물

제5조【축냉식 전기냉방의 설치】 제4조의 규정에 따라 축냉식 전기냉방으로 설치할 때에는 축열률 40% 이상인 축냉방식으로 설치하여야 한다.

제3장 축냉식 전기냉방설비의 설계기준

제6조【냉동설비의 설계】① 제4조에 따른 축냉식 전기냉방설비의 설계기준은 별표 1에 따른다.

② 제4조에 따른 가스를 이용한 냉방설비의 설계기준은 별표 2에 따른다.

제4장 보칙

제7조【냉방설비에 대한 운전실적 점검】냉방용 전력수요의 첨두부하를 극소화하기 위하여 산업통상자원부장관은 필요하다고 인정되는 기간(연중 10일 이내)에 산업통상자원부장관이 정하는 공공기관 등으로 하여금 축냉식 전기냉방설비의 운전실적 등을 점검하게 할 수 있다.

제8조【적용제외】산업통상자원부장관은 축냉식 전기냉방설비 및 가스를 이용한 냉방설비에 관한 국산화 기술개발의 촉진을 위하여 필요하다고 인정하는 경우에는 제6조의 일부 규정을 적용하지 아니할 수 있다.

제9조【운영세칙】이 고시에 정한 것 이외에 이 고시의 운영에 필요한 세부사항은 산업통상자원부장관이 따로 정한다.

제10조【재검토기한】「훈령·예규 등의 발령 및 관리에 관한 규정」(대통령훈령 제334호)에 따라 이 고시 발령 후의 법령이나 현실여건의 변화 등을 검토하여 이 고시의 폐지, 개정 등의 조치를 하여야 하는 기한은 2023년 3월 31일까지로 한다.

부칙<제2017-47호, 2017.3.31.>

이 기준은 고시한 날부터 시행한다.

부칙<제2021-151호, 2021.10.25.>

이 기준은 고시한 날부터 시행한다.

[별표 1] 축냉식 전기냉방설비의 설계기준

구분	설계기준
가. 냉동기	① 냉동기는 "고압가스 안전관리법 시행규칙" 제8조 별표7의 규정에 따른 "냉동제조의 시설기준 및 기술기준"에 적합하여야 한다. ② 냉동기의 용량은 제4조에 근거하여 결정한다. ③ 부분축냉방식의 경우에는 냉동기가 축냉운전과 방냉운전 또는 냉동기와 축열조의 동시운전이 반복적으로 수행하는데 아무런 지장이 없어야 한다.
나. 축열조	① 축열조는 축냉 및 방냉운전을 반복적으로 수행하는데 적합한 재질의 축냉재를 사용해야 하며, 내부청소가 용이하고 부식되지 않는 재질을 사용하거나 방청 및 방식처리를 하여야 한다. ② 축열조의 용량은 제5조에 근거하여 근거하여 결정한다. ③ 축열조는 내부 또는 외부의 응력에 충분히 견딜 수 있는 구조이어야 한다. ④ 축열조를 여러 개로 조립하여 설치하는 경우에는 관리 또는 운전이 용이하도록 설계하여야 한다. ⑤ 축열조는 보온을 철저히 하여 열손실과 결로를 방지해야 하며, 맨홀 등 점검을 위한 부분은 해체와 조립이 용이하도록 하여야 한다.
다. 열교환기	① 열교환기는 시간당 최대냉방열량을 처리할 수 있는 용량이상으로 설치하여야 한다. ② 열교환기는 보온을 철저히 하여 열손실과 결로를 방지하여야 하며, 점검을 위한 부분은 해체와 조립이 용이하도록 하여야 한다.
라. 자동제어설비	자동제어설비는 축냉운전, 방냉운전 또는 냉동기와 축열조를 동시에 이용하여 냉방운전이 가능한 기능을 갖추어야 하고, 필요할 경우 수동조작이 가능하도록 하여야 하며 감시기능 등을 갖추어야 한다.

[별표 2] 가스를 이용한 냉방설비의 설계기준

구분	설계기준
가. 흡수식 냉동기 및 냉·온수기	① 흡수식 냉동기 및 냉·온수기는 "KS B 6271 흡수식 냉동기"를 참조하여 설계한다. ② 흡수식 냉동기 및 냉·온수기의 용량은 제4조에 근거하여 결정한다.
나. 가스히트펌프	① 가스히트펌프는 "고압가스 안전관리법 시행규칙" 제9조 별표 11에 따른 "냉동기 제조의 시설기준 및 기술기준"에 적합하여야 한다. ② 가스히트펌프의 용량은 제4조에 근거하여 결정한다.

1.9 지능형건축물의 인증에 관한 규칙

[국토교통부령 제413호 개정 2017.3.31]

제 정 2011.11.30 국토해양부령 제460호
타법개정 2013. 3.23 국토교통부령 제 1호
타법개정 2014.12.31 국토교통부령 제169호
타법개정 2016. 8.12 국토교통부령 제353호
일부개정 2017. 3.31 국토교통부령 제413호

제1조 【목적】 이 규칙은 「건축법」 제65조의2제5항에서 위임된 지능형건축물 인증기관의 지정 기준, 지정 절차 및 인증 신청 절차 등에 관한 사항을 규정함을 목적으로 한다.

제2조 【적용대상】 지능형건축물 인증대상 건축물은 「건축법」(이하 "법"이라 한다) 제65조의2제4항에 따라 인증기준이 고시된 건축물을 대상으로 한다.

제3조 【인증기관의 지정】 ① 국토교통부장관이 법 제65조의2제2항에 따라 인증기관을 지정하려는 경우에는 지정 신청 기간을 정하여 그 기간이 시작되기 3개월 전에 신청 기간 등 인증기관 지정에 관한 사항을 공고하여야 한다. <개정 2013.3.23>

② 법 제65조의2제2항에 따라 인증기관으로 지정을 받으려는 자는 별지 제1호서식의 지능형건축물 인증기관 지정 신청서에 다음 각 호의 서류를 첨부하여 국토교통부장관에게 제출하여야 한다. <개정 2013.3.23>

1. 인증업무를 수행할 전담조직 및 업무수행체계에 관한 설명서
2. 제4항에 따른 심사전문인력을 보유하고 있음을 증명하는 서류
3. 인증기관의 인증업무 처리규정
4. 지능형건축물 인증과 관련한 연구 실적 등 인증업무를 수행할 능력을 갖추고 있음을 증명하는 서류
5. 정관(신청인이 법인 또는 법인의 부설기관인 경우만 해당한다)

③ 제2항에 따른 신청을 받은 국토교통부장관은 「전자정부법」 제36조제1항에 따른 행정정보의 공동이용을 통하여 신청인이 법인 또는 법인의 부설기관인 경우 법인 등기사항증명서를, 신청인이 개인인 경우에는 사업자등록증을 확인하여야 한다. 다만, 신청인이 사업자등록증의 확인에 동의하지 아니하는 경우에는 그 사본을 첨부하게 하여야 한다. <개정 2013.3.23>

④ 인증기관은 별표 1의 전문분야별로 각 2명을 포함하여 12명 이상의 심사전문인력(심사전문인력 가운데 상근인력은 전문분야별로 1명 이상이어야 한다)을 보유하여야 한다. 이 경우 심사전문인력은 다음 각 호의 어느 하나에 해당하는 사람이어야 한다.

1. 해당 전문분야의 박사학위나 건축사 또는 기술사 자격을 취득한 후 3년 이상 해당 업무를 수행한 사람
2. 해당 전문분야의 석사학위를 취득한 후 9년 이상 해당 업무를 수행하거나 학사학위를 취득한 후 12년 이상 해당 업무를 수행한 사람
3. 해당 전문분야의 기사 자격을 취득한 후 10년 이상 해당 업무를 수행한 사람

⑤ 제2항제3호의 인증업무 처리규정에는 다음 각 호의 사항이 포함되어야 한다.

1. 인증심사의 절차 및 방법에 관한 사항
2. 인증심사단 및 인증심의위원회의 구성·운영에 관한 사항
3. 인증 결과 통보 및 재심사에 관한 사항
4. 지능형건축물 인증의 취소에 관한 사항
5. 인증심사 결과 등의 보고에 관한 사항
6. 인증수수료 납부방법 및 납부기간에 관한 사항
7. 그 밖에 인증업무 수행에 필요한 사항

⑥ 국토교통부장관은 제2항에 따라 지능형건축물 인증기관 지정 신청서가 제출되면 신청한 자가 인증기관으로서 적합한지를 검토한 후 제13조에 따른 인증운영위원회의 심의를 거쳐 지정한다. <개정 2013.3.23>

⑦ 국토교통부장관은 제6항에 따라 인증기관으로 지정한 자에게 별지 제2호서식의 지능형건축물 인증기관 지정서를 발급하여야 한다. <개정 2013.3.23>

⑧ 제7항에 따라 지능형건축물 인증기관 지정서를 발급받은 인증기관의 장은 기관명, 대표자, 건축물 소재지 또는 심사전문인력이 변경된 경우에는 변경된 날부터 30일 이내에 그 변경내용을 증명하는 서류를 국토교통부장관에게 제출하여야 한다. <개정 2013.3.23>

제4조 【인증기관의 비밀보호 의무】 인증기관은 인증 신청대상 건축물의 인증심사업무와 관련하여 알게 된 경영·영업상 비밀에 관한 정보를 이해관계인의 서면 동의 없이 외부에 공개할 수 없다.

제5조 【인증기관 지정의 취소】 ① 국토교통부장관은 법 제65조의2제2항에 따라 지정된 인증기관이 다음 각

호의 어느 하나에 해당하면 제13조에 따른 인증운영위원회의 심의를 거쳐 인증기관의 지정을 취소하거나 1년 이내의 기간을 정하여 업무의 전부 또는 일부의 정지를 명할 수 있다. 다만, 제1호에 해당하는 경우에는 지정을 취소하여야 한다. <개정 2013.3.23>

1. 거짓이나 부정한 방법으로 지정을 받은 경우
2. 정당한 사유 없이 지정받은 날부터 2년 이상 계속하여 인증업무를 수행하지 아니한 경우
3. 제3조제4항에 따른 심사전문인력을 보유하지 아니한 경우
4. 인증의 기준 및 절차를 위반하여 지능형건축물 인증업무를 수행한 경우
5. 정당한 사유 없이 인증심사를 거부한 경우
6. 그 밖에 인증기관으로서의 업무를 수행할 수 없게 된 경우

② 제1항에 따라 인증기관의 지정이 취소되어 인증심사를 수행하기가 어려운 경우에는 다른 인증기관이 업무를 승계할 수 있다.

제6조【인증의 신청】① 법 제65조의2제3항에 따라 다음 각 호의 어느 하나에 해당하는 자가 지능형건축물의 인증을 받으려는 경우에는 인증을 받기 전에 법 제22조에 따른 사용승인 또는 「주택법」 제49조에 따른 사용검사를 받아야 한다. 다만, 인증 결과에 따라 개별 법령에서 정하는 제도적·재정적 지원을 받는 경우에는 그러하지 아니하다. <개정 2016.8.12>

1. 건축주
2. 건축물 소유자
3. 시공자(건축주나 건축물 소유자가 인증 신청을 동의하는 경우만 해당한다)

② 제1항 각 호의 어느 하나에 해당하는 자(이하 "건축주등"이라 한다)가 지능형건축물의 인증을 받으려면 별지 제3호서식의 지능형건축물 인증 신청서에 다음 각 호의 서류를 첨부하여 인증기관의 장에게 제출하여야 한다.

1. 법 제65조의2제4항에 따른 지능형건축물 인증기준(이하 "인증기준"이라 한다)에 따라 작성한 해당 건축물의 지능형건축물 자체평가서 및 증명자료
2. 설계도면
3. 각 분야 설계설명서
4. 각 분야 시방서(일반 및 특기시방서)
5. 설계 변경 확인서
6. 에너지절약계획서
7. 예비인증서 사본(해당 인증기관 및 다른 인증기관에서 예비인증을 받은 경우만 해당한다)
8. 제1호부터 제6호까지의 서류가 저장된 콤팩트디스크

③ 인증기관은 제2항에 따른 신청을 받은 경우에는 신청서류가 접수된 날부터 40일 이내에 인증을 처리하여야 한다.

④ 인증기관의 장은 인증업무를 수행하면서 불가피한 사유로 처리기간을 연장하여야 할 경우에는 건축주등에게 그 사유를 통보하고 20일의 범위를 정하여 한 차례만 연장할 수 있다.

⑤ 인증기관의 장은 제2항에 따라 건축주등이 제출한 서류의 내용이 미흡하거나 사실과 다를 경우에는 접수된 날부터 20일 이내에 건축주등에게 보완을 요청할 수 있다. 이 경우 건축주등이 제출서류를 보완하는 기간은 제3항의 인증 처리기간에 산입하지 아니한다.

제7조【인증심사】① 인증기관의 장은 제6조에 따른 인증신청을 받으면 인증심사단을 구성하여 인증기준에 따라 서류심사와 현장실사(現場實査)를 하고, 심사 내용, 심사 점수, 인증 여부 및 인증 등급을 포함한 인증심사 결과서를 작성하여야 한다. 이 경우 인증 등급은 1등급부터 5등급까지로 하고, 그 세부 기준은 국토교통부장관이 별도로 정하여 고시한다. <개정 2013.3.23>

② 제1항에 따른 인증심사단은 제3조제4항 각 호에 해당하는 심사전문인력으로 구성하되, 별표 1의 전문분야별로 각 1명을 포함하여 6명 이상으로 구성하여야 한다.

③ 인증기관의 장은 제1항에 따른 인증심사 결과서를 작성한 후 인증심의위원회의 심의를 거쳐 인증 여부 및 인증 등급을 결정한다.

④ 제3항에 따른 인증심의위원회는 해당 인증기관에 소속되지 아니한 별표 1의 전문분야별 전문가 각 1명을 포함하여 6명 이상으로 구성하여야 한다. 이 경우 인증심의위원회 위원은 다른 인증기관의 심사전문인력 또는 제13조에 따른 인증운영위원회 위원 1명 이상을 포함시켜야 한다.

제8조【인증서 발급 등】① 인증기관의 장은 제7조에 따른 인증심사 결과 지능형건축물로 인증을 하는 경우에는 건축주등에게 별지 제4호서식의 지능형건축물 인증서를 발급하고, 별표 2의 인증 명판(認證 名板)을 제공하여야 한다.

② 인증기관의 장은 제1항에 따라 인증서를 발급한 경우에는 인증대상, 인증 날짜, 인증 등급, 인증심사단의 구성원 및 인증심의위원회 위원의 명단을 포함한 인증심사 결과를 국토교통부장관에게 제출하여야 한다. <개정 2013.3.23.>

제9조【인증의 취소】① 인증기관의 장은 지능형건축물로 인증을 받은 건축물이 다음 각 호의 어느 하나에 해당하면 그 인증을 취소할 수 있다.

1. 인증의 근거나 전제가 되는 주요한 사실이 변경된 경우
2. 인증 신청 및 심사 중 제공된 중요 정보나 문서가 거짓인 것으로 판명된 경우
3. 인증을 받은 건축물의 건축주등이 인증서를 인증기관에 반납한 경우
4. 인증을 받은 건축물의 건축허가 등이 취소된 경우

② 인증기관의 장은 제1항에 따라 인증을 취소한 경우에는 그 내용을 국토교통부장관에게 보고하여야 한다. <개정 2013.3.23>

제10조【재심사 요청】제7조에 따른 인증심사 결과나 제9조에 따른 인증취소 결정에 이의가 있는 건축주등은 인증기관의 장에게 재심사를 요청할 수 있다. 이 경우 건축주등은 재심사에 필요한 비용을 인증기관에 추가로 내야 한다.

제11조【예비인증의 신청 등】① 건축주등은 제6조제1항에도 불구하고 법 제11조, 제14조 또는 제20조제1항에 따른 허가·신고 또는 「주택법」 제15조에 따른 사업계획승인을 받은 후 건축물 설계에 반영된 내용을 대상으로 예비인증을 신청할 수 있다. 다만, 예비인증 결과에 따라 개별 법령에서 정하는 제도적·재정적 지원을 받는 경우에는 그러하지 아니하다. <개정 2016.8.12>

② 건축주등이 지능형건축물의 예비인증을 받으려면 별지 제5호서식의 지능형건축물 예비인증 신청서에 다음 각 호의 서류를 첨부하여 인증기관의 장에게 제출하여야 한다.

1. 제6조제2항제1호부터 제4호까지 및 제6호의 서류
2. 제1호의 서류가 저장된 콤팩트디스크

③ 인증기관의 장은 심사 결과 예비인증을 하는 경우에는 별지 제6호서식의 지능형건축물 예비인증서를 신청인에게 발급하여야 한다. 이 경우 신청인이 예비인증을 받은 사실을 광고 등의 목적으로 사용하려면 제8조제1항에 따른 인증(이하 "본인증"이라 한다)을 받을 경우 그 내용이 달라질 수 있음을 알려야 한다.

④ 제3항에 따른 예비인증 시 제도적 지원을 받은 건축주등은 본인증을 받아야 한다. 이 경우 본인증 등급은 예비인증 등급 이상으로 취득하여야 한다.

⑤ 제1항부터 제4항까지에서 규정한 사항 외에 예비인증의 신청 및 심사 등에 관하여는 제6조제3항부터 제5항까지, 제7조, 제8조제2항·제3항, 제9조 및 제10조를 준용한다. 다만, 제7조제1항에 따른 인증심사 중 현장실사는 필요한 경우만 할 수 있다.

제12조【인증을 받은 지능형건축물의 사후관리】① 지능형건축물로 인증을 받은 건축물의 소유자 또는 관리자는 그 건축물을 인증받은 기준에 맞도록 유지·관리하여야 한다.

② 인증기관은 필요한 경우에는 지능형건축물 인증을 받은 건축물의 정상 가동 여부 등을 확인할 수 있다.

③ 건축설비의 안정적 가동, 유지·보수 등 인증을 받은 지능형건축물의 사후관리 범위 등의 세부 사항은 국토교통부장관이 따로 정하여 고시한다. <개정 2013.3.23>

제13조【인증운영위원회 구성·운영 등】① 국토교통부장관은 지능형건축물 인증제도를 효율적으로 운영하기 위하여 인증운영위원회를 구성하여 운영할 수 있다. <개정 2013.3.23>

② 이 규칙에서 정한 사항 외에 인증운영위원회의 세부 구성 및 운영사항 등 지능형건축물 인증제도의 시행에 관한 사항은 국토교통부장관이 따로 정하여 고시한다. <개정 2013.3.23.>

제14조【규제의 재검토】국토교통부장관은 제6조제2항에 따른 지능형건축물 인증 신청 시 첨부하여야 하는 서류의 종류에 대하여 2015년 1월 1일을 기준으로 2년마다(매 2년이 되는 해의 1월 1일 전까지를 말한다) 그 타당성을 검토하여 개선 등의 조치를 하여야 한다.

[본조신설 2014.12.31.]

부칙<국토교통부령 제169호, 2014.12.31>
(규제 재검토기한 설정 등을 위한 건축물의 분양에 관한 법률 시행규칙 등 일부개정령)

이 규칙은 2015년 1월 1일부터 시행한다.

부칙<국토교통부령 제353호, 2016.8.12.>
(주택법 시행규칙)

제1조(시행일) 이 규칙은 2016년 8월 12일부터 시행한다. <단서 생략>

제2조 생략

제3조(다른 법령의 개정) ①부터 ⑮까지 생략

⑯ 지능형건축물의 인증에 관한 규칙 일부를 다음과 같이 개정한다.

제6조제1항 각 호 외의 부분 본문 중 "「주택법」 제29조"를 "「주택법」 제49조"로 한다.

제11조제1항 본문 중 "「주택법」 제16조"를 "「주택법」 제15조"로 한다.

⑰ 생략

제5조 생략

부칙 <국토교통부령 제413호, 2017.3.31.>

이 규칙은 공포한 날부터 시행한다.

[별표 1]

전문분야(제3조제4항 관련)

전문분야	해당 세부 분야
건축계획 및 환경	건축계획 및 환경(건축)
기계설비	건축설비(기계)
전기설비	건축설비(전기)
정보통신	정보통신(전자, 통신)
시스템통합	정보통신(전자, 통신)
시설경영관리	건축설비(기계, 전기) / 정보통신(전자, 통신)

[별표 2]

인증 명판(제8조제1항 관련)

1. 1등급 지능형건축물 인증 명판의 표시 및 규격

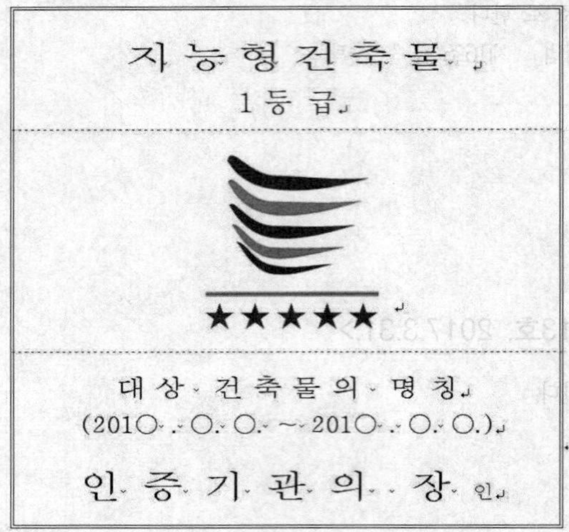

가. 크기: 가로 30cm × 세로 30cm × 두께 1.5cm
나. 재질: 구리판
다. 글씨: 고딕체(부조 양각)
라. 색채
  ○ 바탕: 구리색
  ○ 글씨("지능형건축물", "인증마크", "대상 건축물의 명칭", "인증기간" "인증기관의 장": 구리색
마. 둘레: 0.3cm 두께의 구리색 테두리(표지판 바깥 둘레로부터 안쪽으로 0.3cm 띄워서 표시합니다)

※ 명판의 크기 및 재질은 명판이 부착되는 건축물의 특성에 따라 축소·확대하는 등 변경할 수 있습니다.

2. 2등급 지능형건축물 인증 명판의 표시 및 규격

가. 크기: 가로 30cm × 세로 30cm × 두께 1.5cm
나. 재질: 구리판
다. 글씨: 고딕체(부조 양각)
라. 색채
　○ 바탕: 구리색
　○ 글씨("지능형건축물", "인증마크", "대상 건축물의 명칭", "인증기간" "인증기관의 장": 구리색
마. 둘레: 0.3cm 두께의 구리색 테두리(표지판 바깥 둘레로부터 안쪽으로 0.3cm 띄워서 표시합니다)
※ 명판의 크기 및 재질은 명판이 부착되는 건축물의 특성에 따라 축소·확대하는 등 변경할 수 있습니다.

3. 3등급 지능형건축물 인증 명판의 표시 및 규격

가. 크기: 가로 30cm × 세로 30cm × 두께 1.5cm
나. 재질: 구리판
다. 글씨: 고딕체(부조 양각)
라. 색채
　○ 바탕: 구리색
　○ 글씨("지능형건축물", "인증마크", "대상 건축물의 명칭", "인증기간" "인증기관의 장": 구리색
마. 둘레: 0.3cm 두께의 구리색 테두리(표지판 바깥 둘레로부터 안쪽으로 0.3cm 띄워서 표시합니다)
※ 명판의 크기 및 재질은 명판이 부착되는 건축물의 특성에 따라 축소·확대하는 등 변경할 수 있습니다.

4. 4등급 지능형건축물 인증 명판의 표시 및 규격

가. 크기: 가로 30cm × 세로 30cm × 두께 1.5cm
나. 재질: 구리판
다. 글씨: 고딕체(부조 양각)
라. 색채
 ○ 바탕: 구리색
 ○ 글씨("지능형건축물", "인증마크", "대상 건축물의 명칭", "인증기간" "인증기관의 장": 구리색
마. 둘레: 0.3cm 두께의 구리색 테두리(표지판 바깥 둘레로부터 안쪽으로 0.3cm 띄워서 표시합니다)
※ 명판의 크기 및 재질은 명판이 부착되는 건축물의 특성에 따라 축소·확대하는 등 변경할 수 있습니다.

5. 5등급 지능형건축물 인증 명판의 표시 및 규격

가. 크기: 가로 30cm × 세로 30cm × 두께 1.5cm
나. 재질: 구리판
다. 글씨: 고딕체(부조 양각)
라. 색채
 ○ 바탕: 구리색
 ○ 글씨("지능형건축물", "인증마크", "대상 건축물의 명칭", "인증기간" "인증기관의 장": 구리색
마. 둘레: 0.3cm 두께의 구리색 테두리(표지판 바깥 둘레로부터 안쪽으로 0.3cm 띄워서 표시합니다)
※ 명판의 크기 및 재질은 명판이 부착되는 건축물의 특성에 따라 축소·확대하는 등 변경할 수 있습니다.

1.9.1 지능형건축물 인증기준

[국토교통부고시 제2020-1028호, 2020.12.10.]

제1조【목적】 이 기준은 「건축법」 제65조의2제4항과 「지능형건축물의 인증에 관한 규칙」에서 위임한 사항 등을 규정함을 목적으로 한다.

제2조【인증대상 건축물】 「지능형건축물의 인증에 관한 규칙」(이하 "규칙"이라 한다.) 제2조에 따른 지능형건축물 인증적용대상 건축물은 다음 각 호와 같다. <개정 2016.4.8.>

1. 주거시설(「건축법 시행령」 별표 1 제1호에 따른 단독주택 및 제2호에 따른 공동주택)
2. 비주거시설(「건축법 시행령」 별표 1 제3호부터 제28호까지의 건축물)

제3조【인증심사기준】 ① 지능형건축물 인증기관의 장은 별표 1, 별표 2의 건축물 종류별 인증심사기준에 따라 인증업무를 실시하여야 한다.

② 제2조에 해당하는 인증대상 건축물 중 2개 이상의 용도가 복합되어 있는 건축물에 대하여는 각 용도별로 인증심사기준에 따라 평가하고, 별표 4의 복합건축물 인증등급 산정방법에 따라 각 용도별 연면적을 가중평균하여 최종 인증점수를 산출한다. <개정 2016.4.8.>

③ 건축물이 있는 대지에 기존 건축물과 떨어져 증축하는 경우에는 증축 건축물 주변에 가상의 대지경계선을 설정하여 건축물 외부환경 관련 항목에 대하여 평가할 수 있으며, 그 외 항목은 동일하게 평가한다. 이 경우 가상의 대지 경계선은 해당 건축물의 용적률에 근거하여 설정하며, 가상의 대지 경계선은 인증을 신청하는 자가 제시할 수 있다.

④ 운영기관의 장은 인증제도의 활성화와 인증제도의 효율적 수행을 위하여 필요한 경우 규칙 및 본 기준에 저촉되지 않는 범위 안에서 국토교통부장관의 승인을 받아 시행세칙을 정하여 운영할 수 있다. <개정 2016.4.8.>

제4조【인증등급】 규칙 제7조제1항에 따라 인증등급은 1등급부터 5등급까지 5단계로 구분하며, 등급별 점수기준은 별표 3과 같다.

제5조【지능형건축물 자체평가서 작성요령】 규칙 제6조제1항과 제11조제1항에 따라 지능형건축물 인증을 받으려는 자는 별표 5에 따라 지능형건축물 자체평가서를 작성하여야 한다.

제6조【인증 유효기간】 ① 인증의 유효기간은 인증일부터 5년으로 한다.

② 건축주 등은 필요한 경우 제1항에 따른 유효기간이 만료되기 90일전까지 같은 건축물에 대하여 재인증을 신청할 수 있다. <개정 2016.4.8.>

③ 제2항에 따라 재인증을 신청하는 경우에는 규칙 제6조부터 제10조까지를 준용한다. <개정 2016.4.8.>

④ 규칙 제11조에 따른 예비인증은 사용승인 또는 사용검사일까지 유효하다.

제7조【사후관리의 범위】 규칙 제12조제3항에 따른 지능형건축물 인증의 사후관리는 다음 각 호에 의하여야 한다. <개정 2016.4.8.>

1. 인증 소유자는 설치된 지능형 건축물의 안정적인 가동을 위하여 유지보수 관련사항을 성실히 수행하여야 한다.
2. 인증 소유자는 설치된 지능형 건축물의 설비에 대하여 가동실적을 알 수 있는 운전데이터 등 인증기관이 요구하는 자료를 성실히 제공하여야 한다.
3. 운영기관의 장은 인증기관으로 하여금 사후관리 계획을 매년 수립하여 시행하도록 할 수 있으며 그 결과를 인증운영위원장에게 보고 하게 할 수 있다.
4. 운영기관의 장은 제3호에 따라 보고받은 사후관리 결과를 국토해양부장관에게 보고하고, 필요한 조치를 강구하여야 한다.

제8조【인증운영위원회의 기능】 규칙 제13조에 따른 인증운영위원회(이하 "위원회"라 한다)는 다음 각 호의 사항을 심의한다.

1. 규칙 제3조에 따른 인증기관의 지정에 관한 사항
2. 규칙 제5조에 따른 인증기관 지정의 취소에 관한 사항
3. 제3조에 따른 인증심사기준의 제·개정에 관한 사항
4. 그 밖에 지능형건축물 인증제도의 운영과 관련된 중요사항

제9조【인증운영위원회 구성】 ① 위원회는 위원장 1명을 포함한 20명 이내의 위원으로 구성하며, 위원장은 국토교통부장관이 소속 고위공무원을 지정하여 임명한다. 이 경우 인증업무 담당부서장이 위원회의 간사를 담당한다. 다만, 필요한 경우 국토교통부장관은 인증운영위원회의 운영을 운영기관에 위탁할 수 있으며, 이 경우 위원장은 운영기관의 임원으로 할 수 있다. <개정 2016.4.8.>

② 위원회의 위원은 다음 각 호의 어느 하나에 해당하는 자격을 갖춘 사람 중 국토해양부장관이 위촉하는 자로 한다. <개정 2016.4.8.>

1. 관련분야의 직무를 담당하는 중앙행정기관의 소속 공무원
2. 규칙 별표 1에 따른 전문분야에서 5년 이상 경력이 있는 대학조교수 이상인 자
3. 규칙 별표 1에 따른 전문분야에서 5년 이상 연구경력이 있는 연구기관의 선임연구원급 이상인 자
4. 규칙 별표 1에 따른 전문분야에서 7년 이상 근무한 기업의 부서장 이상인 자
5. 그 밖에 제1호부터 제4호까지와 동등 이상의 자격이 있다고 국토교통부장관이 인정하는 자

③ 위원장과 위원의 임기는 2년으로 하되, 1회에 한하여 연임할 수 있다. 다만, 공무원인 위원은 보직의 재임기간으로 한다.

제10조【인증운영위원회 운영】 ① 위원회는 분기별 1회 개최함을 원칙으로 하되, 필요한 경우 위원장이 이를 소집하거나 재적위원 3분의 1 이상의 요청으로 개최할 수 있다.

② 위원회의 회의는 재적위원 과반수의 출석으로 개최하고 출석위원 과반수의 찬성으로 의결하되, 가부동수인 경우에는 부결된 것으로 본다.

③ 위원장은 심의안건과 이해관계가 있는 위원을 당해 위원회 참석대상에서 제외하며, 위원회에 참석한 위원에 대하여는 예산의 범위내에서 수당 및 여비를 지급할 수 있다.

제11조【인증 수수료】 ① 규칙 제6조제1항 및 규칙 제11조제1항에 따라 인증을 신청하고자 하는 자는 인증신청을 할 때 인증 수수료를 함께 납부하여야 한다.

② 제1항에 따른 인증 수수료는 별표 6에서 정하는 금액 이하로 하고, 납부방법, 납부기간, 그 밖에 필요한 사항은 인증기관의 장이 따로 정할 수 있다.

제11조의2【운영기관의 지정】 ① 국토교통부장관은 「녹색건축물 조성 지원법」 제23조에 따라 지정된 녹색건축센터 중 한국부동산원을 지능형건축물 인증 운영기관으로 지정하여, 다음 각 호의 업무를 수행하도록 할 수 있다. <개정 2020.12.10.>

1. 인증관리시스템의 운영에 관한 업무
2. 인증기관의 평가·사후관리 및 감독에 관한 업무
3. 인증제도의 홍보, 교육, 컨설팅, 조사·연구 및 개발 등에 관한 업무
4. 인증제도 개선 및 활성화를 위한 업무
5. 인증 관련 통계 분석 및 활용에 관한 업무
6. 인증제도의 운영과 관련하여 국토교통부장관이 요청하는 업무

② 운영기관의 장은 운영기관의 사업계획 등을 다음 각 호에서 정하는 기간까지 국토교통부장관에게 보고하여야 한다.

1. 전년도 사업추진 실적 및 해당년도 사업계획 : 매년 1월 31일까지
2. 분기별 인증 현황 : 매 분기 말일을 기준으로 다음 달 15일까지

[본조신설 2016.4.8.]

제12조【인증표시 홍보기준】 ① 건축주 등은 건축물과 직접 관련 있는 인쇄물, 광고물 등에 인증사항을 홍보할 수 있으며, 이 경우 인증범위, 인증기관명, 인증일자를 반드시 포함하여야 한다. <개정 2016.4.8.>

② 인증을 득한 건축주는 「표시·광고의 공정화에 관한 법률」 제3조(부당한 표시·광고 행위의 금지규정)을 준수하여야 한다.

제13조【완화기준의 적용방법 등】 ① 「건축법」 제65조의2제6항에 따른 완화기준을 적용받고자 하는 자는 건축허가 또는 사업계획승인 신청 시 허가권자에게 예비인증서와 별지 제1호 서식의 완화기준 적용신청서 등 관계 서류를 첨부하여 제출하여야 하며, 이미 건축허가를 받은 건축물의 건축주 또는 사업주체도 허가사항 변경 등을 통하여 완화기준 적용 신청을 할 수 있다.

② 완화기준의 신청을 받은 허가권자는 신청내용의 적합성을 검토하고, 신청자가 신청내용을 이행하도록 허가조건에 명시하여 허가하여야 한다.

③ 제2항에 따라 완화기준을 적용받은 건축주 또는 사업주체는 건축물의 사용승인 신청 전에 본인증을 취득하여 사용승인 신청시 허가권자에게 본인증서 사본을 제출하여야 한다. 이 경우 본인증 등급은 예비인증 등급 이상으로 취득하여야 한다.

④ 지능형건축물로 인증받은 건축물의 조경설치면적, 용적률 및 건축물의 높이에 대한 완화비율 및 적용방법 등 완화기준은 별표 7에 따라 적용할 수 있다. 이 경우 완화기준은 당해 용도구역 및 용도지역에 지방자치단체 조례에서 정한 최대 용적률의 제한기준, 조경면적 기준, 건축물 최대높이로 적용한다.

제14조【재검토기한】 국토교통부장관은 이 고시에 대하여 2016년 7월 1일을 기준으로 매3년이 되는 시점(매 3년째의 6월 30일까지를 말한다)마다 그 타당성을 검토하여 개선 등의 조치를 하여야 한다. <개정 2016.4.8.>

부칙 <제2011-716호, 2011.11.30>

제1조(시행일) 이 기준은 2011년 12월 1일부터 시행한다.

제2조(다른 지침의 폐지) 지능형건축물 인증제도 세부시행지침(건설교통부 건축기획팀-966호, 2006.2.15)은 폐지한다. 다만, 제11조에 따른 인증수수료는 2012년 7월 1일까지 종전 규정에 따른다.

제3조(인증유효기간의 경과조치) 이 기준 제6조는 종전 「지능형건축물 인증제도 세부시행지침」에 따라 인증을 받은 지능형건축물에 대하여도 적용한다.

제4조(일반적 경과조치) 이 기준 시행 당시 예비인증 또는 본인증에 해당하는 인증을 신청하였거나 예비인증에 해당하는 인증을 받은 건축물에 대하여 본인증을 받으려 하는 경우에는 종전의 기준에 따른다. 다만 그 종전의 기준이 이 기준에 비하여 건축주 등에게 불리한 경우에는 이 기준에 따른다.

부칙 <제2012-512호, 2012.8.17>

이 기준은 고시한 날부터 시행한다.

부칙 <제2016-180호, 2016.4.8>

제1조(시행일) 이 고시는 2016년 7월 1일부터 시행한다.

제2조(경과조치) 이 고시 시행 당시 예비인증이나 본인증 또는 재인증을 신청하였거나 예비인증에 해당하는 인증을 받은 건축물에 대하여 본인증을 받으려 하는 경우에는 종전의 기준에 따른다. 다만, 종전의 인증심사기준이 개정 규정에 비하여 건축주 등에게 불리한 경우에는 개정 규정에 따른다.

부칙 <제2020-1028호, 2020.12.10.>

이 고시는 2020년 12월 10일부터 시행한다.

※ 별표 목차(내용은 CD 참조)

[별표 1] 지능형건축물 인증심사기준 – 주거시설

[별표 2] 지능형건축물 인증심사기준 – 비주거시설

[별표 3] 인증등급별 점수기준(제4조 관련)

[별표 4] 복합건축물 인증등급 산정방법(제3조 관련)

[별표 5] 지능형건축물 자체평가서 작성요령(제5조 관련)

[별표 6] 지능형건축물 인증 수수료(제11조 관련)

[별표 7] 완화 기준(제13조 관련)

2.1 건축기본법

[법률 제18339호, 2021.7.27.]

제 정 2007.12.21 법률 제 8783호
일부개정 2008. 2.29 법률 제 8852호
타법개정 2013. 3.23 법률 제11690호
일부개정 2015. 8.11 법률 제13470호
타법개정 2017. 7.26 법률 제14839호
타법개정 2020. 6. 9 법률 제17453호
일부개정 2021. 7.27 법률 제18339호

제1장 총칙

제1조 【목적】 이 법은 건축에 관한 국가 및 지방자치단체와 국민의 책무를 정하고 건축정책의 수립·시행 등을 규정하여 건축문화를 진흥함으로써 국민의 건전한 삶의 영위와 복리향상에 이바지함을 목적으로 한다.

제2조 【기본이념】 이 법은 국가 및 지방자치단체와 국민의 공동의 노력으로 다음 각 호와 같은 건축의 공공적 가치를 구현함을 기본이념으로 한다.

1. 국민의 안전·건강 및 복지에 직접 관련된 생활공간의 조성
2. 사회의 다양한 요구를 조정하고 수용하며 경제활동의 토대가 되는 공간환경의 조성
3. 지역의 고유한 생활양식과 역사를 반영하고 미래세대에 계승될 문화공간의 창조 및 조성

제3조 【정의】 이 법에서 사용하는 용어의 정의는 다음과 같다.

1. "건축물"이란 토지에 정착하는 공작물 중 지붕과 기둥 또는 벽이 있는 것과 이에 부수되는 시설물을 말한다.
2. "공간환경(空間環境)"이란 건축물이 이루는 공간구조·공공공간 및 경관을 말한다.
3. "공공공간(公共空間)"이란 가로·공원·광장 등의 공간과 그 안에 부속되어 공중(公衆)이 이용하는 시설물을 말한다.
4. "건축디자인"이란 품격과 품질이 우수한 건축물과 공간환경의 조성으로 건축의 공공성을 실현하기 위하여 건축물과 공간환경을 기획·설계하고 개선하는 행위를 말한다.
5. "품격"이란 주변환경과의 관계, 규모, 형태, 구조, 재료, 시공수준 등을 통하여 그 목적과 지역의 정체성을 창출할 수 있는 적절성을 말한다.
6. "품질"이란 안전, 보건, 기능, 쾌적, 자원절약과 재활용 등의 객관적 성능을 말한다.
7. "건축"이란 건축물과 공간환경을 기획, 설계, 시공 및 유지관리하는 것을 말한다.

제4조 【국가 및 지방자치단체의 책무】 ① 국가는 품격과 품질이 우수한 건축물과 공간환경을 조성하기 위한 종합적인 건축정책을 수립·시행하여야 하며, 지방자치단체는 국가의 건축정책에 맞추어 지역의 실정에 부합하는 건축정책을 수립·시행하여야 한다.

② 국가, 지방자치단체 또는 「공공기관의 운영에 관한 법률」에 따른 공공기관(이하 "공공기관"이라 한다)은 직접 발주하거나 건축주가 되는 경우 우수한 건축디자인을 선도하도록 노력하여야 한다.

③ 국가와 지방자치단체는 건축에 대한 국민의 인식을 제고하기 위하여 필요한 교육·홍보를 활성화하도록 노력하여야 한다.

④ 국가와 지방자치단체는 건축분야 전문지식의 발전과 전문인력의 양성에 노력하여야 한다.

제5조 【국민의 의무】 ① 국민은 국가와 지방자치단체가 시행하는 건축정책에 적극 참여하고 협력하도록 노력하여야 한다.

② 건축주 및 발주자는 공정한 기준과 절차에 의하여 설계자와 시공자 등을 선정하고 적정한 대가를 지급하며, 소유자 및 관리자는 제2조에 따른 건축의 공공적 가치가 올바르게 구현되도록 건축물과 공간환경을 유지하고 관리하여야 한다.

③ 건축 관련 전문가는 전문지식을 함양하고 이에 근거하여 독립되고 공정한 입장에서 국민의 건축에 대한 이해를 돕고 건축의 공공적 가치를 실현하도록 노력하여야 한다.

제6조 【다른 법률과의 관계】 국가는 건축에 관한 다른 법률을 제정 또는 개정하는 경우에는 이 법의 목적과 기본이념에 맞도록 하여야 한다.

제2장 건축정책의 기본방향

제7조 【건축의 생활공간적 공공성 구현】 ① 국가 및 지방자치단체는 각종 재난에 대비하여 건축물 및 공간환경을 안전하게 조성하고 그 안전수준을 지속적으로 유지하기 위하여 필요한 시책을 강구하여야 한다.

② 국가 및 지방자치단체는 건축물 및 공간환경의 계획 또는 설계 단계에서부터 사용자의 건강과 장애인·노약자·임산부 등의 이용을 배려하여 조성될 수 있도록 필요한 시책을 강구하여야 한다.

제8조 【건축의 사회적 공공성 확보】 ① 국가 및 지방자치단체는 국민의 다양한 요구와 다원적(多元的) 문화

에 부응하고 미래사회의 문화적 요구변화와 기술변화에 능동적으로 대응할 수 있는 건축정책을 수립·시행하여야 한다.

② 건축물의 소유자 또는 관리자는 건축물 및 공간환경이 미래세대에 계승되는 사회·경제적 자산으로서 조성되고, 그 가치가 지속적으로 강화되도록 관리하여야 한다.

③ 건축물의 소유자 또는 관리자는 건축물 및 공간환경을 조성하고 사용하는 과정 등에서 환경에 대한 영향을 최소화하고 자원의 재이용과 재생을 촉진함으로써 자연과의 조화가 이루어지도록 하여야 한다. <개정 2020.6.9.>

제9조【건축의 문화적 공공성 실현】① 건축물의 소유자 또는 관리자는 건축물 및 공간환경을 조성하여 사용하는 전 과정에서 건축의 문화적 가치가 향상되도록 하여야 한다.

② 건축물 및 공간환경의 문화적·산업적 경쟁력 제고를 위하여 관련 전문가의 창의성이 존중되어야 한다.

③ 국가 및 지방자치단체는 건축물 및 공간환경이 지역 주민들의 참여를 바탕으로 해당 지역의 풍토나 역사 또는 환경에 적합하게 조성되도록 필요한 시책을 강구하여야 한다.

④ 국가 및 지방자치단체는 지역의 고유한 건축문화유산을 보전하고, 새로운 건축물 및 공간환경이 기존의 공간환경과 조화와 균형을 이루어 조성되도록 필요한 시책을 강구하여야 한다.

⑤ 국가와 지방자치단체는 각각 시행한 건축정책에 대한 모니터링을 실시하고 정책성과를 평가하는 등 건축정책의 신뢰성을 제고하기 위하여 노력하여야 한다.

제3장 건축정책의 수립

제10조【건축정책기본계획의 수립】① 국토교통부장관은 건축정책에 관한 기본계획(이하 "건축정책기본계획"이라 한다)을 5년마다 수립·시행하여야 한다. <개정 2013.3.23>

② 국토교통부장관은 건축정책기본계획을 수립하거나 변경하고자 하는 때에는 관계 중앙행정기관의 장과 협의하고 공청회 등을 거쳐 의견을 수렴한 후 제13조에 따른 국가건축정책위원회의 심의를 거쳐 대통령에게 보고 후 이를 확정한다. <개정 2013.3.23>

③ 건축정책기본계획 중 대통령령으로 정하는 경미한 사항을 변경하고자 하는 경우에는 제2항에 따른 절차를 생략할 수 있다.

④ 국토교통부장관은 건축정책기본계획을 작성하고자 하는 때에는 관계 중앙행정기관의 장 및 특별시장·광역시장·도지사 또는 특별자치도지사(이하 "시·도지사"라 한다)·공공기관 또는 단체의 장 등에게 건축정책기본계획에 반영되어야 할 정책 및 사업 등에 관한 소관별 계획과 대통령령으로 정하는 자료의 제출을 요청할 수 있으며, 관계 중앙행정기관의 장 및 시·도지사는 특별한 사유가 없으면 이에 따라야 한다. <개정 2013.3.23., 2020.6.9.>

⑤ 국토교통부장관은 건축정책기본계획이 확정된 때에는 지체 없이 주요 내용을 관보에 고시하고, 관계 중앙행정기관의 장 및 시·도지사에게 송부하여야 한다. <개정 2013.3.23>

⑥ 건축정책기본계획의 수립·시행 및 변경 등에 관하여 필요한 사항은 대통령령으로 정한다.

제11조【건축정책기본계획의 내용】건축정책기본계획에는 다음 각 호의 사항이 포함되어야 한다.

1. 건축의 현황 및 여건변화, 전망에 관한 사항
2. 건축정책의 기본목표 및 추진방향
3. 건축의 품격 및 품질 향상에 관한 사항
4. 도시경관 향상을 위한 통합된 건축디자인에 관한 사항
5. 지역의 건축에 관한 발전 및 지원대책
6. 우수한 설계기법 및 첨단건축물 등 연구개발에 관한 사항
7. 건축분야 전문인력의 육성·지원 및 관리에 관한 사항
8. 건축디자인 등 건축의 국제경쟁력 향상에 관한 사항
9. 건축문화 기반구축에 관한 사항
10. 건축 관련 기술의 개발·보급 및 선도시범사업에 관한 사항
11. 건축정책기본계획의 시행 및 그 밖에 대통령령으로 정하는 건축진흥에 필요한 사항

제12조【지역건축기본계획의 수립 등】① 시·도지사는 지역의 현황 및 사회·경제·문화적 실정에 부합하는 건축정책을 위하여 건축정책기본계획에 따라 특별시·광역시·도 또는 특별자치도(이하 "시·도"라 한다)의 건축정책에 관한 기본계획(이하 "광역건축기본계획"이라 한다)을 5년마다 수립·시행하여야 하며, 시장·군수·구청장(자치구의 구청장을 말한다. 이하 같다)은 필요한 경우 건축정책기본계획 및 광역건축기본계획에 따라 시·군·구(자치구의 구를 말한다. 이하 같다)의 건축정책에 관한 기본계획(이하 "기초건축기본계획"이라 한다)을 5년마다 수립·시행할 수 있다.

② 광역건축기본계획 및 기초건축기본계획(이하 "지역건축기본계획"이라 한다)을 수립하거나 변경하는 경우 시·도지사 및 시장·군수·구청장은 공청회 등을 거쳐

의견을 수렴하고 해당 지방의회의 의견을 청취한 후 제18조에 따른 시·도건축정책위원회 또는 시·군·구건축정책위원회의 심의를 거쳐 이를 확정한다.

③ 지역건축기본계획 중 대통령령으로 정하는 바에 따라 지방자치단체의 조례로 정하는 경미한 사항을 변경하고자 하는 경우에는 제2항에 따른 절차를 생략할 수 있다.

④ 시·도지사 및 시장·군수·구청장이 제1항에 따라 지역건축기본계획을 수립·변경하는 경우에는 지체 없이 이를 국토교통부장관에게 보고하여야 한다. 다만, 시장·군수·구청장이 기초건축기본계획을 수립·변경하는 경우에는 관할 시·도지사를 거쳐 국토교통부장관에게 보고하여야 한다. <개정 2013.3.23., 2020.6.9.>

⑤ 지역건축기본계획의 수립·시행 및 변경 등에 관하여 필요한 사항은 대통령령으로 정한다.

제4장 건축정책위원회

제13조【국가건축정책위원회】① 건축분야의 중요한 정책을 심의하고 관계 부처의 건축정책의 조정 및 그 밖에 이 법으로 정하는 사항을 시행하기 위하여 대통령 소속으로 국가건축정책위원회를 둔다.

② 제1항에 따른 국가건축정책위원회(이하 "국가건축정책위원회"라 한다)는 위원장 1인을 포함하여 30인 이내의 위원으로 구성한다.

③ 위원장은 위촉위원 중에서 대통령이 지명하고, 위원은 다음 각 호의 자로 한다.

1. 대통령령으로 정하는 관계 중앙행정기관의 장
2. 건축분야의 학식과 경험이 풍부한 자 중에서 대통령이 위촉한 자

④ 국가건축정책위원회는 소관 사무를 전문적으로 수행하기 위하여 분과위원회를 설치·운영할 수 있다.

⑤ 위원의 임기, 국가건축정책위원회 및 분과위원회의 운영 등에 관하여 필요한 사항은 대통령령으로 정한다.

제14조【국가건축정책위원회의 기능】국가건축정책위원회는 다음 각 호의 사항을 심의한다. <개정 2020.6.9.>

1. 건축정책기본계획을 포함한 건축정책의 수립 및 조정
2. 건축분야 발전에 관한 주요 사업의 지원
3. 건축행정 개선에 관한 사항
4. 건축문화행사 추진에 관한 사항
5. 국민의 건축문화 향유기회의 확대에 관한 사항
6. 제21조제1항 및 제2항에 따른 건축디자인 기준의 설정에 관한 사항
7. 건축에 관한 조사·연구 및 개발에 관한 사항
8. 그 밖에 건축정책과 관련하여 위원장이 회의에 부치는 사항

제15조【건축정책 국회보고】① 국토교통부장관은 국가건축정책위원회의 의견을 들어 건축에 관한 주요 정책 수립 및 시행 등에 관한 보고서를 작성하여 2년마다 국회 소관 상임위원회에 제출하여야 한다. <개정 2013.3.23>

② 제1항의 보고서에는 다음 각 호의 내용이 포함되어야 한다.

1. 건축정책기본계획 수립·시행 및 성과 등에 관한 사항
2. 미래사회의 건축환경 변화 전망 및 대책
3. 건축문화 진흥을 위한 시책과 사업 등에 관한 사항
4. 건축환경, 문화 창달을 위한 지역의 풍토성 및 전통성 계승에 관한 시책
5. 건축제도·기준 등의 국제화에 관한 사항
6. 건축기술·건축설계의 발전, 전문인력 양성 등 산업의 경쟁력 강화에 관한 사항
7. 그 밖에 건축에 관한 중요 사항

제16조【건축 기본조사】① 국토교통부장관은 제14조 각 호의 사항에 대한 심의 및 제15조제1항에 따른 보고서의 작성 등을 위하여 필요한 때에는 건축에 관한 각종 통계, 건축물 현황, 건축에 관한 인식도 및 기대수준, 그 밖에 제15조제2항 각 호와 관련되어 필요한 자료 등 대통령령으로 정하는 사항에 대하여 조사할 수 있다. <개정 2013.3.23>

② 국토교통부장관은 중앙행정기관의 장 또는 지방자치단체의 장에게 조사에 필요한 자료의 제출을 요청하거나 제1항의 조사사항 중 일부에 대하여 이를 직접 조사하도록 요청할 수 있다. 이 경우 요청을 받은 중앙행정기관의 장 또는 지방자치단체의 장은 특별한 사유가 없으면 이에 따라야 한다. <개정 2013.3.23., 2020.6.9.>

제17조【기획단】① 국가건축정책위원회의 사무를 처리하기 위하여 국가건축정책위원회에 기획단을 둔다.

② 국가건축정책위원회는 그 업무수행을 위하여 필요한 때에는 관계 행정기관 소속의 공무원 및 관계 기관·법인·단체 등의 임직원의 파견 또는 겸임을 요청할 수 있다.

③ 기획단의 구성 및 운영에 관하여 필요한 사항은 대통령령으로 정한다.

제18조【지역건축위원회】① 지역의 건축분야의 중요한 정책의 심의 및 그 밖에 이 법으로 정하는 사항을 시행하기 위하여 시·도지사 소속으로 시·도건축정책위원회(이하 "광역건축위원회"라 한다)를, 시장·군수·구청장 소속으로 시·군·구건축정책위원회(이하 "기초건축

위원회"라 한다)를 둘 수 있다.

② 광역건축위원회 및 기초건축위원회(이하 "지역건축위원회"라 한다)의 구성·조직, 그 밖에 위원회 운영에 관하여 필요한 사항은 해당 지방자치단체의 조례로 정한다. 다만, 해당 지방자치단체에 대통령령으로 정하는 관련 위원회가 이미 설치되어 있는 경우에는 조례로 정하는 바에 따라 지역건축위원회의 기능을 대신하도록 할 수 있다.

제19조【지역건축위원회의 기능】지역건축위원회는 다음 각 호의 사항에 관한 사무를 행한다.

1. 해당 지역의 지역건축기본계획의 수립·시행에 관한 사항
2. 해당 지역의 건축행정 개선에 관한 사항
3. 건축문화 기반조성을 위한 사업 및 활동에 대한 사항

제5장 건축문화의 진흥

제20조【건축문화진흥을 위한 재정지원】국토교통부장관은 대통령령으로 정하는 바에 따라 문화체육관광부장관 및 지식경제부장관과 협의하여 건축물 및 공간환경의 개선과 건축문화의 진흥을 위해 다음 각 호의 사업에 대하여 국고보조 등 재정지원을 할 수 있다. <개정 2013.3.23>

1. 건축문화 관련 시설의 설립 및 운영
2. 출판·전시·축제 등 건축문화 관련 사업
3. 국민의 건축이해 증진을 위한 교육
4. 건축 관련 해외 진출 및 국제교류
5. 제21조에 따른 건축디자인 기준의 설정
6. 제22조에 따른 건축디자인 시범사업
7. 그 밖에 건축문화진흥을 위하여 대통령령으로 정하는 사업

제21조【건축디자인 기준의 설정】① 국토교통부장관은 지식경제부장관과 협의하여 건축디자인(공공공간은 제외한다)의 기준을 설정할 수 있다. <개정 2013.3.23., 2020.6.9.>

② 국토교통부장관은 문화체육관광부장관 및 지식경제부장관과 협의하여 공공공간의 건축디자인 기준을 설정할 수 있다. <개정 2013.3.23>

③ 시·도지사 또는 시장·군수·구청장은 제1항 및 제2항의 기준의 범위 안에서 지역 내 건축디자인 기준을 따로 정할 수 있다.

④ 지방자치단체의 장은 건축물 및 공간환경 시설물의 소유자·관리자 및 공공기관의 장에게 제1항부터 제3항까지의 규정에 따른 건축디자인 기준에 따르도록 권장할 수 있다.

⑤ 제1항부터 제3항까지의 규정에 따른 건축디자인 기준 설정에 대하여 필요한 사항은 대통령령으로 정한다.

제22조【건축디자인 시범사업 실시】① 중앙행정기관의 장, 시·도지사 또는 시장·군수·구청장은 공공의 이익을 증진하고 건축디자인의 경쟁력 강화를 위하여 다음 각 호의 사업을 시범사업으로 지정할 수 있다.

1. 공공기관이 시행하는 사업
2. 건축디자인을 개선하는 개발·정비사업
3. 민간에서 발주하는 사업으로서 대통령령으로 정하는 사업

② 중앙행정기관의 장, 시·도지사 또는 시장·군수·구청장은 제1항에 따른 시범사업에 대하여 재정지원 등을 통하여 지원할 수 있다.

③ 제1항 및 제2항에 따른 건축디자인 시범사업의 지정절차, 건축디자인 기준의 적용, 재정지원 등에 대하여 필요한 사항은 대통령령으로 정한다.

제23조【민간전문가의 참여】① 중앙행정기관의 장 및 지방자치단체의 장은 건축 관련 민원, 설계공모 업무나 도시개발 사업 등을 시행하는 경우 민간전문가를 위촉하여 해당 업무의 일부를 진행·조정하게 할 수 있다. <개정 2020.6.9.>

② 제1항의 민간전문가의 자격·업무범위·보수 등 필요한 사항은 대통령령으로 정한다.

제24조【설계공모의 시행】국가·지방자치단체 및 공공기관은 우수한 건축물 및 공간환경 설계의 선정을 위하여 설계공모를 실시하도록 노력하여야 한다.

제6장 한국건축규정의 운용 <신설 2015.8.11.>

제25조【한국건축규정의 공고 등】① 국토교통부장관은 건축물의 설계, 시공, 공사감리 및 유지·관리 등과 관련된 「건축법」 및 그 관계 법령, 행정규칙 및 조례 등의 규정(이하 이 조에서 "건축물 관련 규정"이라 한다)을 종합적으로 안내하고, 합리적으로 운용하기 위하여 건축물 관련 규정을 관장하는 중앙행정기관의 장 및 지방자치단체의 장과 협의하여 건축물 관련 규정을 통합한 한국건축규정(이하 "한국건축규정"이라 한다)을 공고할 수 있다. <개정 2021.7.27>

② 국토교통부장관은 제1항에 따라 공고된 한국건축규정을 체계적으로 관리하고 국민에게 제공하기 위하

여 한국건축규정 정보체계를 구축·운영하여야 한다. <신설 2021.7.27.>

③ 국토교통부장관은 제2항에 따른 한국건축규정 정보체계를 효율적으로 관리하고 대국민서비스를 제고하기 위하여 대통령령으로 정하는 기관 또는 단체에 한국건축규정 정보체계의 운영을 위탁할 수 있다. <신설 2021.7.27.>

④ 중앙행정기관의 장 및 지방자치단체의 장은 소관하는 건축물 관련 규정이 제정, 개정 또는 폐지되는 경우에는 대통령령으로 정하는 바에 따라 한국건축규정에 반영되도록 조치하여야 한다. <개정 2021.7.27.>

[본조신설 2015.8.11.]

제26조【한국건축규정의 개선 노력】① 국토교통부장관은 한국건축규정을 상시적으로 관리하고 합리적으로 개선·보완하여야 하며, 이를 위하여 필요한 경우 관계부처 공무원을 구성원으로 하는 한국건축규정 협의회를 대통령령으로 정하는 바에 따라 구성하여 운영할 수 있다.

② 국토교통부장관은 한국건축규정의 내용 중 개선·보완이 필요하다고 판단되는 사항이 있는 경우 대통령령으로 정하는 바에 따라 국가건축정책위원회의 심의를 거쳐 관계 기관의 장에게 개선·보완을 요구할 수 있다. 이 경우 관계 기관의 장은 특별한 사정이 없으면 이에 따라야 한다.

③ 시·도지사는 3년마다 한국건축규정과 관련된 소관 조례를 평가하고, 개선·보완이 필요하다고 판단되는 경우 「건축법」 제4조에 따라 시·도지사가 두는 건축위원회의 심의를 거쳐 소관 조례의 개선·보완을 추진하여야 한다.

④ 시·도지사는 3년마다 한국건축규정과 관련된 관할 시·군·구의 조례를 평가하고, 개선·보완이 필요하다고 판단되는 경우 「건축법」 제4조에 따라 시·도지사가 두는 건축위원회의 심의를 거쳐 관할 시장·군수·구청장에게 개선·보완을 요구할 수 있다. 이 경우 관할 시장·군수·구청장은 정당한 이유가 없으면 이에 따라야 한다.

⑤ 국무총리 또는 행정안전부장관은 중앙행정기관 또는 지방자치단체에 대한 「정부업무평가 기본법」에 따른 정부업무평가 시 제25조제4항 및 이 조 제1항부터 제4항까지의 규정에 따른 개선 노력 등을 반영하여야 한다. <개정 2017.7.26., 2021.7.27>

[본조신설 2015.8.11.]

부칙<법률 제13470호, 2015.8.11.>

제1조(시행일) 이 법은 공포 후 6개월이 경과한 날부터 시행한다.

제2조(다른 법률의 개정) 법률 제13325호 건축법 일부개정법률 일부를 다음과 같이 개정한다.

제11조제4항 각 호 외의 부분 본문 중 "제68조의2"를 "「건축기본법」 제25조"로 한다.

제68조의2를 삭제한다.

부칙 <법률 제14839호, 2017.7.26.> (정부조직법)

제1조(시행일) ① 이 법은 공포한 날부터 시행한다. 다만, 부칙 제5조에 따라 개정되는 법률 중 이 법 시행 전에 공포되었으나 시행일이 도래하지 아니한 법률을 개정한 부분은 각각 해당 법률의 시행일부터 시행한다.

제2조부터 제4조까지 생략

제5조(다른 법률의 개정) ①부터 ⑳⑥까지 생략

⑳⑦ 건축기본법 일부를 다음과 같이 개정한다.

제26조제5항 중 "행정자치부장관"을 "행정안전부장관"으로 한다.

⑳⑧부터 ㊳⑧까지 생략

제6조 생략

부칙 <법률 제17453호, 2020.6.9.>
(법률용어 정비를 위한 국토교통위원회 소관 78개 법률 일부개정을 위한 법률)

이 법은 공포한 날부터 시행한다. <단서 생략>

부칙<법률 제18339호, 2021.7.27.>

이 법은 공포 후 3개월이 경과한 날부터 시행한다.

2.2 건축기본법 시행령

[대통령령 제32825호 개정 2022.7.26.]

제　　정 2008. 6.20 대통령령 제20852호
일부개정 2011. 1.26 대통령령 제22640호
일부개정 2013. 3.23 대통령령 제24475호
타법개정 2013.11.20 대통령령 제24852호
타법개정 2014.11.19 대통령령 제25751호
일부개정 2016. 2.11 대통령령 제26973호
타법개정 2016. 4.26 대통령령 제27103호
타법개정 2017. 7.26 대통령령 제28211호
타법개정 2017.12.29 대통령령 제28553호
일부개정 2021.10.26 대통령령 제32095호
일부개정 2021.11.30 대통령령 제32170호
타법개정 2022. 7.26 대통령령 제32825호

제1장 총칙

제1조【목적】이 영은 「건축기본법」에서 위임된 사항과 그 시행에 필요한 사항을 규정함을 목적으로 한다.

제2조【건축정책기본계획의 수립】① 「건축기본법」(이하 "법"이라 한다) 제10조제3항에서 "대통령령으로 정하는 경미한 사항"이란 다음 각 호의 사항을 말한다.

1. 법 제11조제1호·제8호 및 제9호에 해당하는 사항
2. 제3조제1호·제2호 및 제4호부터 제6호까지의 규정에 해당하는 사항

② 국토교통부장관은 법 제10조제4항에 따라 관계 중앙행정기관의 장, 특별시장·광역시장·도지사·특별자치도지사(이하 "시·도지사"라 한다), 「공공기관의 운영에 관한 법률」에 따른 공공기관(이하 "공공기관"이라 한다)의 장 또는 단체의 장 등에게 소관별 계획의 제출을 요청할 때에는 법 제13조제1항에 따른 국가건축정책위원회(이하 "국가건축정책위원회"라 한다)의 심의를 거쳐 다음 각 호의 사항이 포함된 소관별 계획의 수립지침을 작성하여 송부하여야 한다. <개정 2013.3.23>

1. 법 제10조에 따른 건축정책기본계획(이하 "건축정책기본계획"이라 한다) 수립의 배경 및 목적
2. 건축정책기본계획 수립의 기본방향
3. 소관별 계획의 작성요령

③ 국토교통부장관은 법 제10조제4항에 따라 소관별 계획을 제출받으면 다음 각 호의 사항을 검토하여야 한다. <개정 2013.3.23>

1. 소관별 정책 또는 사업이 건축정책기본계획의 목적 및 기본방향과 부합하는지 여부
2. 소관별 정책 또는 사업의 타당성
3. 소관별 정책 또는 사업 간의 상충 여부
4. 소관별 정책 또는 사업의 우선순위와 중요도
5. 소관별 정책 또는 사업의 기대효과
6. 소요 재원의 확보 가능성

④ 법 제10조제4항에서 "대통령령으로 정하는 자료"란 국토교통부장관이 건축정책기본계획을 수립할 때 사전 조사가 필요한 사항으로서 법 제11조 각 호의 사항과 관련이 있는 각종 통계자료·보고서·도서 및 문서 등을 말한다. <개정 2013.3.23>

제3조【건축정책기본계획의 내용】법 제11조제11호의 "대통령령으로 정하는 건축진흥에 필요한 사항"이란 다음 각 호의 사항을 말한다.

1. 건축물에 대한 국민 교육과 홍보
2. 우수한 건축물 또는 공간환경의 보존에 관한 사항
3. 한옥의 보전 및 진흥에 관한 사항
4. 건축물과 공간환경에 관한 기록자료의 구축
5. 건축문화진흥 관련 주민자치기구의 설립과 운영 지원 등 주민참여 방안에 관한 사항
6. 그 밖에 국가건축정책위원회에서 건축문화진흥을 위하여 의결한 사항

제4조【지역건축기본계획의 수립 등】① 법 제12조제1항에 따른 광역건축기본계획 및 기초건축기본계획(이하 "지역건축기본계획"이라 한다)에 포함되어야 할 사항은 지방자치단체의 조례로 정한다.

② 법 제12조제3항에 따라 시·도지사와 시장·군수·구청장(자치구의 구청장을 말한다. 이하 같다)은 지역건축기본계획 중 해당 계획의 기본방향에 중대한 영향을 미치지 아니하는 사항으로서 지방자치단체의 조례로 정하는 경미한 사항을 변경할 경우에는 법 제12조제2항에 따른 절차를 생략할 수 있다.

제5조【당연직 위원】법 제13조제3항제1호에서 "대통령령으로 정하는 관계 중앙행정기관의 장"이란 다음 각 호의 중앙행정기관의 장을 말한다 <개정 2010.3.15, 2010.7.12, 2011.1.26., 2014.11.19., 2017.7.26>

1. 기획재정부장관
2. 교육부장관
3. 삭제 <2011.1.26>
4. 삭제 <2011.1.26>
5. 삭제 <2011.1.26>
6. 삭제 <2011.1.26>
7. 행정안전부장관
8. 문화체육관광부장관
9. 농림축산식품부장관

10. 산업통상자원부장관
11. 보건복지부장관
12. 환경부장관
13. 삭제 <2011.1.26>
14. 삭제 <2011.1.26>
15. 국토교통부장관
16. 해양수산부장관
17. 중소벤처기업부장관 <신설 2017.7.26>

제6조【위촉위원의 임기】 ① 법 제13조제3항제2호에 따른 국가건축정책위원회의 위촉위원(이하 "위촉위원"이라 한다)의 임기는 2년으로 하되, 한 번만 연임할 수 있다. <개정 2021.11.30.>

② 위촉위원은 제1항에 따른 임기가 만료된 경우에도 후임위원이 위촉될 때까지 그 직무를 수행할 수 있다. <신설 2021.11.30.>

제7조【위원장의 직무】① 국가건축위원회의 위원장은 국가건축정책위원회를 대표하고 국가건축정책위원회의 업무를 총괄한다.

② 위원장이 부득이한 사유로 직무를 수행할 수 없을 때에는 위원장이 미리 지명한 위원이 그 직무를 대행한다.

제8조【위원회 회의】① 국가건축정책위원회의 위원장은 국가건축정책위원회의 회의를 소집하고, 그 의장이 된다.

② 국가건축정책위원회의 회의는 재적위원 과반수의 출석으로 개의하고, 출석위원 과반수의 찬성으로 의결한다.

제9조【간사】국가건축정책위원회의 서무를 처리하기 위하여 국가건축정책위원회에 간사 1명을 두되, 간사는 법 제17조에 따른 기획단의 장이 된다.

제10조【분과위원회】① 법 제13조제4항에 따라 국가건축정책위원회에 정책조정분과위원회, 국토환경디자인분과위원회 및 건축문화진흥분과위원회를 둔다.

② 제1항의 정책조정분과위원회는 다음 각 호의 사항을 심의한다. <개정 2016.2.11.>

1. 건축정책기본계획에 관한 사항
2. 중앙행정기관 간 건축정책의 조정에 관한 사항
3. 건축물 및 공간환경의 기획·설계 등에 대한 심의·조정
4. 건축제도의 개선에 관한 사항
5. 법 제26조제2항에 따른 한국건축규정 내용의 개선·보완에 관한 사항
6. 그 밖의 다른 분과위원회의 소관에 속하지 아니하는 사항

③ 제1항의 국토환경디자인분과위원회는 다음 각 호의 사항을 심의한다.

1. 건축디자인 향상에 관한 사항
2. 법 제22조에 따른 건축디자인 시범사업에 관한 사항
3. 제21조제2항에 따른 민간전문가 추천에 관한 사항
4. 지속가능한 경관조성 및 환경보전에 관한 사항

④ 제1항의 건축문화진흥분과위원회는 다음 각 호의 사항을 심의한다.

1. 건축문화진흥을 위한 사업의 추진 및 지원에 관한 사항
2. 기초 건축교육 프로그램의 개발·운영에 관한 사항
3. 전문 건축교육 프로그램의 개발·운영에 관한 사항
4. 건축교육정책에 관한 사항
5. 건축 분야 전문인력의 양성과 그 지원에 관한 사항
6. 우수 설계기법의 연구 지원 및 첨단기술의 개발 지원

⑤ 각 분과위원회(이하 "분과위원회"라 한다)는 위원장 1명을 포함하여 7명 이상 13명 이내의 위원으로 구성하되, 위원장 및 위원은 국가건축정책위원회 위원 중에서 국가건축정책위원회의 위원장이 지명한다.

⑥ 국가건축정책위원회는 건축에 관한 전문적·기술적인 사항에 관하여 자문하기 위하여 관계 전문가로 구성된 자문단을 설치·운영할 수 있다.

⑦ 분과위원회 및 자문단의 운영 등 그 밖에 필요한 사항은 국가건축정책위원회의 의결을 거쳐 국가건축정책위원회의 위원장이 정한다.

제11조【관계기관 등에의 협조 요청】국가건축정책위원회는 업무를 수행하기 위하여 필요하면 관계 행정기관의 공무원 또는 관계 전문가를 국가건축정책위원회에 참석하게 하여 의견을 듣거나 관계 기관·단체 등에 대하여 자료 및 의견의 제출 등 필요한 협조를 요청할 수 있다.

제12조【조사·연구의 의뢰】① 국가건축정책위원회는 업무를 수행하기 위하여 필요하면 관계 전문가 또는 관계 기관·단체 등에 조사 또는 연구를 의뢰할 수 있다.

② 제1항에 따라 관계 전문가 등에 조사 또는 연구를 의뢰한 경우에는 예산의 범위에서 필요한 경비를 지급할 수 있다.

제13조【수당 등】국가건축정책위원회의 위원, 직원과 관계 공무원 또는 관계 전문가에게는 예산의 범위에서 수당·여비나 그 밖에 필요한 경비를 지급할 수 있다. 다만, 공무원인 위원이 소관 업무와 직접 관련하여 국가건축정책위원회에 출석하는 경우에는 그러하지 아니하다.

제14조【운영 세칙】이 영에서 정한 사항 외에 국가건축정책위원회 및 분과위원회의 운영 등에 필요한 사항은 국가건축정책위원회의 의결을 거쳐 국가건축정책위원회의 위원장이 정한다.

제15조【건축 기본조사】법 제16조제1항에서 "대통령령으로 정하는 사항"이란 다음 각 호의 사항을 말한다. <개정 2013.3.23>
1. 건축 선진국의 건축 현황과 건축정책에 관한 사항
2. 건축에 대한 사회적·경제적 전망
3. 건축 관련 전문인력의 교육· 양성· 활동 및 해외진출 등 현황
4. 건축물 및 공간환경에 관한 기록 자료를 구축하기 위하여 필요한 사항
5. 건축문화유산의 유지·관리 및 보존 현황
6. 건축문화진흥을 위한 사업에의 지원 실태
7. 그 밖에 법 제15조에 따른 국회 보고를 위하여 국토교통부장관이 필요하다고 인정하는 사항

제16조【기획단】① 법 제17조에 따라 설치된 기획단은 다음 각 호의 업무를 수행한다.
1. 국가건축정책위원회와 분과위원회의 회의 준비
2. 국가건축정책위원회와 분과위원회에 상정되는 안건의 작성
3. 국가건축정책위원회의 업무와 관련된 전문적인 조사·연구
4. 그 밖에 국가건축정책위원회 및 분과위원회의 모든 업무 지원

② 기획단의 장은 국토교통부의 건축정책업무를 담당하는 고위공무원단에 속하는 고위공무원이 겸직한다. <개정 2013.3.23>

③ 국가건축정책위원회의 위원장은 기획단의 업무를 수행하기 위하여 필요하다고 인정하는 경우에는 관련 분야의 전문가를 임기제공무원으로 둘 수 있다. <개정 2013.11.20>

④ 제1항부터 제3항까지에 규정된 사항 외에 기획단의 조직 및 운영 등에 필요한 사항은 국가건축정책위원회의 의결을 거쳐 국가건축정책위원회의 위원장이 정한다.

제17조【지역건축위원회】법 제18조제2항 단서에서 "대통령령으로 정하는 관련 위원회"란 「건축법」 제4조에 따라 설치된 건축위원회를 말한다.

제18조【건축문화진흥을 위한 재정지원】① 국토교통부장관은 법 제20조에 따라 문화체육관광부장관 및 산업통상자원부장관과 협의하려면 사전에 재정지원이 필요한 사업의 규모, 총사업비 및 사업기간 등의 사항을 포함한 재정지원 계획서를 작성하여 송부하여야 한다. <개정 2013.3.23>

② 법 제20조제7호에서 "대통령령으로 정하는 사업"이란 다음 각 호의 사업을 말한다.
1. 우수한 건축물과 공간환경을 보존하고 계승·발전시키기 위한 사업
2. 건축문화진흥사업을 추진하기 위한 법인 또는 단체의 설립
3. 건축물과 공간환경에 관한 기록자료의 구축사업
4. 그 밖에 건축문화진흥을 위하여 국가건축정책위원회에서 지원이 필요하다고 인정한 사업

제19조【건축디자인 기준의 설정】국토교통부장관은 법 제21조제1항 및 제2항에 따라 건축디자인 기준을 설정할 경우에는 다음 각 호의 내용을 포함하여야 한다. <개정 2013.3.23>
1. 국가 경쟁력을 높일 수 있는 건축디자인 체계의 확립에 관한 사항
2. 건축디자인 기준의 목표 및 적용대상에 관한 사항
3. 건축디자인 기준의 실효성 확보 방안에 관한 사항
4. 국가 및 지방자치단체가 설정하는 건축디자인의 조성 목표와 그 수행 과정에 관한 사항

제20조【건축디자인 시범사업의 실시】① 중앙행정기관의 장, 시·도지사 또는 시장·군수·구청장은 법 제22조제1항에 따른 건축디자인 시범사업(이하 "시범사업"이라 한다)을 지정하려는 경우에는 다음 각 호에 따라 국가건축정책위원회 또는 법 제18조에 따른 시·도건축정책위원회(이하 "광역건축정책위원회"라 한다)의 심의를 거쳐야 한다.
1. 중앙행정기관의 장이 지정하는 경우: 국가건축정책위원회
2. 시·도지사 또는 시장·군수·구청장이 지정하는 경우: 광역건축정책위원회. 다만, 중앙행정기관의 재정지원이 필요한 경우에는 국가건축정책위원회로 한다.

② 법 제22조제1항제3호 중 "대통령령으로 정하는 사업"이란 다음 각 호의 구역이나 지구의 기능을 증진시킬 수 있는 사업을 말한다. <개정 2017.12.29.>
1. 「건축법」 제69조제1항에 따라 지정된 특별건축구역
2. 「국토의 계획 및 이용에 관한 법률」 제37조제1항에 따라 결정된 경관지구

③ 시범사업 중 국가건축정책위원회 또는 광역건축정책위원회가 특별히 중요하다고 인정하는 시범사업의 사업자는 시범사업의 건축디자인에 관한 조정 및 심의를 담당할 건축디자인조정위원회를 구성·운영하여야 한다. 이 경우 중앙행정기관의 장 또는 시·도지사가

지정하는 시범사업의 건축디자인조정위원회의 구성 및 운영 등에 필요한 사항은 각각 국가건축정책위원회가 정하거나 또는 해당 지방자치단체의 조례로 정한다.

④ 국가·지방자치단체 및 공공기관은 시범사업을 추진할 경우에는 제21조제1항에 따라 위촉된 민간전문가를 시범사업의 기획·설계·총괄·조정 등의 업무담당자로 우선 지정할 수 있다.

⑤ 국가·지방자치단체 및 공공기관은 시범사업을 추진할 경우 기획제안(시범사업의 목표와 내용 등을 검토하고 설계에 영향을 미치는 모든 요구를 통합적으로 수렴하여 시범사업의 개발 방향·규모 및 추진계획 등을 제안하는 용역을 말한다), 개선제안(기존의 건축물 또는 공간환경을 지속가능하게 조성하기 위하여 건축물 또는 공간환경의 유지·관리 방안과 성능향상 방안, 용도변경 등을 통한 건축물 또는 공간환경의 보존·재활용 및 재생 방안 등을 제안하는 용역을 말한다) 및 설계공모 등 건축디자인 개선을 위한 다양한 방안을 강구하여야 한다.

제21조【민간전문가의 참여】① 중앙행정기관의 장 또는 지방자치단체의 장은 법 제23조제1항에 따라 다음 각 호의 어느 하나에 해당하는 사람을 민간전문가로 위촉할 수 있다.

1. 「건축사법」에 따른 건축사
2. 건축·도시 또는 조경 관련 기술사(「국가기술자격법」에 따른 기술사를 말한다)
3. 대학에서 건축·도시 또는 조경 관련 학문을 전공한 사람으로서 「고등교육법」 제2조에 따른 학교 또는 이에 준하는 학교나 공인된 연구기관에서 부교수 이상의 직 또는 이에 상당하는 직에 있거나 있었던 사람

② 국가건축정책위원회는 제1항 각 호의 어느 하나에 해당하는 사람 중 건축분야에 풍부한 경험과 전문적 식견을 가졌다고 인정되는 사람을 민간전문가로 추천할 수 있다.

③ 제1항에 따라 위촉된 민간전문가의 업무범위는 다음 각 호와 같다.

1. 국가 또는 지방자치단체에서 시행하는 건축·도시 관련 기획 및 설계 업무에 대한 조정
2. 국가 또는 지방자치단체의 건축정책에 대한 자문과 건축민원 업무의 처리
3. 다수의 사업자 또는 설계자들이 참여하는 대규모 개발사업에 대한 총괄·조정 및 관리
4. 건축디자인에 대한 전반적인 자문과 건축디자인 시범사업 등에 대한 기획·설계 등

④ 제1항에 따라 위촉된 민간전문가의 보수는 예산의 범위에서 지급할 수 있다.

제22조【한국건축규정의 관리】① 법 제25조제3항에서 "대통령령으로 정하는 기관 또는 단체"란 다음 각 호의 기관 또는 단체 중에서 국토교통부장관이 정하여 고시하는 기관 또는 단체를 말한다. <신설 2021.10.26., 2022.7.26>

1. 「건축사법」 제31조에 따른 대한건축사협회
2. 「과학기술분야 정부출연연구기관 등의 설립·운영 및 육성에 관한 법률」 제8조에 따른 한국건설기술연구원
3. 「정부출연연구기관 등의 설립·운영 및 육성에 관한 법률」 제8조에 따른 국토연구원 및 건축공간연구원
4. 「공공기관의 운영에 관한 법률」 제4조에 따른 공공기관
5. 「민법」 제32조에 따라 건축 분야의 발전을 목적으로 국토교통부장관의 허가를 받아 설립된 비영리법인
6. 그 밖에 법 제25조제2항에 따른 한국건축규정 정보체계의 관리에 필요한 전문 인력과 조직을 갖췄다고 국토교통부장관이 인정하는 기관 또는 단체

② 중앙행정기관의 장 및 지방자치단체의 장은 법 제25조제4항에 따라 소관하는 건축물 관련 규정(같은 조 제1항에 따른 건축물 관련 규정을 말한다. 이하 같다)이 제정, 개정 또는 폐지되는 경우에는 해당 규정이 관보 또는 공보에 공포되기 전(관보 또는 공보에 공포되지 않는 규정에 대해서는 「행정 효율과 협업 촉진에 관한 규정」 제11조에 따라 문서를 등록하기 전으로 한다)에 그 공포 예정일(관보 또는 공보에 공포되지 않는 규정에 대해서는 문서등록 예정일로 한다)을 지정하여 국토교통부장관에게 전자문서로 송부해야 한다. <개정 2021.10.26>

③ 국토교통부장관은 제정, 개정 또는 폐지되는 다음 각 호의 규정이 제때에 법 제25조제1항에 따른 한국건축규정(이하 "한국건축규정"이라 한다)에 반영되도록 조치해야 한다. <개정 2021.10.26>

1. 국토교통부장관이 소관하는 건축물 관련 규정
2. 제2항에 따라 송부받은 규정

[본조신설 2016.2.11.]

제23조【한국건축규정 협의회의 구성·운영】① 법 제26조제1항에 따른 한국건축규정 협의회(이하 "협의회"라 한다)는 위원장 1명을 포함하여 10명 이상 25명 이내의 위원으로 구성한다.

② 협의회의 위원장은 국토교통부 건축정책관이 된다.

③ 협의회의 위원은 다음 각 호의 어느 하나에 해당하는 사람 중에서 국토교통부장관이 임명한다. <개정 2017.7.26>

1. 다음 각 목의 중앙행정기관의 장이 추천하는 4급 이상(고위공무원단에 속하는 공무원을 포함한다. 이하 같다) 또는 이에 상당하는 공무원
   가. 기획재정부
   나. 교육부
   다. 과학기술정보통신부
   라. 법무부
   마. 문화체육관광부
   바. 농림축산식품부
   사. 산업통상자원부
   아. 보건복지부
   자. 그 밖에 건축물 관련 규정을 소관하는 중앙행정기관
2. 국토교통부의 건축물 관련 규정 업무 담당 4급 이상 또는 이에 상당하는 공무원
3. 특별시·광역시·도·특별자치도의 건축물 관련 규정 업무 담당 4급 이상 또는 이에 상당하는 공무원으로서 해당 지방자치단체의 장이 추천하는 사람

④ 협의회의 위원장은 협의회의 회의를 소집하며, 회의 개최 7일 전까지 회의의 일시·장소 및 안건 등을 각 위원에게 알려야 한다. 다만, 긴급한 사유가 있는 경우에는 회의 개최일 전날까지 알릴 수 있다.

⑤ 협의회는 필요하면 건축에 관한 학식 또는 경험이 풍부한 사람을 회의에 출석하게 하여 의견을 듣거나 설명하게 할 수 있다.

[본조신설 2016.2.11.]

제24조 【한국건축규정 내용의 개선·보완 요구】 ① 국토교통부장관은 법 제26조제2항에 따라 한국건축규정 내용의 개선·보완에 대하여 국가건축정책위원회의 심의를 요청하는 경우에는 미리 관계 기관의 장과 협의하여야 한다.

② 제1항에 따라 협의를 요청받은 관계 기관의 장은 특별한 사유가 없으면 요청을 받은 날부터 20일 이내에 의견을 제출하여야 한다.

③ 국토교통부장관은 법 제26조제2항에 따라 한국건축규정 내용의 개선·보완에 대하여 국가건축정책위원회의 심의를 거친 경우에는 심의 완료 후 10일 이내에 그 결과를 관계 기관의 장에게 통보하여야 한다.

[본조신설 2016.2.11.]

부칙<대통령령 제26973호, 2016.2.11.>

이 영은 2016년 2월 12일부터 시행한다.

부칙<대통령령 제27103호, 2016.4.26.> (행정 효율과 협업 촉진에 관한 규정)

제1조(시행일) 이 영은 공포한 날부터 시행한다.

제2조(다른 법령의 개정) ① 건축기본법 시행령 일부를 다음과 같이 개정한다.

제22조제1항 중 "「행정업무의 효율적 운영에 관한 규정」"을 "「행정 효율과 협업 촉진에 관한 규정」"으로 한다.

②부터 ⑩까지 생략

제3조 생략

부칙<대통령령 제28211호, 2017.7.26.> (행정안전부와 그 소속기관 직제)

제1조(시행일) 이 영은 공포한 날부터 시행한다. 다만, 부칙 제8조에 따라 개정되는 대통령령 중 이 영 시행 전에 공포되었으나 시행일이 도래하지 아니한 대통령령을 개정한 부분은 각각 해당 대통령령의 시행일부터 시행한다.

제2조부터 제7조까지 생략

제8조(다른 법령의 개정) ①부터 ㉗5까지 생략

㉗6 건축기본법 시행령 일부를 다음과 같이 개정한다.

제5조제7호를 다음과 같이 하고, 같은 조에 제17호를 다음과 같이 신설한다.

7. 행정안전부장관

17. 중소벤처기업부장관

제23조제3항제1호다목을 다음과 같이 한다.

다. 과학기술정보통신부

㉗7부터 ㊳8까지 생략

부칙<대통령령 제28553호, 2017.12.29.> (국토의 계획 및 이용에 관한 법률 시행령)

제1조(시행일) 이 영은 2018년 4월 19일부터 시행한다. <단서 생략>

제2조부터 제5조까지 생략

제6조(다른 법령의 개정) ① 건축기본법 시행령 일부를 다음과 같이 개정한다.
제20조제2항제2호 중 "경관지구 또는 미관지구"를 "경관지구"로 한다.
②부터 ⑤까지 생략

부칙<대통령령 제32095호, 2021.10.26.>

이 영은 2021년 10월 28일부터 시행한다.

부칙<대통령령 제32170호, 2021.11.30.> (대통령 소속 위원회의 업무 연속성 확보를 위한 4개 법령의 일부개정에 관한 대통령령)

제1조(시행일) 이 영은 공포한 날부터 시행한다.

제2조(위촉위원의 직무계속에 관한 일반적 적용례) 이 영은 이 영 시행 이후 임기가 만료되는 위촉위원부터 적용한다.

부칙 <대통령령 제32825호, 2022.7.26.> (건축사법 시행령)

제1조(시행일) 이 영은 2022년 8월 4일부터 시행한다. <단서 생략>

제2조 및 제3조 생략

제4조(다른 법령의 개정) ① 건축기본법 시행령 일부를 다음과 같이 개정한다.
제22조제1항제1호 중 "건축사협회"를 "대한건축사협회"로 한다.
②부터 ⑤까지 생략

2.2.1 공공부문 건축디자인 업무기준

[국토교통부고시 제2019-360호, 2019.7.4, 전부개정]

제1장 총칙

제1조 【목적】 이 기준은 「건축기본법」 제4조 및 제21조에 따라 품격과 품질이 우수한 건축물과 공간환경을 조성하기 위한 바람직한 방향과 업무절차를 제시함을 목적으로 한다.

제2조 【용어의 정의】 이 기준에서 사용하는 용어의 정의는 다음과 같다.

1. "민간전문가"란 「건축기본법」 제23조에 따라 중앙행정기관의 장 및 지방자치단체의 장이 위촉한 총괄건축가와 공공건축가 등 건축 및 건축관련분야 전문가를 말한다.
2. "총괄건축가"란 행정구역 및 사업구역(이하 "지역등"이라 한다.)의 공간정책 및 전략수립에 대한 자문 또는 주요사업에 대한 총괄·조정 등 건축·도시디자인의 경쟁력 강화와 관련한 업무를 수행하는 민간전문가를 말한다.
3. "공공건축가"란 개별 건축사업에 대하여 기획에서부터 설계, 시공 및 유지관리에 이르는 전 과정에 걸쳐 계획의 일관성을 유지할 수 있도록 관리하는 민간전문가를 말한다.

제3조 【적용대상】 ① 중앙행정기관의 장, 시·도지사 또는 시장·군수·구청장은 초기 기획단계에서부터 사업추진과 관련된 부서간 또는 관련 기관간 긴밀한 협의 또는 협력체계를 구축한다.

② 총괄건축가, 공공건축가 등 민간전문가의 자격, 업무범위, 권한, 직무, 보수 등에 관한 사항은 「건축기본법 시행령」 제21조 및 본 기준과 기타 관련 기준에 따르되 세부적인 사항에 대하여는 중앙행정기관의 장, 시·도지사 또는 시장·군수·구청장이 별도로 정할 수 있다.

③ 중앙행정기관의 장, 시·도지사 또는 시장·군수·구청장은 사업의 성격에 따라 지역주민들이 적절히 참여할 수 있는 다양한 방안을 강구한다. 이 경우 다음 각 호를 고려하여야 한다.

1. 지역주민들과 공감대를 형성하는 것이 중요하며 이를 위해 지역주민들에게 사업관련 추진현황 등 관련 정보를 적기에 제공하는 한편, 지역주민들이 의견을 제시할 기회와 수단을 충분히 제공하도록 한다.
2. 지역주민들의 의견을 효율적으로 반영하기 위하여 설문조사, 면담조사, 공청회, 설명회 등 다양한 지역주민 참여 방안을 강구한다.

제2장 민간전문가 참여방안

제5조 【민간전문가 참여의 활성화】 중앙행정기관의 장, 시·도지사 또는 시장·군수·구청장은 좋은 건축물과 공간환경 조성을 위하여 민간전문가의 역할이 중요함을 인식하고 총괄건축가와 공공건축가 등 민간전문가의 업무 참여가 활성화되도록 하여야 한다.

제6조 【총괄·공공건축가의 역할 등】 ① 총괄건축가는 다음 각 호의 역할을 수행할 수 있다.

1. 건축 및 공간환경 관련 정책 검토 및 방향 제시
2. 건축 및 공간환경 관련 주요 사업의 추진·운영·관리방안 등에 대한 자문·조정
3. 다수의 사업자 또는 설계자들이 참여하는 대규모 개발사업의 건축 및 공간환경 관련 업무에 대한 총괄·조정 및 관리
4. 건축 및 공간환경 사업 유형별 디자인 기준의 설정·운영
5. 공공건축가 관련 정책·사업의 총괄·자문
6. 건축문화 진흥을 위하여 필요한 행사 및 교육의 기획 및 지원
7. 관계 법령이나 기준 등에 중앙행정기관의 장, 시·도지사 또는 시장·군수·구청장의 역할로 규정된 업무의 지원
8. 그밖에 중앙행정기관의 장, 시·도지사 또는 시장·군수·구청장이 요청하여 협의한 사항

② 공공건축가는 다음 각 호의 역할을 수행할 수 있다.

1. 건축 및 공간환경 관련 사업의 기획 및 설계에 대한 조정 및 자문
2. 건축 및 공간환경 관련 사업의 기획 참여
3. 소규모 건축 및 공간환경 관련 사업의 설계 참여
4. 그밖에 건축 및 공간환경 관련 사업의 전 과정에 걸쳐 계획의 일관성을 유지하기 위한 업무 등의 조정 및 자문

③ 지방자치단체가 중앙부처의 재정 지원을 받아 추진하는 지역의 개발 및 정비와 관련한 사업으로서 건축물과 공간환경의 디자인 관리가 필요한 경우 시·도지사 또는 시장·군수·구청장은 공공건축가를 위촉하여 업무에 참여시켜야 한다.

④ 중앙행정기관의 장, 시·도지사 또는 시장·군수·구청장은 위촉한 공공건축가를 다음 각 호에 해당하는 사업의 업무에 참여시켜야 한다.

1. 보육시설·의료시설·복지시설·교통시설·문화시설·체육시설·공원 등 일상생활에서 국민의 편익을 증진시키는 생활밀착형 사회기반시설 사업 중 설계비 추정가격이 1억원 이상인 사업
2. 그밖에 중앙행정기관의 장, 시·도지사 또는 시장·군수·구청장이 필요하다고 판단하는 사업

제7조【민간전문가 업무 지원】 ① 총괄건축가와 공공건축가 등 민간전문가가 업무를 효율적으로 수행할 수 있도록 중앙행정기관의 장, 시·도지사 또는 시장·군수·구청장은 전담조직을 구성·운영하는 방안을 강구한다. 이 경우 다음 각 호를 고려하여야 한다.

1. 전담조직은 각 기관별 특성에 따라 신규로 설치하거나 기존 조직에서 담당하게 하는 등 적정한 구성방안을 선택할 수 있다.
2. 전담조직의 전문성을 보강하기 위하여 필요한 경우에는 분야별 민간전문가를 채용하는 등 전문 인력을 확보한다.

② 시·도지사 또는 시장·군수·구청장은 총괄건축가를 「건축기본법」 제18조에 따른 지역건축위원회의 위원장으로 임명 또는 위촉할 수 있다.

제3장 건축디자인 단계별 기준

제8조【사전조사 및 사업관계자 의견 수렴】 ① 중앙행정기관의 장, 시·도지사 또는 시장·군수·구청장은 지역의 고유한 여건과 맥락을 고려하여 사전조사를 시행한다. 이 경우 다음 각 호를 고려하여야 한다.

1. 사전조사는 입지조사, 역사·문화자원조사, 자연·사회환경조사, 수요조사, 유사사례조사, 지역경제여건조사 등 적정한 조사항목을 설정하고 설문, 면담조사 등 효율적인 조사방법을 선택하여 진행한다.
2. 사전조사 결과물은 향후 활용될 수 있도록 공개하여 중복조사에 따른 자원낭비를 방지하도록 한다.

② 중앙행정기관의 장, 시·도지사 또는 시장·군수·구청장은 설문조사, 면담조사, 공청회, 설명회 등을 통하여 건축·도시 관련 행정담당자, 사업시행자, 관련 전문가, 지역주민 등 사업관계자들(이하, "사업관계자"라 한다.)의 의견을 수렴한다.

제9조【사업계획 수립】 ① 중앙행정기관의 장, 시·도지사 또는 시장·군수·구청장은 사전조사결과와 사업관계자 의견 등을 반영하여 사업의 비전, 목표, 규모, 사업 추진방향 등을 구체화한 사업계획을 수립한다.

② 중앙행정기관의 장, 시·도지사 또는 시장·군수·구청장은 사업의 유형, 규모, 성격, 자금조달, 예상편익, 기술적 사항 등을 종합적으로 고려하여 사업계획의 타당성을 분석한다.

제10조【설계 발주방식 결정】 ① 중앙행정기관의 장, 시·도지사 또는 시장·군수·구청장은 「건축서비스산업 진흥법」 제21조에 따른 「건축 설계공모 운영지침」을 준수하여 일반 설계공모, 2단계 설계공모, 제안공모 등 사업의 특성에 적합한 설계공모 방식을 결정해야 한다.

② 중앙행정기관의 장, 시·도지사 또는 시장·군수·구청장은 「건축서비스산업 진흥법 시행령」 제17조제1항에 따른 설계공모방식 우선 적용대상이 아닌 경우에도 수주실적과 저가입찰에 의한 설계자 선정방식보다는 설계공모 방식이나 협상에 의한 계약방식 등 건축가나 계획가의 능력과 설계안의 우수성이 반영되어 품격과 품질이 우수한 건축물 또는 공간환경을 조성할 수 있는 방안을 강구한다.

③ 지역의 개발 및 정비와 관련한 사업에 건축물이 포함되는 경우, 사업 전체를 대상으로 하는 계획 및 설계에서 개별 건축물의 설계(「공공발주사업에 대한 건축사의 업무범위와 대가기준」에 따른 계획설계, 중간설계 및 실시설계를 말한다.)를 별도로 발주하여 우수한 건축 디자인이 조성될 수 있도록 한다.

제11조【기획업무 의뢰 및 사전검토의 실시】 ① 중앙행정기관의 장, 시·도지사 또는 시장·군수·구청장은 필요한 경우 제8조 내지 제10조의 내용을 포함한 기획업무를 건축 및 건축관련분야의 학식과 경험이 풍부한 민간전문가에게 의뢰할 수 있다.

② 중앙행정기관의 장, 시·도지사 또는 시장·군수·구청장은 「건축서비스산업 진흥법 시행령」 제20조제1항에 해당하는 사업의 경우 설계발주 전에 동 법 제24조에 따른 공공건축지원센터를 통해 사업계획에 대한 사전검토를 받아야 하며, 그 밖의 경우에도 내실있는 기획업무를 위하여 사전검토를 받을 수 있도록 노력하여야 한다.

제12조【양질의 설계안 구현】 설계공모 등을 통해 당선된 공모안의 우수한 디자인이 사업기간 단축이나 사업비 부족 등을 이유로 과도하게 훼손되지 않고 양질의 설계안으로 구현될 수 있도록 사업관계자들은 함께 노력해야 한다.

제13조【설계의도 구현】 ① 중앙행정기관의 장, 시·도지

사 또는 시장·군수·구청장은 「건축서비스산업 진흥법 시행령」 제19조제1항에 해당하는 공사의 경우 해당 건축물 등의 설계자를 건축과정에 참여시켜 설계도서의 해석 및 자문, 현장여건 변화 및 업체선정에 따른 자재와 장비의 치수·위치·재질·질감·색상 등의 선정 및 변경에 대한 검토·보완 등을 수행하도록 하여야 하며, 그 밖의 경우에도 설계의도 구현을 위해 설계자가 건축과정에 참여할 수 있는 방안을 강구한다.

② 설계자는 건축과정에 적극적으로 참여하여 건축주·시공자·감리자 등에게 설계의 취지 및 건축물의 유지·관리에 필요한 사항을 제안하는 등 설계의도가 구현될 수 있도록 노력해야 한다.

제4장 기 타

제14조【교육 및 홍보】 중앙행정기관의 장, 시·도지사 또는 시장·군수·구청장은 사업관계자를 대상으로 이 기준의 내용에 대하여 교육과 홍보를 적극 시행한다. 이 경우 사업관계자별 특성을 감안하여 교육 및 홍보계획을 수립·시행하고 필요한 교육 및 홍보자료를 제작하여 보급한다.

제15조【다른 명칭의 민간전문가에 적용】 중앙행정기관의 장, 시·도지사 또는 시장·군수·구청장이 총괄건축가나 공공건축가가 아닌 다른 명칭으로 민간전문가를 위촉하여 활용하는 경우에도 제2장의 내용을 적용할 수 있다.

제16조【재검토기한】 「훈령·예규 등의 발령 및 관리에 관한 규정」에 따라 이 훈령에 대하여 2019년 6월 30일을 기준으로 매 3년이 되는 시점(매 3년째의 6월 30일까지를 말한다)마다 그 타당성을 검토하여 개선 등의 조치를 하여야 한다.

부칙<제2019-360호, 2019.7.4.>

이 고시는 발령한 날로부터 시행한다.

3.1 서울특별시 건축조례

[조례 제9024호 일부개정 2023.12.29.]

제　　정 1980. 7.25 조례 제1446호
일부개정 2018. 7.19 조례 제6900호
일부개정 2018.10. 4 조례 제6935호
일부개정 2019. 1. 3 조례 제7002호
타법개정 2019. 7.18 조례 제7227호
일부개정 2019. 7.18 조례 제7265호
일부개정 2020. 3.26 조례 제7532호
일부개정 2020. 5.19 조례 제7595호
일부개정 2020. 7.16 조례 제7659호
일부개정 2020.10. 5 조례 제7758호
타법개정 2020.12.31 조례 제7782호
일부개정 2021. 1. 7 조례 제7859호
타법개정 2021. 3.25 조례 제7912호
일부개정 2021. 3.25 조례 제7970호
일부개정 2021. 5.20 조례 제8046호
일부개정 2021. 9.30 조례 제8183호
타법개정 2021.12.30 조례 제8235호
일부개정 2021.12.30 조례 제8292호
타법개정 2022. 3.10 조례 제8347호
일부개정 2022. 4.28 조례 제8424호
일부개정 2022.10.17 조례 제8510호
타법개정 2022.12.30 조례 제8530호
일부개정 2023. 5.22 조례 제8719호
타법개정 2023. 7.24 조례 제8862호
일부개정 2023.12.29 조례 제9024호

제1장 총　칙

제1조【목적】 이 조례는 「건축법」, 같은 법 시행령, 같은 법 시행규칙 및 관계법령에서 조례로 정하도록 위임한 사항과 그 시행에 관하여 필요한 사항을 규정함을 목적으로 한다. <개정 2009.11.11.>

제2조【적용범위】 이 조례는 서울특별시(이하 "시"라 한다) 행정구역 안의 건축물 및 그 대지에 대하여 적용한다. <개정 2009.11.11.>

제3조【적용의 완화】 ① 「건축법 시행령」(이하 "영"이라 한다) 제6조제1항제4호에서 "건축조례로 정하는 지역"이란 다음 각 호의 지역 중에서 서울특별시장(이하 "시장"이라 한다)이 지정·공고한 구역을 말한다. <개정 2015.10.8., 2016.5.19., 2017.9.21., 2018.1.4., 2018.7.19., 2018.10.4, 2019.3.28., 2020.12.31.>

1. 「서울특별시 한양도성 역사도심 특별 지원에 관한 조례」 제2조제1호에 따른 한양도성 역사도심 내 지구단위계획구역으로서 한옥 등 건축자산, 옛길, 옛 물길 등 역사·문화자원의 보전을 목적으로 지정한 지역
2. 「서울특별시 한옥 등 건축자산의 진흥에 관한 조례」 제15조제1항에 따른 한옥밀집지역
3. 「서울특별시 도시계획 조례」 제8조의2제1호에 따른 역사문화특화경관지구
4. 「도시 및 주거환경정비법」 제16조에 따라 지정·고시된 재개발사업을 위한 정비구역 중 「서울특별시 도시 및 주거환경정비조례」 제8조제1항제8호에 따라 옛길, 옛 물길 등 역사·문화자원의 보전을 위해 수복형(소단위 맞춤형) 사업이 적용되는 지역

② 「건축법」(이하 "법"이라 한다) 제5조제1항 및 영 제6조제1항에 따라 대지 또는 건축물(이하 "대지 등"이라 한다)에 대하여 법·영·「건축법 시행규칙」(이하 "규칙"이라 한다) 또는 이 조례의 기준을 완화하여 적용할 것을 요청하고자 하는 자는 별지 제1호서식의 적용의 완화요청서에 설계도면 등 관계도서를 첨부하여 허가권자[해당 건축물에 대한 허가권을 가지는 시장 또는 자치구청장(이하 "구청장"이라 한다)을 말한다. 이하 같다]에게 제출하여야 한다. <개정 2016.5.19., 2018.7.19>

③ 제2항에 따른 요청을 받은 허가권자는 법 제5조제2항에 따라 해당 건축위원회의 심의를 거쳐 완화여부 및 적용범위를 결정하고, 그 결과를 요청일부터 30일 이내에 신청인에게 통지하여야 한다. 다만, 해당 건축위원회의 심의결과 서류보완이나, 재검토 등이 필요한 것으로 심의된 경우에는 서류 보완접수일 또는 재검토 요청일로부터 30일 이내에 최종 결과를 통지하여야 한다. <개정 2016.5.19, 2018.7.19>

④ 제3항에 따라 허가권자가 해당 건축위원회의 심의를 거쳐 완화여부 및 적용범위를 결정하는 경우 다음 각 호의 사항을 고려하고 완화가 필요하다고 인정하는 최소한의 범위에서 하여야 한다. <개정 2016.5.19., 2018.7.19>

1. 해당 대지 등에 법·영·규칙 또는 이 조례(이하 "법령등"이라 한다)의 적용이 적용하기가 불합리하게 된 사유가 대지 등의 소유자나 관계인의 자의에 따른 경우가 아니어야 함
2. 관계법령·제도 등의 변경이나 대지 등의 특수한 물리적 조건 등으로 인하여 법령등의 관계규정을 적용하기가 불합리하게 된 경우이어야 함

⑤ 규칙 제2조의5제1호에 따른 증축 규모는 다음 각 호의 사항을 고려하여야 하며, 증축하고자 하는 부분에 불법 건축물이 포함되어 있어 이를 추인하는 경우에도 적용한다. <개정 2016.5.19>

1. 건축물 외관 계획 : 기존건축물 보전, 옥상환경 개선, 간판 정비 등에 관한 사항
2. 구조 보강 계획
3. 에너지 절약 계획
4. 골목길 조성 등 시와 자치구 정책에 관한 계획

⑥ 영 제6조제2항제3호나목에 따라 완화하는 비율은 100분의 120 이하로 한다. <신설 2013.5.16, 2018.7.19>

⑦ 영 제6조제2항제5호나목에 따라 적용되는 용적률은 해당지역에 적용되는 용적률의 100분의 120 이하의 범위에서 주민공동시설 면적에 해당하는 용적률을 가산한 용적률로 한다. 다만, 허가권자가 필요하다고 인정하는 주민공동시설을 설치하는 경우로 한정한다. <신설 2013.5.16, 2016.5.19, 2018.7.19>

⑧ 제7항에 따라 허가권자가 필요하다고 인정하는 주민공동시설은 다음 각 호의 어느 하나에 해당하는 것을 말한다. <신설 2016.5.19>

1. 보육시설, 경로당 등 노약자 등을 위한 시설
2. 도서실, 교육시설 등 청소년과 인근지역 커뮤니티 활성화를 위한 시설

제3조의2【다중생활시설 건축기준】 영 제3조의5 및 별표 1 제4호거목에 따른 다중생활시설에 대한 실별 최소 면적, 창문의 설치 및 크기 등의 기준은 다음 각 호와 같다.

1. 최소 생활 실 면적은 전용공간만 조성하는 경우 7제곱미터 이상으로 하고, 전용공간에 개별화장실을 포함하는 경우 9제곱미터 이상으로 할 것
2. 전용공간은 외기에 창문을 설치해야 하고 창문크기는 탈출 가능한 유효 폭 0.5미터 이상, 유효 높이 1.0미터 이상 크기로 설치할 것

[본조신설 2021.12.30]

제4조【기존의 건축물 등에 대한 특례】 허가권자는 법 제6조, 영 제6조의2 및 제14조제6항에 따라 법령등의 제정·개정이나 영 제6조의2제1항 각 호의 사유로 인하여 법령등에 적합하지 아니하게 된 기존의 건축물 및 대지에 대하여 다음 각 호의 기준에 따라 건축(재축·증축·개축으로 한정한다) 또는 용도변경을 허가하거나 신고수리 할 수 있다 <개정 2013.5.16, 2016.5.19, 2018.1.4, 2018.7.19>

1. 기존 건축물을 재축하는 경우
2. 증축하거나 개축하려는 부분이 법령등에 적합한 경우
3. 기존 건축물의 대지가 도시계획시설의 설치 또는 「도로법」에 따른 도로의 설치로 법 제57조에 따라 이 조례 제29조 각 호에서 정하는 면적에 미달되는 경우로서 그 기존 건축물을 연면적 합계의 범위에서 증축하거나 개축하는 경우
4. 기존 건축물이 도시계획시설 또는 「도로법」에 따른 도로의 설치로 법 제55조 또는 제56조에 부적합하게 된 경우로서 화장실·계단·승강기의 설치 등 그 건축물의 기능을 유지하기 위하여 그 기존 건축물의 연면적 합계의 범위에서 증축하는 경우
5. 2007년 5월 29일 전에 건축된 기존 건축물의 건축선 및 인접 대지경계선으로부터의 거리가 법 제58조에 따라 이 조례 제30조 관련 별표 4 대지안의 공지(空地: 공터)기준에서 정하는 거리에 미달되는 경우로서 그 기존 건축물을 건축 당시의 법령에 위반하지 아니하는 범위에서 증축하는 경우
6. 용도변경 하고자 하는 용도 및 시설기준 등이 관련 법령 등의 규정에 적합할 것. 다만, 2007년 5월 29일 전에 건축된 기존 건축물의 건축선 및 인접 대지경계선으로부터의 거리가 제30조에서 정한 거리의 기준에 미달하는 경우에는 제30조를 적용하지 않을 수 있다.
7. 기존 한옥을 한옥으로 개축하는 경우

제2장 건축위원회

제5조【구성】 ① 영 제5조의5제1항에 따라 시에 두는 건축위원회(이하 "시 위원회"라 한다)는 다음 각 호와 같이 구성한다. <개정 2013.5.16., 2014.12.11., 2015.10.8., 2016.5.19., 2018.7.19>

1. 위원장 및 부위원장 각 1명을 포함하여 25명 이상 150명 이내의 위원으로 성별을 고려하여 구성한다. 다만, 영 제5조의5제1항제7호에 따라 심의를 하는 경우에는 해당 분야의 전문가가 그 심의에 위원으로 참석하는 심의위원 수의 4분의 1 이상이 되게 하여야 한다. 이 경우 필요하면 해당 심의에만 위원으로 참석하는 관계 전문가를 임명하거나 위촉할 수 있다.
2. 시 위원회의 위원은 영 제5조의5제4항에 따라 시장이 임명하거나 위촉한다.
3. 시 위원회의 위원장 및 부위원장은 제2호에 따라 임명 또는 위촉된 위원 중에서 시장이 임명하거나 위촉한다.
4. 공무원이 아닌 위원의 임기는 2년으로 하되, 한 차례만 연임할 수 있다.
5. 공무원을 위원으로 임명하는 경우에는 그 수를 전체 위원 수의 4분의 1 이하로 한다.
6. 공무원이 아닌 위원은 건축 관련학회 및 협회 등

관련단체나 기관의 추천 또는 공모절차를 거쳐 위촉한다.

② 영 제5조의5제1항에 따라 서울특별시자치구에 두는 건축위원회(이하 "구 위원회"라 한다)는 다음 각 호와 같이 구성한다. <개정 2013.5.16., 2015.10.8., 2016.5.19., 2023.5.22>

1. 위원장 및 부위원장 각 1명을 포함하여 25명 이상 100명 이내의 위원으로 성별을 고려하여 구성한다. 다만, 영 제5조의5제1항제7호에 따라 심의를 하는 경우에는 해당분야의 전문가가 그 심의에 위원으로 참석하는 심의 위원수의 4분의 1 이상이 되게 하여야 한다. 이 경우 필요하면 해당 심의에만 위원으로 참석하는 관계 전문가를 임명하거나 위촉할 수 있다.
2. 구 위원회의 위원은 영 제5조의5제4항에 따라 구청장이 임명하거나 위촉한다.
3. 구 위원회의 위원장 및 부위원장은 제2호에 따라 임명 또는 위촉된 위원 중에서 구청장이 임명하거나 위촉한다.
4. 공무원이 아닌 위원의 임기는 2년으로 하되, 한 차례만 연임할 수 있다.
5. 공무원을 위원으로 임명하는 경우에는 그 수를 전체 위원 수의 4분의 1 이하로 한다.
6. 공무원이 아닌 위원은 건축 관련학회 및 협회 등 관련단체나 기관의 추천 또는 공모절차를 거쳐 위촉한다.

제5조의2 【위원의 제척·기피·회피】 ① 제5조에 따른 시 위원회와 구 위원회(이하 "위원회"라 한다) 위원이 다음 각 호의 어느 하나에 해당하는 경우에는 위원회의 심의·의결에서 제척된다. <개정 2015.10.8., 2016.5.19.>

1. 위원 또는 그 배우자나 배우자이었던 사람이 해당 안건의 당사자(당사자가 법인·단체 등인 경우에는 그 임원을 포함한다. 이하 이 호 및 제2호에서 같다)가 되거나 그 안건의 당사자와 공동권리자 또는 공동의무자인 경우
2. 위원이 해당 안건의 당사자와 친족이거나 친족이었던 경우
3. 위원이 해당 안건에 대하여 자문, 연구, 용역(하도급을 포함한다), 감정 또는 조사를 한 경우
4. 위원이나 위원이 속한 법인·단체 등이 해당 안건의 당사자의 대리인이거나 대리인이었던 경우
5. 위원이 임원 또는 직원으로 재직하고 있거나 최근 3년 내에 재직하였던 기업 등이 해당 안건에 관하여 자문, 연구, 용역(하도급을 포함한다), 감정 또는 조사를 한 경우

② 해당 안건의 당사자는 위원에게 공정한 심의·의결을 기대하기 어려운 사정이 있는 경우에는 위원회에 기피 신청을 할 수 있고, 위원회는 의결로 이를 결정한다. 이 경우 기피 신청의 대상인 위원은 그 의결에 참여하지 못한다. <신설 2015.10.8.>

③ 위원이 제1항 각 호에 따른 제척 사유에 해당하는 경우에는 스스로 해당 안건의 심의·의결에서 회피(回避)하여야 한다. <신설 2015.10.8.>

[본조신설 2013.5.16.][제목개정 2015.10.8.]

제5조의3 【위원의 해임 · 해촉】 시장 또는 구청장은 해당 건축위원회의 위원이 다음 각 호의 어느 하나에 해당하는 경우에는 해당 위원을 해임하거나 위촉 해제할 수 있다. <개정 2018.7.19., 2019.7.18., 2023.7.24>

1. 「서울특별시 각종 위원회의 설치 · 운영에 관한 조례」 제8조의2에 해당하는 경우
2. 제5조의2제1항 각 호의 어느 하나에 해당하는 데에도 불구하고 회피하지 아니한 경우

[본조신설 2015.10.8.][제목개정 2016.5.19.]

제6조 【소위원회】 ① 위원회는 위원회의 심의를 효율적으로 수행하기 위하여 필요한 경우에는 소위원회를 설치·운영하여 자문할 수 있다. <개정 2015.10.8.>

② 소위원회는 5명 이상의 위원으로 구성하며, 위원장은 위원 중에서 호선한다. <개정 2009.11.11.>

③ 삭제 <2015.10.8.>

④ 제7조부터 제14조까지의 규정은 소위원회의 회의 및 운영에 관하여 이를 준용한다. <개정 2009.11.11.>

제6조의2 【전문위원회】 ① 위원회는 위원회의 심의를 효율적으로 수행하기 위하여 필요한 경우에는 법 제4조 제2항 및 영 제5조의6에 따라 건축민원전문위원회와 건축계획·건축구조·건축설비 등 분야별 전문위원회(이하 "전문위원회"라 한다)를 둘 수 있다 <개정 2018.7.19>

② 전문위원회는 시 위원회의 경우 시 위원회의 위원, 구 위원회의 경우 구 위원회의 위원 중에서 5명 이상으로 구성하고, 전문위원회의 위원장은 전문위원회 위원 중에서 호선한다. <개정 2018.7.19>

③ 위원회의 심의로 갈음하기로 하여 전문위원회의 심의를 거친 경우에는 위원회의 심의를 거친 것으로 본다.

[본조신설 2015.10.8.]

제6조의3 【건축민원전문위원회 구성 등】 ① 법 제4조의4에 따른 건축민원전문위원회는 위원장 1명을 포함하여 10명 이내로 구성한다. <개정 2016.5.19.>

② 건축민원전문위원회의 위원은 건축이나 법률에 관한

학식과 경험이 풍부한 사람으로서 다음 각 호의 어느 하나에 해당하는 사람 중에서 시장(시 건축민원전문위원회) 및 구청장(자치구 건축민원전문위원회)이 성별을 고려하여 임명 또는 위촉한다. 다만, 공무원을 위원으로 임명하는 경우에는 그 수를 전체 위원 수의 4분의 1 이하로 한다. <개정 2016.5.19., 2017.1.5., 2018.7.19>

1. 5급 이상 공무원으로 재직 중인 사람
2. 「고등교육법」에 따른 대학에서 건축이나 법률을 가르치는 조교수 이상의 직에 있는 사람
3. 판사, 검사 또는 변호사의 직에 재직 중인 사람
4. 「건축사법」에 따라 건축사사무소 개설신고를 하고 건축사로 종사 중인 사람
5. 「국가기술자격법」에 따른 건축분야 기술사로 종사 중인 사람
6. 건설공사나 건설업에 대한 학식과 경험이 풍부한 사람으로서 그 분야에 7년 이상 종사한 사람

③ 건축민원전문위원회은 위원회를 대표하며 사무를 총괄한다. <개정 2018.7.19>

④ 공무원이 아닌 위원의 임기는 2년으로 하되, 연한 차례만 연임할 수 있다. <개정 2018.7.19>

⑤ 삭제 <2018.7.19.>

[본조신설 2015.10.8.]

제6조의4【건축민원전문위원회 회의운영】 ① 건축민원전문위원회의 회의는 법 제4조의5제1항에 따른 신청이 있는 경우 건축민원전문위원회 위원장이 회의를 소집하고 그 의장이 된다. <개정 2018.7.19>

② 건축민원전문위원회 위원장이 회의를 소집하고자 하는 때에는 회의개최 5일 전까지 회의의 일시, 장소 및 안건을 각 위원에게 서면으로 통지하여야 한다. 다만, 긴급한 때에는 그러하지 아니하다. <개정 2016.5.19., 2018.7.19>

③ 회의는 재적 위원 과반수의 출석으로 개의하고 출석 위원 과반수의 찬성으로 의결한다. <개정 2016.5.19.>

④ 신청인이 공동의 이해관계가 있는 다수인인 경우에 건축민원전문위원회 위원장은 당사자 중에서 대표자 선정을 권고할 수 있다. <개정 2018.7.19>

⑤ 그 밖에 건축민원전문위원회의 운영에 관하여 필요한 사항은 위원회의 관련 규정을 준용한다. <개정 2016.5.19., 2018.7.19>

[본조신설 2015.10.8.]

제7조【기능 및 절차 등】 ① 영 제5조의5제1항에 따른 위원회의 심의사항은 다음 각 호와 같이 구분한다. <개정 2013.5.16., 2015.7.30., 2015.10.8., 2016.5.19., 2016.9.29., 2017.9.21., 2018.7.19., 2019.7.18., 2020.3.26., 2021.9.30>

1. 시 위원회 심의사항
   가. 「서울특별시 건축 조례」의 제정·개정에 관한 사항
   나. 법 제5조에 따른 건축법령의 적용 완화 여부 및 적용 범위에 관한 사항(허가권자가 시장인 경우를 말한다)
   다. 영 제5조의5제1항제8호에 따른 심의대상건축물은 다중이용건축물, 시가지·특화경관지구 내의 건축물, 분양을 목적으로 하는 건축물로 다음과 같다.
      1) 연면적의 합계가 10만제곱미터 이상이거나 21층 이상 건축물의 건축에 관한 사항
      2) 시 또는 시가 설립한 공사가 시행하는 건축물의 건축에 관한 사항
      3) 다중이용건축물 및 특수구조건축물의 구조안전에 관한 사항으로 1), 2) 중 어느 하나에 해당하는 경우
   라. 「도시 및 주거환경정비법」 제54조제3항제7호에 따라 법적상한용적률을 확정하기 위한 건축물의 건축에 관한 사항
   마. 삭제 <2015.10.8.>
   바. 법 제72조제1항 및 제2항에 따라 건축위원회 심의를 신청하는 건축물의 특별건축구역의 지정 목적에 적합한지 여부와 특례적용계획서 등에 대한 사항(한옥을 건축하는 경우를 제외한다)
   사. 다목에 따른 건축물 중 다음의 어느 하나에 해당하는 사항
      1) 깊이 10미터 이상 또는 지하 2층 이상 굴착공사, 높이 5미터 이상 옹벽을 설치하는 공사의 설계에 관한 사항
      2) 굴착영향 범위 내 석축·옹벽 등이 위치하는 지하 2층 미만 굴착공사로서 석축·옹벽 등의 높이와 굴착 깊이의 합이 10미터 이상인 공사의 설계에 관한 사항
      3) 굴착 깊이의 2배 범위 내(경사지의 경우 수평투영거리) 노후건축물(RC조 등의 경우 30년경과, 조적조 등의 경우 20년 경과된 건축물)이 있거나 높이 2미터 이상 옹벽·석축이 있는 공사의 설계에 관한 사항
      4) 그 밖에 토질상태, 지하수위, 굴착계획 등 해당 대지의 현장여건에 따라 허가권자가 굴토 심의가 필요하다고 판단하는 공사의 설계에 관한 사항

아. 영 제6조제1항제6호에 따른 리모델링 활성화 구역 지정에 관한 자문

자. 그 밖의 법령에 따른 심의대상 및 시장이 위원회의 자문이 필요하다고 인정하여 회의에 부치는 사항

2. 구 위원회 심의사항

가. 법 제46조제2항에 따른 건축선의 지정에 관한 사항

나. 법 제5조에 따른 건축법령의 적용 완화 여부 및 적용 범위에 관한 사항(허가권자가 구청장인 경우를 말한다)

다. 영 제5조의5제1항제4호, 제6호 및 시가지·특화경관지구 내의 건축물(다만, 시가지·특화경관지구 내의 이면도로에 접하는 건축물로서 허가권자가 미관에 영향이 없다고 판단되는 건축물은 제외한다)로서 제1호다목 및 라목에 해당되지 아니하는 건축에 관한 사항. 다만, 분양대상건축물의 경우에는 다음과 같은 건축물의 건축을 대상으로 한다.

1) 건축물의 연면적 합계 3천제곱미터 이상

2) 공동주택 20세대[도시형생활주택(원룸형) 30세대] 이상

3) 오피스텔 20실 이상

라. 제1항제1호다목이 아닌 건축물 중 제1항제1호사목 1)부터 3)까지에 관한 사항

마. 「건축물 관리법」 제30조 제1항 각 호의 어느 하나에 해당하지 않는 해체허가 대상 건축물(다만, 제1항제1호다목 및 사목에 따른 심의 시 기존 건축물의 해체에 관한 심의를 포함하여 받은 경우는 제외)

바. 영 제6조제1항제6호에 따른 리모델링 활성화 구역 지정에 관한 자문

사. 그 밖의 법령에 따른 심의대상 및 구청장이 위원회의 자문이 필요하다고 인정하여 회의에 부치는 사항

② 제1항에 따라 위원회의 심의를 거친 건축물(기존 건축물을 포함한다)로서 다음 각 호의 어느 하나에 해당하는 경우에는 건축위원회 심의를 생략할 수 있다. 다만, 당초 위원회가 심의한 지적사항 또는 심의 조건의 변경을 수반하는 경우에는 그러하지 아니하다. <개정 2013.5.16., 2016.5.19., 2018.1.4>

1. 영 제5조제2항에 해당하는 경우
2. 건축물의 창호 또는 난간 등의 변경
3. 공개 공지(空地: 공터)·조경 등 법령에서 확보하도록 한 시설물의 10분의 1 이내로 면적이 증감하는 경우 또는 1미터 미만으로 위치를 변경하는 경우
4. 건축물의 코어 위치를 2미터 미만 변경하거나 주요 동선 위치를 10미터 미만으로 변경하는 경우
5. 삭제 <2012.11.1.>
6. 삭제 <2011.10.27.>
7. 삭제 <2011.10.27.>
8. 삭제 <2011.10.27.>

③ 제1항에 따른 건축물을 건축하고자 하는 자는 법 제11조에 따른 건축허가를 신청하기 전에 별지 제2호서식에 따라 위원회에 심의를 신청할 수 있다. 다만, 토지소유자가 아닌 자(「도시 및 주거환경정비법」에 따른 정비사업의 시행자와 토지등소유자 방식으로서 사업시행계획인가 신청 동의요건을 갖춘 경우를 제외하며, 동의방법은 같은 법 제36조의 규정을 준용한다)가 신청하는 경우에는 토지면적 3분의 2 이상에 해당하는 토지소유자의 동의서를 제출하여야 한다. <개정 2018.7.19., 2021.1.7.>

④ 구청장은 제1항제1호다목 및 라목에 따른 시 위원회 심의대상 건축물에 대하여 심의를 요청하는 경우에는 의견을 첨부하여 제출할 수 있다. <개정 2018.7.19>

⑤ 제1항부터 제4항까지에서 규정하지 아니한 사항에 대한 위원회의 건축계획 심의에 대하여 필요한 사항은 규칙으로 정한다. <개정 2009.11.11.>

제8조【위원장의 직무】 ① 위원장은 위원회의 직무를 통괄하며, 위원회를 대표한다. <개정 2018.7.19>

② 부위원장은 위원장을 보좌하며, 위원장이 그 직무를 수행할 수 없을 때에는 이를 대행한다.

제9조【회의 등】 ① 위원회의 위원장은 위원회의 회의를 소집하고 그 의장이 된다.

② 위원회 회의는 위원장과 위원장이 부위원장과 협의하여 매 회의마다 지정하는 9명 이상 21명 이하의 위원으로 구성하되, 그 구성원 과반수의 출석으로 개의하고, 출석위원 과반수의 찬성으로 의결한다. <개정 2012.3.15.>

③ 삭제 <2015.10.8.>

④ 삭제 <2015.10.8.>

⑤ 삭제 <2015.10.8.>

⑥ 위원장은 회의 개최 10일 전까지 회의 안건과 심의에 참여할 위원을 확정하고, 회의 개최 7일 전까지 회의에 부치는 안건을 각 위원에게 알려야 한다. 다만, 대외적으로 기밀 유지가 필요한 사항이나 그 밖에 부득이한 사유가 있는 경우는 그러하지 아니하다. <신설 2013.5.16.>

⑦ 위원장은 제6항에 따라 심의에 참여할 위원을 확정하면 심의 등을 신청한 자에게 위원 명단을 알려야 한다. <신설 2013.5.16.>

⑧ 제7조제1항 각 호의 심의사항 중 법 제11조에 따른 건축물의 건축 등에 관한 사항은 심의 접수일로부터 30일 이내에 위원회를 개최하여야 한다. <신설 2013.5.16.>

제10조【회의록 등의 비치】 ① 위원회는 회의록 또는 심의의결서를 작성·비치하여야 한다.

② 위원회는 속기사로 하여금 회의록을 작성하게 할 수 있다. <신설 2002.5.20.>

③ 위원회의 사무를 처리하기 위하여 간사를 두되, 간사는 소속 직원 중에서 위원장이 지명하는 사람이 된다. <개정 2018.7.19>

제11조【비밀준수】 위원회의 위원, 그 밖에 위원회의 업무에 관여한 자는 그 업무수행상 알게 된 비밀을 누설하여서는 아니 된다. <개정 2009.11.11.>

제12조【자료제출의 요구 등】 ① 위원회는 필요하다고 인정하는 때에는 현지방문 또는 관계공무원, 관계전문가, 설계자, 시공자 등을 위원회에 출석시켜 발언하게 하거나 관계기관, 단체 등에 대하여 자료의 제출을 요구할 수 있다. <개정 2009.11.11.>

② 건축주·설계자 및 심의 등을 신청한 자가 희망하는 경우에는 회의에 참여하여 해당 안건 등에 대하여 설명할 수 있도록 한다. <신설 2013.5.16.>

제13조【수당】 위원회에 출석하는 위원에 대하여는 예산의 범위에서 수당 또는 여비 등의 실비를 지급할 수 있다. 다만, 공무원인 위원이 그 직무와 직접 관련하여 출석하는 경우에는 그러하지 아니하다. <개정 2018.7.19>

제14조【운영규정】 위원회의 회의 및 운영에 관하여 이 조례에서 규정하지 아니한 사항은 위원회의 의결을 거쳐 위원장이 정할 수 있다.

제3장 건축물의 건축

제15조【건축허가 등의 수수료】 법 제17조제2항 및 규칙 제10조제1항에 따른 수수료는 별표 2와 같다. 다만, 재해복구를 위하여 건축물을 건축 또는 대수선하고자 하는 경우에는 수수료를 징수하지 아니한다. <개정 2012.11.1., 2016.5.19.>

제16조【건축 공사현장 안전관리 예치금 등】 ① 법 제13조제2항에서 "지방자치단체의 조례로 정하는 건축물"이란 연면적이 1천제곱미터 이상인 건축물(국가 또는 지방자치단체가 건축하는 건축물 제외)을 말한다. 단, 증축의 경우에는 증축되는 부분의 연면적이 1천제곱미터 이상인 경우로 한정한다. <개정 2015.10.8., 2018.7.19>

② 제1항에 따른 건축물은 법 제13조제2항에 따른 예치금(이하 "예치금"이라 한다)을 예치하여야 하며, 예치금의 산정은 다음 각 호의 어느 하나에 해당하는 금액으로 한다. 이 경우 "건축공사비"라 함은 「수도권정비계획법」 제14조제2항에 따라 국토교통부장관이 고시하는 표준건축비에 연면적을 곱하여 산정한 금액을 말한다. <개정 2015.10.8., 2018.7.19>

1. 연면적 1만제곱미터 이하 : 건축공사비의 1퍼센트에 해당하는 금액
2. 연면적 1만제곱미터 초과 3만제곱미터 이하 : 제1호에 따라 산정한 금액(연면적 1만제곱미터 이하 부분에 한정한다) + 건축공사비(연면적 1만제곱미터 초과 부분에 한정한다)의 0.5퍼센트에 해당하는 금액
3. 연면적 3만제곱미터 초과 : 제2호에 따라 산정한 금액(연면적 3만제곱미터 이하 부분에 한정한다) + 건축공사비(연면적 3만제곱미터 초과 부분에 한정한다)의 0.3퍼센트에 해당하는 금액

③ 예치금은 현금으로 예치하거나 영 제10조의2제1항 각 호에 해당하는 보증서로 갈음할 수 있다. <개정 2015.10.8.>

④ 제3항에 따라 보증서로 예치금을 예치하는 경우 그 보증서의 보증기간은 건축공사기간에 다음 각 호의 어느 하나에 해당하는 기간을 가산한 기간으로 한다. <개정 2018.7.19>

1. 연면적 1만제곱미터 이하: 6개월 이상 8개월 미만
2. 연면적 1만제곱미터 초과 3만제곱미터 이하 : 8개월 이상 10개월 미만
3. 연면적 3만제곱미터 초과: 10개월 이상 12개월 이하

⑤ 규칙 제11조에 따라 건축주의 명의변경을 통해 지위를 승계받은 자(이하 이 항에서 "승계인"이라 한다)가 예치금에 관한 권리를 승계한 경우에는 승계인이 예치한 것으로 보며, 예치한 예치금의 양도·양수가 불가능하거나 예치금에 관한 권리를 승계하지 아니한 경우에는 승계인이 예치금을 예치하여야 한다. <개정 2009.11.11.>

⑥ 예치금은 착공신고 시 예치토록 한다. 다만, 착공신고 후 허가사항의 변경 등으로 연면적의 증감(연면적의 합계가 10분의 1 이하인 경우 제외)이 있는 경

우에는 예치금을 재산정하여 제3항에 따라 예치한 예치금과의 차액을 추가로 예치 또는 반환토록 한다. 이 경우 건축공사비는 착공신고일을 기준으로 산정한다. <개정 2016.5.19., 2018.7.19>

⑦ 예치금은 법 제11조에 따른 건축허가를 하는 때에 그 개산액을 통보하여야 하며, 법 제22조에 따른 사용승인서를 교부하는 때에 법 제13조제3항에 따라 예치금(보증서를 포함한다)은 반환토록 한다. <개정 2015.10.8.>

제17조【가설건축물】 ① 법 제20조제1항에 따라 도시계획시설 또는 도시계획시설 예정지에 건축을 허가할 수 있는 가설건축물은 다음 각 호의 기준에 따른다. <개정 2009.11.11.>

1. 철근콘크리트조 또는 철골철근콘크리트조가 아닐 것
2. 존치기간은 3년 이내일 것. 다만, 도시계획사업이 시행될 때까지 그 기간을 연장할 수 있다.
3. 3층 이하일 것
4. 전기·수도·가스 등 새로운 간선공급설비의 설치를 요하지 아니할 것
5. 공동주택·판매 및 영업시설 등으로서 분양을 목적으로 하는 건축물이 아닐 것
6. 「국토의 계획 및 이용에 관한 법률」 제64조에 적합할 것. 다만, 단계별 집행계획을 수립하여야 할 기간 안에 단계별 집행계획이 수립되지 아니한 경우에는 그러하지 아니하다.

② 제1항에 따른 가설건축물을 허가할 경우에는 도시계획사업의 지장유무에 대하여 사업 관련부서와 협의하여야 한다. <개정 2009.11.11.>

③ 영 제15조제5항제16호에서 "그 밖에 건축조례로 정하는 건축물"이란 별표 2의2와 같다. <개정 2015.10.8., 2016.5.19., 2016.7.14., 2018.7.19., 2021.3.25>

④ 영 제18조제2호에 따라 영 제15조제5항 각 호(제2호 및 제4호는 제외한다)의 어느 하나에 해당하는 가설건축물은 건축사가 아니라도 설계도서를 작성할 수 있다. <개정 2018.7.19.>

제17조의2【흙막이 계측관리】 ① 법 제41조에 따른 토지 굴착 부분에 대한 위험 발생의 방지를 위하여 흙막이 계측관리는 스마트 계측으로 할 수 있다.

② 제1항의 "흙막이 계측관리"와 "스마트 계측"은 다음을 말한다.

1. 흙막이 계측관리: 굴착공사 시 흙막이 벽체의 조사, 설계 및 시공 시에 발생되는 오차나 설계, 시공의 오류를 보완하기 위하여 기구를 활용하여 구조물, 지반 및 지하수 등의 거동을 측정하는 행위
2. 스마트 계측: 센서 등 측정 기구로 수집된 데이터의 신뢰성 및 효율성을 높이기 위한 스마트 기술로써 통신, 데이터 처리, 의사결정지원기능 등 복합적인 기능이 결합된 계측기법

[본조신설 2022.4.28.]

제18조【건축물의 사용승인】 법 제22조제2항 단서에 따라 사용승인을 위한 검사를 실시하지 아니하고 사용승인서를 교부할 수 있는 건축물은 연면적의 합계가 2천제곱미터를 초과하는 건축물로 한다. 다만, 허가권자가 사용승인을 위한 검사가 필요하다고 인정하는 경우에는 사용검사를 실시하고 사용승인서를 교부하여야 한다. <개정 2016.5.19.>

제18조의2【공사감리자의 모집 및 지정】 ① 법 제25조제2항 및 영 제19조의2제2항에 따라 시장은 공사감리자 명부를 작성하기 위하여 구청장과 협의하여 다음 각 호에 따라 공사감리자를 공개모집하여야 한다. <개정 2017.9.21., 2020.10.5., 2022.10.17>

1. 공사감리자 명부를 작성하기 위하여 2년에 1회 이상 정기적으로 공사감리자를 공개모집하여야 한다.
2. 공사감리자를 모집하고자 할 때에는 시 및 자치구의 인터넷 홈페이지, 세움터, 관련협회 등 해당 관할 공사감리자들이 널리 볼 수 있는 곳에 20일 이상 공고하여야 한다.
3. 공사감리자는 시에 소재지를 둔 영 제19조의2제2항 각 호의 구분에 따른 자로 한다.

② 제1항에 따라 시장은 공사감리자 신청 건축사 또는 건설엔지니어링사업자로부터 별지 제5호서식의 등록신청을 받으면 그 해당 공사감리자가 다음 각 호에 해당하고, 제6항의 등록취소 사유가 없는 경우에 한정하여 해당 건축사 또는 건설엔지니어링사업자를 별지 제6호서식의 공사감리자 등록명부에 직접 작성·관리하여야 하며, 이를 시 및 자치구의 인터넷 홈페이지 등을 통해 일반에 공개하여야 한다. 다만, 시장은 구청장과 협의하여 공사감리 업무량 및 건축사 분포 등을 고려하여 공사감리자 등록 명부를 작성·활용·관리·공개할 수 있으며, 권역의 설정 및 공사감리자 등록신청에 관한 기준은 시장이 제9항에 따른 대행기관의 의견을 들은 후 따로 정하여 고시한다. <개정 2018.7.19, 2020.10.5., 2022.3.10>

1. 공사감리자 모집공고일 현재 업무정지나 휴업 중이 아닌 자
2. 공사감리자 모집공고일로부터 1년 이내 「건축사법」 제30조의3에 의한 업무정지 처분 이상의 행정처분 및 「건설기술 진흥법」 제31조에 의한 영업정

지 처분 이상의 행정처분을 받지 않은 자

3. 제5항제4호부터 제6호의 경우로 공사감리자 모집공고일 현재 공사감리자 등록 취소 처분을 받은 날로부터 2년 이상 경과한 자
4. 공사 감리자 등록신청일을 기준으로 다른 건축공사장의 상주 공사 감리자로 선임되지 아니한 자

③ 제2항에 따라 공사감리자 등록명부에 등재된 공사감리자는 다음 각 호의 사유로 감리업무를 수행할 수 없게 된 경우 별지 제8호서식의 공사감리자 지정 연기요청서를, 건축사사무소 개설사항 또는 건설엔지니어링사업자 등록에 변경이 생겼을 경우 변경사항을, 법 및 「건축사법」과 「건설기술 진흥법」 등 관계 법령에 따른 업무정지 또는 영업정지 처분 이상의 행정처분을 받은 경우 처분결과를 변경·처분 등이 있는 날부터 7일 이내에 허가권자에게 제출하여야 한다. <개정 2018.7.19, 2020.10.5., 2022.3.10>

1. 16일 이상 지병으로 인한 치료 또는 입원 시
2. 16일 이상 국내외 장기 출장 시
3. 등록명부에 등록된 건축사 또는 건설엔지니어링사업자가 상주 감리원으로 감리업무를 수행하게 된 경우
4. 그 밖에 부득이한 사유(증빙서류 제출)로 감리업무 수행이 불가능하게 되는 경우

④ 허가권자는 공사감리자로 등록한 건축사 또는 건설엔지니어링사업자가 다음 각 호에 해당할 경우 공사감리자 등록명부를 관리하는 시장에게 변경사항을 즉시 통보하여야 한다. <개정 2018.7.19, 2020.10.5., 2022.3.10>

1. 제3항에 따라 공사감리자 지정 연기요청서를 제출받은 경우
2. 제3항에 따라 공사감리자 변경신고를 받은 경우
3. 제3항에 따라 업무정지 또는 영업정지 처분 이상의 행정처분을 받은 경우
4. 그 밖에 부득이한 사유로 감리 업무 수행이 불가능하게 된 경우

⑤ 영 제19조의2제4항에 따라 허가권자가 공사감리자를 지정하는 경우에는 제2항에 따라 작성된 공사감리자 등록명부에 등록된 자 중에서 무작위 선정하는 것을 원칙으로 한다. 다만, 다음 각 호에 해당하는 자는 공사감리자로 지정할 수 없다. <개정 2018.7.19, 2020.10.5., 2022.3.10>

1. 업무정지나 휴업 기간 중에 있는 자
2. 건축사사무소 및 건설엔지니어링사업자를 폐업하거나 건축사자격을 반납한 자
3. 제3항 각 호의 사유로 감리업무 진행이 어려워 지정 제외를 요청한 자
4. 제3항 각 호의 사유 외에 연 2회 이상 공사감리자 지정을 거부한 자
5. 공사감리와 관련하여 건축주 등에게 계약한 대가 이외의 금품을 요구 또는 수수한 자
6. 공사감리자의 직무태만·품위손상 및 그 밖의 사유로 공사감리자로 적합하지 아니하다고 공사감리조정위원회에서 인정하는 경우

⑥ 구청장은 제5항의 각 호에 따라 공사감리자를 지정할 수 없는 경우가 발생한 경우 즉시 시장에게 통보하여야 하며, 시장은 사유 및 기간 등을 고려하여 감리 수행이 어렵다고 판단할 경우 공사감리자 등록을 취소하여야 한다.

⑦ 허가권자는 규칙 제19조의3제1항 및 제2항에 따라 지정신청을 받은 후 7일 이내에 제5항에 따라 지정한 공사감리자를 해당 건축주, 공사감리자, 설계자 및 시장에게 통보하고, 지정내역을 별지 제7호서식의 공사감리자 지정대장에 기록하여 관리하여야 한다.

⑧ 공사감리자 지정을 통보받은 건축주는 원활한 감리업무 수행을 위하여 지정을 통보 받은 후 7일 이내에 규칙 제14조제1항 착공신고에 필요한 설계도서를 지정된 공사감리자에게 제공하여야 하고, 공사감리자 지정을 통보받은 건축주와 공사감리자는 지정을 통보받은 후 14일 이내에 계약을 체결하여야 한다.

⑨ 시장과 구청장은 공사감리자 등록명부 관리 업무와 공사감리자 지정대장 관리 업무에 대해 관련 협회 등에 대행하게 할 수 있다.

⑩ 허가권자는 필요한 경우, 공사감리자를 지정받아 사용승인 된 건축물의 건축주에게 해당 공사감리자에 대한 설문, 의견청취 등을 통해 공사감리자의 실태를 확인할 수 있으며, 시장에게 그 내용을 통보하여야 한다. [본조신설 2017.1.5.]

제18조의3【공사감리조정위원회 설치 등】 ① 허가권자는 공사감리자 지정 등 다음 각 호의 조정을 위하여 공사감리조정위원회를 둘 수 있다.

1. 건축주, 설계자, 공사감리자 등 건축관계자 간의 협의가 이루어지지 않아 허가권자에게 감리 지정을 위하여 민원 조정을 요청하는 경우
2. 2회 이상 감리 지정을 기피하는 건축물에 대한 공사감리자 지정에 관한 사항
3. 공사중지, 소음 등으로 장기간 감리 업무 수행이 어려워 조정이 필요한 경우
4. 공사감리 업무 진행 중 제18조의2제5항 각 호의 사유에 따른 감리 수행 여부에 관한 사항

② 공사감리조정위원회의 구성 및 회의운영은 제6조

의3과 제6조의4를 준용한다.

③ 제1항 각 호에 따른 조정 신청은 별지 제9호서식의 공사감리 조정 신청서에 따른다.

[본조신설 2017.1.5.]

제18조의4【감리비용에 관한 기준】 ① 법 제25조제14항에 따라 허가권자가 공사감리자를 지정하는 비상주감리의 경우 감리비용에 관한 기준은 「건축사법」 제19조의3에 따른 「공공발주사업에 대한 건축사의 업무범위와 대가기준」(이하 "대가기준"이라 한다) 별표 5의 건축공사감리 대가요율을 준용하고, 상주감리는 대가기준 제14조제2항에 따른 실비정액가산식을 준용하며, 건축주는 공사감리자와의 계약 시 이를 준수하여야 한다. <개정 2018.7.19, 2020.12.31.>

② 제1항에 따른 감리비용 산출 시 공사비는 해당 건축공사의 공사내역서 또는 건물신축단가표(한국감정원)의 용도별 평균값을 적용한다.

③ 제1항에 따른 감리비용 산출 시 건축물의 종별 구분은 대가기준의 별표 3을 따른다.

④ 제2항에 따라 산출한 공사비가 대가기준의 별표 5에 따른 공사비의 중간에 해당하는 경우에는 직선보간법에 따라 산정한다.

⑤ 건축주와 공사감리자는 제1항부터 제4항에 따라 산정된 건축공사감리비의 10분의 1의 범위에서 그 금액을 가중하거나 감경할 수 있다.

⑥ 허가권자는 법 제25조제2항에 따라 허가권자가 공사감리자를 지정하는 건축물의 건축주가 사용승인을 신청할 때에는 감리비용을 지급한 입금내역서, 세금계산서, 통장사본 등을 공사감리완료보고서와 함께 제출받아 감리비용이 지급되었는지를 확인하여야 한다. <개정 2021.3.25>

⑦ 설계변경 등으로 감리비의 변경사항이 생길 경우는 변경된 감리계약서를 제출하여야 한다.

⑧ 다른 법령에 따라 공사감리자를 지정하는 경우 감리비용은 별도로 한다.

[본조신설 2017.1.5.]

제19조【현장조사·검사 및 확인업무의 대행】 ① 법 제27조제1항 및 영 제20조제1항 에 따라 허가권자가 허가대상 건축물의 현장조사·검사 및 확인업무를 해당 건축물의 설계자로 하여금 대행하게 할 수 있는 대상은 다음 각 호와 같다. <개정 2016.5.19., 2018.7.19>

1. 법 제11조에 따라 건축허가(연면적의 합계가 2천제곱미터 이하인 건축물로 한정한다) 전 현장조사·검사 및 확인업무
2. 법 제19조에 따른 용도변경(건축사가 설계도서를 작성한 경우로 한정한다) 허가신청 또는 신고 전 현장조사·검사 및 확인업무
3. 그 밖에 허가권자가 업무대행이 필요하다고 인정하여 지정·공고한 현장조사·검사 및 확인업무

② 허가권자가 법 제27조제1항 및 영 제20조제1항에 따라 허가 대상건축물 중 사용승인 및 임시사용승인과 관련된 현장조사·검사 및 확인업무를 영 제20조제1항 각 호의 기준에 따라 선정된 건축사에게 대행하게 할 수 있는 건축물은 연면적의 합계가 2천제곱미터 이하인 건축물로 한다. 다만, 연면적의 합계가 2천제곱미터를 초과하는 건축물 중 제18조 단서에 해당하는 경우로서 사용승인 및 임시사용승인과 관련하여 현장조사·검사 등의 대행이 필요하다고 인정하는 경우에도 대행하게 할 수 있다. <개정 2016.5.19., 2018.7.19>

③ 허가권자는 제1항에 따른 업무대행자가 규칙 제21조제1항에 따른 건축허가조사 및 검사조서를 첨부하여 건축허가 등을 신청한 경우에는 허가권자의 업무를 대행한 것으로 본다. <개정 2009.11.11.>

④ 법 제27조제1항 및 영 제20조제2항에 따라 시장은 다음 각 호에 따라 업무를 대행하는 건축사(이하 "업무대행 건축사"라 한다)를 공개모집하여야 한다. <개정 2021.9.30>

1. 업무대행 건축사 명부를 작성하기 위하여 2년에 1회 이상 정기적으로 업무대행 건축사를 공개모집하여야 한다.
2. 업무대행 건축사를 모집하고자 할 때에는 시 및 자치구의 인터넷 홈페이지, 세움터, 관련협회 등 해당 관할 업무대행 건축사들이 널리 볼 수 있는 곳에 20일 이상 공고하여야 한다.
3. 모집대상은 법 제27조제1항에 따른 대행자격이 있는 자 중 시에 소재지를 둔 건축사로 한다.

⑤ 시장은 제4항에 따라 업무대행 건축사 선발기준, 등록신청에 관한 기준 및 선발인원에 관한 기준을 정할 수 있으며, 이를 시 및 자치구의 인터넷 홈페이지 등을 통해 일반에 공개하여야 한다. <개정 2021.9.30>

⑥ 시장은 제4항 및 제5항에 따른 사항 외의 명부 작성·관리 및 지정에 필요한 사항은 「건축사법」에 따라 설치된 건축사협회와 협의하여 정할 수 있다. <개정 2021.9.30>

제20조【업무대행 수수료】 규칙 제21조제3항에 따라 허가권자가 법 제27조제3항에 따른 현장조사·검사 및 확인업무를 대행하는 자에게 지급할 수수료는 「엔지니어링산업 진흥법」 제31조 및 산업통상자원부장관이 고시하는 「엔지니어링사업대가의 기준」에 따라 한

국엔지니어링협회가 조사·공표한 해당 연도의 기술사의 임금단가를 준용(제19조제1항에 따른 업무대행을 하는 경우는 상기 대행수수료의 10분의 5를 준용)한다. 다만, 제19조제2항에 따른 현장조사·검사 및 확인업무 대행 수수료는 「건축사법」에 따라 설치된 건축사협회와 협의하여 별도로 정하는 경우에는 그 기준에 따른다. <개정 2015.10.8., 2016.5.19., 2018.7.19., 2021.3.25>

제21조【건축지도원의 자격 등】 구청장은 법 제37조에 따라 건축지도원을 지정하는 때에는 자치구에 근무하는 건축직렬의 공무원으로 지정하거나 다음 각 호의 어느 하나에 해당하는 자격을 갖춘 자를 선임하여 지정한다. 다만, 구청장이 필요하다고 인정하는 경우에는 명예 건축지도원을 위촉할 수 있다. <개정 2016.5.19., 2018.7.19>

1. 건축직렬 공무원으로 2년 이상 근무한 경력이 있는 자
2. 건축사
3. 건축분야 기술사
4. 건축기사1급 자격소지자로서 2년 이상 건축분야에 종사한 자
5. 건축기사2급 자격소지자로서 4년 이상 건축분야에 종사한 자
6. 건축사보로서 3년 이상 근무한 경력이 있는 자
7. 5년제 대학의 건축관련학과 졸업자로서 2년 이상 건축분야에 종사한 자
8. 4년제 대학의 건축관련학과 졸업자로서 3년 이상 건축분야에 종사한 자
9. 3년제 대학의 건축관련학과 졸업자로서 4년 이상 건축분야에 종사한 자
10. 2년제 대학의 건축관련학과 졸업자로서 5년 이상 건축분야에 종사한 자
11. 공업고등학교 건축관련학과 졸업자로서 7년 이상 건축분야에 종사한 자

제22조【건축지도원의 보수 등】① 구청장은 제21조에 따른 건축지도원 중 공무원이 아닌 건축지도원에 대하여는 보수·수당·여비 및 활동비를, 공무원인 건축지도원과 명예 건축지도원에 대하여는 수당·여비 및 활동비를 예산의 범위 내에서 지급할 수 있다. <개정 2009.11.1.>

② 그 밖에 건축지도원의 지정절차·보수기준 등에 관하여 필요한 사항은 구청장이 정한다. <개정 2009.11.11.>

제23조【실내건축】 ① 법 제52조의2제3항에 따라 실내건축이 적정하게 설치 및 시공되었는지를 검사하여야 하는 건축물은 다음 각 호와 같다.

1. 영 제61조의2제1호에 해당하는 건축물
2. 영 제61조의2제2호에 해당하는 건축물(단, 주거의 용도로 사용되는 부분 제외)

② 제1항에 따른 검사대상 건축물의 검사는 해당 건축물의 사용승인일부터 5년 이내에 최초로 실시하고, 점검을 시작한 날을 기준으로 3년마다 실시하여야 한다. 다만, 「건축물관리법」 제13조에 따른 정기점검을 실시한 경우에는 해당 연도의 검사를 아니 할 수 있다. [전문개정 2020.10.5.]

제4장 대지안의 조경 등

제24조【대지안의 조경】 ① 면적 200제곱미터 이상인 대지에 건축물을 건축하고자 하는 자는 법 제42조제1항에 따라 다음 각 호의 기준에 따른 식수 등 조경에 필요한 면적(이하 "조경면적"이라 한다)을 확보하여야 한다. <개정 2018.7.19>

1. 연면적의 합계가 2천제곱미터 이상인 건축물 : 대지면적의 15퍼센트 이상
2. 연면적의 합계가 1천제곱미터 이상 2천제곱미터 미만인 건축물 : 대지면적의 10퍼센트 이상
3. 연면적의 합계가 1천제곱미터 미만인 건축물 : 대지면적의 5퍼센트 이상
4. 삭제 <2015.10.8.>
5. 「서울특별시 도시계획 조례」 제54조제3항에 따른 학교이적지 안의 건축물 : 대지면적의 30퍼센트 이상

② 제1항에 따른 조경면적은 다음 각 호의 기준에 따라 산정한다. <개정 2016.9.29, 2018.1.4>

1. 공지(空地: 공터) 또는 지표면으로부터 높이 2미터 미만인 옥외부분의 조경면적을 모두 산입한다.
2. 온실로 전용되는 부분의 조경면적(채광을 하는 수평투영 면적으로 한다) 및 필로티 그 밖에 이와 유사한 구조의 부분으로서 공중의 통행에 전용되는 부분의 조경면적은 2분의 1을 조경면적으로 산정하되, 해당 대지의 조경면적 기준의 3분의 1에 해당하는 면적까지 산입한다.

③ 제1항 및 영 제27조제2항제4호에도 불구하고 면적 200제곱미터 이상 300제곱미터 미만인 대지에 건축하는 건축물의 조경면적은 대지면적의 5퍼센트 이상으로 한다. <개정 2016.9.29., 2019.7.18.>

④ 영 제27조제1항제5호 에 따라 조경 등의 조치를 하지 아니할 수 있는 건축물은 다음 각 호의 어느 하나와 같다. <개정 2012.11.1., 2018.7.19>

1. 구청장이 시장환경을 위하여 지정·공고한 기존재래 시장
2. 구청장이 녹지보존에 지장이 없다고 인정하여 지정·공고한 지역에서 농·어업을 영위하기 위한 주택·축사 또는 창고
3. 교정시설·군사시설
4. 「주차장법」 제2조제11호에 따른 주차전용건축물
5. 지방자치단체가 설치하는 시내버스 공영차고 및 관련시설
6. 학교(조경면적 기준의 2분의 1 이하로 한정한다)
7. 여객자동차터미널 및 화물터미널
8. 「농수산물 유통 및 가격안정에 관한 법률」 제2조제2호에 따른 농수산물도매시장

제25조【식재 등 조경기준】 ① 대지 안에 설치하는 조경의 식재기준, 조경시설물의 종류 및 설치방법 등 조경기준은 법 제42조제2항에 따라 국토교통부장관이 고시한 「조경기준」에 따른다. <개정 2015.10.8., 2018.7.19.>

1. 삭제 <2012.11.1.>
2. 삭제 <2012.11.1.>
3. 삭제 <2012.11.1.>

② 제1항에도 불구하고, 공동주택 등 대지면적 1천 제곱미터 이상인 건축물로서 공동으로 이용하는 텃밭은 그 면적의 2분의 1을 조경시설 면적에 산입할 수 있다. <신설 2012.11.1., 2016.9.29.>

제26조【공개 공지 등의 확보】 ① 영 제27조의2제1항 및 제2항에 따라 공개 공지(空地: 공터) 또는 공개 공간(이하 "공개 공지 등"이라 한다)을 확보하여야 하는 대상건축물 및 면적은 다음 각 호와 같다. <개정 2016.5.19, 2018.1.4., 2018.7.19., 2020.3.26., 2020.12.31.>

1. 대상건축물 : 다음 각 목의 어느 하나에 해당하는 시설로서 해당 용도로 쓰는 바닥면적의 합계가 5천제곱미터 이상인 건축물
   가. 문화 및 집회시설
   나. 판매시설(「농수산물 유통 및 가격안정에 관한 법률」 제2조에 따른 농수산물유통시설은 제외)
   다. 업무시설
   라. 숙박시설
   마. 의료시설
   바. 운동시설
   사. 위락시설
   아. 종교시설
   자. 운수시설
   차. 장례식장
2. 면적 : 제1호 각 목의 어느 하나에 해당하는 건축물이 확보하여야 하는 공개공지 등의 면적은 대지면적(일반인 출입이 부분적으로 제한되는 공항시설 등에 대하여는 그 출입이 제한되는 부분의 면적 제외)에 대한 다음 각 목의 비율이상으로 한다. 다만, 영 제31조제2항에 따라 지정한 건축선 후퇴부분의 면적은 공개공지 등의 면적에 포함하지 아니하며, 필로티구조로 구획되거나 제2항제6호에 따라 지하에 설치된 부분의 면적은 2분의 1로 한정하여 공개공지 등의 면적으로 산입한다.
   가. 제1호에 따른 바닥면적의 합계가 5천제곱미터 이상 1만제곱미터 미만 : 대지면적의 5퍼센트
   나. 제1호에 따른 바닥면적 합계가 1만제곱미터 이상 3만제곱미터 미만 : 대지면적의 7퍼센트
   다. 제1호에 따른 바닥면적 합계가 3만제곱미터 이상 : 대지면적의 10퍼센트
3. 대지 또는 건물 내에 설치하는 지하철의 출입구나 환기구는 제2항에도 불구하고 공개공지 등의 면적으로 산입한다.

② 영 제27조의2제3항에 따라 공개공지 등은 다음 각 호의 기준에 적합하게 설치하여야 한다. <개정 2016.1.7., 2016.5.19., 2018.7.19., 2019.7.18., 2021.12.30>

1. 대지에 접한 도로 중 가장 넓은 도로변(한 면이 4분의 1 이상 접할 것)으로서 일반인의 접근(계단 이용 제외) 및 이용이 편리한 장소에 가로환경과 조화를 이루는 소공원(쌈지공원)형태로 설치한다. 다만, 가장 넓은 도로변에 설치가 불합리한 경우에는 위원회의 심의를 거쳐 그 위치를 따로 정할 수 있다.
2. 2개소 이내로 설치하되, 1개소의 면적이 최소 45제곱미터 이상
3. 최소폭은 5미터 이상
4. 필로티구조로 할 경우에는 유효높이가 6미터 이상
5. 조경·벤치·파고라·시계탑·분수·야외무대(지붕 등 그 밖에 시설물의 설치를 수반하지 아니한 것으로 한정한다)·소규모 공중화장실(33제곱미터미만으로서 허가권자와 건축주가 협의된 경우로 한정한다) 등 다중의 이용에 편리한 시설을 설치
6. 공개공지 등은 지상에 설치하도록 하되, 상부가 개방된 구조로 지하철 연결통로에 접하거나 다수 공중이 이용 가능한 공간으로서 위원회의 심의를 거쳐 지하부분(제1호에도 불구하고 계단 이용 가능)에도 설치할 수 있다.
7. 제1호부터 제4호 및 제6호에도 불구하고 법 제43조에서 정하는 공개공지 등으로서 기후 여건 등을 고려해 건축물 내부공간을 활용하여 조성되는 공개공

간(이하 "실내형 공개공간"라 한다)의 경우에는 다음 각 목에서 정하는 바에 따른다. <신설 2021.12.30>

가. 일반인의 접근이 편리하고 다수 공중이 이용가능한 공간으로 설치

나. 최소면적 150㎡이상인 경우 : 최소폭 6m이상, 최소높이 : 층수 2개층 이상

다. 최소면적 500㎡이상인 경우 : 최소폭 9m이상, 최소높이 : 층수 3개층 이상

라. 최소면적 1,000㎡이상인 경우 : 최소폭 12m이상, 최소높이 : 층수 4개층 이상

③ 영 제27조의2제4항에 따른 건축기준의 완화는 다음 각 호와 같다. <개정 2015.10.8., 2016.5.19., 2018.7.19., 2020.3.26.>

1. 용적률의 완화 : 다음 산식에 따라 산출된 용적률 이하

   [1+(공개공지 등 면적/대지면적)]×「서울특별시 도시계획 조례」 제55조에 따른 용적률

2. 건축물 높이의 제한 완화 : 다음 산식에 따라 산출된 높이 이하

   [1+(공개공지 등 면적/대지면적)]×법 제60조에 따른 높이제한 기준

3. 제1호 및 제2호의 건축기준 완화적용 시 공개공지 등의 면적은 법 제42조에 따른 조경면적을 제외한 면적으로 산정하며, 필로티구조로 구획되거나 제2항 제6호에 따라 지하에 설치된 공개공지 등의 면적은 2분의 1로 한정하여 산입한다.

④ 시장은 다음 각 호의 경우에 소요 비용의 일부를 지원할 수 있으며, 지원대상과 절차, 지원금액의 한도 및 시·구간 부담비율 등은 시장이 따로 정한다. <신설 2016.1.7., 2018.7.19., 2020.3.26.>

1. 설치 후 5년이 경과된 공개공지 등을 리모델링하는 경우
2. 제6항제3호에 따라 전문가가 공개공지 등을 점검하는 경우

⑤ 영 제27조의2제6항에 따라 공개공지 등에서는 연간 60일 이내의 기간 동안 주민들을 위한 문화행사를 열거나 판촉활동을 할 수 있다. 다만, 울타리를 설치하는 등 공중이 해당 공개공지 등을 이용하는데 지장을 주는 행위를 해서는 아니되며, 공개공지 등에서 개최되는 행사의 범위 및 관련 절차, 이용시간 및 행위제한 등 실행에 필요한 사항은 시장이 따로 정한다. <신설 2016.1.7., 2016.5.19.>

⑥ 공개공지 등은 다음 각 호의 기준에 적합하게 관리하여야 한다. <신설 2019.7.18.>

1. 공개공지 등이 설치된 장소마다 출입 부분에 별표 3의 설치기준에 따라 안내판(안내도 포함)을 1개소 이상 설치하여야 한다.
2. 공개공지 등을 설치한 건축물의 건축주는 사용승인 신청 시 별지 제4호서식에 따른 관리대장을 제출하여야 한다.
3. 구청장은 위법이 발생하지 않도록 연 1회 이상 확인·관리하여야 하며, 2년에 1회 이상 공개공지 등의 관리실태 및 활용방안에 관한 전문가 점검을 실시할 수 있다.

제27조【도로의 지정】법 제45조제1항에 따라 주민이 장기간 통행로로 이용하고 있는 사실상의 도로로서 허가권자가 이해관계인의 동의를 얻지 아니하고 위원회의 심의를 거쳐 도로로 지정할 수 있는 경우는 다음 각 호의 어느 하나와 같다. <개정 2018.1.4., 2018.5.3., 2018.7.19., 2022.12.30>

1. 복개된 하천·도랑부지
2. 제방도로
3. 공원 내 도로
4. 도로의 기능을 목적으로 분할된 사실상 도로
5. 사실상 주민이 이용하고 있는 통행로를 도로로 인정하여 건축허가 또는 신고하였으나, 도로로 지정한 근거가 없는 통행로

제5장 지역 및 지구 안의 건축물

제28조【건축물의 대지가 지역·지구에 걸치는 경우의 조치】법 제54조제4항에 따라 건축물의 대지가 3 이상의 지역 지구에 걸치고 각 지역의 면적이 대지면적의 2분의 1에 미달하는 경우에는 각 해당 지역에 관한 규정을 적용한다. <개정 2018.7.19>

제29조【건축물이 있는 대지의 분할제한】법 제57조제1항 및 영 제80조에 따라 건축물이 있는 대지의 분할은 다음 각 호의 어느 하나에 해당하는 규모 이상으로 한다. <개정 2018.7.19>

1. 주거지역 : 90제곱미터
2. 상업지역 : 150제곱미터
3. 공업지역 : 200제곱미터
4. 녹지지역 : 200제곱미터
5. 제1호부터 제4호까지에 해당하지 아니한 지역 : 90제곱미터

제30조【대지 안의 공지】법 제58조 및 영 제80조의2에 따라 건축선 및 인접 대지경계선으로부터 건축물의

각 부분까지 띄어야 하는 거리의 기준은 별표 4와 같다. <개정 2018.7.19>

제31조【맞벽건축을 할 수 있는 지역】영 제81조제1항에 따라 맞벽건축을 할 수 있는 지역은 다음 각 호와 같다. <개정 2017.9.21., 2018.7.19>

1. 상업지역(다중이용건축물 및 공동주택은 스프링클러나 그 밖에 이와 비슷한 자동식 소화설비를 설치한 경우로 한정한다)
2. 주거지역(건축물 및 토지의 소유자 간 맞벽건축을 합의한 경우에 한정한다)
3. 영 제81조제1항제3호에 따른 다음 각 목 중 어느 하나의 지역
   가. 녹지지역 외의 지역으로서 너비 20미터 이상 도로에 접한 대지
   나. 시장이 지정·공고한 한옥밀집지역.

[전문개정 2013.8.1]

제32조【맞벽건축 기준】영 제81조제4항에 따른 맞벽건축 기준은 다음 각 호와 같다. 다만, 지구단위계획구역의 경우에는 해당 계획구역에서 정한 건축기준에 따른다. <개정 2018.7.19., 2020.5.19.>

1. 건축물의 용도 : 영 별표 1 제2호가목에 따른 아파트가 아닐 것
2. 대지 상호 간에 맞벽건축하는 건축물의 총 수는 2동 이하로 할 것. 다만, 도시미관 및 한옥 보전을 위하여 허가권자가 해당 건축위원회의 심의를 거쳐 건축물을 피난·방화 등에 안전에 이상이 없다고 인정하는 경우 완화하여 적용할 수 있다.
3. 건축물의 층수 : 맞벽되는 부분의 층수가 5층 이하로 할 것. 다만, 상업지역의 경우에는 그러하지 아니하다.

제33조【가로구역별 건축물 높이 제한】시장이 도시관리를 위하여 법 제60조제2항에 따라 정하는 건축물의 최고높이는 다음 각 호와 같다. <개정 2017.9.21., 2018.7.19., 2018.10.4., 2019.7.18.>

1. 제1종전용주거지역 안에서의 주거용건축물의 층수는 2층 이하로서 높이 8미터 이하(다음 각 목의 어느 하나에 해당하는 경우 제외)로 하며, 주거용 이외의 용도에 쓰이는 건축물(주거용과 다른 용도가 복합된 건축물을 제외한다)의 높이는 2층 이하로서 11미터 이하로 한다.
   가. 1층의 바닥이 지표면으로부터 0.5미터를 넘는 높이에 있는 건축물로서 그 0.5미터를 넘는 높이에 8미터를 가산한 높이가 12미터 이하인 건축물
   나. 지붕의 경사가 3:10이상인 건축물로서 높이 12미터 이하인 건축물
2. 상업지역·준주거지역·준공업지역·시가지·특화경관지구 및 시장이 도시경관 조성을 위하여 필요하다고 인정하는 구역 안에서의 가로구역(해당 지역·지구가 속해 있는 가로구역을 포함한다)별 건축물의 최고높이와 높이 기준은 시장이 지정·공고한다. 이 경우 사전에 지정하고자 하는 내용을 15일 이상 주민에게 공람한 후 시 위원회의 심의를 거쳐야 한다.
3. 제2호에도 불구하고 지구단위계획구역·정비구역·재정비촉진지구 및 한양도성 역사도심 안에서의 건축물의 최고높이는 다음 각 목의 기준에 따른다.
   가. 지구단위계획구역 안에서의 건축물의 최고높이는 해당 구역 안의 건축계획에서 정하는 기준에 따른다.
   나. 정비구역 안에서의 건축물의 최고높이는 「도시 및 주거환경정비법」 제9조에 따른 정비계획에서 정하는 기준에 따른다.
   다. 재정비촉진지구 안에서의 건축물의 최고높이는 「도시재정비 촉진을 위한 특별법」 제12조에 따른 재정비촉진계획에서 정하는 기준에 따른다.
   라. 한양도성 역사도심 안에서의 건축물의 최고높이는 「서울특별시 한양도성 역사도심 특별지원에 관한 조례」에 근거한 '역사도심기본계획'에서 정하는 기준에 따른다.
4. 삭제 <2019.7.18>
5. 가로구역별 건축물의 최고높이를 완화하여 적용할 필요가 있다고 판단되는 대지에 대하여는 법 제60조제1항 단서 및 영 제82조에서 정하는 바에 따라 위원회의 심의를 거쳐 최고높이를 완화하여 적용할 수 있다.

제34조 삭제<2015.7.30>

제35조【일조 등의 확보를 위한 건축물의 높이제한】① 영 제86조제1항에 따라 전용주거지역이나 일반주거지역에서 일조 등의 확보를 위하여 건축물의 각 부분을 정북방향의 인접대지경계선으로부터 띄어야 하는 거리는 다음 각 호와 같다. <개정 2018.7.19., 2023.12.29>

1. 삭제 <2013.3.28.>
2. 높이 10미터 이하인 부분 : 인접대지 경계선으로부터 1.5미터 이상
3. 높이 10미터를 초과하는 부분 : 인접대지경계선으로부터 해당 건축물의 각 부분의 높이의 2분의 1 이상

② 「전통시장 및 상점가 육성을 위한 특별법 시행령」 제31조제1항에 따라 건축되는 복합형 상가건축

물의 높이 제한의 산정을 위한 배수기준은 다음 각 호와 같다. <개정 2015.10.8., 2018.7.19>

1. 일반주거지역 : 3배
2. 준주거지역 : 4배
3. 준공업지역 : 4배

③ 영 제86조제3항 각 호 외의 부분 단서에 따른 다세대주택의 경우 영 제86조제3항제1호에도 불구하고 채광을 위한 창문 등이 있는 벽면에서 직각방향으로 인접 대지경계선까지의 수평거리는 1미터 이상으로 한다. <개정 2015.10.8., 2018.7.19>

④ 제86조제3항제2호가목 및 나목에 따라 같은 대지에서 두 동(棟) 이상의 건축물이 서로 마주보고 있는 경우에 건축물 각 부분 사이의 거리는 다음 각 호의 거리 이상으로 한다. <개정 2015.10.8., 2018.7.19., 2020.3.26., 2020.7.16., 2020.12.31., 2022.10.17>

1. 채광을 위한 창문 등이 있는 벽면으로부터 직각방향으로 건축물 각 부분의 높이의 0.5배 이상
2. 제1호에도 불구하고 서로 마주보는 건축물 중 높은 건축물의 주된 개구부의 방향이 낮은 건축물을 향하는 경우에는 낮은 건축물 각 부분의 높이의 0.5배 이상
3. 삭제 <2022.10.17>
4.. 제1호 및 제2호에도 불구하고 「주택법 시행령」 제10조에 따른 도시형 생활주택 중 단지형다세대주택은 4미터 이상으로서 0.25배 이상
5. 삭제 <2022.10.17>

제5장의2 특별건축구역 등 <개정 2017.7.13.>

제35조의2【특별가로구역의 지정을 위한 도로】 ① 영 제110조의2제1항제1호, 제3호 및 제5호에서 "건축조례로 정하는 도로"는 다음 각 호 중 어느 하나에 해당하는 도로를 말한다. <개정 2018.7.19>

1. 건축선을 후퇴한 대지에 접한 도로
2. 보행자전용도로로서 도시미관 개선이 필요한 도로
3. 「옥외광고물 등의 관리와 옥외광고산업 진흥에 관한 법률」 제4조의4제1항의 광고물등 자유표시구역으로 지정된 구역 내 도로 또는 구역에 접한 도로

② 영 제110조의2제2항제5호에서 "건축조례로 정하는 사항"은 다음 각 호의 사항을 말한다. <개정 2018.7.19>

1. 경관계획
2. 옥외광고물의 설치계획

[본조신설 2017.7.13]

[종전 제35조의2는 제35조의3으로 이동 <2017.7.13.>]

제5장의3 건축협정 <신설 2017.7.13.>

제35조의3【건축협정의 체결】 법 제77조의4제1항제5호에 따른 도시 및 주거환경개선이 필요하다고 인정하는 구역은 다음 각 호 중 어느 하나에 해당하는 지역 또는 구역을 말한다. <개정 2018.7.19>

1. 「도시 및 주거환경정비법」에 따른 재개발사업 및 재건축사업을 위한 정비구역(정비예정구역을 포함한다)이 해제된 구역
2. 「도시재생 활성화 및 지원에 관한 특별법」에 따른 도시재생활성화지역
3. 다음 각 목의 어느 하나에 해당하는 경우로 제5조제2항에 따른 구 위원회의 심의를 받아 구청장이 인정하는 토지
   가. 법 제57조에 따른 면적보다 작은 토지인 경우
   나. 법 제2조제1항제11호에서 정한 도로에 접하지 않은 토지인 경우
   다. 세장형 또는 부정형 토지로 단독개발이 어려운 경우
   라. 하나의 토지가 각 목에 부적합하나 인접한 토지가 각 목 중 어느 하나에 해당하는 경우

[본조신설 2016.9.29.]

[제35조의2에서 이동 <2017.7.13.>]

제6장 삭제<2015.10.8>

제36조 ~ 제43조 삭제 <2015.10.8.>

제7장 보　칙

제44조【공작물 등에의 준용】 ① 영 제118조제1항제9호에 따라 구청장에게 신고하여야 하는 공작물은 지붕과 벽 또는 기둥을 식별하기 곤란한 것으로서 다음 각 호의 어느 하나에 해당하는 것을 말한다. <개정 2016.5.19., 2018.7.19>

1. 제조시설 : 레미콘믹서·석유화학제품 제조시설 또는 높이 6미터를 넘는 호이스트(공사용 호이스트는 제외한다) 그 밖에 이와 유사한 것
2. 저장시설 : 시멘트저장용 사일로·건조시설 또는 유류저장시설, 그 밖에 이와 유사한 것
3. 유희시설 : 「관광진흥법」에 따라 유원시설업의

허가를 받거나 신고를 하여야 하는 시설로서 영 별표 1에 규정되지 아니한 것

② 영 제118조제1항제10호에 따라 구청장에게 신고하여야 하는 공작물 중 건축물의 구조에 심대한 영향을 줄 수 있는 공작물은 옥상에 설치하는 중량물로서 무게가 30톤 이상의 물탱크 또는 냉각탑, 그 밖에 이와 유사한 것을 말한다. <개정 2016.5.19., 2018.7.19>

제45조【이행강제금의 부과】 ① 연면적 60제곱미터 이하인 주거용 건축물이 법 제80조제1항제1호에 해당하는 위반행위를 하는 경우와 주거용 건축물이 다음 각 호의 어느 하나에 해당하는 위반행위를 하는 경우에는 법 제80조제1항 단서에 따라 법 제80조제1항제1호 및 제2호에 따라 산정된 이행강제금의 2분의 1을 부과한다. <개정 2012.11.1., 2018.7.19., 2019.7.18>

1. 영 제115조의2제1항제1호부터 제4호까지에 해당하는 위반행위를 하는 경우
2. 법 제19조제3항에 따른 건축물대장 기재사항의 변경을 신청하지 않은 경우
3. 법 제20조제3항에 따른 가설건축물 신고를 하지 않은 경우
4. 법 제21조에 따른 착공신고를 하지 않은 경우
5. 법 제59조에 따른 맞벽 건축기준에 위반한 경우

② 구청장은 법 제83조에 따른 옹벽 등 공작물 축조신고를 하지 아니한 경우에는 영 제115조의2제2항 관련 별표 15의 제13호에 따라 시가표준액의 100분의 1 이하의 이행강제금을 부과한다. <개정 2018.7.19>

③ 법 제80조제5항에 따라 구청장은 최초의 시정명령이 있었던 날을 기준으로 하여 1년에 2회 이내의 범위에서 그 시정명령이 이행될 때까지 반복하여 이행강제금을 부과할 수 있으며, 제1항에 따른 이행강제금을 부과할 수 있다. <개정 2017.9.21., 2019.7.18>

④ 영 제115조의4제1항제7호에서 건축조례로 정하는 경우는 재난·재해 등으로 긴급조치를 위하여 건축된 건축물을 말한다. 이 경우 영 제115조의4제2항제2호의 비율은 100분의 50으로 한다. <신설 2016.9.29., 2017.9.21.>

⑤ 법 제80조의2제1항 각 호 외의 부분 단서에 따른 지방자치단체의 조례로 정하는 기간은 다음 각 호의 어느 하나에 해당하는 기간을 말한다. <신설 2016.9.29., 2017.9.21., 2018.7.19>

1. 영 제115조의4제1항제1호의 경우: 소유권이 변경된 후 법 제79조제1항에 따라 최초로 시정명령을 받은 날부터 1년
2. 영 제115조의4제1항제2호부터 제3호까지와 제5호부터 제7호까지의 경우: 법 제79조제1항에 따라 최초로 시정명령을 받은 날부터 1년
3. 영 제115조의4제1항제4호의 경우: 법 제79조제1항에 따라 최초로 시정명령을 받은 날부터 2년

⑥ 영 제115조의3제2항제5호에 따라 건축조례로 정하는 경우는 다음 각 호의 어느 하나에 해당하는 경우를 말한다. <신설 2016.9.29.>

1. 위법공사 진행 중에 공사 중지 등 법 제79조제1항에 따른 시정명령에도 불구하고 30일 이상 원상복구 등 조치 없이 위반을 한 경우
2. 위반사항을 시정(구 「특정건축물 정리에 관한 특별조치법」에 따라 양성화 된 경우 포함)한 후 같은 건물에 시정된 사항과 같은 형태의 내용으로 위반사항이 재발된 경우
3. 분양을 목적으로 하는 건축물이 사용승인을 받은 후에 법 제80조제1항제1호에 따른 위반사항이 발생된 경우

⑦ 법 제43조에 따라 설치된 공개공지를 다른 용도로 사용하거나 훼손한 경우에는 영 제115조의2제2항 관련 별표 15의 제13호에 따라 시가표준액의 100분의 3에 해당하는 이행강제금을 부과한다. <신설 2019.7.18>

제46조【위반건축물조사 및 정비계획】 ① 구청장이 영 제115조제1항에 따라 위반건축물에 대한 조사 및 정비계획을 수립하는 경우에는 법 제27조에 따라 현장조사·검사 및 확인업무를 대행하게 하는 건축물에 대하여 분기별로 조사 및 정비계획을 수립하고 매 분기계획에 따라 점검하여야 한다. <개정 2011.5.26.>

② 구청장은 제1항에 따른 조사 및 정비계획을 수립하는 경우 다음 각 호의 어느 하나에 해당하는 기존 무허가건축물에 대하여는 시장이 따로 정하는 바에 따른다. <신설 2011.5.26.>

1. 1981년 12월 31일 현재 무허가건축물대장에 등재된 무허가건축물
2. 1981년 제2차 촬영한 항공사진에 나타나 있는 무허가건축물
3. 재산세 납부대장 등 공부상 1981년 12월 31일 이전에 건축하였다는 확증이 있는 무허가건축물
4. 1982년 4월 8일 이전에 사실상 건축된 연면적 85제곱미터 이하의 주거용건축물로서 1982년 제1차 촬영한 항공사진에 나타나 있거나 재산세 납부대장 등 공부상 1982년 4월 8일 이전에 건축하였다는 확증이 있는 무허가건축물

제47조【서울특별시시민상수상자 특전】 「서울특별시민상 운영 조례」 제2조에 따른 서울특별시건축상을 수상한 건축물설계자는 「건축사법」에 따른 처벌규정을 적용할 경우 「건축사법 시행령」 제29조의2에

따라 경감할 수 있다. <개정 2018.7.19., 2019.3.28>

제48조【부설주차장 및 미술장식품의 설치 등】 ① 건축물의 부설주차장에 관하여는 「주차장법」·같은 법 시행령·같은 법 시행규칙 및 「서울특별시 주차장 설치 및 관리 조례」가 정하는 바에 따른다. <개정 2018.7.19, 2019.3.28>

② 건축물에 대한 미술작품의 설치에 관하여 이 조례에서 규정하지 아니한 사항에 대하여는 「문화예술진흥법」·같은 법 시행령 및 「서울특별시 공공미술의 설치 및 관리에 관한 조례」가 정하는 바에 따른다. <개정 2015.10.8., 2017.9.21., 2019.7.18>

[제목개정 2019.7.18.]

제49조【지역건축안전센터의 설치·운영】 ① 시장·구청장은 법 제87조의2에 따라 「시설물의 안전 및 유지관리에 관한 특별법」 등 관련법에 따른 안전점검 의무관리대상이 아닌 건축물(이하 "임의관리대상 건축물"이라 한다)의 안전관리 및 지진·화재·공사장 안전관리 등 지역 내 민간건축물의 안전관리를 위하여 지역건축안전센터(이하 "건축안전센터"라 한다)를 설치하여 운영할 수 있다. <개정 2019.1.3.>

② 영 제119조의3에 따라 시 및 구에 두는 건축안전센터의 업무는 다음 각 호과 같이 구분한다. <신설 2019.1.3.>

1. 시 건축안전센터의 업무
   가. 건축물 안전관리에 대한 예산확보 및 집행
   나. 건축물의 안전에 관한 조사 연구와 분석 및 건축물 부문의 안전관리에 대한 정책개발
   다. 임의관리대상 건축물의 안전관리계획 수립
   라. 지진·화재 등 건축물 부문 재난대비 안전대책 수립
   마. 시민의 안전문화 정착과 의식제고를 위한 교육·홍보 및 프로그램 개발
   바. 주택·건축분야의 안전업무 및 건축공사장 안전관리 종합계획 수립
   사. 구 건축안전센터 기술 및 제도 지원
   아. 그 밖에 시장이 건축물의 안전을 위하여 필요하다고 인정하는 경우
2. 구 건축안전센터의 업무
   가. 건축안전특별회계 설치 및 운영·관리
   나. 임의관리대상 건축물의 안전관리 및 안전검검 지원에 관한 사항
   다. 건축공사장 공사감리에 대한 관리·감독
   라. 건축물의 점검 및 개량·보수에 대한 기술지원, 정보제공
   마. 건축물 부문 안전관리대책에 대한 세부실행
   바. 그 밖에 구청장이 건축물의 안전을 위하여 필요하다고 인정하는 경우

③ 제2항제2호나목에 따라 구 건축안전센터는 임의관리대상 건축물의 소유자·관리자 또는 점유자가 해당 건축물이 위험하다고 판단하여 현장 안전점검을 신청할 경우 이를 접수하고 특별한 사유가 없는 한 현장 안전점검을 지원한다. <개정 2019.1.3.>

④ 제3항에 따른 건축물 현장 안전점검은 육안(맨눈) 점검을 원칙으로 하며 안전점검이 완료된 때는 별표 6의 등급기준에 따라 그 결과를 즉시 통보하고 관련 정보는 전산으로 관리한다. <개정 2019.1.3., 2022.4.28>

[전문개정 2018.10.4.]

제50조【건축안전특별회계의 설치·운영】 ① 구청장은 법 제87조의3에 따라 건축안전센터의 설치·운영 등을 지원하기 위하여 건축안전특별회계(이하 "특별회계"라 한다)를 설치할 수 있다.

② 법 제87조의3제3항제5호에 따라 건축물 안전에 관한 기술지원 및 정보제공을 위하여 특별회계를 사용할 수 있는 사업은 다음 각 호와 같다. <개정 2019.1.3., 2020.10.5., 2021.9.30>

1. 「건축물관리법」 제15조제3항에 따른 소규모 노후 건축물등의 보수·보강 등에 필요한 비용 보조 및 융자
2. 법 제52조의2에 따른 실내건축 적정 시공여부 검사비
3. 법 제78조에 따른 건축허가의 적법한 운영, 위반건축물의 관리실태 등 건축행정의 건실한 운영을 위한 조사·점검비
4. 법 제79조에 따른 위반건축물 정비와 관련한 조사·점검비
5. 「건축물관리법」 제42조에 따른 빈 건축물 정비의 해체 및 해체보상비
6. 공사중단 장기방치 건축물 등 위험시설물의 안전조치에 관한 비용
7. 건축물의 마감재료를 방화에 지장이 없는 재료로 교체하는 공사 지원비
8. 제49조제2항제2호 각 목의 업무 수행을 위한 조사·점검비 등
9. 그 밖의 구청장이 건축위원회를 통하여 임의관리대상 건축물의 안전관리와 피난·화재 및 공사장 안전관리를 위하여 필요하다고 인정하는 사업의 조사·검사·업무대행 비용

③ 삭제 <2020.10.5.>

④ 이 조에서 정하지 아니한 사항 중 법 제87조의3제

2항제2호부터 제4호까지에 따른 특별회계로 조성하는 건축허가 등의 수수료, 이행강제금, 과태료의 비율 등 법령등에서 특별회계의 설치·운영에 관하여 위임한 사항 및 그 밖의 구청장이 소관 특별회계의 효율적인 운영·관리를 위하여 필요하다고 인정하는 사항은 해당 자치구의 조례로 정할 수 있다. <개정 2020.10.5.>
[본조신설 2018.7.19.]

부칙<제7002호, 2019.1.3.>

이 조례는 공포한 날부터 시행한다.

부칙<제7265호, 2019.7.18.>

제1조(시행일) 이 조례는 공포한 날부터 시행한다.

제2조(이행강제금 부과에 관한 경과조치) 건축법[법률 제16380호, 2019.4.23., 일부개정] 시행 전 종전의 규정에 따라 부과되고 있는 이행강제금에 대하여는 제45조제1항 및 제3항의 개정규정에도 불구하고 종전의 규정에 따른다.

제3조(일반적 경과조치) 이 조례 시행 전에 건축허가를 받았거나 건축허가(건축신고를 포함한다)를 신청한 것, 건축위원회 심의를 신청한 것 또는 「주택법」 제16조에 따라 사업계획승인을 받았거나 사업계획의 승인을 신청한 것에 대해서는 종전의 규정에 따른다. 다만, 종전의 규정이 이 조례의 개정규정에 비하여 건축주, 시공자 또는 공사감리자에게 불리한 경우에는 개정규정에 따른다.

부칙<제7532호, 2020.3.26.>

이 조례는 공포한 날부터 시행한다.

부칙<제7595호, 2020.5.19.>

이 조례는 공포한 날부터 시행한다.

부칙<제7659호, 2020.7.16.>

이 조례는 공포한 날부터 시행한다.

부칙<제7758호, 2020.10.5.>

① (시행일) 이 조례는 공포한 날부터 시행한다. 다만, 제18조의2의 개정규정은 2020년 10월 22일부터 시행하고, 제50조제4항의 개정규정은 2021년 1월 8일부터 시행한다.

② (실내건축 검사대상에 관한 적용례) 제23조의 개정규정은 이 조례 시행 이후 최초로 사용승인을 신청하는 건축물부터 적용한다.

부칙<제7859호, 2021.1.7.>

이 조례는 공포한 날부터 시행한다.

부칙<제7912호, 2021.3.25>

(서울특별시 조례 일본어식 용어 일괄정비에 관한 조례)

이 조례는 공포한 날부터 시행한다.

부칙<제7970호, 2021.3.25>

이 조례는 공포한 날부터 시행한다.

부칙<제8046호, 2021.5.20>

이 조례는 공포한 날부터 시행한다.

부칙<제8183호, 2021.9.30>

이 조례는 공포한 날부터 시행한다.

부칙<제8235호, 2021.12.30.>

(서울특별시 조례 일본식 표현 등 용어 일괄정비 조례)

이 조례는 공포한 날부터 시행한다.

부칙<제8292호, 2021.12.30>

제1조(시행일) 이 조례는 공포한 날부터 시행한다. 다만, 제3조의2의 개정규정은 공포 후 6개월이 경과한 날부터 시행한다.

제2조(다중생활시설 건축기준에 관한 적용례) 제3조의2의

개정규정은 이 조례 시행 후 건축허가, 건축신고, 용도변경(기재사항 변경 포함)을 신청(건축위원회에 심의를 신청하는 경우와 변경허가를 신청하는 경우를 포함한다)하는 경우부터 적용한다.

부칙<제8347호, 2022.3.10.>

(서울특별시 조례 "건설기술용역" 용어 일괄정비 조례)

이 조례는 공포한 날부터 시행한다.

부칙<제8424호, 2022.4.28>

이 조례는 공포한 날부터 시행한다.

부칙<제8510호, 2022.10.17>

이 조례는 공포한 날부터 시행한다.

부칙<제8530호, 2022.12.30>

(어려운 용어 정비 등을 위한 서울특별시 조례 일괄개정조례)

이 조례는 공포한 날부터 시행한다.

부칙<제8719호, 2023.5.22.>

이 조례는 공포한 날부터 시행한다.

부칙 <제8862호, 2023.7.24.>

(서울특별시 조례 위원회 위원 위촉 해제 규정 정비 등에 관한 일괄개정조례)

제1조(시행일) 이 조례는 공포한 날부터 시행한다.

제2조(위원의 위촉 해제에 관한 적용례) 위원의 위촉 해제에 관한 개정규정은 이 조례 시행 당시 각종 위원회 위원으로 위촉되어 있는 위원에 대해서도 각각 적용한다. 이 경우 조례 공포일 이전에 위촉된 위원의 경우 임기 만료 전까지는 공포한 날로부터 1년 단위의 출석률을 적용한다.

부칙<제9024호, 2023.12.29.>

이 조례는 공포한 날부터 시행한다.

[별표 1]<삭제 2005.12.29>

[별표2] <개정 2012.11.1>

건축허가 등의 수수료 범위(제15조 관련)

1. 건축허가, 신고 및 용도변경 수수료 (가설건축물 포함)

연면적 합계		금 액 (괄호 안은 대수선)
200제곱미터 미만	단독주택	4천원 (1천5백원)
	기 타	9천4백원 (3천원)
200제곱미터 이상 1천제곱미터 미만	단독주택	6천원 (2천원)
	기 타	2만원 (6천5백원)
1천제곱미터 이상 5천제곱미터 미만		5만4천원 (1만8천원)
5천제곱미터 이상 1만제곱미터 미만		10만원 (3만3천원)
1만제곱미터 이상 3만제곱미터 미만		20만원 (6만6천원)
3만제곱미터 이상 10만제곱미터 미만		41만원 (13만5천원)
10만제곱미터 이상 30만제곱미터 미만		81만원 (26만7천원)
30만제곱미터 이상		162만원 (53만5천원)

※ 설계변경의 경우에는 변경하는 부분의 면적에 따라 적용하며, 대수선의 경우에는 해당 부분이 포함되는 층의 면적에 따라 적용한다.(단, 영 제3조의2제7호의 경우에는 벽면적의 합계에 따라 적용)

2. 공작물 축조

구 분	단 위	기 준	수수료
기계식 및 철골조립식 주차장	제곱미터	설치면적	제1호에 의한 수수료
지하대피호	제곱미터	설치면적	제1호에 의한 수수료
기타 공작물	건	신청건수	2만원

3. 2개 이상 행위를 동시에 신청하는 경우에는 각각의 수수료를 산정하여 합한 금액을 수수료로 한다.

[별표2의2] 〈신설 2021.3.25., 2021.5.20., 2022.10.17〉

신고에 따라 착공할 수 있는 가설건축물

용도	구조	면적	기타
관리사무실 (주차장, 화원, 체육시설 및 공동주택 단지 내 근로자 근무환경 개선을 위한 휴게·경비등 시설)	조립식	30제곱미터 이하	· 1층으로 한정 · 옥상설치 불가 · 독립적으로 설치한 것으로서 도시미관상 지장이 없는 것 · 공연장 매표소는 문화지구에 해당하고 공연장이 위치한 부지 경계선 내에 설치하는 것 · 생활폐기물 보관함을 설치하고자 하는 집합건물(공동주택 제외)은 '구분소유 300호' 이상, 「집합건물의 소유 및 관리에 관한 법률」에 따른 관리인이 선임된 경우로 한정
제품야적장		500제곱미터 이하	
기계보호시설		300제곱미터 이하	
공연장 매표소		5제곱미터 이하	
생활폐기물 보관함		100제곱미터 이하	
차양시설·비가리개시설	제한 없음	제한 없음	· 시장 또는 구청장이 시장환경을 위하여 지정·공고한 기존 재래시장 및 「농수산물 유통 및 가격안정에 관한 법률」 제2조제2호에 따른 농수산물도매시장의 공지 또는 도로(점용허가를 받은 도로로 한정한다)에 설치하는 것 · 「학교시설사업 촉진법」 제3조에 따른 학교 내에 설치하는 것
가설점포	컨테이너 또는 이와 비슷한 것	제한 없음	· 「도시 및 주거환경정비법」에 따른 정비사업과, 「전통시장 및 상점가 육성을 위한 특별법」에 따른 기존 시장 정비사업의 이주대책을 위하여 설치하는 사업 준공까지의 임시 가설점포

[별표 3] 〈개정 2011.10.27〉

공개공지 등 안내판 설치기준(제22조제2항제6호 관련)

1. 표기 내용

   가. 안내문 : 시민들이 알기 쉽도록 표기 ("이 곳은 시민들이 이용하는 공개공지(쉼터)입니다." 등)

   나. 배치도 : 컬러 평면도에 공개공지 위치 및 영역 표시

   다. 범 례 : 위치, 면적, 휴게시설(녹지, 의자, 파고라, 수경시설 등), 주의사항 등 표시

   라. 기타 공개공지 이용에 필요한 사항

2. 설치 규격 및 재질

   설치 규격 : 0.5㎡ 이상

[별표 4] <개정 2015.1.2., 2016.9.29., 2017.9.21.>

대지안의 공지기준(제30조 관련)

1. 건축선으로부터 건축물까지 띄어야 하는 거리

<table>
<tr><th colspan="2">대상 건축물</th><th rowspan="2">건축물의 각 부분까지 띄어야 할 거리</th></tr>
<tr><th>용 도</th><th>당해 용도로 사용되는 바닥면적의 합계</th></tr>
<tr><td>가. 공장, 창고
다만, 전용공업지역 및 일반공업지역 또는 「산업입지 및 개발에 관한 법률」에 따른 산업단지에서 건축하는 경우 제외</td><td>• 500제곱미터 이상</td><td>• 준공업지역 : 1.5미터 이상
• 준공업지역 외의 지역 : 3미터 이상</td></tr>
<tr><td rowspan="2">나. 판매시설, 숙박시설(일반숙박시설 제외), 의료시설, 운동시설 및 관광휴게시설</td><td>• 1,000제곱미터 이상</td><td>• 3미터 이상</td></tr>
<tr><td colspan="2">※2007.5.29.이후 건축된 건축물의 의료시설로의 용도변경은 지방건축위원회의 심의를 거쳐 적용하지 않을 수 있다.</td></tr>
<tr><td rowspan="2">다. 문화 및 집회시설(전시장 및 동·식물원 제외), 종교시설 및 장례식장</td><td>• 1,000제곱미터 이상</td><td>• 3미터 이상</td></tr>
<tr><td>• 1,000제곱미터 미만</td><td>• 1미터 이상</td></tr>
<tr><td>라. 운수시설, 자동차관련시설(주차장, 운전학원 및 정비학원 제외), 위험물 저장 및 처리시설
다만, 전용공업지역 및 일반공업지역 또는 「산업입지 및 개발에 관한 법률」에 따른 산업단지에서 건축하는 경우 제외</td><td>• 500제곱미터 이상</td><td>• 준공업지역 : 1미터 이상
• 준공업지역 외의 지역 : 1.5미터 이상</td></tr>
<tr><td colspan="2">마. 공동주택</td><td>• 아파트 : 3미터 이상
단, 30세대 미만인 도시형생활주택(원룸형)은 2미터 이상
• 연립주택 : 2미터 이상
• 다세대주택 : 1미터 이상</td></tr>
</table>

2. 인접대지경계선으로부터 건축물까지 띄어야 하는 거리

<table>
<tr><th colspan="2">대상 건축물</th><th rowspan="2">건축물의 각 부분까지 띄어야 할 거리</th></tr>
<tr><th>용 도</th><th>당해 용도로 사용되는 바닥면적의 합계</th></tr>
<tr><td colspan="2">가. 전용주거지역에 건축하는 건축물 (공동주택 제외)</td><td>• 1미터 이상</td></tr>
<tr><td>나. 공장, 자동차관련시설(운전학원 및 정비학원 제외), 위험물 저장 및 처리시설
다만, 전용공업지역 및 일반공업지역 또는 「산업입지 및 개발에 관한 법률」에 따른 산업단지에서 건축하는 경우 제외</td><td>• 500제곱미터 이상</td><td>• 준공업지역 : 1미터 이상
• 준공업지역 외의 지역 : 1.5미터 이상</td></tr>
<tr><td rowspan="2">다. 판매시설,숙박시설(일반숙박시설 제외), 문화 및 집회시설(전시장 및 동· 식물원 제외) 및 종교시설, 장례식장
다만, 상업지역에서 건축하는 경우 제외</td><td>• 1,000제곱미터 이상</td><td>• 1.5미터 이상</td></tr>
<tr><td>• 1,000제곱미터 미만</td><td>• 1미터 이상</td></tr>
<tr><td colspan="2">라. 공동주택
다만, 상업지역에서 건축하는 공동주택으로서 스프링클러나 그 밖에 이와 비슷한 자동식 소화설비를 설치한 공동주택은 제외한다.</td><td>• 아파트 : 3미터 이상
단, 30세대 미만인 도시형생활주택(원룸형)은 2미터 이상
• 연립주택 : 1.5미터 이상
• 다세대주택 : 1미터 이상</td></tr>
</table>

[별표 5] 삭제 <2019.7.19.>

[별표 6] <신설 2019.1.3.>

임의관리대상 건축물 안전점검 등급기준

등급	기 준
우수	기준에 부합하는 안전성 확보
양호	일부 부재 경미한 결함 발생. 기능에는 지장 없으며 일부 보수 필요
보통	광범위한 부재 결함 발생. 안전에는 지장 없으며 간단한 보수·보강 필요
미흡	심각한 결함에 대한 긴급한 보수·보강이 필요하며(정밀안전점검 등 실시) 안전등급 결정 등 관리가 필요
불량	심각한 결함으로 인하여 시설물의 안전에 위험이 있어 사용 제한·금지 여부에 대한 정밀안전진단 필요

제1권 건축법해설 (CD1장 포함)

定價 120,000원(전 3권)

저 자 최한석 · 김수영
발행인 이 종 권

2002年 6月 10日 초판발행
2003年 2月 3日 2차개정발행
2004年 1月 2日 3차개정발행
2005年 1月 14日 4차개정발행
2006年 1月 20日 5차개정발행
2007年 2月 13日 6차개정발행
2008年 3月 24日 7차개정발행
2009年 2月 23日 8차개정발행
2010年 1月 25日 9차개정발행
2011年 3月 21日 10차개정발행
2012年 2月 20日 11차개정발행
2013年 2月 5日 12차개정발행
2014年 2月 26日 13차개정발행
2015年 2月 23日 14차개정발행
2016年 2月 22日 15차개정발행
2017年 3月 6日 16차개정발행
2018年 3月 6日 17차개정발행
2019年 3月 4日 18차개정발행
2020年 3月 5日 19차개정발행
2021年 3月 10日 20차개정발행
2022年 3月 23日 21차개정발행
2023年 3月 21日 22차개정발행
2024年 3月 28日 23차개정발행

發行處 (주) 한솔아카데미

(우)06775 서울시 서초구 마방로10길 25 트윈타워 A동 2002호
TEL : (02)575-6144/5 FAX : (02)529-1130
〈1998. 2. 19 登錄 第16-1608號〉

※ 破本은 交換해 드립니다.

ISBN 979-11-6654-493-4 14540
ISBN 979-11-6654-492-7 (세트)

저자 Profile

최한석 (崔漢碩)

건축사
동국대학교 건축공학과 외래교수
남서울대학교 건축공학과 겸임교수
인천전문대학 건축과 외래교수
한솔아카데미 교재집필위원
(주)동화종합건축사사무소

김수영 (金洙瑩)

건축사 / 공학박사
동국대학교, 연세대학교, 경희대학교, 인천대학교(대학원)
유한대학교, 수원과학대학교 등 출강
국민권익위원회 건축관계법 자문위원
부천시 건축위원회 및 도시계획위원회 위원
감정평가사 자격시험 출제위원
건축사 예비시험 및 자격시험 출제위원
에이드디자인그룹 건축사 사무소(주) 소장
한솔아카데미 전문위원

「종합법령 CD보기 및 활용」

이 책은 1권「건축법」상세해설, 2권 건축관계법 요약해설 및 3권 건축관계법 3단편집으로 구성되어 있습니다.
1권의 건축법 상세해설의 뒷부분에는 건축법과 관계깊은 관련법, 관련규칙 및 기준 등을 수록하였습니다.
책에 수록되지 못한 많은 관계법과 기준 등을 CD에 수록하였으며, 관련법에서 규정하고 있는 서식을 출력하여 사용할 수 있도록 하였습니다.

따라서 관련법의 검색은...

건축법 관련 기준의 활용

- ■ 1권 건축법 상세해설집 뒷부분의 건축법 관련기준의 세부내용의 확인(건축기본법, 건축법 하위규칙, 건축법 관련 각종기준 및 서울특별시 건축조례 등을 수록
- ■ 2권 관계법 해설집 뒷부분에 도시계획 조례를 수록

종합법령 CD편

- ■ CD에는 관련법, 규정, 지침, 고시, 조례 등을 체계적으로 수록·신속검색 가능. 각종별지 서식의 활용가능

■ CD종합목차

제1편 건축법규〔건축법 해설집(1권) 2편, 법령집(3권) 참조〕

1. 건축법
2. 건축법시행령
3. 건축물의 면적, 높이 등 세부 산정기준
4. 특별건축구역 운영 가이드라인
5. 건축법시행규칙
6. 기숙사 건축기준
7. 오피스텔 건축기준
8. 다중생활시설 건축기준
9. 생활숙박시설 건축기준
10. 특수구조 건축물 대상기준
11. 범죄예방 건축기준
12. 실내건축의 구조·시공 방법 등에 관한 기준
13. 한국건축규정
14. 건축공사 감리세부기준
15. 조경기준
16. 건축물 안전영향평가 세부기준
17. 발코니 등의 구조변경절차 및 설치기준
18. 리모델링이 용이한 공동주택기준
19. 건축물의 설계도서 작성기준
20. 건축위원회 심의기준
21. 건축행정시스템 운영규정
22. 표준설계도서 등의 운영에 관한 규칙
23. 건축물대장의 기재 및 관리 등에 관한 규칙
24. 건축물대장 작성 세부기준
25. 건축물대장 정리 및 정비요령
26. 건축물의 구조기준 등에 관한 규칙
27. 건축구조기준
28. 종합병원, 병원, 요양병원 내진설계 기준
29. 학교시설 내진설계 기준
30. 공항시설 내진설계 기준
31. 필로티 건축물 구조설계 체크리스트(설계·감리)
32. 필로티 건축물 구조설계 가이드라인
33. 필로티 건축물 구조도 예시
34. 건축물의 피난·방화구조 등의 기준에 관한 규칙
35. 건축자재등 품질인정 및 관리기준
36. 벽체의 차음구조 인정 및 관리기준
37. 소음방지를 위한 층간 바닥충격음 차단 구조기준
38. 고강도 콘크리트 기둥·보의 내화성능 관리기준
39. 아파트 대피시설 성능 인정 등에 관한 지침
40. 건축물의 설비기준 등에 관한 규칙
41. 방송 공동수신설비의 설치기준에 관한 고시
42. 건축물의 냉방설비에 대한 설치 및 설계기준
43. 지능형건축물의 인증에 관한 규칙
44. 지능형건축물의 인증기준
45. 건축기본법
46. 건축기본법시행령
47. 공공부문 건축디자인 업무기준

제2편 관계법규

국토·도시

1. 국토기본법
2. 국토기본법 시행령
3. 국토의 계획 및 이용에 관한 법률
4. 국토의 계획 및 이용에 관한 법률 시행령
5. 국토의 계획 및 이용에 관한 법률 시행규칙
6. 공동구 설계기준
7. 공동구 설치 및 관리지침
8. 지구단위계획수립지침
9. 광역도시계획수립지침
10. 도시·군기본계획수립지침
11. 도시·군관리계획수립지침
12. 저탄소 녹색도시 조성을 위한 도시·군계획수립 지침
13. 기반시설연동제 운영지침
14. 토지거래업무 처리규정
15. 토지거래 허가를 받은 토지의 사후이용 관리지침
16. 개발행위허가운영지침
17. 도시·군계획시설의 결정·구조 및 설치기준에 관한 규칙
18. 지하공공보도시설의 결정·구조 및 설치기준에 관한 규칙
19. 개발제한구역의 지정 및 관리에 관한 특별조치법
20. 개발제한구역의 지정 및 관리에 관한 특별조치법 시행령
21. 개발제한구역의 지정 및 관리에 관한 특별조치법 시행규칙
22. 개발제한구역내 불법행위의 예방 및 단속에 관한 규정
23. 개발제한구역관리계획 수립 및 입지대상시설의 심사에 관한 규정
24. 도시 및 주거환경 정비법
25. 도시 및 주거환경 정비법 시행령
26. 도시 및 주거환경 정비법 시행규칙
27. 도시·주거환경 정비 기본계획수립 지침
28. 도시·주거환경 정비 계획수립 지침
29. 주택 재건축판정을 위한 안전진단기준
30. 단독주택지 재건축 업무처리기준
31. 소형주택의 활용기준 산정방법
32. 도시개발법
33. 도시개발법 시행령
34. 도시개발법 시행규칙
35. 도시재생 활성화 및 지원에 관한 특별법
36. 도시재생 활성화 및 지원에 관한 특별법 시행령
37. 도시공원 및 녹지 등에 관한 법률
38. 도시공원 및 녹지 등에 관한 법률 시행령
39. 도시공원 및 녹지 등에 관한 법률 시행규칙
40. 수도권정비계획법
41. 수도권정비계획법 시행령

건 축

1. 녹색건축물 조성 지원법
2. 녹색건축물 조성 지원법 시행령
3. 녹색건축물 조성 지원법 시행규칙
4. 건축물의 에너지절약 설계기준
5. 재활용 건축자재의 활용기준
6. 녹색건축 인증에 관한 규칙
7. 녹색건축 인증기준
8. 건축물 에너지효율등급 인증 및 제로에너지건축물 인증에 관한 규칙
9. 건축물 에너지효율등급 인증 및 제로에너지건축물 인증기준
10. 건축사법
11. 건축사법 시행령
12. 건축사법 시행규칙
13. 공공발주사업에 대한 건축사의 업무범위와 대가기준
14. 건축사 실무교육 업무처리기준
15. 주차장법
16. 주차장법 시행령
17. 주차장법 시행규칙
18. 주차장내의 방범설비설치세부지침
19. 기계식주차장의 안전기준 및 검사기준 등에 관한 규정
20. 주차장 추락방지시설의 설계 및 설치 세부지침
21. 한옥 등 건축자산의 진흥에 관한 법률
22. 한옥 등 건축자산의 진흥에 관한 법률 시행령
23. 한옥 등 건축자산의 진흥에 관한 법률 시행규칙
24. 한옥 건축 기준
25. 공사중단 장기방치 건축물의 정비 등에 관한 특별조치법
26. 공사중단 장기방치 건축물의 정비 등에 관한 특별조치법 시행령
27. 공사중단 장기방치 건축물의 정비 등에 관한 특별조치법 시행규칙
28. 건축서비스산업 진흥법
29. 건축서비스산업 진흥법 시행령
30. 건축서비스산업 진흥법 시행규칙
31. 공공건축 설계의도 구현 업무수행지침
32. 조달청 건축 설계공모 운영기준
33. 조달청 건축설계자 산정을 위한 사업수행능력 세부평가기준
34. 건축물관리법
35. 건축물관리법 시행령
36. 건축물관리법 시행규칙
37. 건축물관리점검지침
38. 건축물관리계획 작성기준
39. 건축물의 화재안전성능보강 방법 등에 관한 기준
40. 건축물 해체계획서의 작성 및 감리업무 등에 관한 기준
41. 건축물관리점검 결과에 대한 평가 운영규정

주 택

1. 주택법
2. 주택법 시행령
3. 주택법 시행규칙
4. 최저 주거기준
5. 주택의 설계도서 작성기준
6. 공동주택 디자인 가이드라인
7. 주택건설공사 감리업무 세부기준
8. 주택건설공사 감리자지정기준
9. 주택단지 분할 건설·공급 절차 및 방법에 관한 기준
10. 장수명 주택건설·인증기준
11. 주택건설사업 기반시설 기부채납 운영기준
12. 리모델링 시공자 선정기준
13. 리모델링기본계획 수립지침
14. 수직증축형 리모델링 구조기준
15. 수직증축형 리모델링 전문기관 안전성 검토기준
16. 증축형 리모델링 안전진단기준
17. 주택조합 등에 대한 주택규모별 공급비율에 관한 지침
18. 주택건설기준 등에 관한 규정
19. 주택건설기준 등에 관한 규칙
20. 고령자 및 장애인을 위한 주택 안전기준
21. 장애인·고령자 등의 정보 접근 및 이용 편의 증진을 위한 고시
22. 공동주택의 소음측정기준
23. 공동주택 바닥충격음 차단구조 인정 및 관리기준
24. 지능형 홈네트워크 설비 설치 및 기술기준
25. 건강친화형 주택 건설기준
26. 공동주택 결로 방지를 위한 설계기준
27. 에너지절약형 친환경주택의 건설기준
28. 주택공급에 관한 규칙
29. 공동주택 분양가격의 산정 등에 관한 규칙
30. 공동주택 분양가격의 산정 등에 관한 시행 지침
31. 분양가상한제 적용주택의 기본형건축비 및 가산비용
32. 수도권 분양가상한제 적용주택 등에 적용되는 인근지역 주택매매가격의 결정지침
33. 공동주택 층간소음의 범위와 기준에 관한 규칙
34. 공동주택관리법
35. 공동주택관리법 시행령
36. 공동주택관리법 시행규칙
37. 공동주택 하자의 조사, 보수비용 산정 방법 및 하자판정기준
38. 건축물의 분양에 관한 법률
39. 건축물의 분양에 관한 법률 시행령
40. 건축물의 분양에 관한 법률 시행규칙
41. 재건축 초과이익 환수에 관한 법률
42. 재건축 초과이익 환수에 관한 법률 시행령
43. 재건축 초과이익 환수에 관한 법률 시행규칙
44. 공공주택특별법
45. 공공주택특별법 시행령
46. 공공주택특별법 시행규칙